2ND EDITION

Prostate Cancer Tumor Marker

Jung Se Park · Ja Hyeon Ku · Jae-Seung Paick

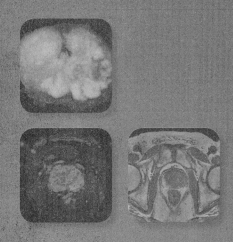

박정세 · 구자현 · 백재승

전립선암 종양 표지자

군자출판사

전립선암 종양 표지자 2nd Edition

첫째판 1쇄 인쇄 | 2013년 4월 30일
첫째판 1쇄 발행 | 2013년 5월 10일
둘째판 1쇄 인쇄 | 2016년 8월 25일
둘째판 1쇄 발행 | 2016년 9월 8일

지 은 이   박정세, 구자현, 백재승
발 행 인   장주연
발 행 처   군자출판사
            등록 제 4-139호(1991. 6. 24)
            본사 (10881) **파주출판단지** 경기도 파주시 회동길 338(서패동 474-1)
            전화 (031) 943-1888   팩스 (031) 955-9545
            홈페이지 | www.koonja.co.kr

ISBN 979-11-5955-088-1

정가 120,000원

저자 약력

백재승

1977년   서울대학교 의과대학 학사
1982년   서울대학교병원 비뇨기과 전공의 수료
1984년   서울대학교 대학원 의학 박사
1987년~현재   서울대학교 의과대학 비뇨기과학 교실 교수
2006년~현재   서울대학교 의과대학/병원 의학연구윤리심의위원회 위원장
1998년~2002년 대한남성과학회 회장
2006년~2008년 대한생식의학회 회장
2008년~2010년 대한비뇨기과학회 회장
1999년~현재   Editorial Board, The Asian Journal of Andrology
2006년~현재   Consulting Editor, International Braz J Urol
2007년~2010년 Editorial Board, The Journal of Sexual Medicine
2009년~2013년 Board of Chairman, SociétéInternationale d'Urologie (SIU)
2012년~현재   Editorial Board, International Journal of Impotence
국외 논문 154편 및 다수 국내 논문과 저서

박정세

1980년   경북대학교 의과대학 학사
1982년   경북대학교 대학원 의학 석사
1984년   계명의대 동산의료원 비뇨기과 전공의 수료
2005년   '남성의 성기능장애' 초판 출간
2008년   '남성의 성기능장애' 개정판 출간 (백재승 교수 공저)
2012년   '5알파환원효소' 논문 대한남성과학회지 게재 (조민철, 백재승 교수 공저)
2013년   '전립선암 종양 표지자' 초판 출간 (이경섭 교수 공저)
2016년   '전립선암 종양 표지자' 개정판 출간 (구자현, 백재승 교수 공저)
1987.08~2015.11   경남 창원시 박비뇨기과의원 개원

구자현

1995년   순천향대학교 의과대학 학사
2000년   순천향대학교병원 비뇨기과 전공의 수료
2005년   서울대학교 대학원 의학 박사
2011년~현재   서울대학교 의과대학 부교수
2014년~현재   대한비뇨기종양학회 학술위원회 간사 및 이사
2015년~현재   대한비뇨기과학회 학술위원회 간사
2015년~현재   식품의약품안전처 의약품 부작용 전문위원
2016년~현재   대한의사협회 연수교육 평점관리분과위원회 심사위원
251편의 국외 논문 및 다수의 국내 논문과 저서

머리말

종양 표지자란 일반적으로 암 환자의 혈액, 소변, 흉수, 복수 등과 같은 체액 혹은 신체 조직에서 증가되거나 감소되는 단백질, 효소, 호르몬, 항원, 탄수화물, 대사물질 등과 같은 물질로서 어떤 종양 간혹은 양성 질환이 존재함으로 인해 종양 자체나 비종양 세포에 의해 생성되는데, 암의 존재 혹은 진행, 혹은 치료에 대한 반응, 혹은 암 환자의 예후 등을 예측하는 데 도움을 주는 생물 지표를 지칭하며, 넓게는 종양에 특이한 영상 지표 혹은 유전자도 포함될 수 있습니다. 이상적인 종양 표지자는 하나의 질병에 특이적이면서 민감도가 높고, 절단치가 낮으며, 종양의 크기와 상관관계를 나타내고, 수명이 짧으면서 치료하는 동안 감소 혹은 증가하며, 재발되기 전에 증가 혹은 감소함으로써 추적 관찰하기에 용이한 표지자라고 할 수 있습니다. 이러한 종양 표지자는 종양의 발견, 종양 환자의 예후 예측, 종양 환자의 추적 관찰, 종양에 대한 치료 효과의 평가 등에 이용됩니다. 따라서 새로운 표지자를 발견하고 민감도가 높은 도구를 개발한다면 암 환자의 관리 및 치유율은 더욱 향상될 수 있을 것입니다.

비뇨기계의 악성 암 중 종양 표지자를 발견하고 이를 적용함으로 인해 가장 크게 이득을 보는 암은 전립선암이라고 생각됩니다. 1971년에 발견되었고 1980대 후반부터 지금까지 임상에 활용되어 온 전립선 특이 항원 (prostate specific antigen, PSA)은 전립선암의 진단, 병기 결정, 추적 관찰 등에서 매우 귀중한 도구로 발전되어 왔습니다. PSA를 이용한 선별검사가 널리 이용됨으로써 전립선암에 대한 인식도 크게 달라졌습니다. PSA 시대에서는 전립선에 국한된 암이 조기에 발견됨으로써 근치전립선절제술 혹은 방사선 요법을 이용한 치유율이 크게 향상되었습니다. PSA는 전립선암의 종양 표지자로 널리 인식되어 통상적으로 활용되고는 있지만, 이 표지자는 전립선 외의 조직과 체액에서도 발현되며, 더군다나 PSA는 전립선에 특이적이지만 질환에 특이적이지 않기 때문에 특이도에는 한계가 있습니다. 즉, 혈청 PSA 농도의 증가는 전립선암 외에 양성 질환에서도 증가됩니다. 이로 인해 전립선암에 대한 특이도를 높이고자 많은 연구가 있었으며, 이로써 다수의 종양 표지자가 발견 내지 개발되었습니다. 이 책에는 현재 활용 중이거나 연구 중에 있는 전립선암과 관련이 있는 종양 표지자가 광범위하게 수록되어 있으며, 이들을 임상에 직접 활용하거나 연구의 자료로 이용한다면 전립선암 환자의 관리에서 진일보된 결과를 얻을 수 있다고 확신합니다.

한편, 본문에 수록된 의학 용어는 가급적 대한의사협회에서 발간한 의학용어집을 참고하였으나, 순우리말보다는 한자어를 선호하였습니다. 문장의 단어 배열은 명사와 명사의 경우 띄워 쓰기를 원칙으로 하였으나, 질병, 기관, 검사, 세포, 효소, 수술 등의 명칭은 붙여 쓰기를 하였습니다. 단백질명은 정자로, 유전자명은 필기체를 이용하였는데, 예를 들면 clusterin (CLU) 단백질의 유전자는 *CLU*로 표기하였습니다. 그림과 표는 보기 쉽게 도표로 단일화 하여 순서를 매김 하였습니다.

이 책이 출간되기까지 많은 어려움이 있었지만 여러 지인들의 물심양면의 도움으로 이를 극복하게 되었습니다. 격려를 아끼지 않으신 여러분에게 심심한 감사의 말씀을 올립니다. 또한, 출판 관련 시장이 힘든 와중에서도 출간을 위해 배려를 아끼지 않으신 출판사 사장님과 직원들에게도 큰 감사의 인사를 드립니다. 편집상의 오류를 범하지 않기 위해 각고의 노력을 경주하였지만, 광범위한 자료를 수록하고 편집하였기에 완벽할 수는 없다고 생각되며, 이점 양해해 주시길 간곡히 부탁드리는 바입니다.

이 책이 기초가 되어 우리나라 비뇨기과학, 특히 전립선암 분야의 힘찬 발전에 작으나마 이바지할 수 있기를 간절하게 소망하여 봅니다.

2016년 9월 저자 일동 올림

목 차

SECTION 01 서문 3

SECTION 02 사정액의 비펩티드 성분 15

1. Citric Acid 15
2. Fructose 16
3. Polyamines 18
4. Phosphorylcholine (PCho) 23
5. Prostaglandins (PGs) 27
6. Cholesterol And Lipid 33
7. Zinc 40

SECTION 03 전립선 분비 단백질 49

1. Prostate-Specific Antigen (PSA) 49
2. Human Kallikrein-Related Peptidase (hK, KLK) 177
3. Prostate-Specific transglutaminase (PST) 177
4. Semenogelin Ⅰ And Ⅱ (SEMG1, SEMG2) 179
5. Prostate-Specific Membrane Antigen (PSMA) 185
6. Prostate Stem Cell Antigen (PSCA) 189
7. Prostatic Acid Phosphatase (PAP or PACP) 192
8. Prostate Secretory Protein 94 (PSP94) 200
9. Leucine Aminopeptidase (LAP) 206
10. Lactate Dehydrogenase (LDH) 207
11. Transferrin 209
12. Relaxin (RLN) 213
13. Immunoglobulin (IG) And Complement 216
14. Prostatic Secretions And Drug Transport 217

SECTION 04 정낭 분비 단백질 223

1. Physical Property Of Ejaculate 223
2. Evolutional Aspect For Semen Coagulum 226
3. Coagulation Of Semen 227
4. Seminal Vesicle Secretory Protein (SVS) 228

SECTION 05	부고환과 분비액	235
	1. Evolutional Consideration Of Epididymis	235
	2. Function Of The Epididymis	237
	3. Cytoplasmic Droplet	245
	4. Excess Residual Cytoplasm (ERC)	249
	5. Control Of Epididymal Function	252

SECTION 06	요도선/Littre 선과 구요도선/쿠퍼선	257
	1. Urethral Gland Or Littre's Gland	257
	2. Cowper's Gland Or Bulbourethral Gland	260

SECTION 07	사정액의 응고와 액화	267

SECTION 08	전립선암 종양 표지자	273
	1. Aldo-Keto Reductase Family 1, Member C1 (AKR1C1)	277
	2. Alpha-Methylacyl Coenzyme A Racemase (AMACR)	283
	3. 5 Alpha-Reductase (5αR)	292
	4. Annexin A3 (ANXA3)	297
	5. Anterior Gradient Protein 2 (AGR2)	299
	6. Autoantibody	301
	7. Basic Human Urinary Arginine Amidase (or Esterase) (BHUAE)	303
	8. B-Cell Lymphoma 2 (BCL2)	304
	9. Carcinoembryonic Antigen-Related Cell Adhesion Molecule 1 (CEACAM1 or C-CAM1)	310
	10. Caspase (CASP)	314
	11. Cathepsin (CTS)	327
	12. Caveolin 1 (CAV1)	333
	13. Cell Cycle Progression (CCP) Score (CCP-S)	342
	14. Chemokine (C-C Motif) Ligand 2 (CCL2)	348
	15. Chemokine (C-X-C Motif) Receptor Type 4 (CXCR4)	351
	16. Clusterin (CLU)	357
	17. Cysteine-Rich Secretory Protein 3 (CRISP3)	371
	18. Early Prostate Cancer Antigen (EPCA)	375
	19. ElaC Ribonuclease Z 2 (ELAC2)	376
	20. Endoglin (ENG)	378
	21. Engrailed Homolog 2 (EN2)	382

22. Enhancer Of Zeste Homolog 2 (EZH2) 384

23. Epithelial Cadherin (E-cadherin) 393

24. Galectin (GAL) 403

25. Genomic Prostate Score (GPS) 415

26. Glutathione-S-Transferase Pi 1 (GSTP1) 417

27. Golgi Membrane Protein 1 (GOLM1) 420

28. Hepsin (HPN) 423

29. Human Papilloma Virus (HPV) DNA 431

30. Inhibitor Of DNA-Binding Protein (ID) 433

31. Interleukin 6 (IL-6) And Interleukin 17 (IL-17) 437

32. Kallikrein-Related Peptidase (KLK) 440

33. Ki-67 (Antigen Ki-67) 480

34. Livin 484

36. Macrophage Scavenger Receptor 1 (MSR1) 489

37. Matrix Metalloproteinase (MMP) 491

38. Metastasis-Associated Gene 1 (MTA1) 493

39. MicroRNA (miRNA, miR) 496

40. Mini-Chromosome Maintenance Protein (MCM) 524

41. Neuroendocrine Differentiation 530

42. NK3 Homeobox Protein 1 (NKX3.1) 550

43. Nuclear Matrix Protein (NMP) 556

44. Nucleolin (NCL) 559

45. p53-Upregulated Modulator Of Apoptosis (PUMA) 564

46. Phosphatase And Tensin Homolog (PTEN) 565

47. pHyde 569

48. Poly (ADP-Ribose) Polymerase (PARP) 571

49. Prostate And Breast Overexpressed Gene 1 (PBOV1) 577

50. Prostate Androgen Regulated Transcript 1 (PART1) 581

51. Prostate Apoptosis Response Protein 4 (PAR4) 582

52. Prostate Cancer Antigen 3 (PCA3) 587

53. Prostate Cancer Gene Expression Marker 1 (PCGEM1) 597

54. Prostate Cancer Risk Calculator (PCRC) 599

55. Prostate Health Index (PHI) 601

56. Prostate Malignancy Index (PMI) 605

57. Prostate Secretory Protein 94 (PSP94) 605

58. Prostate-Specific G-Protein Coupled Receptor (PSGR) 606

59. Prostate-Specific Membrane Antigen (PSMA) 608

60. Prostate Stem Cell Antigen (PSCA) 608

61. Prostate Tumor Overexpressed Gene 1 Protein (PTOV1) 608

62. Prostatic Acid Phosphatase (PAP or PACP) 612

63. Protease-Activated Receptor (PAR) 612

64. Protein Inhibitor Of Activated STAT 1 (PIAS1) 614

65. Proviral Integration Site For Moloney Murine Leukemia Virus Kinase 1 (PIM1) 617

66. S100 Calcium Binding Protein A9 (S100A9) 626

67. Septin 4 (SEPT4) 630

68. Serine Protease Inhibitor Kazal Type 1 (SPINK1) 633

69. Sex-Determining Region Y (SRY)- Related High-Mobility Group (HMG) Box (SOX) 636

70. Six-Transmembrane Protein Of Prostate 1 (STAMP1) 639

71. Solute Carrier Family 45 Member 3 (SLC45A3) 641

72. Stabilin-2 (STAB2) 644

73. Survivin 646

74. Talin1 (TLN1) 656

75. Telomerase Reverse Transcriptase (TERT) 660

76. Thymosin Beta (TMSB) 666

77. Toll-Like Receptor (TLR) 673

78. Transient Receptor Potential Melastatin Subfamily Member 8 (TRPM8) 675

79. Transmembrane Protease Serine 2:ETS-Related Gene (TMPRSS2:ERG) 681

80. Trefoil Factor 3 (TFF3) 687

81. Tumor Necrosis Factor (TNF) 691

82. Wingless-Type Mouse Mammary Tumor Virus (MMTV) Integration Site (WNT) 696

83. Zinc Alpha 2-Glycoprotein (ZAG) 701

84. Others 703

85. Multiplexed Assay For Several Markers 712

86. Markers Of Bone Metabolism 715

87. Genetic Basis For Cancer Progression And Metastasis And Gene Oncotherapy 718

88. Biomarkers In Urine 726

89. Marker For Active Surveillance (AS) 732

90. Immunohistochemistry In Prostate Cancer 738

SECTION 09 종양 관련 성장 인자와 수용체 747

1. Epidermal Growth Factor (EGF) Family Of Peptides And Receptor 748

2. Transforming Growth Factor (TGF) Family Of Peptide And Receptor 750

3. Fibroblast Growth Factor (FGF) Family Of Peptide And Receptor 753

4. Insulin-Like Growth Factor (IGF) Family Of Peptide And Receptor 758

5. Nerve Growth Factor (NGF) Family Of Peptide And Receptor 762

6. Vascular Endothelial Growth Factor (VEGF) And Receptor 765

7. Platelet-Derived Growth Factor (PDGF) And Receptor 768

8. Other Growth Factors 771

SECTION 10 응혈 및 섬유소 용해 시스템 779

1. Coagulation System Activation In Prostate Cancer 779

2. Coagulation Factors And Progression Of Prostate Cancer 781

3. Plasma Tissue Factor (TF) Antigen 782

4. Role Of The Fibrinolysis System In Prostate Cancer 784

5. Other Hematological Parameters In Prostate Cancer 786

6. Role Of The Coagulation And Fibrinolytic System In Prostate Cancer Angiogenesis 786

7. Conclusion 788

SECTION 11 테스토스테론 결핍증 791

1. Physiology Of Androgens And The Prostate 791

2. Historical Basis For Concerns Regarding Testosterone And Prostate Cancer And Saturation Model ... 795

3. Serum Testosterone And Prostate Cancer 796

4. Relation Of Testosterone Deficiency With Prostate Cancer Risk 798

5. Testosterone Therapy In Men With Prostate Cancer 803

6. New Clinical Concepts About Testosterone 805

SECTION 12 대사체학 809

1. Metabolomics As A Biomarker In Oncology 811

2. Prostate Physiology In Health And Disease 814

3. Metabolic Characteristics Of Prostate Cancer 816

4. In Vitro Metabolomics For Prostate Cancer 821

5. Single Metabolites As Biomarker Candidates In Prostate Cancer 821

6. In Vitro Metabolomic Analysis Of Biofluids 824

7. In Vivo Metabolomic Analysis Of Prostate Cancer 826

8. Current Clinical Indications Of MRI & MRSI 828

9. Validation Of Putative Biomarkers 829

SECTION 13 GLEASON 등급 833

　1. Gleason Grading System 833

　2. Modification Of Gleason System 836

　3. Comparison Of Gleason Score In Needle Biopsy And Radical Prostatectomy Sample 838

　4. Significance Of Gleason Grade 841

SECTION 14 전립선 생검 847

　1. Positive Predictive Value (PPV) In Consecutive PSA Screening Rounds 847

　2. Indication And Contraindication Of Prostate Biopsy 851

　3. Classification Of Prostate Biopsy 852

　4. Optimal Number And Location Of Biopsy Cores 864

　5. Repeat Prostate Biopsy 867

　6. Complication Of Prostate Biopsy 884

　7. Canadian Urological Association (CUA) Guidelines 885

　8. Variable Guidelines For Prostate Biopsy 889

SECTION 15 전립선암 위험 인자 893

　1. Endogenous Factor 893

　2. Exogenous Factor 906

관련 약어 947

참고 문헌 971

찾아보기 1027

서문
INTRODUCTION

SECTION 01

서문
INTRODUCTION

CHAPTER 01

인체에는 성선인 고환 외에도 부고환, 정관 팽대부, 정낭, 전립선, Littre 선 (요도선), 구부요도선 혹은 쿠퍼선 (bulbourethral gland 혹은 Cowper's gland) 등 정액장액을 형성하는 다양한 부성선 조직이 있다.

부고환관 (ductus epididymis)의 길이는 3~4 m에 달한다 (Turner 등, 1978). 전체가 코일 모양을 하고 있는 부고환관은 초막의 결합조직에 의해 형성된 피막으로 감싸져 있으며 (Lanz와 Neuhauser, 1964), 피막은 부고환관의 내부로 확장되어 들어가 격막을 형성하고 부고환관을 조직학적으로 유사한 구역들로 구분한다 (Kormano와 Reijonen, 1976). 느슨한 조직망이 격막으로부터 생겨나 부고환관 외에도 관련 혈관과 신경을 지지한다. 해부학적으로 부고환은 두부 (caput), 체부 (corpus), 미부 (cauda) 등의 3부분으로 구분된다 (Baumgarten 등, 1971). 개개 부분은 이행 부위 (transition segment)에 의해 조직학적으로 세분된다. 부고환의 두부는 8~12개의 수출세관 (ductuli efferentes)과 부고환관의 근위부로 구성된다. 수출세관의 내강은 고환과 가까운 곳에서는 크고 다소 불규칙적인 모양을 하고, 부고환관과 결합한 부위와 가까운 곳에서는 좁아지면서 타원 모양을 한다. 이 결합 부위의 원위부에서는 관의 직경이 약간 증가하다가 부고환의 체부에서는 거의 일정한 내경을 가진다. 부피가 큰 부고환 미부에서는 관의 직경이 상당히 크고, 내강의 모양은 불규칙하다. 원위부로 갈수록 관은 점점 정관의 특징적 모양을 닮아간다.

부고환세관 및 수출세관의 기저층 바깥에는 수적, 구조적으로 다양한 수축세포 (contractile cell)가 있다 (Baumgarten 등, 1971). 수출세관, 부고환 두부의 원위부, 부고환 체부의 근위부 등에서는 수축세포가 세관 주위로 2~4개 세포 깊이의 느슨한 층을 만든다. 이들 세포는 근미세섬유 (myofilament)를 함유하며, 세극결합 (gap junction)과 같은 nexus-like junction을 많이 가지고 있다. 부고환 체부의 원위부에는 다른 수축세포가 보이는데, 여윈 평활근세포를 닮은 이들 세포는 근위부에 있는 수축세포보다 훨씬 더 크며, 세포 사이 nexus-like junction의 수가 적다. 부고환의 미부에는 여윈 수축세포가 수적으로 감소되어 있고, 두꺼운 평활근세포로 대체되어 세 층을 형성하는데, 바깥 두 층은 세로로, 중간층은 환상으로 배열되어 있다. 이 수축세포의 층은 원위부에서 두꺼워져 결국에는 정관과 연결된다.

부고환의 상피는 관의 전장에 걸쳐 구역별로 차이를 나타낸다. 고환망 (rete testis)과 수출세관이 결합하는 부위는 특징적으로 낮은 입방 (cuboidal) 상피로부터 높은 입방상피로 전환하는 양상을 나타낸다. 수출세관의 상피는 섬모상피세포 (ciliated cell)와 두 유형의 무섬모상피세포 (nonciliated cell)로 구성되어 있다 (Holstein, 1969). 섬모세포는 상피조직 전체에 분산되어 있다. 돌출된 정점을 가진 무섬모세포는 분비기능을 가지고 있다고 추측되며, 수출세관의 근위부에 풍부하게 분포해 있다. 이들 세포들은 흔히 상피의 얕은 구역에 분포하며, 상피조직 내에서 샘을 형성한다 (Vendrely, 1981). 미세 융모 (microvilli)를 가진 다른 무섬모세포는 수출세관의 원위부에 풍부하며, 재흡수 작용을 한다고 추측된다. 무섬모세포와 섬모세포 둘 다는 정점에서 결합하여 복합체를 형성한다. 부고환 두부의 상피세포 사이에 있는 접합부는 혈액-고환 장벽과 비슷한 혈액-부고환 장벽의 역할을 한다고 추측된다

(Hoffer와 Hinton, 1984). 혈액-부고환 장벽은 부고환의 두부로부터 미부까지 이어져 있다. 햄스터의 부고환 미부는 물, 요소 (urea)와 같은 저분자량의 물질에 대하여 투과성을 나타내지만, 고분자량인 5,000 dalton (Da)의 inulin에 대해서는 비투과성을 나타낸다 (Howard 등, 1976). 부고환은 구역별로 분비액의 성분이 다른데, 이는 혈액-부고환 장벽의 역할 때문이라고 생각된다 (Turner, 1979).

부고환관의 상피는 주세포 (principal cell)와 기저세포 (basal cell)로 구성되어 있으며, 관의 길이에 따라 다양하게 분포되어 있다 (Yeung 등, 1991). 주세포의 부동섬모 (stereo-cilia)의 길이는 부위에 따라 다른데, 부고환의 근위부에서는 120 μm로 길고, 원위부에서는 50 μm로 짧다. 이들 세포에 있는 핵은 길고 큰 틈새가 있으며, 1~2개의 핵소체 (nucleolus)를 가지고 있다. 주세포에는 확장된 골지체 (Golgi body) 외에도 세포의 정점 가까이에 피막소와 (coated pit), 미세 포음작용을 하는 소포 (micro-pinocytosis vesicle), 불규칙한 모양의 막을 가진 소포, 다소포체 (multivesicular body) 등이 다수 있는 것으로 보아 주세포는 흡수 및 분비 작용을 한다고 추측된다. 사람에서는 부고환의 부위에 따라 피막소와, 소포, 다소포체, 골지체 등의 수가 다른데, 이는 부고환관의 구역에 따라 흡수 및 분비 능력이 다름을 시사한다 (Vendrely와 Dadoune, 1988).

기저세포는 수적으로 더 많은 주세포 사이에 산재해 있다. 이들 눈물 모양의 세포는 기저층에 놓여 있고, 내강 쪽으로 약 25 μm 뻗어 있으며, 그들의 정점은 인접한 주세포 사이에서 실 모양을 하고 있다. 기저세포는 부고환관 전체를 통해 비교적 일정한 모양을 갖추고 있다. 초미세 구조적, 면역조직화학적 연구는 부고환 체부의 기저세포가 조직에 고정된 대식세포 (tissue-fixed macrophage)의 특징을 나타내기 때문에, 부고환의 기저세포는 국소적 면역 방어 기전에 관여하고 대식세포가 기저세포의 전구체 역할을 함으로써 기저세포의 느린 세포 주기를 보완한다고 하였다 (Yeung 등, 1994).

정상적으로 고환에 있는 정자는 운동성이 없고 난자를 수정시킬 수 없으며, 정자는 부고환을 통과하면서 운동성과 수정 능력을 가지게 된다고 보고된 바 있다. 그러나 다른 연구에 의하면, 유출관에 폐색이 있는 경우에는 고환의 정자가 운동성을 가질 수 있다 (Jow 등, 1993). 폐색이 없는 경우조차도 고환의 정자는 경미한 운동성을 나타낼 수 있으며, 세포질 내 정자 주입술 (intracytoplasmic sperm injection, ICSI)을 실시

할 경우 난자를 수정시킬 수 있다. 정자의 기능적인 능력이 부고환을 통과해야만 얻어지는지 혹은 관 폐색이 부고환의 생리에 어떠한 영향을 미치는지는 아직 분명하지 않다. 부고환의 기능에 관해서는 '5장 부고환과 분비액'에 기술되어 있다.

Wolff 관에서 기원하는 정관 (vas deferens)은 부고환의 미부에서 나와 정삭 (spermatic cord) 혈관의 후방을 주행하여 서혜관을 통과한 후 하복벽혈관 (inferior epigastric vessels) 외측의 골반 내에 나타나며, 총 길이가 30~35 cm에 달하고 시작 부위의 2~3 cm는 약간 꼬불꼬불하다. 정관은 내서혜관에서 고환혈관을 지나고, 골반 측벽에 있는 모든 구조물의 내측을 통과하여 전립선 기저부의 후방에 도달한다. 정관의 끝은 꼬불꼬불하면서 확장되어 있는데 이를 팽대부라 하며, 정자를 저장한다. 정관은 평활근으로 형성된 외종층과 내환상층의 두꺼운 벽을 가지고 있고 부동섬모를 가진 가성중층원주상피 (pseudostratified columnar epithelium)로 배열되어 있다. Neaves (1975)는 정관을 횡절단하면 결합조직으로 구성된 외막에서 혈관, 작은 신경, 근육 외피 등을 볼 수 있으며, 평활근의 내종층, 외종층, 중환상층으로 형성된 벽과 상피세포가 나열된 점막이 관찰된다고 보고하였다. Lich 등 (1978)은 정관을 다섯 부분, 즉 외피 (sheath) 없이 고환집막 (tunica vaginalis) 안에 있는 부고환 부위, 음낭 부위, 서혜 부위, 후복막 혹은 골반 부위, 팽대부 등으로 나누었다. 정관의 외경은 1.5~2.7 mm이며, 폐색이 없는 세관 (tubule) 내강의 직경은 0.2~0.7 mm로 다양하다.

사람의 정관은 불수의적으로 운동하며, 신장될 경우 반응을 보인다 (Bruschini 등, 1977). 정관의 내용물은 하복신경 (hypogastric nerve)에 대한 전기 자극에 의해 혹은 아드레날린성 신경전달물질에 의해 유도되는 강한 수축성 연동 운동을 통해 요도 내로 내보내진다 (Bruschini 등, 1977). 정액이 방출되기 직전 정자는 부고환의 원위부로부터 정관의 근위부로 신속하고도 효과적으로 운반되며, 이는 교감신경의 자극과 관련이 있다. 이러한 정자의 효율적인 운반은 정관이 신체에서 근육과 내강의 비율 (~10:1)이 가장 큰 유강 장기인 사실과 관련이 있다. 생쥐를 대상으로 평가한 연구는 정관의 콜린성 수축이 nicotine에 의해 증대되고, acetylcholinesterase의 작용에 의해서는 억제되며, muscarinic acetylcholine 수용체 대항제에 의해서는 차단된다고 보고하였다 (Cuprian 등, 2005). 쥐의 정관을 대상으로 분석한 연구는 ATP가 puriner-gic G protein-coupled receptor 가족에 속하는 P2Y 수용체

와 Ca^{2+}의 결합을 활성화하며, 이는 상피세포로부터 prostaglandin E2 (PGE2)를 유리시키며, 이는 다시 평활근세포에 있는 cAMP 의존성 K$^+$ 통로를 활성화하고 막 전압의 과분극을 일으켜 정관의 수축을 억제한다고 보고하였는데, 이러한 결과는 정관의 평활근 수축은 상피세포에 의해서도 조절됨을 보여 준다 (Ruan 등, 2008). 참고로 purine 수용체는 P1 (adenosine)과 P2 (ADP와 ATP) 수용체로 구분되며 (Burnstock 와 Kennedy, 1985), P2 수용체는 약리학적 작용에 따라 7종의 P2X와 8종의 P2Y 수용체로 분류된다 (Burnstock, 2004).

사람의 부고환에 체류 중인 정자는 약 1억 8천만 마리인데, 분포율은 두부에 26%, 체부에 23%, 미부에 52% 정도이다. 정자가 부고환의 두부, 체부, 미부를 통과하는 시간은 각각 0.7, 0.7, 1.8일로 추정된다. 정관 내에 있는 정자는 약 1억 3천만 마리이다. 따라서 사정액 내의 정자의 상당수는 정관 내에 저장되어 있던 정자라고 추측되며, 각 사정액 내의 정자 중 1/2보다 약간 적은 수치이다 (Amann과 Howards, 1980). 사정의 빈도가 이런 추정치에 대해 어떤 효과를 나타내는지는 잘 알려져 있지 않다. 토끼를 이용한 연구는 성행위를 하지 않는 동안에는 불규칙한 간격으로 적은 양의 부고환 내용물이 정관을 통해 요도로 운반된다고 보고하였는데, 이는 과다한 정자를 부고환이 제거하는 하나의 기전이 요도를 통한 처리라는 가설을 뒷받침한다. 이 연구는 또한 토끼가 성적으로 자극을 받으면 정자가 부고환의 미부와 정관의 근위부로부터 정관의 원위부로 운반되며, 사정이 일어나면 정자가 요도 내로 배출된다고 보고하였다 (Prins와 Zaneveld, 1980).

성적 자극을 받거나 사정 후에는 흥미로운 현상이 일어난다. 정관의 근위부보다 원위부에서 진폭, 빈도, 지속 시간 등이 더 큰 수축이 일어나기 때문에 정관의 내용물이 근위부의 부고환, 심지어 부고환의 두부로 역류된다. 그러나 이러한 과정은 장시간 성적으로 휴식하면 반전되며, 정자가 매일 생성되어 부고환의 미부에 과도한 정자가 저장되면 또다시 정관의 원위부로 운반된다. 이와 같은 결과로 볼 때, 토끼의 정관은 성 활동 동안 정자를 운반할 뿐 아니라 부고환에 체류하는 정자의 수를 유지하는 기능을 가지고 있다고 추측되지만, 이러한 기전이 사람의 정관에서도 해당되는지는 분명하지 않다 (Prins와 Zaneveld, 1980).

정관은 형태학적으로 볼 때 흡수 및 분비 기능을 가지고 있다고 추측되지만 사람에서의 자료는 충분하지 않다. 사람에서 정관의 주세포는 전형적으로 당단백질을 합성하고 분비한

다는 보고가 있고 (Hoffer, 1976), 쥐의 정관은 당단백질을 합성하여 세관의 내강으로 분비한다는 보고도 있다 (Bennett 등, 1974). 사람의 정관에서 흡수 기능에 관여하는 주세포는 특징적으로 부동섬모, 정점의 돌출, 일차 및 이차 lysosome 등을 가지고 있다 (Paniagua 등, 1981). 쥐에 관한 연구는 단백질의 흡수가 정관의 세관 내에서 이루어진다고 하였다 (Friend와 Farquhar, 1967). 쥐를 대상으로 평가한 다른 연구는 정관의 말단과 샘이 포음 작용을 나타내어 정자를 흡수한다고 하였다 (Cooper와 Orgebin-Crist, 1977). 전자현미경을 이용한 연구는 사람과 원숭이에서 정관의 팽대부에 있는 상피세포가 정자를 포식하는 작용 (spermiophagy)을 가지고 있다고 하였다 (Murakami 등, 1988). 사람의 팽대부와 유출관의 기타 부위에서 일어나는 정자 포식 작용이 과잉의 정자를 제거하는 데 충분한지는 분명하지 않다.

정관의 구조와 기능은 안드로겐에 의존적이며, 이에 대한 증거는 다음과 같다. 첫째, 사람의 정관은 테스토스테론을 dihydrotestosterone (DHT)으로 전환시킨다 (Dupuy 등, 1979). 둘째, 원숭이에서 거세는 정관을 위축시켰으며, 테스토스테론은 이를 회복시켰다 (Dinakar 등, 1977). 셋째, 쥐 실험의 경우 거세 혹은 테스토스테론이 자연적 수축이나 아드레날린성 수축에 대해 음으로 혹은 양으로 영향을 주었다 (Borda 등, 1981).

정관이 외측으로 낭상 돌출되어 형성된 정낭 (seminal vesicle)은 길이가 약 5 cm이고, 한쪽 정낭은 3~4 mL의 용량을 가진다. 정낭은 연령이 증가함에 따라 작아지며, 남성의 약 1/3에서는 우측 정낭이 좌측보다 더 크다. 정낭은 이름과는 다르게 정자를 저장하지 않으며, 정낭 분비액의 상당 부분이 사정액에 포함된다. 정낭은 배상세포 (goblet cell)와 함께 원주상 피로 배열된 여러 개의 낭상 돌출을 가진 하나의 코일 모양의 튜브로 되어 있다. 튜브는 평활근으로 된 얇은 층에 의해 감싸여 있으며, 느슨한 외막으로 인해 코일 모양이 만들어진다.

정낭과 정관의 팽대부 (ampulla)는 방광의 후방에 위치해 있다. 요관은 정낭 끝의 내측을 주행하여 방광으로 들어간다. 정낭과 정관 팽대부가 합쳐져 사정관을 형성하며, 그들의 평활근으로 형성된 피막은 전립선 기저부에서 전립선 피막과 결합한다. Denonvillier 근막, 간혹은 복막의 rectovesical pouch가 정낭과 직장을 구분하지만, 병적 상태가 아니면 이들 구조물은 직장검사에서 만져지지 않는다.

정액장액의 일부를 분비하는 전립선 (prostate)은 약 70%

의 샘 성분과 약 30%의 섬유근 기질로 구성되어 있으며, 정상인에서는 무게 18~20 g, 길이 3 cm, 폭 4 cm, 깊이 2 cm의 호두 모양을 갖추고 있다. 기질은 피막과 연결되며, 콜라겐과 풍부한 평활근을 포함하고 있다. 기질은 전립선의 샘을 감싸며, 사정 동안 수축하여 전립선 분비액을 요도로 배출시킨다. 요도는 전립선 안을 종주하며, 보통 전립선의 전면 가까이에 위치해 있다. 요도에는 이행상피세포가 배열되어 있고, 이는 전립선의 관 (duct) 안으로 이어진다. 요로 상피는 내종층과 외환상층의 평활근으로 감싸져 있다. 요도의 후방 중간에서 안쪽으로 돌출된 요도능선 (urethral crest)은 전립선부 요도를 세로로 달리다가 횡문 조임근 부위에서 사라진다. 요도능선 양쪽 옆으로는 고랑, 즉 전립선동 (prostatic sinus)이 형성되어 있고, 샘의 모든 성분은 이곳으로 배출된다 (McNeal, 1972). 그것의 중간점에서 요도는 약 35도, 개인에 따라 0~90도의 다양한 각도로 전방으로 휜다. 이 요도각 (urethral angle)은 전립선부 요도를 근위부 (전전립선; preprostatic)와 원위부 (전립선)로 구분하는데, 두 부분은 기능적, 해부학적으로 구별된다 (McNeal, 1972). 근위부에서 환상의 평활근이 두꺼워져 불수의적 내요도조임근 혹은 전전립선조임근을 형성한다. 크기가 작은 요도주위선 (periurethral gland)은 세로로 뻗은 평활근 섬유 사이로 확장되며 전전립선조임근에 의해 감싸져 있다.

요도각을 지나서는 전립선의 모든 주요 샘은 전립선부 요도 안으로 열려 있다. 요도능선은 넓어지고 후벽으로부터 돌출됨으로써 정구 (verumontanum 혹은 seminal colliculus)를 만든다. 전립선 소실 (prostatic utricle)의 작은 틈 모양의 구멍이 정구의 정점에서 발견되며, 이는 방광경을 통해 관찰할 수 있다. 전립선 소실은 6 mm 크기의 Müller 관 잔존으로서 작은 낭을 형성하며, 후상방으로 향하여 전립선의 실질 내로 돌출되어 있다 (도표 1). 애매모호한 생식기를 가진 남성에서는 전립선 소실이 전립선의 후면으로부터 돌출하여 큰 게실을 형성한다. 사정관 (ejaculatory duct)의 작은 구멍 2개가 전립선 소실에 있는 구멍의 양쪽 가에서 발견된다. 사정관들은 정관과 정낭이 만나는 부위에서 형성되며, 방광과 접해 있는 전립선의 기저부로 들어간다. 사정관들은 전립선 내에서 약 2 cm의 길이로 전립선부 요도의 원위부를 따라 가며, 환상의 평활근으로 감싸져 있다.

전립선의 샘은 비교적 단순한 분지를 가진 세관꽈리 (tubuloalveolar) 샘이며, 단순한 입방 혹은 원주 상피로 배열되어 있다. 기능이 분명하지 않은 신경내분비세포 (neuroendocrine cell)가 분비 세포들 사이에 산재해 있다. 상피세포의 아래쪽에는 편평한 기저세포가 세엽 (acinus)에 배열되어 있는데, 이는 분비 기능을 가진 상피를 만드는 기원 세포로 간주된다. 각각의 세엽은 기질의 평활근과 결합조직으로 구성된 얇은 층에 의해 둘러싸여 있다.

전립선은 요도 내 전립선관의 위치, 발병 양상, 발생 기전 등의 측면에서 서로 다른 부위 (zones)로 나뉘며, 부위별로 전립선 샘의 구성 요소가 다르다. 전립선의 샘 조직을 네 부위, 즉 이행부, 중심부, 주변부, 요도주변부 등으로 구분하는 랜드 마크는 전립선요도이며, 이들 네 부위는 경직장초음파촬영술로 분명하게 관찰할 수 있다 (도표 2). 이행부는 사정관의 근위부 요도를 감싸고 있으며, 이행부의 관은 전전립선요도와 전립선요도를 구분하는 요도각 부위에서 생겨나 전전립선조임근의 아래에서 후측방을 통과한다. 이행부는 두 개의 엽 (lobe)으로 구성되며, 근위부의 요도와 주변부 측면 사이에서 전방에 위치해 있다. 이행부의 아치형 관은 돌아서 전립선의 전면으로 향하며, 전방의 섬유근 기질에서 끝난다. 이행부는 젊은 남성에서는 다소 작지만 나이가 들면서 점차 커지며, 고령에서는 양성전립선비대의 근원지가 된다. 그러므로 이행부는 고령의 전립선에서 우세한 샘 조직으로 구성되어 있다고 할 수 있다. 이행부에서 흔하게 발생되는 양성전립선비대는 확장하여 섬유근 조직의 띠를 외과적 피막 (surgical capsule) 안쪽으로 압박한다. 정상적으로 이행부는 전립선 샘 조직의 5~10%를 차지하며, 뚜렷한 띠 모양의 섬유근 조직이 이행부와 나머지 샘 구역을 구분한다. 이행부와 주변부를 구별하는 작은 기질 밴드는 양성전립선비대 때문에 시행하는 경요도전립선절제술에서 절제 범위를 정할 때 도움이 된다. 전립선암의 약 20%가 이행부에서 발생한다고 추정된다.

중심부는 사정관을 둘러싸고, 방광 기저부 아래에서 돌출되어 있으며, 중심부의 관들은 사정관의 구멍 주위에서 환상으로 생겨난다. 중심부의 샘 단위는 다른 부위에 비해 더 복잡하며, 염증과 신생물의 발생에 대해 뚜렷한 저항성을 나타낸다. 중심부는 전립선 선조직의 25%를 차지하며, 사정관 주위에서 원뿔 모양으로 확장하여 기저부는 방광경부에, 꼭지는 정구에 위치한다. 중심부는 Wolff 관에서 기원한다고 추측되며, 구조적으로나 면역조직화학적으로 전립선의 나머지 샘 조직과 구별된다. 즉, 나머지 부위는 비뇨생식동 (urogenital sinus)으로부터 직접 분지된다 (McNeal, 1988). 인접한 구역

도표 1 전립선과 정낭의 해부학적 구조 (전면 및 시상면)

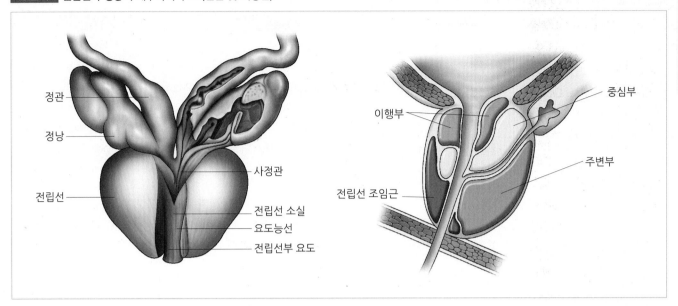

도표 2 전립선의 횡단면 (좌측) 및 시상면 (우측) 부위별 구조

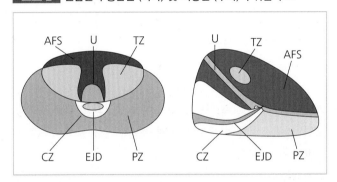

AFS, anterior fibromuscular stroma; CZ, central zone; EJD, ejaculatory duct; PZ, peripheral zone; TZ, transitional zone; U, urethra.

에서 발생한 암이 중심부로 침윤될 수 있지만, 전립선암의 1~5%만이 중심부에서 발생한다.

주변부는 전립선의 정점, 후면, 측면 등 샘 조직의 대부분인 70%를 차지한다. 주변부의 관들은 전립선부 요도의 전장을 따라 주행하며, 전립선동으로 배출된다. 주변부는 전립선의 양쪽 후외측에 있는 신경혈관 다발과 인접하여 있다. 전립선 선암의 70%가 주변부에서 발생하며, 만성 전립선염과 위축이 가장 빈발하는 곳이기도 하다.

작은 크기의 요도주변부는 근위부 요도에 인접해 있고 아주 작은 관과 미완성 세엽으로 구성되어 있다. 이들 샘은 전립선의 분비성 구성원의 1% 미만에 불과하지만, 고령의 남성에서는 양성전립선비대를 일으켜 전립선 용적의 상당 부분을 차지하게 된다.

샘이 거의 관찰되지 않는 전방 섬유근 기질 (anterior fibro-muscular stroma)은 전립선 덩이의 1/3을 차지한다. 이 구역은 정상적으로 방광경부에서 횡문 (혹은 줄무늬) 조임근까지 뻗쳐 있고, 선종성 (adenomatous) 비대가 있는 경우 상당한 부분이 샘 조직으로 대체될 수 있다. 이 구역은 전립선피막, 전전립선조임근의 전방부, 전내장근막 (anterior visceral fascia) 등과 직접 연결되며, 탄력섬유, 평활근, 횡문근으로 구성되어 있다. 암이 이 구역을 침범하는 경우는 드물다.

임상적으로 전립선은 직장수지검사로 전립선의 중간에서 만져지는 홈에 의해 분리되는 2개의 측엽과 고령의 남성에서 방광으로 돌출되는 중간엽으로 구분되기도 한다. 이들 엽은 정상 전립선에서는 조직학적으로 분명하게 구분되는 구조는 아니지만, 이행부가 외측으로 혹은 요도주변부의 샘 조직이 중심으로 병적 비대가 일어나는 경우에는 연관성을 가진다.

주변부 암과 이행부 암을 명백하게 구별하는 형태학적 혹은 유전적 단일 소견은 없지만, 여러 가지로 차이를 나타내기 때문에 이에 관해 어느 정도 기술할 필요가 있다고 생각된다 (Erbersdobler 등, 2004) (도표 3).

전립선의 이행부와 주변부를 구별하는 기질 밴드는 종양의 확장을 방지하는 장벽 역할을 하며, 종양을 기원 부위 내에 국한되도록 만든다. McNeal 등 (1988)은 종양의 70% 이상

도표 3 주변부 전립선암과 이행부 전립선암의 비교

	주변부 전립선암	이행부 전립선암	참고 문헌
빈도	58%	20%	McNeal 등, 1988
모양	초승달 모양	둥근 모양	McNeal 등, 1990
현미경 관찰	호산성 세포질과 거품 핵을 가진 입방세포	투명한 세포질과 작고 검은 핵을 가진 원주세포	McNeal 등, 1990
Gleason 패턴	패턴 3 이상이 흔함	패턴 2 이하가 흔함	Greene 등, 1991
Gleason 점수	중앙치 7	중앙치 5	Erbersdobler 등, 2002
Ki-67 항원에 대한 면역조직화학검사[†]	평균 증식 분획이 더 높다	평균 증식 분획이 더 낮다	Feneley 등, 1996
세포 자멸사의 비율	차이 없음	차이 없음	Erbersdobler 등, 2002
미세 혈관의 밀도	더 높다	더 낮다	Weidner 등, 1993
전구체	HGPIN으로 추정 (이형성과 관련)	AAH로 추정 (선종과 관련)	Gaudin 등, 1997 Bostwick와 Qian, 1995
간기세포 세포유전학 검사	염색체의 이상이 흔하다	염색체의 이상이 드물다	Qian 등, 1995
BCL2의 발현	27%	6%	Erbersdobler 등, 2002
p53의 발현	11%	2%	Erbersdobler 등, 2002

생검 시 암 발견 부위
  중간 부위
  기저부
  정점
	
	80%
	80%
	5%
		
		63%
		50%
		19.6%
			Augustin 등, 2003

미세 혈관 밀도	104	68.5	Erbersdobler 등, 2002

[†], Erbersdoler 등 (2002)에 의하면 주변부와 이행부 암에서 증식률 (proliferation rate)은 각각 5.2%, 3.2%이었다 ($p=0.0003$).
AAH, atypical adenomatous hyperplasia; BCL2, B-cell lymphoma 2; HGPIN, high-grade prostatic intraepithelial neoplasia.

이 특정 부위 내에 있는 경우를 전립선암 병소가 그 부위에서 기원한 것으로 분류하였다. 부검으로 잠복 전립선암을 조사한 Franks (1954)는 "1개를 제외한 모든 종양이 전립선의 '바깥 부위 (outer zone)'에서 발견되었다."고 보고하였다. 침윤성 방광암을 방광전립선절제술로 제거한 후 채집한 100점의 표본을 조사한 Troncoso 등 (1989)은 61점에서 우연히 전립선암을 발견하였다. 이들 중 84%는 주변부와 중심부에, 4%는 이행부에 위치해 있었으며, 12%는 분명한 부위를 정할 수 없었다. 전립선암을 포함하고 있는 104점의 전립선절제 표본을 조사한 바로는 소위 '지표 종양'이라 불리는 가장 큰 종양 병소는 거의 대부분이 주변부 (60점)에 있었으며, 그 다음은 이행부 (21점), 중심부 (7점) 순이었다. 16점의 종양은 부위별로 분류할 수 없었다 (McNeal 등, 1988). 전립선암은 다발적으로 성장하기 때문에, 흔히 별개의 부위에서도 종양 병소가 발견된다. 364점의 근치전립선절제 표본을 평가한 다른 연구에서는 종양 병소의 63%가 주변부 혹은 중심부에서, 7%는 이행부에서 발견되었고, 23%는 두 부위 모두에서 종양 병소가 발견되었으며, 나머지 7%는 부위별로 종양의 위치를 구분하기 어

려웠다 (Erbersdobler 등, 2004). 이들 연구의 결과를 종합해 보면, 전립선암은 이행부에 비해 주변부에서 훨씬 우세하게 빈발함을 알 수 있다.

주변부와 이행부를 구별하는 기질 밴드는 볼록한 곡선을 그리며 전립선부 요도로부터 전방 섬유근 기질까지 뻗어있다. 그러므로 이행부에 있는 종양은 흔히 둥근 모양을 하며, 주변부에 있는 종양은 피막 아래에서 초승달 모양을 하고 있다. 물론, 크고 공격적인 종양은 부위와 부위 사이의 경계를 파괴하여 불규칙한 누더기 모양의 윤곽을 나타낸다. 현미경을 이용한 관찰로 이행부 암과 주변부 암을 감별할 수 있는 특이 양상은 없지만, 이행부 암은 투명한 세포질과 작고 검은 핵을 가진 원주세포를 가지는 데 비해, 전형적인 주변부 암은 호산성 세포질과 거품 핵 (vesicular nucleus)을 가진 입방세포를 가지고 있다 (McNeal 등, 1990).

두 부위에서 기원하는 종양에서 가장 뚜렷한 차이는 Gleason 등급이다. Gleason 패턴 1은 거의 이행부에서만 발견되며, Gleason 패턴 2 또한 이행부에서 흔하게 나타난다. 주변부에서는 작은 종양일지라도 분화도가 주로 Gleason 패턴 3

이며 Gleason 패턴 4 혹은 5의 고등급일 수도 있다 (Greene 등, 1991). 79개의 이행부 암과 동수의 주변부 암을 비교한 연구는 고등급 암의 빈도에서 차이를 발견하지 못했다고 하였다 (Noguchi 등, 2000). 그러나 54개의 이행부 암 병소와 거의 같은 용적의 58개의 주변부 암 병소를 가진 76점의 전립선절제 표본을 조사한 연구에서는 Gleason 점수의 중앙치가 유의한 차이를 나타내었다 (5 대 7; *p*<0.001). 이행부에서 발생한 일부 큰 종양은 하나의 종양 안에서 다양한 등급을 나타낼 수 있으며, 간혹은 다섯 가지의 Gleason 등급 모두가 관찰되기도 한다 (Erbersdobler 등, 2002). 근치전립선절제술을 받은 365 명으로부터 채집한 표본 중 종양의 용적이 10 cc 보다 큰 전립선암을 가진 환자를 대상으로 평가한 연구는 다음과 같은 결과를 보고하였다 (Erbersdobler 등, 2002). 첫째, 이들 중 14 명에서는 종양 면적의 70% 이상이 이행부에 위치해 있었으며 이들은 종양의 용적이 크고 수술 전 PSA 농도가 높았지만 대부분이 긍정적인 병리학적 소견을 가졌다. 그러나 이들 중 2 명 (14%)만이 수술 후 중앙치 50개월의 추적 관찰 기간 동안 PSA 재발을 가졌다. 둘째, 주변부에 우세하게 종양이 분포한 전립선암 환자의 68.8%가 수술 후 PSA 재발을 가졌다. 이와 같은 결과는 이행부에 큰 종양이 위치한 전립선암의 병리학적 및 임상적 특징은 예후 측면에서 고려해야 할 중요한 인자임을 보여 준다.

유사분열은 악성 종양의 특징이지만, 대부분의 전립선암은 매우 서서히 자라기 때문에 유사분열을 측정하기가 어려울 정도다. 증식 표지자인 Ki-67 항원은 유사분열 동안뿐만 아니라 세포 주기의 G1, S, G2 단계 동안 발현된다. 종양의 분화도 등급과 Ki-67 항원의 발현 사이에는 유의한 상호관계가 있다 (Häussler 등, 1999). Mindbomb E3 ubiquitin protein ligase 1 (MIB1) 증식 지수는 양성전립선비대 조직 표본에서 가장 낮았으며, 그 다음은 선종, 저등급 전립선상피내암, 저등급 전립선암, 고등급 전립선상피내암, 고등급 전립선암 순이었다 (Häussler 등, 1999). Ki-67 항원에 대한 면역조직화학 연구는 이행부 암에서의 평균 증식율은 주변부 암보다 유의하게 더 낮으며 1.6~3.2%라고 보고하였다 (Feneley 등, 1996).

악성 종양의 성장은 세포의 증식뿐만 아니라 세포의 소실에 의해 결정된다. 세포 괴사는 전립선암에서는 드물며, 세포 자멸사는 세포사의 주된 기전이다. 조직 절편에서 세포 자멸사를 일으킨 세포를 확인하는 방법으로 deoxynucleotidyl transferase-mediated dUTP-biotin nick end labelling (TU-

NEL) 분석이 이용된다. 이러한 방법을 이용한 Häussler 등 (1999)은 Gleason 점수 2~6의 저등급 전립선암 표본 16점과 Gleason 점수 7~10의 고등급 전립선암 표본 22점을 분석한 결과, 세포 자멸사의 비율이 각각 0.7%, 1.0%로 큰 차이가 없었다고 하였다. 이 연구는 세포 자멸사의 비율이 양성전립선비대를 포함한 모든 종류의 표본에서 낮았지만, 전립선상피내암과 전립선암에서 더 높았다고 하였다. 세포 자멸사의 비율을 분석하기 위해 동일한 방법을 이용한 다른 연구에서도 54점의 이행부 암과 58점의 주변부 암 표본에서의 중앙치가 각각 0.8%, 0.9%로 차이가 없었다 (Erbersdobler 등, 2002).

악성 종양이 성장하기 위해서는 새로운 혈관 형성을 필요로 하며, 조직 절편에서 미세 혈관의 밀도는 전립선암과 같은 많은 경성 종양에서 예후 표지자가 된다. 한 연구는 미세 혈관의 수는 Gleason 점수가 증가할수록 증가하고, 주변부보다 이행부의 암에서 200 배율의 시야, 즉 0.739 mm^{2}의 단위 면적당 미세 혈관의 수가 유의하게 적었다고 하였으며 (Weidner 등, 1993), 그 수가 각각 104, 68.5이라는 보고가 있다 (Erbersdobler 등, 2002).

'관 내 형성 이상 (intraductal dysplasia)'으로도 알려진 고등급 전립선상피내암은 전립선암의 전구체로 간주되며, 정상 구조물로 된 전립선관 내에서 비정형성이 높은 분비 세포로 구성되어 있다 (Bostwick와 Brawer, 1999). 고등급 전립선상피내암과 주변부의 침습성 암은 동시에 발생할 확률이 높고 공간적으로 밀접한 연관성을 보이지만, 고등급 전립선상피내암은 이행부에서 채취된 경요도전립선절제 표본에서는 매우 드물며 (Gaudin 등, 1997), 이행부 내에는 전립선암과 관련이 있는 위험 인자가 거의 존재하지 않는다 (Harvei 등, 1998). 또한, 고등급 전립선상피내암이 암을 일으킨다는 개념은 이행부에서는 형태학적인 이유로도 발생할 가능성이 없다고 생각되는데, 그 이유는 이 부위에 있는 작은 크기의 암은 보통 분화가 잘 되어 있고 그들 세포는 전립선상피내암에 있는 비정형성이 높은 세포와는 상당히 다르기 때문이다. 대조적으로 주변부의 암은 형성 이상과 관련되어 형성된 암이라고 할 수 있다.

간혹 분화가 잘 된 이행부 암이 양성전립선비대 결절로부터 직접 유래되는 것으로 보이지만, 지금까지 양성전립선비대가 신생물과 직접 연관되어 나타난다는 역학적 혹은 유전적 증거는 없다. 그러나 두 조건 사이에 '비정형 선종성 증식 (atypical adenomatous hyperplasia, AAH)'이라 불리는 형태학적 조건에 의한 연관성은 있다. 선종 (adenoma)과 유사한 양상을 보이는 AAH는 핵에서 유의한 비정형은 보이지 않지만 작은 세엽의 세포가 증식하는 경우로 정의된다. 기저세포층은 있지만 조각나 있다. 217점의 근치전립선절제 표본에 대한 대규모 연구에서 AAH는 다른 부위보다 이행부에서 3배 더 흔하였고, 약하지만 통계적으로 유의하게 전립선암과 동시에 발생함이 관찰되었다 (Bostwick와 Qian, 1995). 그러나 다른 연구는 AAH와 전립선암 사이에서 연관성을 발견하지 못하여 AAH가 전구암 병변의 역할을 한다는 데 의문을 제기하였지만 (Häussler 등, 1999), 이행부의 암은 선종과 관련되어 형성된다고 추측된다.

전립선암에서의 분자적 변화에 관한 연구가 상당수 보고되었지만 종양의 부위별 위치에 따른 차이를 설명한 연구의 편수는 소수에 불과하다. 영상세포측정법 (image cytometry)을 이용한 DNA-ploidy 연구는 이행부 종양의 대부분에서는 DNA의 양이 정상임을 보여 주었다 (Greene 등, 1994). 염색체 특이 DNA 탐색자를 이용한 in situ hybridization (ISH) 기법으로 간기 세포에 대해 세포유전학적 (interphase cytogenetics)으로 조사한 연구는 염색체 7, 8, 10, 17, X, Y의 습득 혹은 상실이 주변부 암에서 더 흔하다고 보고하였다 (Qian 등, 1995). 그러나 이행부 암은 큰 용적의 종양일지라도 염색체 상태를 정상으로 유지하려는 경향을 가지고 있다 (Erbersdobler 등, 1997). 두 부위의 종양에서 이러한 차이는 전구 병변을 보아도 짐작할 수 있다. 즉, 고등급 전립선상피내암은 많은 비정상적인 염색체를 가지고 있는 반면 (Erbersdobler 등 1996), AAH는 그러하지 않다 (Qian 등, 1995).

종양에서 염색체 수의 이상은 유전적 변화 중 극히 일부분에 불과하다. 전립선암에서는 7p, 7q, 8q, Xq의 습득과 8p, 10q, 13q, 16q의 상실이 흔하다 (De Marzo 등, 2003). 8p의 상실은 다소 조기에 일어나는 사건으로 간주되며, 고등급 전립선상피내암, AAH, 우연히 진단된 이행부 전립선암 등에서 발견된다. 48점의 전립선암 병소를 대상으로 8p, 10q, 11p, 13q, 16q, 17p에서의 대립 유전자 (allele) 상실을 비교한 연구는 이행부의 종양 24점과 주변부의 종양 24점에서 유의한 차이를 발견하지 못하였다 (Erbersdobler 등, 1999).

세포의 성장 및 세포 자멸사를 조절하는 주요 인자 가운데 종양 억제 유전자 tumor protein 53 (TP53)와 종양 유발 유전자 B-cell lymphoma 2 (BCL2)가 있다. 비정상적인 p53 단백질의 반감기는 길기 때문에 TP53에서의 돌연변이는 면역조직

화학검사로 발견이 가능하다. 많은 다른 악성 종양과는 대조적으로 국소 전립선암에서 p53의 발현은 다소 드문 편이지만, 종양의 진행 및 재발, 전반적 생존율 등과 상호 관련이 있다. 마찬가지로 BCL2의 발현은 재발된 종양에서 발견되며, 고등급 전립선상피내암에서도 발견된다 (Haussier 등, 1999). 다른 부위에 위치한 전립선암에서 p53과 BCL2의 발현을 비교한 연구는 극히 소수에 불과하다. 한 연구는 BCL2의 발현 빈도가 주변부보다 이행부 암에서 27% 대 6%로 유의하게 낮으며, p53의 발현도 이행부 암에서 11% 대 2% 비율로 드물다고 하였다 (Erbersdobler 등, 2002).

정액장액 (seminal plasma)은 부고환, 정관 팽대부, 정낭, 전립선, Littre 선, Cowper 선 등과 같은 부성선 조직의 분비물로 형성된다. 정상적인 남성의 사정액의 양은 평균 3 mL (2~6 mL)이며 정자와 정액장액으로 구성된다. 정자는 사정액의 1% 미만이며, mL당 약 1억 마리가 포함되어 있다. 정액장액 (3 mL)의 대부분은 정낭 (1.5~2 mL), 전립선 (0.5 mL), Cowper 선 및 Littre 선 (0.1~0.2 mL)에서 기원한다. 정액의 전체 양의 15~30%는 전립선의 분비액으로 형성되며, 50~80%는 정낭에서 기원한다. 사정할 때 이들 샘의 분비물은 순차적으로 분비된다 (Tauber 등, 1976). 사람 사정액의 처음 부분에는 정자와 구연산 (citric acid)과 같은 전립선의 분비물이 풍부하며, 정낭의 주 분비물인 과당은 사정액의 후반부에서 증가한다. 부분별로 사정액의 pH도 달라지는데, 전립선에서 배출되는 산성 물질이 정낭에서 생성되는 과당이 풍부한 분비액에 의해 점차 알칼리화된다. 효소 및 plasminogen 활성제가 상당하게 함유되어 있는 구부요도선의 분비액은 정액의 처음 부분의 구성 요소에 포함된다. 정액의 정상 pH는 7.2~8.0이며, 만약 정액의 pH가 정상보다 낮다면 정낭액의 결핍을 시사하며, 과당이 없는 경우도 정낭액의 배출에 이상이 있다고 추측할 수가 있다. 다른 체액과 달리 정액장액에는 포타슘, 아연, 구연산, 과당, phosphorylcholine, free amino acid, spermine, prostaglandin, 효소들, 예를 들면 prostate-specific antigen (PSA), lactate dehydrogenase (LDH), acid phosphatase, diamine oxidase, β-amylase, β-glucuronidase, seminal proteinase 등이 고농도로 포함되어 있다.

구부요도선 혹은 쿠퍼선은 막양부 요도의 후방 결합조직에 묻혀 있는 한 쌍의 완두콩알 크기로 형성된 복합적인 관포상 조직이며, 투명한 점액을 분비한다. 점액은 성적으로 흥분된 상태에서 사정하기 전 소량이 요도 끝에 분비되어 윤활제

로서의 역할을 한다. 가끔 적은 양의 정자가 포함된다는 보고
가 있으나, 반대 의견도 있다. 분비물에는 mucus, sialic acid,
galactose, galactosamine, methyl pentose 등이 포함되어 있
다 (Mann, 1954).

　Alexis Littré에 의해 Littre's gland로도 불리는 요도선 (ure-
thral gland)은 glycosaminoglycan을 포함한 colloid 분비물
을 생성하며, 이는 소변으로부터 상피를 보호하는 역할을 한
다. 요도선의 세엽 상피세포는 안드로겐 의존성으로 immu-
noglobulin A (IgA)를 분비하여 비뇨생식기에서 면역에 관여
한다 (Parr 등, 1992).

　전립선 분비액은 전립선부 요도에 있는 정구 주위의 15~30
개의 전립선 도관을 통해 후부 요도로 배출되며, 사정 동안 사
정액의 첫 1/3에 주로 포함되어 있다. 분비량은 매 사정마다
0.5 mL 정도이고 사정액의 15~30%를 차지하며, 정낭에 이어
두 번째로 많은 구성 성분이다. 전립선의 분비액은 육안으로
투명하고, 화학적으로 평균 pH가 6.5 (5.6~7.2)인 약산성을
나타내며, 비중은 1.027±0.002이다. 구성 성분들 중에는 단
백질 25 mg/mL, 지질 3 mg/mL, spermine 2.4 mg/mL, 콜레
스테롤 0.9 mg/mL, citrate 3.76 mg/mL, Na^+ 153 mM, K^+ 48
mM, Cl^- 38 mM, HCO_3^- 20 mM, Ca^{2+} 30 mM, Mg^{2+} 20 mM,
Zn^{2+} 2.1 mM 등이 있다. 이와 같이 전립선은 생화학적 활성
을 가진 다양한 단백질, 전해질, 효소 등을 분비하지만, 이들
물질들의 생리학적 기능에 대해서는 아직 완전하게 밝혀져
있지 않다. 전립선 분비 능력의 변화는 전립선이 고유의 기능
을 상실했는지를 나타낼 뿐만 아니라, 전립선염, 양성전립선
비대, 전립선암 등과 같은 전립선의 주요 질환을 진단하는 데
지표가 되기도 한다. 전립선암 환자 70명, 양성전립선비대 환
자 21명, 만성 전립선염 환자 25명, 건강한 대조군 9명을 대상
으로 정액장액 내의 단백질을 분석한 근래의 연구는 표본 수
가 적은 제한점이 있지만 8종류의 생물 지표를 발견하였으
며, 이들 중 전립선암에서 증가되는 단백질은 N-acetyllacto-
saminide beta-1,3-N-acetylglucosaminyltransferase, prostatic
acid phosphatase, stabilin-2, semenogelin-1 (펩티드 ID
18990, 3.27 kDa) 등이고 양성전립선비대에서 감소되는 단백
질은 GTPase immuno-associated nucleotide-binding protein
(IMAP) family member 6 (GIMAP6)이며, 전립선암에서 감소
되는 단백질은 semenogelin I (펩티드 ID 11899, 2.14 kDa),
semenogelin II 중 2.17 kDa의 펩티드 ID 12083와 2.67 kDa
의 펩티드 ID 15331 등이다 (Neuhaus 등, 2013). 3장 전립선

분비 단백질'에서는 사정액 내의 비펩티드 물질과 전립선, 정
낭 등 부성선으로부터 분비되는 다양한 단백질이 기술되어
있다.

　정낭 분비액은 주로 정자의 운동에 필요한 성분인 과당과
같은 탄수화물, 프로스타글란딘 E, A, B, F, 응고 인자 등을 포
함하고 있다 (Tauber 등, 1976). 기타 정낭의 분비물은 4장 정
낭 분비 단백질'에 기술되어 있다.

　"전립선암을 가지고 사망할 수는 있으나, 전립선암으로 사
망하지는 않는다."(Cancer Facts and Figures 2007)는 말과
같이 전립선암은 대개 완만하게 진행하며, 전립선암 환자들
의 대부분은 전립선암 외의 원인으로 사망한다고 보고된다.
Cancer of the Prostate Strategic Urologic Research Endeavor
(CaPSURE)에 등록된 13,124명을 대상으로 실시한 연구에 의
하면, 임상 병기 T1c~T3a의 전립선암으로 근치전립선절제술
(77%)과 방사선 요법 (23%)을 받은 5,070명을 평균 3.3년 동
안 추적 관찰한 결과, 전립선암으로 사망한 경우는 55명 (1%),
전립선암 외의 다른 원인으로 사망한 경우는 296명 (6%), 관
찰 기간 동안 생존한 경우는 4,719명 (93%)이었다고 보고하
였다 (Simone 등, 2008). 전립선암을 치료하기 전의 여러 인
자들, 즉 혈청 PSA, 연령, Gleason 점수, 생검 결과 등이 전립
선암 환자의 사망률 혹은 예후에 영향을 주며, 65세를 초과한
고령, 낮은 사회경제교육 수준, 비전립선 암이나 심장혈관 질
환 등을 포함한 동반 질환, Chronic Disease Score, Index of
Coexistant Disease 혹은 the Cumulative Illness Rating Scale,
Short Form 36 Health Survey (SF의 신체 기능 영역이 0.5 표
준 편차를 초과), 흡연 등은 전립선암 외의 원인으로 인한 사
망에 영향을 준다고 보고되었다 (Mackillop 등, 1997; Sataria-
no 등, 1998; Boulos 등, 2006; Simone 등, 2008).

　한편, 1986년 미국 식품의약국은 전립선암으로 진단을 받
은 남성을 추적 관찰하는 데 PSA 검사를 이용할 수 있도록 승
인하였고, 1994년에는 전립선암이 발생할 위험이 있는 남성
에 대한 선별검사의 방법으로 PSA를 승인하였다. 그 후, PSA
검사는 미국에서 전립선암을 조기에 진단하는 기초 방법이
되었음은 물론, 질환을 추적 관찰함에 있어 큰 변화를 일으
켰으며, 이로써 진단 시의 병기가 초기 병기로 이동하게 되었
다 (Catalona 등, 1991). PSA의 활용이 증가하고 PSA에 근거
한 선별검사가 신뢰를 받음으로써 일생 동안 임상적으로 진
행하지 않는 용적이 작고 병기가 낮은 암이 발견되는 비율이
상당하게 높아졌다 (Loeb 등, 2006). 그러나 PSA가 도입된

후 임상적으로 전립선암을 발견하고 치료를 평가하는 데 이를 적용하기까지 걸린 시간은 10년 이상이었으며, PSA가 전립선암을 진단하는 이상적인 방법이 아니라는 사실을 이해하는 데도 비슷한 시간이 소요되었다. PSA는 전립선암을 진단하는 데 중요한 종양 표지자이지만, 전립선암에 특이하지 않은 생물 표지자이다 (Ankerst와 Thompson, 2006). 일반적으로 PSA의 증가는 전립선암에 특이하다기보다 민감하다고 할 수 있다. 전립선암의 위험이 없다고 간주할 수 있는 절대적인 PSA 하한치는 없으며, 그렇다고 PSA의 가치가 반감되지는 않고 전립선암의 위험이 계속 있음을 보여 주는 지표의 역할을 한다는 보고가 2004년에 있은 후, PSA를 실질적으로 가장 적절하게 사용하는 방법과 새로운 추가 표지자를 찾는 연구가 활발하게 진행되었다.

전립선암에 특유한 생물 지표의 발견과 개발은 여러 문제점을 가지고 있다. 첫째, 전립선암에서 생물 지표는 임상적으로 중요하지 않은 암부터 빠르게 진행하는 암까지 다양한 양상을 나타내는 질환에 대해 '예' 혹은 '아니요'의 답을 요구하는 검사이기 때문에 복잡한 문제를 안고 있다. 둘째, 임상적으로 중요하지 않은 암에 대한 과잉 치료를 최소화하기 위해 임상적으로 중요하지 않은 암과 공격적인 암을 구별할 수 있는 생물 지표가 필요하다. 높은 특이도와 낮은 위양성 비율을 유지하는 것이 인구 모집단을 기초로 하는 암 선별검사의 진행에 있어 중요한 관점이다. 작은 위양성 비율만으로도 다수의 남성들이 불필요하고 값비싼 진단적 시술과 심리적 스트레스를 받게 된다. 그러므로 전립선암의 생물 지표는 암에 대해 특이도가 높아야 하며, 민감도와 특이도가 높은 선별검사를 실시하기 위해서는 그와 같은 생물 지표들을 함께 평가할 필요가 있다.

암에 대한 선별검사의 목적 중 하나는 치료 대상이 되는 경우 완치할 수 있는 초기의 암을 발견하는 것이다. 더군다나 선별검사의 조건은 비침습적이고 비용이 저렴해야 한다. 예를 들면, 어떤 표지자가 양성 조직이 아닌 종양 조직에서만 생성되고 소변과 같이 쉽게 채취할 수 있는 표본에서 발견된다면 이상적인 종양 표지자라 할 수 있다. 이와 같은 이상적인 표지자를 임상에 활용하기까지는 아직 요원한 듯 보이지만, 혈청, 소변, 전립선 조직과 같은 다양한 생물 표본으로부터 새로운 생물 지표를 찾는 연구는 상당하게 진척을 보이고 있다. Genomic microarray, proteomics 등과 같은 새로운 고효율의 기법은 고차원적인 생물 지표를 빠르게 발견할 수 있도록 도와준다. 새로운 기법으로 빠른 연구가 이루어진다고 하더라도 표지자를 정확하게 그리고 편리하게 발견하는 방법, 단일 기관에 의한 예비 연구, 후향 및 전향 연구에 의한 철저한 효과 입증 등을 포함하는 많은 과정이 필요하기 때문에 생물 지표의 발견부터 임상 적용까지는 많은 시간이 소요된다.

본문에서는 현재 이용되고 있는 종양 표지자에 관한 연구 결과를 알아보고, 앞으로 활용 가능성이 있는 종양 표지자의 종류와 이에 관한 연구의 진척 상태를 알아보고자 한다.

사정액의 비펩티드 성분

NONPEPTIDE COMPONENTS OF EJACULATE

SECTION

02

1. Citric Acid 15

2. Fructose 16

3. Polyamines 18

4. Phosphorylcholine (PCho) 23

5. Prostaglandins (PGs) 27

6. Cholesterol And Lipid 33

7. Zinc 40

사정액의 비펩티드 성분
NONPEPTIDE COMPONENTS OF EJACULATE

사정액 내의 비펩티드 물질로는 citric acid, fructose, poly-amines, phosphorylcholine, prostaglandins, 콜레스테롤, 지질, 아연 등이 있다.

1. 구연산 Citric Acid

Citric acid는 귤속 과일에서 주로 발견되는 약한 유기산이다. 라틴어 citrus는 감귤을 뜻하며 구연 (枸)은 레몬을 가리키는 한자이다. 1784년 Carl Wilhelm Scheele에 의해 레몬주스로부터 처음 분리된 citric acid는 천연 보존제로서 음식이나 음료수에 산성 또는 신맛을 내는 데 쓰이고, 환경 친화적인 청소제로서 커피포트 등에 있는 굳은 석회질을 녹이는 데도 쓰인다 (Verhoff, 2005). Citric acid는 혈액 응고 인자인 칼슘 이온과 포착하는 작용을 가져 혈액 응고 방지제로도 이용된다. 생화학적으로 citric acid는 대사에서 일어나는 citric acid 회로의 중간 단계로서 중요하며, 모든 생명체가 이를 포함하고 있다.

사람의 정액장액에 있는 주요 음이온 중 하나가 citric acid이며 1.4~6.3 mg/mL, 평균 3.76 mg/mL 혹은 20 mM/L 혹은 60 mEq/L의 농도로 존재한다. Citric acid는 금속 이온과 강하게 결합하며, Ca^{2+} 7 mM, Mg^{2+} 4.5 mM, Zn^{2+} 2.1 mM 등을 포함하는 전체 2가 금속이 13.6 mM인 것과 비교된다. Citric acid는 전립선의 상피세포에서 아스파라긴산과 당으로부터 생성되어 분비되며 전립선의 분비액 내에 4.8~26, 평균 15.8 mg/mL의 고농도로 포함되어 인체에서 가장 높은 농도로 포함되어 있으며, 정낭에서는 전립선보다 거의 100배 더 낮아 0.2 mg/mL에 불과하다. 전립선 내에서의 citric acid 농도

는 다른 연조직보다 약 100배 더 높은데, 각각 30,000 nmol/g, 150~450 nmol/g이며, 혈장보다는 약 500~1,000배 더 높다. 전립선에서 citric acid의 농도가 높은 것은 전립선 세포의 미토콘드리아가 citric acid를 쉽게 산화하지 못해 citric acid의 합성 속도가 citric acid의 산화 속도를 능가하기 때문으로 추측된다 (Costello와 Franklin, 1994). Aconitase를 통해 citric acid로부터 형성된 isocitrate의 농도를 측정한 Kavanagh (1994)는 여러 다른 조직에서는 citric acid 대 isocitrate의 비율이 10:1이지만 전립선에서는 33:1이었다고 보고하였다. 정상 전립선에서 citric acid의 농도가 높은 이유는 이러한 aconitase의 활성이 전립선 내에서 감소되어 있기 때문으로 추측된다. 대조적으로 전립선암에서는 아연 농도의 감소로 인해 aconitase의 활성이 증가되어 citric acid의 농도가 감소된다 (Dakubo 등, 2006). 아연이 축적되어 있어 citrate를 생성하는 정상 전립선 상피세포가 citrate를 산화하는 악성 세포로 형질 전환하는 과정은 세포의 생물 에너지학, 세포의 성장 및 세포 자멸사, 지방 형성, 혈관 형성 등에 중요한 영향을 미친다 (Costello와 Franklin, 2000).

전립선 내에 함유된 polyamines를 분해하는 효소인 diamine oxidase는 citric acid의 농도와 관계있으며, 정액장액 내의 DNase를 억제하여 간접적으로 정자의 운동성과 생식능력에 영향을 준다 (LeCalve 등, 1995). 또한 Ca^{2+}, Mg^{2+}, Zn^{2+} 등의 2가 중금속과 결합하여 삼투압의 평형을 조절하고, Ca^{2+}과의 결합을 통해 응고된 정액의 액화에 관여한다. 그러나 혈액에서와는 다르게 sodium citrate나 heparin과 같이 칼슘과 결합하는 물질은 정액의 응고를 억제하지 못한다고도 보고되

었다 (Mann과 Mann, 1981). Yascoe 등 (1991)은 자기공명분광법 (magnetic resonance spectroscopy, MRS)을 이용하여 citric acid의 대사와 전립선암과의 관계를 연구하였으며, 정상 상피세포와 전립선암 세포주 사이에는 통계적인 의미는 없지만 작은 차이가 있었다고 하였다. 전립선염과 citric acid와의 관계에 대해서도 연구된 바가 있다 (Wolff 등, 1991). 건강하지만 불임증을 가진 389명을 대상으로 생식기에 대한 염증의 영향을 평가한 연구는 정액에서 polymorphonuclear leukocyte (PMN 혹은 PMNL) elastase를 측정함으로써 임상적으로 무증상의 염증을 진단하였으며, 정액에서 fructose, citric acid, neutral alpha-glucosidase 등을 측정함으로써 정낭, 전립선, 부고환 등의 기능을 평가하였다. 이 연구에 의하면, 고농도의 PMN elastase는 저농도의 citric acid와 관련이 있었으며, fructose와 neutral alpha-glucosidase는 PMN elastase와 관련이 없었다. 즉, PMN elastase 농도가 250 ng/mL 초과와 1,000 ng/mL 초과한 경우 병적 citric acid 농도의 빈도는 각각 67%, 73%로 증가되었다. 이들 결과를 근거로 저자들은 전립선이 임상적으로 무증상인 생식기 염증에서 주된 표적이라고 하였다. 현재는 양전자 자기공명분광법으로 전립선 내의 citric acid를 정확하게 측정할 수 있으며, 전립선에서의 citric acid의 농도는 도표 4에 정리되어 있다. 근래에는 전립선암을 진단하기 위하여 전립선 분비물에 포함된 다른 성분에 대한 citric acid의 비율을 이용하기도 하는데 (Pucar 등, 2005), 이는 '12장 대사체학'에 기술되어 있다.

2. 과당 Fructose

과당 (fructose)은 glucose, galactose와 함께 혈액에서 가장 중요한 3대 당 중 하나이다. $C_6H_{12}O_6$의 분자식을 가진 과당은 벌꿀, 과일, 양파나 고구마 같은 뿌리채소 등에서 발견된다. 과당은 glucose와 fructose로 구성된 이당류 sucrose를 분해하는 소화 과정에서도 얻어진다. 과당은 sucrose에 비해 2배 정도의 당도를 지니며 천연적으로 생성되는 당 중 가장 달다 (Fruton, 1972).

정액장액 내의 과당은 정낭에서 유래되기 때문에 선천적으로 정낭이 없는 환자의 사정액 내에는 과당이 없다 (Phadke 등, 1973). 정낭의 분비액에는 소량의 glucose, sorbitol, ribose 등의 유리 당 (free sugar)이 포함되어 있고, 이들 당의 양은 대개 0.1 mg/mL 미만이다. 환원된 당인 과당은 사람의

도표 4 전립선에서 citrate와 아연의 농도

Costello와 Franklin (2011)의 자료

	Citrate[†]	아연[†]
정상 전립선 주변부	12,000~14,000	3,000~4,500
악성 전립선 주변부	200~2,000	400~800
기타 조직	250~450	200~400
정상 전립선액	40,000~150,000	8,000~10,000
전립선암 전립선액	500~3,000	800~2,000
혈장	100~200	15

Costello와 Franklin (2000)의 자료

	Citrate, nmlo/g	아연, nmol/g
정상 전립선 혼합 조직 중심부 주변부	8,000 4,000 13,000	209 – –
양성전립선비대	8,000~15,000	589
전립선암 혼합 조직 악성 조직	1,000~2,000 500	55 –
기타 연조직	150~450	30
혈장	90~110	1
전립선액	40,000~150,000	590

[†], citrate와 아연 농도의 단위는 mmol/g of wet weight tissue.

정낭 분비액에서 약 3 mg/mL, 정액장액에서 약 2 mg/mL의 농도로 포함되어 있다.

과당은 생리학적으로 안드로겐에 의해 조절되지만 저장량, 사정 빈도, 혈당치, 건강 상태 등 다른 인자도 정액장액 내의 농도에 영향을 주기 때문에 (Mann과 Mann, 1981), 동일한 환자라도 정액 표본이 다르면 농도가 다르게 측정될 수도 있다. 또한, 안드로겐의 혈장 농도가 정액장액의 과당 농도와 항상 상호 관련이 있지 않기 때문에, 과당의 수치가 개인의 안드로겐 상태의 지표가 될 수 없다. 정낭 내의 과당 농도는 교감신경의 조절을 받는다는 보고도 있다 (Kempinas 등, 1995). 정낭 분비액에서 과당은 생리학적으로 prostasome의 기능에 관여하여 정자의 전향 운동 (Fabiani 등, 1995)과 정액의 점성 (Gonzalez 등, 1993)에 간접적인 영향을 준다. 참고로, prostasome은 1978년에 발견된 직경 40~500 nm의 막성 소포 (membraneous vesicles)로서 전립선 상피세포에 의해 정액장액으로 분비되며 (Ronquist와 Brody, 1985), 정자의 운동성을 향상시키고 정자가 난자에 도달하는 동안 여성

의 면역 방어 기전의 공격으로부터 보호하는 기능을 가진다 (Burden 등, 2006). 전립선암 세포는 지속적으로 prostasome 을 분비하기 때문에, 전립선암의 발병률이 높은 고령의 남성 은 prostasome에 의하여 면역과 관련한 보호를 받을 수 있다 (Ronquist와 Nilson, 2004). Prostasome은 alanine aminopep-tidase (ANPEP 혹은 CD13), dipeptidyl peptidase 4 (DPP4 혹 은 CD26), tissue factor (TF 혹은 CD142 혹은 thromboplas-tin), enkephalinase (neutral endopeptidase 혹은 CD10), an-giotensin converting enzyme (ACE 혹은 CD143), protectin (CD59 혹은 membrane attack complex-inhibitory protein, MAC-IP), membrane cofactor protein (MCP 혹은 CD46), decay accelerator factor (DAF 혹은 CD55) 등과 같은 면역 을 조절하는 단백질을 포함하고 있으며 (Ronquist 등, 2002; Stewart 등, 2004), 그 외에도 2가 양이온인 Zn^{2+}, Ca^{2+}, Mg^{2+}을 포함하고 있다.

Sorbitol은 정낭에서 aldose 환원에 의해 glucose로부터 생 성되고, 뒤이은 ketone 환원을 통해 과당이 생성된다. 정액장 액의 과당은 정자에 이용되는 혐기성 및 호기성 에너지의 근 원이 된다. 자궁경부의 점액은 glucose의 농도가 높고 과당 의 농도는 상당히 낮으며, 정자는 두 형태의 당을 모두 이용한 다. Health Professionals Follow-up Study of Cancer에 참여 한 약 50,000명을 대상으로 실시한 역학 조사는 과당을 70 g/day 소비하고 과일을 많이 섭취하면, 40 g/day의 과당을 섭취 한 대조군에 비해 전립선암의 진행을 억제할 수 있다고 하였 다 (Giovannucci 등, 1998).

(log 정자 농도)×(정액의 과당 농도)로 산출되는 정액 교 정 과당 (seminal corrected fructose, SCF)은 정액의 과당 측 정치에 비해 정낭의 기능을 더 잘 나타내는 표지자로 간주되 어 왔다 (Gonzales와 Villena, 1997). 낮은 수치의 SCF는 정낭 의 기능이 저하된 남성에서 관찰되며, 이는 남성 불임증과 관 련이 있다. 정낭의 기능이 저하된 남성에서는 정자의 운동성 이 떨어져, 그 자체로 불임이 일어난다 (Gonzales 등, 1992a). 정낭은 안드로겐 작용에 대하여 표적이 되는 기관이다 (Cof-fee, 1988). 정낭에는 5α-reductase가 있어 테스토스테론이 dihydrotestosterone (DHT)으로 전환되는 대사가 이루어진다. 기저 자극 하의 혹은 clomiphene을 복용한 후의 테스토스테 론 농도는 SCF 농도와 관련이 있다 (Gonzales, 1994b). 따라 서 정낭의 기능이 저하된 환자에게 clomiphene citrate를 투여 하면 정자운동저하증 (asthenozoospermia)의 유병률이 낮아

진다. 정자운동저하증은 등급 2와 3의 전진 운동을 가진 정자 가 50% 미만이거나 운동성 등급 3을 가진 정자가 25% 미만인 경우로 정의된다. 운동성 정자의 농도는 운동성 등급 2와 3을 가진 정자의 수로 규정되며, 운동성 등급은 빠른 선형 전진 운 동을 등급 3, 느리고 둔한 선형 혹은 비선형 운동을 등급 2, 전 진하지 않는 운동을 등급 1, 부동 상태를 등급 0으로 각각 정 의된다 (Gonzales와 Villena, 2001).

정낭에서 분비되는 bicarbonate, prolactin, prostaglandin 등은 직접 정자의 운동성을 증대시킨다 (Gottlieb, 1988). 과 당 또한 정낭에서 생성되지만 정자 운동성과는 관련이 없고 정낭 기능에 대한 표지자로서의 역할을 한다. SCF는 정자의 운동성이 정상인 남성에서 정자의 운동성과 상호 관련이 있 지만 (Gonzales 등, 1988), 정자의 운동이 저하된 표본을 이용 하였을 때는 정자의 운동성과 SCF 수치 사이에 연관성이 관 찰되지 않았다 (Gonzales와 Villena, 1997). 따라서 SCF가 정 낭의 기능을 가늠할 수 있는 표지자로서의 역할을 충분하게 한다고 단정할 수 없다. 정액 내 과당의 농도는 운동성을 가 진 정자의 수와 역상관관계를 가진다고 보고된 바 있다 (Ra-jalakshmi 등, 1989). 운동성이 약하거나 없는 정자는 과당을 이용하지 않기 때문에 (Lewis-Jones 등, 1996), 정액의 과당은 운동성 정자 및 비운동성 정자, 즉 전체 정자가 아닌 운동성 정자에 대한 교정이 필요하며, 이것이 (log 운동성 정자의 농 도)×(과당 농도)로 산출되는 진성 교정 과당 (true corrected fructose, TCF)이다 (Gonzales와 Villena, 1997).

Gonzales와 Villena (2001)는 정자의 운동성이 약한 환자의 정액 표본을 이용한 경우 정낭의 기능을 평가하는 표지자로 서 정액 내의 과당 농도 혹은 SCF를 이용하는 것은 적절하지 않다고 보고하였다. 이들 저자들은 SCF 대신 TCF를 이용하 여 정자의 운동성이 약한 환자에서 정낭의 기능을 평가하였 다. 이들의 연구에서 정자운동저하증의 유병률은 42.9% (18 명/42명)이었으며, 정낭기능저하증의 표지자로서 정액 과당, SCF, TCF를 이용하였을 때는 각각 9.5%, 40.5%, 47.6%이었 다. 정자운동저하증은 정낭의 기능이 정상인 남성 중 22.7% 에서 관찰되었고, TCF가 낮은 남성 중 65%에서 관찰되었 다. 다변량 분석에서, TCF가 증가된 경우에는 1일 100mg의 clomiphene으로 5일 동안 치료한 후 운동성 3등급의 정자 수 가 증가하였다 ($p < 0.002$). Clomiphene으로 치료한 후 정낭의 기능이 개선된 남성에서는 정자운동저하증의 유병률이 50% 에서 28.6%로 낮아진 반면 ($p < 0.002$), 정낭의 기능이 clomiphene으로 반응이 없는 남성에서는 정자운동저하증의 유병률이 감소되지 않았다. 이러한 결과를 근거로 저자들은 정자운동저하증 남성에서 TCF 측정치가 정자 운동성과 상관관계를 가지며, clomiphene을 이용한 치료로 정낭의 기능이 개선되면 정자운동저하증도 따라서 개선된다고 하였다.

안드로겐에 의한 지방 형성의 상향 조절은 LNCaP 전립선암 세포주에서 가장 특징적인 대사 양상 가운데 하나이다. LNCaP 세포에서 안드로겐은 hexokinase 2 (HK2)의 활성화와 6-phosphofructo-2-kinase/fructose-2,6-bisphosphatase 2 (PFKFB2)의 활성화를 통한 새로운 지방 형성을 위해 당의 이용률을 증가시킨다. 안드로겐에 의한 cAMP-dependent protein kinase (protein kinase A, PKA)의 활성은 cAMP-response element-binding protein (CREB)의 인산화를 증가시키며, 인산화가 일어난 CREB는 HK2 유전자의 촉진체에 있는 CRE와 결합한다. PFKFB2의 발현은 ligand로 활성화된 androgen receptor (AR)가 PFKFB2 촉진체와 결합함으로써 상향 조절된다. LNCaP 세포에서 활성화된 phosphoinositide 3-kinase/v-akt murine thymoma viral oncogene homolog protein 1 (PI3K/AKT) 신호 경로는 Ser466와 Ser483에서 PFKFB2의 인산화를 유도하며, 이로써 6-phosphofructo-2-kinase (PFK2)가 활성화된다. 또한, small interfering RNA (siRNA)를 이용하여 PFKFB2를 제거하거나 LY294002를 이용하여 PFK2를 억제하면, 당 섭취 및 지방 형성이 크게 차단된다. 이들 결과를 근거로 저자들은 전립선암 세포에서 안드로겐에 의해 지방이 새롭게 합성되기 위해서는 HK2 및 PFKFB2의 전사 활성화와 PI3K/AKT 신호 경로에 의한 PFKFB2의 인산화가 필요하다고 하였다 (Moon 등, 2011).

3종류의 전이 전립선암 세포주와 비악성 전립선 상피세포주를 대상으로 siRNA를 이용하여 222종류의 대사 효소, 운반체, 조절 인자의 유전자를 침묵시킨 후 효과를 관찰한 연구는 전립선암 세포가 생존하기 위해서는 PFK2의 아형인 PFKFB4 유전자가 필요하다고 하였다. 이 연구는 당을 분해하는 효소인 PFKFB4가 전립선암 세포에서 산화 및 환원의 균형 (redox balance)을 유지하기 위해 에너지를 생성하기 위한 당의 이용과 항산화 물질의 합성 사이의 균형을 유지함으로써 전립선암 세포의 생존에서 중요한 역할을 함을 보여 주었다. 이종 이식 모델에서 PFKFB4의 고갈은 종양의 성장을 억제하였는데, 이는 종양이 성장하기 위해서는 생리학적 농도의 영양소가 필요함을 시사한다. 또한, PFKFB4 mRNA는 원발 전립선암에

비해 전이 암에서 더 크게 발현되었다. 이들 결과는 PFKFB4가 항암 요법제의 유망한 표적이 될 수 있음을 시사한다 (Ros 등, 2012).

3. Polyamines

Polyamines는 가장 기본이 되는 양전하의 작은 유기 분자이며, 여러 조직에 높은 농도로 포함되어 있고, 세포의 증식 및 성장과 관련이 있는 다양한 생리학적 과정에 관여한다. 또한 polyamines는 배양된 포유동물의 세포와 박테리아에 대해 성장 인자로서 기능을 하고 protein kinase와 같은 효소를 억제한다.

분자 수준에서 polyamines의 정확한 역할은 아직 밝혀져 있지 않으나, 중요한 생물학적 화합물로 간주되며, 사정액에서 높은 농도로 발견된다. Polyamines는 세포막에 있는 이온 통로의 개폐에 영향을 주어 이온의 이동에 관여한다. Cipolla 등 (1994)은 진행된 병기의 전립선암 환자를 대상으로 안드로겐 박탈 요법의 지표로서 spermidine, spermine 등과 같은 polyamines를 연구하였다. 다른 연구자들은 전립선암의 병태생리에서의 polyamines의 역할을 연구하였다 (Love 등, 1993). 전립선 내 polyamine의 생합성 과정 중 중요한 처음 단계는 효소 ornithine decarboxylase (ODC)에 의하여 조절된다. ODC 유전자의 발현양은 양성전립선비대 조직에서 증가되며 (Liu 등, 2002), difluoromethylornithine (DFMO)은 비가역적으로 ODC를 억제하여 polyamine의 합성을 억제한다 (Kadmon, 1992). ODC의 농도는 종양의 촉진과 밀접하게 관련이 있었으며 ODC의 억제는 종양의 발달 억제와 관련이 있었다는 연구 결과를 근거로 DFMO를 평가한 연구는 매일 0.5 g/m^{2}의 DFMO를 5~12개월 복용하면 ODC가 최소한 50% 감소되며 암을 예방하는 효과가 있다고 하였다 (Love 등, 1993).

정상 사람의 정액장액 내 spermine의 농도는 0.5~3.5 mg/mL이며, 대부분 전립선에서 기원하고, 인체 가운데 전립선에서 가장 풍부하다. Spermine은 NH$_2$-(CH$_2$)$_3$-NH-(CH$_2$)$_4$-(CH$_2$)$_4$-NH-(CH$_2$)$_3$-NH$_2$의 분자식을 갖는 염기성 지방족 (aliphatic) polyamine이다. 이 물질은 4개의 양전하를 가지기 때문에 phosphate ion, nucleic acid, phospholipid 등과 같은 산성 혹은 음전하를 띤 분자와 강하게 결합한다. 정액이 실온에 있으면, acid phosphatase의 효소 작용으로 인하여 정액 내에 있는 phosphorylcholine이 가수 분해되어 무기성의 유리 인

산 이온이 형성되고, 이는 양전하를 띤 spermine과 상호 작용하여 크고 투명한 염 결정체인 spermine phosphate로 침착되며, 정액장액의 산도를 낮춘다. Polyamines는 amide 결합을 형성하여 carboxyl 기 단백질과 공유 결합을 하는데, 이로써 조절 기능을 가지게 된다 (Williams-Ashman 등, 1975).

전립선에서 분비되는 spermine과 그 외에 관련이 있는 polyamines, 예를 들면 spermidine, putrescine 등은 성장이 촉진된 많은 형태의 세포에서 농도와 비율이 신속하고도 급격하게 변하기 때문에, 많은 관심을 받게 되었다. Williams-Ashman 등 (1975)은 남성들의 생식기에서 polyamines의 합성과 조절을 연구하였으며, ornithine → putrescine → spermidine → spermine으로의 효소에 의한 반응 과정을 기술하였다. Polyamines는 diamine oxidase의 효소 작용으로 활성이 큰 휘발성 aldehyde 화합물로 전환되며, 이는 정자와 세균에 대해 독성을 나타낸다 (LeCalve 등, 1995). 이들 aldehyde 화합물은 정액의 독특한 밤꽃 향기를 만들며, polyamines와 함께 감염균으로부터 비뇨생식기를 보호한다. 정액 장액 내의 spermine 농도와 정자의 수 및 운동성과의 관계를 평가한 연구는 spermine 농도는 정자의 수 및 운동성과 정상 관관계를 가진다고 하였다 (Fair 등, 1972). Citric acid와 마찬가지로 전립선 조직 내의 spermine은 MRS를 이용하여 측량이 가능하다. 즉, 양성자 MRS와 high-pressure liquid chromatography (HPLC)를 이용하여 전립선 조직에서 polyamines를 분석한 연구는 다음과 같은 결과를 보고하였다 (van der Graaf 등, 2000). 첫째, HPLC에 의하면, 정상 및 양성 증식성 전립선 조직에는 spermine이 고농도로 포함되어 있었다. 전립선암 조직, 특히 전이 전립선암과 사람 전립선암 세포의 이종 이식 암에는 spermine의 농도가 감소되어 있었다. 이들 결과는 spermine이 전립선암의 생물 지표로 이용이 가능함을 보여 준다. 둘째, 1.5 T 강도의 MRS에 의하면, 생체 밖 실험에서 spermine의 신호는 3.0~3.3 ppm 영역에서 관찰되었으나, 체내 실험에서는 이들 신호가 3.2 ppm의 choline과 3.0 ppm의 creatine에 의해 불분명해졌다.

현재로서는 공격적인 전립선암과 진행이 느린 전립선암을 정확하게 구별할 수 있는 객관적인 임상 도구가 없는 실정이다. Gleason 점수 부과 시스템이 치료를 계획할 때 가장 중요한 예후 인자로 간주되지만, 공격성을 평가할 때는 주관적인 요소가 가미되고 생검 표본이 소량인 관계로 과소 평가되기가 쉽다. 따라서 진단과 예후를 정확하게 평가할 새로운 도구

의 개발이 절실하다. 대사의 변화는 최근에 알려진 종양의 특징이며 (Hanahan과 Weinberg, 2011), MRS를 이용한 전립선 조직의 대사 양상은 종양의 활동성에 관한 정보를 추가로 제공해 주는데, 특히 MRS imaging (MRSI)을 이용하면 체외 조직 표본에서 얻은 결과를 통해 체내 측정치를 추정할 수 있다 (Bathen 등, 2010). Gleason 점수 6과 같이 진행이 느린 질환으로 진단된 전립선암 환자의 상당수는 '적극적인 감시 (active surveillance)' 프로그램으로 관리된다. 따라서 이들 환자군은 고등급의 암 환자와 구별되어야 할 것이다.

전립선암 조직과 정상 조직 사이에 대사 양상의 차이가 있음은 MRSI를 이용한 체내 연구 (Scheenen 등, 2007)와 high resolution magic angle spinning MRS (HR-MAS)를 이용한 체외 연구 (Tessem 등, 2008)에 의해 밝혀졌다. 일부 병원은 (total choline+creatine+polyamines)/citrate (CCP/C) 비율, 혹은 (total choline+creatine)/citrate (CC/C) 비율이 전립선암 조직에서 증가한다는 MRSI의 결과를 임상 진료에 활용하고 있다 (Kobus 등, 2011). 체내에서 측정된 choline 총량의 신호는 HR-MAS에 의해 choline을 포함한 대사물질, 즉 free choline (Cho), phosphocholine (PCho), glycerophosphocholine (GPC)으로 구별될 수 있다 (Keshari 등, 2011). Lactate와 alanine 또한 정상 조직에 비해 종양 조직에서 증가된다고 보고되는 반면 (Tessem 등, 2008), 전립선에 특이한 대사물질인 citrate와 spermine, spermidine, putrescine 등과 같은 polyamines는 종양 조직에서 낮은 농도로 발견된다 (Swanson 등, 2006). Putrescine은 매우 낮은 농도로 측정되기 때문에, polyamines는 주로 spermine으로 구성된다고 간주된다 (Giskeødegård 등, 2013). HR-MAS는 생물 조직을 분석할 뿐만 아니라 뒤이은 조직병리학적 평가 혹은 유전자 발현 분석과 같은 기타 분자 분석을 위해 표본을 처리하지 않은 채 그대로 둘 수 있다는 장점을 가진 잘 정립된 기법이다 (Bertilsson 등, 2012).

종양의 함량이 평균 61.8%인 전립선암 환자 48명으로부터 채취한 158점의 전립선절제 조직 표본을 대상으로 HR-MAS를 실시한 연구는 Gleason 점수 7 이상의 전립선암과 Gleason 점수 6의 저등급 전립선암 사이 구별은 spermine 농도 (p=0.0044) 및 citrate 농도 (p=7.73×10⁻⁴)의 감소와 CCP/C 비율의 증가로 가능하다고 하였다 (Giskeødegård 등, 2013). 이 연구는 또한 대사의 양상은 각 조직 표본에서 확인된 Gleason 점수와 유의한 상관관계를 가지며 (r=0.71), 암 조직은

86.9%의 민감도와 85.2%.의 특이도로 정상 조직과 구별된다고 하였다 (도표 5, 6). Citrate의 농도는 Gleason 점수 6의 표본을 Gleason 점수 7 혹은 8~9의 표본과 구별을 가능하도록 하지만, spermine 농도에서의 차이는 Gleason 점수 6 표본과 8~9 표본 사이에서만 유의하였다. 흥미롭게도, Gleason 점수 7 표본과 Gleason 점수 8~9 표본 사이에서 차이를 나타낸 대사물질은 없었는데, 이는 중등도 위험 환자군인 Gleason 점수 7의 표본은 고등급 분화도의 암과 유사한 대사 양상을 가짐을 시사한다. 이러한 결과는 Gleason 점수 6 이하인 환자만이 적극적인 감시 프로그램에 포함된다는 개념을 뒷받침한다. Gleason 점수 4+3 환자는 3+4 환자에 비해 예후가 나쁘지만, 대사 양상으로 이들 환자를 구별하기는 어렵다. 이와 같은 결과를 근거로 저자들은 경직장초음파촬영술 유도 하 생검 표본에 대한 HR-MAS과 MR imaging (MRI)을 병행한 체내 MRS는 공격적인 전립선암과 진행이 느린 전립선암을 구별하고 진단하는 데 유익한 도구라고 하였다.

안드로겐의 신호 경로는 전립선암의 발생과 진행에서 매우 중요하다. 전립선에는 안드로겐 수용체를 통해 호르몬에 반응하는 세포와 불응하는 세포가 공존하는데, 이 때문에 전립선암에 대한 치료가 어렵다. 비정상적인 세포 주기를 표적으로 하는 세포 주기 차단제는 다양한 종류의 암을 치료하는 새로운 방법으로 대두되고 있다. Purvalanol과 roscovitine은 암세포의 세포 주기를 G1/S 및 G2/M 기에서 정지시킴으로써 세포 자멸사를 활성화하는 cyclin dependent kinase (CDK) 억제제이다. Polyamines는 세포의 증식을 조절하는 양이온 amine 유도체이다. Putrescine, spermidine, spermine 등과 같은 polyamines는 전형적으로 전립선의 세포 내에서 증가하지만, polyamine 대사의 비정상적인 조절은 세포의 빠른 증식을 일으킴으로써 전립선암의 진행을 유도한다. 따라서 약물을 이용하여 polyamine의 분해대사를 활성화함으로써 세포 내의 polyamine 농도를 고갈시키는 방법은 성공적으로 전립선암을 치료하는 중요한 전략이라고 생각된다. 안드로겐 수용체를 각기 다르게 발현하는 세 종류의 세포주, 즉 LNCaP, DU145, PC3 등에서 CDK 억제제의 세포 자멸사 효과를 조사한 연구는 purvalanol과 roscovitine이 미토콘드리아 막의 전위 (potential)를 감소시켜 중등도의 세포 독성 농도에서 세포 자멸사를 유도하며, 이러한 효능은 세 전립선암 세포주에서 비슷하게 나타남을 발견하였다. 이들 두 종류의 CDK 억제제에서 나타나는 세포 자멸사 효과는 B-cell lymphoma 2

(BCL2) 가족 구성원이 조절됨으로써 caspases가 활성화되기 때문이다. 그러나 DU145 세포는 CDK 억제제에 대해 최소로 낮은 민감도를 나타내었으며, purvalanol은 roscovitine에 비해 강한 효과를 나타내었다. 전형적인 화학 요법제와 비슷하게 두 약물은 세포 유형에 의존적으로 spermidine/spermine N^1-acetyltransferase (SSAT), spermine oxidase (SMO), polyamine oxidase (PAO) 등과 같이 polyamine을 분해하는 대사에 관여하는 효소를 상향 조절한다. DU145 및 PC3 세포에서 PAO 억제제인 N,N′-butanedienyl butanediamine (MDL 72527)으로 PAO/SMO를 억제하거나 SSAT를 일시적으로 침묵시키면 CDK 억제제로 인한 세포 자멸사가 일어나지 않았다. DU145 세포에서 roscovitine의 효과는 약하였지만, 치료 전에 ornithine decarboxylase (ODC) 억제제인 α-DFMO를 투여한 경우 caspase-9과 caspase-3가 분절됨으로써 roscovitine으로 인한 세포 자멸사 효과가 증대되었다. 따라서 polyamine의 분해 대사는 안드로겐에 반응하는 혹은 불응하는 전립선암 세포에서 CDK 억제제로 인한 세포의 반응에서 중요한 역할을 한다고 생각된다 (Arisan 등, 2014).

Epibrassinolide (EBR)는 스테로이드로부터 생긴 식물성 성장 조절 인자의 가족인 brassinosteroid 중 생물학적으로 활성적인 성분이다. 일반적으로 brassinosteroid는 세포의 확대와 분열을 촉진하는 역할을 가지고 있다고 알려져 있다. 근래 들어 EBR은 비종양세포의 성장에는 영향을 주지 않고 다양한 종양세포에서 세포 자멸사를 일으킨다고 보고되고 있다. 안드로겐 수용체를 가진 LNCaP와 안드로겐 수용체가 없는 DU145 전립선암 세포주, PNT1a 정상 전립선 상피세포주 등에서 polyamine의 생합성 및 분해대사와 관련이 있는 EBR을 통해 유도되는 세포 자멸사의 기전을 연구한 바에 의하면, EBR을 투여한 경우 전립선암 세포주에서 세포 자멸사가 관찰되었다. 또한 EBR은 각각의 전립선암 세포주에서 세포 내 polyamine의 농도를 감소시켰고, ODC를 하향 조절하였으며, LNCaP 세포에서 ODC antizyme과 antizyme 억제 인자의 발현을 조절하였다. 분해 대사를 유도하는 효소인 SSAT와 PAO는 두 세포주에서 상향 조절되었지만, SSAT 및 PAO에 특이한 siRNA를 투여한 경우 LNCaP 세포에서만 EBR로 인한 세포 자멸사가 억제되었다. 마찬가지로 24시간 동안 EBR과 함께 PAO 및 SMO의 특이 억제제인 MDL 72527으로 처치하면 안드로겐 수용체를 가진 LNCaP 세포에서 poly[ADP-ribose] polymerase (PARP)의 분절이 감소되었다 (Obakan 등, 2013).

도표 5 선립선암 조식과 성상 선립선 조식에서 polyamines를 포함한 여러 대사물질의 농도

대사물질	인접한 정상 조직 표본 47점의 중앙치 (interquartile range)	전립선암 조직 표본 107점의 중앙치 (interquartile range)	p-value
Spermine	1.92 (0.86~3.13)	1.22 (0.66~2.00)	0.022[†]
Putrescine	0.38 (0.00~0.97)	0.02 (0.00~0.25)	2.07×10^{-4}[†]
Choline (Cho)	0.46 (0.32~0.64)	1.02 (0.65~1.59)	6.89×10^{-9}[†]
Phosphocholine (PCho)	0.34 (0.19~0.51)	0.70 (0.39~1.12)	5.68×10^{-6}[†]
Glycerophosphocholine (GPC)	0.42 (0.25~0.51)	0.78 (0.48~1.17)	2.04×10^{-6}[†]
Glycerophosphoethanolamine (GPE)	0.22 (0.00~0.42)	0.00 (0.00~0.51)	0.387
Phosphatidylethanolamine (PE)	1.66 (1.10~2.39)	2.67 (1.90~3.69)	1.38×10^{-5}[†]
Ethanolamie (Eth)	0.00 (0.00~0.06)	0.00 (0.00~0.21)	0.926
Lactate	12.34 (9.79~16.71)	18.20 (13.90~24.45)	7.52×10^{-5}[†]
Alanine (Ala, A)	1.71 (1.22~2.09)	2.15 (1.65~2.79)	0.0014[†]
Glucose	0.90 (0.53~1.36)	0.00 (0.00~0.42)	5.70×10^{-12}[†]
Citrate	9.87 (5.14~14.32)	6.41 (3.34~9.46)	0.049[†]
Succinate	0.38 (0.30~0.49)	0.59 (0.46~0.81)	1.20×10^{-4}[†]
Creatine	2.43 (1.76~3.11)	2.09 (1.64~2.58)	0.820
Glutamate (Glu, E)	2.69 (2.28~3.56)	4.82 (3.61~6.88)	2.60×10^{-9}[†]
Glutamine (Gln, Q)	1.98 (1.56~2.37)	2.74 (2.25~3.52)	1.78×10^{-5}[†]
Glycine (Gly, G)	1.53 (1.18~1.98)	2.50 (1.74~3.18)	2.04×10^{-6}[†]
Isoleucine (Ile, I)	0.09 (0.02~0.12)	0.17 (0.08~0.27)	0.0017[†]
Leucine (Leu, L)	0.24 (0.17~0.34)	0.46 (0.30~0.64)	2.04×10^{-6}[†]
Valine (Val, V)	0.21 (0.18~0.29)	0.38 (0.25~0.49)	7.66×10^{-4}[†]
Taurine	5.70 (3.88~6.32)	4.34 (3.65~6.53)	0.918
Myo-inosito	8.82 (7.91~10.77)	9.22 (7.04~11.30)	0.435
Scyllo-inositol	0.36 (0.25~0.58)	0.43 (0.33~0.59)	0.459

농도의 단위는 mmol/kg wet weight. [†], $p < 0.05$.
Giskeødegård 등 (2013)의 자료를 수정 인용.

도표 6 저등급 (Gleason 점수 6) 및 고등급 (Gleason 점수 7 이상) 전립선암 표본에서 대사물질의 농도 및 비율 그리고 다른 Gleason 점수와의 비교

대사물질/비율	저등급 PCa (29명) 중앙치 (IQR)	고등급 PCa (77명) 중앙치 (IQR)	p-value	GS (6 대 7) p-value	GS (6 대 8~9) p-value	GS (7 대 8~9) p-value
Spermine	1.96 (1.23~3.72)	1.05 (0.54~1.57)	0.0044[†],	0.110	0.022[†]	0.769
Citrate	8.45 (7.20~14.82)	4.76 (2.95~7.78)	7.73×10^{-4}[†]	0.014[†]	0.005[†]	0.769
CCP/C	0.78 (0.62~0.95)	1.20 (0.80~2.16)	2.17×10^{-4}[†]	0.0016[†]	9.47×10^{-4}[†]	0.162
GPC/PCho	1.53 (1.01~2.15)	1.02 (0.64~1.78)	0.0832	0.082	0.089	0.734

농도 중앙치의 단위 mmol/kg wet weight. [†], $p < 0.05$.
CCP/C, total choline+creatine+polyamines/citrate; GPC, glycerophosphocholine; GS, Gleason score; IQR, interquartile range; PCa, prostate cancer; PCho, phosphocholine.
Giskeødegård 등 (2013)의 자료를 수정 인용.

과산화수소 (H_2O_2), 초과산화물 (O_2^-), 유리형 수산기 (-OH), 산화질소 (NO) 등과 같은 활성 산소종 (reactive oxygen species, ROSs)의 농도는 대다수의 다른 조직에 비해 전립선 상피세포에서 더 높다 (Oberley와 Oberley, 1993). 전립선암 발생의 증가와 ROS와의 연관성은 여러 연구에서 보고되어 왔다 (Feig 등, 1994; Wilding, 1995). ROS는 DNA에 대해 직접 돌연변이의 효과를 나타내거나 유전자의 발현과 세포의 신호 전달을 변경함으로써 성장 혹은 세포 자멸사와 관계있는 유전자의 변화를 유도하는데, 이는 ROS가 전립선암의 시작과 진행에서 어떠한 역할을 할 수 있음을 시사한다 (Sun 등, 2001). 전립선암 조직과 정상 전립선 조직에 대해 면역조직화학검사를 실시한 연구는 산화 스트레스로 인해 생기는 효소와 DNA 염기에 대한 산화 손상이 정상 전립선에 비해 전립선암 조직에서 더 증가된다고 하였다 (Oberley 등, 2000). 비슷한 방법으로 시도된 다른 연구도 ROS로 인한 손상은 정상 전립선의 관강보다 transgenic adenocarcinoma of mouse prostate (TRAMP) 조직에서 더 크다고 하였다 (Tam 등, 2007). 한편으로는 ROS가 안드로겐 의존성 세포의 안드로겐 비의존성 성장으로의 진행에서 중요한 역할을 한다는 보고 또한 있다 (Hatziapostolou 등, 2006). 따라서 세포의 ROS 농도를 조절하는 생화학적 경로를 이해하게 되면, 전립선암의 발생, 재발, 진행을 지연시키거나 방지할 수 있는 새로운 치료 전략이 수립될 수 있다고 생각된다. 안드로겐은 정상 및 악성 전립선 상피세포에서 ROS를 생성하여 산화 스트레스를 일으킨다 (Mehraein-Ghomi 등, 2008). 쥐의 전립선 조직에서 안드로겐이 ROS를 생성한다는 연구가 이를 뒷받침한다 (Tam 등, 2007). 안드로겐이 전립선에서 ROS를 생성하는 생화학적 기전은 아직 충분하게 알려져 있지 않지만, 이에 관한 연구 자료에 의하면 안드로겐은 polyamine의 산화 경로에서 반응 조절 효소 (rate-limiting enzyme)인 SSAT의 과다 발현을 일으킨다. 전립선 상피세포가 많은 양의 polyamine을 생성함에 따라, 안드로겐은 polyamine의 산화를 유도함으로써 과산화수소를 생성하는데, 이는 전립선 상피에서 ROS의 농도가 높은 주된 원인이 된다. 작은 분자인 PAO 억제제 MDL 72527 (혹은 CPC-200)은 사람의 전립선암 세포에서 안드로겐으로 인한 ROS의 생성을 효과적으로 차단하였으며, 자연적으로 전립선암이 발생한 동물에서 전립선암의 진행과 사망을 유의하게 지연시켰다. 이러한 결과는 polyamine의 산화가 전립선에서 ROS 생성의 주된 경로이며, 이 경로를 차단하면 전립선암의

진행을 성공적으로 지연시킬 수 있음을 보여 준다 (Basu 등, 2009).

Polyamine은 작은 크기의 aminoalkyl polycation으로서 세포의 증식에 필요하며 (Janne 등, 1991), 전사 (Igarashi와 Kashiwagi, 2000), RNA의 안정화 및 번역틀 이동 (Matsufuji 등, 1995) 등에 영향을 준다. 근래 들어, 세포가 성장할 때는 더 많은 polyamine이 합성된다, 혹은 polyamine 생합성 효소는 성장이 조절됨에 따라 함께 조절된다, 혹은 종양에서는 흔히 polyamine 대사의 조절 장애가 발생한다, 혹은 polyamine은 진핵세포의 성장에 필수적이다 등과 같은 여러 관찰에 근거하여 polyamine이 항증식 요법의 표적이 되고 있다 (Casero와 Marton, 2007). Polyamine 유사체는 세포에서 polyamine의 생합성을 억제하는 새로운 접근법이다 (Seiler 등, 2005). Polyamines 유사체로 인해 세포 내부에서 일어나는 효과의 기전은 polyamine 분해대사 효소인 SSAT의 유도 및 polyamine 생합성 효소의 억제이며, 이로써 세포 내부의 polyamine 저장고가 고갈되며, 섭취 과정에서 정상적으로 존재하는 polyamines와 경쟁하게 되고, 정상적으로 존재하는 polyamines가 유전자의 전사 조절과 관련이 있는 활성 부위로부터 이동이 일어난다 (Casero와 Marton, 2007). 합성 polyamine 유사체에는 대칭으로 대체된 유사체, 비대칭으로 대체된 유사체, 입체 형태로 제한된 유사체 등의 부류가 있으며, 이들 부류는 분자 구조의 작은 변화만으로도 여러 생물학적 작용을 일으키고 더 나은 표적화 기능을 나타낸다 (Casero와 Marton, 2007). PG11047은 입체 형태로 제한된 polyamine 유사체로서 중심부의 4-carbon methylene 사슬 내로 이중 결합이 삽입되어 있고 대칭으로 알킬화된 유사체 N1, N11-bis (ethyl) norspermine (BENSpm)을 기반으로 한 구조를 가지고 있다 (Huang 등, 2005). PG11047의 항증식 작용은 유방암 세포 (Holst 등, 2006)와 소세포 및 비소세포 폐암 세포주 (Hacker 등, 2008)에서 보고된 바 있다. PG11047은 무모 생쥐에서 A549 폐포 기저상피세포암 세포주의 이종 이식 암의 발생을 유의하게 지연시켰다 (Hacker 등, 2008). 알려진 PG11047의 항암 효과의 기전으로는 세포 유형에 따른 ODC의 하향 조절, SSAT 및 SMO의 활성, polyamine 섭취에서 antizyme으로 매개되는 되먹임의 억제 등이 있다 (Casero와 Marton, 2007; Mitchell 등, 2007). ROS, 특히 과산화수소의 생성은 polyamine 유사체에 의해 세포 독성을 동반한 SSAT의 유도에 영향을 주며 (Ha 등, 1997), SSAT를 유도하는 많

은 동일 유사체는 SMO를 유도한다 (Devereux 등, 2003). 따라서 SSAT와 SMO는 유사체의 작용으로 인한 ROS의 생성과 관련이 있다 (Casero와 Marton, 2007). 현재 PG11047은 재발되었거나 치료에 저항성을 나타내는 암을 가진 환자를 대상으로 임상 I 단계 시험에서는 단독 요법으로, 임상 Ib 단계 시험에서는 bevacizumab (Avastin; Genentech), erlotintib (Tarceva; OSI Pharmaceuticals), docetaxel (Taxotere; Sano-fi-Aventis), gemcitabine (Gemzar; Eli Lilly), 5FU/Leucovorin, cisplatin, 혹은 sunitinib (Sutent; Pfizer) 등과 겸용하여 시험 중에 있다. A549 폐암 세포주와 DU145 전립선암 세포주를 대상으로 PG11047을 단독으로 혹은 cisplatin, bevacizumab 과 겸용하여 사용한 경우 나타나는 항암 효과를 평가한 연구는 다음과 같은 결과를 보고하였다 (Dredge 등, 2009). 첫째, 단독 요법으로 사용된 PG11047은 폐암 및 전립선암 모델에서 종양의 성장을 유의하게 억제하였다. 둘째, 폐암 모델에서 PG11047은 cisplatin의 항암 효과를 증대시켰다. 셋째, 전립선암 모델에서 PG11047과 bevacizumab을 각각 단독으로 사용한 경우 강력한 항암 효과가 관찰되었고, 이들을 병용한 경우에는 각각을 단독으로 사용한 경우에 비해 항암효과가 유의하게 증대되었다. 넷째, PG11047은 모든 실험에서 체중 상승으로 인한 부작용 없이 순응하였다. 이들 임상 전 결과는 PG11047을 단독 요법으로 혹은 cisplatin, bevacizumab 등과 같은 입증된 항암 제제와의 병용 요법으로 사용할 수 있다는 근거를 제시한다.

Retinoids는 여드름부터 급성 전골수구성 백혈병 (acute promyelocytic leukemia, APML)에 이르기까지 다양한 질환의 치료에 이용되는 유기물 가족에 속한다. 그러나 심각한 부작용 때문에 사용이 제한적이며, 안전한 유사체의 개발이 필요한 실정이다. Spermine과 all-trans-retinoic acid (atRA)와의 복합제인 N(1),N(12)-bis(all-trans-retinoyl)spermine (RASP)의 혈관 형성에 대한 효과와 내피세포 및 전립선암 세포의 생존력에 대한 효과를 연구한 자료에 의하면, atRA와 RASP는 닭 배아의 융모막요막 (chorioallantoic membrane) 모델에서 용량 의존적으로 혈관 형성을 억제하였으며, RASP는 atRA에 비해 더 효과적이었고 여러 범위의 용량에서 부작용이 적어 활용이 용이하였다. RASP와 atRA 모두 농도 의존적으로 사람의 제정맥 (umbilical vein) 내피세포와 LNCaP/PC3 전립선암 세포의 수를 감소시켰다. 전립선암 세포에서 RASP의 효과는 atRA, spermine, atRA와 spermine과의 병합, spermine과 기

타 산성 retinoids나 psoralens와의 복합제 등보다 더 강하였다. RASP와 atRA의 억제 효과는 retinoic acid receptor alpha (RARA)에 의한 종양 억제 유전자 *retinoic acid receptor beta* (*RARB*) mRNA의 증가와 관련이 있으며, 내인성 RARB의 발현과 비례하였다. 이들 결과는 혈관 형성과 전립선암 세포의 성장을 감소시키는 효과가 atRA보다 RASP에서 더 강하며, RARA는 RARB를 상향 조절하여 전립선암 세포의 성장을 억제함을 보여 준다 (Vourtsis 등, 2013).

4. Phosphorylcholine (PCho)

전술한 물질 외에도 사정액 내에 고농도로 분포하는 기타 양전하 amines로는 choline, phosphorylcholine (PCho) 등이 있으며, 이들은 대개 지방의 한 성분으로서 혹은 지방 친화성 인자로서 발견된다. 포유동물의 정액에는 $(CH_3)_3-N^+-(CH_2)_2-OH$ 인 choline이 풍부하다. 사람에서는 PCho가 우세한 반면, 대부분의 다른 종에서는 α-glyceryl phosphoryl choline이 더 높은 농도로 포함되어 있고, 정액장액에서의 농도는 10 mg/mL 이상이다. Seligman 등 (1975)은 PCho이 prostatic acid phosphatase (PACP)의 매우 특이한 기질이며, 정액장액 내에서 활성적이라고 보고하였다. PACP의 작용으로 사정액의 첫 부분에서 신속하게 유리 choline이 형성된다. 대조적으로, 부고환에서 대부분 분비되는 α-glyceryl phosphoryl choline은 acid phosphatase에 의해 쉽게 가수 분해되지 않는다. 이러한 이유로 Mann과 Mann (1981)은 α-glyceryl phosphoryl choline 의 농도는 부고환의 분비 능력을 평가하는 지표가 될 수 있으며, 부고환으로부터의 분비는 안드로겐에 의해 조절된다고 보고하였다. 이들 choline 화합물이 정자와 관련하여 어떠한 기능을 가지고 있는지는 알려져 있지 않으나, 정자에 의해 대사되지도 않고 정자의 호흡에 영향을 주지도 않는다 (Dawson 등, 1957).

PCho의 신합성은 Kennedy 경로를 통해 choline kinase (ChoK)가 choline을 인산화함으로써 일어난다. PCho는 다단계를 거쳐 phosphatidylcholine (PC)이 되며, 이는 phospholi-pase (PL) A₂ (PLA₂), PC-specific PLC, PLD 등에 의해 가수 분해되는데, 각각으로 인해 fatty acids+glycerophosphocholine, PCho+diacylglycerol, choline+phosphatidic acid가 형성된다 (Podo, 1999). PCho는 또한 sphingomyelinase가 세포막의 phospholipid인 sphingomyelin을 ceramide와 PCho로 가수

분해함으로써 형성되기도 한다 (Ledeen과 Wu, 2008).

종양의 형성은 중요한 신호 경로에 영향을 주는 유전자의 이상과 형질 전환 세포로 변형시키는 후성적 사건의 결과이며, 통제되지 않는 성장 및 증식, 사망 신호에 대한 저항, 인접 조직으로의 침범 등과 같은 특징을 가진다 (Wells, 2000). 종양의 진행에서 마지막 단계인 원격 전이를 위해서는 첫째, 세포와 세포 및 세포와 기층 (substratum) 사이 접착의 상실, 둘째, 세포의 이동성 증가, 셋째, 세포 밖의 단백질분해효소가 활성화됨으로 인한 기저막 및 인접한 세포 외부 기질의 분해, 넷째, 국소 혈관 혹은 림프관으로의 침범, 다섯째, 고정 (anchorage) 의존성 세포가 주위의 세포 외부 기질로부터 떨어짐으로 인한 계획된 세포사망, 즉 anoikis에 저항함으로써 전파하는 동안 세포의 생존, 여섯째, 혈관 밖으로 세포의 유출 및 원격 기관에서의 군집 형성 그리고 혈액 공급을 받아 독립적인 성장에 필요한 혈관 신생 등의 분명하고도 독립적인 과정 등이 요구된다 (Gupta와 Massague, 2006). 침범과 전이는 공격적인 종양의 특징이며 암으로 인한 사망의 원인이 된다 (Hanahan과 Weinberg, 2000). 따라서 현대의 약물 개발이 종양세포의 침범 및 전이 그리고 혈관 형성을 차단하는 데 집중하는 것은 당연하다. 한 예로 이러한 과정을 촉진하는 신호 경로인 phospholipase Cγ1 (PLCγ1) 단계를 직접 표적으로 하는 약물이 현재 연구 중에 있다 (Beloueche-Babari 등, 2009).

PLCγ1은 epidermal growth factor receptor (EGFR), vascular endothelial growth factor receptor (VEGFR)-2, hepatocyte growth factor receptor (HGFR 혹은 MET proto-oncogene receptor tyrosine kinase, c-MET), platelet-derived growth factor receptor (PDGFR) 등을 포함하는 많은 receptor tyrosine kinases (RTKs)와 세포의 접착 및 이동 그리고 혈관 형성을 촉진하는 일부 integrins의 하류 인산화에 의해 활성화된다 (Wells와 Grandis, 2003). 활성화된 PLCγ1은 phosphatidylinositol-4,5-bisphosphate (PIP2)를 inositol trisphosphate와 diacylglycerol로 분해하며, 이는 각각 세포 내에 저장된 Ca^{2+}을 가동화하고 protein kinase C (PKC)를 활성화한다. 이것은 다시 PIP2에 의해 격리된 actin과 결합하는 단백질을 유리함으로써 세포의 이동에 필요한 세포 골격의 재배열을 유도한다 (Wells 등, 1999).

악성 종양으로의 성장에서 PLCγ1의 역할은 여러 연구의 결과에 의해 뒷받침되고 있다. 비정상적인 RTK가 상당수의 암에서 관찰되었으며, 이는 PLCγ1을 포함하는 여러 하류 효과기

분자를 활성화한다고 보고되었다 (Gibbs, 2000). 또한 lipid phosphatase를 코드화하는 종양 억제 유전자 *phosphatase and tensin homolog (PTEN)*의 돌연변이는 암에서 *tumor protein 53 (TP53)* 다음으로 흔한 돌연변이이고, 지속적으로 PLCγ1의 신호 경로를 활성화한다 (Yin과 Shen, 2008). PLCγ1은 또한 유방암, 결장직장암 등을 포함하는 일부 암에서 과다 발현된다고 보고되었다 (Sala 등, 2008). 다른 연구는 PLCγ1의 발현이 증가되면 세포 자멸사에 대항하는 효과가 나타나며, 반면에 약리학적으로 혹은 유전학적으로 PLCγ1의 활성을 억제하면 종양세포의 성장, 침범, 다른 부위로의 전이 등이 중단된다고 하였다 (Nozawa 등, 2008). 따라서 PLCγ1은 종양세포의 침범 및 전이를 차단하는 데 목표를 둔 약물 개발의 합리적이고도 매력적인 표적이 될 수 있다.

약물역동학적, 특히 비침습적인 생물 지표는 항암 효과와 표적 억제 사이의 상관관계 및 치료 효능을 평가하는 중요한 역할을 함으로써 현대에서의 약물 개발에 많은 도움을 준다 (Workman 등, 2006). 이러한 맥락에서 볼 때, 영상 기법의 하나인 magnetic resonance spectroscopy (MRS)는 조직의 생화학적 분석을 위한 효과적인 도구로서 세포, 동물 모델, 사람 등에서 여러 대사물질을 동시에 그리고 비침습적으로 발견할 수 있게 한다. MRS에 관한 연구는 choline 대사물질의 발현 양상이 정상 조직과 암 조직 사이에서 차이를 나타내며, 이는 질환을 진단하고 치료에 대한 반응을 평가하는 데 유용하다고 하였다. 정상 조직에 비해 종양은 ^{31}P MRS를 이용할 경우 PCho와 phosphoethanolamine을 포함하는 phosphomonoesters로부터 강한 신호를, ^1H MRS를 이용할 경우 choline, PCho, glycerophosphocholine 등을 합한 총 choline으로부터 강한 신호를 방출한다 (Leach 등, 1998). 이러한 choline 대사물질의 변화 양상은 정상 조직에 비해 종양 조직에서는 phospholipid를 대사시키는 효소의 농도가 증가하고 choline의 운반 및 인산화의 비율이 증가하기 때문이라고 생각된다 (Glunde 등, 2004).

성장 인자의 신호 경로는 choline phospholipid의 대사와 관련이 있다. PDGF 혹은 EGF와 섬유모세포 (fibroblast)의 연합은 PC에 특이한 PLC의 활성을 통해 PCho의 생성을 증가시킨다 (Cai 등, 1992). 다른 연구는 PDGF, EGF, fibroblast growth factor (FGF) 등이 ChoK/PLD의 활성을 통해 PCho의 생성을 증가시킨다고 하였다 (Jimenez 등, 1995).

암 표현형을 만드는 종양 유전자의 신호 경로 또한 choline

phospholipid 대사의 변화를 일으킨다. 예를 들면, 유방암 세포에서 전이를 억제하는 유전자인 표준형 *non-metastatic protein 23* (*NM23*, 혹은 *nucleoside diphosphate* [*NDP*] *kinase*)이 발현되면 phosphomonoester/phosphodiester의 비율이 떨어지고 전이력이 감소된다 (Bhujwalla 등, 1999). NIH3T3 섬유모세포에서 돌연변이체 *rat sarcoma viral oncogene homolog* (*RAS*)가 증가하면 PCho의 양이 증가하고, *RAS*의 신호 경로를 억제하는 제제에 노출되면 이러한 대사 양상이 반전된다 (Ronen 등, 2001).

Breakpoint cluster region-Abelson (BCR-ABL), mitogen-activated protein kinase (MAPK), phosphoinositide 3-kinase (PI3K) 등과 같이 암을 유발하는 유전자의 다수 표적을 약리학적으로 억제하면 백혈병, 유방암, 결장암 등의 세포에서 PCho의 농도가 낮아진다 (Gottschalk 등, 2004). 한편, 결장암 및 전립선암 세포를 heat shock protein 90 (HSP90) 혹은 histone deacetylase 억제제로 처치하면 흥미롭게도 PCho 및 phosphomonoester의 신호가 증가한다 (Chung 등, 2008).

PC3LN3 전립선암 세포에서 short hairpin RNA (shRNA)을 이용하여 PLCγ1을 제거한 연구는 세포의 접착과 이동이 감소되었으며, 이와 관련된 대사성 변화로 인한 치료 효과를 MRS로 평가할 수 있었다고 하였다 (Peak 등, 2008). 저자들은 PC3LN3 전립선암 세포에서 PLCγ1을 제거한 경우 세포의 PCho 양이 감소되었기 때문에, PCho가 PLCγ1을 억제하는 데 대한 약물역동학적 생물 지표가 될 수 있다고 보고하였다.

암세포가 악성으로 진행함에 따라 choline의 대사 양상이 달라진다. 유방암 (Aboagye와 Bhujwalla, 1999), 난소암 (Iorio 등, 2005), 전립선암 (Ackerstaff 등, 2001) 등의 세포에 관한 연구는 악성 잠재력이 증가함에 따라 세포주 내의 PCho 및 PCho/glycerophosphocholine 비율이 점차 증가한다고 하였다. 쥐 모델을 이용한 연구는 전이성이 약한 유방암에 비해 전이성이 강한 경우에 choline을 함유한 화합물의 총량 및 PCho/glycerophosphocholine 비율이 증가한다고 보고하였다 (Whitehead 등, 2005). 또한, 소염제 indomethacin으로 암세포의 침범을 억제하면 침윤성이 약한 세포에서 나타나는 choline 대사 양상, 즉 PCho의 감소 및 glycerophosphocholine의 증가가 관찰된다 (Glunde 등, 2006).

여러 연구의 결과들은 이러한 대사성 변화가 PLCγ1과 같이 침윤을 매개하는 경로의 변화와 암세포가 침윤함에 따른 접착 성질의 변화와 관련이 있음을 시사한다. 즉, shRNA에 의한 PLCγ1 신호 경로의 하향 조절은 choline 대사를 변경하여 PCho와 총 choline의 양을 감소시킨다.

여기서 종양 형성에서 중요한 역할을 하는 choline phosphokinase로도 알려진 choline kinase (ChoK 혹은 CK)에 관해 추가로 일부 기술하고자 한다. 1953년 Wittenberg와 Kornberg가 Brewer 효모에서 ChoK의 효소 작용을 처음 기술하였다. 그 후 많은 연구들이 효모, 설치류, 포유동물, 식물 등에서 각기 다른 ChoK의 cDNA와 유전자를 복제하였고, 특징화하였다 (Monks 등, 1996; Strausberg 등, 2002). ChoK는 다양한 조직에서 존재하는 세포질 내 효소이며, ATP와 마그네슘의 존재 하에서 choline을 인산화하여 PCho를 형성한다. 포유동물의 세포에서 ChoK는 ChoK-α1, α2, β의 세 아형으로 존재하며, *CHKA*와 *CHKB*의 두 유전자에 의해 코드화되는데, 이들 아형은 동질 이합체나 이질 이합체 혹은 소중합체의 형태로 존재하며 활성적이다 (Aoyama 등, 2000). 근래에는 *Caenorhabditis elegans* (C. elegans)로부터 ChoK 아형의 하나인 choline kinase A-2 (ChoKA-2)가 결정화되었는데, 이 단백질은 위상 기하학 (topology) 측면에서 protein kinase나 aminoglycoside phosphotransferase와 매우 유사하다 (Peisach 등, 2003). ChoKA-2는 구조적으로 사람의 ChoK와 약 37% 동일하기 때문에, 동질 모델의 연구 및 분자 모델 연구의 추적 관찰에 매우 유용하다.

ChoK는 두 가지의 세포막 인지질, 즉 PC와 sphingomyelin의 생성 그리고 세포의 분열에서 중요한 역할을 한다. ChoK는 PCho와함께 세포의 신호 경로 및 세포 성장의 조절에서 중요한 역할을 하며, 유방암, 폐암, 결장암, 전립선암, 신경모세포종, 간 림프종, 뇌수막종, 쥐의 각종 종양 등 여러 암에서 발암 유전자 *RAS*를 통해 악성 형질 전환에 관여한다. 종양이 형성되는 동안 Raf-1 proto-oncogene serine/threonine-protein kinase (RAF1), Ral guanine nucleotide dissociation stimulator (RALGDS), PI3K 등이 ChoK의 활성에 관여한다. ChoK의 유전자는 세포의 스트레스 혹은 세포의 방어 기전과 관련이 있다고 생각된다 (Janardhan 등, 2006). *RAS*는 종양 형성에 관여하는 가장 중요한 발암 유전자 중 하나이다 (Midgley와 Kerr, 2002). ChoK는 choline을 PCho으로 전환시킴으로써 *RAS*의 신호 경로에 관여하는 효소이며, PCho의 과다 발현은 종양 형성에 영향을 주는 것 같다 (Molina 등, 2004). 따라서 PCho의 합성과 종양 유전자의 조건 하에서 *RAS* 의존성 신호 경로의 변경과 관련된 ChoK의 역할을 밝혀낸다면 ChoK 억제제의 개발이 진일보할 것이다.

콜린성 신경세포, choline transporter를 포함한 세포막, choline-acetyltranseferase, ChoK 등은 세포 내에서 choline의 농도를 균형 있게 유지하는 데 필수적이다. 콜린성 신경세포의 막에 있는 choline transporter는 시냅스 전도가 이루어지는 동안 choline을 수용하였다가 choline-acetyltransferase를 통해 acetylcholine으로 전환시킨다. 그러나 정상 세포에서는 ChoK가 choline을 PCho의 생성을 위한 기질로 이용하며, 이로써 PC을 생합성하는데, 이들 모든 요소들이 연합하여 choline의 농도를 조절한다. Hemicholinium-3 (HC-3)와 같은 콜린성 대항제는 수일 동안 효과적으로 choline의 섭취를 억제한다. HC-3는 choline을 섭취하는 운반체를 차단하는 역할을 한다고 생각된다 (Ansell과 Spanner, 1974). HC-3는 비특이적으로 호흡 마비와 같은 심각한 부작용을 일으키지만, HC-3의 구조는 새로운 ChoK의 억제제를 개발하는 데 중요한 근거를 제공한다고 생각된다. ChoK는 여러 암의 치료에서 매력적이고도 유망한 표적이 될 수 있다 (Janardhan 등, 2006).

PC는 모든 진핵 생물 (eukaryote)과 일부 원핵 생물 (prokaryote)의 세포막 형성 및 세포의 신호 전달에서 중요한 역할을 하는 필수적인 요소이다 (Exton, 1994). PC는 phosphatidylethanolamine (PE), phosphatidylserine (PS), phosphatidylinositol (PI), sphingomyelin (SM), cardiolipin 등과 같은 다양한 인지질 중에서 가장 널리 분포하는 glycerophospholipid 계통이다. 모든 포유동물에서 PC는 Kennedy 경로, 즉 cytidine diphosphocholine (CDP-choline) 경로 및 phosphatidylethanolamine methylation (PEM) 경로를 통해 choline으로부터 생합성되며 PC-specific PLD에 의해 분해되는 데 비해, PEM 경로는 간 세포에서만 중요하다. PC의 합성과 분해의 두 경로는 세포의 항상성에 영향을 주며, 포유동물의 세포에서 PC의 항상성에 이상이 생기면 세포의 사망이 일어난다. 주된 세포막 인지질인 SM, 신경전달물질인 acetylcholine과 더불어 중요한 PC의 기질인 choline은 소의 간, 계란, 전유, 포도, 꽃양배추 등 매일 먹는 음식에 두루 포함되어 있다 (Zeisel, 2000).

종양 유전자의 형질 전환 혹은 성장 인자에 의해 유사분열의 촉진이 일어나면, PLD의 작용으로 PC가 가수 분해되어 choline과 phosphatidic acid (PA)가 형성되며, 이 choline은 외부에서 들어온 choline과 함께 Kennedy 경로로 들어간

다 (Hernández-Alcoceba 등, 1999). Kennedy 경로는 세 단계로 구성되는데, 첫 단계에서는 ChoK가 choline을 PCho로 전환시키며, 두 번째 단계에서는 CTP:phosphocholine cytidylyltransferase (CCT)가 PCho와 함께 추가된 cytidine triphosphate (CTP)를 pyrophosphate의 유리와 함께 CDP-choline으로 전환시킨다. 세 번째 단계에서는 choline phosphotransferase (CPT) 혹은 choline/ethanolamine phosphotransferase (CEPT) 가 CDP-choline과 함께 추가된 diacylglycerol (DAG)를 PC로 전환시킨다 (Janardhan 등, 2006; Gibellini와 Smith, 2010). 또한, DAG kinase와 PLA_2는 PA를 가수 분해하거나 acyl 기를 제거하여 DAG 혹은 lysophosphatidic acid (LPA)로 각각 전환시킨다. 이들 두 지질 대사물질은 유사분열을 촉진하는 신호 경로에 영향을 준다 (Lacal, 2001). PC의 가수 분해로 인해 세포막 인지질의 함량에는 변화 없이 장시간 분해 대사로 인한 산물 (catabolite)의 유리가 가능하게 된다 (Billah와 Anthes, 1990). 이들 장시간 지속되는 신호는 형질 전환의 표현형을 만드는 데 중요한 역할을 한다 (Hernández-Alcoceba 등, 1999). 따라서 ChoK는 PC의 생합성을 유발함은 물론, 유사분열을 촉진하는 신호를 전달하는 데 필요한 PCho, DAG 등과 같은 이차 전령을 유리하는 데 중요한 역할을 한다고 생각된다 (Lacal, 2001).

위의 ChoK에 관한 자료를 정리하면 다음과 같다. 세포의 증식은 세포의 신호 경로를 통해 인지질로부터 유래된 대사물질과 다양한 kinases에 의해 조절되는 복잡한 과정이다. PCho는 세포의 증식뿐만 아니라 종양의 형성에도 관여하는 중요한 지질 대사물질 중 하나이다. 세포에서 PCho의 농도는 Kennedy 경로를 통해 PLD와 함께 ChoK에 의해 조절된다. PCho는 생리적 조건 하에서는 매우 안정적이며, DNA의 합성을 위해 필수적이다 (Cuadrado 등, 1993). 그러므로 Kennedy 경로를 통한 PCho의 생성은 성장 인자에 의해 자극을 받는 세포 증식, 악성 형질 전환, 침윤, 전이 등의 조절에서 중요한 과정이라고 할 수 있다 (Gonzalez 등, 2003). 종양의 형성은 인지질 대사의 변화를 초래하고, 이로써 PCho가 과다 발현된다고 보고되었다 (Cuadrado 등, 1993). PCho의 과다 발현은 ChoK 활성의 증가와 관련이 있으며, PDGF, EGF, VEGF, insulin dependent growth factor (IDGF) 등과 같은 여러 성장 인자는 종양이 형성되는 동안 ChoK의 활성을 증대시킨다고 보고되고 있다 (Luo 등, 2003). 중요한 점은 잘 알려진 두 효과기 RALGDS와 PI3K를 매개로 이루어지는 RAS 신호 경로 또

한 종양이 형성되는 동안 ChoK의 활성을 증대시킨다는 점이다 (Molina 등, 2002). 이 가설은 종양이 형성되는 동안 ChoK와 PCho의 변화가 일어난다는 여러 보고에 의해 뒷받침되고 있다 (Glunde 등, 2004). 또한, 성장 인자에 의한 NIH3T3 세포의 증식에 관한 연구는 PLD/ChoK 경로를 통한 PCho의 생성과 PCho의 역할을 확인하였다 (Hernández-Alcoceba 등, 1999). 여러 연구들은 쥐와 사람의 다양한 종양, 예를 들면 유방암, 폐암, 결장암, 전립선암, 신경모세포종, 림프종 등에서 PCho가 증가됨을 보고하였다 (Sharma 등, 2002). 쥐에서는 polycyclic aromatic hydrocarbons, 1,2-dimethylhydrazine 등과 같은 발암 물질이 ChoK 활성의 증가와 함께 간암과 결장암을 일으킴이 관찰되었다 (Hara 등, 2002). 사람의 폐암, 결장암, 전립선암, 유방암 등의 여러 조직 그리고 암에서 유래된 상피 세포주 및 조혈 세포주는 정상 세포나 조직에 비해 높은 수치의 ChoK를 나타내었다 (Molina 등, 2002). ChoK가 종양의 형성을 매개하는 경로는 충분히 밝혀져 있지 않으나, 여러 연구를 근거로 하였을 때 ChoK가 종양이 형성되는 동안 세포의 증식을 조절하는 데 중요한 역할을 한다고 간주된다. 따라서 ChoK의 억제는 암 치료제의 개발에서 중요한 전략이 될 수 있다.

5. Prostaglandins (PGs)

Kurzrok와 Lieb (1930)가 prostaglandin (PG)을 최초로 발견하였고 사람의 자궁 평활근 조직이 사람의 정액장액에 노출되면 수축 혹은 이완함을 관찰하였으며, 그 물질은 나중에 지질 용해성의 산이라고 밝혀졌다. von Euler (1934)는 정액장액 내에서 활성을 나타내는 이러한 물질이 전립선 (prostate gland)으로부터 기원된다고 하여 prostaglandin (PG)으로 명명하였으며, 그 후 Eliasson (1959)이 PG의 주된 근원지는 정낭임을 밝혔으나 처음의 이름이 지금까지도 계속 사용되고 있다. 자연적으로 생성되고 20개의 탄소로 구성된 불포화 지방산인 PG의 합성 제제가 alprostadil이다. 즉, alprostadil은 외인성 화합물이고, prostaglandin E_1 (PGE_1)은 내인성 물질이다.

신체가 정신적인 혹은 물리화학적인 자극을 받든지 아니면 호르몬 등의 생리적 활성 물질에 의해 영향을 받으면, PG의 생합성 과정에서 필수적인 최초 단계에 작용하는 효소 phospholipase A_2 (PLA2)의 매개로 세포막에 위치한 phospho-

lipid로부터 arachidonic acid가 생성된다. Arachidonic acid는 20개의 탄소로 구성된 불포화 지방산의 일종이며, PG의 생합성에서 기질로서 이용된다. 이 지방산이 체내에서 생성되면 cyclooxygenase (COX) 혹은 여러 lipoxygenase에 의해 즉시 대사되는데, 전자 효소를 통해 대사되면 PG G_2와 PG H_2가 생성되며, 이는 다시 다양한 PG, prostacyclin, thromboxanes, 12-hydroxyheptadecatrienoic acid (12-HHT) 등으로 전환된다. Arachidonic acid는 후자 효소를 통해 5-hydroperoxy-icosatetraenoic acid (5-HPETE) 대사되며, 이는 다시 다양한 leukotrienes와 5-hydroxyicosatetraenoic acid (5-HETE)로 대사된다 (Park과 Paick, 2005).

사람에서 PGs가 가장 풍부한 근원지는 정낭이며, 정액장액 내에는 총 100~300 μg/mL 농도의 PGs가 포함되어 있다. PGs는 포유동물의 여러 다른 조직에 폭넓게 분포하고 있지만, 정낭보다는 훨씬 낮은 농도이다 (Vane과 Botting, 1995).

사람에게는 90종류의 PGs가 있으며, 사람의 정액에는 15종류의 PGs가 있다. 이들 모두는 2개의 측쇄 (side chain)와 1개의 cyclopentane ring을 가진 20-carbon hydroxyl fatty acid이며, prostanoic acid의 유도체이다. 전립선에서 발견되는 15가지 유형의 PGs는 cyclopentane ring의 구조에 따라서 크게 네 군, 즉 A, B, E, F로 구분된다. 이들 군의 각각은 측쇄에 있는 이중 결합의 위치와 수에 따라 더욱 세분되는데, 예를 들면 PGE_3는 측쇄에 3개의 이중 결합이 있는 E 유형의 PG를 의미한다. E 군의 PGs는 남성의 생식기에 있는 주성분이고, F 군은 여성의 생식기에 우세하게 분포해 있다. 사람의 정액장액에 있는 PGs의 농도는 여러 연구에 의해 보고되었으며, 이들 자료를 Fuchs와 Chantharaski (1976)가 정리하였고, 그들의 평균치는 도표 7과 같다. PGs는 각각의 수용체의 활성에 따라 기능을 하며, PGD의 수용체로는 DP_1, DP_2가, PGE의 수용체로는 EP_1~EP_4가, PGF의 수용체로는 FP가, PGI의 수용체로는 IP_1, IP_2가 있다. 비뇨기과적 종양과 관련하여서는, EP_2와 EP_4가 신장암 환자의 생존을 예측할 수 있는 유의한 인자로 간주되며, EP_1, EP_2, EP_4 등은 전립선암의 형성 및 공격성과 관련이 있고, EP_4는 상부 요로의 요로상피세포암에서 진행 및 예후와 관련이 있다고 보고된 바 있다 (Ohba 등, 2013).

이들 화합물은 고환과 음경의 수축뿐만 아니라 발기, 사정, 정자의 운동성 및 이동 등과 같은 남성에서의 다양한 생물학적 사건에 관여하는 강력한 약리적 물질이다. 또한, 정액장액 내의 PGs가 질 안으로 들어가면 자궁경부의 점액과 질 분비

도표 7 사람의 정장액 내 프로스타글란딘의 평균 농도

프로스타글란딘 유형	농도, µg/mL
PGA_1+A_2	9
(PGA_1+A_2)-19-OH	31
PGB_1+B_2	18
(PGB_1+B_2)-19-OH	13
PGE_1	20
PGE_2	15
(PGE_1+E_2)-19-OH	100
$PGF_{1\alpha}$	3
$PGF_{2\alpha}$	4

PG, prostaglandin.

액에 영향을 주고, 사정된 정자가 난자로 이동할 수 있도록 도와주는 자궁과 난관의 역연동 수축에 관여한다. Chaudry 등 (1994)은 PG의 대사와 양성 전립선 및 전립선암 조직과의 관계를 연구하였는데, arachidonic acid로부터 생성되는 PGE_2와 diacylglycerol (DAG)가 양성 전립선 조직에 비해 전립선암 조직에서 각각 10배, 4배 더 높게 생성되었다. PGE는 'prostasomes' 혹은 세포 외부의 소기관 (organelles)에 의해 매개되는 정액장액의 면역 억제 효과와 연관성을 가지고 있다 (Kelly 등, 1991).

5.1. 프로스타글란딘의 신호 경로
Prostaglandin (PG) signaling

Cyclooxygenase 2 (COX2)는 arachidonic acid의 PGs 및 관련 eicosanoids로의 전환을 촉진하는 속도 제한 효소 (rate limiting enzyme)이다. COX2는 유사분열 촉진체, 종양 촉진체, 성장 인자, cytokines 등에 의해 신속하게 발현된다 (Hussain 등, 2003). 유전적 및 임상적 연구로부터 나온 유력한 증거에 의하면, COX2 발현의 증가는 종양 형성에서 중요한 단계이다 (Hussain 등, 2003). 여러 연구도 전립선암에서 COX2가 과다 발현됨을 보여 주었으며, 이는 COX2와 전립선암의 발생 사이에는 연관성이 있음을 시사한다 (Gupta 등, 2000). 그러나 모든 전립선암이 COX2 발현의 증가와 관련이 있지는 않다 (Wagner 등, 2005). 다른 연구는 전립선암에서 COX2의 일정한 과다 발현을 발견하지는 못했지만, 전립선암 발생과 관련이 있는 병변인 증식성 염증성 위축 (proliferative inflammatory atrophy, PIA) 부위에서 COX2가 크게 발현됨을 관찰

했다고 하였다 (Zha 등, 2001). 전립선암에 관한 후향 연구는 전립선절제 표본에서 COX2의 농도가 증가된 경우는 재발이 강하게 예측되는 반면, COX2의 농도가 낮은 경우에는 재발률이 낮다고 하였다 (Cohen 등, 2006).

PG의 대사성 불활성을 일으키는 중요한 효소인 15-hydroxy-prostaglandin dehydrogenase (15-HPGD)는 PG를 생물학적 활성이 크게 감소된 15-keto 유도체로 전환시킨다. 근래의 연구는 15-HPGD가 결장암에서 종양을 억제하는 인자로서 기능을 하며 종양 유전자에 대한 대항제의 역할을 한다고 하였다 (Yan 등, 2004). 이 연구는 COX2에 대해 생리적으로 대항 작용을 나타내는 15-HPGD가 정상 결장 표본에서는 보편적으로 발현되지만, 종양 표본에서는 대개 없거나 매우 감소된다고 하였다. 이 연구는 또한 누드마우스에서 *15-HPGD* 유전자를 발현하는 벡터를 암세포에 이입하면, 세포의 종양 형성력이 크게 감소되었고 종양의 성장이 완만해졌다고 하였다.

PGs는 G protein-coupled receptors (GPCRs), 즉 prostanoid 수용체와 결합하며, 이로써 신호 경로가 활성화된다. Prostanoid 수용체 가족에는 8종류의 구성원이 있으며, 이들은 ligand와 결합하는 양상 및 ligand와의 결합을 활성화하는 신호 경로에 의해 구별된다. 이와 같이 수용체가 다양하기 때문에, 조직에 특이한 PG 작용이 유도되며, 흔히 PG와 상충되는 작용이 나타나기도 한다 (Breyer 등, 2001). PGE와 PGF는 전립선암 세포의 증식을 자극하는 주 PG이다 (Moreno 등, 2005). PGE는 네 종류의 PGE receptor (EP) 아형, 즉 EP_1~EP_4를 통해 작용하며, PGF는 PGF receptor (FP)를 활성화한다. 전립선암 세포는 EP와 FP를 발현한다 (Moreno 등, 2005).

한편, 15-deoxy-Δ(12,14)-PGJ(2) (15d-PGJ(2))는 효소 작용에 의하지 않고 PGD(2)로부터 전환된 대사물질 중 하나이다. 여러 종양에서 15d-PGJ(2)의 항암 효과가 알려져 있지만, 아직 그러한 효과의 기전은 분명하지 않다. 빈 retrovirus 벡터를 이용하여 murine PGD(2) synthase (mPGDS)의 유전자 *mPGDS*를 쥐의 전립선암 세포 RM9에 이입한 RM9-*mPGDS*와 빈 retrovirus 벡터만을 RM9에 이입한 RM9-EV를 RT-PCR 및 ELISA를 이용하여 비교한 연구에 의하면, 생체 실험의 경우 RM9-EV에 비해 RM9-*mPGDS*에서 종양세포의 세포 자멸사가 유의하게 증가되었으며, 이러한 효과는 체외 실험에서는 관찰되지 않았다. 이 연구는 RM9-*mPGDS*에 의해 유도된 세포 자멸사가 저산소증과 같은 종양 환경에서 이루어짐을 보여 주었다. 따라서 *PGDS* 유전자를 종양세포에 이입하는 방법은 전

립선암 치료에서 새로운 접근법이 될 수 있다 (Nakamura 등, 2013).

COX2는 전립선암의 나쁜 예후와 관련이 있으며, 암의 전이에 관여한다. 그러나 이러한 효과의 정확한 기전은 분명하게 밝혀져 있지 않으며, 이에 관한 이전의 보고는 microsomal PGE synthase 1 (mPGES1)이 종양과 관련이 있는 혈관 형성과 종양의 성장에서 중요한 인자라고 하였다. 전립선암의 폐전이에서 mPGES1이 중요한 역할을 하는지를 평가하기 위해 쥐의 전립선암 세포인 RM9에 주입한 후 폐에서 세포의 군집을 계산한 연구에 의하면, COX2의 억제제인 celocoxib으로 치료를 받은 생쥐에서는 매개제로 치료를 받은 생쥐에 비해 폐 전이가 억제되었다. 폐 전이의 형성은 표준형 생쥐에 비해 mPGES1이 제거된 생쥐에서도 감소되었으며, 이 경우 전이된 RM9 세포의 군집 주위에서 생긴 혈관 형성 또한 함께 감소되었다. 표준형 생쥐에 비해 mPGES1이 제거된 생쥐에서 vascular endothelial growth factor (VEGF)와 stromal cell derived factor 1 (SDF1)의 혈장 내 단백질 및 전이된 폐 조직 내 mRNA 농도가 유의하게 억제되었다. 또한, mPGES1이 제거된 생쥐의 전이 폐에서는 matrix metalloproteinase 2 (MMP2) 및 MMP9의 발현이 하향 조절되었다. 이들 결과는 mPGES1이 종양의 전이를 증대시키는 MMP2 및 MMP9의 상향 조절에서 필수 인자임을 시사한다. 따라서 mPGES1은 전립선암의 전이에서 중요하며, mPGES1의 억제제는 전립선암의 전이를 방지하는 데 도움이 된다고 생각된다 (Takahashi 등, 2014).

5.2. 프로스타글란딘 E 수용체와 전립선암과의 관계
Prostaglandin E receptor (EP) associated with prostate cancer

전립선암의 발생과 진행을 이해하기 위해서는 적절한 생체 모델을 만드는 것이 중요하다. 근래 만들어진 전립선암의 이종 이식 모델에는 두 종류가 있는데, 그들 중 KUCaP-1 종양은 W741C 돌연변이 안드로겐 수용체를 가지고 있고, 거세 후 즉시 퇴행을 일으키며, 장기간 관찰하는 동안 다시 성장하지 않는 반면 (Yoshida 등, 2005), 국소적으로 재발한 거세 저항성 전립선암을 이용한 이종 이식 KUCaP-2 종양은 표준형 유전자 *androgen receptor* (*AR*)를 가지고 있으며, 거세 후 즉시 퇴행을 일으키지만 *AR*의 돌연변이 없이 1~2개월 후 증식력을 회복한다 (Terada 등, 2010). 이들 모델은 거세 저항성 전립선암

과 관련이 있는 기전을 연구하고 거세 저항성 전립선암의 새로운 치료법을 평가하는 데 도움이 된다.

비균일적인 질환으로 알려진 거세 저항성 전립선암에서 거세 저항성이 일어나는 기전을 밝히고자 다양한 실험 모델이 이용되어 왔다. 그러나 이에 관한 분자 연구에서 조직의 유효성이 낮고, 안드로겐 및 AR 의존성 상태와 상응하는 전립선암 세포주가 많지 않아 전립선암에 관한 연구는 제한적이었다. 이종 이식 암은 사람의 조직을 면역이 결핍된 생쥐에 이식한 모델이다. 이러한 방법으로 사람의 전립선암은 장기간 동안 생체 내에서 파급됨으로써 여러 호르몬 조건 하에서 전립선암을 연구할 수 있게 되었고, 새로운 치료법의 효능 또한 확인이 가능하게 되었다. 1993년 이전 시기에서 유일한 전립선암 이종 이식 암이었던 LNCaP가 안드로겐 의존성이라고 보고되었다 (Gleave 등, 1992). LNCaP 종양은 거세 후 10% 미만으로 경도의 용적 감소를 보이며, 거세 후 5주 이내에 다시 자란다. 그 후 여러 안드로겐 의존성 이종 이식 암, 예를 들면 LAPC-4 (Klein 등, 1997), LuCaP-23 (Ellis 등, 1996), PC346P (Marques 등, 2006) 등과 같은 이종 이식 암 모델이 거세 후 LNCaP와 비슷한 반응을 보인다고 보고되었다. CWR22 및 LAPC-9 모델은 안드로겐을 제거한 후 3~6개월에 다시 성장하는데, 이 모델은 KUCaP-2와 비슷하다. 대부분의 안드로겐 의존성 이종 이식 암은 KUCaP-2에서처럼 거세 저항성 전립선암 환자로부터 유래되는데, 이는 호르몬에 반응하는 전립선암 환자로부터 표본을 충분하게 얻기가 힘들기 때문이다. 전립선암에는 비균일적인 세포들이 혼재되어 있어 성장 및 생존과 관련이 있는 안드로겐에 대한 의존성이 다양하게 나타나며, 안드로겐 박탈 요법은 일부 선택적인 부분에 대해 효과를 보이고 이들 세포의 분포를 변경시킴으로써 거세 저항성 전립선암이 자라나게 한다 (Craft 등, 1999). 생쥐에 이식할 시점에서 이들 종양은 성장이 정지된 안드로겐 반응성 종양세포와 안드로겐 비의존성 종양세포가 혼재되어 있는 상태가 된다. 수컷 생쥐가 가진 본래의 안드로겐 환경 하에서는 안드로겐에 반응하는 세포가 성장을 위한 이점을 제공받게 되며, 결국에는 안드로겐 의존성 이종 이식 암으로 발달하게 된다.

거세 저항성인 KUCaP-2 종양은 핵 내에서 AR을 발현하고 PSA를 생성하는데, 이는 AR이 매우 낮은 혈중 안드로겐에 의해 활성화되며 이러한 점이 거세 저항성으로의 진행과 관련이 있다고 생각된다. 근래의 연구는 AR이 호르몬 반응성 전립선암뿐만 아니라 거세 저항성 전립선암에서 생존과 증식

도표 8 호르몬에 반응하는 전립선암과 거세 저항성 전립선암에서 환자의 특징과 EP4 염색 등급

	호르몬 반응성	거세 저항성	p
환자 수	27	31	
PSA, ng/mL[†]	7.9 (3.8~31.3)	15.5 (0.5~949)	0.0066
Gleason 점수[†]	7 (3~9)	9 (6~10)	0.0001
EP₄ 염색 등급[‡]			0.0001
없음	10 (37.0%)	5 (16.1%)	
약함	17 (63.0%)	9 (29.1%)	
중간	0 (0%)	10 (32.2%)	
강함	0 (0%)	7 (22.6%)	

[†], 중앙치를 나타냄; [‡], 종양세포 중 최소 20%에 대한 염색의 강도를 나타냄.
EP4, prostaglandin E receptor 4; PSA, prostate-specific antigen.
Terada 등 (2010)의 자료를 수정 인용.

을 매개하는 중요한 전사 인자임을 보여 주었다 (Wang 등, 2009). *AR*에서 일어나는 돌연변이는 전립선암이 거세 저항성으로 진행하는 과정에서 중요한 경로이다 (Taplin과 Balk, 2004). 그러나 KUCaP-2는 표준형 *AR*을 가지고 있고 *AR*의 돌연변이 없이 거세 저항성으로 진행한다. 가능성이 있는 또 다른 경로로 낮은 농도의 안드로겐에 대한 AR의 과민 반응이 거론되는데, 이는 AR의 발현 증가에 의해 유도된다 (Chen 등, 2004). KUCaP-2에서는 *AR* mRNA가 안드로겐 의존성 성장 단계로부터 거세로 인한 최대 퇴행 단계와 거세 저항성 재성장 단계로 진행하면서 약간의 증가를 일으킨다. 그러나 AR 단백질은 거세로 인한 최대 퇴행 단계에서 감소되었다가 거세 저항성 재성장 단계에서는 안드로겐 의존성 성장 단계와 동일한 수준으로 회복된다. 이러한 차이는 AR 단백질이 거세로 인한 최대 퇴행 단계에서 안드로겐 없이 분해되며, 거세 저항성 재성장 단계에서는 안정화되기 때문이라고 생각된다 (Gregory 등, 2001). 이들 결과는 AR의 상향 조절이 단지 안드로겐의 낮은 자극에 대한 적응을 나타내는 반응이지만, 거세 저항성으로 진행하는 데 필수적인 반응은 아님을 시사한다. EP₄의 상향 조절은 KUCaP-2의 경우 거세 저항성으로의 진행 과정에서 관찰되었다. EP₄는 호르몬 반응성 전립선암에 비해 거세 저항성 전립선암에서 더 높게 발현된다 (도표 8). EP₄를 과다 발현하는 LNCaP 세포의 이종 이식 암은 AR의 활성을 통해 거세 저항성을 일으킨다. 이들 결과는 EP₄의 상향 조절이 AR을 활성화하며, 이로써 전립선암이 거세 저항성으로 진행함을 시사한다.

전립선암이 안드로겐 비의존성 단계로 이행하는 과정

은 형질막에 위치해 있는 GPCR의 발현 증가와 관련이 있다 (Daaka, 2004). GPCR은 지질, 펩티드 성장 인자 등과 같은 다양한 세포 외부 분자에 의한 세포 반응을 매개한다 (Pierce 등, 2002). 양성 전립선에 비해 전립선암 생검 표본에는 en-dothelin (Nelson 등, 2003), bradykinin (Taub 등, 2003), lysophosphatidic acid (Petrylak 등, 2004) 등에 상응하는 GPCR의 발현이 증가되어 있다. 전립선암에는 endothelin-1, follicle-stimulating hormone (FSH), 여러 neuropeptides 등과 같은 GPCR ligands 또한 증가되어 있다 (Porter와 Ben-Josef, 2001). 이와 같이 전립선암에는 GPCR 뿐만 아니라 그들의 ligand의 발현도 증가되어 있는데, 이는 이들 수용체의 활성은 질환의 진행과 관련이 있음을 시사한다. 수용체에 의해 활성화된 G protein은 세포막의 내면에 결합하며, 그들은 Gα 및 Gβγ 아형으로 중합체를 이루고 있다. GPCR은 이질 삼합체인 G protein의 활성을 통해 신호를 전달하며, Gα-GTP와 Gβγ 아형을 생성한다. Gα는 네 종류, 즉 Gα_s, Gα_i, Gα_q, Gα_{12} 등으로 분류되며, Gα_s는 ATP로부터 cAMP의 생성을 자극하여 cAMP 의존성 경로를 활성화하고, Gα_i는 ATP로부터 cAMP의 생성을 억제하는 등 Gα_s와 Gα_i는 주로 adenylyl cyclase를 조절한다. Gα_q는 phospholipase C (PLC)를 자극하여 세포 내부의 Ca^{2+} 농도를 조절하고, Gα_{12}는 저분자량의 GTPase Rho 및 기타 효과기를 조절한다. Gβγ는 PLC, serine/threonine 및 tyrosine kinases 등을 포함하는 다수 효과기의 활성을 조절하고 포타슘 통로를 활성화한다 (Daaka, 2004; Baltoumas 등, 2013). G protein에 관한 연구에 의하면, 전립선암 세포에서는 활성화된 Gα_s가 안드로겐 수용체를 활성화하며 낮은 농도의 안드로겐에 대해 상승 효과를 일으켜 안드로겐 수용체를 더욱 활성화한다. Gα_s는 또한 핵분열과 안드로겐 수용체의 활성에 필요한 PKA를 활성화한다. 이 연구의 결과는 안드로겐의 농도가 감소된 조건 하에 있는 전립선암 세포에서는 Gα_s와 PKA가 안드로겐 수용체의 전사 활성화에서 중요한 인자임을 보여 준다 (Kasbohm 등, 2005). 종합해 보면, GPCR이 활성화되면, 세포 내의 cAMP의 축적 및 PKA의 활성을 통해 핵의 분열 및 안드로겐 수용체의 활성화가 일어난다 (Kasbohm 등, 2005). EP₄는 GPCRs에 속하므로, EP₄-cAMP-PKA 축이 안드로겐 수용체를 활성화한다고 생각된다 (Terada 등, 2010).

EP₄는 PGE₂의 수용체 중 하나이다. 가장 흔한 prostanoid인 PGE₂는 형질막의 인지질이 COX2에 의해 전환되는 과정에서 생성되며, 자궁경부를 이완시키고 자궁을 수축시킴으로

써 출산 때 중요한 역할을 한다고 알려져 있고, 염증성 질환 (Matsuoka와 Narumiya, 2008) 및 종양 (Hull 등, 2004)과도 관련이 있다. 염증은 전립선암의 형성과 관련이 있으며 (De Marzo 등, 2007), 비스테로이드성 항염증 제제 (non-steroidal anti-inflammatory drug, NSAID)를 규칙적으로 복용하면 전립 선암의 위험이 감소된다고 보고되고 있다 (Singer 등, 2008). 따라서 COX2 억제제를 포함하는 NSAIDs는 전립선암의 치료 (Smith 등, 2006)와 예방 (Lieberman, 2002)에 효과적인지가 연구 중에 있다. 그러나 이러한 접근은 낮은 성공률 (Csiki 등, 2005)과 심각한 심혈관 부작용 (Ray 등, 2002)을 보였는데, 이는 COX2가 PGE_2 외에도 다양한 효과를 나타내기 때문이라고 생각된다. 이로 인해 PGE_2의 하류 신호 경로를 표적으로 하는 치료법이 새로운 전략으로 관심을 받고 있다.

PGE_2의 수용체에는 EP_1~EP_4의 네 아형이 있으며, 세포 내 부의 신호 경로는 수용체의 각 아형에 따라 다르다. 다양한 세 포에서 EP_1은 칼슘의 동원과 관련이 있고, EP_3는 adenylate cyclase를 억제하며, EP_2와 EP_4는 adenylate cyclase를 자극한 다 (Sugimoto와 Narumiya, 2007). PGE_2의 효과는 ligand의 농도와 표적 세포에 있는 수용체의 발현에 따라 다르다 (Hull 등, 2004). 실험 연구는 결장직장암 (Sonoshita 등, 2001)과 전 립선암 (Jain 등, 2008)이 진행하는 동안 EP_2와 EP_4의 발현이 증가됨을 보여 주었다. KUCaP-2 종양에서는 거세 저항성 질 환으로 진행하는 동안 EP_2의 발현이 증가되지 않았는데, 이 결과는 이 모델의 경우 EP_2보다 EP_4가 거세 저항성과 더 크게 관련이 있음을 시사한다. PGE_2와 전립선암의 진행과의 연관 성을 평가하기 위해 KUCaP-2를 가진 생쥐의 혈청 PGE_2 농도 를 분석한 연구에 의하면, PGE_2는 불안정하여 혈청에서 PGE_2 의 농도를 분석하기 어려웠고, LNCaP-EP_4 세포에서 분비된 PGE_2의 농도는 LNCaP-mock 세포에서보다 높았으며, 각각 48.7 ± 4.9, 20.3 ± 15.4 pg/mL이었다 (Terada 등, 2010). 그러 나 이 연구에서 LNCaP-EP_4 세포 내로 PGE_2를 주입하여도 세 포의 증식과 PSA의 생성이 유도되지 않았다. PGE_2와 전립선 암의 진행 사이의 연관성을 밝히기 위해서는 추가 연구가 필 요하다.

안드로겐이 고갈된 배지에서는 LNCaP-mock에 비해 LNCaP-EP_4 세포의 증식이 더 컸지만 안드로겐이 정상인 배 지에서는 그러한 결과가 나타나지 않았는데, 이는 EP_4의 과 다 발현이 안드로겐 비의존성으로 LNCaP 세포의 증식을 유 도함을 시사한다. 그러나 온전한 생쥐에서 종양의 성장은 LNCaP-mock에서보다 LNCaP-EP_4에서 유의하게 더 컸으며, 각각 30일간 성장한 종양의 용적은 121 ± 46, 193 ± 76 mm³이 었다 (p=0.003) (Terada 등, 2010). 또한, PGE_2는 PC3 세포에 서 EP_2와 EP_4를 통해 혈관 형성을 조절한다 (Jain 등, 2008). LNCaP 세포에서 PSA의 발현 정도는 EP_4의 발현 정도와 관련 이 있었고 안드로겐 수용체에 의해 조절되는 유전자 중 하나 인 transmembrane protease, serine type 2 (TMPRSS2)의 발 현 또한 EP_4의 과다 발현으로 증가되었기 때문에, EP_4는 안 드로겐 의존성 방식으로 PSA 발현을 증가시킨다고 생각되지 만, 안드로겐 비의존성 방식을 완전하게 배제할 수는 없다. 하 나의 예로 EP_4-cAMP-PKA 축은 β-catenin/transcription fac- tor (TCF)의 신호 경로를 활성화하여 종양의 진행을 유도하 며 (Chell 등, 2006), EP_4의 특이 대항제인 ONO-AE3-208은 EP_4를 발현하는 결장직장암의 진행을 억제한다 (Mutoh 등, 2002). 다른 연구는 전립선암 세포에서 ONO-AE3-208이 EP_4 의 과다 발현으로 인한 거세 저항성으로의 진행을 감소시킨 다고 하였다. 온전한 생쥐에서는 ONO-AE3-208이 KUCaP-2 의 증식을 억제하지 못했는데, 이는 EP_4에 대한 대항 작용이 호르몬 의존성 전립선암에서는 항암 효과를 나타내지 않음 을 시사한다. 안드로겐 수용체가 없이 EP_4를 높게 발현하는 DU145 및 PC3 세포에 100 nmol/L의 ONO-AE3-208을 투여 한 경우 세포 내의 cAMP 농도가 감소하였지만 이들 세포의 증식은 억제되지 않았는데, 이는 EP_4-cAMP-PKA 축이 이들 세 포의 증식과는 무관함을 시사한다 (Terada 등, 2010).

이종 이식 암 모델인 KUCaP-2를 이용한 연구의 결과를 종 합해 볼 때, EP_4의 과다 발현은 거세 저항성 전립선암으로의 진행과 관련이 있으며, EP_4의 대항제를 투여하면 KUCaP-2 가 거세 저항성으로 진행하는 과정이 억제되기 때문에, EP_4는 거세 저항성 전립선암의 치료에서 유망한 표적이 될 수 있다 (Terada 등, 2010).

PGE_2 수용체와 전립선암의 임상병리학적 양상과의 관 계를 평가하기 위해 122점의 전립선암 조직 표본을 대상으 로 면역조직화학검사를 실시한 연구에 의하면, 종양세포에 서 EP_1의 면역 양성률은 36.3 ± 14.3%로서 비종양 전립선 의 7.1 ± 4.8%에 비해 유의하게 더 높았으며 ($p<0.01$), Glea- son 점수 ($p<0.01$), T 병기 ($p<0.01$), N 병기 (p=0.03), M 병 기 ($p<0.01$), 세포 증식 (r=0.035, $p<0.01$) 등과 상호 관련 이 있었다. 종양세포에서 EP_2의 발현 비율은 38.9 ± 11.6% 로서 비종양 전립선의 30.6 ± 8.6%보다 유의하게 더 컸으며

($p\langle 0.01$), 종양세포의 증식과 상호 관련이 있었다 ($p\langle 0.01$). 종양세포에서 EP_4의 발현 또한 비종양 전립선에서보다 유의하게 더 컸다 ($p\langle 0.01$). 그러나 EP_2와 EP_4의 발현은 임상병리학적 양상과 상호 관련이 없었으며, EP_3의 발현은 어느 지표와도 연관성을 보이지 않았다. 이들 결과는 EP_1, EP_2, EP_4 등이 전립선암의 형성과 관련이 있으며, 특히 EP_1은 전립선암 환자에서 악성 공격성 및 종양의 발달에서 중요한 역할을 한다고 생각된다 (Miyata 등, 2013).

체외 실험은 EP_2의 활성이 일어난 경우 interleukin (IL)-1β, IL-6 등과 같이 종양을 촉진하는 염증 유발성 cytokines의 상향 조절이 일어나고, 이로써 전립선암 세포의 성장 및 침범이 촉진된다고 하였다. 이들 결과는 EP_2가 전립선암 세포의 증식 및 침범에 관여하며, PGE_2와 EP_2 사이의 신호 경로를 차단하는 방법은 전립선암의 치료에서 새로운 접근법이 될 수 있음을 시사한다 (Jiang 등, 2013).

아스피린이 전립선암의 위험도를 감소시킨다고 많은 역학 연구들이 보고하였지만, 이러한 효과의 기전은 분명하지 않다. 전립선암 세포에서 아스피린이 안드로겐 수용체와 PSA를 하향 조절함을 확인한 연구는 아스피린이 EP_2 혹은 EP_4가 아닌 EP_3를 상향 조절한다고 하였다. 이 연구에서 EP_3 대항제인 L798106를 투여하거나 EP_3를 제거한 경우에는 안드로겐 수용체의 발현과 세포의 증식이 증가되었고, EP_3 작용제인 sulprostone은 두 효과를 감소시켰는데, 이는 EP가 안드로겐 수용체의 발현에 영향을 줌을 시사한다. 또한 EP_3의 유전자 *prostaglandin E receptor 3* (*PTGER3*)의 전사물은 정상 전립선에 비해 전립선암 조직에서 유의하게 감소되었는데, 이는 EP_3가 전립선암 형성에서 중요한 인자임을 시사한다. 또한 EP_3 발현의 감소는 LNCaP 세포에 비해 거세 저항성 CxR 세포에서 나타나며, 아스피린과 EP_3 조절 인자는 전립선암 세포의 성장에 관여한다. 이들 결과를 종합해 보면, 아스피린은 EP_3의 신호 경로를 활성화하여 LNCaP 세포의 증식을 억제하고, EP_3의 하향 조절은 전립선암의 형성과 안드로겐 의존성으로부터 안드로겐 비의존성 전립선암으로의 진행을 유도한다. 따라서 COX2와 EP_3는 안드로겐 의존성 전립선암의 치료에서 유망한 분자 표적이 될 수 있다 (Kashiwagi 등, 2013).

PGE_2는 전립선암의 형성에 관여한다. 26명의 전립선암 환자로부터 채집한 전립선절제 표본을 대상으로 Western blotting 및 면역조직화학검사를 실시한 연구에 의하면, 전립선암 부위에서 EP_4와 EP_2는 각각 85% (22점/26점), 75% (18점/24

점)에서 과다 발현되었으며, EP_3는 모든 표본, 즉 100% (26점/26점)에서 감소되었다 (양성 조직에 대해 $p\langle 0.05$). 정상 전립선 세포주 PZ-HPV7에 비해 전립선암 세포주 CA-HPV10, LNCaP, PC3, DU145 등에서 EP_4가 증가되고 EP_3는 감소됨이 Western blotting에 의해 확인되었다. 생체 실험에서 siRNA를 이용하여 EP_2 및 EP_4를 제거한 경우에는 전립선암 세포주의 성장과 전이와 관련이 있는 유전자 *matrix metallopeptidase 9* (*MMP9*)과 *Runt-related transcription factor 2* (*RUNX2*)의 발현이 감소되었으며, 생체 밖 실험에서 EP_4의 대항제는 세포의 이동을 억제시켰다. 체외 실험에서 EP_3를 과다 발현하는 PC3 세포는 성장의 장애를 나타내었다. 종합해 보면, 사람의 전립선암은 EP_2 및 EP_4의 과다 발현과 EP_3 발현의 감소와 관련이 있다. 이 자료는 특이한 PGE의 수용체를 표적으로 하는 요법은 전립선암 치료의 새로운 접근법이 될 수 있음을 시사한다 (Huang 등, 2013).

5.3. 전립선 세포에서 프로스타글란딘 경로에 대한 calcitriol의 효과
Calcitriol effect on the prostaglandin (PG) pathway in prostate cells

수년 동안 진행 전립선암의 치료에서 안드로겐의 생성을 억제하는 방법이 주가 되어 왔으나, 근래에는 retinoic acid receptor (RAR) 및 retinoid X receptor (RXR), glucocorticoid receptor (GR), estrogen receptor (ER), peroxisome proliferator-activated receptor (PPAR) 등을 표적으로 하는 치료가 시험 중에 있다. Calcitriol은 vitamin D receptor (VDR)를 통해 작용하며, 전립선암에서 증식 억제, 세포 자멸사 및 분화 유도, 세포의 침습 억제 등과 같이 종양을 억제하는 기능을 나타낸다. 안드로겐, retinoid, glucocorticoid, estrogen, PPAR 작용제 등은 직접 혹은 간접으로 vitamin D의 신호 경로에 영향을 준다 (Peehl과 Feldman, 2004).

Calcitriol은 다수의 전립선암 세포주뿐만 아니라 원발 전립선암 조직의 상피세포에서 PG 경로의 유전자를 조절한다 (Moreno 등, 2005). 이러한 결과를 보고한 연구는 여러 전립선암 세포주와 정상 전립선 및 전립선암 조직의 상피세포에서 COX2의 mRNA와 단백질을 발견하였으며, 이들 분자는 calcitriol을 투여한 후 유의하게 감소되었다고 하였다. 이 연구는 또한 calcitriol이 여러 전립선암 세포에서 15-HPGD의

mRNA 및 단백질의 발현을 증대시켰으며, COX2를 억제하고 15-HPGD의 발현을 자극하여 생물학적 활성 PGs의 농도를 감소시킴으로써 PGs에 의한 성장 자극을 약화시킨다고 하였다. 이 연구에서 흥미로운 점은 calcitriol이 PGE_2 및 PGF_2 $_\alpha$ 수용체, 즉 EP/FP의 발현을 감소시켰다는 점이다. 전립선암 세포 배양액에 PG의 전구체인 arachidonic acid 혹은 외인성 PGs를 추가한 후 나타나는 성장 자극과 조기 발현 유전자인 *FBJ murine osteosarcoma viral oncogene homolog (FOS)*의 발현을 calcitriol이 억제하였다. Calcitriol은 전립선암 세포에서 세 가지 방법으로 PG의 경로를 억제하는데, COX2 발현의 하향 조절, 15-HPGD 발현의 상향 조절, EP 및 FP의 감소 등이다. 이와 같은 calcitriol의 작용은 생물학적으로 활성적인 PGE_2의 농도를 감소시킴으로써 전립선암 세포의 성장을 억제한다 (Swami 등, 2007). Calcitriol이 PG의 대사 및 생물학적 작용을 조절하는 기능은 전립선 세포에서 항증식 효과를 나타내는 calcitriol의 여러 기능 중 하나이다 (Feldman 등, 2007).

5.4. 전립선암 치료제로서 calcitriol과 비스테로이드성 항염증제의 병용

Combination of calcitriol and non-steroidal anti-inflammatory drug (NSAID) as therapy for prostate cancer

NSAID는 COX1 및 COX2의 효소 작용을 억제함으로써 PG의 합성을 감소시키는 기능을 가지고 있으며, 위장관 손상, 신장 병증 등의 부작용을 일으킬 수 있다 (Ohba 등, 2013). 여러 NSAID는 본질적으로 발현되는 COX1과 유도성의 COX2 둘 모두를 억제하는 반면, 일부 NSAID는 COX2에 더 선택적이다. Calcitriol은 COX2의 발현을 억제하고 NSAID는 COX2 단백질에 작용하여 효소의 활성을 억제하기 때문에, 이들 두 제제를 병용하면 낮은 농도의 NSAID로 안전하게 COX2 효소의 활성을 억제할 수 있다고 생각되며, calcitriol로 인해 15-HPGD의 발현이 증가하면 생물학적으로 활성적인 PG의 농도는 낮아지고 NSAID의 효과는 증대될 것이다 (Moreno 등, 2005). Calcitriol과 NSAID를 병용하면 전립선암 세포의 성장을 억제하는 데 상승 효과가 나타난다는 가설을 입증하기 위해 calcitriol을 COX2에 선택적인 NSAID NS398와 SC-58125, 혹은 비선택적인 NSAID naproxen과 ibuprofen과

병용하여 시험한 연구는 상승효과로 인해 전립선암 성장의 억제가 증대되었다고 하였다. 이들 결과는 calcitriol과 NSAID의 병용에 관한 임상 시험은 가치가 있으며, 이들 병용 요법은 전립선암의 치료에서 임상적으로 활용이 가능함을 보여 준다 (Moreno 등, 2005).

병용 요법은 NSAID를 낮은 농도로도 사용이 가능하도록 하며, 이로써 원치 않는 부작용을 줄일 수 있다. 근래 rofecoxib (Vioxx®)와 같이 COX2에 선택적인 억제제를 지속적으로 사용하면 일부 환자에서 심근경색증과 같은 심혈관 합병증이 증가한다는 보고가 있었다 (Topol, 2004). 반면에, naproxen과 같은 비선택적 NSAID는 심혈관에 대한 유해 효과가 드물다 (Bombardier 등, 2000). Calcitriol과 비선택적 NSAID를 병용하여도 동일한 상승과로 성장을 억제하기 때문에, 전립선암의 치료를 위해 calcitriol과 비선택적 NSAID의 병용이 권장되며, 두 약물의 병용은 높은 안전성 하에서 낮은 농도로 활용이 가능하도록 한다 (Moreno 등, 2005).

재발 초기의 전립선암을 가진 환자에게 1회/주 45 μg의 고용량 calcitriol (DN-101)과 2회/일 400 mg의 표준 용량 naproxen을 병용 투여한 후 PSA doubling time (PSADT)을 측정한 연구에 의하면, 평가가 가능한 환자 13명 중 2명의 경우 혈청 PSA가 감소하였지만 평가 시기가 너무 빨라 앞으로 PSA가 50% 감소하여 실제 PSA 반응을 나타낼 것으로 단정하기 어려운 실정이었고 나머지 11명 중 9명에서는 PSADT가 2~10배 증가하였으며, 환자들은 전반적으로 치료에 대해 잘 순응하였다 (Feldman 등, 2007).

6. 콜레스테롤과 지질
Cholesterol And Lipid

사람의 정액장액에는 총 지질 1.85 mg/mL, 콜레스테롤 1.03 mg/mL, 인지질 (phospholipid) 0.83 mg/mL가 포함되어 있고 (Scott, 1945), 전립선 분비액에는 총 지질 1.86 mg/mL, 콜레스테롤 0.80 mg/mL, 인지질 1.80 mg/mL가 포함되어 있다 (White 등, 1976). 정자의 인지질은 phosphatidyl choline (28.8%), phosphatidyl ethanolamine (21.6%), sphingomyelin (21.4%), ethanolamine plasmalogen (9.4%), phosphatidyl serine (4.7%), choline plasmalogen (2.7%), phosphatidyl inositol (1.9%), cardiolipin (1.6%) 등으로 구성되어 있으며, 정액장액의 인지질은 sphingomyelin (44.0%), ethanolamine plasmalogen (12.3%), phosphatidyl serine (11.2%), phosphatidyl ethanolamine (8.5%), phosphatidyl choline (7.8%), phosphatidyl inositol (1.7%), choline plasmalogen (0.8%), cardiolipin (0.8%) 등으로 구성되어 있다 (Poulos와 White, 1973).

정액장액 내의 콜레스테롤 농도는 보고에 따라 0.11~1.03 mg/mL로 매우 다양하다. White (1975)는 정액장액 내의 인지질에 대한 콜레스테롤의 비율은 온도 혹은 주위 환경의 변화에 따른 자극으로부터 정자를 안정화하는 역할을 한다고 하였다. Thompson 등 (1987), Rose와 Connolly (1992), Rohan 등 (1995)은 전립선암의 질병 과정에서 음식 내의 지질의 역할을 검토한 바 있다. 배양 실험 연구에 의하면, n-6 (혹은 오메가 6) 지방산은 전립선암 세포를 자극하였고 n-3 (혹은 오메가 3) 지방산은 억제하였다. 생선의 지방이 풍부한 음식은 누드마우스의 경성 종양에서의 연구 결과와 마찬가지로 이들 세포의 성장을 억제하였다. 이들 다가 불포화 지방산의 성장에 대한 효과는 prostaglandin, leukotrien 둘 모두와 관련이 있으며, epidermal growth factor (EGF)-related polypeptide에 의한 자가 분비 조절과 상호 관련이 있다 (Rose와 Connolly, 1992).

Sphingomyelin은 sphingolipid의 한 형태로서 동물의 세포막, 특히 일부 신경세포의 축삭을 둘러싸고 있는 막성 수초 (myelin sheath)에서 발견되며, 사람에서는 모든 sphingolipids의 85%까지를 차지하는데, 일반적으로 phosphorylcholine과 ceramide로 구성되어 있다. 사람에서의 sphingomyelin은 glycerol에서 유래되지 않은 유일한 세포막 인지질이다. Sphingomyelin은 분명하지 않으나 세포의 신호 전달에서 어떠한 역할을 한다고 보고된다. 세포의 형질막에는 sphingomyelin이 풍부하며, 대개 세포막의 외면에 있지만 세포막의 내면에 있다는 보고도 있다 (Zhang 등, 1997). 그러나 sphingomyelin을 ceramide로 분해하는 효소인 sphingomyelinase-2는 세포막의 내면에서만 발견되기 때문에 sphingomyelin은 내면에 위치한다는 보고가 더 신뢰성이 있다 (Tani와 Hannun, 2007). 이 분해 효소가 유전적으로 결핍되면 sphingomyelin이 췌장, 폐, 간, 뇌 등에 축적되어 비가역적인 신경 손상이나 황달을 일으키는데, 이를 Niemann-Pick 질환이라 한다. 적혈구의 세포막에 sphingomyelin이 과잉으로 축적되면, 적혈구 형질막의 외면에 지질이 과잉으로 축적되어 적혈구 모양이 변형되는데, 이를 유극적혈구 (acanthocyte)라

한다.

Plasmalogen은 ether phospholipid의 한 유형이며, sn-1 위치에서 vinyl ether와의 결합을, sn-2 위치에서 ester와의 결합을 특징으로 한다. Plasmalogen에 위치해 있는 가장 흔한 선두체 (head group)는 choline과 ethanolamine이며, 각각의 경우 plasmenylcholine, plasmenylethanolamine이라 부른다. Plasmalogen은 많은 인체 조직, 특히 신경계, 면역계, 심혈관계 등에 풍부하게 있다 (Moser 등, 2011). 사람의 심장 조직에서는 choline glycerophospholipid의 30~40%가 plasmalogen이다. 뇌에 있는 glycerophospholipid의 약 30%, 수초에 있는 ethanolamine glycerophospholipid의 70%까지가 plasmalogens다. 이 인지질의 기능은 충분히 밝혀져 있지 않으나, 활성 산소종 (reactive oxygen species, ROS)으로부터 세포를 보호하는 역할을 하며, 그 외에 신호를 전달하는 분자와 세포막의 동력을 조절하는 인자에 영향을 준다고 추측된다. 뇌 조직에서 plasmalogen이 부족하게 되면 Alzheimer 질환, X-linked adrenoleukodystrophy, Down 증후군 등이 동반된다 (Khan 등, 2008).

미세 소포 (microvesicles)인 exosome 내의 지질 성분은 충분히 알려져 있지 않다. 전이 전립선암 세포주 PC3와 이들 세포로부터 분비된 exosome에 대한 지질체학 분석 연구는 모세포와 exosome의 지질 구성에서 큰 차이가 있음을 발견하였고, exosome에는 특히 glycosphingolipid, sphingomyelin, cholesterol, phosphatidylserine 등이 풍부하다고 하였다. 그 외에도 exosome에는 풍부하지는 않더라도 여러 지질이 포함되어 있으며, exosome에는 단백질 mg 당 지질이 8.4배 더 풍부하다. 이들 저자들은 exosome 내에 풍부한 여러 지질은 전립선암의 생물 지표로서 활용이 가능하다고 하였다 (Llorente 등, 2013).

6.1. Phosphatidylserine (PS)

Phosphatidylserine (PS)은 인지질의 한 성분으로서 flippase라는 효소에 의해 세포막의 내면에 위치해 있다. 세포가 자멸사 과정을 진행 중일 때는 PS가 더 이상 세포막의 내면에 있지 않고 세포의 표면에 노출된다. PS는 체내에서 cytidine 5'-diphosphate (CDP)에 의해 활성화된 phosphatidic acid와 아미노산 serine과의 응축에 의해 합성된다. PS는 phosphatidylcholine (PC)과 phosphatidylethanolamine (PE)의 중요한 전

구체이며, PS로부터 PC가 생성되는 경로는 간에서만 이루어진다. 초기에는 PS가 소의 뇌에서 추출되었으나, 광우병에 대한 우려 때문에 근래에는 콩에서 추출하여 상품화되고 있다. 콩으로부터 생성된 물질에서 serine과 결합한 지방산은 소로부터 생산된 것과는 같지 않고 순수하지도 않다. 쥐를 모델로 실시한 예비 연구는 콩에서 유래된 제품이 소에서 유래된 제품과 효능이 비슷하다고 하였으나 (Blokland 등, 1999), 그 후의 임상 연구는 콩에서 유래된 PS를 기억 장애를 가진 노인에게 매일 투여해도 기억이나 기타 인지 기능에 효과를 보이지 않았다고 보고하였다 (Jorissen 등, 2001). 미국 식품의약국은 PS와 치매 혹은 인지 기능 장애의 위험 감소 사이에 연관성이 있다는 결정적인 연구는 없지만 '기능성 식품 인증'을 허가하면서 "PS가 고령에서 치매 위험이나 인지 기능 장애 위험을 감소시킬 수 있다."고 하였다.

결과가 나쁘거나 치료 효과가 낮은 암을 치료하기 위한 새로운 접근법의 표적을 발견하고자 시도한 연구는 흑색종, 전립선암, 신장암, 아교모세포종 (glioblastoma), 횡문근육종 등의 세포주뿐만 아니라 전이 및 원발 종양세포 배양의 경우 음전하를 띤 PS가 형질막의 바깥층에서 노출되는 반면, 비종양 세포주의 경우는 PS의 노출이 결여되어 있다고 하였다 (Riedl 등, 2011). 전이 흑색종에서도 PS의 노출이 관찰되었으며, 여러 병기의 흑색종 세포주의 악성도와 PS의 노출 사이에는 상호 연관성이 있었다. 이 연구에서 발견된 PS 노출의 기원은 세포 자멸사를 일으키지 않은 종양세포로 간주된다. 이 연구 자료는 PS가 종양세포와 전이의 표지자 역할을 하며, 새로운 치료법의 표적이 될 수 있음을 보여 준다.

6.2. 콜레스테롤 Cholesterol

안드로겐을 제거한 후 발생한 안드로겐 비의존성 전립선암의 신경내분비 분화 (neuroendocrine differentiation)에서 신경내분비세포 내에서 일어나는 콜레스테롤 대사의 역할을 밝히기 위해 안드로겐이 고갈된 배지로 배양된 LNCaP 세포를 대상으로 면역형광염색을 이용하여 콜레스테롤과 se-menogelin III (SEMG3)의 발현과 분포를, RT-PCR을 이용하여 low-density lipoprotein (LDL) receptor (LDLR)를 코드화하는 유전자 *LDLR*, sterol regulatory element-binding protein (SREBP) 1과 2를 코드화하는 유전자 *SREBP1*과 *SREBP2* 등을 분석한 연구에 의하면, 안드로겐이 제거된 후 LNCaP 세포의

경우 세포부는 수축되고 축삭돌기는 확대된 양상을 나타내었으며, SEMG3, neuron specific enolase (NSE), chromogranin A (CHGA) 등과 같은 분자 표지자가 시간이 경과함에 따라 유의하게 증가하여 신경내분비 분화의 양상을 보였지만, 세포의 증식은 분명하게 억제되었다 ($p < 0.05$). 신경내분비 분화 후 LNCaP 세포 내부의 콜레스테롤은 축삭돌기의 말단에 응집하는 분포 양상을 나타내었다. 그러나 신경내분비 분화가 일어나기 전과 후의 두 세포 사이에서 콜레스테롤 발현의 차이가 관찰되지 않았으며, 콜레스테롤의 합성과 섭취에 관여하는 핵심 유전자 *LDLR*, *SREBP1*, *SREBP2* 등의 발현에서도 차이가 나타나지 않았다 ($p < 0.05$). 이들 결과는 안드로겐의 일시적 고갈은 LNCaP 세포의 신경내분비 분화를 성공적으로 유도할 수 있으며, 세포 내의 콜레스테롤을 축삭돌기의 말단으로 재분포시켜 신경분비성 과립의 형성을 증대시킬 수 있음을 보여 준다 (Wang 등, 2013).

여러 역학 연구는 혈중 콜레스테롤의 증가와 전립선암 발생 위험의 증가는 관련이 있으며, 콜레스테롤의 농도를 감소시키는 약물인 statins는 전립선암의 진행 위험을 감소시킨다고 하였다. 정상 전립선의 상피세포에는 고농도의 콜레스테롤이 포함되어 있으며, 전립선암으로 진행하는 동안 더욱 증가한다. 전립선암에서 콜레스테롤이 축적되는 기전을 밝히고자 한 연구에 의하면, 안드로겐, protein kinase B (PKB) 등과 같이 전립선의 성장과 분화에서 중요한 역할을 하는 신호전달 매개체는 콜레스테롤의 항상성에 관여하는 중요한 전사조절 인자를 조절하여 콜레스테롤의 농도를 증가시키며, 탄소 대사를 조절하여 지질의 합성을 증대시킨다. 콜레스테롤 항상성의 변화는 전립선암이 거세 저항성 질환으로 진행하는 동안에도 유지된다. 이 연구 자료는 콜레스테롤의 축적과 전립선암 세포의 성장 사이에는 연관성이 있음을 보여 준다. 콜레스테롤 대사는 전립선암의 발달에서 중요하며 성장을 촉진하는 인자는 콜레스테롤의 축적을 자극하기 때문에, 전립선암에서 콜레스테롤이 축적하는 기전을 더욱 이해하게 되면 새로운 화학 요법 제제가 개발될 수 있다고 생각된다 (Krycer와 Brown, 2013).

6.3. Sphingomyelin과 ceramide

Ceramide는 왁스 지질 (waxy lipid) 분자에 속하며, sphin-gosine과 지방산으로 구성되어 있다. Ceramide의 신합성은

palmitate와 serine의 응축에 의한 3-keto-dihydrosphingosine이 형성됨으로 시작하며, 이 반응은 serine palmitoyl transferase 효소에 의해 촉진된다. 3-Keto-dihydrosphingosine은 dihydrosphingosine으로 환원되며, 이후 (dihydro)ceramide synthase에 의한 아실화에 의해 dihydroceramide가 생성된다. Ceramide를 생성하는 최종 반응은 dihydroceramide desaturase에 의해 촉진된다. Ceramide의 신합성은 세포질세망 (endoplasmic reticulum)에서 일어나며, 생성된 ceramide는 소포 운반체에 의해 혹은 ceramide transfer (CERT) 단백질에 의해 골지체 (Golgi body)로 운반되며, 골지체로 운반된 ceramide는 즉시 대사되어 sphingomyelin, glycosphingolipid 복합체 등과 같은 sphingolipid를 형성한다 (Kitatani 등, 2008).

성장을 억제하고 세포 자멸사를 일으키는 방사선 요법은 흔히 원발 및 전이 전립선암의 치료로 이용되고 있다. 그러나 높은 양의 방사선에도 불구하고 T1~T2 병기의 비침습성 전립선암 환자 중 20~25%에서 재발이 일어난다. 국소 질환이 근절되지 않는 주된 이유는 내재되어 있는 종양에 대한 방사선 저항성이다. 이온화 방사선 (ionizing radiation)은 부분적으로는 염색체의 손상과 세포 자멸사의 유도를 통해 세포사를 일으킨다. 세포 자멸사가 클론원성 세포사보다 흔하지 않지만, 종양세포가 방사선 요법이나 화학 요법에 대해 저항성을 나타내는 기전 중 하나는 세포 자멸사를 일으키는 경로의 붕괴에 의해서이다 (Nava 등, 2000).

많은 증거들은 sphingolipid의 대사물질인 ceramide가 이온화 방사선으로 인한 세포 자멸사에서 중요한 역할을 함을 보여 준다 (Chmura 등, 1997). 이러한 세포 자멸사 경로는 막지질인 sphingomyelin이 가수 분해를 일으킴으로써 시작되며, 이후 sphingomyelin에 특이한 형태의 phospholipase C (PLC), 즉 sphingomyelinase (SMase)가 활성화됨으로써 ceramide가 생성된다 (Quintans 등, 1994). Ceramide는 다시 세포 자멸사를 일으키는 여러 중요한 경로를 활성화한다 (Kolesnick와 Kronke, 1998). 최적 pH에 의해 구별되는 중성 및 산성 SMases는 이온화 방사선 요법 후에 생기는 세포 자멸사에 관여한다고 보고되고 있다 (Levade와 Jaffrezou, 1999). 산성 SMase는 방사선 요법으로 인한 세포 자멸사에서 필수적인 역할을 한다고 생각되는데, 그 이유는 산성 SMase가 유전적으로 결핍된 Niemann-Pick 질환을 가진 환자와 산성 SMase가 결여된 생쥐의 림프구는 ceramide를 생성하지 못하고 이온화 방사선 요법에 대해 세포 자멸사의 반응을 나타내지 않기 때문이다 (Santana 등, 1996). 이와 같이 세포 자멸사의 반응이 제한적인 현상은 산성 SMase의 복구에 따라 반응이 회복되는데, 이는 이들 세포 자멸사의 반응에서 ceramide의 생성이 필수적임을 반영한다. 그러나 이온화 방사선 요법으로 인한 세포 자멸사에 민감한 (저항성은 아님) 골수성 백혈병 세포주는 산성이 아닌 중성 SMase의 활성을 통한 sphingomyelin의 가수 분해 및 ceramide 생성과 관련이 있다 (Bruno 등, 1998). 또한, 중성 SMase에 의해 ceramide가 생성되지 않는 림프구는 방사선 요법으로 인한 세포 자멸사에 저항성을 나타내며 (Chmura 등, 1997), 중성 SMase의 내인성 억제제인 glutathione의 고갈은 중성 SMase를 활성화하는데, 이는 방사선 요법으로 세포 자멸사가 일어나는 동안 여러 세포에서 glutathione의 고갈이 일어난다는 보고와 일맥상통한다 (Mirkovic 등, 1997). 다른 연구는 ceramide synthase의 활성이 증가함으로 인한 ceramide의 신합성은 세포 자멸사, 특히 12-O-tetradecanoylphorbol-13-acetate (TPA)에 의한 방사선 요법 저항성 LNCaP 세포의 세포 자멸사에 관여한다고 하였다 (Garzotto 등, 1998). LNCaP 세포에서 방사선의 조사가 ceramide의 생성과 이로 인한 세포 자멸사를 일으키지 않지만, protein kinase C (PKC)의 활성제인 phorbol 12-myristate 13-acetate (PMA)로 전처치하면 방사선으로 인한 세포 자멸사가 증대되고 ceramide synthase의 활성에 의해 ceramide가 생성된다 (Garzotto 등, 1999). 세포 자멸사는 ceramide synthase의 경쟁적 억제제인 fumonicin B$_1$ (FB1)에 의해 소실된다 (Nava 등, 2000).

LNCaP 세포는 안드로겐 수용체를 발현하며, 안드로겐에 의해 성장이 증대된다. 그러나 이들 세포는 안드로겐을 중단한 후에는 세포 자멸사를 나타내지 않기 때문에, 안드로겐 박탈 요법에 대해 저항하는 전립선암을 치료하는 전략을 연구하는 데 이들 세포가 이용된다. LNCaP 세포는 세포사를 일으키는 tumor necrosis factor (TNF)-α의 효과에 대해서는 민감하지만, 감마-방사선 조사에 의한 세포 자멸사에 대해 매우 저항적이다. 근래의 연구는 TNF-α가 ceramide의 농도를 증가시켜 LNCaP 세포를 감마-방사선 조사에 의한 세포 자멸사에 민감하도록 만든다고 하였다 (Kimura 등, 1999). 외인성 C$_2$-ceramide (C$_2$-cer) 또한 LNCaP 세포를 방사선 조사에 민감하도록 한다는 보고가 있으며, 이는 ceramide의 생성이 방사선에 의한 전립선암 세포의 세포 자멸사에서 중요하다는 개

넘을 뒷받침한다 (Nava 등, 2000). LNCaP 세포에서 방사선 조사, TNF-α, topoisomerase 1 억제제 camptothecin 등에 의한 세포 자멸사는 ceramide의 신합성과는 무관한 경로에 의해 일어난다 (Wang 등, 1999).

Ceramide의 대사물질이고 ceramidase에 의해 형성되는 sphingosine은 세포의 성장 정지 및 세포 자멸사에 관여한다. Sphingosine은 사람의 중성구 (Ohta 등, 1994) 및 심근세포 (Krown 등, 1996)에서 TNF-α에 의해 세포 자멸사가 일어나는 동안 신속하게 생성된다. 다른 연구는 sphingosine이 caspase-3와 유사한 단백질분해효소의 활성에 의해 간암 세포에서 세포 자멸사를 일으킨다고 하였다 (Hung 등, 1999). 또 다른 연구는 B-cell lymphoma-extra large (BCL-XL)을 발현하는 안드로겐 비의존성 전립선암 DU145 세포에서 sphingosine은 PKC의 억제와는 관계없이 BCL-XL을 하향 조절함으로써 세포 자멸사를 일으킨다고 하였다 (Shirahama 등, 1997). 성장을 억제하고 세포 자멸사를 유발하는 ceramide와 sphingosine과는 대조적으로, sphingosine kinase의 활성에 의해 sphingosine으로부터 형성되는 sphingosine-1-phosphate (S1P)는 platelet-derived growth factor (PDGF), 혈청, nerve growth factor (NGF), 비타민 D3 등에 의한 세포의 증식 및 생존에 관여하며, ceramide의 증가로 인한 세포 자멸사로부터 세포를 보호한다 (Kleuser 등, 1998). Sphingosine kinase는 sphingomyelinase 혹은 ceramidase와는 관계없이 활성화되며, N,N-dimethylsphingosine (DMS)에 의한 sphingosine kinase의 억제는 S1P의 증가를 차단하고, 세포 자멸사를 유도하며, 전립선암 세포를 감마-방사선 조사에 대해 민감하도록 민든다 (Xia 등, 1999).

세포 자멸사의 자극으로 인한 ceramide의 생성은 복잡한 과정을 통해 이루어진다 (Hannun, 1996). LNCaP 세포에서는 방사선을 조사한 후 SMase와 ceramide synthase가 활성화되지 않는다 (Liao 등, 1999). 따라서 감마-방사선으로 조사를 받은 LNCaP 세포에서는 ceramide 농도의 변화가 관찰되지 않는다 (Kimura 등, 1999). 그러나 TNF-α는 방사선 조사 후 ceramide의 농도를 2배까지 증가시킨다. 어댑터 단백질 (adaptor protein; 세포의 신호 전달에 관여하는 주 단백질의 부속 단백질로서 수용체와 상호 작용하여 세포막의 특정 부위에 분자를 집합시키는 기능을 가진 단백질) Fas cell surface death (FAS)-associated protein with death domain (FADD)이 TNF-α를 동원하기 위해서는 산성 SMase의 자극이 필요하

며 (Wiegmann 등, 1999), 이는 LNCaP 세포에서 ceramide가 생성되는 하나의 기전일 수 있다. 참고로 death-inducing signaling complex (DISC)는 세포 자멸사를 일으키는 세포 수용체 중 'death receptor (DR)' 가족에 속하는 구성원들로 형성된 다수 단백질의 복합체로서 FAS receptor (FASR)가 그것의 ligand인 FAS ligand (FASL)와 결합하여 형성된다. 이러한 경우가 DISC의 대표적인 예이지만, 일반적으로 DR, FADD, caspase-8 등으로 구성되며, 하류 신호 단계를 거쳐 세포 자멸사를 일으킨다 (Kischkel 등, 2011). 한편, ceramide synthase의 활성에 의해 ceramide가 생성되는데, LNCaP 세포에서 PMA에 의해 활성화된 PKC로 인한 세포 자멸사의 과정에는 이와 같은 경로가 포함된다 (Garzotto 등, 1998). 흥미로운 점은 여러 세포에서 PKC를 억제한다고 알려진 sphingosine이 LNCaP 세포에서 세포 자멸사를 일으킨다는 점인데 (Spiegel과 Merrill, 1996), 이로써 LNCaP 세포에서 sphingosine이 PKC의 억제를 통해 작용한다는 가능성을 배제할 수 있다. TNF-α는 sphingomyelinase와 sphingosine kinase의 활성을 동시에 독립적으로 조절하며, 이 때문에 이들 대항적인 두 신호 경로의 균형이 TNF-α의 자극으로 일어나는 세포의 운명을 결정한다고 생각된다 (Xia 등, 1999).

Ceramide와 sphingosine은 독립적으로 작용하여 세포사를 일으키며, sphingosine은 상위 caspases를 활성화한다 (Sweeney 등, 1998). 그러나 상위 caspases에 의해 생성된 ceramide가 세포 자멸사를 유도하기 위해서는 추가로 하위 caspases의 활성화가 필요하다 (Bose 등, 1998). LNCaP 세포의 세포 자멸사 과정에서 caspase-3가 아닌 caspase-7의 활성이 중요하다는 보고가 있었다 (Marcelli 등, 1998). 그러나 이후 연구는 caspase-7과 -3 둘 모두 LNCaP 세포의 세포 자멸사에서 중요한 매개체임을 보여 주었으며, caspase-7의 과다 발현은 종양 단백질인 B-cell lymphoma 2 (BCL2)를 과다 발현하는 LNCaP 세포에서도 세포 자멸사를 일으켰다 (Marcelli 등, 1999). Ceramide (Verheij 등, 1996)와 sphingosine (Jarvis 등, 1997)에 의한 세포 자멸사에 관여한다고 알려진 c-Jun N-terminal kinase/stress-activated protein kinase (JNK/SAPK) 경로와 같이 세포의 종류에 특이한 신호 경로가 전립선암의 세포사에 관여한다는 보고도 있다. 흥미로운 점은 BCL2의 발현은 외인성 C_2-cer에 의한 세포 자멸사로부터 전립선암 세포를 보호할 뿐만 아니라 JNK1의 활성화를 차단하는데, 이는 BCL2가 ceramide/JNK 경로에서 JNK1에 대해 작용함을 시사한다

(Herrmann 등, 1997).

전립선암 세포주에서 방사선의 조사로 일어나는 세포 자멸사에 대한 민감성에서 ceramide, sphingosine, S1P 등과 같은 sphingolipid 대사물질의 역할을 연구한 자료에 의하면, 방사선에 민감한 TSU-Pr1 세포가 8-Gy의 방사선 조사에 노출된 경우 ceramide의 농도는 노출 12시간 후부터 지속적으로 증가하여 48시간 내에 2.5~3.0배까지 증가하였으며, sphingosine을 인산화하여 S1P를 형성하는 sphingosine kinase의 활성은 50% 정도 급속하게 감소하였다. 대조적으로 방사선에 대한 민감성이 낮은 LNCaP 세포가 8-Gy의 방사선 조사에 노출된 경우 sphingosine kinase의 활성은 지속적으로 유지되었지만 ceramide의 농도는 증가하지 않았다. LNCaP 세포는 감마-방사선 조사에 대해 매우 저항적이었지만 TNF-α의 세포사 효과에 대해서는 민감하였으며, 이 경우에는 ceramide 또한 증가하였다. LNCaP 세포의 경우 방사선 조사만으로는 sphingosine의 농도가 증가되지 않았지만, 방사선 조사와 TNF-α를 병행하였을 때는 sphingosine의 농도가 유의하게 증가되었고 세포 내의 S1P 농도가 크게 감소되었다. 외인성 sphingosine 혹은 sphingosine kinase 억제제인 DMS를 이용하여 sphingosine의 농도를 증가시키면, 세포 자멸사가 일어나고 LNCaP 세포가 감마-방사선 조사로 인한 세포 자멸사에 대해 민감하게 된다. 이들 자료는 sphingolipid 대사물질의 농도가 전립선암 세포의 방사선 민감성에서 중요한 역할을 하며, ceramide 및 sphingosine의 생성을 증대시키면 치료 효과가 나타남을 보여 준다 (Nava 등, 2000).

PKC의 아형인 PKCδ는 세포 자멸사에 관여하며, 이 단백질의 발현이 감소하면 종양세포의 증식이 촉진된다 (Lu 등, 1997). 신경펩티드에 의해 매개되는 SRC proto-oncogene, non-receptor tyrosine kinase (SRC)의 활성화에 의해 PKCδ 단백질의 분해가 촉진되는 안드로겐 비의존성 전립선암 세포에서는 PKCδ 단백질의 발현이 감소된다 (Sumitomo 등, 2000). 특히, PKCδ는 etoposide (Reyland 등, 1999), paclitaxel (Matassa 등, 2001) 등과 같은 여러 항암제에 의한 세포 자멸사를 매개한다. 근래의 연구에 의하면, PKCδ가 미토콘드리아로 전위되면 cytochrome C가 분비되고 (Majumder 등, 2000), caspase의 활성화가 일어난다 (Matassa 등, 2001). Ceramide는 미토콘드리아의 세포 자멸사 경로로 신호를 전달하는 주된 매개체이다. 중요한 점은 PKCδ와 ceramide가 상호 교통을 한다는 점이다. 여러 연구는 세포 자멸사에서 ce-

ramide의 증가가 PKCδ의 전위를 유도한다고 하였는데 (Kajimoto 등, 2001), 이는 PKCδ로 매개되는 세포 자멸사 경로에서 ceramide가 중요한 역할을 함을 시사한다. 대조적으로 다른 연구는 PKCδ의 활성을 통해 세포 자멸사를 일으키는 PKC 활성제 TPA가 LNCaP 전립선암 세포에서 ceramide의 생성을 촉진하고, 활성화된 PKCδ는 다시 세포 자멸사에서 ceramide의 생성을 촉진한다고 하였다 (Garzotto 등, 1998). Ceramide는 미토콘드리아의 세포 자멸사 경로로 신호를 전달하는 주된 역할을 한다는 여러 연구와는 상충되는 결과를 보고한 연구는 ceramide가 항암제로 인한 미토콘드리아 사건의 이차적 산물로 생성된다고 하였다 (Tepper 등, 1999). 이러한 결과로 볼 때, 미토콘드리아의 세포 자멸사에서 PKCδ와 ceramide를 포함하는 신호 경로는 매우 복잡하며, 그러한 기전이 아직 분명하게 밝혀져 있지 않은 상태이다. 이에 전립선암 세포를 항암제로 치료한 후 일어나는 미토콘드리아의 세포 자멸사 경로에서 그리고 ceramide의 형성에서 PKCδ의 역할을 평가한 연구는 다음과 같은 결과를 보고하였다 (Sumitomo 등, 2002). 첫째, etoposide와 paclitaxel은 PKCδ 양성의 LNCaP 및 DU145 세포에서 ceramide를 생성하고 세포 자멸사를 일으켰지만, PKCδ 음성인 LN-TPA 혹은 PC3 세포에서는 그러한 효과를 나타내지 않았다. 대조적으로 이들 약물은 모든 전립선암 세포주에서 유사분열 과정의 세포 주기를 정지시켰다. 둘째, PKCδ의 특이 억제제인 rottlerin은 LNCaP 세포에서 약물로 인한 ceramide의 생성 및 세포 자멸사를 유의하게 억제하였고, 우성 음성 돌연변이가 일어난 PKCδ가 과다 발현된 경우에서도 마찬가지 효과가 나타났다. 표준형 PKCδ의 과다 발현은 반대 효과를 나타내었다. 셋째, etoposide가 투여된 LN-CaP 세포에서는 ceramide가 이중적인 증가 양상을 보였다. 초기에 일시적으로 나타나는 ceramide의 증가는 ceramide의 신합성 때문이며, 후기에 지속적으로 나타나는 ceramide의 축적은 중성 SMase에 의한 sphingomyelin의 가수 분해 때문이다. Ceramide는 다시 PKCδ를 미토콘드리아로 전위를 유도함과 동시에 이 kinase의 활성화를 자극함으로써 cytochrome C의 분비 및 caspase-9의 활성을 촉진한다. 넷째, caspase-9의 특이 억제제인 LEHD-FMK는 etoposide로 인한 중성 SMase의 활성, ceramide의 축적, PKCδ의 미토콘드리아로 전위 등을 유의하게 억제하였다. 이와 같은 결과는 ceramide가 미토콘드리아 내부의 신호 전달을 증대시킴으로써 항암제로 유도된 세포 자멸사의 신호 경로를 활성화하는 데 PKCδ가 중요한 역할을 함을 시사한다.

앞에서도 기술된 바와 같이, Fas와 같은 세포 표면의 'death receptor (DR)'와 ligand의 결합 혹은 TNF-α에 의해 일어나는 세포 자멸사의 활성은 DISC를 형성하며, 여기에는 DR의 세포질 영역, FADD, caspase-8, 기타 어댑터 단백질 등이 포함되어 있다 (Chinnaiyan 등, 1996). DISC가 형성되면 caspase-8이 분절됨으로써 단백질의 분해 과정이 진행되기 시작하여 세포 자멸사를 일으킨다. FAS가 활성화되면 외인성 경로로 불리는 과정이 시작되는데, 이 경로에는 caspase-8과 -3가 포함되어 있어 nucleosomal DNA를 조각으로 만들어 'DNA laddering' 양상을 나타내는 DNase인 DNA fragmentation factor (DFF)의 억제제와 poly ADP ribose polymerase (PARP)의 분절이 일어난다 (Scaffidi 등, 1999). TNF-α는 외인성 세포사 경로의 활성을 포함하는 더 복잡한 신호 전달 사건을 일으킨다 (Rath와 Aggarwal, 1999). TNF-α의 활성은 또한 nuclear factor kappa B (NFκB)의 활성을 통해 세포 자멸사에 대한 별도의 대항 경로를 유발하는데, 이는 TNF-α가 염증 세포를 자극함을 시사한다 (Beg와 Baltimore, 1996). 세포의 손상, 생존 신호의 소실 등 여러 자극으로 인한 세포사는 주로 내인성 경로에 의해 매개되며, 미토콘드리아로부터 cytochrome C의 유리, caspase-9의 활성 등과 같은 과정을 통해 세포사가 일어난다 (Zhou 등, 1999). 내인성 경로와 외인성 경로는 여러 기전을 통해 연결되어 있다. 예를 들면, death ligand에 의한 caspase-8의 활성은 세포 자멸사에 대항하는 단백질인 BCL2-associated X protein (BAX)과 복합체를 형성하는 BCL2 homology 3 (BH3) inter-acting domain death agonist (BID)를 분절시키며, 이로써 미토콘드리아로부터 cytochrome C의 유리 및 caspase-9의 활성이 일어난다 (Eskes 등, 2000). 세포에 대한 여러 자극은 FAS 혹은 FASL의 발현을 증가시키고, 이는 caspase-8과 그것의 하류 표적의 활성을 일으킨다 (Hedlund 등, 1999). 세포 자멸사를 유발하는 자극은 FAS로 매개되는 신호 경로의 활성 외에도 세포에서 ceramide와 같은 내인성 세포사 매개체의 생성을 촉진한다 (Kolesnick와 Kronke, 1998). 세포가 이온화 방사선과 같은 스트레스를 받으면, SMase 혹은 ceramide synthase의 활성으로 ceramide가 생성된다 (Santana 등, 1996). Ceramide의 생성은 보편적인 현상이 아니며, 세포의 종류에 따라 세포 자멸사를 유발한다 (Pena 등, 2000). Ceramide와 그것의 대사물질인 sphingosine의 세포 내부 농도는 LNCaP 세포가 TNF-α 혹은 방사선 조사에 노출된 후 증가된다. LNCaP 세포는 방사

선에 의한 세포 자멸사에 대해 매우 저항적이지만, 방사선 조사는 LNCaP 세포가 TNF-α 혹은 FAS에 의한 세포 자멸사에 대해 민감하도록 만든다 (Kimura 등, 2000). 감마-방사선 조사에 대해 매우 저항적인 LNCaP 세포의 세포 자멸사에서 ceramide의 생성과 외인성 ceramide의 효과를 평가한 연구는 다음과 같은 결과를 보고하였다 (Kimura 등, 2003). 첫째, LNCaP 세포는 TNF-α의 매개로 감마-방사선 조사에 대해 민감해질 수 있으며, 작용제 역할을 하는 FAS의 항체 CH-11에 의해서는 그러한 효과가 약하다. 둘째, TNF-α는 내인성 및 외인성 세포 자멸사 경로를 활성화하였으며, 방사선 조사를 받은 LNCaP 세포에서 ceramide와 sphingosine의 농도를 증가시켰다. 셋째, CH-11은 외인성 세포 자멸사 경로만을 활성화하였으며, 방사선 조사를 받은 LNCaP 세포에서 ceramide와 sphingosine의 농도에 대해서는 무시해도 될 정도의 효과를 나타내었다. 넷째, 외인성 ceramide와 세균의 SMase는 LNCaP 세포가 방사선 조사로 인한 세포 자멸사에 대해 민감하도록 만들었으며, TNF-α와 방사선 조사를 병행한 후 일어나는 세포사에 대해 상승 효과를 나타내었지만, CH-11과 방사선 조사를 병행한 경우에는 그러한 효과가 나타나지 않았다. 다섯째, ceramide와 방사선 조사에 노출된 후의 세포사 효과는 serine protease 억제제인 Na-p-tosyl-L-lysine-chloromethylketone (TLCK)에 의해 차단되었지만, caspase 억제제인 2-Val-Ala-Asp(OMe)-CH2F (z-VAD)에 의해서는 차단되지 않았다. 여섯째, LNCaP 세포에서 ceramide에 의해 세포 자멸사가 일어나는 동안, caspase-9의 활성이 관찰되었지만, caspase-8, -3, -7 등의 활성은 나타나지 않았다. Ceramide의 효과는 대개 미토콘드리아에서 내인성 세포 자멸사의 경로를 통해 일어났으며, 방사선 조사를 받은 세포에서 CH-11이 아닌 TNF-α의 효과를 증대시켰다. 이들 결과를 근거로 저자들은 ceramide가 내인성 세포 자멸사 경로의 활성을 증대시키며, 감마-방사선 조사를 받든 혹은 받지 않든 TNF-α에 의한 세포 자멸사를 증대시킨다고 하였다. 그들은 또한 TNF-α와 감마-방사선 조사가 내인성 ceramide의 농도를 증가시키며, 내인성 세포사 경로를 활성화한다고 하였다.

톡 쏘는 맛을 자극하는 성분인 capsaicin (N-vanillyl-8-methyl-1-nonenamide)은 Capsicum 속에 속하는 여러 종류의 홍고추 내에 함유되어 있으며, 유방암 세포 (Tuoya 등, 2006), 간암 세포 (Jung 등, 2001), 신경교종 세포 (Qiao 등, 2005), 백혈병 세포 (Tsou 등, 2006), 식도의 표피모양암 세포 (Wu 등, 2006) 등과 같은 일부 세포에서 세포 자멸사를 효과적으로 유

도한다고 알려져 있다. 그러나 capsaicin이 종양세포에서 세포 자멸사를 일으키는 기전에 관해서는 충분하게 이해되어 있지 않다. 한 연구는 capsaicin이 안드로겐 저항성의 전립선암 세포 PC3에서 reactive oxygen species (ROS)의 생성, 미토콘드리아의 내부 경막 전위 ($\Delta\Psi_m$)의 소실, caspase-3의 활성 등을 포함하는 기전을 통해 세포 자멸사를 일으킨다고 하였다 (Sánchez 등, 2006). 산화 스트레스가 세포 자멸사를 일으키는 기전은 아직 충분하게 알려져 있지 않지만, 스트레스 자극에 의한 ROS의 형성은 세포 내에서의 ceramide 증가와 관련이 있다고 보고된 바 있다 (Pettus 등, 2002). 세포 내의 ceramide는 serine palmitoyltransferase와 ceramide synthase의 촉매 반응에 의한 신합성을 통해, 혹은 특이 SMase에 의한 sphingomyelin의 ceramide와 phosphocholine으로의 분해를 통해 생성된다. Sphingomyelin의 가수 분해로 인한 ceramide의 형성은 스트레스로 생기는 ceramide의 생성에서 주된 경로라고 생각된다. Sphingomyelin의 분해로 인한 ceramide의 생성은 DR의 ligand, 화학 요법 제제, 자외선 혹은 감마-방사선의 조사, 열 충격, 성장 인자의 박탈, 저산소증 등과 같은 세포 자멸사의 자극 및 스트레스성 자극의 결과로 일어난다고 보고되었다 (Levade 등, 2002). 종양세포의 성장 정지에 대한 ceramide의 역할은 잘 기술되어 있지만, 그것의 근본 기전은 분명하지 않다. Ceramide와 ceramide 유사체는 mitogen-activated protein kinase (MAPK)를 포함하는 다수의 신호 경로를 활성화한다고 생각된다. MAPK 가족의 구성원은 세포 외부의 여러 자극에 의해 일어나는 세포 반응에 관여하는 신호 경로의 매개체를 구성한다. 구조의 차이에 따라 MAPK 가족은 extracellular signal-regulated kinase (ERK), JNK, p38 MAPK 등의 세 부류로 구별된다. PC3 세포에서 capsaicin에 의한 세포 자멸사의 기전을 밝히고 세 종류 MAPK의 역할을 평가한 연구에 의하면, ceramide는 sphingomyelin의 가수 분해와 JNK 및 ERK의 활성을 포함하는 과정을 통해 capsaicin으로 매개되는 세포 자멸사에 관여한다. 즉, capsaicin은 ROS의 생성, JNK의 활성, ceramide의 축적, 이차적인 ERK의 활성 등을 통해 세포 자멸사를 일으킨다 (Sánchez 등, 2007).

7. 아연 Zinc

라틴어 Zincum 혹은 독일어 톱니 의미의 Zinke가 어원인 zinc (아연)는 미생물, 식물, 동물 등에서 필수적인 미량 원소이다. 약 100가지의 특이 효소에서 발견되는 아연은 전사 인자가 DNA에 결합하는 구조를 만드는 데 관여하며, metallo-thionein (MT)으로 이동하여 저장된다. 아연은 생물에서 철 다음으로 가장 많은 전이 금속 (transition metal; 원소 주기율표의 3족에서 12족까지의 원소)이며, 모든 효소 계열과 연관성을 가지는 유일한 금속이다 (Broadley 등, 2007). 아연 이온은 단백질 가운데 aspartic acid, glutamic acid, cysteine, histidine 등의 아미노산 측쇄와 흔히 결합한다 (Brandt 등, 2009). 인체에서 아연은 2~4 g의 범위로 분포되어 있다고 추정되며, 전립선과 안구 일부에 가장 많이 분포되어 있고, 뇌, 근육, 뼈, 신장, 간 등에도 분포해 있다. 정액에 특히 풍부한 아연은 전립선의 기능과 생식기관의 성장에 중요하다고 간주된다 (Berdanier 등, 2007).

아연은 "인체 어느 부위에서나 생물학적인 기능을 수행한다."고 알려져 있다. 아연은 유기 ligands와 폭넓게 상호 작용하며, RNA와 DNA의 대사, 신호 전달, 유전자 발현 등에서 기능을 하고, 세포 자멸사를 조절하기도 한다 (Broadley 등, 2007). 약 2,800종의 인체 단백질 중 약 10%가 아연과 결합한다고 추정된다. 뇌에서는 상당량의 아연이 다른 신경 전달 물질과 마찬가지로 자유로운 형태로 glutamatergic neuron의 신경 말단에 있는 시냅스 소포 안에 들어있다. 시냅스 아연의 생리학적 역할에 대해 몇 가지의 가설이 있다 (Nakashima와 Dyck, 2009). 첫째, 아연은 신경 전달 물질, 특히 glutamate를 세포질세망 안에서 안정화시키는 역할을 한다. 둘째, 아연은 신경 전달 물질의 생성과 축적 등에 관여하는 효소들의 보조 인자로 작용한다. 셋째, 시냅스의 아연은 신경세포 사이의 신호 전달, 특히 같은 신경 말단에 공존하는 신호 전달 물질인 glutamate에 의한 흥분성 신호의 전달에 직접 영향을 미친다. 이처럼 아연은 시냅스의 가소성 (synaptic plasticity)에 영향을 주어 학습과 기억에서 중요한 역할을 한다. 그러나 아연이 신경 독소일 수도 있다고 보고되어 아연을 뇌의 'dark horse'라 부르기도 한다. 그러므로 뇌와 중추신경계가 정상적으로 기능을 수행하기 위해서는 아연의 항상성이 매우 중요하다 (Bitanihirwe와 Cunningham, 2005).

아연의 결핍은 대개 음식을 통한 불충분한 섭취 때문이지만, 흡수 장애, 만성 간 질환, 만성 신장 질환, 장병성 선단피부염 (enteropathica acrodermatitis), 겸상 적혈구 질환, 당뇨병, 암, 기타 만성 질환 등으로 인해 일어날 수 있다 (Prasad, 2003). 아연의 결핍으로 발생할 수 있는 질환 및 증상으로는 성장 감퇴, 설사, 발기 부전 및 성적 성숙 지연, 탈모증, 안구 및 피부 병변, 식욕 부진, 인지 기능 장애, 면역력 감소, 탄수화물 이용 장애, 생식기 기형 발생 등이 있으며, 세계보건기구는 아연의 결핍과 관련한 감염과 설사로 세계에서 연 80만 명의 소아가 사망한다고 발표하였다. 아연이 건강을 위해 반드시 필요하지만, 과잉 섭취하면 구리와 철의 흡수가 감소되어 무기력, 운동 실조 (ataxia) 등이 발생한다 (Hambidge와 Krebs, 2007).

아연은 사람의 정액장액 내에 140 µg/mL의 높은 농도로 포함되어 있고, 주로 전립선에서 기원하며, 전립선 분비액에서의 농도는 488±18 µg/mL이다. 아연의 농도는 어떤 기관보다 전립선에서 건조 조직 중량 g 당 0.5 mg으로 가장 높다. 사람의 전립선 분비액, 정액장액, 정자는 건조 조직 중량 g 당 각각 7.2, 3.1, 2.0 mg의 아연을 함유하고 있다 (Mackenzie 등, 1962). 다른 연구에 의한 전립선의 아연 농도는 도표 4에 요약되어 있다. 전립선 내에서 아연의 항상성은 다른 조직에 비해 더 역동적이다. 전립선의 세포 내에 아연이 축적되는 과정은 정상 전립선 조직에서 높게 발현되는 Zrt-, Irt-like protein (ZIP) 가족인 아연 운반체 (Zn^{2+} transporter)의 활성에 의해 촉진된다 (Franklin 등, 2003). 생식기관에서 아연의 역할에 관한 여러 보고를 검토한 결과, 아연의 농도는 양성전립선비대 환자에서는 변화가 없거나 증가하는 반면, 전립선암에서는 뚜렷하게 감소한다 (Byar, 1974). 정상 전립선에 비해 전립선암에서 아연의 농도가 증가된다는 보고 (Banas 등, 2010)가 있지만, 이는 정설이 아니라고 생각되며, 대부분의 연구는 정상 전립선에 비해 모든 병기의 원발 전립선암 부위에서 아연의 농도가 크게 감소된다고 보고하고 있다 (Zaichick 등, 1997; Cortesi 등, 2009). 이에 관한 다른 연구는 "정상 전립선 조직에 비해 전립선암 조직에는 아연의 농도가 증가되어 있다고 우리가 과거에 보고한 바 있지만, 이는 잘못된 판단이며, Ho와 Song (2009) 및 Sapota 등 (2009)의 보고와 마찬가지로 전립선의 모든 연조직에는 아연이 높은 농도로 함유되어 있으며, 전립선암에서는 아연의 농도가 급격하게 감소된다."고 하였다 (Costello와 Franklin, 2011) (도표 9). 방사선 자가 기록법 (radioautography)에 의하면, Zinc 65가 상피세포 내에 위치해 있다. 그러나 쥐의 측엽에서는 상당량의 아연이 기질과 기저막 및 탄력소의 단백질 성분에 함유되어 있다 (Chandler 등, 1977). 아연을 경구로 섭취해도 전립선액 내의 아연 농도는 변하지 않는다.

도표 9 전립선암에서 아연 농도의 변화		
참고 문헌	아연 농도의 변화, %	
	PCa 대 NP	PCa 대 BPH
Mawson과 Fischer, 1952	-78	
Hoare 등, 1956	-63	
Sirawawa, 1961	-51	
Schrowdt, 1964	-49	
Gyorkey 등, 1967	-46	
Hienzach 등, 1970	-83	
Gyorkey, 1973	-70	
Wallace 등, 1975	ND	-65
Dunchik 등, 1975	-67	
Habib 등, 1976	-62	
Jafa 등, 1980	-71	
Feustal 등, 1982	-50	
Marezynska 등, 1983	-67	
Lahtonen, 1985	ND	-85
Feustal 등, 1987	-16	
Ogunlewe 등, 1989	-75	
Zaichick 등, 1997	-86	
Vartsky 등, 2003	ND	-52
Sapota 등, 2009	-48	
평균	-62	-67

BPH, benign prostatic hyperplasia; ND, not determined; NP, normal prostate; PCa, prostate cancer.
Costello와 Franklin (2011)의 자료를 수정 인용.

Aydin 등 (2006)과 Christudoss 등 (2011)도 전립선암으로 진단된 후의 환자를 채혈하여 아연을 측정한 결과, 건강인에 비해 전립선암 환자에서 혈중의 아연 농도가 더 낮다고 보고하였다. 그러나 전립선암으로 진단되기 전에 채혈하여 아연 농도를 측정한 Park 등 (2013)은 상충되는 결과를 보고하였다. 전립선암 환자군 392명과 대조군 783명의 혈청 아연을 분석한 이 연구에 의하면, 혈청 아연의 농도는 환자군에서 94.9 µg/dL, 대조군에서 93.9 µg/dL로 두 군에서 차이가 없었으나, 인종별로는 차이를 나타내었다. 즉, 일본계 미국인의 경우 86.1 µg/dL 이하인 최하 3분위수에 비해 98.5 µg/dL 초과의 최상 3분위수의 OR은 2.59 (95% CI 1.09~6.17), 라틴계 미국인의 경우 최하 3분위수에 비해 최상 3분위수의 OR은 2.74 (95% CI 1.05~7.10)이었으며, 아프리카계 미국인과 백인에서는 연관성이 관찰되지 않았다. 그러나 높은 아연 농도에 노출되면 혈중 테스토스테론과 insulin-like growth factor (IGF)-1 의 증가로 인해 전립선암의 위험이 증가될 수 있다는 이 연구의 결과는 논란 중에 있으며, 이에 대해서는 추가 연구가 필요하다.

7.1. 생리학적 역할 Physiological role of zinc

아연은 많은 생리학적인 역할을 담당하며, 많은 단백질과 결합한다. Gunn 등 (1965)은 설치류의 전립선에서 아연의 이용과 농도에 미치는 내분비 효과를 연구하였다. 아연을 함유한 금속효소 (metalloenzyme)가 많이 있지만, 전립선 내의 아연 농도는 아연을 함유한 효소에 있는 농도 이상이다. Johnson 등 (1969)은 개의 전립선 분비물에서 아연과 결합하는 단백질을 가수 분해한 결과, 단지 8가지 유형의 아미노산만을 가졌다고 하였다. 양성전립선비대 환자를 대상으로 연구한 Heathcote와 Washington (1973)은 아연과 결합하는 단백질은 histidine과 alanine이 풍부하다고 보고하였다. Jonsson 등 (2005)은 정액의 아연이 semenogelin I 및 II와 결합하여 PSA의 활성을 조절한다고 하였으며, semenogelins는 PSA가 활성화하면 분해된다.

전립선 분비물에 있는 아연의 중요한 역할에 관해 많은 연구가 있었으며, 아연은 전립선에서 직접적인 항균 인자로서 기능을 한다고 추측된다 (Fair 등, 1976). 세균성 전립선염이 없는 36명의 정상 남성에 대한 연구에서 전립선 분비액 내의 아연 농도는 150~1,000 µg/mL, 평균 350 µg/mL인 데 비해, 만성 세균성 전립선염을 가진 15명의 환자로부터 채집한 61종의 전립선 분비액 표본에서는 아연 농도가 80% 이상 감소하여 0~139 µg/mL, 평균 50 µg/mL에 불과하였다. 저자들은 아연의 정상 하한치를 150 µg/mL로 제시하였다. 체외 실험은 전립선액에서 정상 농도의 유리 Zn^{2+} 이온이 다양한 그람 양성 및 그람 음성 세균에 대해 살균 효과를 나타냄을 확인하였다. 그러나 전립선 내에 있는 아연의 상당 부분이 MT와 같은 특유의 단백질과 결합 상태로 존재하는데, 이것이 아연의 생물학적 성질을 어떻게 변화시키는지는 밝혀져 있지 않다 (Suzuki 등, 1995). 아연은 항균 작용, 항산화 작용 외에도 정자의 형성과 생존에 영향을 주며, 특히 정액장액 내의 DNase를 억제하여 정자의 두부에 농축된 염색질을 보호하고 정자의 생명을 유지시킨다.

전립선암의 발생 기전이 분명하게 밝혀져 있지 않지만, 아연의 항상성 장애도 많은 기전들 중 하나로 거론된다 (Prasad 등, 2010). 아연은 PSA의 효소 작용을 억제하는 내인성 물질 (endogenous inhibitor)로서 IGF-1과 그것의 binding protein, IGFBP-3의 항상성 장애에 반응하는 중요한 요소이다 (Banudevi 등, 2010). 전립선에는 아연의 농도가 상대적으로 높고, IGFBP-3의 단백질 분해를 일으키는 효소로 알려진 PSA는 비교적 낮은 농도로 존재한다 (Sutkowski 등, 1999). 아연 농도의 변화는 IGFBP/IGF/IGF-1 receptor (IGF-1R) 시스템 대사의 변화를 유발하는데, 이는 전립선암의 발병 원인 중 하나라고 추정된다 (Jozefiak 등, 2008). 이와 같은 추정은 암이 진행 중인 전립선에서의 아연 농도가 정상 조직에 비해 2~3배 정도 더 낮음을 보아도 알 수 있다 (Sapota 등, 2009).

전립선암의 병인 측면에서, 신체 내 아연의 농도가 연령이 증가함에 따라 감소한다는 사실은 중요하다. MT는 특히 고령에서 아연과 우선적으로 결합하기 때문에 중요한 역할을 담당한다고 생각된다. MT는 혈장과 조직에서 끊임없이 아연을 고갈시키기 때문에 MT가 증가하면 아연 이온의 생체 이용률은 떨어진다 (Mocchegiani 등, 2000).

전립선암과 관련한 아연의 개념에 의하면, 세포 내에서 아연이 소실되면 정상 전립선 조직이 암성 전립선 조직으로 변하는데, 이는 Krebs 회로에서 기능하는 아연의 대사 효과 때문이라고 추측된다 (Singh 등, 2006). 전립선암이 발달하는 동안 전립선 상피조직에서 아연의 농도는 10배 감소한다. 세포 내의 아연이 감소하면, 전립선 상피세포 내로 아연의 유입을 매개하는 아연 이온 전달체의 발현이 감소된다 (Costello 등, 2006). 세포 밖의 아연이 전립선 세포의 성장에 어떤 영향을 주는지는 충분하게 이해되어 있지 않지만, Zn-sensing receptor를 통해 전립선암 세포의 성장과 생존을 조절한다고 추측된다 (Dubi 등, 2008).

아연의 항상성에서 결함은 성장 인자와 상호 작용하여 전립선암의 발생을 유도하는 중요한 역할을 한다. 즉, 아연 항상성에서 장애는 전립선의 기질세포와 상피세포에 의해 생성되면서 암의 형성 과정에서 중요한 역할을 한다고 간주되는 IGFs를 포함하는 여러 성장 인자들의 과잉 생산을 유도한다 (McCusker 등, 2004). IGF-1과 그것의 여러 결합 단백질은 정상 전립선 세포와 전립선암 세포에 의해 생성된다. McCusker와 Novakofski (2004)의 체외 실험은 비정상적인 농도의 아연이 IGF-1과 IGFBP 및 IGF-1R의 결합을 방해함을 보여 주었다. 이미 IGF-1/IGF-1R 복합체가 세포의 증식에 관여함이 밝허진 바 있다 (Jozefiak 등, 2008).

이러한 시스템에서 아연의 역할은 PC3 전립선암 세포주에 대한 연구에서 확인되었는데, 이 연구는 아연이 IGF-1R의 농도를 감소시키고 IGFBP-3의 농도를 증가시켜 IGF-1과 수용체와의 결합을 방해함으로써 전립선암 세포의 생존력을 떨어뜨리기 때문에 전립선암의 치료에 도움을 준다고 하였다 (Banudevi 등, 2010).

아연은 IGFBP-3의 단백질분해효소인 PSA의 효소 작용을 억제하는 내인성 물질로서 단백질과 결합하지 않은 유리형 IGF-1의 농도에 영향을 준다. 암을 형성하는 과정이 진행 중인 전립선 조직에서는 아연의 농도가 상당히 감소되어 있어 IGFBP-3의 단백질 분해는 PSA에 의해 강하게 이루어진다. PSA에 의해 직접적으로, 아연 농도에 의해 간접적으로 영향을 받는 IGFBP-3는 표적 조직에 들어가 IGF-1R에 작용하는 IGF-1의 농도를 조절하는 단백질이라고 간주된다 (Kojima 등, 2009). 많은 역학 연구는 전립선암 환자에서 IGF-1의 농도가 증가되어 있다고 보고하였지만, IGF-1의 증가와 전립선암의 발생 위험 사이에서 연관성을 발견하지 못한 연구도 있다 (Woodson 등, 2003).

혈장 혹은 혈청의 아연 농도는 연령별로 대조군과 비교할 경우 연구에 따라 다른 결과를 나타낸다. 일부 저자들은 전립선암 환자와 대조군 사이에서 혈장 혹은 혈청 아연 농도의 차이를 발견하지 못하였다 (Habib 등, 1976). 그러나 대조군에 비해 전립선암 환자에서 혈청 아연의 농도가 유의하게 더 낮다는 보고가 많이 있다 (Ozmen 등, 2006). 요도를 통해 전립선 생검을 받은 229명을 대상으로 평가한 연구에 의하면, 아연의 평균 농도는 대조군보다 65세 이하의 전립선암 및 전립선상피내암 환자에서 유의하게 더 낮았으며, 각각 720~1,420 ng/mL, 390~950 ng/mL이었다 (Daragó 등, 2011).

혈중 IGF와 아연의 관계를 평가한 연구에 의하면, 혈중 IGF-1의 농도는 Zn^{2+}의 농도가 감소함에 따라 상당히 증가하여 Zn^{2+}/IGF-1의 비율이 유의하게 낮아진다. 전립선암 환자에서 total PSA (tPSA)는 상당하게 증가한 반면, Zn^{2+}/tPSA의 비율은 암 병변이 중해짐에 따라 유의하게 감소하였는데, 특히 65세 이하 남성에서 감소폭이 컸다. IGF-1:tPSA와 IGFBP-3:tPSA의 비율은 대조군에 비해 전립선암 환자에서 약 2배 더 낮았으며, 전립선상피내암에서도 비슷한 결과를 보였다 (Daragó 등, 2011; Ismail 등, 2002).

IGFs와 tPSA 사이의 연관성은 PSA가 IGFBP-3에 대한 단백질분해효소이기 때문으로 생각된다. 전립선암 환자에서 PSA 농도가 증가하면, PSA가 IGFBP-3단백질의 분해를 촉진함으로써 IGFBP-3와 결합하지 않은 유리형 IGF-1이 증가하게 되고, 유리형 IGF-1은 IGF-1R과 직접 결합하여 전립선암 세포에 대해 증식 효과를 나타낸다고 추측된다 (Daragó 등, 2011).

결론적으로, 전립선암 조직에서 아연의 항상성에 장애가 발생하여 혈장 아연의 농도가 상당하게 감소하면, IGFBP-3/IGF-1/IGF-1R 시스템에 장애가 일어나 전립선암 세포의 증식이 유도된다고 추측된다.

7.2. 전립선암에서 역할
Role of zinc in prostate cancer

전립선암의 예방에서 아연의 역할을 연구한 자료에 의하면, 아연의 높은 농도는 전립선의 건강을 위해 필수적이며, 아연을 활용하면 전립선암의 발생을 제한할 수 있다. 이러한 아연의 효과가 나타나는 기전으로는 종말점에서 산화의 억제, 미토콘드리아에 의한 세포 자멸사의 유도, nuclear factor kappa B (NFκB) 활성의 억제 등이 제시되고 있다 (Ho와 Song, 2009). 이 연구는 또한 아연이 정상 전립선 상피세포에서 DNA의 복구 및 손상에 반응하는 단백질, 특히 p53를 조절함으로써 DNA를 온전하게 유지하는 데 중요한 역할을 하며, 아연 운반체는 전립선암을 억제하는 인자로서 기능을 한다고 하였다.

아연이 전립선암과 기타 암에서 항암 효과를 나타내는 기전을 다음과 같이 정리한 연구가 있다 (Franklin과 Costello, 2007). 첫째, 아연은 m-aconitase의 작용을 억제하여 상피세포 내에 citrate의 축적을 유도하고 전립선액 내로 citrate의 분비를 증가시킨다. Citrate의 산화로 인해 ATP의 생성이 소실되면, Krebs 회로가 억제된다. 둘째, 세포 내에 축적된 아연은 미토콘드리아의 최종 산화와 호흡을 억제한다. 셋째, 아연의 축적은 대사적 효과 외에도 미토콘드리아의 세포 자멸사 발생 작용 (apoptogenesis)을 유도하여 증식에 대항하는 효과를 나타낸다. 세포 내부의 특이한 신호 경로에 의해 아연이 활성화되면, 악성 전립선 세포의 침습과 이동이 억제 된다. 이와 같은 여러 기전으로 인해 아연이 항암 효과를 나타내는데, 아연이 전립선 세포에서 축적되는 기전은 세포 내로 아연을 운반하는 운반체로서 solute carrier family 39 (zinc transporter), member 1 (SLC39A1), Zrt- and Irt-like protein 1 (ZIP1) 등으로도 알려진 'zinc transporter ZIP1'의 발현 및 활성화에 의해 일어난다. 전립선암의 경우 아연에 의한 항암 효과를 피하기 위해 악성 전립선 세포에서는 세포 내 아연의 고갈과 함께 ZIP1 유전자의 침묵이 일어난다 (Franklin과 Costello, 2007).

전립선암의 형성 과정에서 아연이 축적된 정상 상피세포는 아연이 축적되지 않은 악성 세포로 형질 전환을 일으킨다. 전립선암 세포에서 아연 농도의 증가는 세포 자멸사에 대항하는 단백질을 하향 조절함과 동시에 caspase 의존성 기전을 통해 세포 자멸사를 유도한다. Inhibitor of apoptosis protein (IAP) 가족에 속하는 Livin이 전립선암의 시작에서 중요한 역할을 하며, G1~S 세포 주기의 이행을 변경하여 세포의 증식을 촉진한다고 보고된 바 있다. Sorafenib (Nexavar®)은 진행성 원발 신세포암 (Escudier 등, 2007), 진행성 원발 간세포암 (Pawlik 등, 2011), 방사성 요오드에 저항적인 진행 갑상선암 (Savvides 등, 2013) 등의 치료제로 승인된 약물이다. 전립선암 세포를 대상으로 아연과 sorafenib에 대한 세포 자멸사의 민감성을 평가한 연구는 아연이 전립선암 세포가 sorafenib으로 인한 세포 자멸사에 대해 민감하도록 만든다고 하였다. 또한, 전립선암 세포에서 Livin은 그것과 상응하는 관계에 있는 cellular IAP2 (cIAP2) 혹은 baculoviral inhibitor of apoptosis repeat-containing 5 (BIRC5)로도 알려진 survivin 과는 다르게 아연으로 매개되는 세포 자멸사가 진행하는 동안 일관되게 감소되지 않았으며, 오히려 48시간 시점에서 보상적으로 증가하였다. 이들 결과를 근거로 저자들은 아연과 sorafenib을 병용하면 sorafenib의 효과가 증대되며, Livin 발현의 증가는 아연으로 인한 전립선암 세포의 초기 세포사 반응에서 어떠한 역할을 한다고 하였다 (Chen 등, 2013). 참고로 IAP 가족에는 baculovirus IAPs에서 처음 발견된 Cydia pomonella granulosis virus (CpGV)-IAP (Cp-IAP)와 Orgyia pseudotsugata multinucleocapsid nucleopolyhedrosis virus (OpMNPV)-IAP (Op-IAP) 외에도 X-linked inhibitor of apoptosis (XIAP), cellular IAP-1 (c-IAP1), c-IAP2, neuronal apoptosis inhibitor protein (NAIP), Livin (혹은 melanoma inhibitor of apoptosis protein, ML-IAP), Survivin 등이 포함되어 있다.

7.3. Zinc finger protein X-linked (ZFX)

Zinc finger protein (ZFP)은 진핵세포 유전체에서 가장 풍부한 단백질에 속하며 사람에서는 관련 단백질이 800종 이상이라고 추정된다 (McCarty 등, 2003). ZFP는 DNA 인식, RNA 포장 (packaging), 전사 활성, 세포 자멸사의 조절, 단백질의 접힘 (folding) 및 조립 (assembly), 지질 결합 등 다수의 기능에 관여한다 (Laity 등, 2001). 세포의 생존 및 증식과 관련이 있다고 알려진 유전자 zinc finger protein X-linked (ZFX)는 krueppel C_2H_2-type ZFP 가족에 속하며, X 염색체에 위치해 있다. 이 유전자는 Y 염색체에 위치한 zinc finger protein Y-linked (ZFY)와 구조적으로 유사하다. ZFX 및 ZFY의 C_2H_2-type 유전자는 사람의 성 염색체에서 재결합하지 않은 부위의 가장 말단에 위치해 있다 (Iwase 등, 2003). ZFX에는 1개의 acidic transcriptional activation domain, 1개의 nuclear localization sequence, 13개의 C_2H_2-type zinc fingers를 가진 1개의 DNA-binding domain 등이 포함되어 있다 (Poloumienko, 2004). 수년 동안 ZFX의 생리학적 기능이 연구되어 왔지만, 아직 분명하지 않은 상태이다. 이에 관한 한 연구는 생쥐의 배아 및 성체 조혈줄기세포에서 ZFX가 자가 재생의 전사를 조절하는 인자로서 기능을 한다고 하였다 (Luoh 등, 1997). 다른 연구는 ZFX의 결실이 자가 재생을 소멸시키고 조혈줄기세포의 생존을 감소시켜 세포의 발달에서 심각한 장애를 일으킨다고 하였다 (Arenzana 등, 2009). 이들 결과는 ZFX가 세포의 생존 및 활동을 조절하며, ZFX가 질환의 치료적 표적이 될 수 있음을 시사한다. 종양에 인접해 있는 부위에 정상 조직을 가진 전립선암 표본 45점과 양성전립선비대 표본 16점을 대상으로 실시한 연구에 의하면, ZFX의 발현율은 인접한 정상 조직 (11.8%)과 양성전립선비대 (12.5%)에 비해 전립선암 (42.2%)에서 유의하게 더 높았다 (도표 10). siRNA를 이용하여 ZFX를 억제한 경우 세포의 증식 및 군집 형성력이 효과적으로 억제되었으며, 세포 주기의 G1 기가 정지되었다. ZFX가 삭제된 PC3 세포에서는 caspase-1, -3, -9의 활성에 의해 세포 자멸사가 일어났다 ($p < 0.01$). 이들 결과를 근거로 저자들은 ZFX가 전립선암의 진행에서 중요한 역할을 하며, 전립선암의 치료에서 유망한 표적이 될 수 있다고 하였다 (Jiang 등, 2012).

7.4. Zinc α2-glycoprotein (ZAG)

'8장 전립선암 종양 표지자' 중 '83. Zinc α2-Glycoprotein (ZAG)'에 기술되어 있다.

도표 10 전립선암 조직과 정상 조직에서 ZFX의 발현 양상

조직 유형	표본 수	ZFX 음성, 수 (%)	ZFX 양성, 수 (%)			p
			+	++	+++	
전립선암 조직	45	26 (57.8)	15 (33.3)	3 (6.7)	1 (2.2)	0.035
인접 정상 조직	34	30 (88.2)	4 (11.8)	0 (0)	0 (0)	
양성전립선비대 조직	16	14 (87.5)	2 (12.5)	0 (0)	0 (0)	

면역 양성 세포의 퍼센트를 4군, 즉 5% 미만, 5~10%, 10~50%, 50% 초과 등으로 분류하여 각각을 0, 1, 2, 3으로 점수를 부과하고 염색 강도를 음성, 경한 염색, 중등도 염색, 강한 염색 등으로 분류하여 각각을 0, 1, 2, 3으로 점수를 부과한 후 이들 두 점수를 합산하여 0~1점을 (+), 2~3점을 (++), 4~5점 혹은 6점을 (+++)로 설정하였다.

ZFX, zinc finger protein X-linked.

Jiang 등 (2012) 등의 자료를 수정 인용.

전립선 분비 단백질
PROSTATIC SECRETORY PROTEIN

SECTION 03

1. Prostate-Specific Antigen (PSA) 49
2. Human Kallikrein-Related Peptidase (hK, KLK) 177
3. Prostate-Specific transglutaminase (PST) 177
4. Semenogelin Ⅰ And Ⅱ (SEMG1, SEMG2) 179
5. Prostate-Specific Membrane Antigen (PSMA) 185
6. Prostate Stem Cell Antigen (PSCA) 189
7. Prostatic Acid Phosphatase (PAP or PACP) 192
8. Prostate Secretory Protein 94 (PSP94) 200
9. Leucine Aminopeptidase (LAP) 206
10. Lactate Dehydrogenase (LDH) 207
11. Transferrin 209
12. Relaxin (RLN) 213
13. Immunoglobulin (IG) And Complement 216
14. Prostatic Secretions And Drug Transport 217

전립선 분비 단백질
PROSTATIC SECRETORY PROTEIN

부속 성선 조직 (sex accessory tissue)에서 생성되는 분비액, 예를 들면 사정액, 전립선 분비액, 정액장액 (seminal plasma) 등에서 많은 단백질이 연구되어 왔으며, 주요 단백질 종류로는 prostate-specific antigen (PSA 혹은 hK3)을 포함하는 여러 human kallikreins (hKs 혹은 KLKs), prostatic acid phosphatase (PACP), prostate-specific protein 94 (PSP-94) Zn-α2 glycoprotein (ZAG), hyaluronidase (HYAL), γ-glutamyl-transferase (γ-GT), leucine aminopeptidase, lactic dehydrogenase (LDH) 등이 있고, 이들의 특징은 도표 11에 요약되어 있다. 또한 transferrin, 면역글로불린 (immunoglobulin, Ig), C3 보체 등도 소량 포함되어 있는데, 이들의 생리학적 기능은 아직 충분하게 밝혀져 있지 않다.

전립선은 정액의 주요 근원지일 뿐만 아니라, 정액의 응고와 액화, 정자의 생존성 유지, 항균 작용 등에 관여하는 주요 성분들을 분비함으로써 정자의 가임 능력을 유지하는 데 필수적인 역할을 한다.

1. 전립선 특이 항원
Prostate-Specific Antigen (PSA)

전립선암을 진단함에 있어 필수적인 3 가지 요소가 직장수지 검사, 수술 전 혈청 PSA 농도, 전립선 생검 등이라고 알려져 있는 바와 같이 PSA는 전립선암의 진단에서 대단히 중요한 역할을 한다.

Ablin 등 (1970)은 사람의 전립선 조직에서 PSA와 유사한 분자인 serine protease를 처음 발견하였다. Hara 등 (1971)은 법의학적인 목적으로 사정액에 특이한 단백질을 확인하기 위해 면역침강법을 이용하여 정액장액에서 정액에 특이한 항원성을 가진 단백질을 분리한 후, 화학적, 물리적 특징을 보고하였으며, 이를 'gamma-seminoprotein' 이라고 기술하였다. Li와 Beling (1973)은 사람의 정액장액에서 동일한 단백질을 분리하였는데, 이 저분자량의 단백질을 'protein E₁ antigen' 이라고 불렀고, 1978년 Sensabaugh가 처음으로 면역전기영동법을 이용하여 이 단백질이 정액에 특이한 특징을 가진 항원이라고 하였다. 1979년 Wang 등이 전립선 조직에서 PSA를 처음 정제해 내었고, 이 단백질은 정상, 양성 증식, 악성 암 등 여러 유형의 전립선 조직에서 확인되지만 사람의 기타 조직에서는 발견되지 않는 전립선 조직에만 특이한 항원이라고 하였다. Papsidero 등 (1980)과 Kuriyama 등 (1980)은 혈청에서 PSA를 확인하였고, 이것은 전립선에서 정제된 것과 동일하다고 보고하였으며, 이후 PSA는 전립선암의 임상 지표로 널리 이용되어 왔다 (Oesterling 등, 1988).

PSA (human kallikrein 3, hK3; KLK3)는 생화학적으로 93%의 아미노산과 7%의 탄수화물로 구성된 분자량 33,000의 당단백질이며, 기능적으로는 전립선의 세엽 (acini)과 관 (duct)에 배열된 상피세포로부터 생성되는 serine protease로서 kallikrein 과에 속한다. 단백질의 염기 서열은 전립선 세포를 조절하는 기전에 관여하는 여러 kallikrein과 비슷하다. PSA는 정상적으로 전립선관의 내강으로 분비되어 정액 장액 내에 높은 농도로 존재하면서 고분자량의 단백질로 구성된 정액의 응고물을 저분자량의 단백질로 분리하여 액화시키고 (Lilja, 1985), trypsin 및 chymotrypsin과 같은 작용을 한

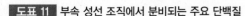

도표 11 부속 성선 조직에서 분비되는 주요 단백질

확인된 단백질 및 유전자 종류	분자량†	정액장액 농도‡	작용
PSA (hK3 [protein] or KLK3 [gene])	33~36	0.70	Serine protease 및 arginine esterase의 작용을 한다.
Human kallikrein 2 (hK2 or KLK2)	28.4	0.012	proPSA를 활성화하고 arginine esterase의 작용을 한다.
Human kallikrein L1 (KLK-L1)	미확인	미확인	전립선, 고환, 유방, 부신, 자궁, 갑상선, 타액선 등에서 serine protease의 작용을 한다.
Human kallikrein 11	~40	0.002~0.037	유방, 난소, 전립선 등에서 serine protease로 작용한다.
Prostatic acid phosphatase (PAP)	102~106	0.3~1.0	Phosphotyrosyl protein phosphatase로서 작용한다.
Prostate-specific transglutaminase (PST)	17	미확인	안정적이며, peptide와 결합하는 glutamine과 함께 일차 amine groups 형성에 관여한다.
Semenogelins I and II	50, 63	2mM¶	Chymotrypsin과 유사한 작용을 하며, 정액에서 PSA의 활성을 억제한다.
Prostate-specific membrane antigen (PSMA)	~120	미확인	Glutamate carboxypeptidase II, folate hydrolase I 과 구조가 같다. 전립선 외에도 신장, 고환, 난소, 뇌, 타액선, 소장, 결장, 간, 비장, 유방, 골격근에서 확인된다.
Prostate stem cell antigen (PSCA)	~24	미확인	전립선암과 관련이 있는 종양 항원이다. 전립선에 특이한 항원이며, 전립선암의 80% 이상에서 과다 발현된다.
Prostate-specific protein (PSP-94) β-micro-seminoprotein (β-MSP)	10.7~16	0.6~0.9	위 (stomach)의 전정부 상피세포에서도 확인된다.
Immunoglobulin (Ig)	160	0.007~0.022	Human IgG로서 면역 반응에 관여한다.
C3 Complement	~178	0.018	보체 (complement) 경로를 활성화한다.
Transferrin	77	0.18	철 이온을 혈액을 통해 간으로 운반하는 혈장 단백질임.

†, 분자량 단위는 kilodalton (kDa); ‡, 정액장액 내 농도의 단위는 mg/mL; ¶, 유일하게 mM 농도로 기록됨.

proPSA, precursor of prostate-specific antigen; PSA, prostate-specific antigen.

Campbell-Walsh Urology 9판의 자료를 수정 인용.

다. 또한, PSA는 arginine esterase와 같은 작용도 한다. 배출된 정액에서 일어나는 정액의 응고는 겔을 형성하는 단백질인 semenogelin과 fibronectin에 의한다고 보고되었다 (McGee와 Herr, 1988). Semenogelin은 정낭에서 주로 분비되는 단백질이며, PSA의 생리학적 기질 중의 하나이다. PSA는 semenogelin I 및 II와 fibronectin을 분해하여 사정액 내의 응고물을 용해시키고 정자의 운동을 용이하게 한다고 추측되는데 (Lee 등, 1989), 이러한 응고 및 용해 기전이 생식 생리에서 어떠한 중요성을 가지는지는 분명하게 알려져 있지 않다. PSA가 세포의 성장을 변화시키며, 단백질분해효소 작용으로 insulin-like growth factor-binding protein 3 (IGFBP3)를 변형시켜 IGF와의 결합력을 감소시키고 (Cohen 등, 1992) parathyroid hormone-related protein (PTHrP)을 불활성화하는데 (Iwamura 등, 1993), 이들 효과의 중요성 또한 완전하게 밝혀져 있지 않다.

PSA의 유전자, 즉 KLK3는 사람 조직의 hKLK1, hKLK2, hKLK3, KLK-L1 등을 포함하는 kallikrein (KLK) 유전자 가족의 하나이다 (Nelson 등, 1999). 지금까지 전립선암, 유방암, 난소암, 고환암 등에서 15종 이상의 서로 다른 KLKs가 발견되었고 (Obiezu와 Diamandis, 2005), 이들 유전자들 모두가 염색체 자리 19q13.3-q13.4의 300 kilobases (kb)에 위치해 있다 (Yousef와 Diamandis, 2003). 모든 유전자는 5개의 exon을 가지며, DNA와 아미노산 수준에서 40~80%의 상동성을 보이고, KLKs 중 최소 12가지는 스테로이드 호르몬에 의해 조절된다. 전립선 외의 조직에서도 낮은 농도의 PSA가 보고된 바 있는데, 예를 들면, 악성 유방암 조직 (Yu 등, 1994a), 정상 유방 조직 (Monne 등, 1994), 모유 (Yu 등, 1995b), 여성 혈청 (Yu 등, 1995), 부신암 및 신장암 (Levesque 등, 1995a) 등이다 (도표 12, 13). 임상적으로 PSA는 암 특이 지표라 할 수 없어도 기관 특이 지표라고는 할 수 있다. 종양 지표로서 PSA의 한계점은 전립선의 악성 질환 외에 양성 질환에서도 증가한다는 점이다 (Partin 등, 1990).

PSA는 정상 전립선 상피세포, 양성전립선비대 결절의 상피세포, 대부분의 전립선암에 있는 종양세포 등에서 발현된다 (Wang 등, 1979). PSA의 분자생물학적 및 생화학적 연구의 대부분은 PSA가 혈청에서보다 거의 100만 배 더 많이 포함된 정액장액으로부터 정제된 단백질을 분석한 자료에 근거를 두고 있다. 정액장액 내의 PSA 농도는 0.5~5.0 mg/mL (다

도표 12 Prostate-specific antigen (PSA)과 hK2를 발현하는 조직

조직	PSA 관련 문헌	hK2 관련 문헌
전립선	Sensabaugh, 1978; Chu, 1997	Rittenhouse 등, 1998
유방	Yu 등, 1994; Monne 등, 1994	Black 등, 1999
갑상선	Magklara 등, 2000	Magklara 등, 2000
폐	Zaghami 등, 1997; Levesque 등, 1995	–
난소	Buzzi 등, 1994; Yu 등, 1995	–
요도/요도주위 샘	Tepper 등, 1984; Spencer 등, 1990	–
한선	Papotti 등, 1989	–
요막관 (urachus)	Golz와 Schubert, 1989	–
방광	Minkowitts 등, 1990; Ishikawa 등, 1998	–
총배설강샘 (gland of cloaca) 상피/항문샘	Kamoshida와 Tsutsumi, 1990	–
타액선	James 등, 1996; Tazawa 등, 1999	–
남성 부성선	Elgamal 등, 1994	–
자궁/자궁내막	Clements 등, 1994; Ishikawa 등, 1998	–
부신/결장/신장/간/이하선	Levesque 등, 1995	–
골수	Smith 등, 1995	–
췌장	Ishikawa 등, 1998; Pezzilli 등, 1999	–
담관	Ishikawa 등, 1998	–

hK2, human kallikrein 2; PSA, prostate-specific antigen.
Becker 등 (2001)의 자료를 수정 인용.

도표 13 PSA와 hK2[†]를 내포한 생체액

체액	PSA 농도 (단위 ng/mL)			hK2 농도 (단위 ng/mL)		
	범위	중앙치	참고 문헌	범위	중앙치	참고 문헌
정액장액	500,000~3,000,000	80만	Pezzilli 등, 1999	2,000~12,000	6,000	Black 등, 1999
유두 흡인액	0~13,000	500	Sauter 등, 1996	0~171	20	Black 등, 2000
유방 낭종액	0~42	0.08	Magklara 등, 1999	0~21	0.10	Magklara 등, 1999
남성 소변	–	20	Obiezu 등, 2000	–	1.0	Obiezu 등, 2000
여성 소변	0~0.10	0.017	Obiezu 등, 2000	<0.006	<0.006	Obiezu 등, 2000
모유	0~350	0.47	Yu와 Diamandis, 1995	0~2.7	0.021	Magklara 등, 1999
양수	0~16	3[‡]	Yu와 Diamandis, 1995	0~0.38	0	Magklara 등, 1999
뇌척수액	0~0.4	0	Melegos 등, 1997	–	–	–
남성 혈청	0~4	0.70	Yu와 Diamandis, 1993	0~0.24	0.026	Klee 등, 1999
여성 혈청	0~0.01	0.001	Obiezu 등, 2000	<0.006	<0.006	Obiezu 등, 2000
유방암[¶]	0~12	0.005	Diamandis 등, 1994	0~7	0.007	Black 등, 2000

[†], 건강인을 대상으로 함; [‡], 임신 18주; [¶], 유방암 세포질.
hK2, human kallikrein 2; PSA, prostate-specific antigen.
Becker 등 (2001)의 자료를 수정 인용.

른 보고에서는 0.4~3.0 mg/mL, 1.5~100 μmol/L)인 데 비해, 전립선 질환이 없는 50~80세 남성의 정상 혈청 PSA 농도는 1.0~4.0 ng/mL이다 (Catalona 등, 1991). 젊은 남성에서는 전립선 조직 내의 PSA가 혈류 내로 역행하는 경우는 드물며, 분

비된 100만 개 PSA 분자 중 1개 미만 꼴로 PSA 분자가 역행하여 혈청 농도가 4 ng/mL 미만을 유지한다. 전립선암, 양성 전립선 질환, 전립선에 대한 외상 등으로 인해 전립선 구조물이 손상을 입으면 다량의 PSA가 순환계로 누출되어 혈청 PSA 농도가 증가한다.

Watt 등 (1986)은 PSA의 완전한 아미노산 서열을 처음 보고하였으며, 이 단일 polypeptide chain은 240개의 아미노산과 serine 잔기에 붙은 하나의 O-linked carbohydrate side chain으로 구성되어 있다고 하였다. Lundwall과 Lilja (1987)는 PSA를 코드화하는 complementary DNA (cDNA)를 복제하였고, 전립선 내 PSA의 mRNA는 약 1.5 kb이며, 261개 아미노산 단백질의 변천 과정은 두 단계, 즉 단백질이 세포질세망 (endoplasmic reticulum, ER)으로 이동한 후 신호 peptide를 제거하는 단계와 단백질이 활성화된 후 propeptide를 제거하는 단계로 이루진다고 하였다. 후자 단계에는 효소원 (zymogen) 형태인 proPSA가 효소적으로 활성적인 완전한 PSA로 전환되는 과정이 포함되며, 이 과정에는 hK2가 관여한다 (Kumar 등, 1997). proPSA가 활성적인 PSA로 전환하는 과정에는 hK2 외에도 trypsin과 prostin이 관여한다는 보고도 있다 (Takayama 등, 2001).

261개 아미노산의 preproPSA가 전립선 상피세포의 세포질세망에서 형성되고, 여기서 17-peptide pre-region residue가 분리된다. 244개 아미노산의 pro-peptide에서 다시 7개 이상의 peptides가 분리되면, 237개 아미노산의 활성적인 PSA peptide가 된다. PSA의 전구체인 proPSA는 PSA의 불활성적인 효소원이며, 전술한 바와 같이 hK2에 의해 분절된다 (Rittenhouse 등, 1998).

Christensson 등 (1990)은 혈중에는 여러 형태의 PSA 분자가 있다고 처음으로 보고하면서, PSA는 α_1- antichymotrypsin (ACT), α_2-macroglobulin (A2M), α_1-antitrypsin (AAT)으로도 불리는 α_1-protease inhibitor (API) 등 다양한 단백질분해효소 억제제와 공유 결합을 하는 기능을 가지고 있다고 하였다. Stenman 등 (1991)은 PSA-ACT의 비율이 양성전립선비대 환자보다 전립선암 환자에서 더 높다고 처음 보고하였다. Lilja 등 (1991)은 유리형 PSA (free PSA, fPSA)에 특이한 단일 클론 항체의 생성을 처음 보고하였으며, 이는 3가지의 분석법, 즉 fPSA의 발견에 특이한 분석법, PSA-ACT에 대한 분석법, 총 PSA (total PSA, tPSA)에 대한 분석법을 개발하는 데 이용되었다.

PSA의 생성 및 변천 과정을 요약하면 다음과 같다 (도표 14). 전립선 내강 상피세포로부터 7개 아미노산의 선두체 (leader sequence)를 포함한 244개 아미노산으로 형성된 효소원, 즉 불활성 proPSA가 전립선 내강 내로 분비된다. hK2가 N-terminal의 7번째 아미노산에서 선두체를 분리시키면 활성적인 PSA가 형성된다. 활성 PSA는 두 형태로 전환될 수 있는데, 단백질 분해 작용을 통해 불활성 PSA (inactive PSA, iPSA)가 되거나 혹은 내부에서 Lys145-Lys146과 Lys182-Ser183의 위치에서 분절이 일어나 benign PSA (BPSA)가 형성되기도 한다. 한편, 7개 아미노산으로 된 proPSA의 선두체가 부분적으로 분리되면 [-2]pPSA, [-4]pPSA 등과 같이 분절된 여러 불활성 형태의 proPSA가 형성된다. 활성 PSA의 일부는 혈중으로 확산되어 들어가 단백질분해효소 억제제, 즉 ACT, A2M, API 등과 결합한다. 내강에서 활성 PSA가 단백질 분해 과정을 거쳐 형성된 iPSA도 순환계로 들어갈 수 있는데, 혈중에서는 결합되지 않은 유리 상태로 존재한다. 면역 반응성을 보여 검출이 가능한 PSA의 5~45% (다른 보고에서는 5~35%)는 이러한 fPSA에 해당하며, 대개는 효소로 작용하지 않는 불활성 상태이기 때문에 ACT나 A2M과 같은 활성적인 효소 억제제와 반응하지 않거나 극히 완만하게 반응한다 (Carrell과 Travis, 1985). 전립선암에서는 세포의 기저막이 상실되는 등 정상 조직 구조물이 파괴됨으로 인해 proPSA와 복합형 PSA (complexed PSA, cPSA)가 혈청에서 어느 정도로 증가한다. 근치전립선절제술 후에 나타나는 PSA 분자 형태에 관한 연구에 의하면, fPSA가 수술 직후에는 약 10배 증가하지만 ACT나 A2M과 결합한 PSA의 농도는 유의하게 증가하지 않는데, 이는 국소 종양을 제거하는 동안 전립선을 조작함으로 인해 혈중으로 분비된 fPSA가 혈중 단백질분비효소 억제제와 복합체를 형성하지 않기 때문이며, 이는 분비된 fPSA가 효소로서의 역할을 하지 못하는 불활성 형태임을 시사한다 (Lilja 등, 1999).

이 분야에서 흥미롭고 임상적으로 유용한 발견은 혈중 PSA가 다양한 분자 형태, 즉 여러 단백질분해효소 억제제와 결합한 cPSA와 결합하지 않은 fPSA로 존재한다는 점이다 (Polascik 등, 1999). 혈청 cPSA는 대개 내인성 serine protease 억제물질인 ACT와 비가역적으로 공유 결합 상태로 있다. PSA-ACT 복합체는 PSA의 효소 영역이 차단되어 효소로는 불활성 상태이지만, 일부 항원 결정기 (epitope)만 감춰지고 대부분의 항원 결정기는 표출되어 면역 반응성을 가지고 있

도표 14 Prostate-specific antigen (PSA) 전구체의 분절 및 활성화 과정

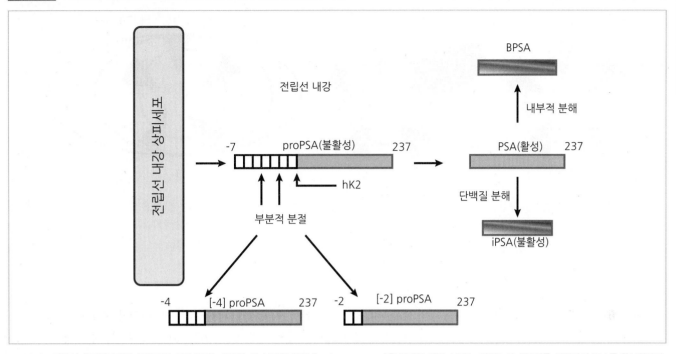

proPSA는 전립선 상피세포에서 분비되며, 7개 아미노산으로 된 선두체 서열 (leader sequence)을 가지고 있다. hK2는 아미노산 선두체를 분리하여 PSA를 활성화한다. 활성 PSA는 단백질 분해를 일으켜 불활성 PSA인 iPSA를 형성하거나 내부적으로 분해되어 양성 PSA인 BPSA를 형성할 수도 있다. 7개 아미노산으로 이루어진 선두체 서열이 분리되면 비활성, 절단형의 proPSA, 예를 들면 [-2]pPSA, [-4]pPSA 등이 형성된다.
BPSA, benign prostate-specific antigen; hK2, human kallikrein 2; iPSA, inactive prostate-specific antigen; proPSA, prostate-specific antigen; PSA, prostate-specific antigen.
Campbell-Walsh Urology 9판의 자료를 수정 인용

다. 혈중에서 PSA는 ACT, API, A2M 등과 결합하는데, 단백질분해효소를 억제하는 이들과 복합체를 형성하는 비율은 각각 60~90%, 1~5%, 10~20% (총 복합체의 비율은 65~95%)이고 fPSA의 비율은 5~40%이다 (도표 15). 이처럼 혈중 PSA의 약 70%는 이들 세 단백질과 결합하지만 (Stenman 등, 1991), 그 외에 PSA와 결합하는 기타 단백질분해효소 억제제로는 protein C inhibitor (PCI) (Espaa 등, 1993), pregnancy zone protein (PZP) (Christensson 등, 1990) 등이 있으며, 이들 억제제 전체의 혈중 농도는 혈중 PSA에 비해 100~1,000배 더 큰 몰 농도인 0.5~30 μmol/L이다. 대조적으로 정액장액에서는 PSA의 60~70%가 촉매 활성 형태로 존재하고, 약 5%만이 단백질분해효소 억제제와 복합체를 형성한다 (Lilja, 1985). PSA는 정낭에서 주로 분비되는 PCI와 1:1 몰 비율로 공유 결합하여 복합체를 형성한다 (Christensson과 Lilja, 1994). 정액장액에 있는 30~40%의 촉매 불활성 PSA는 주로 내부에서 분열되어 두 개 혹은 다수 chain을 보유한 단백질이 되는데, Lys145 혹은 Lys182의 C-terminal에서 분절된다 (Leinonen 등, 1996).

도표 15 Prostate-specific antigen의 분자 유도체

PSA의 형태	혈청 내에서 %
복합 PSA (complexed PSA, cPSA)	60~95
PSA-α1-antichymotrypsin (ACT)	60~90
PSA-α1-protease inhibitor (API)	1~5
PSA-α2-macroglobulin (A2M)	10~20
유리 PSA (free PSA, fPSA)	5~40

PSA, prostate-specific antigen.
Campbell-Walsh Urology 9판의 자료를 수정 인용.

측정이 가능한 형태는 tPSA에서 낮은 비율을 차지하는 fPSA 그리고 ACT와 결합한 PSA이며, 이들은 면역 반응성을 나타낸다. A2M과 결합한 PSA-A2M 복합체의 경우에는 A2M의 입체 형상으로 인해 PSA 입자가 캡슐화되어 PSA의 모든 항원 결정기가 감춰지기 때문에 (도표 16), 또한 A2M의 양이 적기 때문에 이 복합체를 측정하기란 현재로는 어려우며, 어느 정도의 단백질 분해 작용을 나타낸다 (Partin 등, 2003). 단백질을 분해하는 작용이 없는 fPSA는 혈중으로 분비되기 전

CHAPTER 03

도표 16 PSA와 결합하는 단백질분해효소

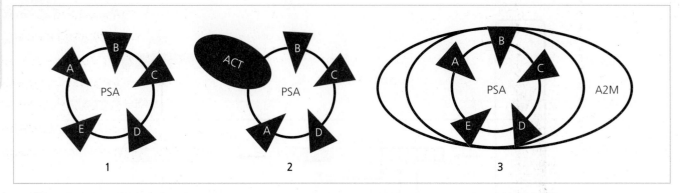

1, 유리 PSA이며 A~E는 유리형 PSA의 항원 결정기를 나타낸다. 2, α1-Antichymotrypsin (ACT)은 결합하는 동안 E 항원 결정기를 차단한다. 3, α2-Macroglobulin (A2M)은 PSA의 모든 면역 반응성 부위를 차단하기 때문에 혈청에서 이 유도체를 측정하기가 어렵다.
PSA, prostate-specific antigen.
Campbell-Walsh Urology 9판의 자료를 수정 인용.

에 전립선 상피세포 내에서 불활성화된다고 추측된다. 이 불활성 fPSA는 항단백질분해효소 (anti-protease)와 결합하지 않은 비결합 형태로 혈중에서 순환하며, 현재의 분석법으로 면역 반응성을 나타낸다 (Lilja 등, 1991). fPSA는 전립선암에 비해 양성 질환에서 더 증가하는 경향이 있다. 근래에는 fPSA 및 cPSA에 특이한 단일 클론의 항체가 개발되어 여러 분자 형태의 PSA와 그들의 비율을 좀 더 정확하게 측정할 수 있게 되었으며, 이로써 전립선암을 진단함에 있어 PSA의 민감도와 특이도가 높아졌다 (Catalona 등, 1998). 근래에는 전립선암에 대한 특이도를 높이고 불필요한 생검을 줄이기 위해 fPSA/tPSA 비율을 이용한다.

Bayer cPSA 분석법으로 PSA-ACT와 PSA-API 복합체를 측정할 수 있으며, 이는 fPSA와 tPSA 분석의 대안으로 제시된다 (Brawer 등, 2000). 혈청에서 기타 형태의 PSA 복합체를 측정하기는 어렵다. fPSA는 앞에서 기술된 바와 같이 3종류의 분자로서 존재하는데, proPSA (Mikolajczyk 등, 1997), benign prostatic hyperplasia (BPH)-associated free PSA (BPSA) (Mikolajczyk 등, 2000), 불활성의 'intact' PSA (iPSA) (Nurmikko 등, 2001) 등이다.

혈청 내의 복합 PSA는 사구체를 통해 여과되기에는 크기가 너무 크기 때문에, 신장을 통해 제거되지 못하고 간을 통해 제거된다. 전립선 조직을 완전하게 제거한 후에 산출된 혈청 PSA의 반감기는 2.2±0.8일 (Stamey 등, 1987) 혹은 3.2±0.1일 (Oesterling 등, 1988)로 보고되었다. Partin 등 (1996)에 의하면, 근치전립선절제술 후 fPSA와 tPSA는 두 유형으로 제거

되는데, 처음에는 fPSA와 tPSA에 대한 반감기가 2시간 미만이고 이후에는 각각 22시간, 33시간으로 길어진다. fPSA는 2~3시간 내에 혈청에서 제거되며, 크기가 작아 신장을 통해 배설되거나 (Björk 등, 1998) 항단백질분해효소와 새로이 복합체를 형성한 후에 제거된다 (Stephan 등, 2000). 쥐를 대상으로 분석한 연구에 의하면, PSA-ACT는 간과 신장에서, PSA-A2M은 간에서 대사된다 (Birkenmeyer 등, 1999). PSA-ACT는 생쥐 간의 serpin 수용체 (Mast 등, 1991)와 쥐 신장의 glycoprotein (GP) 330 수용체 (Poller 등, 1995)와 결합하며, PSA-A2M은 간에 있는 A2M 수용체와 결합하여 제거된다 (Birkenmeyer 등, 1999). 전립선절제술 후 즉시 채취한 혈청과 14일 동안 추적 관찰하며 채취한 혈청을 분석한 연구에 의하면, 95 kDa 크기의 PSA-ACT는 평균 0.8 mg/mL/day 속도로 매우 서서히 감소하는 데 비해, 28.4 kDa 크기인 fPSA는 이중 함수곡선을 나타내며 제거되는데, 일차 반감기는 0.8시간이고 이차 반감기는 14시간이다 (Björk 등, 1998). 쥐를 대상으로 실시한 연구에 의하면, PSA-A2M은 6.7±1분의 반감기로 혈중에서 신속하게 제거되며, 이 때문에 이 복합체의 혈중 PSA 농도는 매우 낮다. PSA는 저분자량임에도 다소 긴 반감기를 가지고 있다. 반감기가 길기 때문에, 전립선에 대한 수기 조작, 혹은 경직장 초음파촬영술, 조직검사 등과 같은 진단적 시술, 혹은 여러 종류의 치료 등을 시행한 경우에는 혈청 PSA가 기준선으로 돌아올 때까지 대개 2~3주 기다렸다가 혈청 PSA를 측정하는 것이 좋다. 특히 근치전립선절제술을 받은 환자에서는 PSA가 제거되는 시간이 중요한데, 전립선을 완전하게 절제하였다고

하더라도 혈청에서 PSA가 확인되지 않는 데는 수술 후 수주까지 걸린다.

양성전립선비대 환자와 전립선암 환자에서 PSA의 분자 형태가 다른 이유, 특히 전립선암 환자의 혈청에서 PSA-ACT의 양이 더 많은 이유는 아직 분명하지 않다. 전립선암에서는 조직의 정상 구조가 상실됨으로 인해 세포 내 활성 PSA가 순환계 안으로 더 빠르게 접근할 수 있어 ACT, A2M 등과 같이 단백질의 분해를 억제하는 물질이 PSA와 더 쉽게 결합할 수 있다고 추측된다. 정상 전립선 혹은 양성전립선비대의 경우는 정상 세포 혹은 증식 세포에서의 PSA가 순환계로 들어가기 전 우선 세포 외부 공간으로 누출되어 스며드는데, 그곳에서 단백질 분해 작용을 받아 분해되기 쉽다. 이 점이 양성전립선비대 환자에서 PSA가 ACT와 결합 형태를 형성하는 역량이 떨어지는 이유일 수 있다 (Stenman 등, 1999). 전립선암 환자의 전립선 상피세포가 더 많은 ACT를 생성하기 때문에 혈청 PSA-ACT 농도가 더 높아진다는 초기의 가설은 입증되지 않았는데, 전립선 조직 내의 PSA는 거의 복합되지 않은 PSA로만 존재하기 때문이다 (Jung 등, 2000). 여러 연구는 전립선의 이행부와 종양 조직에서 fPSA의 분자 형태를 분명하게 확인함으로써 혈중 fPSA의 근원지에 관한 이론적인 근거를 제공하였다 (Mikolajczyk 등, 2000).

전립선암 세포라고 정상 전립선 세포보다 PSA를 더 생성하지 않으며, 혈청의 PSA가 증가하는 이유는 전술한 바와 같이 암이 진행되면서 조직학적으로 안정된 구조가 파괴되기 때문이다 (Stamey 등, 1987). 여러 연구는 전립선암 세포가 정상 전립선 세포보다 PSA를 더 생성하지 않고 오히려 더 적게 생성한다고 하였다 (Meng 등, 2002). 이를 뒷받침하는 연구는 전립선암 표본으로부터 얻은 조직을 분석한 결과, 정상 전립선 조직에 비하여 *PSA* mRNA의 발현 정도가 더 낮았다고 하였다 (Meng 등, 2002).

1.1. 전립선 특이 항원의 측정 주기
PSA measurement interval

미국암학회와 미국비뇨기과학회는 50세 이상의 남자에게는 매년 PSA 검사와 직장수지검사를 권하고 있으며, 가족력이 있거나 혹인 등 상급 위험군에서는 45세 이상 연령부터 PSA를 이용한 선별검사를 권장하고 있다 (Smith 등, 2000). Candas 등 (2000)은 전립선암 선별검사를 매년 시행하게 되면 치료가

가능한 국소 전립선암 모두를 진단할 수 있고 비용 면에서 효율적이라고 주장하였다. 현재 미국과 유럽에서 시행 중인 전립선암 선별검사 연구에서 선별검사의 주기는 미국의 경우 1년이지만, 유럽의 경우는 4년이다 (de Koning 등, 2002). European Randomized Screening for Prostate Cancer (ERSPC)의 결과에 의하면, 4년 주기로 실시해도 전립선암 발견율은 18.5%로 낮고 전립선암의 악성도도 낮기 때문에, 유럽에서는 선별검사를 4년 주기로 실시한다 (van der Cruijsen-Koeter 등, 2003).

PSA 절단치 이상으로 PSA 농도가 증가할 확률과 전립선암이 발견될 확률이 기준선 PSA 농도에 따라 다르므로, 기준선 PSA 농도에 따라 선별검사의 주기를 다르게 정해야 한다는 연구도 있다. Ito 등 (2004)은 PSA 농도가 2.1~4.0 ng/mL일 때는 매년, 1.1~2.0 ng/mL일 때는 1~2년, 0.0~1.0 ng/mL일 때는 3~5년마다로, 기준선 PSA 농도에 따라 PSA 측정 주기를 다르게 할 것을 주장하였다. 그러나 동양인처럼 전립선의 크기가 작아 PSA 절단치를 2.5 ng/mL로 설정할 경우에는 40대와 50대의 경우 PSA 농도가 1.0 ng/mL 이하라도 매년 선별검사를 실시해야 하고 60대 이상에서는 절단치와 관계없이 매년 실시하는 것이 적절하다.

1.2. 전립선 특이 항원의 역할 Role of PSA

PSA와 PSA의 여러 파생 지표는 전립선암의 발생, 진행, 전이 등의 예측에서 중요한 역할을 하며, 이로써 전립선암을 발견하기 위한 선별검사에서 뿐만 아니라 전립선암을 치료한 후 예후를 예측하는 데도 널리 활용되고 있다.

1.2.1. 전립선암 유병률과 혈청 전립선 특이 항원
Prevalence of prostate cancer in relation to serum PSA

PSA의 농도가 낮은 남성에서 전립선암이 발견될 확률이 Prostate Cancer Prevention Trial (PCPT)에서 연구된 바 있는데, 이 연구에서 62세 이상, 중앙치 69세로 PSA가 4 ng/mL 미만인 2,950명이 생검을 받았다 (Thompson 등, 2004). 전립선암은 전체 남성의 15%에서, 그리고 PSA가 1 미만, 1~2, 2~3, 3~4 ng/mL인 경우 각각 9%, 17%, 24%, 27%에서 발견되었다. 다른 연구의 결과는 도표 17에 나타나 있다. 핀란드의 전립선암 선별검사에 참여한 55~67세 남성의 PSA 분포와 여러 연구에서 보고된 생검 양성의 빈도를 근거로 하였을 때, 전립선암

도표 17 혈청 PSA의 농도에 따라 생검에 의해 발견되는 전립선암의 유병률

PSA, ng/mL	1,000명 당 해당 남성의 수	생검 양성, %	1,000명 당 암 환자의 수	발견된 전체 암에서의 비율, %
0.0~1.0	462	8.7	40.5	25.5
1.1~2.0	294	10.1	50.1	31.5
2.1~3.0	104	17.0	25.0	15.7
3.1~4.0	52	23.9	13.8	8.7
4.1~6.0	47	28.0	13.0	8.2
6.1~10.0	27	30.0	8.0	5.0
〉10	14	59.0	8.6	5.4
전체			159.0	

PSA, prostate-specific antigen.
Stenman 등 (2005)의 자료를 수정 인용.

도표 18 혈청 PSA 농도와 관련하여 생검에서 발견되는 전립선암의 확률과 고등급 분화도 전립선암이 차지하는 비율

PSA, ng/mL	수	생검 양성 수 (%)	고등급 암 수 (%)
0.0~0.5	486	32 (6.6)	4/32 (12.5)
0.6~1.0	791	80 (10.1)	8/80 (10.0)
1.1~2.0	998	170 (17.0)	20/170 (11.8)
2.1~3.0	482	115 (23.9)	22/115 (19.1)
3.1~4.0	193	52 (25.0)	13/52 (25.0)

PSA, prostate-specific antigen.
Stenman 등 (2005)의 자료를 수정 인용.

도표 19 혈청 총 PSA 농도에 따른 전립선암의 확률

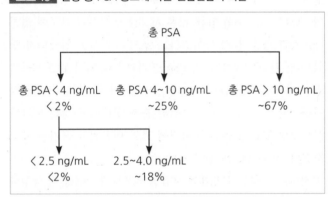

PSA, prostate-specific antigen.
Campbell-Walsh Urology 9판의 자료를 수정 인용.

은 생검을 받은 60~75세 남성의 16%에서 발견된다 (Auvinen 등, 2004). 이 결과는 일생 동안 전립선암으로 진단될 확률이 17%라는 미국의 연구 결과 (Jemal 등, 2004)에 근접하며, 전립선에 대해 체계적으로 조직검사를 실시하여 전립선암의 유병률이 25~30%라는 부검 연구의 결과 (Sakr 등, 1996)와 비교된다. 전체 전립선암의 ≈25%, 57%, 73%, 81%가 각각 1 미만, 2 미만, 3 미만, 4 미만 ng/mL에서 발견된다는 결과는 주목할 만하다. 따라서 '정상' 범위로 알고 있는 PSA 농도에서 전립선암이 가장 빈번하게 발견되며, 전립선암의 실제 유병률을 감안하여 볼 때 PSA에 근거한 선별검사로 발견되는 전립선암은 임상적인 질환과 관련이 있다고 하더라도 빙산의 일각이다. 그러나 PSA가 2 ng/mL 미만인 남성에서 발견되는 전립선암의 10~12%까지가 고등급 분화도의 암이다 (도표 18).

1.2.2. 혈청 전립선 특이 항원의 절단치 및 활용
Cutoff of serum PSA and usefulness

정상 전립선에서 PSA의 생성은 안드로겐에 의존적이기 때문에, PSA는 사춘기 이후 건강한 남성의 혈청에서 발견된다. 혈청 PSA 농도는 정상적으로 상당히 낮아 40~49세 남성은 2.0 ng/mL 이하이며, 전립선암 환자뿐만 아니라 양성전립선비대 환자에서도 증가하므로 혈청 PSA의 적절한 참고치에 관한 연구는 계속되고 있다 (도표 19).

과거의 연구들은 정상인의 혈청 PSA 농도를 0~4 ng/mL로 규정하였는데, 이것은 건강한 남성 코호트를 Tandem-R PSA 분석법 (Hybritech, San Diego, CA)으로 측정한 값이며 (Myrtle과 Ivor, 1989), 40세 이하 건강한 성인과 40세를 초과한 남성의 97%가 4.0 ng/mL 이하의 혈청 PSA를 가진다. 전

립선암을 배제하기 위한 추가 검사, 즉 전립선 생검을 권할 PSA의 절단치에 대해서는 논란 중에 있다. PSA 절단치로 흔히 4.0 ng/mL를 이용하지만, 이 절단치를 이용할 경우 민감도는 67.5~80%이고, 특이도는 20~30%에 불과하다 (Catalona 등, 1993). Oesterling (1991)은 전립선에 국한된 종양이나 양성전립선비대를 가진 남성에서 생검을 결정하기 위해 이 절단치를 이용하면, 민감도, 특이도, 혈청 PSA의 양성 예측도 (positive predictive value, PPV; 검사의 결과가 양성인 경우 실제로도 암이 있을 확률)는 각각 57%, 68%, 49%라고 보고하였다. Catalona 등 (1994)은 50세 이상 남성 6,630명을 대상으로 실시한 선별검사 연구에서 혈청 PSA가 4 ng/mL를 초과한 경우가 15%이었으며, 이들 남성에 대해 생검을 실시하였을 때, PSA의 PPV는 32%이었다고 하였다. 많은 연구들이 비슷한 결과를 보고하였는데, 이는 PSA의 절단치를 4 ng/mL로 설정할 경우 상당수의 암을 놓칠 수 있음을 시사한다. Catalona 등 (1997)은 혈청 PSA가 2.6~4.0 ng/mL인 남성의 22%가 암을 가졌다고 보고하였다. Schmid 등 (2004)은 혈청 PSA가 2.5~4.0, 4.1~10.0, 10.0 초과 ng/mL인 경우에 전립선암이 발견될 확률은 각각 10~20%, 25%, 50~60%라고 하였다. 지금까지도 암으로 인한 사망률의 감소와 PSA 측정에 따른 불필요한 생검의 감소라는 두 가지 목적을 효과적으로 달성하기 위한 PSA 절단치는 분명하게 설정되어 있지 않다. 많은 연구들이 PSA를 이용한 선별검사로 생검 양성률을 최대화하는 다른 절단치를 설정하기 위해 노력하고 있다 (도표 20). Gilbert 등 (2005)은 혈청 PSA가 2.5~4.0 ng/mL인 환자들에서 전립선암의 발견율이 27.5%이고 혈청 PSA가 4~10 ng/mL인 경우에는 30.8%이기 때문에, 전립선암의 선별검사에 이용하는 혈청 PSA 농도의 절단치를 2.5 ng/mL로 할 것을 주장하였다.

Gann 등 (1995)은 혈청을 기증받아 10년 동안 관찰한 Physicians' Health Study에 등록된 남성에서 후에 전립선암의 발생을 예측할 수 있는 PSA 농도의 단일 측정치의 적합성을 평가하였다. 이 평가에서 민감도와 특이도 둘 다를 고려하였을 때, 최대 타당도는 PSA 절단치를 3.3 ng/mL로 설정한 경우에 관찰되었으며, PSA 절단치를 3.3과 4.0 ng/mL로 구분하여 비교한 경우 전반적 타당도는 통계적으로 유의한 차이를 나타내지 않았다. 그러나 주어진 PSA 절단치에 따른 민감도와 특이도로는 발견된 암의 생물학적 특성에 관한 정확한 정보를 얻을 수 없다.

PSA가 4.0 ng/mL 미만인 남성 중 일부는 임상적으로 전립선에 국한된 암을 가지고 있어 모든 남성에게 단일 PSA 절단치를 사용하면 초기 병기 질환의 상당수를 놓칠 수 있다 (Thompson 등, 2004). Catalona 등 (1997)은 직장수지검사가 비악성이면서 PSA 농도가 2.6~4.0 ng/mL로 생검을 받은 남성 중 22% (73명/332명)가 전립선암을 가졌으며, 전립선암을 수술로 제거한 남성의 81% (42명/52명)가 전립선에 국한된 암을 가졌고 17%가 암 크기와 종양 등급을 근거로 하였을 때 '중대하지 않은' 종양을 가졌다고 하였다. ERSPC의 Rotterdam section 중 54~74세 남성을 대상으로 선별검사에서

도표 20 혈청 총 및 유리형 PSA의 절단치

침고 문헌; 분석 방법	환자 수	tPSA, ng/mL	PSA ROC	%fPSA ROC	%fPSA 절단치	민감도, %	특이도, %
Partin 등, 1998; Hybritech	219	4~10	–	0.612	0.25	95	20
Horninger, 2000; Delphia	308	2.5~10	–	–	0.20	100	55
Catalona, 2000a; Hybritech	773	4~10	0.540	0.720	0.25	95	20
Vessella 등, 2000; AxSYM	297	4~10	0.476	0.762	0.10 0.11 0.24 0.26	25 35 90 96	95 90 40 27
Basso, 2000; Immulite	330	–	–	–	0.22	58	95
Veltri와 Miller, 1999; Tosoh	531	2~20	0.579	0.727	0.21~0.25 0.31~0.35	89 98	30 10
Kuriyama 등, 1998; Immulite HS	121	4~10	0.598	0.745	0.23 0.16	90 85	19 57

%fPSA, percent of free prostate-specific antigen; PSA, prostate-specific antigen; ROC, receiver operating characteristic; tPSA, total prostate-specific antigen.
Campbell-Walsh Urology 9판의 자료를 수정 인용.

도표 21 PSA의 파생 지표

PSA 파생 지표	기준	제한점
PSAD, ng/mL/cc	전립선암을 동반한 경우 ; 혈청 PSA/전립선 용적 ≥ 0.15	전립선 크기, 모양, 상피세포에 대한 기질의 비율 등에 따른 변동과 초음파촬영 측정에 따른 변동이 있음.
PSAV, ng/mL/year	전립선암을 동반한 경우 ; PSA 변화율 〉0.75	분석 방법에 따른 변동, 연구된 결과의 부족. 임상적으로 권고하기 위해서는 1년 이상 오래 기다려야 함.
연령별 PSA, ng/mL	연령에 특이한 표준화된 PSA 농도	고령에서는 전립선암을 놓칠 위험이 있고 젊은 남성에서는 전립선암을 과다 평가할 위험이 있음.

PSA, prostate-specific antigen; PSAD, prostate-specific antigen density; PSAV, prostate-specific antigen velocity.
Campbell-Walsh Urology 9판의 자료를 수정 인용.

발견된 전립선암의 특성을 평가한 연구는 PSA 농도가 0~4.0 ng/mL에서 발견된 전립선암의 약 1/2이 공격적인 특성, 즉 Gleason 점수 7 이상, Gleason 등급 4~5를 가지면서 전립선에 국한되어 있음이 관찰되어 PSA 절단치가 4.0 ng/mL 미만에서 전립선암을 발견하면 재발 없이 치유되는 기회가 증가한다고 주장하였다 (Schrder 등, 1999). 그러나 이 연구에서는 직장수지검사와 경직장초음파촬영에서 비정상 소견을 보인 남성으로부터 암이 발견되었기 때문에, 전립선 검사에서 정상 소견을 보인 남성으로부터 암을 발견한 Catalona 등 (1997)의 연구 결과와 비교할 수는 없다. 이들 관찰은 절단치를 더 낮추면 암 발견율이 증가하며, 최소한 더 젊은 남성에서 더 조기에 암을 발견할 수 있음을 시사한다.

15년 동안 임상 병기 T1c 전립선암으로 근치전립선절제술을 받은 2,126명을 대상으로 과잉 진단 및 과소 진단의 정도를 조사한 연구는 최종 병리학적 결과가 종양 용적 0.5 cc 이하, 전립선 내에 국한, 수술 절제면 음성, Gleason 패턴 3 이하인 경우를 과잉 진단, 전립선 밖으로 확장, 병리학적 병기 T3 이상, 수술 절제면 침범인 경우를 과소 진단으로 규정하였을 때, 과잉 진단율은 1.3~7.1%, 과소 진단율은 25~30%였다고 보고하였다. 생검을 실시하는 PSA 절단치를 4.0에서 2.5 ng/mL로 낮추면, 과잉 진단율이 1.3%에서 7.1%로 증가하였고 과소 진단율이 30%에서 26%로 감소하였으며 질환의 무진행 5년 생존율이 85%에서 92%로 증가하였다. 55세 이하 남성은 이러한 과잉 진단의 기준에 유의하게 더 적합하였다. 이와 같은 결과를 근거로 저자들은 과잉 진단보다 과소 진단이 더 흔하며, 생검을 권하는 PSA 절단치를 2.5 ng/mL로 설정하면 질환의 무진행 생존율을 높일 수 있다고 보고하였다 (Graif 등, 2007).

PSA 검사에 관한 초기 연구에 의하면, 전립선암의 발견에 대한 예측률은 혈청 PSA가 4~10 ng/mL인 경우에는 12~32%,

10 혹은 20 ng/mL를 초과한 경우에는 60~80%이었다 (Brawer 등, 1999). 따라서 직장수지검사가 비정상이고 혈청 PSA가 10 ng/mL를 초과한 남성에서 암이 진단될 확률은 최대 60%이기 때문에, 이러한 경우 PSA의 민감도와 특이도를 높인다고 하여도 더 이상의 이점은 없다. 이들 비율은 혈청 PSA가 20 ng/mL를 초과하거나 직장수지검사에서 전립선암을 의심하게 하는 소견이 있으면 더욱 증가한다. 이들 환자들을 수술하면 상당수의 환자에서 전립선 피막이 침범되어 있다 (Polascik 등, 1999). 따라서 PSA가 10 ng/mL을 초과한 남성은 PSA에서 파생된 기타 지표의 수치와 관계없이 생검을 받아야 한다.

4~10 (근래에는 2.5~10) ng/mL의 혈청 PSA 농도를 가진 남성에서는 암 발견에 대한 혈청 PSA의 특이도가 더 난해하다. 도표 20은 여러 절단치에 따른 암의 가능성을 보여 준다. 이 범위에서 발견된 암은 대개 초기 병기의 암이며, 치유 가능성이 높고, 생명을 위협하지 않는 '임상적으로 중대하지 않은' 종양이다. 그러나 이 범위는 전립선암이 있는 남성과 없는 남성의 혈청 PSA가 상당 부분 중첩되어 이 범위를 진단적 '회색 지대 (gray zone)'라고 부른다. 전술한 바와 같이 이러한 범위에서 PSA의 진단적 정확도를 높이기 위해 PSA의 파생 지표인 PSA 밀도, PSA 증가 속도, 연령대별 PSA 등이 이용된다 (도표 21). 전체 PSA의 특이도를 향상시키는 데 이용되는 이들 PSA 파생 지표들이 많은 연구자들 사이에서 논쟁이 되고 있으나, 임상 진료에서 상담하는 동안 전립선암의 위험을 평가하는 데 도움을 주는 추가 도구로서의 가치는 있다. 예를 들면, Stephan 등 (2005)은 PSA의 농도가 4 ng/mL 미만인 경우에는 tPSA 혹은 fPSA의 퍼센트 (%fPSA)보다 PSA 밀도 (PSA density, PSAD)가 전립선암을 발견하는 데 더 효과적이며, PSAD 절단치를 0.06 ng/mL/cc로 설정하면 전립선암에 대한 진단적인 민감도는 90%, PSAD의 절단치를 0.05 ng/mL/cc로 설정하면 진단적 민감도가 95% 이상이라고 보고하였다. 이들

파생 지표에 대해서는 뒤에 상세하게 기술되어 있다.

    PSA를 측정하는 방법 중 Tandem-R PSA 분석을 이용한 연구는 양성전립선비대만을 가진 남성들의 약 28%에서 PSA가 4.0 ng/mL 이상이었다고 하였다 (Hudson 등, 1989). 다른 연구는 40명의 양성전립선비대 환자 중 33%에서 PSA가 10 ng/mL 이상이었다고 하였다 (Ferro 등, 1987). Pros-Check PSA 분석법을 이용한 연구는 병리학적으로 확인된 양성전립선비대 환자 34명 중 62%에서 혈청 PSA가 정상 상한치인 2.5 ng/mL 이상이었다고 하였고 (Yang, 1989), 다른 연구는 양성전립선비대만을 가진 73명의 남성 중 86%에서 혈청 PSA가 증가되었는데, 수술 전에는 0.3~37 ng/mL, 평균 7.9 ng/mL이었다가 경요도전립선절제술 후에는 0.1~6.7 ng/mL, 평균 1.3 ng/mL로 감소하여 양성 증식 조직은 그램 당 0.3 (Tandem-R PSA 분석의 경우 0.5) ng/mL의 비율로 혈청 PSA를 증가시킨다고 하였다 (Stamey 등, 1987). Roehrborn 등 (1999)은 전립선비대증 환자에서 PSA와 전립선 용적과의 상관관계를 이용하여 전립선 용적이 큰 환자를 예측할 수 있으며, 용적이 40 cc 이상인 전립선을 예측할 수 있는 PSA의 농도는 50대, 60대, 70대에서 각각 1.6, 2.0, 2.3 ng/mL 이상이라고 보고하였다. 다른 연구에서도 전립선 생검으로 전립선비대증이 확진된 환자에서 PSA 농도와 전립선의 용적은 상관관계가 있었으며, 상관계수는 0.33~0.41 범위이었다 (Hochberg 등, 2000). 한국인을 대상으로 실시한 연구의 결과에 의하면, 40 cc 이상의 전립선 용적을 예측할 수 있는 혈청 PSA 농도는 50대, 60대, 70대에서 각각 1.3, 1.7, 2.0 ng/mL로 서양인에 비해 다소 낮았다 (Chung 등, 2006). 한편, 서양인에서는 일반적으로 큰 전립선에 해당하는 전립선 용적은 40 cc 이상이며, 이에 상응하는 한국인에서 큰 전립선의 용적은 35 cc 이상이라고 보고되었다 (Cho 등, 2005). 즉, 우리나라 남성에서는 서양인에 비해 동일한 연령대별 전립선의 용적이 더 작고, PSA의 농도 또한 더 낮다.

    Brawer (1989)는 양성전립선비대로 개복술 혹은 경요도절제술을 받은 81명을 대상으로 수술 후 검사물의 병리학적인 결과와 수술 전의 혈청 PSA를 비교하였으며, 양성전립선비대만 가진 26명 (32%)에서는 혈청 PSA의 중앙치가 2.1 ng/mL (0.3~4.7 ng/mL), 전립선상피내암이 확인된 25명 (31%)에서는 혈청 PSA의 중앙치가 4.0 ng/mL (0.3~22.3 ng/mL), 전립선암이 발견된 14명에서는 혈청 PSA의 중앙치가 5.9 ng/mL (0.9~234 ng/mL)임을 관찰하여 양성전립선비대 환자의 일부

도표 22 전립선상피내암의 등급

저등급 전립선상피내암 (LGPIN)
· Basal cell layer intact and regularly spaced
· Epithelial cell stratification with crowding & irregularity of spacing
· Nucleomegaly with anisonucleosis
· Nucleoli small, rarely prominent
· Slight chromatin irregularities

고등급 전립선상피내암 (HGPIN)
· Basal cell layer may show disruption with markedly irregular spacing
· Epithelial cell stratification similar low grade PIN, except occasional flat pattern
· Micropapillary tufting, cribriform and flat patterns
· Nucleomegaly marked hyperchromasia & less anisonucleosis
· Majority of cells contain large, prominent eosinophilic nucleoli
· Irregular chromatin clumping, often with peripheral margination

HGPIN, high-grade prostatic intraepithelial neoplasia; LGPIN, low-grade prostatic intraepithelial neoplasia; PIN, prostatic intraepithelial neoplasia.

에서는 전립선상피내암이 혈청 PSA를 증가시킬 수 있다고 하였다. 주변부의 낮은 에코 (hypoechoic) 병변을 가진 환자에서 경직장초음파촬영 하 생검을 실시한 Lee 등 (1989)은 양성전립선비대, 전립선상피내암, 전립선암이 발견된 환자에서 혈청 PSA 농도가 각각 4.0±4.0, 9.5±10.4, 84.0±377 ng/mL이었다고 하였으나, 이 연구는 대상 환자가 27명으로 적고 표준 편차가 크다는 제한점이 있다. 위의 연구들은 양성전립선비대만 있는 경우보다 전립선상피내암이 동반된 경우에 혈청 PSA가 증가함을 보여 주는데, 그 증가 이유는 기저세포층의 붕괴 및 상피세포 기저막의 파괴로 인해 저분자량의 PSA가 세엽의 내강으로부터 인접한 모세혈관이나 림프관으로 쉽게 확산되기 때문이거나 (도표 22), 확인되지 않은 선암이 공존해 있기 때문으로 추정된다 (Oesterling, 1991).

    그러나 이후의 여러 연구들은 전립선상피내암과 혈청 PSA의 상승은 상관이 없다고 보고하였다. Ronnett 등 (1993)은 65명의 환자에 대해 근치전립선절제술을 실시한 후, 전립선상피내암은 혈청 PSA 혹은 PSA 밀도와 무관하였으며, 생검에서 전립선상피내암으로 확인된 환자들에서 혈청 PSA의 증가는 동반된 전립선비대증 때문이거나 확인되지 않은 전립선암 때문이라고 하였다. 침 생검에서 고등급 전립선상피내암이 확인된 환자군과 양성 질환으로 확인된 환자군에서 암이 발견될 위험을 평가한 8편의 연구를 검토한 Ebstein (2006)도 이들 연구 중 6편에서는 두 군 사이에 임상적 차이가 발견되지 않았다고 보고하였다.

    1988년부터 미국에서 전립선암의 선별검사로 이용된 PSA

는 현재까지도 전립선암의 선별검사와 병기 결정 및 치료 후의 추적 관찰에 널리 이용되고 있다. 전립선암에서 혈청 PSA의 농도는 대개 전립선암의 용적과 비례하고 전립선암이 진행함에 따라 증가한다. 예를 들면, 치료를 받지 않은 전립선암 환자에서 혈청 PSA를 분석한 결과 B2 이상의 병기에서는 정상보다 평균 10~16배 이상 증가된 소견을 보였고, 40 ng/mL 이상인 경우에는 미세 전이가 있을 가능성이 매우 높았다 (Gann 등, 1995). 그렇지만 전립선암 환자에서도 양성전립선비대의 동반 유무나 종양의 분화도에 따라 혈청 PSA의 농도가 영향을 받을 수 있다. 예를 들면, Gleason 점수가 낮은 경우에는 암의 용적 혹은 진행 정도와 혈청 PSA의 농도가 밀접한 연관성을 가지지만, 분화도가 나쁜 전립선암에서는 혈청 PSA가 오히려 낮게 나타날 수 있다. 따라서 혈청 PSA 단독으로는 전이성 암의 조기 진단이나 예후 인자로서의 이용이 적절하지 않다고 할 수 있다.

PSA는 전립선에 특이적이지만 전립선암에는 특이적이지 않으며, 전립선염, 전립선비대증, 전립선 손상 혹은 경색 등의 양성 질환과 전립선 마사지, 사정, 생검 등과 같이 전립선에 인위적인 조작을 가한 후에도 농도가 증가할 수 있다 (Klein와 Lowe, 1997). 복용 중인 약물에 의해서도 영향을 받아 5α-reductase (5αR) 억제제를 6~12개월 복용하면 약물의 용량과 상관없이 PSA가 약 50%까지 감소하며, 혈액 투석이나 복막 투석은 전체 PSA를 변화시키지 않지만 유리 PSA를 변화시키므로 투석 환자에서 유리형 PSA를 측정함은 의미가 없다. (Tzanakis 등, 2002). 검사 장비에 따라 PSA 수치가 10% 이상 차이를 보일 수 있으며, 논란은 있지만 하루 중이라도 검사 시간에 따라 변화가 있을 수 있다는 보고도 있어 PSA에 대한 검사 결과를 해석할 때는 세심한 주의가 필요하다.

위에서 기술한 바와 같이 5αR 억제제가 PSA의 농도를 감소시키는데, 이유는 5αR을 억제하면 테스토스테론이 dihydrotestosterone (DHT)으로 전환되는 과정이 억제되어 전립선 상피세포로부터 PSA의 생성이 감소되기 때문이다. Proscar Long-term Efficacy and Safety Study (PLESS)에 의하면, 4년 동안 5 mg의 finasteride를 복용한 군과 위약을 복용한 군을 비교한 결과, finasteride를 복용한 군에서는 혈청 PSA가 57% 감소하였고 전립선암 환자의 경우 혈청 PSA가 42% 감소한 데 비해, 위약을 복용한 군에서는 혈청 PSA가 10% 상승하였고 전립선암 환자의 경우 혈청 PSA가 16% 상승하였다. Dutasteride를 이용한 무작위 배정, 위약 대조, 이중 맹검법 연구인 ARIA 3001, 3002 및 ARIB 3003도 비슷한 결과들을 보였는데, 0.5 mg의 dutasteride를 12개월 동안 복용한 군에서는 혈청 PSA가 45.7% 감소하였고 위약을 복용한 군에서는 혈청 PSA가 8.4% 증가하였으며, dutasteride를 24개월 동안 복용한 경우에는 혈청 PSA가 52.4% 감소하였고 위약의 경우에는 혈청 PSA가 15.8% 증가하였다. 따라서 5αR 억제제를 12개월 이상 복용한 환자에서 전립선암을 선별하기 위한 PSA 절단치는 측정된 PSA에 2배를 곱하여 산출된 값을 이용하는 것이 합당하다고 생각된다.

1.2.3. 전립선 특이 항원 밀도 PSA density (PSAD)

일반적으로 전립선에서 결절이 만져지지 않으면서 혈청 PSA가 4~10 ng/mL인 경우는 전립선암과 양성전립선비대를 감별하기 어려운데, 이는 전립선암에 비해 양성전립선비대의 유병률이 월등하게 높고 양성전립선비대에서도 PSA가 증가되기 때문이다. PSA가 증가된 남성의 80%는 4~10 ng/mL 범위이며 (Catalona 등, 1994), 이들 남성에서 PSA가 증가하는 가장 큰 이유는 전립선암이 아닌 양성전립선비대이다. 이 경우 진단의 효율성을 높이기 위하여 PSAD를 이용하는데, 이는 혈중 총 PSA 농도를 경직장초음파검사로 측정된 전립선의 용적으로 나눈 값, 즉 tPSA/전립선 용적으로 산출된다 (Benson 등, 1992a). 그 근거는 전립선암 조직이 양성전립선비대 조직에 비해 용적당 더 많은 PSA를 혈중으로 방출한다는 데 있으며, 이 때문에 양성전립선비대보다 전립선암 환자에서 PSAD가 더 높다. 많은 연구들이 직장수지검사가 정상이면서 PSA가 4~10 ng/mL인 환자에서 PSAD가 0.15 ng/mL/cc를 초과하면 전립선암을 의심하여 조직검사를 실시할 것을 권한다 (Seaman 등, 1993). 일반적으로 양성전립선비대와 전립선암을 감별하는 PSAD의 절단치는 0.1~0.2 ng/mL/cc라고 보고되고 있다. tPSA가 4 ng/mL 미만인 환자군에서 area under the curve (AUC)는 0.667의 %fPSA (fPSA/tPSA)보다 0.739의 PSAD에서 유의하게 더 높아 PSA가 낮은 환자에서는 PSAD가 %fPSA보다 더 나은 전립선암 발견율을 나타내었다. 그렇지만 tPSA가 4~10 ng/mL인 경우에는 PSAD가 %fPSA보다 나은 결과를 보이지 않기 때문에, 95%의 민감도를 얻기 위해서는 tPSA가 2~4, 4~10, 10~20 ng/mL인 경우 각각 0.05, 0.1, 0.19 ng/mL/cc의 다른 PSAD 절단치를 적용할 필요가 있다 (Stephan 등, 2004).

그러나 경직장초음파검사로 측정된 전립선의 용적이 부

정확한 경우가 많고 전립선의 조직에 따라 상피와 기질 성분의 구성 비율이 다르기 때문에 그 기준치에 대해 많은 논란이 있어 PSAD만으로 전립선암을 진단하거나 예측하는 데는 어려움이 있다. 이를 보완하고자 전립선의 이행부 용적에 대한 PSA 농도를 표시하는 방법이 제안되기도 하였는데, 이는 PSA의 대부분이 전립선의 주변부가 아닌 이행부에 있는 상피세포에서 생성된다는 데 이론적인 근거를 두고 있다 (Lepor 등, 1994). 양성전립선비대는 이행부의 비대를 나타내고 혈청 PSA의 농도는 양성전립선비대를 가진 남성에서 주로 이행부의 조직 상태를 반영하기 때문에, PSA를 이행부 용적으로 보정하면 양성전립선비대와 전립선암을 감별하는 데 도움이 된다 (Kalish 등, 1994). Djavan 등 (1999b)은 PSA가 4~10 ng/mL인 974명의 남성에서 전립선암을 발견하는 데 가장 적절한 민감도와 특이도를 나타내는 지표는 PSA/이행부 용적, 즉 PSA transition zone (PSA-TZ)이라고 보고하였다. Zlotta 등 (1997)은 PSA 농도가 4~10 ng/mL인 환자에서 PSA-TZ의 절단치를 0.35 ng/mL/cc로 규정하였을 경우 전립선암 진단에 대한 민감도와 특이도는 각각 94%와 89%라고 하였다. 첫 생검에서 음성으로 나왔던 환자에서 반복 생검을 실시할 경우 PSA-TZ가 0.2 ng/mL/cc 이상이면 암을 발견할 확률이 3배 더 높다는 보고도 있다 (Singh 등, 2004).

전립선에 국한된 암을 발견할 확률은 대체로 혈청 PSA가 4 ng/mL 미만인 경우에는 80%, 혈청 PSA가 4~10 ng/mL인 경우에는 66%이다 (Rietbergen 등, 1999). 다르게 표현하면, 혈청 PSA가 10 ng/mL 미만의 중등도로 증가된 환자의 20~34%에서는 전립선암이 피막 밖으로 침범되어 있다. 이에 여러 연구자들은 수술 절제면 침범 혹은 피막 밖으로의 침범을 수술 전에 예측할 수 있는 인자를 연구하였으며, 이들 인자에는 임상 병기, 혈청 PSA, 생검 결과 등이 있다 (Ishida 등, 2009). 생검 결과에서 종양의 길이, 암 침범의 비율, 암 양성 core의 수, 암 양성 core의 비율 등이 피막 밖으로의 확장을 예측하는 인자라고 알려져 있고 (Tsuzuki 등, 2005), 침 생검에서 나타난 조직병리학적 결과도 전립선암의 등급, 병기, 종양의 크기 등을 예측하는 인자로 이용되고 있다. 다른 연구는 치료 전 PSA, 생검에서 가장 높은 Gleason 등급의 합, 생검에서 양성 core의 비율 등이 근치전립선절제술 후 병리학적 병기를 예측할 수 있는 독립적 인자라고 하였다 (Gancarczyk 등, 2003). 이들 중 혈청 PSA는 양성전립선비대, 전립선염, 고령 등에서도 증가하기 때문에, 암의 크기를 예측하는 지표로서 신뢰도가

낮다. Seaman 등 (1994)은 전립신에 국한된 종양을 예측하는 데 PSAD의 이용이 가능한지를 연구하여 PSAD의 정확성을 입증하였으며, 낮은 PSAD는 근치전립선절제술의 적용 대상이 되고 최종 병리학적 병기를 예측하는 데는 Gleason 등급보다 PSAD가 더 나은 결과를 보인다고 하였다. 피막 밖으로 침범된 전립선암을 예측하는 데 대한 AUC는 혈청 복합 PSA (cPSA)와 복합 PSAD (cPSAD)의 경우 각각 0.62, 0.69 (Taneja 등, 2002) 혹은 0.54, 0.70 (Naya 등, 2003)이었다.

전립선암을 발견함에 있어 PSAD의 유용성이 모든 연구에서 확인된 것은 아니다. Catalona 등 (1994)은 혈청 PSA가 4~10 ng/mL인 경우 PSAD로는 암의 50%를 발견하지 못했다고 하였다. Brawer 등 (1993)도 직장수지검사가 정상이고 PSA가 4~10 ng/mL인 남성에서는 PSAD가 PSA보다 더 나은 암 발견율을 보이지 않았다고 하였다. 생검에서 음성을 나타낸 남성에 비해 양성을 나타낸 남성에서 PSAD가 더 높은데, 이것은 일정한 수로 생검을 하더라도 큰 용적보다 더 적은 용적의 전립선에서 전립선암이 발견될 확률이 높기 때문이다. 이와 관련하여 전립선 용적과 암 발견율 사이의 상관관계를 평가하기 위해 6부위 생검을 이용한 연구는 다음과 같은 결과를 보고하였다 (Uzzo 등, 1995). 첫째, 전립선암은 33% (334명/1,021명)에서 발견되었다. 둘째, 50 cc 이상 큰 용적의 전립선을 가진 경우는 34% (346명/1,021명)이었고 이들 중 23% (80명/346명)에서 암이 발견된 데 비해, 50 cc 미만의 적은 용적의 전립선을 가진 경우는 66% (675명, 1,021명)이었고 이들 중 38% (254명/675명)에서 암이 발견되었다 (p<0.01). 셋째, 생검 양성인 환자는 생검 음성인 환자에 비해 유의하게 더 적은 용적의 전립선을 가졌으며, 각각 40±26 cc, 51±33 cc이었다 (p<0.01). 넷째, 100 cc 이상 용적의 전립선을 가진 환자에서는 14% (8명/58명)만이 생검 양성인 데 비해, 25 cc 미만인 환자에서는 49% (118명/239명)에서 암이 발견되었다.

PSAD와 PSA-TZ는 몇 가지 제한점을 가지고 있다. 첫째, PSA를 분비하는 상피세포와 기질세포의 비율은 개인차가 10배까지 생길 수 있기 때문에, 같은 크기의 전립선일지라도 상피세포의 비율에 따라 PSA 분비량에 차이가 있을 수 있다. 둘째, 전립선의 모양과 크기가 개인에 따라 차이가 있으며, 크기 측정에서도 검사자에 따라 오차가 발생할 수 있다. 특히 전립선 크기가 작은 환자에서는 이행부를 측정하기가 어렵다. 셋째, 첫 생검에서 암을 놓치는 큰 이유 중 하나는 전립선이 크다는 점인데, PSAD가 높은 사람의 경우 전립선 크기가 상대

적으로 작은 경우가 많고 이러한 점이 선택 편견으로 작용할 수 있다. 넷째, PSAD를 산출하기 위해서는 경직장초음파촬영술을 실시해야 하는데, 이로써 환자의 불편감이 크고, 검사에 소요되는 시간이 길며, 비용이 더 들게 된다.

1.2.4. 전립선 특이 항원의 증가 속도와 경사도
PSA velocity (PSAV) and PSA slope

PSA 증가 속도 전립선암의 존재 여부에 따라 혈청 PSA의 측정치에서 발생하는 변동이 다를 수 있다. 재측정 때 발생하는 PSA의 단기간 변화는 주로 생리적인 변동이다. 혈청 PSA를 측정과 측정 사이의 경과 시간으로 보정할 수 있는데, 이것이 PSA의 증가 속도 (PSA velocity, PSAV) 혹은 PSA의 변화 비율을 측정하는 개념이다 (Carter 등, 1992b). PSA 증가 속도의 단위는 ng/mL/year이며, 산출하는 공식은 $0.5 \times \{([PSA2-PSA1]/T)+([PSA3-PSA2]/T)\}$이다. 여기서 PSA1, PSA2, PSA3는 각각 처음, 두 번째, 세 번째 측정한 PSA 농도이고, T는 두 번의 측정 사이의 기간이다 (Carter 등, 1995; Khan 등, 2003).

PSAV는 공격성 암과 저활동성 암을 구별할 수 있는 도구로 제시되어 왔다. 근치전립선절제술을 받은 남성이 수술 전 해에 PSAV가 2.0 ng/mL/year를 초과한 경우에는 병리학적 결과가 더 나쁘고 전립선암 특이 사망률이 증가한다는 D'Amico 등 (2004)의 연구가 보고된 이후 PSAV는 예후 표지자로 인식되었다. 전립선암을 가진 남성에서 전립선암이 진단되기 수년 전에 냉동 보관한 혈청을 이용하여 연구한 Carter 등 (1992)은 0.75 ng/mL/year 이상의 PSAV는 전립선암에 대한 특이 표지자가 될 수 있으며, PSA 농도가 증가하지 않더라도 전립선암을 가진 남성은 암을 가지지 않은 남성에 비해 PSAV가 더 빠르다고 보고하였다. 이 연구에서 전립선암을 가진 남성의 72%, 전립선암이 없는 남성의 5%가 0.75 ng/mL/year 이상의 PSAV를 나타내었다. 또한, 혈청 PSA가 4~10 ng/mL 혹은 4 ng/mL 미만인 경우에는 전립선암에 대한 PSAV의 특이도가 90%를 넘었으나, 전립선암에 대한 민감도는 혈청 PSA가 4~10 ng/mL에서는 79%, 4 ng/mL 미만에서는 11%이었다. 다른 대규모의 전향 연구도 전립선암 발견율이 PSAV가 0.75 ng/mL/year 이상인 남성에서는 47%이었고 0.75 ng/mL/year 미만인 남성에서는 11%를 나타내어 전립선암을 가진 남성의 PSAV는 암을 가지지 않은 남성에 비해 더 빠르다고 하였다 (Smith와 Catalona, 1994). 한편, 전립선암 병력이 없는 남성 중 5% 미만이 0.75 ng/mL/year 이상의 PSAV를 가졌는

데, 이는 전립선암의 표지자로서 PSAV의 특이도를 반영한다 (Carter 등, 1995).

Baltimore Longitudinal Study of Aging에 근거한 Carter 등 (2006)의 연구는 전립선암으로 진단되기 이전 10~15년 동안 PSAV가 0.35 ng/mL/year 보다 클 경우 치명적인 전립선암일 가능성이 높다고 하였으며, 이 연구의 결과로 인해 PSAV의 절단치가 낮아지게 되었다. 혈청 PSA가 4 ng/mL 미만인 환자에서 전립선 생검의 권장은 National Comprehensive Cancer Network (NCCN)의 경우 PSAV가 0.35 ng/mL/year 이상, American Urological Association (AUA)의 경우 0.4 ng/mL/year 이상으로 규정하였다 (Green 등, 2009). 근래의 연구는 수술 전 1회의 PSAV가 0.4 ng/mL/year 미만이면, 근치전립선 절제 표본에서 병리학적으로 '중대하지 않은' 전립선암이 발견될 가능성이 두 배 높다고 하였다 (Loeb 등, 2010).

혈청 PSA가 4 ng/mL 미만일 때 PSAV의 절단치는 아직까지 규정되어 있지 않다. 여러 연구는 PSA가 4 ng/mL 이하이면서 젊은 환자인 경우 PSAV의 절단치를 0.4 ng/mL/year로 낮추어야 한다고 주장하고 있으며, 연령층으로 보정하여 40~59세에서 0.25, 60~69세에서 0.5, 70세 이상에서 0.75 ng/mL/year가 적절한 절단치라고 주장하는 연구도 있다 (Moul 등, 2007). 총 PSA의 농도가 4 ng/mL 미만인 11,792명을 대상으로 실시한 연구는 PSAV가 전립선암 발견과 유의하게 관련이 있으며, PSAV의 절단치는 0.4 ng/mL/year가 적절하다고 보고하였다 (Loeb 등, 2007).

덴마크의 일반 모집단에서 무작위로 선정한 남성과 Copenhagen City Heart Study에 등록된 남성 7,455명을 대상으로 전립선암이 발견될 때까지 20년 이상 기간에 걸쳐 2~3회 PSA를 측정한 연구는 다음과 같은 결과를 보고하였다 (Ørsted 등, 2013). 첫째, 전립선암의 발견에 관하여 연령으로 보정한 후 장기간 PSAV가 0.35 ng/mL/year 이하 증가에 대한 0.35 ng/mL/year 초과 증가의 hazard ratio (HR)와 odds ratio (OR)는 각각 5.3 (95% CI 2.2~13), 16 (95% CI 4.9~50)이었으며, 장기간 PSAV가 연 10% 이하 증가에 대한 연 10% 초과 증가의 HR과 OR은 각각 2.7 (95% CI 1.3~5.7), 3.0 (95% CI 1.4~6.2)이었다. 둘째, 전립선암 특이 사망에 관하여 연령으로 보정한 후 장기간 PSAV가 0.35 ng/mL/year 이하 증가에 대한 0.35 ng/mL/year 초과 증가의 HR과 OR은 각각 3.4 (95% CI 1.1~10), 20 (95% CI 2.3~179)이었으며, 장기간 PSAV가 연 10% 이하 증가에 대한 연 10% 초과 증가의 HR과

OR은 각각 2.5 (95% CI 0.9~7.1), 2.2 (95% CI 0.7~6.8)이었다. 셋째, 이 연구에서 전립선암 발견과 전립선암 특이 사망에 대한 PSA doubling time의 HR과 OR은 각각 2.8 (95% CI 2.2~3.6)과 3.3 (95% CI 2.5~4.4), 3.0 (95% CI 2.1~4.4)과 4.9 (95% CI 2.9~8.1)이었다. 넷째, 기저선 PSA 농도의 기본 모델에 장기간의 PSAV를 추가할 경우 net reclassification index (NRI)는 98~99%이었다. 저자들은 이들 결과를 근거로 기저선 PSA 농도의 기본 모델에 장기간의 PSAV를 추가하면 전립선암 위험 및 사망에 대한 분류를 개선시킬 수 있으며, 이 경우 적절하게 분류된 환자와 부적절하게 분류된 환자의 비율은 5 대 1이라고 하였다. 그러나 장기간의 PSAV를 활용하는 방안에 대해 여러 예를 들어 비판한 연구도 있다 (Vickers와 Pencina, 2013). 첫째, 환자가 계속 낮은 농도의 PSA를 유지하다가 6~10년 후 PSA가 증가되어 전립선암이 발견된 경우에는 PSAV의 역할은 없다고 할 수 있다. 둘째, 높은 농도의 PSA가 더 이상 증가하지 않고 10년 이상을 유지한 환자는 공격적인 암을 가질 가능성이 낮다. 이러한 경우에도 PSAV의 역할은 없다고 할 수 있다. 셋째, PSA가 증가된 환자, 예를 들면 5 ng/mL인 환자에게 장기간으로 설정한 기간의 말미인 10년 후 PSA가 8.5 ng/mL 이상의 결과가 나오면 생검을 하자고 권하기는 쉽지 않다 (8.5 ng/mL = 5 ng/mL + [0.35 ng/mL/year × 10년]).

Vickers 등 (2011)은 앞에서 기술된 NCCN과 AUA의 권고안에 의문을 제기하면서 PSAV가 전립선암의 위험 인자에 대해 표준 평가 이상의 예측도를 나타내지 않는다고 하였다. 이 연구는 처음 혈청 PSA가 4 ng/mL 이상이고 연령이 50세 이상이며 7년 동안 매년 PSA 검사, 직장수지검사를 받았고 연구 종료 시점에서 생검을 받은 PCPT 연구의 위약군 5,519명을 대상으로 전통적인 위험 분류 모델에 PSAV를 포함시킬 경우 질환의 예측률이 향상되는지를 평가하였다. 저자들은 연령, 가족력, 이전 생검 결과, 생검 당시 PSA 등을 포함한 기준선 예측 인자 모델에 대해 다변량 로지스틱 회귀 분석을 실시하여 ROC 곡선에 따른 AUC를 산출하였다. 기준선 모델에 비해 PSAV를 추가한 경우 전체 전립선암, Epstein 기준에 따른 임상적으로 중대한 전립선암, Gleason 점수 7~10의 암 등에 대해 AUC의 증가치는 각각 0.007, 0.005, 0.001이었다. PSA 단독에 비해 PSAV를 추가한 경우 증가된 AUC는 각각 0.01, 0.012, 0.004이었다. 이러한 분석 결과에 따라 저자들은 PSAV가 불필요한 생검의 수를 증가시킨다고 주장하면서 생검 실

시 여부를 결정하는 인자에서 PSAV를 제외할 것을 권고하였다. 그러나 이 연구는 몇 가지의 제한점을 가지고 있는데, PCPT 연구로부터 추출한 남성을 대상으로 PSAV에 대해 완벽한 검사를 했다고 하였지만 너무 낮은 연령층을 대상으로 삼았다. 최소 55세 이상의 남성을 대상으로 하여 62세 이상에서 생검을 해야 합리적인데 50세 이상의 낮은 연령층을 대상으로 삼았기 때문에 PSAV의 예측 정확도가 떨어졌을 수 있다. Carter 등 (2006)의 연구는 10~15년의 연구 기간을 가졌지만 이 연구에서는 7년이기 때문에 짧은 연구 기간도 문제가 될 수 있다. 그 외에도 PSAV 산출 방식의 차이, PSA 농도에 영향을 주는 인자들 등도 PSAV 예측도를 평가하는 데 혼동을 줄 수 있다. 논란이 있을 수 있는 사항은 PSAV가 불필요한 생검의 수를 7번 중 1번의 비율로 증가시킨다는 결과인데, 현재까지도 선별검사에서 어느 정도의 비율로 생검 결과가 음성이어야 적절한지 혹은 전립선암의 치료에서 이상적인 생검 횟수가 얼마인지에 대해서는 분명한 답이 없다. 생검이 높은 비용, 입원, 출혈이나 감염과 같은 합병증 등과 같은 단점을 가지고 있음은 분명하지만, 생검으로 조기 병기의 암을 발견함으로써 그 만큼 사망률을 낮추는 장점도 가지고 있다. 이러한 장점과 단점을 충분하게 고려한 생검 적용 대상의 기준을 마련하는 것이 현재 숙제로 남아 있다 (Borofsky와 Makarov, 2011).

그러나 PSAV는 근본적으로 PSA에서 파생된 방법이기 때문에 한계가 있다 (Becker 등, 2001). 첫째, 이 방법에서 혈청 PSA는 개인에 따라 매일 생물학적 변동이 있을 수 있다. 24명의 남성을 대상으로 실시한 연구는 PSA의 증가 폭이 20~46% 미만이면 생물학적 혹은 분석법에 따른 변동의 가능성을 고려해야 한다고 하였다 (Nixon 등, 1997). 둘째, PSA는 전립선 비대증과 같은 다른 경우에도 증가할 수 있기 때문에 전립선암에 특이하지 않다. 셋째, PSA는 분석법에 따라 변동이 생길 수 있다. 넷째, 일반적으로 PSAV는 혈중 PSA의 시간에 따른 농도의 변화를 의미하는 것으로 PSA 변화의 평균치를 측정하기 위해 혹은 정확한 측정치를 얻기 위해 연구에 따라 최소한 18개월 혹은 24개월 동안 혈중 PSA를 적어도 3번 측정해야 한다 (Kadmon 등, 1996). 한편, 예후를 예측하는 인자로서의 PSAV에 대해 부정적인 결과를 보고한 연구는 다음과 같다. 첫째, ERSPC 연구는 PSAV가 ERSPC 알고리듬을 개선하지 못했다고 하였다 (Wolters 등, 2009). 둘째, PCPT는 PSAV가 예후 정보를 독립적으로 제공하지 못하며 (Thompson 등,

2006), 총 PSA 측정치가 있으면 PSAV는 암을 발견할 수 있는 더 이상의 독립적인 인자가 되지 못한다고 하였다 (Vickers 등, 2009). 셋째, Scandinavian Prostate Cancer Group Study No. 4 (SPCG4)는 PSA의 변화가 치명적인 전립선암에 대한 좋은 예측 인자가 아니라고 하였다 (Fall 등, 2007). 넷째, Prostate, Lung, Colorectal and Ovary (PLCO) 암 선별검사 연구는 여러 인자로 구성된 모델에서 PSAV를 삭제하더라도 진행 전립선암에 대한 ROC-AUC는 유의하지 않을 정도의 경미한 감소만 나타낸다고 하였다 (Pinsky 등, 2007). 다섯째, Reduction by Dutasteride of Prostate Cancer Events (REDUCE) 화학 예방 연구는 PSA의 변화는 어떤 Gleason 점수 혹은 Gelason 점수 7~10의 전립선암을 예측하는 정확도는 낮다고 하였다 (Andriole 등, 2011).

PSA 경사도 선형 회귀 분석에서의 PSA 경사도 (slope)는 1년에 걸친 PSA 농도의 변화를 나타낸다. PSA 경사도의 단위는 ng/mL/year로 PSAV와 같지만, PSA 경사도는 선형 회귀 분석을 사용하기 때문에 계산하는 방법이 완전하게 다르다. PSA 경사도는 각 환자에 대해 시간에 따른 PSA를 최소 제곱법 (least square)의 공식에 따라 산출된다. 즉 $y=ax+b$의 공식을 이용하는데, 여기서 y는 PSA를, x는 시간 (년)을, a는 경사도를, b는 절편 (intercept)을 의미하며, 1년에 걸친 PSA의 증가를 나타낸다 (D'Amico 등, 2004). PSAV를 정확하게 산출하기 위해서는 PSA를 측정하는 간격을 6개월 이상으로 해야 한다. PSAV의 문제점 중 하나가 정상 남성에서 발생하는 PSA 농도의 생물학적 변동이며, 선별검사 집단에서 PSA 농도의 생리학적 변동은 10~20% 정도로 보고된다 (Komatsu 등, 1996). PSA 경사도를 계산하는 데 이용되는 최소 제곱법은 이와 같은 개인 간의 변동을 줄이는 효과가 있다.

원발 전립선암 환자 67명과 전립선암이 없는 대조군 245명을 대상으로 평가한 연구는 PSA 경사도와 PSAV는 대조군에 비해 전립선암 환자에서 더 높았고, ROC 분석에서 PSA 경사도가 PSAV보다 더 나은 결과를 보였으며, PSA 경사도와 PSAV의 AUC는 각각 0.743, 0.663이었다고 하였다 (p=0.037), 이 연구는 최소 제곱법에 의해 산출된 PSA의 경사도가 0인 경우에는 민감도가 94%, 특이도는 38.8%, 양성 가능도 (positive likelihood ratio)는 1.54, 음성 가능도 (negative likelihood ratio)는 0.15를 나타내었고, PSA 경사도가 0.75인 경우에서는 민감도 58.2%, 특이도 69.8%를 나타내었다고 보고하였다 (Benecchi, 2006).

1.2.5. PSAV 위험 횟수 PSAV risk count

Carter 등 (2007)은 PSA의 동역학을 평가하는 방법으로 'PSAV 위험 횟수 (PSAV risk count)' 로 알려진 개념을 소개하였다. PSAV 위험 횟수는 PSAV가 특이 한계치를 초과한 경우의 수를 계산함으로써 산출된다. 선별검사를 받지 않은 717명을 대상으로 실시한 이 연구에서, 0.4 ng/mL/year를 초과한 PSAV가 1회보다 많은 경우, 즉 위험 횟수가 1을 초과한 경우는 상급 위험 전립선암에 대한 상대적 위험도가 1.49, 즉 위험이 50% 증가하였으며, PSA 농도와 연령을 이용한 모델에 PSAV 위험 횟수를 추가하면 모델의 정확도가 향상되었다.

전립선암으로 진단된 1,125명 (6.2%)을 포함한 18,214명을 대상으로 PSAV 위험 횟수의 타당성을 평가한 연구는 PSAV를 연속으로 두 번 측정하였고, 이를 각각 PSAV1, PSAV2라고 하였다. PSAV2는 최종 PSA 측정치와 이전 PSA 측정치로 산출된 PSAV이고, PSAV1은 PSAV2 이전의 PSAV로 규정하였으며, PSA의 농도를 측정한 시점의 간격은 최소 6개월, 최대 24개월이었다. 이 연구는 PSAV1과 PSAV2 중 0.4 ng/mL/year를 초과한 경우가 없으면 위험 횟수를 0, 두 번 중 1회 초과한 경우를 위험 횟수 1, 두 번 모두 초과한 경우를 위험 횟수 2로 규정하였으며, 다음과 같은 결과를 보고하였다 (Loeb 등, 2012). 첫째, PSAV 위험 횟수가 2인 경우는 전립선암 환자의 40%에서 관찰된 반면, 전립선암이 없는 환자에서는 4%에 불과하였다 (p<0.001). 둘째, 연령과 PSA 농도로 보정한 후 PSAV 위험 횟수 0 혹은 1에 비해 2의 경우 전립선암의 위험이 8.2배 증가하였으며 (OR 8.2, 95% CI 7.0~9.6; p<0.001), 전립선 생검에서 Gleason 점수 8~10의 위험이 5.4배 증가하였다 (OR 5.4, 95% CI 2.2~13.3; p<0.001). 셋째, PSA와 연령을 이용한 모델에 비해 PSAV 위험 횟수를 추가하면 Gleason 점수 8 이상의 고등급 전립선암을 예측하는 효과가 증가되었다 (AUC-ROC 0.625 대 0.725, p=0.031). 이들 결과를 근거로 저자들은 PSA와 PSAV 위험 횟수를 연합한 모델은 저급 위험도의 전립선암을 진단하고 불필요한 생검을 줄이는 데 유용하다고 하였다.

저급 위험도의 전립선암으로 적극적 감시를 받고 있는 환자 중 생검에 의해 병리학적으로 부정적인 암으로 재분류되는 환자를 예측함에 있어 PSAV는 신뢰도가 떨어진다. 병기 T1c, PSA 밀도 0.15 ng/mL/cc 미만, Gleason 점수 6 이하, 생검에서 암 양성 cores의 수 2 이하, 암을 가진 어떤 core 중 암 양성 범위가 50% 이하 등의 조건으로 적극적 감시 중인 668명을 대상으로 PSAV 위험 횟수의 예후 예측력을 평가하기 위해 PSAV를 세 번 측정한 연구는 다음과 같은 결과를 보고하였다 (Patel 등, 2014). 첫째, 저급 위험군에 속한 668명 중 275명이 1차 분석에 포함되었으며, 이들 중 30.2% (83명/275명)가 중앙치 57.1개월에 재분류되었다. 재분류에서 위험도는 PSAV 위험 횟수가 증가할수록 증가되었는데, 위험 횟수 0에 비해 3의 경우 HR은 4.63 (95% CI 1.54~13.87), 2의 경우 HR은 3.73 (95% CI 1.75~7.97)이었다. 재분류 때 Gleason 점수에 관해서도 비슷한 결과를 보였는데, 위험 횟수 3과 2에서 각각 HR 7.45 (95% CI 1.60~34.71), 3.96 (95% CI 1.35~11.62)이었다. 둘째, 이차 분석에서 위험 횟수 1 이하인 경우에는 1년 후 음성 예측도가 91.5%이었다. 셋째, 예측도 AUC는 PSA 밀도를 기본으로 한 모델에 PSAV 위험 횟수를 추가한 경우 증가하였으며, 각각 0.6818, 0.7423이었다 (p=0.025). 이는 PSAV를 추가한 경우의 0.6960을 능가하는 결과이다 (p=0.037). 이들 결과를 근거로 저자들은 PSAV 위험 횟수가 적극적 감시를 받고 있는 환자의 모니터링에 유용하며, 장기간 관찰하는 동안 불필요한 생검의 횟수를 줄이는 효과를 나타낸다고 하였다.

1.2.6. PSA 배가 시간 PSA doubling time (PSADT)

전립선암의 성장 속도는 혈청 PSA의 증가 속도, 즉 배가 시간 (doubling time, DT) 혹은 1년 동안 PSA 농도의 증가치와 상호 관련이 있다. PSA의 농도가 배가 되는 기간, 즉 PSADT는 뒤에서도 기술되어 있지만, $log2/([logPSA2-logPSA1]/[T2-T1])$의 공식으로 산출되며, 여기서 PSA1과 PSA2는 T1과 T2 시점에서 측정된 PSA의 농도이다. 대기 요법으로 모니터링 중인 환자와 혈청 은행 연구에서 측정된 혈청 PSA의 증가를 근거로 하였을 때, 전립선암 환자에서 평균 PSADT는 2~3년으로 추정된다 (Schmid 등, 1993; Stenman 등, 1994). 종양은 기하급수적으로 성장한다고 생각되기 때문에, 연당 PSA 농도의 절대적 증가치보다 PSADT가 더 생리적으로 종양의 성장을 반영한다. 전립선암으로 진단되기 전 혈청 PSA를 이용하여 장기간 모니터링을 하면, PSADT 혹은 PSA 증가 속도가 전립선암이 발생한 남성을 발견하는 데 신뢰성이 있는 표지자의 역할을 함을 알 수 있다 (Carter 등, 1992). 처음에는 치료 전 1년 동안 혈청 PSA의 변화가 부정적인 병리학적 결과 혹은 생화학적 재발과 관련이 없다고 간주되었지만 (Freedland 등, 2001), 그 후의 연구는 근치적 수술 전 1년 동안 혈청 PSA가 2 ng/mL 이상 증가하는 경우는 전립선암으로 인한 사망에

대해 강한 예측 인자의 역할을 한다고 하였다 (D'Amico 등, 2004). 골 전이 전립선암을 가진 56명에 대해 3개월 마다 PSA를 측정한 연구에 의하면, PSA 재발 후 사망 사이의 기간은 재발 시점에서의 PSADT, 최저점 PSA 농도, 치료 시작과 PSA 재발 사이의 기간 등과 관련이 있으며, 재발 시점에서 PSADT가 2개월 이하인 경우에는 예후가 상당하게 좋지 않다. 재발 시점에서의 PSADT의 경우 2개월 초과에 대한 2개월 이하의 HR은 2.30 (95% CI 1.21~4.39; p=0.01), 최저점 PSA의 경우 2.4 ng/mL 이하에 대한 2.4 ng/mL 초과의 HR은 2.67 (95% CI 1.44~4.97; p=0.002), 치료 시작과 재발 사이의 기간의 경우 10개월 초과에 대한 10개월 이하의 HR은 1.14 (95% CI 0.62~2.10; p=0.68)이었다 (Tomioka 등, 2007).

1.2.7. 연령 보정 PSA 참고치
Age specific PSA reference range

혈중 PSA는 나이가 많아짐에 따라 증가하는데, 이 때문에 모든 환자들에서 전립선암을 의심할 수 있는 혈중 PSA의 기준치를 일률적으로 4 ng/mL로 적용하게 되면, 젊은 연령층에서는 민감도가 떨어져 임상적으로 중대한 암을 놓칠 위험이 있고, 고령에서는 특이도가 떨어져 불필요한 생검을 많이 하게 된다. 전립선암이 없는 남성에서 예상되는 범위를 기초로 설정한 PSA 절단치는 질환을 가진 남성에서 많은 암을 과소 진단하여 민감도가 낮아질 수 있다 (Catalona 등, 1994).

Oesterling 등 (1993)은 40~79세의 남성 537명을 대상으로 1989년부터 3년 동안 PSA 농도에 대해 추적 검사를 실시한 결과, PSA가 연 3.2% 증가한 연구 결과에 근거하여 연령 특이 PSA 참고치의 개념을 제안하였다. 전립선암의 임상적 증거가 없는 백인 1,802명, 흑인 1,673명과 전립선암을 가진 백인 1,372명, 흑인 411명을 대상으로 흑인의 연령 특이 PSA 참고치를 분석한 연구는 다음과 결과를 보고하였다 (Morgan 등, 1996). 첫째, 혈청 PSA의 농도는 백인에 비해 흑인에서 더 높았는데, 흑인의 경우 대조군과 환자군에서 각각 1.48 ng/mL, 7.46 ng/mL이었으며, 백인에서는 각각 1.33 ng/mL, 6.28 ng/mL이었다. 대조군에서 PSA의 농도는 연령과 직접 관련이 있었다. Receiver-operating-characteristic curve (ROC) AUC는 흑인과 백인에서 각각 0.91, 0.94이었다. 둘째, 전통적인 연령 특이 PSA 참고치를 이용한 경우 특이도를 95%로 유지하더라도 전립선암 환자의 41%를 놓쳤다. 흑인에서 95%의 민감도를 가지는 정상 참고치는 40대, 50대, 60대, 70대에서 각각 0~2.0

도표 23 인종별 연령 보정 PSA 참고치

연령	연령 특이 PSA 참고치, ng/mL					
	한국인	백인	흑인	라틴계	일본인	중국인
40~49세	≤1.9~2.1 (0.8)	≤2.5 (0.7)	≤2.0	≤2.1	≤2.0 (0.6)	≤1.2
50~59세	≤2.4~2.5 (0.9)	≤3.5 (1.0)	≤4.0	≤4.3	≤3.0 (0.7)	≤2.4
60~69세	≤3.0~3.9 (1.0)	≤4.5 (1.4)	≤4.5	≤6.0	≤4.0 (0.9)	≤3.2
70~79세	≤3.6~5.2 (1.3)	≤6.5 (2.0)	≤5.5	≤6.3	≤5.0 (1.4)	≤3.4

괄호 안의 수는 중앙치 (median value)를 의미한다.
PSA, prostate-specific antigen.

도표 24 전립선암이 없는 한국인의 연령별 PSA 농도

30~39세		40~49세		50~59세		60~69세		70~79세		피검자 수	참고 문헌
평균	95%†	평균	95%†	평균	95%†	평균	95%†	평균	95%†		
0.84	1.60	0.88	1.70	1.06	2.00	1.38	2.90	1.56	4.28	27,438	유 등, 2007[a]
0.87	1.88	0.89	1.92	1.00	2.37	1.28	3.56	1.73	5.19	120,439	전 등,2006[b]
NA	NA	0.67	1.37	0.96	2.68	1.52	4.00	1.66	4.55	1,278	최 등, 2001[a]
NA	NA	0.9 ‡	1.8	1.0 ‡	2.2	1.4 ‡	3.5	1.6 ‡	4.6	18,919	이 등, 1999[a]
0.93	2.26¶	0.95	2.38¶	1.04	2.80¶	1.37	4.58¶	2.24	8.88¶	10,691	김과 박, 1999[c]
0.77	1.79	0.78	2.01	0.85	2.42	1.03	3.93	1.32	6.28	5,801	오 등, 1999[a]
0.85	1.77	0.85	1.76	0.99	2.33	1.33	3.58	1.69	4.98	184,566	평균치[●]

†, 95% percentile 농도로서 단위는 ng/mL; ‡, 중앙치 농도로서 단위는 ng/mL; ¶, 상한치를 나타내며, 상한치는 평균치+2표준편차로 단위는 ng/mL; ●, 95% percentile의 평균치는 상한치 자료를 제외한 값들의 평균치. [a], monoclonal immunoradiometric assay (Tandem-R PSA assay, Hybritech. Inc. San Diego, USA); [b], chemiluminescence or enzyme immunoassay; [c], enzyme immunoassay (AxSYM kit Abbott Co.).
NA, not assessed; PSA, prostate-specific antigen.

ng/mL, 0~4.0 ng/mL, 0~4.5 ng/mL, 0~5.5 ng/mL이었으며, 이 경우 특이도는 각각 93%, 88%, 81%, 78%이었다. 이러한 방법은 젊은 남성에서 민감도를 높일 뿐만 아니라 고령에서 특이도를 높여 젊은 남성에서 암 발견율을 높이고 고령에서 임상적으로 중대하지 않은 암의 과잉 진단을 감소시킨다.

혈중 PSA의 정상치를 연령별로 달리 적용하여 50세 미만은 2.5 ng/mL, 70세 이상은 6.5 ng/mL로 하자는 주장이 제기되었다. 그러나 이러한 경우 젊은 연령층에서는 불필요한 전립선 생검이 증가하게 되고 고령에서는 완치가 가능한 전립선암을 놓칠 수 있다는 단점이 있다. 연령을 10년 단위로 분류하고 그에 따라 PSA 농도를 정하자는 의견이 공감대를 얻고 있다. Anderson 등 (1995)은 1,716명을 대상으로 실시한 연구에서 연령에 따른 상한치를 40대 1.5, 50대 3.8, 60대 4.5, 70대 7.5 ng/mL로 제시하였으며, 이 기준치로 전 연령층에서 90%의 특이도를 얻을 수 있었다고 하였다. Partin 등 (1996)은 연령 보정 참고치를 적용하여 60세 미만에서는 18%의 전립선암을 더 발견할 수 있었으며, 60세 이상에서는 22%의 전립선암을 놓쳤지만 이들 암의 95%가 국소적이고 Gleason 점수가 7 이하인 유리한 조건의 조직 상태를 가져 임상적으로 중대하지 않았다고 보고하였다.

그러나 Reed 등 (2007)은 연령 보정 참고치를 사용할 경우 고령층에서 적지 않은 수에서 임상적으로 중대한 암을 놓칠 수 있다고 이의를 제기하였으며, Oh 등 (1999)도 연령 보정 PSA는 연령 변수와 상관관계가 약하기 때문에 전립선암과 양성전립선비대를 구별하는 대량 선별검사로는 부적합하다고 하였다. Mettlin 등 (1994)은 연령 보정 PSA 참고치가 특이도를 약하게 향상시키는 반면, 민감도에서는 다른 검사법에 비해 상대적으로 낮으며, 인종별로 차이가 있다고 보고하였는데, 결국 연령 보정 PSA 참고치는 인종, 국가, 생활 환경 등에 따른 변동을 충분히 고려해야 된다고 생각된다. 현재 국가별, 인종별 연령 보정 PSA 참고치의 상한치는 도표 23에 정리되어 있으며, 여러 연구들을 종합한 한국인의 연령 보정 PSA 참고치는 도표 24에 정리되어 있다.

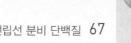

1.2.8. 혈청 유리형 PSA와 유리형 PSA/총 PSA 비율

Serum free PSA (fPSA) and serum free/total PSA ratio

(%free PSA)

혈중 PSA는 여러 형태로 존재한다. PSA의 대부분은 단백질 분해효소 억제제인 ACT와 결합한 형태로 존재하고 나머지는 A2M과 같은 다른 단백질분해효소 억제제와 결합하거나 free PSA (fPSA)로 존재하는데, 이러한 점을 이용하여 fPSA와 tPSA의 비율을 측정하는 %fPSA (fPSA/tPSA)의 개념이 생겨났다 (Stenman 등, 1994).

양성전립선비대 환자에 비해 전립선암 환자의 경우 PSA-ACT 복합체의 비율이 유의하게 더 높다고 보고한 연구는 %fPSA가 135명의 양성전립선비대 환자에 비해 109명의 전립선암 환자에서 유의하게 더 낮아 각각 28%, 18%를 나타내었으며, 호르몬 요법을 받아 이질적인 전립선암을 가진 43명을 제외하더라도 %fPSA는 양성 질환에서 28%, 전립선암에서 16%의 비슷한 결과를 나타내었다고 하였다 (Christensson 등 1993). 그러나 이 연구는 전립선암을 배제하기 위한 주변부 생검을 실시하지 않았고, 양성 질환을 경요도전립선절제술을 통해 확인한 결과만을 근거로 하였다는 제한점을 가지고 있다.

아직 왜 양성전립선비대 환자보다 전립선암 환자에서 PSA-ACT 비율이 더 높은지 분명하게 알려져 있지 않지만, 여기에 대해 몇 가지의 가설은 있다. 첫째, ACT의 국소적 분포가 양성전립선비대 조직의 상피세포보다 전립선암 세포에서 더욱 현저하다는 것이다 (Bjrk 등, 1994). 그러나 Stephan 등 (2000)은 암 병변의 세포 내에서는 PSA-ACT가 확인되지 않는 것으로 보아 복합체의 형성은 효소 기능을 가진 활성 fPSA가 세포 밖으로 분비된 후에 일어난다고 주장하였다. 둘째, 양성전립선비대 세포와 전립선암 세포는 각기 다른 형태의 fPSA (활성 혹은 비활성 형태)를 분비하거나 최소한 다른 비율로 fPSA를 분비한다는 것이다. 이 가설은 혈중에서 여러 다른 분자 형태의 fPSA가 확인됨으로써 지지를 받고 있다 (Noldus 등, 1997). 셋째, 전립선암 세포가 양성 전립선 상피세포보다 PSA를 더 많이 생성하지는 않으나 암세포로부터 생성된 PSA는 단백질 분해 과정을 거치지 않는 것 같다. 따라서 전립선암이 없는 남성에 비해 전립선암 환자의 혈청에서는 ACT와 결합한 PSA 복합체의 수치가 증가하고 fPSA의 비율이 낮아진다 (Stenman 등, 1994). 넷째, 반론을 일으킨 가설이지만, 암 조직에서는 정상 조직보다 더 많은 ACT를 생성하기 때문에 전

립선암 환자에서는 %fPSA이 낮아진다는 보고도 있다 (Catalona 등, 1998). 다섯째, 악성 병변보다 양성 질환에서는 세포 장벽이 더 잘 보존되어 있음이 혈중에 여러 분자 형태가 나타나는 데 영향을 줄 수 있다 (Catalona 등, 1995).

%fPSA는 양성전립선비대는 있고 전립선암이 없는 남성과 양성전립선비대는 없이 전립선암이 있는 남성 사이에서 가장 큰 차이를 나타낸다. 이러한 차이는 전립선암 대부분이 발생하는 주변부 조직보다 양성전립선비대가 기원하는 이행부 조직에 의해 PSA가 훨씬 더 많이 발현되기 때문으로 생각된다 (Chen 등, 1997). tPSA의 암 양성 예측률은 10~20 ng/mL 범위에서 80%로 높지만, %fPSA는 tPSA가 10 ng/mL 미만인 경우에 더 적절한 역할을 한다. 이에 관한 연구는 %fPSA가 tPSA 4~10 ng/mL의 범위에서 불필요한 생검을 19~64%를 줄이는 한편, 5~10%의 암만 놓친다고 하였다 (Stephan 등, 2000). 미국 식품의약국은 직장수지검사가 정상이고 PSA가 약간 높은 4~10 ng/mL 범위에 있는 남성에서 PSA 검사의 보조 검사로 %fPSA의 분석을 승인하였다. 근래에는 PSA가 4 ng/mL 미만인 남성에서 일차 혹은 이차 생검을 결정하는 데 %fPSA를 이용한다.

전립선암의 진단에서 %fPSA 절단치를 18% (0.18)로 설정하면 tPSA에 비해 이점이 있다는 보고가 있으며 (Christensson 등, 1993), %fPSA는 전립선암을 진단함에 있어 연령, tPSA, 직장수지검사 결과, 전립선 크기 등과 같은 다른 임상 지표보다 더 유용하다는 보고도 있다 (Catalona 등, 1995). 이용된 분석법에 따른 %fPSA의 절단치와 그에 대한 민감도 및 특이도는 도표 20에 정리되어 있다. tPSA를 4~10 ng/mL로 하여 70~95%의 민감도를 유지하고 %fPSA 절단치를 14~28%로 설정하면, 불필요한 생검을 20~65% 줄일 수 있다고 보고되었다 (Stephan 등, 2002). PSA가 4~10 ng/mL이고 직장수지검사로 악성 소견이 없는 50~75세 남성을 대상으로 평가한 다기관 전향 연구는 %fPSA 절단치를 25%로 설정하면, 암 발견율이 95%이고 불필요한 생검을 20% 줄일 수 있다고 하였다 (Catalona 등, 1998). 이들 자료는 PSA가 4~10 ng/mL인 남성에게 암의 위험도와 질환을 배제하기 위한 추가 검사를 설명할 때, %fPSA가 도움을 줄 수 있음을 시사한다. 이전의 연구는 전립선의 크기가 절단치에 영향을 줄 수 있다고 판단하여 전립선의 크기가 40 cc 이상인 경우 절단치를 23%로 설정하면 민감도를 90%로 유지하면서 불필요한 생검을 31% 줄일 수 있고, 40 cc 미만인 경우 절단치를 14%로 설정하면 불필요한

생검을 76% 줄일 수 있다고 하였으나, Catalona 등 (1998)은 %fPSA의 절단치 25%는 대상 환자의 연령이나 전립선의 크기에 상관없이 사용할 수 있다고 하였다. 그러나 전립선암을 진단하는 데 %fPSA의 적절한 절단치는 일반적으로 15~26%라고 보고되고 있지만, 이에 대한 논란은 아직 계속되고 있는 실정이며, 적절한 기준치를 마련하기 위해서는 더 많은 추가 연구가 필요하다.

tPSA가 4 ng/mL를 초과한 1,726명을 대상으로 선별검사를 실시한 연구는 %fPSA의 절단치를 20% 미만으로 설정하면 39%에서 생검을 하지 않아 11%의 암을 놓쳤다고 보고하였다 (Bangma 등, 1995). 직장수지검사에서 정상 소견을 나타내었으나 통상적인 생검에서 전립선암이 발견된 193명에게 %fPSA 절단치를 10% 미만으로 규정한 연구는 양성 예측도가 46% (촉진되지 않았던 46개의 암/100회 생검)이었다고 하였다 (Catalona 등, 1998). ERSPC에 등록된 10,523명에게 이 전략을 적용한 연구는 불필요한 생검을 유의하게 줄일 수 있었다고 보고하였다 (Schröder 등, 2000). tPSA가 2.5~10 ng/mL인 106명을 포함한 158명의 남성에 대한 전향 연구는 37명의 전립선암 환자를 발견하였으며, %fPSA 절단치를 18% 미만으로 설정하면 25%의 암을 놓치지만, 절단치를 22%로 설정하면 불과 2%의 암만 놓치고 불필요한 생검을 30% 줄일 수 있다고 보고하였다 (Reissigl 등, 1996).

fPSA 만으로는 전립선암의 진단에 도움이 되지 않지만, tPSA와의 비, 즉 %fPSA를 계산하여 이용하면 유용하다. fPSA 및 cPSA가 발견된 후 이들이 전립선암의 진단에 도움이 되는지에 관한 많은 연구가 있었고, %fPSA가 높을수록 양성 전립선 질환과 연관성을 가지며 %fPSA가 낮을수록 전립선암과 높은 연관성을 가진다고 알려져 있다 (Stenman 등, 1991). 전립선암의 진단에서 %fPSA의 민감도와 특이도를 조사한 연구가 많은데, 이들 연구들은 PSA가 4~20 ng/mL (근래에는 2.6~4 ng/mL)의 범위에서 불필요한 생검을 줄이는 데 목적을 두었다. 한 연구는 %fPSA의 절단치를 14~28%로 설정하면, 전립선암의 진단 민감도를 71~100%로 높이면서 불필요한 생검을 19~64% 줄일 수 있다고 보고하였다 (Catalona 등, 1995). 다른 연구는 %fPSA의 절단치를 25% 이하로 설정하면 혈중 PSA가 4~10 ng/mL인 경우에 전립선암을 95% 진단할 수 있고 20%의 생검을 줄일 수 있다고 보고하였다. PSA 농도가 2.5~4 ng/mL인 남성의 약 20%가 전립선암으로 진단되는데, %fPSA의 절단치를 27%로 설정하면, 90%에서 전립선암의 진단이 가능하였으며 불필요한 생검을 18% 줄일 수 있었다 (Catalona 등, 1998). 또 다른 연구는 %fPSA의 절단치를 17~30%로 설정하면, 전립선암을 발견하는 민감도가 90~95%이고 불필요한 생검 횟수를 20%까지 줄일 수 있다고 하였다 (Stephan 등, 2002). 그러나 PSA 농도가 4~10 ng/mL인 경우에는 %fPSA가 특이도를 높여 불필요한 생검을 줄일 수 있지만, 4 ng/mL 미만인 경우는 %fPSA의 효과가 떨어진다는 보고도 있다. 즉, ERSPC에서 2차 선별검사에 참여한 3,623명 중 로테르담 영역에 속하는 PSA 2.0~3.9 ng/mL의 883명에 대한 연구는 다음과 같은 결과를 보고하였다 (Raaijmakers 등, 2004). 첫째, 생검의 적용 대상을 PSA 2.0~3.9 ng/mL를 이용한 경우 126명의 전립선암 환자를 발견하였으며, 암 양성 예측도 17.1%, 암 발견율 14.3%를 나타내었다. 둘째, %fPSA를 이용하여 민감도를 95%로 설정하였을 때, 생검의 9%를 줄일 수 있었다. 셋째, 종양의 특징이 부정적인 경우는 T1c 종양을 가진 환자의 46.9%에서 발견되었으며, 종양의 특징이 긍정적인 경우에 비해 %fPSA의 평균치가 유의하게 더 낮았다. 넷째, %fPSA가 10%보다 낮은 환자 중 90%가 종양의 특징이 부정적인 전립선암을 가졌다. 이와 같은 결과는 전립선암의 검색에서 접근하기 쉬운 PSA 범위가 2.0~3.9 ng/mL이며, 이 범위에서 불필요한 생검을 줄이는 데는 %fPSA가 중등도의 가치가 있음을 보여준다 (Raaijmakers 등, 2004).

fPSA의 이용에 관한 문헌을 검토한 미국의 연구는 전립선암의 선별검사에서 fPSA를 이용하면 암 발견율이 매우 경미하게 감소하지만, 30%의 비용 절감이 있고 48%까지의 남성에서 불필요한 생검을 줄일 수 있다고 하였다 (Stein 등, 2000). 이전의 전립선 생검 결과가 음성인 환자군에서 재생검 횟수를 줄일 목적으로 %fPSA를 활용하는 방안이 연구된 바 있다. 이전 6부위 생검에서 2회 이상의 음성 결과, tPSA 4.1~24.8 ng/mL, 정상 직장수지검사 소견 등을 보인 64명을 대상으로 평가한 연구는 %fPSA의 절단치를 10% 미만을 설정하였을 때 민감도가 91%, 특이도가 86%이었으며, AUCs를 산출하기 위해 ROC 곡선을 이용한 경우 %fPSA가 가장 좋은 성과를 나타내었고 그 다음은 PSAD라고 하였다 (Morgan 등, 1996). tPSA가 4.1~10.0 ng/mL이고 재생검을 받은 163명의 남성을 대상으로 평가한 연구는 %fPSA 절단치를 10% 미만 혹은 8% 미만으로 설정하면 20명의 암 환자 중 90% 혹은 95%를 각각 발견할 수 있었고 불필요한 생검의 12% 혹은 13%를 각각 줄일 수 있었다고 하였다 (Catalona 등, 1997). tPSA가 4.0~10.0 ng/

mL로 재생검을 받은 820명을 대상으로 평가한 연구는 83명에서 암을 발견하였으며, %fPSA 절단치를 30% 미만으로 설정하면 90%의 암을 발견할 수 있었고 50%의 불필요한 생검을 줄일 수 있었다고 하였다 (Djavan 등, 2000). 이 연구에서 ROC 분석은 %fPSA가 이행부 PSAD, PSAD, tPSA 등보다 AUC가 더 큼을 보여 주었으며, 각각 0.75, 0.69, 0.62, 0.60이었다.

앞으로는 fPSA의 비율이 임상적으로 적극적인 치료가 필요한 전립선암을 구별하는 데에도 유용하게 사용될 것으로 생각된다. Carter 등 (1997)은 전립선암으로 전립선 피막 침범, 림프절 전이 혹은 골 전이 등이 있는 군과 그렇지 않은 군으로 구분하여 10년 전 혈액에서 PSA와 fPSA를 측정한 결과, PSA만을 이용한 경우는 두 군에서 차이가 없었으나 %fPSA를 이용하면 두 군에서 유의한 차이를 보였다고 하였다.

%fPSA의 수치를 보다 효율적으로 해석하기 위해서는 수치에 영향을 주는 인자, 예를 들면 전립선의 용적, tPSA, 암의 병기 및 분화도, 전립선상피내암, 인종, 표본의 안정성, 전립선에 대한 조작, 약물 복용 병력 등이 함께 고려되어야 한다 (Stephan 등, 2000).

전립선의 용적 1,709명 (Mettlin 등, 1999)과 1,622명 (Tornblom 등, 2001)을 대상으로 평가한 두 편의 연구는 %fPSA와 전립선 용적은 정상관관계가 있음을 확인하였으며, tPSA가 4~10 ng/mL 범위인 경우에는 PSA의 농도가 높을수록 이러한 연관성이 더욱 강하였다 (Tornblom 등, 2001). 양성 전립선의 용적이 증가하면 %fPSA도 증가하며, 전립선 용적이 35 cc 미만으로 적은 용적에서는 14%의 낮은 절단치를, 35 cc 이상으로 큰 용적에서는 25%의 절단치를 적용하면 민감도가 95%에 이른다고 보고되었다 (Partin 등, 1996). 6부위 생검을 통해 조직학적으로 질환이 확인된 양성전립선비대 156명, 전립선암 239명을 대상으로 평가한 연구는 용적이 60 cc 이하인 양성전립선비대에 비하여 전립선암에서 %fPSA가 유의하게 더 낮았으나 용적이 60 cc를 초과한 양성전립선비대와 전립선암에서는 %fPSA가 유의한 차이를 보이지 않았으며, 마찬가지로 %fPSA에 대한 ROC 곡선은 큰 용적보다 적은 용적의 전립선을 가진 환자군에서 더 큰 AUCs를 보였다고 하였다 (Haese 등, 1997). 67명의 양성전립선비대 환자에 대한 연구도 전립선의 용적이 50 cc 미만보다 50 cc 이상인 환자에서 %fPSA가 더 크다고 하였다 (Ornstein 등, 1998).

연령 연령이 높을수록 %fPSA는 증가하며, %fPSA의 절단치를 18% 미만으로 규정하면 민감도가 90% 이하로 떨어지고 67세 이상의 환자에서 많은 암을 놓친다고 보고된 바 있다 (Partin 등, 1996). 이러한 결과는 연령에 따른 전립선 용적의 증가와 관련이 있다고 생각되지만, 앞의 연구에서는 용적과 연령 사이의 상호 관계가 4.0~10.0 ng/mL의 tPSA에서는 유의하지 않았다. 생검에서 양성전립선비대로 확인된 225명을 대상으로 실시한 연구도 tPSA가 2.0~20.0 ng/mL의 범위에서는 연령이 증가할수록 %fPSA도 증가한다고 보고하였지만, 여러 영향 인자들에 대해 보정하지 않은 제한점이 있다 (Vashi 등, 1997). 반대되는 자료에 의하면, 20대~80대에서 tPSA와 fPSA가 증가함이 발견되었으나 30대~80대에서 %fPSA는 유의하게 달라지지 않았다 (Lein 등, 1998; Oesterling 등, 1995).

전립선염 tPSA는 급성 전립선염에서 증가한다고 알려져 있다 (Dalton, 1989). %fPSA에 대한 급성 전립선염의 영향을 평가한 연구는 %fPSA는 50 cc 보다 적은 전립선에 비해 50 cc 보다 큰 전립선을 가진 남성에서 증가하여 용적에 따른 차이를 보였다고 하였다. 이 연구는 또한 조직학적으로 급성 전립선염의 징후를 나타낸 모든 환자에서 혈청 PSA가 중등도로 증가하여 평균 5.6 ± 1.6 ng/mL이었으나, 급성 전립선염의 징후 없는 경우에는 증가하지 않았다고 보고하였다 (Ornstein 등, 1998). %fPSA는 급성 전립선염과 만성 전립선염에서 비슷하게 높았으며, 각각 22%, 22.3%이었다. 한편, 급성 및 만성 전립선염을 가진 28명에 대한 연구는 평균 51.3%로 증가된 %fPSA가 질환의 임상 증상이 해소됨에 따라 2주 내에 정상으로 돌아왔다고 하였다 (Fink 등, 1998).

tPSA %fPSA는 tPSA와 반비례 관계에 있다. tPSA가 4 ng/mL 미만, 4~10 ng/mL, 10 ng/mL 초과 등의 3군으로 구분하였을 때, tPSA가 증가한 군에서 %fPSA는 감소하는 경향을 보였다 (Stephan 등, 2001). 조직학적 분화도인 Gleason 등급에 관해서는, 등급이 높을수록 tPSA는 더 높고, %fPSA는 더 낮다. 전향적, 다기관, 임상 연구는 %fPSA와 Gleason 점수를 병행하면 병리학적 결과를 강하게 예측할 수 있다고 하였다 (Southwick 등, 1999). 또한, tPSA 대신 %fPSA를 이용하면, 공격적인 암을 훨씬 더 조기에 발견할 수 있다. 즉, 진단되기 전 10년 전의 혈청을 이용하였을 때 tPSA로는 공격적인 암과 그러하지 않은 암을 구별할 수 없었지만, %fPSA로는 구별할 수 있었는데, 공격적인 암을 가진 환자의 %fPSA는 14% 이하이었다 (Carter 등, 1997).

암의 병기 및 등급 %fPSA는 전립선의 악성 질환과 양성 질환을 구별하기 위한 PSA의 특이도를 증대시킨다고 입증된 바 있어, 수술 전에 전립선암의 병기를 평가하고 암의 크기를 추정하는 데 %fPSA를 활용하는 것은 타당성이 있다고 생각된다. 그러나 근치전립선절제 표본에 의한 후향 자료 혹은 다기관, 전향 연구의 자료는 최종 병기를 예측하기 위한 %fPSA의 가치에 대해 약간 다른 결론을 보여 주었다. 다양한 병기의 전립선암을 가진 남성의 혈청을 이용한 연구는 ACT와 결합한 PSA의 양은 호르몬 요법이나 방사선 요법이 실패하였을 때조차도 거의 일정하다고 보고하였다 (Stamey 등, 1994). 병리학적 병기들 사이와 종양의 등급들 사이에서는 통계적으로 차이가 없었으나 병리학적 세부 병기 사이에는 통계적으로 유의한 차이를 나타내었다는 보고도 있다 (Lerner 등, 1996). 전체 301명의 환자 중 97%에서 %fPSA가 전립선암을 의심하게 하는 25% 미만이었지만, 전립선에 국한된 암 혹은 림프절 양성을 예측하는 데는 %fPSA가 tPSA보다 나은 결과를 나타내지 않았다는 보고 또한 있다 (Pannek 등, 1996). 임상적으로 국소 전립선암 환자 170명을 대상으로 실시한 독일 Hamburg 대학교의 자료에 의하면, %fPSA는 pT2 암과 pT3 암 사이에 차이가 없었으나 정낭을 침범하지 않은 경우보다 정낭을 침범한 pT3 암에서 %fPSA가 유의하게 낮았으며 ($p=0.015$), 암의 분화도 등급이 높을수록 %fPSA는 더 낮은 경향을 나타내었다 (Noldus 등, 1998).

33명을 대상으로 평가한 예비 연구에서 %fPSA는 전립선에 국한된 암보다 피막을 침투한 암에서 더 낮았으며 ($p=0.05$), 절단치를 14% 미만으로 규정하면 이 절단치의 아래에 속한 암의 Gleason 등급은 더 높았다 (Arcangeli 등, 1996). PSA 4.0~10.0 ng/mL인 전립선암 환자 379명과 양성전립선비대 환자 394명을 대상으로 평가한 연구는 다음과 같은 결과를 보고하였다 (Southwick 등, 1999). 첫째, %fPSA가 높을수록 전립선절제 표본에서 더 긍정적인 조직병리학적 소견을 나타내었다. 둘째, %fPSA의 절단치 15%는 긍정적인 병리학적 결과를 예측하는 데 가장 큰 변별력을 보였다. Gleason 점수가 7 이하이고 전립선의 10% 이하인 작은 종양으로서 전립선에 국한된 암은 %fPSA가 15%를 초과한 환자의 75%에서 발견된 데 비해, %fPSA가 15% 이하인 환자에서는 불과 34%에서 발견되었다 ($p<0.001$). 셋째, %fPSA는 수술 후 병리학적 결과를 가장 강하게 예측하였으며, %fPSA, Gleason 점수, 환자 연령 등의 OR은 각각 2.25, 2.06, 1.35이었다. 다른 연구는 %fPSA의 절단치를 15% 이상으로 설정하고 침 생검 결과를 병행하면, 임상적으로 '중대하지 않은' 전립선암, 즉 0.5 cc 미만의 종양

용적, Gleason 등급 4 혹은 5 미만의 암을 수술 전에 정확하게 예측할 수 있다고 하였다 (Epstein 등, 1998).

전립선상피내암 여러 연구들은 전립선암의 전구체인 전립선상피내암이 %fPSA에 미치는 영향에 관심을 가졌다. 전립선암과 다르게 전립선상피내암의 기저세포층은 대개 완전한 상태이기 때문에, PSA가 혈중으로 분비되는 정도는 전립선암의 경우와 다르며, 전립선상피내암만 있는 환자와 전립선암 환자에서의 평균 %fPSA는 각각 15.0%, 12.1%로 유의한 차이를 나타낸다. 따라서 전립선상피내암 환자에서 %fPSA가 감소하면 전립선암이 공존해 있을 가능성이 있다고 생각된다 (Horninger 등, 2001).

전립선암의 재발 근치전립선절제술로 전립선암을 치료한 후 재발에 대한 지표로 fPSA를 연구한 자료는 별로 없다. 전립선암이 재발된 남성은 양성 전립선 조직이 없는 '순수한' 암만 가지게 된다. 또한, 양성 전립선 질환에서 fPSA의 증가가 전립선의 이행부에서 생성된 PSA (BPSA) 때문이라고 가정한다면, 전립선을 제거한 경우 그러한 증가의 양상이 달라질 것이다. 근래 들어, 전이 암세포의 '클론'을 이용하여 혈청 내에 분비된 비활성 fPSA의 양을 측정할 수 있게 되었다.

전립선암으로 근치전립선절제술을 받은 pT3 N0 병기의 남성 20명을 대상으로 평가한 Hamburg 대학교의 예비 연구에서 %fPSA는 3.3~46.6% 범위였고 중앙치는 21%이었다 (Graefen 등, 1997). 전립선암이 재발된 46명을 대상으로 평가한 연구는 환자의 65%에서 %fPSA가 10% 미만이었고 평균치 9.7%이었으며, 더 공격적인 암과 정낭을 침범한 암을 가진 4명 (9%)에서는 %fPSA가 20%를 초과하여 오히려 증가된 양상을 보였다 (Vashi 등, 1998). 근치전립선절제술 후 PSA의 농도가 증가된 52명으로부터 수술 후 채취한 혈청으로 PSA의 분자 형태를 연구한 자료는 %fPSA가 환자들의 52%에서는 15% 미만, 48%에서는 15% 이상, 13%에서는 30% 이상임을 나타내어 fPSA와 재발된 암의 등급, 병기, 중증 정도는 관련이 없었지만, 치료를 받지 않은 군보다 호르몬 요법 혹은 방사선 요법을 받은 환자에서 %fPSA가 유의하게 높음을 보여 주었다 (Lin 등, 1998).

%fPSA는 전립선암을 가질 가능성과 뚜렷한 연관성을 보이는데, %fPSA가 낮은 환자는 높은 환자에 비해 전립선암을 가질 확률이 훨씬 더 높다. 그러나 전술한 바와 같이 연령, 전립선의 용적, 급성 염증 등과 같은 인자들이 %fPSA에 영향을 줄 수 있기 때문에, 수치를 해석할 때는 주의를 필요로 한다. 적

절한 절단치를 사용하면, tPSA의 특이도를 높여 불필요한 생검을 줄이고 비용을 절감할 수 있다. 그러나 %fPSA는 전립선암의 수술 전 병기 혹은 분화도 등급에 대한 이상적인 표지자가 되지 못하며, 질환의 재발을 추정할 때도 도움이 되지 않는다고 생각된다.

tPSA가 4~10 ng/mL인 환자뿐만 아니라 그 이하인 환자에서도 직장수지검사 소견이 비정상일 경우 생검을 실시하기 전에 %fPSA를 측정하면 생검에서 암을 발견할 확률이 높아질 것이다 (Lee와 Scardino, 2001). 임상적인 자료들을 포함하는 artificial neural network는 실제적인 정보를 제공할 수 있으며, 앞으로 임상에 적용하여 불필요한 생검을 줄이기 위해서는 artificial neural network에 대한 평가가 필요하다. 그러나 4 ng/mL 미만의 tPSA를 가진 환자들에서 권장되는 %fPSA의 절단치에 관한 자료는 제한적이다. tPSA가 낮은 경우에 %fPSA를 이용하면, 불필요한 생검을 줄일 수 있지만 많은 암을 놓칠 수도 있다. PSA 농도가 2.6~4.0 ng/mL로 생검을 받은 841명에서 29%의 암 발견율을 보고한 연구는 %fPSA의 높은 민감도를 확인하였고, 이러한 범위의 tPSA 농도를 가진 환자에게 일반적인 생검을 실시할 것을 권하였다 (Catalona 등, 2001). 이렇게 낮은 PSA 범위에서 적절한 결론을 얻기 위해서는 더 많은 추가 연구가 필요하다. 그러나 분명한 사실은 fPSA를 측정할 대상을 4~10 ng/mL에서 2~10 ng/mL 혹은 2.5~10 ng/mL으로 범위를 넓히면 낮은 PSA 농도에서 상당한 암을 발견할 수 있을 것이다 (Stephan 등, 2002).

1.2.9. PSA의 기타 분자 형태
Other molecular forms of PSA

PSA의 전구체가 여러 형태의 PSA 분자로 변천하는 과정은 도표 14에 나타나 있다.

1.2.9.1. 절단형 proPSA
Truncated proPSA (truncated pPSA)

Proenzyme PSA (proPSA 혹은 pPSA) 유형은 전립선암 환자의 혈청과 조직에서 확인된다 (Mikolajczyk 등, 2000). 자연적인 pPSA 단백질은 237개의 아미노산으로 구성된 fPSA에 7개의 아미노산이 추가되어 244개의 아미노산으로 구성되며 [-7]pPSA로 불린다. 정상적으로는 7개의 아미노산 전부가 분리되면서 pPSA가 완전한 활성 형태로 전환되지만, 7개의 아미노산이 불완전하게 제거되면 여러 형태의 절단형 pPSA가 생성

된다. 이로써 혈청과 전립선 조직에는 pPSA가 [-7], [-5], [-4] 등의 형태로 혼재되고, 부분적으로는 [-2], [-1] 형태도 존재한다. 처음에는 전립선암 환자의 혈청에서 3개의 아미노산이 제거된 [-4]pPSA만이 기술되었으며, 모든 fPSA 중 이 형태는 25%를 차지하고 있다 (Mikolajczyk 등, 2000). 근래에는 5개의 아미노산이 제거된 [-2]pPSA가 tPSA 6~24 ng/mL인 전립선암 환자의 혈청에서 보고되었다. [-2]pPSA가 전체 fPSA에서 차지하는 비율은 전립선암 환자의 경우 25~95%이지만 질환이 없는 남성에서는 6~19%이다 (Mikolajczyk 등, 2001). tPSA가 20 ng/mL 미만인 전립선암 환자로부터 채취된 혈청에서는 [-4]와 [-2] 형태가 우세하다는 보고가 있다. 암과 관련이 있는 여러 pPSA와 함께 양성전립선비대와 관련이 있는 BPSA를 병행하면 PSA의 민감도와 특이도를 증대시킬 수 있다. Sokoll 등 (2008)은 [-2]pPSA 농도가 특히 tPSA 2~10 ng/mL에서 전립선암에 대한 가장 좋은 예측 인자라고 주장하였다. 선두체 펩티드를 분절시키는 kallikrein 2 (hK2)와 trypsin의 분절 작용은 선두체 펩티드의 크기가 작은 pPSA에 대해서는 약한 경향이 있다. 따라서 혈청에 있는 여러 종류의 절단형 pPSA 중 [-2]pPSA는 분절 작용에 저항적이라고 생각된다 (Peter 등, 2001).

전립선암 조직에서는 pPSA의 불완전한 분절이 진행되어 PSA의 여러 아형들이 증가한다 (Mikolajczyk 등, 2000). 이들 분절 형태들 중 하나는 propeptide의 leucine 5와 serine 6 사이에서 분리된 형태인데, 이를 [-2]pPSA라 부른다. 전립선암에서 PSA의 변천 과정이 억제되면, 상대적으로 pPSA와 그것의 분절 형태들, 특히 [-2]pPSA가 증가한다. 면역조직화학 연구는 [-2]pPSA를 인식하는 단일 클론 항체의 결합이 전립선암 조직에서 증가한다고 하였다 (Mikolajczyk 등, 2001). fPSA에 대한 절단형 pPSA의 비율, 즉 [-2]pPSA pg/mL/(fPSA ng/mL ×1000) ×100으로 산출되는 %[-2]pPSA는 전립선암의 유무를 감별하는 데 도움을 주기 때문에, 혈청에서 이들 절단형은 전립선암의 지표로 활용될 수 있다. 566명을 대상으로 실시된 National Cancer Institute Early Detection Research Network의 다기관, 전향 연구는 다음과 같은 결과를 보고하였다 (Sokoll 등, 2010). 첫째, 생검으로 43% (245명/566명)에서 전립선암이 발견되었다. 둘째, 70%의 특이도에서 %[-2]pPSA의 민감도는 54% (95% CI 48~61%)이었다. 셋째, PSA와 %fPSA를 포함한 다변량 예측 모델에 %[-2]pPSA를 추가하면 예측도가 증가되었다 (p〈0.01). 넷째, PSA 농도가 2~4 ng/

도표 25 전립선암의 발견에서 [-2]pPSA와 %[-2]pPSA의 정확도에 관한 연구

참고 문헌	환자 수	PSA 농도	결과
Sokoll 등, 2008	123	0.48~33.18	AUC는 %[-2]pPSA가 가장 컸으며, 그 다음이 [-2]pPSA, %fPSA 순이었으며, 각각 0.69, 0.63, 0.61이었다.
Sokoll 등, 2010	566	0.29~310.6	PSA와 %fPSA를 포함한 다변량 예측 모델에 %[-2]pPSA를 추가할 경우 예측도가 향상되었으며 ($p<0.01$), 2~4 ng/mL의 PSA 범위에서 %[-2]pPSA는 %fPSA를 능가하였는데, 각각의 AUC는 0.73, 0.61이었다 ($p=0.01$).
Stephan 등, 2009	586	0.26~28.4	%[-2]pPSA, %fPSA, tPSA, 연령 등을 이용한 다변량 모델은 90%의 민감도에서 tPSA (22.7%), %fPSA (45.5%) 등에 비해 가장 나은 특이도 (53.1%)와 가장 큰 AUC (0.84)를 나타내었으며, pT2와 pT3 그리고 GS 7 미만과 GS 7 이상의 전립선암을 구별하는 변별력은 tPSA나 %fPSA에 비해 %[-2]pPSA가 더 우수하였다.
Rhodes 등, 2012	443	0.7~1.8[†]	[-2]pPSA의 연간 증가율은 전립선비대가 없는 남성 (중앙치 1.9%) 혹은 전립선암을 가지지 않은 남성 (중앙치 3.5%)에 비해 전립선비대 (중앙치 3.5%) 혹은 전립선암 (중앙치 8.1%)을 가진 남성에서 유의하게 더 높았다.
Rhodes 등, 2012	748	0.5~1.8[†]	기저선 [-2]pPSA는 백인에 비해 흑인에서 약간 더 높았는데 ($p=0.01$), 각각 5.6 pg/mL, 6.3 pg/mL이었으며, 생검에 의한 전립선암 발견에 대해 높은 예측도를 나타내었다.

[†], 25th~75th percentile. PSA의 단위는 ng/mL.

AUC, area under the receiver-operating characteristic curve; %fPSA, free PSA/total PSA; GS, Gleason score; [-2]pPSA, [-2]proPSA; %[-2]pPSA, [-2]proPSA/free PSA; proPSA, proenzyme PSA; PSA, prostate-specific antigen; tPSA, total PSA.
Abrate 등 (2014)의 자료를 수정 인용.

mL 범위에서 %[-2]pPSA의 예측도는 %fPSA를 능가하였으며, ROC-AUC는 각각 0.73, 0.61이었다 ($p=0.01$). 80%의 민감도에서 %[-2]pPSA의 특이도는 PSA, %fPSA보다 유의하게 더 높았으며, 각각 51.6% (95% CI 41.2~61.8%), 29.9% (95% CI 21.0~40.0%), 28.9% (95% CI 20.1~39.0%)이었다. 다섯째, PSA 농도가 2~10 ng/mL 범위에서도 %[-2]pPSA를 포함한 다변량 모델의 ROC-AUC는 0.76으로 개별 PSA 형태의 예측도를 능가하였다 ($p<0.01$). 80%의 민감도에서 %[-2]pPSA의 특이도는 PSA, %fPSA보다 유의하게 더 높았으며, 각각 44.9% (95% CI 38.4~51.5%), 30.8% (95% CI 24.9~37.1%), 34.6% (95% CI 28.5~41.4%)이었다. 여섯째, %[-2]pPSA는 Gleason 점수에 따라 증가하였으며 ($p<0.001$), 공격적인 암에서 더 증가하였다 ($p=0.03$). 이들 결과에 의하면, %[-2]pPSA는 전립선암의 발견율을 증가시키며, 공격적인 전립선암의 위험과 관련이 있다.

전립선암의 조기 발견과 예후에서 pPSA의 역할에 관한 연구가 많이 이루졌다 (도표 25). pPSA/fPSA (%pPSA) 비율과 절단형 pPSA, 특히 [-2]pPSA 둘 모두는 전립선암의 유무를 확인하는 데 도움을 준다. Sokoll 등 (2003)은 %pPSA를 이용하면 tPSA 범위가 2.5~4.0 ng/mL인 남성에서 불필요한 생검을 줄일 수 있다고 하였다. 이 결과는 tPSA 2~10 ng/mL인 남성을 대상으로 평가한 다기관 코호트 연구에서도 타당성이 입증되었다 (Sokoll 등, 2008). Khan 등 (2003)은 tPSA 4~10 ng/

mL 남성에 대한 연구에서 전립선암을 가진 남성의 pPSA 분획은 전립선암이 없이 비슷한 tPSA 농도를 가진 남성에 비해 더 높았다고 하였다. 위의 두 연구는 tPSA가 2.5~4 ng/mL와 4~10 ng/mL인 남성들에서 전립선암을 조기에 발견하기 위해서는 fPSA에 대한 [-2], [-4], [-7] 형태의 pPSA 합계의 비율, 즉 pPSA/fPSA (%pPSA) 값이 유익함을 보여 준다. 생검에서 88명은 양성, 31명은 악성을 나타낸 tPSA 2.5~4 ng/mL의 119명으로부터 생검 전 채취한 혈청을 분석한 연구에 의하면, pPSA의 평균은 tPSA의 4.6±0.4%, fPSA의 39.3±3.5%이었다. 양성 전립선과 악성 전립선에서 tPSA는 각각 3.17±0.08 ng/mL, 3.34±0.05 ng/mL, pPSA/tPSA는 각각 4.5±0.8%, 5.1±0.3%, %fPSA는 각각 12.3±0.8%, 11.2±0.4%, %pPSA는 각각 35.5±6.7%, 50.1±4.4%이었다. 이 결과에서 tPSA와 %fPSA는 악성과 양성에서 차이를 보이지 않았으나 %pPSA는 유의한 차이를 나타내었다. 임상적 유용성을 평가하기 위한 ROC 분석에서 %pPSA와 %fPSA에 대한 AUC는 각각 0.688, 0.567이었고, 민감도 75%에서 %pPSA와 %fPSA의 특이도는 각각 59%, 33%로 %pPSA가 유의하게 더 컸다 ($p<0.0001$). 저자들은 %pPSA를 이용하여 전립선암의 75%를 발견하였고, 불필요한 생검의 59% (%fPSA의 경우 33%)를 줄일 수 있었으며, tPSA가 2.5~4 ng/mL인 남성에서 전립선암의 발견율이 20~25%이기 때문에 pPSA 검사를 이용하면 전립선암의 조기 발견에 도움이 된다고 하였다. Catalona 등 (2004)은 수술 전에 pPSA 농도가 높은

남성일수록 수술 시 더 높은 등급의 더 진행된 암을 가졌다고 하였다. Stephan 등 (2009)은 pPSA/%fPSA 비율은 전립선암에 대한 선별검사를 진행 중인 남성에서 공격적인 전립선암과 관련이 있었다고 보고하였다.

PRO-PSA Multicentric European Study (PROMEtheuS)에 속한 1,026명 중 15.4% (158명/1,026명)는 일촌 혹은 2촌 (first degree relative; 아버지, 형제, 아들) 중에 전립선암을 가지고 있었으며, 이들에 대해 [-2]pPSA, %[-2]pPSA, Prostate Health Index (PHI) 등을 분석한 연구는 다음과 같은 결과를 보고하였다 (Lazzeri 등, 2013). 첫째, 전립선암을 가지지 않은 환자 (55.1%, 87명/158명)에 비해 가진 환자 (44.9%, 71명/158명)에서 [-2]pPSA, %[-2]pPSA, PHI 등이 유의하게 더 높았으며 (p<0.001), %fPSA는 유의하게 더 낮았다 (p<0.001). 둘째, 생검에서 전립선암을 예측하는 정확도 수준은 fPSA, tPSA, %fPSA 등보다 %[-2]pPSA와 PHI에서 유의하게 더 높았으며, 각각의 AUC-ROC는 0.489, 0.549, 0.600, 0.733, 0.733이었다 (p≤0.001). 셋째, %[-2]pPSA의 절단치 1.66은 민감도와 특이도 사이에서 가장 균형을 잘 이루었으며, 민감도와 특이도는 각각 70.4% (95% CI 58.4~80.7%), 70.1% (95% CI 59.4~79.5%)이었다. PHI의 절단치 40은 민감도와 특이도 사이에서 가장 좋은 균형을 나타내었으며, 민감도와 특이도는 각각 64.8% (95% CI 52.5~75.8%), 71.3% (95% CI 60.6~80.5%)이었다. 넷째, %[-2]pPSA의 절단치를 1.20으로 설정할 경우 총 생검 수의 24.7% (39명/158명)를 줄일 수 있었으나, Gleason 점수 7을 가진 2명 (2.8%, 2명/71명)의 환자를 놓칠 수 있었다. PHI의 절단치를 25.5로 설정할 경우 총 생검수의 17.1% (27명/158명)를 줄일 수 있었으나, Gleason 점수 7을 가진 2명 (2.8%, 2명/71명)을 놓칠 수 있었다. 다섯째, 다변량 분석에서 %[-2]pPSA와 PHI는 독립적인 예측 인자의 역할을 하였으며, 이들은 PSA, 전립선의 용적 등을 포함하는 다변량 모델의 정확도를 각각 8.7%, 10% 증가시켰다 (p≤0.001). 여섯째, [-2]pPSA, %[-2]pPSA, PHI 등은 Gleason 점수와 상호 관련이 있었으며, 각각의 p value는 0.038, 0.002, <0.001이었다. 이와 같은 결과는 %[-2]pPSA와 PHI가 전립선암의 가족력이 있는 남성에서 tPSA, fPSA, %fPSA 등보다 더 정확하게 전립선암을 예측하며, 이들 두 생물 지표를 이용할 경우 불필요한 생검 수를 줄일 수 있고, [-2]pPSA, %[-2]pPSA, PHI 등은 암의 공격성과 상호 관련이 있음을 보여 준다.

'적극적인 감시 (active surveillance)'에 따라 대기 요법을

받고 있는 71명의 전립선암 환자를 대상으로 혈청 및 조직의 pPSA와 질환의 예후와의 연관성을 평가한 연구는 다음과 같은 결과를 보고하였다 (Makarov 등, 2009). 이들 중 39명은 나중에 부정적인 생검 결과를, 32명은 긍정적인 생검 결과를 보였으며, 추적 관찰한 기간의 중앙치는 3.93년이었다. 여기서 불리한 생검 결과는 Gleason 점수 7 이상, 암 양성 cores 3개 이상, core 당 암 분포 50% 초과를 의미한다. 첫째, 부정적인 생검 결과를 보인 남성은 긍정적인 생검 결과를 보인 남성에 비해 진단 당시의 혈청 [-2]pPSA/%fPSA가 유의하게 더 높았으며, 각각 0.87±0.44, 0.65±0.36 pg/mL이었다 (p=0.02). 둘째, 부정적인 생검 결과를 보인 남성의 암에 인접한 양성 조직에서는 [-5/-7]pPSA 조직 염색이 긍정적인 생검 결과를 보인 남성에 비해 더 강하여 각각 4104.09±3033.50, 2418.06±1606.04이었으며 (p=0.03), [-5/-7]pPSA의 % area가 더 컸는데 각각 11.58±7.08%, 6.88±5.20%이었다 (p=0.01). 셋째, 혈청의 [-2]pPSA/%fPSA, 암에 인접한 양성 조직의 [-5/-7]pPSA % area, 암에 인접한 양성 조직의 [-5/-7]pPSA 염색의 강도 등은 부정적인 생검 결과와 유의하게 관련이 있었으며, 각각의 HR은 2.53 (p=0.02), 1.06 (p=0.02), 1.000213 (p=0.003)이었다. 넷째, 혈청 [-2]pPSA/%fPSA는 암에 인접한 양성 조직의 [-5/-7]pPSA % area (rho=0.40; p=0.002) 및 [-5/-7]pPSA 염색 강도 (rho=0.33; p=0.016)와 유의하게 상호 관련이 있었다. 이와 같은 결과에 의하면, 진단 당시의 혈청과 조직 내의 pPSA는 적극적인 감시를 받고 있는 환자가 나중에 치료가 필요할 것인지를 예측하는 데 도움을 주며, 혈청에서 pPSA/%fPSA가 증가되는 이유는 암에 인접한 양성 조직에 있는 전구 암세포에서 pPSA의 생성이 증가되기 때문이라고 생각된다.

1.2.9.2. Benign PSA (BPSA)

Benign PSA (BPSA)는 fPSA가 분해된 특이한 형태로서 lysine (Lys) 145-146와 Lys 182-183에서 결합의 분절이 있다 (Haese 등, 2003). 양성전립선비대로 인해 50 cc 이상으로 큰 전립선, 25 cc 보다 작은 양성 전립선, 전립선암 등으로부터 채취된 조직 표본에서 BPSA는 정상 혹은 암 조직에 비해 거의 양성전립선비대의 이행부 조직에서만 발현되었다 (Mikolajczyk 등, 2000). 이처럼 BPSA의 발현은 양성전립선비대의 이행부로부터 채집된 결절 조직 표본에서 처음 기술되었으나, 뒤이어 양성 전립선 질환을 가진 환자의 정액장액 (Mikolajczyk 등, 2000)과 혈청 (Linton 등, 2003)에서도 보고되었다. 면역 분

석에 의하면, 양성 전립선 질환을 가진 남성에서는 혈청 fPSA 의 15~50%가 BPSA인 데 비해 정상 대조군의 혈청에서는 발견되지 않기 때문에, BPSA는 외과적 혹은 내과적 치료를 받고 있는 양성전립선비대 환자를 추적 관찰하는 데 도움이 된다 (Linton 등, 2003). 증상이 있는 양성전립선비대 환자, 증상 없이 비뇨기과 의사에게 의뢰되어 온 양성전립선비대 환자, 건강한 대조군 등의 혈청에 대해 발견 절단치를 0.06 ng/mL로 규정하여 단일 클론 분석을 실시한 연구는 대조군에서는 BPSA가 검출되지 않았고 임상적인 양성전립선비대를 가진 환자에서 BPSA 농도의 중앙치가 유의하게 증가하여 BPSA는 %fPSA보다 증상을 가진 양성전립선비대 환자와 양성전립선비대가 없는 환자를 감별하는 데 더 도움 된다고 하였다 (Marks 등, 2001). 혈청 BPSA 단독으로는 양성전립선비대와 전립선암을 구별할 수 없으나, pPSA 분석을 병행하면 추가적인 분별력을 제공한다. 전립선암이 없는 91명의 남성에 대해 10 cores 이상의 생검을 실시한 연구는 다음과 같은 결과를 보고하였다 (Canto 등, 2004). 첫째, 혈청 BPSA와 fPSA는 혈청 PSA보다 연령과 강한 상관관계를 나타내어 각각의 경우에서 0.38, 0.40, 0.24이었으며, 이행부의 용적과도 PSA에 비해 강한 상관관계를 나타내어 각각의 경우에서 0.67, 0.64, 0.55이었다. 그러나 %fPSA는 이행부 용적과 통계적으로 유의한 상관관계가 없었다 (p=0.08). 둘째, fPSA에서 BPSA를 감한 측정치는 PSA 보다 이행부 용적과의 상관관계가 약하였는데, 각각 0.48, 0.64이었다. 셋째, PSA와는 다르게 BPSA와 fPSA는 연령과는 관계없이 이행부 용적과 관련이 있었으며, 2진법 회귀 분석에서 30 cc 이상의 이행부 용적을 예측하는 BPSA, fPSA, PSA의 ROC-AUC는 각각 0.844, 0.799, 0.749로 BPSA가 가장 높았다. 이와 같은 결과는 전립선암이 없는 환자에서 혈청 BPSA의 농도가 연령과 관계없이 이행부 용적과 관련이 있으며, PSA 혹은 fPSA에 비해 전립선의 크기를 예측하는 수준이 더 높아 양성전립선비대에 대한 임상적 표지자의 역할을 할 수 있음을 보여 준다.

1.2.9.3. Inactive, intact PSA (iPSA, fPSA-I)

혈중 fPSA의 분자적 특성은 완전하게 밝혀져 있지 않지만, ACT나 A2M처럼 혈중에 다량 포함된 단백질분해효소 억제제와 반응하지 않는 것으로 보아 불활성 분자임에 틀림없다. fPSA가 존재하는 데 관하여 흔히 두 가지의 설명이 제시된다. 첫째, 단백질의 전구 형태이기 때문에 효소 작용을 거

의 혹은 전혀 가지지 않는다 (Kumar 등, 1997). 둘째, Lys145-Lys146에서 내부적으로 분열이 발생하여 비활성 PSA가 되며 이를 'nicked' fPSA (fPSA-N)라 한다 (Christensson 등, 1990). Serine (Ser) 85와 phenylalanine (Phe) 86 사이에서의 내부 분열이 PSA를 비활성화하는지는 분명하지 않다 (Zhang 등, 1995). Lys182와 Ser183 사이에서의 분열은 비활성적인 PSA를 만드는데, 이것이 양성전립선비대의 결절에서 분리되고 정액장액에서도 나타나는 BPSA이다 (Mikolajczyk 등, 2000). 완전한 본래의 비활성 PSA인 'intact' PSA (fPSA-I)가 전립선암 환자의 정액장액 (Zhang 등, 1995), 혈청 (Noldus 등, 1997), LNCaP 전립선암 세포주 (Corey 등, 1998) 등에서 발견되었으며, 활성이 결여되는 이유는 밝혀져 있지 않다.

Nurmikko 등 (2001)은 Lys145-Lys146에서 분절되지 않은 fPSA-I를 선택적으로 측정할 수 있는 면역 분석법을 개발하였다. 이들 연구자들은 세 가지의 PSA, 즉 free PSA (PSA-F), fPSA-I, fPSA-N의 분별력을 비교하기 위해 ROC-AUC를 측정하였다. AUC는 PSA-F (0.5301)에 비해 fPSA-I (0.6052)와 fPSA-N (0.5851)에서 유의하게 더 컸기 때문에 (각각 p=0.0001, p=0.0137), 총 fPSA보다 fPSA의 아형을 측정하면 더 큰 분별력을 얻을 수 있다고 생각된다. 이들 연구자들은 또한 진단적 수행력을 평가하기 위해 total PSA (PSA-T)와 PSA-F/PSA-T, fPSA-I/PSA-F, fPSA-N/PSA-T 비율에 대한 ROC-AUC를 측정하였으며, fPSA-I/PSA-F 및 fPSA-N/PSA-T의 비율은 PSA-F/PSA-T와 유사한 진단적 감별력을 나타내었다. PSA-T, fPSA-N/PSA-T, fPSA-I/PSA-F, PSA-F/PSA-T의 AUCs는 각각 0.6605 (95% CI 0.59~0.73), 0.7238 (95% CI 0.66~0.79), 0.6761 (95% CI 0.60~0.75), 0.7336 (95% CI 0.67~0.80)이었다. 그들은 PSA-T가 0.83~76.3 ng/mL인 276명을 대상으로 평가한 연구에서 fPSA-I의 농도는 양성 표본보다 전립선암 환자의 표본에서 유의하게 더 높다고 하였다 (p=0.0063). fPSA-I는 양성전립선비대 환자의 혈장에서는 PSA-F의 47%까지로, 전립선암 환자의 혈장에서는 PSA-F의 59%로 계산되었다. 흥미롭게도 fPSA-I와 fPSA-N (fPSA-N은 PSA-F에서 fPSA-I를 뺀 값으로 산출됨) 둘 모두는 암과 양성 질환을 통계학적으로 유의하게 구별할 수 있었지만 PSA-F 단독으로는 그러하지 않았다 (도표 26). fPSA-I와 fPSA-N 측정치에 대한 AUC는 PSA-F 측정치에 대한 AUC보다 더 컸다. 이들 연구자들은 fPSA-I의 발견 절단치를 0.035 ng/mL로 규정하였으며, 위의 결과를 근거로 혈청 fPSA-I 농도는 전립선암 환자와 암이 없는 환자에서 차이를 나타내고 암과 더 관련이 있

도표 26 양성전립선비대 및 전립선암 환자에서 혈청 PSA-T, PSA-F, fPSA-I, fPSA-N[†] 농도의 중앙치, 25th, 75th percentile과 PSA-F/PSA-T, fPSA-I/PSA-F, fPSA-N/PSA-T 등의 비율

	양성전립선비대			전립선암			$p^{‡}$
	중앙치	25th	75th	중앙치	25th	75th	
PSA-T 0.83~76.3 ng/mL의 양성전립선비대 환자 197명, 전립선암 환자 79명							
PSA-T, ng/mL	4	3.0	5.7	5.3	3.8	11.8	⟨0.0001
PSA-F, ng/mL	0.88	0.57	1.4	0.94	0.58	1.6	0.4349
fPSA-I, ng/mL	0.43	0.29	0.59	0.48	0.35	0.85	0.0063
fPSA-N, ng/mL	0.41	0.23	0.81	0.34	0.16	0.61	0.0271
PSA-F/PSA-T, %	20.3	15.6	27.6	14.7	10.2	18.4	⟨0.0001
fPSA-I/PSA-F, %	47.1	38.6	59.1	59.2	48.0	77.9	⟨0.0001
fPSA-N/PSA-T, %	10.4	6.7	16.4	5.5	2.4	9.5	⟨0.001
PSA-T 0.83~10 ng/mL의 양성전립선비대 환자 187명, 전립선암 환자 54명							
PSA-T, ng/mL	3.9	3.0	5.5	4.1	3.5	5.3	0.3503
PSA-F, ng/mL	0.83	0.56	1.3	0.66	0.48	1.0	0.0581
fPSA-I, ng/mL	0.42	0.28	0.57	0.38	0.28	0.55	0.8169
fPSA-N, ng/mL	0.39	0.23	0.73	0.27	0.14	0.49	0.0043
PSA-F/PSA-T, %	20.6	15.8	27.8	16.1	13.7	19.3	0.0002
fPSA-I/PSA-F, %	47.4	38.8	58.7	58	45.4	75.6	0.0018
fPSA-N/PSA-T, %	10.3	6.8	16.7	7.1	3.9	10.7	0.0002

[†], fPSA-N은 PSA-F에서 fPSA-I를 뺀 값; [‡], nonparametric Mann-Whitney 검사로 산출.

PSA, prostate-specific antigen; PSA-F, free PSA; fPSA-I, inactive, intact PSA; fPSA-N, nicked PSA; PSA-T, total PSA.

Nurmikko 등 (2001)의 자료를 수정 인용.

는 반면, fPSA-N은 양성 질환과 더 관련이 있다고 하였다. 또한, fPSA-I 혹은 fPSA-N 혹은 다른 표지자와의 병합 검사는 전립선암의 진단에 대한 정확도를 높인다고 보고되고 있다.

전립선암에 대한 선별검사를 받은 집단 중 혈청 tPSA의 농도가 3 ng/mL 이상인 남성을 대상으로 평가한 스웨덴의 연구에서 fPSA-I/PSA-F의 비율은 전립선암이 없는 남성보다 전립선암을 가진 남성에서 유의하게 더 높았다 (Nurmikko 등, 2001). 양성 질환 환자 178명과 전립선암 환자 255명의 혈청을 이용한 연구는 다음과 같은 결과를 보고하였다 (Steuber 등, 2002). 첫째, fPSA-I/PSA-F의 비율은 양성 질환 환자에 비해 전립선암 환자에서 더 높았으며, 비율의 중앙치는 각각 41.8%, 48.5%이었다 (p⟨0.0001). 둘째, fPSA-N/PSA-T의 비율은 전립선암 환자에 비해 양성 질환 환자에서 더 높았으며, 비율의 중앙치는 각각 6.0%, 11.0%이었다 (p⟨0.0001). 셋째, 가장 높은 분별력은 fPSA-I, PSA-F, PSA-T 등을 병행한 경우, 즉 log (fPSA-I, PSA-F, PSA-T)이었고, 그 다음은 fPSA-N/PSA-T 이었으며, 각각의 AUC는 0.773, 0.755이었다. 넷째, PSA-T 농

도가 2~10 ng/mL인 소집단에서도 log (fPSA-I, PSA-F, PSA-T) 와 fPSA-N/PSA-T의 AUC가 PSA-T 보다 유의하게 더 컸으며, 각각 0.706 (p=0.0017), 0.704 (p=0.0019), 0.602이었다. 이들 결과는 PSA-F의 아형인 fPSA-I와 fPSA-N이 양성 질환과 악성 질환을 감별하는 데 활용이 가능하며, 전립선암을 조기에 진단하는 데 도움을 줌을 보여 준다.

1.2.9.4. 복합 전립선 특이 항원 Complexed PSA (cPSA)

%fPSA가 도입되었지만 여러 가지 문제가 남아 있다. 특히 fPSA의 농도가 낮은 경우 fPSA의 분석법은 전립선암을 가진 남성과 가지지 않은 남성 간에 %fPSA가 중복되는 범위를 줄이기 위해 높은 정확도를 필요로 한다. 더군다나 PSA-ACT 복합체는 매우 서서히 제거되는 반면, 혈장 fPSA의 반감기는 12~18시간으로 짧아 개인별 일중 변동은 PSA-ACT에 비해 fPSA가 더 크다 (Bjrk 등, 1998). 또한 PSA-ACT의 안정성은 큰데 비해 fPSA의 안정성은 제한적이어서 %fPSA가 오류로 인해 감소되는 것을 피하기 위해 임상적으로 혈청 표본을 신중하

게 취급할 필요 있고 항응고제인 헤파린 혹은 ethylenediami-netetra acetic acid (EDTA)가 혼합된 혈장 표본에서 fPSA의 안정성을 높일 필요가 있다. fPSA의 농도는 냉동 보관하지 않으면 24시간 보관하는 동안 상당히 감소하는 반면, PSA-ACT의 농도는 7일 동안 보관해도 변하지 않는다 (Woodrum 등, 1996). 그렇지만 -70 ℃에서 보관하면 tPSA와 fPSA의 농도는 2년 동안 그대로 유지된다 (Woodrum과 York, 1998). fPSA를 분석하는 장비가 일률적으로 제작되지 않기 때문에 %fPSA를 얻기 위해 tPSA와 fPSA를 함께 측정할 때는 문제가 되며, tPSA 분석 장비가 fPSA와 PSA-ACT를 동일한 몰의 신호 강도로 측정하지 못하는 경우에는 더욱 문제가 된다.

PSA-ACT와 cPSA PSA의 복합체는 주로 ACT나 API와 결합되어 있다. 이들과 현재 알려져 있지 않은 PSA의 복합체를 합하여 complexed PSA (cPSA)라 부른다. ACT와 결합한 PSA, 즉 PSA-ACT가 혈청에서 cPSA의 주된 형태이다.

다양한 PSA의 아형을 분석하기 위해서는 PSA-ACT (Roche Diagnostics, Mannheim, Germany)와 cPSA (Bayer Diagnostics, Tarrytown, NY)를 측정하여야 한다. PSA-ACT는 전립선암 환자에서 우세한 형태의 cPSA라고 알려져 있다 (Lilja 등, 1991). PSA-ACT 복합체에 관한 최초의 보고 (Stenman 등, 1991; Christenson 등, 1993)는 PSA-ACT 복합체가 전통적인 tPSA를 능가하는 진단적 가치가 있다고 발표하였다. 그러나 초기에는 ACT가 granulocyte에서 유래된 cathepsin G-complex와 같은 단백질분해효소와 비특이적으로 결합함으로 인해 과대 평가가 이루어지는 문제점이 있었으나, 그러한 문제는 현재 해결된 상태이다. 전립선암의 발견에서 특이도를 높이는 데는 %fPSA보다 PSA-ACT 혹은 PSA-ACT/tPSA의 비율이 더 유익하다는 보고는 아직까지 없다 (Stamey와 Yemoto, 2000).

cPSA 분석법 (Bayer Immuno 1)은 fPSA에 대한 차단 항체 (blocking antibody), 즉 E epitope에 대한 'cold antibody'를 이용하여 혈청으로부터 모든 형태의 fPSA를 제거한 후 cPSA만을 측정하는 방법으로서, PSA-ACT와 PSA-API는 발견해 내지만 PSA-A2M을 측정하지는 못한다 (Allard 등, 1998). cPSA에 대한 검사만을 제안한 연구는 논란을 일으켰지만, cPSA/tPSA의 비율 (%cPSA)은 일반적으로 %fPSA와 비슷한 민감도와 특이도를 나타낸다. 더 낮은 PSA 농도를 가진 양성전립선비대 환자와 더 높은 PSA 농도를 가진 전립선암 환자를 대상으로 평가한 연구에서 cPSA는 tPSA의 특이도를 %fPSA의 특

이도와 같거나 더 나은 수준으로 증대시켰다 (Mitchell 등, 2001). 그러나 tPSA의 농도가 동일한 양성전립선비대 환자와 전립선암 환자에 대한 다른 연구는 cPSA에 대한 단독 측정의 진단력이 tPSA에 비해 약간 더 나은 정도였다고 하였다 (Lein 등, 2001). %cPSA만은 %fPSA와 비슷한 특이도를 보인다 (Stephan 등, 2000). cPSA에 관한 다기관, 예비 연구는 tPSA가 4~10 ng/mL인 범위에서는 cPSA의 단독 측정보다 %cPSA가 더 나은 진단력을 나타내었지만, 2~6 ng/mL의 범위에서는 %cPSA가 cPSA보다 우월하지 않았다고 하였다 (Cheli 등, 2001). PSA 농도가 4 ng/mL 미만으로 낮은 환자들에서 복합체를 측정한 연구는 많지 않지만, 이들 결과는 cPSA를 정당하게 이용할 수 있고 유망한 평가 방법이 될 수 있음을 시사한다 (Okihara 등, 2001).

민감도가 비슷한 경우에서 특이도는 tPSA에 비해 cPSA가 더 높으며, 95%의 민감도를 얻기 위한 절단치를 사용한 경우 tPSA와 cPSA의 특이도는 각각 21.8%, 26.7%이었다 (Brawer 등, 1998). tPSA의 절단치를 4 ng/mL로, cPSA 절단치를 3.75 ng/mL로 설정하였을 경우 민감도는 비슷하였지만, cPSA의 특이도는 13% 증가하였다 (Brawer, 2000). cPSA가 전립선암의 발견에서 특이도를 증가시키는지를 평가한 다기관, 전향 연구는 다음과 같은 결과를 보고하였다 (Partin 등, 2003). 첫째, 평가된 831명 중 37.5% (313명/831명)에서 전립선암이 발견되었다. 둘째, tPSA 2~4, 2~6, 2~10, 4~10 ng/mL에 각각 해당하는 cPSA 1.5~3.2, 1.5~5.1, 1.5~8.3, 3.2~8.3 ng/mL는 ROC-AUC에서 tPSA보다 우수하였다 (p≤0.001). 셋째, tPSA 2~10 ng/mL에 해당하는 cPSA 1.5~8.3 ng/mL의 환자군에서 80~95%의 민감도를 나타내는 절단치를 이용한 경우 cPSA는 tPSA에 비해 6.2~7.9% 더 높은 특이도를 나타내었다. 넷째, tPSA 2~4 ng/mL에 해당하는 cPSA 1.5~3.2 ng/mL의 환자군에서 tPSA의 절단치 2.5 ng/mL와 cPSA 절단치 2.2 ng/mL를 이용한 경우 특이도는 각각 21.2%, 35%이었으며, 민감도는 85%로 동일하였다. 다섯째, %fPSA, %cPSA 등과 같은 PSA의 비율은 이와 같은 농도에서 cPSA 이상으로 특이도를 증가시키지 않았다. 이들 결과는 특이도의 측면에서 cPSA를 이용한 단일 검사가 tPSA 보다 우수하며, %fPSA와 %cPSA는 양성 질환과 악성 질환을 구별하는 데 추가적인 이점을 제공하지 않음을 보여 준다.

tPSA 2.5~4 ng/mL의 범위에서 암 진단율은 25%로 알려져 있고, 이 범위에서 cPSA의 임상적인 가치를 tPSA, %fPSA,

%cPSA 등과 비교한 연구가 있다 (Horninger 등, 2002). 초기의 연구들은 이러한 낮은 PSA 범위에서는 fPSA의 가치가 떨어진다고 하였지만, cPSA는 fPSA에 비해 증가된 특이도와 민감도를 유지하였다. tPSA의 절단치를 2.5 ng/mL, cPSA의 절단치를 2.1 ng/mL로 설정하였을 때, 민감도는 둘 모두에서 86%, 특이도는 각각 20.3%, 34%이었다. %fPSA의 절단치를 25%, %cPSA의 절단치를 74%로 설정하였을 때는 민감도가 둘 모두에서 97%, 특이도는 각각 11%, 21.5%이었다. 이들 암의 97%는 전립선에 국한되어 있었고, Gleason 점수는 5~9 범위였다. 이 연구의 결과는 cPSA에 관한 단일 검사가 암 발견율을 증가시키고, tPSA의 농도가 4 ng/mL 미만인 남성에서 임상적으로 중대한 암의 존재에 관한 정보를 제공할 수 있음을 시사한다.

cPSA는 암 발견 외에도 전립선암의 병기에 관한 정보를 제공한다. 근치전립선절제술 후에 얻은 전립선 표본에 관한 연구에서 cPSA 농도는 전립선 피막 밖으로의 침범 가능성과 상호 관련이 있었다 (Taneja 등, 2002). 앞의 연구에서 cPSA는 tPSA, %fPSA, PSAD 등과 같은 다른 지표와 관계없이 tPSA와 비슷한 수준의 가치를 나타내었으며, cPSA는 tPSA와 전반적으로 비슷한 민감도를 보였으나 절단치를 높이면 더 높은 특이도를 유지하였다. 전립선에 국한된 암 환자 316명 (75%)과 국한되지 않은 암 환자 104명 (25%)을 포함한 420명의 전립선절제 표본을 이용한 연구에서 단변량 분석은 생검 Gleason 점수, 임상 병기, tPSA, %fPSA, cPSA, %cPSA 등이 국소 전립선암에 대한 예측 인자임을 ($p<0.05$), 생검 Gleason 점수, 임상 병기, cPSA 등을 포함한 다변량 분석은 ROC-AUC가 0.69임을 보여 주었다. 이 연구는 또한 다변량 분석 모델에서 cPSA를 tPSA로 대치하여도 비슷한 결과를 보여 두 분자는 높은 상관관계를 나타내며 ($r=0.985$), 이들 두 분자는 병리학적 병기를 예측하는 데 도움을 준다고 하였다. (Sokoll 등, 2002).

일부 연구는 전립선암을 발견하는 방법으로 cPSA를 이용할 것을 제안하였다. tPSA가 2.6~4.0 ng/mL인 316명을 대상으로 실시한 연구는 다음과 같은 결과를 보고하였다 (Parsons 등, 2004). 첫째, 피험자의 26% (82명/316명)에서 전립선암이 진단되었다. 둘째, receiver operating characteristics (ROC)-AUC는 cPSA가 tPSA보다 유의하게 더 컸으며, 각각 0.63, 0.56이었다 ($p=0.008$). 셋째, 95%의 민감도에서 cPSA와 tPSA의 절단치를 각각 2.3 ng/mL, 2.73 ng/mL로 설정하였을 때, 특이도는 각각 20.1%, 9.8%이었다. 넷째, cPSA와 %fPSA

의 AUC는 각각 0.63, 0.64로 유의한 차이가 없었다 ($p=0.58$). 이들 결과는 전립선암의 발견에서 cPSA가 tPSA보다 특이도가 높지만 %fPSA와는 비슷하며, 2.6~4.0 ng/mL의 PSA 농도에서 cPSA가 불필요한 생검의 수를 줄이는 이점이 있음을 시사한다. 선별검사로 tPSA 4 ng/mL, %fPSA 등과 함께 cPSA에 대한 세 가지의 절단치 3.8, 3.4, 3 ng/mL 등의 방법들을 이용하여 비용 대비 효과를 평가한 연구는 cPSA의 절단치를 3 ng/mL로 설정한 경우가 비용이 tPSA보다 9.40달러로 경미하게 증가하지만, 생검 수를 줄이면서도 비슷한 암 진단율을 나타낸다고 보고하였다 (Ellison 등, 2002).

PSA-A2M 혈청에서 PSA복합체를 측정하기 위해서는 pH를 조작하여 피막화된 PSA를 25배 더 큰 분자인 A2M으로부터 분리한 후 PSA 면역흡수법 (immunoabsorption)을 이용한다 (Zhang 등, 2000). PSA-A2M은 혈청에서 tPSA의 상당 부분을 차지하며, PSA-A2M/tPSA 비율은 전립선암 환자에서는 8%이고 양성전립선비대 환자에서는 12%로 더 높다. 그러나 이전의 연구는 PSA-A2M의 약 60%가 확인되지 않는다고 하였다. PSA-A2M과 %fPSA를 병행하면 tPSA와 %fPSA의 특이도를 증대시킬 수 있다 (Zhang 등, 2000).

PSA-API PSA-API를 분석하는 방법은 PSA-A2M 분석법을 보고한 Zhang 등과 동일한 연구자들에 의해 보고되었으며, 이 연구에 의하면, 혈청에서 PSA-API의 양은 전립선암 환자에서는 tPSA의 0.9%, 양성전립선비대 환자에서는 tPSA의 1.6%이었다. 이 연구는 또한 PSA 농도가 4~10 ng/mL인 환자에서 %fPSA와 독립적으로 진단적 가치를 나타내었으며, 전립선암의 진단에서 PSA-API의 농도와 %fPSA를 병합하면 %fPSA 단독 검사에 비해 85~95%의 높은 민감도에서 특이도를 유의하게 증가시킨다고 하였다 (Zhang 등, 2000).

PSA의 농도가 4~10 ng/mL인 전립선암 환자 55명과 대조군 84명을 대상으로 tPSA에 대한 단클론 항체와 API에 대한 단클론 항체를 이용하여 proximity ligation에 근거한 면역 분석으로 PSA-API를 측정한 연구는 다음과 같은 결과를 보고하였다 (Zhu 등, 2009). 첫째, 분석에서 검출 한계 (detection limit)는 6.6 ng/L이었다. 둘째, tPSA에 대한 PSA-API의 비율, 즉 %PSA-API는 암을 가지지 않은 남성에 비해 가진 남성에서 더 낮은 경향을 보여 각각 3.3%, 2.8%이었으나, 통계적으로 유의하지 않았다 ($p=0.363$). 셋째, 단독으로 이용한 경우 %PSA-API는 전립선암의 진단율을 개선시키지 않았지만, %fPSA 및 %fPSA와 %PSA-API의 합은 전립선암의 진단율을 증대시켰는데, 각각에서 AUC는 0.546, 0.710, 0.723이었다. 넷째, 90%의 진단 민감도에서, 전립선암의 진단에 대한 특이도는 %fPSA의 단독 검사에 비해 %fPSA와 %PSA-API의 합이 유의하게 더 나은 결과를 보이지 않았는데, 각각 36%, 30%이었다. 이들 결과에 의하면, 중등도로 증가된 tPSA 농도를 가진 환자의 혈청을 proximity ligation 분석법을 이용하여 측정하면 PSA-API를 정확하게 측정할 수 있으며, 전립선암의 발견율은 %PSA-API와 %fPSA를 병합하더라도 %fPSA의 단독 검사에 비해 크게 개선되지 않는다.

PSA-A2M과 PSA-API 두 복합체는 %fPSA와 마찬가지로 양성전립선비대 환자에서 양이 증가되나 fPSA와 상호 관련이 없는 반면, PSA-ACT 복합체는 전립선암 환자에서 더 높다.

1.3. 전립선암의 선별검사
Screening test for prostate cancer

전립선암은 서구에서 두 번째로 흔하게 진단되는 암이며, 남성에서 암으로 인한 사망의 원인 중 여섯 번째로 높다. 2008년도에는 남성에서 전립선암으로 인한 사망이 세계적으로 258,400명에 이르러 전체 암의 6%를 차지하였으며, 전체 새로운 암의 14%인 약 903,500명이 매년 새롭게 전립선암으로 진단된다 (Jemal 등, 2011). 세계보건기구에 따르면, 전립선암으로 인한 사망은 1998년에 239,000명, 2002년에는 269,000명으로 추산되었다. 미국에서는 2010년도에 241,000명의 새로운 전립선암 환자가 발생하였고, 34,000명이 전립선암으로 사망하였다 (Trapnell 등, 2010). 이 질환은 보통 감지되지 않은 상태로 진행되기 때문에, 환자들이 초기 병기 동안에는 의학적 도움을 찾지 않는다. 이러한 이유로 조기 진단을 위한 선별검사 프로그램이 개발되었다 (Brawer, 2000).

1979년 Wang 등에 의해 전립선에서 처음 정제된 PSA는 전립선암 환자의 진단뿐만 아니라 치료 반응을 평가하는 데도 유용하다고 제시되어 왔다. 초기의 연구는 PSA의 농도가 선별검사에 유용하지 않다고 하였으며 (Ferro 등, 1987), 정상 범위의 상한치를 2.6 ng/mL로 제시했었다 (Yang, 1984). 검사의 특이도에 대한 우려 때문에, 초기의 다른 보고들은 전립선암의 선별검사를 위한 정상 범위를 7.5~10 ng/mL로 제안하기도 하였다 (Pontes 등, 1982). PSA 검사가 발달하기 전에는 전립선암이 보통 직장수지검사에 의해 진단되었으며, 흔히 질환이 진행된 후에 암이 발견되었다. 당시에는 직장수지

검사가 비정상이면, 대개 손가락 유도 하에 생검이 시행되었고, 흔히 표본 채취는 4개 이하이었으며, 시술로 인한 이환율도 높았다. 1980년대 중반 초음파 유도 하에서 18 G의 자동 '생검총'을 사용한 이후에는 검사의 속도와 안전성이 높아졌다 (Lee 등, 1985).

PSA에 근거한 선별검사에 관한 초기 보고들 가운데 하나는 1,653명의 남성에서 PSA의 농도가 4.0~9.9 ng/mL임으로 인해 생검을 받은 남성의 22% (19명/85명), PSA의 농도가 10.0 ng/mL 이상인 남성의 67% (18명/27명)에서 암이 진단되었다고 보고하였다 (Catalona 등, 1991). 1,249명을 대상으로 평가한 연구는 PSA 4.1~10.0 ng/mL로 생검을 받은 남성의 26% (23명/87명), PSA 10.0 ng/mL를 초과한 남성의 50% (9명/18명)에서 전립선암이 발견되었다고 하였다 (Brawer 등, 1992). PSA 선별검사에 관한 이들 보고가 발표된 이후 전립선암의 진단율이 급격하게 증가하였다.

PSA가 4.0 ng/mL 미만인 경우에서 양성 예측도는 규명되어 있지 않다. 50세 이상인 6,630명을 대상으로 실시한 다기관, 전향 연구는 정상 범위의 상한치를 4.0 ng/mL로 제안하였다 (Catalona 등, 1994). 이 연구는 직장수지검사가 비정상적인 경우를 제외하고는 PSA가 4.0 ng/mL을 초과한 경우에만 생검을 실시하였다. PSA가 4.0 ng/mL 이하, 특히 2.5 ng/mL 미만의 남성에서 전립선암의 유병률에 관한 자료는 제한적이지만, 임상적으로 중대한 전립선암의 발견율이 PSA가 2.6~4.0 ng/mL인 남성과 4.0 ng/mL을 초과한 남성에서 동일하다는 보고가 있다 (Krumholtz 등, 2002). 더군다나 전립선에서 생검을 하는 기법이 달라진 이후, 전립선암 선별검사에서 PSA 농도의 정상 범위와 그것의 적절한 상한치에 관한 논란은 더욱 가중되고 있다. 초음파 유도 하의 전립선 생검에 관한 처음의 표준 지침은 6조각의 표본을 채집하라고 권하였으나, 그 후의 연구는 10~12조각의 표본을 채집하면 발견율이 증가된다고 하였다 (Levine 등, 1998).

전립선암을 발견하기 위한 PSA 농도의 적정치에 관해 평가한 자료가 부족하고 생검 기술이 달라졌기 때문에, PSA의 농도에 따른 암 발견 예측도를 정확하게 모른다는 사실은 놀라운 일이 아니다. 이러한 측면에서, 정상 범위라고 간주되는 PSA의 농도에서 생검 결과를 분석한 Prostate Cancer Prevention Trial (PCPT)가 도움을 준다. PCPT의 피험자 중 finasteride를 복용하지 않은 위약군을 대상으로 7년 동안 추적하여 4.0 ng/mL 이하의 정상 PSA 농도와 정상 직장수지검

사 소견을 나타낸 남성 2,950명 (62~91세)의 84.5%로부터 채집한 6부위 생검의 표본을 평가한 결과, 15.2% (449명/2,950명)에서 암이 진단되었고, 전립선암 환자의 14.9% (67명/449명)는 Gleason 점수가 7점 이상이었다. 혈청 PSA를 0.5 이하, 0.6~1.0, 1.1~2.0, 2.1~3.0, 3.1~4.0 ng/mL 등으로 구분하였을 때, 전립선암의 유병률은 각각 6.6%, 10.1%, 17.0%, 23.9%, 26.9%이었다. 고등급 전립선암의 유병률은 PSA 농도가 0.5 ng/mL 이하에서는 12.5%이었으나, PSA 농도가 3.1~4.0 ng/mL에서는 25.0%로 증가하였다 (Thompson 등, 2004). 이들의 연구는 PSA 농도가 낮은 남성도 고등급 혹은 중등급 분화도의 전립선암을 가질 수 있음을 보여 준다.

그러나 생검을 위한 PSA 농도의 절단치를 낮추는 결정은 PSA를 이용한 선별검사의 효용성에 대한 논쟁과 같은 맥락에서 고려되어야 한다. 미국의 경우 PSA를 이용함으로 인해 조기에 진단이 이루어지고 진단 당시의 암 병기가 낮아지고 있지만, PSA 검사가 전립선암에 의한 사망률을 감소시키는지는 분명하지 않다 (Oliver 등, 2000). 이 문제는 종말점을 사망률로 설정한 대규모 선별검사 연구인 Prostate, Lung, Colorectal, and Ovarian Cancer (PLCO) Screening Trial의 자료에 기술되어 있다 (Gohagan 등, 2000). PSA 선별검사의 유익성이 명확하지 않아 기관마다 다른 권고안이 나오는 실정이다. 임상적으로 중대한 암이 항상 치명적이지는 않지만, 전립선암으로 인해 사망할 위험의 확률 3~4%와 일생 동안 전립선암으로 진단될 위험의 확률 16.7% 사이에 큰 차이가 있음은 통상적인 진료에서 발견되는 전립선암의 상당수는 임상적으로 중대하지 않은 질환임을 추측하게 한다. 따라서 생검을 위한 PSA 농도의 절단치를 낮추면 임상적으로 중대하지 않은 질환을 과잉 진단하고 과잉 치료하는 위험이 증가된다 (Thompson 등, 2004).

'정상' PSA 농도를 가진 남성의 약 15%에서 전립선암이 발견된다는 연구 결과와 생검을 위한 PSA 농도의 절단치를 낮추면 중대하지 않은 암을 과잉 치료할 위험이 있다는 주장은 임상의로 하여금 딜레마에 빠지게 한다. 이에 대한 해결책의 하나가 생물 지표의 개발이다. 진단 전에 혈청에서 생물 지표를 확인함으로써 조기에 진단을 하고, 진단 후에는 암 조직에서 생물 지표를 확인하여 암의 예후를 판단하게 되면 암을 적절하게 관리할 수 있을 것이다 (Sullivan 등, 2001).

전립선암에 대한 진료 지침은 기관에 따라 약간의 차이를 보이고 있다. 선별검사를 받지 않은 남성에 비해 반복적으로 선별검사를 받은 남성의 경우 전립선암으로 인한 사망률이 51% 감소한다는 연구 결과 (Bokhorst 등, 2014)와 같이 대부분의 지침은 선별검사에 따른 이득과 손해를 모두 인식하면서도 선별검사를 통해 얻는 이점을 강조하고 있는 반면, United States Preventive Services Task Force (USPSTF)는 선별검사의 이점이 명확하게 정립되지 않은 상황에서 선별검사를 실시하면 여러 가지 불이익을 초래할 수 있다고 주장하였으며, 급기야 2012년에는 일반 건강검진에서 PSA 항목을 제외할 것을 권고하였다. American Urologic Association (AUA) PSA Best Practice Policy 2009에서는 과거의 진료 지침과 비교하여 두 가지의 큰 변화가 관찰되었는데, 그들 중 하나는 PSA 선별검사의 시기를 기존의 50세에서 40세로 앞당겼다는 점이고, 다른 하나는 생검의 적용 대상이 되는 PSA 농도의 분명한 절단치는 더 이상 권장되지 않는다고 명시하였다는 점이다. 또한, 전립선 생검은 PSA와 직장수지검사의 결과에만 의존해서는 안 되며, 환자의 연령, 가족력, 인종, 전체 혹은 유리 PSA, PSA 밀도, PSA 증가 속도, 전립선 생검의 과거력, 동반 질환 등 여러 인자들을 고려하는 개별적인 접근이 권장되고 있다 (Greene 등, 2009). PSA 선별검사 시점을 40세로 낮춘 데는 몇 가지 이유가 있다. 첫째, 60세 이하의 젊은 연령에서는 가족력, 인종, 심지어 직장수지검사의 소견보다 기준선 PSA 농도가 동일 연령층의 PSA 중앙치와 비교하여 높은지 여부가 예후를 예측하는 데 더 중요하다는 보고가 있다 (Loeb 등, 2006). 가령 40대의 남성에서 기준선 PSA 농도가 동일 연령층의 중앙치인 0.6~0.7 ng/mL보다 높을 경우에는 PSA의 증가 속도도 빠르고 예후도 나쁠 것임을 예상할 수 있다. 둘째, 젊은 층에서는 고령에 비해 양성전립선비대의 빈도가 낮으므로, PSA를 측정할 때 이로 인한 영향을 적게 받는다는 점이다. 셋째, 50세 이후 매년 PSA를 측정하는 것과 비교하여 40대에 기준선 PSA를 측정하고, 이후 간격을 늘려 PSA를 추적 관찰하면 PSA의 검사 횟수 및 생검의 횟수가 줄어 경제적인 면에서 뒤지지 않으며, 향후 PSA의 증가 속도를 측정할 때에도 도움이 된다 (Ross 등, 2000). 넷째, 젊은 연령층에서 발견된 전립선암은 고령에 비해 치료가 가능한 질환일 가능성이 크고, 치료한 후의 예후도 좋을 것으로 기대된다 (Smith 등, 2000). 다섯째, 조기에 시행한 PSA 검사에서 전립선암의 위험도가 높을 것으로 생각되면 화학적 예방법도 고려해 볼 수 있다는 장점이 있다. 근래 각 기관에서 권장하는 진료 지침이 도표 27에 구분하여 정리되어 있다.

도표 27 전립선암의 선별검사와 관련한 여러 종류의 지침

지침	기준선 PSA/DRE		권고
	시작 연령	검사 주기	
USPSTF 2008	권장 않음	권장 않음	PSA 선별검사가 심리적으로 위해를 줄 수 있고 그 이점이 확실하지 않다. 75세 이하 남성에서는 효과가 분명하지 않아 선별검사가 권장되지 않는다.
EAU 2009	45세	2~4년 마다	절단치는 PSA ≥2.5~3.0 ng/mL, PSAV 〉0.6 ng/mL/year
AUA 2009	40세	처음 결과 따라	하나의 PSA 한계치를 더 이상 권장하지 않으며, 위험도 평가를 개별화할 필요가 있다.
NCCN 2009	40세	매년	위험도에 근거한 선별검사 algorithm에 가족력, 인종, 연령 등을 포함할 것을 권함. 절단치는 PSA ≥2.5 ng/mL이며, PSA가 4 ng/mL 미만인 남성에서 PSAV 〉0.35 ng/mL/year이다.
ACS 2009	50세	매년	상급 위험 환자에서는 최소 10년 더 일찍 실시할 것을 권한다.
ACS 2010	50세	PSA 농도 따라	기대 여명이 10년 이상인 무증상의 남성은 선별검사를 받기 전 이에 관하여 의사로부터 충분한 정보를 얻어야 한다. 흑인, 65세 전에 전립선암으로 진단을 받은 환자를 1등급 친척 (아버지, 형제)으로 가진 남성 등과 같은 상급 위험군의 남성은 선별검사에 관한 정보를 45세 때 받아야 한다. PSA를 이용한 선별검사는 직장수지검사와 병행할 수도, 병행하지 않을 수도 있다.
AAFP 2012			전립선암에 대해 PSA 근거 선별검사를 실시하지 마라.
USPSTF 2012			전립선암에 대해 PSA 근거 선별검사를 실시하지 마라.
ACP 2013			50~69세의 남성에게 선별검사는 이점이 제한적이고 많은 유해성이 있다는 정보를 주어야 한다. 선별검사에 대해 분명한 선호를 표현하지 않는 남성에게는 실시하지 않는다. 65세를 초과하거나 기대 여명이 10~15년 미만인 남성에게는 선별검사를 실시하지 않는다.
AUA 2013			55~69세 남성에 대해서는 공유된 의사 결정이 이루어져야 한다. 상급 위험군에 속하는 40~54세의 남성에 대해서는 선별검사의 결정을 개별화하여야 한다. 40세 미만 혹은 70세 초과 혹은 기대 여명이 10~15년 미만인 남성에게는 선별검사를 실시하지 않는다.

AAFP, American Academy of Family Physicians; ACP, American College of Physicians; ACS, American Cancer Society; AUA, American Urologic Association; DRE, digital rectal examination; EAU, European Association of Urology; NCCN, National Comprehensive Cancer Network; PSA, prostate-specific antigen; PSAV, prostate-specific antigen velocity; USPSTF, United States Preventive Services Task Force.
Park과 Lee (2010) 및 Mulhem 등 (2015)의 자료를 이용.

ERSPC는 PSA 선별검사가 전립선암으로 인한 사망에 미치는 영향을 평가하기 위한 연구이며, 1990년 초에 시작되었다. Schröder 등 (2009)은 유럽 7개국에 등록된 자료를 이용하여 50~74세 남성 182,000명을 추출하여 평균 4년마다 PSA에 관한 선별검사를 받는 군과 받지 않는 대조군에 무작위로 배정한 후 전립선암에 의한 사망률을 추적 관찰하였다. 이 연구에 의하면, 선별검사 군의 경우 82%의 남성이 최소 1회 이상 선별검사를 받았는데, 평균 9년 추적 관찰하는 동안 전립선암의 누적 발생률은 선별검사 군에서 8.2%, 대조군에서 4.8%이었고, 대조군에 비해 선별검사 군의 전립선암 사망률은 0.80 (95% CI 0.65~0.98; p=0.04)이었다. 절대적 위험 차이를 산출하면 1,000명당 사망이 0.71이었다. 이는 전립선암에 의한 사망 1건을 예방하기 위해 1,410명의 남성이 선별검사를 받아야 하며 (1,410×0.71/1,000=1.1), 48명이 추가로 전립선암 치료를 받을 필요가 있음을 의미한다. 또한, 첫 회 동안 연구에 순응하지 않은 남성을 제외한 후 실제 선별검사를 받은 남성만을 대상으로 분석한 결과, 전립선암에 의한 사망률은 0.73 (95% CI 0.56~0.90)이었다. 이와 같은 결과는 PSA 선별검사가 전립선암 사망률을 20% 낮추는 이점이 있지만, 과잉 치료의 위험이 있음을 나타낸다. 유럽 8개 국가에서 55~69세의 남성을 대상으로 PSA 선별검사를 실시한 ERSPC를 이용하여 13년 동안 추적 관찰한 후속 연구는 전립선암으로 진단되어 치료를 받은 7,408명을 6,107명의 대조군과 비교하였다 (Schröder 등, 2014). 대조군과 비교하였을 때, 치료군에서 전립선암의 발견율은 9년 후 1.91(95% CI 1.83~1.99), 11년 후 1.66(95% CI 1.60~1.73), 13년 시점에서 1.57(95% CI 1.51~1.62)이었다. 전립선암으로 인한 사망률은 9년 후 0.85(95% CI 0.51~1.62), 11년 후 0.78(95% CI 0.66~0.91), 13년 시점에서 0.79(95% CI 0.66~0.91)이었다. 13년 시점에서 전립선암으로 인한 사망의 절대적 감소율은 연 1,000명당 0.11 혹은 무작위 1,000명당 1.28이었는데, 이는 선별검사를 받은 781 (95% CI 490~1,929)명당 1명의 비율로 전립선암에 의한 사망을 피할 수 있음을 의미하고, 추가로 전립선암이 발견된 27명당 1명의 비율에 해당한다. 이들 결과는 PSA 선별

검사로 인해 전립선암으로 인한 사망률이 감소되며, 절대적인 감소 효과는 9년 후와 11년 후에 비해 13년 시점에 상당하게 증가됨을 보여 준다.

그러나 PSA 선별검사는 전립선암 특이 사망률을 낮추는 이점이 있다고 보고되지만, 여러 가지 고려해야 할 사항을 가지고 있다. ERSPC의 자료를 이용한 위의 연구 결과를 다른 측면에서 기술하면, 전립선암으로 인한 사망의 절대적 감소율이 1,000명당 1.28이라 함은 이를 위해 781명이 선별검사를 받을 필요가 있으며, 1명의 사망을 방지하기 위해 추가로 27명의 전립선암이 진단을 받고 치료를 받아야 한다 (Schröder 등, 2009). 또한, 55~74세의 미국인 76,693명을 대상을 선별검사를 실시한 PLCO 연구에 의하면, 모든 참여자 혹은 연령, 동반 질환, 연구 전 선별검사 등에 따른 소그룹에서 13동안의 추적 관찰 후 전립선암 특이 사망률의 차이가 발견되지 않았다 (Andriole 등, 2009). 더군다나 PSA 선별검사는 과잉 진단과 과잉 치료, 불필요한 생검에 따른 이환율, 이와 관련한 삶의 질 문제, 비용 대비 효과 문제 등과 같은 문제점을 가지고 있다. 이와 관련하여 여러 학회가 주장하는 정보를 담은 Choosing Wisely Campaign (http://www.choosingwisely.org)에는 다음과 같은 보고가 기술되어 있다 (Mulhem 등, 2015). 첫째, PSA 혹은 직장수지검사를 이용하여 관례적으로 전립선암에 대한 선별검사를 시행하지 마라 (American Academy of Family Physicians). 둘째, 전립선암에 대해 PSA에 근거한 선별검사를 관례적으로 실시하지 마라 (American College of Preventive Medicine). 셋째, 환자의 기대 여명, 검사의 위험, 과잉 진단 및 과잉 치료 등을 고려하지 않고 전립선암에 대해 PSA를 이용한 선별검사를 권하지 마라 (American Geriatrics Society). 넷째, 기대 여명이 10년 미만이고 증상이 없는 남성에게 PSA를 이용한 전립선암 선별검사를 실시하지 마라 (American Society of Clinical Oncology). 다섯째, 환자와 의사 사이에 공유된 의사 결정이 이루어진 후에서만 PSA를 이용한 전립선암 선별검사를 실시하라 (American Urological Association).

2012년부터 2014년까지 보고된 전립선암 선별검사에 관한 자료를 요약하면 다음과 같다 (Loeb, 2014). USPSTF는 예방적 건강 관리에 관하여 권고 사항을 만드는 건강 전문가의 단체이다 (Moyer, 2012). 이 단체는 2008년에 75세 이상의 남성에 대한 PSA 선별검사를 반대하였는데, 그 당시에는 75세 미만의 남성에게 PSA 선별검사를 권하였지만 증거가 충분하지

않다고 생각하였다. 2012년에는 USPSTF가 문헌을 검토한 후 모든 연령에서 전립선암 선별검사를 반대하는 등급 D의 권고 사항을 제시하였다. 이는 1,000명이 선별검사를 받았을 때 단지 1명 미만이 전립선암으로 사망하였지만 치료로 인하여 30~40명이 요실금 혹은 발기 기능 장애를 가졌으며, 2명은 심각한 심혈관 사건을 가졌고 1명은 정맥 혈전증을 가졌다는 연구 결과에 이론적 근거를 두었다. 그러나 이 권고에 관하여 많은 논쟁거리가 보고되고 있다. 예를 들면, AUA는 아프리카계 미국인, 전립선암의 가족력을 가진 남성 등과 같이 특히 위험군에 속해 있는 남성들에서도 PSA 선별검사를 매도하는 USPSTF의 권고는 부적절하고 무책임하다고 하면서 USPSTF는 유해한 점을 과장하고 PSA 선별검사의 이점을 과소 평가한다고 하였다. 실제로 미국에서는 USPSTF의 권고 이후 PSA 선별검사를 받는 비율이 낮아지고 있다 (Cohn 등, 2014).

USPSTF의 권고가 문제되었을 때, AUA는 이미 Institute of Medicine의 체계를 이용하여 전립선암 선별검사 및 조기 발견에 관한 AUA 자신의 지침을 변경하고 있었다. 특별히 AUA는 1995년부터 2013년까지 발표된 문헌의 검토를 독립된 단체에 위임하였다. 문헌을 검토한 결과는 Recommendations, Standards and Options에 이용되었고, 증거에 근거하여 A부터 C까지 등급이 매겨졌다. 새로운 지침이 2013년 5월에 쟁점이 되었으며, 특별히 의도적으로 비뇨기과 의사가 이용하도록 제정되었다. 첫째, AUA는 40세 미만의 남성에서는 전립선암의 유병률이 낮고 선별검사로 인한 유해성이 있을 수 있기 때문에 PSA 선별검사를 권하지 않는다 (증거 등급 C). AUA는 또한 40~54세의 남성으로서 위험도가 보통 수준인 경우에는 관례적인 선별검사를 권하지 않았다 (증거 등급 C). 그러나 AUA는 55세 미만이더라도 가족력이 있거나 아프리카계 미국인과 같이 상급 위험의 남성에게는 차별화된 결정을 권하였다. 한편, AUA는 55~69세의 남성에게는 선별검사에 관하여 의사와 환자가 공유된 의사 결정을 가지도록 권하였다 (증거 등급 B). 다른 연구도 손해보다 이득이 많은 표적 연령군, 즉 55~69세의 남성을 대상으로 관례적인 선별검사를 실시할 것을 권하였다 (Carter 등, 2013). 이 그룹은 선별검사로 인한 이점이 크다는 증거가 있지만, 유해의 가능성은 있다. 이러한 이유 때문에 AUA는 이점, 위험, 불확실성, 환자가 추구하는 가치 및 선호 등에 관하여 환자와 의사가 충분하게 상담할 것을 강조하였다. 한편으로 AUA는 건강 박람회 (무료 건강 검진)의 일부로써 혹은 환자와 의사 사이에 공유된 결정이 없는 상

태에서 PSA 선별검사를 실시하는 것을 반대하였다. AUA는 불이익을 감소시키기 위해 관례적인 선별검사를 매년 실시하기보다 2년 이상의 간격을 가질 것을 권하였지만 (증거 등급 C), 선별검사를 실시하는 간격을 정하는 데는 PSA의 기저선 농도가 도움이 된다고 하였다. AUA는 또한 70세 이상의 남성 혹은 기대 여명이 10~15년 미만인 남성에서의 관례적 PSA 선별검사를 반대하면서도 (증거 등급 C), 70세를 초과한 일부 남성이 건강 상태가 우수하면 선별검사로 인한 이점이 있을 수 있다고 하였다. AUA의 지침에는 포함되어 있지 않지만, 전립선암을 조기에 발견하는 프로그램을 최적화하기 위해서는 위험도가 낮은 질환에 대한 과잉 치료를 최소화함과 아울러 전립선암을 조기에 발견하고 위험도가 높은 질환을 공격적으로 관리함으로써 전립선암으로 인한 사망률을 감소시키는 최선의 방법이 앞으로 연구되어야 할 것이다 (Cooperberg, 2014). PSA의 한계를 극복하기 위한 방법으로는 민감도를 높이기 위한 PSAV 측정, 젊은 연령층에서 PSA 절단치를 낮추는 방법 등을 고려할 수 있고, 특이도를 높이기 위해서는 고령층에서 PSA 절단치를 높이는 방법, %fPSA, PSA 밀도, proenzyme PSA (proPSA), prostate cancer antigen 3 (PCA3) 등의 측정 등을 고려할 수 있다.

American College of Physicians (ACP)는 2013년 5월에 National Guideline Clearinghouse의 지침에 관한 평가를 근거로 전립선암 선별검사에 관한 새로운 지침을 발표하였다 (Qaseem 등, 2013). ACP는 50~69세의 남성에게 전립선암에 대한 선별검사가 이익은 제한적이고 불이익은 상당하다는 정보를 환자에게 제공할 것을 권하였다. 선별검사의 수용 결정은 환자가 가진 위험 인자, 기대 여명, 전반적 건강 상태 등을 고려하여 이익과 불이익에 관한 충분한 상담이 이루어진 후 환자의 선호에 근거하여야 한다. 한편, ACP는 50세 미만과 69세 초과의 남성 혹은 기대 여명이 10~15년 미만인 남성에 대한 선별검사를 반대하였다. AUA와 마찬가지로 ACP도 유리형 PSA, PSA 밀도, PSA 증가 속도 등과 같은 부속 PSA의 측정에 관하여 언급이 없으며, 선별검사의 임상 시험에서 평가되지도 않았다.

European Association of Urology (EAU)는 1990년부터 2013년까지 발표된 문헌을 독립적으로 검토한 후 전립선암 선별검사에 관한 EAU의 지침을 변경하였다 (Heidenreich 등, 2013). 첫째, EAU는 ERSPC와 Goteborg 무작위 배정, 모집단 근거 선별검사 연구에 근거하여 PSA 선별검사가 전립선암으로 인한 사망을 감소시킨다고 하였다. 둘째, EAU는 선별검사가 연구의 추적 관찰 기간 동안 진행된 질환으로 진단되거나 발달하는 위험을 감소시켰다고 하였다. AUA와 달리 EAU는 40~45세에 PSA의 기저선 농도를 측정할 것을 권하였는데, 이러한 측정치는 향후 치명적인 질환의 위험을 예측할 수 있기 때문이다 (Vickers 등, 2013). EAU는 또한 선별검사와 선별검사 사이의 간격을 결정하는 데 PSA의 기저선 농도를 이용할 것을 권하였다. 예를 들면, EAU는 기저선 PSA 농도가 1 ng/mL를 초과한 경우에는 선별검사의 간격을 2~4년으로 제시하였고, PSA의 기저선 농도가 더 낮은 경우에는 선별검사의 간격을 8년까지도 연장할 수 있다고 하였다. EAU는 생활 연령 (chronological age)과는 관계없이 기대 여명이 10년 이상인 남성에게 PSA 선별검사를 실시할 것을 권하였다. 마지막으로 EAU 지침은 다수의 변수에 따른 접근을 환자와 의사 사이에서 의견이 결정되는 과정으로 통합할 것을 권하였다. PSA가 전립선암의 위험을 평가하는 가장 중요한 지표이긴 하지만, 인종, 가족력 등과 같은 다른 위험 인자도 고려되어야 한다. EAU는 전립선암의 위험을 다수의 가변 인자를 이용하여 산출하는 계산법의 활용을 강조하였다.

위에서 기술된 바와 같이 다수의 상충되는 권고를 고려하여 환자와 의사에게 공감되는 분명한 권고를 제공하기 위해 2013년 8월 Prostate Cancer World Congress가 국제적인 전문가들을 소집하였다 (Murphy 등, 2014). 첫 번째의 합의는 수준 1의 증거가 50~69세의 남성에서 전이 질환과 전립선암으로 인한 사망의 감소를 보여 주었다는 것이다. 이는 55세에 시작한 ERSPC (Schröder 등, 2012)와 50세에 시작한 Goteborg의 무작위 배정 시험 (Hugosson 등, 2010)에 근거한다. 이에 부응하여 Melbourne Consensus Statement는 이 연령에 속하는 건강한 남성이 의사와의 상담을 통해 전립선암 선별검사의 긍정적인 측면과 부정적인 측면에 관한 정보를 얻기를 권하였으며, 전립선암의 진단을 전립선암 치료와 결부시키지 말 것을 강조하였다. 선별검사의 중요성은 상급 위험의 전립선암을 발견하는 데 있으며, 저급 위험의 전립선암은 공격적인 치료를 필요로 하지 않는다. EAU의 지침과 마찬가지로 Melbourne Consensus Statement는 전립선암을 발견하기 위해서는 PSA 선별검사에서 PSA 외에도 다수의 가변 인자를 포함시킬 것과 향후 전립선암의 위험과 전립선암의 공격적인 형태를 예측하기 위해 40대 연령의 남성에서 PSA의 기저선 농도를 측정할 것을 권하였다. Melbourne Consensus Statement는 기대 여명이 10년을 초과하는 고령의 남성은 생활 연령에 근거한 PSA 선별검사를 거부하지 말 것을 권하였다.

위에서 기술된 권고 지침을 요약하면 다음과 같다 (Loeb, 2014). 첫째, 무작위 배정 시험은 PSA 선별검사가 전이 전립선암과 암 특이 사망을 감소시킴을 보여 주었다. 둘째, USPSTF는 PSA 선별검사를 반대하는 데 비해 대부분의 다른 전문가 단체는 의사와 환자가 상담을 통해 공감하는 PSA 선별검사를 권하였다. 셋째, 기대 여명이 10년 미만인 남성에서는 PSA 선별검사가 중단되어야 한다. 넷째, 현재의 여러 지침은 위험 분류를 위해 40대 남성에서 PSA의 기저선 농도를 측정할 것을 권한다. 다섯째, 일부 지침은 임상적인 결정을 내리기 전에 PSA 외에 다수의 위험 인자를 고려한 선별검사를 권한다.

추가로, 2010년 일본 비뇨기과학회에서 발표한 선별검사의 지침인 Committee for Establishment of the Guidelines on Screening for Prostate Cancer를 소개하고자 한다.

이상적인 선별검사 시스템 지역 주민을 대상으로 실시하는 전립선암 선별검사 중 PSA를 이용한 선별검사의 대상은 일반적으로는 50세 이상의 남성이며, 가족력이 있는 경우는 40세 이상이다. 일본비뇨기과학회는 일본에서 시행하는 정기적인 건강 검진 사업인 'Ningen dock'와 같이 개인에 기초한 전립선암 선별검사의 경우는 40세에 기준선 PSA를 측정할 것을 권장한다. 40세에 기준선 PSA를 점검하는 것은 암을 발견하기 위해서라기보다 일본에서 전립선암의 약 0.1%가 발견되는 50대 초에 임상적으로 중대한 전립선암을 놓칠 가능성을 최소화하기 위함이다. 또한, 40세부터 PSA를 점검하던 남성이 전립선암으로 진단된 경우 이러한 개인별 PSA 정보를 통해 향후 전립선암의 공격성을 보다 조기에 인지할 수 있어 적절한 치료를 선택하는 데 도움이 된다 (D'Amico 등, 2005).

일본은 전체 국민을 대상으로 실시한 전립선암 선별검사에서 기본이 되는 건강 검진과 함께 직장수지검사 여부와 관계없이 PSA를 측정한다. PSA 선별검사의 이점과 단점을 포함하는 사실 보고서를 선별검사를 시행하기 전에 피검자에게 전달한다.

생검의 대상이 되는 PSA 절단치는 4.0 ng/mL로 권장된다. 생검을 실시하는 또 다른 절단치는 연령에 따른 참고치인데, 50~64세, 65~69세, 70세 이상에서 각각 3.0, 3.5, 4.0 ng/mL이다 (Ito 등, 2000).

선별검사의 적절한 주기는 아직 확정되어 있지 않다. 전립선암이 발생할 위험은 기준선 PSA 농도와 밀접하게 관련이 있기 때문에, 선별검사의 주기는 기준선 PSA 농도에 따라 설정하는 것이 바람직하다. 예를 들면, 기준선 PSA 농도가 1.0 ng/mL 미만이면 매 3년마다, 기준선 PSA 농도가 1.0 ng/mL와 절단치 사이이면 연 1회 선별검사를 실시한다 (Ito 등, 2004).

전립선 생검은 경직장초음파촬영술과 함께 시행된다. 적절한 생검 cores의 개수에 관하여 아직 결정된 바는 없으나, 최소 6개 cores로 한다. 근래 들어 전립선의 생검 cores를 다수로 늘리자는 견해가 일반적이기 때문에, 12개 cores와 같은 다수의 생검 cores는 선택 사항으로 정하고 있다.

일본에서는 기대 여명이 약 10년이 되는 연령인 78세 근방에서 PSA 검사를 받는 비율은 0.1%로 매우 낮다. 따라서 PSA 선별검사 대상자의 상한 연령을 제한하지는 않지만, 기대 여명이 약 10년이 되는 연령까지 선별검사를 자주 받았고 PSA의 농도가 낮은 남성에게는 더 이상 지속적인 PSA 선별검사를 권장하지 않는다.

전립선암 선별검사의 장점과 단점 전립선암 선별검사를 받는 경우 다음과 같은 장점을 가질 수 있다. 첫째, 전이 전립선암의 유병률이 낮다. 둘째, ERSPC 연구 자료에 의하면, 전립선암으로 인한 사망률이 분명히 감소된다. 셋째, 초기 병기의 전립선암으로 진단될 확률이 높으며, 그러한 경우 연령, 종양의 분화도, PSA 농도, 임상 병기, 사회 활동, 경제 사정, 환자의 선호 등에 따라 근치전립선절제술, 체외 방사선 요법, 근접 방사선 요법, 호르몬 요법, 적극적인 감시 등 다양한 치료 전략이 권해질 수 있다. 넷째, 임상적으로 중대한 전립선암을 놓칠 위험이 적다.

전립선암 선별검사를 받는 경우 다음과 같은 단점을 가질 수 있다. 첫째, 임상적으로 중대하지 않은 암이 발견될 확률이 높다. 일본인을 대상으로 적극적인 감시 및 대기 요법을 실시한 전향 연구에 의하면, 선별검사로 발견된 전립선암이 임상적으로 중요하지 않은 암일 확률은 약 10%이다. 둘째, 과잉 치료를 할 수 있다. 그러나 과잉 치료는 적극적 감시 방법이 정립될 때까지는 감소하지 않을 것이다. 셋째, 드물지만 PSA 선별검사로는 PSA를 분비하지 않는 매우 고등급 분화도의 전립선암을 놓칠 수 있다. 넷째, PSA 농도가 절단치 이상인 남성의 60~80%가 불필요한 생검을 받을 수 있지만, PSA 농도가 증가할수록 불필요한 생검을 받을 확률은 떨어진다. 다섯째, 일본 비뇨기과학회의 조사에 의하면, 생검을 받은 남성의 약 15%가 고열, 직장 출혈, 혈뇨, 혈정액 등과 같은 합병증을 가진다 (Kakehi 등, 2008). 38℃ 이상의 고열을 나타내는 경우는 1.1%로 드물며, 패혈성 쇼크와 같은 심각한 합병증은 0.07%로 매우 드물다. 가장 심한 합병증인 전립선 생검으로 인한 사망은 극히 드물어 0.0005%이다. 여섯째, 수술, 방사선 요법, 안드로겐 박탈 요법 등의 결과로 요실금, 발기 장애, 직장 출혈, 성욕 감퇴, 빈혈 등이 발생하여 삶의 질이 떨어질 수 있다.

전립선암 선별검사의 단점을 줄이는 방법 첫째, 조직학적으로 미분화 양상을 보이고 PSA의 생성이 감소된 임상적으로 중대한 전립선암을 놓치지 않기 위해서는 어떤 특별한 배뇨 증상으로 내원한 환자에게 직장수지검사 및 경직장초음파 촬영술을 시행해야 한다. 둘째, 전립선 생검 후의 심각한 합병증을 방지하려면 급성 혹은 복합적인 요로 감염을 가진 남성의 경우에는 치유될 때까지 전립선 생검을 연기해야 한다. 셋째, 첫 전립선 생검에서 작은 전립선암을 놓친 남성이 진행된 병기의 전립선암으로 진행하는 위험을 줄이기 위해서는 이전 생검의 결과가 음성이더라도 PSA를 연속하여 측정할 필요가 있다. 추적 관찰하는 동안 PSA 검사로 전립선암이 진단되면 대부분이 치유 가능한 병기의 전립선암일 가능성이 높다. 넷째, 특히 20~40%로 비교적 낮은 전립선암 발생률을 보이는 PSA 10 ng/mL 미만의 남성에서 적절한 생검 대상자를 찾기 위해서는 노모그램, PSA 관련 지표, 자기공명영상 등이 이용될 수 있다. 다섯째, 선별검사를 받고자 하는 남성에게 이상적인 선별검사 시스템을 제공하기 위해서는 임상적으로 중대한 암의 과소 발견, 임상적으로 중요하지 않은 암의 과다 발견, 과잉 치료, 진단적 시술 및 치료로 인한 삶의 질 저하 등을 피해야 한다. 선별검사 시스템을 진행하면서 적절한 대상자에게 선별검사 제공, 기대 여명에 따른 PSA 절단치 설정, 유용한 PSA 관련 지표 혹은 전립선암 발견 가능성을 추정하는 노모그램을 이용한 전립선 생검 대상자의 선정, 개인에 적합한 전립선 생검, 맞춤식 치료 전략 등에 관한 연구가 이루어져야 한다. 여섯째, 적극적인 감시에 근거한 대기 요법의 적절한 대상자 및 추적 관찰 스케줄에 관한 연구가 진행 중에 있다. 적극적인 감시로 치료할 경우에는 치유될 적절한 타이밍을 놓칠 수 있다. 그러나 일부 연구는 적극적인 감시로 성공적인 결과를 보고하고 있고, 임상적으로 중대하지 않은 전립선암을 추정할 수 있는 노모그램이 연구 중에 있어, 조만간에 임상적으로 수용되는 치료에 적극적인 감시 방법이 포함되리라고 생각된다. 일곱째, 암을 조절할 목적으로 적절한 치료를 받고 있

는 남성은 치료 동안 혹은 후에 삶의 질이 떨어질 수 있다. 최소한으로 침습적이면서도 효과적인 치료는 선별검사 자체의 결점을 낮출 수 있다.

선별검사를 받지 않는 남성의 장점 첫째, 일본에서 선별검사로 발견되는 모든 전립선암의 10%로 추산되는 임상적으로 중대하지 않은 전립선암을 과다 발견하거나, 이로써 과잉 진료할 위험이 현저하게 떨어진다. 둘째, 불필요한 생검을 실시할 위험이 적다. 셋째, 전립선암을 가지고 있다는 불안감을 가지는 경우가 적어지고, 특히 PSA 위양성의 결과로 인한 불안감이 방지될 수 있다.

선별검사를 받지 않는 남성의 단점 첫째, ERSPC 연구에서 나타난 결과처럼, 전립선암으로 인한 사망률을 감소시킬 기회가 놓치게 된다. 둘째, 초기 병기이면서도 임상적으로 중대한 전립선암을 발견하지 못할 위험이 증가되며, 진단 때에는 전이 전립선암 혹은 진행된 전립선암으로 발견될 위험이 증가한다. 진행된 병기의 전립선암으로 발견된 남성의 예후는 나쁘다.

1.4. 전립선암의 발견에서 전립선 특이 항원의 민감도
Sensitivity of PSA for detection of clinically relevant prostate cancer

생검을 통해 발견되는 전립선암의 20~25%만이 PSA의 절단치 3~4 ng/mL를 이용한 1회 선별검사에 의해 발견된다. 따라서 생검으로 발견이 가능한 전립선암의 70~75%는 잠재하여 있는 상태이다. 잠재 암이 임상적으로 관련성이 있는지는 분명하지 않기 때문에, 전립선암이 환자가 살아있는 동안 발달할 것인지를 예측하는 PSA의 민감도를 측정한다는 것은 중요하다. 선별검사에서 50~70세 남성의 8~12%가 2.5~4.0 ng/mL 이상의 PSA 농도를 가지며, 이들 중 20~30%에서 생검으로 전립선암이 발견된다 (Schröder 등, 2001; Hugosson 등, 2004). 발견율은 선별검사를 반복할수록 높아진다. 7년에 걸친 전립선암 진단의 누적 위험도는 처음 PSA 농도가 3~4, 4~7, 7~10, 10 이상 ng/mL인 경우 각각 33%, 39%, 50%, 77%이었다 (Hugosson 등, 2004). 따라서 혈청 PSA의 농도가 증가한 경우는 향후 전립선암이 발생할 가능성을 강하게 시사한다.

민감도의 또 다른 추정치는 선별검사 프로그램에서 발견된 구간 암 (interval cancer), 즉 선별검사의 회차와 회차 사이에서 진단된 암의 빈도를 계산함으로 얻어질 수 있다. 4년 간격의 선별검사에서 절단치 4 ng/mL인 PSA의 민감도는 Finnish Randomised Prostate Cancer Screening Trial에서 90% 이상 (Auvinen 등, 2004), ERSPC 중 네덜란드 부분에서는 86% (van der Cruijsen-Koeter 등, 2003)이었다. 따라서 선별검사를 시작한 후 4년 내에 진단된 거의 모든 전립선암은 첫 선별검사에서 증가된 PSA 농도에 의해 확인되었다고 할 수 있다.

혈청 은행 연구는 장기간 추적 관찰하였을 때 임상적 전립선암이 발생할 가능성이 있는 남성을 확인하는 데 PSA가 유익한 역할을 함을 보여 준다. 21,000명을 대상으로 20년 동안 추적 관찰한 연구에서, 전립선암을 발견하는 데 대한 민감도와 특이도는 PSA의 절단치를 4 ng/mL으로 설정한 경우 각각 44%, 94%이었다 (Hakama 등, 2001). 처음 측정 당시 연령이 65세 미만인 남성에서는 민감도와 특이도가 각각 93%, 96%로 훨씬 더 높았으며, 5년 내에 발견된 전립선암에 대해 100%의 민감도를 나타내었다. 연구를 위한 표본은 1968~1976년에 채집되었으며, 추적 관찰은 1991년까지, 즉 PSA 시대 전까지 이루어졌다. 따라서 그러한 결과는 기획된 선별검사에 의해 우연히 발견된 암이라기보다 임상적으로 질환이 발생하였음을 의미한다. 장기간 추적 관찰한 다른 연구에 의하면, PSA 농도가 1 ng/mL 미만인 참고군과 비교한 전립선암 발생의 상대적 위험도는 PSA 농도가 높을수록 증가하였으며, PSA 농도가 4~10 ng/mL인 경우에는 20~40배, 10 ng/mL 이상인 경우에는 100배 이상 증가하였다 (Gann 등, 1995; Antenor 등, 2004). 이들 결과는 일생 동안 임상적인 전립선암이 발생할 남성을 확인하는 데 PSA가 매우 민감한 표지자임을 보여 준다.

1.5. 전립선 특이 항원 농도와 전립선암 위험도
Association of PSA level with risk of prostate cancer

혈청 PSA의 검사는 전립선암을 의심하여 전립선 생검을 실시할 것인지를 결정하는 데 이용된다. 이러한 경우 절단치보다 높은 PSA 농도를 가진 남성들에 대해서는 전립선암 존재 유무를 조사하게 되지만, PSA 농도가 절단치보다 낮은 경우에는 전립선암의 존재 여부를 예측할 수 없다. 그러나 PSA 농도가 전립선 생검을 결정하는 절단치보다 낮은 경우에도 전립선암이 존재하기 때문에 (도표 28), 전립선암의 위험도를 분류하는 것은 중요한 의미를 갖는다. 즉, PSA 농도에 따른 전립선암의 향후 위험도를 분석하여 보면, 선별검사를 유도하여 개인별로 추후 대책을 수립하는 데 도움이 될 수 있을 것이다.

ERSPC는 유럽 8개 국가에서 PSA를 근거로 하여 전립선

도표 28 낮은 농도의 혈청 PSA와 전립선암 발생 위험

PSA 농도, ng/mL	전립선암 발생 위험률, %
0.0~0.5	6.6
0.6~1.0	10.1
1.1~2.0	17.0
2.1~3.0	23.9
3.1~4.0	26.9

이 자료는 위약군에 속한 정상 PSA 농도를 가진 2,950명을 대상으로 실시된 미국의 Thompson 등 (2004)의 예방 연구에서 요약되었다.

PSA, prostate-specific antigen.

Heidenreich 등 (2014)의 자료를 수정 인용.

암 선별검사를 받은 남성들과 대조군을 비교한 무작위, 모집단 근거 연구이다. 1993년 11월 연구 시작 당시 55~74세이었던 남성에서 혈청 PSA, 직장수지검사, 경직장초음파촬영 등을 시행하여 직장수지검사나 경직장초음파촬영에서 전립선암이 의심되거나 PSA가 4.0 ng/mL 이상인 경우에 전립선 생검을 실시하였으며, 1997년 5월부터는 전립선 생검의 기준이 변경되어 PSA 수치가 3.0 ng/mL 이상인 경우에 전립선 생검을 실시하였고 이와 같은 기준은 4년 후 2차 선별검사에서도 적용되었다. Schröder 등 (2009)은 ERSPC의 네덜란드 섹션에서 전립선암 선별검사에 참여하여 1차 및 2차 선별검사를 받은 74세까지의 남성 (1차 선별검사에서 55~70세이었던 남성)을 대상으로 연구하였다. 총 5,176명 중 1차 선별검사에서 전립선 생검을 받은 남성을 제외한 3,501명에서 760회의 생검이 실시되었는데, 178명의 전립선암 환자가 발견되었고 4년 위험도는 5.1%이었으며, 이는 1차 선별검사에서 모집단의 평균 PSA 농도 1.5 ng/mL와 관련이 있었다. 1차 선별검사 때의 예측 인자로 2차 선별검사 때 생검에서 전립선암이 발견될 odds ratio (OR)를 알아보기 위해 다변량 분석을 시행한 결과, PSA의 log 증가는 매우 유의한 인자로 OR이 33.413이었으며, PSA 농도가 1.5 ng/mL 이상인 경우가 1.5 ng/mL 미만인 경우에 비해 OR 7.466으로 위험도가 높았다.

Physicians' Health Study (PHS)에서는 혈청 PSA가 2.0~3.0 ng/mL인 경우가 1.0 ng/mL 미만인 경우에 비해 10년 후 전립선암으로 진단을 받을 비교 위험도 (relative risk, RR)가 5.5이었다 (Gann 등, 1995). Baltimore Longitudinal Study of Aging (BLSA)에서 20~30년 후의 전립선암 위험도가 평가되었는데, 혈청 PSA가 0.6 ng/mL 이상인 경우가 0.6 ng/mL 미만인 경우에 비해 전립선암이 발생할 비교 위험도가 3.6이었고,

50~59세 남성에서는 혈청 PSA가 0.71 ng/mL 이상인 경우가 0.71 ng/mL 미만인 경우에 비해 전립선암 발생의 비교 위험도가 3.5이었다 (Fang 등, 2001). Malmö Preventive Medicine Study에서는 혈청 PSA가 1.01~2.00 ng/mL인 경우가 0.5 ng/mL 이하인 경우에 비해 향후 전립선암이 발생할 위험도가 OR 7.02로 더 높았다 (Lilja 등, 2007). 진단 당시의 임상 병기가 T3 이상이거나 골 전이가 있는 진행성 암에 대한 예측이 가능한지를 평가한 연구에서, 향후 25년 내에 진행성 암으로 진단될 위험은 혈청 PSA가 0.5 ng/mL 이하인 경우에 비해 1.01~2.00 ng/mL인 경우에는 OR이 7.25, 2.01~3.00 ng/mL인 경우에는 OR이 21.5로 높았다 (Ulmert 등, 2008).

PCPT의 자료를 이용한 다변량 분석에 의하면, 전립선암 위험의 증가와 통계적으로 유의하게 관련이 있는 가변 인자로는 log(PSA)의 증가 (OR 2.34, 95% CI 2.13~2.56; $p < 0.001$), 가족력 (OR 1.31, 95% CI 1.11~1.55; $p = 0.002$), 비정상적인 직장수지검사 (OR 2.47, 95% CI 2.03~3.01; $p < 0.001$) 등이 있었으며, 전립선암 위험의 감소와 관련이 있는 인자로는 1회 이상의 생검에서 음성 결과 (OR 0.64, 95% CI 0.53~0.78; $p < 0.001$)가 있었다 (Thompson 등, 2006). 다른 인자에 대한 평가가 없는 경우에는 PSAV가 증가 속도의 단위 증가 당 전립선암 위험이 약 6배 증가하는 연관성을 보였지만 (OR 5.65, 95% CI 4.13~7.74; $p < 0.001$), 위에 기술된 통계적으로 유의한 인자가 예측 모델에 포함된 경우에는 전립선암 위험과 유의한 연관성을 나타내지 못하였다 (OR 1.18, 95% CI 0.82~1.69; $p = 0.38$). 즉, 전립선암의 위험을 예측하는 모델에서 PSAV는 PSA 농도, 전립선암의 가족력, 직장수지검사의 결과, 이전 생검의 결과 등으로부터 얻은 정보 이상을 제공하지 못한다 (Thompson 등, 2006).

따라서 PSA는 전립선암의 진단 표지자로 활용되는 것 외에 전립선암의 향후 위험도를 예측하는 데에도 유익하게 이용될 수 있다. 전립선암의 향후 위험도가 높은 남성은 낮은 남성에 비해 더 자주 세심한 추적 관찰을 받아야 하며, 향후에 전립선암의 예방 전략이 밝혀질 경우에는 이러한 예방법으로 도움을 받을 수 있는 남성을 선별하는 데에도 PSA가 도움이 될 수 있을 것으로 생각된다. 치료 전에 환자로부터 얻은 정보를 이용하여 치료 후의 결과를 예측하는 것은 치료를 마친 후에 나타난 결과를 통해 예측하는 것과는 또 다른 의미를 가진다. 즉, 예후를 예측할 수 있다면 임상적 의미가 작은 암에서 불필요한 치료를 피할 수 있는 한편, 국소적 치료만으로는 치

도표 29 여러 지침에서 사용되는 저급 위험 전립선암의 분류법

NCCN Clinical Practice Guidelines in Oncology V.3.2010
 Insignificant prostate cancer by Epstein criteria
 Very low risk prostate cancer
  · T1c
  · Gleason score ≤6
  · Fewer than 3 biopsy core positive, ≤50% cancer in each core
  · PSA density ⟨0.15 ng/mL/cc
 Low risk prostate cancer
  · T1~T2
  · Gleason score 2~6
  · PSA ⟨10 ng/mL

EAU Guidelines, 2010
 Low-risk, localized prostate cancer
  · T1~T2a
  · Gleason score 2~6
  · PSA ⟨10 ng/mL

AUA Guideline, 2007 (Reviewed and confirmed validity 2009)
 Low risk prostate cancer
  · T1c or T2a
  · Gleason score ≤6
  · PSA ≤10 ng/mL

전이되지 않은 국소 전립선암을 가진 환자는 PSA, Gleason 점수, 임상 병기에 따라 전립선암 사망률에 대한 위험도는 일반적으로 저급 위험, 중급 위험, 상급 위험으로 분류될 수 있다: 저급 위험-PSA ⟨10 ng/mL, Gleason 점수 ≤6, 및 임상 병기 ≤T2a; 중급 위험-PSA 10~20 ng/mL, Gleason 점수 7, 혹은 임상 병기 T2b/c; 상급 위험-PSA ⟩20 ng/mL, Gleason 점수 ≥7 (혹은 8), 혹은 임상 병기 ≥T3.
AUA, American Urology Association; EAU, European Association of Urology; NCCN, National Comprehensive Cancer Network; PSA, prostate specific antigen.

료 효과가 약한 환자에서는 병합 요법을 미리 고려할 수 있다. 이러한 의미에서 '저급 위험 (low-risk)'의 의미는 임상적으로 의미가 크지 않음을 지칭하며, 이러한 암을 '중대하지 않은 (insignificant)' 혹은 '활동성이 약한 (indolent)' 암이라고 부르고 있다. 여러 지침에서 이용되는 저급 위험 전립선암의 분류법은 도표 29에 정리되어 있으며, 각 위험 정도에 따라 권장되는 치료법은 도표 30에 요약되어 있다.

1.6. 전립선 특이 항원의 농도에 영향을 주는 조작 및 기타 인자들
Effect of prostatic manipulation on PSA level

1987년 이래 PSA는 전립선암 관리의 모든 측면, 즉 선별검사, 진단, 병기의 결정, 치료에 대한 반응, 치료 실패의 확인 등에 이용되는 등 전립선암에 대한 연구와 관리에서 중요한 역할을 담당하고 있다. 전술한 바와 같이 PSA의 반감기는 2~3

도표 30 전립선암 위험도 분류에 따른 치료 방법

위험도	PSA, ng/mL	임상 병기	Gleason 점수	생검 (+) 소견	기대 여명, 년	권장 치료
저급 위험	<10	T1a 혹은 T1c	2~5	한쪽 혹은 core의 50% 미만 분포	0~5	AM, HT
					5~10	AM, RT, HT, 기타
					>10	RP, RT, AM, 기타
중급 위험[†]	<10	T1b 혹은 T2a	6 혹은 3+4=7	양쪽	0~5	AM, HT, RT, 기타
					5~10	RT, HT, RP, 기타
					>10	RP, RT, HT, 기타
상급 위험[†]	10~20	T2b 혹은 T3	4+3=7	Core의 50% 이상 분포 혹은 신경 주위 침범 혹은 관 분화	0~5	AM, RT, 기타
					5~10	RT, HT, RP, 기타
					>10	RT, RP+RT+HT, HT
최고 위험[†]	>20	T4	8~10	림프관 침범 혹은 신경내분비 분화	0~5	AM, RT, 기타
					5~10	HT, RT+HT, ST
					>10	RT+HT, RP+RT+HT, HT, ST, IT

[†], 만일 림프절 침범 확률이 20%를 초과하였을 때 치료는 AM, HT, ST+HT.

AM, active monitoring; HT, hormone therapy; IT, investigational multimodal therapy; PSA, prostate-specific antigen; RP, radical prostatectomy; RT, radiation therapy; ST, systemic therapy.

Campbell-Walsh Urology 9판의 자료를 수정 인용.

일이라고 보고된 것처럼 PSA는 저분자량임에도 다소 긴 반감기를 가지고 있다. 반감기가 길기 때문에 PSA를 증가시키는 여러 시술, 예를 들면 전립선 생검, 전립선에 대한 수기 조작, 경직장초음파촬영술 등의 진단적 시술, 여러 가지 치료 등을 시행한 후에는 혈청 PSA가 기준선으로 돌아올 때까지 대개 2~3주 기다렸다가 혈청 PSA를 재측정하는 것이 바람직하다 (Oesterling, 1991). 특히, 근치전립선절제술을 받은 환자에서는 중요한데, 전립선을 완전하게 절제하였다 하더라도 수술 후 수주까지 PSA가 혈청에서 발견된다 (도표 31).

혈청 PSA의 증가는 전립선의 정상 세포 구조물이 파괴됨으로 인해 전립선 조직의 기저층 (basal layer)과 기저막 (basement membrane)으로 된 장벽이 붕괴됨으로써 PSA가 전립선 조직 내로 확산되어 들어가 혈중으로의 유입이 많아지기 때문이다. 이것은 전립선암, 양성전립선비대, 전립선염 등과 같은 전립선 질환이 발생한 경우 그리고 전립선 마사지, 전립선 생검, 경요도절제술 등 전립선에 대해 수기 조작을 시행한 경우에서 일어날 수 있다 (Klein과 Lowe, 1997).

1.6.1. 생물학적 변동의 효과 Effect of biologic variation

PSA의 생물학적 변동에 관하여 여러 연구들이 보고하였다. Doe와 Mellinger (1964)는 처음으로 전립선의 분비는 일중 변화를 나타낸다고 하였으며, 다른 연구는 그러한 변화가

도표 31 상황 혹은 시술에 따른 혈청 PSA 농도의 변화

상황 혹은 시술	혈청 PSA의 유의한 증가	혈청 PSA 검사 연기
일중 변동	없다	필요 없음
운동	없다	필요 없음
직장수지검사	없다	필요 없음
방광경검사	없다	필요 없음
경직장초음파촬영술	불분명	7일 연기
사정	불분명	2일 연기
전립선 마사지	있다	3일 연기
침 생검	있다	6주 연기
경요도전립선절제술	있다	6주 연기
전립선염	있다	4~6주간 항생제 요법 후 PSA가 정상으로 안 되면 생검

PSA, prostate-specific antigen.

Oesterling (1991)의 자료 및 Klein과 Lowe (1997)의 자료를 정리.

20~58% 혹은 15%라고 하였다 (Riehmann 등, 1993). 그러나 다른 연구자들은 PSA 농도에서의 일중 변동은 유의하지 않다고 보고하였다. Glenski 등 (1992)은 20명의 환자들을 대상으로 1주 동안은 아침, 저녁으로 1일 2회, 3주 동안은 1일 1회 아침에만 혈청 PSA 농도를 측정한 결과, 1주간은 통계적으로 유의하지 않을 정도인 0.03 ng/mL의 미미한 변화가 있었고 1개월의 장기간 변동 또한 약했다고 보고하였다. 전립선 질환이

없는 비뇨기과 환자 19명을 대상으로 실시한 연구도 일중 변동은 84% (16명/19명)에서 0.907±0.09 ng/mL, coefficient of variation (CV) 9.9%로 경미하다고 하였다 (El-Shirbiny 등, 1990). Lanz 등 (1996)도 이러한 결과를 확인하였으며, PSA의 일중 변동은 유의하지 않다고 하였다. 가장 큰 변동은 PSA가 10 ng/mL 이상인 남성에서, 가장 작은 변동은 전립선암으로 확인된 남성에서 일어났다. 비록 일부 연구들이 PSA의 일중 변동을 제시하였지만, 그러한 변동이 유의한 정도가 아니기 때문에, PSA 농도를 측정하기 위한 채혈은 하루 중 어느 시간에 이루어져도 상관없다고 생각된다.

혈중 PSA가 정상 범위 이상으로 측정된 사람들 중 26~37%가 재검사에서 정상 범위로 측정되었고, 그 이후 추적 검사를 해보면 40~55%에서 혈중 PSA가 정상으로 나타났다는 보고가 있어, 특히 50세 이하의 남성에서 혈중 PSA가 증가된 경우에는 일정 기간 이후 재측정하여 진단을 위한 추후 검사의 방향을 결정해야 할 것으로 생각된다.

1.6.2. 직장수지검사와 전립선 마사지의 영향
Effect of digital rectal examination and prostatic massage

Brawer 등 (1988)은 9명의 전립선암 환자를 포함한 26명의 남성을 대상으로 직장수지검사 후 5분과 30분에 혈청 PSA를 측정하였지만 변화는 없었다고 보고하였다. 그러나 Stamey 등 (1989)은 직장수지검사 후 PSA가 거의 2배 증가한다고 보고하였으며, 이 보고로 인해 선별검사를 할 때는 혈청 PSA를 먼저 검사하고, 그 뒤에 직장수지검사를 하라는 권고가 나왔다. 그러나 이들 두 연구는 피험자의 수가 적고 대조군의 부족으로 논란이 있었다.

Crawford 등 (1992)은 40세 이상 남성 2,754명을 대상으로 혈청 PSA의 측정과 직장수지검사를 실시한 다기관 연구에서 피험자들을 처음 혈청 PSA 농도에 따라 분류한 결과, 10 ng/mL 미만으로 가장 낮은 PSA 농도를 가진 군에서는 직장수지검사 후 혈청 PSA의 변화가 없었으나, 10 ng/mL 이상의 PSA 농도를 가진 군에서는 직장수지검사 후 통계적으로 유의하게 혈청 PSA가 증가했다고 하였다. 그러나 PSA의 농도가 10 ng/mL 이상인 남성의 경우 직장수지검사 후 혈청 PSA가 증가하더라도 이러한 환자군에서는 어떻든 생검을 실시하기 때문에 PSA의 증가가 환자 관리에는 영향을 주지 않는다. Thomson과 Clejan (1992)은 2,736명을 대상으로 직장수지검사 전후에 혈청 PSA를 측정하여 선별검사를 실시하였는데, 처음 PSA 농도가 4 ng/mL 미만인 남성의 2%만이 직장수지검사 후 PSA의 농도가 4 ng/mL 이상이 되어, 직장수지검사는 혈청 PSA에 대해 임상적으로 유의하지 않을 만큼 작은 영향을 준다고 결론 내렸다.

Chybowski 등 (1992)은 직장수지검사가 혈청 PSA에 미치는 영향을 평가하기 위해 143명의 남성을 대상으로 무작위 배정, 전향 연구를 실시한 결과, 직장수지검사 후 변동의 중앙치가 대조군의 0.1 ng/mL에 비해 연구군의 0.4 ng/mL에서 통계적으로 유의하게 더 컸지만 ($p < 0.001$), 연구군에서 1명, 대조군에서 1명만이 생검을 해야 할 수준으로 PSA가 증가하여, 직장수지검사를 실시한 후라도 혈청 PSA 농도는 정확한 값이라고 하였다. McAleer 등 (1993)도 직장수지검사를 실시한 연구군과 실시하지 않은 대조군에서 24시간 경과 후 측정한 혈청 PSA가 각각 0.05, 0.03 ng/mL 증가하여 통계적으로 유의한 차이를 보이지 않았다고 하였다. Deliveliottis 등 (1994)은 170명의 남성을 대상으로 직장수지검사를 실시한 후 즉시, 5분 후, 24시간 후에 혈청 검사를 하였지만, PSA의 유의한 증가는 없었다고 하였다. Collins 등 (1996)은 직장수지검사가 혈청 PSA에 영향을 주지 않지만, 유리형 PSA와 free PSA/total PSA (fPSA/tPSA)의 비율 (%fPSA)은 증가할 수 있다고 하였다.

대조적으로 Bossens 등 (1995)은 전립선에 대해 수기 조작 후 PSA 동력학을 연구하였는데, 기준선 PSA 농도를 확인한 다음, 직장수지검사 후 1분, 30분, 1시간, 3시간, 6시간, 12시간, 24시간에 혈청 PSA를 측정한 결과, 직장수지검사 후 30~60분에서 PSA가 70%, 약 1.6배 증가하였으며, 이는 통계적으로 유의하였고, 24~72시간에 기준선으로 돌아왔다고 하였다. PSA의 증가를 경험한 환자들의 기준선 PSA는 5 ng/mL 이상이었다. 이는 Crawford 등 (1992)이 직장수지검사 후 PSA가 증가하는 정도를 결정하는 데는 기준선 PSA 농도가 중요한 인자가 된다는 보고와 일맥상통한다.

여러 그룹들이 전립선 마사지가 혈청 PSA에 미치는 영향을 평가하였다. Stamey (1989)는 16명의 남성에서 전립선 마사지 후 혈청 PSA가 거의 2배 증가함을 발견하였다. El-Shirbiny 등 (1990)은 전립선 마사지 후 13명 중 12명에서 혈청 PSA가 약하게 증가하였거나 증가하지 않았으며, 나머지 환자는 전립선 마사지 후 60분에 혈청 PSA가 5.5배 증가했다고 하였다. Yuan 등 (1992)은 PSA의 증가는 직장수지검사보다 전립선 마사지 후에 9% 대 15%로 더 증가했다고 하였다. Sahin 등 (1992)도 전립선 마사지 후에 PSA와 prostatic acid phosphatase의 농도가 증가했다고 하였다.

이들 연구는 직장수지검사가 치료 결정에 영향을 줄 정도로 PSA에 영향을 주지 않으며, 혈청 PSA가 약하게 증가할 수는 있지만 임상적으로 유의할 정도는 아님을 확인하였다. 그러나 강하게 전립선을 마사지하면, 혈청 PSA가 상당하게 증가할 수 있어 전립선 마사지 전에 혈청 PSA를 측정하거나 전립선 마사지 후 PSA가 기준선으로 돌아올 때까지 최소한 3일을 기다렸다가 혈청 PSA를 측정함이 권장된다.

1.6.3. 침 생검의 영향 Effect of needle biopsy

혈청 PSA의 농도는 전립선에 대한 침 생검을 실시한 후 상당하게 증가하는데, 그 이유는 PSA가 혈류 내로 누출되기 때문으로 생각된다. 전립선-혈액 장벽이 손상을 입으면, PSA가 전립선 기질, 뒤이어 순환계 내로 새어나가게 된다 (Yuan 등, 1992). 이 가설은 RT-PCR을 이용한 연구에 의해 지지를 받고 있다. 즉, RT-PCR 검사로 PSA가 음성인 환자가 전립선 생검 후에는 양성으로 확인되었기 때문에, 생검은 전립선 세포와 PSA를 혈류 내로 유입시킬 수 있다고 생각된다 (Cama 등, 1996).

Yuan 등 (1992)은 100명의 환자를 대상으로 평가한 연구에서 직장을 통한 생검 후에는 혈청 PSA가 기준선에 비해 5.9배 증가한다고 하였고, Stamey 등 (1987)은 57배 증가하는 경우도 있다고 하였다. 이와 같이 PSA의 증가가 다양하게 보고되는 것은 기술적인 차이, 생검에 이용된 침의 종류, PSA 분석법, 채취 core의 수 등과 관련이 있다. Deliveliotis 등 (1994)은 생검을 받은 환자의 96%에서 혈청 PSA가 즉시 증가하였고, 43%에서 그 증가가 2주 동안 지속되었다고 보고하였다.

Oesterling 등 (1993)은 직장수지검사에서 임상적으로 의심스러운 전립선을 가진 19명의 환자를 대상으로 18 gauge true-cut needle을 이용하여 경직장초음파촬영 하에 생검을 실시하였다. 생검 전과 생검 후 4시간과 24시간, 그리고 3일 간격으로 4주 동안 연속으로 혈청 PSA를 측정한 결과, 생검 전 혈청 PSA의 중앙치는 5.4 ng/mL, 생검 직후는 19.1 ng/mL, 변화의 중앙치는 7.9 ng/mL이었으며, 기준선 PSA 농도로 돌아오는 데 소요된 시간의 중앙치는 전립선암으로 확인된 환자의 경우 5~21일, 평균 15일, 생검으로 음성인 환자의 경우 17일이었으며, 환자의 16%는 3주까지도 안정적인 농도를 나타내지 못하였고, 11%는 4주까지도 기준선으로 돌아오지 않았다고 보고하였다. Aus와 Skude (1992)는 생검 후 혈청 PSA가 2.6배 증가하였으며, 환자의 91% (39/43명)에서는

생검 후 1주 내에 혈청 PSA가 기준선으로 돌아왔다고 하였다.

따라서 혈청 PSA는 침 생검을 실시한 후 증가하기 때문에, 생검 후 PSA를 재측정하기 위해서는 최소 6주를 기다려야 한다고 권장된다.

1.6.4. 방광경검사의 영향 Effect of cystoscopy

Oesterling 등 (1993)은 방광경검사가 PSA의 농도에 미치는 영향을 평가하기 위해 69명의 남성을 무작위로 연성 방광경, 경성 방광경, 대조군의 세 군에 배정하여 전향 연구를 실시하였으며, 변화의 중앙치는 경성 방광경검사의 경우에는 0.1 ng/mL, 연성 방광경검사와 대조군의 경우에는 0.05 ng/mL이었고, 세 군 사이의 차이는 유의할 정도는 아니었다고 하였다.

Deliveliotis 등 (1994)은 19명의 환자를 대상으로 21 F 경성 방광경으로 방광경검사를 실시하였는데, 5분 경과한 후 2명 (10.5%)의 환자에서 혈청 PSA가 각각 2.8에서 3.9 ng/mL로, 6.2에서 8.7 ng/mL로 기준선보다 증가하였으며, 방광경검사로 인한 혈청 PSA의 증가는 경미하고 일시적이며 24시간 이내에 기준선으로 돌아온다고 보고하였다.

건강한 지원자 40명을 대상으로 연성 방광경검사 전과 후 1시간, 24시간에 혈청 PSA를 측정한 연구는 다음과 같은 결과를 보고하였다 (DeCastro와 Baker, 2009). 첫째, tPSA, fPSA, %fPSA 등에서 통계적으로 유의한 증가가 방광경검사 후 1시간과 24시간에서 관찰되었다. 둘째, 방광경검사 후 1시간과 24시간에서 평균 tPSA의 차이가 0.113, 0.112 ng/mL이었는데 ($p < 0.05$), 임상적으로 중요하지 않았다. 분석과 분석 사이의 변동은 0.053 ng/mL이었으며, 표준 편차는 0.150 ng/mL이었다. 표준 편차 0.150 ng/mL는 방광경검사 후 1시간과 24시간에서 나타난 평균 tPSA의 차이인 0.113 ng/mL와 0.112 ng/mL보다 큰 수치이었다. 이와 같은 결과는 방광경검사의 전과 후에서 tPSA, fPSA, %fPSA 등의 작지만 통계적으로 유의한 차이를 나타내지만 임상적으로 중요하지 않기 때문에, 진단적 연성 방광경검사는 혈청 PSA 농도에 영향을 주지 않음을 보여 준다.

여러 연구를 종합해 볼 때, 방광경검사는 PSA 농도에 유의할 정도로 영향을 주지 않는다고 생각된다.

1.6.5. 경요도전립선절제술의 영향
Effect of transurethral resection of prostate (TURP)

경요도전립선절제술은 혈청 PSA 농도에 상당하게 영향을 미

친다. Stamey 등 (1987)은 양성전립선비대를 가진 6명에서 경요도전립선절제술 후 혈청 PSA가 53배 증가함을 발견하였다. Vesey 등 (1988)은 75명의 양성전립선비대 환자에서 경요도전립선절제술 후 혈청 PSA가 10배 증가하여 평균 혈청 PSA가 약 80 ng/mL이었으며, 전립선암 환자에서는 증가의 정도가 작았다고 보고하였다. Oesterling 등 (1993)은 양성전립선비대증으로 경요도전립선절제술을 받은 13명의 환자들 중 11명에서 혈청 PSA가 기준선보다 증가하였으며, 시술 후 18~24시간에 증가의 중앙치는 5.9 ng/mL이었고, 혈청 PSA가 안정된 기준선으로 돌아오는 데는 12~30일, 평균 18일이 소요되었다고 하였다.

이들 연구는 경요도전립선절제술 후에는 혈청 PSA가 상당하게 증가함을 보여 준다. 혈청 PSA의 증가 정도가 다양하게 나타나는 이유는 전립선 크기와 경요도전립선절제술 후 PSA의 농도를 측정하기 위해 채혈한 시기 때문으로 생각된다. 전립선이 클수록 더 많은 PSA를 순환계 안으로 내보낼 수 있을 것이다. 양성전립선비대로 경요도전립선절제술을 시행하는 동안 PSA와 prostatic acid phosphatase가 많이 포함된 세엽 (acini)이 절단되면 이들 효소들이 fossa 내로 분비되었다가 세척액과 함께 전신 순환계로 흡수된다 (Schellhammer와 Wright, 1993). 전립선암 환자에서는 경요도전립선절제술 후 PSA 농도의 변화가 작은데, 이는 악성 조직 내에서는 세엽의 수가 적어 혈류 내로 들어가는 PSA 양이 적기 때문으로 추측된다.

경요도전립선절제술 환자를 장기간 추적 관찰한 결과, 수술 전 혈청 PSA의 평균치가 4.6 ng/mL이었던 경우가 수술 6개월 후 0.8 ng/mL로 감소하였고, 이 수치는 67개월 동안 유지되었다 (Franklin 등, 1996). 이처럼 경요도전립선절제술 후에 감소되는 것은 절제된 전립선 조직의 양과 직접 관련이 있다. Aus 등 (1996)은 양성전립선비대증으로 경요도전립선절제술을 받은 190명의 남성을 대상으로 수술 전과 수술 후 3개월에 혈청 PSA를 측정하였는데, 평균 PSA 농도가 6 ng/mL에서 1.9 ng/mL로 70% 감소하여 경요도전립선절제술이 성공적으로만 시행된다면 PSA의 농도가 정상 범위인 4 ng/mL 미만으로 떨어진다고 보고하였다.

따라서 경요도전립선절제술은 혈청 PSA의 농도를 일시적으로 유의하게 증가시키며, 수술 후 혈청 PSA를 재측정하기 위해서는 최소한 6주를 기다리는 것이 합리적이다.

1.6.6. 경직장초음파촬영술의 영향
Effect of transrectal ultrasonography (TRUS)

경직장초음파촬영술도 혈청 PSA의 농도에 영향을 미친다. Hughes 등 (1987)은 64명의 전립선암 환자를 대상으로 경직장초음파촬영술을 실시한 경우에는 혈청 PSA 농도가 유의하게 증가하지 않았으나, 전립선염 환자 21명을 대상으로 실시한 경우에는 통계적으로 유의하게 1.3배 증가했다고 보고하였다. Yuan 등 (1992)은 경직장초음파촬영술을 실시한 양성전립선비대 환자 36명 가운데 4명에서만 혈청 PSA가 증가했다고 보고하였으며, Deliveliotis 등 (1994)은 경직장초음파촬영술을 실시한 후 71명 중 12.6%에서 혈청 PSA가 증가하였고, 2.8%에서만 그러한 증가가 24시간 지속했다고 하였다. Klomp 등 (1994)은 직장수지검사와 경직장초음파촬영술을 병행한 경우 혈청 PSA의 평균치가 3.22 ng/mL에서 3.83 ng/mL로 통계적으로 유의하게 약 20% 증가하였으며, 7일 이내에 정상으로 돌아왔다고 보고하면서, PSA 농도는 경직장초음파촬영술을 실시하기 전에 측정하거나 실시한 후 7일이 경과한 시점에서 측정할 것을 권장하였다.

1.6.7. 사정의 영향 Effect of ejaculation

여러 연구들은 사정이 혈청 PSA의 농도를 증가시키지 않음을 보여 주었다. 즉, Glenski 등 (1992)은 사정이 통계적으로 유의한 변화를 일으키지 않는다고 보고하였으며, McAleer 등 (1993)도 사정한 후 1~23시간, 평균 14.6시간에 혈청 PSA를 측정하였을 때, 사정 전후의 PSA 농도 사이에 통계적으로 유의한 차이가 없었다고 하였다. 30~40세 이하의 남성을 대상으로 사정이 혈청 PSA에 미치는 영향을 평가한 연구는 PSA 농도의 변화가 유의하지 않다는 결과 (Kirkali 등, 1995)와 혈청 PSA를 유의하게 증가시킨다는 상이한 결과 (Simak 등, 1993)를 보고하였다.

대조적으로 Tchetgen 등 (1996)은 49~79세의 남성 64명을 대상으로 사정 직전, 사정 후 1시간, 6시간, 24시간, 48시간, 1주 등의 시점에서 혈청 PSA를 측정한 결과 87%에서 사정 후 1시간에 혈청 PSA가 최대로 증가하였고, 피험자의 97%에서는 혈청 PSA가 48시간 이내에 기준선으로 돌아왔으며, 이 증가는 환자의 연령 및 사정 전의 기준선 PSA 농도와 상관관계가 있다고 하였다. 이 연구는 전립선암이 발생할 위험이 높은 연령의 남성에서 통계적으로 유의한 차이가 발생할 수 있음을 보여 주었으며, 혈청 PSA를 측정하기 전 48시간 동안 금욕

할 것을 권하였다. 선별검사를 받은 60세 연령군을 대상으로 실시한 Stenner 등 (1998)의 연구는 사정이 혈청 PSA에 유의한 변화를 일으키지 않았으나, 기준선 PSA 농도가 높은 남성에서는 사정 후 혈청 PSA의 변화가 가장 컸으며 증가된 PSA 농도는 48시간 후 기준선으로 돌아왔다고 하였다.

평균 59세의 지원자 20명을 대상으로 실시한 연구에 의하면, 평균 혈청 tPSA, fPSA, %fPSA 등은 사정 후 1시간에 증가하였으며, tPSA의 증가는 사정 후 6시간, 24시간에도 유지되었으나, fPSA와 %fPSA는 사정 후 6시간에 기준선으로 감소되었고 24시간에는 기준선 아래로 낮아졌다. 정상적인 변동에 따라 남성의 40%에서는 tPSA가 사정 후 24시간에서도 기준선보다 높았다. 마찬가지로 남성의 10%에서는 fPSA가 사정 후 24시간에 기준선보다 높았고, 35%에서는 기준선보다 낮았다. 이들 결과는 tPSA와 fPSA는 사정 후 즉시 증가되며, tPSA와 fPSA를 사정 후 24시간 이내에 측정하면, 결과를 해석할 때 오류가 발생할 수 있음을 보여 준다 (Herschman 등, 1997).

1.6.8. 운동의 영향 Effect of exercise

Stamey 등 (1987)은 장기간 입원한 환자에서는 혈청 PSA가 감소하는데, 이는 육체적 활동의 감소 때문이라고 추측하였다. 대조적으로 Leventhal 등 (1993)은 30명을 대상으로 실시한 연구에서 긴장이 많은 운동이더라도 혈청 PSA 농도를 변화시키지 않는다고 보고하였다. Rana와 Chisholm (1994)은 전립선암이나 전립선염이 없는 데도 불구하고 비정상적으로 높은 PSA 농도를 가진 자전거 타는 사람을 보고하면서, 그러한 증가는 '회음부와 전립선에 대한 직접적인 압박' 때문이라고 주장하였다. 그러나 Safford 등 (1996)은 장거리 자전거 경주를 한 뒤에도 혈청 PSA에는 변화가 없었다고 하면서 운동, 특히 자전거 타기는 혈청 PSA에 영향을 주지 않는다고 주장하였다.

사이클링에 관해 조금 더 상세하게 알아보고자 한다 (Park과 Paick, 2008). 골반 내에서 음부신경 (pudendal nerve)의 경로와 그것의 해부학적 관계로 볼 때, 압박을 받을 만한 곳이 몇 군데 있다. 얇고 딱딱한 안장에 앉아 페달을 밟으면 반복되는 충격이 일정하게 가해져 회음부에 과격한 압력이 만들어지며, 이는 Alcock 관 내부에서 마찰을 증가시키고 간접적으로 음부신경을 압박하게 된다. 신경에 일정한 압력이 가해지고 그 결과로 인해 신경이 매끄럽게 움직일 수 없게 되면, 그들 신경은 반복되는 외상에 노출되게 된다. 손상을 받기 쉬

운 또 다른 곳은 골반의 바깥 부위이다. 안장의 코가 회음부와 치골결합부를 직접 압박하면 (이와 같은 압박은 자전거 타는 사람이 몸을 앞으로 기울이면 더욱 강해진다), 음부신경은 꼬집는 것과 같은 집약된 압박을 받게 된다. 또한, 앞쪽으로 앉은 자세에서 페달을 밟는 하체 운동은 천극인대와 천결절인대 위에서 음부신경을 신장시켜 신경을 과도하게 긴장시킨다. 신경이 신장됨으로 인한 병태생리적 의미는 잘 정립되어 있으며, 이는 특이한 압박신경병증 (specific compression neuropathy)을 진단하는 데 이용되는 신경긴장검사 (neural tension test)의 근본 원리가 된다 (Mackinnon, 2002).

아직까지도 음부신경압박 증후군 (pudendal nerve compression syndrome)의 기전은 완전하게 밝혀져 있지 않다. 음부신경에 과다한 긴장이 발생하면, 신경혈관을 구성하고 있는 요소에 대한 압력이 가해져 일시적인 신경 허혈이 일어나 허혈성 신경병증이 발생하거나 기계적 압력으로 인하여 일차 신경병증이 발생한다 (Mackinnon, 2002). 신경 압박에 관한 실험 연구는 신경 내의 미세 순환 혹은 신경섬유 구조 내에서의 변화, 축삭 전달의 장애, 혈관 투과성의 증가 등이 일어남을 보여 주었으며, 이는 압박에 의한 신경병증의 병태생리를 이해하는 데 많은 도움을 준다. 이들 두 병태생리적인 경로 사이의 차이는 신경병증의 정도, 손상된 신경 내에서 전도의 예상 회복 기간, 자전거 주행자의 전반적 예후 등에서 상당한 임상적 의미를 갖는다. 신경 손상의 정도는 압력의 크기보다 주로 압력을 받은 기간에 의해 영향을 받는다. 즉, 압력을 받은 기간이 길수록 예상되는 신경의 손상은 더 크다. 다양한 허혈 기간에 의한 허혈성 전도 차단 (ischemic conduction block)은 보통 수시간 내지 수일 혹은 대개는 수주 내에 신속하게 회복되지만, 탈수질로 인하여 전도가 차단된 경우에는 회복이 수개월 혹은 수년 걸릴 수 있다 (Andersen과 Bovin, 1997).

자전거 주행은 강렬한 신체 활동과 연합하여 회음부와 전립선에 직접 압력을 가한다. 이들 인자들은 혈청 PSA 농도를 일시적으로 거짓 상승을 일으켜 PSA를 분석한 결과의 정확도를 떨어뜨린다고 생각된다. 자전거 주행이 혈청 PSA의 농도에 영향을 주는 기전으로 과격한 신체 활동에 의한 호르몬 효과와 같은 전신 요소들과 국소 요소들이 있다고 추측된다 (Lucia 등, 2001). 이들 국소 인자에는 골반근육의 운동으로 인한 전립선의 기계적 스트레스 (Oremeck와 Seiffert, 1996), 안장으로 인한 직접적인 음부 압박, 전립선에 대한 강한 마사지 효과 (Rana와 Chisholm, 1994) 등이 포함된다. 운동을 하

는 동안 골반 압력의 증가로 인하여 배정맥 복합체 내의 혈류가 일시적으로 방해를 받으면 PSA의 모세혈관 유실 (capillary washout)이 순환계 안으로 이루어진다 (Oremeck과 Seiffert, 1996). Rana와 Chisholm (1994)은 임상 병기 T3 전립선암 환자가 매일 자전거로 운동한 후 PSA 농도가 3,244 ng/mL로 현저하게 증가되었으며, 자전거 타기를 중단한 후 24개월에는 PSA 농도가 5.9 ng/mL로 급격하게 감소되었다고 하였다. 마찬가지로 Oremeck와 Seiffert (1996)는 자전거 근력측정기로 운동검사를 실시한 후 혈청 PSA가 2~3배로 증가하였고 prostatic acid phosphatase는 덜 증가했다고 보고하였다. 한편, Crawford 등 (1996)은 자전거를 4일 동안 250마일을 달린 후 측정된 PSA 농도가 통계적으로나 임상적으로나 의미가 있게 달라지지 않았다고 하였다. 그러나 이 연구 결과의 임상적 의미는 신중하게 해석되어야 하는데, 왜냐하면 이 연구의 모집단을 작은 집단으로 세분하여 분석해 보면, 처음부터 PSA가 증가된 50세 이상 환자들에서는 통계적으로 혹은 임상적으로 의미가 있는 증가를 보였기 때문이다. 또한, 13마일의 자전거 여행에 참여한 남성들을 대상으로 평가한 연구에서 Luboldt 등 (2003)은 자전거를 타기 전후에서 tPSA, fPSA, %fPSA 등의 유의한 변화를 발견하지 못하였고, 자전거를 타더라도 "정상 PSA 농도는 정상으로 남고, 비정상 PSA 농도는 비정상으로 남는다."라고 결론지었다. 이와 같이 연구에 따라 결과가 차이를 나타내기 때문에, 자전거 타기가 미치는 영향에 관해 어떠한 결론을 내리기는 어렵다. 그러므로 진단 혹은 검색 목적으로 채혈하기 전에 과도하게 자전거를 타는 것을 반드시 금지할 필요는 없다. 그러나 전립선암 환자, 처음부터 PSA 농도가 증가된 환자, 50세 이상 남성 등에서는 과격하게 자전거를 타는 행위가 PSA 검사의 결과에 영향을 줄 수 있음을 숙지하고는 있어야 한다 (Leibovitch와 Mor, 2005).

1.7. 여러 임상 질환과 전립선 특이 항원과의 관계
Relationship of PSA with several clinical disease

PSA의 발현은 안드로겐에 의해 상당한 영향을 받는다 (Henttu 등, 1992). 전립선 내에서 PSA의 면역조직화학적 특징은 생후 0~6개월과 10년의 두 번의 시기에서 최고점을 가진다는 것이며, 이는 테스토스테론의 농도와 직접 관련이 있다 (Goldfarb 등, 1986). 혈청 PSA는 황체형성호르몬 (luteinizing hormone, LH)과 테스토스테론이 증가하는 사춘기에서 발견되기 시작한다 (Vieira 등, 1994). 테스토스테론의 농도가 낮은 생식선저하증 (hypogonadism) 남성에서는 전립선 내 PSA의 발현이 감소되어 혈청 PSA의 농도가 낮고, 전립선암과 같은 전립선 질환이 잘 발생하지 않는다. 비만 남성에서는 비만이 없는 남성에 비해 PSA 농도가 낮으며, 이로써 상당한 전립선암을 놓칠 수 있다 (Baillargeon 등, 2005). 전립선암을 가지지 않은 상태에서 혈청 PSA 농도는 연령, 인종, 전립선 용적 등과 같은 여러 인자에 의해 영향을 받는다.

60~85세에서 PSA의 증가 속도는 양성전립선비대가 없는 남성의 경우는 0.04 ng/mL/yr, 양성전립선비대를 가진 남성의 경우에는 0.07~0.27 ng/mL/yr이다 (Carter 등, 1992b). 횡단면 자료는 PSA가 전립선 용적 cc 당 4% 증가하며, PSA 변동의 30%와 5%는 각각 전립선 용적과 연령에 의해 일어남을 보여 주었다 (Oesterling 등, 1993b). 전립선암이 없는 경우에는 혈청 PSA의 농도가 백인에 비해 흑인에서 더 높다 (Morgan 등, 1996). 동일한 용적일 경우 흑인의 양성 전립선 조직이 백인에 비해 더 많은 PSA를 혈청으로 내보내며, 그 차이는 연령이 증가함에 따라 더 커진다 (Fowler 등, 1999).

혈청 PSA의 증가는 전립선암의 존재를 의심하게 만든다. 혈청 PSA 농도에 영향을 주는 가장 중요한 요소는 전립선암, 양성전립선비대, 전립선염 등과 같은 전립선 질환이다. 그러나 전립선 질환을 가진 모든 남성에서 PSA가 증가하지는 않으며, 더군다나 PSA의 증가는 전립선암에 특이하지 않다. 급성 및 만성 전립선염과 소변의 정체는 다양한 정도로 PSA 농도를 증가시킨다 (Nadler 등, 1995). 임상적으로 무증상의 전립선염을 가진 남성에서는 조직학적으로 염증 소견이 있더라도 PSA 농도가 증가하지 않는다 (Morote 등, 2000).

전립선에 급성, 만성 혹은 무증상의 염증이 발생하면, 혈청 PSA가 증가할 수 있다 (Potts 등, 2000). 동물 실험에서 급성 전립선염이 발생한 후 7~10일 동안 혈청 PSA가 증가하였으며, 항생제로 치료를 시작한 후 3~14일 사이에 감소되기 시작하여 정상으로 되기까지 약 2~3개월이 소요되었다 (Neal 등, 1992). 급성 전립선염과 PSA와의 관계에서, 먼저 요로 감염이 발생하는 주된 요인을 크게 숙주와 병원체로 구분하였을 때, 이들 중 병원체 자체는 PSA의 증가에 영향을 주지 않는다. 이는 죽은 세균이나 지질다당체 (lipopolysaccharide) 등을 주입해도 PSA가 증가하지 않는 것으로 보아 이들에 의해 전립선 상피세포 내에 저장되었던 PSA가 유리되어 증가되는 것은 아님을 알 수 있다. 조직 염색을 이용한 연구에서도 급성 전립선염이 발생한 전립선의 상피세포에서는 PSA가 염색되지 않았기 때문에, 급성 염증의 경우 전립선에서 PSA의 생성이 증가하여 혈청 PSA가 증가하는 것이 아니고, 염증으로 인하여 세엽 혹은 관 세포들 사이의 결합부가 파괴됨으로써 PSA 누출의 증가, 전립선 세엽의 세포 기저막의 투과성 증가, 혈관 과다 (Sindhwani와 Wilson, 2005), 미세 경색증 (microinfarction) (Hansui 등, 1994) 등이 발생하여 혈청 PSA 농도가 증가한다고 추측된다.

전립선암이 없는 환자에서 혈청 PSA가 증가하는 경우는 전립선 크기의 증가와 감염이라는 보고 (Nadler 등, 1995)가 있는 반면, 염증세포가 전립선의 간질 조직에 침윤을 일으켜도 샘 조직의 상피세포 층이 파괴되지 않는다면 혈청 PSA는 증가하지 않는다는 보고 (Irani 등, 1997)도 있다. 전립선 생검에서 전립선의 간질 조직 혹은 샘 조직에 염증세포가 있더라도 혈청 PSA의 증가와 통계적으로 유의한 상호 관계를 나타내지 않는다는 보고 (Moser 등, 2002)와 PSA에 영향을 주는 인자는 전립선 크기가 유일하고 염증은 연관성이 없다는 보고 (Morote 등, 2000) 또한 있다.

한편, Gümüş등 (2004)은 전립선염의 양상을 네 가지로, 즉 선성 (glandular), 선 주위 (periglandular), 기질성 (stromal), 혈관 주위 (perivascular) 유형으로 분류하였다. 이들 저자들은 혈관 주위 유형의 전립선염에서 주로 PSA가 증가되는데, 이는 전립선 조직과 혈관 사이의 장벽이 쉽게 파괴되기 때문이며, 전립선 내의 염증 부위 혹은 염증 양상이 PSA 농도에 영향을 주는 인자라고 보고하였다. 한편, Simardi 등 (2004)은 전체 전립선의 20% 이상에서 염증이 일어났을 때 PSA 농도가 증가하는 것으로 보아, PSA 농도의 증가는 염증 범위와 관계 있다고 하였다.

이와 관련한 몇 가지의 임상 보고들이 있다. Neal 등 (1992)은 10명의 급성 전립선염 환자에서 혈청 PSA가 4~80 ng/mL, 평균 28.5 ng/mL로 증가함을 발견하였다. 8주 동안의 항생제 요법에도 불구하고 혈청 PSA가 증가한 환자에서는 경직장초음파촬영술 유도 하에 생검을 실시하였는데, 2명에서 암이 확인되었다. 동일한 연구는 E. coli에 의해 급성 전립선염을 일으킨 원숭이 6마리 모두에서 PSA 농도가 증가하였으며, 감염 후 5~7일에 최대로 증가하였고, 1개월 이후 기준선으로 돌아왔다고 하였는데, 이 현상은 세포사 및 전립선 세포의 염증성 파열로 PSA가 누출되기 때문이라고 하였다. Carver 등 (2003)은 National Institutes of Health (NIH) 분류 IV의 무증상 전립

선염이 혈청 PSA를 증가시키지만, 염증을 가진 환자와 염증이 없는 정상 대조군에서 혈청 PSA의 평균 농도가 각각 2.3 ng/mL, 1.4 ng/mL로 임상적인 의미가 크지 않았다고 보고하였다. Pansadoro 등 (1996)은 급성 전립선염 환자의 71%, 만성 전립선염 환자의 15%, 비세균성 전립선염 환자의 6%에서 혈청 PSA가 증가하였고, 만성 전립선염의 증상만 가진 경우에는 혈청 PSA가 증가하지 않았다고 하였으며, Hasui 등 (1994)도 임상 증상을 가지면서 조직학적으로 급성 및 만성 전립선염으로 확인된 경우는 혈청 PSA의 증가와 관련이 있었으나 비활동성 전립선염인 경우에는 혈청 PSA의 증가와 관련이 없었다고 하였다. Nadler 등 (2006)은 NIH 분류 III에 속하는 만성 전립선염 환자 421명을 대상으로 평가한 결과, 혈청 PSA가 정상 남성군에서 1.72 ng/mL, 전립선염 환자군에서 1.97 ng/mL를 보여 전립선염 환자군에서 통계적으로 유의한 증가를 나타내었으나 정상 범위 안에 들었다고 하였다.

Potts (2000)는 혈청 PSA의 농도가 평균 9.35 ng/mL로 증가된 122명을 대상으로 소변검사와 전립선 마사지 후의 배출물 검사를 실시한 결과, 42% (51명/122명)에서 감염이 있다고 진단되어 4주 동안 항생제 요법을 실시하였으며, 6~8주 후 혈청 PSA를 측정하였다. 치료를 받은 남성의 43% (22명/51명)는 평균 2.9 ng/mL의 정상적인 PSA 농도를 보여 생검을 하지 않았고, 57% (29명/51명)는 여전히 PSA 농도가 증가되어 생검을 실시하였는데, 이들 중 31% (9명/29명)에서 전립선암이 발견되었다. 또한, 항생제로 치료하였을 때 생검에서 암으로 진단된 경우에는 혈청 PSA가 1.3% 감소하였으나, 양성 질환으로 진단된 경우에는 21.3%로 더 크게 감소하였다. 항생제와 소염제로 4주 동안 치료한 후 혈청 PSA가 4 ng/mL 미만으로 감소한 46.3% (44명/95명)에서는 생검을 실시하지 않았으며 혈청 PSA가 4 ng/mL 이상인 53.7% (51명/95명)에서 생검을 실시한 Bozeman 등 (2002)은 생검을 받은 환자 중 25.5% (13명/51명)에서 전립선암이 발견되었으며, 72.5% (37명/51명)에서는 만성 전립선염이, 2% (1명/51명)에서는 양성전립선비대가 확인되었다고 보고하였다. 전립선암으로 진단된 환자 중 4.8%만이 혈청 PSA가 8.32 ng/mL에서 7.92 ng/mL로 통계적으로 유의하지 않은 감소를 나타내었다. 이와 같은 결과를 근거로 저자들은 혈청 PSA가 증가하는 주된 원인은 전립선염이며, 전립선염을 치료하면 불필요한 전립선 생검을 줄일 수 있다고 주장하였다. 따라서 전립선염으로 PSA 농도가 증가된 환자에 대해 철저한 감시가 필요하며, 항생제 요법

에도 불구하고 PSA 농도가 정상으로 돌아오지 않으면 생검이 필요하다. Hochreiter (2008)는 전술한 연구에서 전립선염을 치료한 후 혈청 PSA가 4 ng/mL 미만으로 떨어져 생검을 실시하지 않은 환자에서도 전립선암이 있을 수 있기 때문에, 전립선염을 치료한 후 혈청 PSA가 정상 범위인 것과 전립선암이 없다는 것은 다르다고 주장하였다. Baltac 등 (2009)도 항생제로 치료한 후 PSA 농도가 감소하여도 전립선암의 위험성이 낮아지지 않으며 항생제로 치료한 후 PSA 농도의 변화에 따라 전립선 생검의 시행 여부를 결정하는 것은 적절한 진단 방법이 아니라고 주장하였다. 이에 관해서는 '1.8. 항생제와 전립선 특이 항원'에서 다시 기술된다.

한편, 클라미디아 감염 299명, 임균 감염 112명, 비클라미디아 비임균성 요도염 59명, 대조군 256명을 대상으로 PSA 농도를 측정함으로써 성 매개 감염의 전립선 전파 여부를 평가한 연구는 클라미디아 감염과 임균 감염의 경우 대조군에 비해 PSA가 큰 폭으로 상승하여 상승 폭이 각각 33.6%, 19.1%, 8.8%이었으며 (각각 $p<0.0001$, $p<0.021$, 비클라미디아 비임균성 요도염의 경우는 상승 폭이 대조군과 비슷하여 각각 8.2%, 8.8%이었다 ($p<0.92$). 이와 같은 결과를 근거로 저자들은 이러한 차이가 클라미디아 감염과 임균 감염의 경우는 전립선으로 전파 가능성이 크기 때문으로 추측하였다 (Sutcliffe 등, 2011).

양성전립선비대나 전립선암을 가진 환자에게 실시하는 전립선 치료법은 PSA를 생산하는 전립선 상피세포의 용적을 감소시켜 세포에서 생산되는 PSA 양을 감소시키고, 혈청 PSA 농도를 떨어뜨린다. 고환절제술, luteinizing hormone-releasing hormone (LHRH) 유사체, 5α-reductase 억제제 등과 같이 전립선암과 양성전립선비대를 치료하기 위해 호르몬 환경을 조절하는 방법, 전립선암에 대한 방사선 요법, 양성전립선비대나 전립선암에 대한 전립선 조직의 외과적 절제술 등은 혈청 PSA의 농도를 감소시킨다. 한 예로 혈청 PSA의 농도가 4 ng/mL 이상인 양성전립선비대 환자에 대해 경요도전립선절제술을 시행한 연구에 의하면, 수술 후 3개월, 1년, 2년, 3년에서 PSA의 농도와 정상화가 이루어진 비율은 각각 1.26±0.13 ng/mL와 94.6%, 1.28±1.01 ng/mL와 95.7%, 1.17±0.82 ng/mL와 97.1%, 1.34±1.44 ng/mL와 97.2%이었는데, 표본 수가 적다는 제한점은 있지만 이 연구는 경요도전립선절제술로 인하여 수술 후 3개월에는 혈청 PSA의 농도가 유의하게 감소되며 그러한 감소 효과가 최소한 3년 동안 유지됨을 보여 준

다 (Cho 등, 2014). 혈청 PSA 농도를 해석할 때는 항상 전립선 질환이 있는지, 진단 시술을 받은 적이 있는지, 전립선에 대한 치료를 받은 적이 있는지를 상세하게 알아보아야 한다.

양성전립선비대증을 치료하는 데 이용되는 5α-reductase 억제제는 치료 후 12개월에 PSA 농도를 약 50% 감소시킨다. 2형 5α-reductase 억제제인 finasteride와 1형 및 2형 5α-reductase 억제제인 dutasteride는 동일한 정도로 PSA를 감소시킨다 (Roehrborn 등, 2002). 전립선암의 선별검사로 PSA를 이용할 때, 환자가 6개월 혹은 12개월 이상 5α-reductase 억제제를 복용하였다면, 실제 환자의 PSA 농도는 측정된 PSA 농도의 두 배라고 생각해야 한다 (Andriole 등, 1998).

5α-Reductase 억제제로 치료를 받고 있는 환자에 대해서는 치료 전에 기준선 PSA 농도를 측정해야 하고 주기적으로 PSA 농도를 측정하면서 추적 관찰하여야 한다. 5α-Reductase 억제제를 복용하고 있는 환자에서 혈청 PSA가 50%까지 감소하지 않거나 증가하면, 잠재성 전립선암을 가지고 있을 가능성이 있다. 남성형 탈모증, 즉 안드로겐성 탈모증의 치료에 이용되는 finasteride 1 mg (Propecia®)은 5 mg 용량과 동일하게 혈청 PSA를 감소시킨다 (Gormley 등, 1992). 기타 영양치료제 (neutraceutical)와 의사의 처방 없이 구입할 수 있는 약 (over-the-counter, OTC)에 관해서도 항상 문진하여야 한다. 왜냐 하면 Saw palmetto는 PSA 농도에 영향을 주지 않으나, PSA의 농도를 변화시킬 수 있는 화합물이 예를 들면 현재는 판매가 금지되었지만 chrysanthemum, ganoderma, licorice, isatis, Rabdosia rubescens, saw palmetto, baikal skullcap, pseudoginseng 등 8가지가 혼합된 한방제 PC-SPES PDQ® 등과 같이 규제를 받지 않은 보충제에 함유되어 있을 수도 있기 때문이다.

혈청 PSA 혹은 PSA 파생 분자의 농도에 영향을 주는 다수의 생리적 및 병적 인자들이 도표 32에 정리되어 있다 (Stenman 등, 2005).

1.8. 항생제와 전립선 특이 항원 PSA and antibiotics

전립선염에서 PSA의 증가가 염증 때문인지 아니면 양성전립선비대 혹은 잠재된 전립선암 때문인지 현재까지도 논란이 되고 있다. 항생제는 세균성 전립선염에 영향을 주기 때문에, 증상을 가진 전립선염의 90%와 무증상의 만성골반통증 증후군 (chronic pelvic pain syndrome, CPPS) 유형 IV의 전

도표 32 혈청 PSA 농도의 변화를 유발하는 여러 인자들

인자	PSA 증가	PSA 감소
개인별 변동	30%	30%
전립선암	10,000배까지	
양성전립선비대	10배까지	
전립선염	50배까지	
신장 기능 장애 (GFR의 심한 감소)	fPSA와 %fPSA의 중등도 증가	
요도 내 기구 조작†	10배까지	
요정체	10배까지	
사정	NS	
직장수지검사†	NS	
전립선 침 생검	50배까지	
전립선 용적 변화	5배까지	
아시아인 식이		25%까지
요정체 해소		4배까지
Finasteride		약 50%
GnRH 대항제/외과적 거세		100배까지

†, 직장수지검사, 요도 내 기구 조작, 경직장 초음파촬영술 등의 경우 시술 후 fPSA가 급격한 상승 곡선을 나타내지만, 총 PSA 농도는 대개 변하지 않으며, fPSA는 수일 이내에 기준선으로 돌아온다.

fPSA, free prostate-specific antigen; %fPSA, free PSA/total PSA; GFR, glomerular filtration rate; GnRH, gonadotropin-releasing hormone; NS, not significant; PSA, prostate-specific antigen.

Stenman 등 (2005)의 자료를 수정 인용.

립선염은 비세균성이어서 일반적 개념으로는 항생제가 비세균성 전립선염 자체 혹은 PSA에 영향을 미치지 않을 것으로 생각된다. 그러나 일부 연구들은 항생제가 항염 작용을 가지는 것과 상관없이 전립선염을 가진 환자에게 항생제를 사용하면 임상 증상과 PSA 농도의 감소와 같은 생화학적인 양상이 개선된다고 하였다. 항생제를 사용한 후 PSA가 감소되는 정도는 23.4~36.4%이라는 보고 (Kaygisiz 등, 2006)가 있고, 7.15%이라는 보고 (Baltac 등, 2009)도 있다.

증상이 없이 PSA가 4 ng/mL를 초과한 남성에서는 CPPS 유형 IV의 무증상 전립선염이 42%의 빈도에 이를 정도로 높으며, 이 경우 항생제를 사용하여 PSA가 정상화되면 불필요한 생검을 18%까지 줄일 수 있다고 보고된 바 있다 (Potts, 2000). 다른 연구는 CPPS 유형 IV 전립선염 환자의 32~42%에서 PSA의 농도가 증가되며, 4주 동안 항생제를 사용하면 46.3%에서 PSA 농도가 정상으로 감소된다고 하였다 (Bozeman 등, 2002). 다른 연구는 항생제로 치료한 후 PSA가

59.5% 감소했다고 보고하면서 항생제 요법 후 PSA 농도가 4 ng/mL 이하 혹은 기준선 농도의 70% 이하로 감소되면 전립선 생검을 연기할 것을 권하였다 (Serretta 등, 2008). 다른 연구는 PSA가 80% 이상 감소한 경우에는 전립선의 생검을 피할 수 있다고 하였다 (Karazanashvili 등, 2001).

그러나 전술한 보고와는 다른 결과를 보고한 연구도 있다. Baltac 등 (2009)은 직장수지검사와 요검사에서 이상 없이 PSA의 농도가 4~10 ng/mL로 증가된 100명의 남성에게 20일 동안 매일 ofloxacin 400 mg을 투여한 후, PSA의 농도와 상관없이 모든 환자를 대상으로 tPSA, fPSA, %fPSA, PSAD 등을 측정하고 전립선 생검을 실시하여 항생제 복용이 전립선암의 발견율에 미치는 영향을 분석하였다. 23% (23명/100명)의 남성이 전립선암으로 진단되었으며, 전립선암 여부와 관계없이 항생제를 복용한 모든 남성에서 평균 tPSA, fPSA, %PSA, PSAD가 감소하였으나, 전립선암으로 진단을 받은 남성과 받지 않은 남성 사이에는 통계적으로 유의한 차이가 없었다. 단, PSA 농도가 증가된 환자에서 전립선암과 양성 전립선 질환을 감별하는 데 가장 도움이 된다고 알려진 %fPSA는 두 군 사이에서 통계적으로 유의한 차이가 있었으나 전립선암으로 진단된 환자에서의 감소폭이 1.57 ± 2.48 정도로 낮아 임상적으로 전립선 생검 여부를 결정하는 데 영향을 미칠 정도는 아니었다. PSA의 농도가 4 ng/mL 이하로 감소된 17명 중 5명 (29.4%)에서 전립선암이 진단되었다는 결과는 항생제로 치료한 후 PSA 농도가 감소하여도 전립선암의 위험이 낮아지지 않기 때문에 무증상의 환자를 항생제로 치료한 후 PSA 농도의 변화에 따라 전립선 생검의 시행 여부를 결정하는 것은 적절한 진단 방법이 아님을 보여 준다. PSA의 농도가 2.5~10 ng/mL인 50~75세의 200명을 대상으로 평가한 전향 연구는 49% (98명/200명)에서 NIH 유형 IV 전립선염이 동반되어 있었고, 이들을 위약으로 치료한 49명의 경우 PSA가 감소한 59.2% (29명/49명) 중 31% (9명/29명)에서 생검으로 전립선암이 진단되었으며, 500 mg의 ciprofloxacin 1일 2회로 4주 동안 치료한 49명의 경우에는 PSA가 감소한 53.1% (26명/49명) 중 26.9% (7명/26명)에서 전립선암이 진단되어 PSA의 감소가 전립선암이 없음을 반영하지 않는다고 주장하였다 (Stopiglia 등, 2010).

한편, Dirim 등 (2009)은 직장수지검사가 정상이지만 혈청 PSA 농도가 증가한 85명의 남성에게 2주 동안 ciprofloxacin 혹은 levofloxacin을 투여한 후 혈청 PSA 및 %fPSA의 측정과

함께 전립선 생검을 실시한 결과, %fPSA의 증가를 보인 44명 중 11.3% (5명/44명)만이 전립선암으로 진단되었고 %fPSA가 감소하였거나 변화가 없었던 41명 중 53.6% (22명/41명)에서 전립선암이 진단되어 %fPSA의 의미가 크다고 강조하였다.

이에 관해서는 앞 단원의 '1.7. 여러 임상 질환과 전립선 특이 항원과의 관계'을 참고하면 도움이 된다.

1.9. 대사증후군 혹은 비만과 전립선 특이 항원
PSA and metabolic syndrome or obesity

비만과 인슐린 저항성은 비정상적인 대사를 일으키는 대사증후군의 주된 요소이다. 비만은 내분비 및 대사성 변화와 관련이 있으며, 비만 남성에서는 에스트로겐, 인슐린, insulin-like growth factor 1 (IGF-1) 등이 증가하고 테스토스테론이 감소한다 (Moyad, 2002). 고인슐린혈증은 간에 직접 영향을 주어 sex hormone-binding globulin (SHBG)과 IGF-binding proteins 1, 2 (IGFBP-1, -2)의 생성을 억제하는 한편, IGF-1의 생성을 자극한다 (Barnard 등, 2002). 비만과 인슐린 저항성으로 인해 일어나는 이러한 대사 작용을 통해 대사증후군은 PSA의 생성에 영향을 준다고 생각된다. 대사증후군이 있는 남성에서는 혈중 테스토스테론이 낮으며, 혈중 테스토스테론이 낮은 남성에서는 당뇨나 대사증후군의 발병률이 높다. 혈중 테스토스테론이 낮으면 PSA 농도가 낮아지는 것이 일반적 견해이지만, 대사증후군에서는 전립선의 용적만 크고 PSA 농도에는 변화가 없다는 주장도 있다 (Kim 등, 2008). Yoon 등 (2009)은 대사증후군에서는 PSA 농도가 낮으며, 복부 비만, 고중성지방혈증, 저농도의 고밀도 지질단백 (high-density lipoprotein, HDL) 콜레스테롤혈증, 고혈압, 고혈당 등과 같은 대사성 인자가 많을수록 PSA 농도가 더 낮다고 보고하였다.

고혈압은 혈중 테스토스테론을 감소시키며 (Khaw와 Barrett-Connor, 1988), 이는 전립선의 성장을 억제하여 혈중 PSA 농도를 감소시킬 수 있다. 그렇지만 Kim 등 (2008)과 Yoon 등 (2009)은 고혈압과 PSA 농도와는 아무런 관계가 없다고 하였다. Zmuda 등 (1997)은 고중성지방혈증과 낮은 HDL-콜레스테롤혈증은 낮은 혈중 테스토스테론과 관련이 있다고 하였고, Duell과 Bierman (1990)도 혈중 HDL-콜레스테롤과 혈중 테스토스테론은 정상관관계를 나타낸다고 하였다. 반면, Han 등 (2008)은 PSA 농도와 HDL-콜레스테롤은 반비례 관계에 있다고 하였다. Werny 등 (2006)은 당뇨병 환자에서 PSA 농도가 21.6% 낮았으며, 감소 정도는 이환 기간과 비례하여 당뇨로 진단 받은 후 10년 경과 시 27.5% 감소했다고 하였다. 이는 당뇨 환자에서 SHBG가 감소되기 때문으로 생각되며 (Barrett-Connor 등, 1990), 다른 연구도 공복 혈당과 PSA 농도는 역상관관계를 나타낸다고 보고하였다 (Han 등, 2008).

전립선암의 병력이 없는 40세 이상의 아시아 남성 26,726명을 대상으로 대사증후군과 혈청 PSA와의 연관성을 평가한 연구는 평균 PSA 농도가 대사증후군을 가지지 않은 남성에 비해 가진 남성에서 더 낮았지만, 혈청 PSA와 대사증후군 사이에는 유의한 연관성은 없었다고 하였다. 대사증후군의 위험 인자 중 허리둘레와 공복 혈당치는 혈청 PSA와 역상관관계를 보인 반면, 혈압은 정상관관계를 보였다. 이러한 연관성은 연령, 체질량지수 (body mass index, BMI), 기타 대사성 위험 인자로 보정한 후에도 유의하였다 (Jeong 등, 2010). 이 연구의 저자들은 대사증후군과 혈청 PSA 사이에 연관성이 부족한 이유가 여러 대사성 위험 인자는 혈청 PSA와 서로 다른 관계를 나타내기 때문으로 추측하였다. 대조적으로 다른 연구에서는 허리둘레가 BMI로 보정하더라도 혈청 PSA와 정상관관계를 가졌으며, 혈압과 혈청 PSA 사이의 연관성은 분명하지 않았다 (Rundle 등, 2009). 전립선암이 없는 30~79세의 2,007명을 대상으로 평가한 연구는 대사증후군 인자의 합계 및 유병률은 혈청 PSA 농도와 역상관관계를 가지며, 다변량 분석에서 혈청 PSA의 농도는 복부 비만 및 공복 혈당 장애와 강한 연관성을 보였다고 하였다 (Kim 등, 2008). 다른 연구는 수축기가 아닌 확장기 혈압의 상승은 혈청 PSA와 관련이 있다고 하였으나 (Parekh 등, 2008), 반대로 National Health and Nutrition Examination Survey (NHANES)는 고혈압과 혈청 PSA는 연관성이 없다고 하였다 (Werny 등, 2006). 이와 같이 문헌에 따라 다른 결과를 보이는 이유는 표본 크기, 연령이나 인종과 같은 피험자의 선정 기준, 고혈압의 절단치 등에서 차이가 있기 때문으로 추측된다 (McGrowder 등, 2012).

성인의 BMI와 전립선암 발생 위험과의 관계를 조사한 연구들은 혼동되는 결과를 발표하였다. 일부 대규모 코호트 연구는 연관성이 약하기는 하지만 BMI의 증가가 전립선암 발생 위험은 관련이 있다고 보고하였지만 (Putnam 등, 2000), 다른 전향적 코호트 연구는 BMI와 전립선암 발생 위험과는 연관성이 없다고 하였다 (Schuurman 등, 2000). 미국의 전향적 코호트 연구는 60세 미만의 남성과 가족력이 있는 남성 외에는 비만과 전립선암 발견 사이에 역상관관계가 있음을 발견하였다 (Giovannucci 등, 2003). 이러한 혼동되는 결과 속에서 근래의 메타 분석 연구는 비만은 약하지만 유의하게 전립선암 위험의 증가와 관련이 있다고 결론지었다. 즉, 총 2,818,767명의 남성에서 55,521명의 전립선암을 발견한 31편의 코호트 연구와 13,232명의 전립선암 환자군과 16,317명의 대조군을 비교한 25편의 환자-대조군 비교 연구를 메타 분석한 연구는 다음과 같은 결과를 보고하였다 (MacInnis와 English, 2006). 첫째, BMI의 전반적 relative risk (RR)은 5 kg/m² 증가당 1.05 (95% CI 1.01~1.08)이었다. RR은 진행된 질환에 대해서는 더 강하였는데, 5 kg/m² 증가당 RR이 1.12 (95% CI 1.01~1.23)이었고, 국소 전립선암에 대해서는 5 kg/m² 증가당 RR이 0.96 (95% CI 0.89~1.03)이었다. 둘째, 키는 전립선암의 발생 위험과 정상관관계를 나타내었으며, RR이 10 cm 증가당 1.05 (95% CI 1.02~1.09)이었다. 체중, 허리둘레, 허리 대 엉덩이 비율 등은 약한 연관성을 보였는데, 각각의 RR은 10 kg 증가당 1.01 (95% CI 0.97~1.04), 10 cm 증가당 1.03 (95% CI 0.99~1.07), 0.1 단위증가 당 1.11 0.95~1.30)이었다. 셋째, 환자-대조군 비교 연구와 비교하였을 때, 코호트 연구에서 더 강한 연관성이 나타났으며, p-value가 BMI, 키, 체중에서 각각 0.006, <0.001, 0.02이었다. 16,514명의 남성을 평균 15년 동안 추적 관찰하여 1,374명의 전립선암을 발견한 연구는 다음과 같은 결과를 보고하였다 (Bassett 등, 2012). 첫째, 모든 전립선암의 발견율은 신체 크기 혹은 체중과 관련이 없었다. 둘째, 연구를 시작한 당시의 체중과 BMI는 공격적인 암과 관련이 있었으며, 각각의 HR은 5 kg 증가당 1.06 (95% CI 1.00~1.13), 5 kg/m² 증가당 1.27 (95% CI 1.08~1.49)이었고, 전립선암 특이 사망의 경우 각각의 HR은 5 kg 증가당 1.12 (95% CI 1.01~1.23), 5 kg/m² 증가당 1.49 (95% CI 1.11~2.00)이었다. 셋째, 체중 증량은 전립선암 특이 사망과 관련이 있었으며, 5 kg 증량당 HR이 1.13 (95% CI 1.02~1.26)이었다. 18세와 연구 시점 사이에서 5 kg 미만 증량에 비해 5 kg 이상 증량의 전립선암 특이 사망에 대한 HR은 1.84 (95% CI 1.09~3.09)이었다. 이와 같은 결과는 성인에서 높은 체중과 BMI가 공격적인 전립선암의 발생 및 전립선암 특이 사망 위험의 증가와 관련이 있으며, 성인에서 체중 증량은 전립선암 특이 사망 위험의 증가와 관련이 있음을 보여 준다. 비만 환자에서는 저등급 전립선암의 위험은 감소되지만 고등급 질환의 위험은 증가하는데, 이는 '발견 편견 (detection bias)' 이라고 불리는 현상으로 인해 비만 환자에서는 전립선암이 지

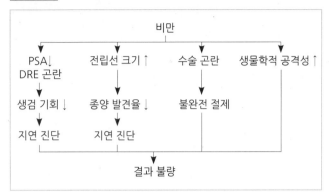

도표 33 비만이 전립선암에 나쁜 결과를 초래하는 기전

DRE, digital rectal examination; PSA, prostate-specific antigen.
Buschemeyer 등 (2007)의 자료를 수정 인용.

연되어 발견됨으로써 발견 당시에는 더 진행된 병기의 질환으로 변하기 때문이라 추측된다 (Rodriguez 등, 2007). 이와 같이 비만 환자에서 전립선암을 발견하기가 어려운 데는 그 이유가 몇 가지 있다 (도표 33). 첫째, 비만 남성은 PSA 검사를 잘 하지 않는 것 같다. 그러나 근래 자료에서는 비만 남성이 실제로는 전립선암 선별검사를 더 잘 받는다고 나타나 있다 (Scales Jr 등, 2007). 둘째, 선별검사 때 비만으로 인해 직장수지검사가 어려워 일부 비만 환자에서는 전립선암을 놓칠 수 있다. 따라서 모든 환자에게 해당되겠지만, 특히 비만 남성에서는 철저한 검사가 필수적이다. 셋째, 비만 남성에서는 PSA 농도가 낮기 때문에 (Fowke 등, 2007), PSA를 이용한 선별검사 때 bias가 발생할 수 있다. 이러한 bias는 미국 등 PSA 선별검사를 흔히 실시하는 인구 집단에서 일어난다. 더군다나 오늘날 유럽에서는 PSA 선별검사를 실시하는 경우가 적고 비만 유병률이 낮기 때문에, 비만과 전립선암 위험도 사이의 연관성이 분명하지 않다. 그러나 비만 추세가 앞으로 계속 이어진다면, 비만 남성과 그렇지 않은 남성은 결과에서 차이가 발생할 수 있음을 염두에 두어야 한다 (Buschemeyer와 Freedland, 2007).

비만 남성에서 혈청 PSA가 낮은 분명한 이유는 알려져 있지 않지만, 가능한 이유는 몇 가지 있다. PSA의 생성이 안드로겐에 의해 조절되기 때문에 비만으로 테스토스테론이 낮아지면 PSA의 생성이 감소된다. Baillargeon 등 (2005)과 Werny 등 (2007)은 BMI와 PSA 농도는 반비례 관계가 있다고 하였다. 비만 환자에서 SHBG의 감소는 혈중 테스토스테론을 감소시키고 (Amatruda 등, 1982), 지방세포는 테스토스테론을 에스트라디올로 전환시키는 중요한 기능을 가지고 있다

도표 34 PSA, 혈장 용적, PSA 질량 등과 BMI 분류와의 관계

	BMI 분류						p
	저체중	정상 체중의 중간 이하	정상 체중의 중간 이상	과체중	비만	고도 비만	
BMI, kg/m2	〈18.5	18.5~21.9	22.0~24.9	25.0~29.9	30.0~34.9	〉35	
피험자 수 (%)	703 (3.6)	5393 (27.9)	8204 (42.5)	4596 (23.8)	357 (1.8)	41 (0.2)	
평균 PSA 농도[†]	1.02	1.05	1.06	1.03	0.95	0.85	〈0.001
평균 혈장 용적[†], L	2.44	2.61	2.76	2.91	3.15	3.38	〈0.001
PSA mass[†], mg	2.52	2.76	2.93	3.02	2.98	2.90	〈0.001

[†], 연령에 대한 보정은 하였으나 전립선 용적에 의한 보정은 하지 않았으며, 단위는 ng/mL. BSA (m^2) = body weight $(kg)^{0.425}$ × height $(m)^{0.725}$ × 0.2025; Plasma volume (L) = BSA (m^2) × 1.670; PSA mass (mg) = PSA concentration (ng/mL) × plasma volume (L).

BMI, body mass index; BSA, body surface area; PSA, prostate-specific antigen.

Kubota 등 (2011)의 자료를 수정 인용.

(Eldrup 등 1987). 이는 비만 환자에서 테스토스테론이 낮아짐으로 인해 PSA의 농도가 감소함을 시사한다. 또한, 비만 환자의 증가된 혈장량이 PSA 농도를 희석시킨다는 이론도 있다. Banez 등 (2007)은 전립선암으로 근치전립선절제술을 받은 환자들을 대상으로 실시한 연구에서 체질량지수가 클수록 PSA 농도가 낮음을 발견하였고, 이는 총 혈장량의 증가에 의해 PSA 농도가 상대적으로 희석되기 때문으로 추측하였다. 위의 여러 연구 결과로 볼 때, 대사증후군 중 특히 비만 환자에서는 전립선암을 발견하기 위해 일반적으로 이용되는 PSA 절단치를 4 ng/mL보다 낮은 수치로 설정할 필요가 있다고 생각된다.

50세 이상, 혈청 PSA 4.0 ng/mL 이상인 일본인 19,294명을 대상으로 PSA 농도와 체질량지수의 관계를 연구한 보고에 의하면, PSA 농도는 체질량지수가 증가함에 따라 유의하게 낮아졌으나, 결정계수 (coefficient of determination)는 매우 낮았다. 체질량지수가 18.5 kg/m^2 미만인 저체중에서 35 kg/m^2를 초과한 고도 비만으로 증가함에 따라 평균 PSA 농도는 1.02에서 0.85 ng/mL로 감소하였다. 그러나 총 PSA 질량 (mass)은 과체중인 경우에 가장 높았다가 체질량지수가 증가할수록 약간 감소하였다. 이 연구는 PSA와 체질량지수는 약한 반비례 관계를 나타내며, 비만은 전립선암의 선별검사에 대해 매우 제한된 영향을 준다고 하였다. 또한, 혈액 희석 효과를 감안하면, 고도 비만 남성에서 PSA 3.2 ng/mL는 마른 체형에서의 PSA 4.0 ng/mL와 동일하기 때문에, 고도 비만 남성의 PSA 절단치는 3.2 ng/mL라고 하였다 (Kubota 등, 2011) (도표 34). 그러나 이 연구의 결과를 해석할 때는 서구인에 비해 동양인에서는 비만 비율이 낮다는 점과 PSA의 농도에 영향을 주는 전립선 용적을 변수로 사용하지 않았다는 점을 고려해야 할 것이다.

이유가 어떠하든 비만 남성은 PSA의 농도가 낮아 생검을 받을 확률이 낮기 때문에, 전립선암이 발견되는 비율이 낮다. 이에 Baillargeon 등 (2005)은 비만 정도에 따라 PSA 농도를 다음과 같이 보정할 것을 주장하였다. 체질량지수 25.0~29.9 kg/m^2의 과체중은 1.05, 30.0~34.9 kg/m^2의 I 등급 비만은 1.1, 35.0~39.9 kg/m^2의 II 등급 비만은 1.25, 40.0 kg/m^2 이상의 III 등급 비만은 1.5를 PSA 농도에 곱한다.

여러 연구는 비만 남성이 더 큰 전립선을 가진다고 하였다 (Dahle 등, 2002). PSA 선별검사로 발견되는 대부분의 전립선암은 매우 작아 보통의 영상으로는 보기 어렵다. 그러므로 전립선 생검으로 암을 발견하는 것은 건초 더미에서 바늘을 찾는 것과 비슷하다. 전립선이 큰 경우에는 통상적인 생검 cores로는 암을 발견하기가 더욱 어렵다 (Kranse 등, 1999). 따라서 비만 남성에서는 더 많은 cores를 필요로 하며, 전립선의 크기가 개인에 따라 다르지만 흔히 수 그램 정도로만 차이가 나기 때문에 보통 2 cores를 추가하는 것으로 충분하다 (Freedland 등, 2005). 전체 인구 집단을 통해 수 그램의 차이가 암 발견율을 20~25% 떨어뜨릴 수 있다 (Freedland 등, 2006).

결론적으로, 비만 남성에서는 직장수지검사 자체가 힘들어 비정상 상태를 발견하기가 어렵고, 혈청 PSA가 더 낮으며, 전립선이 더 크다는 특징이 있음을 숙지하여 더욱 철저하게 평가하면, 임상적 bias를 극복할 수 있을 것이다 (Freedland 등, 2005).

1.10. 전립선암에서 병기 및 분화도 등급의 예측
Prediction of stage and grade in prostate cancer

전립선암의 병기는 혈청 PSA의 농도와 상당한 연관성을 가지기 때문에 (Lange 등, 1989), 혈청 PSA는 생검 전의 병기를 평가하고 골 스캔에서 양성 반응을 보이는 질환을 예측하는 데 이용된다 (Oesterling 등, 1993). PSA의 진단적 정확도는 두 형태의 혈중 PSA, 즉 free PSA (fPSA)와 total PSA (tPSA)를 각각 측정하고 fPSA/tPSA의 비율, 즉 %fPSA를 산출함으로써 개선될 수 있다. 낮은 %fPSA는 전립선암을 강하게 예측하는 반면, 높은 비율은 tPSA가 증가하는 양성전립선비대일 가능성이 크다 (Stenman 등, 1991). 선별검사에서 %fPSA는 전립선암의 발견에 대한 민감도를 90~95%로 유지하면서 위양성의 결과를 20~30%까지 감소시킨다 (Hugosson 등, 2003).

종양의 분화도 등급 또한 혈청 PSA와 관련이 있으며, 낮은 %fPSA는 전립선암의 높은 등급 및 높은 병기와 유의하게 관련이 있다 (Raaijmakers 등, 2004). 임상적인 국소 전립선암으로 인해 근치전립선절제술을 받는 환자에서 낮은 %fPSA는 피막 외부 침범, 즉 병기 pT3를 강하게 예측하는 독립 인자이다 (Aus 등, 2003). Human kallikrein 2 (hK2)의 농도 또한 공격적인 질환을 확인하는 데 유익하다고 보고되었지만 (Recker 등, 2000), 다른 연구는 이를 입증하지 못하였다 (Bangma 등, 2004).

전립선암이 없는 남성에서 혈청 PSA의 농도는 전립선의 용적과 관련이 있으며, PSA/전립선 용적의 비율을 PSA 밀도 (PSA density, PSAD; 단위 ng/mL/cc)라고 한다. 전립선암은 양성 전립선에 비해 조직 그램당 더 많은 PSA를 혈중으로 분비하기 때문에, PSAD는 전립선암에서 증가하며 %fPSA와 유사한 전립선암 특이도를 나타낸다. 높은 PSAD는 진행 전립선암을 예측하는 인자로서의 역할을 한다 (Catalona 등, 2000). 다변량 분석에 의하면, fPSA의 비율과 전립선 용적의 비율 둘 모두는 생검에서 전립선암의 존재를 예측하는 독립적 인자이다. %fPSA의 이점은 임상적인 검사를 실시하기 전에 산출이 가능하고, 환자를 비뇨기과 의사에게 의뢰할 필요가 있는지를 결정하는 데 도움이 된다는 점이다 (Catalona 등, 2000). 양성전립선비대는 대부분이 전립선의 이행부 (transition zone, TZ)에 위치하며, 양성전립선비대 조직은 정상 전립선 조직에 비해 혈중에 3배 더 많은 PSA를 생성한다 (Stamey 등, 1987). 혈청 PSA 농도를 이행부 용적으로 나눈 값, 즉 PSAD-TZ는 전

립선암에 대한 특이도를 증가시키지만 (Kikuchi 등, 2000), 선별검사에서 PSAD 이상의 이점을 나타내지는 않는다 (Horninger 등, 1999). 그 이유는 작은 전립선을 가진 무증상의 남성에서 TZ 용적을 측정하는 경우에는 관찰자에 따라 변동이 발생할 수 있기 때문이다.

tPSA 농도가 4 ng/mL인 경우 fPSA의 비율이 7%로 낮으면 fPSA의 비율 35%에 비해 전립선암이 발견될 확률이 10배 더 높다. 이 결과는 전립선암을 진단할 때, fPSA가 강한 예측 인자임을 보여 준다. 직장수지검사의 결과와 전립선 용적의 영향은 웹사이트 www.finne.info로부터 다운을 받은 Excel 공식을 이용하여 추산될 수 있다. 이 공식은 fPSA, tPSA, 전립선 용적, 직장수지검사 양성 혹은 음성 결과 등을 기초로 하고 있다. 직장수지검사 양성은 생검에서 전립선암이 발견될 위험을 2배 증가시키며, 전립선 용적이 25 cc에서 50 cc로 증가하면 전립선암의 위험은 50%까지 감소한다 (Finne 등, 2000).

배가 시간 (doubling time, DT)이 2년이라고 가정하면, 전형적인 선별검사에서 발견된 1 cc 크기의 종양은 4년 후에는 8 cc, 8년 후에는 64 cc, 12년 후에는 256 cc, 16년 후에는 1,000 cc로 증가한다. 이러한 결과는 근치전립선절제술과 방사선 요법을 받지 않은 상태로 실시된 혈액은행 연구에서 PSA가 증가하여 임상 증상이 나타나는 데는 5~10년의 관찰 기간이 필요하고, 암으로 인한 사망까지 기간의 중앙치가 17년이라는 결과와 일맥상통한다 (Stenman 등, 1994). 흥미로운 점은 집중적인 치료를 받지 않은 초기 병기의 저등급 전립선암 환자에서 암 특이 사망률의 가파른 증가가 진단 후 15~21년 사이에 나타난다는 점이다 (Johansson 등, 2004).

치료 전에 측정된 PSA doubling time (PSADT)은 대부분 환자에서 2년 이상인데, 이는 전립선암의 대부분이 무증상이고 성장 속도가 느림을 시사한다 (Schmid 등, 1993). 공격적이 아니라고 판단된 전립선암 환자는 흔히 감시를 겸한 대기 요법으로 추적 관찰되며, 이러한 전략에서 혈청 PSA를 이용한 모니터링은 매우 중요한 부분에 속한다. 진행할 위험이 높은 전립선암은 2년 미만의 PSADT와 관련이 있다고 하였다 (Klotz, 2002). 전립선암 환자 21명과 대조군 68명을 대상으로 평가한 연구는 10년 시점에서 전립선암을 가지지 않을 누적 확률은 0.1 미만과 0.1 이상 ng/mL/year에서 각각 97.1% (95% CI 91.4~100%), 35.2% (95% CI 14.0~56.4%)이었기 때문에, PSA 증가 속도와 전립선암 위험과는 관련이 있다고 하였다 (Fang 등, 2002). 그러나 혈청 PSA는 시간이 경과함에

따라 개인별로 상당한 생리적 변동을 나타내며, 감시를 겸한 대기 요법을 실시하는 동안 혈청 PSA가 비논리적으로 증가하면 종양의 성장으로 오판할 수 있다 (Komatsu 등, 1996). 적극적 감시를 겸한 대기 요법을 받는 환자에서 PSADT는 흔히 5년 이상이지만, 동일한 환자라고 하더라도 산출하는 데 이용한 기간 간격에 따라 PSADT의 중앙치가 6~12년 사이로 다양하다 (Ross 등, 2004). 따라서 장기간 추적 관찰하기 위해서는 신뢰성이 있는 PSADT 추정치 및 PSA 증가치가 필요하다 (Ito 등, 2003).

생검 후의 예후를 추정하는 여러 예후 알고리듬이 연구되어 왔다 (Ross 등, 2001). 종양의 등급과 병기는 예후를 예측할 수 있는 주된 인자이지만, 혈청 PSA 농도 또한 이들 알고리듬에서 중요한 가변인자이다. 단일 인자로서 분화도 등급은 암 특이 사망에 대한 강력한 예측 인자이며, 혈청 PSA와 병기를 추가하면 예측도는 훨씬 증가한다 (Albertsen 등, 1998). 10 미만, 10~20, 20 초과 ng/mL의 혈청 PSA 농도는 각각 유리한, 중간, 불리한 예후의 전립선암을 규정하는 데 이용된다 (D'Amico 등, 2003).

PCPT의 자료를 이용한 연구는 Gleason 점수 7이상의 고등급 전립선암을 예측할 수 있는 유의한 인자로는 log(PSA) (OR 3.64, 95% CI 3.04~4.37; $p < 0.001$), 직장수지검사의 결과 (OR 2.72, 95% CI 1.96~3.77; $p < 0.001$), 이전 생검의 결과 (OR 0.70, 95% CI 0.49~0.99; $p = 0.04$) 등이 있었으며, 가족력은 유의한 연관성이 없었다고 하였다. 인종 또한 고등급 전립선암을 예측하는 인자이었으며, 아프리카계가 아닌 미국인에 대한 아프리카계 미국인의 OR은 2.61 (95% CI 1.55~4.41; $p < 0.001$)이었다. 생검 당시의 환자 연령도 고등급 전립선암의 위험과 유의하게 관련이 있었지만, 연령이 1년 증가에 따른 OR은 1.03 (95% CI 1.01~1.06; $p = 0.01$)에 불과하였다. PSAV는 단일 인자로서는 고등급 전립선암의 위험 증가와 강하게 관련이 있었으며 (OR 8.93, 95% CI 5.71~13.97; $p < 0.001$), PSA 농도, 직장수지검사의 결과, 연령, 이전 생검의 결과 등과 연합하였을 경우에는 통계적으로 유의하지는 않았지만 PSAV가 고등급 전립선암 위험의 감소와 관련이 있었다 (OR 0.82, 95% CI 0.44~1.53; $p = 0.54$) (Thompson 등, 2006).

ERSPC 연구에 참여한 392명을 대상으로 근치전립선절제 표본에서 병리학적으로 중요하지 않은 전립선암과 공격적인 암을 수술 전에 구별하기 위해 혈청에서 네 가지 kallikrein 표지자, 즉 tPSA, fPSA, intact PSA (iPSA), kallikrein-related

peptidase 2 (hK2) 등의 분별력을 평가한 연구는 다음과 같은 결과를 보고하였다 (Carlsson 등, 2013). 이 연구에서 병리학적으로 공격적인 전립선암은 pT3~T4, 피막 외부로의 확대, 0.5 cc를 초과한 종양 용적, 혹은 어떠한 암이든 Gleason 등급 4 이상으로 규정하였고, 연령, 병기, PSA, 생검 결과 등의 임상적 예측 인자를 기본 모델에 포함하였다. 첫째, 근치전립선절제 표본을 분석한 결과, 261명 (67%)에서 중요한 전립선암이 발견되었다. 둘째, 공격적인 전립선암에 대한 예측 정확도 AUC는 기본 모델과 기본 모델 외에 네 kallikrein 표지자를 병행한 경우 각각 0.81, 0.84로 병행한 경우에 예측도가 더 증가하였다 ($p < 0.0005$). 둘째, 위험도가 낮거나 매우 낮은 전립선암을 예측할 경우 PSA, 경직장초음파에서의 전립선 용적, 임상 병기, 생검에서의 Gleason 등급, 생검 cores에서 양성 조직과 악성 조직의 총 길이 등으로 구성된 Steyerberg 노모그램에 비해 네 kallikrein 표지자를 추가하였을 때 AUC가 0.82에서 0.84로 더 증가하였다 ($p < 0.0005$). 이들 결과를 근거로 저자들은 병리학적으로 중요하지 않은 전립선암과 공격적인 전립선암을 수술 전에 예측하기 위해 네 kallikrein 표지자를 이용하면 예측 정확도가 개선된다고 하였다.

1.11. 전립선암 치료와 전립선 특이 항원
Prostate cancer treatment and PSA

임상적으로 국소 전립선암이든 침습 전립선암이든 이에 대한 치료적 관리는 병기에 따라 치료법이 다양하기 때문에 매우 복잡하다. 이에 전립선암에 대한 일차 국소 치료에 관하여 European Association of Urology (EAU)는 다음을 고려할 것을 권하였다. 첫째, PSA 농도 10 ng/mL 미만 및 생검 Gleason 점수 6 및 임상 병기 T1c~T2a 등의 저급 위험 전립선암이나 PSA 10.1~20 ng/mL 혹은 생검 Gleason 점수 7 혹은 임상 병기 T2b~T2c의 중급 위험 전립선암을 가진 환자는 비교기과 의사와 방사선종양학 의사로 구성된 진료팀에 의해 상담을 받도록 해야 한다. 둘째, PSA 20 ng/mL 초과 혹은 생검 Gleason 점수 8~10 혹은 임상 병기 T3a의 상급 위험 전립선암을 가진 환자의 경우 다수 분야에 걸친 종합적인 종양 진료팀에 의해 선행 보강 요법 및 보조 요법의 방법이 의논되어야 한다. 셋째, 다수 분야에 의한 접근이 가능하지 않다면, 치료법을 결정하는 과정에서 지금까지 이용되어 온 여러 지침들을 철저하게 숙지하여 활용해야 한다 (Heidenreich 등, 2014). EAU가

도표 35 전립선암의 진단에 관한 EAU의 지침

지침	권장 등급
1. 직장수지검사의 비정상적인 결과 혹은 혈청 PSA 농도의 증가는 전립선암의 가능성을 시사한다. 정상 PSA 농도에 대한 정확한 절단치는 설정되어 있지 않지만, 흔히 젊은 남성에서는 약 2~3 ng/mL 미만의 농도가 활용된다.	C
2. 전립선암의 진단은 조직병리학적 결과에 따른다.	B
생검 및 그 이상의 병기 결정에 관한 검사는 이들 결과가 환자의 관리에 영향을 주는 경우에만 실시한다.	C
3. 경직장초음파촬영 유도 하 생검의 경우 외측에 10개 이상의 cores가 권장되며, 전립선의 용적이 40 cc 이상이면 더 많은 cores가 필요할 수 있다.	B
이행부에서는 암이 발견될 확률이 낮기 때문에, 첫 생검에서는 이행부 생검이 권장되지 않는다.	C
재생검은 비정상적인 직장수지검사, PSA 농도의 증가, ASAP, 다수 병소의 전립선상피내암 등과 같이 지속적으로 전립선 생검의 적용 대상이 되는 경우에 권해진다.	B
세 번 이상의 생검은 권해지지 않지만, 결정은 개별 환자에 근거를 두어야 한다.	C
4. 전립선 생검을 실시할 때, 국소 마취제를 직장을 통해 전립선 주위로 주사하는 방법은 환자에게 적절한 마취 효과를 나타낸다.	A
5. 경구 혹은 정맥을 통해 투여한 quinolone이 내성 균주의 비율을 증가시키고 있지만 현재로서는 감염을 예방하기 위한 가장 우수한 항생제이다.	A

ASAP, atypical small acinar proliferation; EAU, European Association of Urology; PSA, prostate-specific antigen.
Heidenreich 등 (2014)의 자료를 수정 인용.

도표 36 전립선암의 병기 결정에 관한 EAU의 지침

지침	권장 등급
1. 전립선암의 국소 병기 (T 병기)는 MRI에 기초를 둔다. 그 외의 추가 정보는 전립선 생검 양성의 수 및 부위, 종양의 분화도 등급, 혈청 PSA 농도 등으로부터 얻는다.	C
경직장초음파촬영술은 전립선암을 발견하는 데 대해 민감도가 낮고 전립선암의 병기를 과소평가하는 경향이 있기 때문에 국소 병기를 결정하는 데 이용되지 않는다.	C
2. 치유 목적의 치료를 계획하고 있을 때만 림프절 상태 (N 병기)를 평가할 필요가 있다.	B
T2 이하의 병기, 10 ng/mL 미만의 PSA, 6 이하의 Gleason 점수, 50% 미만의 양성 생검 cores 등을 가진 환자에서 림프절 전이의 가능성은 10% 미만이기 때문에, 이 경우에는 림프절의 평가가 필요하지 않다.	B
중급 및 상급 위험도의 임상적 국소 전립선암에서 병기 결정은 림프절절제술의 결과에 근거하여야 한다. 그 이유는 수술 전의 영상법은 5 mm 미만의 작은 전이를 발견하는 데는 제한적이며, 림프절제 방법만이 신뢰성이 있기 때문이다.	B
3. 골 전이 (M 병기)를 평가하는 가장 좋은 방법은 골 스캔이다. 이 방법은 분화가 잘되어 있거나 중등도인 종양이면서 혈청 PSA 농도가 20 ng/mL 미만인 무증상 환자에게는 적용되지 않는다.	B
불분명한 경우에는 18F-fluorodeoxyglucose PET 혹은 PET/CT가 가치가 있으며, 특히 활동성 전이와 치유 과정의 골격을 구별하는 데는 이러한 영상법이 필요하다.	C

CT, computed tomography; EAU, European Association of Urology; MRI, magnetic resonance imaging; PET, positron emission tomography; PSA, prostate-specific antigen.
Heidenreich 등 (2014)의 자료를 수정 인용.

권장하는 전립선암의 진단 및 병기 결정에 관한 지침은 도표 35와 36에 각각 정리되어 있다.

국소적 치료를 받은 전립선암 환자는 대개 10년 이상 혹은 더 이상 추적 관찰이 필요 없다고 생각되는 고령까지 추적 관찰을 받는다. 추적 관찰을 위해서는 질병 특이 병력, PSA, 직장수지검사 등이 이용되며, 국소적인 질환의 재발이 의심되면 영상 검사가 필요할 수 있다 (Heidenreich 등, 2014).

1.11.1. 저급 위험 전립선암의 치료

Treatment of low-risk prostate cancer

저급 위험도의 전립선암에 대한 치료 방법으로는 적극적 감시, 근치전립선절제술, 방사선 요법 등이 있다. 국소 전립선암의 치료로 이용되는 근치전립선절제술과 방사선 요법에 관하여 여러 학회가 권장하는 지침은 도표 37에 요약되어 있다.

1.11.1.1. 적극적 감시 Active surveillance (AS)

적극적 감시 (active surveillance, AS)를 통한 대기 요법은 치료적인 접근을 계획하고 있는 환자에게 실시할 수 있는 적절한 방법 중 하나이며, 그러한 매우 낮은 위험도의 전립선암을 가진 환자는 처음부터 치료를 받지 않고 추적 관찰을 받는 도중 질환이 진행하거나 진행할 위험이 있는 경우 치유를 위한 집중 치료를 받게 된다. AS는 분화가 잘된 전립선암의 경

도표 37 국소 전립선암에서 근치전립선절제술 및 방사선 요법과 관련된 여러 학회 지침의 비교

지침 연도/참고 문헌	지침 및 권장 사항
근치전립선절제술 (RP)	
AUA, 2007 개선안 Thompson 등, 2007	RP에 가장 적합한 환자는 기대 여명이 다소 길고 중대한 수술 위험 인자가 없으며 수술을 선호하는 자이다. 수술의 적용 대상은 다음 조건을 갖추어야 한다: (1) 치료하지 않은 상태에서 암으로 인한 예측 이환보다 긴 기대 여명; (2) 예정 수술에 금기되는 심각한 동반 질환이나 중대한 수술 위험 인자의 부재; (3) 위험, 수술의 부작용, 질환의 자연 경과, 치료에서 기타 대안 등에 관해 상담한 후 동의하고 선호하는 환자
EAU, 2008 개선안 Heidenreich 등, 2008	RP는 기대 여명이 10년 이상, 병기 T1b~T2b Nx~N0 M0 질환을 가진 환자에서 표준 치료이다. RP는 기대 여명이 길고 병기 T1a 질환을 가진 젊은 환자에서 선택 사항이다. RP는 기대 여명이 길고 T3a 이하의 병기, 8 이하의 Gleason 점수, 20 ng/mL 미만의 PSA 등으로 제한된 일부 환자에서 선택 사항이다.
NCCN, 2009 NCCN[†]	RP는 임상적으로 전립선에 국한된 전립선암을 가진 환자로서 기대 여명이 10년 이상이고 예정 수술에 금기가 되는 심각한 동반 질환을 가지지 않은 환자에서 적합하다.
방사선 요법 (RT)	
AUA, 2007 개선안 Thompson 등, 2007	RT에 가장 적합한 환자는 기대 여명이 다소 길고 중대한 방사선 독성의 위험 인자가 없으며 방사선 요법을 선호하는 환자이다. 비고: 체외 방사선 요법과 근접 요법의 생존 결과를 비교한 추적 관찰이 부족하다.
EAU, 2008 개선안 Heidenreich 등, 2008	치료는 TNM 병기, Gleason 점수, 기저선 PSA 농도, 연령, 동반 질환, 기대 여명, HRQL 등에 근거하여 결정한다: (1) IMRT의 병용 여부와 관계없이 3D-CRT는 T1c~T2c N0 M0 질환을 가진 환자에게 권장된다. 중급 위험도의 환자, 즉 T2b, PSA 10~20 ng/mL, 혹은 Gleason 점수 7인 환자는 종양 선량 증가를 통해 이점을 얻는다는 강한 증거가 있다; (2) 영구적인 삽입물 없이 회음을 통한 조직 내 근접 요법은 TURP의 병력이 없고 양호한 IPSS를 가진 환자로서 cT1~T2a~b, 7 혹은 3+4 미만의 Gleason 점수, 10 ng/mL 이하의 PSA, 60 cc 미만의 전립선 용적을 가진 환자에게 권장된다.
NCCN, 2009 NCCN[†]	치료는 기대 여명, 재발 위험 등에 근거하여 권장된다: (1) 재발 위험이 낮은, 즉 병기 T1~T2a, Gleason 점수 2~6, PSA 농도 10 ng/mL 미만 등의 조건인 환자로서 연령 혹은 동반 질환으로 인한 기대 여명이 10년 미만이고 기대 여명이 10년 이상인 환자에서는 3차원적 체외 방사선 요법 혹은 근접 요법을 이용한 RT가 적합하다; (2) 재발 위험이 중급인, 즉 병기 T2b~T2c, Gleason 점수 7, 혹은 PSA 농도 10~20 ng/mL 등의 조건인 환자로서 기대 여명이 10년 미만 혹은 10년 이상인 환자에서는 근접 요법의 병용과 관계없이 체외 방사선 요법을 이용한 RT가 치료법에서 선택 사항이 된다.

[†], NCCN Clinical Practice Guidelines in Oncology: Prostate Cancer V.2. 2009. Available at: http://www.nccn.org/professionals/physician_gls/f_guidelines.asp. Accessed December 2009.

AUA, American Urological Association; 3D-CRT, tree dimensional conformal radiation therapy; EAU, European Association of Urology; IMRT, intensity-modulated radiation therapy; IPSS, International Prostate Symptom Score; HRQL, health-related quality of life; NCCN, National Comprehensive Cancer Network; PSA, prostate-specific antigen; RP, radical prostatectomy; RT, radiation therapy; TURP, transurethral radical prostatectomy.

Droz 등 (2010)의 자료를 수정 인용.

우 전립선암 특이 20년 생존율이 80~90%라는 초기 연구 자료 (Chodak 등, 1994; Albertsen 등, 1998)에 근거하여 임상적으로 국소적인 저급 위험도 전립선암 환자에서 과잉 치료의 비율을 낮추기 위해 시행되기 시작하였다.

AS에 적합한 환자를 선정하기 위해서는 전립선암의 자연적인 진행 과정, 기대 여명에 대한 연령 및 동반 질환의 영향 등에 관한 이해가 필요하다. 절대적인 기준은 없지만, 전반적으로 고려할 점은 몇 가지 있다. 젊은 연령이 금기 사항이 되지는 않는다. 다만 기대 여명이 길수록 더욱 엄중한 기준이 적용되어야 한다. 예를 들면, 60세 이하의 남성이 Ebstein 기준으로 중대하지 않은 전립선암, 즉 양성 cores가 모든 cores의 1/3 이하, 암 분포가 어느 core에서든 50% 이하, PSA 밀도가 0.15 ng/mL/cc 미만 등의 조건을 가지면, 우수한 대상자가 된다. 70세 이상의 남성, 특히 동반 질환을 가진 남성에서 PSA

가 10 ng/mL을 초과하거나 생검 표본 내에 Gleason 패턴 4가 미량으로 포함된 경우도 적절한 대상자가 될 수 있다. AS를 결정하는 데 핵심 요소는 환자의 요청이다.

임상 병기 T1c 전립선암으로 근치전립선절제술을 받은 2,126명에 대한 연구는 과대 진단의 기준을 0.5 cc 이하, 수술 절제면 음성으로 전립선 내에 국한, Gleason 패턴 3이하 등의 조건을 가진 전립선암, 과소 진단의 기준을 전립선피막 외부 침범, 병리학적 병기 T3 이상, 혹은 수술 절제면 침범 등의 조건을 가진 전립선암으로 규정하였다 (Graif 등, 2007). 이 연구에 의하면, 생검을 위한 PSA의 절단치를 4 ng/mL로 설정하면, 과대 진단의 비율이 1.3~7.1%, 과소 진단의 비율이 25~30% 이었으나, 절단치를 2.5 ng/mL로 낮추면, 과대 진단의 비율이 1.3%에서 7.1%로 높아졌고, 과소 진단의 비율이 30%에서 26% 로 낮아졌으며, 진행이 없는 5년 생존율이 85%에서 92%로 개

선되었다. 이 연구는 과대 진단의 기준이 특히 55세 이하의 젊은 남성에 적합하며, 생검의 PSA 절단치를 2.5 ng/mL로 설정하면 과소 진단의 비율을 낮춤으로써 진행이 없는 생존 비율을 높인다고 하였다. 이 연구와 같이 Gleason 패턴을 과소 진단의 기준에 포함시키지 않은 연구도 있지만, Gleason 패턴 4가 상당량 포함된 70세 미만의 남성은 좋은 대상자가 아니다. Gleason 패턴 4가 포함되어 있으면, 포함되지 않은 경우 비해 질환이 진행할 가능성이 약 3배 더 높다 (Klotz, 2010). AS의 적용 대상에 관한 AUA와 EAU의 지침과 여러 연구에서 보고된 AS 환자의 선정 기준은 각각 도표 38, 39에 정리되어 있다.

도표 38 | 적극적 감시의 적용 대상에 관한 지침

American Urological Association (AUA)
· 규정하기 위한 분명한 임상적 도구는 없으며, 다만 AS는 근접 요법, 체외 방사선 요법, 근치전립선절제술 등과 함께 저급 위험의 전립선암을 치료하는 여러 방법 중의 하나이다.
· 저급 위험의 전립선암은 PSA 10 ng/mL 이하, Gleason 점수 6 이하, 임상 병기 T1c 혹은 T2로 규정된다.

European Association of Urology (EAU)
· 임상 병기 T1~T2a
· PSA 10 ng/mL 이하
· 생검 Gleason 점수 6 이하 (최소 10개 cores)
· 양성 생검이 두 번 이하
· 생검 당 암이 50% 이하 포함

AS, active surveillance; PSA, prostate-specific antigen.
Lund 등 (2014)의 자료를 수정 인용.

Gleason 접수 7 (3+4) 이하이고 연령이 70세를 초과한 환자와 임상 병기 T1c 혹은 T2a, PSA 10 ng/mL 미만, Gleason 점수 6 이하의 환자 450명을 대상으로 평가한 연구는 다음과 같은 결과를 보고하였다 (Klotz 등, 2010). 이 연구는 처음에는 6부위의 생검을 실시하였고, 후에는 12부위의 확대 생검을 실시하였다. 첫째, 추적 관찰한 기간의 중앙치는 6.8년이었으며, 전반적 10년 생존율은 68%이었다. 둘째, 10년 시점에서 질환 특이 생존율은 97.2%이었고, 62%가 AS를 받으며 생존 중이었다. 30%의 환자는 PSA doubling time (PSADT) 3년 미만 (48%), 재생검에서 Gleason 접수의 증가 (27%), 환자의 선호 혹은 요청 (10%) 등의 이유로 근치적 치료를 받았다. 임상적 국소 전립선암 환자에서 AS를 실시한 연구가 많이 보고되고 있으며, 매우 낮은 위험도의 질환을 가진 환자에서 적절하게 선정된 경우는 질환의 진행 및 암 특이 사망률이 낮음이 확인되었다 (Klotz, 2010). 그러나 분명한 결과를 얻기 위해서는 더욱 장기간 추적 관찰을 실시한 자료가 필요하다. 따라서 AS는 70세를 초과한 모든 환자 혹은 기대 여명이 10년 미만인 환자에서는 치료를 하지 않음을 의미하며, 더 젊은 환자에서는 수년 동안 치료를 연기함을 의미한다. AS 도중 실시되는 재생검은 신중해야 되는데, 수술을 고려할 경우 신경 보존 측면에서 생검으로 인해 유해한 효과가 발생할 수 있기 때문이다 (Heidenreich 등, 2014).

도표 39 | 세계적으로 이용되는 여러 프로토콜에 근거한 적극적 감시 (AS) 환자의 선정 기준

가변 인자	Carter 등, 2007	Kakehi 등, 2008	van den Bergh 등, 2009	Klotz 등, 2009[†]	Lawrentschuk와 Klotz, 2010[‡]
임상 병기	T1c	T1c[❶]	T1c/T2	T1c/T2a	T1c/T2a
PSA 농도, ng/mL	–	≤20.0	≤10.0	≤10.0	≤10
생검 Gleason 점수	≤3+3=6	≤3+3=6	≤3+3=6	≤3+3=6	≤6
PSA 밀도, ng/mL/cc	≤0.15	–	〈0.2	–	–
(+) core의 수	≤2[¶]	≤2[¶]	≤2	–	〈3[¶]

가변 인자	de Vries 등, 2004	Hardie 등, 2005	Klotz 등, 2005	van As와 Parker, 2007	Roemeling 등, 2007
임상 병기	의사의 제안 혹은 환자의 선택	T1/2	T1c/T2a	T1c/T2a	T1c/T2
PSA 농도, ng/mL		〈20	≤10	≤15	≤15
생검 Gleason 점수		≤7	≤6	≤3+4	〈8
PSA 밀도, ng/mL/cc					
(+) core의 수			〈3 (〈50%)	〈50% 양성 cores	

[†], 70세 초과 환자에 대해서는 Gleason 7 (3+4) 이하 및/혹은 PSA 15 ng/mL 이하의 경우도 포함; [‡], 기대 여명과 동반 질환을 고려하여 결정; [❶], 50~80세 연령; [¶], 어떠한 core이든 core 내의 암 분포 50% 미만.
AS, active surveillance; PSA, prostate-specific antigen.
Lawrentschuk와 Klotz (2010)의 자료와 O'Donnell과 Parker (2008)의 자료를 수정 인용.

환자에 대한 추적 관찰은 매우 중요하며, 이는 직장수지검사, PSA 농도, PSA 역동학, 재생검 등으로 이루어진다 (Thomsen 등, 2014). 혈액이나 소변을 이용한 생물 지표 등과 같은 새로운 진단 도구가 활용되기 전까지는 핵심 요소가 일차 생검 후 1년 이내에 실시되는 재생검이다. 한편으로 PSA는 덜 중요한 것 같다. 재생검 혹은 확정을 위한 생검은 질환의 진행을 예측할 뿐만 아니라, 고등급 분화도의 질환이나 용적이 큰 질환을 배제하기 위해 이용되기도 하는데, 이 둘은 일차 생검에서 놓쳐졌을 수 있기 때문이다 (Adamy 등, 2011). 첫 재생검이 음성이거나 진단적 생검과 차이가 없다면, 다음 생검과의 간격을 1~2년 연장할 수 있다. AS 프로그램의 일부로서 생검을 연속으로 실시할 경우, 이러한 생검이 경미한 출혈부터 심각한 패혈증까지 다양한 위험을 초래할 수 있음을 숙지하여야 한다. 근래의 보고에 의하면, 전립선 생검의 0.2~1.7%에서 급성 소변 정체, 6~25%에서 배뇨통이 발생한다 (Loeb 등, 2013). PSA 검사는 AS에서 중요한 부분이며, 흔히 첫 2년에는 3개월마다, 그 후는 6개월마다 실시한다. 그러나 근래의 연구는 진행을 예측하는 데 PSA 역동학의 역할에 관하여 의문을 제기하였다. PSA 역동학이 다른 분야에서는 나쁜 예후와 관련이 있지만, AS를 이용하여 치료 중인 저급 위험의 전립선암 환자에게 이를 직접 적용시킬 수는 없다 (Bangma 등, 2013). 마찬가지로 prostate cancer antigen 3 (PCA3)는 전립선암을 발견하는 데는 유용하지만, 저급 위험, 중급 위험, 상급 위험의 질환을 구별하는 데는 유용도가 떨어진다 (Filella 등, 2013).

여러 연구는 AS에 적격인 환자의 기준을 설정하였는데, 그들 중 한 연구는 AS의 적합 기준을 임상적 국소 전립선암, 즉 병기 T1~T2, Gleason 점수 6 이하, 암이 포함된 생검 cores가 전체의 1/3 이하, 어느 생검 core이든지 암이 50% 이하 포함, PSA 농도 10 ng/mL 미만 등으로 설정하였으며, 암의 진행을 의심하는 기준을 PSADT 2~4년 미만, 1~4년 간격으로 실시된 재생검에서 Gleason 점수 7 이상, PSA 농도 10 ng/mL 초과 등으로 설정하였다 (Klotz, 2010). 중재술은 Gleason 점수, PSA, 병기 등에 의해 저급 위험의 질환이 중급 혹은 상급 위험의 질환으로 변하는 경우에 고려되어야 한다. 일부 프로토콜은 Gleason 점수 3+4의 경우 지속적인 AS를 주장하지만, 대부분의 프로토콜에서 제시된 바와 같이 Gleason 패턴 4 혹은 5가 존재하면 AS로부터 치유적 치료로 치료 방법을 변경시키는 경향이 있다 (Thomsen 등, 2013; Bratt 등, 2013). 직장수

도표 40 적극적 감시 (AS)의 추적 관찰과 중재술 시점

추적 관찰 방법
- 2년 동안 3개월마다 PSA와 직장수지검사, 그 후에는 PSA가 안정될 때까지 6개월마다 실시
- 첫 해에는 10~12-core 생검, 그 후로는 80세까지 3년 마다 실시
- 선택사항; 매 2회 방문마다 1회씩 경직장초음파촬영술

중재술 고려 시점
- PSA doubling time (PSADT)이 3년 미만 (대부분 최소 8회 측정; 환자의 약 20%가 이에 해당)
- Gleason 점수가 7 (4+3) 혹은 그 이상으로의 진행 (환자의 약 5%가 이에 해당)

AS, active surveillance; PSA, prostate-specific antigen.
Lawrentschuk와 Klotz (2010)의 자료를 수정 인용.

지검사에서 T2a를 초과하는 병기일 경우에는 치유적 치료를 시작해야 한다. PSADT가 2~4년 미만이거나 PSA 농도의 증가가 1년 내에 2 ng/mL를 초과하는 경우에도 치료의 전략을 변경해야 한다 (Tosoian 등, 2011; Bul 등, 2012). 그러나 중재술의 필요성을 확인하는 데 PSADT의 역할은 논란이 되고 있다. 저급 위험의 전립선암으로 AS를 받은 290명의 코호트에 관한 연구는 Gleason 점수 7 이상, 양성 cores 2개 이상, 혹은 각 core 당 암의 분포가 50% 초과 등 '생검에 의한 진행'이 35%에서 발견되었다고 하였다. 이 연구에서 PSADT와 PSA velocity (PSAV)는 생검에서의 진행과 유의한 연관성이 없었으며, 각각의 p-value는 0.83, 0.06이었다 (Krakowsky 등, 2010). 다른 연구에서는 AS를 받고 있는 남성의 36%가 재생검에서 질환의 진행을 나타내었다 (Al Otaibi 등, 2008). 또 다른 연구에서 5년 무진행 확률은 재생검 음성 환자군과 양성 환자군에서 각각 82%, 50%이었다 (Ross 등, 2010). 두 연구는 PSADT의 결과와 관계없이 AS 환자를 적절하게 관리하기 위해서는 AS 후 1년과 4년에 재생검을 실시할 것을 제시하였다 (Bul 등, 2013). 다른 연구에서 보고된 AS 환자의 추적 관찰 방법과 중재술의 고려 시점은 도표 40에 요약되어 있으며, AS 도중 질환의 진행을 객관적으로 평가하기 위해 점수를 부과하는 방법은 도표 41에 정리되어 있다.

전립선암 환자를 대상으로 실시된 AS에 관한 전향 연구의 결과는 도표 42에 요약되어 있다.

1.11.1.2. 근치전립선절제술 Radical prostatectomy (RP)

근치전립선절제술은 국소 전립선암에 대한 유일한 외과적 치료 방법이다. 두 편의 무작위 배정, 전향 연구, 즉 Scandinavian Prostate Cancer Group Trial Number 4 (SPCG-4)

도표 41 적극적 감시 (AS) 동안 질환의 객관적인 진행을 평가하기 위한 점수 부과 방식

	1점	2점	3점
DRE와 경직장초음파촬영술	이전 병변의 증가[†]	생검으로 확인된 바 없는 병변[‡]	생검으로 확인된 새로운 병변[‡]
PSAV, ng/mL/year		12개월 동안 〉0.75	24개월 동안 〉0.75
Gleason 점수 증가	1	〉1	새로운 Gleason 유형 4 혹은 5
생검 표본		양측 혹은 다발성 암	암 포함한 cores 〉4

3점 이상이면 객관적인 진행이 있음을 의미하며, 44개월 추적관찰 동안 88명 중 22명이 진행 범주에 들었고 실제적 진행 확률은 5년에 36%, 10년에 45%이었다 (Patel 등, 2004). [†], 횡단면 면적 (π/4×길이×수직 깊이)에서의 증가가 25% 초과; [‡], 이전에 기록된 병변과는 다른 새로운 병변이 직장수지검사에서 결절로 촉진되거나 경직장초음파촬영술에서 저에코 병변으로 확인되는 경우.
AS, active surveillance; DRE, digital rectal examination; PSA, prostate-specific antigen; PSAV, prostate-specific antigen velocity.
Campbell-Walsh Urology 9판의 자료를 수정 인용.

도표 42 전립선암 환자에서 실시된 적극적 감시 (AS)에 관한 전향 연구

	Klotz 등, 2010	Tosoian 등, 2011	Bull 등, 2012[†]	Dall' Era 등, 2012	Selvadurai 등, 2013	Bratt 등, 2013[‡]	Thomsen 등, 2014
환자 수	450	769	2,494	321	471	148	167
추적 관찰, 년[¶]	6.8	2.7	1.6	3.6	5.7	NA	3.4
치료 않은 비율, %	5년에 70	5년에 59	2년에 77	5년에 67	5년에 70	NA	NA
전립선암 사망률, %	15년에 3	0	0	0	0.4	NA	0

[†], Prostate Cancer Research International Active Surveillance (PRIAS)의 자료; [‡], 현재 진행 중인 Study of Active Monitoring in Sweden (SAMS)의 자료; [¶], 중앙치.
AS, active surveillance; NA, not available.
Lund 등 (2014)의 자료를 수정 인용.

(Holmberg 등, 2012)와 Prostate Cancer Intervention Versus Observation Trial (PIVOT) (Wilt 등, 2012)에 의하면, 감시/대기 요법 (watchful waiting, WW)에 비해 근치전립선절제술은 암 특이 사망률에서 이점을 가진다. 이들 연구에서는 다른 치료법은 이용되지 않았다. 대부분의 환자는 저급 위험 혹은 중급 위험의 전립선암을 가졌으며, 선별검사를 이용하여 전립선암을 발견하지 않았기 때문에 통상적인 임상 진료에 이들 자료를 그대로 이용할 수는 없다.

1989~1999년에 SPCG-4는 임상 병기 T1~T2의 전립선암 환자를 무작위로 감시/대기 요법 혹은 근치전립선절제술에 배정하였다. 이 연구는 PSA 선별검사가 소개된 후 시작되었지만, 전립선암 환자의 5%만이 진단되고 있었다. 이 연구는 중앙치 12.8년 동안 추적 관찰한 후, 감시/대기 요법에 비해 근치전립선절제술로 치료를 받은 환자에서 암 특이 사망률, 전반적 사망률, 전이 위험이 있는 진행 등이 유의하게 감소되었다고 하였다 (증거 수준 1b). 소집단으로 구분하여 분석한 바에 의하면, PSA 농도 10 ng/mL 미만 혹은 10 ng/mL 초과, Gleason 점수 7 미만 혹은 7 이상 등과 같은 진단 당시의 PSA 농도나 Gleason 점수에 의해 차이가 나지 않았다. 그러나 무작위 배정 시점에서의 환자 연령은 상당한 영향을 주었는데, 전반적 생존과 전이 없는 생존에서의 이점은 65세 미만의 남성군에서만 나타났다 (Holmberg 등, 2012). 기타 소집단 분석은 환자의 연령 및 종양의 특징에 따라 수술로 인한 이점이 다르게 나타남을 보여 주었다. 65세의 경우 10년 시점에서 근치전립선절제술로 인한 전립선암 사망 위험의 감소가 저급 위험 환자에서는 상급 위험 환자의 4.5~17.2% 범위이었다. 수술의 이점은 연령이 70세를 훨씬 초과하면 훨씬 낮아졌다 (Vickers 등, 2012). 이들 결과는 수술이 Gleason 6의 병기 T1 전립선암을 가졌거나 70세를 훨씬 넘은 환자에서는 적합하지 않지만, Gleason 8 혹은 7의 병기 T2 질환을 가진 환자에서는 이점이 있음을 시사한다. 이 연구는 이러한 결과를 PSA 선별검사가 보편화된 현대의 환자에게 적용하는 데는 신중을 기해야 한다는 제한점을 가지고 있다.

PIVOT는 임상 병기 T1c~2c N0 M0, PSA 50 ng/mL 미만, 연령 75세 미만, 기대 여명 10년 초과 등의 조건을 가진 임상적 국소 전립선암 환자 731명을 근치전립선절제술 혹은 감시/대기 요법에 배정하였다. 촉진에 의한 결절이 SPCG-4에서는 12%에서 발견된 데 비해, PIVOT에서는 50%에서 발견되었

도표 43 근치전립선절제술에 관한 EAU의 지침 및 권장 사항

적용 대상	증거 수준
절대적 적용 대상	
· 저급 위험 혹은 중급 위험의 전립선암, 즉 임상 병기 T1a~T2b 및 Gleason 점수 6~7 및 PSA 20 ng/mL 이하의 전립선암 그리고 기대 여명이 10년을 초과한 환자	1B
선택적 적용 대상	
· 병기가 T1a이고 기대 여명이 15년을 초과하거나 Gleason 점수 7인 환자	3
· 병기 T3a 혹은 Gleason 점수 8~10 혹은 PSA 20 ng/mL 초과의 상급 위험 전립선암으로 용적이 적은 환자	3
· 병기 T3b~T4N0 혹은 any TN1의 매우 높은 위험도의 국소 전립선암으로 복합적인 치료가 필요한 환자	3
· 저급 위험 혹은 상급 위험을 가진 임상적 국소 전립선암의 치료에서 gonadotrophin releasing-hormone (GnRH) 유사체에 의한 단기간 (3개월) 혹은 장기간 (9개월)의 선행 보강 요법은 권장되지 않는다.	1A
· 신경 보존 수술은 병기 T1c 및 Gleason 점수 7 미만 및 PSA 10 ng/mL 미만으로 피막 외부로의 침범 위험이 적고 수술 전에 발기력을 유지한 환자에서 시행될 수 있다.	3
· 한쪽 신경 보존 수술은 병기 T2a~T3a의 질환에서 선택 사항이다.	4

EAU, European Association of Urology; PSA, prostate-specific antigen.
Heidenreich 등 (2014)의 자료를 수정 인용.

다. 10년 동안 추적 관찰한 후 전반적 사망률과 전립선암 특이 사망률은 두 치료군에서 차이가 없었으며, 각각 47.0% 대 49.9% (HR 0.63, 95% CI 0.36~1.09; p=0.22), 5.8% 대 8.4% (HR 0.63, 95% CI 0.36~1.09; p=0.09)이었다. 환자의 연령, Gleason 점수, 전신 상태, Charlson의 동반 질병 점수 등을 고려하여도 두 치료군에서 전반적 사망률은 유의한 차이를 보이지 않았다. 그러나 혈청 PSA 농도가 10 ng/mL를 초과하거나 상급 위험 전립선암을 가진 환자에서는 수술이 전반적 사망률에서 이점을 보였는데, 상대적 위험 감소율은 각각 33% (p=0.02), 31% (p<0.01)이었다. 분석 결과에 의하면, 중급 혹은 상급 위험의 전립선암 환자에서 상대적 및 절대적 위험 감소율은 각각 31%, 10.5%이었다 (p<0.01). 근치전립선절제술을 받은 환자에서 골 전이의 발생률은 감시/대기 요법에 비해 유의하게 감소되었는데, 각각 4.7%, 10.6%이었다 (p<0.01) (Wilt 등, 2012).

결론적으로, 전반적 사망률과 전이 특이 사망률의 경우 감시/대기 요법과 비교하여 근치전립선절제술의 이점은 65세 미만의 중급 혹은 상급 위험의 질환으로 진행된 환자에서만 나타난 반면, 저급 위험의 전립선암에서는 나타나지 않으며, 절대적 감소율은 3%에 불과하다. 이 연구는 SPCG-4 연구와 마찬가지로 현대의 환자에게 이러한 결과를 적용하는 데는 신중을 기해야 한다 (Heidenreich 등, 2014).

신경보존/근치전립선절제술은 발기기능이 정상인 국소 전립선암 환자에서 최우선 치료법이다. 미국에서는 robot-assisted laparoscopic RP (RALP)가 임상적 국소 전립선암에서 근치전립선절제술을 대신하는 가정 표준이 되는 외과적 접근법이며, 유럽에서도 이용이 증가되고 있다. 이러한 경향은 RALP가 기존의 정립된 치료법보다 우수하다는 높은 수준의 증거가 부족함에도 불구하고 계속되고 있다. 여러 문헌을 검토한 연구는 retropubic RP (RRP)와 RALP의 결과를 비교하였다. 수술 절제면 침범률은 비슷하였지만, 발표된 문헌의 경우 추적 관찰한 기간이 짧고 국소적으로 진행된 전립선암에서 RARP의 경험이 적기 때문에 생화학적 재발과 기타 종양학적 종말점에 관한 결론을 이끌어내기는 어렵다. 보고된 연구의 대다수가 방법론적인 제한점으로 가지고 있지만, 수술 후 배뇨 자제와 발기 기능의 회복 측면에서 RARP는 이점을 가지고 있다 (Novara 등, 2012; Ficarra 등, 2012).

골반림프절절제술의 필요성과 범위는 논란 중에 있다. 림프절 침범의 위험은 저급 위험의 전립선암과 생검에서 암 양성 cores가 50% 미만인 남성에서는 낮다 (Briganti 등, 2012; Joniau 등, 2013).

근치전립선절제술에 관한 지침 및 권장 사항은 도표 43에 요약되어 있다.

1.11.1.3. 방사선 요법 및 저선량률의 근접 치료
Radiation therapy and low-dose-rate brachytherapy

많은 나라와 기관에서 이용되는 체외 방사선 요법에서 three-dimensional conformal radiation therapy (3D-CRT)는 가장 표준이 되는 방법이지만, 전립선에서 위치 표지자 삽입에 이용되는 최적화 모델의 3D-CRT인 image-guided intensity-modulated radiation therapy (IMRT)는 임상적 국소 전립선암 환자 4,559명을 포함하는 11편의 연구에서 표준이 되는 치료

법으로 간주되고 있다 (Bauman 등, 2012). IMRT는 급성 혹은 후기 독성을 증가시키지 않으면서 용량을 단계적으로 증가시킬 수 있기 때문에, 널리 이용되고 있다. 저급 위험의 전립선암에서 선량이 72 Gy 미만인 경우에는 생화학적 재발이 없는 생존율이 63%로 더 낮기 때문에, 69%인 74 Gy 이상의 선량이 권해진다 (p=0.046) (Kupelian 등, 2005).

단일 요법으로서 경회음 근접 요법은 저급 위험의 전립선암에서 안전하고도 효과적인 기법으로 이용되고 있으며, 적절한 적용 대상의 기준은 임상 병기 T1c~T2a N0 M0, 최소 12개 부위의 무작위 생검에서 평가된 Gleason 점수 7 이하, 처음 PSA 농도가 10 ng/mL 이하, 암을 포함한 생검 cores가 50% 이하, 전립선 용적이 50 cc 미만, 17점 이하의 양호한 International Prostate Symptom Score (IPSS), 경요도전립선절제술의 병력이 없는 경우 등의 조건이라고 알려져 있다 (Ash 등, 2000).

중앙치 36~120개월 동안 추적 관찰한 영구 삽입술의 결과가 여러 기관에서 보고되었으며, 5년과 10년 시점에 재발이 없는 생존율은 각각 71~93%, 65~85%로 보고되었다 (Voulgaris 등, 2008). 중급 위험의 전립선암 환자에서 실시된 낮은 선량률의 근접 요법은 유망한 결과를 보였으며, 생화학적 재발이 없는 5년 생존율이 94%이었다 (Morris 등, 2013).

3등급 독성의 빈도는 5% 미만이다. 발기 기능 장애는 3~5년 후 환자의 약 40%에서 발생한다. 후향 연구에 의하면, 낮은 선량률을 이용한 근접 요법 후 10년에 발생하는 장기간의 독성으로 위장관과 비뇨생식기에 대한 독성이 발견되었으며, 누적 발생률은 각각 1.7%, 4.3%이었다. 요도협착, 방광하부 폐색, 방사선직장염, 반복적인 출혈 등으로 인한 침습적 시술은 위장관 혹은 비뇨생식기 독성을 가진 환자의 1.7%, 3.4%에서 각각 실시되었다 (Hunter 등, 2012). 방사선에 의한 독성은 도표 44에 정리되어 있다.

완결 방사선 요법의 이용에 관한 EAU의 지침 및 권장 사항은 도표 45에 요약되어 있다.

1.11.2. 중급 및 상급 위험 전립선암의 치료
Treatment of intermediate- and high-risk prostate cancer

중급 및 상급 위험도의 전립선암에 대한 국소적 치료 방법으로는 근치전립선절제술, 방사선 요법, 근접 요법, 동결전립선절제술, 고강도 집속 초음파 치료 등이 있다.

1.11.2.1. 근치전립선절제술 Radical prostatectomy (RP)

상급 위험의 임상적 국소 전립선암에 대한 적절한 치료에 관하여 의견이 일치된 바는 없다. 국소 요법으로 수술을 선택할지에 대한 결정은 임상적인 결과에 근거하여야 하며, 근치전립선절제술은 종양의 용적이 적은 일부 환자에서 일차 요법으로 이용할 수 있다.

상급 위험의 국소 전립선암에 대한 관리는 다수 분야가 포함된 진료팀에서 의논되어야 하는데, 이 경우 수술 절제면 침범의 비율과 림프절 침범의 비율이 각각 33.5~66%, 7.9~49%로 높아 다양한 접근이 필요할 수 있기 때문이다 (Hsu 등, 2007; Loeb 등, 2007). 수술로 치료를 받은 환자 중 56~78%는 보조 혹은 구제 방사선 요법이나 호르몬 요법을 필요로 한다 (Ward 등, 2005).

임상 병기가 T3인 전립선암에 대한 과대 평가가 13~27%로 다소 흔하다고 보고된다 (Hsu 등, 2007). 병리학적 병기 T2와 표본에 국한된 병리학적 병기 T3 질환을 가진 환자는 비슷하게 양호한 생화학적 및 임상적 재발이 없는 생존율을 나타낸다 (Ward 등, 2005; Hsu 등, 2007). 신경보존/근치전립선절제술은 임상적으로 국소적인 상급 위험의 전립선암 환자에서 안전하게 시행될 수 있으며, 수술 중 채집된 동결 절편은 종양학적인 혹은 기능적인 결과에 손상을 주지 않는다 (Schlomm 등, 2012).

단일 요법으로 근치전립선절제술을 실시한 경우 생화학적 진행이 없는 10년 생존율은 38~51%로 다양하다. 그러나 보조 및 구제 요법을 받은 환자를 포함하는 상급 위험의 임상적 국소 전립선암을 가진 환자를 코호트로 삼아 평가하였을 때, 암 특이 5년, 10년, 15년 생존율은 각각 95%, 90%, 79%로 우수하다 (Spahn 등, 2010; Gontero 등, 2011).

혈청 PSA 농도가 크게 증가한 환자라고 하여 근치전립선절제술이 금기가 되지는 않는다. PSA 농도가 20 ng/mL를 초과한 712명을 대상으로 실시한 연구는 근치전립선절제술 후 암 특이 10년 및 15년 생존율이 각각 90%, 85%이었으며, PSA 농도가 20 ng/mL를 초과한 환자가 임상 병기 T3 혹은 Gleason 점수 8~10을 함께 가진 경우에는 암 특이 생존율이 유의하게 감소된다고 하였다 (Spahn 등, 2010). 동일한 환자 코호트에 대한 다른 연구는 암 특이 10년 생존율이 PSA 농도가 100 초과, 50.1~100, 20.1~50 ng/mL에서 각각 80%, 85%, 91%이었다고 하였다 (Gontero 등, 2011). 그러나 PSA 농도가 100 ng/mL를 초과한 환자에서는 대부분이 전이를 가지고 있을 확률

도표 44 AUA에 보고된 방사선 요법에 의한 이환의 등급 분류와 비율

등급	RTOG에 의한 급성 이환		EORTC 및 RTOG에 의한 후기 이환	
	위장관	비뇨생식기	위장관†	비뇨생식기
등급 0	없음	없음	없음	없음
등급 1	식욕 부진 및 5% 이하 체중 감소, 구역, 복부 불편함, 배변 습관의 횟수 증가 혹은 변화, 직장 불편함; 치료 불필요	치료 전보다 2배의 빈뇨 혹은 야간뇨, 배뇨통, 요절박; 치료 불필요	경도의 설사, 경도의 경련통, 1일 5회 이하 배변, 경도의 직장 분비물 혹은 출혈	경도의 방광 상피 위축, 경도의 모세혈관 확장 (현미경적 출혈)
등급 2	식욕 부진 및 15% 이하 체중 감소, 치료가 필요한 구역 및/혹은 구토 혹은 복통, 부교감신경 억제제가 필요한 설사, 위생 패드가 불필요한 점액 분비, 진통제가 필요한 직장통 및 복통	시간당 1회 미만의 빈뇨 혹은 야간뇨, 배뇨통, 요절박, pyridium과 같은 마취제가 필요한 방광 연축	중등도의 설사 및 급성 주 통증, 1일 6회 이상의 배변, 과다 점액 혹은 간헐적 출혈	중등도의 빈뇨, 전반적 모세혈관 확장, 간헐적 육안적 혈뇨
등급 3	식욕 부진 및 15% 초과한 체중 감소 혹은 코위영양관 혹은 비경구적 처치가 필요한 구역/구토 혹은 설사, 치료에도 불구하고 심한 복통, 토혈 혹은 혈변, 복부 팽만, 위생 패드가 필요한 심한 점액/혈액 분비	배뇨통과 함께 시간당 1회 이상 요절박 동반 빈뇨 및 야간뇨, 정기적으로 자주 마약이 필요한 골반통 혹은 방광 연축, 응고혈의 유무와 관계없이 육안적 혈뇨	수술이 필요한 출혈 혹은 폐색	심한 빈뇨 및 배뇨통, 심한 전반적 모세혈관 확장 (흔히 점출혈), 잦은 혈뇨, 150 cc 미만으로 방광 용적의 감소
등급 4	장폐색, 아급성 혹은 급성 폐색, 누공, 천공, 수혈이 필요한 위장관 출혈, 튜브 감압술 혹은 장전환술이 필요한 복통	수혈이 필요한 혈뇨, 원인이 응고혈이 아닌 방광 폐색, 궤양 혹은 괴사	괴사, 천공, 누공	괴사, 100 cc 미만 용적의 수축 방광, 심한 출혈, 방광염
비율	보조 요법에서 1~2등급은 22.0~25.0%, 3~4등급은 0.0~2.0%; 구제 요법에서 1~2등급은 2.9~96.0%, 3~4등급은 0.0~2.2%; 병용 요법의 경우 1~2등급은 4.3~87.0%, 3~4등급은 0.0~1.3%	보조 요법에서 1~2등급은 10.5~26.0%, 3~4등급은 2.0~8.0%; 구제 요법에서 1~2등급은 3.0~82.0%, 3~4등급은 0.0~6.0%; 병용 요법의 경우 1~2등급은 5.0~92.0%, 3~4등급은 0.0~3.0%	보조 요법에서 1~2등급은 1.0~12.7%, 3~4등급은 0.0~6.7%; 구제 요법에서 1~2등급은 0.0~66.0%, 3~4등급은 0.0~18.0%; 병용 요법의 경우 1~2등급은 2.0~59.0%, 3~4등급은 0.0~4.3%	보조 요법에서 1~2등급은 2.0~22.0%, 3~4등급은 0.0~10.6%; 구제 요법에서 1~2등급은 1.0~49.0%, 3~4등급은 0.0~6.0%; 병용 요법의 경우 1~2등급은 1.3~79.0%, 3~4등급은 0.0~17.0%

†, RTOG-LENT의 기준에 의한 위장관 후기 독성의 등급은 다음과 같다. 등급 1, 치료가 필요하지 않는 설사/배변 빈도의 증가/이급후중 (tenesmus) 혹은 주 1회 이하의 직장 출혈; 등급 2, 치료를 필요로 하며 주 2회를 초과하는 설사 혹은 최소 주 2회 혹은 1~2회의 지혈을 필요로 하는 직장 출혈 혹은 배변 자제 패드의 간헐적 사용 혹은 정기적인 진통제 사용; 등급 3, 매일 2회 초과하는 치료가 필요한 설사 혹은 수혈이 필요하거나 2회를 초과하는 지혈이 필요한 직장 출혈 혹은 배변 자제 패드의 지속적인 사용 혹은 통증으로 인해 정기적인 마약 사용; 등급 4, 수술이 필요한 기능 장애, 예를 들면 괴사, 천공, 폐색 등 (Odrazka 등, 2010).

AUA, American Urological Association; EORTC, European Organization for Research and Treatment of Cancer; LENT, Late Effects Normal Tissue Task Force; RTOG, Radiation Therapy Oncology Group.

AUA에 보고된 Thompson 등 (2013)의 자료를 수정 인용.

이 높기 때문에, 수술 후 다양한 접근에 의한 보조 혹은 구제 요법을 환자와 의논이 되어야 한다.

임상 병기 T3의 전립선암을 수술할 경우에는 이환율을 최소화하고 종양학적 결과를 향상시키기 위해 높은 외과적 전문성을 필요로 한다 (Gontero 등, 2011). 중급 및 상급 위험 전립선암을 수술한 후에는 환자와 보조 요법에 관한 상담이 필요하기 때문에, 림프절 침범 범위에 관한 최대한의 정보를 얻기 위해 광범위한 골반림프절절제술이 시행되어야 한다 (Joniau 등, 2013). 광범위한 골반림프절절제술의 치료 효과는 분명하지 않은 상태이다.

모든 병기에서 근치전립선절제술의 적용 대상은 임상적으로 림프절의 침범이 발견되지 않은 경우이다. 그럼에도 불구

하고 병리학적으로 림프절에 미세 침범이 있는 환자를 대상으로 평가한 연구는 근치전립선절제술과 조기 안드로겐 박탈 요법을 병행한 경우 암 특이 10년 생존율이 80%이었다고 보고하였다. 다른 후향 연구는 수술 당시 림프절 침범을 가진 환자에서 근치전립선절제술을 포기한 경우에 비해 실시한 경우에서 암 특이 생존율과 전반적 생존율이 크게 향상되었다고 하였다. 이들 자료는 근치전립선절제술이 생존율에 유익한 영향을 주며, 림프절 침범이 있는 환자에서 수술을 포기하는 것은 적절하지 않음을 보여 준다 (Ghavamian 등, 1999). 이러한 결과는 림프절 종양의 크기로 보정한 근래의 후향 연구에 의해 지지를 받았는데, 이 연구에서 근치전립선절제술은 림프절이 침범된 환자에서 우수한 생존율을 나타내었다 (Engel

도표 45 전립선암에 대한 방사선 요법 관련 EAU의 지침 및 권장 사항

지침 및 권장 사항	증거 등급	권장 등급
• 병기 T1c~T2c N0 M0의 국소 전립선암의 경우 IMRT 여부와 관계없이 3D-CRT는 수술을 거부하는 젊은 남성에게 권장된다.	2	B
• 상급 위험 환자인 경우 방사선 요법 전 혹은 동안 장기간의 안드로겐 박탈 요법이 권장되며, 이로써 전반적인 생존율이 증가된다.	2a	B
• EBRT를 받는 데 적합한 병기 T3~T4 N0 M0로서 국소적으로 진행된 전립선암 환자에서는 안드로겐 박탈 요법만으로는 적절하지 않으며, 장기간의 안드로겐 박탈 요법과 EBRT의 병용 요법이 권장된다.	1b	A
• 영구적인 삽입물을 이용한 경회음 간질 근접 요법은 경요도전립선절제술의 병력이 없고 IPSS가 양호하면서 임상 병기 T1~T2a, Gleason 점수 7a 이하, PSA 10 ng/mL 이하, 전립선 용적 50 cc 이하의 전립선암 환자에게 적용된다.	2b	B
• 병리학적 병기 T3 N0 M0 전립선암의 경우 근치전립선절제술 후 즉각적인 체외 방사선 요법을 실시하면, 생화학적 및 임상적 무병 생존율이 증가한다.	1	A
• 병리학적 병기 T3 N0 M0 전립선암의 경우 근치전립선절제술 후 즉각 체외 방사선 요법을 실시하면, 생화학적 및 임상적 무병 생존율이 증가하며, 이는 수술 절제면 양성인 환자에게 가장 큰 영향을 준다.	1b	A
• 병리학적 병기 T2~T3 N0 M0를 가진 환자에서 구제 방사선 요법은 PSA 농도의 지속적 증가가 있거나 PSA 농도가 0.5 ng/mL 이하로 증가된 생화학적 실패 환자에서 실시된다. PSA 농도가 지속적으로 증가됨이 입증되면, 구제 방사선 요법은 PSA 농도가 0.1~0.2 ng/mL로 낮은 경우에도 시행될 수 있다.	3	B
• WHO 수행 상태 점수[†] 0~2에 해당하는 환자로서 국소적으로 진행된 병기 T3~T4 N0 M0의 환자에게는 체외 방사선 요법과 함께 호르몬 요법을 동시에 실시하고 총 3년 동안의 보조 호르몬 요법이 권장되며, 이 방법은 전반적인 생존율을 증가시킨다.	1b	A
• 병리학적 병기 T2~T3 N0 M0 및 Gleason 점수 2~6의 전립선암 환자 일부에게는 방사선 요법 전 및 동안 단기간의 안드로겐 박탈 요법이 권장되며, 이 경우 전반적인 생존율에 유익한 영향을 준다.	1b	A
• 심각한 동반 질환이 없는 임상 및 병리학적 병기 N1 M0의 매우 높은 위험도의 전립선암 환자에서 골반 체외 방사선 요법과 즉각적인 장기간 안드로겐 요법의 치료적 역할은 분명하지 않다. 보조 요법의 선택은 환자의 연령, 동반 질환, 종양의 생물학적 특성 등을 고려하여 개인별로 의논되어야 한다.	3	B

[†], WHO 혹은 Zubrod의 performance status score는 다음과 같으며 (Oken 등, 1982), 이를 WHO 점수, Zubrod 점수, 혹은 ECOG 점수라고 한다. 0, 무증상 (완전하게 활동적이며, 질환이 생기기 전과 같은 활동을 제약 없이 수행할 수 있다); 1, 증상이 있으나 완전한 보행이 가능한 상태 (신체적으로 격렬한 활동에는 제약이 있으나 보행은 가능하며, 가벼운 혹은 주로 앉아서 하는 일, 예를 들면 가벼운 집안일, 사무실 작업 등은 수행할 수 있다); 2, 증상이 있으며, 하루 중 50% 미만을 침대에 있는 상태 (보행 및 자기 스스로의 관리가 가능하지만 일부 작업 활동을 수행할 수 없으며, 깨어 있는 시간의 50% 이상을 서 있다); 3, 증상이 있으며, 하루의 50% 이상을 침대에 있으나 완전하게 침대에 의존하는 상태가 아닌 상태 (제한적인 자기 관리가 가능하고 깨어 있는 시간의 50% 이상을 침대나 의자에 의존해 있다); 4, 침대를 떠날 수 없는 상태 (완전하게 수행 능력이 없으며, 어떠한 자기 관리도 불가능하고, 완전하게 침대나 의자에 얽매여 있다); 5, 사망 상태.

3D-CRT, three-dimensional conformal radiation therapy; EAU, European Association of Urology; EBRT, external beam radiation therapy; ECOG, Eastern Cooperative Oncology Group; IMRT, intensity-modulated radiation therapy; IPSS, International Prostate Symptom Score; PSA, prostate-specific antigen; WHO, World Health Organization.

Heidenreich 등 (2014)의 자료를 수정 인용.

등, 2010). 이들 연구 결과는 림프절을 침범한 전립선암에 대한 다양한 치료 전략에서 근치전립선절제술이 중요한 역할을 함을 시사한다 (Heidenreich 등, 2014).

종양이 진행되는 빈도는 침범된 림프절의 수가 적거나 현미경적 침범만 있는 환자에서는 낮다. 림프절의 침범이 있는 환자 703명을 대상으로 근치전립선절제술과 광범위한 골반림프절절제술을 병행한 연구에 의하면, 암 특이 생존율은 침범된 림프절의 수가 3개를 초과한 경우에는 62%인 데 비해, 2개 이하인 경우에는 84%로 유의한 차이를 나타내었다 (p<0.001) (Briganti 등, 2009). 그러나 이 연구에서 대부분의 환자는 큰 용적의 림프절 질환과 종양의 불리한 특징을 다수 가지고 있었다. 림프절의 침범이 경미한 환자에서 안드로겐 박탈 요법을 이용한 보조 요법이 동일하게 양호한 결과를 나타내는지는 알려져 있지 않다. Early Prostate Cancer Trial (EPCT) 연구와 Surveillance Epidemiology and End Results (SEER) 자료에 의하면, 보조 안드로겐 박탈 요법을 시행한 집단과 시행하지 않은 집단 사이에서 전반적인 생존율의 차이는 통계적으로 유의하지 않다 (McLeod 등, 2006; Wong 등, 2009).

따라서 PSA 농도가 증가된 환자 중 일부 선택된 집단에서는 PSA를 이용한 추적 관찰을 하고 안드로겐 박탈 요법을 연기하는 방법이 적절할 수 있다. 병리학적으로 림프절의 침범이 있는 환자가 근치전립선절제술 후 보조적으로 지속적인 안드로겐 박탈 요법을 받는 경우에는 전립선와 (prostatic fossa)에 대한 방사선 요법이 국소 질환을 최대한 조절하는 이점을 가진다 (Briganti 등, 2011). 그러나 이러한 결과는 후향 연구에 근거를 두고 있기 때문에, Radiotherapy and Androgen Deprivation in Combination After Local Surgery (RADICALS)와 같은 전향 연구에 의한 자료를 검토하여 종합적인 결과를 도출할 필요가 있다.

1.11.2.2. pT3 혹은 pTx R1 전립선암에 대한 보조 체외 방사선 요법
Adjuvant external beam radiation therapy (EBRT) for pT3 or pTx R1 prostate cancer

무작위로 배정한 세 편의 전향 연구는 수술 후 즉각적인 방사선 요법의 역할을 평가하였다. 근치치골후전립선절제술 후 503명을 관찰군에, 502명을 즉각적인 6주 동안의 60 Gy 방사선 치료군에 무작위로 배정한 연구는 생화학적 진행이 없는 생존율이 관찰군에 비해 치료군에서 유의하게 높았으며, 각각 52.6% (95% CI 46.6~58.5%), 74.0% (98% CI 68.7~79.3%)이었다고 하였다 (p<0.0001) (Bolla 등, 2005). 근치전립선절제술 후 192명을 관찰군에, 193명을 즉각적인 방사선 치료군에 무작위로 배정한 연구는 PSA가 발견되지 않고 생화학적 진행이 없는 5년 생존율이 관찰군에 비해 치료군에서 유의하게 높았으며, 각각 54% (95% CI 45~63%), 72% (95% CI 65~81%)이었다고 하였다 (p=0.0015) (Wiegel 등, 2009). 근치전립선절제술을 받은 pT3 N0 M0 전립선암 환자 중 211명을 관찰군에, 214명을 60~64 Gy의 보조 방사선 치료군에 무작위로 배정한 연구는 전이 없는 생존율이 관찰군에 비해 치료군에서 유의하게 더 높았으며, 각각 45% (97명/211명), 56% (121명/214명)이었고 (HR 0.71, 95% CI 0.54~0.94; p=0.016), 사망률 또한 유의하게 더 낮았으며, 각각 52% (110명/211명), 41% (88명/214명)이었다 (HR 0.72, 95% CI 0.55~0.96; p=0.023)고 하였다 (Thompson 등, 2009). 피험자의 기준이 다르기는 하지만 세 연구에 의하면, 수술 후 즉각적인 방사선 요법이 임상적 혹은 생물학적 5년 생존율을 약 20% 증가시킨다 (p<0.0001). 치료군에서 등급 3~4의 소변 관련 독성이 환자의 3.5% 이하에서만 발생하는 등 환자들은 수술 후의 즉각적인 방사선 요법에 잘 순응하였다.

중앙치 11.5년 동안 추적 관찰한 Southwest Oncology Group (SWOG) 8794 연구를 이차 분석한 연구는 보조 방사선 요법이 감시/대기 요법에 비해 전이 없는 15년 생존율과 전반적 생존율을 유의하게 향상시킴을 발견하였는데, 각각 46% 대 38% (p=0.036), 47% 대 37% (p=0.053)이었으며, 이는 다양한 형태의 위험을 가진 비균일한 집단을 대상으로 평가한 결과이다 (Zakeri 등, 2013). 그러나 상급 위험 전립선암 환자를 대상으로 근치전립선절제술을 실시한 후 502명을 6주 동안 60 Gy의 보조 방사선 치료군에, 503명을 관찰군에 무작위로 배정하여 평균 10.6년 동안 장기간 추적 관찰한

European Organization for Research and Treatment of Cancer (EORTC) 연구는 전이 없는 생존율과 전반적 생존율에서 유의한 이점을 관찰하지 못하였는데, 각각 11.3% 대 11.0%, 80.7% 대 76.9%이었다. 생화학적 진행이 없는 생존율과 국소 실패율에서는 유의한 이점이 있었으며, 각각 61% 대 38%, 7.0% 대 16.5%이었다 (Bolla 등, 2012). Radiation Therapy Oncology Group (RTOG)의 기준에 의한 등급 3 방사선 독성의 10년 누적 발생률은 치료군이 5.3%로 2.5%의 관찰군에 비해 더 높았으나, 3D-CRT를 실시하였을 때는 1% 미만으로 낮아졌다 (Wiegel 등, 2009). 따라서 보조 방사선 요법의 적용 대상은 신중하게 선정되어야 하며, 종양과 관련이 있는 다분야의 진료팀에서 논의되어야 한다.

근치전립선절제술 후 PSA가 음성이지만 수술 절제면 침범 혹은 정낭 침범으로 인해 국소적 실패의 위험이 큰 환자에 대해서는 두 가지의 치료법이 선택될 수 있는데, 첫째는 배뇨 기능이 회복된 후 수술 부위에 대한 즉각적인 66.6 Gy의 방사선 요법이고 (Siegmann 등, 2012), 둘째는 임상적 및 생물학적 모니터링을 하는 도중, 이상적으로는 PSA 농도가 증가하지만 0.5 ng/mL를 초과하지 않은 상태에서 실시되는 66 Gy 이상의 구제 방사선 요법이다 (Briganti 등, 2012). PSA 농도가 0.1~0.3 ng/mL로 낮지만 PSA 농도가 계속 진행할 경우에는 구제 방사선 요법을 실시할 수 있다.

1.11.2.3. 방사선 요법 Radiation therapy
중급 위험도의 전립선암에 대한 치료는 환자의 연령, 동반 질환, 성적 건강 등에 근거하여 세 가지 방법이 선택될 수 있다 (Krauss 등, 2011; Jones 등, 2011). 첫째는 76 Gy에서 81 Gy로 선량을 단계적으로 증가시키는 체외 방사선 요법 (external beam radiation therapy, EBRT)이며, 많은 연구들이 진행이 없는 5년 생존율에 유의한 영향을 준다고 하였다. 둘째는 저용량 혹은 고용량의 근접 요법과 체외 방사선 요법을 병행하는 방법이다. 셋째는 4~6개월 동안의 단기간 안드로겐 박탈 요법과 통상적인 용량인 70 Gy의 체외 방사선 요법을 병행하는 방법이다.

상급 위험의 전립선암, 즉 혈청 PSA 농도 20 ng/mL 이상 및/혹은 Gleason 점수 8 이상 및/혹은 병기 T3 이상의 임상 소견을 가진 환자 206명에서 iodine-125 (I-125)와 EBRT와의 병합 요법을 실시한 연구는 다음과 같은 결과를 보고하였다. 이 연구에서 101명 (49.0%)이 선행 안드로겐 박탈 요법

을 받았으나 어느 환자도 보조 안드로겐 박탈 요법을 받지 않 았다 (Ohashi 등, 2014). 첫째, 보험 통계에 의한 생화학적 재 발이 없는 5년 생존율이 84.8%이었다. 5년 암 특이 생존율 과 전반적 생존율은 각각 98.7%, 97.6%이었다. 8명 (3.9%)이 사망하였는데, 그들 중 2명이 전립선암으로 사망하였다. 둘 째, 다변량 분석에서 암 양성 cores의 비율과 상급 위험 인자 의 수는 생화학적 재발이 없는 생존에 대한 독립적 예측 인자 이었다. 암 양성 cores의 비율이 50% 미만과 50% 이상에서 생화학적 재발이 없는 5년 생존율은 각각 89.3%, 78.2%이었 다 (p=0.03). 상급 위험인자가 1가지인 환자와 2~3가지를 가 진 환자에서 생화학적 재발이 없는 5년 생존율은 각각 86.1%, 73.6%이었다 (p=0.03). 선행 안드로겐 박탈 요법은 생화학적 재발이 없는 생존율에 영향을 주지 않았다. 이들 결과를 근거 로 저자들은 상급 위험 전립선암 환자에 대해 보조 안드로겐 박탈 요법을 실시하지 않은 조건에서 I-125 근접 요법과 EBRT 의 병합 요법으로 중앙치 60개월 동안 추적 관찰하였을 때 생 화학적 재발이 없는 5년 생존율의 측면에서 우수한 결과를 얻 을 수 있었다고 하였다.

상급 위험도의 국소 전립선암에 대해서는 안드로겐 박탈 요법과 병행한 체외 방사선 요법이 권장되며, 이를 이용한 임 상 3상 시험은 전반적인 생존율의 유의한 개선을 보고하였다 (D'Amico 등, 2008). 국소적이지만 상급 위험도의 전립선암 을 가진 206명을 방사선 요법에 의한 단일 요법 혹은 방사선 요법과 안드로겐 박탈 요법과의 병합 요법에 무작위로 배정 하여 중앙치 7.6년 동안 추적 관찰한 이 연구에 의하면, 전반 적인 비특이 사망률은 병합 요법에 비해 단일 요법에서 높았 으며, 각각 30명, 44명 (HR 1.8, 95% CI 1.1~2.9; p=0.01)이었 다. 그러나 이 연구에서 병합 요법에 비해 단일 요법에서 전반 적 사망률의 증가는 동반 질환이 없거나 경한 동반 질환을 가 진 환자군에서 일어났고, 중등도 혹은 심각한 동반 질환을 가 진 환자에서는 두 치료 방법 사이에 차이가 없었음을 염두에 두어야 한다. 이 방법은 상급 위험도의 질환을 치료하기 위해 고용량의 체외 방사선 요법을 실시하는 경우이더라도 권장되 는 치료법이다.

상급 위험도의 전립선암 환자에서 단기간 혹은 장기간의 안드로겐 박탈 요법 후 실시되는 체외 방사선 요법의 효과와 안전도를 평가한 3상 시험은 다음과 같은 결과를 보고하였다 (Nabid 등, 2013). 이 연구에는 Gleason 점수 7을 초과한 병 기 T1c~T2b 혹은 기저선 PSA 농도가 20 ng/mL를 초과 혹은

병기 T3~T4 등의 조건을 가진 N0~X M0 환자 630명이 포함되 었다. 첫째, 환자들 중 320명을 18개월 동안의 안드로겐 박탈 요법에, 310명을 36개월 동안의 안드로겐 박탈 요법에 무작위 로 배정하였다. 골반 림프절 부위에 44 Gy, 전립선 부위에 70 Gy를 조사하는 3D-CRT를 실시하기 전 4개월에 안드로겐 박 탈 요법을 실시하였고, 1개월 동안의 안드로겐 대항 요법 후 luteinizing hormone-releasing hormone (LHRH) 작용제를 사용하였다. 환자 연령의 중앙치는 71세 (65~74세)이었으며, 추적 관찰한 기간의 중앙치는 77개월이었다. 둘째, 10년 전반 적 생존율은 18개월과 36개월 치료군에서 각각 63.2%, 63.6% (p=0.429)이었으며, 10년 암 특이 생존율은 두 치료군에서 87.2%이었다. 셋째, EORTC-22863 연구에서는 병기 T3~T4의 비율이 89.6%인 데 비하여 이 연구에서는 병기 T1c~T2b의 비 율이 75.4%이었고 병기 T3~T4의 비율은 불과 24.5%이었다. 따라서 상급 위험도의 국소 전립선암 환자로 제한하여 이들 결과를 해석하는 것이 현명하다. 이 연구에 의하면, 18개월 혹 은 36개월 동안의 안드로겐 박탈 요법에서 암 특이 생존율의 차이가 나타나지 않기 때문에, 고용량의 체외 방사선 요법과 병행한 18개월 동안의 안드로겐 박탈 요법이 새로운 치료법 으로 유망하다고 생각된다.

국소적으로 진행된 전립선암에 관한 EORTC-22961의 자료 에 의하면, 추적 관찰한 중앙치 5.2년 후의 전반적 생존율은 단기간의 안드로겐 박탈 요법에 비하여 3년 동안의 안드로겐 박탈 요법에서 4.7%의 이득을 나타내었다 (Bolla 등, 2009). T2c~T4 전립선암으로 인해 방사선 요법을 받은 1,554명을 대 상으로 4개월 동안의 선행 보강 안드로겐 박탈 요법을 받은 군과 4개월 동안의 선행 보강 안드로겐 박탈 요법 외에 추가 로 24개월간의 보조 안드로겐 박탈 요법을 받은 군을 비교한 RTOG 92-02 연구는 보조 안드로겐 박탈 요법을 실시한 군이 국소 진행, 질환이 없는 생존, 생화학적 생존, 전이가 없는 생 존 등의 측면에서 더 유익함을 보여 주었다. 그러나 전반적 생 존율에서의 이점은 Gleason 점수 8~10의 소집단에 국한되어 나타났다 (Hanks 등, 2003). 이들 결과에 의하면, 상급 위험도 의 전립선암 환자에서 선행 호르몬 요법 여부와 관계없이 보 조 안드로겐 박탈 요법은 필수적이며, 방사선 요법과 보조 안 드로겐 박탈 요법의 병행은 이들 환자군에서 표준이 되는 치 료법이다.

여러 무작위 배정, 전향 연구가 체외 방사선 요법의 실시 여 부와 관계없이 시행된 안드로겐 박탈 요법의 종양학적 효과

를 평가하였다. 국소적으로 진행된 전립선암 환자 875명을 대상으로 호르몬 요법의 단일 요법 혹은 안드로겐 박탈 요법과 70 Gy 이상의 체외 방사선 요법과의 병합 요법에 무작위로 배정한 SPCG-7 연구는 다음과 같은 결과를 보고하였다 (Widmark 등, 2009). 중앙치 7.6년 동안 추적 관찰한 후 암 특이 사망률, 전반적 사망률, PSA 실패 등이 병합 요법 군에 비해 단일 요법 군에서 더 높았으며, 각각 11.9% 대 23.9%, 29.6% 대 39.4%, 25.5% 대 74.7%이었다 ($p < 0.0001$). 국소적으로 진행된 전립선암 환자 1,205명을 안드로겐 박탈 요법의 단일 요법 혹은 안드로겐 박탈 요법과 65~69 Gy 이상의 체외 방사선 요법과의 병합 요법에 무작위로 배정한 캐나다의 연구는 다음과 같은 결과를 보고하였다 (Warde 등, 2012). 중앙치 6년 동안 추적 관찰한 후, 체외 방사선 요법을 추가한 병합 요법은 단일 요법에 비해 사망 위험이 유의하게 더 낮았으며 (HR 0.77, $p = 0.033$), 질환 특이 10년 누적 사망률은 각각 15%, 23%이었다. 안드로겐 박탈 요법 혹은 안드로겐 박탈 요법/체외 방사선 요법을 받은 국소 진행 전립선암 환자 263명을 대상으로 실시한 프랑스의 연구는 다음과 같은 결과를 보고하였다 (Mottet 등, 2012). 최소 5년 동안 추적 관찰한 후, 진행이 없는 생존, 국소 진행, 전이 등의 측면에서 병합 요법이 단일 요법에 비해 더 우수한 결과를 나타내었는데, 각각 60.9% 대 8.5% ($p = 0.001$), 9.7% 대 29% ($p = 0.0002$), 3% 대 10.8% ($p = 0.018$)이었다.

환자는 후기 위장관 혹은 비뇨생식기 독성, 발기기능에 대한 방사선의 영향 등에 관하여 충분하게 이해를 구해야 한다 (도표 44). RTOG 척도에 따라 등급이 매겨진 EORTC-22863 연구는 70 Gy의 선량을 이용하여 후기 독성을 분석하였다. 86명 (22.8%)에서 등급 2 이상의 비뇨 혹은 위장관 합병증 혹은 하지 부종이 발생하였으며, 이들 중 72명은 등급 2, 즉 중급 독성을, 10명은 등급 3, 즉 상급 독성을, 4명은 등급 4, 즉 치명적인 독성을 가졌다. 치료와 관련이 있는 사망이 4건 (1%) 있었지만, 장기간의 독성은 제한적이었으며, 등급 3 혹은 4의 후기 합병증은 5% 미만으로 보고되었다 (Bolla 등, 2012).

상급 위험도의 전립선암 환자를 골반 전체에 대한 46~50 Gy의 예방적 방사선 조사에 무작위로 배정하여 비교한 연구는 이점을 발견하지 못했다고 보고하였으며, 이 때문에 골반 전체에 대한 예방적 방사선 요법은 증거에 근거하여 실시할 수 있는 방법은 아니다 (Pommier 등, 2007; Lawton 등,

2007). 광범위한 골반림프절절제술은 골반 림프절에 대한 방사선 조사로 이점이 있을 환자를 선정하는 데 도움을 준다. 특히, 젊은 환자에서 골반림프절절제술의 결과는 방사선종양학 의사로 하여금 계획하고 있는 표적의 용적과 안드로겐 박탈 요법의 기간을 적절하게 조정할 수 있도록 하는데, 예를 들면 병리학적 병기 N0 환자에서는 골반에 대한 방사선 조사를 실시하지 않는 반면, N1 환자에서는 골반에 대한 방사선 조사와 함께 장기간의 안드로겐 박탈 요법을 실시한다. IMRT를 이용한 고용량의 골반 림프절 방사선 조사의 이점은 현재 여러 그룹에 의해 연구 중에 있다 (Heidenreich 등, 2014).

양성자 빔 요법 (proton-beam therapy, PBT)은 전립선암의 치료에서 유망한 방법이긴 하지만, 고비용이라는 단점을 가지고 있다. 양성자 빔 요법을 IMRT와 비교한 연구들은 약간 더 나은 혹은 약간 더 나쁜 결과를 보고하였다 (Vargas 등, 2008; Nihei 등, 2011). 양성자 빔 요법은 이론상 신체적인 이점이 있지만, 효능과 안전성에 관하여 다른 방법과 비교해 볼 때 반드시 우수하지 않고 거의 대등한 결과를 보인다 (Efstathiou 등, 2013). 이와 관련한 연구에 의하면, 높은 선량을 조사한 경우에는 IMRT가 방광의 보존에서 더 우수하였고 직장의 보존에서는 비슷한 반면, 낮은 선량을 조사한 경우에는 양성자 빔 요법이 직장과 방광의 보존에서 더 우수하였다 (Trofimov 등, 2007). 그러나 고선량인 경우에는 성, 직장, 방광 등의 기능에 손상을 가져 올 수 있고, 저선량이 누적된 경우에는 피로, 장 기능 장애, 암의 재발 등이 발생할 수 있기 때문에, 이들 장단점을 충분하게 고려하여 선량을 결정할 필요가 있다 (Efstathiou 등, 2013).

임상적 국소 전립선암 환자 393명을 70.2 Gy의 체외 방사선 요법과 79.2 Gy의 광자 (photon)/양성자 빔 병합 요법에 무작위로 배정한 Proton Radiation Oncology Group 9509 연구는 다음과 같은 결과를 보고하였다 (Talcott 등, 2010). 첫째, 추적 관찰한 기간의 중앙치 9.4년에 측정된 10년 생화학적 진행 비율은 표준 선량과 고선량을 받은 환자에서 각각 32%, 17%이었다 ($p < 0.001$). 둘째, 환자가 보고한 결과에 근거하여 측정되는 Prostate Cancer Symptom Index (PCSI)는 표준 선량 환자군과 고선량 환자군에서 차이가 없었는데, 배뇨 폐색/자극 증상, 요실금, 장 문제, 성 기능 장애 등이 각 치료법에서 23.3±13.7 대 24.6±14.0 ($p = 0.36$), 10.6±17.7 대 9.7±15.8 ($p = 0.99$), 7.7±7.8 대 7.9±9.1 ($p = 0.70$), 68.2±34.6 대 65.9±34.7 ($p = 0.65$)이었다. PCSI의 배뇨 폐색/자극

증상 지수는 배뇨 지연, 빈뇨, 야간뇨, 배뇨통, 요절박 등을 평가하는 5문항, 요실금 지수는 소변 조절의 정도를 묻는 3문항, 장 기능 장애 지수는 설사, 대변 절박, 직장통, 출혈, 점액 분비, 복부 경련, 이급후중 혹은 뒤무직 (tenesmus) 등에 관한 문항, 성 기능 장애 지수는 발기 (단단함과 발기를 일으키고 유지하는 데의 어려움), 오르가즘, 사정 등에 관한 문항을 각각 포함하며, 네 가지 지수는 각각 0~100점으로 평가된다. PCSI는 배뇨 기능 관련 5문항, 장 기능 관련 4문항, 성 기능 관련 8문항, 배뇨 불편 정도 관련 1문항, 장 불편 정도 관련 1문항, 성 불편 정도 관련 1문항으로 구성된 University of California, Los Angeles Prostate Cancer Index (UCLA-PCI)와 유사하다 (Litwin 등, 1998). 셋째, 표준 선량 환자군에서 PSA 진행의 빈도가 더 높기 때문에 전립선암이 조절되었다는 신뢰는 고선량 환자군에 비해 표준 선량 환자군에서 더 낮았으며, 각 환자군에서 신뢰 관련 점수는 86.2, 76.0이었다 ($p < 0.001$). 이들 결과를 근거로 저자들은 임상적 국소 전립선암 환자의 치료에서 고선량의 방사선 요법이 표준 선량에 비해 환자가 보고하는 전립선암 증상을 증가시키지 않는다고 하였다. 그러나 광자 방사선 요법의 종양학적 효능을 평가하기 위해서는 IMRT와 무작위로 비교한 전향 연구가 필요하다.

완결 방사선 요법에 관한 지침 및 권장 사항은 도표 45에 정리되어 있다.

1.11.2.4. 전립선암에 대한 기타 국소 요법
Alternative local treatment options for prostate cancer

근치전립선절제술, 체외 방사선 요법, 근접 요법 외에도 고강도 집속 초음파 치료 (high-intensity focused ultrasound, HIFU)와 동결전립선절제술 (cryosurgical ablation of the prostate, CSAP)은 임상적으로 국소 전립선암이지만 근치전립선절제술이 적합하지 않은 환자에서 시행될 수 있는 방법이다 (Babaian 등, 2008; Warmuth 등, 2010).

초음파 변환기는 Jacques와 Pierre Curie가 압전기 효과 (piezoelectric effect)를 발견한 1880년에 개발되었다. 1900년대 초 Paul Langevin 등은 석영 (quartz) 결정의 압전기 효과를 이용하여 해저 청음기로서 초음파 변환기를 처음 활용하였다. 수년 후 Wood와 Loomis가 고강도 초음파의 생물학적 효과를 보고하였으며, 이로써 HIFU가 생물 조직에 적용되게 되었고 (Lynn 등, 1942), 1950~1970년대에는 HIFU가 중추신경계의 질환을 치료하는 데 이용되었다. 특히, Fry 형제는

파킨슨 질환을 포함한 신경학적 질환의 치료용으로 HIFU 시스템을 고안하였으며 (Fry 등, 1954), 치료 부위에 초점을 맞추는 초음파 변환기를 이용함으로써 대뇌 피질 깊숙이 위치해 있는 작은 병변을 완벽하지는 않지만 치료할 수 있게 되었다 (Fry 등, 1955). Burov (1956)는 악성 종양을 치료하는 데 고강도 초음파를 이용할 것을 제안하였으며, 그 후 집속 초음파의 생물학적 효과와 특성이 연구되었다 (Fry와 Johnson, 1978). 연구자들은 HIFU를 이용하여 동물의 종양을 치료하는 데 이용하였으며, 종양을 절제하는 HIFU의 성능이 계속 개선되어 실험으로 종양을 완전하게 파괴하거나 크기를 감소시키는 데 성공하게 되었다 (Ter 등, 1989). 1980년대에는 안구의 종양 (Coleman 등, 1978)과 녹내장 (Lizzi 등, 1984)을 치료하는 HIFU 장치가 개발되었으며, 1990년대에는 양성전립선비대 (Madersbacher 등, 1994)와 전립선암 (Bihrle 등, 1994)의 치료 방법으로 HIFU가 연구되었다. 당시의 연구자들은 영상과 치료의 이중적 역량을 가진 경직장 탐침자 (Foster 등, 1993) 혹은 초음파 스캐너와 연합한 HIFU 변환기 (Gelet 등, 1993)를 이용하였다. 이후 양성전립선비대 환자의 전립선에서 다수 부위에 적용이 가능하게 되었다 (Hegarty와 Fitzpatrick, 1999). 1992년 쥐의 국소 전립선암을 HIFU로 치료한 경험이 보고된 후 (Chapelon 등, 1992), Madersbacher 등 (1995)이 처음으로 전립선암에 대한 HIFU의 치료 효과를 연구하였다. HIFU에 대한 연구와 활용이 급속도로 발전되고 있으며, 주로 양성 및 악성의 경성 종양을 치료하는 데 이용되고 있으나, 혈전 용해, 종양 및 출혈을 치료하기 위한 동맥 폐색, 혈관 및 장기 출혈의 지혈, 약물 및 유전자의 전달 등에서도 HIFU의 활용이 연구되고 있다 (Dubinsky 등, 2008).

HIFU는 고강도의 변환기로부터 방사된 HIFU 빔을 비침습적으로 주위 조직에는 영향을 주지 않고 체내 조직을 표적으로 조사하는 기법이다. HIFU는 병소 내의 온도를 증가시켜 조직의 응고성 괴사를 유도한다 (Dogra 등, 2009). 두 가지의 주된 기전, 즉 고열 (hyperthermia)과 음향 공동화 (acoustic cavitation)를 통해 조직이 파괴된다 (Kennedy 등, 2003). 초음파 파장은 생물 조직을 통해 전파됨에 따라 점차 흡수되고 그것의 에너지는 열로 전환된다. 초음파 빔이 체내 특정한 깊이에 있는 단단한 병소에 전달되면, 이 부위에서 생성된 높은 에너지 밀도가 단백질을 변성시키는 한계치 온도인 43°C 이상의 온도를 일으켜 응고성 괴사를 유도한다. 병소 밖에서는 에너지가 급격하게 감소되기 때문에, 병변 주위 조직에서

는 변화가 일어나지 않는다. 제거된 조직의 크기와 위치는 압전 세라믹 소자 (piezoceramic element)의 모양과 집속 장치, 초음파의 주파수 및 음파 처리 (sonication) 시간, 해당 조직의 흡음률 (absorption coefficient), 해당 부위에서 생성된 강도 등에 의존적이다. 구분된 생물학적 환경에서 고온 부위의 크기는 초음파의 강도와 지속 시간에 의해 조절될 수 있다. 초음파 조사 부위에서의 강도가 3,500 W/cm^{3}를 초과하여 조직 내부에서 거품이 발생하고 물리적인 조직 파괴가 일어나면, 조절하기가 어렵다. 공동화는 초음파가 조사된 조직에서 발생한 미세 거품과 초음파의 상호 작용으로 만들어진다. 이러한 상호 작용은 이들 미세 거품의 진동, 극심한 조직 붕괴, 조직의 제거를 증대시키는 에너지의 분산 등을 일으킨다 (Crouzet 등, 2010; Stride와 Coussios, 2010).

HIFU 요법은 냉동 수술, 레이저 절제술, 광열 요법 (photo-thermal therapy), 고주파 (radiofrequency) 간질 종양 절제술 등과 같은 다른 열절제술에 비해 분명한 이점을 가지고 있다. 즉, HIFU는 비침습적, 비이온화 기법이며, 이로 인한 장기간의 축적 효과가 없기 때문에 안전하게 반복하여 시술할 수 있다. 또한, 초음파 근원지로부터 멀리 떨어진 조직에서 세포사를 일으키는 HIFU는 비침습적인 수술 기법의 하나로 매력적인 방법이라고 간주된다 (Webb 등, 2011). 그러나 HIFU는 제한점도 가지고 있다. 진단용 초음파와 마찬가지로, 음파는 공기 혹은 골격과 같은 경성 구조물을 쉽게 통과하지 못하기 때문에, 폐 혹은 체내 대부분의 중공기관 (hollow organ)의 내강에 위치한 종양을 치료하기가 어렵다. 또한, HIFU를 시술하기 위해서는 마취가 필요하며, 일부 조건의 환자에서는 마취로 인해 위험이 유발될 수 있다. 종양이 큰 경우에는 수술 시간이 많이 소요된다는 단점도 있지만, HIFU의 술기를 개선한다면 수술 시간이 단축될 수 있을 것이다 (Leslie와 Kennedy, 2006).

일반적으로 HIFU의 적용 대상은 임상 병기 T1c~T3의 전립선암을 가진 환자로서 70세 초과, 기대 여명 10년 이하 등과 같은 연령 문제가 있거나 동반 질환 때문에 근치전립선절제술이 적합하지 않거나 수술을 거절하는 환자이다. HIFU는 일차 요법으로, 혹은 체외 방사선 요법이나 근접 요법 후 발생한 국소 재발 환자에 대한 구제 요법으로 이용될 수 있다 (Crouzet 등, 2010). HIFU는 또한 일차 HIFU에 실패한 환자에게 반복하여 시행되거나, 통증, 출혈, 폐색 등을 유발하는 종양의 크기를 감소시키는 완화 요법에 이용되기도 한다 (Re-

billard 등, 2003; Tsakiris 등, 2008). HIFU는 그것의 초점 거리가 제한적이기 때문에, 40 cc를 초과하는 전립선에서는 적용이 권해지지 않는다. 이러한 관점에서, 전립선의 용적을 감소시키기 위해 LHRH 작용제를 사용하거나 경요도절제술과 병행하여 시술하기도 한다. 직장 누공의 병력을 가진 환자에서는 HIFU을 이용한 시술 당시에 누공이 완전하게 치유되어 있지 않을 가능성이 있기 때문에, HIFU가 금기된다. 이미 손상을 입은 조직은 혈관이 부족하여 정상 조직에 비해 HIFU로 인한 손상에 더 민감해진다. 또한, 직장 협착 혹은 직장 절단으로 인해 탐색자를 직장에 삽입하기 어려우면, HIFU를 사용할 수 없다. 시술하는 동안 직장 출혈을 감소시키기 위해 일반적으로 모든 항응고제를 시술 전 10일에는 중단하라고 권해진다 (Chaussy와 Thuroff, 2011).

저급, 중급, 상급 위험도의 전립선암 환자가 각각 40.2%, 46.3%, 13.5%의 비율로 포함된 803명의 대규모 코호트를 대상으로 HIFU의 종양학적, 기능적 결과를 평가한 연구는 다음과 같은 결과를 보고하였다 (Crouzet 등, 2010). 첫째, 추적 관찰한 기간의 평균은 42±33개월이었다. 둘째, 8년 시점에서 전반적 및 암 특이 생존율은 각각 89%, 99%이었다. 8년 시점에서 전이가 없는 생존율은 97%이었다. 셋째, 생화학적 실패를 Phoenix 기준에 근거하여 최저점 PSA 농도로부터 2 ng/mL 초과한 경우로 설정하였을 때, 생화학적 실패가 없는 5년 및 7년 생존율은 저급, 중급, 상급 위험 전립선암 환자에서 각각 83%와 75%, 72%와 63%, 68%와 62%이었으며 (p=0.03), 치료가 필요 없는 생존율은 각각 84%와 79%, 68%와 61%, 52%와 54%이었다 (p<0.001). 이들 결과를 근거로 저자들은 HIFU를 이용한 질환의 국소 조절 및 무병 생존율이 EBRT의 결과와 비슷하며, HIFU를 반복하거나 구제 EBRT를 이용하면 우수한 암 특이 생존율을 기대할 수 있다고 하였다. 국소 전립선암으로 HIFU를 받은 170명 중 연구의 기준에 적합한 114명을 대상으로 선행 보강 호르몬 요법을 실시한 군 (44명; 1군)과 실시하지 않은 군 (70명; 2군)을 비교한 연구는 PSA 최저점 농도의 평균은 0.28 ng/mL이었으며, 1군과 2군에서는 각각 0.19, 0.34 ng/mL이었고, 치료 관련 독성의 발생률은 두 군에서 비슷했다고 하였다 (Fujisue 등, 2011). 이 연구에 의하면, HIFU의 경우 선행 보강 호르몬 요법이 암을 조절하는 측면에서 상승 효과를 일으키지 않는다.

대조군을 설정하지 않은 31편의 연구를 검토하여 일차 요법으로서 HIFU의 효능을 분석한 연구는 다음과 같은 결과를

도표 46 전립선암에 이용된 HIFU에 관한 연구 결과

참고 문헌	환자 수	결과				
		생검 음성률, %	≤PSA 0.5 ng/mL, %	최저점 PSA 평균치	5년 무병 생존율, %
Gelet 등, 2000	82[ㄱ]	78	83	1.02	62
Colombel 등, 2006	242	86	NR	0.1	65
Uchida 등, 2006	181[ㄴ]	NR	NR	NR	78
Poissonnier 등, 2007	227[ㄷ]	86	84	0.33	66
Blana 등, 2008	163[ㄹ]	92.7	83	NR	75
Blana 등, 2008	140	86.4	68.4	0.16	77
Ganzer 등, 2008	103	88	NR	0.1	95, 55, 0[†]
Uchida 등, 2009	517[ㅁ]	83	NR	NR	72
Crouzet 등, 2010	803[ㅂ]	77.9	NR	1	83
Sumitomo 등, 2010	129[ㅅ]	80.9	NR	0.39	68
Komura 등, 2011	144[ㅇ]	NR	NR	0.04	61.2
Inoue 등, 2011	137[ㅈ]	95	NR	0.07	78

PSA 단위는 ng/mL. [ㄱ], 5%는 체외 방사선 요법 후 구제 요법으로 HIFU 이용, 9%는 선행 보강 안드로겐 박탈 요법을 받았음; [ㄴ], 52%가 선행 보강 안드로겐 박탈 요법을 받았음; [ㄷ], 33%가 선행 보강 안드로겐 박탈 요법을 받았음; [ㄹ], 37%가 선행 보강 안드로겐 박탈 요법을 받았음; [ㅁ], 66%가 선행 보강 안드로겐 박탈 요법을 받았음; [ㅂ], 723명은 TURP 및 HIFU를, 80명은 HIFU 만을 받았음; [ㅅ], 64명은 TURP 및 HIFU를, 65명은 HIFU 만을 받았음; [ㅇ], 43.8%가 선행 보강 안드로겐 박탈 요법을 받았음; [ㅈ], 22.6%는 선행 보강 안드로겐 박탈 요법을, 13%는 TURP를 받았음; [†], 최저점 PSA 농도가 0.2 이하, 0.21~1, 1 초과 ng/mL인 경우는 각각 환자의 64%, 22.3%, 13.6%에 해당하였으며, 5년 무병 생존율은 각각 95%, 55%, 0%이었다.

HIFU, high-intensity focused ultrasound; NR, not reported; PSA, prostate-specific antigen; TURP, transurethral resection of prostate.

Cordeiro 등 (2012)의 자료를 수정 인용.

보고하였다 (Cordeiro 등, 2012) (도표 46). 첫째, 치료를 받은 환자의 대부분은 임상 병기 T1~T2, Gleason 점수 2~10, 평균 PSA 농도 4.6~12.7 ng/mL 등의 임상 소견을 가졌으며, 추적 관찰한 기간의 평균은 6.4~76.8개월이었다. 둘째, 생검 결과가 음성인 비율은 35~95%이었고, 최저점 PSA 농도는 0.04~1.8 ng/mL이었다. 5년 및 7~8년 무병 생존율은 각각 61.2~95%, 69~84%이었다. 셋째, 대부분의 합병증은 HIFU와 관련이 있었으며, 소변 정체, 요로 감염, 요실금, 발기 기능 장애 등의 발생률은 각각 1~20%, 1.8~47.9%, 1~34.3%, 20~81.6%이었다. 이들 결과를 근거로 저자들은 전립선암에 대한 국소 요법으로서 HIFU가 단기 내지 중기의 양호한 종양학적 결과를 보이고 합병증의 비율이 낮아 안전하고 효율적인 요법으로 간주되지만, 이를 확인하기 위해서는 대조군과 비교한 장기간의 연구가 필요하다고 하였다.

현재로서는 HIFU를 치료법으로 권장할 만큼 자료가 충분하지 않다. Grading of Recommendations Assessment, Development and Evaluation (GRADE)에 따른 접근을 적용하였을 때, 전립선암에서 HIFU의 효능과 안전성에 관한 증거 수준은 연구의 대조군이 부족한 관계로 인해 매우 낮은 편이다.

따라서 환자는 이러한 실정을 이해하여야 하며, HIFU의 적용 대상은 저급 및 중급 위험도의 전립선암 혹은 치료 당시의 전립선 용적이 40 cc 미만인 환자이다 (Heidenreich 등, 2014).

저급 및 중급 위험도의 국소 전립선암 환자 244명을 동결전립선절제술과 체외 방사선 요법에 각각 122명씩 무작위로 배정하고, 생화학적 실패를 PSA 농도가 두 번 연속 1.0 ng/mL를 초과하거나 최저점 PSA 농도보다 2 ng/mL 이상 증가한 경우로 설정한 후 중앙치 100개월 동안 추적 관찰한 연구는 다음과 같은 결과를 보고하였다 (Donnelly 등, 2010). 이 연구에서 모든 환자는 선행 보강 안드로겐 박탈 요법을 받았다. 첫째, 36개월 동안 동결전립선절제술과 방사선 요법에서 질환이 진행한 비율은 각각 23.9%, 23.7%이었으며, 생화학적 실패율은 각각 17.1%, 13.2%이었다. 전반적 혹은 질환 특이 생존율은 두 치료군에서 차이가 없었다. 둘째, 36개월 시점에서 실시한 생검에서 암 양성의 비율은 동결전립선절제술 군에 비해 방사선 요법 군에서 더 높았으며, 각각 7.7%, 28.9%이었다. 이 연구에서 환자들이 얻은 유익한 결과는 선행 보강 안드로겐 박탈 요법 때문으로 생각되며, 유의한 임상적 결과를 도출하기에는 환자의 수가 너무 적다는 제한점이 있다.

1.11.3. 진행, 재발, 거세 저항성 전립선암의 치료

Treatment of advanced, relapsing, and castration-resistant prostate cancer

LHRH 작용제는 전이 전립선암에서 표준이 되는 치료이다. LHRH 대항제는 테스토스테론의 어떠한 급등을 일으키지 않고 테스토스테론을 감소시키며, LHRH 유사체에 비해 종양학적인 이점을 가지고 있다. 안드로겐의 완전한 차단은 생존율에서 5%의 경미한 이점을 나타낸다. 전이 전립선암에서 호르몬 요법의 적용 대상과 이점은 도표 47에 요약되어 있다. 간헐적 안드로겐 박탈 요법은 환자를 잘 선정만 한다면, 지속적 안드로겐 박탈 요법에 비해 종양학적 효능이 낮지 않다. 국소 진행 및 전이 전립선암의 생존율에서 조기 안드로겐 박탈 요법은 지연 안드로겐 박탈 요법에 비해 유의한 이점을 보이지 않는다. 근치전립선절제술 후 PSA 재발이 발생한 경우 PSA 농도가 0.5 ng/mL 미만이면 구제 방사선 요법을 실시하며, 방사선 요법 후 PSA 실패를 가진 환자에 대해서는 구제 근치전립선절제술 혹은 동결절제술을 시행한다. 직장 내 magnetic resonance imaging (MRI) 및 ¹¹C-choline positron emission tomography/computed tomography (PET/CT)는 PSA가 1.0 ng/mL 미만이면 중요성이 제한적이며, PSA가 20 ng/mL를 초과하지 않으면 골 스캔이나 CT를 생략할 수 있다. 안드로겐 박탈 요법 후의 추적 관찰에는 PSA 및 테스토스테론의 분석, 심장혈관질환 및 대사증후군에 관한 검사 등이 포함된다. 거세 저항성 전립선암의 치료에는 sipuleucel-T, abiraterone acetate와 prednisone (AA/P) 혹은 3주마다 투여되는 75 mg/m²의 docetaxel이 포함된다. Cabazitaxel, AA/P, enzalutamide, radium-223 등은 거세 저항성 전립선암에서 docetaxel 요법 후 이차 치료제로 이용될 수 있다. Zoledronic acid와 denosumab은 골 전이가 있는 거세 저항성 전립선암에서 골격과 관련이 있는 합병증을 방지하기 위해 사용될 수 있다 (Heidenreich 등 2014).

도표 47 전이 전립선암에서 호르몬 요법의 적용 대상과 이점

호르몬 요법	이점	증거 수준
거세의 적용 대상		
증상 있는 M1	· 증상을 완화시키고, 척수 압박, 병적 골절, 요관 폐색, 골격 외부 전이 등과 같은 진행 질환의 파국적인 후유증의 위험을 감소시킨다.	1b
	· 무작위 배정의 비교 연구가 없더라도 표준 치료법이며, 증거 수준 1로 간주된다.	1
증상 없는 M1	· 증상을 가진 병기로의 진행을 지연시키고 질환의 진행과 관련이 있는 심각한 합병증을 방지하기 위해 즉각적인 거세가 필요하다.	1b
	· 생존이 주된 목적인 경우 환자가 충분하게 이해된다면 적극적인 임상적 감시 및 대기 요법이 치료법으로 선택될 수 있다.	3
안드로겐 대항제		
단기간 사용	· LHRH 작용제를 투여할 계획인 진행된 전이 전립선암 환자에서 테스토스테론의 일시적 급등 (flare-up) 현상을 감소시키기 위해 이용된다.	1b
	· LHRH 유사제로 치료를 시작하는 동일한 날에 3주간의 안드로겐 대항제를 동시에 투여하거나 LHRH 유사제를 처음 주사하기 전 7일 동안 안드로겐 대항제를 투여할 수 있다.	4
장기간 사용	· PSA 농도가 낮은 환자로서 매우 정선된, 동기가 부여된 환자에서 선택 사항이다.	3
간헐적 ADT		
ADT 시작점과 중단점	· 한계점은 경험에 의해 정해진다. 그러나 임상 시험에서 이용되어 온 한계점을 이용하여야 한다. 임상 시험에서 치료는 대개 M1 병기의 경우에는 PSA 농도가 4 ng/mL 미만이 될 때, 재발한 경우에는 PSA 농도가 0.5~4 ng/mL 미만이 될 때 중단한다.	4
	· 치료는 대개 재발한 경우에는 PSA 농도가 4~10 ng/mL를 초과한 때, M1 병기인 경우에는 PSA 농도가 10~15 ng/mL를 초과한 때 재개한다.	4
약물	· LHRH 유사제와 호르몬 급등 현상 방지제 혹은 병용 요법	1
적용 대상	· 전이 환자; 유도 기간 후 PSA 반응이 분명하고, 동기가 부여된 무증상 환자.	2
	· 방사선 요법 후 재발 환자; 유도 기간 후 분명한 반응이 있는 환자	1b

ADT, androgen deprivation therapy; LHRH, luteinizing hormone-releasing hormone; PSA, prostate-specific antigen.
Heidenreich 등 (2014)의 자료를 수정 인용.

1.11.3.1. 호르몬 요법 Hormone therapy

테스토스테론은 전립선에서 5α-reductase에 의해 dihydrotes-tosterone (DHT)로 전환된다. 안드로겐 박탈 요법은 혈청 테스토스테론 농도를 500~600 ng/dL (17.3~20.8 nmol/L)로부터 거세의 절단치 농도인 50 ng/dL (1.73 nmol/L)로 감소시킨다고 기대된다. 실제로 외과적 거세 후에는 환자의 3/4에서 혈청 테스토스테론 농도가 20 ng/dL (0.69 nmol/L)로 떨어진다 (Nishiyama, 2014). 일부 연구는 고환의 안드로겐을 제거하더라도 전립선 내의 DHT는 40%까지 남는다고 하였는데, 이는 거세 후 전립선 내에 상당한 양의 DHT가 남음을 시사한다 (Belanger 등, 1989). 다른 연구는 거세와 함께 flutamide를 이용하여 안드로겐 박탈 요법을 실시하면, DHT가 완전하게 제거된다고 하였다 (Labrie 등, 1993). 안드로겐 박탈 요법 후 전립선 조직 내에 DHT가 잔류하는 기전은 전립선 내에서의 내부 분비 (intracrine) 생성과 부신 안드로겐의 DHT로의 전환에 의한다고 생각된다 (Nishiyama 등, 2004). 안드로겐 박탈 요법이 전립선 내의 DHT 농도에 미치는 영향은 충분하게 알려져 있지 않다. 전립선 생검에서 전립선암으로 진단된 69명과 음성 결과를 보인 34명을 대상으로 생검 전후에 채혈을 하여 안드로겐 박탈 요법 동안 동일 환자에서 일어나는 전립선 조직 내 DHT 농도의 변화를 분석한 연구는 다음과 같은 결과를 보고하였다. 전립선 조직 내의 DHT는 거세와 flutamide로 안드로겐 박탈 요법을 실시한 후 6개월에 실시된 절제술 혹은 재생검을 통해 채집한 전립선 조직에서 측정되었다 (Nishiyama 등, 2004) (도표 48). 첫째, 안드로겐 박탈 요법 후에는 안드로겐 박탈 요법 전 DHT의 25%까지가 전립선 내에 남아 있었다. 둘째, 혈청 DHT는 안드로겐 박탈 요법 후 7.5%까지로 감소하였다. 셋째, 안드로겐 박탈 요법 전의 전립선 내 DHT 농도는 혈청 테스토스테론 농도와 상호 관련이 없었다. 넷째, 혈청 부신 안드로겐의 농도는 안드로겐 박탈 요법 후 60%까지 감소하였다. 이와 같은 결과는 안드로겐 박탈 요법을 실시한 후에도 DHT가 남기 때문에, 거세와 함께 5α-reductase 억제제 및 안드로겐 대항제를 병용하는 전략이 필요함을 시사한다. 여러 연구는 거세와 함께 flutamide를 투여하면 flutamide가 부신 안드로겐을 감소시킨다고 하였다 (Ayub과 Levell, 1990). 부신 안드로겐을 억제하는 기전은 flutamide가 부신의 미세 소체 (microsome)가 가지고 있는 17α-hydroxylase 및 17,20-lyase의 작용을 억제하기 때문에 일어난다 (Carlstrom 등, 1990).

메타 분석에 의하면, 거세와 함께 flutamide, nilutamide 등과 같은 비스테로이드 안드로겐 대항제를 투여할 경우 모든 원인에 의한 사망률이 8% (95% CI 3~13; $p=0.005$) 유의하게 감소되며, 거세 단일 요법에 비해 5년 생존률이 2.9% 유의하게 증가된다 (Prostate Cancer Trialists' Collaborative Group, 2000). 대부분의 메타 분석은 비스테로이드 계열의 안드로겐 대항제를 투여하면 긍정적인 효과가 나타나며 (Klotz, 2001),

도표 48 안드로겐 박탈 요법 (30명)과 함께 flutamide 치료를 받은 경우 (22명)와 중단한 경우 (8명)가 호르몬 농도에 미치는 영향 (각 호르몬 농도는 평균치에 해당)

	ADT 전	ADT 후; p	Flutamide 요법 6개월; p	Flutamide 중단; p
Prolactin, ng/mL	8.2±4.0	7.6±2.3; 0.737	8.2±2.3; 0.709	8.4±5.3; 0.208
ACTH, pg/mL	48.3±46.0	28.3±12.1; ⟨0.001	28.2±13.7; 0.009	28.4±6.2; 0.327
Cortisol, μg/dL	15.3±4.5	15.6±5.2; 0.148	15.9±4.5; 0.182	13.7±5.5; 0.715
테스토스테론, ng/dL	460.8±192.4	12.4±6.8; ⟨0.001	10.4±5.4; ⟨0.001	18.0±7.6; 0.012
Androstenedione, ng/mL	0.81±0.36	0.42±0.22; ⟨0.001	0.38±0.21; ⟨0.001	0.52±0.24; 0.025
DHEA, ng/mL	2.03±1.32	1.22±0.76; 0.001	1.06±0.56; 0.001	1.64±1.09; 0.484
DHEA-S, ng/mL	1194.9±855.0	761.3±875.6; ⟨0.001	654.7±505.7; ⟨0.001	1054.0±994.9; 0.123
혈청 DHT, pg/mL	503.4±315.9	38.0±31.2; ⟨0.001	33.0±27.0; ⟨0.001	51.8±39.3; 0.012
조직 DHT, ng/조직 g	5.44±2.84	1.35±1.32; ⟨0.001	1.23±1.47; ⟨0.001	1.69±0.77; 0.036

피험자 69명 중 30명이 goserelin acetate, leuprolide acetate 등과 같은 LHRH 혹은 거세에 의한 안드로겐 박탈 요법과 6개월 동안 flutamide를 이용한 선행 보강 요법을 받았으며, 30명 중 8명은 간 기능 장애, 설사 등과 같은 부작용으로 flutamide를 중단하였다.

ACTH, adrenocorticotropic hormone; ADT, androgen deprivation therapy; DHEA, dehydroepiandrosterone; DHEA-S, dehydroepiandrosterone sulfate; DHT, dihydrotestosterone; LHRH, luteinizing hormone releasing hormone.

Nishiyama 등 (2004)의 자료를 수정 인용.

거세만으로 치료를 받은 환자에 비해 거세와 flutamide로 구성된 안드로겐 박탈 요법을 받은 환자에서 PSA 반응률이 유의하게 더 높음을 보여 주었다 (Eisenberger 등, 1998). 다른 연구는 안드로겐을 차단하는 요법을 장기간 지속적으로 실시하면, 국소 전립선암의 조절 혹은 치유가 가능하다고 하였다 (Labrie 등, 2002). 한편, 안드로겐 박탈 요법을 실시하는 동안 안드로겐 수용체 유전자의 증폭이 증가며 (Visakorpi 등, 1995), 재발성 전립선암에서는 안드로겐 수용체의 전사가 활성화됨으로써 안드로겐 박탈 요법 후의 낮은 안드로겐 농도에 대한 민감성이 증가되어 세포의 증식이 일어난다는 보고가 있으며 (Gregory 등, 2001), 호르몬 민감성 병기가 호르몬 저항성 병기로 전환하기 위해서는 안드로겐 수용체 mRNA 및 단백질의 증가가 필요하다는 보고도 있다 (Chen 등, 2004). 이들 연구 결과를 근거한 연구는 안드로겐 수용체 항체 혹은 안드로겐 수용체 ribozymes를 이용하여 안드로겐 수용체를 직접 표적으로 삼는 치료가 안드로겐 민감성 혹은 불응성 전립선암의 성장을 억제한다고 하였다 (Zegarra-Moro 등, 2002). 다른 연구는 leuprolide, goserelin 등과 같은 LHRH 작용제와 flutamide, bicalutamide 등과 같은 안드로겐 대항제로 치료한 후 finasteride와 같은 5α-reductase 억제제로 유지시키는 삼중 안드로겐 차단 요법이 임상적 국소 전립선암 혹은 국소적으로 진행된 전립선암 환자의 유망한 대안 치료법이 될 수 있다고 하였다 (Leibowitz와 Tucker, 2001).

Luteinizing hormone-releasing hormone (LHRH) 유사체 및 대항제 LHRH 작용제는 호르몬 요법에서 표준이 되는 치료로 간주되는데, 그 이유는 가역적이며, 간헐적 안드로겐 박탈 요법에 이용될 수 있고, 고환절제술로 인한 신체적, 정신적 불편함을 줄일 수 있으며, diethylstilbestrol에서 관찰되는 심장 독성의 위험률이 낮은 반면, 종양학적 효능은 비슷하기 때문이다 (McLeod, 2003). LHRH 작용제로는 leuprolide, goserelin, buserelin, deslorelin 등이 있다. LHRH 작용제는 사용 초기에 시상하부-뇌하수체-생식선 축을 자극하여 테스토스테론 등 일부 스테로이드의 농도를 일시적으로 급등시키는 'flare' 현상을 일으킨다. 이 현상은 10~20일 지속되며, luteinizing hormone (LH)이 10배, follicle-stimulating hormone (FSH)이 5배, 에스트라디올이 4배 증가한다. 테스토스테론의 증가로 인해 일시적으로 척수 압박, 요폐색, 통증 악화 등이 발생할 수 있기 때문에, LHRH 작용제를 사용하기 전 혹은 후에 안드로겐 대항제를 사용함이 권장된다 (Sharifi 등, 2005). LHRH

작용제를 장기간 사용하면, 내인성 LHRH의 분비가 억제되는데, 이는 뇌하수체에 존재하는 gonadotropin-releasing hormone (GnRH) 수용체가 하향 조절되기 때문으로 생각되며, 약 3주 내에 혈중 테스토스테론의 농도는 거세 수준에 도달한다 (Sharifi 등, 2005).

LHRH 대항제는 뇌하수체에서 GnRH 수용체와 가역적, 경쟁적으로 결합하여 GnRH 수용체를 직접 억제함으로써 뇌하수체로부터 LH와 FSH의 분비를 차단한다. 이로써 혈중 LH 농도는 51~84%, 혈중 FSH 농도는 17~42% 감소된다 (Weckermann과 Harzmann, 2004). LH의 분비가 감소되면, 고환으로부터의 테스토스테론 분비가 신속하게 억제되는데, 이 경우 LHRH 작용제와는 다르게 '일시적 급등' 현상이 초기에 일어나지 않는다 (Van Poppel과 Nilsson, 2008). LHRH 대항제로는 근육 주사용 abarelix와 피하 주사용 cetrorelix, degarelix, ganirelix 등이 있다. 안드로겐 박탈 요법이 필요한 전립선암 환자 610명을 12개월 동안의 degarelix 혹은 leuprolide 요법에 무작위로 배정한 임상 3상, 전향 연구는 관찰의 종료 시점에서 degarelix가 leuprolide에 비해 열등하지 않았고, 첫 3일 내에 테스토스테론을 더 신속하게 억제하였으며, 테스토스테론의 '일시적 급등' 현상을 일으키지 않았다고 하였다 (Klotz 등, 2008). 기저선 PSA 농도가 높은 진행 전립선암 환자를 대상으로 이차 종말점에 관해 추가로 평가한 연구에서 leuprolide에 비해 degarelix가 PSA 진행 및 전립선암 특이 사망의 비율을 유의하게 더 낮추었다 (Tombal 등, 2010). 그러나 이 연구의 경우 leuprolide로 치료를 받은 환자 중 11%만이 '일시적 급등' 현상을 방지하기 위한 bicalutamide 요법을 받았으며, 분류된 소집단의 규모가 어떤 결론을 도출할 정도로 크지 않았다는 제한점을 가지고 있다. 1년 동안의 임상 3상 시험을 완료한 환자를 대상으로 매달 degarelix의 유지 용량 160 mg이나 80 mg을 계속 투여하거나 (각 125명) 혹은 무작위로 leuprolide 7.5 mg을 degarelix 240 mg/80 mg (69명) 혹은 240 mg/160 mg (65명)으로 변경하여 투여한 군에 배정하여 중앙치 27.5개월 동안 추적 관찰한 연구는 다음과 같은 결과를 보고하였다 (Crawford 등, 2011). 첫째, degarelix로 계속 치료를 받은 군과 leuprolide를 degarelix로 변경한 군에서 테스토스테론과 PSA의 억제는 이전에 실시되었던 1년 동안의 임상 시험에서와 비슷하였다. 둘째, PSA 진행이 없는 생존의 HR은 leuprolide/degarelix로 변경한 군에서 유의하게 더 낮았는데, 첫 해의 0.20이 그 후 0.08로 감소되었다 (p=0.003).

Degarelix를 이용하여 지속적으로 치료한 군에서는 이전에 실시되었던 1년 동안의 임상 시험에서와 동일하였다. 셋째, 치료를 시작할 당시 PSA 농도가 20 ng/mL를 초과한 환자에서 약물을 변경한 경우 PSA 농도가 유의하게 감소하였으며, 진행이 없는 생존에 대한 HR은 매년 0.38이 0.19로 유의하게 낮아졌다 (p=0.031) 이들 결과를 근거로 저자들은 GnRH 작용제의 대안이 되는 일차 안드로겐 박탈 요법제로 degarelix를 권하였다.

LHRH 대항제의 신속하고 효과적인 거세 효과는 증상을 가진 국소 진행 혹은 전이 전립선암 환자에서 중요한 역할을 한다. 다른 임상 조건에서 LHRH 대항제의 이점은 아직 밝혀져 있지 않다. Abarelix는 히스타민과 관련된 심각한 알러지 반응을 일으킨다는 보고가 있었지만 (McLeod 등, 2001), degarelix는 그러한 알러지 반응을 일으키지 않는다고 보고되었다 (Boccon-Gibod 등, 2011).

안드로겐 대항제 (antiandrogens) 안드로겐 대항제는 DHT와 안드로겐 수용체와의 결합을 억제함으로써 핵 내에서 DHT/안드로겐 수용체 복합체의 형성을 차단한다. 안드로겐 대항제는 국소 진행 전립선암에서 단일 요법으로 이용되거나 거세 저항성 전립선암에서 이차 호르몬 제제로 이용되기도 하지만 (Lam 등, 2006), 국소 진행 혹은 전이 전립선암의 치료에서 LHRH 작용제나 고환절제술과 병행한 최대 안드로겐 차단 요법 (maximum androgen blockade, MAB)에 주로 이용된다 (Schmitt 등, 2001). 비스테로이드 안드로겐 대항제로는 nilutamide, flutamide, bicalutamide 등이 있고, 스테로이드 제제로는 cyproterone acetate (CPA)가 있다. Nilutamide와 flutamide는 상충되는 결과를 보여 전립선암에 대한 호르몬 요법에서 단일 제제로는 임상적으로 중요한 역할을 하지 않는다고 생각된다.

국소적으로 진행한 M0 혹은 M1의 진행 전립선암 환자 1,435명을 대상으로 단일 요법에 이용되는 주된 안드로겐 대항제인 bicalutamide 150 mg/day를 내과적 혹은 외과적 거세와 비교한 무작위 배정, 전향 연구가 두 편이 있다. 이 연구에 의하면, M1 환자의 경우 거세로 인하여 전반적인 생존율에서 유의한 개선이 있었으며, M0 환자의 경우 Kaplan-Meier 검사를 근거로 하였을 때 두 군에서 전반적 생존율의 차이는 없었지만, 생존 기간의 중앙치는 거세 군에 비해 bicalutamide 군에서 더 낮았는데, 각각 69.9개월, 63.5개월이었다 (Tyrrell 등, 1998).

결론적으로, 고용량의 bicalutamide에 의한 단일 요법은 PSA 농도가 낮은 국소 진행 혹은 M0 전립선암에서 선택될 수 있다. 그러나 bicalutamide를 이용한 단일 요법은 이점이 있더라도 경미하기 때문에, 표준이 되는 치료법으로 권장되지 않는다 (Heidenreich 등, 2014).

최대 안드로겐 차단 요법 (maximum androgen blockade, MAB) 최대 안드로겐 차단 요법은 GnRH 작용제 혹은 양쪽 고환절제술에 의한 거세와 함께 안드로겐 대항제를 병용하여 부신에서 생성되는 안드로겐의 역할을 수용체 수준에서 억제함으로써 치료의 효과를 극대화함은 물론, GnRH 작용제에 의한 '일시적 급등' 현상을 안드로겐 대항제를 추가함으로써 방지할 수 있다는 장점을 가지고 있다 (Lam 등, 2006).

근래의 메타 분석에 의하면, 비스테로이드 안드로겐 대항제를 이용한 최대 안드로겐 차단 요법은 LHRH 단일 요법에 비해 5년의 추적 관찰에서 작지만 통계적으로 유의한 5% 미만의 생존 이점을 보였다 (Moul, 2009). 그러나 최대 안드로겐 차단 요법을 받은 환자는 성 생활, 인지 기능, 체온 조절 등 삶의 질에서 상당한 장애를 가질 수 있음을 알아야 한다 (증거 수준 3) (Cruz Guerra, 2009).

치료를 받지 않은 병기 D2의 전이 전립선암 환자 813명을 bicalutamide (50 mg, 1일 1회) 혹은 flutamide (250 mg, 1일 3회)와 goserelin acetate (3.6 mg, 매 28일) 혹은 leuprolide acetate (7.5 mg, 매 28일)를 병용한 군에 무작위로 배정하여 비교한 연구는 다음과 같은 결과를 보고하였다 (Schellhammer 등, 1996). 첫째, 추적 기간의 중앙치 49주에서 flutamide와 LHRH 작용제를 병용한 1군과 비교하였을 때, bicalutamide와 LHRH 작용제를 병용한 2군은 치료 실패까지의 기간에서 통계적으로 유의한 개선을 나타내었다. 추적 기간의 중앙치 95주에서도 비슷한 개선이 있었으나, 두 군 사이의 차이는 통계적으로 유의하지 않았다. 둘째, 치료 실패율은 1군에 비해 2군에서 더 낮았는데, 각각 72%, 68%이었다. Flutamide와 LHRH 작용제의 병용에 대한 bicalutamide와 LHRH 작용제 병용의 HR은 0.87 (95% CI 0.74~1.03, p=0.10)이었다. 셋째, 더 오랜 기간을 추적 관찰한 경우 전반적 사망률은 두 군에서 비슷하였는데, 1군과 2군에서 각각 35%, 32%이었다. Flutamide와 LHRH 작용제의 병용에 대한 bicalutamide와 LHRH 작용제의 병용의 HR은 0.88 (95% CI 0.69~1.11, p=0.29)이었다. 넷째, 설사는 1군에 비해 2군에서 유의하게 더 낮았는데, 각각 24%, 10%이었다 ($p < 0.001$). 이들 결과를 근거로 저자들은 전이 전

립선암 환자에서 bicalutamide가 1일 1회 요법의 편리성과 함께 효과적이고 부작용이 적기 때문에, LHRH 작용제와 병용하는 일차 안드로겐 대항제로 bicalutamide를 선택할 것을 권장하였다.

1989년 leuprolide와 flutamide를 이용한 연합 안드로겐 차단 요법 (combined androgen blockade, CAB)이 처음 소개된 이후 (Crawford 등, 1989), 진행 전립선암 환자에서 bicalutamide를 이용한 CAB를 권장하는 연구가 있었지만 (Akaza 등, 2009), 안드로겐 대항제의 시장성 부족과 degarelix와 같은 안전한 LHRH 대항제의 개발로 인해 CAB의 중요성에 대한 논란은 현재도 계속되고 있다 (Moul 등, 2009).

간헐 안드로겐 박탈 요법 (intermittent androgen deprivation, IAD) 간헐적 안드로겐 박탈 요법 (IAD)은 치료 중지와 병행하여 안드로겐을 차단하기 때문에, 치료 주기 사이에서 호르몬이 회복됨으로 인해 환자의 순응도와 삶의 질을 높인다 (Abrahamsson, 2010). IAD를 받는 환자에서는 골격의 건강과 성 기능이 증대되며, 대사성 및 혈액학적 장애와 발열감의 빈도가 감소된다. 여러 임상 3상 시험은 전이 혹은 생화학적 재발 질환에서 IAD가 CAB에 비해 열등하지 않음을 보여주었다 (증거 수준 1b). 병기 D2 전립선암 환자 1,134명을 대상으로 7개월 동안 안드로겐 박탈 요법의 유도기를 가진 후, PSA가 4 ng/mL 이하로 낮아진 8개월 시점에서 IAD와 연속적인 안드로겐 박탈 요법 (continuous androgen deprivation, CAD)에 무작위로 배정한 SWOG 9346 (INT-0162)의 대규모 연구는 다음과 같은 결과를 보고하였다 (Hussain 등, 2006). 첫째, 사망 위험의 경우 PSA가 0.2 ng/mL 이하와 0.21~4 ng/mL인 환자는 4 ng/mL 초과 환자에 비해 각각 1/5, 1/3 수준이었다 (p<0.001). 둘째, PSA 농도가 0.2 ng/mL 이하, 0.21~4 ng/mL, 4 ng/mL 초과 등의 경우에서 생존 기간의 중앙치는 각각 75개월, 44개월, 13개월이었다. 이들 결과는 안드로겐 박탈 요법 후 PSA 농도의 절대치가 생존에 대한 독립적 예후 인자임을 시사한다.

거세 저항성은 안드로겐 박탈 요법을 받고 있는 호르몬 민감성의 전이 전립선암 환자에서 가장 흔하게 일어난다. 따라서 질환이 진행하기 전에 안드로겐을 대치하면, 이론적으로 안드로겐 의존성이 연장될 수 있을 것이다. PSA 농도가 5 ng/mL 이상으로 새로 진단된 호르몬 민감성의 전이 전립선암 환자 3,040에게 LHRH 유사체와 안드로겐 대항제를 이용하여 7개월 동안 최대 안드로겐 차단 요법을 실시한 후 PSA 농도

가 4 ng/mL 이하로 감소된 환자를 IAD와 CAD 에 무작위로 배정한 연구는 다음과 같은 결과를 보고하였다 (Hussain 등, 2013). 첫째, 분석에는 1,535명이 포함되었으며, 770명은 IAD에, 765명은 CAD에 배정되었다. 추적 관찰한 기간의 중앙치는 9.8년이었다. 둘째, 생존 기간의 중앙치는 IAD 군과 CAD 군에서 각각 5.1년, 5.8년이었으며, IAD의 사망에 대한 HR은 1.10 (90% CI 0.99~1.23)이었다. 셋째, IAD는 3개월 시점에서 더 나은 발기 기능 (p<0.001)과 정신 건강 (p=0.003)을 보였으나, 그 후로는 차이가 없었다. 넷째, 치료와 관련이 있는 상급 유해 사건은 두 군에서 빈도의 차이를 보이지 않았다. 이들 결과를 근거로 저자들은 이들 자료가 결론을 내리기에는 미흡하며, 호르몬 민감성의 전이 전립선암 환자에서 생존율의 신뢰 구간이 비열등성 범위의 상한선을 능가하였기 때문에 연속 요법에 비해 간헐 요법으로 사망의 위험이 20% 더 증가함을 배제할 수 없으며, 사건의 수가 너무 적어 간헐 요법의 열등함을 배제할 수 없고, 다만 간헐 요법은 삶의 질에서 작은 증대치를 나타내었다고 하였다.

국소 진행 혹은 전이 전립선암 환자를 대상으로 치료의 유도기 동안 CPA를 4주 동안 1일 200 mg을 투여한 후, 매달 LHRH 유사체인 triptoreline 11.25 mg depot 주사와 함께 CPA 200 mg/day를 투여하였으며, 이와 같은 3개월의 유도기 치료 후 PSA 농도가 4 ng/mL 미만으로 감소된 환자를 치료 중단 후 PSA 농도가 20 ng/mL 이상 증가하거나 증상이 나타나는 경우 단일 요법으로 CPA 300 mg/day를 투여하는 IAD 혹은 CPA 200 mg/day와 LHRH 유사체의 매달 주사를 병용하는 CAD에 무작위로 배정한 South European Uroncological Group (SEUG)의 전향 연구는 다음과 같은 결과를 보고하였다 (Silva 등, 2014). 첫째, 모집된 1,045명의 환자 중 유도기 요법에 반응을 보인 918명을 IAD 군 (462명)과 CAD 군 (456명)에 각각 배정하였다. 둘째, 전반적 생존율은 두 군에서 비슷하였으며 (p=0.25), IAD의 비열등성이 입증되었다 (HR 0.90, 95% CI 0.76~1.07). 셋째, PSA 농도와 치료 사이에 상관관계가 있었으며 (p=0.05), PSA 농도가 1 ng/mL 이하인 환자에서는 IAD가 CAD에 비해 더 이점이 있었다 (HR 0.79, 95% CI 0.61~1.02). 넷째, IAD를 받은 환자에서 더 나은 발기 기능이 보고되었다. 다섯째, IAD 군 중 50%와 28%가 각각 2.5년 이상, 5년 이상 동안의 치료 중단 기간을 가졌다. 이들 결과를 근거로 저자들은 IAD가 생존율 측면에서 열등하지 않고 CAD에 비해 더 나은 성 활동을 보이기 때문에 관례적인 임상 진료

에서 IAD가 권장된다고 하였다.

근치전립선절제술 혹은 방사선 요법 후 재발된 전립선암 환자 100명을 대상으로 leuprolide와 flutamide를 이용한 안드로겐 박탈 요법을 9개월 동안 실시한 후 안드로겐 박탈 요법을 중단하였으며, 치료를 중단한 기간 동안 매달 혈청 PSA를 측정하여 근치전립선절제술의 경우 1 ng/mL, 방사선 요법의 경우 4 ng/mL의 한계치에 도달하면 안드로겐 박탈 요법을 재개하였고, 이후 거세 저항성 전립선암이 발생할 때까지 IAD를 실시한 연구는 100명 중 72명이 분석 기준에 적합하였으며, 첫 치료 중단 기간이 40주 이하이면 거세 저항성 전립선암의 발생까지의 기간이 더 짧았기 때문에 (HR 2.9, 95% CI 1.1~7.7; p=0.03), IAD의 첫 주기를 완료한 환자에서 첫 치료 중단 기간이 40주 이하이면 조기에 거세 저항성 전립선암이 발생한다고 하였다 (Yu 등, 2010).

국소 전립선암에 대해 일차 혹은 구제 방사선 요법을 실시한 후 1년 이상 PSA 농도가 3 ng/mL를 초과한 1,386명을 IAD와 CAD에 무작위로 배정하여 전반적 생존율을 평가한 비열등성 시험은 다음과 같은 결과를 보고하였다 (Crook 등, 2012). 첫째, 690명은 1군에, 696명은 2군에 배정되었으며, 추적 관찰한 기간의 중앙치는 6.9년이었다. 둘째, 유해 사건은 두 군 사이에서 유의한 차이가 없었다. 셋째, IAD 군에서 완전하게 테스토스테론이 회복된 경우는 35%이었으며, 테스토스테론이 시험 초입 한계치로 회복된 경우는 79%이었다. 넷째, IAD는 신체 기능, 피로, 소변 문제, 열감 혹은 홍조, 성욕, 발기 기능 등의 측면에서 이점이 있었다. 다섯째, IAD 군에서는 268명이, CAD 군에서는 256명이 사망하였다. 생존 기간의 중앙치는 IAD 군과 CAD 군에서 각각 8.8년, 9.1년이었다 (사망에 대한 HR 1.02, 95% CI 0.86~1.21). 질병과 관련이 있는 사망의 누적 비율은 IAD 군과 CAD 군에서 각각 18%, 15%이었다 (p=0.24). 이들 결과에 의하면, 전반적 생존율의 측면에서 IAD가 CAD에 비해 열등하지 않고, 삶의 질의 일부 요소는 IAD로 증대된다.

호르몬 치료를 받은 적이 없는 진행 혹은 재발 전립선암 환자 33명과 35명을 각각 CAD와 IAD에 무작위로 배정하여 중앙치 30.8개월 추적 관찰한 연구에 의하면, 3년 동안 혈청 PSA의 증가에 근거한 질환의 진행 비율이 CAD 군에 비해 IAD 군에서 유의하게 더 낮았으며, 각각 38.9±11.2%, 7.0±4.8% (p=0.0052)이었다. 이 연구 자료는 PSA 측정치에 근거하였을 때, 진행 전립선암이 안드로겐 의존성 상태를 유지

하는 기간이 IAD의 경우 최소한 CAD로 인한 기간 정도는 됨을 보여 준다 (de Leval 등, 2002). 국소 진행 혹은 전이 전립선암 환자 766명 중 3개월 동안의 치료 유도기 후 혈청 PSA가 4 ng/mL 미만으로 혹은 치료 시작 전 농도의 80% 이상으로 낮아진 626명을 IAD와 CAD에 무작위로 배정하여 평균 55개월 추적 관찰한 SEUG 연구는 다음과 같은 결과를 보고하였다 (Calais da Silva 등, 2009). 첫째, IAD 군의 127명, CAD 군의 107명에서 질환이 진행하였다 (HR 0.81, 95% CI 0.63~1.05; p=0.11). 둘째, IAD 군에서 170명, CAD 군에서 169명이 사망하였으며, 생존율에서 두 군 사이에 차이가 없었다 (HR 0.99, 95% CI 0.80~1.23). 셋째, 암 특이 사망은 IAD 군과 CAD 군에서 각각 106명, 84명으로 IAD 군에서 더 많았으나, 심혈관 질환으로 인한 사망은 IAD 군과 CAD 군에서 각각 41명, 52명으로 CAD 군에서 더 많아 전체적 사망은 두 군에서 균형을 이루었다. 넷째, 부작용은 CAD 군에서 더 현저하였으며, 성기능은 IAD 군에서 더 보존되었다. 무작위 배정, 임상 3상, 전향 시험에서 SEUG 그룹은 혈청 PSA 농도가 100 ng/mL 미만의 국소적으로 진행된 전이 전립선암 환자 1,045명을 모집하였으며, 연구에 적합한 918명 (87.8%) 중 462명과 456명을 무작위로 IAD와 CAD에 배정하였다. 중앙치 66개월 동안 추적 관찰한 후 IAD 군의 경우 168명, CAD 군의 경우 131명에서 질환이 진행하였으나 (HR 1.16, 95% CI 0.93~1.47; p=0.20), IAD 군과 CAD 군에서 각각 258명, 267명이 사망하여 전반적 생존에서는 두 군 사이에 차이가 없었다 (Calais da Silva 등, 2013).

총 4,675명을 대상으로 3~8개월의 치료 유도기를 가진 후 PSA 농도가 4 ng/mL 미만으로 감소한 환자를 무작위로 IAD와 CAD에 배정하였고, 중앙치 40~108개월 동안 추적 관찰한 총 7편의 연구는 전이 전립선암 환자에서 종양학적 결과가 IAD와 CAD에서 비슷하다는 개념을 뒷받침하였다. 전반적 생존의 측면에서, IAD와 CAD의 HR은 0.98~1.08의 범위로 매우 비슷하였다 (Sciarra 등, 2013).

안드로겐 박탈 요법이 중단되어야 하거나 재개되어야 하는 한계치는 경험에 의하지만 (Calais da Silva 등, 2009), 다음과 같은 몇 가지 사항은 분명하게 숙지되어야 한다 (de Leval 등, 2002). 첫째, IAD는 간헐적 거세에 근거하기 때문에, 거세 수준을 일으키는 약물만이 고려되어야 한다. 둘째, 첫 주기, 즉 유도기는 6~9개월 동안 지속되어야 한다. 셋째, 다음과 같이 PSA 반응이 분명한 경우에는 치료를 중단하는데, 전이 환자

의 경우 PSA 농도가 4 ng/mL 미만, 재발 환자의 경우 0.5 ng/mL 미만이다. 넷째, 임상적인 진행이 있거나 PSA 농도가 경험상 고정 한계치, 즉 비전이 질환에서는 4 ng/mL, 전이 질환에서는 10~15 ng/mL를 초과하여 증가하면 치료를 재개한다. 이 경우 최저점 PSA에 도달하는 기간에 따라 6~9개월 동안 유도기와 마찬가지의 치료를 연속으로 실시한다. 다섯째, 추적 관찰은 철저하게 이루어져야 하며, 임상 검사는 3~6개월마다 항상 동일한 검사실에 의해 동일한 시기에서 PSA 측정과 함께 실시되어야 한다.

결론적으로 IAD는 현재 다양한 임상 조건에 있는 전립선암 환자에게 제공되고 있으며, 더 이상 실험용으로 간주되어서는 안 된다 (증거 수준 1b) (Heidenreich 등, 2014).

즉각 대 연기 안드로겐 박탈 요법 (immediate versus deferred androgen deprivation therapy, ADT) 진행 전립선암 환자에서 호르몬 요법을 시작하는 가장 적절한 시기에 관해서는 논란 중에 있다. EORTC 30891 연구에 의하면, 국소 요법에 반응하지 않는 무증상의 국소 진행 전립선암 환자에서 즉각 실시된 ADT는 진행이 없는 생존에 대해서만 긍정적인 영향을 주고, 질환 특이 생존과 삶의 질에 대해서는 유익한 효과를 나타내지 않는다 (Studer 등, 2013). 그러나 처음 PSA 농도가 50 ng/mL를 초과하거나 PSA doubling time (PSADT)이 12개월 미만인 환자는 전립선암으로 사망할 위험이 크기 때문에 즉각적인 ADT의 좋은 적용 대상이 되며, 이로써 질환이 진행함에 따라 일어나는 합병증이 방지되거나 지연된다 (Studer 등, 2008). 질환이 진행하여 증상이 발생하기 전까지는 생존 측면에서 즉각적인 ADT의 결과가 연기된 ADT에 비해 유의하게 더 좋다. 림프절의 침범이 있고 국소적인 치료를 받지 않은 전립선암 환자 235명을 내과적 혹은 외과적 거세에 의한 즉각 ADT 혹은 연기 ADT에 무작위로 배정한 EORTC 30846 연구에 의하면, 중앙치 13.4년의 추적 관찰 후 전립선암 특이 사망의 10년 누적 발생률이 두 군에서 비슷하였으며, 즉각 ADT 군과 연기 ADT 군에서 각각 52.1%, 55.6%이었다 (Schröder 등, 2009). 그러나 이 연구는 규모가 작고 조기에 연구가 폐쇄되어 결론을 도출하기에는 신뢰도가 떨어진다.

근치전립선절제술 후 PSA 상승에 관해 활용이 가능한 무작위 배정, 전향적, 임상 연구는 거의 없다. 근치전립선절제술 후 PSA가 상승한 1,352명에 대한 후향 연구는 355명에 대해서는 여러 PSA 농도에서 ADT를 시작한 반면, 997명에 대해서는 전이 질환이 발견될 때까지 호르몬 요법을 시행하지 않고

관찰하였다. 이 연구에 의하면, 조기 ADT는 Gleason 점수 7 초과 혹은 PSADT 12개월 미만의 환자에서만 골 전이가 없는 기간에서 더 나은 결과를 보였으며, 전반적 생존 혹은 암 특이 생존에서는 통계적으로 유의한 차이를 보이지 않았다 (Moul 등, 2004).

근치전립선절제술을 받은 모든 병리학적 병기 N+ 환자에서 즉각 ADT를 실시한다는 수준 1의 증거는 2002년 이후 의문시 되고 있다 (Messing 등, 2006). SEER-Medicare 자료에서 근치전립선절제술을 받은 코호트 731명을 추출하여 수술 후 120일 이내에 ADT를 받은 209명을 ADT를 받지 않은 군과 비교한 연구는 전반적 생존의 경우 두 군에서 차이가 없었으며, 보조 ADT에 관한 여러 정의에 따라 90일, 120일, 150일, 180일, 365일에 따라 세분한 경우에도 사망에 대한 HR이 각각 0.97 (95% CI 0.72~1.32), 0.95 (95% CI 0.71~1.27), 1.02 (95% CI 0.77~1.36), 1.06 (95% CI 0.81~1.41), 1.18 (95% CI 0.90~1.54)로 전반적 생존의 측면에서 통계적으로 유의한 차이가 없었다고 하였다. 전립선암 특이 사망의 측면에서는 90일, 120일, 150일, 180일의 경우 HR이 각각 1.22 (95% CI 0.69~2.16), 0.97 (95% CI 0.56~1.68), 1.15 (95% CI 0.67~1.97), 1.53 (95% CI 0.90~2.61)으로 유의한 차이가 없었으나 365일의 경우 1.98 (95% CI 1.16~3.29)로 높은 위험도를 나타내었다. 이들 결과를 종합하여 보면, 근치전립선절제술 후 림프절의 침범이 있는 환자에서 즉각적인 ADT를 연기하여도 생존에는 유의한 영향을 미치지 않는다 (Wong 등, 2009).

문헌을 종합적으로 검토한 결과, 무증상의 진행된 전립선암 환자에서 호르몬 요법의 적절한 실시 시기에 관한 최종적인 권고안은 아직 없다 (Heidenreich 등, 2014).

호르몬 요법 후 추적 관찰 (follow-up) 호르몬 요법 후 추적 관찰에 관한 지침은 도표 49에 요약되어 있다.

1.11.4. 전립선암 재발 환자의 치료
Treatment of relapse after curative therapy

방사선 요법 후 전립선 생검은 개인별로 구제 근치전립선절제술과 같은 국소 요법이 필요한 경우에만 실시한다. 재발 환자에서의 치료는 추정되는 실패 부위, 환자의 전반적 상태, 개인적 선호 등에 따라 이루어진다 (도표 50).

골격 섬광조영술 (scintigraphy), computed tomography (CT) 등과 같이 재발 부위를 확인하기 위한 영상 기법은 혈

도표 49 호르몬 요법 후의 추적 관찰에 관한 지침

권장 사항	권장 등급
· 환자는 치료를 시작한 후 3개월과 6개월에 첫 평가를 받아야 한다. LHRH 작용제를 재투여하기 전 최저점 테스토스테론 농도를 확인하기 위한 첫 테스토스테론 평가는 LHRH 요법을 시작한 후 4주에 권장된다.	B
· 치료 반응과 부작용을 평가하기 위한 검사에는 최소한 혈청 PSA, 혈청 테스토스테론, 직장수지검사, 신중한 증상 평가 등이 포함되어야 한다.	A
· 환자가 간헐적 안드로겐 박탈 요법을 받고 있다면, 혈청 PSA와 테스토스테론은 치료를 중단한 기간 중 3개월 간격으로 모니터링이 되어야 한다.	C
· 추적 관찰은 증상, 예후 인자, 시행 중인 치료법 등에 따라 개인별로 맞춤식이어야 한다.	C
· 병기 M0 질환을 가진 환자에서 치료 반응이 좋으면, 추적 관찰은 6개월 간격으로 실시하며 검사에는 최소한 질환 특이 병력, 혈청 PSA, 직장수지검사 등이 포함되어야 한다.	C
· 병기 M1 질환을 가진 환자에서 치료 반응이 좋으면, 추적 관찰은 3~6개월 간격으로 실시한다. 검사에는 최소한 질환 특이 병력, 혈청 PSA, 직장수지검사 등이 포함되며, 흔히 hemoglobin, 혈청 creatinine, 혈청 alkaline phosphatase 등이 추가된다. 혈청 테스토스테론 농도는 측정되어야 하며, 특히 첫 1년 동안은 그러하다.	C
· 환자, 특히 M1b 병기인 환자는 척수 압박과 관련이 있는 임상 징후에 관한 충분한 정보를 얻어야 한다.	A
· 질환이 진행할 때, 혹은 환자가 치료에 반응을 하지 않을 때의 추적 관찰은 개별화될 필요가 있다.	C
· 질환의 진행이 의심되는 환자에서는 테스토스테론 농도를 반드시 측정해야 한다. 정의에 의하면, 거세 저항성 전립선암은 환자가 거세된 상태라는 추정, 즉 최소한 혈청 테스토스테론이 1.7 nmol/L 미만에 근거해야 한다.	A
· 안정적인 환자에서는 관례적인 영상이 권장되지 않는다.	B

LHRH, luteinizing hormone-releasing hormone; PSA, prostate-specific antigen.
Heidenreich 등 (2014)의 자료를 수정 인용.

도표 50 국소 요법 후 PSA 재발 환자에서 치료 방법의 선택에 관한 지침

권장 사항	권장 등급
· 혈청 PSA 농도가 0.5 ng/mL 이하인 국소 재발 환자에서는 64~66 Gy의 구제 방사선 요법이 가장 좋은 치료 방법이다.	B
· 방사선 요법에 부적합하거나 이를 원하지 않는 국소 재발 환자에서는 기대 요법이 선택될 수 있다.	B
· 전신적 재발을 시사하는 PSA 재발 환자에서는 조기 안드로겐 박탈 요법이 가장 좋은 치료법이며, PSADT 12개월 미만, Gleason 점수 8~10 등과 같이 나쁜 예후 인자를 가진 경우 임상적 전이의 빈도를 감소시킨다.	B
· 호르몬 요법의 적용 대상이 되면, LHRH 유사제/대항제/고환절제술 혹은 bicalutamide 150 mg/day를 이용한다.	A
· 전립선에 국한되어 있다고 추정되는 일부 선정된 환자, 즉 PSA 10 ng/mL 미만, PSADT 12개월 초과, 저선량의 근접 요법, 생검 Gleason 점수 7 미만 등의 조건에 해당하는 국소 재발 환자는 구제 근치전립선절제술로 치료할 수 있다.	B
· 수술이 적합하지 않은 환자에서는 전립선에 대한 동결절제술 및 간질 근접 요법이 대안일 수 있다.	B
· HIFU가 대안일 수도 있지만, HIFU에 관한 연구의 경우 보고된 추적 관찰의 기간이 짧기 때문에 이 치료법은 실험 단계임을 환자에게 알려야 한다.	B
· 전신적 재발로 추정되는 환자에서는 안드로겐 박탈 요법을 실시할 수 있다.	C

Gy, gray; HIFU, high-intensity focused ultrasound; LHRH, luteinizing hormone-releasing hormone; PSA, prostate-specific antigen; PSADT, PSA doubling time.
Heidenreich 등 (2014)의 자료를 수정 인용.

청 PSA 농도가 20 ng/mL를 초과하지 않거나 PSA 증가 속도가 2 ng/mL/year를 초과하지 않으면, 양성률이 5% 미만이기 때문에 추가적인 진단 가치는 없다 (Gomez 등, 2004). 직장 내 코일 기법은 근치전립선절제술 후 혈청 PSA가 2 ng/mL를 초과한 환자에서 국소 재발을 발견하는 데 유용한 기법이다 (Cirillo 등, 2009). 예를 들면, 체외 방사선 요법 후 PSA의 진행이 있는 64명의 코호트에서 국소적으로 재발한 전립선암을 발견하기 위해 직장 내 magnetic resonance imaging (MRI)와 MR spectroscopic imaging (MRSI), 경직장초음파촬영 유도하 생검 등을 실시한 연구는 다음과 같은 결과를 보고하였다 (Westphalen 등, 2010). 첫째, 생검으로 58% (37명/64명)에서 재발된 전립선암이 발견되었다. 28명에서는 한쪽 전립선에

서, 9명에서는 양쪽 전립선에서 재발이 일어났다. 둘째, area under the receiver operating characteristic curve (AU-ROC) 분석에서 T2-weighted MRI 단독에 비해 T2-weighted MRI와 MRSI 병용이 국소 재발을 발견하는 데 유의한 개선 효과를 나타내었으며, 각각의 AUC는 0.67, 0.79이었다 (p=0.001).

Positron emission tomography (PET)는 여러 암의 국소, 신체 일부 한정적 (locoregional), 전신적 재발을 조기에 발견하는 데 활용되고 있다. 그러나 전립선암으로 근치전립선절제술을 실시한 후, 특히 혈청 PSA가 1.0 ng/mL를 초과한 환자에서 PET의 임상적 효용성을 보고한 연구는 많지 않다. 근치전립선절제술 후 혈청 PSA가 2 ng/mL를 초과한 환자에서 국소 재발 환자를 발견하는 데 ^{18}F-choline PET/CT가 가장 높은 정

확도를 보인다는 연구가 있다 (Heidenreich 등, 2014). 전립선암으로 근치적 치료를 받은 후 혈청 PSA가 점차 증가한 환자를 대상으로 재발을 발견하기 위해 choline PET/CT를 이용한 연구를 검토한 메타 분석은 다음과 같은 결과를 보고하였다 (Picchio 등, 2010). 첫째, 보고된 전반적 민감도는 38~98%이었다. 재발의 발견에서 choline PET의 양성률은 혈청 PSA가 증가될수록 높았다. 둘째, choline PET/CT의 관례적인 이용은 혈청 PSA가 1 ng/mL 미만인 환자에서는 권장되지 않는다. 그러나 혈청 PSA 농도에 추가로 PSADT, 기타 임상적 병리학적 양상, 예를 들면 처음 병기 결정에서 국소 진행 전립선암 (pT3b~T4) 혹은 림프절 침범 등은 choline PET/CT의 적용 대상을 선정할 때 고려되어야 할 사항이다. 셋째, choline PET/CT는 실험적 수술 혹은 방사선 요법을 실시할 때 안내하는 영상법으로 제시된다. 이들 결과를 종합하여 보면, choline PET/CT는 생화학적 재발을 관리하는 데 중요한 역할을 하며, 이 기법의 정확도는 혈청 PSA 농도, PSADT, 기타 병리학적 양상 등과 관련이 있다. 다른 연구도 혈청 PSA 1.5 ng/mL 초과와 PSADT 3개월 미만은 PET 양성에 대한 강한 예측 인자라고 하였다. 또한, ^{11}C-choline PET/CT 등과 같은 영상 기법은 치료의 선택 사항으로서 구제 림프절절제술, 구제 근치전립선절제술, 구제 방사선 요법 등이 계획될 때는 시행되어야 한다 (Giovacchini 등, 2012).

1.11.4.1. 근치전립선절제술 후 구제 요법
Salvage therapy following radical prostatectomy

근치전립선절제술 후 PSA의 증가는 전립선암이 재발되었거나 잔존 전립선암이 있음을 시사한다. 이러한 생화학적 재발이 일어나면, 수년 내에 임상적 전이 질환이 발생한다 (Schröder 등, 2013). 전립선암으로 인한 일차 요법 후 생화학적 재발이 발생한 환자에 대한 여러 구제 요법의 결과가 도표 51에 정리되어 있다 (Punnen 등, 2013).

근치전립선절제술 후 상급 위험 환자군을 관찰 요법 혹은 방사선 요법에 무작위로 배정하여 비교한 연구가 세 편 있는데 (Bolla 등, 2005; Thompson 등, 2006; Wiegel 등, 2009), 이들 모두는 수술 후 즉시 방사선 요법을 실시한 군에서 생화학적 진행이 없는 이점이 유의하게 높음을 보여 주었다. T3 N0 M0 전립선암을 대상으로 한 연구도 근치전립선절제술만 실시한 경우보다 수술 후 조기에 방사선 요법을 실시한 경우가 무전이 10년 생존율이 61% 대 71% (HR 0.71, 95%

CI 0.54~0.94; p=0.016)로, 전반적인 생존율이 64% 대 77% (HR 0.72, 95% CI 0.55~0.96; p=0.023)로 더 높았다고 보고하였다 (Thompson 등, 2009). EORTC 22911 연구도 pT3 N0 M0 질환을 가진 환자를 관찰 요법과 보조 방사선 요법에 무작위로 배정하여 연구한 결과, 보조 방사선 요법을 받은 군의 무진행 5년 생존율이 관찰 요법을 받은 군에 비해 유의하게 개선되어 각각 74.0% (98% CI 68.7~79.3), 52.6% (98% CI 46.6~58.5) (p<0.0001). 관찰 요법을 받은 군에 대한 보조 방사선 요법을 받은 군의 HR은 5년 시점의 생화학적 및 임상적 진행 혹은 사망과 임상적 진행 혹은 사망에서 각각 0.48 (98% CI 0.37~0.62), 0.61 (98% CI 0.43~0.87)로 보조 방사선 요법을 받은 군에서 더 나은 결과를 나타내었다 (Bolla 등, 2005). SWOG 8794/NCIC Clinical Trials Group protocol 2 (CTG PR-2)도 pT3 질환을 가진 425명을 전립선 부위에 대한 방사선 요법과 관찰 요법에 무작위로 배정하여 비교 연구한 결과, 다른 연구와 마찬가지로 보조 방사선 요법을 실시한 군에서 생화학적 조절이 더 향상되었으며 (HR 0.43), 전이 없는 생존율 및 전반적 생존율 또한 더 높았다고 하였다 (Stephenson 등, 2004).

수술 후의 보조 방사선 요법을 뒷받침하는 전향적 연구 자료는 없으며, 후향적 자료를 해석할 때는 다양한 환자 선택 기준, 방사선 요법의 실시 시기, 추적 관찰 스케줄, 호르몬 요법의 사용 등이 혼동을 유발하는 요소로 작용한다. 한 예로 Stephenson 등 (2007)의 공동 연구는 수술 후 방사선 요법을 받은 1,540명 중 실제 생화학적 재발이 없이 6년 동안 생존한 경우는 32%에 불과하다고 하였다. 일반적으로 수술 후 조기에 실시한 방사선 요법이 생화학적 조절 및 전반적 생존율을 향상시킨다는 데는 공감대가 형성되어 있지만, 부정적인 병리학 소견을 가진 환자가 추가 치료를 받지 않는다 하여 질환 모두가 진행하는 것은 아니며, 수술 후 방사선 요법을 받은 환자 모두가 치유되는 것도 아니라는 사실을 숙지해야 한다. 구제 방사선 요법에 관한 자료가 신뢰성이 없다 하더라도 결과가 치료 당시의 PSA 농도에 의해 영향을 받는 것은 분명한 것 같다 (Catton 등, 2001).

근치전립선절제술 후 PSA 재발을 가졌거나 상급 위험군에 속한 환자들에 대한 현재의 관리는 분명하지 않다. 비뇨종양학 전문의들 중 51%는 pT3, 수술 절제면 침범이 있는 환자에 대해 보조 방사선 요법을 권하였으나, 49%는 이를 권하지 않았다 (Morris 등, 2004). 전립선암의 병리학적 결과에 따라 보

도표 51 전립선암 환자에 대한 일차 치료 후 재발 시 관리 방법과 결과

근치전립선절제술 후 구제 방사선 요법

참고 문헌	수	추적 개월	PSA 재발의 정의	구제 요법 시 PSA	방사선 양, Gy	BCR 없는 생존율/전반적 생존율
Brooks 등, 2005	114	75.6	PSA 최저점+0.1	0.9	64	6년 33%/NR
Buskirk 등, 2006	368	60	PSA > 0.4	0.7	64.8	5년 46%/5년 92%
Stephenson 등, 2007	1,540	53	PSA 최저점+0.2	1.1	64.8	6년 32%/NR
Boorjian 등, 2009	856	70.8	PSA > 0.4	0.8	NR	NR/5년 92%

방사선 요법 후 구제 근치전립선절제술

참고 문헌	수	추적 개월	PSA 재발의 정의	구제 요법 시 PSA	BCR 없는 생존율/CSS
Ward 등, 2005	199	86	PSA > 0.4	8.9	5년 58%/5년 79%
Bianco 등, 2005	100	60	PSA > 0.2	7.7	5년 55%/10년 73%
Eandi 등, 2010	18	18	PSA ≥ 0.2	6.8	18개월 67%/18개월 100%
Chade 등, 2011	404	52.8	PSA > 0.1 혹은 0.2	4.5	10년 37%/10년 83%

방사선 요법 후 구제 근접 요법

참고 문헌	수	추적 개월	PSA 재발의 정의	구제 요법 시 PSA	방사선 양, Gy	BCR 없는 생존율/CSS
Wong 등, 2006	17	44	ASTRO 정의[†]	4.7	127~139	4년 75%/4년 94%
Nguyen 등, 2007	25	47	Phoenix 정의[‡]	5.5	137	4년 70%/NR
Lee 등, 2008	21	36	ASTRO 정의[†]	NR	90	5년 38%/NR
Aaronson 등, 2009	24	30	Phoenix 정의[‡]	3.36	144	최종 F/U 88%/최종 F/U 96%

방사선 요법 후 냉동요법

참고 문헌	수	추적 개월	PSA 재발의 정의	BCR 없는 생존율	전반적 생존율
Chin 등, 2001	125	19	PSA > 0.5	5년 34%	NR
Han 등, 2003	106	12	PSA > 0.4	1년 75%	NR
Williams 등, 2011	187	89.5	Phoenix 정의[‡]	10년 39%	10년 82%
Spiess 등, 2012	156	45.6	Phoenix 정의[‡]	3년 66.7%	NR

추적 개월은 추적 관찰한 기간의 평균치이며, PSA의 단위는 ng/mL.

[†], ASTRO 정의는 방사선 요법 후 최저점 이상의 PSA 농도가 세 번 이상인 경우; [‡], Phoenix 정의는 방사선 요법 후 최저점 PSA 농도보다 2 ng/mL 이상 증가한 경우.

ASTRO, American Society for Therapeutic Radiology and Oncology; BCR, biochemical recurrence; CSS, cancer-specific survival; F/U, follow-up; Gy, gray; NR, not reported; PSA, prostate-specific antigen.

Punnen 등 (2013)의 자료를 수정 인용.

조 방사선 요법이 암 특이 사망률과 전반적 사망률에 미치는 영향을 평가하기 위해 전립선암 환자 1,049명을 근치전립선절제술 단독 혹은 보조 방사선 요법과 병행하여 치료한 후 결과를 비교한 연구는 다음과 같은 결과를 보고하였다 (Abdollah 등, 2013). 첫째, 다변량 분석에서 Gleason 점수 8 이상, pT3b/T4 병기, 림프절 침범 등은 암 특이 사망에 대한 독립적 예측 인자이었다 (p < 0.02). 둘째, 이들 병리학적 요소가 양성인 수를 합산하여 위험 점수를 개발하였으며, 환자의 43.6%, 22.1%, 20.7%, 13.6%가 각각 위험 점수 0, 1, 2, 3에 해당하였다. 셋째, 보조 방사선 요법은 위험 점수 0, 1에 해당하는 환

자에서는 생존율을 유의하게 개선시키지 않았으나 (p ≥ 0.4), 위험 점수 2 이상인 환자에서는 암 특이 사망률과 전반적 사망률을 감소시켰다 (p=0.006). 이들 결과를 근거로 저자들은 Gleason 점수 8 이상, pT3b/T4 병기, 림프절 침범 등의 병리학적 결과 중 2가지 이상을 가진 환자에서 보조 방사선 요법이 생존율을 개선시키기 때문에, 이러한 환자가 근치전립선절제술 후 보조 방사선 요법의 적용 대상이 된다고 하였다. 종양학 의사의 연구와 비뇨기과 의사의 연구는 보조 방사선 요법의 사용뿐만 아니라 호르몬 요법의 방식, 시기, 기간에서 어느 정도의 차이를 나타낸다 (Lee 등, 2005). 앞으로 추가 연구에

의해 이에 관한 적절한 지침이 마련되어야 할 것이다.

근치전립선절제술을 받은 일부 환자는 수술 후 혈청 PSA의 발견 유무와 상관없이 수술 절제면 침범 혹은 기타 위험 인자를 가지며, 이들의 상당수는 전이 암으로 진행하고 사망에 이르게 된다. 이들 환자는 대개 수술 직후 확인이 가능하며, 잔존 암이 전립선이 위치해 있었던 부위에 한정된다면 방사선 요법으로 질환의 진행을 적절하게 변경시킬 수 있을 것이다. 그렇지만 수술 후 방사선 요법을 종양이 만져질 때까지 혹은 혈청 PSA가 2.0 ng/mL를 초과할 때까지 연기시킨다면 그러한 효과를 기대하기 어렵다 (Choo 등, 2002). 일반적으로 근치전립선절제술과 방사선 요법을 함께 실시하는 접근법에는 두 가지가 있다 (Catton 등, 2010). 첫째, pT3a 내지 pT3b, 수술 절제면 침범, 수술 후 혈청 PSA 증가 등 상급 위험의 환자에 대해서는 수술 후 조기에 방사선 요법으로 치료한다. 둘째, 생화학적 진행의 분명한 증거가 있을 때까지 추가 치료를 연기한다. 첫 번째 접근법의 이점은 암으로 인한 부담이 가장 적은 유리한 시점에서 치료를 한다는 점이며, 두 번째 접근법의 이점은 생화학적 진행으로 인해 추가 치료가 반드시 필요하다고 확인될 때까지 최대한 치료를 연기한다는 점이다.

근치전립선절제술 후 PSA 재발로 인하여 방사선 요법을 실시한 연구가 다수 있다. 여러 연구에 의해 확인된 바에 의하면, 방사선 요법을 실시하기 전 PSA 농도는 치료 결과에서 매우 중요하다. 방사선 요법 당시의 혈청 PSA 농도와 치료 결과 사이에 유의한 상관관계가 있음을 확인한 연구는 생화학적 재발이 없는 6년 생존율이 PSA 농도 0.5 ng/mL 미만인 남성에서는 48%인 데 비해, 0.51~1, 1.01~1.5, 1.5 초과 ng/mL 남성에서는 각각 40%, 28%, 18%이었다고 하였다 (Stephenson 등, 2007).

SWOG 8974 연구를 분석한 바에 의하면, 근치전립선절제술 후 PSA 농도가 0.2 미만, 0.2~1.0, 1.0 초과 ng/mL 등의 모든 범주에서 구제 방사선 요법은 전이 없는 생존율을 증대시키지만, PSA 농도가 최소한일 때 치료 효과가 가장 분명하다 (Swanson 등, 2007). PSADT가 6개월 이하인 경우에도 PSA 농도가 증가한 후 2년 내에 구제 방사선 요법을 실시하면, 전립선암 특이 생존율이 증대된다고 보고된 바 있다 (Trock 등, 2008). 이를 뒷받침하는 연구는 다음과 같은 결과를 보고하였다 (Briganti 등, 2012). 첫째, 근치전립선절제술 후 43.8%인 390명 (1군)은 보조 방사선 요법을, 56.2%인 500명 (2군)은 관찰을 받았다. 2군 중 45.0% (225명/500명)에서 생화학적

재발이 발생하여 조기에 구제 방사선 요법을 실시하였다. 이들 대부분은 병리학적 병기가 T3 N0인 전립선암 환자이었다. 둘째, 생화학적 재발이 없는 2년 및 5년 생존율은 1군에서는 각각 91.4%, 78.4%이었고, 2군 중 조기에 구제 방사선 요법을 받은 군에서는 각각 92.8%, 81.8%이었다. 셋째, 조기 구제 방사선 요법을 규정하는 절단치를 PSA 0.3 ng/mL 미만으로 하였을 때, 비슷한 결과가 얻어졌다. 이들 결과를 근거로 저자들은 조기에 구제 방사선 요법을 실시하면 보조 방사선 요법과 비슷한 치료 결과를 얻을 수 있으며, 이로써 보조 방사선 요법에 의한 과잉 치료를 감소시킬 수 있다고 하였다.

현재로서는 근치전립선절제술 후 국소 재발이 일어난 혈청 PSA 0.5 ng/mL 이하의 환자는 64~66 Gy의 구제 방사선 요법으로 가장 좋은 치료 효과를 나타낸다. 근치전립선절제술 후 생화학적 재발이 일어난 301명을 대상으로 중앙치 30개월 동안 추적 관찰한 후 구제 방사선 요법에 의한 생화학적 반응에 영향을 주는 인자를 평가함으로써 치료의 적기를 연구한 다변량 회귀 분석에 의하면, 구제 방사선 요법 전 PSA 농도와 정낭 침범이 유일한 독립적 예측 인자이었으며, 각각의 OR은 2.62 (p=0.001), 2.53 (p=0.02)이었다. 이 연구에 의하면, 구제 방사선 요법 전 혈청 PSA 농도가 0.28 ng/mL 미만인 경우는 더 높은 농도에 비해 가장 좋은 결과를 보였으며, 이들에서는 더 이상의 치료를 하지 않아도 장기간 지속적 반응을 나타낸다 (Siegmann 등, 2012).

아직 구제 방사선 요법의 범위에 골반 림프절을 포함할 것인지는 논란 중에 있다. 258명을 대상으로 실시한 연구는 Roach 공식, 즉 (PSA×2/3)+(Gleason 점수-6)×10에 따라 산출된 수치에 근거하여 림프절 침범의 가능성이 높으면, 전립선 부위에 66~72 Gy의 3D 입체 방사선 조사를 이용한 보조 방사선 요법을 실시하더라도 PSA 실패율이 유의하게 증가되었다고 하였다. 예를 들면, 5년 시점에서 생화학적 실패율은 림프절 전이 가능성이 15% 이하인 경우에 비해 15%를 초과한 경우에 유의하게 더 높았는데, 각각 0%, 42%이었다 (Goldner 등, 2010). 다른 연구는 Roach 공식에 따라 림프절 전이 가능성이 15%를 초과하여 높은 위험군에 속한 환자에서는 전립선 부위의 고선량 방사선 요법 외에 골반 방사선 요법을 실시하여도 임상적 이점이 나타나지 않는다고 하였다 (Vargas 등, 2005). 림프절의 침범이 있는 전립선암으로 근치전립선절제술, 확대 골반림프절절제술, 보조 요법 등을 받은 환자 중 방사선 요법 및 호르몬 요법을 받은 129명 (51.6%)과 보조 호

르몬 요법만 받은 121명 (48.4%)을 대상으로 평가한 연구는 다음과 같은 결과를 보고하였다. (Da Pozzo 등, 2009). 첫째, 추적 관찰한 기간의 평균치는 95.9개월, 중앙치는 91.2개월이었다. 5, 8, 10년 시점에서 생화학적 실패가 없는 생존율은 각각 72%, 61%, 53%, 암 특이 생존율은 각각 89%, 83%, 80%이었다. 둘째, 보조 방사선 요법 (p=0.002)과 침범된 림프절의 수 (p=0.01)는 생화학적 실패가 없는 생존율과 암 특이 생존율에서 독립적 예측 인자이었다. 셋째, 다변량 모델에서 생화학적 실패가 없는 생존율과 암 특이 생존율을 예측하기 위해 보조 방사선 요법을 추가하였을 때는 예측 정확도의 이득을 볼 수 있었는데, 각각 3.3%, 3%이었다 (p<0.001). 이들 결과는 근치전립선절제술 후 림프절의 침범이 있는 환자의 경우 보조 방사선 요법이 생화학적 실패가 없는 생존율과 암 특이 생존율에서 보호 역할을 하기 때문에 보조 안드로겐 박탈 요법과 보조 방사선 요법을 병행하면 안드로겐 박탈 요법만 시행한 경우에 비해 암 특이 생존율이 유의하게 개선됨을 보여준다. 그러나 이 후향 연구는 장기간의 좋은 결과를 얻기 위해서는 적절한 국소적 암 조절이 필수임을 강조하였다.

과거에는 수술 후 검출되지 않았던 PSA 농도가 현재는 더 민감한 PSA 분석법에 의해 훨씬 더 초기 병기에서 측정이 가능하게 되었고, 이들 환자들에서는 과거보다 재발 위험이 더 낮다. EORTC 30094와 같은 많은 연구들은 상급 위험의 질환에서 호르몬 요법과 같은 추가 요법과 관계없이 보조 방사선 요법을 실시할 것을 권하였지만, 어느 연구도 수술 후 잔여 PSA 혹은 PSA 증가의 조건에서 병합 요법과 요법의 실시 시기에 관한 의문점을 해결하지 못하였다. 이러한 조건에서 호르몬 사용과 치료의 실시 시기를 평가하기 위해 영국 (National Cancer Research Institute, NCRI)과 캐나다 (National Cancer Institute of Canada, NCIC)에서 조기 혹은 지연 방사선 요법을 단독으로 실시하거나 단기간 혹은 장기간의 호르몬 요법과 병행하여 치료하는 연구인 Radiotherapy and Androgen Deprivation in Combination after Local Surgery (RADICALS) 시험이 시작되었다 (Parker 등, 2007).

근치전립선절제술 후 PSA가 0.5 ng/mL 이하와 0.5 ng/mL 초과한 환자군에서 구제 방사선 요법을 실시한 후의 결과를 비교한 메타 분석은 PSA가 0.5 ng/mL 이하의 조건으로 조기에 구제 방사선 요법을 실시한 환자군에서 생화학적 재발이 없는 생존율이 더 높았다고 하였다. 그러나 근치전립선절제술 후 PSA가 발견되지 않는 상태에서 관례적으로 방사

선 요법을 실시할지의 여부는 아직 분명하지 않다 (Pfister 등, 2014).

근치전립선절제술 후 생화학적 재발이 발생한 635명에 관한 후향 연구에 의하면, 238명이 추적 관찰한 중앙치 기간인 6년 동안 안드로겐 박탈 요법의 실시 여부와 관계없이 구제 방사선 요법을 받았으며, 6개월 미만의 PSADT를 가진 환자로서 생화학적 재발 후 2년 이내에 구제 방사선 요법을 받은 환자군은 대기 요법을 받은 군에 비해 전립선암 특이 생존율이 유의하게 3배 증가하였다 (Trock 등, 2008). 이 연구의 결과는 PSADT가 짧은 환자는 짧은 PSADT에 근거하여 전이 질환을 가진다고 추정하여서는 안 되며, 이들에게는 조기에 공격적인 구제 방사선 요법이 필요함을 보여 주었다 (Punnen 등, 2013). 근치전립선절제술 후 생화학적 재발이 발생한 2,657명에 관한 연구도 코호트의 32%가 구제 방사선 요법을 받았으며, 이러한 방사선 요법이 국소 재발 및 전신적 진행의 위험을 감소시켰다고 하였다 (Boorjian 등, 2009). 이 연구에서는 구제 방사선 요법이 사망률에 미치는 영향을 분석하지는 않았으나, 전신적 진행이 감소되었기 때문에 사망률도 감소하였을 것으로 추측된다.

Stephenson 등 (2007)은 근치전립선절제술 후 생화학적 재발이 발생한 환자에서 구제 방사선 요법에 의한 PSA의 반응을 예측하기 위해 구제 방사선 요법 전 PSA 농도, 근치전립선절제 표본의 Gleason 점수, PSADT, 수술 절제면 상태, 림프절 침범, 안드로겐 박탈 요법의 이용 등을 변수로 하는 노모그램을 개발하였다. 구제 방사선 요법 전 PSA의 농도와 PSA 진행이 없는 생존율과의 연관성에 관한 평가에서, 저자들은 PSA 농도가 1 ng/mL에 도달하기 전에 구제 방사선 요법을 실시하면 반응이 더 좋음을 발견하였다. 이 연구는 구제 방사선 요법이 재발 과정에서 조기에 실시되면 더 나은 결과를 얻음을 보여 주었다. 또한, PSADT가 긴 남성에서 PSA 반응률이 좋았지만, 실제 생존율에서의 이점은 짧은 PSADT를 가진 남성에서 얻어졌다. 이들 결과를 종합하여 볼 때, 저급 위험군에 속한 전립선암 환자에서는 PSA의 조절이 양호함은 물론 구제 방사선 요법 없이도 좋은 결과가 예상되며, 상급 위험의 전립선암 환자에서는 PSA의 조절이 어렵지만 구제 방사선 요법으로 실제적인 이득을 얻을 수 있기 때문에, 치명적인 질환으로 단정하여 이차 요법을 포기하지 말아야 한다. 그러나 근치전립선절제술 후 생화학적 재발이 발생한 환자에서 구제 방사선 요법의 적절한 실시 시기는 아직 분명하지 않다 (Punnen 등,

2013).

구제 방사선 요법의 방사선 조사량과 관련하여 5,597명을 포함한 41편의 연구를 검토한 연구는 구제 방사선 요법 전 PSA 농도 ($p < 0.0001$)와 방사선 조사량 ($p = 0.0052$)이 무재발 생존율과 유의한 독립적 연관성을 가짐을 보여 주었다. 이 연구에 의하면, PSA 무진행 생존율이 60 Gy에 비해 70 Gy에서 더 높았으며, 각각 34%, 54%이었다. 저자는 방사선 조사량이 1 Gray 추가함에 따라 PSA 무진행 생존율이 2% (95% CI 0.9~3.2%) 포인트 증가하는 용량에 따른 반응의 상관관계를 보고하였다. 이 연구는 또한 구제 방사선 요법 전 PSA 농도가 0.2 ng/mL 이하일 경우 무재발 생존율이 64%이며, 구제 방사선 요법 당시 PSA 농도가 0.1 ng/mL 증가함에 따라 재발이 없는 생존율은 2.6% (95% CI 2.2~3.1%) 포인트 감소한다고 하였다 (King, 2012).

구제 방사선 요법의 실시 시기와 방사선의 양 외에 논란 중인 문제 가운데 하나는 안드로겐 박탈 요법을 병행하는 문제이다. 2011 Genitourinary Cancers Symposium에서 근치전립선절제술 후 생화학적 재발이 발생한 771명을 구제 방사선 요법과 2년 동안의 150 mg bicalutamide와의 병합 요법과 구제 방사선 요법의 단독 요법에 무작위로 배정하여 결과를 비교한 연구가 보고되었다. 추적 관찰한 기간의 중앙치가 7년인 이 연구는 전반적인 생존율에서는 차이가 발견되지 않았지만, 단독 요법에 비해 병합 요법에서 PSA 무진행 생존율이 40% 대 57%로 더 높았으며 ($p < 0.0001$), 전이 전립선암의 누적 발병률이 13% 대 7%로 더 낮았다고 하였다 ($p < 0.04$). 이 연구는 또한 병합 요법의 이점이 상급 위험군의 전립선암에서 더 컸다고 하였다 (Shipley 등, 2011). 7년의 관찰 기간에서는 사망률의 차이가 발견되지 않았지만, 전이 발병률에서 차이를 보였기 때문에, 더 장기간 관찰한다면 단독 요법과 병합 요법 사이에서 사망률의 차이가 나타날 것으로 추측된다.

근치적 치료 후 생화학적 재발이 발생한 환자에서 전립선암의 진행에 미치는 dutasteride의 효과를 평가하기 위해 294명을 dutasteride 치료군과 위약군에 각각 147명씩 무작위로 배정하여 24개월 동안 치료한 후 결과를 비교한 연구는 다음과 같은 결과를 보고하였다 (Schröder 등, 2013). 24개월 동안의 치료를 완료한 경우는 치료군 111명, 위약군 76명이었다. 첫째, 치료 24개월 후 PSADT가 위약군에 비해 치료군에서 유의하게 지연되었으며 ($p < 0.001$), 전반적 연구 기간 동안 상대적 위험도 (relative risk, RR)가 66.1% (95% CI 50.6~76.9%)

감소하였다. 둘째, dutasteride는 위약에 비해 질환의 진행을 유의하게 지연시켰으며 ($p < 0.001$), 치료군에서 전반적 RR의 감소율은 59% (95% CI 32.5~75.1)이었다. 셋째, 두 군에서 유해 효과의 빈도는 비슷하였다. 이들 결과에 근거하여 저자들은 임상적 국소 전립선암으로 근치적 치료를 받은 후 생화학적 실패가 일어난 환자에 대해 생화학적 진행을 지연시킬 목적으로 dutasteride를 안전하게 이용할 수 있다고 하였다.

방사선 요법 후 생화학적 재발이 발생한 환자의 일부에서 구제 근치전립선절제술이 시도되며, 이 경우 합병증의 비율이 다소 높다고 보고되지만 이환율은 '만족스러운' 편이다. 냉동 수술도 특히 저급 위험군의 재발 환자에서 생화학적 조절이 성공적인 결과를 나타내지만, 생존으로 평가된 성공률은 상급 위험군에서 11%로 실망스러운 결과를 나타낸다. 시술의 이환율은 유의한 정도이며, 요실금이 13%, 만성 회음부 통증이 4%에서 발생한다. 소수이지만 심각한 항문누공이 발생할 수도 있다 (Ismail 등, 2007). 어떠한 구제 요법이든 상당한 이환이 동반될 수 있다. 방사선 요법 후 구제 근치전립선절제술, 냉동 수술, 근접 요법 등을 실시한 연구를 검토한 결과 이와 같은 이환율을 재확인하였다 (Nguyen 등, 2007). 요실금은 근접 요법보다 구제 근치전립선절제술과 냉동 수술에서 더 흔하여 각각 6%, 41%, 36%이었고, 근접 요법을 받은 환자들의 17%는 등급 3~4의 비뇨생식기 합병증을 나타내었다. 또한, 직장누공은 모든 형태의 요법에서 평균 3.4%의 범위로 발생하였다. 저자들은 3가지 구제 요법의 효능을 비교하기 위해서는 무작위 배정, 전향 연구가 필요하며, 이들 요법의 위험과 이득을 가름하는 데는 PSA 관련 지표들이 유용하다고 결론을 내렸다.

근치전립선절제술과 방사선 요법으로 병합 치료를 하면, 근치전립선절제술만의 단독 요법에 비해 큰 차이는 아니지만 합병증이 분명히 더 흔하다. EORTC 22911 연구는 수술 후 방사선 요법을 실시한 경우에는 경도 내지 중등도인 등급 2 혹은 3의 장 및 방광 기능 장애가 5년 동안 10%에서 20%로 증가했다고 하였다 (Bolla 등, 2005). 수술 후 방사선 요법이 요실금의 위험을 증가시키지 않는다는 연구도 있지만 (van Cangh 등, 1998) SWOG 연구는 요도협착 위험이 10%에서 18%로 증가했다고 보고하였다 (Thompson 등, 2006). SWOG 연구에 의하면, 수술만 실시한 경우에 비해 수술과 방사선 요법의 병합 요법을 실시한 경우에서 장 기능과 배뇨 기능이 더 나빴지만 발기 기능의 측면에서는 통계적으로 유의한 차이가 없었으며, 건강 관련 삶의 질은 처음에는 병합 요법에서 더 나빴으나 연구 기간의 말미에서는 더 나았다 (p=0.004). 이와 같은 결과는 수술 후 방사선 요법을 추가하면 배뇨 횟수가 더 잦고 장 기능 장애가 더 흔하지만 장 기능에서의 차이는 5년에 걸쳐 없어지며, 방사선 요법은 발기 기능 장애에 대해 음성적 영향을 주지 않음을 보여 준다. (Moinpour 등, 2008). AUA의 지침서에 기술되어 있는 방사선 요법의 이환은 도표 44에 정리되어 있다 (Thompson 등, 2013).

American Society for Therapeutic Radiology and Oncology (ASTRO)/AUA는 전립선절제술 후 전립선암의 재발이 없는 환자와 있는 환자에서 실시되는 방사선 요법, 즉 보조 방사선 요법과 구제 방사선 요법의 임상적 기본 틀을 만들기 위해 Pubmed, Embase, Cochrane 등의 자료로부터 294편의 논문을 검토한 후 지침서를 마련하였으며, 각 지침에 대해 증거가 충분한 정도에 따라 A, B, C 등급을 부과하였고, 증거에 근거하여 각 지침을 임상적 원칙, 표준, 권장 혹은 선택 사항으로 규정하였다 (Thompson 등, 2013). 2014년 American Society of Clinical Oncology (ASCO)는 이 지침을 지지하였다 (Freedland 등, 2014).

지침 1 임상의는 국소 전립선암으로 인해 근치전립선절제술을 고려하고 있는 환자에게 병리학적 결과가 나쁘면 암이 재발될 위험이 높으며, 이러한 경우 수술 후 추가 요법을 실시하면 유익하다는 정보를 제공하여야 한다. (임상적 원칙)

지침 2 임상의는 정낭 침범, 수술 절제면 침범, 전립선 외부 확대 등 병리학적 결과가 나쁜 환자에게 근치전립선절제술만 실시하는 방법에 비해 보조 요법을 병용하면 생화학적 재발, 국소적 재발, 암의 임상적 진행 등이 감소한다는 정보를 제공함과 동시에, 보조 방사선 요법이 전이와 전반적 생존에 미치는 영향은 이에 관한 여러 연구에서 이점이 있다는 경우와 그러하지 않다는 경우가 반반이기 때문에 분명하지 않음을 알려야 한다. 그러나 이점이 없다는 연구는 전이와 전반적 생존에 관한 이점을 세밀하게 분석하지 않았다. (임상적 원칙)

지침 3 임상의는 전립선절제술 당시 정낭 침범, 수술 절제면 침범, 혹은 전립선 외부 확대 등과 같은 병리학적 결과가 나쁜 환자에게는 생화학적 재발, 국소적 재발, 임상적 진행 등을 감소시킬 목적으로 보조 방사선 요법을 실시하여야 한다. (표준 사항; 증거력 등급 A)

지침 4 임상의는 환자에게 수술 후 생화학적 재발이 일어나면 전이 전립선암 혹은 전립선암으로 인한 사망이 발생할 위험이 높음을 알려야 한다. 임상의는 이러한 임상적 원칙에 입각하여 필요하다면 조기에 구제 요법을 실시할 수 있도록 근치전립선절제술 후 정기적으로 PSA 모니터링을 하여야 한다. (임상적 원칙)

지침 5 임상의는 생화학적 재발을 수술 후 발견 가능한 혹은 증가된 PSA 농도가 0.2 ng/mL 이상이고 이차 확인 농도가 0.2 ng/mL 이상인 경우로 정의하여야 한다. (권장 사항; 증거력 등급 C)

지침 6 생화학적 재발이 있는 환자는 병기를 재분류하기 위한 평가가 필요할 수 있다. (선택 사항; 증거력 등급 C)

지침 7 임상의는 근치전립선절제술 후 원격 전이 없이 생화학적 혹은 국소적 재발이 있는 환자에게 구제 방사선 요법을 실시하여야 한다. (권장 사항; 증거력 등급 C)

지침 8 임상의는 생화학적 재발이 있는 환자에게 이용되는 방사선 요법이 PSA의 농도가 낮을수록 효과가 큼을 환자에게 알려야 한다. (임상적 원칙)

지침 9 임상의는 환자에게 방사선 요법이 질환의 재발을 조절하는 이점 외에 단기간 및 장기간 배뇨, 장, 성 등의 기능과 관련이 있는 부작용을 일으킬 수 있음을 알려야 한다. (임상적 원칙)

AUA 및 ASTRO의 지침에 근거하여 전립선피막 외부 확대 (pT3a), 정낭 침범 (pT3b), 혹은 수술 절제면 침범 (R1)의 증거가 있는 환자의 경우 보조 방사선 요법이 특정 환자에게 유익할 것인지 그리고 이를 실시할 것인지는 환자의 병력, 현재의 전신 상태, 선호, 방사선 요법으로 인한 독성에 대한 순응도, 삶의 질 등을 충분하게 고려하여 종합적인 치료팀에 의해 결정되어야 한다 (D'Amico, 2013).

1.11.4.2. 방사선 요법 후 구제 요법
Salvage management after radiation therapy

전립선암 환자 5,277명을 포함한 Cancer of the Prostate Strategic Urologic Research Endeavour (CaPSURE) 자료에 의하면, 첫 치료를 방사선 요법으로 받은 환자의 93%가 PSA 진행으로 인해 이차 치료로 안드로겐 박탈 요법을 받았다. 구제 요법을 받지 않은 경우에는 생화학적 진행 후 임상적 진행까지의 평균 기간이 약 3년이었다 (Agarwal 등, 2008). 이들 환자에서 선택이 가능한 치료 방법으로는 구제 근치전립선절제술 (Chade 등, 2012), 동결절제술 (cryosurgical ablation of the prostate, CSAP) (Pisters 등, 2008), high-intensity focused ultrasound (HIFU) (Crouzet 등, 2012), 간질 방사선 요법 (Kukielka 등, 2014) 등이 있다.

임상 병기 T1~T3 전립선암으로 고선량의 방사선 요법을 받은 1,650명 중 PSA 재발이 발생한 381명을 대상으로 평가한 연구에서, 3년 후 전이 발생률은 PSADT가 0~3, 3~6, 6~12, 12개월 초과의 경우 각각 49%, 41%, 20%, 7%이었으며, 원격 전이 혹은 사망에 대한 HR은 PSADT가 12개월을 초과한 경우에 비해 0~3개월, 3~6개월인 경우에서 각각 7.0, 6.6을 나타내었다. 이러한 결과를 근거로 저자들은 방사선 요법 후 생화학적 재발이 있는 환자에서 PSADT가 6개월 이하이면, 조기에 원격 전이가 발생할 수 있기 때문에 전신적 요법 혹은 실험적 요법이 고려되어야 한다고 보고하였다 (Zelefsky 등, 2005).

일반적으로 구제 근치전립선절제술은 동반 질환이 적고 기대 여명이 최소한 10년, 전립선에 국한된 병기 T2 이하의 전립선암, Gleason 점수 7 이하, 수술 전 PSA 농도 10 ng/mL 미만 등의 조건을 가진 환자에서만 고려되어야 한다 (Heidenreich 등, 2014). 문헌을 검토한 연구에 의하면, 구제 근치전립선절제술 후 5년 및 10년 생화학적 무재발 생존율은 각각 47~82%, 28~53%로 보고되며, 10년 시점에서 암 특이 생존율 및 전반적 생존율은 각각 70~83%, 54~89%의 범위이다. 이 연구는 또한 전립선에 국한된 질환, 진행, 암 특이 생존 등에 대한 가장 강한 예측 인자는 구제 방사선 요법 전 PSA 농도와 생검에서의 Gleason 점수이며, 수술로 인한 이환율은 수술의의 숙련도와 관련이 있다고 하였다 (Chade 등, 2012).

MEDLINE에 등재된 논문에서 방사선 요법 후 재발한 국소 전립선암에 대해 구제 근치전립선절제술을 시행한 자료를 검토한 연구는 다음과 같은 결과를 보고하였다 (Rosoff 등, 2013). 첫째, 구제 근치전립선절제술의 이상적 적용 대상은 기대 여명이 10년보다 긴 환자로서 PSA 농도가 10 ng/mL 미만이고 처음 임상 병기가 T1 혹은 T2인 환자이다. 전이 질환을 배제하기 위해 구제 근치전립선절제술을 시행하기 전에 전립선 생검 및 영상 검사를 실시해야 한다. 둘째, 구제 근치전립선절제술은 높은 빈도의 합병증을 나타내지만, 점차 낮아지고 있는 추세이다. 구제 근치전립선절제술 후 소변 자제의 비율은 36~81% 범위인 데 비해, 적절한 발기 기능을 가진 경우는 30% 미만이다. 구제 근치전립선절제술을 받기 전에 발기 기능이 양호하였던 남성은 그러하지 않았던 남성에 비해 수술 후 발기 기능이 더 잘 보존되었다. 셋째, 5년 생화학적 무재발 생존율은 37~55% 범위이었고, 10년 시점에서 암 특이

생존율은 70~83%이었다. 넷째, 최소 침습 구제 근치전립선절제술의 결과는 개복 수술에 비해 열등하지 않았다.

여러 연구들이 구제 개복 근치전립선절제술 (salvage open prostatectomy, SOP)과 구제 로봇 보조 복강경 전립선절제술 (salvage robotic assisted laparoscopic prostatectomy, SRALP)의 결과를 비교하였다 (Williams와 Hu, 2013). SOP의 경우에는 생화학적 재발이 없는 5년 전반적 생존율이 30~40%이었다 (Zagars 등, 1995; Zelefsky 등, 2005). SOP의 10년 생화학적 무재발 생존율과 암 특이 생존율은 각각 30~43%, 70~77%이었다 (Ward 등, 2008). SOP에 관한 Memorial Sloan Kettering의 경험에 의하면, 5년 무병 생존율은 일차 근치전립선절제술을 받은 환자와 비슷하였다 (Bianco 등, 2005). SOP를 받은 환자를 수술 전 PSA 농도 4 미만, 4~10, 10 초과 ng/mL로 구분하였을 때, 5년 무진행 생존율은 각각 86%, 55%, 28%이었다 (Bianco 등, 2005). 일반적으로, 전립선 외부로의 확대, 정낭 침범, 수술 절제면 침범 등의 조건을 가진 환자에서는 SOP 후 결과가 나쁘다 (Sanderson 등, 2006). 중요한 점은 SOP를 받은 남성의 21~36%에서 수술 절제면의 침범이 있었다는 점이다. 그러나 SOP에 관한 근래의 보고에서는 수술 절제면의 양성률이 16%로 낮아졌다. 중앙치 3.8년 동안 추적 관찰한 이 연구에 의하면, SOP 후 45%에서 생화학적 재발이 발생하였으며, 수술 전 PSA 농도와 생검에서의 Gleason 점수가 암 특이 사망에 대한 유의한 예측 인자이었다 (Paparel 등, 2009). SOP의 경우에는 조직 경계면의 소실, 조직의 허혈, 조직의 유착 등으로 인해 술기에 어려움이 있어 합병증 비율이 높다. 수술 중 직장 손상, 요실금, 방광경부 수축 등이 각각 19%, 73%, 30%에서 일어나며, 거의 대부분의 환자에서 발기 기능 장애가 일어난다 (Touma 등, 2005). 다행하게도, 수술 기법과 수술 전후의 관리가 개선됨으로써 수술 후 이환율은 유의하게 낮아지고 있다 (Ward 등, 2005).

SRALP에 관한 연구는 많지 않으며, 추적 관찰한 기간도 제한적이다 (Jamal 등, 2008). SRALP에 관한 대규모 연구에 의하면, 추적 관찰한 기간의 중앙치 18개월에서 생화학적 진행이 없는 경우가 67%이었다. 흥미로운 점은 수술 후 생화학적 재발이 발생한 환자 중 수술 절제면에 침범이 있는 경우가 67%, 수술 전 PSA 농도가 10 ng/mL를 초과한 경우가 33%이었다는 점이다 (Eandi 등, 2010). Vattikuti Urology Institute는 SRALP를 받은 11명 중 추적 관찰한 기간의 중앙치 20.5개월에서 생화학적 진행이 없는 경우가 63%이었다고 하였다 (Boris 등, 2009). 4명을 대상으로 평가한 소규모 연구에서는 추적 관찰한 기간의 중앙치가 불과 9개월 만에 1명에서 수술 후 생화학적 재발이 발생하였다 (Kaouk 등, 2008). 근접 요법 (8명), 체외 방사선 요법 (8명), 양성자 빔 요법 (2명) 등으로 일차 요법을 받은 후 혈청 PSA의 중앙치가 6.8 (1~28.9) ng/mL로 증가하여 일차 요법 후 중앙치 79 (7~146)개월에 SRALP를 받은 환자를 대상으로 실시한 연구에 의하면, SRALP를 실시하는 동안 혈액의 소실량, 수술 시간, 입원 기간 등이 각각 150 mL, 2.6시간, 2일이었고, 수술 절제면의 침범률이 28%를 나타내어 SRALP는 안전하고 효율적인 구제 요법으로 간주된다 (Eandi 등, 2010). 전반적으로 SRALP의 종양학적 효과는 SOP와 비슷하다. SOP에 비해 SRALP에서 혈액 소실량, 수술 시간, 요실금 비율 등이 각각 387~1,219 mL 대 119 mL, 3.2~4.8시간 대 3시간, 10~80% 대 20%로 더 낮았다 (Touma 등, 2005; Kimura 등, 2010). 더욱이 직장 손상은 보고된 바 없으며, 소변 누출이 39%에서 관찰되었다는 보고가 있지만 (Eandi 등, 2010), 소변 누출 및 방광경부 수축은 매우 드물게 보고된다. 발기 기능 장애는 양쪽 신경을 보존함에도 불구하고 접근법에 관계없이 발생한다. 표준 근치전립선절제술에 비해 구제 전립선절제술을 받은 환자에서는 발기력이 더 떨어지지만, 수술 전의 발기 기능이 양호한 일부 환자에서 양쪽 신경을 보존하면 수술 후 발기 유발제의 도움으로 성교에 충분한 발기력을 얻을 수 있다 (Masterson 등, 2005).

2000년 이래 최첨단의 방사선 요법 후 국소적으로 재발된 전립선암 환자 55명에 대해 확대 골반림프절절제술과 함께 시행된 구제 근치전립선절제술의 종양학적 및 기능적 결과를 보고한 연구에 의하면, 72.7% (40명/55명)와 27.3% (15명/55명)가 각각 전립선에 국한된 전립선암, 국소적으로 진행된 전립선암을 가졌으며, 20% (11명/55명)와 12.7% (7명/55명)가 각각 림프절 전이, 수술 절제면의 침범을 가졌다. 다변량 분석의 경우 전립선에 국한된 전립선암으로서 수술 절제면 음성에 대한 유의한 예측 인자는 구제 근치전립선절제술 전 생검에서의 Gleason 점수 7 미만 (p=0.02), 생검 cores 중 암 양성이 50% 미만 (p=0.001), PSADT 12개월 초과 (p=0.001), 저선량의 근접 요법 (p=0.001) 등이었다 (Heidenreich 등, 2010).

HIFU 혹은 동결절제술은 구제 근치전립선절제술의 대안으로 제시되며, 이환율이 낮은 이점이 있으면서 효과는 비슷하다. 일차 방사선 요법 후 재발한 전립선암 환자 19명에 대해 부분 동결절제술을 시행한 연구는 다음과 같은 결과를 보고

하였다 (Eisenberg와 Shinohara, 2008). 첫째, 환자들은 일차 방사선 요법 후 평균 6년 시점에서 구제 요법을 받았으며, 추적 관찰한 기간의 중앙치는 18개월이었다. 둘째, ASTRO 규정에 의한 생화학적 재발이 없는 1, 2, 3년 생존율은 각각 89%, 67%, 50%이었다. 셋째, 요실금, 요도 협착, 요도 궤양 등의 합병증이 각각 1명에서 발생하였다. 이들 결과를 근거로 저자들은 방사선 요법 후 전립선의 한쪽에 암이 재발한 경우 환자를 적절하게 선정하면 부분 동결절제술로 낮은 이환율과 함께 좋은 결과를 얻을 수 있다고 하였다. 다른 연구는 동결절제술을 받은 279명을 대상으로 중앙치 21.6±24.9개월을 추적 관찰한 결과 Phoenix 규정에 따른 생화학적 재발이 없는 5년 생존율이 54.5%이었다고 하였다 (Pisters 등, 2008). 방사선 요법 후 재발한 전립선암 환자에서 구제 근치전립선절제술 (1군)과 구제 동결절제술 (2군)의 종양학적 결과를 비교한 연구는 다음과 같은 결과를 보고하였다 (Chade 등, 2012). 첫째, 1군과 2군에서 추적 관찰한 평균 기간은 각각 7.8년, 5.5년이었다. 둘째, 생화학적 재발이 없는 5년 생존율은 1군이 2군보다 유의하게 더 높았으며, 각각 61%, 21%이었다. 셋째, 전반적 5년 생존율 또한 1군이 2군보다 유의하게 더 높았으며, 각각 95%, 85%이었다. 이들 결과를 근거로 저자들은 방사선 요법 후 전립선암이 재발한 환자에서 구제 근치전립선절제술이 우선이지만, 구제 근치전립선절제술에 적합하지 않거나 이를 거부하는 환자에서는 동결절제술을 선택할 수 있다고 하였다.

방사선 요법 후 전립선암이 재발된 환자에서 구제 동결절제술 후 6~12주에 처음 측정된 PSA 농도의 예후 예측력을 평가하기 위해 Cryo On Line Data Registry의 자료로부터 호르몬 요법을 받지 않은 환자로서 전립선 전체에 대한 동결절제술을 받은 455명을 추출하여 평가한 연구는 다음과 같은 결과를 보고하였다 (Levy 등, 2010). 첫째, 구제 동결절제술 후 첫 PSA 농도가 0.6 ng/mL 미만인 환자 280명의 경우 무진행 생존율이 12, 24, 36개월에서 각각 80%, 73.6%, 67%이었다. 둘째, 구제 동결절제술 후 첫 PSA 농도가 0.6~5.0 ng/mL인 환자 118명의 경우 PSA 진행의 비율은 6개월, 12개월에서 각각 28%, 50%이었다. 셋째, 구제 동결절제술 후 첫 PSA 농도가 5.0 ng/mL를 초과한 환자 57명의 경우 PSA 진행의 비율은 6개월에 64%이었다. 넷째, 구제 동결절제술 전 PSA 농도와 Gleason 점수는 생화학적 진행이 없는 생존율과 관련이 있었으며, 각각 $p<0.001$, $p<0.002$이었다. 이들 결과에 의하면, 구제 동결절제술의 성공을 정의하기는 어렵지만 구제 동결절제

술 후 첫 PSA 농도가 0.6 ng/mL 미만인 경우에는 수술 후 36 개월에 생화학적 진행이 없는 생존율이 67%로 좋은 예후를 보이는 반면, 0.6 ng/mL 이상인 경우에는 PSA 진행의 비율이 12개월에 50%로 단기간에 진행이 일어날 위험이 있다.

구제 동결절제술의 결과를 평가하기 위해 방사선 요법 혹은 동결절제술 후 치료 실패로 인해 구제 동결절제술을 받은 396명을 분석한 연구는 다음과 같은 결과를 보고하였다 (Wenske 등, 2013). 첫째, 충분한 추적 관찰이 가능하였던 환자는 328명이었으며, 중앙치 연령은 65.8세 (45~81세), 중앙치 혈청 PSA는 8.0 ng/mL (0.6~290.0 ng/mL), 일차 치료 후 재발까지의 중앙치 기간은 55개월 (0.0~183.6개월)이었다. 둘째, 구제 동결절제술은 일차 치료 후 중앙치 67.5개월 (7.0~212.7개월)에 실시되었으며, 구제 동결절제술 전 PSA 농도의 중앙치는 4.0 ng/mL (0.1~112.4 ng/mL)이었고 구제 동결절제술 후 중앙치 2.6개월 (2.0~67.3개월)에 혈청 PSA가 중앙치 0.2 ng/mL (0.01~70.70 ng/mL)의 최저점으로 낮아졌다. 추적 관찰한 기간의 중앙치는 47.8개월 (1.6~203.5개월)이었다. 셋째, 5년 및 10년 시점에서 무병 생존율은 각각 63%, 35%, 전반적 생존율은 각각 74%, 45%, 질병 특이 생존율은 각각 91%, 79%이었다. 넷째, 단변량 분석에 의하면, 일차 치료 후 구제 동결절제술 혹은 재발까지의 기간, 구제 동결절제술 전 PSA 농도, 구제 동결절제술 후 최저점 PSA 농도 등은 재발에 대한 유의한 예측 인자이었다 ($p \leq 0.01$). 구제 동결절제술 전 PSA 농도 ($p=0.003$)와 재발까지의 기간 ($p=0.01$)은 질병 특이 생존에 대한 예측 인자의 역할을 하였다. 다섯째, 다변량 분석에서는 구제 동결절제술 후 최저점 PSA 농도가 유일하게 재발 ($p<0.001$)과 질병 특이 생존 ($p=0.012$)의 예측 인자이었다. 여섯째, 합병증의 빈도는 0.6~4.6%로 드물었다. 일곱째, 16.7% (55명/328명)가 국소 구제 동결절제술을 받았으며, 이 경우 PSA 농도의 최저점 중앙치는 0.44 ng/mL (0.04~20.1 ng/mL)이었다. 49% (27명/55명)에서 재발이 발생하였다. 5년 및 10년 시점에서 무병 생존율은 각각 47%, 42%, 전반적 생존율은 각각 87%, 81%, 질병 특이 생존율은 각각 100%, 83%이었다. 이들 결과를 근거로 저자들은 일차 치료에 실패한 환자에 대한 구제 냉동 수술은 효과적이며, 구제 냉동 수술은 우수한 생존율과 낮은 합병증을 나타내고, 적절하게 환자를 선정할 경우 우수한 효과를 나타낸다고 하였다.

일차 방사선 요법 후 재발된 전립선암 환자 50명에서 구제 국소 동결절제술 (1군)과 구제 전체 동결절제술 (2군)의 종양

학적 기능적 결과를 평가한 연구는 다음과 같은 결과를 보고하였다 (de Castro 등, 2013). 이 연구에서 생화학적 실패는 최저점 PSA 농도보다 2 ng/mL 이상 증가한 경우로 정하였다. 첫째, 동결절제술 전 PSA 농도와 Gleason 점수의 중앙치는 1군과 2군에서 각각 2.8 ng/mL와 7, 3.9 ng/mL와 7이었으며, 추적 관찰한 기간의 중앙치는 각각 31개월, 53개월이었다. 둘째, 종양학적 결과는 다음과 같았다. 사망한 환자는 없었으며, 2군 중 1명에서 골 전이가 발생하였다. 1군 중 8명과 2군 중 3명에서 생화학적 실패가 있었고, 생화학적 실패가 없는 5년 생존율은 1군과 2군에서 각각 54%, 86%이었다. 생화학적 실패가 없는 환자의 경우 구제 국소 동결절제술과 구제 전체 동결절제술에 의해 평균 PSA 농도가 각각 86%, 90% 감소한 후 안정적이 되었다. 셋째, 기능적인 결과는 다음과 같았다. 1군에서는 요실금이 발생하지 않은 데 비해, 2군의 경우 3명 (12%)에서 요실금이 일어났다 ($p=0.10$). 1군에서는 발기력을 가졌던 7명 중 2명이 수술 후 발기력을 유지한 데 비해, 2군에서는 발기력을 가졌던 4명 중 수술 후 발기력이 회복된 환자는 없었다 ($p=0.48$). 직장요도누공은 1군에서는 일어나지 않은 데 비해, 2군의 경우 1명 (4%)에서 발생하였다. 이들 결과에 의하면, 구제 국소 동결절제술과 구제 전체 동결절제술은 장기간은 아니지만 중등도 기간에서 종양학적 혹은 기능적으로 좋은 결과를 보였으며, 치료 관련 이환율은 구제 전체 동결절제술에 비해 구제 국소 동결절제술에서 더 낮지만, 대개는 안전한 치료법이라고 생각된다.

방사선 요법 후 생검으로 전립선암의 재발이 확인된 290명에 대해 구제 HIFU를 실시한 연구는 다음과 같은 결과를 보고하였다 (Crouzet 등, 2012). 첫째, 국소 조절로 인해 생검의 결과가 음성인 환자의 비율은 구제 HIFU 후 생검을 받은 208명의 81%이었다. 둘째, 최저점 PSA 농도의 중앙치는 0.14 ng/mL이었으며, 127명에서는 안드로겐 박탈 요법이 필요하지 않았다. 셋째, 7년 시점에서 암 특이 생존율 및 전이 없는 생존율은 각각 80%, 79.6%이었다. 넷째, 진행이 없는 생존율에 영향을 주는 인자들로는 HIFU를 실시하기 전 PSA 농도 (HR 1.09, 95% CI 1.04~1.13), Gleason 점수 8 이상 대 6 이하 (HR 1.17, 95% CI 1.03~1.3), 이전 안드로겐 박탈 요법의 실시 (HR 1.28, 95% CI 1.09~1.46) 등이 있었다. 다섯째, 심각한 유해 효과로는 직장요도누공 (0.4%), 등급 2와 3의 요실금 (19.5%) 등이 있었다. 이들 결과를 근거로 저자들은 HIFU가 방사선 요법 후 국소적으로 재발된 전립선암 환자에서 심각한 합병

증의 발생률이 낮으면서도 효과적인 치료 방법이지만, 방사선 요법 후 조기에 실시하여야 한다고 하였다. 그러나 이들 환자 중 163명은 안드로겐 박탈 요법을 받았기 때문에, 결과를 해석할 때는 이를 반영하여야 한다.

체외 방사선 요법 후 국소적으로 재발한 전립선암 환자 167명에 대해 구제 HIFU를 실시하고 안전성과 효능을 평가한 연구는 다음과 같은 결과를 보고하였다 (Murat 등, 2009). 3년 무진행 생존율은 체외 방사선 요법 전의 병기가 높은 환자에서 유의하게 낮았으며, 저급, 중급, 상급 위험군에서 각각 53%, 42%, 25%이었다. 또한, 3년 무진행 생존율은 HIFU를 실시하기 전의 PSA 농도가 높은 환자, 전립선암을 관리하는 동안 안드로겐 박탈 요법을 받은 환자 등에서도 유의하게 더 낮았다.

유럽의 두 기관에 등록된 48명으로서 일차 방사선 요법 후 MRI 양성, 생검에서 전립선 한쪽 엽에서만 양성, 최저점 PSA 농도에서 2 ng/mL 이상 증가 등의 조건으로 구제 hemi HIFU (hHIFU)를 실시한 연구는 다음과 같은 결과를 보고하였다 (Baco 등, 2014). 첫째, hHIFU 후 추적 관찰한 기간의 중앙치 16.3 (10.5~24.5)개월에서 최저점 PSA 농도의 평균은 0.69±0.83 ng/mL이었다. 둘째 33% (16명/48명)에서 질환의 진행이 있었으며, 이들 중 4명에서는 치료를 받지 않은 엽에 국소 재발이, 4명에서는 양쪽 엽에 국소 재발이, 6명에서는 전이가, 2명에서는 국소 재발이나 방사선학적으로 전이의 양상 없이 PSA 농도의 증가가 있었다. 셋째, 12, 18, 24개월에서 무진행 생존율은 각각 83%, 64%, 52%이었다. 이들 결과를 근거로 저자들은 방사선 요법 후 전립선의 한쪽에 암이 재발된 환자에게 hHIFU를 실시하면 배뇨 및 직장과 관련이 있는 이환이 제한적으로 일어나지만, 건강과 관련된 삶의 질을 유지하면서 적절한 치료 효과를 얻을 수 있다고 하였다.

그러나 아직 HIFU와 관련하여 활용 가능한 자료가 부족하기 때문에, 방사선 요법 후 전립선암이 재발한 환자에게 HIFU를 권장할 수는 없다 (Heidenreich 등, 2014).

1.11.4.3. 호르몬 요법 후 구제 요법
Salvage therapy after hormone therapy

첫 호르몬 제거 요법을 받은 후 재발한 전립선암에 대해 호르몬 저항성 전립선암 (hormone-resistant prostate cancer, HRPC), 거세 저항성 전립선암 (castrate-resistant prostate cancer, CRPC), 안드로겐 비의존성 전립선암, 호르몬 비의존성 전립선암 등 여러 용어가 사용되고 있다 (Scher 등, 2008). 거세 저항성, 그러나 아직은 호르몬에 민감한 전립선암은 특징적으로 enzalutamide와 같이 안드로겐 수용체를 표적으로 하는 약물과 abiraterone acetate와 같이 안드로겐 합성을 표적으로 하는 약물에 대해 반응한다 (Loblaw 등, 2013). 거세 저항성 전립선암과 실제 호르몬 저항성 전립선암을 구별하는 것이 중요하다. 거세 저항성 전립선암은 이차 호르몬제에 반응하지만, 진성 호르몬 저항성 전립선암은 모든 호르몬 제제에 대해 저항적이다. 도표 52에는 거세 저항성 전립선암을 규정하는 중요한 요소들이 정리되어 있으며, 호르몬 요법에 실패한 환자의 관리에 관한 권장 사항은 도표 53에 요약되어 있다.

거세 저항성 전립선암이 진행하기 위해서는 여러 분자 경로의 변경이 필요하다. 전립선암에서 안드로겐 의존성은 네 가지 상태로 나타나는 androgen receptor (AR)의 활성화를 통해 발달한다 (Nelson, 2012). 첫 번째 상태인 내분비 (endocrine) 안드로겐 의존 상태에서 AR은 고환의 테스토스테론에 의해 자극을 받으며, 질환은 대개 LHRH 작용제에 의해 조

도표 52 거세 저항성 전립선암의 정의

· 거세 상태의 혈청 테스토스테론 농도, 즉 혈청 테스토스테론이 50 ng/dL 미만 혹은 1.7 nmol/L 미만
· 1주 간격으로 측정된 PSA가 세 번 연속 상승하고, 이들 PSA 농도가 최소 2.0 ng/mL, 두 번 이상이 최저치의 50%를 초과
· 안드로겐 대항제의 중단, 즉 flutamide의 경우 최소 4주 동안, bicalutamide의 경우 최소 6주 동안 중단
· 연속적인 호르몬 처치에도 불구하고 PSA가 진행
· 골격 병변의 진행; RECIST[†]에 따른 연조직 병변 혹은 골격 스캔에서 2개 이상 병변의 확인 혹은 진행 및 직경 2 cm 초과 림프절

[†] 표적 병변의 평가에서 반응에 대한 RECIST의 기준에 의하면, 완전 반응 (Complete Response, CR)은 모든 표적 병변이 소실된 상태, 부분 반응 (Partial Response, PR)은 표적 병변의 가장 긴 직경의 합이 기저선 합에 비해 최소 30% (WHO의 경우 50%) 감소된 상태, 안정 질환 (Stable Disease, SD)은 치료를 시작한 이후 가장 긴 직경의 합의 최소치를 참고로 하였을 때 PR 만큼 충분하게 수축되지도 않고 PD 만큼 충분하게 증가하지도 않은 상태, 진행 질환 (Progressive Disease, PD)은 표적 병변의 가장 긴 직경의 합이 치료를 시작한 후 기록된 가장 긴 직경의 합의 최소를 참고로 하였을 때 최소한 20% (WHO의 경우 25%) 증가하였거나 1개 이상의 새로운 병변이 출현한 상태로서 질환이 중해지기 전에 CR, PR, SD 등이 나타나지 않은 경우 (Therasse 등, 2000).

PSA, prostate-specific antigen; RECIST, Response Evaluation Criteria in Solid Tumors; WHO, World Health Organization.

Heidenreich 등 (2014)의 자료를 수정 인용.

도표 53 거세 저항성 전립선암 환자의 내과적 치료에서 권장 사항

권장 사항	권장 등급
· 거세 저항성 전립선암 환자는 이상적으로 다수 분야의 전문 진료팀에 의해 상담, 관리, 치료가 되어야 한다.	B
· 전이가 없는 거세 저항성 전립선암에서 세포 독성 요법은 임상 시험에서만 고려되어야 한다.	B
· PSA가 증가된 환자에서는 두 번 연속으로 이전 참고치를 초과하는 혈청 PSA 농도가 입증되어야 한다.	B
· 치료의 효능을 올바르게 해석하기 위해서는 치료 전 혈청 PSA 농도가 2 ng/mL를 초과하여야 한다.	B
· Abiraterone/prednisone은 무증상 혹은 경미한 증상의 전이가 있고, 전이의 정도가 낮은 거세 저항성 전립선암 환자에서 고려되어야 한다.	A
· 전이가 있고 세포 독성 요법의 적용 대상이 되는 거세 저항성 전립선암에서 매 3주 75 mg/m2의 docetaxel은 생존율에서 유의한 이점을 나타낸다.	A
· Abiraterone/prednisone은 이전에 docetaxel로 치료를 받은 거세 저항성 전립선암 환자에서 전반적인 생존, 방사선촬영술에서 진행이 없는 생존, 삶의 질 등에서 효과를 얻기 위한 이차 치료제로서 고려되어야 한다.	A
· Enzalutamide는 거세 저항성 전립선암 환자에서 전반적인 생존, 방사선촬영술에서 진행이 없는 생존, 삶의 질 등에서 효과를 얻기 위한 이차 치료제로서 고려되어야 한다.	B
· Cabazitaxel은 docetaxel로 치료한 후 효과를 얻기 위한 이차 치료제로서 고려되어야 한다.	A
· 이차 치료제로서 docetaxel은 이전에 docetaxel에 의해 반응을 보인 환자에서 고려되며, 치료는 개인별 맞춤식으로 이루어져야 한다.	C
· Radium-223는 전반적인 생존, 삶의 질, 통증 등에서의 이점 때문에 골 전이가 있는 거세 저항성 전립선암 환자에서 고려되어야 한다.	A

PSA, prostate-specific antigen.
Heidenreich 등 (2014)의 자료를 수정 인용.

절되는데, 이 경우를 거세 민감성 전립선암이라고 한다. 두 번째 상태인 내부 분비 (intracrine) 안드로겐 의존 상태에서 AR은 세포 내부의 안드로겐에 의해 활성화되는데, 이 과정은 17α-hydroxylase/17,20-lyase로도 불리는 cytochrome P450 17A1 (CYP17A1)과 관련이 있다. 세 번째 상태인 ligand 비의존, AR 의존 상태에서는 SRC proto-oncogene, non-receptor tyrosine kinase (SRC), MET proto-oncogene, receptor tyrosine kinase (c-MET), epidermal growth factor (EGF), rat sarcoma viral oncogene homolog 혹은 v-ras oncogene homolog/Raf-1 proto-oncogene serine/threonine-protein kinase (RAS/RAF) 경로, phosphoinositide 3-kinase/v-akt murine thymoma viral oncogene homolog protein 1 혹은 protein kinase B (PI3K/AKT혹은 PKB) 경로, fibroblast growth factor (FGF), insulin-like growth factors (IGF) 등과 같은 다른 경로와의 상호 작용 혹은 AR splice 변형 때문에, AR의 활성화는 ligand 결합과 무관하게 일어난다. 네 번째 상태인 안드로겐 비의존, AR 비의존 상태에서는 AR의 신호 경로가 종양을 형성하지 않는다. 이들 특징적인 종양 형성의 경로는 분자적으로 비균질적인 전립선암에서 특징적으로 볼 수 있는 경로들이다 (Drake 등, 2012; Grasso 등, 2012).

다른 암에 비해 거세 저항성 전이 전립선암에서는 *mitogen-activated protein kinase (MAPK) phosphatase 1 (MKP1), human epidermal growth factor receptor 2 (HER2), RAS* 등과 같은 종양 유발 유전자, *phosphatase and tensin homolog (PTEN), tumor protein 53 (p53), transforming growth factor-β₁ (TGFβ₁), cyclin-dependent kinase 11B (CDKl1B)* 등

과 같은 종양 억제 유전자, *mitogen-activated protein kinase kinase 4 (MKK4), E-cadherin (CDH), cluster of differentiation 44 (CD44)* 등과 같은 전이 억제 유전자 등의 돌연변이가 흔하다 (Grasso 등, 2012; Welty 등, 2013). 또한, hedgehog 신호 경로, SRC 가족의 kinases, FGF, TGFβ, integrins, vascular endothelial growth factor (VEGF), IGF, interleukin-6 (IL6) 등은 전립선암의 미세 환경에서 기질과 상피 사이의 상호 작용에서 중요한 역할을 하며, 다양한 정도로 전립선암의 진행을 촉진한다. 그 외에 영향을 주는 인자로는 후성적 환경의 이상, c-MET (혹은 hepatocyte growth factor receptor, HGFR) 경로, 세포 보호성 단백질 망 (cytoprotective chaperone network), mitogenic growth factor 경로, EGF 등이 있다 (Karlou 등, 2010; Agarwal 등, 2012). 치명적인 그리고 이전에 강력한 치료를 받은 거세 저항성 전이 전립선암에 대한 진유전체 (exome) 분석에 의하면, 거세 저항성 전이 전립선암에는 AR의 신호 경로를 통제 불능 상태로 만드는 기전이 있으며, 첫째, *chromodomain-helicase-DNA-binding protein 1 (CHD1)*의 붕괴, 둘째, *E26 oncogene homolog 2 (ETS2)*의 통제 불능을 일으키는 돌연변이, 셋째, *myeloid/lymphoid 혹은 mixed-lineage leukemia 2 (MLL2)*로도 알려진 *lysine (K)-specific methyltransferase 2D (KMT2D)*, AR interacting factor인 *forkhead box A1 (FOXA1), ubiquitously transcribed tetratricopeptide repeat, X chromosome (UTX), additional sex combs like transcriptional regulator 1 (ASXL1)* 등과 같이 chromatin/histone을 변경시키는 유전자에서의 돌연변이 등이다 (Grasso 등, 2012).

안드로겐은 전립선암의 성장을 자극하고, 화학 요법은 신속하게 증식하는 세포에 대해 더 큰 효과를 나타낸다는 보고가 있었으며 (Sulkes 등, 1979), 여러 실험 연구가 이 연구의 결과를 뒷받침하였다 (Sufrin 등, 1979). 그러나 고환절제술에 불응하는 병기 D2의 진행된 전립선암 환자 85명을 대상으로 실시한 임상적 비교 연구는 다른 결과를 보고하였는데, 모든 환자에게 부신의 안드로겐 분비를 억제하기 위해 aminoglutethimide와 hydrocortisone을 투여하였으며, cyclophosphamide, fluorouracil, doxorubicin 등을 4주 간격의 주기로 정맥 주사를 실시하였다. 전립선암 세포를 증식시킴으로 인해 화학 요법에 민감하도록 만들기 위해 화학 요법 3일 전과 당일에 안드로겐 합성 제제인 fluoxymesterone을 경구로 투여한 41명의 자극군과 44명의 대조군을 비교한 결과는 다음과 같다 (Manni 등, 1988). 첫째, 추적 관찰한 기간의 중앙치는 43개월이었다. 둘째, 완화와 질환의 안정을 나타내는 반응률은 평가가 가능한 환자만을 분석하였을 때와 모든 환자를 분석하였을 때 자극군과 대조군에서 차이를 나타내지 않았으며, 각각 79% 대 73%, 46% 대 61%이었다. 셋째, 생존 기간의 중앙치는 자극군과 대조군에서 비슷하였으며, 각각 9개월, 10개월이었다 ($p=0.0047$). 넷째, 안드로겐의 투여로 인해 자극군에서 독성이 더 컸으며, 이는 종양의 안드로겐에 대한 민감성을 시사한다. 이들 결과는 안드로겐의 투여가 화학 요법의 효과를 더 높이지 않고, 오히려 더 나쁜 결과를 초래할 수 있음을 보여 준다.

Manni 등 (1988)의 자료에 근거하여 PSA의 진행이 있더라도 LHRH 유사체에 의한 지속적인 안드로겐 박탈 요법이 권장된다. 방사선 요법과 6개월 동안의 안드로겐 박탈 요법을 받은 국소 전립선암 환자 102명에 대한 다변량 회귀 분석은 이러한 개념을 뒷받침하였는데, 이 연구는 테스토스테론이 회복될 때까지의 기간이 증가함에 따라 사망의 위험은 감소하였고 (HR 0.60, 95% CI 0.43~0.84; $p=0.03$), 테스토스테론이 회복될 때까지의 기간이 2년을 초과한 경우에는 어느 환자도 전립선암으로 사망하지 않았다고 하였다. 즉, 테스토스테론이 회복되는 기간이 지연됨에 따라 사망의 위험은 감소한다 (D'Amico 등, 2009).

1.11.5. 거세 저항성 전립선암의 치료
Treatment of castration-resistant prostate cancer

'거세 저항성'의 정의에 관해서는 소단원 1.11.4.3에 기술되

어 있다. 생쥐의 이종 이식 종양을 이용한 연구에 의하면, 거세로 인해 퇴행을 일으키는 전립선에 비해 거세 저항성으로 재성장을 일으키는 환자에서 상향 조절되는 유전자는 prostaglandin E receptor EP4 subtype (EP4), lumican (LUM), natriuretic peptide receptor C (NPRC), glutamate receptor, ionotropic, N-methyl-D-aspartate 3A (GRIN3A), neuroligin 1 (NLGN1), coiled-coil domain containing 68 (CCDC68), tissue factor pathway inhibitor (TFPI), secretoglobin, family 1D, member 2 (SCGB1D2, 혹은 lipophilin-B, LIPB), nudix-type motif 11 (NUDT11), eukaryotic translation initiation factor 1A Y-linked (EIF1AY) 등이다 (Tarada 등, 2010).

안드로겐 박탈 요법 후 진행하는 질환에서 이용할 수 있는 치료법이 다수 있는데, 그들 방법으로는 안드로겐 대항제의 중단, 안드로겐 대항제의 추가, 에스트로겐 제제, 아드레날린 대항제 (adrenolytic), 기타 등이 있다 (Di Lorenzo 등, 2010). 많은 이차 치료법이 진행이 없는 생존을 연장시키고 PSA 반응을 유도하지만, 어느 접근법도 전반적 생존 혹은 암 특이 생존을 개선시키지 못한다. 새로운 호르몬 제제와 세포 독성 제제의 이용이 활발해짐에 따라 이차 호르몬 제제에 의한 비특이적 치료는 더 이상 필요하지 않게 되었다 (Heidenreich 등, 2014).

유망한 새로운 호르몬 제제와 비호르몬 제제가 무작위 배정, 전향, 임상 3상 시험을 받았거나 시험 중에 있다 (도표 54). 거세 저항성 전립선암에 대한 치료 방법은 진료에 편리하게 이용될 수 있도록 일차 및 이차 치료법으로 구분되었다.

1.11.5.1. 일차 치료제 First line treatment agent

Sipuleucel-T (Sip-T)는 유럽에서는 승인을 받지 못하였으나, 미국에서는 무증상 혹은 경미한 증상을 가진 거세 저항성 전이 전립선암의 치료제로 승인을 받았다 (Kantoff 등, 2010). Sip-T는 granulocyte-macrophage colony-stimulating factor (GM-CSF)와 prostatic acid phosphatase의 융합 단백질에 노출된 세포로서 개별적으로 채집된 항원이 있는 세포로 구성된 자가 백신이며, 0, 2, 4주에 환자에게 재주입된다. Immunotherapy for Prostate Adenocarcinoma Treatment (IMPACT) 연구에 의하면, Sip-T와 위약을 이용한 경우 각각의 생존 기간의 중앙치는 25.8개월, 21.7개월이었으며, 이와 같이 Sip-T로 4.1개월의 생존 이득을 얻을 수 있었다. 그러나 PSA 반응, 질환의 객관적 진행 등은 Sip-T 군과 위약군에서 차이가

도표 54 거세 저항성 전립선암 환자를 대상으로 진행되고 있거나 보고된 임상 3상 시험

표적 및 약물	시험	PEP	결과	참고 문헌
안드로겐 의존성 경로				
CYP 17				
Orteronel (TAK-700)	NCT01193257 (무작위 배정, 이중 맹검 시험) Docetaxel 요법을 받은 mCRPC 환자에서 orteronel과 prednisone의 병용을 위약과 prednisone의 병용과 비교	OS	진행 중	Agus 등, 2012
Orteronel (TAK-700)	NCT01193244 (무작위 배정, 이중 맹검 시험) 화학 요법을 받지 않은 진행성 mCRPC 환자에서 orteronel과 prednisone의 병용을 위약과 prednisone의 병용과 비교	OS	진행 중	Hussain 등, 2012
Abiraterone	NCT00638690 (무작위 배정, 이중 맹검 시험) Docetaxel 요법에 실패한 mCRPC 환자에서 abiraterone과 prednisone의 병용을 위약과 prednisone의 병용과 비교	OS	OS 증가	Fizazi 등, 2012
Abiraterone	NCT00887198 (무작위 배정, 이중 맹검 시험) 화학 요법을 받지 않은 진행성 mCRPC 환자에서 abiraterone과 prednisone의 병용을 위약과 prednisone의 병용과 비교	PFS	PFS 증가	Ryan 등, 2013
AR				
Enzalutamide (MDV 3100)	NCT01212991 (무작위 배정, 이중 맹검 시험) 화학 요법을 받지 않은 진행성 mCRPC 환자에서 enzalutamide을 위약과 비교	OS PFS	진행 중	Fleming 등, 2013
Enzalutamide (MDV 3100)	NCT00974311 (무작위 배정, 이중 맹검 시험) Docetaxel 요법을 받은 mCRPC 환자에서 enzalutamide를 위약과 비교	OS	OS 증가	Scher 등, 2012
안드로겐 비의존성 경로				
Src kinase Dasatinib	NCT00744497 (무작위 배정, 이중 맹검 시험) mCRPC 환자에서 docetaxel, prednisone, dasatinib의 병용을 docetaxel, prednisone, 위약의 병용과 비교	OS	차이 없음	Araujo 등, 2013
c-MET Cabozantinib	NCT01522443 (무작위 배정, 위약 대조 시험) Cabozantinib을 mitoxantron과 prednisone의 병용과 비교	통증	진행 중	Tu 등, 2010
Cabozantinib	NCT01605227 (무작위 배정, 위약 대조 시험) 이전에 docetaxel과 abiraterone, 혹은 MDV3100로 치료를 받은 mCRPC 환자에서 cabozantinib을 prednisone과 비교	OS	진행 중	Smith 등, 2012
Clusterin Custirsen (OGX-011)	NCT01578655 (무작위 배정, 공개 표지 시험) mCRPC 환자의 이차 화학 요법에서 cabazitaxel과 prednisone의 병용 요법에 custirsen을 추가한 경우와 추가하지 않은 경우를 비교	OS	진행 중	Payne 등, 2012
Custirsen (OGX-011)	NCT01188187 (무작위 배정 시험) 화학 요법을 받지 않은 mCRPC 환자에서 docetaxel과 prednisone의 병용 요법에 custirsen을 추가한 경우와 추가하지 않은 경우를 비교	OS	진행 중	Saad 등, 2011
Custirsen (OGX-011)	NCT01083615 (무작위 배정 시험) mCRPC 환자에서 docetaxel 재치료 혹은 cabazitaxel과 prednisone의 병용 요법에 custirsen을 추가한 경우와 추가하지 않은 경우를 비교	통증	진행 중	미확인
VEGF Bevacizumab (VEGF 항체)	NCT00110214 (무작위 배정, 이중 맹검 시험) mCRPC 환자에서 docetaxel과 prednisone의 병용 요법에 bevacizumab 을 추가한 경우와 추가하지 않은 경우를 비교	OS	차이 없음	Kelly 등, 2012
Aflibercept (VEGF trap)	NCT00519285 (무작위 배정, 이중 맹검 시험) Docetaxel과 prednisone의 병용 요법을 받고 있는 mCRPC 환자에서 aflibercept를 위약과 비교	OS	차이 없음	Tannock 등, 2013
Sunitinib	NCT00676650 (무작위 배정, 이중 맹검 시험) 이전에 docetaxel로 치료를 받은 mCRPC 환자에서 VEGF 수용체 tyrosine kinase 억제제인 sunitinib과 prednisone의 병용을 prednisone과 비교	OS	차이 없음	Michaelson 등, 2014

면역 요법					
Prostvac®-VF	NCT01322490 (무작위 배정 시험) 화학 요법을 받지 않은 mCRPC 환자에서 Prostvac®-VF에 GM-CSF를 추가한 경우와 추가하지 않은 경우를 비교	OS	진행 중	Kantoff 등, 2010	
Ipilimumab	NCT01057810 (무작위 배정 시험) 화학 요법을 받지 않은 mCRPC 환자에서 ipilimumab을 위약과 비교	OS	진행 중	Slovin 등, 2013	
Ipilimumab	NCT00861614 (무작위 배정 시험) Docetaxel 요법 후 방사선 요법을 받은 mCRPC환자에서 ipilimumab을 위약과 비교	OS	진행 중	Kwon 등, 2014	
Tasquinimod	NCT01234311 (무작위 배정 시험) 화학 요법을 받지 않은 mCRPC 환자에서 tasquinimod를 위약과 비교	OS	진행 중	Armstrong 등, 2010	

AR, androgen receptor; c-MET, MET proto-oncogene, receptor tyrosine kinase or hepatocyte growth factor receptor (HGFR); CYP, cytochrome P450; CYP17, 17α-hydroxylase/17,20-lyase; GM-CSF, granulocyte-macrophage colony-stimulating factor; mCRPC, metastatic castration refractory prostate cancer; OS, overall survival; PEP, primary end point; PFS, progression free survival; Src, v-src sarcoma viral oncogene homolog; VEGF, vascular endothelial growth factor.
Zhang 등 (2013)의 자료를 수정 인용.

없었다. Sip-T로 인해 발생하는 흔한 부작용으로는 오한, 고열, 두통 등이 있었다. 등급 3~5의 부작용은 두 군에서 차이가 없었는데, Sip-T 군과 위약군에서 각각 31.7%, 35.1%이었다. 그러나 이 연구의 결과를 해석할 때는 Eastern Cooperative Oncology Group (ECOG)에 따른 전신 상태 0~1의 환자로서 무증상 혹은 경도의 증상을 나타내는 골 전이는 있으나 내장 전이는 없는 환자만을 대상으로 하였음을 고려하여야 한다. 연구 당시의 기저선 혈청 PSA 농도가 유의한 예후 인자라고 보고되었는데, 가장 낮은 4분위 수의 PSA 농도에서 3년 생존율은 Sip-T 군과 대조군에서 각각 62.6%, 41.6%로 Sip-T 군이 약 50%의 증가를 보였다 (Schellhammer 등, 2013). ECOG의 전신 상태 구분은 도표 45를 참고하면 도움이 된다.

Abiraterone acetate (AA, Zytiga®)는 cytochrome P450 (CYP) 17A1의 lyase 작용과 hydroxylase 작용을 비가역적으로 억제하며, 2012년 prednisone과의 병용, 즉 AA/P는 COU-AA-302 시험의 결과에 근거하여 무증상 혹은 경도의 증상을 가진 거세 저항성 전이 전립선암의 치료제로 승인을 받았다 (de Bono 등, 2011). AA는 CYP17A의 상위 mineralo-corticoids를 증가시켜 고혈압, 저칼륨혈증, 부종, 피곤증 등과 같은 부작용을 일으키며, 이들 부작용은 prednisone과 같은 저용량의 glucocorticoids를 병용하면 방지될 수 있다 (Ryan 등, 2013). AA는 dehydroepiandrosterone (DHEA)의 CYP17 의존성 합성을 억제함으로써 혈중 부신 안드로겐, 테스토스테론, 에스트로겐 등의 합성과 종양의 새로운 안드로겐의 합성을 억제한다. Androgen receptor (AR) ligand 농도의 감소는 PSA, ETS-related gene (ERG) 등과 같이 AR로 조절되는 유전자의 전사와 종양의 퇴행을 저하시킨다. 환자의 30%는 AA에 대해 어떠한 반응도 나타내지 않으며, 결국 모든 환자가 치료에도 불구하고 진행하게 된다. 저항성이 발생하는 기전으로는 첫째, AR의 돌연변이 혹은 증폭에 의한 ligand 비의존성 AR의 활성화, 둘째, 관련이 있는 신호 경로, 예를 들면 epidermal growth factor receptor (EGFR) 경로, PI3K 경로 등과의 상호 작용을 통한 AR 신호 경로의 하위 표적의 재활성화, 셋째, PTEN의 상실과 관련한 PI3K/AKT의 활성화, 넷째, deoxy-corticosterone과 같은 다른 ligand에 의해 AR의 활성화, 다섯째, estrogen receptor (ER), progesterone receptor (PR) 등과 같은 다른 스테로이드 수용체에 의한 transmembrane protease, serine type 2 (TMPRSS2) 유전자 전사의 활성화 등이 제시되고 있다 (Attard 등, 2009). 무증상 혹은 경도의 증상을 가진 거세 저항성 전이 전립선암 환자 1,088명을 각각 1,000 mg/day의 AA 및 5 mg 1일 2회의 prednisone을 병용한 AA/P 투여군과 prednisone 만을 이용한 위약군에 무작위로 배정한 COU-AA-302 시험에서 일차 종말점은 전반적 생존 및 방사선학적 진행이 없는 생존이었으며, 이차 종말점은 PSA 반응, 아편제 사용까지의 기간, 진행까지의 기간, 화학 요법까지의 기간, ECOG 전신 상태의 퇴행까지의 기간 등이었다. 일차 종말점 중 전반적 생존 기간의 중앙치는 AA/P 군과 위약군에서 각각 35.3개월, 27.2개월이었으며 (p=0.001), 진행이 없는 생존 기간은 AA/P 군이 위약군에 비해 유의하게 증가되었으며, 각각 16.5개월, 8.3개월이었다 (p<0.001). 이차 종말점에서도 AA/P가 유의하게 효과의 증대를 나타내었다. 등급 3과 4의 독성은 AA/P 군의 48%, 위약군의 42%에서 발생하였다. 가장 흔한 부작용은 피로, 등 부위의 통증, 욕지기, 위장관 독성 등이었다 (Rathkopf 등, 2013). 거세 저항성 전이 전립선암 환자에 대한 다른 임상 3상 연구도 위약군에 비해 AA/P 군에서 무진행 생존이 더 증대되었다고 하였다 (HR 0.43, 95% CI

0.35~0.52; $p < 0.001$) (Ryan 등, 2013).

Docetaxel 75 mg/m²는 3주 간격으로 투여된다. 무작위 배정, 전향, 3상 시험인 TAX327 연구에 의하면, docetaxel과 prednisone을 병용한 군은 거세 저항성 전립선암에서 세포독성을 나타내며, mitoxantrone과 prednisone을 병용한 군에 비해 생존 기간의 중앙치가 각각 19.8개월, 16.5개월로 약 3개월의 이득을 보였고, 통증 감소, 삶의 질, PSA 반응 등에서도 docetaxel 군이 mitoxantrone 군에 비해 유의한 개선 효과를 나타내었다 (Tannock 등, 2004). Docetaxel의 유익한 효과는 연령, 통증, 치료 시작 때의 전신 상태, 증상 혹은 무증상 전이 질환의 존재 등과는 무관하였다. 이 연구는 증상이 있는 혹은 광범위한 전이, 빠른 PSADT, 높은 Gleason 점수, 일차 안드로겐 박탈 요법에 대한 짧은 반응 기간 등을 가진 환자를 화학 요법의 적절한 적용 대상으로 규정하였으며, COU-AA-302, IMPACT, TAX327 등의 시험에서 이용된 포함 기준이 이 연구에서도 이용되었다. 거세 저항성 전이 전립선암 환자 1,006명 중 최종 평가를 위해 유용한 정보를 가진 640명에서 docetaxel/prednisone 요법과 mitoxantrone/prednisone 요법을 비교함으로써 화학 요법 전후의 가변 인자 중 진행 후 생존에 대한 예측 인자를 평가한 연구는 다음과 같은 결과를 보고하였다 (Armstrong 등, 2010). 첫째, 진행 후 생존 기간의 중앙치는 14.5개월이었다. 둘째, 다변량 분석에서 진행 후 생존과 관련이 있는 치료 전 인자로는 통증, 전신 상태, alkaline phosphatase, 전이 부위의 수, 간 전이, 헤모글로빈 혹은 빈혈, 진단 후 경과 기간 등이 있었으며, 치료 후 인자는 PSA, 통증, 종양의 크기 등과 같은 진행 인자의 수, 일차 화학 요법의 기간, 화학 요법 동안 혹은 후 진행 발생 여부 등이 있었다. 셋째, 진행 시점에서 진행 인자의 개수는 진행 후 생존과 밀접한 관계가 있었다. 진행 인자로는 혈청 PSA, 방사선학적 종양 크기, 통증 진행 등이 있으며, 진행 후 생존은 이들 진행 인자의 수 및 진행의 유형과 관련이 있었다. 예를 들면, 가장 흔한 진행 유형인 PSA 진행만 있는 환자에서 진행 후 생존 기간의 중앙치는 15.5 (95% CI 12.8~16.8) 개월이었으며, 이는 방사선학적 종양 크기의 진행만 있는 경우 및 통증의 진행만 있는 경우와 비슷하였는데, 각각 15.8 (95% CI 13.0~18.8) 개월, 17.0 (95% CI 13.8~19.1) 개월이었다. 보유하고 있는 이들 진행 인자의 수에 따라 환자를 3가지 유형의 위험군, 즉 0~1개의 인자를 가진 저급 위험군, 2개의 인자를 가진 중급 위험군, 3개의 인자를 가진 상급 위험군으로 분류하였을 때, 화학 요법 후

전반적 생존 기간의 중앙치는 각각 15.9 (95% CI 14.5~17.2) 개월, 13.2 (95% CI 10.9~15.1) 개월, 8.0 (95% CI 5.8~11.9) 개월이었다. 넷째, 내장 전이, 통증, 헤모글로빈 13 g/dL 미만의 빈혈, 골격 스캔에서의 진행, docetaxel 전 estramustine의 사용 등은 나쁜 예후 인자에 속하였다. 따라서 docetaxel 요법 후 환자를 평가할 때는 질환의 진행의 형태, 치료의 기간, 치료 전의 예후 인자 등을 고려하여야 한다.

Mitoxantrone과 prednisone 혹은 hydrocortisone의 병용 요법과 prednisone 혹은 hydrocortisone 단독 요법을 비교한 연구는 병용 요법이 통증 반응, 삶의 질, 질환의 진행까지 기간 등과 같은 임상적 측면에서 유익한 결과를 나타내었으나, 전반적 생존에서는 이점이 없었고 유해 효과가 증가했다고 하였다 (Moore 등, 1994). 근래의 전립선암 치료법이 이용되기 전에 평가된 비교 연구에 의하면, mitoxantrone과 prednisone의 병용 요법은 prednisone 단독 요법에 비해 통증 반응률이 29% 대 12%로 더 나은 반응률을 나타내었다고 하였으나 (Tannock 등, 1996), cabazitaxel과 mitoxantrone을 비교한 근래의 임상 3상 연구에서는 통증 반응률이 7.7%에 불과하였다 (Berthold 등, 2008).

1.11.5.2. 이차 치료제 Second line treatment agent

Docetaxel에 의한 재시도는 무작위 배정, 전향적, 임상 연구에 의해 입증된 바는 없지만, 그러한 재시도의 적절한 적용 대상을 분석한 대규모의 연구에 의하면, 최소 8주 동안 PSA의 농도가 30% 이상 감소하여 PSA 반응을 나타낸 환자에서 재시도를 통해 전반적인 생존 기간에서의 이점을 얻을 수 없었지만, 연장 치료와 관련된 독성이 없이 PSA 반응을 나타내었다 (Loriot 등, 2010; Pfister 등, 2012). 일차 docetaxel 요법을 완료한 후 질환의 진행이 없는 거세 저항성 전립선암 환자 46명을 대상으로 docetaxel을 이용하여 재시도를 하였고 docetaxel에 대한 저항성이 나타날 때까지 총 92회의 재시도를 시행한 연구에 의하면, 생화학적 반응률, 즉 PSA의 농도가 50% 이상 감소한 비율은 66%, 전반적 생존 기간의 중앙치는 32개월, 일차 요법 후 2년의 전반적 생존율은 77.5%이었다. 다변량 분석에서 시간 경과에 따른 log PSA의 경사도, 이전 치료 주기로부터의 경과 기간, 이전 치료 주기에서 치료에 대한 반응 등은 재시도로 얻어지는 반응에 대한 예측 인자이었다. 이 연구의 저자들은 적절하게 선정된 거세 저항성 전립선암 환자에게 docetaxel을 이용한 재시도를 안전하게 수회 시도될 수 있

으며, 질환의 조절을 증대시킬 수 있다고 하였다 (Caffo 등, 2012). 3주마다 75 mg/m²의 docetaxel을 prednisone 혹은 prednisolone과 병용한 거세 저항성 전이 전립선암 환자 중 PSA 반응을 보인 환자에게 docetaxel 요법을 재시도한 연구는 다음과 같은 결과를 보고하였다 (Heck 등, 2012). 첫째, 44명의 환자가 분석에 포함되었으며, docetaxel을 처음 투여한후 9.8~89.8개월, 중앙치 26.4개월에 55% (24명/44명)가 사망하였다. 일차 화학 요법에서 PSA 농도가 50% 이상 감소한경우는 82% (36명/44명)이었다. 둘째, docetaxel로 재시도를한 경우 PSA 진행이 없는 생존 기간의 중앙치는 5.9 (95% CI 3.5~6.8)개월이었고, 전반적 생존 기간의 중앙치는 21.8 (95% CI 19.9~23.7)개월이었다. 셋째, 평가된 PSA 반응에 대한 가변 인자 중 재시도한 경우에서 PSA 진행이 없는 생존 (5.8개월 대 4.5개월, p=0.01) 및 전반적 생존 (22.1개월 대 7.2개월, p=0.03)과 관련이 있는 유일한 인자는 일차 화학 요법에서 50% 이상 PSA의 감소이었다.

Abiraterone acetate와 prednisone (AA/P)의 병용은 docetaxel을 이용한 화학 요법에 실패한 거세 저항성 전이 전립선암 환자 1,195명에 대한 임상 3상, 전향적, 무작위 배정, 이중 맹검, 위약 대조, 다기관 연구인 COU-AA-301 시험에서 평가되었다 (Fizazi 등, 2012). 이 연구에서 일차 종말점은 전반적 생존이었고, 이차 종말점은 진행까지의 기간, PSA 반응, 진행이 없는 생존 등이었다. 전체 연구 집단에서 추적 관찰한 기간의 중앙치는 12.8개월이었다. 전반적 생존 기간은 위약군이 10.9개월, AA/P 군이 14.8개월로서 AA/P 군에서 3.9개월 더 증가하였다 (p<0.001). 이차 종말점 모두도 AA/P 군에서 유의하게 증대되었다. 유해 효과의 양상은 COU-AA-302와 비슷하였으며, 부작용의 대부분은 AA/P 군과 위약군에서 유의한 차이가 없었다. 그러나 수액 잔류, 부종, 저칼륨혈증, 동맥고혈압 등과 같은 CYP 17의 차단과 관련이 있는 유해 효과, 심장 사건, 간의 transaminase 증가 등은 AA/P 군이 위약군에 비해 더 흔하였으며, 각각 55%, 43%이었다 (p<0.001). 특히, 수액 잔류 및 부종은 31% 대 22% (p=0.04), 저칼륨혈증은 17% 대 8% (p<0.001)로 AA/P 군에서 유의하게 더 흔히 발생하였다. 그러나 심장 사건의 빈도는 두 군에서 유의한 차이가 없었으며, AA/P 군과 위약군에서 각각 13%, 11%이었다. Docetaxel로 치료를 받은 바 있는 남성에 대한 또 다른 임상 3상 연구에서, AA/P 군은 위약군에 비해 전반적 생존에서 15.8개월 대 11.2개월 (HR 0.74, 95% CI 0.64~0.86;

p<0.001), PSA 진행까지 기간의 중앙치에서 8.5개월 대 6.6개월 (HR 0.63, 95% CI 0.58~0.78; p<0.001), 방사선학적 진행이 없는 생존의 중앙치에서 5.6개월 대 3.6개월 (HR 0.66, 95% CI 0.58~0.76; p<0.001), PSA 반응에서 29.5% 대 5.5% (p<0.001)로 더 나은 결과를 나타내었다 (de Bono 등, 2011).

Enzalutamide (ENZ, MDV3100)는 AR의 신호 경로를 억제하는 경구제이며, AR과의 친화성이 bicalutamide에 비해 10배 더 큰 AR 대항제이다 (Tran 등, 2009). 거세 저항성 전이 전립선암 환자 800명을 160 mg/day의 ENZ에, 399명을 위약에 무작위로 배정한 이중 맹검, 전향 연구인 A Study Evaluating the Efficacy and Safety of the Investigational Drug MDV3100 (AFFIRM) 연구는 다음과 같은 결과를 보고하였다 (Scher 등, 2012). 첫째, 전반적 생존 기간의 중앙치는 ENZ 군과 위약군에서 각각 18.4 (95% CI 17.3~미확정)개월, 13.6 (95% CI 11.3~15.8)개월이었으며, ENZ 군에서 사망에 대한 HR은 0.63 (95% CI 0.53~0.75, p<0.001)으로 위약군에 비해 37%의 사망 감소율을 나타내었다. 둘째, 모든 이차 종말점에서 ENZ가 위약에 비해 우수하였다. PSA가 50% 이상 감소한 환자의 비율은 각각 54%, 2% (p<0.001), 연조직 반응률은 각각 29%, 4% (p<0.001), 삶의 질의 반응률은 각각 43%, 18% (p<0.001), PSA 진행까지의 기간은 각각 8.3개월, 3.0개월 (HR 0.25, p<0.001), 방사선학적 진행이 없는 생존 기간은 각각 8.3개월, 2.9개월 (HR 0.40, p<0.001), 첫 골격 관련 사건까지의 기간은 각각 16.7개월, 13.3개월 (HR 0.69, p<0.001)이었다. 셋째, 등급 3/4 독성의 빈도는 ENZ 군이 위약군에 비해 더 낮았는데, 각각 45%, 53%이었다. 피로, 설사, 열감, 근육 및 골격 통증, 두통 등의 빈도는 위약군에 비해 ENZ 군에서 더 높았지만, 통계적으로 유의하지는 않았다. 발작은 위약군에서는 발생하지 않았으나, ENZ 군의 0.6% (5명/800명)에서 발생하였다. 이들 결과에 의하면, 화학 요법을 받은 거세 저항성 전이 전립선암 환자에서 ENZ는 생존 기간을 유의하게 연장시킨다. Docetaxel로 치료를 받은 거세 저항성 전립선암 환자를 대상으로 시도된 AFFIRM 시험을 이용하여 기저선 PSA 농도를 40 ng/mL 미만 (299명), 40~110 ng/mL (300명), 111~405ng/mL (300명), 406 ng/mL 이상 (300명) 등 네 군으로 분류한 다른 연구는 다음과 같은 결과를 보고하였다 (Saad 등, 2014). 첫째, ENZ는 기저선 PSA 농도와 관계없이 위약에 비해 전반적 생존, 방사선학적 진행이 없는 생존, PSA 진행까지의 기간 등을 증대시켰다. 둘째, 전반적 생존의 개선 효과

에 대한 HR은 PSA 1~4군에서 각각 0.55 (95% CI 0.36~0.85), 0.69 (95% CI 0.47~1.02), 0.73 (95% CI 0.53~1.01), 0.53 (95% CI 0.39~0.73)으로, 이 post hoc 분석의 결과는 유의하지 않았다. 이들의 결과는 ENZ가 기저선 질환의 심한 정도와 관계없이 전반적 생존, 방사선학적 진행이 없는 생존, PSA 진행까지의 기간 등에서 유익한 효과를 나타냄을 보여 준다. 안드로겐 박탈 요법에 실패하였고 화학 요법을 받지 않은 거세 저항성 전이 전립선암 환자 1,717명에 대한 무작위 배정, 이중 맹검, 임상 3상 연구는 다음과 같은 결과를 보고하였다 (Beer 등, 2014). 첫째, 12개월 시점에서 방사선학적 진행이 없는 생존율은 ENZ 군과 위약군에서 각각 65%, 14%을 보여 ENZ 군에서 81%의 위험 감소를 나타내었다 (ENZ 군에서 HR, 0.19, 95% CI 0.15~0.23; $p < 0.001$). 둘째, 자료의 절단치 시점에서 ENZ 군의 72%, 위약군의 63%가 생존하여 ENZ 군에서 사망 위험이 29% 감소하였다 (HR 0.71, 95% CI 0.60~0.84; $p < 0.001$). 셋째, 독성 화학 요법 시작까지의 기간 (HR 0.35), 골격 관련 첫 사건까지의 기간 (HR 0.72), PSA 진행까지의 기간 (HR 0.17), 연조직의 완전 혹은 부분 반응 (59% 대 5%), PSA에서 최소 50%의 감소 (78% 대 3%) (모두 $p < 0.001$) 등과 같이 이차 종말점에서도 ENZ 군이 위약군에 비해 더 나은 결과를 나타내었다. AFFIRM과 PREchemotherapy MDV3100 prostAte cancer trIaL (PREVAIL)의 자료를 근거한 연구는 160 mg ENZ의 매일 요법이 75세 이상의 남성에서도 효과적이고 안전하며, 흔한 부작용으로는 피로, 관절통, 변비 등이라고 하였다. 이 연구는 또한 ENZ가 거세 저항성 전이 전립선암 환자에서 질환이 없는 생존을 연장시키며 반응도의 유지, 삶의 질 등에서 이점이 있었으나 생화학적으로 재발된 환자와 거세 민감성 전립선암에서는 효과가 입증되지 않았고 발작의 위험이 높은 환자에게는 사용해서는 안 된다고 하였다 (Graff 등, 2015).

Cabazitaxel (CBZ)은 임상 시험에서 docetaxel과 paclitaxel에 저항성을 가진 전립선암에 대해 항암 작용을 나타내는 2세대 tubulin-binding taxane이며, 높은 독성을 나타낸다. Docetaxel을 이용한 화학 요법 동안 혹은 후에 진행을 보인 거세 저항성 전이 전립선암 환자 755명을 대상으로 실시한 무작위 배정, 전향적, 임상 3상 시험인 Treatment of Hormone-Refractory Metastatic Prostate Cancer Previously Treated with a Taxotere-Containing Regimen (TROPIC) 연구는 다음과 같은 결과를 보고하였다 (de Bono 등, 2010). 첫

째, 환자는 무작위로 CBZ 25 mg/m² 와 prednisone 5 mg 1일 2회의 병용 요법을 3주 간격으로 10회 (1군), 혹은 mitoxantrone 12 mg/m² 와 prednisone 5 mg 1일 2회의 병용 요법을 3주 간격으로 10회 (2군) 받았다. 연구의 일차 종말점은 전반적 생존이었으며, 이차 종말점은 무진행 생존, PSA 반응률, 객관적 종양 반응률, 통증 반응, 안전성 등이었다. 둘째, 전반적 생존 기간의 중앙치는 1군이 2군보다 더 증가하였으며, 각각 15.1개월, 12.7개월이었다 (HR 0.70, 95% CI 0.59~0.83; $p < 0.001$). 여러 이차 종말점 또한 1군에서 더 우수하였는데, 무진행 생존 기간의 중앙치는 1군과 2군에서 각각 2.8개월, 1.4개월이었다 (HR 0.74, 95% CI 0.64~0.86; $p < 0.001$). 셋째, 등급 3/4 독성의 빈도는 위약군에 비해 1군과 2군에서 더 흔하였다. 2군에서 가장 흔한 부작용은 혈액학적 부작용이었으며, 가장 흔한 등급 3/4 독성은 호중성백혈구감소증, 백혈구감소증, 빈혈 등이었고, 각각 82% 대 58%, 68% 대 42%, 11% 대 5%이었다. 비혈액학적 부작용으로는 설사가 가장 흔하였으며, 1군과 2군에서 각각 6%, 1% 미만이었다. TROPIC 연구의 포함 기준과 부합하는 거세 저항성 전이 전립선암 환자 111명을 대상으로 실시한 German Compassionate-Use Programme 연구에서도 호중성백혈구감소증, 백혈구감소증, 빈혈 등이 나타났으나, 발생률이 각각 7.2%, 9.0%, 4.5%로 TROPIC 연구에 비해 낮았다. 등급 3/4 위장관 독성은 0.9%에서만 관찰되었다 (Heidenreich 등, 2013). 연구에 따라 독성의 빈도가 다른 이유로는 연구자의 경험, 주기의 첫 회부터 지침에 맞게 백혈구증식인자 granulocyte colony stimulating factor (G-CSF)의 적용, 설사와 관련한 예방 조치 등이 있다.

1.11.5.3. 골 표적 및 골 전이 표적 약물
Bone-targeting and bone-metastasis targeting agents

거세 저항성 전립선암 환자의 90% 이상에서 골 전이가 일어난다 (Lipton, 2010). 골 병변은 골격으로부터 종양의 성장을 자극하는 인자를 분비하는 파골세포 (osteoclast)의 활성 증가와 관련이 있다. 골 파괴와 종양의 성장이 계속되면, 골격과 관련이 있는 사건, 예를 들면 척수 압박, 병리학적 골절, 수술 혹은 체외 방사선 요법의 필요성 등을 유발한다 (Berruti 등, 2005). 골 전이는 사망, 수행 불능, 삶의 질의 감소 등의 주된 원인일 뿐만 아니라 치료비도 증가시킨다.

Zoledronic acid는 4 mg의 용량으로 15분 동안 주입되며, 3주 간격으로 15개월 동안 투여된다. 거세 저항성 전이 전

립선암 환자 122명을 대상으로 실시한 위약 대조 연구에 의하면, 골격과 관련이 있는 사건의 발생 수가 최소 1번 이상인 경우는 치료군과 위약군에서 각각 38%, 49%로 치료군에서 약 11% 포인트 더 적었으며 (p=0.028), 골 관련 사건의 연간 발생률은 치료군과 위약군에서 각각 0.77, 1.47이었고 (p=0.005), 골 관련 사건이 처음 발생하였을 때까지의 기간은 치료군과 위약군에서 각각 488일, 321일이었다 (p=0.009). 이 연구에서 zoledronic acid 4 mg은 위약에 비해 골격 관련 사건의 진행을 36%까지 감소시켰다 (RR 0.64, 95% CI 0.485~0.845; p=0.002). 이들 자료는 골 전이가 있는 거세 저항성 전립선암 환자에서 위약에 비해 통증과 골 관련 사건의 발생 수를 감소시키는 유일한 bisphosphonate가 zoledronic acid임을 보여 준다 (Saad 등, 2004).

Denosumab은 receptor activator of nuclear factor kappa-B ligand (RANKL)에 대한 단클론 항체로서 호르몬 요법과 관련하여 골절 혹은 골 소실의 위험이 있는 남성, 예를 들면 골감소증 (osteopenia) 혹은 골다공증 골절의 병력을 가진 70세 초과 남성의 치료제로 미국, 영국, 유럽 등에서 승인을 받았다 (Fizazi 등, 2011). 120 mg의 denosumab을 4주마다 피하 주사한 군 (1군, 950명)과 4 mg의 zoledronic acid를 4주마다 정맥 주사한 군 (2군, 951명)에 무작위로 배정하여 비교한 임상 3상 연구는 다음과 같은 결과를 보고하였다 (Fizazi 등, 2011). 첫째, 첫 골 관련 사건까지 기간의 중앙치는 1군과 2군에서 각각 20.7 (95% CI 18.8~24.9)개월, 17.1 (95% CI 15.0~19.4)개월이었다 (HR 0.82, 95% CI 0.71~0.95; p=0.008). 둘째, 유해효과는 1군의 97% (916명/950명)와 2군의 97% (918명/951명)에서 발생하였으며, 심각한 경우는 1군의 63% (594명/950명)와 2군의 60% (568명/951명)에서 발생하였다. 저칼슘혈증은 1군이 2군에 비해 더 흔하였으며, 각각 13% (121명/950명), 6% (55명/951명)이었고 (p〈0.0001), 턱의 골 괴사는 드물게 발생하였는데, 1군과 2군에서 각각 2% (22명/950명), 1% (12명/951명)이었다 (p=0.09). 이들 결과는 denosumab이 거세 저항성 전이 전립선암 환자의 치료제로 선택될 수 있으며, 골 관련 사건을 방지하는 데는 zoledronic acid보다 더 나은 효과를 나타냄을 보여 준다.

PSA 8.0 ng/mL 초과 혹은 PSADT 10개월 미만으로 정의되는 공격적인 PSA 동역학을 가진 거세 저항성 비전이 전립선암 환자 1,423명을 대상으로 매 4주 주기로 투여된 denosumab 120 mg의 효과를 평가한 무작위 배정, 위약 대조, 이중 맹검, 전향 연구는 다음과 같은 결과를 보고하였다 (Smith 등, 2012). 첫째, 첫 골 전이까지 기간의 중앙치는 치료군이 위약군보다 4.3개월 더 길었으며, 각각 29.5 (95% CI 25.4~33.3)개월, 25.2 (95% CI 22.2~29.5)개월이었다 (HR 0.85, 95% CI 0.73~0.98; p=0.028). 둘째, 전반적 생존 기간은 치료군과 위약군에서 차이를 보이지 않았으며, 각각 43.9개월, 44.8개월 (HR 1.01, 95% CI 0.85~1.20; p=0.91)이었다. 셋째, 턱의 골 괴사와 저칼슘혈증 외의 부작용 빈도는 두 군에서 차이가 없었다. 턱의 골 괴사는 위약군에서는 발생하지 않았으나 치료군의 5% (33명/716명)에서 발생하였으며, 저칼슘혈증은 치료군의 2% (12명/716명)와 위약군의 1% 미만 (2명/716명)에서 관찰되었다. 동일한 피험자를 대상으로 PSADT에 따라 환자를 10개월 이하, 6개월 이하, 4개월 이하로 분류한 연구에 의하면, denosumab은 모든 소집단에서 골 전이까지의 기간을 연장시켰다. 위약군에서는 PSADT가 8개월 이하로 감소함에 따라 골 전이가 없는 생존 기간이 더 짧아졌으나, denosumab은 PSADT가 짧은 집단에서 골 전이가 없는 생존 기간을 더 연장시켰다. 즉, PSADT가 10개월 이하, 6개월 이하, 4개월 이하의 소집단에서 골 전이가 없는 생존 기간의 중앙치를 각각 6.0개월 (HR 0.84, p=0.042), 7.2개월 (HR 0.77, p=0.006), 7.5개월 (HR 0.71, p=0.004) 증가시켰다 (Smith 등, 2013). 이들 결과는 PSADT가 짧은 환자일수록 골 전이 혹은 사망의 위험이 더 큰데, denosumab이 이들 PSADT가 짧은 환자에서 골 전이가 없는 생존 기간을 연장시킴을 보여 준다.

Alpharadin (Radium-223 dichloride, Ra-223)은 100 μm 미만 초단파의 알파 방출체인 알파 중입자 (heavy particle)를 통해 골 전이의 내부 및 주위에서 새로운 골 성장을 표적으로 하는 칼슘 모방제로서 작용하는 방사성 의약품이며 (Parker 등, 2013), 미국 식품의약국과 European Medicines Agency (EMA)에 의해 승인을 받은 제제이다. 하나의 암 세포를 죽이는 데는 하나의 입자만 필요하며, 짧은 침투를 통해 주위 건강한 세포에는 손상을 최소화하면서 암 세포를 제거한다. 골 전이를 가진 거세 저항성 전립선암 환자로서 docetaxel에 적합하지 않거나 감소된 양으로 치료를 받은 921명 중 809명을 매 4주 50 kBq/kg의 Ra-223를 6회 주사한 군 (1군)과 위약군 (2군)에 무작위로 배정한 이중 맹검, 임상 3상 연구, 즉 ALpharadin in SYMptomatic Prostate CAncer patients (ALSYMPCA) 연구에 의하면, 전반적 생존 기간은 1군이 2군에 비해 유의하게 증가되었으며, 각각 14.0개월, 11.2개월이었다 (HR 0.70,

95% CI 0.55~0.88; *p*=0.002). 이후의 921명에 대한 분석은 생존에서 Ra-223의 이점을 재확인하였으며, 1군과 2군에서 각각 14.9개월, 11.3개월이었다 (HR 0.70, 95% CI 0.58~0.83; *p*<0.001). 첫 골격 증상의 발생까지 기간, 삶의 질 개선율 (25% 대 16%; *p*=0.02), 여러 생화학적 종말점 등과 같은 이차 종말점에서도 1군이 2군보다 더 나은 결과를 나타내었다 (Parker 등, 2013).

위의 여러 치료 접근법은 치료와 관련이 있는 부작용이나 종양학적 효과의 감소 없이 고령의 환자에게 적용할 수 있지만, 적절한 치료가 이루어지기 위해서는 International Society of Geriatric Oncology (SIOG) 지침에 준할 필요가 있다 (Droz 등, 2010). 즉, 2010년 SIOG는 70세를 초과한 고령의 전립선암 환자의 경우 연령에 따르지 말고 개인의 건강 상태에 따라 관리할 것을 권장하였으며, 치료를 받는 고령의 환자를 네 군으로 구분하였는데, 동반 질환이 조절되었고 독립적으로 일상생활을 하며 영양 상태가 양호하여 젊은 환자와 동일한 수준의 치료를 받는 '건강한 (healthy)' 환자, 가역적인 장애를 가져 내과적인 중재 치료를 받은 후 표준 요법을 받는 '취약 (vulnerable)' 환자, 비가역적인 장애를 가져 적절하게 변경된 순응 요법을 받는 '노쇠 (frail)' 환자, 말기 질환을 가져 증상 완화 요법만이 가능한 '과도하게 병적인 (too sick)' 환자 등이다. 이후 2013년 SIOG는 고령의 전립선암 환자를 건강하고 적절한 환자, 취약 환자, 노쇠 환자 등의 세 부류로 구분할 것을 권하였다 (Droz 등, 2014). 여러 연구의 결과를 입증하는 자료가 부족하기 때문에, 거세 저항성 전립선암 환자를 치료할 때는 여러 임상 시험의 포함 기준을 준수하여야 한다.

1.11.5.4. 완화 요법 Palliative therapy

거세 저항성 전립선암을 가진 환자의 다수는 화학 요법에 반응하지 않아 완화 요법을 필요로 하는 통증을 동반한 골 전이를 가지고 있다. 이러한 환자에 대해서는 내과종양학 의사, 방사선종양학 의사, 비뇨기과 의사, 간호사, 사회복지사 등에 의한 다방면의 접근이 필요하며, 통증, 변비, 식욕 부진, 욕지기, 피곤증, 우울증 등을 관리하기 위해서는 증상의 완화를 위한 체외 방사선 요법, cortisone, 진통제, 진토제 등의 전신적 치료를 추가하는 완화 요법이 필요할 수 있다 (Heidenreich 등, 2014).

1.11.5.5. 거세 저항성 전이 전립선암에서 치료제 사용의 순서화

Sequencing of therapeutic agents in metastatic castration-resistant prostate cancer

여러 새로운 약물이 거세 저항성 전이 전립선암의 치료제로 승인을 받았거나 승인 과정에 있지만, 가장 좋은 삶의 질을 유지하면서 전반적인 생존의 증대를 얻기 위하여 이론적으로 어떤 조합으로 치료해야 할 것인지는 분명하지 않다. 현재로서는 증거 수준 1의 자료가 부족하여 지침을 만들기가 어려운 실정이다. 최근 승인을 받은 약물과 가까운 장래에 승인을 받을 가능성이 있는 약물을 이용하여 이들 치료제를 전략적으로 순서화한 연구가 있는데, 이를 진료에 참고하면 도움이 될 수 있을 것이다 (Zhang 등, 2013) (도표 55).

임상 진료에서 처음 치료는 치료 당시의 질환 범위에 근거한다. 면역 조절 요법을 실시하는 적절한 시기는 질환의 범위가 작고 종양으로 매개되는 면역 억제가 낮을 때, 즉 거세 저항성 전이 전립선암의 과정 중 초기이다. 이는 IMPACT 시험의 자료를 분석한 연구에 의해 뒷받침되는데, 가장 낮은 4분위 수의 PSA 농도, 즉 25 ng/mL 미만의 환자에서 sipuleucel-T로 가장 큰 전반적 생존의 이점을 얻을 수 있었다 (Chodak 등, 2012). 또한, sipuleucel-T는 진행이 없는 생존에는 효과를 나타내지 않기 때문에, 급속하게 진행하는 거세 저항성 전이 전립선암 환자에게 이를 사용해야 할지는 의문이다 (Kantoff 등, 2010). 이와 비슷한 접근은 ipilumimab 혹은 Prostvac-VF가 앞으로 승인을 받는다면 가능할 것으로 추정된다.

Sipuleucel-T 외에 화학 요법을 처음 받는 환자에 대해 승인된 유일한 약물은 abiraterone acetate이다. 그러나 이 약물은 과다한 mineralocorticoid로 인한 증후군을 방지하기 위해 prednisone을 동시에 사용하도록 승인을 받았다. Prednisone을 abiraterone으로 치료하기 전에 사용하면 면역을 자극하는 백신 요법의 효과가 소거될 수 있다. 임상 1상 및 2상 자료는 prednisone과 병용하지 않고 abiraterone의 사용이 가능함을 보여 주었으며, mineralocorticoid 효과는 prednisone 대신 비스테로이드 mineralocorticoid 수용체 대항제인 eplerenone을 사용함으로써 대부분의 경우 극복될 수 있다 (Attard 등, 2010). Eplerenone은 mineralocorticoid 수용체에 대한 특이도가 높아 spirinolactone보다 더 선택적이며, 비스테로이드의 특성을 가지고 있기 때문에 돌연변이 안드로겐 수용체에 대한 자극이 spirinolactone보다 더 적다. 거세 저항성 전이 전립선암의 치료제로 평가 중인 표준이 되는 일차 화학 요법 중

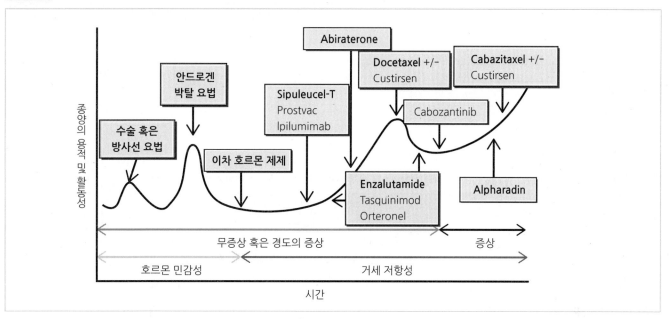

도표 55 거세 저항성 전이 전립선암 환자에서 치료제의 적절한 순서화 전략

굵은 글씨는 미국 식품의약국에서 승인을 받은 제제이고, 가는 글씨는 임상 3상 시험 중에 있는 제제이다.
Zhang 등 (2013)의 자료를 본문 내용에 따라 수정 인용.

enzalutamide, orteronel, tasquinimod 등은 거세 저항성 전이 전립선암의 증상이 시작되기 전, abiraterone을 이용한 치료 직후에 이용되며, abiraterone 치료 전에도 가능하다.

Docetaxel은 거세 저항성 전이 전립선암에 대해 표준이 되는 일차 화학 요법제이지만, sipuleucel-T 혹은 abiraterone acetate의 다음에 사용할 수 있도록 사용을 유보하는 것이 좋다. 증상이 있는 거세 저항성 전이 전립선암 환자의 경우 많은 연구는 처음 치료로 docetaxel을 선호하며, 증상이 있고 내장 질환을 가진 환자에서 이점이 있다는 COU-AA-301 시험에 근거하여 abiraterone은 화학 요법에 불응하는 환자에서 이용될 수 있다.

Docetaxel 후에 이용이 가능한 이차 치료제로는 cabazitaxel, abiraterone, enzalutamide 등이 있다. 독성이 비교적 적은 enzalutamide가 docetaxel 요법 후 진행하는 질환에 사용될 수 있으나, docetaxel 요법 전에 abiraterone을 사용하지 않았다면 이를 사용할 수도 있다. Cabazitaxel은 docetaxel에 비해 골수 억제가 더 현저하지만, 신경 독성의 빈도는 더 낮다. 거세 저항성 전이 전립선암 환자에서 일차 화학 요법제로 표준 용량 25 mg/m² 및 저용량 20 mg/m²의 cabazitaxel과 표준 용량의 docetaxel을 비교한 임상 3상 연구에 근거하면, cabazitaxel이 일차 치료제로 이용이 가능하다. Docetaxel 다음에 cabazitaxel을 사용하는 방법과 그 반대 순서의 방법이 혈

중 종양세포와 혈청 PSA에 미치는 영향은 임상 2상 시험에서 연구 중에 있다. 따라서 이 시험의 결과가 나오면 두 화학 요법제의 적절한 순서가 밝혀질 것으로 생각된다. ALSYMPCA 시험에 근거하면, alpharadin은 증상을 가진 골 전이 전립선암 환자로서 docetaxel로 치료를 받았거나 이에 반응이 없었던 환자에게 사용될 수 있도록 승인을 받을 가능성이 높다.

1.11.6. 전립선암 치료 후 전립선 특이 항원의 평가
Assessment of PSA after treatment of prostate cancer

PSA가 전립선암의 종양 표지자임을 이용하여 전립선암을 치료한 후 환자를 추적 관찰하는 데 PSA가 활용되고 있다.

1.11.6.1. 근치전립선절제술 후 After radical prostatectomy
PSA는 다른 조직에서도 미량으로는 확인되지만 거의 전립선 조직에서만 생성되기 때문에, 근치전립선절제술로 양성 및 악성 전립선 조직이 모두 제거되면 혈청 PSA 농도는 0이거나 확인되지 않아야 한다. 그러나 PSA는 반감기가 약 3.2일로 길기 때문에 수술 후 수주 동안 혈청에서 발견되며, 수술 후 21일이 경과하면 혈청 농도가 기저선에 도달한다. 사용되는 분석법과 개인별 실험 경험이 다르기 때문에, PSA 재발을 시사하는 혈청 농도, 즉 질환이 남아 있음을 시사하는 혈청 농도의 절단치는 다양하게 보고되고 있다. 여러 기관들에서 이용되는 절

도표 56 근치전립선절제술 후 질환이 남아 있음을 시사하는 혈청 PSA 절단치

절단치를 이용한 기관	참고 문헌	PSA 절단치, ng/mL	분석법
Johns Hopkins	Carter 등, 1989	0.5	Tandem-R PSA
Mayo Clinic	Morgan 등, 1991	0.2	Tandem-R PSA
Stanford	Stamey 등, 1989	0.3	Pros-Check PSA
University of Washington	Lange 등, 1989	0.4	Tandem-R PSA
Washington University	Hudson 등, 1989	0.6	Tandem-R PSA

PSA, prostate-specific antigen.

도표 57 진단 당시의 병리학적 병기에 따라 근치전립선절제술을 실시한 후 혈청 PSA 농도의 증가가 발견되는 비율

관련 문헌 (환자 수)	추적 기간, 년	수술 전 병기에 따라 수술 후 PSA 증가가 발견되는 비율, %			
		전립선 내 국한	피막 침범	정낭 침범	골반 림프절 침범
Carter 등, 1989 (297)	1~13	6 (11명/180명)	20 (13명/64명)	68 (19명/28명)	84 (21명/25명)
Morgan 등, 1991 (126)	0.1~1	18 (14명/77명)	14 (3명/21명)	43 (12명/28명)	–
Hudson 등, 1989 (174)	0.1~11	11[†]	13[†]	66[†]	
Stamey 등, 1989 (97)	0.1~3.2	6[†]	34[†]	38[†]	63[†]
Lange 등, 1989 (54)	–	11 (3명/27명)		56 (15명/27명)	

어느 환자도 호르몬 요법, 방사선 요법 등과 같은 보조 요법을 받지 않았다.

[†], 각 병기에 대한 실제 환자의 수는 보고되어 있지 않음.

PSA, prostate-specific antigen.

단치는 0.2~0.6 ng/mL 범위이지만 (도표 56), 0.2 ng/mL가 보편적으로 이용되고 있다.

PSA는 근치전립선절제술 후 환자를 점검하는 데 이용되어 왔으며, 다양한 기관들의 경험이 도표 57에 요약되어 있다. PSA의 농도가 증가하는 비율은 전립선암의 병리학적 병기가 진행될수록 높아진다. Johns Hopkins 연구와 Mayo Clinic 연구를 병합하여 검토해 보면, 전립선에 국한된 암이나 피막만을 침범한 암을 가진 환자의 12% (41명/342명)에서 수술 후 PSA가 증가한 데 비해, 정낭을 침범했거나 골반 림프절을 침범한 암을 가진 환자의 경우는 64% (52명/81명)에서 수술 후 PSA가 증가하였다 (Carter 등, 1989; Morgan 등, 1991). Johns Hopkins의 연구에서는 국소적으로 재발하였거나 전이된 환자 모두에서 수술 후 PSA가 증가하였으며, 수술 후 PSA 농도가 0.5 ng/mL 미만으로 확인되지 않은 환자에서는 잔존 암이나 재발 암의 임상적 증거가 관찰되지 않았다. 보조 요법을 받지 않은 174명을 대상으로 평가한 연구에서는 PSA 농도가 증가하지 않은 1명 (0.05%)에서 요도방광 접합부에 국소적 재발이 있었다 (Hudson 등, 1989).

근치전립선절제술 후 3~6개월에 측정한 PSA 농도와 임상 경과 사이의 관계를 평가한 연구에 의하면, 혈청 PSA 농도가 0.2 ng/mL 미만인 36명 중 93% (33명/36명)가 6~70개월 동안의 추적 관찰에서 재발된 증거를 보이지 않은 데 비해, 방사선 요법, 항안드로겐 요법 등과 같은 보조 요법을 받지 않고 수술 후 조기에 혈청 PSA가 0.4 ng/mL을 초과한 16명 중 100% 전원에서는 재발이 확인되었다 (Lange 등, 1989). 근치전립선절제술 후 3개월까지도 PSA가 미확인 농도로 떨어지지 않으면 그 후에 떨어지는 경우는 없으며, 이러한 경우는 잔존 암이 있음을 시사한다고 보고한 연구도 있다 (Stamey 등, 1989). 따라서 PSA는 질환을 계속 가지고 있는 환자를 수술 후 조기에 확인해 줄 수 있다. 종양 크기가 상당히 작을 당시에 이러한 환자를 확인한다면, 보조 요법으로 최대한의 이점을 얻을 수 있을 것이다. 전이된 증거 없이 수술 후 혈청 PSA 농도가 0.4 ng/mL를 초과하여 증가된 50명에 대한 연구는 이들 가운데 26명이 방사선을 이용한 보조 요법을 받았으며, 보조 요법 후 6개월 내에 혈청 PSA 농도가 확인되지 않은 경우가 38% (10명/26명)이었다 (Lightner 등, 1989). 그러나 이러한 결과를 재평가할 추가 연구가 필요하다.

PSA는 근치전립선절제술 후 환자를 추적 관찰하는 데 민감할 뿐만 아니라 특이한 종양 표지자라 할 수 있다. 수술 후 조기에 연속적으로 혈청 PSA를 측정하면, 질환의 상태나 예후에

관한 유익한 정보를 얻을 수 있다. 그러나 근치전립선절제술 후 환자의 관리에서 PSA의 유용성을 확인하기 위해서는 장기간 평가한 대규모의 연구 자료가 필요하다.

1.11.6.2. 방사선 요법 후 After radiation therapy

방사선 요법 후의 환자를 관리함에 있어 PSA의 역할에 관한 유용한 정보는 그렇게 많지 않다. Stamey 등 (1989)과 Kabalin 등 (1989)에 의한 대규모 연구에 의하면, 체외 방사선 요법 163명, ^{125}iodine 동위원소 요법 20명 등 완결 방사선 요법을 받은 전립선암 환자 183명 중 추적 관찰한 평균 5년 동안 PSA가 확인되지 않은 경우는 불과 11%이었다. 방사선 요법 후 첫 12개월 동안 환자의 82%에서 혈청 PSA 농도가 감소하였으며, 1년 경과하여 감소한 경우는 8%에 불과하였다. 1년 이상 추적 관찰한 80명 중 51%에서는 혈청 PSA 농도가 증가하였고, 41%에서는 일정하였다. 이들 환자군에서 PSA의 농도가 증가함은 전립선 생검에서 암 양성 혹은 전이와 상호 관련이 있었다. Stamey 등 (1987)은 또한 국소 질환으로 방사선 요법을 받은 후 골 전이가 일어난 환자의 혈청 PSA 농도는 병기 D2 질환을 가지고 치료를 받지 않은 환자의 혈청 PSA 농도보다 훨씬 낮음을 발견하였다. 전립선과 골반에 방사선 요법을 받은 환자에 대한 Stanford 연구에서는 혈청 PSA 농도가 8과 10 ng/mL인 남성이 골 전이를 가졌다 (Stamey 등, 1989). 이 농도는 병기 D2 질환을 가지고 치료를 받지 않은 환자 35명의 평균 혈청 PSA 농도인 563±104 ng/mL보다 훨씬 낮다 (Stamey와 Kabalin, 1989). 그러나 이들 관찰을 확인하기 위해서는 추가 연구가 필요하다.

일차 방사선 요법을 받은 후 평균 17.4개월 동안 추적 관찰한 전립선암 환자에서 혈청 PSA 농도를 분석한 연구에 의하면, 치료 후 혈청 PSA 농도가 확인되지 않은 경우는 불과 17%이었으며, 4 ng/mL을 초과한 경우는 39%, 10 ng/mL을 초과한 경우는 22%이었다 (Hudson 등, 1989). 또 다른 Stanford 연구는 완결 방사선 요법 후 18개월 이상, 평균 5.2년 경과한 전립선암 환자 27명에게 경직장초음파촬영 유도 하 생검을 실시하였으며, 직장수지검사의 결과와 혈청 PSA 농도는 생검 결과와 상호 관련이 있다고 보고하였다 (Kabalin 등, 1989) (도표 58). PSA의 절단치를 10 ng/mL로 설정하면, 방사선 요법 후 잔여 전립선암을 생검으로 확인할 경우에 대한 PSA의 진단적 정확도는 63%이었고, 직장수지검사의 경우에는 26%이었다 ($p < 0.01$). 그러나 이들 환자군에서는 잔여 및 재발성 전립선

도표 58 방사선 요법 후 PSA, 직장수지검사, 전립선 생검 결과 사이의 상호 관계

PSA[†], ng/mL	직장수지검사 이상[‡], %	생검 양성, %
<10	0 (0명/12명)	83 (10명/12명)
>10	33 (5명/15명)	100 (15명/15명)

[†], Pros-Check PSA assay; [‡], 경화, 불규칙, 소결절 형성.
PSA, prostate-specific antigen.

암의 유병률이 높아 이들 결과가 잘못된 해석일 수 있다.

위의 세 연구는 완결 방사선 요법 후 측정된 혈청 PSA 농도에 관한 중요한 정보를 제공하며, 이들 환자의 질환 상태와 혈청 PSA 농도는 상호 관련이 있음을 보여 준다. 그러나 골반과 전립선에 대한 일차 방사선 요법 후 발생한 골 전이는 다소 낮은 PSA 농도에서 일어났다. 그러므로 이전에 방사선 요법을 받은 환자에서의 혈청 PSA 농도는 그에 해당하는 일반적인 질환의 상태보다 더 진행된 질환을 암시함을 염두에 두어야 한다. 한 예로, 10 ng/mL를 초과한 PSA를 가진 모든 환자는 전립선 생검에서 암 양성 소견을 보였다 (Kabalin 등, 1989). 또한, 방사선 요법 후 잔존 암을 발견하는 데는 직장수지검사보다 PSA가 더 우수한 도구라고 생각된다. 직장수지검사 단독 혹은 prostatic acid phosphatase와의 병합 검사와는 다르게 PSA를 이용하면, 방사선 요법 후에는 국소적 재발이 흔함을 알 수 있다.

그렇지만 근래에는 방사선 요법의 기술적인 측면이 상당히 발전하였기 때문에, 방사선 요법 후의 결과가 위의 결과와는 다를 것으로 생각된다. 예를 들면, 저급 위험군에 대해 근접 요법을 실시한 후 장기간 추적 관찰한 미국 시애틀 그룹의 보고는 1986~1987년의 2년 동안 10년 생화학적 재발 성적과 근접 요법이 발전된 후인 1988~1990년의 2년 동안 성적은 큰 차이를 나타내었다고 하였다. 근접 요법을 이용한 단독 요법에 관한 연구는 생화학적 무병 재발률이 87%라고 보고하였다 (Grimm 등, 2001). 유럽 5개국의 국소 전립선암 환자 965명을 대상으로 4년 동안 추적 관찰한 연구는 3년 PSA 조절률이 저급 위험군에서 93%, 중급 위험군에서 88%이었다고 하였다 (Guedea 등, 2006). 위험군의 분류는 도표 29를 참고하면 도움이 된다. 105명의 국소 전립선암 환자를 대상으로 5년 동안 추적 관찰한 연구는 PSA 조절률이 저급 및 중급 위험군에서 각각 85%, 63%이었다고 보고하였다 (Kwok 등, 2002). T1~T2 병기의 전립선암 환자 230명에서 ^{103}Pd를 사용한 연구는 저급 및 중급 위험군에서 각각 94%, 82%의 PSA 조절률을 나타내

도표 59 구제 방사선 요법 후 결과를 예측하는 인자에 관한 다변량 분석

가변 인자	생화학적 실패		원격 전이		암 특이 사망		전반적 사망	
	HR, 95% CI	p	HR, 95% CI	p	HR, 95% CI	p	HR, 95% CI	p
PSADT 〈6개월	2.0, 1.4~2.9	0.0001	2.0, 1.2~3.4	0.01	2.6, 1.1~5.9	0.02	1.4, 0.8~2.4	0.3
SRT 전 PSA	1.1, 1.03~1.2	0.01	1.2, 1.1~1.3	0.001	1.2, 1.1~1.3	0.003	1.2, 1.1~1.3	0.001
Gleason 점수	1.2, 1.01~1.5	0.03	1.6, 1.2~2.1	0.002	1.6, 1.0~2.7	0.04	0.9, 0.7~1.3	0.6
정낭 침범	1.4, 0.8~2.2	0.2	1.6, 0.8~3.3	0.2	2.0, 0.7~5.6	0.2	1.7, 0.8~3.7	0.2
전립선 외부 확대	1.6, 1.1~2.4	0.01	1.1, 0.6~2.0	0.7	0.7, 0.3~1.9	0.6	1.5, 0.8~2.9	0.2
수술 절제면 상태	0.5, 0.4~0.7	0.0002	0.6, 0.3~0.9	0.03	1.0, 0.4~2.1	0.9	0.7, 0.4~1.2	0.2
SRT 방사선 조사량	1.0, 0.9~1.1	0.5	1.0, 0.9~1.2	0.5	0.8, 0.7~1.0	0.07	0.9, 0.8~1.0	0.2
WPRT	0.7, 0.4~1.5	0.4	1.6, 0.6~3.9	0.3	1.5, 0.4~5.7	0.5	1.3, 0.5~3.3	0.6
CCI[†]	1.0, 0.9~1.2	0.7	1.1, 0.9~1.3	0.6	1.3, 0.9~1.8	0.1	1.3, 1.1~1.7	0.01

[†], 1987년 M. E. Charlson이 개발한 CCI는 추적 연구에서 사망 위험에 영향을 주는 총 22가지 동반 질환 중 환자가 보유한 동반 질환의 수와 중한 정도를 점수화하여 장기간의 예후, 즉 사망률을 예측하는 방법이며, 총 0~40점의 점수 시스템인 CCI를 산출하기 위해 이용되는 동반 질환은 사망을 일으키는 위험의 크기에 따라 1, 2, 3, 6점으로 부과되는데, 1점 질환으로는 심근경색증, 울혈성 심부전, 말초 혈관 질환, 치매, 뇌혈관 질환, 만성 폐 질환, 결합조직 질환, 궤양, 만성 간 질환, 당뇨병 등이, 2점 질환으로는 반신 마비, 중등도 혹은 중증 신장 질환, 종말 기관의 손상을 동반한 당뇨병, 종양, 백혈병, 림프종 등이, 3점 질환으로는 중등도 혹은 중증 간 질환이, 6점 질환으로는 악성 종양, 전이, 에이즈 등이 있다. 또한, 연령으로 보정한 CCI의 경우 40세부터 10년 증가할 때마다 1점을 부과하며, 예를 들면 50~59세는 1점, 60~69세는 2점이 부과된다. 559명의 내과 환자 코호트를 대상으로 실시한 일차 연구에서 1년 사망률은 0점, 1~2점, 3~4점, 5점 이상의 경우 각각 12%, 26%, 52%, 85%이었으며, 685명의 환자 코호트를 대상으로 10년 추적 관찰한 이차 연구에서 동반 질환으로 인한 사망률은 0점, 1점, 2점, 3점 이상 등에서 각각 8%, 25%, 48%, 59%이었다 (Charlson 등, 1987).

CCI, Charlson comorbidity index; CI, confidence interval; HR, hazard ratio; PSA, prostate-specific antigen; PSADT, PSA doubling time; SRT, salvage radiation therapy; WPRT, whole pelvic radiation therapy.

Jackson 등 (2013)의 자료를 수정 인용.

었다고 하였다 (Blasko 등, 2000).

　방사선 요법 후 실패를 예측하는 인자는 앞에서도 기술되어 있지만 여러 가지가 연구되어 왔다. 이들 중 특히 PSADT가 많이 논의되고 있으며, 이에 관한 연구 한 편을 소개하고자 한다. 구제 방사선 요법 후 불리한 예후를 나타낼 위험이 높은 환자를 예측하는 데 PSADT의 성과를 평가하기 위해 근치 전립선절제술 후 생화학적 재발이 발생하여 구제 방사선 요법을 받은 575명 중 자료 분석이 가능한 277명을 분석한 연구는 다음과 같은 결과를 보고하였다 (Jackson 등, 2013) (도표 59). 첫째, 단변량 분석에서 PSADT의 절단치와 관계없이 PSADT는 생화학적 실패, 원격 전이, 암 특이 사망, 전반적 사망 등과 관련이 있었으며, HR에 관한 평가에서 PSADT 6개월이 강한 절단치이었다. 둘째, PSADT가 3개월 미만인 환자와 3~6개월인 환자 사이, 그리고 6~10개월인 환자와 10개월을 초과한 환자 사이에서는 생화학적 실패, 원격 전이, 암 특이 사망, 전반적 사망 등의 측면에서 유의한 차이가 없었다. 그러나 PSADT가 3~6개월인 환자와 6~10개월인 환자 사이에서 생화학적 실패와 원격 전이는 유의한 차이를 나타내었으며, 각각에서 HR은 2.2 (95% CI 1.4~3.5; p〈0.01), 2.2 (95% CI 1.2~4.3; p=0.02)이었다. 셋째, 다변량 분석에서 6개월 미

만의 PSADT는 생화학적 실패, 원격 전이, 암 특이 사망 등을 예측하였는데, 각각의 HR은 2.0 (95% CI 1.4~2.9; p=0.0001), 2.0 (95% CI 1.2~3.4; p=0.01), 2.6 (95% CI 1.1~5.9; p=0.02)이었다. 이들 결과를 근거로 저자들은 구제 방사선 요법의 결과를 예측하는 PSADT의 절단치를 10개월 미만으로 흔히 활용하지만, 6개월 미만이 더 적절하다고 하였다.

1.11.6.3. 안드로겐 대항 요법 후 After antiandrogen therapy

PSA의 발현은 안드로겐을 통해 조절을 받으며, 안드로겐 박탈 요법은 혈청 PSA를 신속하게 감소시키고, 전립선 상피세포의 수를 90%까지 감소시킬 뿐만 아니라 주관적, 객관적으로 전립선의 증상을 완화시킨다 (Hansson과 Abrahamsson, 2001). PSA의 발현을 하향 조절하면 반드시 전립선암의 성장이 감소되지는 않지만, 혈청 PSA 농도는 전립선암의 진행에 대해 신뢰성이 있는 표지자로 간주된다. 안드로겐을 억제하는 동안 PSA 농도의 감소율은 치료에 대한 반응과 상호 관련이 있으며, 그러한 치료 반응에 대한 PSA의 예측력은 치료 전의 증가 경사도와 치료 후의 감소 경사도를 비교함으로써 더욱 증대된다. 증가의 경우보다 더 가파른 감소는 치료로 양호한 반응을 가질 징후이다 (D'Amico 등, 2004).

Kuriyama 등 (1981)은 병기 D2의 전립선암을 가진 96명에게 호르몬 요법을 실시한 후 PSA를 이용하여 치료 반응을 점검하였는데, 혈청 PSA 농도는 생존 기간과 반비례 관계를 보여 PSA 농도가 낮을수록 더 긴 생존 기간과, PSA 농도가 높을수록 더 짧은 생존 기간과 상호 관련이 있었다고 보고하였다. 동일 연구에서 추가로 화학 요법을 받은 10명에 대해 32주 동안 연속하여 PSA를 측정하여 점검한 결과, 혈청 PSA 농도는 환자의 임상 경과 및 질환의 상태와 밀접한 관계를 가져 암이 진행함에 따라 증가하였고, 회복되고 있는 중에는 감소하였으며, 임상적으로 안정적일 때는 상당한 변동을 나타내었다. Killian 등 (1985)도 진행된 암을 가진 환자에 대한 연구에서 혈청 PSA 농도가 높을수록 종양이 재발될 확률이 더 컸으며, 임상적으로 재발이 발견될 때까지의 간격이 더 짧았다고 하였다. 혈청 PSA 농도가 정상 상한치의 약 40배인 88 ng/mL 이상인 경우에는 모든 환자에서 재발이 일어났으며, 혈청 PSA 농도의 증가와 임상적 재발이 발견된 시점 사이의 평균 기간은 2개월 미만이었다. 종양이 재발되기 전에 혈청 PSA 농도가 증가된 환자의 92% (24명/26명)에서 PSA의 농도가 증가된 후 종양이 재발되기까지의 평균 기간은 12개월이었다.

양측 고환절제술, LHRH 유사체, diethylstilbestrol (DES), 양쪽 고환절제술과 flutamide와의 병용, LHRH 유사체와 flutamide와의 병용 등과 같은 안드로겐 대항 요법이 치료를 받은 병력이 없는 병기 D2 전립선암 환자의 혈청 PSA 농도에 미치는 영향을 평가한 연구는 호르몬 요법에 반응을 보인 11명에서는 평균 혈청 PSA 농도가 1,081 ng/mL에서 74 ng/mL로 감소하였으며, 평균 24개월 추적 관찰하는 동안 PSA가 측정되지 않을 정도로 감소한 경우는 9%, 0.0~2.5 ng/mL로 정상 범위에 속한 경우는 22%, 20 ng/mL를 초과한 경우는 56%, 100 ng/mL를 초과한 경우는 15%이었다고 하였다 (Stamey 등, 1989). 이들 저자들은 안드로겐 대항 요법 후 6개월에 측정된 PSA 농도는 환자가 치료에 장기간 양호한 반응을 보일 것인지를 예측할 수 있는 인자라고 하였다. 즉, 안드로겐 대항 요법 후 6개월까지 PSA가 정상 범위 혹은 그 아래로 떨어지면 호르몬 요법에 장기간 반응할 가능성이 있음을 시사한다.

호르몬 요법을 받은 병기 D2의 전립선암 환자 49명을 평가한 연구는 장기간 좋은 반응을 보인 31명에서는 혈청 PSA 농도의 중앙치가 85 ng/mL에서 2.1 ng/mL으로 떨어진 데 비해, 치료에 대한 반응이 좋지 않은 18명에서는 160 ng/mL에서 155 ng/mL으로 의미 없는 감소를 보였다고 하였다 (Ercole

등, 1987). 병기 D2 질환을 가진 남성에서 안드로겐 대항 요법 후 혈청 PSA 농도의 평균치가 감소함을 발견한 연구에 의하면, 호르몬 요법 후 임상적으로 비활동성 병기 D2 전립선암을 가진 14명 중 7% (1명/14명)만이 PSA의 농도가 10 ng/mL를 초과한 데 비해, 호르몬 요법 후 임상적으로 활동성 병기 D2 전립선암을 가진 18명 중 88% (16명/18명)가 10 ng/mL를 초과하는 PSA 농도를 나타내었다 (Hudson 등, 1989). 이들 자료는 호르몬 요법을 받고 있는 중인 환자에서는 혈청 PSA 농도가 낮지만, 질환이 진행 중인 환자에서는 진행이 없는 환자에 비해 PSA 농도가 상당히 증가함을 보여 준다. 따라서 혈청 PSA 농도가 환자의 질환 상태를 실제로 반영한다고 입증된다면, 암의 진행을 점검할 경우 표준 검사인 방사성 동위원소를 이용한 골격 스캔을 정기적 혈청 PSA 측정법으로 대신할 수 있을 것이다. Lightner 등 (1988)은 진행된 전립선암을 가진 500명 이상의 환자를 검토한 자료에서 PSA보다 골격 scintigram이 더 많은 정보를 주지 않는다고 이미 보고한 바 있다.

Bilhartz 등 (1989) 또한 PSA의 발현은 직접 호르몬의 영향을 받는다고 하였다. 저자들은 LNCaP 전립선암 세포주를 이용한 연구에서 DES와 milbolerone, 안드로겐 합성 제제 등이 deoxyribonucleic acid (DNA)의 증가와 관계없이, 즉 세포 수의 증가와 무관하게 PSA의 발현에 영향을 줌을 발견하였다. 양성전립선비대 환자를 6개월 동안 nafarelin으로 치료한 후 6개월 동안 추적 관찰한 Weber 등 (1989)은 혈청 테스토스테론 농도와 혈청 PSA 농도 사이에는 직접적인 상관관계가 있다고 하였다 ($p < 0.001$). Csapo 등 (1988)은 생쥐를 대상으로 종양의 용적과 연관을 지어 혈청 PSA 농도에 대한 호르몬의 영향을 평가하였다. 호르몬 요법을 받은 생쥐에서는 종양의 평균 용적이 180±90 cc이었고 혈청 PSA의 평균 농도는 9.5±13.1 ng/mL인 데 비해, 안드로겐 대항 요법을 받지 않은 생쥐에서는 종양의 평균 용적이 81±56 cc이었고 혈청 PSA의 평균 농도는 47.3±62.2 ng/mL이었다. 즉, 안드로겐 대항 요법으로 치료를 받은 생쥐는 그렇지 않은 생쥐에 비해 종양의 평균 용적이 2배 컸지만 혈청 PSA의 평균 농도는 5배 더 낮았다. Leo 등 (1991)은 병기 D2의 활동성 전립선암을 가진 환자를 안드로겐 대항 요법으로 치료한 군과 치료하지 않은 군으로 구분하여 비교하였다. 두 군 사이에서 혈청 PSA 농도의 중앙치의 차이는 80 ng/mL이었으며, 진행 중인 질환을 가진 환자의 일부에서는 혈청 PSA 농도가 0.0~4.0 ng/mL로 정상 범위이었다. 그러나 연속으로 측정하였을 때, 혈청 PSA 농도가

질환이 진행함에 따라 정상 범위 안에서 증가함을 알 수 있었다. 이들 연구는 안드로겐 박탈 요법이 종양 형성을 억제하는 작용에 따른 반응과는 무관하게 혈청 PSA 농도를 직접 감소시키는 효과가 있음을 보여 준다. 따라서 안드로겐 대항제로 치료를 받은 병기 D2 전립선암 환자의 혈청 PSA 농도는 그렇지 않은 환자의 혈청 PSA 농도와 사뭇 다른 의미를 가진다. 이러한 관찰이 적절한지는 혈청 PSA 농도를 이용하여 병기 D2 전립선암을 가진 환자를 장기간 추적 관찰하면 분명한 답을 얻을 수 있을 것이다.

전이 전립선암 환자 59명 중 21명에 대해서는 외과적 거세를 실시한 후 diethylstilbestrol diphosphate (17명), chlormadinone acetate (4명) 등을, 38명에 대해서는 LHRH 주사로 내과적 거세를 실시한 다음 추가로 chlormadinone acetate (14명), chlormadinone acetate (15명), flutamide (9명) 등을 투여하고 평균 25.3개월 동안 추적 관찰한 연구는 단변량 분석에서 혈색소 농도, 혈청 alkaline phosphatase (ALP), lactate dehydrogenase (LDH), 조직학적 등급, 골격 침범 정도, 호르몬 요법 후 1개월 시점에서 전립선 용적의 변화, 호르몬 요법 후 3개월 시점에서 PSA의 반응 등이 유의한 예후 인자이었으며, 다변량 분석에서 LDH, 전립선 용적의 변화, PSA의 반응 등이 유의한 예후 인자이었다고 하였다 (도표 60). 이 연구에 의하면, 5년 생존율은 호르몬 요법 후 1개월에 전립선 용적이 20% 이상 감소하고 3개월에 PSA가 정상으로 전환된 환자에서는 67%인 데 비해, 호르몬 요법 후 1개월에 전립선 용적이 20% 미만으로 감소하고 3개월에 PSA가 정상으로 전환되지 않은 환자에서는 0%이었다. 따라서 후자의 경우는 상급 위험군에 속하기 때문에, 더욱 공격적인 치료가 필요하다고 생각된다 (Furuya 등, 2003).

직장수지검사가 정상이고 최소 두 번의 생검에서 전립선암이 발견되지 않았으나 혈청 PSA가 4 ng/mL를 초과하고 PSA 증가 속도가 0.75 ng/mL/year를 초과한 남성에게 5 mg의 finasteride 혹은 0.5 mg의 dutasteride를 매일 투여한 후 6개월과 12개월에 PSA를 측정하고 1년 시점에 경직장 생검을 실시한 연구는 1년 시점에서 PSA가 2.4 ng/mL까지 감소하여 46.7%의 감소율을 보였으며, 전립선 용적은 7.1 cc 감소하여 17.9%의 감소율을 나타내었고, 이들 중 27.8% (27명/97명)에서 발견된 전립선암 환자의 경우 0.4 ng/mL의 최저점으로부터 최소 PSA 증가 속도의 평균치는 0.6 ng/mL/year이라고 하였다. 이와 같이 5α-reductase 억제제로 치료하고 있는 환자에서 관

| 도표 60 | 호르몬 요법을 받은 전이 전립선암 환자에서 예후 인자에 관한 다변량 분석 | |

변수	HR (95% CI)	p-value
조직학적 등급	0.642 (0.213~1.936)	0.43
질환의 침범 정도	1.201 (0.277~5.199)	0.81
Hb	3.396 (0.887~13.064)	0.075
ALP	1.392 (0.293~6.612)	0.68
LDH	4.387 (1.143~16.841)	0.031
PSA 반응	0.189 (0.052~0.695)	0.012
전립선 용적 변화	0.113 (0.031~0.412)	0.0009

ALP, alkaline phosphatase; CI, confidence interval; Hb, hemoglobin; HR, hazard ratio; LDH, lactate dehydrogenase; PSA, prostate-specific antigen.
Furuya 등 (2003)의 자료를 수정 인용.

찰되는 PSA 변화의 크기는 이전 전립선 생검 결과가 음성이지만 PSA가 지속적으로 증가하거나 변동이 있는 환자에서 전립선암을 발견하는 데 유용한 도구라고 생각된다 (Kaplan 등, 2012).

안드로겐 비의존성 종양은 PSA의 발현이 상실되고, 신경내분비 분화 (neuroendocrine differentiation)를 나타내며 신경내분비 표지자를 발현한다. 혈청에서 신경내분비 표지자의 농도가 증가함은 원격 전이와 상호 관련이 있으나 국소 질환의 진행과는 상관없으며 (Cussenot 등, 1996), chromogranin A (CHGA; parathyroid secretory protein 1)가 양성인 신경내분비 종양세포의 수는 혈청 CHGA 농도와 상호 관련이 있다 (Angelsen 등, 1997). 신경내분비 표지자 중 가장 흔하게 이용되는 두 표지자, 즉 CHGA와 neuron-specific enolase (NSE)는 전립선암의 진단과 예후에 이용된다. 더욱이 신경내분비 표지자의 혈청 농도는 PSA에 대하여 상호 보완적인 정보를 제공한다. CHGA는 진행 전립선암을 가진 환자의 추적 관찰에서 NSE보다 활용도가 더 높다 (Berruti 등, 2000). 혈청 CHGA는 Gleason 점수와 병기에 의해 파악되는 신경내분비 양상의 정도와 유의하게 상호 관련이 있지만, 국소 질환이든 전이 질환이든 혈청 CHGA와 PSA 사이에서는 상호관계가 발견되지 않는다 (Bollito 등, 2001). 따라서 신경내분비 표지자는 전립선암, 특히 거세 저항성 질환을 가진 환자에서 예후를 평가하는 데 유용하다. 혈청 신경내분비 표지자의 예후 예측력을 평가하기 위해서는 대규모의 추가 연구가 필요하다. 신경내분비 표지자에 관해서는 뒤에 '8장 전립선 종양 표지자' 중 '41. 신경내분비 분화'에 상세하게 기술되어 있다.

세계적으로 PSA 검사가 널리 이용됨에 따라 발견되는 전립선암이 낮은 병기로 이동하고 있음에도 불구하고, 안드로겐을 억제하는 요법을 조기에 받는 환자가 늘고 있는 추세이다. 이로 인해 골 밀도가 소실되는데, 이는 골 교체 (bone turnover)에 대한 생화학적 표지자를 이용하여 모니터링이 가능하다. 거세 저항성 전립선암을 가진 환자의 평균 여명은 9~12개월 범위라는 과거 오래된 개념은 근래 달라졌으며 (Oefelein 등, 2004), 이들 남성은 과거에 비해 유의하게 더 오래 산다는 인식이 증가하고 있다. 이로써 환자에서 필요한 삶의 질과 적절한 증상의 완화를 제공할 의사의 책무가 증대되고 있으며, 이로 인해 진행 전립선암의 관리에서 골 표지자의 역할이 더 커지고 있다 (Stenman 등, 2005). 골 교체 표지자는 '8장 전립선암 종양 표지자' 중 '86. 골 대사 표지자'에 기술되어 있다.

1.11.7. 국소 재발과 전이 질환의 감별

Differentiating local recurrence from metastatic disease

치료 후 PSA가 상승한 경우에 종양 표지자의 증가가 국소적 재발 때문인지 아니면 전이 때문인지를 구별하기란 쉽지 않다. 방사선 요법을 받은 환자에서는 생검이 가능하기 때문에 일부 조건에서 이러한 접근이 치료 방침을 결정하고 예후를 예측하는 데 가치가 있지만, 근치전립선절제술 후에는 국소 생검의 가치는 제한적이다. 일부 보고에서 양성률이 50%를 넘는다고는 하지만 (Roscogno 등, 2007), 대부분은 이러한 시술이 도움이 되지 않는다. 왜냐 하면, 생검이 양성이면 당연히 치료를 시작할 것이고, 음성인 경우에도 그 결과에 대해 반신반의하면서 대개는 치료를 시도하기 때문이다. 측정된 PSA의 근원이 골반 내부일 가능성이 크기 때문에, 근치전립선절제술 후에 실시하는 구제 방사선 요법은 골반을 표적으로 삼는다. SWOG 8794 연구는 이러한 접근으로 10년 동안 추적 관찰하였을 때, PSA가 0.2 ng/mL 미만으로 감소되는 생화학적 조절 비율이 다소 높았다고 하였다 (Swanson 등, 2007).

전립선암의 존재를 예측하는 데 더 도움이 되는 인자들 중 하나가 생화학적 실패까지의 기간이다. 근치전립선절제술 후 PSA 실패를 가진 환자들을 대상으로 평가한 연구는 생화학적 실패까지의 기간이 18개월 미만인 경우가 전립선암 특이 사망의 유일한 예측 인자이었다고 하였다 (Buyyounouski 등, 2008). 보험 통계를 이용한 이 연구는 생화학적 실패까지의 기간이 18개월 미만인 군과 18개월을 초과한 군에서 5년 질환 특이 사망률이 각각 52%, 20%이었고, 전립선암 특이 사망률

도표 61 전립선암에 대한 방사선 요법 후 PSA의 최저점 농도, 최저점 PSA에 도달까지의 시간, PSA 배가 시간 등에 따른 치료 실패의 형태

	최저점 PSA, ng/mL	최저점 PSA 시점까지 시간, 개월	PSADT, 개월
질환 없음	0.4~0.5	22~33	적용 않음
국소 실패	1.0~2.0	12~18	11~13
원격 실패	>2.0	<12	3~6

PSA, prostate-specific antigen; PSADT, prostate-specific antigen doubling time.
Campbell-Walsh Urology 9판의 자료를 수정 인용.

이 각각 36%, 6%이었고 하였다. 이를 근거로 저자들은 근치전립선절제술 후 국소적 질환인지 혹은 전이 질환인지를 확인하고자 할 때 생화학적 실패까지의 기간이 PSA 동력학에 따른 중요한 결정 인자라고 보고하였다.

방사선 요법 후 최저점 PSA 농도, 최저점 PSA 농도까지의 기간, 즉 생화학적 실패의 시작 시점, PSA 배가 시간 등에 따른 치료 실패의 형태는 도표 61에 요약되어 있다.

근치적 치골후 전립선절제술 (radical retropubic prostatectomy, RRP) 후 국소적 종양의 재발을 감시하는 데는 소변 내 PSA의 측정이 유용하다고 보고된 바 있다 (Iwakiri 등, 1993). 그러나 소변 PSA의 특이한 역할에 관해서는 연구자 간에 공감을 얻지 못하였는데, 이는 방법론과 기술적인 측면에서 차이가 생김으로 인해 소변 PSA의 결과에 대해 편견이 발생할 수 있기 때문으로 추측된다. 즉, 소변 채집 방법을 예로 들면, 전립선 마사지 전후 채집한 표본 (Malavaud 등, 1998), 배뇨 시 소변의 첫 부분에서 채집한 표본 (Bolduc 등, 2007), 중간 부위의 소변으로부터 채집한 표본 (Breul 등, 1994), 24시간 채집한 소변으로부터 제작된 표본 (Irani 등, 1997) 등과 같이 표본을 채집하는 방법이 다양하다. 이러한 상이한 연구 방법 때문에 상충된 결과가 나옴은 어쩌면 당연하다고 할 수 있다.

근치전립선절제술 후 전립선이 있었던 자리에서 재발되든 혹은 전이성 재발이든 전립선암의 재발을 발견하는 데 혈청 PSA가 유익함에는 틀림없다. Bolduc 등 (2009)은 소변 PSA를 측정하면 혈청 PSA가 증가하기 이전에 소변 PSA가 증가할 수 있기 때문에 질환이 더 진행되기 전에 구제 요법을 시작할 기회를 얻을 수 있다고 하였다. 저자들은 국소적 재발과 전이성 재발을 구별할 수 있다는 개념을 전제로 하여, 근치적 치골후 전립선절제술을 받고 PSA 재발을 경험하지 않은 50명을 대상으로 소변의 첫 부분 50 mL와 혈액을 채집하여 PSA를 측정하

면서 추적 관찰하였다. 이 연구에 의하면, 소변에서 PSA가 발견된 33명 중 52% (17명/33명)에서 5년 내에 전립선암이 재발되었으며, 소변 내에서 PSA의 발견은 생화학적 실패에 대해 81%의 민감도와 45%의 특이도를 나타내었다. 따라서 혈청 PSA와 함께 소변 PSA를 측정하면 근치전립선절제술 후 전립선암의 국소적 재발을 조기에 발견하는 데 도움이 된다고 생각된다.

소변에서 PSA가 발견되기 위해서는 요도 내강으로 국소 분비물이 들어와야 한다. 사실 사구체는 PSA와 같은 크기이지만 전하를 띤 단백질을 정상적으로 통과시키지 못하기 때문에, 원격 전이가 있는 경우에는 사구체 여과에 의한 PSA가 소변 내에서 발견되지 않아야 한다. 또한, 전립선암이 국소적으로 재발되더라도 요도로 연결되어 있지 않으면, 즉 국소 림프절만 침범한 경우에는 소변에 PSA가 발견되지 않은 상태에서 생화학적 재발이 일어날 수 있다. 전이성 재발과 국소 재발은 치료 측면에서 매우 다르기 때문에, 이러한 차이점은 임상에서 매우 중요하다. 일례로 소변에서 PSA 양성이더라도 혈청에서 PSA 음성인 경우에는 국소 재발로 간주하여 방사선 요법과 같은 구제 요법에 대해 좋은 반응을 나타낼 수 있다 (Bolduc 등, 2009).

1.11.8. PSA 동력학과 PSA bounce
Implication of PSA kinetics and PSA bounce

PSA 배가 시간 (PSA doubling time, PSADT)이 치료 후에 발생하는 전이 질환과 전립선암으로 인한 사망에 대한 중요한 예측 인자라고 보고된 바 있다 (Zhou 등, 2005). PSADT는 PSA 수치가 두 배로 증가하는 데 걸리는 시간으로 정의되며, 이를 산출하는 공식은 $log2(T_2-T_1)/(log PSA_2-PSA_1)$이며, 여기서 T_1은 처음 측정 시점의 개월, T_2는 두 번째 측정 시점의 개월, PSA_1은 처음 측정된 PSA 농도, PSA_2는 두 번째 측정된 PSA 농도이다. 일부 연구는 PSADT가 6개월 이상이면 국소적 실패에 가깝고, PSADT가 6개월 미만이면 전이성 실패일 가능성이 높다고 보고하였다 (Okotie 등, 2004). 다른 연구는 PSADT가 12개월 혹은 15개월 미만이면 예후가 상당히 불량하다고 하였다 (Albertsen 등, 2004). 근치전립선절제술을 받은 379명을 1.6~23.0년, 중앙치 11년 동안 추적 관찰한 연구는 PSADT가 3개월 미만, 3.0~8.9개월, 9~14.9개월, 15개월 이상일 경우 전체 사망에서 전립선암으로 인한 사망이 차지하는 비율은 각각 100%, 92%, 78%, 35%이었으며, PSADT

가 짧은 환자일수록 더 빠른 PSA 재발 ($p < 0.001$), 더 높은 생검 Gleason 점수 ($p < 0.001$), 더 높은 병리학적 Gleason 점수 ($p < 0.001$)를 가졌고, 수술 절제면 침범 ($p = 0.06$) 혹은 전립선 외부 확대 ($p = 0.04$) 등과의 연관성은 약하였으나, 정낭 침범 ($p = 0.01$) 혹은 림프절 침범 ($p = 0.005$)과는 유의하게 관련이 있었다고 하였다 (Freedland 등, 2007). NCCN의 지침은 PSADT가 10개월을 초과하면 구제 방사선 요법으로 유익한 효과를 얻을 수 있다고 하였다. 여러 보고를 근거로 하였을 때, PSADT는 암의 진행 과정을 역동적으로 나타낼 뿐만 아니라, 기존에 있던 질환의 공격성에 관한 정보를 주고, 적극적인 감시, 암의 재발 확인 등과 같은 전립선암의 관리에서 중요한 역할을 하며, 암 특이 사망률을 예측함으로써 예후에 관한 정보를 제공한다 (Ramírez 등, 2008).

PSADT와 혼동될 수 있고 자칫 ASTRO의 기준에 따른 PSA 재발로 여길 수 있는 하나의 효과는 'PSA bounce' 이다. PSA bounce는 일시적으로, 흔히 늦게 PSA가 상승하였다가 저절로 감소하는 현상으로 정의되는데, 보통 근접 요법 혹은 고용량의 방사선 요법을 실시하였을 때 나타난다 (Toledano 등, 2007). ^{125}I를 영구적으로 삽입한 근접 요법으로 치료를 받은 전립선암 환자 295명을 대상으로 평가한 연구는 다음과 같은 결과를 보고하였다 (Toledano 등, 2006). 첫째, PSA bounce가 0.1 이상, 0.2 이상, 0.4 이상, 1 이상 ng/mL인 경우는 각각 55% (161명/295명), 49% (145명/295명), 32% (93명/295명), 15% (43명/295명)이었으며, PSA bounce까지의 평균 기간은 19개월, PSA bounce의 평균 농도는 0.8 ng/mL이었다. 둘째, 전체 환자의 11% (32명/295명)는 세 번 연속으로 PSA가 증가되어 ASTRO 기준에 의한 생화학적 재발을 가졌다. 이들 중 56% (18명/32명)는 치료를 받지 않았는데도 PSA가 완전하게 정상 범위로 전환되었다. 셋째, 다변량 분석에서 최소 0.4 ng/mL의 PSA bounce에 대한 독립적 예측 인자는 70세 미만 연령 ($p < 0.0001$), 전립선 용적의 90%에 대한 선량 (D90)이 200 Gy 이상 ($p < 0.003$) 등이었다. 이들 결과를 근거로 저자들은 근접 요법을 받은 환자의 32%에서 최소 0.4 ng/mL의 PSA bounce가 관찰되었음을 보고함과 동시에, ASTRO 기준으로 생화학적 재발에 속한 환자의 18%에서 PSA가 저절로 감소되었음을 근거로 ASTRO 기준에 의문을 제기하였다. 이 연구의 결과는 이러한 집단에서 PSA 동력학을 해석할 경우에는 신중해야 함을 강조하고 있다.

1.11.9. 저급 위험 전립선암과 PSA 재발 후 전립선 암의 자연 경과

Natural history of progression in low-risk prostate cancer and after PSA recurrence

저급 위험 국소 전립선의 자연 경과는 충분하게 연구되어 있지 않다. 이는 저급 위험 전립선암이란 용어가 1990년대 말부터, 즉 근래 들어 이용되었기 때문일 수도 있지만, 장기간의 자연 경과를 이해하기 위해서는 수십 년의 관찰이 필요할 뿐만 아니라 저급 위험 전립선암에 대해 근치 수술이 일반화되어 있어 치료를 받지 않은 질환이 나타내는 단기간의 활동성조차도 이해하기가 쉽지 않기 때문이다. 우리는 저급 위험 전립선암인 경우 근치적으로 치료하면 상당히 좋은 예후를 가진다고 확신하고 있다. Stephenson 등 (2008)은 저급 위험 전립선암을 근치전립선절제술로 치료하면 전립선암 특이 15년 사망률이 2%에 불과하다고 하였다. 그러나 저급 위험 전립선암을 치료하지 않았을 때의 예후는 분명하게 알지 못한다. 저급 위험 전립선암의 자연 경과에 대한 증거는 'PSA 시대' 이전의 관찰 자료, 모델링 연구, 적극적 감시에 관한 전향 연구에서의 예비 결과 등으로부터 얻을 수 있다.

PSA 시대 이전에 전립선암으로 진단을 받은 남성에 대한 감시 및 대기 요법의 결과는 '가장 나쁜 경우'의 진행을 나타낸다. 우리는 오늘날 발견된 저급 위험 전립선암의 자연 경과는 PSA 시대 이전보다 훨씬 좋을 것으로 생각되는데, 이는 선별검사를 통해 진단된 시기, 즉 소요 기간 (lead time)과 암이 중대하지 않아 선별검사를 하지 않았다면 발견할 수 없었을 암의 발견, 즉 과잉 발견과 관련이 있다. 이러한 개념을 근거로 모델을 만든 연구에 의하면, 그러한 소요 기간은 젊은 환자에서 더 길고, 과잉 발견율은 고령 환자에서 더 높다. 또한, 소요 기간과 과잉 발견율은 고등급 분화도보다 저등급 분화도의 질환에서 더 높다. 저급 위험 범주에 속하는 Gleason 점수 7 미만을 예로 들면, 환자가 50대일 경우 소요 기간은 14년이고 과잉 발견율은 37%이며, 환자가 70대일 경우 소요 기간은 10년이고 과잉 발견율은 77%이다. 다르게 표현하면, 저급 위험의 전립선암으로 진단을 받은 50대 남성의 약 1/3은 유해하지 않은, 즉 중대하지 않은 암을 가지고 있다 (O'Donnell 과 Parker, 2008) (도표 62). 1971~1984년에 임상적 국소 전립선암으로 진단을 받고 근치 요법을 받지 않은 남성을 대상으로 환자들을 연령과 Gleason 점수 2~4, 5, 6, 7, 8~10 등에 따라 구분하여 사망률을 평가한 연구는 추적 관찰을 20년까

도표 62 선별검사를 통해 발견된 전립선암 환자에서 예측되는 진단 소요 기간과 과잉 발견율

연령	GS	소요 기간		과잉 발견율	
		중앙치	SR	중앙치	SR
55~59	<7	14.1	5.2~22.1	37.1	6.9~82.4
	=7	9.3	2.8~15.1	16.1	1.2~74.5
	>7	5.0	1.1~9.6	7.3	0.2~78.6
60~64	<7	13.4	5.1~21.7	54.1	13.7~89.8
	=7	9.2	2.7~15.3	27.8	4~78.2
	>7	5.3	1.2~9.7	12.1	0.6~74.7
65~69	<7	11.8	4.4~20.1	66.9	19.4~94.4
	=7	9.0	2.7~15.2	43.5	9.3~85.3
	>7	6.0	1.4~10.1	25.8	3.4~77.4
70~75	<7	9.9	3.4~17.8	76.6	23.6~97.2
	=7	8.0	2.3~14.3	57.5	15.2~91.1
	>7	5.7	1.7~10.6	36.9	6.9~82.3

GS, Gleason score; SR, sensitivity range.
O'Donnell과 Parker (2008)의 자료를 수정 인용.

지 연장하더라도 15년 경과하여서는 매년의 사망률이 더 증가하지 않기 때문에, 15년 시점에서 전립선암으로 인한 사망률을 결과로 보고하였으며, Gleason 점수 2~4의 저등급 분화도의 질환을 가진 남성은 진단 후 15년 내에 전립선암으로 사망할 확률이 4~7%로 낮은 위험을 보인 데 비해, Gleason 점수 7~10의 고등급 분화도의 질환을 가진 남성은 전립선암 특이 15년 사망률이 42~87%로 높은 위험을 나타내었다고 하였다. Gleason 점수 5~6의 전립선암을 가진 환자의 전립선암 특이 사망률은 6~30%이었다 (Albertson 등, 2005). 이 연구가 가진 유익한 점은 추적 관찰한 기간의 중앙치가 24년으로 장기간이고, 피험자가 767명으로 비교적 규모가 크며, Gleason 점수로 구분하였다는 점이다. 그러나 이 연구의 경우 환자들의 대부분이 경요도전립선절제술에 의해 진단되었고, PSA가 이용되지 않았으며, 병기의 분석이 관례적으로 시행되지 않았다는 제한점을 가지고 있다. 따라서 환자들의 상당수가 국소적으로 진행되었거나 일부에서는 전이가 있었을 가능성이 높다. 더욱이 Gleason 점수 부과 시스템은 이 연구의 대상이 되는 환자가 진단된 시기 이후 발전되었다. 이러한 여러 이유로 이 연구의 결과를 오늘날 저급 위험군으로 진단된 환자에게 적용하여서는 안 된다 (O'Donnell과 Parker, 2008).

PSA 시대 이전에 감시 및 대기 요법을 시행한 코호트를 대상으로 평가한 다른 연구도 비슷한 결과를 보고하였으며, 동

일한 제한점을 가지고 있었다. 보존 요법, 즉 관찰 요법과 근치 수술 혹은 방사선 요법을 병행하지 않은 지연 호르몬 요법을 받은 828명을 평가한 연구에 의하면, 진단 후 10년 시점에서 질환 특이 생존율은 임상적으로 국소 병기인 등급 1 혹은 2 질환 환자에서 87%, 임상적으로 진행 질환인 등급 3 질환 환자에서 34%이었으며, 다른 원인으로 사망하지 않은 남성에서 전이가 없는 생존율은 등급 1, 2, 3 질환의 환자에서 각각 81%, 58%, 26%이었다 (Chodak 등, 1994). 여러 병기의 전립선암 환자 642명을 추적 관찰한 연구에 의하면, 다양한 원인으로 사망한 541명 중 37% (201명/541명)가 전립선암으로 사망하였으며, T0~T2의 국소 질환으로 진단된 300명 중 11% (33명/300명)가 전립선암으로 사망하였다. 이 환자군의 15년 생존율은 치료를 연기한 223명에서 81% (95% CI 72~89%), 일차 치료를 받은 77명에서 81% (95% CI 67~95%)로 비슷하였다. 전립선암 외의 원인으로 보정한 15년 생존율은 진단 당시 T3~T4의 국소 진행 질환을 가진 183명에서 57% (95% CI 45~68%), 원격 전이를 가진 환자 159명에서 6% (95% CI 0~12%)이었다 (Johansson 등, 1997).

이후 비슷한 환자 집단을 대상으로 하였지만 기저선 PSA를 분석 자료에 포함한 두 편의 연구가 있다. 영국의 Transatlantic Prostate Group (TAPG)은 1990~1996년에 진단 당시 76세 미만으로 보존적 치료를 받은 임상적 국소 전립선암 환자 1,656명으로부터 진단 표본을 분석한 후 다음과 같은 결과를 보고하였다 (Cuzick 등, 2006). 첫째, 추적 관찰한 후 10년에 24%가 전립선암으로 사망하였다. 둘째, Gleason 점수 4~5의 전립선암 환자의 경우 전립선암 특이 10년 생존율은 92%이었다. 그러나 이 연구 그룹은 PSA 자료를 이용하였지만, 표준 검사법을 실시하는 현대의 환자군과 같지 않으며, 평가 당시는 영국에서 무증상의 환자에 대해 PSA 검사를 흔하게 실시하지 않던 시기였다. 따라서 이 연구의 대상자는 PSA로 진단을 받은 남성이라기보다 Albertson 코호트와 더 유사하기 때문에, 위에서 기술된 이전의 연구와 마찬가지의 제한점을 가지고 있다. 75세 미만, 임상적 국소 전립선암, 골격 스캔 음성, PSA 50 ng/mL 미만, 기대 여명 10년 이상 등의 조건을 가진 환자 중 348명을 감시 및 기대 요법 (1군)에, 347명을 근치전립선절제술 (2군)에 무작위로 배정하여 비교한 SPCG 연구는 다음과 같은 결과를 보고하였다 (Bill-Axelson 등, 2005). 첫째, 중앙치 8.2년 동안 추적 관찰하는 동안 1군과 2군에서 각각 106명, 83명이 사망하였다 (p=0.04). 둘째, 전립선암으로 인한 사망률은 1군과 2군에서 각각 14.4% (50명/348명), 8.6% (30명/347명)이었다. 셋째, 전립선암 특이 사망의 누적 발생률에서 차이는 5년 후에는 2.0% 포인트로, 10년 후에는 5.3% 포인트로 증가하였으며, 수술의 RR은 0.56 (95% CI 0.36~0.88; p=0.01)이었다. 넷째, 원격 전이의 누적 발생률에서 차이는 5년에 1.7% 포인트에서 10년에는 10.2% 포인트로 증가하였으며, 수술의 RR은 0.60 (95% CI 0.42~0.86; p=0.004)이었다. 다섯째, 국소 진행의 누적 발생률에서 차이는 5년에 19.1% 포인트에서 10년에 25.1% 포인트로 증가하였으며, 수술의 RR은 0.33 (95% CI 0.25~0.44; p〈0.001). 이들 결과는 저급 위험 전립선암의 경우 근치 수술이 질환 특이 사망, 전반적 사망, 원격 전이, 국소 진행 등의 위험을 감소시킴을 보여 준다. 초기 전립선암 환자 695명을 감시/대기 요법과 근치전립선절제술에 무작위로 배정한 연구는 다음과 같은 결과를 보고하였다 (Bill-Axelson 등, 2011). 첫째, 중앙치 12.8년의 추적 관찰 기간 동안 수술을 받은 347명 중 166명이, 감시/대기 요법을 받은 348명 중 201명이 사망하였으며 (p=0.007), 수술에 배정을 받은 55명과 감시/대기 요법에 배정을 받은 81명이 전립선암으로 사망하였다. 둘째, 15년 시점에서 전립선암으로 인한 사망의 누적 발생률은 수술과 감시/대기 요법을 받은 군에서 각각 14.6%, 20.7%로 6.1% (95% CI 0.2~12.0) 포인트의 차이를 보였으며, 감시/대기 요법과 비교하였을 때 수술의 RR은 0.62 (95% CI 0.44~0.87; p=0.01)이었다. 셋째, 그러한 생존의 이점은 추적 관찰 9년 전과 후에서 비슷하였으며, 저급 위험도의 전립선암과 65세보다 젊은 남성에서 이점이 관찰되었다. 넷째, 근치전립선절제술을 받은 남성 중 종양이 피막 밖으로 확대된 남성은 확대되지 않은 남성에 비해 사망 위험이 7배 더 높았다 (RR 6.9, 95% CI 2.6~18.4). 이와 같은 결과는 근치전립선절제술이 전립선암 특이 사망률의 감소와 관련이 있으며, 종양이 전립선피막 밖으로 확대된 경우에는 국소적 혹은 전신적 보강 요법이 유익할 수 있음을 보여 준다. 1989~1999년에 초기 전립선암 환자 695명을 감시 및 대기 요법 혹은 근치전립선절제술에 무작위로 배정한 SPCG-4 연구는 다음과 같은 결과를 보고하였다 (Bill-Axelson 등, 2014). 첫째, 추적 관찰한 23.2년 동안 수술을 받은 347명 중 200명, 감시 및 대기 요법을 받은 348명 중 247명이 사망하였다. 둘째, 수술 환자군 중 18% (63명/347명), 감시/대기 요법 환자군 중 28% (99명/348명)가 전립선암으로 사망하였다. 수술 환자군의 RR은 0.56 (95% CI 0.41~0.77; p=0.001)이었으며, 두 군의 절대적 차이는 10% 포인트이었다. 셋째, 한 건의 사망을 방지하기 위해 치료를 필요로 하는 수는 8이었다. 넷째, 전립선암으로 인한 사망에서 수술의 이점은 65세 미만 남성과 중급 위험 환자군에서 가장 컸으며, RR은 각각 0.45, 0.38이었다. 그러나 이 연구가 시작된 1990년대 스칸디나비아에서는 PSA 검사를 관례적으로 시행하지 않았으며, 환자의 12%만이 병기 T1c를 가졌다. 더욱이 진단 당시의 PSA 평균치가 13 ng/mL이었고 환자의 18%에서 PSA가 20 ng/mL를 초과하였다. 따라서 환자의 구성이 오늘날의 저급 위험 전립선암 환자와는 많이 다르다. 따라서 저급 위험 전립선암의 자연 경과는 이들 연구에서 관찰된 결과보다 더 좋을 것으로 생각된다.

치유적 치료와 보존적 요법에 무작위로 배정하여 비교함으로써 저급 위험 질환의 자연 경과에 관해 유용한 정보를 제공하는 두 편의 연구가 있다. 평균 연령 67세, PSA 농도의 중앙치 7.8 ng/mL인 731명을 관찰군 (1군)과 근치전립선절제술 (2군)에 각각 배정하여 중앙치 10년 동안 추적 관찰한 전향 연구인 PIVOT를 검토한 연구는 다음과 같이 결과를 정리하였다 (Cheng, 2013). 이 연구에서는 위험 정도를 세 군으로 구분하였는데, 저급 위험은 PSA 10 ng/mL 이하, Gleason 점수 6 이하, 병기 T1/2a, 중급 위험은 PSA 10.1~20 ng/mL 혹은 Gleason 점수 7 혹은 병기 T2b, 상급 위험은 PSA 20 ng/mL 초과 혹은 Gleason 점수 7 초과 혹은 병기 T2c로 규정하였다. 첫째, 이 연구에서 가장 중요한 결과는 저급 위험 질환을 가진 환자에서는 근치전립선절제술로 이득을 얻지 못하였다는 점이다. 즉, 저급 위험 혹은 PSA 10 ng/mL 이하의 환자에서는 근치전립선절제술이 골 전이로의 진행 비율, 전립선암 특이 사망, 전반적 사망 등에서 어떠한 차이도 나타내지 못하였다. 이 결과는 앞으로 저급 위험의 전립선암을 관리하는 데 중대한 영향을 미칠 것으로 생각된다. 현재로서는 적극적 감시에 적합한 환자의 10%만이 이 방법을 선택하고 있는데 (Ganz 등, 2012), 가장 큰 이유가 이러한 개념을 뒷받침하는 증거가 부족하였기 때문이다. 둘째, 상급 위험도의 질환을 가진 환자가 수술을 받으면, 생존에서 이득을 얻을 수 있다. PSA가 10 ng/mL를 초과한 환자가 근치전립선절제술을 받으면, 전립선암 특이 사망률 (5.6% 대 12.8%; p=0.02)과 전반적 사망률 (HR 0.67, 95% CI 0.48~0.94)이 감소되었다. 그러나 이 자료는 이들 환자에서 결정적이지 않다. 중급 위험의 전립선암 환자가 수술을 받으면, 전반적 사망률은 감소되었지만 전립선암 특이 사망률은 1군과 2군에서 차이가 없었다. 반대로, 상급 위험의

전립선암 환자가 수술을 받으면, 전립선암 특이 사망은 감소하였지만 전반적 사망은 차이를 보이지 않았다. 이러한 결과가 생긴 이유는 표본 크기가 충분하지 않아 검증력이 떨어졌기 때문으로 생각된다 (Catalona, 2012). 셋째, PIVOT의 결과는 국소 전립선암을 가진 젊은 환자에게는 적용시킬 수 없다. PIVOT의 피험자 중 33%가 70세 이상이다. 따라서 등록된 환자의 약 50%가 추적 관찰의 중앙치 10년 후에 사망하였으며, 이들 중 85%는 전립선암 외의 원인으로 사망하였다는 결과는 당연한 귀결이라고 생각된다. 20년 동안 추적 관찰한 다른 연구에서는 국소 전립선암 환자의 5%만이 전립선암으로 사망하였다 (Ganz 등, 2012). 그러므로 PIVOT의 사망률 자료를 65세 이전에 대부분이 국소 전립선암으로 진단된 전립선암 환자 40%에 완전하게 접목시킨다는 것은 합리적이지 않다 (Howlader 등, 2012). 그렇지만 15년과 20년 동안 추적 관찰한 PIVOT의 결과는 여전히 가치가 있다고 간주된다. 앞으로 이들 결과를 근치전립선절제술, 관찰 요법, 방사선 요법 등을 비교한 대규모 연구와 비교해 볼 필요가 있다. 넷째, 치료를 결정할 때 양적인 면도 중요하지만, 환자의 삶의 질도 고려되어야 한다. 성 기능의 유지, 활력, 배뇨 기능 등이 환자의 만족도와 관련이 있다 (Sanda 등, 2008). 근치전립선절제술을 받은 환자는 가장 큰 문제로 발기 기능 장애를 가지는 경향이 있으며, 약 90%가 수술 후 2개월에 발기 불량을 호소한다. 발기력의 회복에 영향을 주는 인자로는 환자의 이환 전 발기 상태, 신경 보존 수술 여부 등이 있다. 요실금 또한 방사선 요법이나 관찰 요법에 비해 수술 환자에서 더 흔한데, 수술 후 2개월에 환자의 50% 이상이 두 번 이상의 소변 누출을 경험한다. 다섯째, PIVOT의 자료를 임상에 적용하는 데 있어 또 다른 제한점은 PSA 농도에만 의존하여 치료를 결정하지 못한다는 점이다. 현재 PSA는 전립선암의 예후와 진행에 대한 생화학적 표지자의 역할을 하고 있다 (Freedland 등, 2004). 그러나 질환이 진행하고 있는 환자의 25%에서는 PSA 농도가 증가되지 않는다 (Walsh 등, 2007). 따라서 PSA doubling time 측정과 같은 전략은 확실한 방법이라고 할 수 없기 때문에 PSA에만 의존하여 전립선암 환자를 관리함은 적절하지 않다. 연령, 인종, 국소적 외상, 약물 사용 등과 같은 여러 인자가 PSA 농도에 영향을 줄 수 있음을 숙지하여야 한다. 여섯째, 질환을 관찰하는 프로토콜을 표준화할 필요가 있다. 현재의 방법은 적극적 감시 혹은 감시/대기 요법으로 구성되어 있다. 적극적 감시는 질환의 진행이 관찰될 때까지 치유적 치료를 연기하는 방

법이다. 대조적으로 감시/대기 요법은 진행에 따른 증상 치료에 초점을 두고 있다. 이러한 방법은 방사선 요법이나 수술과 관련이 있는 이환을 가지지 않게 한다. 따라서 어떤 이유로 질환이 진행하지 않는 환자에서는 큰 이점이 있다. 그러나 재검사의 빈도 혹은 가치에 관해서는 공감대가 형성되어 있지 않다. 전립선 생검은 관찰자에 따라 변동이 심하고 생검 표본은 전립선 전체 조직의 0.5% 이하의 양이다. 따라서 재생검은 일정한 결과를 나타내지 않는다 (Choo 등, 2004). PSA와 생검을 대신하여 진행에 대해 높은 민감도와 특이도를 나타내는 표지자를 개발할 필요가 있다. 일곱째, PIVOT는 국소적 초기 전립선암의 관리에서 수준 1로 간주되는 최근의 증거이지만, 벌써 논쟁거리가 되고 있다. 이 자료는 60세 이상의 저급 위험의 전립선암 환자를 관찰하는 데는 합리적일 뿐이다. 이 상황을 극복하려면, 진행에 대해 신뢰성이 높은 표지자를 이용한 재검 방법의 개발과 수립이 필요하다. PIVOT는 중급 혹은 상급 위험의 질환에서 관찰보다는 근치전립선절제술이 가치가 있다고 제시는 하지만 주장하지는 못한다. 15년 및 20년 추적 관찰한 PIVOT의 결과는 그 이상의 증거를 제공할 필요가 있다. 생존 기간이 증가되든지 혹은 증가되지 않든지 환자는 자신이 선택한 방법으로 인한 삶의 질의 결과를 이해하여야 한다. Prostate testing for cancer and Treatment (ProtecT) 연구는 국소 전립선암을 가진 1,643명을 적극적 감시, 방사선 요법, 근치전립선절제술에 무작위로 배정한 연구로서 연구 참여자의 임상적, 병리학적 양상은 현대 환자의 특징과 일치한다는 장점을 가지고 있으며, 일차 종말점인 전립선암 특이 10년 사망률에 관한 자료는 2016년에 분석되어 제공될 예정이다. 2001~2009년에 걸쳐 이 연구에 참여한 100,444명 중 82,429명 (82%)이 PSA 검사를 받았으며, PSA 농도는 73,538명 (89%)에서 생검 절단치인 3.0 ng/mL 미만이었다. PSA 농도가 3.0~19.9 ng/mL인 8,566명 중 7,414명 (87%)이 생검을 받았으며, 2,896명, 즉 PSA 검사를 받은 남성의 4%, 생검을 받은 남성의 39%에서 전립선암이 발견되었다. 전립선암 환자 중 2,417명 (83%)은 대부분이 T1c, Gleason 점수 6인 임상적 국소 질환을 가졌다 (Lane 등, 2014) (도표 63).

Klotz (2005)는 1995년부터 적극적 감시로 관리를 받은 국소 전립선암 환자 299명을 대상으로 평가하였는데, 이들 환자들은 PSA 15 ng/mL 미만, Gleason 점수 6, 임상 병기 T1c/T2a, 양성 cores 수 3개 미만, 기대 여명 10~15년 등의 조건을 가졌으며, 코호트 남성의 80%가 70세 미만이었다. 추적 관찰

한 중앙치 64개월 동안 34%는 생화학적 진행 (15%), 임상적 진행 (3%), 조직학적 진행 (4%), 환자의 선택 (12%) 등으로 인해 적극적 감시를 중단하였다. 질환 특이 8년 생존율은 99.2%이었다. Toronto 그룹은 Royal Marsden Hospital에서 위의 연구와 비슷한 특징을 가진 326명의 환자를 2002년부터 적극적 감시로 관리하였다 (van As와 Parker, 2007). 추적 관찰한 기간의 중앙치는 22개월이었으며, 보고한 시점에서 80%가 치료를 받지 않은 상태이었으며, 이들 중 전립선암으로 인한 사망은 없었다. ERSPC 로테르담 부분에 속한 326명이 적극적 감시로 관리를 받았으며, 이들 환자에서 연령의 중앙치는 69.8세, PSA 농도의 중앙치는 3.4 ng/mL이었으며, 임상 병기의 경우 79.1%는 T1c를, 20.9%는 T2를 가졌다 (Roemeling 등, 2007). 중앙치 3.4년 동안 추적 관찰하였으며, 70%가 치료를 받지 않았으며, 이들에서 질병 특이 생존은 100%이었다. Khatami 등 (2007)은 ERSPC의 스웨덴 부분에서 진단을 받고 처음을 적극적 감시로 관리를 받은 270명에 관한 결과를 보고하였으며, 평균 63개월의 추적 관찰 기간 동안 61%가 치료를 받지 않았고 이들에서 전립선암 특이 사망 혹은 전이는 없었다.

위에서 기술된 바와 같이, 자료가 불충분하고 일부 환자가 근치 요법을 받았지만, 적극적 감시와 관련한 전립선암 특이 생존율은 우수하며, 모델링으로 예측되는 자연 경과는 일정하게 좋은 양상을 보인다 (Parker 등, 2006). 분명히 저급 위험 전립선암 환자에서 전립선암 특이 사망률은 PSA 시대 이전의 감시/대기 요법에 비해 적극적 감시를 받은 군에서 더 나은데, 전자의 경우인 스칸디나비아 연구에서 보고된 10년 전립선암 특이 사망률은 15%이었고, 후자의 경우에서 8~10년 전립선암 특이 사망률은 0~1%로 보고되었다 (O'Donnell과 Parker, 2008).

보험 통계를 이용하여 PSA 재발에 관해 처음 분석한 연구는 근치전립선절제술을 받은 후 PSA 재발이 있었으나 추가 치료를 받지 않은 남성에서 전이가 발생할 때까지의 평균 기간은 8년이었으며, 그 후 사망까지의 기간은 5년이었다고 보고하였다 (Pound 등, 1999). 근치전립선절제술을 받은 환자들에 관한 그 후의 다른 연구들은 수술 후 PSA 재발이 있더라도 모든 환자가 그로 인한 임상 증상을 가지고 사망하지는 않는다고 하였다. 그들 중 한 연구는 수술 후 5년에 PSA 재발, 전이, 전립선암 특이 사망 등의 확률이 각각 16%, 4%, 1%이며, 수술 후 10년에는 각각 26%, 10%, 4%라고 하였으며 (Han 등, 2001), 또 다른 연구는 수술 후 10년에 각각 48%, 18%,

도표 63 임상적 국소 전립선암의 선별검사 및 치료와 관련된 주요 연구의 고안 및 특징

고안	ERSPC (유럽)	PLCO (미국)	ProtecT (영국)	PIVOT (미국)	SPCG-4 (스웨덴)
중재	선별검사 : 대조군	선별검사 : 대조군	AM : RP : RT	RP : WW	RP : WW
모집 기간	1993~1999	1993~2001	1999~2009	1994~2002	1989~1999
PSA 생검 절단치	3.0/4.0 ng/mL	4.0 ng/mL	3.0 ng/mL	NA	NA
생검 cores 수	6	다양함	10	NA	NA
방문자 수	68,896	NK	228,966	NA	NA
참여자 수	NK	38,350	100,444	NA	NA
PSA 검사자 수 (%)[†]	56,064 (29~91%)	34,244 (89%)	82,559 (82%)	NA	NA
PSA 증가율	10%	8%	10%	NA	NA
생검 실시율	84%	32%	87%	NA	NA
전립선암 진단율	2.7%	1.6%	3.5%	NA	NA
치료에 무작위 배정	NA	NA	1,643 (62%)	731 (15%)	695 (NK)
연령 (평균)	55~69 (60~63)	55~75 (60)	50~69 (61)	75 미만 (67)	75 미만 (65)
PSA 평균치, ng/mL	NK	NK	5.8	10.1	13.0
임상 병기					
T1	42%	0.5%	76%	50%	11%
T2	28%	96%	24%	40%	75%
T3	11%	4%	0	0	0
NR	17%	0.4%	0	10%	14%
Gleason 점수					
2~6 (ERSPC 2~7)	91%	63%	77%	74%	60%
7~10 (ERSPC 8~10)	6%	31%	23%	19%	28%
NR	3%	2%	0	7%	12%

[†], 참여자 중 PSA 검사를 받은 남성의 %이며 국가별로 다양한 비율을 보임.

AM, active monitoring; ERSPC, European Randomized Study of Screening for Prostate Cancer; NA, not applicable; NK, not known; NR, not recorded; PIVOT, US-based Prostate cancer Intervention Versus Observation Trial; PLCO, US-based Prostate, Lung, Colorectal, and Ovarian; ProtecT, Prostate testing for cancer and Treatment; PSA, prostate-specific antigen; RP, radical prostatectomy; RT, radiation therapy; SPCG-4; Scandinavian Prostate Cancer Group 4 trial; WW, watchful waiting.
Lane 등 (2014)의 자료를 수정 인용.

10%라고 보고하였다 (Zincke 등, 1994). 미국의 한 연구는 근치전립선절제술을 받은 환자들에서 5년 시점의 PSA 실패율이 41%이고, 임상적 실패율은 16%에 불과하다고 하였다 (Kupelian 등, 1997). 이들 자료들을 종합해 보면, 근치전립선절제술 후 PSA가 재발된 환자들에서 10년 후 전이가 발생할 확률은 약 35%이고 전립선암으로 사망할 확률은 약 20%이다.

방사선 요법 후 실패에 관한 연구 결과를 수술한 경우와 비교한다는 것은 적절하지 않은데, 이는 임상적 및 병리적 병기가 서로 다르고, 방사선 요법에서는 선행 보강 요법과 보조 호르몬 요법을 더 광범위하게 적용하기 때문이다. 적용 대상에서 차이가 있음으로 인해 방사선 요법을 받은 환자들이 근치전립선절제술을 받은 환자들에 비해 더 나쁜 병기를 가진다고 생각된다. RTOG 86-10 연구는 방사선 요법 후 5년에 PSA 재발을 가지지 않을 확률과 생존율은 각각 69%, 90%라고 보

고하였다 (Pollack 등, 2000). 방사선 요법을 이용한 단독 요법과 방사선 요법 외에 4개월 동안 안드로겐 박탈 요법을 병행한 경우 8년 시점에서 생화학적 실패, 전이, 전립선암으로 인한 사망의 비율이 각각 90%와 76%, 45%와 34%, 31%와 23%를 나타내어 (Pilepich 등, 2001) 근치전립선절제술에 관한 연구에서처럼 PSA 재발이 반드시 전이나 전립선암으로 인한 사망과 동일하지 않음을 확인하였다. 이 연구에서 PSA 재발까지 기간의 중앙치는 20~24개월이었으며, 사망은 PSA 재발로부터 약 5년에 일어났다. 그러나 이들 결과들은 고령의 집단에서, 그리고 PSA 측정이 발달하기 전 혹은 초기 시대에서 실시한 연구로부터 나왔기 때문에, PSA 검색과 같은 선별검사가 발달되어 암이 조기에 확인되는 근래에는 더 나은 결과가 나오리라 예상된다. 다른 연구에 의하면, 55~59세에 전립선암으로 진단을 받은 남성이 보존적 치료를 받았을 때 15

년 암 특이 사망률은 Gleason 점수 6 이하, 7, 8 이상 등에서 각각 0~2%, 9~31%, 28~72%이었으며, 치유적 치료를 받았을 때 예상되는 15년 생존 이점은 Gleason 점수 6 이하, 7, 8 이상 등에서 각각 0%, 12%, 26%이었다. 저자들은 선별검사로 국소 전립선암이 발견된 환자 중 고등급 분화도의 전립선암 환자가 보존적 치료에 비해 치유적 치료를 통해 가장 큰 이점을 얻을 수 있다고 하였다 (Parker 등, 2006).

1.11.10. 치료 실패의 정의, 위험 인자, 평가
Definition, risk factors, assessment of treatment failure

치료 후 환자는 혈청 PSA의 분석을 이용하여 첫 해에는 3개월, 이듬해에는 6개월, 그 다음 해부터는 12개월 간격으로 모니터링을 받는다 (Stenman 등, 2005).

전립선암을 치료한 후 PSA가 증가된 환자에게 '재발', '진행', '지속' 등 여러 용어가 사용되어 왔다. 이론적으로 종양의 '재발'은 일차 치료가 치유 목적을 달성하지 못하여 생화학적으로 혹은 임상적으로 발견되지 않은 종양이 지속되는 경우이다. PSA 농도가 상당하게 감소하였다가 재발의 정의 수준에 도달하기 위해서는 종양이 진행하여야 한다. 따라서 보는 관점에 따라 재발, 지속, 진행 등의 용어가 사용되겠지만, 분명히 의미가 중복되며, 흔히 동의어로 쓰인다 (Punnen 등, 2013).

일차 요법, 즉 방사선 요법 혹은 근치전립선절제술을 받은 후 3~5년 내에 10~40%, 평균 25%에서 PSA 재발이 일어난다고 보고되고 있다. 치료 실패의 정의는 이에 따라 환자의 치료를 결정해야 하기 때문에 매우 중요하다. 따라서 치료를 계획하고 구제 요법의 결과를 해석하기 위해서는 정의가 분명하게 설정되어야 한다. 치료가 실패되었다고 확인되고 실패의 특성이 가급적 정확하게 규명되었을 때만이 적절하고 안전한 치료가 가능하다.

1.11.10.1. 방사선 요법 후 생화학적 실패의 정의
Definition of PSA failure after radiation therapy

전립선암은 보통 서서히 진행하며, 이를 가진 환자군에서는 다양한 사망 원인이 있을 수 있다. 생화학적 실패 (biochemical recurrence)가 있다고 해도 이것이 항상 임상 증상이나 암 특이 사망과 관련되지는 않는다. 방사선 요법 혹은 근치전립선절제술 후에 오는 생화학적 실패를 규명하고자 많은 노력이 있었다. 이러한 접근은 임상적인 결정을 내리는 데 중요하

지만, 치료 실패를 실제로 정의하기란 쉽지 않으며, 전립선암이 진행하는 과정 중에서 초기 때는 더욱 그러하다. 이와 같은 어려움은 방사선 요법과 근치전립선절제술이 치료 후의 PSA에 대해 미치는 효과가 서로 다르고 여러 종류의 방사선 요법에 대한 특이 체질 효과가 생길 수 있기 때문이며, 특히 근접 치료와 고용량의 방사선을 이용한 방사선 요법 후 발생하는 'PSA bounce'는 혼란을 가중시킨다.

방사선 요법 후에는 PSA가 발견되지 않는 농도로 떨어지지 않으며, 최저점에 도달하는 데 상당한 기간이 소요되기 때문에, 방사선 요법 후의 실패에 대한 절단치를 규정하기가 매우 힘들다. 1997년 ASTRO는 생화학적 실패를 PSA 농도가 최저점으로 내려간 후 3번 연속 PSA가 최저점을 초과하여 상승한 경우 (실패 날짜는 최저점과 최초 상승 사이 중간 지점) 혹은 구제 수술이 필요할 정도로 충분한 상승이 있는 경우로 정의하였다 (Cox 등, 1997). 그러나 ASTRO 정의는 임상적 진행과의 연관성이 부족하고, 추적 관찰한 기간에 매우 의존적이며, 안드로겐 박탈 요법을 병용하고 있는 환자에게는 적합하지 않다는 이유로 가져 왔다. 이와 같은 단점을 보완하기 위해 ASTRO의 이차 모임은 최저점보다 2 ng/mL 이상 증가하는 PSA 농도를 생화학적 재발로 정의한 Phoenix 정의를 채택하였다 (Roach 등, 2006). 이 정의를 이용하였을 때, 치료 후 10년에 임상적 실패에 대한 민감도와 특이도는 각각 66%, 77%라고 보고되었다. 과거에는 방사선 요법 후 생화학적 재발에 대해 두 정의 모두가 이용되었지만, 현재는 Phoenix 정의를 더 선호하고 있다. 그러나 Phoenix 정의는 생화학적 재발 자체보다 임상적 재발과 진행을 예측하는 것이다. 따라서 이 정의에 따른 PSA 한계치는 수술의 경우에 비해 훨씬 더 높으며, 생화학적 재발의 결과치를 수술과 방사선 요법을 비교하는 데 이용하여서는 안 된다 (Nielson 등, 2008). 동결절제술 후 생화학적 재발의 정의는 아직 규정되어 있지 않으며, 방사선 요법에 근거한 정의가 이용되고 있다 (Spiess 등, 2012). 일부 정의는 다른 정의에 비해 인위적으로 결과를 개선하는 데 도움을 줄 수 있다.

방사선 요법 후에는 혈청 PSA가 서서히 감소하며, 치유된 환자에서도 양성 전립선 조직에 의한 영향으로 혈청 PSA가 발견된다. 방사선 요법 후 혈청 PSA의 최저치는 간혹 수년 뒤에 측정되지만, 최저치 혹은 낮은 혈청 PSA 농도에 도달하는 기간이 짧은 경우는 좋은 예후를 나타낸다 (Cavanaugh 등, 2004). 환자의 약 30~40%는 혈청 PSA 농도의 증가로 규정

되는 재발을 경험한다. 대부분의 환자에서 호르몬 요법이 질환의 진행을 완화시키지만, 전형적으로 호르몬 요법 후 2~4년 내에 호르몬 저항성이 발생한다. 혈청 PSA를 이용한 모니터링은 보강 호르몬 요법으로 이점을 얻을 환자를 조기에 발견하는 데 도움을 주며, 혈청 PSA가 매우 완만하게 증가하는 환자에서는 안드로겐 박탈 요법이 유익하지 않다. 전이 질환의 발생과 사망률은 3년 동안 안드로겐을 억제하는 보조 요법과 방사선 요법을 병행함으로써 유의하게 감소되며 (Bolla 등, 1997), 그와 유사한 효과는 6개월의 호르몬 보조 요법으로도 얻어질 수 있다 (D'Amico 등, 2004).

1.11.10.2. 수술 후 생화학적 실패의 정의
Definition of PSA failure after surgery

혈청 PSA는 재발을 정의하는 데 이용되는 가치가 높은 도구이다. 그러나 여러 종류의 치료에 따라 PSA 농도가 달라지기 때문에, 생화학적 재발은 연구나 치료법에 따라 다양하게 정의된다 (Nielsen과 Partin, 2007). 전립선이 PSA를 생성하는 관계로 근치전립선절제술 등으로 전립선을 완전하게 제거하면, 혈청 PSA는 발견되지 않아야 되고 측정되는 어떤 양의 PSA도 재발로 간주되어야 할 것이다 (Rosenbaum 등, 2004). 초민감 PSA 분석법은 보편적으로 이용되고 있는 분석법에 비해 더 조기에 생화학적 재발을 예측할 수 있도록 개선되었지만, PSA가 발견되는 모든 환자에서 임상적 진행이 일어나지는 않는다 (D'Amico 등, 2003). 예를 들면, 가장자리에 남은 소량의 양성전립선비대는 생화학적 재발과 관련이 없으며, 이와 같은 경우에는 초민감 분석법에 의해 PSA가 낮은 농도로 발견될 수 있다. 이와 같은 PSA의 증가로 인해 치료를 하더라도 그러한 치료는 암의 진행을 방지하는 효과와는 대개 관련이 없을 것이다. 이 때문에 European Consensus Group은 초민감 분석법을 생화학적 재발의 모니터링에 이용할 수 있지만 치료를 결정하는 데는 이용하지 말 것을 권장하였다 (Mottet 등, 2011).

과거에는 근치전립선절제술 후 PSA 재발이 0.4 ng/mL 이상인 경우 (Amling 등, 2001) 혹은 2회 연속 0.2 ng/mL 이상인 경우 (Freedland 등, 2003)로 정의되었었다. 2007년 American Urological Association Prostate Guideline Update Panel은 근치전립선절제술 후에 발생하는 생화학적 재발에 관한 53가지의 정의와 436편의 논문을 검토하였으며, 수술 후 PSA 농도가 0.2 ng/mL를 초과하고 이차로 확인한 농도가 0.2 ng/

mL를 초과한 경우를 생화학적 재발로 규정하였다 (Cookson 등, 2007). 이는 2004년 European Consensus Committee가 제시한 정의와 유사하다 (Boccon-Gibod 등, 2004).

국소 전립선암으로 근치전립선절제술을 받은 환자에서 혈청 PSA는 2주 내에 발견하기 어려운 농도로 낮아진다. 이들 환자의 약 35%에서 생화학적 재발, 즉 혈청 PSA의 증가가 보고되었으며, 이용된 분석법에 따라 0.07~0.2 ng/mL의 다양한 절단치가 적용되었다. 환자의 1/2 이상에서 재발이 2년 내에 일어나지만, 간혹 10년 이상 걸리는 경우도 있다 (Pruthi 등, 1997). 재발 후 혈청 PSA doubling time (PSADT)의 중앙치는 7~12개월이며, 짧은 PSADT는 전이 질환에 대한 유의한 지표인 동시에, 진단 때 측정된 Gleason 점수나 기타 지표에 비해 암 특이 사망을 더 강하게 예측한다 (Okotie 등, 2004; D'Amico 등, 2004). PSADT는 재발 후 생존에 대한 신뢰성이 있는 표지자이기 때문에, 항암제 효능에 대한 임상 시험에서 대리 표지자의 역할을 한다 (Kelloff 등, 2004). 근치전립선절제술 후 재발한 환자에서 조기 구제 방사선 요법은 PSADT가 짧은 환자일지라도 예후를 개선시키며, PSA를 이용한 빈번한 모니터링은 보조 요법의 실시 여부를 결정하는 데 도움을 준다 (Stephenson 등, 2004). 근치전립선절제술 후 낮으면서 안정적인 혈청 PSA 농도는 완벽하지 못한 수술로 인해 전립선의 정점에 남은 양성 전립선 조직으로 인해 일어날 수 있으며, 이 경우에는 추가 요법이 필요하지 않다 (Stenman 등, 2005).

근치전립선절제술 후 3년이 경과하여 PSA가 증가한 환자로서 PSADT가 11개월 초과, Gleason 점수가 7 미만, 병리학적 병기가 T3a N0 혹은 Tx R1 (수술 절제면 침범) 이하인 경우에는 수술 후 국소적 실패가 발생할 확률이 80%이며, 수술 후 1년 내에 PSA가 증가한 환자로서 PSADT가 4~6개월, Gleason 점수가 8~10, 병리학적 병기 T3b 혹은 Tx N1인 경우에는 수술 후 전신적 실패가 발생할 확률이 80%이다 (Heidenreich 등, 2014). 국소 요법 후 PSA가 증가하였고 PSADT가 12개월 미만인 148명의 코호트에서 진행이 없는 생존은 진단 시점에서의 임상 병기 (p=0.07) 및 Gleason 점수 (p=0.006), 치료 시작 시점에서의 PSA (p<0.001) 및 PSADT (p<0.001) 등과 관련이 있었으며, 진행이 없는 생존 기간의 중앙치는 19개월이었고, 전이가 없는 3년 및 5년 생존율은 각각 32%, 16%이었다. 이들 결과를 근거로 저자들은 특히 치료 시작 시점에서의 PSA 및 PSADT가 전이로의 진행과 관련이 있기 때문에, 전이를 방지하기 위해서는 치료 후 모니터링을 하는 중 PSA가 증

가하면 조기에 구제 치료를 실시할 것을 권하였다 (Slovin 등, 2005).

근치전립선절제술 후 생화학적 재발을 진단하기 위하여 complexed PSA (cPSA)의 이용이 타당한지를 평가한 연구는 0.20, 0.40 ng/mL의 총 PSA 농도는 각각 0.12 (95% CI 0.08~0.17), 0.29 (95% CI 0.22~0.28) ng/mL의 cPSA에 상응하며, cPSA의 절단치를 0.12 ng/mL로 설정하면 민감도, 특이도, 양성 예측도, 음성 예측도가 각각 96%, 88%, 89%, 88%이고 cPSA의 절단치를 0.29 ng/mL로 설정하면 각각 96%, 96%, 96%, 96%이라고 보고하였다 (Parsons 등, 2007).

1.11.10.3. 치료 실패의 위험 인자
Risk factor of treatment failure

여러 연구들이 생화학적 재발의 위험과 관련이 있는 인자에 관해 연구하였으며, 다양한 결과를 보고하였다.

D'Amico 등 (1998)은 수술하기 전에 PSA 재발을 예측할 수 있는 위험 인자를 3군으로 구분하였으며, 저급 위험군은 혈청 PSA 10 ng/mL 미만, 생검 조직에 나타난 Gleason 점수 7 미만, 임상 병기 T1c/T2a를 가진 경우로, 중급 위험군은 혈청 PSA 10~20 ng/mL, 생검 조직에 나타난 Gleason 점수 7 미만, 임상 병기 T2b를 가진 경우로, 상급 위험군은 혈청 PSA 20 ng/mL 초과, 생검 조직에 나타난 Gleason 점수 7 이상으로 규정하였다 (도표 29).

Swanson과 Basler (2011)는 정낭의 침범, 혹은 수술 전 혈청 PSA 20 ng/mL 초과, 혹은 Gleason 점수 8~10, 혹은 Glea-son 점수 7 이상이면서 피막 외부로의 침범이 있거나 수술 절제면 침범, 혹은 생검 core에서 다발성이거나 큰 용적으로 측정된 종양 등의 경우는 수술 후 재발 가능성이 높기 때문에, 실패 때까지 기다리기보다는 조기에 치료할 필요가 있다고 보고하였다. 이들 인자들 중 혈청 PSA 20 ng/mL 초과와 관련한 자료는 도표 64에 정리되어 있다. 한편, 다른 연구는 다변량 회귀 분석에서 Gleason 점수, 병리학적 병기, 수술 절제면 침범, PSA 밀도 등이 생화학적 재발이 없는 생존을 예측하는 인자이었으나, %fPSA와 tPSA에서는 그러한 역할이 유의하게 관찰되지 않았다고 하였다 (Busch 등, 2012).

종양의 용적은 근치전립선절제술을 받는 환자의 예후를 추정하는 데 이용되어 왔으며, 다른 예후 인자와 병합하면 전립선암 환자의 수술 결과를 예측하는 데 도움이 된다고 알려져 있다 (Stamey 등, 1999). 여러 연구는 용적이 큰 종양이 높은 Gleason 점수, 수술 절제면 침범, 림프절 침범 등과 같은 나쁜 병리학적 결과와 관련이 있다고 하였다 (Chun 등, 2006). 다변량 분석을 이용한 연구도 종양의 용적이 PSA 재발에 대한 독립적 예측 인자임을 확인하였으며 (p=0.04), PSA 재발이 있는 환자와 없는 환자에서 종양의 평균 용적은 각각 6.8, 2.6 cc (p<0.001)이라고 하였다.

Ku 등 (2011)은 혈청 PSA 농도를 암이 없는 전립선 조직의 용적 (non-cancerous prostate tissue volume, NCPV)으로 나눈 값, 즉 PSA/NCPV (단위 ng/mL/cc)는 전립선피막 침범, 수술 절제면 침범, 수술 후 생화학적 재발이 없는 생존 등과 상호 관련이 있었으나, PSA/종양 용적은 그러한 연관성을 보이

도표 64 근치전립선절제술 후 실패에 대한 예측 인자들 중 수술 전 PSA > 20 ng/mL와 관련한 자료들

참고 문헌/추적 기간 개월의 중앙치 (평균치)	환자 수	PSA 실패 기준, ng/mL	수술 전 PSA, ng/mL	실패율, %	5년 무병 생존율, %	7년 무병 생존율, %	10년 무병 생존율, %
Stamey 등, 2000/64 (67)	114	≥0.07	>10	67	NA	NA	NA
	57		>15	84	NA	NA	NA
	30		>20	93	NA	NA	NA
Han 등, 2001/(76)	351	>0.2	10.1~20	NA	73	57	54
	100		>20	NA	60	48	48
Hull 등, 2002/47	164	>0.4	10~19.9	NA	69	NA	69
	68		20~49	NA	50	NA	46
Gonzalez 등, 2004/67	115	>0.2	>20	52	NA	NA	NA

무병 생존은 PSA에 근거하여 질환이 없는 생존을 의미한다.

NA, not assessed; PSA, prostate-specific antigen.

Swanson과 Basler (2011)의 자료를 수정 인용.

지 않았다고 하였다. 이들의 연구에 의하면, PSA/NCPV의 비율이 0.2 미만에 대한 PSA/NCPV의 비율 0.2~0.39의 HR은 1.112 (95% CI 0.580~2.134; *p*=0.749)이었고, PSA/NCPV의 비율이 0.2 미만에 대한 PSA/NCPV의 비율 0.4 초과의 HR은 2.424 (95% CI 1.322~4.445; *p*=0.004)를 각각 나타내어, PSA/NCPV는 근치전립선절제술 후 PSA 재발에 대한 독립적 예후 인자의 역할을 한다.

PSA velocity (PSAV)의 절단치가 전립선암으로 진단되기 전 10~15년 동안 0.35 ng/mL/year를 초과한 환자는 전립선암으로 사망할 위험이 5배 높다는 보고에 근거하여, 일부 연구자는 혈청 PSA가 4 ng/mL 미만으로 낮고 직장수지검사에서 악성 소견을 나타내지 않더라도, PSAV가 0.35 ng/mL/year를 초과하면 전립선 생검을 실시할 것을 권하였다 (Carter 등, 2006). Makarov 등 (2011)은 근치전립선절제술 전 PSA가 4 ng/mL 미만이고 임상 병기가 T1c인 339명을 대상으로 수술 전 PSAV가 0.35 ng/mL/year 이하에 대한 0.35 ng/mL/year 초과의 OR을 산출한 결과 Gleason 점수 7 이상, 수술 절제면 침범, 피막 밖으로의 침범, 정낭 침범에 대해 각각 1.5 (*p*=0.267), 0.6 (*p*=0.880), 3.3 (*p*=0.289), 1.01 (*p*=0.993)을 나타내어 수술 전의 PSAV가 0.35 ng/mL/year를 초과한 경우에는 수술 후 생화학적 재발의 위험이 높다고 보고하였다.

림프절의 침범이 없는 국소 전립선암으로 근치전립선절제술을 받았고, 수술 후 발견이 가능한 정도의 PSA가 측정된 496명을 평가한 연구는 다음과 같은 결과를 보고하였다 (Ploussard 등, 2013). 이 연구에서 발견이 가능한 PSA는 수술 후 6주 시점에서 PSA 농도가 0.1 ng/mL 이상인 경우로 규정하였다. 첫째, 수술 후 6주 시점에서 PSA의 범위는 0.1~6.8 ng/mL이었으며, 환자의 74%에서 생화학적 재발이 있었고, 5%에서 임상적인 전이가 있었다. 둘째, 방사선 요법과 같은 구제 요법이 필요한 환자를 예측하는 인자로는 1 ng/mL를 초과한 PSA (OR 3.46; *p*=0.032)와 0.2 ng/mL/year를 초과한 PSAV (HR 6.01; *p*=0.001)이었다. 셋째, PSAV 양성은 구제 요법이 실패할 위험과 독립적인 연관성을 가지는 단일 인자이었다 (HR 2.6; *p*=0.001). 넷째, 5년 무병 생존율은 PSAV가 안정적이거나 음성인 환자에서는 81.0%인 반면, PSAV 양성인 환자에서는 58.4%이었다 (*p*<0.001). 이들 결과를 근거로 저자들은 근치전립선절제술 후 발견이 가능한 PSA를 가진 환자에서는 생화학적 결과가 나쁘며, 수술 후 PSA 및 PSAV가 질환의 진행과 구제 요법의 실패를 예측할 수 있는 독립적 인자라고 하였다.

병리학적 병기 Tany N0 M0 전립선암으로 근치전립선절제술과 보조 방사선 요법을 받은 후 생화학적 재발이 발생한 134명을 중앙치 13.1년 동안 추적 관찰한 연구는 다음과 같은 결과를 보고하였다 (Boorjian 등, 2012). 첫째, 전체적으로 질환의 진행을 경험한 경우는 31.5% (41명/134명), 여러 원인으로 사망한 경우는 42.5% (57명/134명), 전립선암으로 사망한 경우는 14.2% (19명/134명)이었다. 근치전립선절제술 후 재발까지의 중앙치 기간은 3.3년이었다. 둘째, 근치전립선절제술 후 3.3년 이내에 재발한 환자와 3.3년 이상에서 재발한 환자에서 암 특이 10년 생존율은 각각 83%, 83%로 유의한 차이를 보이지 않았다 (*p*=0.39). 셋째, 다변량 분석에서 병리학적 Gleason 점수의 증가와 6개월 미만의 PSADT의 HR은 각각 1.78 (*p*=0.02), 11.39 (*p*<0.0001)이었다. 이들 결과에 의하면, 근치전립선절제술과 보조 방사선 요법으로 치료를 받은 환자에서 발생한 생화학적 재발은 다양하게 진행하며, 일부만이 전신적으로 진행하거나 전립선암으로 사망한다. 또한, 그러한 환자에서 치료를 추가하고자 결정할 때, 병리학적 Gleason 점수와 PSADT가 도움이 된다고 생각된다.

Mitsiades 등 (2004)은 RT-PCR을 이용한 분자 병기 (molecular staging)를 치료 후 생화학적 실패까지의 기간을 예측하는 인자로 이용하였다. 이 연구는 전립선 생검에서 임상적 국소 전립선암으로 진단되어 근치전립선절제술이 계획된 111명의 말초 혈액과 골수 생검 표본을 수술 전에 채취하여 RT-PCR로 *PSA*와 *PSMA* 전사물을 분석하였으며, 말초 혈액과 골수 모두에서 음성인 경우를 저급 위험군, 말초 혈액에서는 양성이지만 골수에서 음성인 경우를 중급 위험군, 말초 혈액과 골수 모두에서 양성인 경우를 상급 위험군 등 세 군으로 분류하였을 때, 수술 후 생화학적 실패까지 걸리는 시간의 중앙치는 각각 38개월 이상, 28개월 이상, 8개월이었다고 하였다. 다변량 분석에서도 PSA 농도와 Gleason 점수로 보정한 후의 분자 병기가 질환이 없는 생존에 대한 독립적 예측 인자임이 확인되었다 (도표 65, 66). 이들 결과를 근거로 저자들은 임상적으로 국소 전립선암인 환자의 말초 혈액과 골수에서 RT-PCR에 의한 *PSA* 및 *PSMA* 전사물의 반응은 근치전립선절제술 후 생화학적 실패까지의 기간을 예측하는 독립 인자라고 보고하였다.

여러 연구는 *transmembrane protease, serine type 2/E26 (ETS) related gene* (*TMPRSS2:ERG*) 유전자 융합이 나쁜 예후를 동반한다고 보고한 반면 (Clark 등, 2008), 다른 연구는 그

도표 65 근치전립선절제술 후 생화학적 실패 없는 생존 (생화학적 실패까지의 기간)에 관한 단변량 분석

	생화학적 실패 (질환의 재발; PSA ≥2 ng/mL)		p-value
	재발 환자 수 (%)	생화학적 실패까지 기간의 중앙치 개월 (95% CI)	
RT-PCR 결과[†]			
PB (−)/BM (−)	13/72 (18.3)	〉38	〈0.0001
PB (+)/BM (−)	5/10 (50)	〉26	
PB (+)/BM (+); 수술 전 CAB 실시	3/10 (30)	〉36	
PB (+)/BM (+); 수술 전 CAB 않음	19/19 (100)	8 (4~12)	
혈청 PSA (ng/mL)			
〈10	8/42 (19.05)	〉38	0.0002
≥10	32/58 (55.17)	26 (17~35)	
생검 Gleason 점수			
〈7	4/28 (14.29)	〉38	0.0011
≥7	36/72 (50)	〉28	

[†], RT-PCR 결과는 PSA 및 PSMA 전사물에 대한 반응을 나타낸다.

BM, bone marrow; CAB, combined androgen blockade; CI, confidence interval; PB, peripheral blood; PSA, prostate-specific antigen; PSMA, prostate-specific membrane antigen; RT-PCR, reverse transcriptase-polymerase chain reaction.

Mitsiades 등 (2004)의 자료를 수정 인용.

도표 66 선행 호르몬 요법을 실시하지 않은 환자에서 근치전립선절제술 후 생화학적 실패 없는 생존에 관한 다변량 분석 모델

인자	OR (95% CI)	p-value
PB 및 BM RT-PCR 결과[†]	3.17 (1.93~5.21)	〈0.001
혈청 PSA [‡] (〈10 대 ≥10)	1.89 (0.74~4.82)	0.297
생검 Gleason 점수 (〈7 대 ≥7)	2.88 (0.90~8.68)	0.072

[†], RT-PCR 결과는 PSA 및 PSMA 전사물에 대한 반응을 나타낸다; [‡], PSA의 단위는 ng/mL.

BM, bone marrow; CI, confidence interval; OR, odds ratio; PB, peripheral blood; PSA, prostate-specific antigen; PSMA, prostate-specific membrane antigen; RT-PCR, reverse transcriptase-polymerase chain reaction.

Mitsiades 등 (2004)의 자료를 수정 인용.

렇지 않다고 보고하였다 (Gopalan 등, 2009). *TMPRSS2:ERG* 융합의 예후적 유의성에서 차이가 나는 이유는 민족 및 인종 코호트, 융합 발견 기법 등과 같은 *TMPRSS2:ERG* 융합의 발견율에 영향을 주는 인자 혹은 생화학적 재발, 생존율 등과 같은 연구의 일차 종말점에서의 차이 때문이라고 추측된다. 한 예로, Fitzgerald 등 (2008)은 *TMPRSS2:ERG* 융합은 생존율을 감소시키지 않지만, *TMPRSS2:ERG* 융합과 융합의 증폭이 동반되면 나쁜 예후와 관련이 있다고 하였다. Nam 등 (2007)은 근치전립선절제술을 받은 165명의 Toronto 코호트로부터 채집된 조직 표본을 대상으로 평가한 연구에서 *TMPRSS2:ERG T1/E4* 융합 전사물이 81명 (49%)에서 발견되었으며, 5년 생화학적인 재발이 융합 전사물이 없는 군에서는 8%인 데 비해, 융합 전사물이 있는 군에서는 58%를 나타내어 *TMPRSS2:ERG*

T1/E4 융합은 분화도 등급, 병기, PSA 농도 등과는 독립적인 예후 인자라고 하였다. Barwick 등 (2010)도 *TMPRSS2:ERG* 유전자의 융합이 관찰된 전립선암의 경우 생화학적 재발의 위험이 높다고 하였다.

Malhotra 등 (2011)은 근치전립선절제술로 채취된 표본에서 세 가지의 증식 신호 유전자인 *monoclonal antibody Ki-67* (*MKI67*, 혹은 *Ki-67*), *topoisomerase DNA II alpha* (*TOP2A*), *E2F transcription factor 1* (*E2F1*)에 대한 면역조직화학검사를 실시하였으며, *MKI67*과 *TOP2A*의 양성은 핵의 5% 이상이 염색된 경우로, *E2F1*의 양성은 핵의 50% 이상 염색된 경우로 규정한 후 세 표지자의 양성 정도를 0~1, 2, 3으로 분류하였고 이를 '증식 지표'라고 불렀다. 양성 표지자의 수가 많을수록 더 조기에 재발하였으며, 단변량 분석과 다변량 분석에서 세 표지자를 병합한 증식 지표는 우수한 예후 예측도를 보였고 각각에서 HR은 2.6 (95% CI 1.4~4.9; *p*=0.001), 2.5 (95% CI 1.3~4.6; *p*=0.001)이었다.

Atypical protein kinase C λ/ι (aPKC λ/ι)는 세포의 성장과 유지 및 세포 극성 (polarity)에 관여하고 (Suzuki 등, 2003), 담관암 (Li 등, 2008), 비소세포 폐암 (Regala 등, 2005), 난소암 (Zhang 등, 2006), 신경교종 (Patel 등, 2008), 결장암 (Murray 등, 2004), 전립선암 (Ishiguro 등, 2009), 유방암 (Kojima 등, 2008), 위암 (Takagawa 등, 2010) 등에서 과다 발현되며, 예후 인자라고 추측된다. 그러나 aPKC λ/ι의 과다 발현이 암의 진행을 유발하는 기전에 관해서는 아직 충분하게 밝혀져

있지 않다 (Baldwin 등, 2008). 한 연구는 전립선암에서 aPKC λ/ι mRNA 발현과 재발이 없는 생존 사이에 상호 관련이 있다고 보고하였다 (Ishiguro 등, 2009). 이 연구는 전립선암 세포주에서 일어난 aPKC λ/ι의 과다 발현이 interleukin (IL)-6의 분비를 유도하고 aPKC λ/ι에 의한 IL-6 유전자의 전사 활성을 통해 aPKC λ/ι-IL-6 자가 분비 loop를 형성한다고 보고하였다. IL-6는 암의 진행에 관여하는 사이토킨 중의 하나이며 (Hong 등, 2007), IL-6 단백질은 거세 저항성 전립선암에서 증가하고, 안드로겐 비의존성 방식으로 안드로겐 수용체의 활성화에 관여한다 (George 등, 2005). 이들 관찰은 aPKC λ/ι-IL-6 축이 치료 전략의 표적으로 유망하며, aPKC λ/ι-IL-6 축과 전립선암의 진행 사이에 상호 관련이 있음은 물론, 이들 두 인자와 근치전립선절제술 후 생화학적 재발 사이에 연관성이 있음을 시사한다. 전립선암 조직에서 aPKC λ/ι의 발현과 IL-6 및 Gleason 점수 사이에는 연관성이 있고 ($p < 0.001$), 단변량 ($p = 0.01$) 및 다변량 분석 ($p = 0.03$)에서 aPKC λ/ι와 IL-6의 동시 발현이 근치전립선절제술 후의 생화학적 재발과 관련이 있음이 다른 연구에 의해 재확인되었으며, aPKC λ/ι-IL-6 축은 전립선암의 생화학적 재발에 대한 신뢰성이 있는 예후 인자라고 간주된다 (Ishiguro 등, 2011).

E3 ubiquitin-protein ligase Mdm2로도 알려져 있는 mouse double minute 2 homolog (MDM2)는 사람에서 *MDM2* 유전자에 의해 코드화된다 (Wade 등, 2006). MDM2는 종양을 억제하는 인자인 p53를 역으로 조절하는 인자이다. MDM2 단백질은 p53의 전사를 촉진하는 영역을 인식하는 E3 ubiquitin ligase로서, 그리고 p53의 전사를 억제하는 인자로서 기능을 한다. 즉, MDM2는 p53의 전사 촉진 영역과 결합함으로써 p53의 기능을 차단하는 한편, p53의 분해를 촉진한다 (Haupt 등, 1997). 근치전립선절제술 후 생화학적 재발로 구제 방사선 요법이 필요한 환자를 예측하기 위해 근치전립선절제술 때 채집된 152명의 원발 암 표본을 단일 클론 항체를 이용하여 종양 생물 지표인 MDM2, p16, p53 등을 염색한 후 다변량 분석을 실시한 연구에서, 높은 MDM2 (RR 0.90, 95% CI 0.57~1.45; $p = 0.67$), 높은 p16 (RR 0.88, 95% CI 0.54~1.44; $p = 0.62$), 높은 p53 (RR 1.33, 95% CI 0.84~2.11; $p = 0.23$) 등이 전립선암의 생화학적 재발과 유의한 상관관계를 보이지 않았다. 이들 결과를 근거로 저자들은 MDM2, p16, p53 등은 근치전립선절제술 후 구제 방사선 요법이 필요한 환자를 예측하기 위한 유용한 생물 지표가 아니라고 보고하였다 (Heckman

등, 2012).

암 특이 사망과 관련이 있는 생물 지표를 찾기 위해 전립선암 위험과 연관성을 가지고 있는 47개의 single-nucleotide polymorphisms (SNPs)를 조사한 연구는 전립선암 특이 사망과 유의하게 관련이 있는 8가지의 SNPs를 발견하였다. 이들 중 한 SNP는 전립선암 특이 사망과 정상관관계를 나타내는 rs11672691 (intergenic) 위험 allele를 가졌으며, 나머지 7가지 SNPs는 전립선암 특이 사망과 역상관관계를 나타내는 rs13385191 (C2orf43), rs17021918 (PDLIM5), rs10486567 (JAZF1), rs6465657 (LMTK2), rs7127900 (intergenic), rs2735839 (KLK3), rs10993994 (MSMB), rs13385191 (C2orf43) 등의 위험 alleles를 가졌다. 환자군과 대조군을 비교 분석한 경우 22가지의 SNPs가 치명적인 전립선암과 관련이 있었으나 ($p < 0.05$), 대부분 치명적인 암과 비치명적인 암을 감별하지 못하였으며, 다만 rs11672691과 rs10993994는 치명적인 암과 비치명적인 암 둘 모두와 관련이 있었고 rs6465657, rs7127900, rs2735839, rs13385191 등은 비치명적인 암과만 관련이 있었다. 이들 결과를 근거로 저자들은 발견된 8가지의 SNPs가 전립선암 특이 사망을 예측하는 수준은 낮지만, 치명적인 전립선암의 생물학적 성질과 연관성을 가지기 때문에 추적 관찰에는 유용하다고 하였다 (Shui 등, 2014).

1.11.10.4. 전립선암 치료 후 재발 위험도의 평가
Assessment for biochemical recurrence

2004년 세계적으로 230,110명의 새로운 전립선암 환자가 발생하였으며, 29,900명이 전립선암으로 사망하였다 (Jemal 등, 2004). 전립선암으로 인한 사망률은 폐암에 이어 두 번째이지만, 사망에 비해 높은 진단 비율은 전립선암 환자의 다수가 전립선암 때문에 사망하지 않음을 시사한다 (Albertsen 등, 1998). 완벽한 국소 요법은 분명히 장기간 생존율을 높이고, 전립선암의 전이 및 암 특이 사망률을 감소시킨다. 그러나 모든 적극적인 치료 방법은 환자의 건강과 관련이 있는 삶의 질에 나쁜 영향을 미친다 (Wei 등, 2002). 따라서 임상의는 진단 당시에 환자를 적극적인 감시로 관리할 것인지, 즉시 국소 요법을 실시할 것인지, 공격적인 다방면의 병합 요법을 할 것인지, 진행할 질환으로 추정하고 치료해야 할 것인지 등을 결정하여야 한다. 병리학적 병기와 치료 후 생화학적 재발을 예측하기 위해 많은 알고리듬과 노모그램이 개발되어 왔다 (도표 67). 앞으로도 시대에 적합한 노모그램의 개발이 필요하

도표 67 전립선암 치료 후 재발이 예측되는 위험군의 분류법

위험군	D'Amico 분류법			NCCN 분류법			Seattle 분류법		
	기준	LN+, %	OCD, %	기준	LN+, %	OCD, %	기준	LN+, %	OCD, %
저급 위험	T1c, T2a 및 GS 2~6 및 PSA ≤10	1~2	51~67	T1~T2a 및 GS 2~6 및 PSA 〈10	1~2	51~67	〈T2c 및 GS 〈7 및 PSA ≤10	1~4	38~67
중급 위험	T2b 혹은 GS 7 혹은 PSA 10.1~20	3~17	13~55	T2b~T2c 혹은 GS 7 혹은 PSA 10~20	3~4	33~55	≥T2c 혹은 GS ≥7 혹은 PSA 〉10	3~16	13~55
상급 위험	T2c 혹은 GS ≥8 혹은 PSA 〉20	4~36	3~43	T3a 혹은 GS 8~10 혹은 PSA 〉20	7~29	5~37	중급 위험 요소 중 2가지 이상	8~42	1~35
최고 위험				병기 T3b~T4	24~42	1~10			

PSA의 단위는 ng/mL. 특히, 중급 위험군과 상급 위험군 사이에서 림프절 양성 확률과 국소 전립선암의 확률이 중복을 나타낸다. Kattan 노모그램과 연관시켜 분석하였을 때, 저급, 중급, 상급 위험군에서 60개월 재발이 없을 확률은 D'Amico 분류법의 경우 각각 0.83~0.96, 0.61~0.93, 0.10~0.85, NCCN 분류법의 경우 0.83~0.96, 0.82~0.93, 0.53~0.85, 0.10~0.71 (최고 위험군), Seattle 분류법의 경우 0.77~0.96, 0.72~0.93, 0.10~0.85이다.

GS, Gleason score; LN, lymph node; NCCN, National Comprehensive Cancer Network; OCD, organ-confined disease; PSA, prostate-specific antigen; T, clinical tumor stage.

D'Amico 등 (1998), NCCN (2005), Sylvester 등 (2003), Yoshioka와 Inoue (2007) 등의 자료를 수정 인용.

며, 이를 위해서는 다기관의 연구에 의해 4~5년마다 노모그램을 개선할 필요가 있고 (Vickers 등, 2010), 여기에는 수술 절제면의 양상, 삶의 질, 생화학적 재발 등과 같은 종말점 외에도 의사의 경험에 의해 영향을 받을 수 있는 종말점이 포함되어야 할 것이다 (Davis, 2013).

1987년 Oesterling 등 (1987, 1988)이 처음으로 임상적 국소 전립선암을 가진 환자에서 수술 전의 여러 임상 지표를 이용하여 최종 병리학적 병기를 예측하려는 시도를 하였다. 이 연구는 임상 병기, 혈청 prostatic acid phosphatase, 수술 전 Gleason 점수 등에 대해 로지스틱 회귀 분석을 실시하였다.

Ackerman 등 (1993)은 임상 병기 T2의 전립선암 환자 107명을 대상으로 위험 인자로서 근치전립선절제술 당시의 골반 림프절 전이와 수술 절제면을 평가한 후 다음과 같은 결과를 보고하였다. 첫째, PSAD, PSA, 생검에서 암 양성 cores의 수 등은 수술 절제면 침범에 대한 유의한 예측 인자이었으며 (p〈0.05), 생검에서 암 양성 cores의 수, 생검에서 Gleason 점수, PSA 농도 등은 림프절 전이에 대한 유의한 예측 인자이었다 (p〈0.05). 둘째, 생검에서 암 양성 core의 수가 1개인 환자에서는 15% 만이 수술 절제면의 침범이 있는 데 비해, 생검에서 암 양성 cores의 수가 다수인 환자에서는 47%가 수술 절제면 침범을 나타내었다 (p〈0.05). 동결 절편에서 림프절 침범이 확인된 환자 중 67%가 생검에서 암 양성 cores의 수가 5개 이상인 데 비해, 림프절 음성인 환자에서는 9%만이 생검에서

암 양성 cores의 수가 다수였다 (p〈0.05). 이들 결과를 근거로 저자들은 양성 생검 부위의 수, PSAD, PSA 농도 등이 수술 절제면 침범 혹은 림프절 전이와 유의하게 관련이 있다고 하였다.

Kleer 등 (1993)은 국소 전립선암을 예측하기 위해 혈청 PSA, 임상 병기, 생검 표본의 Gleason 등급 등으로 다변량 로지스틱 회귀 분석을 실시하였다. 이들 연구자들은 병리학적 병기 및 DNA 배수성 (ploidy)을 예측할 때, 예측 인자로서 혈청 PSA 외에 직장수지검사에 의한 임상 병기와 생검에서의 Gleason 등급을 추가하면 예측력이 증대된다 (p〈0.0001)고 하였다.

Roach 등 (1994)은 림프절 양성 확률을 산출하는 방법으로 PSA×2/3+(Gleason 점수-6)×10 공식을 만들어 Roach 공식이라 불렀다. Roach 공식은 임상 병기를 고려하지 않기 때문에, T1c~T2b의 환자에서 림프절 침범 확률을 과잉으로 예측하는 경향이 있다. Gleason 점수 10의 경우를 예로 들어 Roach 공식과 Partin Table (Partin 등, 2001)를 비교해 보면, Roach 공식에서는 림프절 양성일 확률이 항상 40% 이상이지만, Partin Table에 의하면 PSA 4.1~10 ng/mL에서 병기 T1c, T2a, T2b, T2c, T3a 등일 경우에 림프절 양성일 확률은 각각 8%, 9%, 16%, 17%, 24%로 다양한 확률을 나타낸다 (Yoshioka와 Inoue, 2007). 뒤에 기술되는 Partin Table의 2012년 버전에서는 또 다른 결과를 나타낸다. SEER에 등록된 임상

도표 68 각 위험군에 따른 골반 림프절 침범 비율

	Roach 공식	Nguyen 공식	Yale 공식
전체 환자 수 (%)	1,470	1,470	1,470
위험 ≥15%	403 (27%)	25 (2%)	95 (6%)
위험 〈15%	1,067 (73%)	1,445 (98%)	1,375 (94%)
림프절 양성			
위험 ≥15%	44	8	23
위험 〈15%	15	51	36
PPV	44/403 (10.9%)	8/25 (32.0%)	23/95 (24.2%)
림프절 음성			
위험 ≥15%	359	17	72
위험 〈15%	1,052	1,394	1,339
NPV	1,052/1,067 (98.6%)	1,394/1,445 (96.5%)	1,339/1,375 (97.4%)
민감도	44/59 (74.6%)	8/59 (13.6%)	23/59 (39.0%)
특이도	1,052/1,411 (74.6%)	1,394/1,411 (98.8%)	1,339/1,411 (94.9%)

NPV, negative predictive value; PPV, positive predictive value.
Yu 등 (2011)의 자료를 수정 인용.

병기 T1c~T4의 전립선암 환자로서 전립선절제술 표본에 의한 Gleason 점수, 수술에 의한 림프절의 평가, 기저선 PSA 농도의 측정 등을 받은 9,387명에 대한 연구는 다음과 같은 결과를 보고하였다 (Nguyen 등, 2009). 첫째, 피험자의 98%가 임상 병기 T1c/T2이었으며, 97%가 전립선절제술을 받았다. 3.29% (309명/9,387명)에서 림프절의 침범이 있었다. 둘째, 실제 림프절의 침범과 비교하였을 때, Roach 점수가 10% 이하, 10~20%, 20% 초과 등인 경우에 각각 16배, 7배, 2.5배까지 과대평가가 있었다. 셋째, 이들 세 보정 인수를 적용하였을 때, Roach 점수가 10% 이하, 10~20%, 20~30%, 30~40% 등인 경우에 예상 위험과 관찰 위험은 각각 0.2%와 0.2%, 2.0%와 2.1%, 9.7%와 6.5%, 13.9%와 13.9%이었다. 이와 같은 결과에 의하면, 임상 병기가 T1c/T2인 전립선암 환자에서 림프절 침범의 위험은 Roach 공식에 의해 산출된 위험 확률을 해당 인수로 나눈 값이 적절하다.

Roach 공식에 의하면, 림프절 침범의 위험을 과다하게 평가하는 제한점이 있어 이에 Yale 공식 혹은 Yu 공식, 즉 (Gleason 점수-5)×([PSA/3]+[1.5×T])이 개발되었다. 여기서 T는 임상 병기로서 T1c, T2a, T2b/T2c 등일 경우 각각 0, 1, 2를 부과한다. National Cancer Institute Surveillance, Epidemiology, and End Results (NCI SEER) 자료에서 임상 병기가 T1c 혹은 T2, 혈청 PSA 농도가 26 ng/mL 미만으로 근치전립선절제술을 받았고 최소 10개의 림프절에 대해 검사를 받은 2,930명을 대상으로 평가한 연구에 의하면, 림프절 침범 위험

이 15%를 초과한 경우를 상급 위험군으로 분류하였을 때, 민감도와 특이도는 Yale 공식에서는 각각 39.0%, 94.9%, Nguyen 공식에서는 각각 13.6%, 98.8%를 나타낸 한편, Nguyen 공식은 상급 위험군에 대해 지나치게 제한적이어서 15%를 초과하는 위험을 가진 환자는 2%에 불과하기 때문에, 림프절 침범을 예측하는 효과는 Roach 공식보다 Yale 공식이 더 우수하다고 생각된다 (Yu 등, 2011) (도표 68). 근치전립선절제술과 확대 골반림프절절제술을 받은 3,115명을 대상으로 림프절 침범을 예측하는 세 가지의 공식, 즉 Roach 공식, Nguyen 공식, Yale 공식 등의 정확도를 평가한 연구는 다음과 같은 결과를 보고하였다 (Abdollah 등, 2013). 첫째, 환자의 10.8%에서 림프절의 침범이 있었다. 둘째, 림프절이 침범될 가능성이 15%를 초과하는 경우는 Roach 공식, Nguyen 공식, Yale 공식 등에 의하면 각각 환자의 25.5%, 3.4%, 10.2%이었으며, 각각의 AUC는 80.5%, 80.5%, 79%이었다 (모두 p〈0.05). 저자들은 전립선암 환자에서 세 공식이 높은 정확도로 림프절 침범을 예측하였으나, 순편익 (net benefit)이 Roach 공식에서 가장 높기 때문에 이를 활용할 것을 권하였다.

Bluestein 등 (1994)은 임상적 국소 전립선암 환자에서 수술 때 관찰되는 골반 림프절의 침범을 예측하기 위해 혈청 PSA, 생검 표본에서 주된 Gleason 등급, 직장수지검사에 의한 임상 병기 등을 포함한 노모그램을 개발하였다. 이 연구는 혈청 PSA가 골반 림프절 전이를 가장 우수하게 예측하였으며 (p〈0.0001), 혈청 PSA의 예측력은 Gleason 등급과 임상 병

기를 추가하면 상당하게 증대되었다 ($p < 0.001$). 이들 세 가변 인자를 이용한 모델을 이용하여 수용 가능한 위양성률의 최소 절단치를 3%로 설정하였을 때, 임상 병기가 T1a~T2b인 환자의 61%와 임상 병기가 T1a~T2c인 환자의 29%가 병기를 확인하기 위한 개복 혹은 복강경 양측 골반림프절절제술을 피할 수 있기 때문에, 환자의 이환 혹은 경제적 측면에서 유익하다고 생각된다. Sands 등 (1994)도 마찬가지로 국소 전립선암 환자에서 골반 림프절 전이를 예측하기 위해 수술 전 혈청 PSA, 임상 병기, 조직학적 등급 등을 연합하여 이용하였다. 병기를 확인하기 위한 림프절절제술이 계획된 569명을 대상으로 임상 병기, 종양의 분화도 등급, 수술 전의 PSA 등과 림프절 전이의 발생률과의 상관관계를 평가한 이 연구는 다음과 같은 결과를 보고하였다. 첫째, 단변량 분석에서 림프절 전이의 발생률은 병기가 증가할수록 높아졌는데, 병기 T1, T2, T3 등의 경우 각각 5% (6명/127명), 17% (41명/243명), 48% (95명/199명)이었다 ($p < 0.0001$). 림프절 전이의 발생률은 Gleason 등급이 증가함에 따라 높아졌는데, 2~4, 5~6, 7, 8~10 등의 경우 각각 5% (6명/124명), 22% (52명/238명), 34% (7명/122명), 51% (43명/84명)이었다 ($p < 0.0001$). 수술 전 혈청 PSA 농도는 림프절 전이와 선형의 관계를 나타내지 않았으며, PSA의 농도를 세분하였을 때 림프절 전이의 발생률은 4 이하, 4.1~20, 20.1~40, 40 초과 ng/mL 등의 경우에서 각각 4% (4명/104명), 22% (73명/335명), 41% (35명/85명), 67% (30명/45명)이었다 ($p < 0.0001$). 둘째, 다변량 회귀 분석에서 임상 병기, 종양의 등급, PSA 농도 등은 림프절 침범을 예측하는 독립적 인자이었다. 이들 결과를 근거로 저자들은 PSA 농도의 예측력이 병기와 등급에 비해 15% 미만의 이점을 나타내며, 전립선암 환자에서 림프절 상태를 파악하는 만족스런 방법은 아직은 골반림프절절제술이 유일하다고 하였다.

Narayan 등 (1994)은 골반 림프절의 침범을 예측하는 데 혈청 PSA와 Gleason 점수를 이용하였다. 수술 전 PSA 농도 10 ng/mL 이하와 생검 Gleason 점수 6 이하의 두 인자를 이용한 다변량 로지스틱 회귀 분석은 골반 림프절 침범의 음성 결과를 적절하게 예측하였다. 이 연구 그룹은 병리학적 병기에 대한 예측도를 높이기 위해 이들 두 요소 외에도 경직장초음파촬영술 유도 하 생검에 근거한 병기를 추가하였다 (Narayan 등, 1995). 이와 유사하게 Badalament 등 (1996)은 완결 치료를 실시하기 전에 미리 전립선 내에 국한된 질환을 예측하기 위해 수술 전 PSA, 종양이 분포된 전체 퍼센트, 6부위

생검에서 암 양성 cores의 수, Gleason 점수, 표준 영상 분석으로 측량된 핵의 등급 등을 포함하는 알고리듬을 개발하였다. 이 알고리듬의 민감도, 특이도, 양성 예측도, 음성 예측도 등은 각각 85.7%, 71.3%, 72.9%, 84.7%이었으며, AU-ROC는 85.9%이었다.

Bostwick 등 (1996)은 임상적 국소 전립선암으로 추정되는 환자에서 전립선 피막 침범 및 정낭 침범을 예측하기 위해 혈청 PSA 및 Gleason 점수와 함께 생검 표본으로부터의 정보를 이용하였다. 이들 연구자들은 병리학적 병기를 예측하는 인자로서 혈청 PSA, 임상 병기, Gleason 점수, 핵 등급, 신경 주위 침범, 생검 표본 내 암의 비율 등에 대해 다변량 분석을 실시하였으며, 혈청 PSA, Gleason 점수, 생검 표본 내 암의 비율 등은 전립선 피막 침범 및 정낭 침범에 대한 독립적 예측 인자라고 하였다. Rogers 등 (1996)은 전립선절제술 시 골반림프절절제술의 대상을 선정하기 위해 직장수지검사, 생검 Gleason 점수, 혈청 PSA 등의 역할을 평가하였으며, 이들 인자들로는 림프절 전이를 충분하게 예측할 수 없었다고 하였다.

Partin 등 (1997)은 세 교육기관으로부터 총 4,133명에 관한 자료를 수집하여 혈청 PSA, 임상 병기, Gleason 점수 등을 이용한 노모그램을 개발하였으며, 이를 이용하여 국소 전립선암 환자의 병리학적 병기를 예측할 수 있도록 표를 만들었다. 타당성에 대해 검증한 바에 의하면, 72.4%에서 각 예측 확률의 95% 신뢰구간이 중앙치로부터 10% 이내를 나타내어 이 노모그램의 예측력이 정확하다고 간주되며, 전립선 내에 국한된 질환을 67.3%, 전립선 피막 침범을 59.6%, 정낭 침범을 79.6%, 골반 림프절 침범을 82.9%로 예측이 가능하다. 또한, 이 노모그램은 수술 전의 세 지표를 통해 전립선 피막 침범, 정낭 침범, 림프절 침범 등과 같은 두 가지 이상의 병리학적 병기를 예측할 수 있어 환자와 치료 방법을 상담할 때 유익한 도구의 역할을 한다고 생각된다. 그러나 이러한 처음 노모그램의 자료는 1982년과 1996년 사이에 치료를 받은 환자로부터 채집되었기 때문에, 병기 T1c, Gleason 점수 5~6, 10.0 ng/mL 미만의 혈청 PSA 등의 조건을 가진 낮은 병기의 전립선암을 발견할 확률이 높은 현대에서는 이 노모그램이 적합하지 않을 수 있다. 이에 Partin 등 (2001)은 1994년 이후에 치료를 받은 남성을 코호트로 설정하여 개선된 'Partin Table'을 만들었으며, 저자들은 이 테이블이 임상적 국소 전립선암으로 진단을 받은 환자의 병리학적 병기를 예측하고 추후 치료 방법을 선택하는 데 도움을 준다고 하였다. 임상적 국소 전립

선암으로 근치전립선절제술을 받은 2,139명을 대상으로 하여 평가된 Partin Table 2001 버전 자료에 의하면, 전립선 내 국한, 전립선 외부 확대, 정낭 침범, 림프절 침범 등의 비율은 각각 63.5%, 23.1%, 10.5%, 2.9%이었으며, 이들 병리학적 결과에 대한 Partin Table 2001의 AUC는 각각 0.787, 0.766, 0.755, 0.790이었다. 이는 Partin Table 1997에서의 AUC가 각각 0.784, 0.728, 0.791, 0.799인 것과 거의 동일하며, 예측 정확도가 두 Partin Table에서 비슷함을 알 수 있다 (Augustin 등, 2004). Eifler 등 (2012)은 2006~2011년 Johns Hopkins Hospital에서 근치전립선절제술과 함께 병기를 부과하기 위한 림프절절제술을 받은 5,629명을 대상으로 이전의 Partin 노모그램을 개선한, 즉 위험 인자 중 Gleason 점수 8~10을 8과 9~10으로 구분하고, T2c의 환자 수가 적고 병리학적 결과가 T2b와 비슷하여 두 임상 병기를 합친 노모그램을 제시하였으며 (도표 69), 다음과 같은 결과를 보고하였다. 첫째, 혈청 PSA의 중앙치는 4.9 ng/mL이었으며, 환자의 63%가 Gleason 점수 6의 질환을, 78%가 병기 T1c의 질환을 가졌다. 둘째, 전립선에 국한된 질환, 전립선 외부 확대, 림프절 침범이 없는 정낭 침범, 림프절 침범 등의 비율이 각각 73%, 23%, 3%, 1%이었는데, 이와 같은 비율은 이전 Partin 노모그램과 비교하였을 때 거의 변화가 없었다. 셋째, 림프절 침범의 위험은 생검 Gleason 점수 9~10이 8에 비해 유의하게 더 높았다 (OR 3.2, 95% CI 1.3~7.6). 넷째, 전립선 외부 확대 대 전립선 내 국한, 정낭 침범 대 전립선 내 국한, 림프절 침범 대 전립선 내 국한 등에 대한 일치 지수 (concordance index, c-index)는 각각 0.702, 0.853, 0.917이었다. 다섯째, Gleason 점수 4+3과 8은 모든 병리학적 병기를 예측하는 데 비슷한 확률을 나타내었다. 여섯째, Gleason 점수 6 혹은 3+4를 가진 환자에서는 림프절 침범의 확률이 2% 미만이기 때문에, 이들에서는 근치전립선절제술 시 림프절절제술을 실시하지 않을 수 있다. 이 Partin Table 버전에서 숙지해야 될 사항이 있는데, 그들은 다음과 같다 (Davis, 2013). 첫째, 전립선절제술에서의 분화도 등급 및 병기의 분포는 변화가 없지만, 수술 전의 분화도 등급의 분포는 약간 이동하였다. 이에 관해 연구자들은 Gleason 점수 부과 시스템의 해석에서의 변화, 저급 분화도 이상의 환자에 대해 수술하는 경향, 병기 이동에서의 한계 등을 이유로 제시하였다. 둘째, Gleason 점수를 6, 3+4, 4+3, 8, 9~10으로 분류하였는데, 9~10점은 유의하게 더 공격적인 데 비해, 4+3점과 4+4점의 공격성은 비슷하다. Gleason 점수 9~10은 Gleason

패턴 5의 함량이 5% 초과하기 때문에, 생물학적으로 훨씬 더 공격적이다. 한편, 동일한 양의 Gleason 패턴 4를 가지고 있더라도, Gleason 패턴 4만 분포되어 있는 종양에 비해 패턴 3이 혼합되어 있는 종양은 역설적으로 Gleason 점수가 7로 낮아지지만, 전립선 외부 침범의 위험이 없어지지는 않는다. 셋째, 과거에는 예후를 예측하는 표가 병리학적 병기 T3를 예측하기 위해 이용되었으며, 위험이 증가된 환자에 대해서는 수술 외의 치료법이 고려되었다. 여러 문헌이 상급 위험의 질환을 수술할 때, 보조 및 구제 방사선 요법을 강조함으로써 이러한 표를 이용하는 데 대한 중요성이 낮아졌지만, 림프절절제술을 피하기 위해서는 N1 질환을 예측하는 과정이 중요하다는 데는 여전히 공감대가 형성되어 있다. 이러한 개념으로 볼 때, 절단치를 2% 미만으로 설정할 경우 PSA 10 ng/mL 미만, 임상 병기 T1c/T2a 등의 조건을 가진 환자에서 Gleason 점수가 6이면 림프절절제술을 생략할 수 있지만, Gleason 패턴 4가 우세하면 림프절절제술을 실시해야 할 것이다. 이러한 경험은 대개 표준 림프절절제술에 근거를 두었으며, 확대 림프절절제술을 실시할 경우에는 N1의 비율이 훨씬 낮다. 실제 로봇을 이용하여 확대 절제술을 실시한 보고에 의하면, 중급 및 상급 위험도의 질환에서 N1의 비율은 각각 9%, 39%이었다 (Davis 등, 2011).

D'Amico 등 (1998)은 근치전립선절제술, 체외 방사선 요법, 근접 요법 등으로 치료한 환자에서 생화학적 재발을 예측하기 위해 치료 전 혈청 PSA 농도, Gleason 점수, 임상 병기 등을 이용하여 세 위험군으로 분류한 모델을 개발하였다. 그러나 이 분류는 저급 위험군에 속한 환자를 확인하는 데는 유리하지만, 중급 위험군과 상급 위험군에 속한 환자는 상당히 중복되는 경향이 있다. 이 분류법은 다수의 위험 인자를 반영하지 않았기 때문에, PSA 19 ng/mL, Gleason 점수 4+3, 병기 T2b의 전립선암 환자가 PSA 5 ng/mL, Gleason 점수 4+4, 병기 T1c의 환자에 비해 위험도가 낮게 간주되는 경우가 발생하기도 한다 (Cooperberg 등, 2005). 이를 보완하기 위해 골반 MRI를 실시하여 환자를 T2, T3a, T3b 등으로 분류한 후, 각각에 대해 1, 2, 3점을 부과하고, D'Amico의 세 위험군에 대해서도 각각 1, 2, 3점을 부과함으로써 총점이 2~6점인 분류법이 개발되었다. 이 분류법을 근치전립선절제술을 받은 729명에 적용시킨 결과, 2~3점에 속한 67.8% (494명/729명)에서 HR은 1이었고, 생화학적 재발이 없는 5년 및 10년 생존율은 각각 86±2%, 79±2%이었으며, 4점에 속한 24.6% (179명/729

도표 69 수술 전 혈청 PSA, 임상 병기, 생검 Gleason 점수 등을 이용하여 수술 후의 병리학적 결과를 예측하기 위한 Partin Table의 2012년 버전

임상 병기 T1c (4,380명)

병리학적 병기	PSA, ng/mL	Gleason 점수				
		6	3+4	4+3	8	9~10
국소 전립선암	0~2.5	93 (91~95)	83 (78~87)	80 (74~85)	79 (72~85)	74 (61~83)
전립선 외부 침범		7 (5~8)	15 (11~20)	17 (12~22)	18 (12~24)	20 (12~29)
정낭 침범		0 (0~1)	2 (0~3)	3 (1~6)	3 (1~6)	5 (1~12)
림프절 침범		0 (0~0)	0 (0~1)	0 (0~2)	0 (0~2)	2 (0~6)
국소 전립선암	2.6~4.0	87 (85~89)	71 (67~75)	66 (60~71)	65 (57~72)	56 (44~67)
전립선 외부 침범		12 (10~14)	25 (22~29)	27 (22~32)	28 (22~34)	29 (20~40)
정낭 침범		0 (0~1)	2 (1~4)	4 (2~7)	4 (2~8)	7 (3~12)
림프절 침범		0 (0~0)	1 (0~2)	3 (1~5)	3 (1~6)	8 (3~16)
국소 전립선암	4.1~6.0	84 (83~86)	66 (63~69)	60 (55~65)	59 (51~66)	50 (38~60)
전립선 외부 침범		15 (13~16)	29 (26~33)	31 (26~36)	32 (25~38)	32 (23~42)
정낭 침범		1 (0~1)	4 (2~5)	6 (4~9)	6 (4~10)	10 (5~16)
림프절 침범		0 (0~0)	1 (0~2)	3 (2~5)	3 (1~6)	8 (4~15)
국소 전립선암	6.1~10.0	80 (78~82)	59 (55~63)	53 (47~58)	52 (44~59)	42 (31~52)
전립선 외부 침범		18 (16~20)	34 (30~38)	35 (30~40)	36 (29~43)	36 (26~46)
정낭 침범		1 (1~2)	6 (4~8)	9 (6~13)	9 (5~14)	14 (8~21)
림프절 침범		0 (0~0)	1 (0~2)	3 (1~5)	3 (1~6)	8 (4~14)
국소 전립선암	>10.0	69 (64~74)	42 (36~48)	34 (28~40)	33 (26~40)	23 (15~32)
전립선 외부 침범		27 (22~31)	42 (36~47)	28 (32~45)	39 (31~47)	33 (24~44)
정낭 침범		3 (2~5)	13 (9~18)	20 (14~27)	20 (12~28)	25 (15~36)
림프절 침범		0 (0~1)	3 (1~5)	8 (4~14)	8 (3~14)	18 (9~30)

임상 병기 T2a (897명)

병리학적 병기	PSA, ng/mL	Gleason 점수				
		6	3+4	4+3	8	9~10
국소 전립선암	0~2.5	90 (87~92)	76 (70~81)	72 (65~79)	71 (62~79)	65 (51~76)
전립선 외부 침범		10 (7~13)	22 (17~28)	24 (17~30)	24 (18~33)	27 (18~39)
정낭 침범		0 (0~1)	2 (0~4)	3 (1~7)	3 (1~7)	6 (1~13)
림프절 침범		0 (0~0)	0 (0~1)	1 (0~4)	1 (0~3)	2 (0~9)
국소 전립선암	2.6~4.0	82 (78~84)	61 (56~66)	56 (48~62)	54 (46~63)	45 (33~56)
전립선 외부 침범		18 (15~21)	34 (29~39)	35 (29~42)	36 (29~44)	36 (26~49)
정낭 침범		1 (0~1)	3 (1~5)	5 (2~8)	5 (2~9)	7 (3~14)
림프절 침범		0 (0~0)	1 (0~3)	4 (1~8)	4 (1~10)	11 (4~23)
국소 전립선암	4.1~6.0	78 (74~81)	56 (51~60)	49 (43~56)	48 (40~56)	39 (28~50)
전립선 외부 침범		21 (18~24)	38 (34~43)	39 (33~46)	40 (32~48)	39 (28~50)
정낭 침범		1 (1~1)	4 (3~6)	7 (4~10)	7 (4~11)	10 (5~16)
림프절 침범		0 (0~0))	2 (1~3)	4 (2~7)	4 (2~8)	11 (4~21)
국소 전립선암	6.1~10.0	73 (68~77)	48 (43~54)	42 (36~49)	41 (33~50)	32 (23~43)
전립선 외부 침범		26 (22~30)	44 (39~49)	44 (37~50)	45 (36~52)	43 (31~54)
정낭 침범		1 (1~2)	6 (4~9)	10 (6~15)	10 (5~16)	14 (7~22)
림프절 침범		0 (0~0)	1 (1~3)	4 (2~7)	4 (1~8)	10 (4~20)

국소 전립선암	>10.0	60 (53~66)	32 (26~39)	25 (20~31)	24 (18~32)	16 (10~24)
전립선 외부 침범		36 (30~42)	50 (43~56)	44 (36~53)	45 (35~55)	37 (25~49)
정낭 침범		4 (2~6)	14 (8~20)	20 (12~29)	20 (11~30)	24 (13~38)
림프절 침범		1 (0~2)	4 (2~7)	10 (4~18)	10 (4~20)	22 (10~37)

임상 병기 T2b 혹은 T2c (352명)

병리학적 병기	PSA, ng/mL	Gleason 점수				
		6	3+4	4+3	8	9~10
국소 전립선암	0~2.5	82 (76~87)	61 (52~70)	55 (45~66)	54 (44~66)	45 (32~60)
전립선 외부 침범		17 (12~23)	33 (25~42)	34 (25~44)	35 (24~46)	35 (23~48)
정낭 침범		1 (0~2)	5 (1~10)	8 (2~16)	8 (2~16)	13 (3~24)
림프절 침범		0 (0~0)	1 (0~3)	2 (0~9)	3 (0~9)	7 (0~21)
국소 전립선암	2.6~4.0	70 (63~75)	44 (37~51)	36 (29~44)	35 (27~44)	24 (16~35)
전립선 외부 침범		28 (22~35)	46 (39~53)	43 (35~51)	44 (34~53)	37 (26~51)
정낭 침범		2 (1~3)	6 (3~10)	10 (5~16)	10 (5~17)	13 (6~23)
림프절 침범		1 (0~2)	4 (2~8)	11 (5~20)	11 (4~21)	25 (12~42)
국소 전립선암	4.1~6.0	64 (58~70)	38 (32~44)	30 (24~37)	30 (22~37)	20 (13~29)
전립선 외부 침범		32 (27~39)	49 (42~56)	45 (38~52)	46 (37~55)	38 (26~51)
정낭 침범		2 (1~4)	9 (6~13)	14 (9~20)	13 (8~21)	17 (9~28)
림프절 침범		1 (0~2)	4 (2~8)	11 (5~17)	11 (5~19)	24 (12~40)
국소 전립선암	6.1~10.0	58 (50~65)	31 (25~37)	24 (19~31)	24 (18~31)	16 (10~23)
전립선 외부 침범		38 (32~45)	52 (46~59)	47 (40~55)	48 (39~57)	40 (28~52)
정낭 침범		4 (2~6)	12 (8~18)	19 (12~25)	18 (10~26)	23 (12~34)
림프절 침범		1 (0~2)	4 (2~7)	10 (5~16)	10 (5~18)	22 (10~35)
국소 전립선암	>10.0	42 (34~50)	17 (13~23)	12 (8~16)	11 (8~16)	6 (4~11)
전립선 외부 침범		47 (39~55)	50 (41~59)	39 (30~49)	40 (28~51)	27 (18~40)
정낭 침범		9 (5~14)	23 (15~33)	30 (20~41)	29 (18~42)	30 (17~45)
림프절 침범		2 (0~4)	9 (4~16)	20 (10~31)	20 (9~32)	36 (20~53)

각 수치는 해당 병리학적 병기에 대한 예측 확률의 중앙치와 95% 신뢰 구간을 나타낸다. 테이블을 보는 방법을 예로 들면, 임상 병기 T2a, 수술 전 혈청 PSA 10.1 ng/mL, Gleason 점수 4+3 등의 조건을 가진 환자가 국소 전립선암, 전립선 외부 침범, 정낭 침범, 림프절 침범 등을 가질 확률의 중앙치는 각각 25%, 44%, 20%, 10%이다.

PSA, prostate-specific antigen.

Eifler 등 (2012)의 자료를 수정 인용.

명)에서는 HR이 3이었고, 생화학적 재발이 없는 5년 및 10년 생존율은 각각 60±4%, 54±5%이었으며, 5~6점에 속한 7.7% (56명/729명)에서는 HR이 9.3이었고, 생화학적 재발이 없는 5년 및 10년 생존율은 각각 29±8%, 19±7%이었다. 이들 결과를 근거로 저자들은 D'Amico 모델에 MRI 자료를 추가하면 생화학적 재발이 없는 생존율에 대한 예측력이 유의하게 증대된다고 하였다 (Algarra 등, 2014).

생화학적 재발이 발생한 환자로서 급속하게 증가하는 PSA 혹은 짧은 PSA doubling time (PSADT), Gleason 점수 8~10의 미분화, 근치전립선절제술 후 짧은 무병 기간 등의 조건을

동반한 환자군은 원격 전이로의 진행 및 암 특이 사망의 위험이 가장 높은 군에 속하며, 이들에게는 효과적인 구제 요법이 절실하다 (Freedland 등, 2005). 이들 양상과 연관 지어 볼 때, 생화학적 재발이 있는 환자에서는 전이 질환이 잠재되어 있었다고 생각할 수 있다. 이와 같이 PSA 농도가 증가된 높은 위험도의 환자들이 현재로서는 생존을 연장한다는 분명한 증거가 부족한데도 장기간의 독성으로 삶의 질에 부정적인 영향을 주는 안드로겐 박탈 요법을 받고 있다 (Krupski 등, 2004). 그러나 근래의 여러 연구는 짧은 PSADT 혹은 Gleason 점수 8~10을 동반한 생화학적 재발 환자의 상당수가 구제 방사

도표 70 Stephenson의 노모그램

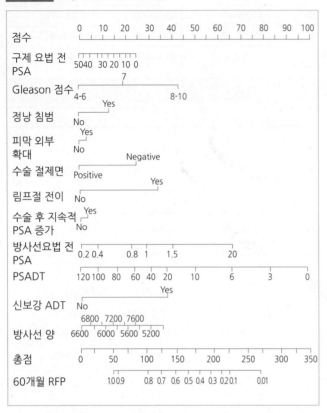

ADT, androgen deprivation therapy; PFP, progression-free probability; PSA, prostate-specific antigen; PSADT, prostate-specific antigen doubling time.
Stephenson 등 (2007)의 자료를 수정 인용.

선 요법만으로 4년 동안 무병 생존한다고 보고하였지만 (Stephenson 등, 2004), 이러한 긍정적인 결과는 질환의 여러 지표에 따라 달라진다. 이에 Stephenson 등 (2007)은 11가지 지표를 이용한 Stephenson 노모그램을 개발하였다 (도표 70). 구제 방사선 요법 후 무진행 6년 생존에 대한 이 노모그램의 c-index는 0.69인 데 비해, PSADT의 c-index는 0.60이었다. 이를 다른 연구와 비교해 보면, 전립선절제술 후 생화학적 재발이 발생한 환자에서 암이 없는 10년 생존에 대한 Freedland 등 (2005)의 노모그램의 c-index는 0.59이었고, 전이가 없는 7년 생존에 대한 Pound 등 (1999)의 노모그램의 c-index는 0.56이었다.

Stephenson 노모그램의 타당성을 검증하기 위해 Shared Equal Access Regional Cancer Hospital (SEARCH) 데이터베이스로부터 추출한 환자로서 전립선절제술 후 생화학적 실패로 인해 구제 방사선 요법을 받은 102명을 대상으로 예측된 무진행 6년 생존율을 보험 통계의 무진행 6년 생존율과 비교한 연구는 다음과 같은 결과를 보고하였다 (Moreira 등, 2009). 첫째, PSA와 PSADT의 중앙치는 각각 0.6 ng/mL, 10.3개월이었다. 둘째, 보험 통계에서 무진행 6년 생존율은 57% (95% CI 42~69%)이었으며, Stephenson 노모그램의 c-index는 0.65이었다. 셋째, 노모그램은 저급 위험 및 상급 위험의 환자군을 정확하게 예측하였지만, 중급 위험군에 대한 예측도는 떨어졌다. 이들 결과를 근거로 저자들은 Stephenson 노모그램이 근치전립선절제술 후 구제 방사선 요법을 받은 환자에서 질환의 진행을 적절한 정확도로 예측할 수 있지만, 아직은 개선할 여지가 있는 노모그램이라고 하였다.`

널리 사용되고 있는 노모그램 중 하나인 Kattan 노모그램은 혈청 PSA, 생검 Gleason 점수, 임상 병기 등의 가변 인자를 포함하고 있다 (도표 71). 임상의가 환자의 결과와 비교할 노모그램의 복사본을 가까이 두고 있어야 적용할 수 있다는 불편함이 있으며, 이를 보완한 Kattan 노모그램의 소형 컴퓨터 버전은 사용이 용이하지만, 예측 결과의 점수와 각 가변 인자에 주어진 상대적 중요도의 도출을 임상의와 환자가 이해하기 어렵다. 이 노모그램의 타당성을 평가한 연구는 Kattan 노모그램이 지역 사회, 특히 비교적 낮은 위험도의 전립선암을 가진 환자에서는 재발이 없는 생존율을 과대 평가한다고 하였다 (Greene 등, 2004). 국소 전립선암으로 근치전립선절제술을 받은 928명을 대상으로 Kattan 노모그램의 타당성을 평가한 연구는 다음과 같은 결과를 보고하였다 (Rouprêt 등, 2009). 첫째, 19% (177명/928명)에서 재발이 일어났으며, 무진행 5년 생존율이 80.9% (95% CI 78~83)이었다. 둘째, 다량 분석에서 노모그램에 이용된 세 가지의 가변 인자 모두는 재발과 연관성을 가졌다 ($p < 0.001$). 셋째, 이 노모그램에서 예측 정확도를 나타내는 c-index는 0.664 (95% CI 0.584~744)이었다. 이들 결과를 근거로 저자들은 Kattan 노모그램에 의해 추정된 무진행 생존율과 실제의 재발과는 차이가 있기 때문에, 노모그램을 만들기 위해 이용된 집단 외에서 이를 이용할 경우에는 정확도가 떨어지지만, 더 정확한 노모그램이 개발되기 전까지는 환자의 예후를 예측하는 데 이 노모그램으로부터 도움을 받을 수 있다고 하였다.

근치전립선절제술을 받은 후 보충 요법을 받지 않은 1,877명을 대상으로 Kattan 노모그램의 정확도를 평가한 연구는 다음과 같은 결과를 보고하였다 (Korets 등, 2010). 첫째, 5년 시점에서 노모그램으로 예측된 평균 생존율과 보험 통계의 Kaplan-Meier 생존율은 저급, 중급, 상급 위험군에서 각각

도표 71 Kattan 노모그램

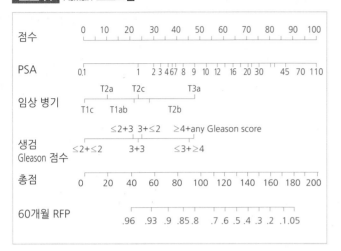

이 노모그램은 근치전립선절제술 후 생화학적 재발을 예측하기 위해 미국 텍사스 주의 휴스턴 Methodist 병원에서 치료를 받은 983명을 근거로 하여 Kattan 등 (1998)에 의해 제시된 노모그램임.
PSA, prostate-specific antigen; RFP, recurrence free probability.
Rouprêt 등 (2009)의 자료를 수정 인용.

90.5%와 92.2% (95% CI 89.2~94.3), 76.7%와 77.8% (95% CI 73.3~81.7), 65.8%와 60.4% (95% CI 52.0~67.7)이었다. 둘째, 회귀 분석에서 노모그램의 점수를 이용한 경우 전체 노모그램의 c-index는 0.61이었다. 저급, 중급, 상급 위험군의 c-index는 각각 0.60, 0.59, 0.57이었으며, 노모그램에서 저급, 중급, 상급 위험군을 개별적으로 제거한 후의 c-index는 각각 0.64, 0.65, 0.55이었다. 이들 결과를 근거로 저자들은 환자의 예후를 알기 위해 수술 전에 평가하는 Kattan 노모그램의 예측력은 위험군에 따라 다양하게 나타나지만, 정확하다고 하였다.

Kattan 노모그램의 정확도를 높이기 위해 기본이 되는 가변 인자 외에 생검에서 암 양성의 비율, 즉 암의 분포 양 및 고등급 분화도의 암을 측량한 생검의 정보를 추가한 연구가 있다 (Graefen 등, 2004). 이 연구에 의하면, 암을 가진 cores의 수와 퍼센트 그리고 고등급 분화도의 암을 가진 cores의 수와 퍼센트는 Kattan 노모그램의 세 가변 인자, 즉 PSA, Gleason 점수, 임상 병기 등을 포함한 모델에 추가하였을 때, 생화학적 재발을 예측하는 인자로서의 역할을 하였다 ($p < 0.0001$). 전통적인 세 가변 인자에 의한 노모그램의 정확도 (AUC 0.790)는 암 양성 cores의 비율 (AUC 0.804)과 수 (AUC 0.800)를 추가하였거나 고등급 암의 비율 (AUC 0.802)과 수 (AUC 0.800)를 추가하였을 때는 단지 경미하게 증가하였다. 최고의 예측 정확도 (AUC 0.811)는 전통적인 세 가변 인자에 추가하여 생검에 의한 여러 병리학적 예측 인자 모두를 병합하였을 때 얻

도표 72 PRIX의 정의

가변 인자	측정치	점수
PSA, ng/mL	4.1~10.0	0
	10.1~20.0	1
	〉20.0	2
Gleason 점수	6	0
	7	1
	≥8	2
T 병기	T1c~T2a	0
	T2b~T2c	1
	T3a	2

PRIX 점수는 각 인자에 해당하는 점수를 합산한 점수이며, 0~6점 범위이다.
PRIX, Prostate Risk Index; PSA, prostate-specific antigen.
Yoshioka와 Inoue (2007)의 자료를 수정 인용.

을 수 있었다.

수술 전 혈청 PSA, 생검의 Gleason 점수, 임상 병기 등을 이용하여 총점 6점으로 점수화한 전립선위험지수 (Prostate Risk Index, PRIX)를 개발한 연구는 다음과 같은 결과를 보고하였다 (Yoshioka와 Inoue, 2007) (도표 72). 첫째, 병리학적으로 림프절을 침범할 확률은 PRIX 0의 경우 1~2%, PRIX 1의 경우 3~4%, PRIX 2의 경우 7~10%, PRIX 3의 경우 14~18%, PRIX 4의 경우 24~29%, PRIX 5의 경우 32~37%, PRIX 6의 경우 42%이었다. 둘째, Kattan 노모그램과 PRIX를 연관시켜 분석한 바에 의하면, 60개월 동안 재발이 없을 확률은 PRIX 0의 경우 83~96%, PRIX 1의 경우 77~93%, PRIX 2의 경우 62~85%, PRIX 3의 경우 59~84%, PRIX 4의 경우 38~71%, PRIX 5의 경우 28~60%, PRIX 6의 경우 10~46%이었다. 이들 결과를 근거로 저자들은 PRIX가 임상적으로 국소적인 전립선암 환자를 선정하거나 환자의 예후를 예측하는 데 도움을 주는 도구라고 하였다.

임상적 국소 전립선암으로 근치전립선절제술과 양쪽 림프절절제술을 받은 423명을 대상으로 효소면역분석법을 이용하여 수술 전 혈장에서 transforming growth factor-β_1 (TGF β_1), interleukin-6 (IL-6), soluble IL-6 receptor (sIL-6R), vascular endothelial growth factor (VEGF), vascular cell adhesion molecule 1 (VCAM1), endoglin, urokinase-type plasminogen activator (uPA), plasminogen activator inhibitor 1 (PAI-1), uPA receptor 등을 측정하여 이들 분자를 수술 전 혈청 PSA, 임상 병기, 생검 Gleason 점수 등을 이용한 기본 모델

의 생화학적 재발 예측도와 비교한 연구에 의하면, 다변량 분석에서 TGFβ₁ ($p\langle 0.001$), sIL-6R ($p\langle 0.001$), IL-6 ($p\langle 0.001$), VCAM-1 ($p\langle 0.001$), VEGF ($p=0.008$), endoglin ($p=0.002$), uPA ($p\langle 0.001$) 등 7가지의 생물 지표는 생화학적 재발과 관련이 있었으며, 생화학적 재발에 대한 예측 정확도는 기본 모델의 경우 71.6%이었으나 이들 7가지의 생물 지표를 추가한 경우 약 15% 증가한 86.6%이었다. 이들 결과를 근거로 저자들은 이들 7가지의 생물 지표에 기초한 노모그램은 표준이 되는 예측 모델의 정확도를 향상시키며, 이 노모그램의 결과는 근치전립선절제술 후 생화학적 재발의 위험에 관하여 환자와 상담할 때 도움을 준다고 하였다 (Shariat 등, 2008).

Cooperberg 등 (2005)은 임상적으로 국소 전립선암을 가진 환자에서 근치전립선절제술 후 생화학적 재발이 없는 생존을 수술 전에 예측하기 위해 Cancer of the Prostate Risk Assessment (CAPRA) 점수를 개발하였다. 점수를 산출하는 데는 혈청 PSA 농도, Gleason 점수, 임상적 T 병기, 전립선 생검에서 암 양성의 비율, 진단 당시의 연령 등 다섯 가지의 독립적 가변 인자가 이용되며, 각각의 가변 인자에 점수를 부과하여 0~2점은 저급, 3~5점은 중급, 6~10점은 상급 위험도로 분류된다 (도표 73). 연구에 따라서는 가변 인자 중 전립선 생검에서 암 양성의 비율을 제외하여 총점을 9점으로 부과하는 기준을 이용하기도 한다 (Zhao 등, 2008). CAPRA 기준은 임상적인 결정을 내리거나 연구를 할 때 필요한 전립선암 위험의 정도를 용이하게 분류하는 간단한 도구이다. 수술 전 정확하게 평가된 위험도는 근치전립선절제술을 받을 환자를 수술 전에 상담할 때 중요한 요소가 된다. CAPRA 점수는 치료 방법을 선택하는 데 이용되도록 고안된 것이 아니고, 주로 전립선암 환자에서 근치전립선절제술 후의 예후를 예측하는 데 도움을 준다.

CaPSURE 국가질환등록부에 등록된 전립선절제술을 받은 1,439명을 대상으로 University California, San Francisco CAPRA (UCSF-CAPRA) 점수의 재발 예측력을 평가한 연구는 생화학적 재발을 혈청 PSA가 2회 연속 0.2 ng/mL 이상으로 증가하는 경우로 규정하였으며, 다음과 같은 결과를 보고하였다 (Cooperberg 등, 2005). 첫째, 피험자의 15% (210명/1,439명)에서 재발이 발생하였다. 둘째, UCSF-CAPRA 점수가 2점 증가함에 따라 재발 위험이 대략 2배 증가하였다. 셋째, 무재발 5년 생존율은 UCSF-CAPRA 점수가 0~1점, 7~10점인 경우 각각 85% (95% CI 73~92%), 8% (95% CI 0~28%)이었다 (도표

도표 73 CAPRA 기준

가변 인자	범위	점수
PSA, ng/mL	2.1~6.0	0
	6.1~10.0	1
	10.1~20.0	2
	20.1~30.0	3
	30 초과	4
Gleason 점수 (가장 많은 패턴/두 번째 많은 패턴)	1~3/1~3	0
	1~3/4~5	1
	4~5/1~5	3
임상 T 병기	T1/T2	0
	T3a	1
PPB, %	$\langle 34$	0
	≥ 34	1
연령	$\langle 50$	0
	≥ 50	1

PSA 농도는 진단 전 9개월 내에 가장 높은 농도. 생화학적 재발이 없는 생존을 예측하는 작업에서 각 인자에 해당하는 점수의 합이 0~2점은 저급 위험, 3~5점은 중급 위험, 6~10점은 상급 위험으로 분류된다.
CAPRA, Cancer of the Prostate Risk Assessment; PPB, positive prostate biopsy; PSA, prostate-specific antigen.
Meurs 등 (2012)의 자료를 수정 인용.

74). 넷째, UCSF-CAPRA 점수의 c-index는 0.66 (0.57~0.75)인 데 비해, D'Amico 분류와 Kattan 노모그램의 c-index는 각각 0.63 (0.55~0.72), 0.65 (0.56~0.75)이었다 (도표 75). 이들 결과를 근거로 저자들은 UCSF-CAPRA 점수가 수술 전에 재발 위험을 간단하게 평가할 수 있는 유용한 도구라고 하였다. 근치전립선절제술, 냉동 요법, 근접 치료, 체외 방사선 요법, 안드로겐 박탈 요법 및 적극적 감시 등 다섯 가지 치료법 중 한 가지로 치료를 받은 임상적 국소 전립선암 환자에서 전이, 전립선암 특이 사망, 모든 원인에 의한 사망 등을 예측하는 데 CAPRA 기준의 효용성을 조사한 연구에 의하면, CAPRA 점수는 전이, 암 특이 사망, 모든 원인에 의한 사망 등을 정확하게 예측하였으며, 각각에서 c-index는 0.78, 0.80, 0.71이었다 (Cooperberg 등, 2009).

국소 전립선암 환자에서 근치전립선절제술 후 생화학적 재발이 없는 생존을 예측하기 위해 이용되는 CAPRA 기준의 3년 및 5년 예측력을 평가한 메타 분석은 다음과 같은 결과를 보고하였다 (Meurs 등, 2012). 이 연구는 결과를 risk ratio (RR)로 나타내었는데, 1을 초과한 RR은 과대 예측을, 1 미만의 RR은 과소 예측을 의미한다. 첫째, 총 6,082명을 대상으로 근치

도표 74 UCSF–CAPRA 점수 분포와 5년 생화학적 재발률, HR, 재발이 없는 3년 및 5년 생존율

UCSF-CAPRA 점수	환자 수 (%)	재발률 (CRR)	HR (95% CI)	3년 %RFS (95% CI)	5년 %RFS (95% CI)
0	18 (1.3)	5.6	참고 점수[†]	91 (85~95)[†]	85 (73~92)[†]
1	383 (26.6)	7.1			
2	432 (30.0)	9.5	1.28 (0.79~2.08)	89 (83~94)	81 (69~89)
3	296 (20.6)	18.2	2.36 (1.49~3.72)	81 (73~87)	66 (54~76)
4	155 (10.8)	17.4	2.38 (1.40~4.03)	81 (69~89)	59 (40~74)
5	84 (5.8)	26.2	3.32 (1.89~5.80)	69 (51~82)	60 (37~77)
6	43 (3.0)	37.2	7.11 (3.84~13.15)	54 (27~75)	34 (12~57)
7	21 (1.5)	76.2	17.38 (9.92~30.46)[‡]	24 (9~43)[‡]	8 (0~28)[‡]
8	4 (0.3)	75.0			
9	3 (0.2)	100.0			
10	0 (0.0)	NA			

[†], UCSF-CAPRA 점수 0~1인 경우; [‡], UCSF-CAPRA 점수 7 이상인 경우.

CAPRA, Cancer of the Prostate Risk Assessment; CI, confidence interval; CRR, crude recurrence rate; HR, hazard ratio; NA, not applicable; RFS, recurrence-free survival; UCSF, University of California, San Francisco.

Cooperberg 등 (2005)의 자료를 수정 인용.

도표 75 UCSF–CAPRA 점수와 Kattan 점수, D'Amico 분류 등과의 비교

UCSF-CAPRA 점수	Kattan 점수 중앙치 (범위)	D'Amico 분류		
		저급 위험, %	중급 위험, %	상급 위험, %
0~1	91 (79~96)	76	24	0
2	87 (65~96)	58	41	1
3	80 (47~96)	16	78	5
4	72 (39~91)	0	61	39
5	69 (27~84)	0	27	73
6	60 (21~83)	0	0	100
≥7	36 (8~65)	0	0	100

CAPRA, Cancer of the Prostate Risk Assessment; UCSF, University of California, San Francisco.

Cooperberg 등 (2005)의 자료를 수정 인용.

전립선절제술 후 생화학적 재발이 없는 3년 생존율의 예측을 분석한 6편의 연구에서, CAPRA 점수는 세 위험군 모두에서 재발이 없는 생존율을 정확하게 예측하였는데, 저급 위험의 경우 RR은 0.98 (95% CI 0.95~1.00), 중급 위험의 경우 RR은 1.03 (95% CI 0.99~1.08), 상급 위험의 경우 RR은 0.87 (95% CI 0.73~1.05)이었다. 둘째, 총 12,693명을 대상으로 근치전립선절제술 후 생화학적 재발이 없는 5년 생존율의 예측을 분석한 7편의 연구에서, CAPRA 점수는 세 위험군 모두에서 재발이 없는 생존율을 유의하게 과소 예측하였는데, 저급 위험의 경우 RR은 0.94 (95% CI 0.90~0.98), 중급 위험의 경우 RR은 0.94 (95% CI 0.89~0.99), 상급 위험의 경우 RR은 0.72

(95% CI 0.60~0.85)이었다. 셋째, 세 부류로 구분된 CAPRA 점수가 증가하면 생존 가능성은 낮아진다 (p <0.001). 예를 들면, CAPRA 기준에 의한 저급, 중급, 상급 위험군에서 생화학적 재발이 없는 5년 생존율은 각각 89.9%, 67%, 33.7%이다. 이들 결과에 의하면, CAPRA 기준은 근치전립선절제술 후 3년 시점에서 생화학적 재발이 없는 생존을 정확하게 예측하지만, 5년 시점에서는 생화학적 재발이 없는 생존을 과소 예측한다.

근치전립선절제술 후 12~220개월, 중앙치 56개월 동안 추적 관찰한 2,937명의 유럽인을 대상으로 생화학적 재발 및 전이성 재발에 대한 CAPRA 점수의 예측력을 평가한 연구는 다음과 같은 결과를 보고하였다 (Budäus 등, 2012). 첫째, 생

화학적 재발과 전이성 재발은 각각 18.0% (530명/2,937명), 2.0% (58명/2,937명)에서 발생하였다. CAPRA 점수가 높을수록 병리학적 특징은 더 나빴으며, 생화학적 재발과 전이성 재발의 확률은 더 높았다. 한 예로, 5년 시점에서 생화학적 재발과 전이성 재발의 확률은 0~1점과 8점 이상을 비교하였을 때 각각 9.2% 대 70.8%, 0.7% 대 16.4%로 상당한 차이를 보였다. 둘째, 생화학적 재발과 전이성 재발에 대한 HR은 CAPRA 점수가 1점 증가함에 따라 각각 1.44 (95% CI 1.35~1.54), 1.61 (95% CI 1.42~1.86) 증가하였다. CAPRA 점수가 3점에서 8점으로 증가한 경우 0~1점과 비교한 생화학적 재발 및 전이성 재발의 HR은 각각 2.3 (95% CI 1.6~3.4)에서 12.8 (95% CI 8.2~20.0)로, 3.8 (95% CI 1.2~16.5)에서 16.9 (95% CI 4.8~77.2)로 증가하였다 ($p < 0.05$). 셋째, 생화학적 재발과 전이성 재발의 예측에 대한 CAPRA의 c-index는 각각 0.762, 0.785이었다. 이들 결과를 근거로 저자들은 CAPRA 점수가 생화학적 재발 및 전이성 재발의 높은 위험군에 속해 있는 유럽인을 확인하는 데 정확한 정보를 제공한다고 하였다.

CAPRA 기준은 세 가지 위험군 모두에서 무재발 5년 생존을 유의하게 과소 예측하는 경향이 있다. 5년 시점에서 CAPRA 기준의 예측도를 개선하기 위해 치료 전 자료에 추가하여 병리학적 자료, 예를 들면 근치전립선절제 표본 혹은 림프절 표본의 병리학적 결과를 점수화한 자료를 CAPRA 점수에 적용하면, 생화학적 재발을 더 정확하게 예측할 수 있다는 보고가 있다 (Lughezzani 등, 2010). 다른 연구는 수술 전 PSA 농도의 경우 0~3점, 병리학적 Gleason 점수의 경우 0~3점, 수술 절제면의 경우 0~2점, 정낭 침범의 경우 0~2점, 전립선 피막 밖으로 확대의 경우 0~1점, 림프절 침범의 경우 0~1점 등으로 점수를 부과하여 최고 12점으로 점수화한 Cancer of the Prostate Risk Assessment post-Surgical (CAPRA-S) 기준을 개발하였다 (Cooperberg 등, 2011). 총점이 12점이지만, 10~12점의 경우는 드물기 때문에, 최고 점수를 9점 이상, 10점 이상으로 표기하기도 한다. CAPRA 점수와 마찬가지로 0~2점은 저급, 3~5점은 중급, 6~10점은 상급 위험군으로 분류된다 (도표 76). 처음 CAPRA 기준과는 다르게 CAPRA-S 점수는 근치전립선절제술 전의 자료와 후의 결과에 근거한다. 그러나 이 새로운 기준을 활용하기 위해서는 다기관, 대규모 연구를 통해 처음 CAPRA의 예측력과 비교함으로써 타당성이 검증되어야 한다.

CaPSURE 자료 중 전립선절제술을 받은 3,837명을 대상으

도표 76 CAPRA-S 점수

가변 인자	결과	점수
PSA, ng/mL	0~6	0
	6.01~10	1
	10.01~20	2
	>20	3
Gleason 점수	2~6	0
	3+4	1
	4+3	2
	8~10	3
수술 절제면 침범	음성	0
	양성	2
정낭 침범	음성	0
	양성	2
피막 외부 침범	음성	0
	양성	1
림프절 침범	음성	0
	양성	1

모든 가변 인자의 점수를 합산한 총점이 0~2점, 3~5점, 6점 이상인 경우를 각각 저급, 중급, 상급 위험으로 분류한다.
CAPRA-S, Cancer of the Prostate Risk Assessment post-Surgical; PSA, prostate-specific antigen.
Cooperberg 등 (2011)의 자료를 수정 인용.

로 전립선암의 재발에 대한 CAPRA-S의 예측력을 평가한 연구는 다음과 같은 결과를 보고하였다 (Cooperberg 등, 2011). 첫째, 남성의 16.8%에서 재발이 일어났으며, 보험 통계로 5년 시점에서 무진행 확률은 78.0%이었다. 둘째, CAPRA-S 점수에서 1점 증가에 따른 HR은 1.54 (95% CI 1.49~1.59)이었으며, 이는 CAPRA-S 점수가 2점 증가하면 위험도가 2.4 ($1.54^2 = 2.4$)배 증가함을 나타낸다. 또한, 인접한 CAPRA-S 점수와 비교하였을 때, HR은 4점 대 3점과 7점 대 6점 외에는 통계적으로 유의하였다 (도표 77). 셋째, CAPRA-S의 c-index는 0.77로서 치료 전 CAPRA 점수의 0.66보다 훨씬 높았고 노모그램을 이용한 경우의 0.76과 비슷하였다. 이들 결과를 근거로 저자들은 CAPRA-S가 임상 및 연구 과정에서 정확도가 높았고, 산출이 용이한 척도를 제공한다고 한다.

SEARCH의 자료에 근거하여, 근치전립선절제술을 받은 2,892명 중 중앙치 58개월 동안 추적 관찰한 2,670명을 대상으로 CAPRA-S의 타당성을 평가한 대규모, 다기관 연구는 다음과 같은 결과를 보고하였다 (Punnen 등, 2014). 첫째, 피험자의 평균 연령은 62±6.3세이었으며, 34.3%에서 재발이 일어났다. 저급, 중급, 상급 위험군으로 각각 규정되는 CAPRA-S 점수 0~2, 3~5, 6~10점에서 무진행 5년 생존율은 각각 72%,

도표 77 CAPRA-S에서 연속적 변수 및 범주화된 (categorized) 변수에 따른 HR 및 질환의 진행이 없을 확률

점수	환자 수 (%)	CAPRA-S 0점과 비교[†]		이전 점수와의 비교[‡]		진행 없을 확률, % (95% CI)	
		HR (95% CI)	p	HR (95% CI)	p	3년	5년
	3,873	1.54 (1.50~1.59)[¶]					
0	1,042 (27.2)	참고 점수				96.3 (94.8~97.4)	94.5 (92.3~96.1)
1	826 (21.5)	1.59 (1.06~2.39)	0.024	1.59 (1.06~2.38)	0.024	95.3 (93.2~96.7)	91.0 (87.7~93.4)
2	669 (17.4)	3.39 (2.34~4.90)	<0.001	2.12 (1.54~2.94)	<0.001	89.8 (86.9~92.1)	83.3 (79.2~86.6)
3	499 (13.0)	6.01 (4.18~8.63)	<0.001	1.77 (1.35~2.33)	<0.001	80.7 (76.5~84.3)	72.8 (67.5~77.3)
4	336 (8.8)	6.77 (4.57~10.0)	<0.001	1.13 (0.84~1.51)	NS	74.9 (69.3~79.6)	70.2 (63.9~75.5)
5	213 (5.6)	13.0 (9.01~18.8)	<0.001	1.92 (1.43~2.58)	<0.001	63.1 (55.5~69.8)	42.5 (33.4~51.3)
6	103 (2.7)	18.9 (12.7~28.0)	<0.001	1.45 (1.06~1.98)	0.023	49.2 (38.3~59.2)	25.9 (16.0~36.9)
7	70 (1.8)	19.5 (12.5~30.5)	<0.001	1.03 (0.67~1.59)	NS	50.9 (37.5~62.8)	26.9 (15.5~39.7)
8	40 (1.0)	33.4 (20.9~53.5)	<0.001	1.71 (1.03~2.82)	0.026	26.9 (12.8~43.2)	12.3 (2.8~29.4)
≥9	39 (1.0)	64.2 (40.5~101)	<0.001	1.92 (1.18~3.12)	0.01	7.3 (1.4~19.9)	0

[†], CAPRA-S 점수 0점과 비교한 HR; [‡], 이전 점수와 비교한 HR로서, 예를 들면 1점 대 0점 혹은 2점 대 1점을 비교한 HR이며, 4점 대 3점 그리고 7점 대 6점에서만 통계적으로 유의하지 않았다; [¶], 연속 변수에 따른 평균 HR.
CAPRA-S, Cancer of the Prostate Risk Assessment post-Surgical; CI, confidence interval; HR, hazard ratio; NS, not significant.
Cooperberg 등 (2011)의 자료를 수정 인용.

39%, 17%이었다. 이러한 타당성 평가에서 CAPRA-S c-index는 0.73인 데 비해, Stephenson 노모그램의 c-index는 0.72이었다. 둘째, 61례에서만 근거했다는 근거한 제한점이 있지만, 암 특이 사망을 예측하는 데 대한 c-index는 0.85이었다. 이 타당성 검증 연구에 의하면, CAPRA-S 점수가 근치전립선절제술 후 재발 및 사망을 예측하는 데 대해 0.70 이상의 c-index를 보임으로써 CAPRA-S 점수는 예후를 예측하는 유효한 도구이며, 보충 요법의 실시 여부를 결정할 때 도움을 줄 수 있다고 생각된다.

전립선암으로 치료를 받은 후 분명한 결과를 보인 환자의 전립선 암 (임상 표본)과 누드마우스에서 성장한 사람의 전이 전립선암 이종 이식 암 (실험 표본)에서 12,625가지의 전사물을 분석한 연구는 발현 측면에서 높은 일치도를 보이는 세 유전자 군집을 발견하였으며 (도표 78), 이들 유전자 군집은 재발 질환과 비재발 질환을 90%와 75%의 정확도로 구별할 수 있었다고 하였다 (Glinsky 등, 2004). 이 연구는 생화학적 재발을 치료 후 혈청 PSA의 증가로 규정하였고, 무병 생존 기간을 재발 환자군의 경우 근치전립선절제술을 시행한 날로부터 생화학적 재발이 발생한 날까지의 기간으로, 재발이 없는 환자군의 경우 근치전립선절제술을 시행한 날로부터 추적 관찰의 마지막 날까지의 기간으로 규정하였다. 이 연구는 또한 전립선암의 재발과 관련이 있는 유전자 군집의 발현 양상에 대

한 상관관계에 근거하여 개별 표본으로부터 산출된 상관계수를 Phenotype Association Indices (PAIs)로 정의하였다. PAIs 양성은 유전자의 발현이 전립선암의 재발과, PAIs 음성은 전립선암의 무재발과 정상관관계를 가짐을 나타내며, 이에 따라 PAIs 양성 환자군은 부정적인 예후 그룹으로, PAIs 음성 환자군은 긍정적인 예후 그룹으로 구분되었다. PAIs의 절단치는 세 유전자 군집 중 두 군집에서 0.2 이상으로 규정되었다. 이 알고리듬을 이용한 경우 치료 후 재발할 전립선암을 88%, 재발하지 않을 전립선암을 92% 정확하게 예측하였으며, 개별 유전자 군집의 정확도는 86~95%이었다 (도표 79). 부정적인 예후 그룹에 속한 모든 환자에서는 전립선암이 5년 내에 재발하였으며, 긍정적인 예후 그룹에 속한 환자의 92%는 최소 5년 동안 재발이 없는 생존을 하였다. 긍정적인 예후 그룹에 비해 부정적인 예후 그룹에 속한 환자에서 전립선암의 재발에 대한 HR은 이 알고리듬을 이용하였을 때 20.32 (95% CI 6.047~158.1; $p < 0.0001$)이었다. 이 연구는 유전자의 발현에 근거하여 재발을 예측하는 인자의 알고리듬이 초기 병기의 전립선암 환자와 수술 전 낮은 농도 혹은 높은 농도의 PSA를 가진 환자에서 예후에 관한 정보를 제공하며, Gleason 점수 혹은 다수 지표로 구성된 노모그램의 예측력에 추가로 이점을 제공한다고 하였다. 치료 후 1년 내에 재발한 환자의 88%가 부정적인 예후 그룹에 속하였다. 이러한 유전자 알고리듬

도표 78 전립선암의 재발과 관련이 있는 세 유전자 발현 군집

유전자	유전자 산물 명칭	GenBank ID	UniGene ID
군집 1			
MGC5466	Hypothetical protein MGC5466	U90904	Hs.512761
Wnt5A	Proto-oncogene Wnt5A	L20861	Hs.152213
KIAA0476	KIAA0476 protein	AB007945	Hs.6684
ITPR1	Inositol 1,4,5-trisphosphate receptor, type 1	D26070	Hs.149900
TCF2	Transcription factor 2, hepatic	X58840	Hs.408093
군집 2			
MGC5466	Hypothetical protein MGC5466	U90904	Hs.512761
CHAF1A	Chromatin assembly factor 1, subunit A	U20979	Hs.79018
CDS2	CDP-diacylglycerol synthase 2	Y16521	Hs.306912
IER3	Immediate early response 3	S81914	Hs.76095
군집 3			
PPFIA3	Protein tyrosine phosphatase, receptor type, f polypeptide	AB014554	Hs.109299
COPEB	Core promoter element-binding protein	AF001461	Hs.285313
FOS	V-fos oncogene homologue	V01512	Hs.25647
JUNB	Jun B proto-oncogene	X51345	Hs.400124
ZFP36	Zinc finger protein 36, C3H type	M92843	Hs.343586

유전자 산물의 선정은 재발한 암과 재발하지 않은 암 표본 (218개 유전자)과 각 군집에 대한 실험 조건 (군집 1, PC-3MLN4 동소 [orthotopic] 전이 암 세포주 대 PC-3MLN4 피하 이종 이식 암; 군집 2, PC-3MLN4 동소 전이 암 세포주 대 PC-3 혹은 PC-3M 동소 이종 이식 암; 군집 3, PC-3/LNCaP 세포주)에서 전사 작용의 변화를 강하게 나타내는 유전자 무리로부터 선정되었다.

ID, identification.

Glinsky 등 (2004)의 자료를 수정 인용.

도표 79 긍정적인 예후를 나타내는 유전자 군집 혹은 부정적인 예후를 나타내는 유전자 군집을 가짐에 따라 긍정적인 예후 그룹과 부정적인 예후 그룹으로 분류된 환자에서 전립선암 재발에 대한 예측 정확도

재발 유전자 군집	상관계수	재발 전립선암	비재발 전립선암	전체	p-value
군집 1	r=0.999	100% (8/8)	92% (12/13)	95% (20/21)	⟨0.0001
군집 2	r=0.963	88% (7/8)	92% (12/13)	90% (19/21)	⟨0.0001
군집 3	r=0.996	75% (6/8)	92% (12/13)	86% (18/21)	0.001
알고리듬	NA	88% (7/8)	92% (12/13)	90% (19/21)	⟨0.0001

유리한 예후를 나타내는 유전자 군집은 PAI 음성인 경우이고, 불리한 예후를 나타내는 유전자 군집은 PAI 양성인 경우이다. 상관계수는 재발 전립선암 표본과 재발이 없는 전립선암 표본 그리고 실험 표본에서 유전자 군집 발현 양상의 일치도를 나타낸다.

NA, not applicable; PAI, phenotype association index.

Glinsky 등 (2004)의 자료를 수정 인용.

은 전통적인 표지자가 보여 주는 예측력을 능가하며, 전립선 암이 진단된 당시의 환자를 치료 후 생존의 가능성이 있는 환자로 세분하는 데 적절한 역할을 한다고 생각된다.

면역조직화학검사를 이용하여 tissue microarray에서 전립선암의 진행과 관련이 있는 12가지의 유전자를 발견한 연구는 이들 유전자 모델을 이용하여 임상적 국소 전립선암 환자 79명에게서 전립선암을 치료한 후의 생화학적 재발을 유의하게 예측할 수 있었다고 하였다 (Bismar 등, 2006) (도표 80). 치명적인 전립선암을 예측하기 위해 전립선암으로 사망한 40명을 포함한 172명을 대상으로 12-유전자 모델 (Bismar 등, 2006)과 임상적 가변 인자 모델 (Andren 등, 2006)을 점수화한 후 이들 각각과 병용한 경우를 비교한 연구가 있다. 12-유전자 모델에서 점수를 부과하는 방법에 의하면, 각 유전자의 발현을 코호트 분포에 근거하여 4분위 수로 구분하였는데, 국소 전립선암에 비해 전이 암에서 상향 조절되는 유전자의 경우 가장 높은 4분위 수로 발현되는 표지자는 1점, 그 외의 표지자는 0점을 부과하였고, 국소 전립선암에 비해 전이 암에서 하향 조절되는 유전자의 경우 가장 낮은 4분위 수로 발현되는 표지자는 1점, 그 외의 표지자는 0점을 부과하였다. 임상적 가변 인자를 이용한 모델에서 점수를 부과하는 방법에 의하면,

도표 80 생화학적 재발과 치명적인 암 특이 사망을 예측하는 다수 유전자 모델의 생물 지표

생물 표지자	조절[†]	염색	클론	희석	AR
α-Methylacyl coenzyme A racemase (AMACR)	–	세포질	13H4 (토끼 단클론)	1:25	Pr cooking method
Integrin alpha-5 (Itga-5)	–	세포질	1 (생쥐 단클론)	1:25	Microwave
Actin-binding protein 280 (ABP280)	–	핵	5 (생쥐 단클론)	1:50	Pr cooking method
Cyclin dependent kinase 7 (CDK7)	–	핵	17 (생쥐 단클론)	1:50	Microwave
Prostate-specific antigen (PSA)	–	세포질	(토끼 다클론)	1:7,500	No AR needed
Tumor protein 63 (p63)	–	핵	4A4 (생쥐 단클론)	1:600	Microwave
Metastasis-associated protein 1 (MTA1)	–	핵	A-11 (생쥐 단클론)	1:5	Microwave
Kanadaptin	–	세포질	49 (생쥐 단클론)	1:200	Microwave
Jagged1 (JAG1)	+	세포질	(토끼 다클론)	1:50	Pr cooking method
Mindbomb E3 ubiquitin protein ligase 1 (MIB1)	+	핵	MIB-1 (생쥐 단클론)	1:200	Pr cooking method
Mucin 1, cell surface associated (MUC1)	+	세포질	VU4H5 (생쥐 단클론)	1:50	Microwave
Tumor protein D52 (TPD52)	–		NA		

[†], -는 하향 조절되는 유전자이고 +는 상향 조절되는 유전자.
AR, antigen retrieval; NA, not available; Pr, pressure.
Bismar 등 (2006) 및 Mucci 등 (2008)의 자료를 수정 인용.

Gleason 등급 2~5, 6, 7, 8~10, 핵 등급 1, 2, 3, 종양 cores의 비율 〈5, 5~24.9, 25~49.9, ≥50% 등으로 구분하여 각각에 대해 점수를 부과하였다. 점수화한 두 모델의 점수를 각각 5분위 수로 구분하여 위험도를 최저 등급으로부터 최상 등급까지 5부류로 분류한 이 연구는 다음과 같은 결과를 보고하였다 (Mucci 등, 2008). 첫째, 전이가 발생할 때까지의 평균 추적 기간은 7.6 (0.1~27.1)년이었으며, 전이로부터 사망까지의 평균 기간은 2년이었다. 둘째, 12-유전자 모델의 경우 위험도가 높은 군에 속할수록 전립선암 특이 사망에 대한 HR이 증가하였으며, 최저 위험군에 비해 최상 위험군에서 16배 더 높았다. 12-유전자 모델과 임상적 가변 인자 모델을 병용한 경우 저급 위험군에 비해 최상 위험군에서 HR이 11배 더 증가하였으며 (도표 81), 15년 시점에서 사망률의 차이는 60% (50~70%)이었다. 셋째, 임상적 가변 인자로 구성된 모델에 비해 병용 모델은 더 큰 예측력을 나타내었고, 각각의 AUC는 0.71, 0.78 (p=0.04)이었다. 이들 결과를 근거로 저자들은 임상적 가변 인자 모델에 분자 종양 표지자를 추가하면 치명적인 암과 증상이 없는 암을 구별하고 치료 방법을 결정하는 데 도움이 된다고 하였다.

성호르몬은 전립선에서 종양의 형성과 관련이 있으며, 전립선암과 테스토스테론 사이의 생물학적 연관성은 오래 전부터 추측되어 왔다 (Ellem과 Risbridger, 2010). 많은 연구에 의하면, 혈중 성호르몬, 특히 안드로겐과 근치전립선절제술에서의 조직병리학적 결과 사이의 상호관계는 일정하지 않다. 일부 연구는 수술 전 혈중 총 테스토스테론 농도가 나쁜 예후 및 낮은 생존율과 관련이 있다고 하였다. 한 예로 MEDLINE 자료를 검토한 연구는 전반적인 혈청 테스토스테론과 전립선암의 발생 위험 사이에는 연관성이 없을 뿐만 아니라 잔여 암이 없이 성공적으로 수술을 받은 환자에서는 테스토스테론의 투여가 전립선암의 재발과도 관련이 없지만, 전립선암으로 진단을 받은 당시의 혈청 테스토스테론이 높은 환자에 비해 낮은 환자는 진행 전립선암 혹은 고등급의 질환을 가진다고 하였다 (Isbarn 등, 2009). 그러나 다수의 자료는 수술 전의 낮은 테스토스테론 농도 혹은 테스토스테론 농도가 생화학적 재발에 영향을 주지 않음을 보여 준다. 수술 후 24개월 내에 PSA 농도가 0.1 ng/mL 이상으로 처음 증가하는 경우를 조기 생화학적 재발로 정의한 후 수술 전 혈청 성호르몬과 조기 생화학적 재발 사이의 연관성을 평가하기 위해 근치전립선절제술을 받은 605명을 중앙치 24개월 동안 추적 관찰한 코호트에서 수술 전날 오전 7~11시에 채혈하여 분석한 연구는 다음과 같은 결과를 보고하였다 (Salonia 등, 2013). 첫째, 조기 생화학적 재발은 5.6% (34명/605명)에서 관찰되었다. 둘째, 단변량 분석에서, 연령, body mass index (BMI), 혈청 PSA, 총 테스토스테론, 17β-estradiol (E_2), sex hormone-binding globulin

도표 81 다수 유전자의 분자 모델 단독 혹은 임상적 가변 인자와 병용 모델의 치명적 전립선암에 대한 예측 수준

	환자 수	치명적인암 (%)	HR (95% CI)
분자 모델 단독†			
Q1 (최저 위험)	34	1 (3)	참고
Q2	35	9 (26)	11.8 (1.5~93.8)
Q3 (중간 위험)	34	7 (21)	12.3 (1.5~100.7)
Q4	35	13 (37)	16.8 (2.2~129.6)
Q5 (최고 위험)	34	10 (29)	16.9 (2.1~133.4)
p=0.0015			
임상 변수 단독‡			
Q1 (최저위험)	51	4 (8)	참고
Q2	11	2 (18)	3.3 (0.6~17.9)
Q3 (중간 위험)	51	14 (27)	3.7 (1.2~11.3)
Q4	25	4 (16)	4.0 (1.0~16.6)
Q5 (최고 위험)	34	16 (47)	13.1 (4.3~40.5)
p<0.0001			
병용			
Q1 (최저 위험)	34	0 (0)	사망자 없음
Q2	35	5 (14)	참고¶
Q3 (중간 위험)	34	11 (32)	6.3 (2.1~18.3)
Q4	35	11 (31)	5.5 (1.9~15.9)
Q5 (최고 위험)	34	13 (38)	11.3 (4.0~32.8)
p<0.0001			

†, 분자 모델은 Bismar 등 (2006)의 연구로 확인된 유전자를 이용하였으며, 전립선암으로 인한 사망에 대한 HR은 진단 당시의 연령, Gleason 점수, 핵 등급, 종양의 확대 정도 등과 같은 가변 인자로 보정한 후의 수치임. ‡, 임상적 가변 인자는 Andren 등 (2006)의 연구에서 이용된 변수로서 여기에는 Gleason 등급, 핵 등급, 종양 용적 등이 포함됨. ¶, 최저 위험군에서는 사망자가 없음으로 인해 5분위수 중 두 번째 저급 위험군을 참고군으로 설정하였음.

CI, confidence ratio; HR, hazard ratio; Q, quintile.
Mucci 등 (2008)의 자료를 수정 인용.

(SHBG), 3 ng/mL 미만의 테스토스테론으로 정의되는 생식선저하증, 임상 병기 등은 생화학적 재발을 가진 환자와 가지지 않은 환자에서 차이가 없었으나 (모두 p≥0.05), Gleason 점수 4+3 이상의 빈도는 생화학적 재발을 가진 환자에서 더 높았다 (p≤0.001). 셋째, 다변량 분석에서, 총 테스토스테론, E₂, SHBG, 생검 Gleason 점수 4+3, 생검 Gleason 점수 8 등의 HR은 각각 1.43 (p=0.03), 1.05 (p=0.04), 1.29 (p=0.02), 3.37 (p=0.04), 20.06 (p<0.001)으로 조기 생화학적 재발을 예측하는 인자의 역할을 하였으나, 연령, BMI, PSA, 생식선저하증, 임상 병기, 생검 Gleason 점수 3+4 이하 등의 HR은 각각 0.99, 1.04, 0.29, 0.84, 0.98, 0.21로 조기 생화학적 재발과 연관성이 없었다. 이들 결과에 의하면, 근치전립선절제술을 받은 환자의 수술 전 혈청 성호르몬 농도는 조기 생화학적 재발을 예측할 수 있는 독립적 인자이다. 그러나 이들 결과를 확인하기 위해서는 상급 위험 환자를 포함한 대규모 피험자를 대상으로 장기간 추적 관찰한 연구가 필요하다.

1.12. 전립선 특이 항원과 hK2의 전립선 외 근원지
Extraprostatic sources of PSA and hK2

PSA가 처음에는 이름 그대로 전립선에 국한되어 발현된다고 간주되었으나, PSA는 완벽하게 전립선에 특이적이지 않고 낮은 농도이지만 많은 다른 조직에서도 발현될 뿐만 아니라, 정액장액 외에도 다수 체액에서 발견된다. PSA와 hK2가 발현되는 조직은 도표 12에 나타나 있으며, 건강인의 다양한 생체액에서 발견되는 혈청 PSA와 hK2의 농도는 도표 13에 정리되어 있다. 여기서는 이들 중 유방과 PSA의 관계에 대해 조금 더 상세하게 기술하고자 한다.

유방암 세포질의 추출물에서 PSA의 면역 반응성이 1994년에 처음으로 확인되었다 (Diamandis 등, 1994). 근래의 초민감성 면역 분석법은 유방암 세포질의 추출물 중 약 70%가 면역 반응성을 나타내는 PSA를 가지고 있음을 확인하였다 (Yu 등, 1998). 유방암에서 발견되는 PSA는 정액장액에 있는 free PSA (fPSA)와 분자량이 같으며, PSA mRNA 또한 전립선에서와 동일한 아미노산 서열을 가지고 있다 (Monne 등, 1994). 유방암에 있는 PSA 유전자의 암호 영역에는 돌연변이가 없음이 DNA 염기 서열 결정 (sequencing)에 의해 확인되었다 (Majumdar와 Diamandis, 1999).

유방암 세포의 세포질에서 PSA의 양성은 에스트로겐 수용체 및 프로게스테론 수용체의 존재와 약한 연관성을 가지며 (Foekens 등, 1999), 유방암 세포주를 조절하는 스테로이드 호르몬 수용체와 PSA의 생성 사이에 연관성이 있음이 유방 조직에서 확인되었다 (Yu 등, 1995). 건강한 유방 조직에서도 PSA가 낮은 농도로 발현된다 (Yu 등, 1996). Progestin이 함유된 피임약을 복용 중인 여성으로부터 추출한 유방의 세포질은 PSA에 대해 상당히 더 큰 면역 반응성을 나타내는데, 이는 PSA의 생성이 호르몬에 의존적임을 시사한다 (Yu 등, 1995). 유방 세포질에서 측정된 PSA와 예후와의 연관성을 연구한 자료에 의하면 (Yu 등, 1998; Griniatsos 등, 1998), 원발 유방암에서 PSA의 강한 발현은 작은 종양, 스테로이드 호르몬 수용체 양성, 이배체 (diploid) 종양, 낮은 세포 충실도 (cellularity), 세포 주기 중 S 기의 감소, 낮은 병기, 젊은 연령, 낮은 재발 가능성, 생존 기간의 연장 등과 유의하게 관련이 있었다. 유방암에서 낮은 농도의 PSA는 더 큰 종양, 더 높은 연령, 폐

경 후 환자, 스테로이드 호르몬 수용체 음성인 종양 등에서 발견된다. 이들 모든 자료는 PSA가 유방암 환자에서 긍정적인 예후의 지표임을 시사한다. 규모가 작은 면역조직화학 연구는 PSA가 안드로겐 수용체와 관련이 있다거나 (Hall 등, 1998), PSA가 에스트로겐 수용체가 없는 일부 환자에서 부정적인 예후와 관련이 있다거나 (Howarth 등, 1997), PSA로는 예후를 예측할 수 없다 (Heyl 등, 1999)는 등 다양한 결과를 보고하였다. 결과에서 차이가 있는 것은 측정법과 환자 규모에서의 차이 때문으로 추측된다.

이들 결과를 근거로 에스트로겐 수용체 대항제인 tamoxifen에 의한 반응과 함께 세포질 추출물에서 측정한 PSA의 예측 수준을 평가한 연구에 의하면, 원발 유방암 환자에서 질환의 재발로 인해 tamoxifen으로 치료할 경우 PSA 농도의 증가는 부정적인 반응, 짧은 반응 기간, 낮은 전반적 생존율 등과 관련이 있었다고 하였다 (Foekens 등, 1999). 이전 연구는 PSA가 유방암에서 긍정적인 예후 지표라고 보고한 바 있기 때문에, tamoxifen에 불응하는 질환에서 PSA가 증가한다는 것은 예상 밖의 결과이며, 이에 관한 분명한 설명은 없다.

전이 유방암으로 progestin megestrol acetate 합성 제제로 치료를 받은 여성에서 PSA의 예후 수준을 평가한 연구는 이들 여성의 약 50%가 약물 투여로 인해 혈청 PSA가 수배 증가하였으며, 혈청 PSA가 증가한 환자는 증가하지 않은 환자에 비해 예후가 훨씬 더 나빴고 생존율이 감소했다고 하였다 (Diamandis 등, 1999). 이 연구는 혈청 PSA를 측정하면 약물의 효과를 예측할 수 있다고 하였으나, PSA를 더 많이 생성하여 순환계 내로 분비한 종양이 예후가 좋지 않은 결과를 보여 이 연구의 결과도 예상 밖이라 할 수 있다. 이러한 결과는 megestrol acetate를 투여 받은 후 혈청 PSA와 뇌척수액 PSA가 현저히 증가한 1명의 환자에서 평가되었는데, 이 환자는 전이 유방암으로 인해 매우 빠르게 사망하였다 (Diamandis, 2000). 이들 자료는 유방암의 진행과 PSA가 관련이 있음을 보여 주지만, 그 기전은 아직 분명하게 밝혀져 있지 않다.

2. Human Kallikrein-Related Peptidase (hK, KLK)

PSA 외에 전립선에서 분비되는 human kallikreins는 '8장 전립선암 종양 표지자'에 기술되어 있다.

3. Prostate-Specific transglutaminase (PST)

Transglutaminase (TGM)는 전신에 분포해 있으며 조직에 대해 상당한 특이도를 가진다 (Dubbink 등, 1998). TGM은 하나의 chain에 있는 glutamine과 다른 chain에 있는 lysine 위치에서 단백질의 교차 결합을 촉매한다. TGM의 종류에는 응혈에 관여하는 plasma TGM인 factor XIIIA1 (FXIIIA1) 및 factor XIIIB (FXIIIB), keratinocyte TGM (TGM1 혹은 TGK), tissue-type 혹은 cellular TGM (TGM2 혹은 TGC), epidermal 혹은 hair follicle TGM (TGM3 혹은TGE), prostate TGM (TGM4 혹은 TGP), 중추신경계와 림프계를 제외한 피부 등 조직 어느 부위에서나 편재해 있는 TGM (TGM 5 혹은 TGM X), 분명한 작용이 밝혀져 있지 않은 TGM (TGM6 혹은 TGM Y), 고환, 폐 등 다양한 조직에 편재해 있는 TGM (TGM7 혹은 TGM Z) 등이 있으며, 구조는 서로 다르나 활성 부위 (YGQCW)가 같고 공히 칼슘에 의존적이다 (Lorand와 Graham, 2003). 35 kilobase의 유전체 DNA로서 13개의 exons와 12개의 introns의 유전자 구조물을 가지는 prostate-specific transglutaminase 4 (PST4)는 lysine, polyamine 등과 같은 일차 amine과의 반응을 통해 peptide와 결합한 glutamine 잔기와 비가역적으로 교차 결합하는 효소 가족에 속한다.

TGM4 유전자 촉진체의 특징은 deletion mapping과 돌연변이 분석에 의해 관찰되며, 촉진체가 작용하기 위해서는 -113과 -87 사이에 위치하는 것이 필수적이다. Specificity protein 1 (Sp1)과 Sp3 전사 인자와 결합하는 부위의 염기 서열이 확인되었으나, TGM4를 조절함에 있어 그들의 분명한 역할은 밝혀져 있지 않다. 중요한 사실은 정액에서 겔을 형성하는 단백질인 semenogelins I 과 II가 TGM4의 기질이라는 점이다 (Peter 등, 1998). Esposito가 검토한 자료에 의하면, 전립선의 TGM은 TGM4이며, 크기가 77 kDa이고, 안드로겐에 의해 조절되며, 세포 밖에서 발견된다 (Esposito와 Caputo, 2005). TGM은 단백질과 결합한 glutamine 잔기의 γ-carboxamide 군과 단백질과 결합한 lysine 잔기의 ε-amino 군 간에 중합 교차 결합함으로써 단백질의 번역 후 변경 (post-translational modification)을 촉매하며, 이는 분자로 구성된 복합체를 안정화시킨다. 정액 내로 분비된 단백질 중 kinesin 단백질과 같은 acyl 형태의 기질에 대한 TGM4의 높은 생화학적 친화도는 응고 선조직 (coagulating gland)에서 TGM4가 적절하게 분비되도록 촉진하는 중요한 역할을 한다.

TGM에는 9가지의 동종 효소가 있으며, 조직의 구조 변경 및 복구, 세포 자멸사와 여러 질환, 예를 들면 염증, 상처 치유, 신경 퇴행성 질환, 암 등에서 세포 내의 신호 전달 등 다양한 생물학적 기능을 가지고 있다 (Lorand와 Graham, 2003). TGM 중 FXIII과 TGM2가 전립선에서 면역을 조절하는 인자로서의 역할을 한다고 알려지면서 관심을 받고 있다. FXIII과 TGM2는 정상적인 대식세포와 종양을 동반한 대식세포 외에도 정상 및 병적 전립선과 전립선 분비액에서 확인되며, 면역 반응을 나타내는 일부 지표의 활성을 조절한다. FXIII의 농도는 정상 전립선이나 양성 질환의 전립선에 비해 전립선암에서 유의하게 증가된다 (Ablin 등, 1987). 종양에 동반된 대식세포와 FXIII은 밀접한 관계를 나타내는데, FXIII은 체내 단백질과 종양세포가 결합하도록 만들어 종양 내의 섬유소를 안정화함으로써 종양의 간질 형성, 혈관 신생, 자가 방어 기전의 차단 등을 일으킨다. FXIII은 단핵구와 대식세포를 포함하는 조직구에 존재함으로써 항원성을 조절하여 면역 반응을 일으키고, 간접적이지만 종양세포의 침범 및 전이에 대해 자가 조절의 기능을 나타낸다 (Ablin과 Whyard, 1990).

TGM2가 전립선암 자체에서 어떠한 역할을 하는 것 외에도 TGM2의 발현은 류마티스관절염, 간, 신장, 폐 등의 섬유증, 미란성 위염 등과 같은 여러 염증성 질환에서도 관찰된다 (Lorand와 Graham, 2003). 급성 및 만성 전립선염이 전립선암의 하나의 원인으로 보고된 바 있는데, 이러한 측면과 함께 TGM2가 전립선암에서 염증에 대항하는 작용을 하는 peroxisome proliferation-activated receptor γ (PPARG 혹은 PPAR-γ)를 억제하여 염증을 유발하는 역할이 관찰되었으며, 이를 근거로 TGM2를 억제하는 치료법이 모색되고 있다 (Lorand와 Graham, 2003).

RT-PCR을 이용하여 TGM4의 전립선에 대한 특이성과 Gleason 등급에 따른 발현을 평가한 연구는 높은 Gleason 등급의 암과 전이 조직에서는 TGM4가 감소된다고 보고하였다 (An 등, 1999). 면역형광법을 이용한 연구는 TGM4가 정상 및 전립선염에 비해 전립선암에서 유의하게 증가된다고 하였는데, 이 결과는 Gleason 등급이 높을수록 유의하게 감소된다는 RT-PCR을 이용한 An 등의 연구 결과와 대조적이다 (Birckbichler 등, 2000). 이러한 결과의 차이가 기술적인 문제인지 아니면 악성 질환의 진행 과정에서 단백질에 대한 *TGM4* mRNA의 번역 문제인지를 확인하기 위해서는 더 많은 실험

연구가 필요하다. 한편, 전립선 상피세포에서 종양 억제 유전자 *phosphatase and tensin homolog* (*PTEN*)이 제거된 생쥐 모델을 분석한 연구는 microseminoprotein beta (MSMB)와 TGM4가 신속하게 하향 조절됨을 관찰하였으며, 종양이 전립선 내에 국한된 전립선암의 상피에서 관찰되는 것보다 더 신속한 탈분화가 일어났다고 하였다 (Thielen 등, 2007). 전립선암 환자의 전립선액을 Westing blotting으로 분석한 연구는 생화학적 재발을 가진 환자에서 증가됨으로 인해 생화학적 재발이 있는 환자와 없는 환자를 감별할 수 있는 단백질에는 PSA, prostatic acid phosphatase, stratifin (SFN), membrane metallo-endopeptidase (MME), protein deglycase DJ-1 (DJ-1)으로도 불리는 Parkinson disease protein 7 (PARK7), tissue inhibitor of metalloprotease 1 (TIMP1), TGM4 등이 있다고 하였다 (Kim 등, 2012).

Factor XIII (FXIII)과 TGM2가 전립선에서 종양 형성에 관여하지만, 전립선에 특이한 TGM4도 전립선의 병태생리에서 어떠한 역할을 한다고 추측된다. 전립선암에 관한 연구는 TGM4가 전립선암 세포의 침윤, 세포 이동, 세포와 간질의 유착 등을 조절하고 (Jiang과 Ablin, 2003), 전립선암 세포와 혈관의 내피세포 사이의 상호 작용을 조절한다고 하였다 (Jiang 등, 2009). 후자의 상호 작용에는 Rho-associated kinase 경로가 관여하며, 이는 종양세포의 이동 및 전이와 밀접한 관련이 있다고 알려져 있다. TGM4는 전립선암 세포의 epithelial-mesenchymal transition (EMT)을 유발하는데, 이는 암의 발생과 진행에서 대단히 중요하다. 전립선암 세포에서 TGM4가 과다하게 발현되면, 중간엽 표현형 (mesenchymal phenotype)의 특징인 E-cadherin의 상실과 N-cadherin의 습득이 일어나고 세포의 운동성이 증가한다 (Ablin과 Jiang, 2009).

앞에서 기술된 TGM4의 특성, 즉 세포의 유착, 침윤, 이동, 및 EMT 등은 전이와 관련이 있는 종양세포의 특징들이다. FXIII과 TGM2에 관한 연구 결과와 이들 TGM4의 특성은 TGM이 침윤과 전이에서 중요한 역할을 담당함을 시사한다. 이러한 측면에서 볼 때, 정상 전립선보다 전립선암에서 TGM4의 발현이 증가되어 있다는 일부 연구의 결과는 관심을 끌기 충분하다. TGM4의 농도는 Gleason 점수와 약한 상관관계를 보이는데 (r=0.293, p=0.05), TGM4의 높은 농도는 7 이상의 높은 Gleason 점수와 상호 관련이 있다 (Jiang 등, 2007). TGM4의 전사물은 전립선암, 결장직장암, 폐암, 유방암 등 다수의 암 세포주에서 발현되며, 침습성이 낮은 전립선암 세포

주인 CA-HPV-10에서 강하게 발현되기 때문에 TGM4는 전립선암 세포의 침습성과 관련이 있다고 생각된다 (Davies 등, 2007). TGM4는 Rho-associated coiled-coil protein kinase (ROCK) 경로를 우회함으로써 ROCK 경로와는 관계없이 내피세포와 전립선암 세포 사이의 상호 작용을 조절한다 (Jiang 등, 2009). TGM4는 recepteur d'origine nantais (RON), 즉 hepatocyte growth factor-like protein/macrophage-stimulating protein (HGFL/MSP)의 수용체를 활성화하여 전립선암 세포의 이동성을 증대시킨다 (Jiang 등, 2010). RON은 작은 수용체 형태의 protein tyrosine kinase (PTK) 가족에 속하며, 이 가족에는 RON 외에도 MET proto-oncogene, receptor tyrosine kinase (c-MET) 혹은 hepatocyte growth factor receptor (HGFR)가 포함되어 있다. RON은 HGFL (혹은 MSP)의 수용체로서 c-MET와 마찬가지로 35 kDa의 α 및 150 kDa의 β 소단위로 구성되어 있으며, 이황화 결합 부위를 가지고 있다. HGFL에 의해 자극을 받으면, RON의 세포 내부 영역에 있는 두 tyrosine 부위, 즉 주 촉매 부위인 Y1238/Y1239 부위와 주 결합 부위인 Y1353/Y1360 부위가 인산화되고 활성화된다. RON이 활성화되면, 세포의 분열을 촉진하는 효과를 나타내는 SRC proto-oncogene, non-receptor tyrosine kinase/mitogen-activated protein kinases (SRC/MAPK) 경로와 세포의 성장, 생존, 이동의 효과를 나타내는 phosphatidylinositide 3-kinase/v-akt murine thymoma viral oncogene homolog 1 (PI3K/AKT) 경로가 유도된다. RON은 유방암, 결장직장암, 폐암, 신장암 등에서 과다 발현되며, RON의 점돌연변이 및 과다 발현은 암의 전이와 관련이 있다. TGM4와 RON이 함께 발현되는 전립선암 세포는 HGFL에 대해 강하게 발현하지만, TGM4 음성인 전립선암 세포는 HGFL에 대한 반응이 약하다 (Jiang과 Ablin, 2011). TGM4는 세포 내에서 focal adhesion kinase (FAK), paxillin (PXN) 등과 함께 위치해 있으며, TGM4는 전립선암 세포의 세포-기질 사이의 접착 효과를 조절하는 중요한 인자인데, 이는 TGM4의 core domain에 의해 매개된다 (Jiang 등, 2013).

TGM4의 생물학적 역할을 상세하게 확인하는 과정에서 *TGM4* 유전자는 세포의 성장을 억제하는 특성을 가진 *melanoma differentiation-associated gene 7* (*MDA7*) 혹은 *interleukin 24* (*IL24*)와 전립선암 조직에서 같은 위치에 있음이 관찰되었다. 이로써 TGM4는 recombinant MDA7 (rMDA7)에 대한 전립선암 세포의 반응에 영향을 준다고 생각된다. 즉, 암

세포가 rMDA7에 잘 반응하면 TGM4의 발현이 차단되어 세포의 유착, 운동성, 성장 등이 감소되며, 암 세포가 rMDA7에 반응하지 않거나 약하게 반응하면 암 세포가 TGM4를 발현하거나 그 발현이 증가된다 (Ablin 등, 2011). 면역형광법을 이용하여 전립선암 조직을 분석한 연구는 다음과 같은 결과를 보고하였다 (Ablin 등, 2011). 첫째, MDA7은 TGM4를 발현하지 않는 PC3 전립선암 세포의 부착, 성장, 이동을 억제하였다. 그러나 유전자 전달 감염을 통해 TGM4를 과다하게 발현하는 세포에서는 MDA7에 의한 세포의 부착, 성장, 이동의 억제 효과가 상실되었다. 한편, 자연적으로 TGM4를 높게 발현하는 세포인 CA-HPV-10 세포는 PC3 세포와 비교하였을 때 MDA7에 대해 다른 반응을 나타내었다. 둘째, v-akt murine thymoma viral oncogene homolog protein (AKT)를 억제하는 제제는 MDA7의 억제 효과를 반전시켰는데, 이러한 효과는 TGM4를 발현하지 않는 PC3 세포에서 나타났고 TGM4를 발현하는 PC3에서는 나타나지 않았다. 셋째, 전립선 조직에서 TGM4는 상당량이 MDA7 수용체 복합체 중 하나인 IL20Ra와 같은 장소에서 발견되었다. 이들 결과를 근거로 저자들은 TGM4가 MDA7에 대한 전립선암 세포의 반응에 영향을 주며, 분명한 기전은 밝혀져 있지 않지만 TGM4가 MDA7의 작용을 차단하기 때문에 전립선암에 대한 치료제 중 항암 cytokine으로서 MDA7을 고려해 볼 수 있다고 하였다.

4. Semenogelin Ⅰ And Ⅱ (SEMG1, SEMG2)

1980년도에는 semenogelin Ⅰ과 Ⅱ (SEMG1과 2)는 사람의 정액 응고물 내에 풍부하게 존재하는 단백질로서 이름이 의미하는 것처럼 정액에서 겔을 형성하는 구조 (structural) 단백질로 인식되었다 (Lilja와 Laurell, 1985). 그 당시의 연구는 SEMG가 주로 정낭에서 분비되고, PSA와 같은 kallikrein 단백질분해효소의 기질이라고 하였다 (Lilja, 1985). 사람에서 52 kDa의 SEMG1과 덜 풍부하게 분포해 있는 71 및 76 kDa의 SEMG2가 정액 응고물의 주성분이며, 정액장액 단백질의 20~40%를 차지한다 (de Lamirande, 2007). 당화 (glycosylation) 과정이 이루어진 형태인 두 SEMG는 구조적으로 78%의 유사성을 보이며, 단위가 반복되는 구조를 가진다 (Lilja와 Lundwall, 1992). 이들 단백질을 코드화하는 유전자 *SEMG1*과 *SEMG2*는 각각 염색체 20q12-q13.2, 20q12-q13.1에 위치

해 있으며, 염색체 20의 긴 팔에서 11.5 kbp 염기쌍 거리로 떨어져 있다 (Ulvsback 등, 1992). 두 유전자 산물은 세 exons에 의하여 코드화되는 단백질 가족에 속하는데, 첫 번째의 exon은 신호 펩티드를 유발하고, 두 번째 exon은 분비 단백질을 코드화하며, 세 번째 exon은 3′-untranslated nucleotides를 함유하고 있다. 첫 번째와 세 번째 exon은 가족 구성원 안에서 보전되지만 두 번째 exon은 그러하지 않다. 따라서 이 가족에서 발현되는 단백질의 1차 구조는 다양하며, 이 때문에 이 가족은 빠르게 진화하였는데, 이 점이 SEMG가 영장류에서만 발견되는 하나의 이유가 될 수 있다 (Lundwall, 1996). SEMG의 생물학적 주요 기능은 수정 능력의 획득 (capacitation)이다. 즉, 정자가 여성의 생식기를 통해 투명대 (zona pellucida)에 도달한 후 난자를 수정시키기 위해서는 정자에서 세포막, 효소 활성, 이온 흐름 등의 변화가 일어나는데, 이 과정에 SEMG가 관여한다 (de Lamirande 등, 1997). SEMG의 생리학적, 병태생리학적 중요성 중 하나는 transglutaminase 4 (TGM4)의 기질이라는 점이다. SEMG1과 SEMG2 둘 모두는 정낭 샘의 상피세포에서 높은 농도로 분비되며, 부고환에서는 SEMG1만 발현된다. 면역조직화학 연구는 정관, 전립선, 기관지 등의 세포도 SEMG1과 SEMG2를 분비하도록 강한 신호를 보내지만, 골격근 세포와 중추신경계는 비교적 약한 신호를 보낸다고 하였다 (Lundwall 등, 2002).

SEMG는 정낭에서 유래되고 주로 PSA에 의해 신속하게 분해된다 (Jonsson 등, 2006). SEMG 뿐만 아니라 SEMG의 분해된 펩티드는 정자 내에서 여러 특성을 나타내는데, 예를 들면 hyaluronidase의 활성 (Mandal와 Bhattacharyya, 1995), 운동성의 억제 (Yoshida 등, 2008), 형질막의 과분극화 (Yoshida 등, 2009), 항균 작용 (Edstrm 등, 2008), 과다 활동성 운동 및 O_2^- 합성을 통한 수정의 방지 (de Lamirande, 2007) 등이다. 또한, SEMGs와 그들 펩티드는 fibronectin (Robert와 Gagnon, 1999), glycosylphosphatidylinositol (GPI)에 고정된 항원으로서 백혈구, 부고환, 정자 등에서 발현되는 cluster of differentiation 52 (CD52) (Flori 등, 2008), heparin (Kumar 등, 2008), protein C inhibitor (PCI) (Suzuki 등, 2007) 등과 같은 다수의 단백질과 결합하거나 상호 작용하며, lactotransferrin, clusterin, epididymal protease inhibitor (EPPIN) 등과 고분자 복합체를 형성한다 (Wang 등, 2007). SEMG의 등전점은 높은 염기성 (pI 9.5)을 나타내며, 이로 인해 여러 단백질과의 결합이 용이하고 많은 양의 산성 단백질을 가진 정

자 표면과 강한 결합을 한다고 생각된다 (Bjartell 등, 1996). 체외 실험에서 SEMG는 protein kinase A (PKA) 및 PKC (Ek 등, 2002), TGMs (Peter 등, 1998) 등의 기질이라고 보고되었다. SEMG 1개당 Zn^{2+} 10개의 비율로 SEMG와 그것의 분절이 Zn^{2+}에 대해 높은 결합력을 가지는 특성은 PSA의 활성을 조절하는 데 중요한 역할을 하며 (Jonsson 등, 2005), SEMG와 정자 단백질과의 결합을 촉진하고 (Yoshida 등, 2008), DNA의 안정화에 필수적인 과정인 정자의 핵으로 Zn^{2+}의 출입을 촉진한다 (de Lamirande, 2007).

'4장 정낭 분비 단백질'에 기술되어 있지만, 생식에 관여하는 단백질은 빠르게 진화하였다. 정액의 주된 성분인 SEMG에 관한 우리의 지식 대부분은 생식과 관련한 것들이다. 동일한 종 내에서 암컷의 난혼 (promiscuity) 정도와 SEMG1 및 SEMG2를 코드화하는 유전자의 진화 사이에 상호 관계가 발견됨으로써 교미한 후의 '정자 경쟁'이 이들 유전자가 진화하도록 유도하였다고 추측된다 (Dorus 등, 2004). SEMG는 정액을 응고시키고 kallikrein 가족의 단백질분해효소에 의해 분해되는 기능을 가진 것 외에도 위에서 기술된 바와 같이 생식과 관련이 있는 여러 기능을 가지고 있다. 간략하게 기술하면, SEMGs는 정자가 난자에 도달하고 융합하는 기능에 영향을 주는 여러 과정에 관여한다. 두 SEMG의 유전적 차이는 충분하게 밝혀져 있지 않다. SEMG1의 분절에서 변형을 흔히 일으키는 allele가 보고된 바 있으나, 그러한 allele의 동형 접합체 (homozygotes)가 발견되지 않았고 (Lundwall 등, 2003), SEMG1의 repeat 부위에 큰 결실이 있는 이형 접합 (heterozygosity)이 생식력에 영향을 주는 것 같지도 않다 (Miyano 등, 2003).

여러 연구는 SEMG1과 SEMG2가 유방, 타액선, 기관지, 신장, 장 등 생식력과 관계없는 조직 (Lundwall 등, 2002) 그리고 소세포폐암 세포주 (Rodrigues 등, 2001)에서도 발견된다고 보고하였는데, 이러한 관찰은 이들 단백질이 생식 외의 기능에도 관여함을 시사한다. 주목할 만한 점은 SEMG가 정액에 풍부한 Zn^{2+}과 결합하는 주된 단백질이라는 사실이다 (Jonsson 등, 2005). 근래의 연구는 Zn^{2+}이 고농도로 함유된 망막에서도 SEMG가 발견되었다고 보고하였다 (Bonilha 등, 2006). SEMG가 세포 밖에서 Zn^{2+}과 결합하는 기능을 가지고 있음은 이들 단백질이 신체 전반에 걸쳐 영향을 줄 수 있으며, Zn^{2+} 의존성 serine proteases를 조절하는 생리학적 역할을 가지고 있음을 시사한다 (Jonsson등, 2005). Kallikrein 가족의

일원인 PSA는 정액장액 내에 있는 주된 단백질분해효소이며, 독특한 특이성을 가지고 있다 (Malm 등, 2000). 단백질을 분해하는 PSA의 작용은 Zn^{2+}에 의해 억제되는데, 체외 실험에서 Zn^{2+}이 풍부한 정액에 SEMG를 첨가하면 유리형의 Zn^{2+}이 감소하여 PSA를 억제하지 못하고 PSA가 활성화하게 된다. 그러나 SEMG는 작은 분절로 계속 분해되기 때문에 점차 Zn^{2+}과 결합하는 부위의 수가 줄어들고 결국 PSA와 결합하는 Zn^{2+}의 수가 증가하여 다시 PSA를 점차 억제하게 된다. 이는 그러한 기질에 의해 PSA가 활성 상태를 유지하는 자기 제한 시스템의 한 예라고 할 수가 있다 (Jonsson 등, 2005). Human kallikrein related peptidases 2와 5 (KLK2와 KLK5)는 PSA와 동일한 가족에 속하는 단백질이다. 흥미롭게도 이들의 활성화 또한 Zn^{2+}에 의해 억제되는데, 이는 이들 단백질분해효소가 PSA와 동일한 방식으로 Zn^{2+} 및 SEMG와 상호 작용함을 시사한다 (Michael 등, 2006). 더군다나 SEMG는 유방, 타액선, 기관지, 장과 같이 생식기관이 아닌 여러 조직에서 PSA, KLK2, KLK5와 공존하고 있다 (Olsson 등, 2005).

두 *SEMG* 유전자는 구조적으로 유사한 14개 유전자를 포함하는 유전자 자리로 감싸져 있고, 그들 유전자에는 신호 펩티드를 코드화하는 첫 번째 exon과 3′ untranslated nucleotides를 가진 세 번째 exon이 있다. 이 유전자 자리는 serine proteases를 억제하는 작은 단백질을 생성한다고 추측되며, whey acidic protein (WAP)에서 처음 발견되었고, 4개의 disulfide bond를 가지고 있다. 이 유전자 자리는 skin-derived antileukoprotease (SKALP)나 peptidase inhibitor 3 (PI3)로도 알려진 elafin과 secretory leukocyte protease inhibitor (SLPI)를 코드화하는 유전자를 포함하고 있으며 (Clauss 등, 2005), 이들 두 유전자 모두는 *SEMG* 유전자의 첫 번째와 세 번째 exons와 상동성을 나타낸다 (Lundwall과 Ulvsback, 1996). 작은 serine proteases 억제제의 발현은 생식기관에 국한되지 않으며, 이들 분자는 광범위한 미생물에 대해 방어 역할을 한다고 추측된다. 또한, *WAP7*으로도 알려진 *serine peptidase inhibitor-like, with Kunitz and WAP domains 1 (SPINLW1)* 유전자 자리에 의해 코드화되는 단백질 EPPIN과 SEMG1의 복합체가 정액장액 내에서와 정자의 표면에서 발견되었다 (Wang 등, 2005). 따라서 이 유전자 자리에서 코드화되는 단백질은 SEMG와 생리학적으로 연관이 있을 것으로 생각된다.

SEMG1과 SEMG2는 많은 다른 단백질과 같이 다양한 기능을 가지고 있다. 정액에서 SEMG의 역할은 필수적인 동시에 특이적이다. 그렇지만 비생식기관에서도 SEMG가 발현되며, 비생식기 조직에서 SEMG는 Zn^{2+}과 결합하여 Zn^{2+} 의존성 단백질분해효소를 조절한다. 이들 단백질의 유전자는 양질의 선택을 거듭하면서 빠르게 진화하였으며, 그러한 선택을 유발하는 인자를 생식생물학 외의 영역에서 찾으려는 연구가 계속되고 있다. 그러한 기능 중의 하나가 세포 밖의 Zn^{2+}을 조절하는 인자로서의 기능이다.

생식력을 갖추기 위한 정자 활성의 첫 단계가 수정 능력의 획득이며, 이는 시기적절한 여러 사건들, 즉 세포 내 cAMP, Ca^{2+}, pH의 증가, 막의 유체성 감소, 단백질에 있는 serine (Ser,S), threonine (Thr,T), tyrosine (Tyr, Y) 잔기의 인산화, 활성 산소종 (reactive oxygen species, ROS)의 생성 등의 복합적인 과정이 연속적으로 일어남으로써 이루어진다 (De Jonge, 2005; O'Flaherty 등, 2006b). 산화질소 (nitric oxide, NO)와 초과산화물 (superoxide anion, O_2^-)과 같은 ROS는 반감기가 짧은 활성 분자이며, 흔히 생리 과정에서 이차 전령으로서 그리고 신호를 전달하는 경로의 조절 인자로서 기능을 한다 (Halliwell과 Gutteridge, 2007). 정자에 의한 소량의 ROS 생성은 수정 능력을 획득하기 위한 시작 과정 중 하나로 인식되며, ROS는 이러한 과정에 관여하는 신호 경로의 대부분을 조절하는 인자라고 알려져 있다 (Herrero 등, 2000). 정자의 NO synthase (NOS)와 아직 완전하게 밝혀지지 않은 산화효소 (oxidase)는 수정 능력을 획득하는 전체 과정 동안 ROS를 생성한다 (de Lamirande와 Lamothe, 2009).

수정 능력을 획득하는 과정에서 미세한 조율은 적절한 생식력을 얻기 위해 필수적이다. 이러한 과정과 관련하여 정자의 수정 능력 혹은 높은 운동성을 조기에 획득하게 되면, 생식력이 감소된다 (Cormier 등, 1997). 정액장액에는 다양한 성분, 즉 Zn^{2+} (Andrews 등, 1994; de Lamirande 등, 2009), cholesterol (Cross, 1996), phosphatidylcholine-binding proteins (Desnoyers와 Manjunath, 1992), glycodelin-S (Chiu 등, 2005), SEMG (de Lamirande, 2007) 등이 포함되어 있으며, 이들은 정자의 조기 활성화를 방지한다고 여겨진다. 흥미로운 점은 O_2^-의 형성과 함께 정자의 수정 능력 획득을 방해하는 데 필요한 Zn^{2+}과 SEMG 농도는 정액장액에서의 농도, 즉 Zn^{2+} 2~5 mM, SEMG 10~20 mg/mL보다 100배 정도 더 낮다는 점이다 (de Lamirande 등, 2001, 2009).

다른 연구도 SEMG가 O_2^-의 합성을 억제하여 정자의 수정 능력의 획득을 방지하며 (de Lamirande, 2007), SEMG의 작용으로 NO가 생성됨은 O_2^-와 NO, 혹은 SEMG의 분절 사이에 밀접한 상호 작용이 있음을 시사한다고 하였다 (de Lamirande와 Lamothe, 2009). 또한, SEMG가 NO, O_2^-와 같은 정자 ROS의 생성과 정자의 수정 능력을 차단하는 이온으로 알려진 Zn^{2+}과 높은 결합력을 가진다는 사실은 SEMG가 Zn^{2+}과 결합함으로써 기능을 하며, SEMG가 효과를 나타내려면 Zn^{2+}이 필요함을 추측하게 한다 (de Lamirande 등, 2009). 정자 내에서 SEMG의 분절을 관찰한 보고를 근거로 하였을 때, SEMG는 세포 내에서도 어떠한 역할을 한다고 생각된다 (Martnez 등, 2008). 예를 들면, SEMG의 분해로 생겼다고 추측되는 19 kDa의 단백질이 사람의 정자 핵 안에서 발견되었으며 (Zalensky 등, 1993), SEMG1의 전구체, 즉 SEMGpre라고 확인된 21 kDa의 단백질이 정자에서 발견되었는데, 이 단백질은 불임 남성에서 높은 농도로 포함되어 있다 (Martínez-Heredia 등, 2008).

de Lamirande 등 (2010)의 연구에 의하면, ROS는 SEMG를 표적으로 할 뿐만 아니라 ROS 자신도 표적으로 삼아 SEMG의 농도를 낮추고 SEMG의 작용을 정지시킨다. SEMG가 정자의 수정 능력 획득을 차단하는 효과는 O_2^-와 NO의 형성과 관련이 있다. 또한, SEMG와 SEMG 펩티드는 정자의 표면과 내부에서 발견되며, ultrafiltrated form of fetal cord serum (FCSu), 외인성 ROS (O_2^-와 NO), zinc chelator인 N,N,N′,N′-tetrakis(2-pyridylmethyl)-ethilenediamine (TPEN), Zn^{2+}의 킬레이트화 (chelation) 등은 수정 능력을 획득하는 과정이 시작하는 동안 SEMG의 농도를 감소시켰으나, superoxide dismutase (SOD)나 NG-monomethyl-L-arginine (L-NMMA)과 같은 항산화제 혹은 Zn^{2+}의 경우에는 그러하지 않았다. 정자는 Zn^{2+}을 억제하는 방식으로 SEMG를 처리하였다. 이들 자료는 한편으로는 SEMG의 분해를 방지하는 Zn^{2+}과 ROS의 생성을 중단시키는 SEMG를 가지고, 한편으로는 SEMG를 처리하여 방출함으로써 증폭 회로가 가동되고 수정을 가능하게 하는 ROS를 포함하는 시스템이 존재함을 보여 준다. 이들 연구의 결과는 정자가 수정 능력을 획득하기 위해서는 ROS, SEMG, Zn^{2+} 사이에 상호 작용이 필요함을 강조하고 있다.

정자의 막은 SEMG에 대해 투과성을 나타내기 때문에, 정자가 부고환의 미부를 통과하는 동안 SEMG는 정자 내부로 들어갈 수 있다 (Bjartell 등, 1996). 정자무력증을 가진 남성의 정자는 고농도의 21 kDa SEMG 펩티드 (SEMG1pre)를 가지며, 이 펩티드의 근원지가 부고환인지 아니면 정낭인지는 알

려져 있지 않다 (Martínez-Heredia 등, 2008). SEMG는 사정된 정자의 안으로도 들어갈 수 있는데, 이는 SEMG와 SEMG 펩티드가 가지고 있는 양이온 성질 때문이라고 추측된다 (de Lamirande 등, 2010).

SEMG와 SEMG의 펩티드는 생리학적 pH에서는 양전하를 나타내며 강한 항균 작용을 가진다 (Martellini 등, 2009). 양이온을 띤 펩티드는 lipopolysaccharide 혹은 음이온의 지질로 인해 음전하를 나타내는 세균의 막과 먼저 상호 작용하여 막의 전하를 중성화함으로써 막에 구멍을 만들거나 막을 변형시키며, 이로써 펩티드가 막을 투과해 들어가거나 막에 삽입하게 된다 (Wilcox, 2004). 대부분의 동물 세포는 표면 전하가 매우 낮거나 없는 막을 가지고 있어 양이온 펩티드에 의해 영향을 받지 않는다. 대조적으로 정자의 표면은 단백질과 결합한 sialic acid를 108개의 세포당 5.4~11.4 mg의 비율로 많이 포함하고 있어 음전하를 나타내기 때문에 (Oshio 등, 1987), 양이온의 SEMG와 상호 작용하게 된다. 그 후에 일어나는 SEMG의 막 삽입 혹은 세포 내로의 내재화가 발생하는 기전은 충분하게 밝혀져 있지 않지만, SEMG가 용량 (1~5 mg/mL) 의존적으로, 시간 (10분) 의존적으로 정자 막을 과분극화하면 세포의 생존에는 영향을 주지 않으면서 propidium iodide에 대한 세포의 투과성이 증가된다는 보고는 있다 (Yoshida 등, 2009).

ROS를 생성하는 물질은 수정 능력을 획득하는 과정 동안 SEMG의 주된 표적이 된다. SEMG와 SEMG 펩티드는 NOS에 직접 작용하거나 PKC와 같이 NOS의 활성화에 필요한 신호 전달 인자에 작용한다. 반대로 O_2^-를 생산하는 정자 oxidase는 알려진 모든 신호 경로에 의해 활성화되는 것으로 보아 SEMG가 oxidase에 대해 직접 작용한다고 생각된다 (de Lamirande 등, 2009). 저농도의 SEMG와 Zn^{2+}이 정자 oxidase를 억제한다고는 하지만, 예비 연구에 의하면 SEMG 1 mg/mL와 Zn^{2+} 150 mM은 중성구의 활성화로 생성된 O_2^-를 각각 37±10%, 30±9% 감소시켰다. 이러한 결과는 정자에 있는 oxidase가 중성구에 있는 환원형 nicotinamide adenine dinucleotide phosphate (NADPH) oxidase와 차이가 많음을 보여 준다 (de Lamirande 등, 2009).

Chatterjee 등 (1997)은 O_2^-가 정액의 액화를 촉진하고 SOD는 정액의 액화를 지연시키는 것으로 보아 ROS가 정액의 액화 과정에서 어떠한 역할을 할 것으로 추측하였다. 이용되는 O_2^-의 양이 매우 크지만, 사정 당시 산소 분압이 5%에서 20%

로 증가하였고, 미발표된 자료에서 사정 직후 정자의 운동성에 어떤 유해한 영향 없이 정상 남성의 정액 표본 12점 모두에서 ROS의 형성이 15~20분 동안 일시적으로 증가한다고 보고되어 이 가설이 어느 정도 타당성이 있다고 생각된다. 순수 SEMG는 정자의 수정 능력 획득에 이용되는 농도의 O_2^-와 NO에 의해서는 분해되지 않아 ROS 자체가 정액의 액화를 촉진하지는 않으며, 대신 정액장액 내의 다른 성분에 작용하여 SEMG의 분해와 정액의 액화를 촉진한다고 생각된다 (de Lamirande 등, 2010).

SEMG는 정자의 ROS 생성을 차단하고, ROS는 정자 내에서 SEMG를 처리하는 데 필요하여 모순되는 양상을 나타내는 가운데 수정 능력을 획득하는 과정은 시작되고 지속된다. SEMG는 사정 당시 정자에 흡착되어 안으로 들어가 조기에 수정이 일어나는 것을 방지한다. 정자가 여성 생식기를 따라 올라갈 때는 결합된 SEMG 및 Zn^{2+}의 일부가 세포 표면으로 방출되며, 이로써 ROS의 합성이 시작된다. ROS와 Zn^{2+}의 방출로 SEMG가 처리되어 정자의 SEMG가 감소하면, ROS의 생성이 더욱 증대된다. 이러한 과정은 SEMG가 분해되거나 방출될 경우 혹은 매우 적은 양의 ROS가 생성된 경우에 시작될 수 있으며, 이 두 가지의 경우는 정자가 확실하게 수정 능력을 가지도록 한다 (de Lamirande 등, 2010).

SEMG는 수정 능력이 조기에 획득되고 그로 인해 생식력이 감소되는 상황을 방지하는 데 중요한 역할을 한다 (de Lamirande 등, 2001). 반대로, SEMG의 분해가 완만하거나 없으면, 정자의 운동성이 충분하게 촉발되지 못해 불임으로 연결된다 (Robert와 Gagnon, 1995). 생식력을 상실한 일부 남성의 정자에서 SEMG가 더 높은 농도로 있거나 SEMG가 매우 완만하게 분해됨이 발견되었는데, 이 경우에는 정자의 운동성이 정상일지라도 정자의 수정 능력의 획득이 지연되거나 상실될 수 있다 (Robert와 Gagnon, 1995).

여러 연구를 종합해 볼 때, SEMG와 Zn^{2+}은 O_2^-와 NO의 생성체에 작용하여 정자가 수정 능력을 획득함에 있어 다음과 같은 중요한 조절 인자로서 기능한다. 첫째, 정자는 SEMG에 대해 투과성을 나타내며, Zn^{2+}을 억제할 수 있는 기전을 가지고 있어 SEMG를 처리한다. 둘째, ROS가 세포 분획 내의 SEMG를 정자가 처리하도록 자극한다. 셋째, 정자의 두부와 결합한 SEMG는 정자가 수정 능력을 획득하는 과정 중 시작을 억제하여 정자의 조기 활성을 방지한다. SEMG, ROS, Zn^{2+} 등은 상호 작용하여 정자가 적절한 시기에 수정 능력을 획득할

수 있도록 조절하는 기능을 가지고 있다 (de Lamirande 등, 2010).

SEMG1과 관련하여 생식 기능과는 다른 방향으로 평가한 연구가 있다. 현대의 화학 요법은 크게 발전하고 있지만 chronic lymphocytic leukemia (CLL)는 아직 치유가 어려운 질환으로 남아 있다. Rai 분류에 따른 병기 0과 1의 CLL을 가진 환자에게는 현재 이용되는 치료가 생존율을 개선시키지 못하여 관찰 및 대기 요법이 권해진다. 여러 임상 관찰 연구는 CLL 세포가 T 세포에 대한 세포 독성에 취약하여 면역을 증강할 경우 자연 회복되었다 (Ribera 등, 1987), 혹은 interferon (IFN)에 반응하였다 (Ziegler-Heitbrock 등, 1989), 혹은 동종의 줄기세포를 이식한 후 'graft versus leukemia' 효과를 나타내었다 (Ritgen 등, 2004)고 보고하였다. 그러므로 면역 요법은 CLL을 치료하는 한 방법이 될 수 있으며, 특히 질환이 초기일 경우에 그러하다. CLL 환자는 일반적으로 어떤 요법을 시작하기 전에 이미 면역이 억제되어 있다 (Ravandi와 O'Brien, 2006). 또한, CLL 환자는 수지상세포 (dendritic cell) (Orsini 등, 2003), 단핵구 (monocyte) (Norris 등, 1980), 자연살해세포 (natural killer cell) (Foa 등, 1986) 등에 결함을 가지고 있으며, 이러한 결함은 질환이 진행함에 따라 증가한다. 이와 같은 결함이 있는 경우 병기 0 혹은 1과 같은 초기 병기의 질환을 가진 환자에게 치료적 접근을 실시하지 않는다면 면역 요법 혹은 면역 억제를 동반한 화학 요법의 성공을 기대하기 어렵다. 참고로 Rai 분류에 의한 CLL의 병기는 다음과 같다 (Rai 등, 1975). 0, 선병증 (adenopathy), 간비장비대, 빈혈, 혈소판감소증 등은 없는 15,000/mL 초과의 림프구증가증; 1, 간비장비대, 빈혈, 혈소판감소증 등이 없는 림프절병증을 동반한 림프구증가증; 2, 림프절병증의 유무와 관계없이 간비대 혹은 비장비대를 동반한 림프구증가증; 3, 림프절병증, 간비대, 비장비대 등의 유무와 관계없이 헤모글로빈이 11 g/dL 미만인 빈혈을 동반한 림프구증가증; 4, 림프절병증, 간비대, 비장비대, 빈혈 등의 유무와 관계없이 100,000/mL 미만의 혈소판감소증을 동반한 림프구증가증.

SEMG1을 코드화하는 유전자는 염색체 20의 긴 팔에 위치하는데, 염색체 20은 골수증식증후군과 골수 이형성 증후군 (myelodysplastic syndrome)에서 흔히 결실이 발생하는 자리이다 (Asimakopoulos 등, 1994). SEMG1은 암을 가진 환자에서 면역성을 나타내는 암/고환 항원 (cancer-testis antigen, CT Ag)으로 확인되어 (Zhang 등, 2003) 종양에서 면역 요법

의 표적으로 유망하다고 추측된다.

CLL 세포에서 zeta-chain-associated protein kinase 70 (ZAP-70)의 발현은 immunoglobulin G (IgG)에 대한 체세포 과돌연변이 (somatic hypermutation; 같은 항원에 반복 접촉하면 항원에 대한 친화력이 증대된 항체가 형성되는데, 이러한 항체를 성숙 항체라 하며, 성숙 항체가 형성되는 기전이 체세포 과돌연변이라고 제시된다)가 없음을 예측할 수 있는 인자이며, CLL 환자에서 낮은 생존율과 관련이 있다. Ahmed 등 (2009)은 SEMG1에 근거한 종양 백신이 초기의 CLL 환자에서 활용이 가능한지를 확인하기 위하여 초기 CLL 환자에서 *SEMG1*의 발현을 조사하였다. *SEMG1* 유전자는 초기 CLL 환자의 46% (19명/41명)에서 발현되었다. 유전자의 발현은 CLL 환자에서 단백질의 발현과 관련이 있었으나, 단백질의 발현은 개인별로 일정하지 않은 양상을 나타내었다. $SEMG1_{43}$이 아닌 $SEMG1_{50}$을 코드화하는 전사물만이 발견되었으며, $SEMG1_{50}$의 발현은 ZAP-70의 상태와는 관련이 없었다. 이들 환자의 일부에서 SEMG1 IgM 항체가 아닌 SEMG1 IgG 항체가 높게 나타났는데, 이는 초기의 CLL 환자에서는 SEMG1에 따른 면역 반응이 온전한 상태임을 추측하게 한다. 이러한 결과를 바탕으로 저자들은 $SEMG1_{50}$이 초기 CLL 환자를 위한 종양 백신의 표적으로 유망하며, 이를 개발하는 것은 가치가 있다고 보고하였다.

유전자를 이식한 생쥐를 이용하여 비교 단백질 유전자 정보 분석 (comparative proteomic analysis)과 Western blot 분석으로 seminal vesicle secretion (SVS)를 연구한 자료에 의하면, 종양이 발달하는 동안 SVS 중 sulfhydryl oxidase 1, glia-derived nexin (GDN), SVS1, SVS3, SVS6 등이 과다 발현되었다. SVS 중 사람의 SEMG와 상동성이 높은 SVS2가 가장 풍부하게 분포해 있는 단백질이며, 이 단백질은 종양이 형성되는 동안 급격하게 감소한다. 따라서 이들 결과는 이러한 단백질이 정낭암을 추적 관찰하는 데 유망한 표적이 될 수 있으며, 관련된 질환을 연구할 때 정낭에서 분비되는 단백질을 포함하고 있는 정액장액을 분석해 볼 필요가 있음을 시사한다 (Chang 등, 2010).

SEMGs와 EPPIN은 복합체를 형성하며, 정자의 운동성을 억제한다. 근치전립선절제 표본 291점을 대상으로 면역조직화학검사를 실시한 연구는 핵, 세포질, 관강 내부 분비물 등에서 SEMG1, SEMG2, EPPIN 등을 분석한 후, 다음과 같은 결과를 보고하였으며, 퍼센트는 양성 전립선, 전립선상피내암, 전

립선암의 순서이다 (Izumi 등, 2012). 첫째, 핵 내의 SEMG1에 대한 염색 양성 반응률은 각각 32%, 77%, 84%, 핵 내의 SEMG2에 대한 염색 양성 반응률은 각각 87%, 94%, 84%, 핵 내의 EPPIN에 대한 염색 양성 반응률은 각각 56%, 64%, 37% 이었다. 둘째, 세포질 SEMG1에 대한 염색 양성 반응률은 각각 7%, 15%, 11%, 세포질 SEMG2에 대한 염색 양성 반응률은 각각 6%, 11%, 9%, 세포질 EPPIN에 대한 염색 양성 반응률은 각각 68%, 74%, 95%이었다. 셋째, 관강 내부 분비물 내의 SEMG1에 대한 염색 양성 반응률은 각각 97%, 98%, 13%, 관강 내부 분비물 내의 SEMG2에 대한 염색 양성 반응률은 각각 98%, 97%, 11%, 관강 내부 분비물 내의 EPPIN에 대한 염색 양성 반응률은 각각 97%, 98%, 48%이었다. 넷째, SEMG1의 핵 내부 농도 및 EPPIN의 세포질 농도는 양성 전립선 혹은 전립선상피내암에 비해 전립선암에서 유의하게 더 높았고, 양성 전립선에 비해 전립선상피내암에서 유의하게 더 높았다. 다섯째, 핵 내부의 SEMG2는 양성 전립선 혹은 전립선암에 비해 전립선상피내암에서 유의하게 더 높게 발현되었다. 여섯째, 핵 내부의 EPPIN은 양성 전립선 혹은 전립선상피내암에 비해 전립선암에서 유의하게 더 낮게 발현되었다. 일곱째, 관강 내로 분비된 SEMG1, SEMG2, EPPIN 모두는 양성 전립선 혹은 전립선상피내암에 비해 전립선암에서 유의하게 더 낮았다. 여덟째, 염색 반응과 임상병리학적 양상 사이에는 통계학적으로 유의한 상관관계가 없었으나, 예외로 핵 내부 EPPIN의 낮은 발현은 Gleason 점수 8 이상과 관련이 있었다. 아홉째, 핵 SEMG1에 대해 양성 반응을 보인 종양은 생화학적 재발 위험과 유의한 상관관계를 가졌다. 이들 결과는 핵에서 SEMG1의 발현은 근치전립선절제술 후 예후를 예측할 수 있는 신뢰성이 있는 인자임을 보여 준다.

네 종류의 전립선암 세포주에 대해 RT-PCR 및 Western blotting 분석을, 근치전립선절제 표본 70점에 대해 면역조직화학검사를 각각 실시한 연구는 다음과 같은 결과를 보고하였다 (Canacci 등, 2011). 첫째, SEMG1의 mRNA 및 단백질 신호는 아연과 함께 배양된 안드로겐 민감성 LNCaP 세포에서 발견되었다. 둘째, *SEMG1* 혹은 *SEMG2*의 유전자 전달 감염은 아연의 존재 하에서 *AR* 양성, *SEMG* 음성인 CWR22Rv1 세포의 성장을 증가 혹은 감소시켰으며, *AR* 음성, *SEMG* 음성인 PC3와 DU145 세포에서는 효과가 미미하였다. 셋째, 면역조직화학검사는 SEMG1과 SEMG2에 대한 면역 반응은 각각 전립선암 조직의 79% (55점/70점), 44% (31점/70점)에서

양성 반응을 나타내었으며, 이는 해당 환자의 양성 조직 표본보다 유의하게 더 높은 비율이었는데 양성 조직 표본의 경우 SEMG1과 SEMG2에 대한 양성 반응은 각각 19% (13점/70점) ($p<0.0001$), 21% (15점/70점) ($p=0.0066$)이었다. 넷째, 조직 병리학적 지표 중 SEMG2의 발현은 Gleason 점수와 역상관관계 (Gleason 점수 7 이하 대 8 이상 시 $p=0.0150$; Gleason 점수 7 대 8 이상 시 $p=0.0111$)를 나타내었으며, SEMG1 양성, SEMG2 음성인 종양을 가진 환자에서는 생화학적 재발의 위험도가 가장 높았다 ($p=0.0242$). 이들 결과를 종합한 저자들은 근치전립선절제술 후 종양의 진행을 예측하는 예후 인자로서 전립선암 내의 SEMG 농도가 중요하다고 하였다.

SEMG에 관해서는 '4장 정낭 분비 단백질'과 '7장 사정액의 응고와 액화'를 참고하면 도움이 된다.

5. Prostate-Specific Membrane Antigen (PSMA)

인체 내부에서 glutamate carboxypeptidase II (GCP II), N-acetylated-α-linked-acidic dipeptidase I (NAALADase I), N-acetyl-aspartyl-glutamate (NAAG) peptidase 등으로도 알려진 전립선 특이 막항원 (prostate-specific membrane antigen, PSMA)의 분자 조절, 효소 기능, 체내 영상화 및 면역 요법에서 생물 지표로서의 역할 등이 생물학적, 생화학적 연구와 전립선암에 관한 연구를 통해 알려지게 되었다. 전립선 상피세포의 세포막에 삽입되어 있는 PSMA는 전립선암 세포에서 처음 확인되었으나 (Horoszewicz 등, 1987), 그 후 양성 전립선 조직 (Bostwick 등, 1998) 뿐만 아니라 십이지장, 신장, 자궁내막, 유방 등의 정상 상피세포와 중추신경계에서도 발현된다고 보고되었다 (Silver 등, 1997; Mhawech-Fauceglia 등, 2007). 사람의 다양한 조직에 대해 면역조직화학검사를 실시한 바에 의하면, 양성 및 악성 전립선 조직 표본 27점 중 93%가 PSMA에 대해 면역 반응을 나타내었고, 염색 반응이 전립선의 기질 성분에서는 나타나지 않은 대신 상피세포에 국한되어 있었다고 하였다. 정상 및 증식성 조직에서는 염색 반응이 약하였으며, 전립선암 조직에서는 강하였다. 정상 신장 표본 14점 중 2점에서 약한 염색 반응이 관찰되었으나, 기타 27종의 장기로부터 채집한 108점의 표본에서는 면역 반응이 관찰되지 않았다 (Horoszewicz 등, 1987).

PSMA를 코드화하는 유전자 PSMA (혹은 folate hydro-lase 1, FOLH1)는 염색체 11p11.2에 위치해 있으며, 19개의 exons를 가지고 있고, 길이가 60 kb이다. PSMA mRNA는 5 α-dihydrotestosterone (DHT)과 같은 안드로겐에 의해 하향 조절되며, basic fibroblast growth factor (bFGF), transforming growth factor-alpha (TGFα), epidermal growth factor (EGF) 등과 같은 성장 인자에 의해 상향 조절된다. 이러한 양상은 안드로겐 박탈 요법 후 (Wright 등, 1996) 혹은 거세 저항성 전립선암 (Kawakami와 Nakayama 등, 1997)에서 PSMA의 발현이 증가된다는 결과와 일맥상통한다.

PSMA는 3개의 영역, 즉 1~18개 아미노산의 세포 내 영역, 19~43개 아미노산의 경막 영역, 44~750개 아미노산의 큰 세포 외 영역 등으로 구성된 100~120 kDa의 II형 막당단백질 (membrane glycoprotein)의 유전 정보를 제공한다 (Fair 등, 1997; Davis 등, 2005). 탄수화물을 제외한 분자량이 84 kDa로 추정되는 PSMA를 코드화하는 cDNA가 처음 보고되었으며 (Israeli 등, 1993), 이듬해에 그것의 아미노산 염기 서열이 확인되었다 (Israeli 등, 1994). PSMA의 촉진체가 복제된 바 있으며 (Good 등, 1999), baculovirus 발현 벡터 시스템 (baculovirus expression vector system, BEVS)을 통해 PSMA를 발현시키고 정제한 보고가 있었다 (Lodge 등, 1999). 아미노산 잔기가 1,250~1,700인 이 단백질의 경막 영역의 일부는 사람의 transferrin receptor mRNA와 57% 상동성을 가진다. PSMA의 세 변형 중 하나로서 PSMA의 세포 외 영역 단백질인 PSM′은 전립선에서 발견되는 막단백질로서 임상적인 중요성은 연구 중에 있다 (Rajasekaran 등, 2005). PSMA의 구조는 단백질 분해 작용을 억제시키는 iron-loaded transferrin을 위한 수용체인 transferrin 수용체와 구조적으로 유사한 동형 이합체 (homodimer)이다 (Davis 등, 2005). 그렇지만 PSMA의 protease 영역, 즉 glutamate carboxypeptidase II는 transferrin 수용체와 다르게 핵이 2개인 zinc 부위, catalytic 잔기, 기질과 결합한 arginine patch를 가지고 있다. PSMA는 folate hydrolase (Carter 등, 1996)와 neurocarboxypeptidase (Pinto 등, 1996)의 작용을 가지고 있으며, NAAG를 glutamate와 N-acetylaspartate (NAA)로 가수 분해한다. PSMA는 기본적으로 구성되어 있는 수용체의 매개로 세포 내 섭취 (endocytosis)를 일으키는데, 이는 PSMA 중 세포 내 영역인 N-terminal domain이 clathrin 및 adaptor protein 2 (AP2)와 이중으로 결합함으로 인해 일어난다 (Goodman 등, 2007).

중추신경계에서 PSMA는 뇌 안에 있는 신경전달물질인

NAAG를 대사시킨다. 소장의 근위부에 위치해 있는 PSMA (혹은 FOLH1)는 carboxypeptidase의 하나인 GCP II와 마찬가지로 poly-γ-glutamated folate로부터 γ-linked glutamate를 제거한다. PSMA는 전립선암의 신생 혈관계에서 과다 발현된다 (Chang 등, 2001). *PSMA*와 유사한 분자가 염색체 11q14.3에 위치해 있지만, *PSMA*만이 전립선암에서 과다 발현된다. 전립선에는 *PSMA*의 세 가지 변형이 있다. 이들 아형들 중 하나, 즉 *PSMA* cDNA의 5′ 말단에 위치한 *PSM′*만이 정상 조직, 양성전립선비대, 전립선암에서 다르게 발현된다 (Rajasekaran 등, 2005). 전립선암 환자에서 호르몬을 박탈하면 *PSA* mRNA의 발현은 낮아지거나 거의 소실되지만, *PSMA* mRNA의 발현은 최대로 높아진다 (Israeli 등, 1992). 다른 장기보다 전립선에서 가장 우세하게 발현되는 *PSMA*는 PSA와 마찬가지로 스테로이드 호르몬에 의해 조절된다.

PSMA는 유방암 (Liu 등, 1997), 신장암 (Al-Ahmadie 등, 2008) 등 여러 종양에서 새로 형성된 혈관의 내피세포에서도 발현된다. PSMA가 시각 상실 및 황반 변성과 관련이 있는 맥락막 (choroid)의 신생 혈관막에서는 발현되지 않는다고 보고된 바 있었지만, 기타 비악성 신생 혈관을 가진 조직에서 기술된 바는 없었다 (Godeiro 등, 2006). 근래 비악성 신생 혈관을 가진 조직에 관한 연구에 의하면, 흉곽 및 심장 밸브의 육아 조직과 관련된 혈관에서 PSMA의 발현은 각각 83% (표본 10점/12점), 70% (표본 7점/10점)에서 양성 반응을 보였으며, 켈로이드의 경우 PSMA 양성 내피세포가 40% (표본 6점/15점)에서 관찰되었다. 이형성의 유무와 관계없이 이소성 위 점막 (heterotopic gastric mucosa; Barrett′s ulcer)에서는 PSMA가 발현되지 않았다 (Gordon 등, 2008).

Folate hydrolase의 작용을 나타내는 PSMA는 비악성 및 악성 조직의 신생 혈관에서 folate의 효율성을 증가시켜 endothelial nitric oxide synthase (eNOS)의 보조 인자인 tetrahydrobiopterin (BH4)의 재생성을 유도하고 혈관 형성을 유발하는 분자인 nitric oxide (NO)의 농도를 증가시킴으로써 혈관 형성을 촉진함에 있어 중요한 역할을 한다 (Stroes 등, 2000). eNOS와 NO는 전구 내피세포 (endothelial progenitor cell)를 동원하여 혈관 형성에 관여하며, 당뇨병에서 상처 치유 (Gallagher 등, 2007), 천식에서 혈관의 구조 변경 (Bhandari 등, 2006) 등과 같은 특징적인 역할을 수행한다.

세포막의 안과 밖에서 일어나는 folate 농도의 차이는 γ-glutamyl 형태의 polyglutamyl folate에 의해 유지되는데,

이 단백질은 세포 내에 축적되며, folate hydrolase로도 불리는 pteroylpoly-γ-glutamate hydrolase에 의해 비결합 형태인 monoglutamyl 형태로 전환되어야 대사 작용에 관여할 수 있다 (Quinlivan 등, 2006). PSMA는 folate hydrolase의 작용을 가지고 있다. 따라서 신생 혈관과 관련이 있는 내피세포에서 PSMA가 발현된다는 연구 결과는 PSMA가 신생 혈관을 형성하는 부위에 folic acid의 농도를 증가시켜 혈관 형성을 유발하는 효과를 나타냄을 시사한다 (Gordon 등, 2008). PSMA는 caveolae의 표지자인 caveolin 1과 공동 면역 침전 (coimmunoprecipitation)을 일으키며 (Anikumar 등, 2006), eNOS와도 공동 면역 침전을 일으키는데, 이는 PSMA가 eNOS와 밀접한 연관성을 가지고서 혈관 형성에 관여함을 추측하게 한다 (Goligorsky 등, 2002).

혈관 형성에서 PSMA의 역할은 종양으로 인해 발생한 신생 혈관에서 발현되는 PSMA와 연관 지어 연구되고 있다. 혈관 형성 및 내피세포의 침범에 필요한 p21-activated kinase 1 (PAK1)과 β1-integrin을 포함하는 자가 조절 회로에 PSMA가 관여한다는 보고가 있으며 (Conway 등, 2006), 새로운 혈관을 형성하는 질환이라고 알려진 Barrett′s ulcer에는 이형성의 유무와 관계없이 PSMA가 발현되지 않는 것으로 보아 PSMA는 모든 형태의 신생 혈관 혹은 신생 혈관 형성의 모든 단계에서 역할을 하는 것은 아니라는 보고 또한 있다 (Sihvo 등, 2003).

악성 전립선 상피세포에서 PSMA가 강하게 발현됨으로 인해 PSMA에 대항하는 항체를 치료에 이용하고자 하는 연구가 시도되고 있다. 예를 들면, PSMA에 대한 단일 클론인 J591이 전이 전립선암의 치료제로서 연구되고 있다 (Bander 등 2003). J591을 병행한 방사선 요법과 면역 요법이 평가 중에 있으며, 이러한 치료법에서는 독성이나 유해한 면역 효과가 제한적이라고 보고되고 있다 (Nanus 등, 2003). 이들 연구는 내피세포에서 발현되는 PSMA가 암의 신생 혈관에 국한된다는 가설 하에서 시도되고 있다. 그러나 위에서 기술된 바와 같이 비악성 신생 혈관에서도 PSMA가 발현되고, 회복 및 재생과 관련이 있는 혈관 형성에서 PSMA가 역할을 담당한다는 연구 결과는 심장혈관질환, 당뇨병, 천식 등과 같이 PSMA에 대한 대항 요법의 대상을 결정할 때 근거 자료로 고려되어야 한다고 생각된다 (Gordon 등, 2008).

RT-PCR을 이용하여 말초 혈액을 연구한 Su 등 (1995)은 PSMA 농도:PSM′ 농도의 비율이 0.075~0.45인 정상 전립선

도표 82 전이 전립선암 환자에서 PSMA와 PSA에 대한 RT-PCR 민감도의 비교

참고 문헌	PSMA RT-PCR	PSA RT-PCR
Israeli 등, 1994	16/24 (67%)	6/24 (25%)
Cama 등, 1995	10/20 (50%)	16/20 (80%)
Loric 등, 1995	28/33 (85%)	17/33 (51%)
Sokoloff 등, 1996	13/33 (39%)	29/33 (88%)
Zhang 등, 1997	10/11 (91%)	7/11 (64%)
Grasso 등, 1998	10/11 (91%)	7/11 (64%)
전체	87/132 (66%)	82/132 (62%)

PSMA, prostate-specific membrane antigen; PSA, prostate-specific antigen; RT-PCR, reverse transcription-polymerase chain reaction.
Elgamal 등 (2000)의 자료를 수정 인용.

혹은 0.76~1.6인 양성전립선비대에 비해 전립선암과 LNCaP 세포에서 더 높았는데, 각각 3~6, 9~11이었다. 이와 같은 결과는 정상 전립선이 전립선암으로 진행함에 따라 PSM′ 보다 PSMA가 더 크게 발현됨을 보여 준다. 말초 혈액에 대한 6편의 RT-PCR 연구를 분석한 Elgamal 등 (2000)의 자료에 의하면, PSA의 경우 62%, PSMA의 경우 66%의 민감도를 보여 PSMA를 관례적으로 임상에 이용하기는 적절하지 않다고 생각된다 (도표 82). 한편, 다수의 연구는 PSMA의 발현을 발견하기 위한 immunoscintigraphy인 방사성 표지 IgG$_1$ 7E11-C5 (CYT-356, ProstaScint®)는 국소 침범 혹은 국소 림프절의 침범을 일으킨 전립선암의 발견에서 높은 민감도를 나타낸다고 하였다. 예를 들면, CT 스캔 단독일 경우, CT/MRI/초음파 병용일 경우의 민감도는 각각 36%, 48%인 데 비해, ProstaScint®의 민감도는 75%, 정확도는 81%이다 (Kramer 등, 1997; Hinkle 등, 1998).

PSMA의 단클론 항체에 관한 연구가 다수 있지만, 전립선 질환을 가지고 있는 환자의 혈액에서 PSMA 단백질의 농도를 연구한 자료는 많지 않다 (Tino 등, 2000). 현재 이용되고 있는 분석법으로 competitive Western slot blot, enzyme-linked immunosorbent assay (ELISA) 등이 있고, 흔히는 immuno-surface-enhanced laser desorption ionization (Immuno-SELDI)이 이용되고 있다. 9H10-A4와 7E11-C5 단일 클론 항체를 이용한 ELISA 분석법의 경우 PSMA 농도는 전립선암 환자의 47% (20명/43명)에서 증가된 반면, 전립선암이 없는 환자에서는 불과 5% (3명/66명)에서 증가되었고 정상 헌혈자 30명에서는 음성 결과를 나타내었다 (Horoszewicz

등, 1987). PSMA의 발현은 암의 분화도와는 직접 관련이 있으나, 종양의 병기와는 관련이 없다는 보고가 있지만 (Wright 등, 1995), ELISA와 Western blotting을 이용한 다른 연구는 PSMA가 암의 분화도나 병기가 높을수록 증가한다고 하였으며, 이러한 결과는 PSMA가 암의 재발 및 진행과 관련이 있음을 보여 준다 (Murphy 등, 1997). Immuno-SELDI를 이용한 분석은 7E11-C5 항체를 가진 혈청 PSMA의 농도가 양성전립선비대 환자 10명과 전립선암 환자 17명에서 큰 차이가 있음을 보여 주었는데, 각각 117.1 ng/mL, 623.1 ng/mL 이었다 ($p < 0.001$) (Xiao 등, 2001). 저자들은 정상 피험자와 50세 이상의 양성전립선비대 환자에서의 혈청 활성도가 연령에 따라 상당하게 중복된다고 하였다.

PSMA 분자가 가지고 있는 여러 기능을 평가한 연구는 PSMA의 이합체화 (dimerization)가 transferrin 수용체와 유사하며, 어떤 ligand의 내재화 (internalization)를 위한 수용체로서의 역할을 수행한다고 하였다. PSMA는 NAALADase, folate reductase 등과 같은 효소의 활성화를 통해 영양의 섭취에도 관여한다. PSMA peptidase의 활성은 전립선 상피세포에서의 신호 전달에 관여하며, 이로써 세포의 생존, 증식, 이동 등에서 기능을 수행한다. 따라서 이 다기능 분자는 생리적으로 많은 이점을 가질 뿐만 아니라 전립선암을 관리함에 있어 잠재적으로 많은 진단적, 치료적 가치를 지닌 중요한 분자이다 (Rajasekaran 등, 2005). 고등급의 호르몬 불응성 및 전이 전립선암에서는 PSMA가 매우 높게 발현되며, PSMA를 발현하는 전립선암 세포는 골수 기질에서 성장할 경우 focal adhesion kinase (FAK)의 활성화를 통해 운동성이 감소되고 부착성이 증가된다 (Barwe 등, 2007).

전립선암에서 PSMA의 항체가 생성된다는 보고도 있다. 이에 관한 연구는 PSMA 항체의 수치가 암이 없는 66명 환자에서는 5% (3명/66명)에서만 증가되었고 30명의 정상인에서는 음성인 반면, 43명의 전립선암 환자에서는 47% (20명/43명)에서 증가되었다고 하였다 (Horoszewicz 등, 1987). 이들이 확인한 항체를 이용하여 PSMA에 대해 Immuno-SELDI 분석을 실시한 연구는 protein chip array에 PSMA의 항체를 적용시키면 전립선암과 양성전립선비대를 감별할 수 있다고 보고하였다 (Xiao 등, 2001). 전립선암의 진단, 관리, 영상화에서 PSMA의 이용이 유망하다고 생각되며 현재 연구 중에 있다.

분자 병기 (molecular staging)에 관한 연구는 임상적 국소 전립선암 환자의 말초 혈액과 골수 생검 표본을 수술 전에 채

취하여 RT-PCR로 PSA와 PSMA 전사물을 분석한 후, 말초 혈액과 골수 모두에서 음성인 경우를 저급 위험군, 말초 혈액에서는 양성이나 골수에서 음성인 경우를 중급 위험군, 말초 혈액과 골수 모두에서 양성인 경우를 상급 위험군 등의 세 군으로 분류하였으며, 이러한 분자 병기가 근치전립선절제술 후 생화학적 실패까지의 기간을 예측하는 독립 인자라고 하였다 (Mitsiades 등, 2004). 동일한 말초 혈액에서 RT-PCR에 의한 PSA 및 PSMA mRNA 두 전사물의 양성 결과, 즉 분자 병기 양성은 임상적으로 현미경적 전립선암의 크기, 즉 말초 혈액 내 106개의 세포 중 3~5개의 암 세포 혹은 말초 혈액 1 mL 중 5~10개의 암 세포의 조건에 해당한다 (Fidler, 1990; Liotta 등, 1974). 그러므로 수술 전 말초 혈액 및 골수 생검 표본에서 RT-PCR에 의해 PSA 및 PSMA 전사물을 함께 발견하는 프로토콜은 임상적으로 국소 전립선암을 가진 환자에서 생화학적 실패가 없는 생존에 대한 독립적 예측 인자로서의 역할을 하며, 이들 환자에서 치료적 관리의 방향을 제시해 준다고 생각된다 (Mitsiades 등, 2004). 국소 전립선암 환자의 생화학적 무재발 생존을 평가한 연구는 즉각적으로 치유 요법을 받은 분자 병기 양성의 1군 환자 39명에서 생화학적 무재발 생존 기간의 중앙치는 9개월 (95% CI 5~13개월)이었으며, 치유 요법 전 12개월 동안 병합 안드로겐 차단 요법을 이용하여 분자 병기 양성을 음성으로 전환시킨 2군 환자 15명에서 생화학적 무재발 생존 기간은 36개월 이상이었다 ($p < 0.001$)고 하였다. 1군에서 PSA가 2.0 ng/mL 이상 증가하는 데 걸리는 시간은 12~36개월 (중앙치 18개월, 95% CI 12~21개월)이었으며, 2군에서는 한 환자만이 치유 요법 후 36개월에 PSA가 2.0 ng/mL 이상 증가하였다. 이 연구에서 병합 안드로겐 차단 요법으로 1군에서는 장기간 작용제인 luteinizing hormone releasing-hormone agonist (LHRH-A)와 경구용 bicalutamide 50 mg/day를 근치전립선절제술, 체외 방사선 요법, 근접방사선 요법 등의 치유 요법을 실시하기 전 1~3개월의 짧은 기간 동안 투여하였고, 2군에서는 그러한 약제를 치유 요법 전 12개월 동안 투여하였다. 이들 결과를 근거로 저자들은 임상적으로 국소 전립선암이고 말초 혈액에서 RT-PCR로 PSA 전사물과 PSMA 전사물이 양성인 환자에게 병합 안드로겐 차단 요법을 실시하면 양성인 분자 병기를 음성으로 전환시킬 수 있으며, 그로 인해 국소 전립선암 환자의 생화학적 무재발 생존율을 개선시킬 수 있다고 하였다 (Lembessis 등, 2007).

특이한 단클론 항체 혹은 β-선을 방출하는 방사선 핵종으로 표지된 입자를 이용한 방사선 면역 요법 (radioimmunotherapy, RIT)은 단독으로 혹은 화학 요법제와 병용으로 non-Hodgkin lymphoma (NHL)의 치료에 효과적으로 이용되고 있다 (Press 등, 2013). 방사선 면역 요법을 경성 종양에 이용하는 데는 생물학적, 기술적, 실용적 이유로 많은 어려움이 따른다 (Divgi, 2006). 전이 전립선암은 방사선에 반응을 나타낼 뿐만 아니라 전형적으로 혈중에 고농도의 항체를 가지면서 골수와 림프절에는 작은 크기의 전이 암을 발생시키기 때문에, 방사선 면역 요법의 좋은 적용 대상이 된다 (Kelly 등, 2007). 다른 경성 종양과는 다르게 거의 모든 전립선암에는 분비되지 않는 특이한 세포 표면 항원인 PSMA가 있으며, 이 단백질은 분화도가 낮은 전이성, 거세 저항성 전립선암에서 더 높게 발현되기 때문에, 이상적인 표적이 될 수 있다 (Israeli 등, 1994). J591은 높은 친화도로 특이하게 PSMA의 세포 외 영역과 결합하는 탈면역화 (deimmunization) 단클론의 항체이다 (Smith-Jones 등, 2000). 또한, PSMA-J591 항체의 복합체는 내재화된 후 항체와 결합한 방사선 핵종 혹은 약물을 표적이 되는 암 세포의 내부로 전달한다 (Liu 등, 1998). [177]Lu 표지 J591 혹은 [90]Y 표지 J591을 이용한 4편의 임상 연구는 J591이 골격과 연조직에 있는 전이 전립선암을 특이하게 높은 민감도로 표적으로 삼는다고 하였다 (Tagawa 등, 2013) (도표 83). 방사선 핵종으로 표지된 J591은 기타 방사선 면역 요법과 마찬가지로 환자가 잘 순응하였으며, 심각한 독성 효과로는 예측 가능한 수준의 가역성 골수 억제 증상이 있었다 (Tagawa 등, 2010). 방사선 면역 요법에 따른 골수 독성 효과는 치료 전의 말초 혈액의 혈구 수, 골수 비축량, 방사선 용량 등과 관련이 있으며 (Behr 등, 2002), 대부분 자연적으로 회복되지만, 세포 독성을 이용한 화학 요법을 실시해야 할 경우는 신중을 기해야 한다. 방사선 면역 요법 후 이차성 골수 이형성 증후군 (myelodysplastic syndrome, MDS) 혹은 급성 골수성 백혈병 (acute myelogenous leukemia, AML)이 2~5%의 빈도로 발생한다는 보고가 있다 (Cheson, 2001). ^{90}Y-ibritumomabor (Czuczman 등, 2007) 혹은 ^{131}I-tositumomab (Bennett 등, 2005)으로 방사선 면역 요법을 실시한 후 MDS와 AML 부작용에 관해 철저하게 분석한 연구는 방사선 면역 요법이 화학 요법제를 이용한 다수의 단일 요법에 비해 MDS의 위험이 더 높지 않다고 하였다.

전립선암 환자를 대상으로 1회 혹은 수회의 [177]Lu- 혹은 ^{90}Y-J591을 이용한 방사선 면역 요법과 방사선 면역 요법 전

도표 83 방사선 핵종으로 표지된 J591을 이용한 임상 연구

참고 문헌	임상 연구	이용 제제	환자 수	누적 용량, mCi/m²	투여 방법
Milowsky 등, 2004	⁹⁰Y-J591을 이용한 종양 선양 증가[†] 임상 1상 연구	¹¹¹In-J591과 ⁹⁰Y-J591	29	5~20	⁹⁰Y-J591을 1회 주입 후 영상화를 위해 ¹¹¹In-J591 투여
Bander 등, 2005	¹⁷⁷Lu-J591을 이용한 종양 선양 증가 임상 1상 연구	¹⁷⁷Lu-J591	35	10~75	¹⁷⁷Lu-J591을 1회 주입
Tagawa 등, 2013	1회 투여 임상 2상 연구	¹⁷⁷Lu-J591	47	65~70	¹⁷⁷Lu-J591을 1회 주입
Tagawa 등, 2010	분할 투여 임상 1상 연구	¹⁷⁷Lu-J591	39	40~90	¹⁷⁷Lu-J591을 주입 후 2주 후 동일 용량을 재주입

[†], phase I dose-escalation trial.

Tagawa 등 (2013)의 자료를 수정 인용함.

도표 84 방사선 면역 요법 전의 치료에 따른 혈액학적 독성 효과

독성 효과/전 치료	화학 요법 (67명)	화학 요법 않음 (83명)	방사선 요법 (77명)	방사선 요법 않음 (73명)	화학 요법 및 방사선 요법 (35명)	어떤 요법도 않음 (41명)
등급 4 혈소판감소증 수 (%)	27 (40.3)	23 (27.7)	26 (33.8)	24 (32.9)	16 (45.7)	13 (31.7)
혈소판 수혈 수 (%)	17 (25.4)	18 (21.7)	19 (24.7)	16 (21.9)	11 (31.4)	10 (24.4)
등급 4 호중구감소증 수 (%)	1 2 (17.9)	16 (19.3)	15 (19.5)	13 (17.8)	7 (20)	8 (19.5)

어떠한 비교도 통계적으로 유의하지 않았다 (p>0.05). 혈소판감소증 (thrombocytopenia)은 혈소판의 수에 따라 등급 1은 75,000~150,000, 등급 2는 50,000~75,000, 등급 3은 25,000~50,000, 등급 4는 0~25,000으로 분류되며, 호중구감소증 (neutropenia)은 호중구의 수에 따라 등급 1은 1,500~2,000, 등급 2는 1,000~1,500, 등급 3은 500~1,000, 등급 4는 0~500으로 분류된다.

Tagawa 등 (2013)의 자료를 수정 인용함.

혹은 후에 세포 독성의 화학 요법을 실시한 임상 1상 및 2상 연구에 의하면, 방사선 면역 요법의 중대한 독성 효과로는 골수 억제 증상이 유일하였는데, 33.3%에서 중대한 출혈이 없는 등급 4의 혈소판감소증이, 17.3%에서 등급 4의 호중구감소증이, 0.07%에서 고열을 동반한 호중구감소증이 발생하였다 (도표 84). 97.3%의 환자가 등급 0 혹은 1의 혈소판감소증으로 자연 회복되었으며, 모든 환자에서 호중구가 완전하게 회복되었다. 이 연구의 저자들은 거세 저항성 전이 전립선암의 치료법으로 방사선 면역 요법을 실시할 수 있으며, 독성 효과로 골수 억제 증상이 나타날 수 있으나 대개 자연 회복되며, 대부분의 환자가 방사선 면역 요법 후 세포 독성의 화학 요법에 잘 순응한다고 보고하였다 (Tagawa 등, 2013).

6. Prostate Stem Cell Antigen (PSCA)

세포 표면 단백질인 전립선 줄기세포 항원 (prostate stem cell antigen, PSCA)은 123개 아미노산의 당단백질로서 LAPC-4 전립선 이종 이식 암 모델에서 처음 확인되었으며, 전립선에서 가장 높게 발현되지만 방광, 태반, 결장, 신장, 위 등에서 도 발현된다 (Reiter 등, 1998). 염색체 8q24.2에 위치해 있는 *PSCA* 유전자에 의해 코드화되는 PSCA는 stem cell antigen 2 (SCA2)와 30%의 상동성을 가지고 있다 (Jain 등, 2002). SCA2와 마찬가지로 PSCA는 Thy-1/Ly-6 가족 구성원이며 glyco-sylphosphatidylinositol과 결합한다.

방광전립선절제술 및 근치전립선절제술 후 채집된 고등급 전립선상피내암 조직에 대해 면역조직화학검사를 이용하여 PSCA, PSA, 세포와 세포 사이의 상호 작용에 관여하는 당단백질인 cluster of differentiation antigen 44 (CD44), 전립선 기저세포의 표지자인 p63 등을 평가한 연구에서 PSCA 양성 세포는 PSA와 CD44에 대해서는 양성을, p63에 대해서는 음성을 나타내었다. 이러한 결과는 PSCA가 일과성 증폭 세포 (transient amplifying cell, TAC)로도 불리며 악성 형질 전환과 관련이 있고 안드로겐 비의존성 암의 표지자이기도 한 후 중간 전립선 상피세포 (late intermediate prostatic epithelial cell)의 표지자임을 시사한다 (Tran 등, 2002).

PSCA 동족체는 다양한 기능을 나타내며, 종양 형성에 관여한다. SCA2를 매개로 하는 신호 경로는 세포 자멸사를 방지한다 (Noda 등, 1996). PSCA는 정상 전립선의 중간 세포 내에

국한되어 발현되고 SCA2와 상동성을 가지는 것으로 보아 세포의 재생, 즉 세포 자멸사에 대한 대항 작용 혹은 세포의 증식과 같은 줄기세포/전구세포 (progenitor cell)의 기능을 가지고 있다고 생각된다 (Jain 등, 2002).

PSCA의 발현은 다수 인자에 의해 조절되며, 전사의 조절이 PSCA의 발현을 조절하는 주된 요소이다 (Watabe 등, 2002). PSCA 발현의 시작은 세포 사이의 접착 (Bahrenberg 등, 2001)과 protein kinase C (PKC) (Thomas와 Samelson, 1992)에 의해 조절되거나 매개된다.

방광전립선절제술을 받은 20명과 근치전립선절제술을 받은 20명을 평가한 연구에서 PSCA의 발현은 정상 상피세포로부터 위축증, 고등급 전립선상피내암, 전립선암으로 진행함에 따라 증가하였으며, 그러한 변화는 세포의 증식 표지자인 Ki-67의 발현과 상호 관련이 있었다 (Barbisan 등, 2010). 특히, PSCA의 발현은 전립선 위축 및 고등급 전립선상피내암에서 통제되지 않았으며, 이는 전립선에서 종양이 형성되는 과정에는 field effect (조직학적 구조에는 변화 없이 일어나는 세포의 유전적 혹은 대사적 변화)가 존재한다는 가설을 뒷받침한다. PSCA의 과다 발현은 종양이 형성되는 과정이 진행됨에 따라 증가하는데, 이유는 분명하지 않으나 몇 가지 제시되는 가설은 있다. 첫째, PSCA의 과다 발현은 PSCA 유전자의 증폭 때문일 수 있다. PSCA는 흔히 재발성 및 전이성 전립선암에서 증폭되며 나쁜 예후와 관련이 있다고 간주되는 염색체 8q24.2.4에 위치해 있다 (Sato 등, 1999). 또한, PSCA는 재발 및 전이 전립선암의 20% 이상에서 증폭되는 발암 유전자 v-myc avian myelocytomatosis viral oncogene homolog (c-MYC)와 매우 근접하여 있다 (Jenkins 등, 1997). 다른 연구도 PSCA와 c-MYC는 종양의 25%에서 함께 증폭되기 때문에, 전립선암에서 PSCA의 과다 발현은 PSCA와 c-MYC의 동반 증폭과 관련이 있다고 하였다 (Reiter 등, 2000). 둘째, PSCA의 증가는 PSCA mRNA 전사의 상향 조절 때문이다. 전립선암 표본 102점에서 PSCA에 대한 면역 염색과 이전에 실시한 in situ hybridization (ISH)에 의한 PSCA mRNA 분석을 비교한 연구는 PSCA 양성 부위와 PSCA mRNA 발현 부위가 일치하는 경우가 90.2% (92점/102점)임을 보여 주었다 (Gu 등, 2000). 다른 연구도 면역조직화학검사와 ISH를 병행하여 전립선암 표본을 검사한 결과 83.4% (40점/48점)에서 PSCA 단백질과 PSCA mRNA가 중등도로 혹은 강하게 발현됨을 보여 주었다 (Zhigang과 Wenlu, 2004). 한편, PSCA 양성 세포의 퍼센트는 근치전립선절제술로 채집된 전립선암보다 방광전립선절제술로 우연히 발견된 전립선암 표본에서 더 낮았지만, 통계적으로 유의하지는 않았다. 따라서 PSCA 발현으로는 우연히 발견된 전립선암과 임상적으로 발견된 전립선암을 구별할 수 없다 (Barbisan 등, 2010).

면역조직화학 연구는 임상적으로 중대한 전립선암의 경우 94%에서 PSCA가 발견되고, 약 40%에서는 PSCA가 과다 발현된다고 하였다 (Gu 등, 2000). PSCA가 크게 발현되면 높은 Gleason 점수, 전립선 외부로의 침범 등과 같은 나쁜 예후와 연관성을 가진다 (Han 등, 2004). PSCA는 전립선암의 진단, 치료, 임상적 예후 등에서 활용 범위가 넓다 (Raff 등, 2009). 전립선 침 생검에서 PSCA의 과다 발현은 정상 전립선과 전립선암을 구별하고 전이 혹은 재발의 위험이 있는 환자를 발견하는 데 활용될 수 있다 (Zhigang 등, 2008). 마찬가지로, 골수 혹은 말초 혈액에서 PSCA를 과다 발현하는 세포를 발견하게 되면, PSA 양성 혹은 PSMA 양성 전립선 세포를 발견하는 것 이상으로 전이 암의 발견율과 예측률이 증가된다 (Barbisan 등, 2010).

PSCA는 mRNA ISH를 이용한 연구에서 전립선 상피 중 줄기세포 구역으로 추정되는 부위인 정상 전립선의 기저상피세포에서 발현되기 때문에, PSCA는 전립선의 줄기세포 및 전구세포의 표지자라고 생각된다. RT-PCR을 이용하여 말초 혈액에서 PSA, PSMA, PSCA mRNA를 측정한 Hara 등 (2002)은 58명의 전립선암 환자에서 PSA, PSMA, PSCA에 양성 반응을 나타낸 경우는 각각 12.1% (7명/58명), 20.7% (12명/58명), 13.8% (8명/58명)이었으며, 암이 없는 71명의 표본에서는 양성 결과가 없었다고 하였다. 전립선암 환자 58명에 대해 RT-PCR을 이용한 평가에서 세 생물 지표의 예후 수준을 순서대로 나열하면, PSCA〉PSA〉PSMA 순이었다. 이러한 부류의 환자에서 PSCA에 대한 RT-PCR의 결과가 양성이면 다른 두 생물 지표의 결과에 비해 질환의 진행이 없이 생존할 가능성이 더 낮다. PSCA의 발현은 암 병기가 높고 Gleason 점수가 높을수록 그리고 전이로 진행한 경우에 증가되기 때문에, 전립선암의 병기를 결정하는 데 유용한 생물 지표가 될 수 있다 (Hara 등, 2002).

전립선암 환자 246명으로부터 채집한 tissue microarray (TMA)를 이용하여 PSCA에 대한 면역조직화학적 분석을 실시한 연구는 PSCA에 대한 염색 강도 3.0은 Gleason 점수 7 이상 (p=0.001), 정낭 침범 (p=0.005), 피막 침범 (p=0.033) 등을 포함하는 나쁜 예후와 관련이 있다고 보고하였다. 그러나 다변량 분석에서는 PSCA가 PSA 재발에 대해 독립적인 예측 인자의 역할을 하지 못하였다 (Han 등, 2004). 조직 수준에서는 면역조직화학 분석을, mRNA 수준에서는 ISH를 이용하여 양성전립선비대, 저등급 전립선상피내암, 고등급 전립선상피내암, 전립선암 등을 평가한 연구에 의하면, 양성전립선비대와 저등급 전립선상피내암에서는 PSCA 단백질과 *PSCA* mRNA에 대한 염색이 약하거나 음성이었으며, 전립선암과 고등급 전립선상피내암에 비해 강도가 약하고 균일하였다. 면역조직화학 및 ISH를 이용한 연구에서 PSCA 단백질 및 *PSCA* mRNA 발현은 고등급 전립선상피내암 표본의 72.7% (8점/11점), 전립선암 표본의 83.4% (40점/48점)에서 중등도 이상으로 강하였으며, 전립선암은 양성전립선비대 (20%)나 저등급 전립선상피내암 (22.2%)과 통계적으로 유의한 차이를 나타내었다 (각각 $p < 0.05$). PSCA의 발현은 높은 Gleason 등급, 진행된 병기, 안드로겐 저항성으로의 진행 등의 질환에서 증가하였다. 또한, 이 연구는 PSCA 단백질 및 *PSCA* mRNA의 과다 발현과 전립선암은 상당한 연관성을 나타내기 때문에 PSCA는 예후를 예측하는 생물 지표가 될 수 있다고 하였다 (Zhigang과 Wenlv, 2004). 전립선 상피조직의 형태 형성과 전립선암의 진단 및 치료에서 이 단백질의 가치는 아직은 분명하지 않다.

사람에서 *PSCA*의 과다 발현이 전립선암의 발생 원인이 되는지는 분명하지 않다 (Raff 등, 2009). 여러 연구는 *PSCA* 유전자가 위치해 있는 염색체 8q가 전립선암의 전이 및 재발에서 흔히 증폭되며, 이는 나쁜 예후와 연관성을 가진다고 보고하였다 (Sato 등, 1999). 또한, *PSCA* 유전자는 종양 유전자와 인접해 있기 때문에, 전립선암에서 증가되는 다른 유전자들의 증폭과 함께 *PSCA*의 발현도 증가될 수 있다 (Jenkins 등, 1997). 이와 같은 결과는 *PSCA*가 전립선암 세포에서 종양 유전자인 *c-MYC*의 증폭 지표가 될 수 있으며, 종양을 개별적으로 특징화시키는 데 도움을 줄 수 있음을 보여 준다 (Banks 등, 2005).

전립선암으로 근치전립선절제술을 받은 66명을 대상으로 말초 혈액에서 *PSCA* mRNA가 양성인 세포를 발견하기 위해 RT-PCR을, 미세 절편 조직에서 PSCA 단백질의 발현을 확인하기 위해 면역조직화학검사를 실시한 연구에 의하면, RT-PCR로 *PSCA*가 양성인 경우는 저등급 분화도의 전립선암 환자에서는 3.2%인 데 비해, 고등급 분화도의 전립선암 환자에서는 22.9%이었으며 ($p=0.030$), 전립선에 국한된 질환에서는 6.8%, 전립선 외부로 침범한 질환에서는 27.3%이었다 ($p=0.022$). 면역조직화학검사에서 PSCA의 발현 강도는 전

립선 외부로의 침범 ($p=0.014$), 수술 절제면 침범 ($p=0.053$) 등과 유의한 연관성을 보였으며, 전립선 내에 국한된 질환의 23.8%, 전립선 외부로 침범한 질환의 54.5%가 높은 염색 반응을 나타내었다. 또한, 이 연구는 생화학적 재발의 위험과 관련이 있다고 확인된 예후 인자로는 정낭 침범 ($p=0.004$), 전립선 외부 침범 ($p=0.019$), 림프관 색전 ($p=0.036$), RT-PCR에 의한 *PSCA* 양성 ($p=0.004$) 등이 있다고 하였다 (도표 85). 이러한 결과를 근거로 저자들은 말초 혈액에서 RT-PCR을 통해 확인된 *PSCA* 양성은 전립선암의 병기를 결정하는 데 도움을 준다고 하였다 (Joung 등, 2007).

Transgenic adenocarcinoma of the mouse prostate (TRAMP) 세포주에서 *PSCA* 유전자를 분리한 후 백신인 plasmid *PSCA* (pm*PSCA*)를 생성하여 전기 천공법으로 근육 내에 투여한 연구에 의하면, pm*PSCA*가 수컷 생쥐의 피하 TRAMP 종양에 대해 항암 면역 반응을 효과적으로 나타내어 종양의 성장을 억제함으로써 치유 효과를 나타내었거나 생존을 연장시켰으며, *PSCA*를 발현하는 B16 F10 종양에서 전이를 억제하였다. PSCA에 대한 T-helper type 1 (Th-1) 유형의 면역이 활성화되었는데, 이는 자가 항원에 대한 내성이 차단되었음을 시사한다. 이러한 면역은 종양에 특이하였고, 비장세포 (splenocyte)의 양자 면역세포 이입 (adoptive transfer)에 의해 전

도표 85 PSCA 등을 포함한 예후 인자의 생화학적 재발에 대한 단변량 및 다변량 분석

변수	HR (95% CI)	p-value
단변량 분석		
PSA ≥20 ng.mL	1.212 (0.522–2.846)	0.634
Gleason 점수 ≥7	5.38 (0.648–44.723)	0.119
전립선 외부 침범	12.610 (1.516–104.90)	0.019
정낭 침범	9.051 (2.019–40.581)	0.004
림프관 색전	4.958 (1.108–22.187)	0.036
RT-PCR PSCA (+)	9.282 (2.066–41.696)	0.004
IHC-PSCA 고강도	1.431 (0.320–6.396)	0.639
신경 주위 침범	5.382 (0.648–44.723)	0.119
수술 절제면 침범	0.731 (0.088–6.068)	0.731
NHT	0.025 (0.000–16.949)	0.268
다변량 분석		
전립선 외부 침범	4.026 (0.333–48.644)	0.273
정낭 침범	3.738 (0.718–19.465)	0.117
림프관 색전	1.315 (0.240–7.204)	0.752
RT-PCR PSCA (+)	4.871 0.927–25.595)	0.061

CI, confidence interval; HR, hazard ratio; IHC, immunohistochemistry; NHT, neoadjuvant hormonal therapy; PSA, prostate-specific antigen; PSCA, prostate stem cell antigen; RT-PCR, reverse transcriptase-polymerase chain reaction. Joung 등 (2007)의 자료를 수정 인용함.

달이 가능하였다. 생쥐는 정상 조직에서 이차적인 자가 면역 반응을 나타내지 않았고, 건강을 유지하였다. 저자들은 사람과 생쥐의 *PSCA*는 상당한 상동성을 보이기 때문에, 전기 천공법에 의한 pm*PSCA*의 투여는 전립선암 환자에서 안전하고도 효과적인 면역 조절을 유도하여 치료 효과를 기대할 수 있다고 보고하였다 (Ahmad 등, 2009).

7. Prostatic Acid Phosphatase (PAP or PACP)

Prostatic specific acid phosphatase (PSAP)로도 알려진 사람의 prostatic acid phosphatase (약어는 주로 PAP로 표기되지만 prostatic alkaline phosphatase와 구별하기 위해 여기서는 PACP로 표기하기로 한다; E.C.3.1.3.2)는 전립선 상피세포에 특이한 항원이며, 정액장액에서 처음으로 다량 발견되었다. Gutman 등 (1936)은 PACP의 활성이 정상 남성에 비해 전립선암 환자, 특히 골 전이 환자에서 유의하게 증가됨을 발견하였다. 뒤이어 Huggins 등 (1941)은 혈중 PACP의 활성과 전립선암의 종양 크기 사이에 상호 관련이 있다고 보고하였다. 그 후 PSA가 소개되기 전까지 PACP는 전립선암을 진단하기 위한 혈청 표지자로서 광범위하게 연구되었다 (Wang 등, 1981). PACP가 전립선 외의 조직과 종양에서도 발현되지만 (도표 86), 아직도 많은 연구들이 전립선암의 예후 인자로서 그리고 생화학적 재발 및 임상적 재발을 예측하는 인자로서 혈청 PACP가 가치가 있음을 확인하였다 (Taira 등, 2007). 또한, 다른 연구는 혈청 PACP가 근치전립선절제술 후 암의 재발을 독립적으로 예측할 수 있는 인자로서 활용이 가능하다고 하였다 (Han 등, 2001).

7.1. 전립선 산성 인산가수분해효소에 관한 생물학
Biology of human prostatic acid phosphatase

Acid phosphatase (ACP)의 활성은 다른 조직에 비해 풍부하게 함유되어 있는 전립선 조직에서 200배 더 크며, ACP는 사정액 속에 높은 농도로 포함되어 있다. ACP는 사람의 적혈구에서 처음 기술되었으며 (Martland 등, 1924), 지금까지 최소 5가지의 ACP가 사람의 조직에서 보고되었다 (Yousef 등, 2001). 인산가수분해효소 (phosphatase)는 여러 형태의 유기 monophosphate ester를 가수 분해하여 무기 인산염과 알코

도표 86 Prostatic acid phosphatase (PACP)가 발현되는 전립선 외의 조직 및 종양

비전립선 조직	참고 문헌
낭포성 방광염[†]과 선성 방광염[‡]의 방광	Nowels 등, 1988
요도 주위, 항문 주위 샘	Kamoshida와 Tsutsumi, 1990
정낭	Varma 등, 2004

비전립선 종양	참고 문헌
유방 선암	Yam 등, 1981
타액선 신생물	James 등, 1996
방광 선암	Epstein 등, 1986
Skene 부요도선[¶]의 선암	Zaviacic 등, 1993
결장 선암	Wilbur 등, 1987
악성 흑색종	Bodey 등, 1997
췌장 세엽 세포암[◐]	Kuopio 등, 1995
췌장 섬 세포암[◑]	Choe 등, 1978
유암종[▶]	Azumi 등, 1991

[†], cystitis cystica; [‡], cystitis glandularis; [¶], paraurethral gland; [◐], acinar cell carcinoma of pancreas; [◑], islet cell carcinoma of pancreas; [▶], carcinoid tumor. Varma와 Jasani (2005)의 자료를 수정 인용.

올을 만든다. 많은 인산가수분해효소들은 체외 실험에서 산 (pH 4~6) 혹은 알칼리 (pH 8~11)에서 적정 활성을 나타내며, 크게 acid (ACP) 혹은 alkaline phosphatase (ALP)로 분류된다. ACP의 활성은 효소의 활성을 억제하는 인자에 의하여 특징이 두드러진다. 예를 들면, erythrocyte ACP는 0.5% formaldehyde 혹은 0.2 mM의 copper 이온에 의한 억제에 특별히 민감한 데 비해, PACP는 1 mM의 fluoride 이온 혹은 1 MM의 ∟-tartrate에 의한 억제에 훨씬 더 민감하다.

사람의 PACP는 무게의 약 7%가 탄수화물이고 분자량이 102 kDa인 당단백질 이합체이며, fructose, galactose, mannose 등과 같은 neutral sugar의 mole당 15 잔기, sialic acid의 mole당 6 잔기, N-acetylglucosamine의 13 잔기로 구성되어 있다 (Chu 등, 1977). 단백질은 분자량 약 50 kDa의 두 소단위로 분리될 수 있다. 사람에서 정제된 효소의 활성력은 α-naphthyl phosphate가 기질인 경우 723 U/mg이며, 정액장액 내의 농도는 0.3~1 g/L 혹은 177~760 U/mL이다. 많은 다른 종에서는 부속 조직에서의 PACP의 활성이 그렇게 높지 않으며, 사람의 전립선에서는 쥐의 전립선에 비하여 조직 gram당 농도가 1,000배 더 높다.

Tartrate에 민감하지 않은 ACP가 파골세포에 많이 함유되어 있어 전이 전립선암뿐만 아니라 Paget 질환, 골다공증, 비

전립선암의 골 전이, 기타 골 흡수가 증가되는 질환 등에서 혈청 ACP 수치가 소폭 증가한다. 모든 ACP는 자연 및 합성 phosphomonoesters의 대부분을 가수 분해하며, 이에 다양한 분석 시스템이 요구되고 있고, 분석에 따라 활성 단위가 다르게 표현된다. 이들의 합성 기질로는 phenylphosphate, phenolphthalein phosphate, thymolphthalein phosphate, para-nitrophenyl phosphate (sigma 104) 등이 있다. 이들 기질의 특이도는 ACP의 유형이나 근원지에 따라 다양한데, thymolphthalein phosphate는 전립선에 특이한 ACP의 혈청 농도를 측정하는 데 가장 특이적인 기질이며, 현재 특이 항체는 면역 분석에 이용되고 있다. 전립선암의 전이를 확인하기 위한 혈청 ACP의 측정은 보다 높은 민감도와 특이도를 가진 PSA 분석 때문에 그것의 유용성이 떨어졌다 (Burnett 등, 1992).

PACP에 대한 천연 기질은 정액에서 신속하게 가수 분해되는 phosphorylcholine phosphate이다. PACP의 생물학적 기능과 그것의 반응은 충분하게 알려져 있지 않으나, 흥미로운 점은 PACP가 종양 유전자 단백질에 속해 있는 여러 tyrosine kinase의 산물, 즉 tyrosine phosphate esters를 가수 분해한다는 점이다 (Li 등, 1984). 전립선 내의 choline 대 citrate 농도의 비율을 핵자기공명분석기 (nuclear magnetic resonance spectroscope, NMRS)로 측정하면 전립선의 정상 조직과 암 조직을 감별하는 데 도움이 된다 (Scheidler 등, 1999). 그러나 임상 진료에 활용하려면 추가 연구가 필요하다. ACP가 tyrosyl protein kinase 시스템을 조절하며 성장 인자가 기능을 할 때 신호를 전달하는 기전에서 필수적인 역할을 하는지는 아직 분명하게 밝혀져 있지 않다.

PACP는 정상적으로 분화된 전립선 상피에서는 세포형 (cellular PACP, cPACP)으로 발견되고, 정액장액 내에서는 분비형 (secretory PACP, sPACP)으로 발견된다. 두 PACP 아형은 동일한 유전자로부터 전사되며, 전사 후에 다르게 변형된다. 이 효소의 면역학적 특이성은 탄수화물 분획보다 단백질 분획에 있다고 추측된다 (Lee 등, 1984). 그 후 PACP의 두 아형은 등전점 (isoelectric point, pI)과 항원성에서 일부 중복되는 등 생화학적 성질에서 다소 상이하다고 보고되었다 (Boissonneault 등, 1996). 다른 연구는 이들 두 아형이 당화 (glycosylation) 및 소수성 (hydrophobicity)에서 서로 차이가 있음을 보여 주었다 (White 등, 2009). cPACP가 아닌 sPACP에 특이한 항체가 보고된 바 있다 (Vihko, 1978). 전립선의 소포 및 막 그리고 생쥐의 많은 비전립선 세포 및 조직에는 경막 영역 (transmembrane domain)을 가진 변형 PACP (TM-PACP)가 있음이 관찰되었다 (Quintero 등, 2007). TM-PACP가 생쥐에서 진통 작용과 관련이 있다고 보고되었지만, 이것의 생물학적 기능과 이것이 사람의 비전립선 세포 및 조직에서도 존재하는지는 아직 완전하게 밝혀져 있지 않다.

면역조직화학 염색법은 PACP가 주로 전립선의 분화된 원주상피세포에 위치해 있음을 보여 주었다 (Hoyhtya 등, 1987). 그러나 PACP에 대한 염색법에서 약한 양성 반응은 비전립선 조직에서도 보고된다 (Lam 등, 1989). qRT-PCR 분석에 기초한 연구는 *PACP* mRNA가 방광, 신장, 췌장, 폐, 자궁경부, 난소, 고환 등 많은 비전립선 세포에서 낮게 발현된다고 하였다 (Chuha 등, 2006). 근래의 종합적인 분석에 의하면, PACP 단백질에 관해서는 평가되지 않았으나 *PACP* mRNA는 평가된 다른 조직에 비해 전립선 세포에서 월등하게 높게 발현되었다 (Graddis 등, 2011). PACP 단백질이 일부 유방암과 직장암의 암 세포에서 발견되지만, 전립선암에서 관찰되는 농도보다 훨씬 낮다 (Wang 등, 2005).

cPACP의 발현은 사춘기 전 남성의 전립선에서는 무시해도 될 정도이지만, 정상 성인에서는 전립선의 wet 조직 그램당 약 0.5 mg의 고농도로 발견된다 (Goldfarb 등, 1986). sPACP는 약 1 mg/mL의 생리학적 농도로 정액 내에 분비된다 (Ronnberg 등, 1981). 정상 건강인에서 sPACP의 혈장 농도는 약 1~3 ng/mL이지만, 질환의 상태에 따라 증가되며, 전립선암의 병기와 상호 관련이 있다.

7.2. 사람 전립선 산성 인산가수분해효소의 구조
Structure of human prostatic acid phosphatase

염기 서열 분석은 사람의 PACP가 다른 포유동물의 PACP와 매우 유사함을 보여 준다. 사람의 PACP 단백질은 염기 서열에서 침팬지, 피그미침팬지, 고릴라 등과 약 98% (Clark와 Swanson, 2005), 원숭이와 93% (Clark와 Swanson, 2005), 소와 89% (http://www.ncbi.nlm.nih.gov/protein/AAI46094, 2013), 생쥐 (http://www.ncbi.nlm.nih.gov/protein/AAF23171.1, 2013) 및 쥐 (Quintero 등, 2007)와 88%의 상동성을 가진다. 또한, 분석에 이용된 모든 포유동물의 PACP에는 asparagine에서의 당화 부위 (예; Asn62, Asn188, Asn301), 활성 잔기가 있는 cysteine 부위 (예; Cys129, Cys183, Cys281, Cys315, Cys340), 활성 잔기가 있는 histidine/aspartate 부위

(예; His12, Asp258) 등이 보전되어 있다 (Muniyan 등, 2013).

PACP를 코드화하는 유전자 acid phosphatase, prostate (ACPP)는 염색체 3q22.1에 위치해 있다 (Winqvist 등, 1989). mRNA는 354개 아미노산 잔기로 구성된 분자량 41,126 Da 의 단백질을 코드화한다 (Vihko 등, 1988). 354개 잔기 외에 도 코드화 영역의 5'-end는 32개 아미노산의 단일 펩티드를 코드화한다. ACPP 유전자는 10개의 exons를 가지고 있다. 단 일 펩티드와 단백질의 첫 8개 아미노산은 exon 1에 의해 코드 화되고, 나머지 아미노산과 3'-untranslated region (3'-UTR)은 exon 2~10에 의해 코드화된다 (Li와 Sharief, 1993). LNCaP 전 립선암 세포에서 전사가 시작되는 주 부위는 유전자의 ATG 코돈의 상위 50 nucleotides에 위치해 있다 (Banas 등, 1994). 정상 전립선에서는 2.4 및 3.3 kb 두 종의 ACPP mRNA가 발 견되는 데 비해, LNCaP를 포함하는 전립선암에서는 3.3 kb의 ACPP mRNA만 발견되는데, 2.4 kb의 ACPP mRNA가 결여되 는 기전은 밝혀져 있지 않다 (Solin 등, 1990).

쥐의 전립선에서는 ACPP mRNA가 4.9, 2.3, 1.5 kb 등의 세 종이 발견되었으며 (Roiko 등, 1990), 그들의 길이에서의 차이는 부분적으로는 3'-noncoding 영역에서의 차이 때문이 다 (Porvari 등, 1995). 가장 길고 가장 많은 4.9 kb의 mRNA 는 안드로겐 요법에 저항적인 데 비해, 중간 크기의 2.4 kb mRNA와 가장 짧은 1.5 kb mRNA는 안드로겐에 의해 상향 조 절된다. 2.4 kb의 mRNA는 거세 후 처음에는 증가하다가 후 에 46%까지 감소하며, 흥미롭게도 1.5 kb의 mRNA는 거세 3 일 후 14%로 떨어진다 (Porvari 등, 1995). 쥐를 이용한 실험 에서, 가장 짧은 mRNA가 안드로겐에 가장 민감하기 때문에, 이것이 PACP 단백질을 번역한다고 제시되고 있지만, 더 큰 크기의 mRNA가 PACP 단백질을 생성할 가능성도 배제하지 못한다 (Porvari 등, 1995).

전구형 PACP 단백질은 386개의 아미노산으로 구성되어 있다. 32개의 아미노산으로 구성된 신호 펩티드가 분리되 면, 354개의 아미노산으로 구성된 분자량 41,126 Da의 PACP 단백질이 완성되며, 이 단백질은 활성적인 효소로서의 기능 을 한다. 본래의 PACP는 두 소단위체로 구성된 이합체이다 (Kuciel 등, 1990). 염기 서열 분석에 따르면, 각각의 단량체는 asparagine과 결합된 Asn62, Asn188, Asn301 등과 같은 세 당 화 부위 외에도 Cys129-340, Cys314-319 등과 같은 두 이황화 결합과 Cys183, Cys281 등과 같은 두 유리기를 포함하는 여섯 가지의 cystine 잔기를 가지고 있다 (Jacob 등, 2000). 당화 및

이황화 결합은 PACP 단백질의 안정화에 기여한다. 이차 구조 분석에 의하면, PACP는 44%의 α-helix (16 helices; 158개 잔 기) (Murzin 등, 1995), 12%의 β-strand (10 strands; 45개 잔 기)로 구성되어 있으며, 나머지는 loops와 β-turns로 형성되어 있다 (Ortlund 등, 2003).

각기 다른 분자량 혹은 등전점을 가진 여러 PACP 아형들 이 보고되었다 (Moss, 1986). Vihko (1979)는 전립선 조직으 로부터 정제된 PACP 단백질의 소수 종이 전립선 세포 내에 있는 실제 cPACP이며, 이것은 sPACP에 대한 항체와 부분적 으로만 교차 반응을 나타낸다고 하였다. Lin 등 (1983)은 전 립선암 조직에서 산성 형태의 PACP 단백질을 정제하였고, 그 것이 암과 관련이 있는 효소임을 확인하였다. 전립선암 환자 에서는 이 산성 형태의 PACP가 sialyl 기를 분자 내에 삽입하 는 반응, 즉 sialylation과 같은 당화가 일어나 혈장 PACP가 증가하게 된다.

사람의 정액장액에서 분리된 PACP 단백질에 관한 분석 에 의하면, 효소에는 두 가지 아형, 즉 PACP-A와 PACP-B 가 있다 (Lee 등, 1991). PACP-A가 주된 아형이고 PACP-B는 작은 부류이다. PACP-A와 PACP-B는 여러 등전점, 즉 각각 5.05~5.35와 5.05~5.12의 등전점을 가지며, 각각 기질과 억제 제에 대해 특이성을 나타낸다. 두 아형은 50 kDa의 두 소단위 체로 구성되어 있다. PACP-A는 α 요소만 가지고 있는 반면, PACP-B는 α, β, γ의 세 요소를 가지고 있으며, 몰 비율은 2:1:1 이다. 그러므로 PACP-A는 동일한 두 α 소단위체로 구성된 동 질 이합체로서 높은 특이적 활성을 나타내는 반면, PACP-B는 αβ 혹은 αγ의 이질 이합체이며 활성도가 낮다. PACP에서 촉 매 작용을 하는 소단위체는 α 소단위체라고 추측되며, β와 γ 소단위체의 기능은 알려져 있지 않다. 생화학적으로 β 혹은 γ 소단위체가 조절 기능을 가지고 있는지를 추가 연구에서 확 인하는 것이 중요하다. 정액장액으로부터 정제된 PACP 단백 질에는 C-terminal에서 분절된 다른 형태가 있다는 보고가 있 는데 (van Etten 등, 1991), 이는 β 혹은 γ 소단위체가 α 소단 위체의 분절 형태임을 시사한다.

정제된 PACP 단백질의 효소로서의 특징을 살펴보면, 단 량체의 PACP 단백질은 인산가수분해효소의 작용이 매우 약 하며, PACP 단백질의 이합체화는 PACP가 충분한 촉매 작용 을 가지도록 유도한다 (Luchter-Wasylewska 등, 2003). 이 PACP 단량체의 이합체화는 다른 자리 입체성 조절 (allosteric regulation; 활성 물질인 효과기 분자가 효소 혹은 단백질의

활성 부위가 아닌 다른 자리에 결합하여 반응을 조절함을 의미하며, 효소나 단백질의 반응을 촉진하는 활성 물질을 allosteric activator, 반응을 억제하는 물질을 allosteric inhibitor이라고 한다) 현상을 나타낸다. 이합체화에 의한 이러한 활성은 receptor protein tyrosine kinase (RPTK)의 활성화에 필요한 소중합체화 (oligomerization)와 유사하다. 따라서 소중합체화는 histidine 의존성 tyrosine phosphatase인 PACP의 활성화에서 중요한 역할을 한다 (Veeramani 등, 2005). 쥐를 대상으로 실시한 연구는 PACP의 Trp106과 His112 잔기가 PACP의 이합체화 및 그로 인한 활성의 조절에 관여한다고 하였다 (Porvari 등, 1994). 따라서 사람에서도 PACP의 생물학적 기능을 밝히려면 PACP 이합체화의 분자 기전에 관한 연구가 필요하다고 생각된다.

7.3. 전립선 산성 인산가수분해효소의 생물학적 기능
Biological function of prostatic acid phosphatase

PACP는 잘 분화된 정상 전립선 상피세포가 완만한 속도로 성장함에 따라 높은 농도로 발현된다 (Goldfarb 등, 1986). 전립선암 환자의 혈청에서 sPACP의 농도는 증가하지만, 파라핀으로 고정된 전립선암 표본에서의 cPACP 농도는 인접한 비암성 세포에 비해 감소한다고 보고되었다 (Lin 등, 2001). 따라서 cPACP가 낮은 농도로 발현되는 전립선 상피세포는 암이 형성될 위험이 높다고 간주된다 (Reif 등, 1973). 그러한 개념은 세포 내의 PACP 농도와 증식 속도 사이에 역상관관계가 있다는 관찰에 의해 지지를 받고 있다 (Lin 등, 1992). LNCaP 및 MDA 전립선암 세포주에서 cPACP 발현의 감소는 LNCaP C-81 및 MDA PCa2b 안드로겐 비의존성 세포에서 성장 속도의 증가와 상호 관련이 있었다 (Yuan 등, 2007). 반대로, LNCaP C-81과 PC3 세포에 cDNA 유전자 전달 감염을 일으킴으로써 cPACP의 발현을 유발하면, 그들 암세포의 성장 속도가 감소하였다 (Lin 등, 1994). 또한, LNCaP C-33 세포에서 antisense cDNA 혹은 small interfering RNA (siRNA)를 이용하여 내인성 PACP의 발현을 감소시키면, 세포의 성장 속도가 증가하였고 종양의 형성이 촉진되었다 (Chuang 등, 2010). 또한, 표준형 PACP 단백질을 코드화하는 발현 벡터를 종양 내에 1회 주입한 경우 안드로겐 비의존성 LNCaP C-81 세포에 의한 이종이식 암 종양의 발달이 억제되었다 (Igawa 등, 2003). 활성 형태의 비타민 D인 1α,25-dihydroxyvitamin D3로 처치한 안드

로겐 비의존성 LNCaP C-81 세포에서는 cPACP가 증가하였으며, 선택적으로 tyrosine의 인산화가 억제되어 전립선암 세포의 증식이 감소하였다 (Stewart 등, 2005). 종합해 볼 때, 이들 결과는 활성 형태의 cPACP가 세포 배양에 의한 체외 실험뿐만 아니라 생쥐의 이종 이식 암의 종양 모델에서 유의하게 종양을 억제하는 효과를 나타냄을 보여 준다.

정액장액 내의 sPACP는 부분적으로 정자의 운동성에 영향을 주어 불임에 관여한다고 보고된 바 있지만, 이러한 sPACP의 역할은 분명하지 않다 (Singh 등, 1996). sPACP의 일부에 의해 형성된 아밀로이드 원섬유 (amyloid fibril)는 semen-derived enhancer of viral infection (SEVI)으로도 불리는데, human immunodeficiency virus (HIV)의 전파를 증대시킨다 (Olsen 등, 2012). sPACP의 생물학적 활성에 관해서는 추가 연구가 필요하다.

7.4. 전립선 산성 인산가수분해효소 발현의 조절
Regulation of PACP Expression

세포의 밀도는 세포의 성장을 조절하는 기능성 유전자의 발현에 대해 상당한 영향을 미친다 (Monget 등, 1998). 예비 연구는 세포의 밀도가 증가하고 융합하는 전립선의 분화와 cPACP 단백질의 농도 사이에 상호 연관성이 있음을 보여 주었다 (Yam, 1974). 사람의 LNCaP 전립선암 세포와 개의 원발 상피세포에서 cPACP 단백질의 농도는 세포의 밀도가 증가함에 따라 증가하였으며 (Dionne 등, 1983), ACPP mRNA의 농도는 LNCaP 세포에서 감소되었다 (Lin 등, 1993). 이들의 결과로 볼 때, 고밀도의 배양된 세포에서는 PACP 단백질의 농도가 축적되어 되먹임 기전에 의해 ACPP 유전자의 전사가 억제되거나 ACPP mRNA의 반감기가 짧아진다고 추측된다 (Lin과 Garcia-Arenas, 1994).

ACPP의 발현은 안드로겐에 의해 직접 조절된다고 생각되어 왔다 (Lin 등, 1993). 그 후의 연구는 PSA와는 다르게 ACPP 유전자의 촉진체 내에는 기능성 안드로겐 반응 요소 (androgen-responsive element, ARE)가 없다고 하였다 (Shan 등, 1997). 다른 연구는 안드로겐이 세포의 밀도에 따라 ACPP mRNA를 상향 혹은 하향 조절한다고 하였다 (Lin과 Garcia-Arenas, 1994). 또한, epidermal growth factor (EGF), transforming growth factor (TGF)-α와 같은 성장 인자는 ACPP mRNA에 대해 역조절하는 효과를 나타내는 반면, 정상

전립선 상피세포의 성장을 억제하는 TGFβ₁은 *ACPP* mRNA의 발현을 상향 조절한다 (Henttu와 Vihko, 1993). 이들 모든 연구의 결과들은 *ACPP*의 발현이 안드로겐에 비의존적 방식으로 조절된다는 개념을 뒷받침한다 (Zelivianski 등, 2000). 앞으로의 연구는 *ACPP*의 발현을 조절하는 분자 기전을 밝힐 필요가 있다.

스테로이드와 성장 인자가 전혀 없는 배양액에서 LN-CaP 세포가 배양되면 PACP 단백질이 분비됨이 관찰되었다 (Horoszewicz 등, 1983). 또한, sPACP의 분비는 안드로겐, Ras-related GTP-binding protein-27A (RAB27A), phosphatidylinositol 3-kinase (PI3K), protein kinase C (PKC) 등을 포함하는 조절 과정에 의해 매개된다 (Johnson 등, 2005). 그러나 sPACP 단백질의 농도가 증가됨은 완만하게 성장하는 고밀도의 세포에서 sPACP의 반감기가 증가되기 때문으로도 설명될 수 있다. 고밀도의 세포에서 *ACPP* mRNA의 농도가 낮아지는 분자 기전은 밝혀져 있지 않다.

유전자 발현의 전사 조절은 주로 유전자 촉진체의 활성화의 조절로 이루어진다. 전사 복합체는 촉진체와 가까이에 있는 혹은 멀리 떨어져 있는 다수 전사 인자와의 특이한 관계에 따라 형성된다. *ACPP*의 발현은 촉진체의 cis-regulatory element (Zelivianski 등, 2002), 전사 인자 (Zelivianski 등, 2004), 후성적 조절 (Chou 등, 2011) 등에 의해 조절된다고 보고되고 있다.

다른 경성 종양과 마찬가지로 전립선암도 종양을 억제하는 유전자에서 일어나는 DNA의 메틸화 및 histone의 변경과 같은 후성적 변화에 의해 발생한다 (Perry, 2013). 여러 연구에서 cPACP 단백질은 전립선암 세포주의 성장 속도와 역상관관계를 가진다고 보고된 바와 같이 (Chu와 Lin, 1998), cPACP의 기능은 전립선 상피세포의 성장을 역조절한다고 생각된다 (Hassan 등, 2010). LNCaP C-81 전립선암 세포에 대한 Western blot 분석은 sodium butyrate, trichostatin A, valproic acid 등을 포함하는 histone deacetylase (HDAC) 억제제로 치료할 경우 cPACP가 회복됨을 보여 주었다 (Chou 등, 2011). 또한, sodium butyrate와 valproic acid로 처치한 세포에서는 cPACP 단백질이 증가함과 동시에 Tyr1221/Tyr1222 및 Tyr1248에서 v-erb-b2 erythroblastosis leukemia viral oncogene homolog (ERBB2)의 인산화가 감소하였다 (Chou 등, 2011). 이와 같은 cPACP의 탈인산화 기능은 부분적으로는 내재성 tyrosine phosphatase의 활성 때문이다 (Lin과 Meng,

1996). 또한, LNCaP C-81 세포를 valproic acid로 처치하면 histone H3와 H4의 아세틸화가 크게 상향 조절된다 (Chou 등, 2011). 흥미로운 점은 HDAC 억제제로 전립선암 세포를 처치하면 안드로겐에 대한 성장 반응이 증가한다는 점이다 (Chou 등, 2011). 이들 자료는 cPACP가 HDAC 억제제에 의한 성장 억제에 관여하며, 전립선암의 진행과 전이를 조절함에 있어 종양을 억제하는 단백질로서의 기능을 가지고 있음을 보여 준다. 종양을 억제하는 단백질인 cPACP의 복구에 관하여 더욱 연구를 하면, 진행된 거세 저항성 전립선암의 치료에 새로운 길이 열릴 수도 있을 것이다.

7.5. ERBB2 (HER2)/neu 신호 경로와 cPACP에 의한 안드로겐 민감성 조절

ERBB2 (HER2)/neu signaling and androgen sensitivity regulated by cPAcP

사람의 암에서 가장 연구가 많이 된 tyrosine kinase receptor type 1의 하나인 erb-b2 receptor tyrosine kinase 2 (ERBB2) 단백질은 human epidermal growth factor receptor 2 (HER2), cluster of differentiation 340 (CD340) 등으로도 알려져 있으며, 안드로겐 박탈 요법을 받은 진행된 전립선암 환자의 일부에서 증가됨이 발견되었다. ERBB2를 활성화하는 ligand가 알려져 있지 않으나, 각기 다른 tyrosine 잔기에서 발생하는 자가 인산화 (autophosphorylation)로 인해 다양한 생물학적 반응이 일어난다고 생각된다 (Muniyan 등, 2013).

이종 이식 암 동물 모델에 관한 연구를 포함한 여러 연구들은 ERBB2에서 일어나는 특이한 활성의 증가가 거세 저항성 전립선암으로의 진행에서 중요한 역할을 한다는 개념을 뒷받침한다 (El Sheikh 등, 2004). 또한, ERBB2 단백질의 전체 tyrosyl 인산화의 정도는 cPACP의 활성과 역상관관계를 가진다 (Meng과 Lin, 1998). cDNA 유전자 전달 감염에 의한 cPACP의 이소성 발현 (ectopic expression; 유전자가 원래 발현되는 조직이나 세포 외에 다른 부위에서 발현되는 현상)은 안드로겐 수용체 양성인 안드로겐 비의존성 전립선암 세포의 안드로겐 민감성을 회복시킨다. 반대로, 안드로겐에 민감한 전립선암 세포에서 siRNA을 이용하여 cPACP의 발현을 제거하면, 스테로이드가 감소된 상태에서 세포의 성장이 증가하고 ERBB2의 tyrosine 인산화가 증가한다 (Chuang 등, 2010). 흥미롭게도 거세된 수컷 생쥐와 유사한 혈중 테스토스테론 농도를 가진 암컷 생쥐에서 cPACP가 제거된 세포가 이종 이식 전립선암을 일으켰다 (Chuang 등, 2010). cPACP가 제거된 생쥐의 전립선에서 자연적으로 암이 발생하였으며, 이들 생쥐에서는 tyrosine 인산화의 활성이 증가하였다 (Zylka 등, 2008). 이러한 ERBB2의 인산화 tyrosine의 증가는 최소한 일부는 cPACP의 활성이 감소되기 때문이며, 이로써 전립선암 세포의 안드로겐에 대한 반응이 감소된다 (Meng 등, 2000). 이와 같은 결과는 cPACP의 mRNA 및 단백질 농도가 감소된 거세 저항성 전립선암에서 관찰된 결과와 유사하다 (Alaiya 등, 2001). 따라서 cPACP는 안드로겐에 대한 전립선암 세포의 민감성을 조절하는 데 관여한다고 생각된다.

ERBB2의 과다 발현은 또한 비스테로이드 의존성 안드로겐 수용체의 활성 경로인 extracellular signal-regulated kinase/mitogen activated protein kinase (ERK/MAPK)를 활성화하여 안드로겐 수용체의 활성을 증대시킨다 (Yeh 등, 1999). 이러한 안드로겐 수용체의 활성은 안드로겐이 제거된 환경에서 생존하고 증식할 수 있는 안드로겐 비의존성 전립선암 세포의 출현을 유도하며, 이로써 전립선암이 재발하게 된다 (Grossmann 등, 2001). ERK1/2는 cPACP가 감소되었거나 없는 안드로겐 비의존성 전립선암 및 진행된 전립선암 세포에서 활성화되는데, 이는 cPACP의 감소가 거세 저항성 전립선암으로 진행하는 데 필요한 ERBB2 및 ERK1/2를 활성화함을 시사한다 (Zhang 등, 2001). 한편, PACP가 감소되었거나 없으면, ERBB2와 v-akt murine thymoma viral oncogene homolog (AKT 혹은 protein kinase B, PKB) 둘 모두가 활성화되어 세포의 증식이 증가한다 (Chuang 등, 2010). AKT는 Ser213과 Ser791에서 안드로겐 수용체를 인산화하는데, AKT의 신호 경로를 차단하면 세포의 안드로겐 비의존성 생존 및 성장이 소실된다 (Wen 등, 2000). 따라서 cPACP는 phosphatidylinositol 3-phosphate (PI3P)와 PI3K를 탈인산화하여 AKT의 활성을 차단한다. 또한, Tyr317에서 protein 52 SHC (src homology 2 domain containing) transforming protein (p52SHC)의 인산화는 전립선암이 안드로겐의 자극을 받아 증식하는 효과를 나타내며 (Lee 등, 2004), 전립선암 세포에서 ligand로 활성화된 안드로겐 수용체는 활성 signal transducer and activator of transcription 5 (STAT5)와 상호 작용하여 STAT5의 핵으로의 전위를 증대시키며, STAT5는 다시 안드로겐 수용체의 핵으로의 전위를 증가시킨다 (Tan 등, 2008). 반대로, PACP가 없는 안드로겐 비의존성 전립선암 세포에서

는 PACP의 이소성 발현으로 ERBB2의 인산화 Tyr1221/2가 감소되고 그것의 하류 신호 경로가 차단됨으로써 p52SHC, ERK1/2, AKT, SRC proto-oncogene, non-receptor tyrosine kinase (SRC), STAT3, STAT5 등의 불활성화를 통해 세포의 성장이 억제된다 (Chuang 등, 2010). 이들 결과로 볼 때, 진행된 전립선암 세포에서 cPACP의 발현이 감소되면 주로 인산화 조절에 의해 ERBB2의 활성화가 일어나며, 이로 인해 안드로겐이 제거된 상태에서 ERK/MAPK, AKT, STAT3, STAT5 등의 활성, 진행된 전립선암 세포의 생존 및 증식, PSA의 생성 등이 일어난다 (도표 87). 따라서 cPACP와 ERBB2 사이의 상호 작용은 ERBB2에 의한 하위 신호 경로를 조절하며, 안드로겐의 자극에 따른 전립선암 세포의 증식을 조절하는 데 관여한다 (Meng 등, 2000).

7.6. 전립선 산성 인산가수분해효소의 임상적 이용
Clinical usefulness of PACP

PSA가 소개되기 전에는 PACP가 진행된 전립선암을 진단하는 데 널리 활용되었으나 근래 들어서는 이용되지 않는다. 그러나 다수의 문헌들은 PACP가 조기 전립선암에서 예후를 추정하는 인자로 재조명되어야 한다고 주장한다. Moul 등 (1998)은 근치전립선절제술을 받은 295명을 대상으로 수술 전 혈청 PSA와 PACP를 비교하였다. 추적 관찰한 4년 시점에서 Kaplan-Meier의 무병 생존율은 PACP 3 ng/mL 미만인 경우에는 78.8%, PACP 3 ng/mL 이상인 경우에는 38.8%로 통계적으로 유의한 결과를 보였으며 ($p < 0.001$), 치료 전 PSA가 10 ng/mL 미만인 경우 ($p = 0.047$)와 PSA 10 ng/mL 이상인 경우 ($p = 0.012$)에서도 유의한 결과를 나타내었다. 따라서 저자들은 PACP가 전립선암의 재발에 대한 독립적 예측 인자라고 보고하면서 예후에 관한 정보를 얻기 위해서는 치료 전에 혈청 PSA와 PACP를 함께 측정할 것을 권하였다. Han 등 (2001)은 근치전립선절제술을 받은 1,681명을 대상으로 수술 전의 PACP 농도를 검토한 후 PACP가 종양의 재발에 대한 독립적 예측 인자임을 확인하였다 ($p < 0.001$). Fang 등 (2008)은 1992~1996년에 Gleason 점수가 7 이상, 혈청 PSA가 10 ng/mL를 초과하는 임상적 국소 전립선암을 가져 [103]Pd 근접 방사선 요법 및 체외 방사선 보조 요법을 받은 193명의 환자를 평가한 결과, 암 특이 10년 생존율이 치료 전 PACP의 농도가 1.5 미만, 1.5~2.4, 2.4 초과 ng/mL에서 각각 93%, 87%, 75%

도표 87 전립선암 세포에서 cPACP에 의해 조절되는 HER2 (ERBB2) 신호 전달 및 안드로겐 민감성

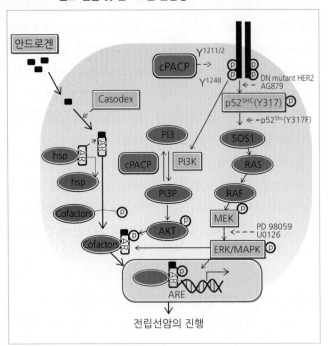

보라색 화살표는 ligand 의존적으로 활성화되는 AR 경로를 나타낸다. 결합하지 않은 AR은 hsp와 함께 세포질 내에 있다. 안드로겐 (DHT)은 세포질 내로 들어가 AR에 붙어 있는 hsp를 분리함으로써 AR과 결합하며, 이로써 AR이 핵 내로 들어가게 되는데, 핵 내에서 이합체를 형성한 후 여러 공동 조절 단백질을 모집하고 ARE와 결합하여 표적 유전자에 대해 전사 조절 효과를 나타낸다. 흑색 화살표는 전립선암 세포에서 임상적으로 중요한 cPACP로 조절되는 주된 경로들 중 하나이다. 안드로겐에 민감한 전립선암 세포가 안드로겐에 비의존적으로 진행하는 과정은 전립선암 세포에서 cPACP의 발현이 조기에 감소하거나 소실됨으로써 이루어지며, 이로써 tyrosine 잔기 1221/1222 및 1248에서 HER2의 과인산화가 일어나고 안드로겐 비의존성 세포가 증식하게 된다. 활성화된 HER2는 p52Shc (DN HER2 cDNA 세포 감염 혹은 HER2 억제제인 AG879에 의해 차단됨)를 통해 신호를 전달하며, RAS/RAF의 매개를 통해 하위 ERK/MAPK 경로 (p52Shc Y317F mutant cDNA 세포 감염 혹은 MEK 억제제인 PD 98059 및 U0126에 의해 차단됨)를 활성화한다. 이들 사건은 AR의 인산화 및 활성화를 유도하여 안드로겐 비의존성 세포의 증식을 증가시킨다. AKT를 통해 활성화된 HER2 또한 AR을 인산화한다. cPACP의 발현이 상실되면 PI3P가 축적되어 AKT 경로가 활성화한다.

AKT, v-akt murine thymoma viral oncogene homolog protein; AR, androgen receptor; ARE, androgen response element; cPACP, cellular prostatic acid phosphatase; DHT, 5α-dihydrotestosterone; DN, dominant-negative; ERBB2, Erb-b2 receptor tyrosine kinase 2; ERK, extracellular signal-regulated kinase; HER2, human epidermal growth factor receptor 2; hsp, heat shock protein; MAPK, mitogen-activated protein kinase; MEK, mitogen-activated protein kinase kinase enzyme; P, phosphorylation; PI3K, phosphatidylinositol 3-kinase; PI3P, phosphatidylinositol 3-phosphate; RAF, Raf-1 proto-oncogene serine/threonine kinase; RAS, rat sarcoma viral oncogene homolog; SHC, Src homology 2 domain containing (SHC) transforming protein 1; SOS1, son of sevenless homolog 1.
Muniyan 등 (2013)의 자료를 수정 인용.

이었고 (p=0.013), 치료 전 PSA 농도가 10 미만, 10~20, 20 초과 ng/mL에서는 각각 92%, 76%, 83%이었다 (p=0.393)고 하였다. Cox 다변량 회귀 분석에서 PACP와 Gleason 점수는 암 특이 생존율과 관련이 있었으며, 각각의 hazard ratio (HR)은 1.31 (p<0.0001), 2.37 (p=0.007)이었다. PSA는 암 특이 생존율을 예측할 수 없었으나 (p=0.393), PACP는 Gleason 점수 혹은 PSA보다 암 특이 생존율을 더 강하게 예측할 수 있었다.

다른 연구에서도 혈청 PACP의 농도는 건강인에서는 낮지만, 전이 전립선암 환자에서는 증가되어 전립선암의 병기와 상관관계를 가졌다 (Robles 등, 1989). 표준 표지자로 PSA가 활용되기 전에는 혈청 PACP 농도의 증가가 전립선암의 진단에서 표지자의 역할을 하였으며, 동시에 cPACP는 전이 암의 기원이 전립선인지를 결정하는 데 이용되었다. 흥미롭게도 cPACP의 농도는 전립선암의 진행과 역상관관계를 가져 병기 등급이 높을수록 낮으며, 반대로 환자의 혈중 sPACP 농도는 증가된다 (Sakai 등, 1991). cPACP의 농도와 암의 진행 사이에 역상관관계가 있음은 cPACP가 전립선암의 예후를 예측하는 유용한 표지자임을 시사한다. HG U133A GeneChip 분석을 이용한 tissue microarray 분석은 암이 없는 전립선 조직에 비해 Gleason 점수 6~9의 암 표본에서 PACP의 발현이 유의하게 감소됨을 보여 주었다 (Veeramani 등, 2005).

Tartrate에 민감한 ACP인 PACP는 전립선암의 표지자로 알려져 있으며, 보통 전립선암 환자에서 tartrate-resistant acid phosphatase (TRACP)보다 훨씬 더 증가한다. TRACP는 pyridinoline cross-linked carboxyterminal telopeptide of type I collagen (ICTP)과 함께 파골세포 (osteoclast)의 활성을 나타내는 표지자로 간주된다. ICTP에 의한 골 전이의 발견율이 PSA에 의한 골 전이 발견율보다 약간 낮지만, ICTP와 질환의 범위 사이의 상관관계는 PSA보다 더 강하며, ICTP는 골 전이를 반영한다고 보고되었다 (Akimoto 등, 1996). 혈청 TRACP의 농도는 생리적으로 뼈가 성장하는 소아뿐만 아니라 (Lam 등, 1978) 용해성 골 전이가 있는 성인에서도 높다 (Tavassoli 등, 1980). 또한, 골 전이가 있는 유방암 환자에서 TRACP는 ALP보다 골 침범에 대해 더 특이적인 표지자라고 간주된다 (Wada 등, 2001). 전이가 있는 55명과 전이가 없는 160명을 포함한 전립선암 환자 215명에 대해 혈청 TRACP, PACP, ALP, PSA 등을 분석한 연구는 혈청 TRACP는 전립선암의 골 전이에 대해 유용한 예측 인자이며, TRACP, ALP, PSA 등을 병용할 경우 환자의 70%에서 골 스캔을 피할 수 있다고

하였다. 이 연구에서 혈청 TRACP, PACP, ALP, PSA 등의 평균 농도는 골 전이가 없는 환자에 비해 골 전이가 있는 환자에서 유의하게 증가되었으며 ($p\langle0.15$), PACP와 PSA는 임상 병기에 따라 유의하게 증가하는 데 비해, TRACP와 ALP는 병기 D2에서만 유의하게 증가되었다. TRACP는 골 스캔에 나타난 질환의 범위와 유의한 상관관계를 나타내었다. 골 전이에 대한 예측도는 TRACP, PACP, ALP, PSA 등의 경우 각각 83.0%, 85.8%, 83.9%, 86.1%이었다. (Ozu 등, 2008).

대조적으로 다른 연구는 PACP가 전립선암의 병기에 대한 표지자로서의 역할을 하지 못하기 때문에 (Lowe와 Trauzzi, 1993) 그리고 근치전립선절제술 혹은 방사선 요법 후 생화학적 재발을 예측함에 있어 PSA보다 민감도가 낮기 때문에 (Stamey 등, 1987), 전립선암을 진단하고 평가할 때 더 이상 가치가 없다고 하였다. 한편, ALP는 골격과 간에 전이된 환자에서 증가하는 혈청 표지자로 알려져 있으며, 건강인에서 ALP의 40% 미만을 차지하는 bone isoenzyme of alkaline phosphatase (BALP)는 진행된 전립선암을 가진 환자에서 골 전이를 진단하는 데 PSA의 보조 역할을 한다고 보고되었다 (Wolff 등, 1997). 전립선암을 가진 140명에 관한 연구에서 20 ng/mL 미만의 PSA와 20 ng/mL 미만의 BALP는 골 전이의 음성을 진단하는 음성 예측도가 100%이었다 (Morote 등, 1996). 다른 연구는 ALP와 BALP의 결과로 골 스캔의 양성과 음성 결과를 구별할 수 있다고 하였으며 (Murphy 등, 1997), BALP를 이용할 경우 불필요한 골 스캔을 줄일 수 있다고 하였다 (Lorente 등, 1999). 또 다른 연구도 ALP로 골 스캔에서 양성 결과를 예측할 수 있다고 보고하였다 (Wymenga 등, 2001). 위와 같이 상충되는 연구의 결과를 재평가하고자 임상적 국소 전립선암으로 인해 근치치골후전립선절제술을 받은 180명을 대상으로 실시한 연구는 비정상적인 검사 결과의 절단치를 total acid phosphatase (TACP) $\rangle$5.4 lU/L, tartrate-inhibitable prostatic fraction of acid phosphatase (PFACP) $\rangle$1.2 lU/L, ALP $\rangle$120 lU/L로 설정하였다. 이 연구에서 수술 전 TACP, PFACP, ALP에 관해 유용한 정보를 가진 경우는 각각 164, 163, 154명이었으며, 추적 관찰한 기간의 중앙치는 86개월이었다. 연구 결과에 의하면, TACP는 4% (7명/164명), PFACP는 20% (33명/163명), ALP는 8% (13명/154명)에서 각각 비정상이었다. 어느 표지자도 병리학적 병기, Gleason 점수, 신경 주위 침범, 피막 침윤, 수술 절제면 침범, 정낭 침범, 림프절 침범 등과 유의한 연관성을 가지지 않았다. 비정상적인 TACP, PFACP, ALP

등은 재발과 연관성을 가지지 않았으나 (각각 p=0.96, 0.45, 0.41), 4 ng/mL을 초과한 PSA는 재발과 상호 관련이 있었다 ($p\langle0.001$). 이들 결과를 근거로 저자들은 TACP, PFACP, ALP 등은 전립선암의 진행 정도 및 수술 후 재발을 예측하지 못한다고 하였다 (San Francisco 등, 2003).

7.7. 치료제로서의 전립선 산성 인산가수분해효소
PACP as a therapeutic agent

진행된 전립선암 환자에서 종래의 방사선 요법과 화학 요법은 효능이 제한적이고 수술 요법은 상당한 이환율을 가지기 때문에, 다른 치료의 개발이 활발하게 연구되고 있다. 근래의 연구에 의하면, 전립선 상피세포암은 성장 속도가 느리고, 자가 항체를 유발하는 잠재력을 가지고 있으며, 조직 특이 항원을 발현하고, 항암 면역 반응에 대해 민감한 여러 특별한 특성을 나타내기 때문에, 면역 요법이 전립선암의 유망한 치료 전략으로 기대된다 (Drake 등, 2006).

동물 실험에 의하면, cPACP는 전립선암에 대해 치료 효과를 가지고 있다. 불활성 돌연변이체가 아닌 표준 PACP 단백질을 코드화하는 벡터를 종양 내에 1회 주사한 경우 이종 이식 전립선암의 성장과 진행이 억제되었다 (Igawa 등, 2003). 마찬가지로 설치류에게 PACP 단백질을 코드화하는 DNA 백신을 주입하면, 항원 특이 CD8+ T 세포가 생겨났다 (Johnson 등, 2007). 따라서 전립선암 세포에서 cPACP 발현의 복구는 cPACP의 발현이 감소된 거세 저항성 전립선암에서 새로운 치료 방법이 될 수 있다.

환자 자신의 면역 세포를 이용한 면역 요법 백신은 종양과 관련이 있는 항원을 표적으로 함으로써 혹은 종양의 성장을 촉진하는 분자 경로를 차단함으로써 항암 반응을 일으킨다 (Doehn, 2008). 처음 시도된 PSA는 면역원 (immunogen)으로서의 효능이 낮았지만, PACP는 조직에 특이적으로 발현되면서 특유의 면역 반응을 나타내었기 때문에, 전립선암에 대한 면역 요법을 개발하는 데 유용한 항원이 될 수 있다. 또한, 자연적으로 생기는 PACP 특이 T-helper 세포가 전립선암 환자의 약 11%에서 발견되었다 (McNeel 등, 2001). 설치류를 대상으로 평가한 생체 실험에서는 PACP와 granulocyte macrophage-colony stimulating factor (GM-CSF)로 조작된 항원-사이토킨 융합 단백질을 장착한 수지상 세포 (dendritic cell)가 PACP를 발현하는 조직 및 종양에 대해 강한 세포성 면역 반응을 일으켰다 (Small 등, 2000).

위에서 기술된 임상 전 관찰에 근거하여 사람의 PACP-GM-CSF 융합 단백질을 장착한 자가 수지상 세포로 구성된 수지상 세포 제제가 개발되었다 (Kantoff 등, 2010). Sipuleucel-T는 보조제인 GM-CSF에 결합된 재조합 융합 단백질 PA2024 (완전한 PACP), 항원을 나타내는 세포 (antigen-presenting cell, APC)를 포함하는 자가 말초 혈액 단핵구 등으로 구성된 자가 활성 세포성 면역 요법 제제이다. 환자에게 주입된 자가 면역 요법제는 PACP에 특이한 CD4+ 및 CD8+ T 세포를 활성화하며, 이러한 기전으로 전립선암 환자에서 항암 반응이 일어난다고 생각된다 (Garcia, 2011).

31명의 전이 및 비전이 전립선암 환자에서 Sipuleucel-T (APC8015, Provenge®)에 관해 임상 1상/2상 시험을 실시한 연구는 항원 PA2024에 대해서는 100%에서, 본래의 PACP에 대해서는 38%에서 T 세포 증식 반응을 보였으며 6명에서는 PSA가 26% 이상 감소했다고 보고하였다. 질환이 진행하기까지 기간의 중앙치는 약 29주이었다 (Small 등, 2000). 다른 임상 2상 시험에서는 Sipuleucel-T를 이용한 치료가 4주째부터 관찰 기간 내내 모든 환자에서 항원에 특이한 T 세포의 증식을 일으켰으며, PSA의 감소가 2명에서는 약 25%, 1명에서는 매우 경미한 정도로 관찰되었다 (Burch 등, 2004). 또 다른 임상 2상 연구에 의하면, 생화학적으로 재발된 안드로겐 의존성 전립선암 환자에서 APC8015를 이용한 면역 요법이 (Beinart 등, 2005), 그리고 국소 요법 후 생화학적으로 재발한 전립선암 환자에서 APC8015 (Provenge®) 및 PACP를 이용한 면역 요법과 bevacizumab의 병용 요법이 (Rini 등, 2006) 생존 기간을 연장시켰다. 512명의 전이성, 거세 저항성 전립선암 환자를 대상으로 평가한 다기관 임상 3상 시험 Identification of Men with a genetic predisposition to ProstAte Cancer: Targeted screening in BRCA1/2 mutation carriers and controls (IMPACT) 혹은 D9902B는 위약으로 치료한 군에 비해 Sipuleucel-T로 치료한 군에서 4.1개월 더 생존하였음을 보여주었다 (Kantoff 등, 2010). D9901, D9902A, IMPACT 등 세 임상 3상 시험을 메타 분석한 연구는 Sipuleucel-T로 치료한 군에서 통증이 없는 환자의 수가 더 많았으며, GM-CSF가 아닌 PA2024로 배양한 경우에서 T 세포의 활성 및 사이토킨 생성의 증가가 관찰되었다고 하였다 (Sheikh 등, 2011). 또 다른 메타 분석은 Sipuleucel-T로 치료하였을 경우 연장된 생존 기간의 중앙치가 전반적인 코호트에서는 4.1개월인 데 비해, 아프리카계 미국인에서는 30.7개월이었다고 하였다 (McLeod 등, 2011). 그러나 표본 크기가 작다는 제한점이 있기 때문에, 이 결과를 확인하기 위해서는 추가 연구가 필요하다. 독성과 생존에 관해 비교한 연구는 Sipuleucel-T가 FDA에 의해 승인된 다른 전립선암 치료제에 비해 더 낮은 독성과 더 높은 생존 기간을 보였다고 하였다 (Paller와 Antonarakis, 2012). 다른 연구는 Sipuleucel-T를 이용한 치료가 덜 진행된 전립선암을 가진 환자에서 가장 좋은 효과를 나타내었다고 보고하였다 (Schellhammer 등, 2013).

8. Prostate Secretory Protein 94 (PSP94)

Prostate-specific protein of 94 amino acids (PSP94) 혹은 prostate secretory protein 94는 94개의 아미노산으로 구성된 15 혹은 16 kDa의 비당화 (non-glycosylated) 단백질로서 전립선에서 분비되며, cysteine이 풍부하다. 이 단백질은 전립선에서 분비되는 우세한 세 단백질 중 하나이며, 정액장액에서 PSA, prostatic acid phosphatase (PACP 혹은 PAP)와 함께 발견되고, PSA 다음으로 가장 우세한 단백질인데 (Abrahamsson 등, 1989; Nolet 등, 1991), 0.5~1 mg/mL로 포함되어 있다 (Valtonen-André 등, 2008). Microseminoprotein (MSP), microseminoprotein-beta (MSMB), beta-inhibitin, prostatic inhibin peptide (PIP), inhibitin-like material (ILM) 등으로도 알려진 이 단백질의 mRNA 전사는 비생식기계의 조직에서도 확인되었다 (Ulvsback 등, 1992). PSP94의 기능은 충분히 알려져 있지 않으나, 체내 및 체외 실험에서 세포 자멸사의 촉진 (Garde 등, 1999), 종양의 전이에 관여하는 matrix metalloproteinase 9 (MMP9)의 분비를 억제 (Annahi 등, 2005), 세포 표면 수용체 CD44 및 laminin과의 상호 작용 (Annabi 등, 2006), 내피세포에서 혈관내피성장인자의 신호 경로를 억제함으로 인한 혈관 형성의 억제 (Lamy et al., 2006) 등을 통해 종양을 억제하는 기능을 가지고 있다고 보고되고 있다 (Whitaker 등, 2009). 이러한 연구 결과를 근거로 PSP94의 N-terminal로 구성된 합성 펩티드가 현재 전이 전립선암의 치료에 임상적으로 이용되고 있다 (Lamy 등, 2006).

PSP94의 발현은 여러 연구에 의해 근치전립선절제술 후의 결과 (Bjartell 등, 2007), 무병 생존율 (Girvan 등, 2005) 등과 역상관관계를 가진다고 보고되었다. PSP94의 발현은 또한 호르몬 요법 후 전립선암의 진행에 대한 예후 지표라고 알려져 있다 (Sakai 등, 1999). PSP94를 코드화하는 *PSP94* (혹은 *MSMB*) 유전자는 염색체 10q11.2에 위치해 있으며 (Nolet 등, 1991), 전립선암에 민감한 유전자 중 하나로 관심을 받고 있고 (Thomas 등, 2008), 원인되는 여러 위험 대립 유전자가 코드화 기능을 가진 염기 서열의 상부 구역에서 확인되었다 (Lou 등, 2009). PSP94, PSP94 binding protein (PSPBP)의 혈청 농도와 유리형 PSP94/결합형 PSP94의 비율은 전립선암의 예후 인자로 제시되고 있다 (Reeves 등, 2006). 3,268점의 근치전립선절제술 표본에 대한 자가 영상 분석은 PSP94 단백질의 발현이 증가된 전립선암 환자의 경우 수술 후 생화학적 재발의 위험이 유의하게 감소됨을 보여 주었고 (HR 0.468, 95% CI 0.394~0.556; $p < 0.001$), 임상 병리학적 지표로 보정한 다변량 분석에서도 PSP94 단백질의 발현은 재발 위험 감소에 대한 독립적 예측 인자이었다 (HR 0.710; 95% CI 0.578~0.872; $p < 0.001$) (Dahlman 등, 2011).

PSP94의 주요 생물학적 기능 중 하나는 난포자극호르몬 (follicle-stimulating hormone, FSH)을 억제하는 기능이다 (Garde 등, 1999). FSH는 뇌하수체에서 생성되며, 뇌하수체 외의 근원지는 전립선이라고 생각되어 왔다. 전립선에는 FSH의 수용체가 있으며, FSH의 자가 분비 혹은 주변 분비 조절이 전립선 상피세포의 증식에 영향을 준다 (Porter 등, 2001). 또한, In situ hybridization (ISH)을 이용하여 사람의 전립선에서 PSP94의 발현을 연구한 바에 의하면, 6~7개월 태아의 전립선은 PSA와 PACP를 합성하지만 PSP94를 합성하지는 않는데, 이는 전립선의 발달과 관련이 있다고 생각된다. 성인의 전립선에서 PSP94 단백질은 해부학적인 부위별 분포로 볼 때, 중심부나 이행부보다 주변부의 세엽에서 대부분 발현되었다. 이 연구는 전립선암의 Gleason 등급이 증가할수록 PSP94가 크게 하향 조절된다고 하였다 (Chan 등, 1999). 면역조직화학 연구에 의하면, PSP94-binding protein (PSPBP)이 뇌하수체, Leydig 세포 등을 포함하는 조직에서 발견되는데, 이는 PSP94가 뇌하수체-생식선 축에서 어떤 역할을 함을 시사하며, enzyme-linked immunosorbent assay (ELISA) 분석에서는 PSPBP의 농도가 대조군 70명에 비해 전립선암 환자 65명에서 유의하게 더 낮았다 ($p=0.0014$) (Reeves 등, 2005).

부갑상선호르몬 관련 단백질을 이입하여 형질 전환을 일으킨 쥐 전립선의 전이 모델을 대상으로 평가한 연구는 사람의 정액장액에서 정제된 PSP94를 0, 0.1, 1.0, 10 μg/kg/day 등

여러 용량으로 치료하면 성장이 상당하게 감소한다고 보고하였다 (Shukeir 등, 2003). 부갑상선호르몬 관련 단백질과 칼슘의 혈청 농도는 PSP94의 치료 효과를 추적할 때 사용되는데, 이를 이용하여 평가하였을 때 PSP94는 쥐 모델에서 호르몬에 반응하지 않는 말기의 전립선암을 효과적으로 억제하였다. 다른 연구는 컴퓨터로 모의 실험하여 만든 분자 모델을 이용하여 PSP94의 구조를 예측하고, PSP와의 결합력, FSH의 억제와 같은 생물학적 활성, 면역성 등을 측정한 바 있다 (Joshi와 Jyothi, 2002). 색층 분석법 (chromatography) 및 면역 침강법을 이용한 연구는 정액장액 내의 PSP94는 PACP와 결합하여 PSP94/PACP 복합체를 형성하며, PSP94의 β-strands 1과 6는 PACP의 domain 2와, β-strands 7과 10은 PACP의 domain 1과 각각 상호 작용한다고 하였다 (Anklesaria 등, 2013).

Specific granule protein 28 (SGP28)으로도 알려진 cysteine-rich secretory protein (CRISP) 가족 구성원 CRISP3와 PSP94는 서로 상호 작용하는 전립선 단백질이며, 전립선암의 생물 지표로 연구되어 왔다 (Kosari 등, 2002). 다른 연구는 정액장액에서 CRISP3가 높은 친화도로 PSP94와 결합한다고 하였다 (Udby 등, 2005). *CRISP3* 유전자는 전립선의 양성 조직에 비해 전립선암에서 가장 상향 조절되는 유전자 중 하나이며 (Asmann 등, 2002), 거세 저항성 및 전이 전립선암에서 발현이 증가되어 (Dahlman 등, 2010) 전립선암의 유용한 생물 지표로 제시되고 있다 (Bjartell 등, 2006). 근치전립선절제술을 받은 전립선암 환자 945명으로부터 채취한 표본을 tissue microarray로 분석한 연구는 CRISP3의 높은 발현과 PSP94의 낮은 발현은 나쁜 결과와 관련이 있다고 하였다 (Bjartell 등, 2007). 전립선암이 진행하는 동안 이들 두 단백질이 서로 반대되는 발현 양상을 보이지만, 둘 모두가 전립선암 세포주에 대해 성장을 억제하는 인자로서 기능을 한다 (Pathak 등, 2010). 흥미롭게도 여러 전립선암 세포주 중 CRISP-3 양성인 세포주의 성장은 PSP94에 의해 억제되지만, CRISP-3에 의해 매개되는 성장의 억제는 PSP94의 유무에 의해 영향을 받지 않는다. 이러한 사실은 전립선에서 암이 형성되는 동안 CRISP-3가 PSP94와는 무관하게 작용함을 시사한다 (Pathak 등, 2010; Eynde 등, 2011).

PSP94 유전자 관련 연구는 *PSP94* mRNA 및 단백질이 양성 전립선 상피세포에 비해 악성 전립선 상피세포에서 감소된다고 하였다 (Tsurusaki 등, 1998). 다른 면역조직화학 연구는 *PSP94* 유전자의 발현은 원발성 전립선암으로부터 침윤

성, 안드로겐 비의존성 암으로 진행하는 동안 점차 감소함을 보여 주었다. 전립선암에서 PSP94 유전자는 메틸화에 의해 전사 기능이 상실되는데, 이는 거세 저항성 전립선암에서 과다 발현되는 Polycomb 그룹의 단백질인 enhancer of zeste homologue 2 (EZH2)에 의해 매개된다. 즉, PSP94 유전자는 EZH2에 의해 Lys27에 있는 histone H3 (H3K27)에서 메틸화 (trimethylation)를 일으키며, 이러한 과정은 안드로겐에 민감한 전립선암 세포에서는 일어나지 않고 거세 저항성 전립선암에서 나타난다 (Beke 등, 2007). 또한, 호르몬 비의존적 전립선암 세포의 PSP94는 촉진체에 있는 C-phosphate-G (CpG) 섬에 과다 메틸화가 발생함으로써 억제된다 (Beke 등, 2007). 대조적으로 CRISP3 유전자는 전립선암에서 발현이 증가된다 (Gibbs 등, 2008). 전립선암에서 PSP94와 CRISP3의 발현의 변화는 근치전립선절제술을 받은 환자에서 부정적인 예후와 관련이 있기 때문에 (Bjartell 등, 2007), 전립선암의 예후를 예측할 수 있는 생물 지표로 제시된다.

PSP94는 세포 표면의 수용체와 결합하여 MMP9의 분비 및 혈관 형성에 관여하는 인자인 vascular endothelial growth factor (VEGF)의 신호 경로를 억제하여 전이에 대해 대항 효과를 나타낸다고 추측된다 (Lamy 등, 2006). 생물학적 기능의 측면에서 CRISP3는 호중성 과립 백혈구에서 발현되어 선천성 면역 및 염증에 관여한다고 알려져 있으나, 전립선암에서의 기능은 분명하지 않다. 정액장액에서는 PSP94가 CRISP3보다 훨씬 더 풍부하며 CRISP3의 대부분은 PSP94와 복합체를 형성한다. 혈청에서 CRISP3는 혈장 단백질인 alpha1B-glycoprotein (AIBG) (Udby 등, 2004)과 결합하지만, PSP94는 CRISP9 (Reeves 등, 2005)과 복합체를 만든다. 전립선암에서 CRISP3의 증가와 PSP94의 감소는 PSP94 복합체의 비율에 상당한 영향을 준다.

단기간 및 장기간의 안드로겐 박탈 요법이 전립선암 조직 내의 PSP94와 PSP94/CRISP3 복합체에 미치는 영향을 연구한 바에 의하면, 단기간의 안드로겐 박탈 요법은 PSP94의 전사물과 단백질 모두를 감소시키는 데 비해, CRISP3의 수치에는 변화가 없었고, 오히려 CRISP3는 진행된 질환과 장기간의 안드로겐 박탈 요법 동안 androgen receptor (AR) 및 KLK3와 함께 상향 조절된다 (Dahlman 등, 2010). 선행 안드로겐 박탈 요법을 받은 환자에서 PSP94의 발현이 감소되는데, 이는 PSP94의 발현이 안드로겐에 의존적임을 시사한다 (Imasato 등, 2000).

KLK3와는 다르게 PSP94의 발현은 진행된 질환 및 전이 질환에서 낮은데, 이는 정상 전립선과 원발 전립선암에서는 KLK3 및 PSP94의 발현에 대한 안드로겐의 효과가 유사하지만, 진행된 질환에서는 다르게 조절됨을 시사한다. 이에 대한 기전은 PSP94 촉진체가 EZH2의 매개로 인해 메틸화됨으로써 PSP94의 발현이 중단되기 때문으로 추측된다 (Varambally 등, 2002). 전이 병변에서는 높은 농도의 EZH2가 발견되었는데, 이는 이들 종양에서 PSP94의 발현이 낮은 결과와 일치한다. 안드로겐 박탈 요법은 EZH2의 농도에 영향을 주지 않기 때문에, 호르몬으로 치료를 받은 원발 전립선암에서 PSP94가 신속하게 하향 조절되는 양상은 메틸화와는 관련이 없다고 생각된다. 촉진체에서의 single nucleotide polymorphism (SNP) 또한 PSP94를 조절하는 기전이 될 수 있다. rs10993994 위험성 대립 유전자는 전립선암의 발생 위험과 강한 연관성을 가지며, 혈청에서 PSP94 단백질뿐만 아니라 PSP94 유전자의 발현을 감소시킨다고 보고되고 있다 (Xu 등, 2010). Dahlman 등 (2010)의 연구에서 TT 대립 유전자가 전립선암 환자 13명 중 2명에서 발견되었는데, 안드로겐 박탈 요법을 실시하기 전과 동안에 TT 대립 유전자를 가진 2명에서는 PSP94의 발현이 매우 낮았으며, CC 혹은 CT 대립 유전자를 가진 11명에서도 PSP94의 발현이 낮았으나 TT 대립 유전자를 가진 경우에 비해서는 더 높았다. 그러나 진행된 전립선암에서 PSP94의 발현이 낮은 이유를 설명해 주는 기전은 완전하게 밝혀져 있지 않다. 결론적으로, PSP94는 호르몬 요법에 의해 하향 조절되며, 그 후 다른 기전에 의해 비활동성으로 변할 수 있다. 이와 같은 결과를 종합해 볼 때, PSP94는 종양을 억제하는 인자로 기능을 하며, 거세 저항성 전립선암에서 질환의 진행을 예측하는 표지자의 역할을 한다고 생각된다 (Dahlman 등, 2010).

55세 미만에서 일어나는 조기 전립선암 중 30~40%는 유전 인자에 의해 발생하기 때문에, 전립선암에서 유전학은 중요한 부분을 차지한다 (Bratt, 2002). 가족 연구로부터 여러 강한 위험 인자가 확인되었는데, 면역 반응에 관여하는 elaC ribonuclease Z 2 (ELAC2), ribonuclease L (RNASEL), macrophage scavenger receptor 1 (MSR1) 유전자 (De Marzo 등, 2007) 그리고 유방암의 발생에 관여하는 breast cancer 1, early onset (BRCA1), BRCA2 유전자 (Mitra 등, 2008) 등이다. 전립선암의 가족형에 관한 이해가 확대되고 있지만, 환자의 60%에서는 원인이 분명하지 않다. 전장 유전체 연관 분석 연구 (genome

도표 88 네 가지의 전장 유전체 연관 분석 연구 (genome wide association studies, GWAS)에서 전립선암 위험의 결정 요인으로 확인된 유전자 자리

유전자	염색체 자리	유전자 표지	MAF	복제 후 p value	유전자 내 위치	참고 문헌
HNF1B	17q21.3	rs4430796 rs11649743	0.479 0.479	9.58×10^{-10} 1.7×10^{-9}	IVS2 IVS4	Gudmundsson 등, 2007 Sun 등, 2008
MSMB	10q11.2	rs10993994	0.339	8.7×10^{-29} 7.31×10^{-13}	5' UTR	Thomas 등, 2008 Eeles 등, 2008
LMTK2	17q25.3	rs6465657	0.438	1.1×10^{-9}	IVS9	Eeles 등, 2008
SLC22A3	6q26-q27	rs9364554	0.233	5.5×10^{-10}	IVS5	Eeles 등, 2008
CTBP2	10q26.13	rs4962416	0.229	1.70×10^{-7}	IVS1	Thomas 등, 2008
MYEOV	11q13	rs10896449	0.492	1.76×10^{-9}	Intergenic, 5' to gene	Thomas 등, 2008
JAZF1	7p15.2-p15.1	rs10486567	0.267	2.14×10^{-6}	IVS2	Thomas 등, 2008

CTBP2, C-terminal binding protein 2; HNF1B, hepatocyte nuclear factor 1 homeobox B; IVS, intervening sequence; JAZF1, juxtaposed with another zinc finger protein 1; LMTK2, lemur tyrosine kinase 2; MAF, minor allele frequency in the HapMap CEU population; MSMB, microseminoprotein beta; MYEOV, myeloma overexpressed; SLC22A3, solute carrier family 22 extraneuronal monoamine transporter, member 3; UTR, untranslated region.
Harries 등 (2010)의 자료를 수정 인용.

wide association study, GWAS)는 전립선암의 발생과 관련이 있는 많은 유전자를 발견하였다 (도표 88). Harries 등 (2010)은 GWAS에서 확인된 *hepatocyte nuclear factor 1 homeobox beta* (*HNF1B*), *MSMB* (혹은 *PSP94*), *lemur tyrosine kinase 2* (*LMTK2*), *solute carrier family 22 extraneuronal monoamine transporter, member 3* (*SLC22A3*), *C-terminal binding protein 2* (*CTBP2*), *myeloma overexpressed* (*MYEOV*), *juxtaposed with another zinc finger protein 1* (*JAZF1*) 등 7가지 유전자를 선정하여 양성전립선비대 표본 39점, 전립선암 표본 21점에서 유전자 발현의 총량 및 아형의 발현양을 측정하였으며 (도표 89, 90), *LMTK2*, *MSMB*, *HNF1B* 유전자로부터 발현된 전사물의 양 혹은 특성의 붕괴가 전립선암의 병인에서 중요하다고 보고하였다. 전립선암에서 *LMTK2* 전사물의 수치는 양성 조직에서 나타나는 수치의 32%에 불과하며 ($p=3.2 \times 10^{-7}$), *LMTK2*의 발현에서 rs6465657 유전형은 양성 조직과 악성 조직에서 독립적으로 나타났다 ($p=0.002$). 양성 조직에서 *HNF1B(C)*와 *MSMB2*는 *HNF1B* 총 발현양의 90%, *MSMB* 총 발현양의 98%를 각각 차지하는 주된 아형이었으며 ($p=1.7 \times 10^{-7}$), 악성 조직에서는 *HNF1B(B)*와 *MSMB1*이 *HNF1B* 총 발현양의 95%, *MSMB* 총 발현양의 95%를 각각 차지하는 주된 아형이었다.

LMTK2 유전자는 endosome의 막 수송을 돕는 경막 serine/threonine/tyrosine kinase를 코드화한다 (Inoue 등, 2008). *LMTK2*는 쥐의 뇌에서 nerve growth factor/tropomyosin-related kinase A (NGF/TRKA)의 신호 경로와 관련이 있으며, NGF로 유도되는 신경세포의 분화를 역조절한다 (Kawa 등,

2004). LMTK2는 유사분열이 진행하는 동안 centrosome의 분리를 조절하는 복합체의 일부인 protein phosphatase 1, catalytic subunit (PP1C)와 inhibitor 2 (INH2) (Eto 등, 2002), 세포 주기의 진행에 관여하는 cyclin-dependent kinase 5 (CDK5)/p35 복합체 (Kesavapany 등, 2003) 등과 같이 세포 분열에 관여하는 여러 단백질과 역상관관계를 가진다. 근래의 연구는 LMTK2가 암과 관련이 있는 PSA와 VEGF를 조절하는 myosin IV와 상호 작용한다고 하였다 (Puri 등, 2010). 그러므로 *LMTK2*의 활성이 감소되거나 양이 감소되면 전립선 세포의 증식력이 증가한다고 생각된다 (Harries 등, 2010).

MSMB (혹은 *PSP94*)는 앞에서 기술된 바와 같이 semino-protein을 코드화하며, 종양을 억제하는 특성을 가지고 있고, EZH2 단백질에 의해 전립선암 조직에서 기능이 억제된다 (Beke 등, 2007). 따라서 *MSMB*의 발현은 전립선암에서 유리한 예후의 지표가 된다 (Hyakutake 등, 1993). *MSMB* 유전자에는 *MSMB2*에 있는 exon 3를 건너 뛰어 생기는 *MSMB1*과 *MSMB2*의 두 아형이 있으며, 이로써 틀이동 효과 (frameshift effect; DNA에 하나 혹은 그 이상의 뉴클레오티드가 첨가되거나 결실되어 유전 암호의 해독틀이 이동하여 어긋남으로 인한 효과)가 일어나 두 가지의 다른 단백질이 생성된다. *MSMB1*과 *MSMB2*는 정상 전립선과 정상 위 점막에 존재하지만, *MSMB2*는 대부분의 위암 및 전립선암에서 발견되지 않는다 (Ohnuma 등, 2009). Harries 등 (2010)은 양성 전립선 조직에서는 *MSMB1*이 전체 *MSMB* 발현양의 2% 이하로 소량 발견되고 주된 아형은 *MSMB2*이며, 전립선암 조직

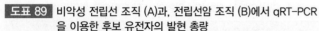

도표 89 비악성 전립선 조직 (A)과, 전립선암 조직 (B)에서 qRT-PCR을 이용한 후보 유전자의 발현 총량

유전자	A	B	p value
HNF1B	63.0 (106.8)	37.3 (56.0)	0.175
MSMB	95.3 (326.3)	13.5 (90.9)	0.156
LMTK2	1.10 (0.77)[†]	0.35 (0.30)[†]	2.4×10^{-7}[†]
SLC22A3	1.01 (1.42)	0.48 (0.75)	0.015
CTBP2	3.35 (2.54)	2.1 (1.6)	0.008
MYEOV	0.07 (0.15)	0.08 (0.15)	0.655
JAZF1	0.82 (1.7)	0.83 (0.97)	0.185

[†], p value가 0.007 이하이며 통계적으로 유의한 경우. ( ) 안의 수는 사분위 사이 범위 (interquartile range).
CTBP2, C-terminal binding protein 2; HNF1B, hepatocyte nuclear factor 1 homeobox B; JAZF1, juxtaposed with another zinc finger protein 1; LMTK2, lemur tyrosine kinase 2; MSMB, microseminoprotein beta; MYEOV, myeloma overexpressed; qRT-PCR, quantitative real time polymerase chain reaction; SLC22A3, solute carrier family 22 extraneuronal monoamine transporter, member 3.
Harries 등 (2010)의 자료를 수정 인용.

도표 90 비악성 (A) 및 악성 (B) 전립선 조직에서 qRT-PCR을 이용한 후보 유전자의 아형 특이 발현양

	비악성 조직	악성 조직	p value
MSMB1	1.8 (6.9)[†]	16.2 (85.2)[†]	4×10^{-4}[†]
MSMB2	125.3 (409.8)[†]	0.6 (4.73)[†]	5.8×10^{-5}[†]
HNF1B(A)	1.2 (2.7)	0.94 (1.52)	0.66
HNF1B(B)	5.1 (6.8)[†]	35.1 (52.3)[†]	1.7×10^{-7}[†]
HNF1B(C)	51.8 (109.9)[†]	12 (3.4)[†]	3.9×10^{-8}[†]
CTBP2(1)	1.3 (1.11)	0.62 (0.6)	0.009
CTBP2(2)	0.62 (0.55)	0.45 (0.58)	0.127
CTBP2(3)	1.4 (0.86)	0.70 (0.73)	0.007

유전자 발현양은 beta 2 microglobulin (B2M) 및 beta glucorinidase (GUSB)와 비교한 수치이며 비악성 표본에서의 평균치로 정규화되었다. ( ) 안의 수치는 사분위 사이 범위이다. p value가 0.006 이하가 통계적으로 유의하였으며 [†]로 표시되어 있다.
CTBP2, C-terminal binding protein 2; HNF1B, hepatocyte nuclear factor 1 homeobox B; MSMB, microseminoprotein beta; qRT-PCR, quantitative real time polymerase chain reaction.
Harries 등 (2010)의 자료를 수정 인용.

에서는 MSMB1이 전체 MSMB 발현양의 96%에 이를 정도로 대부분을 차지한다고 하였다. 이와 같은 결과는 종양을 억제하는 MSMB의 특성이 아형의 하나인 MSMB2로부터 나오며, MSMB1은 종양을 유발하는 효과를 나타냄을 시사한다. 하나의 유전자에서 다른 효과가 나타나는 현상은 암에서 드물지 않은데, 예를 들면 VEGF 유전자도 암 조직에서 혈관 형성을 유발하는 아형과 혈관 형성에 대항하는 아형을 코드화하여 다른 작용을 나타낸다 (Rajan 등, 2009).

사람에서 HNF1B(A), HNF1B(B), HNF1B(C) 등의 세 아형을 코드화하는 HNF1B 유전자는 전립선암과 관련하여 아형들이 다르게 발현되도록 한다 (Harries 등, 2009). 비악성 전립선 조직에서 우세하게 발현되는 아형은 HNF1B(C)이지만, 전립선암 표본에서는 HNF1B(B)가 주된 아형이다. HNF1B는 제한된 수의 조직에서 발현되는 전사 인자이며, 신장암 (Rebouissou 등, 2005), 난소암 (Terasawa 등, 2006) 외에도 전립선암 (Sun 등, 2008)과 관련이 있다는 보고가 있다. HNF1B의 아형은 기능 및 표적 특이성의 측면에서 차이를 나타내는데, HNF1B(A)와 HNF1B(B)는 전사를 촉진하는 인자로서, HNF1B(C)는 전사를 억제하는 인자로서의 기능을 한다 (Bach와 Yaniv, 1993). HNF1B의 아형은 서로 다른 표적을 활성화하는데, 예를 들면 HNF1B(C)는 특별히 interleukin-1beta (IL-1beta) 등을 포함하는 여러 기전을 통해 glutahione-S-transferase A (GSTA)의 촉진체를 역조절한다 (Romero 등, 2006). 이들 아형의 표적 특이성 및 전사의 특성이 서로 다름으로 인해 HNF1B 유전자의 전반적인 활성이나 표적 유전자의 활성이 다양하게 다르게 나타난다.

PSP94는 사람의 정액장액에서 처음 분리되었으나 (Akiyama 등, 1985), 그 후 개코원숭이 (Xuan 등, 1997), 붉은털원숭이 (Nolet 등, 1991), 쥐 (Fernlund 등, 1996), 돼지 (Fernlund 등, 1994), 생쥐 (Xuan 등, 1999) 등 여러 다른 종에서도 확인되었다. PSP94 (혹은 MSMB) 유전자의 첫 intron의 촉진체 구역에는 3개의 glucocorticoid 반응 요소와 1개의 에스트로겐 반응 요소가 있는데, 이는 이 유전자가 호르몬에 의해 조절됨을 시사한다 (Ochiai 등, 1995). PSP94가 전립선암의 종양 표지자로서 (Sakai 등, 1999), 혹은 immunoglobulin과의 결합 인자로서 (Kamada 등, 1998) 작용하는 등 여러 생물학적, 임상적 기능이 제시되고 있지만, 남성과 여성의 생식기 내에서 PSP94의 생물학적 기능은 잘 알려져 있지 않다.

순수한 PSP94에 대한 토끼의 다중 클론 항체가 사람의 정자에 있는 단백질의 위치를 확인하는 데 이용되며, 이 경우 대부분의 정자세포는 두부와 경부의 전면에서 면역형광염색을 나타낸다. 부성선 단백질과 정자 표면에 있는 지질 성분 사이에 특이한 상호 작용이 있음이 보고된 바 있다 (Muller 등, 1998). 이러한 상호 작용을 위해서는 단백질 구조 내에 많은 양성 전하를 띤 아미노산이 필요하지만, pI 5.6인 PSP94는 그

도표 91 여러 환자군에 따른 정자 성상 지표 및 정액장액 내 PSP94 농도 차이

	가임 환자	정자감소무력기형증[†]	심한 기형정자증[‡]	중등도 기형정자증[●]	무력정자증[◐]
	6명	38명	8명	9명	7명
정자 농도, $\times 10^6$/mL	51.4±13.4	1.0±1.4	28.5±7.2	38.4±7.6	62.5±29.0
운동 정자, %	61.0±15.1	7.4±8.7	56.9±8.0	66.7±9.0	33.6±13.4
정상 모양, %	16.8±5.8	0.8±1.4	2.9±1.0	9.4±0.7	16.3±3.1
PSP94의 농도	0.067±0.008	0.101±0.012	0.133±0.024		0.132±0.028

정액장액 내의 PSP94의 농도는 PSP94의 항체를 이용한 ELISA로 측정되었으며, 표기된 수치는 전체 정액장액 내 단백질 농도 (14.603~67.201 mg/mL)와 비교한 상대적 PSP94의 농도이다. 전체 모집단에서 PSP94의 농도는 0.579~10.751 mg/mL이었다.

[†], oligoasthenoteratozoospermia; [‡], severe teratozoospermia; [●], moderate teratozoospermia; [◐], asthenozoospermia.

ELISA, enzyme-linked immunosorbent assay; PSP94, prostate secretory protein 94.

Franchi 등 (2008)의 자료를 수정 인용.

러한 구조를 가지고 있지 않아 PSP94와 막 사이에는 소수성 (hydrophobic) 상호 작용이 일어나지 않는데, 이는 PSP94가 막에 삽입된 단백질과 결합하는 외재성 막단백질 (peripheral membrane protein; 막을 관통하지 않고 막의 지질 이중층 바깥에 있으면서 지질 분자 혹은 다른 막단백질과 결합하는 단백질)임을 추측하게 한다 (Wang 등, 2005). 돼지의 PSP94는 Na^+-K^+-adenosine 5′-triphosphatase (ATPase)의 활성 및 정자의 운동성을 감소시킨다는 연구 결과 (Chao 등, 1996)는 PSP94가 막에 삽입된 단백질과 결합하는 외재성 단백질의 일종이라는 가설을 뒷받침한다. 면역 형광 및 전자 현미경을 이용한 연구는 정자의 형질막에 삽입된 단백질이 PSP94의 수용체 역할을 한다고 하였다 (Franchi 등, 2008).

PSP94는 다음과 같은 여러 연구의 결과에 의해 불임과 관련이 있다고 생각되지만, 확인을 위한 추가 연구가 필요하다. 첫째, 긴꼬리원숭이를 대상으로 한 연구에서 꼬리에 위치해 있는 PSP94가 수정하는 동안 일어나는 정자의 과활동을 감소시켰다 (Tollner 등, 2004). 둘째, 난자의 투명대와 결합하는 단백질인 zonadhesin은 정낭과 전립선에서 분비되며, 사정하는 동안 정자 두부의 전면 바깥에 위치해 있다. 이 단백질은 자연적인 첨단체 반응을 방해하고, 종에 특이한 방식으로 투명대에 결합함으로써 생식세포를 인지하는 데 관여한다 (Topfer-Petersen 등, 1998). AQN3, P47 등 정자와 투명대의 상호 작용에 관여하는 단백질과 마찬가지로 PSP94는 정자의 첨체를 덮고 있는 형질막에 위치해 있으면서 정자와 투명대의 상호 작용을 방해 한다 (Van Gestel 등, 2007). AQN은 zona pellucida와 결합하는 spermadhesin 단백질로서 염기 서열이 alanine (Ala, A)-glutamine (Gln, Q)-asparagine (Asn,

N)으로 시작하기 때문에 AQN으로 명명되었다. P47은 N-ethylmaleimide-sensitive factor (NSF) and valosin-containing protein (NSFL1) cofactor p47으로도 알려져 있다. 셋째, PSP94는 사람의 정액장액 내에서 N-terminal 'sperm coating protein (SCP)' 영역을 통해 높은 친화도로 CRISP3와 복합체를 형성한다. CRISP3의 기능은 잘 알려져 있지 않으나, 단백질의 carboxyl 말단은 K^+ 통로를 억제하며 (Guo 등, 2005), 쥐에서 정자의 수정 능력을 억제하고 정자의 조기 활동을 방해하는 CRISP1과 같이 SCP 영역을 가진 단백질과 PSP94가 결합함으로써 (Udby 등, 2005) PSP94는 정자의 생리학적 현상을 조절하는 역할을 한다 (Roberts 등, 2003). 넷째, 기니피그의 부고환에 있는 정자를 대상으로 분석한 연구에서 PSP94는 정자와 난자가 상호 작용하기 전에 조기에 일어나는 첨단체 반응을 방해하였다 (Franchi 등, 2008). 다섯째, 정액장액 내의 PSP94 농도는 가임 남성에 비해 정자의 농도, 운동성, 모양 등 정액 지표가 불량한 남성에서 유의하게 더 높았다 (Franchi 등, 2008) (도표 91).

직장수지검사에서 이상 소견을 보이고 혈청 PSA가 증가하여 전립선 생검을 받은 1,212명에 대해 다변량 회귀 분석을 실시한 연구는 다음과 같은 결과를 보고하였다 (Nam 등, 2006). 첫째, 49.2% (596명/1,212명)에서 전립선암이 발견되었다. 둘째, 혈청 PSP94의 중앙치는 대조군에 비해 환자군에서 유의하게 더 낮았으며, 각각 3.40 ng/mL, 2.60 ng/mL이었다 ($p<0.0001$). 혈청 PSP94 농도의 가장 높은 사분위수에 대한 가장 낮은 사분위수의 전립선암 존재에 대한 OR은 2.70 (95% CI 1.8~4.0; $p<0.0001$)이었다. 셋째, 혈청 PSA의 예측도가 낮게 나타나는 그룹, 즉 혈청 PSA 20 ng/mL 미만, 직장수지검

사 정상, 70세 미만 등의 조건을 가진 649명 중 40.1% (260명/649명)에서 전립선암이 발견되었다. 이 그룹에서 PSP94의 농도는 높은 분화도 등급의 질환을 가진 환자를 구별하는 데 도움을 주었으며, Gleason 점수 6 이하, 7, 8 이상 등에서 혈청 PSP94의 중앙치는 각각 2.60, 2.34, 1.90 ng/mL이었다 (p=0.007). 이들 결과를 근거로 저자들은 혈청 PSP94의 농도가 낮은 환자는 생검에서 전립선암이 발견될 가능성이 높으며, 혈청 PSP94는 PSA 혹은 free PSA로 정확한 정보를 얻기 어려운 환자군에서 높은 분화도 등급의 질환을 확인하는 데 도움을 준다고 하였다.

9. Leucine Aminopeptidase (LAP)

Aminopeptidase는 작은 polypeptide의 N-terminal 아미노산을 가수 분해한다. Leucine aminopeptidase (LAP)는 ₗ-leucyl-glycine 기질에 대하여 특별히 활성적이며, 이들 효소의 일부는 적절한 기질이 ₗ-leucyl-β-naphthylamine이기 때문에 arylamidase라고 불린다. 사람의 전립선에는 arylamidase 유형의 LAP가 풍부하며, 전립선액 내에는 30,000 units/mL로 존재한다. LAP는 전립선 상피세포에서 생성되며, 세엽의 내강 안으로 분비된다 (Niemi 등, 1963).

LAP는 효소의 활성을 위하여 Mn^{2+}, Mg^{2+}, Zn^{2+} 등의 금속 2가 이온이 필요한 metallopeptidase 가족 M1과 M17에 속해 있는 효소로서 (Gu 등, 1999), 펩티드와 단백질 기질의 N-terminal에서 leucine, arginine, methionine (특히 leucine)을 가수 분해하여 분리시키며, 펩티드의 대사와 아미노산의 생성에서 중요한 역할을 한다 (Sträter과 Lipscomb, 2004). M17 멤버들 중 세포질의 LAP가 가장 광범위하게 연구되었으나 (Sträter과 Lipscomb, 2004), 작용 방식, 기능 등 생물학적 중요성이 분명하게 밝혀져 있지 않다. LAP는 종에 특이하지만 기관에 특이하지 않아 염기 서열의 상동성이 소와 돼지에서는 91.5%인 데 비해, 사람과 소에서는 81%이다 (Taylor 등, 1984).

LAP는 식물, 세균, 바이러스, 동물 등의 다양한 조직과 기관에서 확인되며, 그것의 역할은 생물체에 따라 다르다. 하등 동물에서 LAP는 대부분이 단백질을 분해하는 작용을 일으키는 데 비해, 식물에서는 방어 체계 및 상처의 치유에 관여한다 (Walling, 2004). 포유동물에서의 LAP는 주로 생체 단백질의 성숙, 활성, 안정성 유지뿐만 아니라 호르몬성 및 비호르몬성 펩티드의 분해와 조절에서도 필수적 역할을 한다 (Taylor, 1993). 근래에는 LAP가 간에서 glutathione의 대사에 관여하는 중요한 효소이며, 이로써 세포의 산화, 환원에 영향을 준다고 보고되었다 (Cappiello 등, 2006). LAP에 의한 항원성 펩티드의 프로세싱은 주 조직 적합 복합체 (major histocompatibility complex) I군 분자에 의한 항원 결정기 (epitope)의 생성에서 작은 역할을 한다 (Towne 등, 2005). LAP 효소의 작용은 어떤 병적 상태, 예를 들면 human immunodefficiency virus (HIV) 감염 (Pulido-Cejudo 등, 1997), 염증 (Beninga 등, 1998), 암 (Umezawa, 1980), 백혈병, 백내장, 노화 (Taylor, 1993) 등에서는 달라진다. LAP가 생물학적으로 중요한 많은 과정에 관여하기 때문에, 이들 효소를 억제하는 화합물을 개발하게 되면 여러 관련 질환의 치료에 도움이 될 것으로 생각된다. 예를 들면, bestatin은 aminopeptidase B (AP_B)와 LAP에 대한 특이 억제제이며, 림프구의 모세포 증식 (blastogenesis), 지연 형태의 과민 반응 등을 증대시킨다. 따라서 bestatin과 기타 항암제를 병용하면 치료 효과가 증대될 것으로 기대된다 (Aoyagi 등, 1977).

종양이 주위 조직에 침범하는 데는 조직을 파괴하는 효소, 특히 다양한 가수분해효소 및 단백질분해효소의 활성화가 필요하다 (Nicolson, 19776). 다양한 가수분해효소의 증가와 악성도 혹은 전이도의 증가 사이의 연관성이 여러 종양에서 관찰되었는데, 이들 효소에는 plasminogen activator (Laug 등, 1983), collagenase (Yamanishi 등, 1973) 특히 type IV collagenase (Liotta 등, 1979), N-acetyl-β-glucosaminidase (Dobrossy 등, 1980), neutral protease (Koono 등, 1974), elastase (Hornbeck 등, 1977), thiol protease (Poole 등, 1980), cathepsin B (Sloane 등, 1982) 등이 있다. Dunning R-3327 쥐 모델의 조직을 이용하여 collagenase, trypsin-like enzyme, cathepsin B, neutral protease, plasminogen activator, N-acetyl-β-glucosaminidase, elastase, chymotrypsin-like enzyme, LAP 등 9종류의 가수분해효소가 전립선암의 전이를 예측할 수 있는지를 평가한 연구에 의하면, 정상 전립선에서 전립선암으로 진행하는 동안 가수분해효소의 대부분에서 활성이 증가하지 않았지만, elastase와 chymotrypsin-like enzyme의 활성만이 정상 전립선 혹은 낮은 전이력의 전립선암보다 높은 전이력을 가진 전립선암에서 일정하게 더 증가되었다. 이들 결과를 근거로 저자들은 elastase, chymotrypsin-like enzyme, N-acetyl-β-glucosaminidase 등을 병합한 전이 지표를 이용하면, 쥐 모델의 전이력에 관한 정보를 얻을 수 있다고 하

였다 (Lowe와 Isaacs, 1984).

여러 전립선 조건에서 LAP의 활성은 다양하게 보고되고 있다. 한 연구는 LAP의 활성은 양성전립선비대 조직보다 전립선암에서 추출된 물질에서 감소된다고 하였다 (Rackley 등, 1991). 만성 전립선염 13명, 전립선 내에 어떠한 병변도 없는 29명, 양성전립선비대 63명, 전립선암 18명 등으로부터 채집한 전립선액에서 arginase, hexosaminidase, LAP 등을 분석한 연구에 의하면, arginase의 활성은 관찰되지 않았으며, 네 그룹에서 측정된 hexosaminidase와 LAP는 전체 활성 (units/mL) 및 특이 활성 (units/mg of protein)의 측면에서 차이가 없었다 (Vafa 등, 1993).

10. Lactate Dehydrogenase (LDH)

Lactate dehydrogenase (LDH)는 NADH와 NAD$^+$를 상호 전환시킴과 동시에 pyruvate와 lactate의 상호 전환을 촉매하는 당 분해의 주요 매개체이다 (Holbrook 등, 1975). LDH는 산소가 없거나 부족한 상태에서 pyruvate를 당 분해의 최종 산물인 lactate로 전환시키며, 간에서 Cori 회로가 진행하는 동안 역반응을 일으킨다. Cori 회로란 근육에서 포도당의 분해로 생성된 lactate가 간으로 이동하여 포도당으로 전환되며, 전환된 포도당이 다시 근육으로 이동하여 lactate로 전환되는 대사 경로이다 (Nelson 등, 2005).

분자량 150,000의 LDH는 *LDHA*와 *LDHB* 유전자에 의해 각각 코드화되는 M (다른 문헌에는 A로도 표기됨)과 H (다른 문헌에는 B로도 표기됨) 단백질의 소단위 (각각의 분자량은 35,000)로 구성된 동질성 혹은 이질성의 4합체이다. 즉, 염색체 11p15.4에 위치한 *LDHA*는 M (muscle) 소단위를 코드화하며, 염색체 12p12.2-12.1에 위치한 *LDHB*는 H (heart) 소단위를 코드화한다. 세 번째 동형 유전자인 *LDHC* (혹은 *LDHX*)는 *LDHA*의 복제물이라고 추정되는데, 염색체 11p15.5-p15.3에 위치해 있고, 고환에서만 발견된다. LDHA 단백질은 L-lactate dehydrogenase A chain, LDH muscle subunit, LDH-A, LDH-M, cell proliferation-inducing gene 19 protein, epididymis secretory sperm binding protein Li 133P, lactate dehydrogenase M, proliferation-inducing gene 19, renal carcinoma antigen NY-REN-59 등으로도 알려져 있으며, LDHB 단백질은 L-lactate dehydrogenase B chain, LDH heart subunit, LDH-B, LDH-H, lactate dehydrogenase H 등으로도 알려져 있다.

LDH에는 4개의 소단위 단백질을 포함하는 5가지의 동종 효소가 있는데, 심장, 적혈구 뇌 등에서 우세한 LDH-1 (4B 혹은 4H 혹은 HHHH), 세망내피계 (reticuloendothelial system, RES)에서 우세한 LDH-2 (3B1A 혹은 3H1M 혹은 HHHM), 폐에서 우세한 LDH-3 (2B2A 혹은 2H2M 혹은 HHMM), 신장, 태반, 췌장에서 우세한 LDH-4 (1B3A 혹은 1H3M 혹은 HMMM), 간과 골격근에서 우세한 LDH-5 (4A 혹은 4M 혹은 MMMM) (Van Eerd와 Kreutzer, 1996) 등이다. LDH-2는 혈청에서 흔히 발견되는 동종 효소이다. LDH-1의 농도가 LDH-2보다 높으면, 심근경색을 의심할 수 있다. 심장 조직에 손상이 가해지면 LDH-1이 풍부한 심장 LDH가 혈중으로 방출된다.

적절한 산소가 공급되는 조건의 실험에서조차 암 세포가 당을 대량 섭취하고 그것을 lactate로 전환시키는 효과를 'Warburg effect' 혹은 호기성 당분해작용이라고 한다 (Warburg, 1956). Warburg 효과는 *v-myc avian myelocytomatosis viral oncogene homolog (MYC)*, *v-ras oncogene homolog or rat sarcoma viral oncogene homolog (RAS)*, *v-akt murine thymoma viral oncogene homolog protein 1 (AKT)* 등과 같은 종양을 유발하는 유전자의 활성 및 종양을 억제하는 유전자의 소실과 직접 관련이 있으며, 이로써 당이 lactate로 전환되는 과정이 통제되지 않는다 (Vander 등, 2009).

골격근에서 우세한 LDH-5 (M-LDH, A4, 4M)는 pyruvate를 lactate로 전환시키고, 심근에서 발견되는 LDH-1 (H-LDH, B4, 4H)은 lactate를 pyruvate로 전환시킨다. 다수 암 조직을 비교 분석한 연구에 의하면, 총 LDH 활성의 평균치가 유의하게 증가된 경우는 갑상선암, 대장암, 자궁암 등이었으며, 위암, 대장암, 폐암, 갑상선암, 신장암, 췌장암 등 다수 암에서는 LDH-5 활성의 평균치가 유의하게 증가하였고, 갑상선암과 자궁암에서는 LDH-5와 LDH-1 둘 모두가 유의하게 증가되었으며, 위암과 신장암에서는 LDH-5는 증가하였으나 LDH-1은 감소하였고, 대장암, 폐암, 췌장암에서는 LDH-5는 증가하였으나 LDH-1은 변화가 없었으며, 난소암, 전립선암, 유방암에서는 LDH-5와 LDH-1의 변화가 없었다 (Goldman 등, 1964). 유전적 변화와 종양의 저산소증으로 인하여 암 세포는 포도당을 상당량 섭취하고 저산소증을 유발하는 전사 인자 *hypoxia-inducible factor* (*HIF*)와 *c-MYC* 유전자에 의해 유도되는 LDH-5를 통해 lactate를 생성한다. 종양 내에 저산소증이 폭넓게 확산되면, 흔히 HIF-1이 증가한다. HIF-1은 저산소증에 대한 적응을 위해 필요한 중요한 전사 인자이며, NAD^+를 재순환시키고 pyruvate를 lactate로 전환시키는 LDH-5를 포함하는 당분해효소의 유전자에 의해 활성화된다.

LDH-5의 감소가 세포의 형질 전환을 억제하고 종양의 형성을 상당하게 지연시키기 때문에, LDH-5는 종양의 시작 시기에서 중요하다는 보고가 있었지만 (Xie 등, 2009), 종양의 유지와 진행에서 LDH-5의 역할에 관하여서는 충분하게 밝혀져 있지 않다. Small interfering RNA (siRNA) 혹은 antisense RNA (AS RNA)에 의한 LDH-5의 감소가 종양의 형성을 억제시키는 기전도 분명하게 이해되어 있지 않다. 종양 유전자와 당 분해 사이의 관계가 분명하지는 않지만, LDH-5의 표적 유전자가 종양 유전자 c-MYC이라고 확인되면서 분자생물학적인 이해가 높아졌다 (Lewis 등, 1997). HIF 또한 LDH-5를 활성화시킨다 (Firth 등, 1995). 이들 결과와 함께 종양 조직은 저산소증을 가지지만 정상 조직은 저산소증도 없고 활성 c-MYC도 가지지 않는다는 관찰 (Shim 등, 1997)은 LDH-5의 발현을 감소시키면, 세포의 형질 전환과 종양의 형성이 억제될 것이라는 추론을 가능하게 한다.

이를 밝히고자 연구한 Le 등 (2010)은 siRNA에 의하여 LDH-5가 감소되거나 작은 분자 억제제인 FX11 (3-dihydroxy-6-methyl-7-[phenylmethyl]-4-propylnaphthalene-1-carboxylic acid)으로 LDH-5가 억제되면 ATP의 수치가 낮아지고 상당한 산화 스트레스 및 세포사가 발생하였으며, 이는 항산화제 N-acetylcysteine에 의해 부분적으로 반전되었다고 하였다. 또한, 이들 저자들은 FX11이 이종 이식으로 형성된 큰 림프종과 췌장암을 억제할 수 있음을 보여 주었다. 다른 연구는 nicotinamide phosphoribosyltransferase (NAMPT)를 직접 억제하여 NAD^+의 합성을 억제하는 FK866와 병용하면 FX11이 림프종의 퇴행을 유도하였다고 하였다 (Nahimana 등, 2009). FX11을 이용한 LDH-5의 억제가 LDH-5 의존성 종양에 대해 수용 가능한 치료 효과를 나타냄으로써 연구자들은 Warburg 효과에 대한 치료적 접근이 유망하며, 암의 에너지 대사를 표적으로 하는 치료를 고려할 경우 산화 스트레스와 암의 대사적 표현형이 암 생물학에서 중요한 측면이라고 강조하였다. 즉, LDH-5의 감소가 산화 스트레스뿐만 아니라 생물 에너지 측면에서의 스트레스를 증가시켜 세포사를 유도한다고 생각된다 (Le 등, 2010).

사람의 정액에 있는 LDH 동종 효소의 비율은 전립선암 환자에서 다르게 나타난다 (Oliver 등, 1970). M과 H 소단위의

양은 모든 조직에서 동일하지만, LDH-1~5의 양은 다양하다. 호기성 해당 작용 (aerobic glycolysis)이 일어나는 장기, 예를 들면 뇌, 심장, 신장 등에서는 LDH-1, 2, 3가 우세하고, 혐기성 해당 작용이 일어나는 장기, 예를 들면 횡문근, 간, 피부 등에서는 LDH-3, 4, 5가 우세하다 (Vesell 등, 1962). 양성전립선비대 조직에서는 LDH-2, 3, 4가 우세하며, 전립선암 조직에서는 LDH-5가 현저하게 증가된다고 보고되었다 (Denis 등, 1962). 다른 연구는 진행 전립선암 환자의 혈청에서는 LDH-4와 LDH-5가 증가된다고 하였다 (Denis와 Prout, 1963).

전립선을 마사지한 후 채집된 전립선액 내의 LDH-5/LDH-1 비율은 임상적으로 정상 전립선을 가진 남성에서 0.67±0.05, 조직학적 병변 없이 전립선액에서 고배율 시야로 백혈구가 10개 초과한 남성에서 3.12±0.21, 백혈구가 10개 이하의 양성전립선비대 환자에서 1.84±0.14, 백혈구가 10개를 초과한 양성전립선비대 환자에서 5.85±0.88, 전립선암 환자에서 5.94±0.25라고 보고되었다 (Grayhack 등, 1980). 이들 결과에 의하면, 전립선액에서 LDH-5/LDH-1 비율이 증가되면 전립선암의 위험이 높다.

전립선암의 전이와 관련이 있는 새로운 인자를 발견하고자 시도한 연구에서 pI 5.9, 분자량 37 kDa의 단백질이 림프절 혹은 간으로 전이가 잘되는 LNCaP-LN3 세포주가 아닌 낮은 전이성의 LNCaP 세포주에서 관찰되었으며, 이 단백질은 tandem mass spectrometry에 의해 LDHB로 확인되었다. 효소 동역학 분석 및 전기영동 검사 (zymography)는 LDH 효소의 활성이 LNCaP-LN3 세포에 비해 LNCaP 세포에서 더 높음을 보여 주었다. Bisulphite에 의해 변경된 DNA에 대한 염기서열 결정법에 의하면, LNCaP, Du145, PC3, CWR22, BPH45 등의 세포에서는 촉진체의 과다 메틸화가 관찰되지 않았지만 LNCaP-LN3 세포에서는 관찰되었다. LNCaP-LN3 세포를 50-azacytidine으로 처치한 경우 LDHB의 전사물의 재발현이 일어났다. 조직에서는 LDHB 촉진체의 과다 메틸화의 빈도가 인접한 비악성 혹은 양성 조직에 비해 암 조직에서 더 높았으며, 각각 11% (2/19), 45% (14/31)이었다 (p<0.025). 면역조직화학검사에서 LDHB 발현의 빈도는 암 조직에 비해 양성 혹은 비악성 조직에서 더 높았으며, 각각 6% (3/53), 81% (59/73)이었다 (p<0.001). 골 전이를 일으킨 암의 경우 LDHB의 발현은 100% (7/7)에서 관찰되지 않았다. 이들 결과를 근거로 저자들은 전립선암에서는 LDHB의 발현이 상실되며, 이러한 양상은 LDHB 촉진체의 과다 메틸화와 관련이 있다

고 하였는데 (Leiblich 등, 2006), 이는 유전자 촉진체에 위치해 있는 CpG dinucleotides의 과다 메틸화가 유전자의 침묵 (silencing)을 유도한다는 연구 결과와 일맥상통한다 (Li 등, 2005). LDHB 아형의 소실이 전립선암의 발달 및 전이와 상호 관련이 있다고 추측되는 근거는 다음과 같다. 첫째, 양성 전립선비대 환자에 비해 전립선암 환자에서 전립선액 내의 LDH-5/LDH-1 비율이 더 높다 (Grayhack 등, 1980). 둘째, 전립선암 및 LNCaP-LN3 세포주에서 LDHB의 발현이 소실되는 빈도가 높다 (Leiblich 등, 2006). 셋째, 악성으로의 형질 전환은 당을 분해하는 작용의 증가 및 세포에서 lactate 분비의 증가와 관련이 있다 (Walenta 등 2004). 넷째, 전립선암 세포 내의 LDHB가 소실되면, 특히 저산소증 조건 하에서 pyruvate를 lactate로 전환시키는 촉매 작용이 가장 큰 LDH-5만 남고 LDH-1~4는 소실된다 (Koukourakis 등, 2005). 다섯째, 종양에서 고농도의 lactate는 암 세포의 이동과 침윤을 증대시킨다 (Stern 등, 2002). 여섯째, 경성 종양에서 lactate의 생성은 전이 빈도의 증가와 상호 관련이 있다 (Brizel 등, 2001). 일곱째, LDHB 촉진체의 과다 메틸화는 위암 조직의 7% (3/20)에서 관찰되었지만 건강한 위점막에서는 관찰되지 않았다 (Maekawa 등, 2003).

거세 저항성 전립선암 환자 35명에게 28일 주기의 docetaxel, estramustine phosphate, carboplatin (DEC) 처방, 즉 첫째 날 60 mg/m^2의 docetaxel를 정맥 주사, 560 mg의 estramustine phosphate 매일 경구 투여, 첫째 날 area under the curve (AUC) 5에 해당하는 용량의 carboplatin을 정맥 주사 (carboplatin의 용량은 [표적 AUC]×[사구체 여과율+25]의 Calvert 공식에 따라 결정되는데, AUC 4, 5, 6인 경우 최대 용량은 각각 600, 750, 900 mg이다) 등의 처방을 2회 실시한 후 예후 및 독성 효과의 예측 인자를 평가한 연구에 의하면, 65.7%의 환자에서 PSA가 30% 포인트 이상 감소하였으며, 전반적 생존기간의 중앙치는 17.8개월이었다. 또한, 다변량 분석에서 혈청 LDH는 전반적 생존 기간에 대한 독립적 예후 인자이었으며, 193 U/L 이하에 대한 193 U/L 초과의 HR은 6.084 (95% CI 1.650~22.438; p=0.007)이었다. Single-nucleotide polymorphisms (SNPs)에 관한 분석에서는 ATP-binding cassette sub-family B member 1 (ABCB1) C3435T 다형성의 TT 유전자형을 가진 환자가 CC+CT 유전자형을 가진 환자에 비해 DEC 요법의 첫 주기 동안 백혈구감소증이 유의하게 더 심하였다 (p=0.036). 이들 결과를 근거로 저자들은 DEC를 이

용한 화학 요법이 거세 저항성 전립선암 환자에서 중대한 독성 효과 없이 효과를 나타내며, 혈청 LDH는 예후를 예측하는 인자로서의 역할을 하고 ABCB1 C3435T 다형성은 DEC에 의한 화학 요법 후 백혈구감소증의 정도를 예측할 수 있는 유전 인자라고 하였다 (Narita 등, 2012). 이들 결과는 연조직 전이, Eastern Cooperative Oncology Group performance status (ECOG-PS), alkaline phosphatase, LDH, 혈색소 등은 나쁜 생존율과 관련이 있으며 (Regan 등, 2010), 암의 경우 10~57%에서 혈소판감소증이 발생하고 (Sierko와 WojtuKiewicz, 2004), 종양세포의 화학주성, 접착, 증식에 영향을 주는 혈소판 미세입자의 정도는 docetaxel로 화학 요법을 받고 있는 거세 저항성 전립선암 환자의 예후 인자이다 (Helley 등, 2009)는 연구 결과와 일맥상통한다.

11. Transferrin

철 (iron, Fe)은 전자의 운반부터 ATP의 생성, heme 및 DNA의 합성까지 많은 생물학적 과정에서 필요로 하는 필수 요소이며, 혈중 적혈구의 혈색소 내에서 철 덩이를 형성한다 (Eisenstein, 2000). 철이 상당히 부족하게 되면 철 결핍성 빈혈부터 신경학적 장애에 이르기까지 다양한 효과가 나타나며, 반대로 지나치게 철이 많으면 간경화, 심근병증 등을 포함하는 장기 손상, 겸상적혈구빈혈 (sickle cell disease), 지중해빈혈 (thalassemia) 등이 초래된다. 철의 항상성을 유지시키는 시스템은 매우 복잡하다. 적혈구의 합성을 위해 매일 약 1 mg의 철이 필요하며, 탈락되는 상피세포, 정상적인 실혈 등에 의해 소실되는 양은 장에서 그만큼 새로이 흡수되어 보충된다. 새롭게 합성된 혈색소에 합쳐지는 철의 일부는 대사된 노화 적혈구를 함유한 대식세포로부터 얻어진다. 그러므로 최종적으로 혈색소 혹은 기타 철단백질 (ferriprotein)에 합쳐지는 철의 섭취는 장에 의한 철 흡수, 대식세포로부터 철 분비, 적혈구 전구체 및 기타 철을 필요로 하는 세포로의 철 섭취 등의 세 경로로 이루어진다 (Li 등, 2011).

척추동물에서 철의 유입은 주로 십이지장에서 일어나며, 이곳에서 세포질 내의 NADPH로부터 세포 밖의 Fe^{3+}와 같은 인수체 (acceptor)로 전자를 운반하는 ferrireductase인 duodenal cytochrome B (DcytB)에 의해 Fe^{3+}가 용해성이 높은 Fe^{2+}로 환원된다 (McKie 등, 2001). Fe^{2+}는 solute carrier family 11 member 2/excitatory amino-acid transporter 2 (SLC11A2/EAAT2), divalent cation transporter 1 (DCT1), natural resistance-associated macrophage protein 2 (NRAMP2) 등으로도 알려져 있는 경막 단백질 divalent metal transporter (DMT1)를 통해 십이지장 장세포 (enterocyte)의 융모막 (brush border membrane, BBM)을 가로질러 운반된다 (Gunshin 등, 1997). 그 후 내재화된 Fe^{2+}는 multicopper oxidase인 hephaestin (Heph)과 협동하여 SLC40A1, iron-regulated transporter 1 (IRT1) 등으로도 알려져 있는 경막 투과효소 (permease) ferroportin 1 (FPN1)에 의해 기저측막 (basolateral membrane, BLM)을 가로질러 운반된다 (Yeh 등, 2009). 대식세포로부터 형질막의 transferrin (Tf)으로 철의 유출은 FPN1과 Heph에 의해 매개된다 (Anderson과 Vulpe, 2009). 장세포와 대식세포로부터 전신 순환계 내로 철의 유출은 철의 저장을 조절하는 인자인 hepcidin에 의해 조절된다. Hepcidin은 FPN1과 결합하며, 단백질분해효소 복합체인 proteasome을 통해 FPN1의 인산화, 내재화, 대사 등을 촉진한다 (Nemeth 등, 2005).

장 세포 외의 모든 세포와 적혈구의 전구 세포에서 철의 섭취는 non-transferrin bound iron (NTBI)을 통한 경로도 있지만, 수용체로 매개되는 ferri-transferrin (Fe-Tf)의 세포 내 섭취 (endocytosis)에 의해 이루어진다. Fe-Tf는 세포 표면에서 transferrin receptor (TfR)와 결합하며, Fe-Tf 복합체는 endosome의 내부로 들어가 endosome을 산성화함으로써 Tf로부터 Fe^{3+}를 분비하게 한다 (Woodworth 등, 1982). Fe^{3+}는 metalloreductase, 즉 ferrireductase인 six-transmembrane epithelial antigen of the prostate 3 (STEAP3)에 의해 Fe^{2+}로 환원되며, Fe^{2+}는 DMT1에 의해 세포질 내로 운반된다 (Ohgami 등, 2006). 체내 철의 총량 (mg/kg)은 다음과 같은 Cook 등 (2003)의 공식에 의해 산출되며, 여기서 sTfR은 soluble TfR을 의미한다 (Mei 등, 2011).

$$\log_{10}(sTfR \times 1,000 \div ferritin) - 2.8229) \div 0.1207$$

세포 내에서 철 섭취의 증가는 두 가지 관점에서 생각해 볼 수 있다. 첫째, 철 결핍증은 특히 가임 여성에서 일의 능률을 떨어뜨리며, 소아에서는 신경학적 발달의 장애를 일으킨다 (Scrimshaw, 1991). 철 대사의 불균형을 일으키는 흔한 요인은 식이 철의 부족으로 인한 불충분한 철 섭취 및 철 흡수의 감소이다 (Aikawa 등, 2006). 사실, 철 결핍증은 소아에서 가장 흔한 영양 결핍증이며, 사춘기에서도 그 빈도가 증가하고 있다 (Maeda와 Yamauchi, 1999). 철 결핍증은 빈혈을 일으키는데,

철 결핍성 빈혈은 노인에서 생존율을 떨어뜨린다 (Woodman 등, 2005). 미국 통계를 보면, 1~2세 영유아의 9%, 사춘기 소녀와 가임 여성의 9~11%에서 철 결핍이 있으며, 이들 중 철 결핍 빈혈은 3%, 2~5%에서 발생한다 (Looker 등, 1997). 철 결핍증의 대부분은 영양과 관련이 있으며, 경제적 혹은 문화적 관습으로 철이 부족한 식이를 하더라도 철 섭취를 촉진하는 약물을 복용하면 유익한 효과를 나타낸다. 둘째는 암에서의 효과이다. 암 세포에서는 흔히 TfR, DMT1, Dcytb 등의 발현이 증가되고, 철을 세포 내에서 밖으로, 순환계 내로 유출을 돕는 단백질인 FPN1과 Heph의 발현은 감소되어 철이 결핍되는 양상을 나타낸다 (Boult 등, 2008). 고농도의 reactive oxygen species (ROS)는 양성 세포에 비해 악성 세포에서 관찰되며, 암 세포 내로 철의 섭취를 촉진하는 약물은 Fe^{2+}와 H_2O_2의 반응을 통해 오염된 물과 토양을 처리하는 데 이용되기도 하지만, 생체 분자에 손상을 주어 노화 및 다양한 질환에 영향을 주는 반응, 즉 Fenton 반응을 통해 ROS 농도를 더욱 증가시킨다. ROS의 증가는 DNA, 단백질, 지질 등에 대한 산화 손상과 세포 사망을 일으키거나 방사선 혹은 방사선유사작용물질에 의한 세포 살해 효과를 증대시킨다 (Karihtala와 Soini, 2007). 또한, 세포 내에서 철 농도의 증가는 prolyl hydroxylase (PHD)의 활성을 증대시켜 암의 성장을 유도하는 전사 인자인 hypoxia-inducible factor (HIF)-1α와 HIF-2α의 수산화 반응 (hydroxylation)을 증가시킴으로써 ubiquination 및 proteasome에 의한 분해를 통해 HIF의 발현을 감소시킨다.

장 세포에서는 NTBI로부터이지만 그 외의 다른 모든 세포에서는 ferri-Tf로부터 섭취된 철이 DMT1을 통해 운반된 철이다. 철 섭취를 촉진하는 제제는 DMT1을 활성화하여 세포 내에서 DMT1의 위치를 변경함으로써 더 효율적으로 철을 운반하도록 하거나, 또 다른 운반체를 활성화한다. 철의 섭취를 촉진하는 제제인 LS081은 철의 근원이 유일하게 ferri-Tf일 경우에 철 섭취를 증가시킨다. 철이 Tf로부터 섭취되기 위해서는 Tf가 수용체의 매개로 세포 내 섭취가 이루어지고 DMT1이 endosome에 내재화될 필요가 있다. 따라서 더 많은 철이 세포 내로 전달되기 위해서는 DMT1을 함유한 endosome이 더 신속하게 세포 내외로 순환하여야 한다. 철이 ferri-Tf에 의해 운반될 때 철의 섭취에서 일어나는 반응의 제어는 Tf 주기, 즉 ferri-Tf가 세포 내로 섭취되고 철이 Tf로부터 endosome 내로 유리되는 데까지의 시간, 그리고 TfR과 결합한 새로운 apo-Tf가 세포 밖으로 유출된 후 세포 표면에서 TfR로부터 분리되어

유리되는 데까지 시간의 길이에 의한다. ferri-Tf로부터 철 섭취를 촉진하는 제제가 Tf 주기의 길이를 단축시키면, DMT1이 더 신속하게 내재화되고 Tf로부터 철이 더 빠르게 유리된다. ferri-Tf로부터 철 섭취를 억제하는 제제는 Tf 주기에 대해 반대되는 영향을 나타낸다 (Horonchik와 Wessling-Resnik, 2008). 장 세포의 경우 철이 십이지장과 Caco-2 결장직장암 세포주에 노출되면 DMT1의 내재화가 일어난다. 따라서 DMT1 내재화의 속도가 증가하면, 장 세포에서 철의 섭취 또한 증가한다. LS081은 DMT1에 작용하여 그것의 내재화 반응을 변경시킨다고 생각되지만, 철의 섭취에 영향을 주는 다른 경로도 있다. 예를 들면, neutrophil gelatinase-associated lipocalin (NGAL) 혹은 24p3로도 알려진 lipocalin (Yang 등, 2002), L-type Ca^{2+} 통로 (Ludwiczek 등, 2007), 아연 운반체 가족의 구성원인 Zip14 (Liuzzi 등, 2006) 등은 철의 운반체 혹은 통로의 역할을 한다고 보고되었다. 이와 같은 철 유입 경로가 철 섭취 촉진제에 의해 영향을 받는지는 알려져 있지 않으며, ferri-Tf가 아닌 NTBI를 통해 철을 운반하는 이들 경로가 어떻게 ferri-Tf로부터 철 흡수를 촉진하는지에 대해서도 밝혀진 바 없다.

철 섭취를 촉진시키는 기전이 무엇이든지 상관없이 세포 내로 들어간 철은 여러 연구의 결과로 볼 때 대사적으로 활성적인 철이 모이는 곳에 들어가며, 이로 인한 효과는 다음과 같다. 첫째, 철이 Tf와 결합을 하든지 혹은 하지 않든지 관계없이 세포의 ferritin 농도는 LS081의 존재 하에서 증가한다. 둘째, HIF-1α와 HIF-2α 단백질의 발현은 감소한다. 셋째, 전립선암 세포주의 군락 형성력이 감소한다. 넷째, LS081은 ROS의 농도를 증가시킨다 (Li 등, 2011).

철 섭취의 촉진이 ROS 농도를 증가시키는 효과는 철 섭취를 촉진하는 제제가 암 세포의 증식 및 군락 형성을 억제하는 기전을 설명해 준다. ROS의 농도는 암 세포에서 증가되며, LS081에 의해 추가로 ROS가 생성되면 세포의 방어력을 능가하게 된다. 증가된 ROS는 LS081으로 치료된 세포가 방사선 요법 및 방사선 유사 약물에 더욱 민감하도록 만든다. 암에 대한 치료적 접근으로 산화와 환원의 균형 (redox balance)을 방해하는 개념은 다른 연구자에 의해서도 제시된 바 있다 (Trachootham 등, 2008). 전통적인 일부 화학 요법제, 예를 들면 melphalan, cisplatin, anthracyclines, bleomycin 등은 ROS를 제거하려는 암 세포의 기능을 억제함으로써 ROS를 증가시킨다고 알려져 있다 (Witte 등, 2005). Pyruvate dehy-

drogenase kinase (PDK)를 억제하는 dichloroacetate는 ROS의 생성을 자극하며, 정상 세포가 아닌 암 세포에서 세포 자멸사를 유발한다 (Bonnet 등, 2007). Glutathione의 합성 속도를 통제하는 효소인 glutamate-cysteine ligase (GCL)를 억제하여 ROS 청소제를 감소시키면, 암 세포의 방사선에 대한 민감성이 증가된다 (Diehn 등, 2009). 또한, 금속과 결합하는 화합물은 항암 작용을 한다고 간주된다 (Brabec와 Nováková, 2006). 일부 화합물은 금속의 chelation을 통해 작용하지만, 다른 화합물은 세포 내의 금속 농도를 증가시키는 다른 기전을 가지고 있다. 예를 들면, clioquinol은 세포 내의 아연 농도를 증가시킴으로써 전립선암 세포의 세포 자멸사를 유발하며 (Yu 등, 2009), 말라리아 대항제 artemisinin은 Fe^{2+} 혹은 heme에 의해 매개되는 항암 작용을 가지고 있다 (Efferth, 2005). 암 세포 내에 철이 과다함으로 인해 생기는 독성 효과는 암 세포 내로 철의 섭취를 촉진하여 더욱 효율적으로 암 세포의 사망을 유도하는 분자를 발견하는 데 도움을 준다.

저산소증은 HIF 전사 인자의 구성원인 HIF-1α 혹은 HIF-2α의 발현이 증가된 경성 종양에서 흔히 나타나는 양상이다 (Höckel, 2001). HIF-1α 혹은 HIF-2α의 증가는 여러 암에서 나쁜 예후의 표지자로 알려져 있다 (Harris, 2002). 정상적인 산소 조건 하에서는 HIF-1α와 HIF-2α 모두가 철에 의존적인 PHD에 의해 수산화되며, 뒤이어 von Hipple-Lindau tumor suppressor (VHL)에 의한 ubiquitination 및 proteasome의 분해가 일어난다. 세포 내에 있는 철의 농도가 더욱 증가하면 HIF-1α와 HIF-2α의 수산화가 촉진되고, 뒤이어 ubiquitination 및 proteasome의 분해가 증가된다. HIF의 발현은 혈관 형성 등을 포함하는 여러 기전을 통해 암의 성장에서 중요한 역할을 한다. HIF-1α와 HIF-2α가 표적인 약물이 개발 중에 있지만, 아직 HIF의 발현을 특이하게 표적으로 삼아 임상적으로 활용되는 약물은 없다 (Semenza, 2003). LS081으로 인한 HIF-1α와 HIF-2α의 감소는 철 섭취의 촉진과 직접적인 관련이 있으며, 세포 내의 철이 증가함으로 인해 PHD의 활성이 증가한다 (Eckard 등, 2010).

종합해 보면, 납 화합물인 LS081은 철 섭취를 촉진하여 암 세포의 성장 및 군락 형성을 감소시킬 뿐만 아니라 HIF-1α와 HIF-2α 단백질의 농도를 감소시키기 때문에, 항암제로 유효할 수 있다. 또한, 이러한 화합물은 장의 철 흡수 모델에서 철 섭취에 영향을 줌이 확인되었기 때문에, 철 결핍증에 대한 임상적 관리에도 활용이 가능하다고 생각된다 (Li 등, 2011).

Cathepsin B는 lysosome의 단백질분해효소로서 다수의 암에서 과다 발현되며, 종양의 전이에 영향을 준다 (Sloane 등, 1981). 또한, 종양의 침범과 관련이 있는 cathepsin B에 민감한 여러 전구 약물이 전이 대항 제제로 제시되기도 하였다 (Satchi 등, 2001). Cluster of differentiation 71 (CD71)으로도 알려진 TfR은 세포막에 위치한 당단백질로서 세포의 Tf 섭취를 매개하며, 철의 요구량이 증가된 증식 세포에서 철을 보충하는 역할을 한다. TfR은 급속하게 성장하는 조직뿐만 아니라 경성 종양과 백혈병에서도 과다 발현된다 (Yang 등, 2001). TfR은 그것의 ligand를 세포 내로 유입시키기 때문에, Tf와 결합한 혹은 항체와 결합한 화합물의 표적으로 이용되기도 한다. 이들 제제 중의 하나가 사람의 Tf와 결합한 diphtheria 독소이며, 임상 2상 시험으로 평가 중에 있다 (Weaver와 Laske, 2003). 그 외에도 artemisinin-tagged holotransferrin (Lai 등, 2005), avidin-linked anti-CD71 antibody (Ng 등, 2002), immunoliposome (Zhang 등, 2004), neutralizing antibody (Moura 등, 2004) 등이 개발 중에 있다. 41종류의 암 세포주가 포함된 tissue microarrays를 대상으로 cathepsin B와 TfR에 대해 면역조직화학검사를 실시한 연구는 cathepsin B가 과립 형태로 세포질 내에서 발현되었으며, 흑색종 세포주 MEXF 514L와 MEXF 276L, 신장암 세포주 RXF 486L에서는 높게 발현된 데 비해, 기타 25종류의 세포주에서는 매우 낮게 발현되었다고 하였다. 이 연구는 또한 TfR에 대한 반응이 백혈병, 림프종, 유방암, 난소암, 전립선암, 신장암 등 9종류의 세포주에서는 양성을, 나머지 32종류의 세포주에서는 음성을 나타내었다고 하였다 (Wirth 등, 2006).

철을 운반하는 단백질인 Tf의 농도는 정상 전립선의 전립선액보다 전립선암에서 증가되며, 각각 5.3 mg/dL, 42.4 mg/dL이다 (Grayhack와 Lee, 1981). 전립선을 마사지한 후 채집된 전립선액에서 Tf의 평균 농도는 임상적으로 정상 전립선을 가진 젊은 남성에서 7.45±1.08 mg/dL, 전립선액에서 고배율 시야로 백혈구가 10개 초과한 남성에서 13.42±1.41 mg/dL, 양성전립선비대 환자에서 12.97±1.20 mg/dL, 전립선액에서 고배율 시야로 백혈구가 10개 초과한 양성전립선비대 환자에서 14.93±2.19 mg/dL, 전립선암 환자에서 47.03±3.76 mg/dL이다 (Grayhack 등, 1980). 이와 같은 결과로 볼 때, 전립선액에서 Tf의 농도가 증가하면 전립선암이 발생할 위험이 높다. 소변의 pH에 대한 보정 등과 같이 분석 방법에서 차이가 있겠지만, 전립선암 환자 22명 중 18명의 소변에서 Tf가 증가되었다는 보고가 있는 반면 (Fernandez 등, 1986), 전립선암 34명, 양성전립선비대 28명, 전립선염 5명, 대조군 36명을 대상으로 평가한 연구는 소변 내의 Tf가 전립선암에 대한 표지자로 적절하지 않다고 하였다 (van Dieijen-Visser 등, 1988).

많은 임상, 역학, 실험 연구는 체내 철 저장량의 증가가 암, 특히 간암, 폐암, 결장직장암, 식도암, 위장관암, 췌장암 등의 위험을 증가시킨다고 하였다 (Wurzelmann 등, 1996; Walker 와 Segal, 1999). 1971~1975년 사이에 미국에서 실시된 the first National Health Assessment and Nutritional Examination Survey (NHANES I)의 자료는 transferrin 포화도 (transferrin saturation, TSAT)로 평가된 체내 철 저장량이 40% 이상 중등도로 증가한 경우에는 암의 발생 위험 및 암으로 인한 사망률이 증가함을 보여 주었다 (Stevens 등, 1994). 여기서 TSAT는 혈청 철÷total iron-binding capacity (TIBC)×100의 공식으로 산출되며, 15%란 Tf의 철 결합 부위 중 15%가 철로 채워져 있음을 의미한다. 철이 암의 발생 위험을 증가시키는 기전은 두 가지로 추정해 볼 수 있다. 첫째는 lipid peroxyl 기와 같이 발암 물질로 간주되는 유리기의 증가이고 (Sawa 등, 1998), 둘째는 DNA 합성 경로에서 반응을 제어하는 효소인 ribonucleotide reductase의 활성 조절이며 (Hann 등, 1990), 이로 인해 세포의 증식이 일어난다. 실제로 deferoxamine에 의한 철의 chelation은 암 세포와 정상 림프구의 증식을 억제하며 (Lederman 등, 1984) 세포 자멸사를 유발한다 (Haq 등, 1995). 일반적으로 혈청에서 철 농도는 60~170 μg/dL, TIBC는 240~450 μg/dL, ferritin은 남성에서 1.8~27 μg/dL, 여성에서 1.8~16 μg/dL, TSAT는 남성에서 15~50%, 여성에서 12~45%가 정상치로 간주된다 (Reference Ranges and What They Mean, 2013). Ferritin은 세포 내에서 철의 저장에 관여하는 주된 단백질이며, 그것의 합성은 체내 철 저장량에 의해 조절된다. 간, 비장, 골수에는 가장 높은 농도로 철이 저장되어 있지만, 혈청 외에도 여러 다른 기관 내에 다양한 정도의 철이 함유되어 있다 (Looker 등, 1997). 혈청 ferritin 농도는 체내 철 저장량을 반영한다고 알려져 있으며, 농도가 1.2 μg/dL 이하이면 체내 철 저장량의 결핍을, 30 μg/dL 이상이면 체내 철 저장량의 과다를 나타낸다 (Lipschitz 등 1974). 혈청 ferritin 1 μg은 약 8 mg의 저장 철에 해당한다 (Matzner 등, 1980). 혈청 ferritin은 주로 망상내피 (reticuloendothelium) 세포에서 분비되며, 매우 적은 철을 포함하고 있다. 체내 철 저장량이 고갈되면, 혈청 ferritin의 농도가 낮아지고 대개

TIBC는 증가한다.

전립선암 세포의 표면에 있는 urokinase-type plasminogen activator (uPA)는 세포 주위의 단백질을 분해하고 세포 외부 기질의 장벽을 파괴함으로써 암의 침범과 전이를 매개한다. 전립선암 환자에서 uPA의 발현이 증가하면, 암의 전파가 증대되고 예후가 나쁘다. uPA의 발현은 산화제에 민감한 전사 인자인 nuclear factor kappa-light-chain-enhancer of activated B cells (NFκB)에 의해 조절되며, NFκB는 세포 내부의 reactive oxygen intermediate (ROI)에 의해 활성화된다. 전립선암 세포주 PC3에서 철이 ROI의 생성, NFκB의 활성화, uPA의 발현 등에 미치는 효과를 평가하기 위해 Tf를 추가하지 않고 ferric nitrilotriacetate (FeNTA) 형태로 철을 PC3 세포주에 주입한 연구는 다음과 같은 결과를 보고하였다 (Ornstein 등, 2007). 첫째, TfR에 대한 중화 항체의 유무와 관계없이 용량 의존적으로 세포 내의 ferritin이 증가하였다. 둘째, 세포의 철 섭취는 세포 내에서 ROI의 생성을 자극하였으며, uPA의 mRNA, 항원, 활성 등을 증가시켰다. 셋째, 철 chelator인 desferrioxamine (DFO)을 함께 주입하면, 위의 효과가 나타나지 않았으며, DFO를 단독으로 주입한 경우 uPA의 생성이 억제되었다. 넷째, 철에 노출된 NFκB는 핵으로 전위하여 활성화되었다. 이들 결과를 근거로 저자들은 철이 Tf 비의존적 경로를 통해 PC3 세포주에 들어가 uPA의 발현을 증가시키며, 철이 uPA의 생성을 자극하는 기전은 세포 내 ROI의 생성, NFκB로 매개되는 신호 경로의 활성화 등으로 추정된다고 하였다.

대조적으로 다른 결과를 보고한 연구도 있다. 혈청 ferritin이 30 μg/dL 이상, TSAT가 50% 이상으로 체내 철 저장량이 증가된 경우는 간암 및 폐암 위험의 증가와 관련이 있다는 연구 결과가 전립선암에서도 해당되는지를 전립선암 환자 34명과 정상 남성 84명을 대상으로 분석한 연구에 의하면, 다른 암과는 다르게 혈청 ferritin 농도와 TSAT가 정상 남성에 비해 전립선암 환자에서 더 낮았는데, 각각 24.5 μg/dL와 31.98%, 15.6 μg/dL와 24.35%이었다 (p<0.05). 혈청 ferritin의 농도를 10.0 μg/dL 미만, 10.1~30.0 μg/dL, 30.0 μg/dL 초과 등으로, TSAT를 16% 미만, 16~50%, 50% 초과 등으로 분류하였을 때, 혈청 ferritin의 농도가 10.0 μg/dL 미만인 경우와 TSAT가 16% 미만인 경우가 정상 남성의 17.6%와 5.9%에서, 전립선암 환자의 29.8%와 14.7%에서 각각 관찰되었다 (도표 92). 결과적으로 체내 철 저장량이 증가된 경우의 빈도는 대조군에 비해 전립선암 환자에서 더 낮았으며, 체내 철 저장량이 감소된 경우의 빈도는 대조군에 비해 전립선암 환자에서 더 높았다 (Kuvibidila 등, 2004). 220,642명에 대한 스웨덴의 대규모 Apolipoprotein Mortality Risk (AMORIS) 연구는 혈청의 철 농도, TIBC, C-reactive protein (CRP) 농도 등과 여러 암의 발생 위험 사이에서 연관성을 평가한 연구는 다음과 같은 결과를 보고하였다 (Gaur 등, 2013). 첫째, TIBC와 전반적 암 사이에는 정상관관계가 있었으며, HR은 1.03 (95% CI 1.01~1.05)이었다. 둘째, 혈청의 철 농도와 암의 발생 위험 사이에는 유의한 연관성이 발견되지 않았지만, 폐경 후 유방암은 예외였는데, HR이 1.09 (95% CI 1.02~1.15)이었다. 셋째, TIBC와 특이 암 사이에 통계적으로 유의한 연관성은 결장암에서뿐이었으며, 이 경우 HR은 1.17 (95% CI 1.08~1.28)이었다. 넷째, 혈청의 철 농도와 CRP 농도 사이의 연관성은 위암에서만 미미하게 있었다. 이들 결과를 근거로 저자들은 철 대사와 암 발생 위험 사이에는 역상관관계가 있으며, 전립선암 등 특이 암과의 연관성을 확인하기 위해서는 추가 연구가 필요하다고 하였다.

도표 92 전립선암 환자에서 철 저장 상태를 나타내는 지표들의 농도

	전립선암 환자	정상 남성	p
피험자 수	34	84	
혈청 ferritin, μg/dL	15.6±2.4	24.5±2.1	0.043
Ferritin 95% CI†	10.9~20.3	20.5~28.6	
혈청 철, μmol/dL	1.678±0.158	1.850±0.108	0.2778
TIBC, μmol/dL	6.987±0.267	6.043±0.227	0.0178
TSAT, %	24.35±2.07	31.98±1.85	0.0139
TSAT 95% CI†	20.29~28.41	28.35~35.61	

†, 연령으로 보정되지 않은 자료이며, 평균치±1.96×SEM (standard error of the mean)으로 산출된다.

CI, confidence interval; TIBC, total iron-binding capacity; TSAT, transferrin saturation.

Kuvibidila 등 (2004)의 자료를 수정 인용.

12. Relaxin (RLN)

Relaxin (RLN)은 6 kDa의 펩티드로서 구조적으로 인슐린과 유사하며, 다양한 작용을 한다 (Dschietzig 등, 2006). Relaxin은 인슐린 가족에 속하는 강력한 펩티드 호르몬으로서, 세포 내에서 185개 아미노산으로 구성된 polypeptide로 합성된 후 단백질 분해 작용에 의해 pre-pro-relaxin, pro-relaxin의 과정을 거쳐 결국에서 이황 (disulfide) 결합 A 및 B 사슬로 구성된

이질 이합체 relaxin 호르몬으로 완성된다. 사람에서는 7가지의 relaxin, 즉 relaxin-like peptides H1, H2, H3 (각각 RLN1, 2, 3), insulin-like peptides 3, 4, 5, 6 (각각 INSL3, 4, 5, 6) 등이 있으며 (Bathgate 등, 2013), 이들 중 *RLN2*에 의해 코드화되는 RLN2가 가장 우세하다. *H1 relaxin (RLN1)* 및 *H2 relaxin (RLN2)* mRNA는 조직에 따라 발현되는 양이 다르다 (Sokol 등, 1989). Relaxin은 leucine-rich repeat-containing G-protein coupled receptor (LGR)인 relaxin family peptide receptor 1 (RXFP1)과 RXFP2를 통해 신호를 전달하며, Gs class of G-alpha proteins (G$_{αs}$)의 guanine nucleotide-binding protein (G protein)과 수용체와의 결합을 촉진함으로써 cAMP를 자극한다 (Agoulnik, 2007). LGR7으로도 알려진 RXFP1은 RLN2에 대한 동족 수용체이지만, INSL3에 대한 동족 수용체인 RXFP2를 교차 활성화할 수도 있다. 그러나 RXFP1과 RXFP2의 하류 신호 경로는 서로 분명하게 다르다 (Halls 등, 2006)

Relaxin은 여성에서는 난소의 황체 (corpus luteum)과 유방에 의해 그리고 임신 동안 분비되고, 태반, 융모막 (chorion), 탈락막 (decidua) 등에서도 분비되는 한편, 남성에서는 전립선에서 생성되어 정액에서 발견된다 (MacLennan, 1991). Relaxin은 전통적으로 '임신 호르몬'으로 알려져 있지만 (Hall, 1947), 포유동물에서 다양한 기능에서 역할을 하는 다기능 호르몬이다 (Bani, 1997). 여성에서 relaxin의 주된 근원지는 난소의 황체이지만 (MacLennan, 1991), relaxin의 mRNA와 단백질이 배란 전 난포 (ovarian follicle)에서도 관찰되기 때문에 (Ohleth 등, 1998), relaxin은 난소에서 자가 분비 혹은 주변 분비 방식으로 작용하여 난포의 성장 및 배란을 촉진한다고 생각된다. Relaxin은 임신 동안의 역할 외에도, 자궁경부의 발생 및 자궁의 성장을 촉진하고 (Musah 등, 1986), 유방 유두의 발생과 성장을 촉진한다 (Kass 등, 2001). 남성에서 relaxin 분비의 주 근원지는 전립선이며 (Ivell 등, 2011), 전립선, 고환, 부고환, 생식기의 발생과 성장에서 어떠한 역할을 한다고 생각된다 (Samuel 등, 2003). 정자에 대한 relaxin의 효과는 분명하지 않으나, 일부 연구는 정자의 운동성과 수정에 관여한다고 하였다 (Agoulnik, 2007). Relaxin 중 RLN1과 RLN2는 분만 동안 치골 결합부 및 자궁근의 이완 등 생식 기능에 관여하며, RLN3는 뇌에 위치하여 중추신경계의 일부에 영향을 주어 식욕 및 스트레스 조절에 관여하고 시상하부, 뇌하수체, 생식선으로 이어지는 축을 자극하여 luteinizing hormone (LH)의 혈중 농도를 증가시킨다 (McGowan 등, 2008). 흥미로운 점은 relaxin과 relaxin 수용체의 발현, 분비 조절, 생리학적 효과 등이 종에 따라 매우 다양하다는 점이다 (Sherwood, 1998). 남성과 여성에서 혈청 relaxin의 농도는 1~15 pg/mL로 낮으며, 여성의 임신 기간 동안 ng/mL 범위로 크게 증가한다 (Bell 등, 1987). 전립선과 정액에서 relaxin의 농도는 정상 혈청 농도에 비해 수백 배 더 높다 (Ferlin 등, 2012). Relaxin이 다면적인 기능을 가지고 있다고 알려져 있지만, relaxin의 주 근원지가 제거되었을 때 나타나는 퇴행 효과에 관해서는 알려져 있지 않다 (Neschadim 등, 2014).

여러 증거는 relaxin이 남성의 생식에서도 중요한 역할을 함을 보여 주었다. 대부분의 종에서 호르몬의 주 근원지는 전립선이다 (Sherwood, 2004). 사람에서 relaxin의 유전자와 단백질은 전립선에서 발현되지만 (Garibay-Tupas 등, 2000), relaxin의 면역 반응이 정낭과 정관의 팽대부에서도 발견된다. 수퇘지에서 호르몬의 주 근원지는 정낭이지만, relaxin과 같은 항원은 고환에서도 나타난다 (Dubois와 Dacheux, 1978). 상어에서는 relaxin의 주 근원지가 고환이며 (Steinetz 등, 1998), 생쥐에서는 *RLN* mRNA가 고환과 전립선에서 발견된다 (Samuel 등, 2003b). 수컷 쥐에서 relaxin의 근원지는 논란이 되고 있다. 면역조직화학 연구는 고환, 전립선, 정낭, 부고환에서 relaxin 단백질을 발견하지 못하였지만 (Anderson 등, 1986), *RLN* mRNA는 전립선과 고환에서 발견되었다 (Gunnersen 등, 1995). 다른 연구는 사람에서 relaxin H1의 유전자, 즉 *RLN1*이 탈락막, 영양막 (trophoblast), 전립선 등에서 발견되었다고 하였다 (Hansell 등, 1991).

처음에는 남성의 생식기에서 생성된 relaxin이 정액장액에만 유리되어 정자의 운동성에 영향을 준다고 생각되었다 (Sasaki 등, 2001). 그러나 relaxin의 유전자가 제거된 (*RLN*KO) 동물을 대상으로 평가한 연구는 수컷의 생식기계의 발생과 성장에도 relaxin이 어떠한 역할을 하는데, 그 증거로 *RLN*KO 수컷은 고환, 부고환, 전립선, 정낭 등의 성장 지연, 정자 성숙의 저하, 전립선 내 상피세포의 증식, 고환 및 전립선에서 세포 자멸사의 증가 등을 나타냈다고 보고하였다 (Samuel 등, 2003a). 또한, *RLN*KO 수컷의 생식기 조직에는 콜라겐의 침적이 증가하였다 (Samuel 등, 2005).

Relaxin의 수용체인 RXFP1의 mRNA는 수컷 쥐의 생식기에 폭넓게 분포되어 있다 (Filonzi 등, 2007). 고환과 정관에는 가장 높은 농도의 *RXFP1* mRNA가 포함되어 있는데, 고환에서는 RXFP1에 대한 면역 반응이 Sertoli 세포와 정세포 (spermatid)에서 나타나며, 정관에서는 RXFP1이 평활근층과 상피세포의 정점에서 발견된다. 그러나 전립선에서 생성된 relaxin은 고환과 정관에 있는 relaxin 수용체와 결합하지 못하는 것으로 보고되어 relaxin 수용체의 역할은 아직 충분하게 밝혀져 있지 않은 상태이다. Relaxin 수용체가 정관의 근육층에서 발견되지만, 이 수용체가 수축 활동에는 영향을 주지 않는다 (Filonzi 등, 2007).

쥐를 대상으로 분석한 연구의 결과에 의하면, RLN mRNA의 수치가 전립선보다 고환과 정관에서 훨씬 더 낮았으며, Sertoli 세포는 고환 내 RLN mRNA의 중요한 근원지이었다. Relaxin에 대한 면역 반응은 정세관의 상피에서는 발견되었으나 간질 구역에서는 발견되지 않았다. Relaxin의 전구체가 정관에서 발현되었으며, relaxin에 대한 면역 반응이 정관의 정단세포 (apical cell)에서 발견되었다. 에스트로겐 대항제 ICI 182,780로는 아니지만 거세는 전립선과 정관에서 RLN mRNA의 수치를 급격하게 감소시켰고, 이 효과는 테스토스테론에 의해 방지되었다. 전립선과 정관에서 RXFP1 mRNA의 수치는 거세 혹은 ICI 182,780에 의해 영향을 받지 않았다. 외인성 relaxin을 투여하면 배양된 Sertoli 세포에서 ^{3}H-thymidine의 결합을 증가시켰으며, 정관에 100 ng/mL의 relaxin을 투여하면 난포성 섬유증에 대한 경막 조절 인자 (cystic fibrosis transmembrane regulator, CFTR)인 cystic fibrosis chloride channel의 mRNA 수치가 3배, metalloproteinase 7과 inducible form of nitric oxide synthase (iNOS)의 mRNA 수치가 2배 정도 증가되었다 (Cardoso 등, 2010). 이와 같은 결과는 국소적으로 생성된 relaxin이 고환과 정관에서 자가 분비 혹은 주변 분비 물질로서 작용하여 정자의 형성 및 정액장액의 구성에 영향을 줌을 시사한다.

사람의 암 조직에서 relaxin의 과다 발현은 유방암 (Tashima 등, 1994)과 전립선암 (Feng 등, 2007)에서 처음 관찰되었다. Relaxin이 다수 암의 진행에 영향을 준다고 보고되었지만, relaxin의 직접적인 역할은 현재로서는 전립선암에서만 특징화되었다. Relaxin은 종양의 생존에 필수적인 혈관을 증가시키고 세포의 증식을 유도함으로써 전립선암의 성장을 촉진한다 (Silvertown 등, 2007). 또한, relaxin은 안드로겐 비의존성 종양에서 상향 조절되며, 특징적으로 안드로겐 비의존성 전립선암 세포의 성장을 촉진한다 (Silvertown 등, 2006).

다수의 연구는 전립선암의 진행에서 RLN2가 직접적인 역할을 한다고 보고하였다. 전립선암 세포주 LNCaP와 PC3에서 relaxin의 발현이 관찰되었으며, relaxin의 신호 경로는 생체 실험에서 그들 세포의 성장을 촉진하였으며 (Feng 등, 2010), relaxin을 억제하면 전립선암 세포의 이동, 침습, 증식, 접착 등이 감소되었다 (Feng 등, 2009). 거세 후의 이종 이식 암 생쥐 모델에서 relaxin의 발현은 LNCaP 세포가 안드로겐 비의존성으로 진행하는 동안 상향 조절되었다 (Thompson 등, 2006). 안드로겐 비의존성 PC3 및 안드로겐 민감성 LNCaP 사람의 이종 이식 암과 생쥐의 TRAMP 종양 등 다양한 생쥐 모델에서 RLN2의 과다 발현은 전립선암의 성장을 촉진하였다 (Feng 등, 2009; Thompson 등, 2010). 반대로, 생쥐의 이종 이식 암 모델에서 relaxin 혹은 RXFP1을 표적으로 하여 전립선암에서 relaxin의 신호 경로를 하향 조절하면, 종양의 성장이 억제되었다 (Silvertown 등, 2007; Feng과 Agoulnik, 2011). RXFP1 small interfering RNA (siRNA)로 PC3 세포를 처리하면, 종양의 형성을 촉진하는 유전자의 발현에 변화가 일어나는데, 예를 들면 melanoma cell adhesion molecule (MCAM), mucin 1, cell surface associated (MUC1), angiopoietin-like 4 (ANGPTL4), Glucose-6-phosphate isomerase (GPI), tetraspanin-8 (TSPAN8) 등의 유전자가 하향 조절되어 전립선암의 성장과 전이가 억제되며, 이 때문에 RLN 및 RXFP1의 하향 조절은 전립선암의 치료에서 유익한 효과를 나타낸다 (Feng 등, 2010).

Relaxin은 혈관 형성의 촉진, extracellular matrix (ECM) 구조의 재형성 조절, 섬유화의 조절, nitric oxide (NO)의 생성을 통한 혈관의 확장 등 많은 생리학적 기능을 가지고 있다 (Silvertown 등, 2003; Bathgate 등, 2013). 따라서 relaxin 신호 경로의 결과는 종양의 성장을 촉진하며, 특히 혈관 형성 및 혈관 확장을 통해 종양의 혈류를 증가시키며, ECM 구조의 재형성을 통해 침습을 증대시킨다 (Silvertown 등, 2003). 전립선암의 이종 이식 암에서 혈관 구조를 분석한 바에 의하면, 종양 내 relaxin의 과다 발현은 종양 내에서 vascular endothelial growth factor (VEGF)의 다양한 아형을 상향 조절하여 혈관 형성을 증가시키고, 종양 내 미세 혈관의 밀도와 단면적을 증대시키며 (Silvertown 등, 2007), 종양 내의 relaxin 신호 전달에 대한 대항 작용은 이들 결과와 반대되는 효과를 나타낸다 (Neschadim 등, 2014).

생쥐의 이종 이식 전립선암에서 relaxin의 과다 발현은 침습과 전이의 증대를 촉진하였다 (Feng 등, 2010). Relaxin이 전이를 증대시키는 기전은 MMP2, MMP9 등과 같은 matrix metalloproteinase (MMP)와 tissue inhibitor of MMP (TIMP)의 조절을 통해 ECM의 구조 재형성을 유발하는 것으로 추정된다 (Bialek 등, 2011). 종양의 침습에 대한 relaxin의 효과는 남성 생식기 조직 외의 다른 암 모델, 예를 들면 유방암 (Binder 등, 2014), 갑상선암 (Bialek 등, 2011), 자궁내막암 (Kamat 등, 2006) 등에서도 보고된 바 있다. 또한, relaxin 농도의 증가는 사람의 유방암 전이와 관련이 있다고 보고되었다 (Binder 등, 2004).

Relaxin은 정상적으로 전립선에서 생성되고 분비되며, 거세 저항성 전립선암으로 진행하는 동안 상향 조절된다. 앞에서 기술된 바와 같이 relaxin은 여러 종양 조직에서 VEGF, MMP, NO 등의 상향 조절을 통해 혈관 형성과 세포 운동성을 증대시키기 때문에, 암의 치료에서 유망한 표적이라고 보고되고 있다. 전립선암의 진행에서 relaxin의 역할을 평가하기 위해 *RLN*으로 형질 전환을 일으킨 LNCaP 세포, 즉 LNCaP(RLN)로 이종 이식 종양을 형성한 후 전립선암 조직에 대해 면역 조직화학검사를 실시한 연구는 relaxin으로 조절되는 새로운 경로 protocadherin Y/wingless-type MMTV integration site family, member 11 (PCDHY/WNT11) 경로를 발견하였다. WNT11을 상향 조절하는 PCDHY는 세포질 막으로부터 핵으로 전위를 일으키는 beta-catenin을 안정화하며, ternary complex factor (TCF)로 매개되는 신호 경로를 유발한다. LNCaP(RLN) 이종 이식 암에는 PCDHY의 발현이 증가되었고 세포질에 위치한 beta-catenin이 증가되었는데, 이는 relaxin이 PCDHY의 상향 조절을 통해 직접 WNT11의 과다 발현을 유도함을 시사한다. 마찬가지로, 안드로겐 박탈 요법을 받은 환자로부터 채집한 전립선암 표본에는 WNT11이 증가되어 있었으며, 거세 저항성 조직에서는 더욱 상향 조절되었다. Relaxin과 같이 WNT11과 PCDHY는 안드로겐에 의해 역조절되었으며, relaxin의 과다 발현은 안드로겐으로 조절되는 유전자에 대한 제어를 억제하였다. 이들 결과는 relaxin이 전립선암 세포주의 운동성과 안드로겐 수용체의 활성화에서 변화를 유도하는데, 이는 부분적으로는 WNT11에 의해 매개됨을 시사한다 (Thompson 등, 2010).

13. Immunoglobulin (IG) And Complement

사람의 정액장액 내에서 immunoglobulin (Ig)의 존재를 확인한 많은 보고들이 있다 (Liang 등, 1991). 측정 가능한 Ig은 7~22 mg/dL의 IgG, 0~6 mg/dL의 IgA이며, IgM은 농도가 낮아 흔히 측정되지 않는다. 이들 항체는 배출된 전립선액에서 발견되고 감염과 관련이 있다고 알려져 있지만, 분명한 근원지는 알려져 있지 않다. Ig의 농도가 혈액보다 정액장액에서 더 낮지만, 그렇다고 '혈액-정액장액 장벽'을 가로지르는 확산의 가능성을 배제하진 못한다.

쥐에 대한 방사면역측정법 (radioimmunoassay, RIA)에 의하면, IgA는 주로 전립선에서 분비되며, 그 외에도 부고환, 정낭, 고환, 정관에서도 확인된다 (Stem 등, 1992). 사람의 정액장액에서도 IgA가 발견되며, 기원은 전립선이라고 추측된다 (Parr와 Parr, 1989). 소변과 정액장액 내에서의 IgA는 감염에 대해 비뇨생식기를 보호하는 역할을 한다고 생각된다. 이는 전립선염 환자의 정액장액으로부터 분리된 세균은 IgA와 IgG 항체로 덮여 있으며 (Drach와 Kohnen, 1977), 전립선염 및 비특이적 요도염에서는 IgA가 국소적으로 증가된다 (Uehling, 1971)는 보고에 근거한다. IgA 혹은 IgM을 함유한 형질세포는 사람의 전립선에서 관찰되었으며, 특히 전립선염 환자에서 그 수가 가장 많다 (Bene 등, 1988). 또한, 정상 남성의 소변에서 Escherichia coli (Tourville 등, 1968)에 대한 IgA 항체가 관찰되었으며, Salmonella typhii (Tumer와 Rowe, 1967), polio virus (Berger 등, 1967), tetanus toxoid (Tumer와 Rowe, 1967) 등에 대한 IgA 항체가 백신 주사를 맞은 남성의 소변에서 관찰되는 것으로 보아 소변 내의 IgA는 면역 방어 기전과 관련이 있다고 추측된다. 일부 불임 환자의 정액장액에서 IgA 계열의 정자 응집 항체가 발견되었다 (Bronson과 Cooper, 1988). 그러한 항체는 정자를 응집시켜 수정 능력을 억제할 뿐만 아니라, 정자 떨림 현상 (shaking sperm phenomenon)을 일으켜 자궁경부의 점액을 통과하는 정자의 침투력을 약화시킨다 (Clarke, 1988). 다른 연구는 정자에서 관찰되는 정자 대항 항체는 정액에서 발견되는 것과 동일하며, 정자에 동반된 항체는 정액장액의 주 근원지가 아닌 생식기 내로 들어간다고 하였다 (Bronson 등, 1987).

John 등 (2003)은 만성 전립선염을 가진 88명과 세계보건기구의 기준에 따른 정상 사정액을 가진 96명의 대조군 사정액을 대상으로 Ig G, A, M 그리고 interleukin (IL)-1α, 용해성 IL-2 수용체, IL-6 등에 관한 전향적 연구를 실시하였다. 만성 전립선염 환자의 사정액은 증상이 있을 때는 증가하고 임상 증상이 줄어들면 회복된다. 저자들은 체액성 면역 반응 (IgA

및 IL-6)의 변화와 많은 T 세포의 침입이 함께 관찰되면 자가 면역 질환을 의심할 수 있다고 하였다. Alexander 등 (2004)은 유상피조직구 (epithelioid histiocyte), 다핵거대세포 (multinuclear giant cell), 림프구, 형질세포 (plasma cell) 등을 포함하는 조직학적으로 미만성 비특이성 염증을 나타내는 만성 육아종 전립선염 (chronic granulomatous prostatitis)을 연구하였으며, 이 질환이 주조직적합부 (major histocompatibility locus) HLA-DRB2*1501과 연관성이 있어 자가 면역 질환으로 간주된다고 보고하였다.

배출된 전립선 분비액에는 상당한 양 (1.82 mg/dL)의 C3 보체 (complement)가 함유되어 있으며, 전립선암 환자의 분비액에는 농도가 약 10배인 16.9 mg/dL로 증가되어 있다 (Grayhack와 Lee, 1981). 전립선을 마사지한 후 채집된 전립선액에서 보체 C3 농도의 평균치는 45세 미만의 건강인에서 2.06±0.43 mg/dL, 전립선액에서 고배율 시야로 백혈구가 10개 초과한 남성에서 4.47±0.53 mg/dL, 양성전립선비대 환자에서 3.83±0.55 mg/dL, 고배율 시야에서 백혈구가 10개를 초과한 양성전립선비대 환자에서 5.87±0.68 mg/dL, 전립선암 환자에서 17.48±0.60 mg/dL이라고 보고되었다 (Grayhack 등, 1980). 이 결과에 의하면, 전립선액에서 C3의 농도가 증가되면 전립선암의 발생 위험이 높다. 만성 전립선염을 가진 남성에서 C3는 전립선염과 연관성이 있다고 생각된다 (Blenk와 Hofstetter, 1991). 전립선염과 양성전립선비대에서는 농도가 단지 2배 정도만 증가한다.

14. 전립선 분비물과 약물 운반
Prostatic Secretions And Drug Transport

14.1. 항생제 Antibiotics

Aumuller와 Seitz (1990)는 성 부속 조직에서의 분비 기전을 검토하였다. Isaacs 등 (1983)은 전립선과 정낭에서 약물 운반의 특성 및 체액과 관련된 개념을 검토하였으며, 사정 과정 동안 혹은 pilocarpine에 의한 자극 동안 기초 자극 하에서 혹은 신경학적인 자극 하에서 전립선 분비액의 구성과 부피를 비교하였다. 그들은 신경학적으로 자극을 받으면 K^+, Cl^-, Na^+ 등의 총 산출량이 기준 분비량에 비해 205배 증가하며, 이와 같이 분비가 활성적인 상태에서는 전립선이 K^+과 Cl^-의 총 함량의 5배를 분비할 수 있다고 추산하였다. 이러한 결과는 이

계통이 엄청난 운반 능력을 가지고 있음을 보여 준다. Smith와 Hagopian (1981)은 개를 대상으로 전립선이 분비하는 동안 경상피 전압 (transepithelial voltage)의 변화를 연구하였으며, 사정하는 동안 전립선액에서 장액 (plasma; 정액에서 정자를 제거한 액체 성분)을 통한 Na^+ 이온의 이동은 수동적 운반에 의하고, K^+과 Cl^- 이온의 세포를 통한 이동은 능동적 운반에 의한다고 결론지었다. 에스트로겐을 투여하면, 안드로겐이 전립선의 성장을 촉진하는 특성과 생물학적 특성은 크게 달라지지 않으나 안드로겐으로 인한 분비는 억제될 수 있다 (Isaacs 등, 1983). 이는 에스트로겐이 전립선 내에서 주된 운반 체계를 직접 차단하는 효과를 가지고 있음을 시사한다.

전립선은 생식기관이기 때문에 약물과 같은 독성 물질이 쉽게 통과하지 못하는 특유의 구조, 즉 고환, 뇌, 태반에서와 유사한 혈장-전립선 장벽을 가지고 있다. 혈장-전립선 장벽, 즉 전립선 상피세포의 지방세포막을 통과하는 약물은 지방 용해성, 작은 분자량, 혈장 단백질과의 낮은 결합력, 혈장 pH에서의 낮은 이온화율 등의 조건을 갖추어야 하며, 이러한 조건에 맞는 대표적인 약제가 quinolone 계통이다 (Naber 등, 1989).

단순 확산에 의해 정액으로 들어갈 수 있는 화합물로는 ethanol, iodine, 몇몇 항생제 등 소수에 불과하다. 전립선의 유병률이 높고 새로운 형태의 화학 요법에 대한 필요성이 제기되면서 전립선 분비물로 들어가는 약물에 관심이 증가되었다. Stamey 등 (1973)과 많은 연구자들이 화학 요법제가 사람과 개의 전립선액에 들어가는 기전에 관해 광범위하게 연구하였다. 전립선 분비액에서의 농도를 혈액에서의 농도와 비슷하거나 더 높게 나타내는 약물은 거의 없으나, 예외로는 erythromycin, oleandomycin 등과 같은 염기성 macrolide, fluoroquinolone, trimethoprim, chloramphenicol, tetracycline, clindamycin, sulfonamide 등이 있다.

일반적으로 이러한 약물은 비이온성 (nonionic) 확산 혹은 막을 통한 지질 용해에 의해 막을 통과하며, 보다 더 산성인 전립선액에 도달하려면 좀 더 양전하를 가질 필요가 있다. 양전하를 띤 약물은 전립선 분비액 내에 다소 잘 남게 된다. 이 과정에서 중요한 인자들로는 약물의 pKa, 전립선 분비액의 pH, 전립선 내 단백질과의 약물 결합력 등이 있다. 염기성 약물은 혈액보다 산성인 전립선액에서 더 양전하를 띤다. 이러한 비이온성 확산에서는 pH의 조그만 변화가 큰 효과를 나타낼 수 있다. 사람에서 전립선액의 pH는 6~8로 폭이 넓고 평균

치는 6.6이지만, 전립선염에서는 pH가 7 혹은 그 이상이 된다 (White, 1975). 전립선 분비액은 약간 산성이지만, 금방 사정된 정액의 pH는 pH 7.3~7.7의 약알칼리를 나타낸다. 그 과정을 보면, 처음에는 정액이 CO_2의 소실로 다소 알칼리성을 나타내지만, 뒤에는 lactic acid의 축적으로 인해 산성을 나타낸다. 앞으로 전립선 내로 운반되는 약물, 예를 들면 치료제, 화학 예방제 (chemoprotector), 정액 경로를 통한 임신 조절제 등이 계속 개발될 예정인데, 그러한 접근이 실현되기 전에 남성 생식기 안팎의 기본적인 운반 체계에 관해 충분하게 이해할 필요가 있다.

14.2. 항암제 Anticancer drug

전립선암은 미국 남성에서 가장 흔한 암이고 암으로 인한 사망 원인 중 두 번째로 높으며, 남성의 암 관련 사망의 약 11%에 해당한다 (Jemal 등, 2003). 전립선암 환자의 약 85%는 국소 질환으로 진단된다 (Jemal 등, 2003). 현재 국소 전립선암의 표준 치료로 간주되는 근치전립선절제술은 종양을 제거하는 이점은 있지만, 환자의 80%에서 발기부전, 29% 이하에서 요실금, 20%에서 대변실금이 발생하는 등 심각한 합병증 또한 일으키며 (Potosky 등, 2004), 18%에서는 암이 재발된다 (Han 등, 2001). 전립선암을 발견하는 방법이 계속 개선되고 있고 젊은 연령층에서 발견율이 증가되고 있기 때문에, 국소 질환을 적절하게 치료할 수 있는 방법에 대한 연구가 절실한 실정이다 (Marcus, 2004).

Mitoxantrone, taxanes, estramustine 등과 같은 세포 독성 약물을 이용한 전신적 화학 요법은 주로 거세 저항성의 진행 전립선암에 이용되며 (Tannock 등, 1996), 드물게는 국소 질환에서도 이용된다 (Eastham 등, 2003). 임상적으로 방광암 (Au 등, 2001), 피부암 (Orfanos 등, 1997), 난소암 (Recio 등, 1998), 결장암 (Schneebaum 등, 1996), 뇌종양 (Sandor 등, 1998), 췌장암 (Aigner 등, 1998) 등 다른 종류의 암 치료에 이용되고 있는 국소 화학 요법제를 전립선 내에 고농도로 전달하는 방법이 전립선암 치료의 대안으로 제시되고 있다.

전립선이 가진 여러 특성으로 인해 전립선은 국소 요법의 이상적인 장기로 간주된다. 즉, 전립선은 피막으로 덮인 작은 장기이기 때문에, 고농도의 약물이 국소적으로 분포할 수 있는 반면, 피막 외부 조직으로의 독성은 제한적이다. 전립선으로 들어가는 혈액의 관류율 (perfusion rate)은 16 mL/min/100

g으로 간, 신장 등과 같은 큰 장기에 비해 다소 느리기 때문에 (Inaba, 1992), 관혈류를 통한 약물의 제거는 매우 낮은 편이다. 더욱이 전립선은 경요도절제술, 방사능 물질의 삽입에 의한 근접 요법, 경직장 생검 등과 같은 비교적 덜 침습적인 방법에 의한 접근이 가능하다. 이러한 여러 연구 결과를 근거로 전립선 질환에 대해 국소적인 약물 요법을 사용하면 유익한 효과가 있을 것으로 생각되지만, 이와 같은 치료 모델로 성공적인 결과를 보고한 경우는 드물다. 예를 들면, 항암제 (Brawer 등, 1994), interferon (Morales 등, 1997), 항생제 (Yamamoto 등, 1996) 등을 전립선 내에 투여하였을 때 효과는 제한적이었다. 그러나 이들 초기의 연구 중 어느 것도 치료의 효과를 나타내는 데 중요한 역할을 하는 전립선 내의 약물 분포 및 운반에 관해 평가하지 않았다.

전립선의 내부로 혹은 정맥 주사를 통해 약물을 투여한 후 전립선 조직의 약물 동력학 및 약물 분포를 평가하고 전립선 내에서 약물 운반의 기전을 이해함과 아울러, 전립선의 내부로 약물을 전달하는 방법이 국소 전립선암의 치료법으로 이용이 가능한지를 평가하기 위해 개를 대상으로 표재 방광암의 국소 요법에서 성공적인 결과를 보인 바 있고 형광 성질을 가져 약물의 공간적인 분포를 측정하는 데 도움이 되는 doxorubicin을 이용한 Wientjes 등 (2005)의 연구는 다음과 같은 결과를 보고하였다.

14.2.1. 전립선의 해부학적 구조 및 관혈류
Prostate anatomy and perfusion

개의 전립선은 15개의 샘 소엽 (glandular lobules)으로 구성되어 있으며, 각 소엽은 섬유근 기질층으로 둘러싸여 있다. 각 소엽은 샘 및 기저세포 층이 배열된 관 모양의 구조물인 세엽 (acini)을 다수 가지고 있다 (Stefanov 등, 2000). 이러한 구조는 사람의 전립선에서 발견되는 구조와 비슷한데, 사람의 전립선은 20~70개의 관상포상선 (tubuloalveolar gland)으로 구성되어 있고 이들은 전립선부 요도로 연결된 16~32개의 관으로 모여든다 (Kirby, 1999). 사람의 정상 전립선에서 기질 조직의 양은 전체의 45~55%로써 개에서보다 20~40% 더 많다 (Bartsch와 Rohr, 1980). 전립선은 피막과 요도의 두 그룹의 혈관에 의해 관류된다. 요도 그룹은 방광으로부터 나와 전립선의 기저부를 거쳐 중심부 및 이행부에 도달한다. 피막 그룹은 구불구불하게 전립선의 측면으로 들어가 주변부를 관류한 후 전립선 바깥 부위로 돌아 나온다. Wientjes 등 (2005)의 연구에서 doxorubicin은 주변부의 소엽 내로 주사되었다.

14.2.2 전립선 내로 주입된 약물의 공간적 분포

Spatial drug distribution in the prostate after intraprostatic infusion

고성능 액체 크로마토그래피 (high-performance liquid chromatography, HPLC)와 다초점 형광 현미경 (confocal microscopy)을 이용하여 전립선 내에서 doxorubicin의 분포를 평가한 연구는 doxorubicin이 섬유근 기질로 둘러싸인 주사 부위의 소엽에 국한되어 분포하며, 약물의 농도가 얇은 기질 구조물을 사이에 두고 안팎으로 6~26배 큰 차이를 나타내어 섬유근 기질이 약물의 운반을 방해하는 장벽 역할을 함을 보여 주었다. 다른 연구는 약물의 침투가 느슨한 간질 조직에 의해서는 방해를 덜 받지만 조밀한 상피세포와 같이 응집된 세포와 근육 다발이 강한 장벽 역할을 한다고 하였다 (Jang 등, 2003). 이러한 관찰 때문에 전립선의 경우 다른 기질보다 소엽 사이의 중격이 약물 운반에 대한 장벽 역할을 한다고 생각된다.

다초점 형광 현미경에 의한 분석에 의하면, 주사 부위의 소엽 내에서 약물의 농도는 전립선의 피막으로부터 가까운 부위에서 요도 쪽으로 서서히 감소하였는데, 7 mm 길이에 걸쳐 형광 강도가 40% 미만으로 감소하였다. 즉, 주사 부위 근방 조직에서 doxorubicin의 농도는 74.3±14.4 μg/g이었으며, 주사 부위로부터 8 mm 떨어진 부위에서는 1.58±0.57 μg/g로 감소하였고, 요도에서는 11.5±8.6 μg/g으로 증가하였다가 전립선의 반대편 1/2에서는 0.28±0.34 μg/g으로 가장 낮은 농도를 나타내었다. 그러한 원인이 조직에서의 농도를 다소 일정하게 유지시키는 역할을 하는 가포화 조직 결합 (saturable tissue binding)과는 관련이 없다고 생각되는데, 그 이유는 주사 부위인 소엽 내의 doxorubicin 농도 (74 μg/g)가 doxorubicin과 결합하는 거대 분자의 최대 결합력을 훨씬 능가하기 때문이다. Doxorubicin과 결합하는 거대 분자의 최대 결합력의 예를 들면 샘 조직 내에서 DNA의 경우 doxorubicin 0.02 μg/g, cardiolipin의 경우 doxorubicin 14 μg/g이다 (Gustafson 등, 2002). Wientjes 등 (2005)의 연구는 세엽 내로 투여된 물질과 전립선액의 흐름으로 인한 확산 (diffusion) 및 대류 (convection; 유체 속의 밀도 차이로 인한 순환 운동에 의해 일어나는 이동 현상)를 고려해 볼 때, 전립선 내에서 일어나는 약물 운반의 기전으로 세엽 내의 흐름을 제시하였다. 액체 조건에서 용질 (solute)의 확산은 Fick의 법칙에 따르

며, 조직 내에 있는 용질은 관류혈에 의해 제거된다. 거리가 멀수록 용질의 농도가 감소하는 것은 확산과 관혈류에 의해 영향을 받는다 (Dedrick 등, 1982). 농도가 50%까지 감소하는 길이, 즉 1/2 너비 ($W_{1/2}$)는 다음 공식에 의해 산출되며, 이는 혈류에 의한 제거 속도를 나타낸다.

$$W_{1/2}=0.693\times([\psi\times D]/[\tau\times q])^{1/2}$$

공식에서 D는 확산 계수로서 분자량에 기초하여 계산되며 (doxorubicin의 경우 3.49×10^{-4} cm²/min), ψ는 간질 공간에 의해 차지된 유효 용적 부분 (effective volume fraction)을, τ는 굴곡률 (tortuosity; 유선의 양쪽 끝 사이의 최단 길이에 대한 실제 유선 길이의 비율)을, q는 혈류 속도를 각각 의미한다. 문헌에 의하면, ψ/τ는 0.04 (Dedrick와 Flessner, 1997), q는 55 mL/min/100 g이며 (Andersson 등, 1967), 이를 전립선 내의 doxorubicin에 응용하였을 때 1/2 너비는 0.15 mm로 산출된다. 이 수치는 방광의 벽에서 실험으로 측정된 0.53 mm의 4배에 가깝다 (Wientjes 등, 1996).

확산에 의해 매개되는 운반과는 대조적으로, 대류로 매개되는 운반은 깊이에 따른 농도의 양상이 전형적으로 평탄함을 보여 준다. 0.0008~3 μL/min의 뇌 조직 혈류에서 180 kDa의 거대 분자를 예로 보면, 10 mm의 길이에 따른 농도의 감소는 10% 미만이었다 (Morrison 등, 1994).

Wientjes 등 (2005)의 연구에 의하면, 전립선 조직에서 doxorubicin의 1/2 너비는 약 9.5 mm이며, 이는 확산으로 매개되는 운반보다 흐름으로 매개되는 운반의 수치에 훨씬 더 가깝다. 대류로 예상되는 것보다 더 가파른 농도 감소는 세엽 내에서 분비되는 전립선액에 의해 약물 농도가 희석되기 때문으로 생각된다. 개에서 전립선액의 분비 속도는 1.7~33 μL/min이다 (Smith, 1968). 전립선이 15개의 소엽으로 구성되어 있다고 볼 때, 1개의 소엽 당 분비 속도는 0.11~2.2 μL/min이다. 이 분비 속도는 Wientjes 등 (2005)의 연구에서 투약 속도인 1 혹은 1.4 μL/min와 비슷한데, 이는 전체 유체의 흐름 속도, 즉 전립선액 분비 속도와 전립선 내 약물 주입 속도의 합계의 60%에 해당하며, 소엽의 길이에 따른 농도의 감소를 반영한다. 이러한 유체 흐름 속도에서 소엽 1개당 56 μL인 세엽 내의 액체는 매 15~50분마다 치환된다. 이러한 자료는 전립선 내 doxorubicin의 운반에서 세엽 내의 대류가 중요한 역할을 함을 시사한다.

도표 93 전립선 내 약물 (doxorubicin)의 농도와 표적화의 이점

투여 경로	투약 직후 혈장 농도, ng/mL	조직		조직 농도/혈장 농도의 비율	표적화의 이점
		측정 부위	농도, μg/g		
정맥 주사	155±9	전체 전립선	1.98±0.46	12.8±2.60	1
전립선 내 주입	6.47±1.83	전체 전립선	7.93±1.43	1,360±650	107
		주사 부위	74.3±14.4	12,300±4,400	963
		반대쪽 전립선 1/2	1.60±1.09	242±167	18.9
		가장 낮은 농도	0.282±0.344	44±52	3.44

6마리의 개에게는 0.3 mg의 doxorubicin을 150분에 걸쳐 전립선 내로, 2마리의 개에게는 2 mg/kg의 doxorubicin을 240분에 걸쳐 정맥으로 주입하였으며, 주입의 종말점에서 high-performance liquid chromatography (HPLC)를 이용하여 조직 농도를 측정하였다. 가장 낮은 농도는 요도 좌측 12 mm 이내에서 관찰되었다.
Wientjes 등 (2005)의 자료를 수정 인용.

14.2.3. 전립선 내 표적 요법의 이점
Targeting advantage of intraprostatic therapy

국소 주입에 의한 전립선 표적화의 이점은 약물을 전신적으로 전달하는 데 비해 국소로 전달한 후에는 조직 내의 농도가 증가함으로 생기며, 이는 동등한 혈장 농도로 보정된 조직 농도의 증가로 표현된다. 이러한 이점은 국소 및 전신적 투약 후 150분에 조직과 혈장의 농도를 측정하여 다음의 공식에 의해 산출된다.

$$K_{advantage} = (C_{pro, reg} \times C_{pro, iv})/(C_{pla, reg} \times C_{pla, iv})$$

이 공식에서 $C_{pro, reg}$와 $C_{pro, iv}$는 국소 및 정맥으로 투여한 후 전립선 조직에서의 농도이고, $C_{pla, reg}$와 $C_{pla, iv}$는 국소 및 정맥으로 투여한 후 혈장에서의 농도이다.

전립선 내 주사와 정맥 주사를 실시한 후 조직과 혈장 농도를 비교하였을 때, 국소 주사에 의한 전립선 조직의 표적화로 107배의 이점이 있었다 (도표 93). 실험에서 전립선 내로 주입한 경우는 0.3 mg/kg을 150분에 걸쳐, 정맥 주사의 경우는 2 mg/kg을 240분에 걸쳐 투여하는 등 각기 다른 투약 속도를 이용하였기 때문에, 이를 보완하기 위해 Wientjes 등 (2005)은 동일한 투약 속도로 두 경로를 통해 투여한 후 전립선에 분포된 doxorubicin의 양을 측정하였다. Doxorubicin의 제거는 500 ng/mL 이하의 농도에서는 용량과 관계없기 때문에, 개에게 2 mg/kg을 정맥 주사한 후 얻은 25.4 mL/kg/min의 전신 청소율 (total body clearance)을 이용하여 0.3 mg/kg을 정맥으로 주사하였으며, 산출된 혈장 AUC는 0.109 μg/mL/hour이었다. 8 g의 개 전립선으로 가는 264 mL/hour의 혈류에서 발견되는 전립선 내 doxorubicin의 양은 혈장 AUC와 전립선 혈류로 생성된 수치와 동일하며, 4.09 μg이었다. 이 수치는 투여량에 비해 약 73배 낮으며, 표적 요법을 실시할 경우 107배의 이점을 얻을 수 있음을 보여 준다.

14.2.4. 림프관을 통한 배출 Lymphatic drainage

전립선 내에 약물을 주입한 후 림프액 및 림프절에서는 약물의 농도가 낮게 관찰되었는데, 이는 약물의 제거와 운반에서 림프계의 역할은 아주 미미함을 시사한다. 주입 부위의 림프절과 반대편에 있는 림프절에서 비슷한 농도가 관찰되었는데, 이는 doxorubicin의 전달 경로가 림프계가 아님을 더욱 보여 준다.

14.2.5. 정리 Summary

Doxorubicin을 정맥으로 혹은 국소적으로 주사하였을 때 전립선 내 약물의 분포는 질적으로 그리고 양적으로 서로 다르다. 다소 균일한 약물의 분포는 정맥으로 주사한 후 관찰되는데 비해, 전립선 내로 주사한 경우에는 전립선의 기타 부위에 비해 섬유근 기질에 의해 감싸진 원뿔 모양의 소엽 내에서 10배 이상의 농도가 관찰되는 등 상당히 비균질적인 분포가 관찰된다. 정맥 주사와 비교해 보았을 때, 전립선 내 주사의 경우 조직 대 혈장 농도의 비율이 평균 100배 더 높았으며, 주사 부위와 가까운 곳은 963배, 반대편 전립선의 1/2에서는 19배 더 높았다. 전립선 내에서 관찰되는 약물 분포의 양상은 세엽 내의 흐름이 전립선 내 약물 운반에서 중요한 역할을 함을 나타낸다. 이들 자료는 전립선 내로의 약물 투여가 전립선 내에 약물을 높은 농도로 전달하는 중요한 경로이며, 전립선 소엽을 분리하는 섬유근 기질이 약물 운반에서 큰 장벽 역할을 하고, 전립선 내에서 약물이 전달되는 중요한 기전이 대류임을 보여 준다.

정낭 분비 단백질
SEMINAL VESICLE SECRETORY PROTEIN

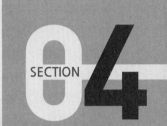

SECTION

04

1. Physical Property Of Ejaculate 223
2. Evolutional Aspect For Semen Coagulum 226
3. Coagulation Of Semen 227
4. Seminal Vesicle Secretory Protein (SVS) 228

정낭 분비 단백질
SEMINAL VESICLE SECRETORY PROTEIN

사람의 정낭은 용적 3~4 mL, 길이 5 cm (펼치면 약 10 cm)의 방추형 모양이며, 그것의 생리학적 기능은 완전하게 밝혀져 있지 않으나, 분비액은 사정된 정자의 운동과 대사에서 중요한 역할을 한다. 교감신경에 의한 근육 수축으로 정낭에서 배출된 분비액의 양은 평균 2.5 mL로 사정액의 50~80%를 차지하며, 죽은 상피세포에서 나온 lipofuscin 과립은 분비액을 노란색을 띄게 한다 (Kierszenbaum, 2002). 사정액의 전반부에는 정자와 아연이 풍부한 전립선 분비액이 주를 이루며 정낭 분비액은 사정액의 후반부에 포함되어 있다. 그러므로 사정을 통해 질 내로 들어온 정자는 정낭 분비액과 접촉하지 않은 채 전립선액으로부터 자궁경부 점액으로 바로 이동한다. 정낭 분비액의 pH는 중성 내지 알칼리성 범위이며, 정액을 약 알칼리성으로 만든다. 정액의 알칼리화는 질 내의 산성을 중화시켜 질 내 정자의 생존 기간을 연장시킨다. 만일 사정액의 pH가 7.2 이하이면 사정관 폐색을 의심할 수 있다.

정낭 분비액 내에는 주로 정자의 운동성과 관련이 있는 성분인 단백질, 과당과 같은 탄수화물, 효소, prostaglandin E (PGE), PGA, PGB, PGF, 응고 인자, phosphocholine 등과 같은 비펩티드 (non-peptide) 성분들이 포함되어 있으며 (Tauber 등, 1976), 그 외에도 mucus, flavins, 비타민 C 등이 함유되어 있다. 과당은 저장된 정자의 영양원이 된다. 정낭에서 분비되는 많은 단백질들은 안드로겐에 의해 조절된다 (Hagstrom 등, 1992). 안드로겐에 의해 조절되면서 elastin을 분해하는 효소인 elastase와 유사하게 작용하는 단백질분해효소가 기니피그의 정낭 상피세포에서 발견되었으며, 이 효소는 기질인 succinyl-alanyl-alanyl-alanyl-p-nitroanilide

(Suc(Ala)3pNA)를 분절시키는 작용을 가지고 있다. (Harvey 등, 1995).

1. 사정액의 물리적 특성
Physical Property Of Ejaculate

사정액의 비정상적인 양상은 다양한 빈도로 보고되는데, 예를 들면 응고가 일어나지 않는 경우는 0.6%, 과다한 점도를 나타내는 경우는 28.9%로 보고되었다. 이와 같은 정액의 변화는 정낭과 전립선의 분비 활동이 비정상임을 강하게 시사한다. 이에 관한 자료가 부족하지만, Andrade-Rocha (2005)의 연구 자료를 근거로 기술하고자 한다.

정액의 응고 측면에서 볼 때, 양호한 혹은 강한 응고는 분비 샘의 기능에 이상이 없음을 시사한다. 반면에 응고물이 형성되지 않거나 응고가 불량한 경우는 정낭에 대한 생화학적 표지자 (biochemical marker, BCM), 예를 들면 과당, 무기 인산 (inorganic phosphorus) 등의 낮은 농도와 전립선에 대한 BCM, 예를 들면 칼슘, 아연, acid phosphatase (ACP) 등의 높은 농도와 임상적으로 관련이 있으며, 정낭의 분비력이 부족함을 시사한다.

생리학적으로 정액은 사정 후 응고된다. 정액의 응고물에는 semenogelin이라는 단백질이 풍부하며, 그 외에도 여러 단백질이 낮은 농도로 포함되어 있는데, 이들 단백질은 사정 후 PSA에 의해 저분자량의 소단위 단백질과 유리형 아미노산으로 신속하게 분해된다 (Lee 등, 1989). 응고물 단백질이 분해됨으로써 만들어진 생성물은 정자의 운동성을 일시적으로 억제하는 생리학적 역할을 가지고 있다 (Robert와 Gagnon, 1995). 이들 생성물은 또한 정자의 표면을 덮음으로써 정자의 수정 능력을 조절하는 인자로서의 역할을 하는데, 이로써 정자가 수정 능력을 조숙하게 얻는 과정을 방지한다 (De Lamirande 등, 2001). 따라서 사정액에서 단백질의 결핍은 응고의 형성을 방해하며, 이는 비정상적인 정낭 기능으로 인해 나타내는 정액의 양상과 유사하다 (Mandal과 Bhattacharyya, 1985). 정낭은 사정액 내에 함유된 대부분의 과당 (Aumuller 와 Riva, 1992)과 무기 인산 (Adamopoulos와 Deliyiannis, 1983)을 생성한다.

응고물 무형성은 선천성 정관 무발생 (Calderon 등, 1994)과 사정관 폐색 (Sharlip, 1984)으로 나타나는 장애이지만, 비정상적인 정액 응고는 임상적으로 충분하게 이해되어 있지 않다.

정액의 액화를 분석한 바에 의하면, 과당의 농도에서 상당한 차이가 발견되었다. 생리학적으로 과당은 사정 후 응고물 단백질과 복합체를 형성하여 투막성 (dialyzability)을 가지게 되며, 전립선 분비액 성분에 의해 과당이 분해됨으로써 포도당으로 전환된다. 이는 정자의 대사를 위한 에너지 공급원이 된다 (Montagnon 등, 1990).

Dandekar와 Harikumar (1997)는 응고물 단백질의 농도가 낮으면 과당/단백질 복합체의 이상이 일어난다고 하였다. 이러한 양상은 응고 정액이 완전하게 액화되는 데 소요되는 시간, 즉 액화 시간이 20분 이하인 표본에서 발견되는 고농도의 과당과 밀접하게 관련이 있다. 사정 후 과당/단백질 복합체가 분리되면, 과당은 신속하게 정액장액 내로 방출되며, 이로써 과당의 농도가 증가한다 (Montagnon 등, 1982). 따라서 액화 시간이 20분 이하인 경우는 정낭의 기능 이상에 의해 일어나는 장애로 간주되며, 특히 응고가 불량한 정액에서 그러하다. 한편, 액화 시간이 120분을 초과한 표본에서 발견되는 상당히 저농도의 과당은 비정상적인 액화로 인해 과당이 비투막성을 가짐으로써 정액장액 내의 과당 농도가 감소되기 때문으로 생각된다 (Montagnon 등, 1982). 그러나 이러한 장애가 관찰된다고 반드시 정낭의 기능이 이상하다고 단정하지는 못하는데, 그 이유는 일반적으로 비정상적인 액화가 정액장액 내 PSA 농도의 감소로 인해 일어나기 때문이다 (Yang 등, 2003). 흥미로운 점은 액화가 지연되더라도 전립선에 대한 BCM에서 유의한 차이가 발견되지 않는다는 점이다. 전립선의 기능 이상이 의심되더라도, PSA 외의 전립선 BCM은 비정상적인 액

화와 관련이 없다고 생각된다. 또한, 액화 시간이 120분을 초과하는 표본에서 발견되는 약간 낮은 농도의 무기 인산은 정액 응고물 내에 무기 인산이 잔류되기 때문일 수 있다. 따라서 과당의 비투막성과 무기 인산의 잔류는 액화 시간이 120분을 초과하는 정액에서 일어난다고 간주된다. 따라서 20분 이하의 신속한 액화와 120분을 초과하는 지연 액화는 각각 정낭과 전립선의 비정상적인 분비 작용에 의해 일어난다고 생각된다. 그러나 이들 결과를 임상 진료에 활용하기 위해서는 추가 연구가 필요하다.

사정액의 60%는 정낭으로부터, 30~35%는 전립선으로부터 분비된다고 알려져 있다 (Coffey, 1995). 이 때문에 부성선의 분비 패턴은 부성선의 기능이 적절한지를 반영하며, 이러한 기능은 사정 후 정자를 보호하는 환경이 형성되는 데 필수적이다. 그러나 많은 장애가 정낭과 전립선의 분비 활동을 저해하며, 부성선 분비액의 농도를 변화시킨다. 도표 93은 낮은 용적과 높은 용적을 가진 표본에서 일어나는 변화를 보여 준다. 2.0 cc 미만의 낮은 용적의 표본에서 낮은 농도로 발견되는 과당, 무기 인산 등 정낭 BCM은 정낭의 비정상적인 기능을 시사하며, 이로써 사정액이 감소되는데 이를 '농도 효과'라고 한다. 한편, 5.0 cc를 초과한 용적에서 낮은 농도로 발견되는 칼슘, ACP 등 전립선 BCM은 정낭액이 우세하기 때문이며, 이를 '희석 효과'라고 한다. 전립선 BCM 중 아연의 농도는 2.0 cc 미만 용적의 표본에서 유의하게 더 높다. 또한, 2.0~5.0 cc 용적의 표본에서 무기 인산이 상당히 높은 농도로 발견되는 경우도 정낭의 비정상적인 분비 활동 때문으로 추측된다. 따라서 표본의 낮은 용적과 높은 용적은 정낭액에서 생긴 변화 때문이라고 간주된다. 전립선도 영향을 주는지는 분명하지 않다. 전립선의 변화와 이로 인한 BCM의 변화가 정낭액에서 관찰되는 변화와 관련이 있지만, 이러한 결과의 유의성은 추후 연구에 의해 밝혀져야 할 것이다. 현재로서는 문헌에서 이용할 수 있는 정액 용적의 참고치가 없는 실정이다. WHO 매뉴얼에는 정상 용적이 2.0 cc 이상으로 규정되어 있으나, 높은 용적에 대한 절단치는 규정되어 있지 않다. 대개 이 수치는 낮은 용적의 범위를 정할 때 이용되며, 높은 용적에 대한 참고치는 6.0 cc 초과 (Eliasson, 1976), 6.3 cc 초과 (Cooke 등, 1995), 8.0 cc 초과 (Murphy, 1967) 등으로 다양하기 때문에 높은 절단치에 관해서는 일정하지 않다고 할 수 있다. 또한, BCM의 경우도 마찬가지이지만, 금욕, 표본의 유실, 채집 때의 심리적 불편함 등이 용적의 절단치에 영향을 줄 수 있어, 이를

도표 94 사정액의 응고, 액화, 용적, 점도, pH 등과 관련한 다양한 상태에서 정낭과 전립선에 대한 생화학적 표지자의 농도

지표	수 (%)	생화학적 표지자				
		정낭		전립선		
		과당, mg/mL	무기 인산, µg/mL	ACP, U/mL	칼슘, µg/mL	아연, µg/mL
응고						
응고 무형성	16 (0.6)	0.41±0.94	228.3±323.8	1625.4±1098.2	712.2±373.6	332.5±128.0
불량	125 (4.7)	1.72±1.31[a]	698.2±313.7[a]	938.5±659.6[a]	428.6±243.4[a]	158.6±89.9[a]
양호	2409 (90.9)	2.35±1.12[b]	979.6±246.1[b]	750.0±462.6[b]	309.1±129.4[b]	130.1±72.7[b]
강함	100 (3.8)	2.47±1.43[b]	1001.4±226.5[b]	628.0±370.0[b]	266.1±111.8[b]	111.4±57.3[b]
액화						
≤20분	632 (24.0)	2.78±1.44	994.9±260.1	619.2±382.2	264.7±122.7	105.0±68.0
21~40분	711 (26.9)	2.27±1.11[c]	984.0±255.3	847.2±475.5	357.9±209.2	137.7±73.1
41~60분	448 (17.0)	2.12±0.84[c]	935.7±264.8	870.7±593.0	343.8±123.0	141.0±72.3
61~120분	474 (18.0)	2.36±0.93	956.6±248.7	686.4±458.9	316.1±115.2	150.3±59.1
〉120분	369 (14.1)	1.64±0.63[d]	800.5±262.9	680.3±481.0	337.7±232.3	114.7±59.8
용적						
〈2.0 cc	270 (10.2)	1.86±1.16[e]	796.6±218.9[e]	822.1±436.7	377.5±157.1	156.5±64.5[e]
2.0~5.0 cc	1892 (71.4)	2.34±1.13	995.3±261.7	828.6±501.5	325.1±129.2	132.3±74.7
〉5.0 cc	488 (18.4)	2.62±1.08	932.0±244.0	585.0±416.4[e]	279.3±133.0[e]	116.8±59.0
점도						
과소	95 (3.6)	1.70±1.50[f]	609.1±336.7[f]	772.6±756.9	483.1±375.8[f]	180.7±120.5[f]
정상	1789 (67.5)	2.39±1.12	992.0"±59.8	770.6±492.5	316.3±137.3	132.1±72.3
과다	766 (28.9)	1.84±1.16[g]	840.4±247.3[g]	545.5±383.5	279.2±120.2	111.9±48.2[g]
pH						
〈7.1	188 (7.1)	1.73±1.24[h]	820.4±253.4[i]	1524.2±516.4[j]	537.8±193.9[j]	224.3±77.8[j]
7.2~7.5	1465 (55.3)	2.53±1.18	1048.9±244.9	775.3±340.1	327.2±95.1	131.8±63.5
7.6~8.0	928 (35.0)	2.12±1.04	910.4±241.9[i]	434.2±275.4	215.4±106.3	86.3±40.3
〉8.0	69 (2.6)	2.00±1.22	666.0±348.8[i]	135.9±112.0	124.6±41.0	60.2±31.1

이 연구 자료는 불임 진단 목적으로 정액을 분석하기 위해 Semen Research Unit of the Homero Soares Ramos Laboratory에 참여한 18~55세 (평균 32세) 남성 2,650명을 대상으로 하였음.

[a], 무형성 대 불량에 대한 *p* value는 과당, 무기 인산, 아연 등에 대해서는 〈0.001, 칼슘에 대해서는 0.027, ACP에 대해서는 0.042; [b], 무형성/불량 대 양호/강함에 대한 *p* value는 〈0.001; [c], 21~40분과 41~60분 대 20분 이하에 대한 *p* value는 각각 0.031, 0.026; [d], 120분 초과 대 기타 소그룹에 대한 *p* value는 0.003; [e], 2.0 cc 미만 대 기타 소그룹에 대한 *p* value는 과당, 무기 인산, ACP, 칼슘, 아연 등에 대해 각각 0.009, 〈0.001, 0.011, 0.007, 0.034; [f], 과소 점도 대 기타 소그룹에 대한 *p* value는 과당, 무기 인산, 칼슘, 아연에 대해 각각 0.013, 〈0.001, 0.012, 0.003; [g], 과다 점도 대 정상에 대한 *p* value는 과당, 무기 인산, 아연에 대해 각각 0.006, 〈0.001, 0.026; [h], pH 7.1 이하 대 기타 소그룹에 대한 *p* value는 0.018; [i], pH 7.1 이하 대 pH 7.2~7.5, pH 7.6~7.8 대 pH 7.2~7.5, pH 8.0 초과 대 pH 7.2~7.5, pH 8.0 초과 대 pH 7.6~7.8에 대한 *p* value는 각각 〈0.001, 0.002, 〈0.001, 0.016; [j], 모든 소그룹 사이에서 *p* value는 〈0.001.

ACP, acid phosphatase; pH, hydrogen exponent.

Andrade-Rocha (2005) 등의 자료를 수정 인용.

분명하게 규명하는 연구가 필요하다 (Cooke 등, 1995).

도표 94는 또한 정액의 점성이 정액의 특성에 영향을 줌을 보여 준다. 과다한 점도는 정액 표본의 3.6%에서 발견되었으며, 이는 정낭 BCM의 낮은 농도와 전립선 BCM의 높은 농도와 관련이 있다. 이러한 결과는 정낭의 분비 활동에 장애가 있음을 강하게 시사한다. 현재까지는 정액의 과다 점도에 관한 문헌이 거의 없다. 한편, 과다한 점도는 과당, 무기 인산 등의 정낭 BCM 뿐만 아니라 전립선 BCM인 아연에서 상당한 변화가 있는 표본의 28.9%에서 관찰되었으며, 이는 두 부성선에 이상이 있음을 시사한다. 과다한 점도는 대개 비정상적인 액화, 과당의 비투막성, 무기 인산의 잔류 등과 관련이 있다. Elzanaty 등 (2004)은 과다 점성을 나타내는 정액에는 아연의 농도가 낮음을 발견하였으며, 아연이 정액의 점성 및 탄성 과정에 직접 관여한다고 추측하였다. 아연은 PSA에 의한 응고물 단백질의 분해를 조절하는 중요한 인자이다 (Robert 등, 1997). 과다 점도를 나타내는 표본에서 칼슘과 ACP의 농도가 정상인 점을 미루어 볼 때, 아연과 PSA 농도만이 정액의 과다 점도와 관련이 있다고 생각된다. 이전의 연구에 의하면, 정액의 과다 점도는 정낭의 기능 저하 (Gonzales 등, 1993) 혹은 기능 항진 (Elzanaty 등, 2004)과 관련이 있으며, 전립선 요소

와는 관련이 없다 (Dube 등, 1989). 이와 같이 상충된 결과가 보고되었지만, 과다 점도는 정액의 질에 영향을 주며, 임상적으로 고려되어야 할 사항이라고 생각된다.

염기성인 정낭액과 산성인 전립선액 사이의 역동적인 상호 작용은 정액의 pH에 영향을 주며 (Coffey, 1995), 대개 7.2~7.8의 범위를 유지하도록 만든다. 그러나 이러한 균형은 전립선 혹은 정낭의 기능적인 이상에 의해 달라질 수 있다. 예를 들면, 칼슘, 아연 등의 농도와 ACP 활성의 증가 그리고 과당과 무기 인산 농도의 감소는 pH 7.1 이하의 정액에서 관찰되며, 이는 사정액 내에 전립선액이 우세함을 시사한다. 이와 같은 경우에는 정낭의 분비 활동에 장애가 있음이 의심되지만, 전립선의 분비 기능도 관련이 있는지는 분명하지 않다. 한편, 정낭 및 전립선의 BCM은 pH 8.0을 초과한 표본에서 유의하게 더 낮으며, 이는 정액의 pH가 두 부성선과 관련이 있음을 시사한다. 도표 94에 수록된 자료는 정액의 pH가 전립선 혹은 정낭의 분비 기능과 밀접하게 관련이 있음을 잘 보여 준다. 이들 자료는 두 부성선의 기능 장애가 정액의 pH와 BCM의 농도를 변화시킴을 강하게 보여 준다. 사정액의 물리적 특징을 ROC 곡선을 이용하여 평가하였을 때, 정액의 pH가 전립선 및 정낭의 기능 장애를 가장 높은 수준으로 예측하였다. WHO 매뉴얼은 정액의 정상 pH가 1987년에는 7.2~7.8, 1992년에는 7.2~8.0 범위라고 하였다. 그러나 일부 연구는 이 참고치에 대해 의문을 제기하였다. 예를 들면, Makler 등 (1981)은 신선한 사정액의 정상 pH 범위는 7.2~8.2라고 보고하였고, Haugen과 Grotmol (1998)은 불임 검사를 요청한 207명의 남성에서 사정 후 30~60분에 측정된 정액의 pH가 일정하게 8.0을 초과했다고 하였으며, Harraway 등 (2000)은 자궁강 내 인공 수정을 요청한 커플의 남성 1,199명을 대상으로 실시한 연구에서 정액의 pH는 7.3~9.5, 평균 8.2±0.3이라고 하였다. 정액 pH가 가진 임상적 가치는 분명하지 않다. 예를 들면, pH가 8.0을 초과하면 생식 능력의 장애가 일어나며 (Wichmann 등, 1994), 산성 pH는 정자의 운동성을 저하시킨다 (Arienti 등, 1999)고 보고되었으나, 다른 연구는 그러한 관계를 발견하지 못하였다 (Harraway 등, 2000).

정리하면, 사정액의 물리적 특성을 관례적으로 분석하면, 임상에서 정낭과 전립선의 분비 활동을 평가하는 데 도움이 된다. 응고 불량, 빠른 액화, 낮거나 높은 용적, 과소 혹은 과다 점도, 7.2 미만 혹은 8.0 초과 pH 등은 정낭의 기능 이상을 의심하게 하는 한편, 지연 액화, 높은 용적, 과다 점도, 8.0

초과 pH 등은 전립선의 기능 이상을 시사한다. 정액의 pH는 ROC 곡선 분석에서 정낭과 전립선의 기능 장애에 대해 가장 높은 예측력을 나타내었으며, 전립선의 기능 장애에 대해서는 83.6%, 전립선과 정낭의 기능 장애에 대해서는 98.8%이었다. 이들 결과는 진단을 내리기 전에 사정액의 물리적 특성을 평가하는 데 집중할 필요가 있음을 보여 준다. 임상적으로 사정액의 물리적 특성은 전립선과 정낭의 기능 장애뿐만 아니라 그로 인해 정액의 질에 미치는 효과를 파악하는 데 유용하다. 흥미로운 점은 여러 자료를 분석하여 볼 때, 사정액이 비정상적인 양상을 보이는 경우에는 전립선보다 정낭의 기능 장애가 더 흔하다는 점이다.

2. 정액 응고물에 관한 진화론적 개념
Evolutional Aspect For Semen Coagulum

영장류뿐만 아니라 대부분의 동물에서 여러 해부학적 양상은 교미 시스템과 상호 관련 있다. 다수의 수컷과 다수의 암컷 혹은 분산형 교미 시스템과 같이 암컷이 단시간에 여러 수컷과 교미하는 영장류의 수컷은 신체의 크기에 비해 상대적으로 더 큰 고환 (Dixson, 1998a), 더 큰 정낭 (Dixson, 1998b), 더 큰 정자 중편의 용적 (Anderson과 Dixson, 2002)을 가지고 있다. 아마도 이러한 적응은 다른 수컷의 정자를 배제하고 자신의 정자로 암컷의 난자를 수정시키려는 '정자 경쟁' 때문으로 생각된다. 분명하지는 않지만, 영장류의 교미 시스템에서 해부학적, 생리학적으로 상호 관련이 있다고 생각되는 하나의 예가 수컷의 사정액으로부터 형성된 단단한 '교미 마개 (copulatory plug)'이다. 교미 마개의 기능은 뒤이은 다른 수컷의 정액이 이미 교미를 끝낸 암컷에게 주입되지 않게 방해하는 역할을 한다고 간주된다 (Voss, 1979). 벌레, 곤충, 거미, 뱀, 포유동물 등에서의 교미 마개가 그와 같은 '정조대 (chastity belt)'의 기능을 한다 (Parker, 1984). 교미 마개의 형성을 설명하는 이 가설은 설치류 실험에 의해서는 입증되지 않아 정액의 역류 방지와 같은 다른 가설이 제시되기도 하였다 (Dewsbury, 1988). 그러나 교미 마개를 만든다고 알려진 영장류에서는 암컷이 여러 수컷과 교접한다는 관찰이 정조대 기능의 가설을 강하게 뒷받침하며 (Dixson과 Anderson, 2002), 이는 정자 경쟁을 하는 종에서 교미 마개가 발견된다는 가설과 일맥상통한다.

사람, 난쟁이침팬지 (Pan paniscus), 침팬지 (Pan troglodytes), 우랑우탄 (Pongo pygmaues), 고릴라 (Gorilla gorilla) 등과 같은 대형 유인원, 긴팔원숭이 (gibbon; Hylobates lar)와 같은 소형 유인원 등 인간류 영장류는 사회적, 성적 활동에서 다양성을 나타낸다. 긴팔원숭이는 전통적으로 일부일처제로 짝짓기 한다고 알려져 있다 (Sommer와 Reichard, 2000). 이와 같은 일부일처제와 그로 인하여 정자 경쟁이 낮아짐은 성적 이형성 (sexual dimorphism)이 적고 고환이 작은 원인이 될 수 있다 (Harcourt 등, 1981). 반대로, 침팬지와 난쟁이침팬지에서는 분산형 교미 시스템으로 정자 경쟁의 가능성이 높다 (Takahata 등, 1996). 발정기 암컷 침팬지 한 마리는 연달아 수컷 다수와 교접한다 (Goodall, 1986). 침팬지와 난쟁이침팬지는 모든 영장류 중 가장 큰 고환을 가지고 있으며, 고환 대 신체 무게의 비율이 가장 크다 (Harvey와 Harcourt, 1984). 침팬지는 교미 마개를 만드는 유일한 인간류 동물이다 (Dixson, 1998a). 고릴라는 비교적 작고 안정된 사회 집단에서 살아가며, 보통 한 마리, 가끔은 두 마리의 수컷이 집단 속의 모든 교미를 독점한다 (Robbins, 1995). 우랑우탄의 사회적 및 성적 활동은 충분하게 알려져 있지 않다. 혼자 살아가는 이 유인원의 분산형 교미 시스템은 암컷의 난혼 번식을 유발시킨다고 추측된다. 큰 체격에 비해 작은 고환을 가진 우랑우탄의 성적 이형성은 과연 이 종에서 정자 경쟁이 일어나는지 의문을 가지게 한다 (Dixson, 1998a).

3. 정액의 응고 Coagulation Of Semen

사람의 정액은 사정되고 난 직후 응고되어 점성의 겔 덩이를 형성한다. 정액 응고물의 주된 구조적 성분은 정낭에서 분비되는 semenogelin I (SEMG1)과 II (SEMG2)이며, 점성 응고물의 주성분인 이들은 사람의 사정액 내에 있는 전체 단백질의 거의 반을 차지한다 (Malm 등, 1996). 사람과는 다르게 생쥐와 쥐의 정액은 사정 직후 단단한 고무 같은 마개를 형성한다 (Asdell, 1964). 교미 마개로 불리는 설치류의 이러한 응고 정액은 사람의 *SEMG* 유전자에 상응하는 유전자에 의해 코드화되는 seminal vesicle-secreted proteins (SVSs)로 구성되어 있다.

사람의 두 *SEMG* 유전자는 세 exons를 포함하는 비슷한 유전체 구조를 가지고 있다. 첫 번째 exon은 23개의 아미노산으로 구성된 신호 펩티드와 완성된 단백질의 첫 두 개 아미노산을 코드화하며, 두 번째 exon은 단백질의 나머지를 코드화하고, 세 번째 exon은 완전하게 번역되지 않는다 (Lilja와 Lundwall, 1992). 이 유전체 구조는 설치류의 *SVS* 유전자에서도 나타난다. 영장류에서 염기 서열의 유사성은 첫 번째와 세 번째 exons에 국한되며, 단백질의 많은 부분을 코드화하는 두 번째 exon은 크게 다르다 (Lundwall과 Lazure, 1995). 사람의 경우 439개 아미노산의 완성된 SEMG1 단백질은 각각 60개의 아미노산으로 구성된 6개의 repeats로 구성되어 있으며, SEMG2도 비슷하지만 60개의 아미노산으로 구성된 repeat가 두 개 더 있다. 두 *SEMG* 유전자는 사람의 염색체 20q 위에서 11.5 kbp로 떨어져 위치해 있다 (Lundwall, 1996b).

대부분의 단백질과 마찬가지로 SEMG는 여러 가지 기능들을 가지고 있으며, 정자 운동의 억제 (Robert 등, 1997), follicle-stimulating hormone (FSH)의 억제 (Lilja 등, 1989) 등과 같은 다양한 기능은 SEMG1 단백질의 amino terminus의 1/2과 관련이 있다. SEMG1이 PSA에 의해 분해되어 분절되면 N-terminus에 가까운 일부분이 정자의 핵 내에 위치하게 된다 (Zalensky 등, 1993). 또한, PSA에 의해 분해된 SEMG1의 또 다른 분절은 정자의 hyaluronidase를 활성화하는데, 이 효소는 첨단체 반응 (acrosomal reaction)이 일어나기 전에 난자 막을 분해하여 정자가 난자에 침투하도록 만들며 (Mandal와 Bhattacharyya, 1995) 정자의 조기 수정을 방지한다 (de Lamirande 등, 2001). SEMG 단백질의 주 근원지는 정낭이며, SEMG2의 소량은 부고환에서도 생성된다고 보고되었지만, 근래 연구는 SEMG1과 SEMG2가 비생식기 조직에서도 낮은 농도로 발견되었다고 보고하였다. RT-PCR를 이용한 연구에 의하면, SEMG1과 SEMG2 전사물의 강한 신호가 정낭, 정관, 전립선, 부고환, 기관 (trachea) 등에서 발견되었으며, 위장관과 골격근에서 발견되는 전사물은 거의가 SEMG1인 데 비해 신장과 고환에서는 SEMG2 전사물이 우세하였다. 면역조직화학검사에서 SEMG1과 SEMG2를 인식하는 항체에 의한 염색 반응이 전립선, 기관 및 기관지 등에서는 분비성 상피의 기저층에서 관찰된 데 비해, 정낭과 정관에서는 내강 세포에서 관찰되었다 (Lundwall 등, 2002).

단백질의 carboxy terminus 1/2은 응고 정액 혹은 교미 마개의 구조적 형태를 형성하는 데 관여하며, 쥐과 설치류에서 관찰되는 단단한 교미 마개는 영장류의 SEMG에 해당하는 단백질의 repeat unit의 lysine과 glutamine 잔기가 transglutaminase의 매개로 교차 결합함으로써 형성된다 (Lin 등, 2002). 사람에서의 응고 정액 혹은 침팬지에서의 단단한 교미 마개가 형성되는 기전은 알려져 있지 않다. 쥐과 설치류와 마찬가지로 사람에서도 전립선 특이 transglutaminase가 있고 이에 대한 기질이 있기 때문에, 사람의 SEMG도 교차 결합을 한다고 추측된다. 그러나 생체 실험 연구는 상당한 양의 SEMG가 이러한 방식으로 교차 결합을 하는지에 대해 의문을 제기하였으며, 한편으로는 영장류의 응고 정액과 일부 종의 교미 마개는 long repetitive SEMG 단백질 사이에 일어나는 비공유 결합에 의해 생성된다는 가설이 제기되었다 (Robert 와 Gagnon, 1999). 500만~800만 년을 지나면서 사람, 침팬지, 고릴라의 *SEMG* 유전자는 빠르게 진화하면서 SEMG1 단백질의 크기에 변화가 생겼는데, 예를 들면, 사람에 비해 침팬지에서는 60개 아미노산으로 된 repeat의 수가 2배로 되었으며, 고릴라에서는 조기 종결 코돈 (premature stop codons) 에 의해 단백질의 분절이 일어났다. 빠른 진화로 인해 생식 유전자에서 아미노산의 대체가 일어났고 생식 유전자가 위유전자 (pseudogene)로 되는 경향이 생겨났다. 일부 인간류 동물은 SEMG1과 SEMG2에서 다수 조기 종결 코돈의 습득이 일어나는 것 외에도 수컷의 여러 다른 생식 유전자는 진화함에 따라 기능을 상실하였는데, 그러한 유전자에는 사람 (Jury 등, 1997)과 고릴라 (Jury 등, 1998)에서 *a disintegrin and metalloprotease 1 (ADAM1)*으로 알려진 *fertilin-α* 유전자, 사람에서의 정자-난자 결합 단백질인 *the metalloprotease-like, disintegrin-like, cysteine-rich domain I (tMDC I)*과 *tMDC II* 유전자 (Frayne 등, 1999), 대형 유인원에서의 정자 특이 *endozepine-like peptide 1 (ELP1)* 유전자 (Ivell 등, 2000), 사람에서의 *ELP2* 유전자 (Ivell 등, 2000) 등이 있다. 이와 같은 변화는 교미 시스템과 연관되어 영장류 정액에서 나타나는 생리학적 차이의 원인이 된다고 생각된다 (Jensen-Seaman 등, 2003).

정낭은 대부분의 포유동물에서 발견되는 분비성 생식기관이며, 크기, 형태학적 특징, 분비액의 화학적 성분 등은 다양하며, 종에 특이적이고, 그것의 발생, 성장, 분비 기능은 안드로겐으로 조절된다 (Aumller와 Seitz, 1990). 정낭에서 분비되는 여러 물질은 정자의 생존을 위해 필요하며, 특히 과당은 정자에 의한 당 분해의 기질로서 역할을 한다 (Mann과 Lutwak-Mann, 1981). 설치류에서 정낭 분비물의 기능 중 하나는 사정된 정액을 응고시키는 것이다. 정낭 분비액 내의 단백질은 전립선 전엽에서 생성되는 transglutaminase인 vesiculase의 기질로서의 역할을 한다 (Fawell과 Higgins, 1987). 사

정이 일어나 두 물질이 혼합되면 응고물이 형성된다. 응고물은 오래 전부터 자궁경부를 통한 정자의 이동을 돕는다고 알려져 있다 (William-Ashman, 1984). 정낭은 질 내에서 응고 정액을 형성하는 데 관여하는 것 외에도 정자의 대사, 운동성, 표면 특성 등에도 영향을 주어 암컷 생식기로부터의 면역 반응을 방지하고 수정을 유도한다 (Peitz, 1988). 정낭은 겔을 구성하는 주성분인 SEMG1과 SEMG2, fibronectin을 생성하며 (Lilja 등, 1989), 응고를 일으킨 SEMGs는 응고물을 액화시켜 정자가 쉽게 이동하도록 돕는 기능을 가진 PSA의 기질이 된다 (Aumüller 등, 1990).

4. 정낭 분비 단백질
Seminal Vesicle Secretory Protein (SVS)

포유동물의 정액은 부고환에서 나온 정자가 풍부한 분비액과 사정 동안 부성선, 특히 정낭과 전립선에서 나온 분비액이 혼합됨으로써 형성된다. 정자를 포함한 사정액은 처음에는 높은 점성의 겔 형태를 가지나, 사람에서는 수분 내에 액화를 일으키며, 설치류에서는 전립선으로부터 분비되는 transglutaminase의 작용을 통해 단단한 교미 마개를 형성한다. 질 내에 형성된 교미 마개는 정자가 밖으로 새나가는 것을 방지하고 뒤이은 수컷의 정자가 들어오지 못하도록 보호하는 역할을 하며, 교미 후에는 질 밖으로 떨어져 나온다.

겔 및 응고물을 형성하는 단백질은 정낭액 내에 매우 높은 농도로 포함되어 있다. 다소 의외이지만, 이들 단백질의 구조는 종에 따라 크게 다른데, 이는 복제, exon 확장, 다양한 splice 부위 등을 포함하는 유전자의 상대적 진화 때문이라고 생각된다. 이 유전자는 *rapidly evolving substrates for transglutaminase (REST)* 유전자 가족에 속하며, transglutaminase의 기질을 코드화한다 (Lundwall과 Ulvsbäck, 1996).

쥐의 정낭액 내에 포함되어 있는 단백질은 크기 순서대로 seminal vesicle secretory proteins I~V (SVS1~SVS5)의 다섯 종류로서 존재한다 (Ostrowski 등, 1979). 다른 저자는 SVS4와 SVS5를 각각 S, F 단백질로 기술하였다 (Higgins 등, 1976). 분자 분석에 의하면, SVS2가 교미 마개의 주성분이고 (Hart, 1970), SVS1과 SVS3는 교미 마개의 성분이기도 하지만, cystine 결합 부위를 통해 SVS2와 고분자의 복합체를 형성한다 (Wagner와 Kistler, 1987). 다른 저자는 주 단백질 모두가 transglutaminase의 기질로서 역할을 하면서 교미 마개의 형

성에 관여한다고 하였지만 (Fawell 등, 1986), 작은 크기의 성분은 대개 교미 마개의 형성에는 관여하지 않는 것으로 추측되며, SVS4는 면역을 조절하는 작용을 나타낸다 (Tufano 등, 1996).

생쥐의 정낭액에는 SVS1~SVS7의 7가지 단백질 성분과 소량의 기타 성분들이 포함되어 있다 (Fawell 등, 1987). 생쥐의 교미 마개를 형성하는 데는 최소 5가지의 성분이 관여한다 (Bradshaw와 Wolfe, 1977). SVS4, SVS5를 코드화하는 전사물 (Yoo--Warren 등, 1993)과 SVS6, SVS7 등 99개 아미노산으로 구성된 단백질을 코드화하는 전사물 (Guilbaud 등, 1993)의 염기 서열이 확인되고 복제되었다. 쥐와 생쥐의 유전자는 염기 서열이 매우 비슷하지만 분비 단백질을 코드화하는 exon에서 큰 차이가 관찰되었으며, 이 때문에 쥐의 SVS2에 비해 생쥐의 단백질 크기는 상당히 작다. 생쥐의 유전자에 의한 복사 산물인 가칭 semenoclotin은 주된 응고 단백질로서의 기능을 하며, 전술된 생쥐의 SVS2 혹은 SVS3와 동일하다고 추측된다 (Chen 등, 1987). 수컷의 생식기에서 생성되는 SVS의 역할이 분명하게 밝혀져 있지 않지만, 정낭을 제거하면 생식력이 떨어지는 것으로 보아 이들 단백질은 생식력과 관련이 있다고 추측된다 (Queen 등, 1981). Lundwall 등 (1997)은 생쥐의 정낭 분비액에서 분자량 95, 38, 17, 16 kDa의 4가지 단백질을 확인하였고, 38 kDa의 단백질은 semenoclotin과, 17 kDa의 단백질은 SVS4와, 16 kDa 단백질은 SVS5와 동일하다고 하였다. 이들 저자들은 95 kDa 단백질의 구조는 잘 알려져 있지 않지만, semenoclotin과 함께 transglutaminase에 의해 쉽게 교차 결합을 하고 두 단백질이 교미 마개를 형성하는 데 관여한다고 추측하였으며, 생쥐의 정낭액을 사람의 PSA로 처리하면 semenoclotin이 쉽게 분해되는 것으로 보아 주된 구조는 크게 다르지만 이 단백질이 사람의 SEMG와 동일하다고 생각하였다. SVS7은 생쥐의 정낭에서 처음 정제되었고, 부고환 내에 있는 정자에 의한 칼슘 흡수를 억제하는 caltrin의 작용을 가지고 있다 (Coronel 등, 1992). Phospholipid와 결합하는 SVS7은 정낭에서만 분비되고 발현되며, 정자의 운동성을 증대시키는 역할을 한다 (Luo 등, 2001).

생쥐에서는 SVS2, SVS4, SVS5 등을 코드화하는 complementary DNAs (cDNAs)와 안드로겐에 의해 자극받는 autoantigen이 확인된 바 있었다 (Chen 등, 1987). 쥐의 SVS6와 동일한 mouse seminal vesicle secretory protein of 99 amino acids (MSVSP99)는 생쥐의 정낭에서 분비되는 단백질이며,

이를 코드화하는 유전자가 확인되었다 (Simon 등, 1995), 이 단백질은 정낭의 상피세포에서 합성되고 안드로겐에 의해 조절된다고 추측된다 (Morel 등, 2001).

근래 SVS4에 관한 연구가 많이 보고되었다. 면역과 관련이 있는 SVS4는 쥐의 자궁, 폐, 간, 뇌 등과 같은 여러 조직뿐만 아니라 사람의 정액장액과 정낭액 내에서 발견된다 (Abrescia 등, 1985). SVS4는 세포 매개성 면역 및 체액성 면역 그리고 염증 반응에 대하여 종에 비특이적, 특이적 조절 기능을 가지고 있다 (Peluso 등, 1994). 특히, transglutaminase를 매개로 인한 부고환 정자의 형질막과 SVS4와의 공유 결합은 정자의 강력한 면역원성을 억제한다 (Paonessa 등, 1984). SVS4의 항염증 효과는 phospholipase A$_2$의 억제와 관련이 있으며 (Vuotto 등, 1993), 면역 조절은 대식세포와 T 세포의 협동작용을 방해함으로써, 즉 cytokine의 생성을 조절하여 대식세포 항원의 출현과 T 세포의 활성을 억제함으로써 생겨난다 (Fuggetta 등, 2008). SVS4는 미분화 배반포 (blastocyst)를 모성의 면역학적 공격으로부터 보호하는 역할을 한다 (Stiuso 등, 1999). 이와 같이 많은 기능을 가진 분비 단백질인 SVS4는 안드로겐의 조절 하에 쥐의 정낭 상피세포로부터 합성되며, E. coli에서 복제되고 발현되는 한 유전자에 의해서 코드화된다 (D'Ambrosio 등, 1993).

셀레늄 의존성 glutathione peroxidase (GPX)는 산화 손상으로부터 생물체를 보호하는 생물학적 역할을 가진 peroxidase의 작용을 나타내는 효소 가족이며, 셀레늄이 포함된 GPX1, GPX2, GPX3, GPX4와 셀레늄이 적은 GPX5, GPX6가 있는데, 이들은 기질 특이성을 나타내고 세포에서 별개의 위치에 있다 (Drevet, 2006). GPX는 electron donor substrate (EDS)로 glutathione을 이용하며, 유기성의 hydroperoxide 기질과 H$_2$O$_2$가 있는 경우에서 활성적이 된다. GPX는 유리형 H$_2$O$_2$를 물로, lipid hydroperoxides를 알코올로 환원시키는 생화학적인 기능을 가지고 있다. 거의 모든 포유동물 조직의 세포질에서 발견되는 GPX1은 EDS로 H$_2$O$_2$를 이용한다.

Peroxidise에 대한 SVS4의 자극으로 생긴 GPX1/glutathione reductase (GR) 시스템의 생리학적 기능은 내인성 세포자멸사에 대한 대항 효과와 여성 생식기계 내에서 ROS에 대한 대항 효과를 일으킨다 (Metafora 등, 2008). 산화 스트레스란 세포의 항산화 방어 시스템과 ROS 생성 사이의 불균형으로 정의되며, 정자가 부고환에서 성숙 및 저장 과정을 거치는 동안 그리고 사정 후 여성의 생식기를 통과하는 동안 정자

를 위협하는 하나의 요인이 된다 (Marti 등, 2007). 부고환과 남성의 부성선에서 산소 분압은 약 5%이지만 사정 때의 정액에서는 많은 양의 ROS가 생성됨으로 인해 약 20%로 급격하게 증가한다. 백혈구 오염, 비정상적인 정자, 세균, 염증 세포 등과 같은 여러 자극이 세포의 생존에 유해한 수준까지 ROS의 농도를 증가시킬 수 있으며, 정자의 형질막에는 다가 불포화 지방산이 풍부하고 항산화 방어물질이 부족하여 정자는 ROS에 의해 손상을 입기 쉽다 (Alvarez와 Storey, 1995). 이들 다가 불포화 지방산의 과산화는 정자 막의 유체성을 감소시킴으로써 정자세포의 생식력을 손상시킨다고 보고되었다 (Sanocka와 Kurpisz, 2004). 그러나 낮은 농도의 ROS는 이차 전령으로 작용하고, 정자의 성숙, 생존, 형질막의 변화를 통해 정자가 난자의 투명대와 결합하여 첨단체 반응을 일으켜 정자를 수정시키는 일련의 복합 과정인 수정 능력의 획득에서 중요한 생리학적 역할을 한다 (Saleh와 Agarwal, 2002).

ROS는 생리학적 역할과 병적인 역할을 함께 가지고 있으며, 정액장액 내의 ROS를 안정된 상태로 유지하기 위해 자연적으로 많은 효소적 및 비효소적 항산화제가 진화하게 되었는데, 이는 사정 후 난자로 향하는 정자 주위에서 일어나는 ROS의 생성과 재활용 사이의 균형을 적절하게 유지하는 데 필수적이다 (Agarwal, 2005). ROS로부터 정자를 보호하는 유리기 청소제로서 작용하는 정액 내의 주된 효소적 항산화제로는 superoxide dismutase, catalase, GPX 등이 있다. 이 세 방어제 중 GPX 단백질 가족은 독특하며, 여러 GPX 단백질이 부고환의 정자뿐만 아니라 사정된 후 여성의 질을 통과 중인 정자의 내부, 표면, 주위에서도 발견된다 (Drevet, 2006). 정액은 우수한 비효소적 항산화 분자도 포함하고 있는데, vitamin C와 E, pyruvate, coenzyme Q10, glutathione, N-acetyl-$_L$-cysteine, carotenoids 등이다. 이들 항산화제는 정자가 형성되는 동안 세포질이 ROS 대항 효소를 밖으로 밀어냄으로써 정자의 세포질 내에서 ROS 대항 효소가 소실되는 데 대한 보상 효과를 나타내며, 이는 다시 내인성 복구 기전과 효소적 방어 기전을 억제한다 (Agarwal, 2005). 정액 내에 있는 고농도의 ROS는 형질막 유체성의 변화, 세포 자멸사의 유도, 핵 DNA의 손상, 운동성의 저하, 세포사 등을 유발하여 사람에서 불임을 일으키는 데 중요한 역할을 한다 (Wang 등, 2003).

성교 후 여성 생식기에서 SVS4의 생리학적 농도는 12~48 μM인 데 비해, 간, 뇌, 폐, 자궁 등의 추출물에서는 2~10 μM로 더 낮다 (Stiuso 등, 1999). 1~10 μM 농도를 이용한 실험 연구는 이 범위의 농도에서 SVS4가 주로 단량체이면서 최대의 생물학적 활성을 나타내었고 보고하였다 (Metafora 등, 2008). 사정된 정자는 glutathione의 산화와 환원 회로를 통해 ROS의 치명적인 공격으로부터 사정된 생식세포를 보호하는 GPX 효소와 고농도의 SVS4를 함께 포함한 정액장액 속에서 활동한다 (Giannattasio 등, 2002). 이러한 미세 환경에서 SVS4는 GPX를 자극하여 정상적인 정자세포를 보호하는 역할을 한다 (Metafora 등, 2008).

결론적으로, SVS4는 체외 실험에서 peroxidases의 활성을 증대시키며 생체 실험에서 catalase, GPX, glucose-6-phosphate dehydrogenase (G6PD) 등 기타 항산화 효소의 활성을 증대시키는 것으로 보아, SVS4는 면역 억제 및 세포 자멸사 대항 효과와 함께 정자 자신이 아닌 다른 항원에 의한 면역학적 공격과 ROS로부터 수정을 위해 질을 통과 중인 정자를 보호하는 역할을 한다고 추측된다. ROS에 대해 대항하는 기능과 GPX를 자극하는 기능을 가지면서 면역원성이 없는 SVS4 펩티드는 정액 내에 고농도의 ROS가 있음으로 인해 불임증을 가진 남성의 치료 약물로 고려해 볼 만하다. 또한, SVS4는 horseradish peroxidase를 강력하게 자극하기 때문에, 이를 활용하면 진단 의학 및 분자 생물학에서 이용되는 많은 기법에서 신호의 발견을 증대시킬 수 있고 horseradish peroxidase를 이용하여 indole-3-acetic acid (IAA)를 세포 자멸사를 유발하는 활성적 항암제로 전환시킬 수 있을 것이다 (Metafora 등, 2008).

비만세포 (mast cell)와 호염구 (basophil)는 알레르기 반응과 관련이 있는 작동 인자이다. 이들은 표면에 IgE에 대해 높은 친화성을 가진 사합체의 Fc ($\alpha/\beta/\gamma_2$) receptor I (FcεRI)을 가지며, 세포질 내에는 histamine이 풍부한 과립을 포함하고 있다. 이들 두 속성은 이들 세포를 사람의 기타 세포와 감별할 수 있도록 하며, 알레르기성 염증에서 어떠한 역할을 할 것으로 추측하게 한다. FcεR의 Fc는 수용체가 fragment, crystallizable region을 가지는 데에서 유래하였다. FcεRI+ 세포의 표면은 순환계로부터 유래된 IgE 분자로 덮여 있고, 특이 항원에 대한 수용체로서의 역할을 한다. 항원이 IgE와 결합하면 이들 세포가 활성화되면서 histamine, proteinases, cytokines, growth factors, chemokines 등을 가진 과립을 주위 매개체에 방출하고 세포는 탈과립 상태로 된다 (Marone 등, 2005).

비만세포는 골수에서 유래되어 조직에 상주하는 성분으

로서 IgE로 매개되는 염증 반응에서 필수적이며, anti-IgE, anti-FcεRI 등과 같은 면역학적 분비 촉진제 혹은 N-formyl-methionylleucyl-phenylalanine, 칼슘 ionophores, phospholipase A$_2$ (PLA$_2$), lectins 등과 같은 비면역학적 분비 촉진제로 자극을 받으면, 다양한 생물학적 매개물질을 분비한다. FcεRI+ 세포는 세균, 바이러스, 기생충 등과 같은 병원균에 의해, 그리고 이들 병원균이나 기타 유기체에서 유래된 oligopeptide, 단백질, 독소 등과 같은 용해성 생성물에 의해 직접 활성화된다. 비만세포로부터 분비되는 매개물질은 다양한 효소, histamine, proteoglycans 등과 같이 세포질의 과립에 저장되는 실행 매개체와 leukotriene C4 (LTC4), prostaglandin D2 (PGD2), cytokines, chemokines, growth factors 등과 같이 새로이 합성되는 지질 매개체로 분류된다. 이들 매개체는 염증 유발 작용 (Galli 등, 2005) 외에도 항염증 및 면역 억제 성질 (예; transforming growth factor-β$_1$ [TGF-β$_1$], IL-10)도 가지며 (Ryan 등, 2007), 염증 조직의 분해 및 구조 변경을 촉진한다 (Metcalfe 등, 1997).

안정 상태의 FcεRI+ 세포와 anti-IgE로 자극을 받은 FcεRI+ 세포에 대한 SVS4의 효과를 평가한 연구는 SVS4가 염증 유발, 세포 자멸사 대항 작용, 면역 억제 등의 기능을 가진 histamine의 분비를 유도함을 발견하였다 (Prevete 등, 2010). 이 연구의 결과는 다음과 같다. 첫째, SVS4는 이전의 연구 결과 (Morelli 등, 2007)와 마찬가지로 세포 자멸사에 대항하는 특성과 면역을 억제하는 특성을 가지고 있다. 둘째, SVS4는 arachidonate에서의 신호 경로를 억제하거나 (Camussi 등, 1990) 혹은 림프구와 단핵구로부터 염증 유발성 cytokines의 분비를 자극하거나 (Tufano 등, 1996) 혹은 FcRI+ 세포로부터 histamine의 분비를 자극함으로써 포유동물의 염증 반응을 조절하는 역할을 한다. 셋째, SVS4는 비만세포, CD4+CD25+FoxP3+ regulatory T 세포 등과 같이 국소적으로 면역성을 억제하는 세포, TGF-β$_1$, IL-10 등과 같은 cytokines, leukemia inhibitory factor (LIF), heme oxygenase 1 (HO-1), peroxidases, histamine 등과 같은 세포 자멸사 대항 인자 등과 협력하여 자궁의 착상 부위에서 ROS와 모성의 면역 공격으로부터 미분화 배반포를 보호한다.

Lymphocyte antigen 6 (Ly-6) 수용체 단백질은 Ly-6/urokinase-type plasminogen activator receptor (uPAR)로도 알려져 있고, 10개의 cystine 잔기를 가진 단백질 가족에 속하며, glycophosphatidyl inositol (GPI)이 부착된 염기 서열의 유무에 따라 두 가족으로 분류된다 (Bamezai, 2004). GPI가 부착된 Ly-6 수용체 단백질은 세포의 접착 및 신호 전달에 관여한다고 생각된다 (Gumley 등, 1995). GPI가 부착되지 않은 Ly-6 수용체 단백질 가족에는 분비성 Ly-6 단백질이 포함되며, 여기에는 secreted mammalian Ly-6/uPA related protein 1 (SLURP1) (Adermann 등, 1999), SLURP2 (Tsuji 등, 2003), rat urinary protein 1 (RUP1), RUP2, pig protein 1 (PIP1), rat spleen protein 1 (RSP1) (Southan 등, 2002), seminal vesicle secretion 7 (SVS7) (Southan 등, 2002) 등이 있다.

분비성 Ly-6 단백질 중 SLURP1은 사람의 혈액 및 소변에서 처음 발견되었다 (Adermann 등, 1999). *SLURP1* 유전자 돌연변이는 Mal de Meleda로 알려진 희귀한 상염색체 열성 피부 유전병 palmoplantar hyperkeratosis의 원인이라고 알려져 있다 (Ward 등, 2003). SLURP1 단백질은 표피에서 α7 니코틴 수용체에 대해 신경조절인자의 역할을 하며, 표피의 항상성 및 피부의 염증 반응에도 관여한다 (Chimienti 등, 2003). SLURP2는 심상성 건선의 발병 기전에 관여한다고 추측되며, 이 경우에서는 상향 조절된다 (Tsuji 등, 2003). RUP1과 RUP2는 쥐에서 발견되며, 분비성이고 glycosylation을 일으킨 단백질이라고 보고되었으나 기능에 관해서는 잘 열려져 있지 않다 (Southan 등, 2002).

Li 등 (2006)은 생쥐의 정낭에서 분비성 Ly-6 단백질인 secreted seminal vesicle Ly-6 protein 1 (SSLP1)을 정제하였다. SSLP1은 21개의 아미노산 펩티드를 가진 17 kDa의 당단백질이며, 8,720 Da의 분자 덩이인 중심부 단백질은 78개의 아미노산 잔기를 가지고 있고, 다른 분비성 Ly-6 단백질과 마찬가지로 10개의 cystine 잔기를 가지고 있다. 염색체 9에 위치한 *Gm191* 유전자가 SSLP1을 코드화한다. 이들 연구자는 Northern blotting을 이용하여 *SSLP1* mRNA가 정낭에서 뚜렷하게 발현되었으며, 면역조직화학 분석을 통해 SSLP1이 정낭의 내강 액체와 점막 상피에서 관찰된다고 보고하였다. 또한 이들 연구자는 정낭 내의 *SSLP1* mRNA 및 SSLP1 단백질의 양은 테스토스테론에 의해 조절되며 동물의 성숙 단계와 관련이 있다고 하였다. SSLP1은 두 가지의 N-glycosylation 부위, 즉 Asn10과 Asn54를 가진 당단백질인 데 비해, SVS7 (Luo 등, 2001)과 SLURP1 (Chimienti 등, 2003)은 당단백질이 아니며 RUP1과 RUP2는 하나의 N-glycosylation 부위만 가지고 있다 (Southan 등, 2002). SSLP1과 SVS7은 여러 유사점을 가지고 있는데, 유전자의 위치가 염색체 9로 동일하며, 조직 특이적으로 생쥐의 정낭에서 발현되고, Ly-6 단백질 가족에서 보이는 cystine 잔기를 가지고 있다. 그러나 glycosylation의 측면에서 차이를 나타내고 염기 서열의 상동성이 낮다. SSLP1은 조직 특이적으로 발현되기 때문에, 수컷 생쥐의 생식에서 어떠한 생리학적 역할을 할 것으로 추측된다.

정낭과 관련해서는 '3장 전립선 분비 단백질' 중 '4. Semenogelin Ⅰ과 Ⅱ'와 '7장 사정액의 응고와 액화'를 참고하면 도움이 된다.

부고환과 분비액

EPIDIDYMIS AND ITS SECRETION

1. Evolutional Consideration Of Epididymis 235

2. Function Of The Epididymis 237

3. Cytoplasmic Droplet 245

4. Excess Residual Cytoplasm (ERC) 249

5. Control Of Epididymal Function 252

부고환과 분비액
EPIDIDYMIS AND ITS SECRETION

부고환의 해부조직학적 고찰은 '1장 서언'에서 기술되어 있으며, 여기서는 부고환의 기능과 분비액에 관한 사항을 기술하고자 한다.

1. 부고환에 관한 진화론적 고찰
Evolutional Consideration Of Epididymis

생쥐로부터 코끼리까지 많은 포유동물에 대한 연구를 거듭한 끝에 포유동물의 부고환은 정자를 고환으로부터 이송시킴은 물론 정자를 성숙시키고 저장함으로써 남성의 생식 과정에서 중요한 역할을 한다는 개념이 정립되었다. 그러나 사람에서 부고환의 주된 역할이 고환을 통과하는 정자의 성숙과 저장인지, 아니면 둘 중 하나에 대해서만 역할을 하는지 의문이 일어났다 (Cooper, 1990). 이에 관한 답을 얻기 위해서는 척추동물의 부고환이 체내 수정에 맞도록 진화하면서 적응된 기관이라는 인식이 필요하다. 또한, 부고환은 고환 크기, 대사율, 교배 방식, 배란 패턴 등의 인자로 인해 종에 따라 다른 역할을 한다고 생각된다. 부고환의 생물학적 중요성을 이해하고 종별 차이에 관한 개념을 정립하기 위해서는 포유동물에서 정자의 성숙과 저장에 관한 부고환의 역할을 비교하여 조사해 볼 필요가 있다.

모든 파충류, 조류, 포유동물, 연골어류와 같은 일부 어류, 양서류 등에서는 수정이 체내에서 일어난다. 정황 증거로는 척추동물의 수컷과 암컷이 가진 생식선 (gonad) 밖의 생식관은 체내 수정을 하기 위해 정자를 이송할 수 있도록 진화되었다. 암컷이 가진 생식선 밖의 관이 발달함에 따라 수정과 배아의 발생이 안정된 환경에서 보호를 받게 되었다. 이러한 진화는 지연 수정, 배아 휴면 (embryonic diapause), 발달 연장 등과 같은 생식에서의 많은 적응 현상을 유도하여 생존하기에 가장 적합한 시기 그리고 발달하기 적절한 단계에서 출산하도록 개선되었다. 그러나 체내에서 수정하는 많은 척추동물의 경우 생식선 밖의 생식관 시스템은 암컷보다 수컷에서 더 정교하다. 연골어류를 예로 들면, 연골 어류에서 난소 밖의 관 시스템은 난관과 자궁으로 구성되어 있는 반면, 고환 밖의 관 시스템은 수출세관, 부고환관으로 구성되어 있고 주 부고환관은 최소 두 구역으로 분화되었으며, Leydig 샘은 상당량의 단백질을 부고환관 내로 분비한다.

그러나 아직까지 수컷에서나 암컷에서 생식선 밖의 관 시스템에 관한 생물학적 중요성이 충분하게 밝혀져 있지 않다. 수컷에게 있는 관의 기능 중 일부는 체외 수정보다 체내 수정을 위해 필요한 추가 사항들에 대해 대처할 수 있도록 진화하였다. 체외 수정에서는 정자가 난자 가까이에서 방출되고 수분 내에 난자에 침투해 들어가야 하는 데 비해, 체내 수정의 경우에는 정자가 수정 장소까지 상당한 거리를 스스로 추진해 나갈 수 있으며 성숙한 난자는 수정 장소에 정자가 도착할 때까지 기다릴 수 있는 능력을 가지고 있다. 또한, 정자는 암컷의 면역계에 의한 공격에 대처할 필요가 있다. 체내 수정을 얻기 위해 필요한 정자 운동성의 향상 등과 같은 여러 발달 사항 중 일부는 고환에서 일어난다. 한편, 부고환은 정자의 수명을 연장시키고 암컷의 면역계로부터 표면 항원을 보호하는 역할을 한다. 부고환은 또한 여러 연령의 정자를 혼합하는 기능을 한다 (Orgebin-Crist, 1965). 이는 하나의 표본 내에서 개개의 정자가 서로 다른 시점에서 수정 능력을 획득하고 첨단체 반응 (acrosomal reaction)을 일으키는 이유를 설명해 주며 (Cuasnicu와 Bedford, 1989), 난소를 수정시킬 수 있는 정자가 동시에 생산된다기보다 어떠한 기간에 걸쳐 생산되는 효과를 나타낸다 (Jones, 1975). 이 점이 체내 수정과 체외 수정 사이에서 뚜렷한 차이점이다.

체내 수정은 수정과 발생을 위한 보호 환경을 제공할 뿐만 아니라, 수컷과 암컷의 생식선세포 (gamete)가 같은 시점에서 생식선으로부터 방출되지 않도록 한다. 이로써 암컷은 자연적으로 선택의 기회가 증가하여 자신이 자손의 유전체를 만들 수컷을 결정하고 선택할 수 있게 된다. 예를 들면, 암컷은 가장 바람직한 수컷을 선택한 후 발정기 시작 시점에서 수정할 수 있는지 확인하기 위해, 그 다음에는 배란 가까이에서 수정 확률을 높이기 위해 한 수컷과 교배를 한다. 이와 같이 암컷이 선택권을 가짐으로 인해 수컷들 사이에서는 부권을 획득하기 위해 상당한 경쟁이 일어난다. 이러한 '정자 경쟁'은 파충류, 조류, 영장류를 포함한 포유동물에서 일어나며, 최종적인 수컷이 암컷과 교배함으로써 부권을 차지하게 된다 (Parker, 1984).

수컷이 부권을 획득하기 위해서는 성적 매력의 표현, 끈질김 등과 같은 많은 요소가 필요하겠지만, 기본적으로는 다른 수컷이 암컷을 유혹할 때 자신이 재차 수정시킬 수 있는 능력을 보유할 필요가 있으며, 암컷은 발정기 동안 한 번 이상 교배할 수 있는 능력 또한 필요하다. 하렘 교배 시스템, 즉 수컷 1마리에 암컷이 여럿인 경우에서는 여러 암컷이 동시에 발정기를 가질 수 있다. 이러한 환경에서 수컷 사이의 경쟁은 정자 생성 속도가 비교적 빠른, 즉 더 큰 고환을 가진 수컷이 선택되도록 만들며, 조류와 영장류를 포함한 포유동물에서는 고환의 크기와 일부다처제가 상호 관련이 있다는 보고가 이를 입증한다 (Harcourt 등, 1981). 그러나 동물에서는 고환의 크기가 상대적 성장 (allometry; 동일 개체에서 각 신체 부위의 상대적 성장)의 한계로 인해 무작정 커질 수 없기 때문에, 수컷의 입장으로 볼 때 교배가 흔한 기간 동안 정자를 축적하고 저장할 수 있다면 유익할 것이다. 척추동물의 수컷 대부분에서는 정자를 형성하는 기간이 길어 교접 전 구애하는 기간 동안 단시간에 정자를 생산할 수 없기 때문에 교배 혹은 산란에 이용할 정자를 필수적으로 저장해 둘 필요가 있다. 예를 들면, 변온 동물에서의 정자 형성은 주위 환경의 온도에 따라 5주~12개월 소요되며 (Roosen-Runge, 1977), 포유동물의 고환은

종에 따라 다르지만 1일 0.5~2회 사정에 충분한 정자를 생산한다. 체외 수정을 하는 동물에서는 정자의 형성이 낭에서 일어나며, 성숙 낭은 정자의 유리 (spermiation; 정세포에서 정자가 되는 과정에서 정모세포를 서로 묶어 놓았던 세포질 다리가 끊기면서 독립된 작은 정자로 변하는 과정)까지 고환의 표면에 저장되어 있다 (Roosen-Runge, 1977). 그러나 한 번의 산란을 목표로 성숙 정자의 대부분 혹은 전부가 방출되기 때문에 정자의 다음 세대가 충분하게 성숙하여 방출되는 데는 어느 기간이 필요하다. 체내 수정을 하는 동물에서는 정자가 고환보다 부고환에 축적되고 저장되는 것이 더 유익하다. 왜냐 하면, 정자가 부고환에 저장되면 정자 유리와 정자 유리 사이에 있는 휴식기 없이 연속으로 정자 형성이 가능하고, 각 교배 때 제한된 수의 정자를 내보내는 조절이 고환보다 부고환이 더 유리하기 때문이다.

연작류 외의 조류와 음낭을 가진 포유동물의 두 척추동물 군에서 고환과 부고환의 역할을 비교 연구한 자료는 정자 생산 전략이 다른 데 따른 대처 방안으로 배란 패턴이 변하여 포유동물은 짧은 시간에 걸쳐 여러 마리의 새끼를 낳을 수 있도록 모든 난자를 한 번에 배란하는 반면, 조류는 한 배의 알을 생산하기 위해 수주 동안 매일 배란을 함을 보여 준다 (Jones, 1999). 경쟁적인 교배 환경에서는 한 수컷이 한 암컷에게 배란 전에 정액을 수회 주입하는데, 예를 들면 수컷 조류는 수주 동안 날마다 여러 번 교배할 능력을 가지고 있다. 포유동물은 1~2일 동안 발정기에서만 정액을 주입하도록 진화된 한편, 암컷 조류는 모든 알이 수정되도록 정자를 저장하는 능력을 발전시켰다. 메추라기는 정액을 계속 생산할 필요가 있는 조건을 포유동물보다 4배 큰 정자 생산율로 대처하였다. 그들 정자는 고환을 떠나 0.72 m의 짧은 미분화된 부고환관을 1일 동안 통과하면서 실제로 성숙한다 (Howarth, 1983). 포유동물의 정자는 난자를 수정시킬 능력이 없는 상태로 고환을 떠나며, 10~16일에 걸쳐 길고 (쥐의 경우 3.4 m, 숫양의 경우 50 m) 잘 분화된 부고환관을 통과한다. 조류의 부고환은 정자를 생존 가능한 상태로 유지할 수 없는 데 비해, 포유동물의 부고환은 6주간 생존력을 유지할 수 있으며 첫 1주 동안 수정 능력을 잃지 않는다 (Bedford, 1994). 정리하면, 메추라기의 생식 전략은 새로운 정자의 연속적이고도 신속한 생산인 데 비해, 포유동물의 생식 전략은 고환을 통과한 정자의 변화 그리고 교배 시 이용 가능한 정자의 축적 및 저장이다. 메추라기는 정자를 저장하기보다 신선한 정자를 이용하는데, 포유동물에서

도 정자가 저장되어 있는 기간 동안 어느 정도 생존력을 상실하기 때문에 마찬가지의 이점을 가진다 (Bedford, 1994). 이와 같이 신선한 정자를 이용하기 위해서는 메추라기 경우처럼 정자 생산율이 높아야 가능하다.

2. 부고환의 기능
Function Of The Epididymis

부고환은 부고환세관의 해부학적 구조, 부고환관의 신경 및 혈관 분포, 부고환의 조직학 등의 측면에서 구역별로 차이가 있는데, 이는 부고환이 실제로는 다른 조직들이 연속으로 생겨나 하나로 만들어진 기관임을 추측하게 한다 (Vendrely, 1981). 정상적으로 고환의 정자는 운동성이 없고 난자를 수정시킬 수 없다. 정자는 부고환을 통과하면서 운동성과 수정 능력을 가지지만, 유출관 의폐색이 있는 경우에는 고환의 정자가 운동성을 가질 수 있다 (Jow 등, 1993). 폐색이 없는 경우조차도 고환의 정자는 미약한 운동성을 보일 수 있으며, 세포질 내 정자 주입술 (intracytoplasmic sperm injection, ICSI)을 실시할 경우에 난자를 수정시킬 수 있다. 정자의 기능적 능력이 부고환을 통과해야만 얻어지는지 혹은 관 폐색이 부고환의 생리에 어떤 영향을 미치는지에 관한 분명한 연구 결과는 아직 제한적이다.

2.1. 정자의 운반 Sperm transport

측정 자료에 따라 다르지만, 정자가 사람의 부고환을 통과하는 데는 2~12일이 소요된다 (Rowley 등, 1981). 정자가 부고환의 두부와 체부를 통과하는 시간은 미부를 통과하는 시간과 비슷하다. Amann (1981)은 정자가 부고환을 통과하는 시간은 연령보다 고환의 1일 주기 동안의 정자 생산율에 의해 영향을 받는다고 추측하였다. Johnson과 Varner (1988)는 20~49세와 50~79세의 두 그룹에서 정자가 부고환을 통과하는 데 걸리는 시간의 차이를 발견하지 못하여 이 가설을 지지하였다. 또한 그들은 정자가 부고환을 통과하는 시간은 고환 1개당 3400만 마리로 1일 정자 생산율이 낮은 남성에서는 평균 6일인데 비해, 고환 1개당 1억 3700만 마리로 1일 정자 생산율이 높은 남성에서는 평균 2일임을 관찰하였다. Amann (1981)은 성 활동이 정자가 부고환의 두부 및 체부를 통과하는 시간에는 영향을 주지 않았으나, 최근에 정액을 방출한 경우에는 정자가 부고환의 미부를 통과하는 시간이 68%까지 감소했다고 하였다.

건강한 남성 11명, 정관절제술 남성 1명, 기타 12명을 대상으로 고환과 부고환의 정자 비축량을 조사한 연구는 다음과 같은 결과를 보고하였다 (Amann과 Howards, 1980). 첫째, 19개의 고환에서 측정된 고환 무게의 평균은 16.9 ± 1.2 g이었으며, 매일 생산된 정자의 수는 $1.4\sim6.3\times10^6$/g, 평균 4.25×10^6/g이었다. 둘째, 전체 23명 중 20~50세 남성의 67%가 1일 $45\times10^6\sim207\times10^6$마리의 정자를 생산하였다. 정관절제술을 받은 남성에서 1일 생산되는 정자의 수는 정상 범위이었다. 셋째, 건강한 남성에서 부고환 1개당 정자의 비축량은 182×10^6이었으며, 그들 중 26%, 23%, 52%가 각각 부고환의 두부, 체부, 미부 내에 있었다. 넷째, 생식선 밖의 정자 비축량은 총 440×10^6마리이며, 이들 중 225×10^6마리는 부고환 미부와 정관에 있으면서 사정 때 이용되었다. 정관절제술을 받은 남성에서 생식선 밖의 정자 비축량은 7×10^6마리이었다. 다섯째, 정자가 부고환의 두부, 체부, 미부를 통과하는 시간은 각각 0.72일, 0.71일, 1.76일로 추정된다. 여섯째, 결론적으로 사람에서의 정자 생산은 붉은털원숭이 등 기타 포유동물에 비해 훨씬 비효율적이며, 생식선 밖에 비축되는 정자의 수는 적고, 부고환의 두부와 체부에서 정자가 성숙하는 데 소요되는 시간은 2일 미만이다.

일반적으로 사람의 부고환 내강에서는 정자의 운동성이 없다고 알려져 있어, 부고환을 지나는 정자의 이동에는 정자 자신의 운동 외의 다른 기전이 관여할 것으로 추측된다. 이러한 기전은 동물을 대상으로 실시한 연구의 결과로부터 추정해 볼 수 있다 (Courot, 1981; Jaakkola, 1983). 먼저 정자는 고환망 (rete testis)의 유동 액체에 의하여 고환의 수출관 (ductuli efferentes)으로 운반된다. 유체의 흐름은 부고환관의 상피세포에 의해 수분이 흡수됨으로 촉진되는데, 이러한 흡수는 에스트로겐 수용체의 작용에 의해 매개된다. 수출관을 둘러싼 근육 유사 세포 (myoid cells)의 수축과 운동 섬모가 부고환 내에서 정자의 이동을 돕는다. 부고환을 통한 정자의 이동을 일으키는 주 기전은 부고환관을 둘러싸고 있는 수축 세포의 자연적인 율동성 수축이다. 부고환 내에서 아드레날린성 신경의 분포와 평활근의 구역에 따른 배치는 부고환관을 통해 정자가 정관으로 적절하게 이동하도록 돕는다.

2.2. 정자의 저장 Sperm storage

정자는 부고환의 두부와 체부를 지나 부고환의 미부에 저장되는데, 저장 기간은 성 활동의 정도에 따라 다양하다. Amann (1981)은 21~55세 연령군의 각 부고환에서 평균 약 1.55억~2.09억 마리의 정자가 있음을 관찰하였으며, Johnson과 Varner (1988)도 남성의 부고환이 정자를 저장하는 기능에 관하여 비슷한 관찰을 하였다. 사람에서는 전체 부고환 정자 수의 약 1/2이 미부에 저장된다.

부고환의 미부에 저장된 정자는 점차 운동성과 난자를 수정시킬 능력을 가지게 된다. 정자가 수정 가능한 상태로 부고환에서 얼마간 저장되는지는 분명하지 않다. 실험 동물을 이용한 이전의 연구는 정관을 결찰한 후 정자가 부고환에서 수주 동안 생존이 가능한 상태를 유지한다고 하였다 (Young, 1929). 그러나 토끼 (Cooper와 Orgebin-Crist, 1977)와 쥐 (Cuasnicu와 Bedford, 1989)를 대상으로 실시한 생체 실험은 정상 시간보다 더 오랫동안 정자가 부고환에 머물면 정자의 생식력이 떨어진다고 하였다. Johnson과 Varner (1988)도 사람에서 부고환을 통과하는 시간이 길어져, 저장 기간이 연장됨으로써 정자가 나이가 들게 되면 생식력이 감퇴된다고 하였다. 이러한 가설은 오랜 기간 저장된 정자의 경우에는 운동성이 떨어지고 투명대 (zona pellucida)가 제거된 햄스터에서 난자와의 결합력이 감퇴된다는 보고 (Yeung 등, 1993)에 의해 지지를 받고 있다. 이에 관해서는 추가 연구가 필요하다.

부고환 내에서 배출되지 않은 정자의 운명은 분명하게 밝혀져 있지 않다. 실험 동물을 이용한 연구는 정자를 제거하는 다양한 기전을 제시하였다. 쥐와 기니피그의 정자는 정낭으로 자연 배출되며, 그 후 스스로 입으로 청소하여 정자를 제거한다 (Martan, 1969). 숫양은 매일 생산되는 70억 마리의 정자 중 약 90%를 소변으로 배출시키는 데 비해 (Lino 등, 1967), 황소에서는 고환에서 생산된 정자의 50% 정도가 부고환의 흡수를 통해 제거된다 (Amann과 Almquist, 1961). 정관을 결찰한 사람의 부고환에서는 대식세포에 의한 정자의 식세포 작용 (phagocytosis)이 관찰되었다 (Phadke, 1964). 쥐를 대상으로 실시한 연구는 정관의 말단과 샘이 식세포 작용을 가져 정자를 흡수한다고 하였으며 (Cooper와 Orgebin-Crist, 1977), 사람과 원숭이를 대상으로 평가한 연구는 정관 팽대부의 상피세포에 의한 정자식세포 (spermiophage)의 작용을 보고하였다 (Murakami 등, 1988). 그러나 정관이 개통된 남성

에서 부고환 내의 많은 정자가 정자식세포의 작용, 자연 방출, 부고환의 재흡수 등에 의해 제거된다는 추가 연구에 의한 분명한 결과가 보고된 바는 없다.

2.3. 정자의 성숙 Maturation of spermatozoa

실험 동물과 가축에 관한 연구는 부고환이 단순히 정자에 대한 통로 및 저장소로서만 기능을 하지 않고 정자가 점진적인 운동성과 생식력을 가지도록 하는 성숙 과정을 지속시키는 역할을 한다고 하였다. 여러 보고는 유사한 과정이 사람에서도 일어난다고 추측하였다.

2.3.1. 정자 운동성의 성숙 Sperm motility maturation

사람의 정자는 부고환을 이동하면서 운동 능력이 증가한다 (도표 95). 정자 운동성의 성숙은 정자의 운동 패턴에서의 변화뿐만 아니라 성숙한 운동 패턴을 가진 정자의 비율이 증가하는 과정이다. Bedford 등 (1973)은 고환의 수출관에서 채집된, 그리고 배양 배지에서 재부유된 정자의 대부분은 운동성이 없고 단지 약한 꼬리 운동만 나타냄을 관찰하였다. 이들 표본 내에 있는 소수의 정자는 미성숙한 꼬리 운동을 가지는데, 꼬리의 파동은 진폭이 크면서 주파수는 낮은 특징을 보이며 거의 전진 운동을 하지 못한다. 미성숙 운동 패턴을 가진 정자의 수는 부고환의 기시부에서 증가하며, 더 원위부인 부고환 체부의 중간에서는 미성숙 운동을 보이는 정자의 비율이 감소하는 대신, 주파수가 높고 진폭이 작은 파동을 특징으로 하는 성숙한 운동 패턴을 가지고서 전진 운동을 하는 정자의 수가 증가한다. 배양 배지에서 희석될 때는 부고환의 미부에 있는 정자의 50% 이상이 성숙한 운동 패턴을 가지며, 나머지는 비운동성이거나 부고환의 근위부에서 관찰되는 미성숙 운동 패턴을 나타낸다. Moore 등 (1983)도 사람의 정자가 부고환을 통과하는 동안 점차 운동성을 가진다는 관찰 결과를 확인하였다. 생리적 희석액에서 부유시킨 후 컴퓨터를 이용하여 정자를 분석한 Yeung 등 (1993)은 수출관으로부터 부고환의 미부로 가면서 정자의 직선 및 곡선 운동 속도가 증가함을 관찰하였다. 그러나 그들은 운동성 정자의 비율이 수출관에서 부고환 체부까지는 증가하지만 부고환 체부의 원위부로부터 부고환 미부까지는 감소한다고 하였다. 저자들은 부고환의 미부에서 정자 운동성이 감소되는 이유는 장기간의 저장 때문이라고 하였다.

도표 95 여러 종에서 부고환의 부위에 따른 전진 운동 (곡선 및 직선 운동) 정자의 퍼센트

종	부고환										관찰 방법 및 참고 문헌
	기시부	두부			체부			미부			
		상부	중부	하부	상부	중부	하부	상부	중부	하부	
쥐	-	-	50	-	55	-	55	75	-	55	Manual counting of videotape images (50 images/s); Yeung 등, 1992
숫양	-	-	-	15	15	50	65	-	78	75	Multiple moving exposure microphotography; Chevrier와 Dacheux, 1992
수퇘지	0	0	4	5	7	8	32	-	60	55	Phase-contrast microscopy; Jeulin 등, 1987
사람	-	-	-	0	-	21	-	-	22	-	CellSoft; Mathieu 등, 1992
	-	0	-	8	-	45	-	-	50	55	Video recordings; Dacheux 등, 1987

-, 운동성을 가진 정자의 퍼센트를 측정하지 않았음.
Jeulin과 Lewin (1996)의 자료를 수정 인용.

실험 동물을 이용한 연구는 운동성의 성숙이 부분적으로는 부고환과의 특별한 상호 작용과 관계없는 정자의 내인성 과정이라고 하였다. 햄스터와 토끼의 경우 정자는 일반적으로 부고환의 두부에서는 운동성이 없지만, 부고환의 체부를 결찰한 후에는 이 부위에서 운동성을 가진 정자가 발견되었다 (Horan과 Bedford, 1972). 그러나 결찰로 근위부에 체류된 정자가 운동성을 얻는 데 필요한 시간은 정자가 부고환관을 통과하면서 성숙한 운동성을 얻는 데 필요한 시간보다 훨씬 더 길다. 또한, 부고환의 체부를 결찰한 후 두부에서 관찰되는 정자의 운동성은 단기간만 지속하였다 (Bedford, 1975). 이들 자료는 정자는 타고나면서 어느 정도의 운동성을 가지지만, 정상적으로는 정자 운동성이 부고환관의 원위부로 이동하는 동안 부고환과의 상호 작용을 통해 성숙됨을 추측하게 한다.

부고환에서 발달하는 정자 운동성의 성숙이 특별한 부고환 부위와 관련이 있는지는 분명하지 않다. 선천적으로 정관이 없는 환자 혹은 부고환에 폐색이 있는 환자에 관한 연구는 부고환의 두부로부터 흡인된 정자의 운동성은 불량하다고 하였다 (Schlegel 등, 1994). 이러한 관찰은 이들 환자에서는 정자의 내인성 과정이 변하였다기보다 부고환의 기능이 변하였거나 감퇴되었음을 시사한다. 사람의 부고환에서 일어나는 정자 운동성의 성숙에 관해서는 추가 연구가 필요하다.

부고환의 장액 (plasma)에 있는 고분자량의 단백질과 유리형 L-carnitine과 같은 소분자는 생식세포를 '유능한 (competent)' 기능성 세포로 전환시킨다. 유리형 L-carnitine은 분자량이 162인 수용성의 작은 4급 아민으로서 높은 극성을 나타내며, 양극성 이온 (zwitterion)으로 분류된다. 유리형 L-carnitine은 미토콘드리아에서 일어나는 지방산의 β-산화에서 중요한 생물학적 역할을 담당한다 (Fritz, 1963). 포유동물의 대사에서 유리형 L-carnitine의 주된 역할은 acyl 잔기를 carnitine 분자에 있는 β-hydroxyl 기에 결합시켜 carnitine을 하나의 세포 구획으로부터 다른 세포 구획으로 전위시키는 것이다 (Marquis와 Fritz, 1964). 유기화합물의 -OH 혹은 -NH의 수소를 아세틸기 CH_3CO^-로 치환하는 반응인 아세틸화 형태의 L-carnitine, 즉 acetyl-L-carnitine (ALCAR)은 동물 조직에 분포되어 있는 주된 acyl-carnitine이다 (Bieber 등, 1982).

포유동물에서 유리형의 L-carnitine은 혈장으로부터 흡수되어 부고환의 장액 내로 운반된 후, 정자 내로 들어가 유리형 및 아세틸화 L-carnitine으로 축적된다. 유리형 L-carnitine의 농도는 유기체의 부고환 장액과 정자에서 2~100 mmol/L로 가장 높으며, 쥐의 경우 혈액, 근육, 고환에서 각각 50 mmol/L, 1~5 mmol/g, 0.2 mmol/g으로 보고되었다 (Bohmer와 Molstad, 1980). 토끼의 정자에서는 유리형 L-carnitine의 축적이 dihydrotestosterone (DHT)과 같은 안드로겐에 의해 촉진된다 (Casillas와 Chaipayungpan, 1982). 부고환의 정자에 의해 축적된 유리형 L-carnitine은 오직 부고환의 미부에서만 신속하게 아세틸화된다. 이와 같은 결과는 부고환을 통과하는 동안 일어나는 지질 합성의 감소, 산화 인산화의 증가 등과 같은 정자 대사의 변화와 관련이 있다 (Dacheux 등, 1979).

부고환관에서 유리형 L-carnitine의 농도가 증가하기 시작하며, 그렇게 농도가 증가하기 시작하는 부위는 변동이 심하지만 흔히 부고환 두부의 근위부와 원위부 사이에서 관찰된다. 유리형 L-carnitine의 농도는 점차 증가하며, 농도의 최저치와 최고치 사이의 차이는 종에 따라 다르다. 토끼와 햄스터의 부고환 미부로부터 채집된 부고환의 장액에서는 ALCAR의 농도가 증가하지만 (Casillas 등, 1984), 돼지에서는 증가되지 않는다 (Jeulin 등, 1987). 사람에서는 측량 방법이 아닌 생

체 자가 기록법 (bioautography)을 이용한 경우 부고환의 미부에서 극히 미량으로 발견된다 (Golan 등, 1983). 정액 내에서 ALCAR의 근원지는 사람의 경우 정관의 팽대부 및/혹은 정관으로 추정되며 (Soufir와 Jeulin, 1985), 양에서는 정낭과 정관에서 기원하지만 일부는 부고환의 원위부에서 유래된다 (Golan 등, 1983). 부고환의 구역별 농도는 종과 저자에 따라 상당한 차이를 보이는데, 그 이유들 중 하나는 각 구역별로 채집된 내용물의 양이 0.1~1.0 mL로 너무 소량이기 때문에 유리형의 L-carnitine 및 ALCAR에 대해 미량 분석을 시행하기가 어렵다는 것이다. 그러나 모든 종에서 부고환 미부의 유액 내에 있는 유리형 L-carnitine의 농도는 혈장 농도보다 약 2,000배 더 높다 (Jeulin과 Lewin, 1996).

부고환으로 들어가는 정자는 운동성이 없으며, 그들 정자에서의 유리형 L-carnitine 농도는 매우 낮거나 발견되지 않는다. 정자는 부고환을 통과하는 동안 편모 운동을 할 수 있는 능력을 얻게 되고, 내강의 유액으로부터 매우 높은 농도의 유리형 L-carnitine이 유입되어 축적된다. 생체 실험에서는 정자가 사정액에서 처음 운동성을 나타내었지만, 체외 실험에서는 정자 운동의 시작이 부고환의 유액 내에서 (Armstrong 등, 1994) 혹은 식염수 배양액으로 희석된 후 (Cooper, 1986) 관찰된다고 보고되었다. 정자의 운동은 전진 혹은 비전진 운동, 곡선 혹은 직선 운동 등 여러 패턴으로 1초 혹은 수초 동안 나타난다. 1980년대 이후 여러 연구팀이 정자 내에 있는 유리형 L-carnitine의 축적과 운동 능력 사이의 관계를 규명하고자 노력하였으며 (Hinton 등, 1981; Jeulin, 1994), 이를 위해 두 가지의 접근 방법이 이용되었는데, millimole 농도의 외인성 유리형 L-carnitine과 ALCAR을 투여한 후 부고환 및 사정액 내에서 운동하는 정자의 퍼센트와 편모 운동의 패턴을 연구하는 방법과 식염수 배양액을 이용한 체외 실험에서 여러 구역의 부고환관으로부터 채집한 정자가 운동을 시작하는 능력과 정자 내의 ALCAR 및 유리형 L-carnitine의 농도 사이의 관련성을 연구하는 방법이다. 사람을 대상으로 주관적 및 객관적 측정법을 이용한 Tanphaichitr (1977)와 Jeulin 등 (1981)은 ALCAR을 첨가한 후에 운동성을 가진 정자의 퍼센트가 유의하게 증가함을 관찰하였다. 수퇘지를 이용한 Jeulin 등 (1987)은 부고환 체부의 원위부에서 전진 운동을 가진 정자의 퍼센트와 ALCAR 및 유리형 L-carnitine의 농도가 함께 증가함을 관찰하였다. Bruns와 Casillas (1990)는 토끼와 햄스터의 부고환 장액 내 고농도의 ALCAR은 정자 운동성을 촉진하는데, 이는

ALCAR이 가수 분해되면 정자의 운동과 에너지를 위해 필요한 acetate 및 유리형 L-carnitine이 생성되기 때문이라고 하였다. 그러나 다음 결과는 이 가설에 의문을 가지게 한다. 사람을 대상으로 실시한 체외 실험에서 정액에 ALCAR을 첨가하면 사정액 내 운동성 정자의 퍼센트가 증가하였다 (Jeulin 등, 1981). 이러한 결과는 ATP가 고갈된 쥐의 정자가 나타내는 편모 운동이 배양액에 ALCAR 혹은 acetate를 첨가한 후에 항진되었다는 연구에 의해 지지를 받았다 (Jeulin, 1994). 즉, ATP가 고갈된 쥐의 정자에서는 유리형 L-carnitine만으로는 편모 운동에 영향을 주지 못하였다 (Jeulin 등, 1994). 이전에 활동성을 보였던 정자에서 에너지가 고갈된 경우에는 ALCAR이 운동을 자극하는 것은 분명하지만, 운동을 시작하는 데 어떠한 영향을 준다는 증거는 없다. Armstrong 등 (1994)은 쥐를 대상으로 분석한 연구에서 정자 운동을 유발하는 세포 내의 신호 경로는 guanylate/adenylate cyclases와 Ca^{2+}에 의해 조절되며 단백질의 cAMP 의존성 인산화를 필요로 한다고 하였다. 즉, 그들은 정자가 운동을 시작하는 것은 carnitine 시스템과는 무관하다고 하였다.

대부분의 저자들은 정자가 부고환을 통과하는 동안 부고환의 장액으로부터 유리형 L-carnitine이 유입되어 정자에 축적된다는 점에 동의한다. 돼지를 이용한 연구는 유리형 L-carnitine이 수동적 확산을 통해 미성숙 및 성숙 정자의 형질막을 통과한다고 보고한 데 비해 (Jeulin 등, 1994), 소를 이용한 연구는 부고환 두부의 정자와는 다르게 부고환 미부의 정자는 유리형 L-carnitine을 투과시킬 수 없다고 하였다 (Casillas, 1973). 양과 돼지에서는 고농도의 ALCAR이 부고환의 성숙 정자에서만 발견되었지만 (Inskeep와 Hammerstedt, 1982), 햄스터의 경우에는 부고환의 모든 부위에 있는 정자에서 ALCAR의 농도가 일정하게 높았다 (Casillas 등, 1984). 소에서는 정자의 전진 운동의 시작과 정자 내 유리형 L-carnitine 및 ALCAR 농도의 큰 증가 사이에 연관성이 있음이 관찰되었다 (Jeulin 등, 1987). 이들 자료는 부고환의 유액으로부터 유리형 L-carnitine이 축적된 성숙한 정자 혹은 생존 가능한 정자는 유리형 L-carnitine을 아세틸화할 수 있음을 짐작하게 한다.

정리하면, 유리형 L-carnitine 및 ALCAR의 내재성 작용과 전진 운동을 보이는 정자의 퍼센트 사이에 관련이 있다는 사실은 이러한 대사적 기능이 편모 운동에서 중요한 역할을 함을 시사한다. 부고환에서 일어나는 정자 운동의 시작 능력은 carnitine 시스템과는 무관하며, ALCAR에 의한 에너지의 활용

은 에너지 위기 상황에서만 적용된다고 생각된다. 성숙한 정자에서 세포질 내로 일어나는 유리형 L-carnitine의 흡수는 보호 성격을 가진 미토콘드리아의 대사에 필요하며 세포의 생존과 관련이 있다 (Jeulin과 Lewin, 1996).

2.3.2. 정자 생식력의 성숙 Sperm fertility maturation

실험 연구로부터 나온 설득력 있는 증거는 고환 내의 정자가 난자를 본질적으로 수정시키지 못함을 보여 준다 (Bedford, 1974). 대부분의 동물에서 난자를 수정시키는 능력은 정자가 부고환의 원위부로 이동하면서 점차 얻어진다. 예를 들어 토끼를 이용한 Orgebin-Crist (1969)의 연구에 의하면, 부고환의 두부, 체부, 미부 내에 있는 정자는 노출된 난자의 1%, 63%, 92%를 각각 수정시킬 수 있었다.

여러 다른 연구 또한 사람에서도 정자 생식력의 성숙이 부고환에서 일어남을 추측하게 한다. 투명대가 제거된 햄스터의 난자를 이용하여 사람의 부고환 정자의 수정 능력을 평가한 Hinrichsen과 Blaquier (1980)는 부고환 근위부의 정자는 투명대가 없는 난자와 결합할 수 있는 데 비해, 부고환 미부의 정자는 난자와 결합하고 침투도 할 수 있다고 하였다. Moore 등 (1983)도 이와 동일한 관찰을 보고하였다. 이들 연구들은 사람에서 정자 생식력의 성숙은 대체로 부고환 체부의 원위부와 미부의 근위부에서 이루어짐을 보여 준다.

다른 연구들은 사람에서 정자의 생식력이 성숙하기 위해 정자가 부고환의 미부로 이동할 필요가 있는지에 대해 의문을 나타내었다. 의문을 제기한 연구에 의하면, 정관이 선천적으로 없거나 폐쇄된 환자가 수출관 위치에서 정관부고환문합술을 받은 후 임신할 수 있었으며, 문합수술 부위가 부고환의 아래쪽일수록 임신율이 더 높았다 (Silber, 1989). 선천성 무정관 혹은 생식관의 이차적 폐색을 가진 남성으로부터 흡인한 정자를 이용하여 보조 생식술 (assisted reproduction technique, ART)을 실시한 연구는 부고환의 길이가 더 길 때 정자의 수정 능력이 향상됨을 확인하였다 (Chen 등, 1995). 종합해 보면, 정관이 선천적으로 없거나 폐쇄된 환자에서는 정자 생식력의 성숙이 어느 정도는 부고환 두부에서 일어나지만, 정자의 수정 능력은 부고환을 통해 이동할수록 증대된다. 폐쇄된 부고환의 가장 원위부에는 늙었거나, 죽었거나, 퇴행성의 정자만 포함되어 있다 (Schlegel 등, 1994).

사람의 부고환에서 생식력이 성숙되는 위치를 확인하고자 하는 연구 중 투명대가 제거된 햄스터를 이용한 연구와 관이 폐쇄된 환자를 이용한 연구의 분명한 차이는 실험 동물을 이용한 이전의 연구에 의해 설명될 수 있다. 이들 연구는 정관이나 부고환을 수술로 결찰하여 관을 폐쇄시키면, 부고환관에서 생식력의 성숙이 일어나는 위치가 근위부로 변함을 보여 주었으며, 폐쇄 후에 일어나는 부고환의 변화는 비가역적이었다 (Bedford, 1988). 부고환의 내강을 통한 유액의 흐름은 관이 재개통되더라도 상당하게 감소된다 (Turner 등, 1990a). 이들 결과를 종합하여 보면, 실험 동물에서와 마찬가지로 사람에서도 관이 폐쇄되면 부고환에서 일어나는 정자 생식력의 성숙이 달라질 수 있다고 생각된다 (Bedford, 1994; Yeung, 1993). 정상 사람의 부고환에서 그리고 관 폐쇄 환자 혹은 선천성 무정관 환자의 부고환에서 정자의 생식력이 성숙하는 과정과 위치를 파악하기 위해서는 추가 연구가 필요하다.

부고환의 근위부에서 수정 능력을 습득한 정자의 수정 결과에 관해서는 논란이 되고 있다. 토끼를 이용한 Overstreet와 Bedford (1976)는 부고환 체부의 원위부로부터 채집한 정자로 수정시키더라도 배아의 사망이 증가하지 않았다고 보고한 반면, 토끼 (Orgebin-Crist, 1981), 양 (Fournier등, 1979), 쥐 (Paz 등, 1978) 등을 이용한 다른 연구는 부고환의 근위부에 있는 미성숙 혹은 젊은 정자를 이용하여 수정시키면 사정된 정자 혹은 부고환의 원위부에서 채집한 정자를 이용한 수정에 비해 배아 사망률이 증가했다고 하였다. 정관부고환문합술, 체외수정을 위한 부고환 두부의 정자 이용, 고환 혹은 부고환의 정자를 이용한 세포질 내 정자 주입술 (intracytoplasmic sperm injection, ICSI) 등의 빈도가 근래 들어 증가하는 추세이기 때문에, 그러한 논란을 해결하고 사람에서 그것이 타당한지를 평가하기 위해서는 앞으로 추가 연구가 필요하다.

2.3.3. 부고환에서 성숙 중 정자 내의 생화학적 변화
Biochemical changes in spermatozoa during epididymal maturation

정자는 부고환을 통과하면서 많은 생화학적, 분자적 변화를 일으킨다 (Yanagimachi, 1994) (도표 96). 사람에서의 정보는 드물지만, 정자 표면의 막은 부고환을 통과하는 동안 음전하를 띤다 (Bedford 등, 1973). 이러한 표면 전하의 변화는 정자 표면에 있는 필수적인 막 성분의 소실, 추가, 변경의 결과로 추정되며, 정자 표면의 항원성에서의 변화가 부분적으로는 이 때문에 일어난다고 생각된다 (Ross 등, 1990). 사람의 정자가 부고환에서 성숙하는 동안 일어나는 다른 변화로는

도표 96 정자가 사람의 생식기 중 주로 부고환을 통과하는 동안 일어나는 주된 생화학적 변화

① 부고환의 유동액 내로 분비된 단백질과 정자 원형질막 사이 관계의 변화; 전도 기전의 변화
② 핵 염색질 응축의 증가
③ 정자의 운동성 유발과 관련 있는 축사 (axoneme) 및 축사 주위 구조물의 변화
④ 정자의 대사성 경로 및 효소 활성의 변화; 이로써 정자는 부고환 미부에서 수개월 동안 저장이 가능하게 됨

Jeulin과 Lewin (1996)의 자료를 수정 인용.

정자 막에서 (Reyes 등, 1976), 혹은 정자의 머리와 꼬리에서 (Bedford 등, 1973) sulfhydryl 기의 disulfide로의 산화가 있다. Bedford 등 (1973)은 세포 내에서 disulfide 결합이 형성되면 정자의 머리와 꼬리가 전진 운동과 난자 내로의 성공적인 침투에 필요한 구조적 강직도를 얻게 된다고 주장하였다.

실험 동물에 관한 연구는 부고환을 통과하는 동안 사람의 정자에서도 일어날 수 있는 다양한 정자 막의 변화를 기술하였다. 정자의 막이 가진 여러 성질들, 즉 막 전위 (Abou-Halia 와 Fain-Maurel, 1984), lectin과의 결합 성질 (Hermo 등, 1992), 인지질 및 지질 함량 (Nikolopoulou 등, 1985), 당단백질 구성 (Brown 등, 1983), 항원성 혹은 면역 반응성 (Eddy 등, 1985; Brooks와 Tiver, 1984), 요오드화 (Olson과 Danzo, 1981) 등은 부고환 내에서 달라진다. Orgebin-Crist와 Fourni-er-Delpech (1982)는 쥐의 정자가 부고환을 통과하는 동안 정자의 막에 변화가 일어남으로써 난자의 투명대와 결합하는 능력이 증가한다고 보고하였다. 기니피그를 이용한 연구에 의하면, 정자가 부고환을 지나는 동안 필수 막 당단백질인 PH-30에서 변화가 일어난다 (Blobel 등, 1990). 이 당단백질이 정자와 난자 사이의 결합에 관여하는지 혹은 정자가 부착하는 난자 부위의 세포 골격을 재편성하는지는 분명하지 않지만, 이 당단백질이 수정에서 중요한 역할을 담당한다고 생각된다 (Green, 1993). 정자가 부고환을 통과하는 동안 달라지는 또 다른 정자의 막 당단백질 PH-20은 hyaluronidase의 작용을 가지며 난자를 둘러싼 난구세포 덩이 (cumulus oophorus)를 정자가 뚫을 수 있도록 돕는다 (Lin 등, 1994). 이와 같은 관찰은 정자의 생식력 성숙이 부고환에서 일어남을 보여 준다.

포유동물의 부고환에서 분비되는 단백질은 정자와 결합하며, 정자의 전진 운동 및 생식력과 관련이 있다. 사람의 정자가 부고환을 통과하는 동안 정자의 표면에는 24 kDa 와 37 kDa의 두 가지 sialoprotein이 나타난다 (Dacheux 등,

1987). Cluster of differentiation 52 (CD52)는 부고환에서 정자와 결합하는 glycosylphosphatidylinositol (GPI)-anchored glycoprotein이며, 살아있는 정자의 80%에서 발견되고, 운동성, 전진 속도, 생존력 등과 밀접한 관계가 있다 (Yeung 등, 1997a). 사람의 부고환에서 분비되는 20 kDa의 sialoprotein 인 glycoprotein 20 (GP-20)는 부고환의 상피, 정액장액, 정자의 표면 등에서 발견되지만 고환 내의 생식세포에서는 발견되지 않으며, 수정의 초기 단계에 관여한다 (Focarelli 등, 1998). 정자의 10~20%에서는 첨단체에서도 발견되지만, 주로 정자의 경부와 편모에 분포하는 18~19 kDa의 suppressor of phytochrome B-4 (phyB-4) #3 (SOB3)는 사람의 부고환 체부에 있는 정자에서 보이지만 고환 내에서는 발견되지 않으며, 투명대와의 이차 결합에 관여한다 (Martin Ruiz 등, 1998). 포유동물의 정자가 부고환을 통과하는 동안 얻어지는 표면 단백질인 34-kDa human sperm surface protein (P34H)은 부고환의 체부에서 분비되며 (Légaré등, 1999), 부고환에서 정자가 성숙하는 동안 정자의 첨단체에 나타난다 (Boue 등, 1996). P34H는 정자가 난자의 투명대와 결합하는 데 관여하며, P34H가 양성인 비율이 높으면 P34H가 음성인 경우에 비해 in vitro fertilization (IVF)의 성공률이 더 높다 (Sullivan 등, 2006). 이들 분자 외에도 사람의 부고환에서 정자의 성숙과 관련이 있는 83 kDa의 GP-83, 39 kDa의 GP-39 등 두 종류의 당단백질이 발견되었다 (Liu 등, 2000). 이와 같이 부고환에서 분비되는 단백질이 정자와 결합하는 과정은 부고환에서 성숙이 진행되는 동안 흔히 나타나는 기전이다.

정자의 성숙과 관련이 있는 GP-83는 등전점 (pI)이 6.57 이며, diethylaminoethyl (DEAE) ion exchange chromatog-raphy, Sephacryl S-300 gel filtration chromatography, pre-parative gel elution의 과정을 통해 정제된다 (Sun 등, 2000). Wheat germ agglutinin (WGA)을 이용한 검사로 생쥐의 부고환에서 GP-83가 확인된 바 있다 (Liu 등, 1991). 뉴질랜드 토끼로부터 제조된 GP-83 특이 항혈청을 이용한 연구에 의하면, GP-83는 부고환의 체부와 미부에 있는 정자 추출물, 조직, 유액 등에서 발견되었지만, 부고환의 두부에서는 발견되지 않았다. 면역조직화학 연구에서는 GP-83가 부고환의 체부와 미부에 있는 주세포 (principal cell)의 세포막과 핵의 상부 그리고 내강의 내용물에서 발견되었으며, 사정된 정자의 경우 첨단체의 전방에 있다가 수정 및 첨단체 반응 후에는 적도 구역 (equatorial region)으로 이동함이 관찰되었다.(Sun 등, 2000).

면역조직화학 연구는 GP-83가 처음에는 주세포의 부동섬모 및 핵의 상부에서 관찰되었다고 하였으나, 그 후에는 GP-83과 GP-39이 부고환의 두부를 제외한 체부 및 미부의 내강 내 용물, 조직 추출물, 정자 추출물에서 발견된다고 하였다 (Liu 등, 2000). 이들 결과는 성숙한 정자에서 발견되는 GP-83와 GP-39이 부고환의 체부 및 미부의 주세포에서 합성되고 분비 되며, 정자가 부고환을 통과하는 동안 정자와 결합함을 보여 준다. 그러므로 GP-83는 사람에서 정자의 성숙과 연관성이 있는 당단백질이라고 생각된다. DEAE ion exchange chro-matography를 이용한 정액장액 분석에서 GP-83는 전체 단백 질의 0.5%를 차지하기 때문에, 부고환에서 분비되는 GP-83가 정액장액의 주요 성분이라고 간주된다.

단일 특이 항체 (monospecific antibody)는 사람의 정자 성 숙과 관련이 있는 항원의 역할을 연구하는 데 이용된다. 운 동성, 전진 속도, 생존력은 CD52에 특이한 단일 클론 항체 인 CAMPATH-1G (alemtuzumab)에 의해 억제된다 (Yeung 등, 1997a). GP-20에 특이한 항혈청은 투명대가 제거된 햄스 터 난자에 대한 정자의 침투를 차단한다 (Focarelli 등, 1998). SOB3에 특이한 단일 클론 항체인 LB5는 사람 투명대에 대한 정자의 결합을 사정된 정자에 대해 35.7%까지, 첨단체와 반 응한 정자에 대해 59.9% 억제한다 (Martin Ruiz 등, 1998). 이 들 결과는 부고환에서 분비되어 정자의 성숙과 관련이 단백 질이 정자의 운동성과 생식력의 발달에서 중요한 역할을 함 을 시사한다. 첨단체 반응 후에는 GP-83가 정자의 적도 구역 에서 발견된다 (Sun 등, 2000). 적도 구역은 정자가 난자와 결 합하고 융합하는 장소이기 때문에 (Soupart와 Strong, 1974), 이러한 결과는 GP-83가 정자와 난자의 수정에 관여할 것으로 추측하게 하지만, 확인을 위한 추가 연구가 필요하다.

정자의 막에 위치해 있고 정자의 성숙에 관여하는 분자는 수정 능력의 획득 및 첨단체 반응의 과정 동안 재분포된다. GP-20는 수정 능력을 습득하는 동안 정자의 머리 및 중편에 서 적도 구역으로 이동하여 재분포된다 (Focarelli 등, 1998). GP-83는 첨단체 반응 후 첨단체 전방에서 적도 구역으로 이동 한다 (Sun 등, 2000). 이와 같은 GP-20와 GP-83의 재분포 기 전은 알려져 있지 않지만, 성숙 과정 동안 fertilin의 재분포에 관해서는 폭넓게 연구되어 있다 (Hunnicutt 등, 1997). Fertilin 은 소단위 α와 β를 가진 이질 이합체 (heterodimer)이며, 정 자와 난자의 융합을 매개한다. 고환 내의 정자가 가지고 있는 serine protease는 정자가 부고환 내에서 성숙하는 동안 일어

나는 방식과 유사한 방식으로 fertilin β를 변천시킨다고 생각 된다 (Lum과 Blobel, 1997). 정자의 단백질분해효소 작용이 GP-83의 이동에 관여하는지는 추가 연구로 확인할 필요 있다.

Fertilin α (ADAM1; 과거에는 PH-30 α로 명명되었음)와 fertilin β (ADAM2; 과거에는 PH-30 β로 명명되었음)는 a dis-integrin and metalloproteinase domain (ADAM) 가족의 막 단 백질로서 fertilin 복합체를 형성하여 정자와 난자 사이의 막 상 호 작용에서 핵심 역할을 수행한다. 수퇘지를 이용한 연구는 fertilin α 및 fertilin β mRNA가 고환에서 다량 생산되지만 정관 과 부고환에서도 생산되며, 정자 추출물을 immunoblots로 분 석한 연구에 의하면 fertilin α는 부고환, 특히 부고환 체부를 통 해 50~55 kDa의 여러 동형을 형성하는 하나의 활성 밴드로서 나타나는 데 비해, fertilin β는 ~90 kDa, ~75 kDa, ~50-55 kDa, ~40 kDa의 여러 밴드로서 발견된다 (Fàbrega 등, 2011). 이 연 구에서 고분자량의 단백질은 부고환 체부의 원위부에서 점차 감소하여 미부에서는 ~40 kDa의 저분자량의 동형만이 관찰 되었다. 여러 분자량의 밴드가 보이는 것은 주로 고환에서 일 어나는 fertilin α에 대한 단백질의 분해 과정과 부고환 두부에 서 일어나는 fertilin β에 대한 단백질의 분해 과정 때문으로 생 각된다. 면역학적 위치 확인법 (immunolocalization)은 정자 가 부고환 체부의 원위부에서 미부의 근위부를 통과하는 동 안 fertilin이 첨단체 부위에서 첨단체의 꼭지 부위로 이동함 을 보여 주었다. 이러한 이동은 정자 막에서 fertilin α가 추출 되는 비율이 다르기 때문이다. 이들 결과는 fertilin의 표면 이 동은 부고환에서 일어나는 fertilin α와 β에 대한 번역 후 변경 (post-translational modification)에 의한 생화학적 변화로 유 도된다고 추측된다. fertilin의 면역학적인 위치가 다양함에 따 라 부고환의 미부에는 여러 부류의 정자가 있게 된다. 완성된 fertilin 복합체의 특징은 부고환에서 일어나는 표면 막 단백질 의 성숙에 기초한 생식력의 표지자로 이용될 수 있다.

정자는 또한 부고환을 통과하는 동안 많은 대사적 변화를 일으킨다 (Voglmayr, 1975). 동물 실험을 이용한 연구는 당을 분해하는 작용의 증가 (Hoskins 등, 1975), 세포 내 pH 및 칼 슘 함량의 변화, adenylate cyclase 활성의 변화 (Casillas 등, 1980), 세포 내의 인지질 및 인지질과 유사한 지방산 함량의 변화 (Voglmayr, 1975) 등을 보고하였다. 이러한 변화가 부고 환을 통과하는 동안 사람의 정자에서도 일어나는지는 분명하 지 않지만, 정자가 부고환을 통과하는 동안 운동성과 생식력 이 증가하기 때문에 가능은 하리라고 생각된다.

2.3.4. 부고환의 기능에 관여하는 인자들

Factors involved in epididymal function

부고환이 어떠한 기전을 통해 정자를 운반하고, 성숙시키고, 저장하는지는 분명하지 않지만, 이들 과정이 부고환의 내강에 있는 유액과 분비물에 의해 영향을 받는다는 데는 이견이 없다. 이 유액의 성분에 대하여 Hinton과 Palladino (1988), Turner (1995), Hermo 등 (1994) 등이 검토한 바 있다. 동물을 이용한 연구는 부고환 유액의 성분이 혈청과 다를 뿐만 아니라 부고환 내에서 구역별로 다르다고 보고하였다. 내강에 있는 유액의 단백질 성분, 전해질 함량, 삼투압 등은 부고환의 구역에 따라 다양하다. 이와 같은 유액의 구획화는 부고환의 기능이 다면적임을 짐작하게 하는데, 이러한 다기능은 부고환의 세관에 따라 혈관 분포가 다르며, 혈관부고환 장벽이 반투과성 (semipermeability)을 나타내고, 부고환관의 길이에 따라 분비물이 다르면서 선택적인 흡수가 이루어지기 때문이라고 생각된다. 이러한 측면에서 여러 연구는 구역별로 다른 단백질의 합성 (Junera 등, 1988), 동물 (Cornwall과 Hann, 1995a)과 사람 (Kirchhoff 등, 1990)에서 부고환의 특이 구역에 따른 유전자 발현의 차이 등을 보고하였다. 사람의 부고환에 특이한 두 가지의 유전자가 복제되었으며, 이들에 상응하는 유전자 산물이 특징화되었다. *Human epididymal protein 2 (HE2)* 유전자는 부고환의 두부와 부고환 체부의 근위부에서 발현되며, 부고환의 상피와 정자 머리에 위치해 있는 첨단체 하부의 적도 구역에 있는 10 kDa의 분비성 glycopeptide를 코드화한다 (Osterhoff 등, 1994). 10 kDa의 *HE4* 유전자 산물은 부고환의 체부와 미부에서 발견되며, 세포 밖에 있는 단백질분해효소 억제제와 상동성을 나타낸다 (Kirchhoff 등, 1990). 부고환을 통한 정자의 성숙 과정에서 부고환에 특이한 유전자 산물들의 역할을 이해하기 위해 추가 연구가 필요하며, 이를 통해 이들 단백질을 더욱 특징화할 필요가 있다. 한편, 다른 연구에 의하면, 정자가 부고환을 지나는 동안 부고환의 두부에서 분비되는 특이한 단백질이 정자의 성숙에 영향을 주는 데 비해, 미부에 특이한 단백질은 정자의 저장에서 중요한 역할을 하며, 그러한 단백질은 부고환 자체 구조와 기능의 보전을 조절하는 기능도 가지고 있다 (De Pauw 등, 2003).

실험 연구에서 확인된 부고환 유액 내의 특이 성분으로는 glycerylphosphorylcholine, carnitine, sialic acid 등이 있다. 또한, 부고환의 유액은 정자를 보호하는 역할을 가진 단백질, 정자와 난자 사이의 상호 작용에 중요한 단백질 등 정자에 대해 생리학적 효과를 나타내는 단백질을 내포하고 있다. 정자의 기능에 영향을 주는 단백질의 예로는 forward motility protein (Brandt 등, 1978), sperm survival factor (Morton 등, 1978), progressive motility sustaining factor (Sheth 등, 1981), sperm motility-inhibiting factor (Turner와 Giles, 1982), 부고환의 두부 및 체부의 원위부에 있는 정자의 추출물에서 발견되고, 난자의 투명대와 정자의 결합을 유도하는 epididymal protein 2 (EP2)와 EP3 protein (González Echeverría 등, 1982), acidic epididymal glycoprotein (Pholpramool 등, 1983) 등이 있다. 부고환을 통과하는 동안 단백질의 분해, 산화성 손상 등으로부터 정자를 보호한다고 제시된 부고환의 단백질로는 γ-glutamyl transpeptidase (Hinton 등, 1991), proteinase 억제제 (Kirchhoff 등, 1991), glutathione peroxidase (Ghyselinck 등, 1991) 등이 있다. 부고환에서 분비되는 두 유형의 단백질이 정자와 난자 사이의 상호 작용에 영향을 준다고 보고되었는데, 정자와 난자의 결합에 직접 관여하는 단백질과 정자 막의 당단백질을 변경시키는 부고환의 효소가 그들이다. 정자와 난자의 결합에 관여하는 단백질의 예로는 protein D/E (Cuasnicu 등, 1984a), PH-30 (Kirchhoff 등, 1990), α-D-mannosidase (Cornwall 등, 1991) 등이 있으며, glycosyltransferase와 β-D-galactosidase는 정자 막의 탄수화물을 변경시켜 정자와 난자의 결합을 돕는다고 보고되었다 (Tulsiani 등, 1993). 정리하면, 부고환의 유액 내에 포함된 무기물, 유기물, 고분자의 성분 등은 정자가 여성의 생식기에서 정상적인 수정 능력을 가지게 하는 성숙 과정을 위해 독특하고도 적절한 환경을 조성한다.

안드로겐은 많은 특이 단백질을 합성하는 부고환의 기능을 조절하는 중요한 역할을 수행한다 (Jones 등, 1982). 이들 단백질의 일부는 부고환을 통과하는 동안 흡수되거나 혹은 분해되거나 혹은 정자의 형질막과 결합한다 (Syntin 등, 1996). 이들 고분자 중 당단백질이 가장 현저하다 (Bongso와 Trounson, 1996). 소를 대상으로 연구한 Reyes-Moreno 등 (2002)은 부고환 미부의 장액에서 β-adrenergic receptor kinase 2, antithrombin III, fibrinogen gamma-B chain 등을 확인했다고 보고하였으며, De Pauw 등 (2003)은 후자의 두 단백질은 부고환의 두부와 미부 둘 모두에서 분비된다고 하였다. 이들은 부고환의 미부에서만 분비되는 β-chain of clusterin도 발견하였다.

3. 세포질 비말 Cytoplasmic Droplet

모든 포유동물에서 정자는 정자 유리 (spermiation)라는 과정을 통해 Sertoli 세포의 표면으로부터 정세관 (seminiferous tubule)의 상피를 거치면서 길쭉한 정자세포의 세포질이 제거되고 최종 생식세포인 정자 형태를 갖추어 정세관의 내강으로 유리된다 (Hermo 등, 2010).

남성 불임증은 다양한 인자에 의해 발생되며, 전체 불임증의 약 1/2에 해당한다. 잘 알려진 원인 중 하나는 정자 형성의 정지 및 세포질의 불완전한 돌출로 인해 정자의 중편 (midpiece) 주위에 세포질이 과도하게 잔류되기 때문이며 (Rago 등, 2006), 이를 과다 잔류 세포질 (excess residual cytoplasm, ERC)이라 한다. 사정된 사람의 정자에서 발견되는 전형적인 세포질 비말 (cytoplasmic droplet, CD)과 비교해 볼 때, ERC는 질환을 일으킬 정도의 활성 산소종 (reactive oxygen species, ROS)을 생성하는 세포질 효소를 다량 함유하고 있다 (Gomez 등, 1996). 고농도의 ROS는 산화 스트레스를 유발한다. ERC는 궁극적으로 정자의 운동성 (Zini 등, 1998), 형태 형성 (Gomez 등, 1996), 생식력 (Ergur 등, 2002) 등에 영향을 줌으로써 남성 불임증을 일으킬 수 있다.

1909년 Retzius가 정상 CD를 처음 발견하였지만, CD의 중요성에 관한 연구 자료는 많지 않다 (Cooper, 2005). 고환에서 정자가 형성되는 과정 동안 '양육 (nurturing)' 기능을 가진 Sertoli 세포는 처음에 둥근 모양을 나타내던 정자형성세포 (spermatogenic cell)의 잔여 세포액 (cytosol)을 포식하며, 이로써 정자는 최종적으로 편모를 가진 날씬한 모양을 갖추게 된다. 이러한 포식 작용은 정자의 경부에 1~3 μm 직경의 작은 세포질 방울이 남을 때까지 계속된다 (Cooper, 2011). 생쥐를 포함하는 대부분의 종에서는 정자가 부고환을 통과하는 동안 CD는 아래의 중편 쪽으로 이동하며, 결국에는 중편과 주편 (principal piece) 사이의 연결 고리 (annulus)에 도달한다. CDs의 정확한 기능은 알려져 있지 않지만, 갑작스런 세포 외액 삼투질 (osmolyte) 농도 (osmolality)의 감소로 인한 정자 형질막의 손상을 방지하는 데 도움을 주며, 사정이 진행되는 동안 정자 세포액의 용적 증가와 관련이 있다고 추측된다. 사정 때는 형질막의 손상 없이 정상적으로 흘러나오며, 이 시점 이후에도 정자에서 CD가 남아있으면 최소한 수컷 생쥐, 황소, 수퇘지 등에서는 불임증과 관련이 있다 (Cooper, 2011). 사정 때 CD가 보존되어 있는 유일한 종이 사람이다. 사람의 정자는 여성 생식기 내에서도 CD를 보유하고 있으며, 수정 과정을 방해하지 않는다. 사람에서 관찰되는 기타 포유동물과의 또 다른 차이점은 CD가 중편으로 내려가지 않고 항상 경부에 머문다는 점이다 (Cooper, 2011).

3.1. 구조 Structure

포유동물의 CDs는 세포막으로 둘러싸여 있으며, 세포액과 세포 골격망 (cytoskeletal network)을 가진 세포질을 내포하고 있다 (Bloom과 Nicander, 1961). 쥐의 CDs에 관한 연구는 CD가 골지기관 (Golgi apparatus)과 세포질세망 (endoplasmic reticulum)의 구성물과는 다르게 소포 (small vesicles)와 층판 (lamellae)으로 구성되어 있다고 하였다. 사람을 제외한 포유동물의 성숙한 정자에서는 CDs가 중편의 원위부에서 발견된다. 사람의 성숙한 정자는 중편에 CD를 가진다는 점에서 다른 포유동물과 비슷하지만, 사람에서의 CD는 더 근위부, 즉 연결 고리부의 말단의 반대편 경부에 위치해 있다 (Cooper 등, 2004) (도표 97). 바깥 부위가 조밀한 섬유 복합체로 된 축사 (axoneme; 편모 가운데 축의 탄성 섬유) 중심부의 주위를 형성하는 미토콘드리아의 나선 (helix) 때문에, 중편은 세포의 나머지 부위에 비해 큰 직경을 가진다 (Manandhar와 Sutovsky, 2007). 포유동물의 CD는 직경이 약 2 μm이며 (Kaplan 등, 1984), 지질, 지질단백질, RNAs, 다양한 가수분해효소 등으로 구성되어 있고 (Cooper와 Yeung, 2003), 이온 통로와 골지기관에서 유래된 소포도 포함되어 있다 (Manandhar와 Sutovsky, 2007).

사람에서 정자의 중편은 삼투성에 민감한 '중편 소포 (midpiece vesicles, MPVs)'를 가지고 있는데 (Cooper 등, 2004), 중편 소포는 CDs와 다르며, 미성숙 정자의 특징으로 간주된다 (Chantler와 Abraham-Peskir, 2004). 그러나 다른 연구는 중편 소포와 CDs는 하나이며, 둘 모두 건조한 공기에 약하다고 하였다 (Cooper 등, 2004).

3.2. 소견 Manifestation

남성의 생식세포는 정자 형성 (spermatogenesis) 및 부고환에 의한 성숙의 과정을 거치면서 분화하여 완전하게 기능을 갖춘 정자가 된다. 정자 형성의 최종 단계인 정자 발생 (spermiogenesis)은 일배체 (haploid)의 정자세포 (spermatid)를

도표 97 세포질 비말 (cytoplasmic droplet)과 과다 잔류 세포질 (excess residual cytoplasm)

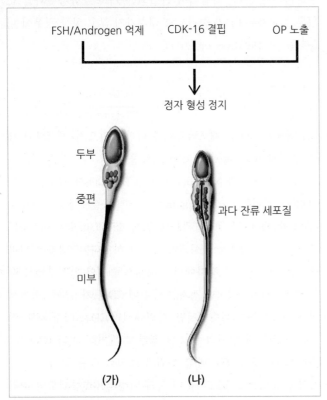

(가) 전형적인 세포질 비말을 가진 정자, (나) 과다 잔류 세포질을 가진 정자와 과다 잔류 세포질을 유발하는 정자 형성 정지의 원인.
CDK, cyclin-dependent kinase; FSH, follicle-stimulating hormone; OP, organophosphorus pesticide.
Rengan 등 (2012)의 자료를 수정 인용.

독립된 부동의 고환 정자로 변형시킨다 (Clermont, 1972). CD의 형성은 정자 발생의 최종 '성숙' 단계 동안 일어난다 (Aitken, 2004). CD의 형성은 정자가 부고환으로 운반되기 전 (Huszar 등, 1998) Sertoli 세포에 의해 일어나는 '세포질의 돌출 (cytoplasmic extrusion)'로 알려진 과정을 통해 이루어진다. 세포질의 돌출은 여러 다른 성숙 과정과 함께 정자가 난자의 투명대와 결합하고 생식 능력을 얻는 데 필수적이다 (Huszar와 Vigue, 1990).

고환관 내강에서 Sertoli 세포는 생식세포 내에 있는 대부분의 세포질을 돌출시키고 포식한 후, CD가 되는 세포질의 '잔체 (residual bodies)'를 남긴다 (Huszar 등, 1998). 사람 외의 대부분 포유동물에서는 CD가 정자의 꼬리 쪽으로 내려가며, 최종적으로 사정 시점 근방에서 CD가 흘러나온다 (Cooper, 2011). 그러나 이러한 이동의 기전은 분명하게 밝혀져 있지 않다 (Cooper, 2005). 사람을 제외한 포유동물의 사정된 정자

에서 CDs의 잔류는 불임과 관련이 있다 (Kuster 등, 2004). 그러나 사람의 정자에서는 정자 형성 후 소량의 CD가 중편 주위에 정상적으로 남는다.

3.3. 생리 Physiology

정자는 소량의 세포질만 보유하고 있기 때문에, 삼투압 조절에 필요한 소기관이 부족한 상태이다 (Cortadellas와 Durfort, 1994). 따라서 정자의 삼투압 조절은 세포의 외부 조건에 의존적이다. 중편은 CD가 위치하기에 이상적인 장소이며, 중편은 수분이 유입되는 주된 부위로서 세포의 용적을 조절하는데, 이는 정자가 자궁경부 점액의 삼투질 농도와 같이 삼투압이 낮은 조건에 직면할 때 중요하다 (Fetic 등, 2006).

조절 용적의 감소 (regulatory volume decrease, RVD)는 낮은 삼투압의 환경에 있는 정자에서 일어나며 (Yeung 등, 2006), 이는 사정이 진행되는 동안 혹은 후에 일어나는 어느 정도의 팽창에 대한 보상 역할을 한다 (Cooper, 2011). 이러한 과정은 CDs가 삼투를 촉진하는 삼투질 통로를 가지고 있기 때문에 가능하다. K^+ 및 Cl^- 통로 또한 정자의 경부와 중편에서 발견된다 (Yeung 등, 2006). 사람의 정자가 RVD 상태일 때 필요한 수분 통로인 aquaporin 3 (AQP3)에 관한 연구는 AQP3가 세포의 팽창으로 인해 감소된 운동성을 조절한다고 하였다 (Chen 등, 2011).

부고환은 조절 용적의 증가 (regulatory volume increase, RVI)를 통해 삼투질의 적재를 유도한다 (Cooper와 Yeung, 2003). 삼투질의 양은 정자가 적절한 기능을 하는 데 매우 중요하다. 삼투질의 적재량이 적절하다면, 정자는 전진 운동을 하여 여성의 생식기를 성공적으로 통과하게 된다 (Cooper, 2011). 삼투질의 적재량이 낮거나 quinine과 같은 삼투질 통로 차단제 혹은 동결 방지제 (cryoprotectant)를 사용하면, 정자가 팽창하고 전진 운동이 일어나지 않는다 (Yeung 등, 2003). 사람을 제외한 포유동물의 정자에 있는 CDs는 팽창과 편모의 각형성 (angulation)을 유발하는데, 이는 전진 운동을 억제함으로써 불임증의 원인이 된다 (Cooper 등, 2004). 한편, 사람의 정자에 잔류해 있는 CDs는 자연적으로 삼투압이 낮은 조건 하에서도 편모의 각형성 혹은 코일화 (coiling) 효과를 나타내지 않기 때문에 유해하지 않다고 생각된다 (Cooper, 2011).

CD에는 다양한 효소와 수용체가 내포되어 있다. 예를 들

도표 98 완전한 세포질 비말과 과도한 잔여 세포질의 비교

	세포질 비말 (cytoplasmic droplet)	과다 잔류 세포질 (excess residual cytoplasm)
분포	중편의 근위부 (경부)	중편 따라 분포
구조	정자 두부 크기의 1/3보다 작은 세포질로서 직경이 약 2 μm	정자 두부 크기의 1/3~1/2보다 큰 세포질
형성 기전	Sertoli 세포의 탐식 작용에 의한 세포질의 돌출	정자 발생의 정지 및 세포질 돌출의 중단
기능/결과	생리학적; 조절 용적의 감소 및 ROS의 생성	생리학적; 세포질 내 효소 농도의 증가 병리학적; 불완전 성숙 ('성숙 이상'), 산화 스트레스, 지질 과산화, 세포 자멸사
확인 방법	Air-drying (생존 않음), binary image analysis via NADH/NBT staining	Air-drying (생존), binary image analysis via NADH/NBT staining, immunofluorescence, immunoblotting, ROS markers, aniline blue chromatin staining, Sptrx screening

NADH, nicotine amide dinucleotide hydrogen; NBT, nitro blue tetrazolium chloride; ROS, reactive oxygen species; Sptrx, sperm-specific thioredoxin.
Rengan 등 (2012)의 자료를 수정 인용.

면, 수정 능력을 획득하는 과정 동안 분비되는 막과 결합하는 효소 angiotensin-converting enzyme (ACE)의 경우 운동성이 높은 정자일수록 ACE의 농도가 낮아 ACE 농도와 정자 성숙도 사이에는 역상관관계가 있다고 생각된다 (Köhn 등, 1998). Ubiquitin 의존성 단백질 분해 경로의 구성 요소와 15-lipoxygenase (15-LOX)는 포유동물의 정자 CDs에서 현저하게 나타난다. 15-LOX는 정자로부터 CDs를 제거하는 기능을 가지며, 부고환의 정자 성숙과 미토콘드리아 피막 (sheath) 및 중편의 형성에 관여한다. Ubiquitin-proteasome 경로를 구성하는 요소는 정자의 발생 및 소기관의 분해를 돕는다. 이러한 연구는 돼지의 정자를 대상으로 하였지만, 15-LOX와 ubiquitin 구성 요소는 사람의 정자에서도 발견된다 (Fischer 등, 2005). Calreticulin (CRT)과 inositol 1,4,5-trisphosphate receptor (IP3R) 또한 CD의 소포에서 발견된다 (Naaby-Hansen, 2001). 둘 모두는 정자의 과다 활동 및 첨단체 반응이 나타나는 동안 칼슘 진동 (calcium oscillation)에 관여한다. Rho 신호 경로와 상호 작용을 하는 단백질 ropporin은 CD와 편모에서 발견되는 또 다른 단백질로서 A-kinase anchoring protein (AKAP)과 결합하여 첨단체 반응과 정자의 운동성을 조절한다 (Carr 등, 2001). cAMP-dependent protein kinase인 PKA는 PKA의 조절 소단위인 RI 및 RII와의 상호 작용을 통해 AKAP와 결합함으로서 세포 내의 특이 소기관에 위치하며, 섬모와 편모의 생리학적 기능에 관여한다 (Carr와 Newell, 2007). 사람의 정자에 있는 CD에는 sperm-specific thioredoxin (SPTRX)이 분포해 있음이 보고되었으며, SPTRX는 정자의 꼬리가 형성되는 동안 잘못된 이황화물 결합을 교정하는 환원제로서 작용을 한다 (Miranda-Vizuete 등, 2001). SPTRX의 발현이 없으면,

심한 정자운동감소증 (asthenozoospermia), 비운동성 정자를 일으킬 수 있는 그루터기 꼬리 증후군 (stump tail syndrome; 원발성 섬모 운동의 이상 혹은 편모 형태의 결함과 관련이 있다) (Rawe 등, 2002), 섬유집 형성 이상 (dysplasia of the fibrous sheath, DFS) (Miranda-Vizuete 등, 2001) 등이 발생할 수 있다.

CD 내에 있는 효소로는 creatine kinase (CK), lactic acid dehydrogenase (LDH), superoxide dismutase (SOD), glucose-6-phosphate dehydrogenase (G6PDH) 등이 있으며, 이들 모두는 CD의 에너지 대사에 관여한다. 결함이 있는 CD에는 이들 대사성 효소가 고농도로 포함되어 정자의 전반적 기능이 손상될 수 있다 (Aitken, 2004).

세계보건기구는 CDs가 정자 두부 크기의 1/3보다 클 경우를 비정상 CDs로 간주하였다 (World Health Organization, 2010) (도표 98). 이러한 ERC는 정자 형성이 조기에 정지됨으로써 발생한다 (Cooper 등, 2004). 대부분의 포유동물과 다르게 사람의 정자는 부고환 내에서의 성숙 과정 동안 혹은 사정 시에 잔류 세포질을 변경시킬 수 없다 (Baker과 Aitken, 2005). 전형적인 CD와 비교해 볼 때, ERC는 앞에서 기술된 효소들을 과도하게 포함하고 있어 정자의 기능에 유해한 효과를 주어 남성 불임증을 유발한다 (도표 98).

3.4. 세포질 비말의 이동 기전
Mechanism of the migration of cytoplasmic droplets (CD)

기니피그의 정자가 부고환에서 성숙하는 동안 CD가 이동하

는 기전을 고해상 현미경으로 연구한 바에 의하면, 고환의 정자에서 CD는 경부에 위치해 있으며 부고환 미부의 중간을 통과하면서 CD는 중편의 중간까지 이동한다. 처음에는 CD의 바깥에 있는 미토콘드리아 외막과 형질막 사이의 공간이 30.8 ± 11.0 nm이지만, 성숙한 정자의 경우 15.9 ± 1.3 nm로 유의하게 좁아진다 ($p < 0.01$). 이 공간에는 CD의 상하에서 두 막을 교차 결합시키는 가는 섬유가 확인된다. 또한, 중편을 덮고 있는 형질막에 있는 intramembranous particles (IMPs)의 배열에서 변화가 일어난다. 정자세포의 단계에서는 IMPs의 선형 배열 (linear arrays)이 없지만, 부고환 내의 미성숙 정자에서는 나타나며, 이 경우 IMPs의 선형 배열은 짧고 방향이 불규칙하다. 성숙한 정자에서는 형질막이 사립체에 접착한 부위에서 평행을 이루는 많은 선형 배열이 관찰된다. 막의 접착 과정은 이차원적으로 관찰된다. 경부로부터 CD의 처음 이동은 확산 (diffusion) 때문인데, 중편 근위부의 두 막 사이에서 교차 결합을 위한 섬유가 형성되어 역류가 방지되며, 이와 함께 중편의 원위부에서 형성된 섬유에 의해 중편의 중앙에서 이동이 멈출 때까지 CD의 압착 (squeezing)이 원위부로 일어난다. 가는 섬유들은 또한 사정 동안 그리고 여성 생식기 내에서 접하게 되는 낮은 삼투압 조건에서 편모를 안정화하는 기능도 가지고 있다 (Suzuki-Toyota 등, 2010).

3.5. 정자 운동성 및 정상 정자 발생의 지표
Indication of sperm motility and normal spermiogenesis

부고환과 같이 삼투질의 농도가 낮은 조건에서는 정자의 편모가 CD의 위치에서 코일을 이루기 때문에, CD는 삼투질 농도의 조절에 관여한다고 생각된다 (Fetic 등, 2006). 여러 수분 통로의 단백질에 결함이 있는 생쥐의 정자는 CD가 접착된 부위에서 코일 모양의 편모를 가지는 경향이 있다 (Yeung 등, 2009). 그러나 CD를 가지지 않은 대부분의 사정된 쥐 정자의 편모가 일반적으로 정액 혹은 부고환의 미부보다 삼투질 농도가 낮은 여성 생식기 내에서 코일 모양을 나타내지 않는 이유는 분명하지 않다. 삼투질의 농도는 자궁 내에서는 300 mosmol/L 이내이고, 부고환의 미부에서는 440 mosmol/L 이내이다 (Chen 등, 2011).

CD의 형태와 분포 위치가 생쥐와 사람의 정자에서 차이가 나는 이유는 연구를 위해 보통 생쥐의 경우는 부고환의 정자를, 사람의 경우는 사정된 정자를 이용하기 때문이다. 사람의 사정된 정자에 관한 형태학적 연구에 의하면, 사람의 정자세포에는 두 유형의 세포질이 있는데, 하나는 정자 편모의 어느 부위에든 접착해 있는 잔여 세포질이고, 다른 하나는 보다 더 안정되게 경부에 접착해 있고 염색 표본을 위해 이용된 탈수 용매로 인해 쉽게 소실되거나 보이지 않게 되는 '진성' CD이다 (Cooper 등, 2004). 그러나 생쥐에서 부고환의 정자를 위상차 현미경 (phase contrast microscope)으로 관찰하여 보면 분명히 CD를 볼 수 있으며, 대부분이 편모의 중편에 위치해 있다 (Hermo 등, 2010). CD의 형태와 위치가 사람의 정자와 생쥐의 정자에서 차이가 있음은 종이 다르기 때문이다. CD는 삼투질 농도를 조절하는 기관으로서 기능을 한다는 주장도 있지만, 사람의 정자가 낮은 삼투질 농도에서도 경부가 구부러지지 않고 편모의 끝이 코일 모양으로 되기 때문에 반대되는 주장도 있다 (Cooper, 2011). CD의 기능 중 삼투질 농도의 조절 외의 기능에 관해서는 거의 연구가 되어 있지 않다.

생쥐를 이용한 연구에 의하면, 사람의 난관액 (human tubal fluid, HTF) 배지 내로 모인 부고환 미부 내의 정자 중 약 30~40%는 운동성을 가지지 않는다 (Turner, 2006). 마찬가지로 사정된 사람 정자의 약 20~40%는 운동성을 보이지 않는데 (Ola 등, 2003), 이러한 결과는 정자의 상당수가 운동성을 가지는 능력에 결함이 있음을 보여 준다. 생쥐의 경우 HTF 배지에서 운동성을 나타내지 않는 부고환 정자의 대부분은 CDs를 가지고 있지 않다. 이는 CDs의 존재와 운동성을 나타내는 능력 사이에 상호관계가 있음을 짐작하게 한다 (Zheng 등, 2007). 또한, 유전자의 불활성으로 인한 정자 발생의 붕괴는 CDs의 비정상적 분포와 CDs를 가지지 않은 정자 수의 증가를 유발하며 (Yan, 2009), 이러한 결과는 정상 CDs는 정상적인 정자의 발생에서 하나의 특징임을 보여 준다. 생쥐와 게먹이원숭이를 대상으로 분석한 연구는 CDs가 전적으로 부고환의 정자에서 단기간 나타나는 정상적인 소기관이며, CDs의 정상적인 형태와 분포는 정자가 부고환에서 성숙하는 동안 정상적인 운동성을 얻는 데 중요하고, CDs의 완전한 결여, 이소성 CDs 등과 같은 비정상적인 CDs의 형성은 정자 발생의 결함을 나타낸다고 하였다. 이들 결과를 근거로 저자들은 CDs가 정자 운동성의 발달에서 필수적이라고 확인된다면, 남성의 비호르몬성 피임제 개발에서 CDs가 이상적인 표적이 될 수 있다고 하였다 (Xu 등, 2013).

4. 과다 잔류 세포질
Excess Residual Cytoplasm (ERC)

근래까지도 ERC의 개념은 과학사회에서 널리 공감을 얻지 못하였으며, 대신에 정상적 및 비정상적 세포질 잔류물에 관해 여러 용어가 무분별하게 사용되어 왔다 (Cooper, 2005). Cooper 등 (2004)은 잔류 세포질의 비정상과 정상의 차이를 밝혔으며, 이들의 연구에 의하면 주된 차이점이 ERC의 경우 정액의 도말에 이용되는 공기건조법에서 생존하는 반면, CDs는 생존하지 못한다는 점이다. ERC는 정자의 중편 전체에 분포해 있지만, CDs는 중편의 경부에서 발견된다 (도표 98).

ERC를 가진 정자는 완전하게 성숙하지 못하기 때문에, ERC를 가진 정자는 '미성숙' 정자로 간주된다. 그러나 '미성숙'보다 '성숙 이상 (dysmature)'이란 용어가 더 적절하다고 생각된다. '미성숙'은 대개 고환으로부터 분비되어 부고환에서 성숙 과정이 진행 중인 '정상' 정자를 의미한다. 한편, '성숙 이상'은 정자의 형성 혹은 부고환에서의 성숙이 차단되었거나 정지된 정자를 의미한다 (Aitken과 De Iuliis, 2010).

4.1. 소견 Manifestation

정자의 형성이 정지되면 정자는 과다한 세포질을 가지게 되며, 이러한 경우 세포질 내에 고농도의 효소가 발견된다 (Gomez 등, 1996) (도표 98). 이러한 과정은 분명하게 이해되어 있지 않으나, 이러한 과정이 일어나는 데 대하여 여러 가지의 설명이 있다. 예를 들면, follicle-stimulating hormone (FSH) 혹은 정자의 형성을 조절하는 호르몬인 안드로겐이 억제되면, 정자발생이 중지된다 (O'Donnell 등, 1999) (도표 97). 외인성 17-beta-estradiol을 투여하면, FSH와 고환 내의 테스토스테론 농도가 감소되어 tubulobulbar complex (TBC)가 형성되지 않는다 (D'Souza 등, 2009). 정점부에 위치해 있는 TBC는 actin을 함유한 구조물로서 후반기 정자세포가 Sertoli 세포에 부착하도록 하며, 세포질이 돌출하는 동안 간접적으로 잔류물을 생성하게 한다 (Kerr 등, 2006). TBC가 형성되는 동안 정자세포 내에 있는 세포질의 상당한 부분이 소실되는데, 이는 TBC가 Sertoli 세포의 포식 작용에 관여함을 시사한다. 따라서 TBC의 형성이 차단되면, 중편의 주위에 과도한 세포질이 잔류하게 된다 (O'Donnell 등, 2011).

뇌와 고환에서 높게 발현되는 cyclin-dependent kinase 16 (CDK16) 또한 정자의 발생과 관련이 있다. 생쥐에서 CDK16이 결핍되면, 기형 모양의 머리와 ERC를 가진 형태학적으로 결함이 있는 정자가 나타난다 (Mikolcevic 등, 2012) (도표 97). 정자의 성숙에서 CDK16의 분명한 역할은 아직 밝혀져 있지 않다.

사람과 동물에 관한 연구는 organophosphorus pesticide (OP)에의 노출과 정자의 기능 감소 사이에 연관성이 있다고 보고하였다. Dichlorvos (2,2-dichlorovinyl dimethyl phosphate, DDVP®)와 같은 OPs는 곤충의 공격으로부터 집과 농작물을 보호하기 위해 사용되는 살충제이다. 쥐를 대상으로 평가한 연구는 DDVP®에 노출되면 정자 내에 세포질이 더 높은 빈도로 나타난다고 하였다. 또 다른 OP인 malathion도 쥐의 정자 내에서 세포질의 양을 증가시켰다. 연구자들은 그러한 살충제가 정자의 성숙을 조기에 정지시키며, OP에 대한 노출을 감소시키면 정자의 성숙이 회복된다고 하였다 (Okamura 등, 2009) (도표 97).

여러 연구는 ERC와 정계정맥류 사이의 연관성을 제시하였다 (Zini 등, 1999). 이들 두 조건 각각은 ROS의 생성을 증가시키며, 특발 남성 불임증 혹은 정계정맥류 관련 남성 불임증은 세포질 돌출의 이상과 상호 관련이 있다. 정계정맥류를 가진 불임 남성은 ERC를 가진 정자의 퍼센트가 가장 높다 (Zini 등, 2000). 정계정맥류와 ERC를 연결하는 기전은 아직 분명하지 않다.

흡연 또한 세포질 돌출 및 정자 기능의 장애와 관련이 있다고 보고되고 있다 (Mak 등, 2000). 그에 관한 병태 생리학적 기전은 분명하지 않지만, 흡연은 Sertoli 세포와 Leydig 세포의 기능에 영향을 주거나 (Sofikitis 등, 1995) 고환에서의 산화 균형에 영향을 준다고 생각된다 (Peltola 등, 1994). 흡연이 알코올 및 약물 남용, 부적절한 다이어트 등과 같은 나쁜 건강 습관과 관련이 있기 때문에, 복합적인 요소가 부부의 불임증에 관여하는 것 같다 (Mak 등, 2000).

4.2. 병리학 Pathology

ERC는 다양한 질환에 대해 영향을 주는 요인을 가지고 있다. 문제들은 주로 세포질 자체 내에서 발견되는 효소의 농도가 증가됨으로 인해 때문이다 (도표 99).

정자는 정상적으로 미토콘드리아로부터 ROS를 낮은 농도로 생성한다 (Aitken과 De Iuliis, 2010). 생리학적 농도의

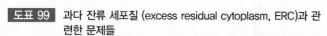

도표 99 과다 잔류 세포질 (excess residual cytoplasm, ERC)과 관련한 문제들

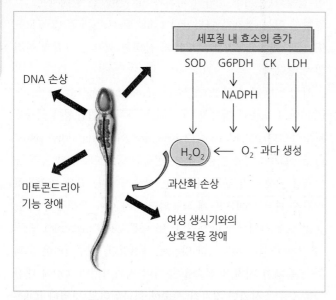

정자의 막에 대한 과산화 손상, DNA의 손상, 미토콘드리아 기능의 장애, 여성 생식기 내에서 정자의 기능 장애 등과 같은 과다 잔류 세포질의 병리학적 효과를 보여 준다.
CK, creatine kinase; G6PDH, glucose-6-phosphate dehydrogenase; LDH, lactic acid dehydrogenase; NADPH, nicotinamide adenine dinucleotide phosphate (reduced form); SOD, superoxide dismutase;.
Rengan 등 (2012)의 자료를 수정 인용.

ROS는 tyrosine의 인산화를 유발하고 조절하며, 이는 수정 능력의 획득, 첨단체 반응 등과 같은 필수적인 기능을 유도한다 (Baker과 Aitken, 2005). ERC를 가진 경우처럼 ROS의 농도가 증가될 때는 정자가 ROS의 과잉 부분을 제거하는 데는 한계가 있다. 이러한 상황은 전형적으로 형질막에는 여분의 전자 전달계 (electron transport chain)가 있고, 생체 이물의 생성을 촉진한다고 알려져 있는 산화효소, 산화환원효소 등이 있기 때문이다 (Baker과 Aitken, 2005). 생리학적 농도의 항산화제는 효용성이 제한적이기 때문에, 이러한 ROS의 과도한 생성에 대해 대응하지 못한다. 정자 안에 있는 미토콘드리아의 전자 전달계로부터 전자의 누출은 결함이 있는 정자에서 생성되는 ROS의 주된 근원이다 (Koppers 등, 2008). 미토콘드리아에서 ROS의 생성이 증가하고 이로써 DNA의 손상이 유도됨에 따라 정자의 운동성은 떨어진다. ROS의 농도가 증가되면, 정자는 산화 스트레스의 상태를 나타내며, 이는 정자의 형질막에 대한 과산화 손상 (Griveau 등, 1995), 미토콘드리아 및 핵의 손상 (Anderson 등, 2003) 등으로 특징화된다. 과산화 손상은 CK 및 G6PDH의 높은 활성과 관련이 있다고 추측

된다 (Aitken 등, 1994). ROS는 ROS를 생성하는 비정상적인 정자에 영향을 줄 뿐만 아니라 정상 정자에도 영향을 줄 수 있다 (Yeung과 Cooper, 2009).

에너지 대사의 관점에서 ERC는 높은 농도의 G6PDH를 가지고 있으며, 이로써 reduced form of nicotinamide adenine dinucleotide phosphate (NADPH)의 생성을 증대시킨다. G6PDH는 hexose monophosphate shunt를 통해 NADPH를 생성하고 당의 이동량과 NADPH의 효용성을 조절한다 (Aitken, 2004). 정자는 ROS를 생성하기 위한 전자 공급원으로 이러한 경로를 이용한다. NADPH는 ROS를 생성하는 NADPH oxidase의 기질이다 (Aitken, 2004). 초과산화물 음이온 O_2^- 는 ERC에서 흔히 발견되는 효소인 SOD에 의해 H_2O_2로 전환되는 흔한 ROS 중 하나이다 (Sohal, 1997). H_2O_2 분자가 축적되면, 균일하게 분절되는 과정을 거쳐 세포에 대해 산화 손상을 일으키는 전자 친화성 반응 물질인 두 개의 수산기 (-OH)가 형성된다 (Forman과 Azzi, 1997) (도표 99). 정자는 인지질의 함량이 높고 상대적으로 세포질의 용적이 작아 특히 이러한 조건에 대해 감수성을 나타낸다 (Baker과 Aitken, 2005). LDH 또한 정자가 에너지 대사를 유지하는 데 관여하며, 높은 농도에서도 세포에 대해 직접 손상을 가하는 것 같지는 않다 (Aitken, 1995).

이전의 연구에 의하면, ROS에 의해 자극을 받은 정자의 미토콘드리아는 cytochrome C를 분비하며, 이는 정자의 세포 자멸사를 일으키는 caspase-3 및 -9을 포함하는 신호 경로를 활성화한다 (Agarwal 등, 2008). ROS 농도의 증가는 세포 자멸사 빈도의 증가와 관련이 있다 (Said 등, 2004). Caspase-3의 활성화는 중편에서 일어나기 때문에, 세포 자멸사의 기전은 중편 세포질에서 기원하며, 그 후 핵에서 작동한다는 보고가 있다 (Weng 등, 2002). 생리학적 조건 하에서 정상 농도의 ROS는 염색질과의 교차 결합을 통해 DNA의 손상을 감소시킨다 (Aitken 등, 1998). ROS의 농도가 증가하게 되면, 이로 인한 산화 스트레스가 DNA의 손상을 유도한다 (Aitken과 Krausz, 2001). 정자에서 DNA의 회복과 정자가 세포 자멸사를 극복하는 능력은 정자 형성의 후반부 동안 약해진다 (Aitken, 2004). 미토콘드리아 및 핵의 DNA가 영향을 받을 수 있는데, 특히 미토콘드리아의 DNA는 ROS의 공격에 대한 방어가 약하기 때문에 감수성이 더 높다 (Aitken과 Iuliis, 2010). 이러한 소견은 정자의 미토콘드리아가 수정 후 난모세포 (oocyte)에서 폐기되기 때문에 큰 위험으로 생각되지는 않는다

(Sutovsky 등, 2004). 그러나 손상을 입은 어떤 핵 DNA도 접합자 (zygote)와 통합을 이루며, 막이 과산화 손상을 받더라도 손상을 입은 DNA는 배아에게 전달된다. 따라서 난모세포는 일차 분열 전에 DNA의 손상 혹은 세포 자멸사의 발생, 즉 배아 유산 (embryonic loss)을 방지하고자 기능을 한다. 이러한 예방 방법 후에도 유해 효과가 지속되면, 궁극적인 배아의 발달과 자손의 전반적 건강이 영향을 받을 수 있다 (Aitken과 Fisher, 1994).

ERC는 여성 생식기 내에서 정자의 기능에 영향을 줄 수 있다. ERC에 의해 유발된 산화 스트레스는 정자의 운동성과 기능에 손상을 주어 수정 능력의 획득 및 수정 자체에 영향을 준다 (Watson, 2000). 또한, ERC는 세포 내의 칼슘 신호에 따른 정자 형질막의 반응을 방해함으로써 정자와 난자의 융합을 저지한다 (Aitken 등, 1984). 이 과정에는 형질막 유동성의 감소 (Ohyashiki 등, 1988), 이온 통로와 같이 막과 결합한 효소 작용의 변화 (Slater, 1984) 등이 포함된다. 효소 발현의 이상은 수정에 영향을 주는데, 예를 들면, 정액 내의 풍부한 15-LOX는 조기에 첨단체의 세포 외부 유출 (exocytosis)을 일으켜 (Oliw와 Sprecher, 1989) 정자가 투명대와 결합하고 침투하는 과정을 방해한다 (Lax 등, 1990). 사람의 정자에서 산화 스트레스는 수정 능력과 배아 및 태아의 발생을 방해하며 (Zorn 등, 2003; Dennery, 2007), 이로써 유산의 빈도가 높아지고 (Aitken 등, 2010), 자손에서 소아 종양을 포함하는 여러 질환이 발생하게 된다 (Aitken, 1999).

4.3. 확인 Identification

ERC를 분석하는 방법은 다양하다 (도표 98). 현미경은 정자 두부의 주위에 있는 세포질의 크기를 측정하는 데 이용될 수 있다. 정자 두부 크기의 1/3보다 큰 CDs는 ERC로 분류된다.

ERC에 대한 영상 분석은 중편 염색을 이용한 이원성 영상으로 이루어진다 (Gomez 등, 1996). 염색을 하면 중편 전체가 흑청색으로 되며, 이를 위해 전자의 공여체와 수용체로서 각각 NADH와 nitroblue tetrazolium (NBT)을 이용한다. 이원성 영상이 만들어지면, 과도하게 잔류된 세포질의 양을 측정하기 위해 형태계측 (morphometry) 분석을 실시한다. 이러한 기법은 생화학적 분석에 비해 소요되는 시간이 더 길지만, 보조 생식에서 세포질 내 정자 주입술을 선택하는 기준에 관한 세포 수준에서의 정보를 제공해 준다.

ERC에는 estrogen receptor (ER)-alpha와 ER-beta의 두 에스트로겐 수용체가 있다 (Rago 등, 2006). ER-beta는 비정상적인 정자에는 있지만 정상 정자에는 없는데, 이는 정자의 성숙에서 에스트로겐의 역할을 추측하게 한다. 이들 수용체는 면역형광법과 면역탁본법 (immunoblotting)으로 측정이 가능하다.

정자의 미토콘드리아 내에 있는 DNA가 ROS의 공격에 노출된 후 나타나는 무방비 양상은 산화 스트레스에 대한 민감성의 표지자가 되며, DNA 손상은 terminal deoxynucleotidyl transferase dUTP nick end labeling (TUNEL) 분석에 의해 평가될 수 있다. DNA 손상의 정도를 평가하기 위해서는 염색질의 aniline blue 염색과 같은 선별검사가 필요하다 (Agarwal 등, 2004).

ERC를 가진 정자에서 SPTRX의 양상은 병적 상태에 있는 정자 꼬리에 관한 유용한 정보를 제공한다 (Miranda-Vizuete 등, 2001). 따라서 SPTRX의 분석은 DFS를 가진 환자를 진단하는 데 도움을 준다.

4.4. 중재 및 치료 Interventions and treatments

정자에 특이한 CK는 고환에서 발현되며, 세포의 성숙에 대한 표지자이다. Heat shock-related 70 kDa protein 2 (HspA2)로도 알려진 CK-M 아형의 발현은 정자 형질막뿐만 아니라 세포질 돌출에서의 변화와 관련이 있다 (Huszar와 Vigue, 1990). CK의 농도는 면역화학 검사로 측정되며, CK-M과 HspA2의 항혈청은 ERC를 확인함으로써 정자의 성숙을 알기 위해 이용된다. 즉, 정자에 의한 hyaluronic acid의 결합은 세포의 성숙 및 생존력, 반응하지 않는 첨단체의 상태 등을 알려 준다 (Huszar 등, 2003).

산화 스트레스를 관리하기 위해 다양한 항산화제가 이용되며, 이들은 자유기를 적절하게 조절하여 ROS의 농도를 감소시킨다 (Dennery, 2007). 이러한 요법은 산화 스트레스가 높은 환자에서 이용된다 (Agarwal 등, 2004). Glutathione과 selenocysteine 잔기를 가진 단백질인 selenoprotein은 그러한 항산화제의 예이며, 비타민 E의 한 형태인 alpha-tocopherol (Thérond 등, 1996)과 비타민 C는 과산화 손상을 방지하는 데 이용된다 (Baker 등, 1996). Pyruvate dehydrogenase complex (PDC)의 보조 인자인 alpha-lipoic acid 또한 생체 실험에서 활성 산소의 대사물질을 상당하게 감소시켰으며 (Gianturco 등, 2009), ascorbate와 catalase는 체외 실험에서 ROS, 특히 H_2O_2를 감소시켰다 (Preston 등, 2001). ERC와 그로 인한 정자 형질막의 과산화 손상은 정자와 난자의 융합을 방해하기 때문에, 세포질 내로의 정자 주입은 이러한 장애물을 피하기 위한 시술로서 이용될 수 있다. 그렇다 손치더라도 핵 DNA의 손상과 같은 다른 결함이 지속적으로 있으면, 배아 및 태아의 적절한 발달이 저지될 수 있다 (Aitken, 1999).

정계정맥류절제술은 세포질의 돌출을 개선시키고 ERC를 가진 남성에서 과도한 ROS의 생성을 억제한다 (Zini 등, 1999). 이러한 결과는 추가 연구를 통해 이러한 치료와 다른 치료의 효능을 평가할 때 도움을 줄 수 있다.

4.5. 결론 Conclusions

CD는 사람 외의 포유동물에는 없고 사람의 정자에서 특유하게 나타나는 형태학적 양상이다. CD는 중요한 기능을 가지고 있으며, 정자의 과다 운동성, 수정 능력의 획득, 첨단체 반응 등에 관여한다. 정자의 중편 주위에 세포질이 비정상적으로 많은 경우는 병적인 양상이며, 크기와 기능에 근거하여 ERC로 불린다. CD와 ERC의 차이가 확인됨으로써 추후 연구는 사람의 정자에서 ERC의 발견율을 평가하고 사람의 정자가 성숙한 후 CD를 가지게 되는 진정한 이유를 밝혀야 할 것이다. 또한, ERC의 병태생리학은 남성 불임증과 관련하여 더욱 세밀하게 이해되어야 한다. 그 외에도 추후 연구는 ERC에 대한 다양한 치료법의 효능을 평가해야 한다. 특별한 형태학적 결함인 ERC에 관해 연구되어야 할 사항이 많이 있으며, 이는 임상에서 남성 불임증을 평가하는 데 반드시 필요하다 (Rengan 등, 2012).

5. 부고환 기능의 조절
Control Of Epididymal Function

테스토스테론과 DHT는 사람의 부고환에서 매우 높은 농도로 발견되며, 안드로겐의 농도는 부고환의 구역별로 차이가 없다 (Leinonen 등, 1980). 부고환에는 DHT가 비교적 풍부하고 5α-reductase의 농도가 높은데, 이는 이 안드로겐이 부고환의 기능에서 중요함을 시사한다. 동물 실험은 부고환의 기능이 안드로겐에 의존적임을 분명히 보여 주었다 (Brooks와 Tiver, 1983). 전부는 아니지만 부고환의 단백질 중 일부는 안드로겐에 의해 조절된다 (Toney와 Danzo, 1989). 양쪽 고환을 거세하면 안드로겐 의존성의 부고환 단백질이 소실될 뿐만 아니라 부고환 무게의 감소, 내강의 조직학적인 변동, glycerylphosphorylcholine, sialic acid, carnitine 등과 같은 부고환의 유액 성분의 합성과 분비에서의 변화 등이 일어나며, 결국 부고환은 정자의 운동성과 생식력을 성숙시키는 능력과 정자의 저장을 지속시키는 능력을 상실하게 된다. 이들 퇴행성 과정의 대부분은 안드로겐의 보충 요법에 의해 반전된다. 그러나 부고환의 기시부에 대한 안드로겐의 효과는 안드로겐 결합 단백질과 결합한 테스토스테론과 기타 고환 인자에 의해 매개된다고 생각된다. 만일 고환이 부고환에서 분리된다면, 전형적으로 높은 농도의 테스토스테론과 안드로겐 결합 단백질의 운반이 차단되어 외인성 테스토스테론을 투여해도 고환에서 유래된 다량의 테스토스테론이 소실됨으로 인해 발생한 유해한 효과가 반전되기는 어렵다 (Brooks, 1979). 부고환의 기능에서 안드로겐이 중요함은 외인성 에스트로겐을 투여한 후 수일 내에 정자 형성의 효과와는 관계없이 정자의 기능에서 변화가 관찰됨으로써 지지를 받고 있다 (Kaneto 등, 1999).

동물 실험을 이용한 연구는 다른 부성선과 비교하여 볼 때 부고환이 자체의 구조와 기능을 유지하기 위해 더 높은 농도의 안드로겐을 필요로 한다고 하였다 (Rajalakshmi 등, 1976). 부고환에 대한 안드로겐의 조절 효과는 부고환의 조직 추출물에서 주된 안드로겐인 DHT (Vreeburg, 1976)와 5α-androstane-3α,17β-diol (3α-diol) (Orgebin-Crist 등, 1975)에 의해 매개된다. 테스토스테론으로부터 DHT의 형성을 촉진하는 효소 Δ^4-5α-reductase와 DHT를 3α-diol로 전환하는 효소 3α-hydroxysteroid dehydrogenase가 부고환에서 확인되었으며, 이들 효소들은 사람 (Larminat 등, 1980)과 실험 동물 (Robaire 등, 1977)로부터 채집한 부고환 세포 분쇄액 (homogenate)의 세포 분획 내에 분포해 있다고 보고되었다.

기능성 ESR1 유전자가 결여된, 즉 estrogen receptor가 파손된 ERα KO 혹은 ESR1KO 혹은 ESR1-/- 생쥐를 대상으로 분석한 연구는 남성의 생식력과 생식기의 기능에서 ESR1의 중요성을 보여 주었다 (Hess 등, 1997). 기능성 ESR1 유전자가 결여된 동물은 불임을 나타내었으며, 부고환 미부의 정자는 운동성 정자의 비율이 낮으면서 속도가 떨어지는 양상을 보였고, 체외 수정에서 좋은 효과를 나타내지 못하였다. 그러나 이러한 불임이 정자에 일차 결함이 있기 때문으로는 생각되지 않는데, 이유는 *ESR1*KO 생식세포를 표준형 (wild-type) 생식기에 이식해도 정상 자손이 생산되기 때문이다 (Mahato 등, 2001). 그러나 다른 연구는 Sertoli 세포가 *ESR1*을 발현하고 에스트로겐에 반응을 나타내었다고 보고하여 (Lucas 등, 2008), aromatase가 결여된 생쥐는 연령에 의존하여 고환이 퇴화한다는 관찰 (Robertson 등, 1999)이 지지를 받게 되었다.

고환을 떠난 정자는 고환액을 재흡수하는 기능을 가진 고환의 수출관을 지나며, 수출관의 흡수 기능으로 인해 농축된 정자가 부고환의 첫 구역 내로 들어가게 된다 (Hess, 2002). 따라서 이들 두 부위는 내강의 미세 환경을 정자의 생존력과 기능에 적합하도록 만들고 유지하는 역할을 한다. 만일 *ESR1*이 없다면, 수출관은 본연의 기능인 유액의 재흡수를 실행하지 못하여 내강 내에 유액이 축적되고, 이로써 역압으로 인해 고환의 위축이 발생한다 (Hess, 2003).

이전의 *ESR1*KO 동물의 수출관에 관한 연구는 유액 및 이온의 역동학을 조절하는 데 중요한 여러 단백질, 예를 들면 Na$^+$/H$^+$ exchanger protein 3 (NHE3; 공식 심벌은 solute carrier family 9 member 3, SLC9A3), carbonic anhydrase II (CAR2), 두 수액 통로인 aquaporin 1 (AQP1)과 9 (AQP9) 등의 발현이 감소되었다고 하였다 (Ruz 등, 2006). mRNA 농도를 분석한 연구는 *ESR1*이 SLC9A3 전사에 대해 일차적인 효과를 나타내는 데 비해, CAR2, AQP1, AQP9 등의 발현 감소는 수출관 상피의 형태학적 결함에 따른 이차적 효과라고 결론지었다. *ESR1*은 부고환의 근위부에서도 발현된다고 보고되었지만 (Zhou 등, 2002), *ESR1*KO 부고환의 운반 통로에 대한 상세한 평가는 이루어지지 않은 상태이다.

부고환은 정자의 성숙, 운반, 보호, 저장에서 중요한 역할을 하며 (Hinton 등, 1995), 기시부, 두부, 체부, 미부 등 4부분으로 구분되는 구불구불한 하나의 관을 가지고 있다 (Abou-Haila와 Abou-Haila, 1984). 이들 각각의 구역은 구성하고 있는 상피세포의 형태학적 차이로 인해 서로 다른 혹은 중복되는 기능을 갖는다. 부고환에는 정자에게 특별한 내강 환경을 제공하기 위해 두 형태의 주된 세포가 있다. 가장 풍부한 주세포 (principal cell)는 전체 상피세포의 65~80%를 차지하며 부고환의 내강으로 분비되는 모든 단백질을 합성한다 (Hermo, 1995). 두 번째 주된 세포는 협소세포 (narrow cell)로도 불리는 투명세포 (clear cell)로서 기시부 내에 있다. 이들 세포는 크기가 큰 세포 내 이입 세포 (endocytic cell)이며, 부고환 상피에서 분비되는 많은 단백질 및 삼투 물질을 흡수

할 뿐만 아니라 내강을 산성화하기 위해 양성자를 분비한나 (Vierula 등, 1995).

정자가 사정 전에 안정된 상태를 유지하려면 중탄산염 (HCO$_3^-$) 농도를 낮추어 부고환 내강을 산성화할 필요가 있다 (Carr 등, 1985). 즉, 정자는 중탄산염에 의해 활성화되는 adenylyl cyclase 10 (ADCY10)을 발현하기 때문에 중탄산염의 농도는 낮아진다 (Sinclair 등, 2000). 중탄산염에 의한 ADCY10의 활성화는 세포 내에서 cAMP의 증가, protein kinase A (PKA)의 활성화를 일으킨다. 이로써 수정과 운동성을 유도하는 데 중요한 여러 정자 단백질의 tyrosine 인산화가 증가한다 (Lin 등, 2006).

상피에는 내강의 pH와 중탄산염의 농도를 낮게 유지시키는 시스템, 즉 상피세포를 통한 산/염기 전달 시스템이 여러 종류가 있으며, 이들 중 다수는 고환의 수출관과 신장에 분포해 있다 (Hamm과 Alpern, 2000). 정자는 중탄산염의 농도가 높은 용액에 담긴 채로 고환을 떠난다. 부고환의 근위부는 Na$^+$/H$^+$ 이온 교환체인 SLC9A3를 발현하는데, 이는 양성자를 내강 내로 밀어내어 유액을 산성화할 뿐만 아니라 H$^+$ 이온을 제공함으로써 막에 위치한 carbonic anhydrase에 의해 HCO$_3^-$와 결합하여 H$_2$O와 CO$_2$를 형성하게 한다 (Bagnis 등, 2001). CAR14 (CA-XIV)는 내강 표면에서 보이는 주된 carbonic anhydrase이다. 새롭게 형성된 CO$_2$는 상피세포 안으로 쉽게 확산되어 들어가 CAR2에 의하여 수화되어 H$^+$와 HCO$_3^-$를 형성한다. 세포 내의 HCO$_3^-$는 Na$^+$-HCO$_3^-$ 공수송체인 SLC4A4 (sodium bicarbonate cotransporter, NBC1 혹은 NBCe1) 혹은 음이온 교환체인 SLC4A2 (anion exchanger 2, AE2)를 통해 수동적인 확산으로 기저막을 가로지른다. 주세포가 SLC9A3를 통해 양성자를 분비하는 것 외에도, 투명세포 혹은 협소세포에서도 ATP를 가수 분해하여 양성자를 막 밖으로 밀어내는 vacuolar-H$^+$ATPase (ATP6V0A1)가 활성적이다. 그러므로 중탄산염의 재흡수와 내강의 산성화는 ATP6V0A1, SLC9As, carbonic anhydrase, 중탄산염 운반체 등의 협동으로 이루어진다고 할 수 있다 (Pastor-Soler 등, 2005).

Joseph 등 (2010)은 수출관에 의한 유액의 재흡수에 장애가 발생하면 부고환의 유액 환경에 변화가 일어나고 정자의 기능에 악영향을 미친다는 가설을 세웠다. 이전의 연구에 의하면, *ESR1*KO 동물의 부고환은 특이한 산/염기 조절체의 결합으로 인해 내강 환경이 적절하게 산성화되지 못하여 정자 세포 내의 pH와 운동성에 장애를 일으키는데, 이러

한 결과는 비정상적인 부고환 환경을 조절함으로써 일부 회복될 수 있다. 이들 연구자들은 *ESR1*KO 생쥐의 부고환에서 유액의 비정상적인 항상성을 이해하고자 분비 단백질에 대해 SDS-PAGE 및 immunoblotting 분석을 실시하였다. *ESR1*KO 부고환의 근위부에서 SLC9A3 (혹은 NHE3) 외에도 carbonic anhydrase XIV, SLC4A4 (혹은 NBC1) 등의 농도가 감소한 데 비해, 다른 이온 교환체, ATP6V0A 등을 포함하는 다른 성분은 영향을 받지 않았다. 대조군에 속한 동물에 비해 *ESR1*KO 동물의 부고환에서는 내강 환경의 변화로 인해 정자 세포 내의 pH가 증가하였다. pH와 중탄산염은 정자의 cAMP와 운동성에 대한 중요한 조정 인자이기 때문에 연구자들은 외인성 cAMP를 정자에 보충함으로써 내강 및 세포 내의 비정상적인 환경을 변경시키려는 시도를 하였다. 결함을 보였던 운동성 지표가 이러한 처치로 모두 회복됨으로써, 연구자들은 정자의 운동성 장애는 정자의 본질적인 내인성 문제가 아니고 비정상적인 부고환 환경 때문이라고 주장하였다.

쥐를 대상으로 실시한 연구는 부고환의 기능이 온도에 의해서도 영향을 받음을 보여 주었다 (Wong 등, 1982). 부고환이 복강 내에 위치하여 체온에 노출되면, 정자의 저장 및 전해질의 운반 기능이 상실되었다. 사람의 부고환 기능도 체온에 의해 영향을 받는지는 알려져 있지 않다. 사람에서 부고환에 대한 온도의 영향은 정계정맥류 혹은 잠복고환과 불임과의 관계를 연구하는 데 중요한 관점이 될 수 있다.

쥐를 이용한 연구는 정자를 저장하는 부고환의 기능이 교감신경계에 의해서도 영향을 받는다고 하였다. 쥐의 inferior mesenteric plexus (IMP)를 수술 절제한 후 정자의 운동성을 모의 수술한 대조군과 비교한 연구는 다음과 같은 결과를 보고하였다 (Billups 등, 1990a). 첫째, IMP 절제 후 1~8주에 부고환의 미부에 있는 정자의 곡선 및 직선 운동의 속도가 유의하게 감소되었다. 또한, 정자 운동의 직선성이 유의하게 달라졌다. 둘째, 정관절제술 모델에서 IMP를 절제한 경우에는 정자의 직선 및 곡선 운동의 속도가 감소되었는데, 이는 관의 폐색 때문이 아니고 IMP의 절제 때문이라고 생각된다. 이들 자료는 부고환 내에 있는 정자의 기능이 교감신경계에 의해 영향을 받음을 보여 준다. 쥐의 IMP를 수술로 절제한 후 모의 수술한 대조군과 비교한 연구는 다음과 같은 결과를 보고하였다 (Billups 등, 1990b). 첫째, IMP 절제 후 1~8주에 부고환의 무게와 부고환의 미부에 있는 정자의 수가 유의하게 더 컸다. 둘째, 정관의 시작 부위에 있는 정자의 수는 IMP 절제 후 1주에 유의하게 더 많았으나, 2, 4, 6, 8주에 대조군 수준으로 돌아왔다. 셋째, 부고환의 미부에 있는 운동성 정자의 비율, 고환의 무게, 고환 내 정자의 수, 혈청 테스토스테론 등은 두 군사이에서 차이가 없었다. 이들 결과를 근거로 저자들은 교감신경계가 남성 생식기 내에서 정자의 수송과 저장에 대해 다르게 조절하며, 정자가 부고환 내에서 성숙되는 동안 IMP의 영향을 받는다고 하였다. 이들 결과는 화학적 혹은 외과적으로 교감신경을 제거하거나 신경에 대한 외상이 있으면 생식력에 나쁜 영향이 있을 수 있음을 시사한다.

요도선/Littre 선과 구요도선/쿠퍼선

URETHRAL GLAND/LITTRE'S GLAND AND
BULBOURETHRAL GLAND/COWPER'S GLAND

SECTION
06

1. Urethral Gland Or Littre's Gland 257
2. Cowper's Gland Or Bulbourethral Gland 260

요도선/Littre 선과 구요도선/쿠퍼선

URETHRAL GLAND/LITTRE'S GLAND AND BULBOURETHRAL
GLAND/COWPER'S GLAND

1. 요도선 혹은 Littre 선
Urethral Gland Or Littre's Gland

1.1. 요도선과 분비 면역
Urethral gland and secretory immunity

분비 면역 (secretory immunity)은 많은 종의 여성 생식기 내에서 나타난다 (Parr와 Parr, 1992). 자궁내막에 분포해 있는 형질세포는 이합체 분자인 immunoglobulin A (IgA)를 합성하며, IgA는 세포막의 표면에 존재하지 않고 분비되는 분비형 성분 (secretory component)인 수용체의 매개를 통해 상피를 가로질러 운반된다. 분비형 IgA는 내강 안으로 분비되어 점막의 감염으로부터 생식기를 보호한다 (Parr와 Parr, 1992). 남성 비뇨생식기에서의 분비 면역에 관하여 알려진 바는 별로 없다. 남성에서는 IgA와 IgG가 정액 내에서 발견되며 (Bronson 등, 1984), 이들은 전립선과 정낭의 관 내부로 분비된다 (Rumke, 1974). 전립선의 형질세포는 IgA를, 상피세포의 기저부는 IgG를 포함하고 있으며, 전립선관의 내강에 있는 분비형 과립은 IgA와 IgG 둘 모두를 함유하고 있다 (Ablin 등, 1972).

면역 라벨링 연구는 분비형 성분과 IgA가 수컷 쥐와 생쥐의 비뇨생식기에 분포해 있음을 보여 주었다 (Parr와 Parr, 1989). 쥐에서 분비형 성분은 복측 전립선, 사정관, 여러 부성선의 배설관, 요도선 등에서 관찰된다. 이러한 관찰은 요도선이 남성 비뇨생식기의 국소적 면역 방어에서 중요한 역할을 함을 시사한다. 요도선은 Hall (1936)에 의해 기술된 이후 거

도표 100 골반부 요도와 음경부 요도를 통한 시상절단면 그림

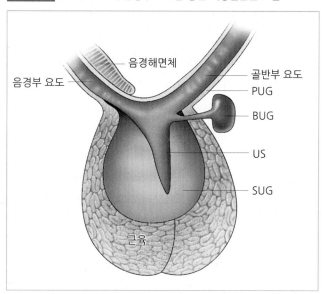

근육으로 둘러싸인 구부 요도의 벽 안에 요도게실 혹은 요도동 (US)과 동요도선 (SUG)이 있으며, 골반부 요도선 (PUG)은 골반부 요도의 점막 내에 있다. 구부 요도선 (BUG) 혹은 쿠퍼선은 요도동 (US) 내로 분비한다.
BUG, bulbourethral gland 혹은 Cowper's gland; PUG, pelvic urethral glands; SUG, sinus urethral glands; US, urethral sinus.
Parr 등 (1992)의 자료를 수정 인용.

의 관심을 받지 못하였다.

수컷 생쥐의 비뇨생식기에 관한 연구는 골반부 요도의 요도선과 구부 요도의 요도선에서 분비형 성분과 IgA 형질세포를 관찰하였다 (Parr 등, 1992) (도표 100). 유사한 관찰이 수컷 쥐의 비뇨생식기에서 보고된 바 있다 (Parr와 Parr, 1989). 이들 연구는 쥐와 생쥐의 요도선이 IgA를 소변으로 운반하는 부위임을 보여 주며, IgA와 분비형 성분 둘 모두가 쥐의 소변

에서 관찰된다 (Sullivan 등, 1988).

생쥐를 대상으로 실험한 연구는 복측 전립선과 사정관에서 분비형 성분을 발견하였지만, 다른 생식기 부위에서는 분비형 성분과 IgA 모두가 관찰되지 않았다고 하였다 (Parr 등, 1992). 이전의 연구도 쥐에서 유사한 관찰을 보고하였지만, 쥐의 경우 분비형 성분에 대한 라벨링은 사정관, 배측 전립선의 배설관, 복측 전립선, 응고선 (coagulating gland) 등에서 발견되었다 (Parr와 Parr, 1989). 이들 면역 라벨링 연구는 IgA가 정자와 정액을 생성하는 부위의 원위부와 복측 전립선에 있는 생식기 분비물 내로 운반됨을 보여 주었다. 다른 연구는 전립선이 쥐의 생식기 분비물 내로 IgA를 운반하는 중심부라고 하였다 (Stern 등, 1992). 방사면역측정법 (radioimmuno-assay, RIA)을 이용한 이 연구는 부고환, 정낭, 전립선, 고환, 정관 등에서 IgA를 발견하였으며, 분비형 성분의 농도는 전립선에서 가장 높았으나 정낭과 사정액 내에서는 측정 가능한 정도이었고 부고환, 정관, 고환 등에서는 발견되지 않았다고 하였다. 사람에서는 IgA가 정액에서 발견되며 (Witkin 등, 1983), 기원은 전립선이라고 추측된다 (Parr와 Parr, 1989).

전립선염 환자의 전립선액으로부터 분리된 세균은 IgA와 IgG 항체로 덮여 있다는 관찰 (Drach와 Kohnen, 1977)과 전립선염 및 비특이 요도염의 경우 비정상적으로 높은 농도의 IgA를 동반한다는 관찰 (Uehling, 1971)은 소변과 정액 내의 IgA가 비뇨생식기를 감염으로부터 보호하는 역할을 함을 간접적으로 보여 준다. IgA 혹은 IgM을 가진 형질세포는 사람의 전립선에서 관찰되며, 이전에 전립선염의 병력이 있는 환자에서 가장 많이 발견된다 (Bene 등, 1988). 정상 사람의 소변에는 *Escherichia coli*에 대항하는 IgA 항체가 포함되어 있고 (Tourville 등, 1968), 면역을 가진 남성의 소변에서 *Salmonella typhii* (Turner와 Rowe, 1967), polio 바이러스 (Berger 등, 1967), tetanus toxoid (Turner와 Rowe, 1967) 등에 대항하는 IgA 항체가 보고된 바 있기 때문에, 소변 내의 IgA는 면역 방어에 관여한다고 생각된다. 또한, 재발성 요로 감염을 가진 소아에는 다량의 IgA가 포함되어 있다 (Uehling과 Stiehm, 1971).

일부 불임증 환자의 정액에서 IgA 계열의 정자 응집 항체 (sperm-agglutinating antibodies)가 발견되었다 (Bronson과 Cooper, 1988). 그러한 항체는 정자를 응집시킬 뿐만 아니라 수정을 방해하고, 자궁경부의 점액을 통과하는 데 필요한 정자의 침투력을 떨어뜨리는 '흔들거리는 정자 (shaking

sperm)' 현상을 유발한다 (Clarke, 1988). 불임증 환자의 정액에서 발견되는 항체는 정자에 있는 항정자 항체와는 다르며 (Bronson 등, 1987), 정자에 동반된 항체는 정액의 기원이 되는 부위가 아닌 다른 생식기 내로 들어가기 때문에, 불임증 남성의 일부는 아직 기원이 분명하지 않은 IgA 항체 때문이라고 생각된다 (Bronson과 Cooper, 1984).

요도선의 세엽 (acinar) 상피세포의 핵은 안드로겐 수용체를 가지고 있기 때문에, 요도선은 테스토스테론 작용의 표적이 된다 (Sar 등, 1990). 이러한 양상은 상피세포 내에 안드로겐 수용체를 가지고 있는 다른 부성선과 마찬가지로 골반부 요도선과 동요도선 (sinus urethral gland)에서 나타난다 (Cooke 등, 1987). 거세된 생쥐의 요도선에서 분비형 성분의 면역 라벨링이 감소됨이 관찰되었는데, 이는 분비형 성분의 발현이 테스토스테론에 의존적임을 시사한다. 마찬가지로 수컷 쥐의 눈물샘 (Sullivan 등, 1984)과 전립선 (Stern 등, 1992)에서의 분비형 성분도 안드로겐 자극에 대해 반응을 한다. 이들 결과를 정리하면, 요도선은 수컷 생쥐의 비뇨생식기에 있는 IgA와 분비형 성분의 근원지로 추측되며, IgA와 분비형 성분은 테스토스테론에 의존적이고 요도선의 세엽 세포는 안드로겐 수용체에 대해 강하게 염색되기 때문에, 요도선은 수컷 생쥐의 비뇨생식기에서 테스토스테론에 의해 조절되는 분비 면역과 관련이 있는 기관이라고 생각된다 (Parr 등, 1992).

1.2. 요도선과 구요도선 종양의 진행에서 TGF βs
Transforming growth factor βs in urethral and bulbourethral gland tumor progression

요도선과 구요도선 (혹은 쿠퍼선)에서 종양의 발생은 전립선암과 다르게 사람에서 매우 드문 사건이다 (Dodson 등, 1994). 이들 조직은 발생 기원이 비슷하고 모두 안드로겐에 반응하기 때문에, 이들 조직에서 종양 형성의 빈도가 차이나는 이유는 이해하기 어렵다. 요도선암과 쿠퍼선암이 희귀하다는 사실은 이들 조직이 종양 형성에 대해 저항적이라는 추측을 일으킨다. 이에 관한 연구를 위해 *C3(1)/tumor antigen (TAg)* 유전자를 삽입하여 simian virus 40 large TAg (SV40 TAg)의 발현을 유도한 생쥐가 이용되었다. 내인성 *C3(1)* 유전자는 쥐의 복측 전립선에서는 높게, 배외측 엽에서는 낮게 발현되며 (Hurst와 Parker, 1983), 이와 유사한 TAg의 발현 양상이 *C3(1)/TAg* 유전자 삽입 생쥐의 전립선 엽에서 나타난다.

TAg의 발현은 안드로겐에 대해 반응하는 요도선, 쿠퍼선, 악하선 (submandibular gland) 등에서 관찰되는데, 이는 유전자 삽입에서 이용된 C3(1)의 조절 영역이 이들 기관에서 안드로겐 자극에 대해 반응함을 시사한다 (Shibata 등, 1998).

이전의 연구는 C3(1)/TAg 유전자를 삽입한 생쥐의 경우 수컷에서는 전립선암과 악하선암이, 암컷에서는 유방암이 발생했다고 보고하였다 (Maroulakou 등, 1994). 전립선 스테로이드 결합 단백질 C3(1)의 5′-flanking region에 의한 조절 하에서 SV40 TAg을 발현하는 수컷 생쥐는 7개월의 연령에서 전립선암이 발생한 데 비해 (Shibata 등, 1996), 암컷 생쥐는 4개월의 연령 이후에 유방암이 발생하였다 (Shibata 등, 1996). 이들 유전자 삽입 생쥐에 관한 조직학적 검사는 전립선암과 악하선암 외에도 요도선암과 쿠퍼선암이 발생함을 보여 주었다. 그러나 암컷 생쥐에서는 요도선과 쿠퍼선에서 종양이 형성되지 않았는데, 이는 수컷 생쥐에서의 종양 형성이 안드로겐과 관련이 있음을 시사한다.

연골세포 (chondrocyte) 혹은 연골의 형성은 요도선암과 좌골해면체근 (ischiocavernousus muscle)을 침범하는 종양에서 관찰된다. C3(1)/TAg 유전자 삽입 생쥐의 발에 있는 땀샘에서도 연골세포가 형성된 혼합 종양 (mixed timor)이 발생하였다 (Green 등, 1996). 사람의 타액선에서 발생한 혼합 종양에서도 흔히 연골세포가 형성된다. 그러나 이 유전자 삽입 모델에서 발생한 악하선암에서는 그러한 형성이 흔하지 않다. 이러한 모델에서 연골을 가진 종양이 발생하는 원인은 transforming growth factor β (TGFβ) 상과에 속하는 골 형성 단백질의 분비 때문이라고 생각된다.

SV40 TAg의 발현은 정상으로 보이는 요도선, 쿠퍼선, 타액선 등의 상피세포에서 매우 낮은 농도로 발견된다. 그러나 이들 세 조직에서 TAg의 발현은 비정형 병변에서 증가하며, 암에서는 크게 증가한다. p53와 TAg의 발현 양상은 비슷하다. SV40 TAg 에 대항하는 항체를 이용한 면역침강법은 TAg 단백질이 p53과 retinoblastoma protein (RB) p110과 결합함을 보여 준다 (Mietz 등, 1992). 형질 전환을 일으키는 SV40 TAg의 작용은 p53, pRB, pRB와 관계있는 단백질인 p107/p130 등과 결합하여 이를 기능적으로 불활성화함으로써 나타난다 (Zalvide와 DeCaprio, 1995). SV40 TAg에 의한 p53과 pRB의 기능적 불활성은 사람과 동물의 암에서 흔히 나타나는 것과 마찬가지로 이들 종양 억제 유전자의 상실 혹은 돌연변이와 기능적으로 동일하다. 비인산화 형태의 pRB는 세포 주기에서

도표 101 C3(1)/TAg 유전자 삽입 수컷 생쥐에서 요도선, 쿠퍼선, 악하선의 암이 진행하는 동안 SV40 TAg, p53, PCNA 단백질의 발현

단백질	정상	비정형 과다 형성	비정형 결절성 과다 형성	선암
SV40 TAg	−~±	1+~2+	2+~3+	4+
p53	−~±	1+	1+~3+	3+~4+
PCNA	−~1+	3+	3+~4+	4+

면역조직화학 분석에서 단백질 발현의 등급은 다음과 같이 분류된다; 음성 (0%)은 −, 드문 (<0.1%)은 ±, 경도 (<10%)는 1+, 중등도 (<50%)는 2+, 강함 (>70%)은 3+, 매우 강함 (>90%)은 4+.

PCNA, proliferating cell nuclear antigen; SV40, simian virus 40; TAg, tumor antigen.

Shibata 등 (1998)의 자료를 수정 인용.

G1/S 기의 이행을 억제한다 (Riley 등, 1994). 면역침강법을 이용한 연구는 유전자 삽입 모델에서 비인산화 형태의 pRB가 TAg과 결합함을 확인하였으며, 이러한 기전이 이들 조직의 형질 전환을 일으킨다고 생각된다 (Shibata 등, 1998). 그러나 종양의 형성에서 pRB와 관련이 있는 p107과 p130의 역할을 밝히는 추가 연구가 필요하다.

Cyclin 혹은 DNA polymerase δ와 관련이 있는 단백질인 proliferating cell nuclear antigen (PCNA)은 세포 주기 중 초기의 G1과 S 기에서 합성되며, 증식 세포에 대한 표지자의 역할을 한다 (Foley 등, 1993). PCNA의 발현은 요도선, 쿠퍼선, 타액선 등에서 생긴 병변의 정도와 상호 관련이 있다.

C3(1)/TAg 유전자 삽입 생쥐에서 요도선 및 쿠퍼선의 암이 진행하는 동안 SV40 TAg, p53, PCNA 등의 발현 양상은 도표 101에 나타나 있다.

상피세포암에서는 TGFβ가 비정상적으로 발현된다고 알려져 있다. 포유동물에서 가장 풍부한 TGFβ의 아형은 TGFβ$_1$이며 (Roberts와 Sporn, 1993), 이 아형은 상피세포의 성장을 억제한다고 보고된 바 있으며 (Roberts와 Sporn, 1990), 역설적으로 종양의 성장을 증대시키는 특성도 가지고 있다 (Samuel 등, 1992). TGFβ$_1$이 종양의 성장을 자극하는 기전으로는 면역 억제 (Ellingsworth 등, 1988), 자가 분비 혹은 주변 분비 효과 (Sporn과 Roberts, 1985), 혈관 형성의 자극 (Kehrl 등, 1986) 등이 있다. 비뇨생식기의 암을 예로 들면, TGFβ$_1$은 Dunning 쥐의 전립선암에서 크게 증가되며 (Steiner와 Barrack, 1990), 생쥐의 미분화 전립선암 모델에서도 증가하고 (Merz 등, 1991), 사람의 전립선암에서도 흔히 증가된다 (Truong 등, 1993). 요도선암에 관한 연구는 비정형 병변에서 암으로 이행

되는 경우에 TGFβ$_1$의 농도가 증가한다고 하였다 (Shibata 등, 1998). 다른 연구는 TGFβ$_3$가 섬유모세포에서 발현되며 (Millan 등, 1991), 방추세포 (spindle cell)의 표현형을 유지하는 데 관여한다고 하였다 (Cui 등, 1996). 진행된 요도선암은 흔히 방추세포로 구성된 비분화 형태이기 때문에, 이들 유전자 삽입을 이용한 종양 모델에서 TGFβ$_3$의 상향 조절은 방추세포 표현형의 발생에 영향을 준다고 생각된다 (Shibata 등, 1998). 앞으로 종양이 진행하는 동안 변화가 일어나는 TGFβ$_3$의 수용체에 관한 연구도 필요하다.

MET proto-oncogene, receptor tyrosine kinase (*c-MET* 혹은 *hepatocyte growth factor receptor, HGFR*) 원종양 유전자 (proto-oncogene)는 190 kDa 단백질의 tyrosine kinase 수용체 c-MET를 코드화한다. Hepatocyte growth factor (HGF)는 c-MET 수용체의 ligand이다 (Weidner 등, 1993). c-MET는 상피의 배아 형성과 전립선암 (Pisters 등, 1995), 유방암 (Liang 등, 1996), 신세포암 (Natali 등, 1996) 등을 포함하는 여러 종양의 진행에 영향을 준다. 매우 가변적이기는 하지만, 요도선암도 c-MET의 농도를 증가시키는 경향을 가지고 있다 (Shibata 등, 1998). 따라서 c-MET 발현의 증가는 이들 유전자 삽입으로 인한 비뇨생식기 상피세포암의 형질 전환에서 중요한 역할을 하는 것 같지 않다.

요도선과 쿠퍼선의 성장 및 분화는 안드로겐에 의존적이다 (Mann과 Lutwak-Mann, 1981). 남성에서 요도선과 쿠퍼선은 각각 여성의 Skene 선 (혹은 요도 주위 선), Bartholin 선과 상동기관이다 (Spring-Mills와 Hafez, 1980). 이들로부터 생긴 선암의 빈도는 여성에서도 드물다 (Dodson 등, 1994). *C3(1)/TAg* 유전자 삽입 생쥐의 경우 수컷과는 다르게 암컷의 선 조직에서는 병변이 관찰되지 않는다. 또한, 암컷 타액선의 병변은 광범위한 병변으로 발달하는 수컷과는 다르게 매우 약한 비정형 핵을 보이는 정도이다 (Shibata 등, 1998).

유전자 삽입 생쥐 모델에서 이러한 패턴으로 종양이 형성된다는 관찰은 요도선암, 쿠퍼선암, 타액선암 등이 발생하는 데는 안드로겐이 관여함을 시사한다. 그러나 여성의 정상 타액선 또한 안드로겐 수용체를 발현하기 때문에 (Nagai 등, 1995), 유전자 삽입 암컷 생쥐에서 타액선암이 발생하지 않는 이유는 분명하지 않다. 그러한 차이가 수컷에 비해 암컷에서 혈중 안드로겐 농도가 낮다는 결과로 설명될 수 있다. 이는 생쥐의 악하선은 성적으로 이중 형태를 나타낸다는 사실과 일맥상통한다. 수컷과 암컷 악하선의 뚜렷한 차이는 암컷의 악하선에서는 관세포가 입방세포 (cuboidal cell)로 구성된 데 비해, 수컷에서는 관세포가 기저부에 핵을 가진 큰 원주세포로 구성되어 있고 그들 관세포 내에 훨씬 더 풍부한 강한 호산성의 (eosinophilic) 분비 과립이 함유되어 있다는 점이다.

RT-PCR 분석에 의하면, Ur12 요도선암 세포주에서는 안드로겐 수용체의 발현이 발견되지 않은 데 비해, Ur22E와 Ur22F에서는 안드로겐 수용체가 낮은 농도로 발현되었다 (Shibata 등, 1998). 그러나 이 연구는 안드로겐 수용체의 농도를 정상 요도선과 요도선암에서 비교하지 않았기 때문에 결과의 유의성은 분명하지 않으며, 앞으로 면역조직화학검사를 이용하여 이 문제를 해결할 필요가 있다.

2. 쿠퍼선 혹은 구요도선
Cowper's Gland Or Bulbourethral Gland

쿠퍼선 (Cowper's gland)은 구요도선 (bulbourethral gland)으로 알려져 있으며, 17세기 영국의 외과 의사 William Cowper에 의해 붙여진 명칭이다. 전립선과는 해부학적으로 가까운 관계를 가지고 있다. 임상에서 전립선의 영향이 지속적으로 크게 인식되어져 왔기 때문에, 쌍으로 된 쿠퍼선의 영향은 상대적으로 무시되어 왔다. 그러나 이 쿠퍼선과 쿠퍼선 관의 병변은 선천적이든 후천적이든 과거에 보고된 빈도보다 훨씬 더 흔하다 (Colodny와 Lebowitz, 1978). 그들 병변은 증상이 없을 수도 있지만, 배뇨 곤란 혹은 요정체를 일으키기도 한다.

태아 발생 후 10주째에 골반부 요도는 쌍으로 된 쿠퍼선을 발생시킨다. 전립선부 요도로부터 전립선이 발달하는 데 비해, 쿠퍼선은 많은 내분비 및 주변 분비 신호의 영향을 받아 막 요도로부터 생겨난다. 쿠퍼선에 대한 조절은 dihydrotestosterone (DHT)에 의해 가장 크게 영향을 받는다. 전립선이 발달함에 따라 쿠퍼선은 전립선의 직하방에 있는 요도로부터 자란다. 태아 발생 10주째에 정낭은 테스토스테론의 영향을 받아 원위부 중신관 (mesonephric duct; Wolffian duct 혹은 Leydig's duct로도 불림)에서 발생하고, 전립선과 쿠퍼선은 DHT의 영향을 받아 요도에서 발생한다. 즉, 정관과 정낭은 중신관에서, 전립선은 상부 비뇨생식동 (urogenital sinus)에서, 쿠퍼선은 중간 비뇨생식동에서 유래된다.

전립선, 정낭, 정관 팽대부, 쿠퍼선 등과 같은 부성선 조직은 생식 과정에서 중요한 역할을 한다고 간주된다. 그들은 여성의 전정선 (vestibular gland)과 상동 기관이다. 쿠퍼선은 요도의 윤활을 돕는 부성선 기관이며, 설치류에서 쿠퍼선의 분비물은 정액의 응고에서 어떠한 역할을 한다 (Beil과 Hart, 1973). 1쌍의 주 쿠퍼선은 완두콩 크기로 비뇨생식가로막 내에 위치해 있고, 2번째 쌍인 부 쿠퍼선은 구부해면체 (bulbospongiosus) 내에 위치해 있다. 주 쿠퍼선의 관은 해면체를 통과한 후 중간쯤에서 구부 요도의 전면으로 들어간다. 부 쿠퍼선의 관은 직접 요도로 들어가거나 주 쿠퍼선 관으로 배출된다. 쿠퍼선의 관은 구부 요도의 내부로 배출된다. 구부 요도는 비뇨생식가로막 하방으로부터 위로는 음경현수인대 (suspensory penile ligament), 아래로는 음경음낭 결합부까지 위치해 있다. 쿠퍼선은 가성중층상피 (pseudostratified epithelium)로 배열된 중심 배출관으로부터 방사형으로 뻗어 나온 작은 관포선 (tubuloalveolar gland)으로 이루어진 소엽들로 구성되며, 작은 근육 다발 안에 들어있다. 이들 선은 단순원주상피로 구성된 얇은 결합조직의 피막을 갖는다. 선은 조직학적으로 mucin, 세엽의 주변에 있는 평활근의 actin 등에 대해 염색 반응 양성의 소견을, prostatic acid phosphatase (PACP), S-100 protein (S100), carcinoembryonic antigen (CEA) 등에 대해서는 염색 반응 음성의 소견을, PSA, CK903 등에 대해서는 다양한 염색 반응 소견을 나타낸다 (Elgamal 등, 1994).

남성의 부성선 조직이 발달하고 성장하기 위해, 또한 사정액의 주된 성분을 형성하는 분비액을 유지하기 위해서는 고환의 기능이 지속적으로 작동할 필요가 있다. 쿠퍼선은 성적으로 흥분된 상태 동안 당단백질을 분비하여 요도 내로 배출하는데, 이는 정액에서 윤활제의 역할을 한다. 성적 자극에 반응하여 쿠퍼선은 알칼리성의 점액 같은 액체도 분비하는데, 이는 요도에 남아 있는 산성 소변과 질의 산성도를 중화시키며, 성교 동안 음경의 말단에 대하여 어느 정도의 윤활제 역할을 한다. 분비물에는 sialic acid, galactose, galactosamine, methyl pentose, mucus 등이 포함되어 있다고 보고되었다 (Mann, 1954). 쥐의 쿠퍼선을 이용하여 생화학적 분석을 시도한 연구는 테스토스테론을 투여하면 사춘기 이전의 쿠퍼선에서 maltase와 alkaline phosphatase의 활성, sialic acid, glycogen 등이 성인 수준으로 증가한 데 비해, 거세를 하면 maltase의 활성이 급격하게 감소되었고 기타 지표도 정상 수준 아래로 유의하게 감소했다고 하였다. 거세 동물에게 테스토스테론을 투여한 경우 총 지질과 인지질을 제외한 모든 지표가 회복되었다 (Srivastava 등, 1981).

사정 전 쿠퍼선의 분비물에서 임신 가능한 운동성 정자가

발견되었다는 보고가 있었지만 (Masters 등, 1982), 12명의 남성을 대상으로 실시한 다른 연구는 쿠퍼선의 분비물에는 정자가 포함되어 있지 않다고 하였다 (Zukerman 등, 2003). 이는 최소 2번의 전희 동안 채집한 사정하기 전의 쿠퍼선 분비액과 자위행위 후 채집된 정액 표본에 대한 연구에서 입증되었다. 즉, 사정 전 표본 중 어떠한 표본에서도 정자가 포함되어 있지 않았으며, 모든 남성의 통상적인 정액 분석에서는 정자가 관찰되었다. 이는 성 자극이 있는 동안 쿠퍼선으로부터 요도 끝으로 분비된 사정 전 액체에는 정자가 포함되지 않음을 분명하게 보여 준다.

쿠퍼선은 생식기의 면역 방어에 관여하며, PSA를 포함하는 다수의 당단백질을 분비한다 (Pedron 등, 1997). 사체의 쿠퍼선과 방광전립선요도절제술 표본에 대한 면역조직화학적 연구는 PSA와 PACP의 대부분이 전립선 조직에서 생성되지만, 전부가 그러하지 않음을 보여 주었다 (Elgamal 등, 1994). 이는 PSA가 전립선 외의 조직에서도 생성된다는 가설을 뒷받침하며, 이러한 이유로 근치전립선절제술 후 혈청 PSA의 민감도와 특이도가 떨어지는 경향이 있다고 생각된다.

쿠퍼선에는 선천성 및 후천성 병변이 일어날 수 있다 (Pedron 등, 1997). 선천성 병변으로는 관의 낭성 확장이 있다. 선천성 병변은 대개 증상이 없으나, 진단 검사에서 심각한 질환과 혼동을 일으키는 경우가 있다. 후천성 병변으로는 전립선에서 발생하는 것과 동일하게 염증, 결석, 신생물 등이 있다.

2.1. 선천성 질환 Congenital disease

쿠퍼선의 선천성 질환으로는 관이 확장된 관낭종 (syringocele)이 있다.

2.1.1. 관낭종 Syringocele

쿠퍼선의 관낭종은 쿠퍼선의 관이 주머니 모양으로 확장된 기형이며, 남성의 요도에서 드물게 발생한다. 확장의 원인은 분명하지 않지만, transforming growth factor beta 2 (TGFβ2)가 없는 생쥐에 관한 연구에 의하면, 이러한 조건에서 쿠퍼선 세포는 과다하게 증식하고 주머니 모양으로 확장하여 관낭종과 유사한 모양을 나타냄이 관찰되었다. TGFβ2의 농도가 낮은 생쥐에서 쿠퍼선의 상피가 과다 증식을 일으키고 쿠퍼선이 낭종을 유발하는 것은 TGFβ2의 낮은 농도로 인해 상피와 기질 사이의 상호 작용에 장애가 발생하고 세포 자멸사가 상

당하게 감소하기 때문이라고 추측된다 (Dunker과 Aumuller, 2002).

쿠퍼선 관낭종은 요도 벽 내에서 낭종 모양으로 확장되어 팽창된 폐쇄형을 나타내거나 구멍이 있어 관낭종 내로 소변의 역류가 가능하도록 팽창된 개방형을 나타낸다. Maizels 등 (1983)은 쿠퍼선의 병변을 4유형으로 분류하였는데, 관이 경미하게 확장된 단순 관낭종 (simple syringocele), 구부관이 게실 모양을 갖추고 요도 안으로 배출되는 천공 관낭종 (perforate syringocele), 구부 관이 방사선 검사에서 방사선 투과성 덩이를 나타내며 점막 하부에서 낭종 모양을 나타내는 폐쇄 관낭종 (imperforate syringocele), 확장된 관이 파열을 일으킨 후 막이 잔존해 있는 상태인 파열 관낭종 (ruptured syringocele) 등이다.

성인에서 쿠퍼선 관낭종의 증상은 하부요로증상으로 구성된다. 병변이 있더라도 소아기와 사춘기에서는 대개 증상이 없다. 증상으로 보통 혈뇨가 관찰되지만 (특히 파열된 경우), 빈뇨, 통증, 분비물과 같은 요로 감염의 증상, 요도 폐색의 증상, 만성 요점적 (dribbling), 드물게는 Cobb's collar와 무수축 방광의 증상 등이 나타난다. (Salinas Sanchez 등, 1998). Cobb's collar는 선천성 요도 협소증이다. Cobb's collar를 동반한 쿠퍼선 관낭종이 드물게 성인에서 발견된 경우가 보고된 바 있다 (Mutlu 등, 1998). 또한, 무수축 방광과 쿠퍼선 관낭종을 동반한 환자가 기술된 바도 있다 (Turker Koksal 등, 2003).

진단은 역행성요도조영술 및 내시경을 통해 이루어지며, 경회음초음파촬영술 또한 진단 방법으로 유용할 수 있다. 이들 진단법에서 관낭종은 구부 요도의 게실로 나타난다 (Shintaku 등, 1996). 치료 방법으로는 내시경을 통해 관낭종 배출구로 이어지는 절개술, 조대술 (marsupialization) 등이 있다 (Pinos Paul 등, 2001). 경우에 따라 회음부 절개를 통해 관낭종을 외과적으로 절제하고 요도를 봉합하는 기법이나 회음부 접근법을 이용한 개방 수술을 실시하기도 한다 (Navas Pastor 등, 2002). 증상을 가진 관낭종이 감염된 후 자연적으로 소실된 증례가 보고된 적 있다.

관낭종으로 치료받은 환자는 평균 12개월 추적 관찰하는 동안 증상이 완전하게 소실된다. 쿠퍼선 관낭종은 현재 알려진 것보다 더 흔할 수 있다. 비뇨기과 의사는 하부요로증상과 지속적인 요점적 증상을 가진 젊은 남성에서 쉽게 치료할 수 있는 이 낭종의 가능성을 배제할 수 있어야 한다 (Bevers 등,

2000). 부분적 중복 요도, 요도 게실, 이소성 요관 등과 관낭종을 혼동해서는 안 되는데, 이러한 질환으로 오진할 경우에는 필요 없이 과중한 수술을 할 수 있기 때문이다 (Colodny와 Lebowitz, 1978).

2.2. 후천성 질환 Acquired disease

쿠퍼선에서 발생되는 후천성 질환으로는 쿠퍼선염, 결석, 종양 등이 있다.

2.2.1. 구요도선염 혹은 쿠퍼선염 Cowperitis

구요도선염 혹은 쿠퍼선염 (cowperitis)은 급성 혹은 만성으로 생기는 쿠퍼선의 염증이다. 급성 쿠퍼선염은 빈뇨, 절박뇨, 통증 배변, 급성 요정체 등을 동반한 고열, 전신적 불편감, 심한 회음부 통증 등의 증상을 나타낸다. 직장 검사 때도 심한 통증을 일으킨다 (Chwalla, 1963). 감염의 원인균은 대개 요로 감염의 원인 균주와 동일한데, urea-splitting organisms (예; Proteus, Peudomonas, Klebsiella, Enterococcus), Neisseria gonorrhoea, Escherichia coli, Chlamydia trachomatis 등이며, 치료는 적절한 항생제를 이용한다 (Martinez-Sagarra 등, 1981). 극히 드물게 음경, 정낭, 부고환, 정관, 쿠퍼선에 생식기 결핵이 발생한 예가 보고된 바 있다. 진단은 분비물 내 항산성 간균 및 조직병리학적으로 발견된 Langerhans 거대세포와 함께 건락화 (caseation; 주로 결핵 병변에서 볼 수 있으며, 조직이 파괴되어 지방이 침착하고 세포가 파괴되어 핵의 융해가 일어난 상태)의 유상피육아종 (epithelioid cell granulomata)의 확인으로 가능하다. 항결핵제에 대해 빠른 반응을 보인다 (Vasanthi와 Ramesh, 1991).

만성 세균성 쿠퍼선염은 보통 요로에 세균이 상주하는 병소로서 쿠퍼선 관낭종과 같은 근본적 결함을 가지고 있다. 적절한 치료법은 결함을 확인하고 제거한 후 항생제로 감염을 치료하는 방법이다 (Martinez-Sagarra 등, 1981). 그러나 흔히 항생제만으로는 이 질환을 치료할 수 없다.

2.2.2. 결석 Stone

쿠퍼선의 석회화는 고령의 환자들에서 보고되며, 원인으로는 분비물의 정체를 동반한 관 폐색, urea-splitting 균주에 의한 감염, 당뇨병 후유증 등이 있다 (White 등, 1983). 결석은 보통 칼슘, 마그네슘, 포타슘의 인산염, 탄산칼슘, 칼슘옥살레이

트 등을 포함한다. 이들 결석은 방사선 비투과성의 경향을 가지며, 골반에 대한 초음파촬영술로 발견이 가능하다. 이들 결석은 거의 감염이나 농양을 일으키지 않는다. 증상이 없는 결석에 대해서는 관찰 요법이 주 치료법이다.

2.2.3. 신생물 Neoplasm

면역조직화학검사에 의해 고분자량의 cytokeratin에 대해 염색 반응 양성을 나타내는 다낭성 낭선종 (multicystic cystadenoma)이 쿠퍼선에서 발생하여 전립선의 낭선종에서와 마찬가지로 일괄 절제술 (en bloc resection)로 치료한 증례 보고가 있다 (Villeda-Sandoval 등, 2013).

선낭암 (adenocystic carcinoma)은 다소 드문 종양으로서, 보통 타액선에서 관찰되지만 드물게 비인두, 구강, 기관지, 유방, 전립선 등에서도 발생한다. 전립선의 경우 수술에 의한 절제로 치료되며, 보충 요법으로 방사선 요법, 화학 요법, 호르몬 요법 등을 시행할 수 있으나 효과는 의문시 된다. 전립선의 선낭암이 전이되어 사망한 2례가 보고된 바 있다 (Minei 등, 2001). 타액선의 선낭암은 양호한 예후를 보이지만, 자궁경부 등 다른 기관의 선낭암은 공격적인 성향을 가지며 나쁜 예후를 나타낸다 (Morimura 등, 1995). 한 연구는 진단 당시 쿠퍼선의 선낭암이 폐에 전이되었지만 회음부 통증이 진단되기 8년 전부터 지속된 것으로 보아 전이암의 활성 정도는 제한적이라고 보고하였다 (Small 등, 1992).

구부의 막 요도에 위치해 있는 쿠퍼선의 선암은 미분화 세포로 배열된 불규칙한 모양의 샘으로 구성되며, 점액을 포함한 선낭암의 양상을 가진다 (Mostofi 등, 1992). 쿠퍼선암이 보고된 경우는 15례 미만이며, 증상으로는 요도 협착으로 인한 증상, 혈성 분비물 등이 있었고, 이 경우에서 PSA의 농도는 증가하지 않았다. 쿠퍼선암의 면역조직화학적 양상은 분명하게 알려져 있지 않지만, 전이를 일으킨 경우 PSA와 PAP에 대한 염색은 음성 결과를, cytokeratin에 대해서는 양성 결과를 나타내었다는 보고는 있다 (Small 등, 1992). 선암을 화학 요법으로 치료를 한 증례 보고가 있다 (Keen 등, 1970). 또한, 건강한 무증상 남성에서 쿠퍼선에 원발 선낭암이 발생하였다는 증례 보고가 있다. 치료로 골반 내용물 제거술 (pelvic exenteration)에 이은 방사선 요법을 실시한다. 쿠퍼선의 선낭암이 두경부의 암처럼 공격적인지는 분명하지 않지만 수술과 방사선 치료를 병합한 요법이 적절한 접근법이라고 생각된다 (Small 등, 1992).

쿠퍼선의 전이암을 molecular profiling (암을 관리하기 위해 해당 암과 관련이 있는 신호 경로를 분석함과 아울러 치료 경험, 임상 시험 자료, 의학 문헌, 기타 유망한 증거 자료 등을 종합함으로써 환자에게 적합한 치료를 제공하는 기법)을 통해 7년 동안 성공적으로 관리한 증례 보고가 있었다. 이들 저자들은 macrophage colony-stimulating factor 1 (mCSF-1)의 수용체와 platelet-derived growth factor (PDGF)의 수용체와 구조적으로 관련이 있는 경막 당단백질을 코드화하는 원형암유전자 (proto-oncogene)로서 cluster of differentiation 117 (CD117), piebald trait protein (PBT), mast/stem cell growth factor receptor (SCFR), tyrosine-protein kinase Kit 등으로도 알려진 v-kit Hardy-Zuckerman 4 feline sarcoma viral oncogene homolog (KIT 혹은 c-KIT) (Yarden 등, 1987)를 표적으로 하는 약물을 여러 주기로 투여하여 암을 조절했다고 보고하였으며, c-KIT 의존성 암의 치료에서 sunitinib와 같이 receptor tyrosine kinase (RTK)를 표적으로 하는 약물과의 새로운 병합 요법을 제시하였다 (Myers 등, 2014).

2.3. 섬유소 용해 작용 Fibrinolytic activity

정액의 응고 및 액화는 혈액의 응고 및 섬유소 용해와 비슷하다. 혈액에서 효소 전구체 (pro-enzyme)인 plasminogen이 '활성제'에 의해 활성 단백질분해효소인 plasmin으로 전환되면 섬유소 용해 작용이 일어난다. 이 단백질분해효소는 섬유소를 분해한다. 마찬가지로 정액이 사정되면, 정액은 즉시 응고되었다가 약 20분 내에 단백질 분해 작용에 의해 액화된다. 정액에 포함된 섬유소 용해 물질이 처음에는 전립선에서 기원한 단백질분해효소라고 보고되었으나 (Huggins와 Neal, 1942), 후에 plasminogen 시스템의 활성제로 밝혀졌다 (von Kaulla와 Shettles, 1953).

Huggins와 Neal (1942)은 전립선 마사지 후 채집한 전립선액을 분석한 후 정액의 섬유소 용해소 (fibrinolysin)의 근원지는 전립선이라고 하였으나, Harvey (1949)는 정액장액의 섬유소 용해 작용이 전립선 성분과는 무관하다고 보고하여 이 가설에 대해 의문을 던졌다. Ying 등 (1956)도 전립선 마사지 후 채집된 분비물에는 정낭액, 요도 분비물 등도 포함되어 있기 때문에, 정액에서 일어나는 섬유소 용해 작용의 일부만이 전립선 분비물과 관련이 있다고 하였다. Karhausen과 Tagnon (1955)은 전립선의 섬유소 용해 작용은 plasminogen activator (PA)보다는 trypsin과 같은 단백질분해효소 때문이라고 하였다. 전립선에는 PA가 풍부하지만 (Rasmussen과 Albrecht-sen, 1960), 조직학적 검사에 의하면 PA가 대부분 혈관에 분포해 있어 사정액에 대한 전립선의 섬유소 용해 작용에는 크게 기여하지 않는 것 같다.

남성의 부성선에서 정상적인 분비 과정은 표피 탈락 (desquamation)부터 세포 파열 (cell rupture)까지 상피 구조의 다양한 변화를 동반한다 (Mann, 1964). 즉, 부성선 분비물을 분석해 보면, 완전한 상피세포뿐만 아니라 샘의 조직 파편도 관찰된다. 조직 표본에서 그러한 조직 파편과 관련이 있는 섬유소 용해 작용이 뚜렷하게 나타난다. 이러한 관찰은 각막 상피의 손상 혹은 파열이 이들 세포의 섬유소 용해 작용을 증대시킨다는 보고와 일맥상통한다 (Pandolfi와 Astrup, 1967).

사람의 부성선 상피세포는 다양한 정도로 PA를 함유하고 있다. 혈관의 섬유소 용해 작용은 고환을 제외한 생식기에서 일정하게 높은 데 비해, 상피의 섬유소 용해 작용은 생식기에 따라 다르게 증가되는데, 고환에서 가장 약하고 정낭과 전립선에서 증가되며 쿠퍼선과 요도 말단에서 가장 높다 (Kester, 1971). 정액장액에서 섬유소 용해의 중요성은 분명하지 않다. 섬유소를 용해하는 작용은 섬유소 침착물을 흡수 및 분해함으로써 요로의 개통을 유지하는 데 필요하기 때문에 (Charl-ton, 1966), 섬유소의 용해는 생식기 통로 내에서 정액을 액체 상태로 유지하는 데 필요하다고 생각된다 (Mann, 1964). 사정액의 마지막 분비물 내에는 쿠퍼선으로부터 분비된 고농도의 활성제가 포함되어 사정액에 추가되는데, 이로써 사정 후 정액 응고물을 액화하여 정자의 자궁 내 이동을 용이하게 하는 섬유소 용해 작용의 효과가 나타난다 (Kester, 1971). 또한, plasmin은 정자가 수정 능력을 획득하는 과정인 첨단체 (acrosome)의 파열과 투명대 (zona pellucida)의 침투에서 어떠한 역할을 한다고 생각된다 (Kester, 1971).

정액의 섬유소 용해 작용은 정자보다는 정액장액에서 일어난다는 보고 (Huggins와 Neal, 1942)는 원심분리 후 현미경으로 검사한 연구에 의해 확인되었으며 (Kester, 1970), 정자에서는 어떠한 활성제도 발견되지 않았다 (Kester, 1971). 질의 도말 표본에 있는 정자를 대상으로 분석한 연구는 정자가 상당한 섬유소 용해를 나타내었다고 하였으나 (Tympanidis와 Astrup, 1968), 이 경우는 그러한 가검물 내의 정자가 활성제를 포함한 정액장액으로 덮여 있었거나 질 혹은 자궁경부 분비물과 접촉함으로써 활성화되었기 때문으로 추측된다.

2.4. 진료 시 유의 사항
Consideration in clinical practice

환자들은 쌍으로 된 쿠퍼선의 위치로 인해 임상적으로 많은 영향을 받는다. 쿠퍼선이 비뇨생식가로막 내에 위치해 있어 경요도전립선절제술, 드물게는 전립선 침 생검 동안 잘못하여 쿠퍼선을 채취할 수 있다. 또한, 단위 되는 선들이 작고 조밀하기 때문에, 쿠퍼선을 전립선 선암으로 오관할 수 있다. 그러나 이 두 질환은 immunoperoxidase technique이나 점액소 염색법으로 감별할 수가 있다 (Saboorian 등, 1997). 또한, 쿠퍼선은 요도와 평행하게 주행하는 관 형태로 보일 수 있으며, 간혹 배설성요로조영술에서 불투명하게 나타난다. 이러한 양상은 누관, 조영제의 관 밖으로 유출, 중복 요도, 인공 허상 등과 혼동될 수 있으나, 요도와 평행한 주행 방향, 비뇨생식가로막을 넘지 않는 상한선, 개구부의 위치 등으로 감별이 가능하다 (Pedron 등, 1997).

2.5. 정리 Summary

쿠퍼선은 발생학적 및 생리학적 측면에서 전립선과 유사하지만, 선천성 및 후천성 병변이 보고된 경우는 매우 드물다. 쿠퍼선의 관 병변의 대부분은 선천적이며, cytogram에서 이상 소견을 보이고, 소아의 1.5%의 빈도로 발생한다. 대부분은 무증상이지만 일부는 자극 증상 혹은 요도 폐색과 관련이 있는 증상을 나타낸다. 성인에서 선천성 병변은 드물어 2005년 현재 10례에 불과하다. 쿠퍼선의 종양 또한 비교적 드물다. 원인을 알 수 없으나, 전립선암은 쿠퍼선의 종양보다 훨씬 더 빈발한다. 이들 두 기관은 비뇨생식동이라는 동일한 발생 원기 (anlagen)를 가지며, 둘 모두가 DHT에 의해 조절되고, 유사한 혈관 및 신경의 지배를 받으며, 소변과 가까이 접하고 있기 때문에 두 기관의 암 유병률이 큰 차이를 나타내는 이유를 설명하기가 어렵다. 발병의 차이가 샘 내의 내인성 인자 때문인지, 외인성 환경 인자 혹은 병리학적 인자 때문인지 분명하지 않다. 이에 대한 해답은 전립선암의 형성에 대한 이해는 물론, 전립선암의 예방에도 큰 도움을 줄 수 있을 것으로 생각된다 (Chughtai 등, 2005).

사정액의 응고와 액화

COAGULATION AND LIQUEFACTION OF EJACULATE

사정액의 응고와 액화

COAGULATION AND LIQUEFACTION OF EJACULATE

사람의 정액은 사정된 후 5분 이내에 반고체 형태의 젤로 응고되며, 5~20분이 더 지나면 응고물은 자연적으로 액화되어 점성의 액체로 변한다 (Mann과 Mann, 1981). Sodium citrate나 heparin과 같은 칼슘과 결합하는 물질은 응고 과정을 억제하지 못하며, 정액장액 내에는 없는 prothrombin, fibrinogen, factor 등이 응고 과정에 필요하지도 않다. 정액의 응고는 폭이 0.15~10 nm인 섬유로 만들어지며, 그것의 형태학적 모양은 혈액의 섬유소 응고와는 다르다. 혈액의 응고에 영향을 주는 인자들은 정액의 점성을 조절하지 못한다 (Amelar, 1962). 과거에는 사람 정액의 응고와 혈액의 응고는 사뭇 다르다고 보고되었으나, 뒤에 기술된 바와 같이 응혈 및 섬유소 용해와 관련이 있는 일부 인자들이 정액장액에서도 발견됨으로써 서로 유사점이 있을 것으로 보고되고 있다.

사람의 사정액을 세분하여 보면, 사정액의 처음 부분은 쿠퍼선과 전립선으로부터 기원하며, 액화 인자들이 포함되어 있다. 정낭 분비물이 풍부한 사정액의 마지막 부분은 사정액의 응고와 관련이 있다 (Lilja 등, 1987). 전립선액은 섬유소 용해와 유사한 작용을 가진다고 알려져 있으며, 이 분비액 2 mL는 37℃에서 100 mL의 응고 혈액을 18시간 이내에 액화시킬 수 있다 (Huggins와 Neal, 1942). 이처럼 정액에서 단백질의 분해와 관련이 있는 다양한 인자가 연구되어 왔다 (Mann과 Mann, 1981). 정액에서 발견되는 두 유형의 단백질분해효소, 즉 plasminogen activator 및 PSA와 같이 kallikrein (KLK)과 관계있는 효소가 액화에 관여한다. 전립선에서 분비되는 분자량 70,000과 74,000인 tissue type과 urokinase type의 두 plasminogen activators가 정액장액으로부터 분리되었다

(Propping 등, 1974).

정액장액에는 여러 종류의 단백질분해효소, 예를 들면, pepsinogen, lysozyme, hyaluronidase, α-amylase 등이 포함되어 있다. 사람의 정액은 단백질분해효소인 trypsin의 작용을 억제하는데, 이것은 α_1-antichymotrypsin (α_1ACT), α_1-antitrypsin (α_1AT) 등과 같이 단백질가수분해효소를 억제하는 물질이 정액장액 내에 있기 때문이다. 종에 따라 응고와 액화 반응이 다르게 나타난다. 예를 들면, 황소와 개의 정액은 응고하지 않으며, 쥐와 같은 설치류와 기니피그는 액화하지 않는 단단한 알갱이를 사정한다 (Tauber 등, 1975). 설치류에서는 전립선의 전엽에서 나와 정낭 분비물에 작용하는 vesiculase라는 효소의 작용을 통해 plug가 형성된다. 이러한 작용 때문에 설치류의 전립선 전엽을 '응고 샘'이라고 부른다. Vesiculase는 thrombin과는 다른데, 이유는 이것이 fibrinogen을 응고시키지도 못하고 정낭 분비액은 thrombin으로 응고되지도 않기 때문이다. Williams-Ashman 등 (1977)은 vesiculase가 transamidase의 기능을 가지며, 정낭에서 유래된 응고성 단백질에서 γ-glutamyl-ε-lysine의 교차 결합을 촉진시킨다고 하였다. 이 정낭 단백질은 vesiculase의 기질로 작용하며, 분자량이 17,900인 염기성 물질이다.

정자의 형성은 고환의 줄기세포가 분화하여 성숙한 정자로 되는 과정으로서, 고환의 정세관에서 시작하며, 여기서는 미성숙한 정자로 존재한다 (De Jonge, 1998). 정자는 부고환을 통과하면서 성숙되며, 이 과정 동안 미성숙 정자는 운동성과 수정 능력을 가지게 된다 (Hoskins 등, 1978). 정자의 운동성은 특히 수정할 때 중요한데, 그 이유는 정자가 난세포와 결합

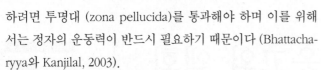

하려면 투명대 (zona pellucida)를 통과해야 하며 이를 위해서는 정자의 운동력이 반드시 필요하기 때문이다 (Bhattacharyya와 Kanjilal, 2003).

정자무력증 (asthenospermia)은 정자의 운동 장애를 의미하며, 정액의 불완전한 액화, 지연 액화, 비액화 등과 같은 여러 조건들에 의해 발생되고, 생식 능력의 저하와 불임의 주된 원인 중 하나가 된다 (Mandal와 Bhattacharyya, 1988). 정상 정액은 다양한 분비액 성분들과 혼합되면서 자연스럽게 응고 되는데, 이는 질 뒤쪽에 정자를 저장하는 장소를 만들기 위함이고, 사정 후 응고된 정액의 액화는 운동성을 가진 정자가 점진적으로 방출되도록 도와준다 (Lwaleed 등, 2007). 정액의 액화는 겔 단백질인 semenogelin I과 II (SEMG1과 SEMG2)가 단백질분해효소에 의해 분해되어 용해성 단백질 내지 분열된 펩티드를 생성함으로써 이루어진다. 이들 펩티드는 결국에는 그들의 구성 성분인 아미노산의 잔기들로 분해된다 (Lilja 등, 1989). '3장 전립선 분비 단백질'을 참고하면 도움이 된다.

정액의 응고와 액화는 긴밀한 조절 과정 하에서 통제되는데, SEMG 단백질은 사정 직후 상당히 많은 유리형 Zn^{2+}과 함께 chelate 화합물을 형성하고 구조적으로 변경을 일으킴으로써 응결 복합체를 형성한다 (Lynch 등, 1994). SEMG의 분해는 단백질분해효소인 PSA, 즉 kallikrein-related peptidase 3 (KLK3)에 의해 주로 조절된다 (Lilja 등, 1985). KLK3의 효소적 활성은 많은 내인성 억제제와 되먹임 조절 고리에 의해 철저하게 규제된다. 예를 들면, SEMG와 함께 serine protease 억제제인 protein C inhibitor (PCI)는 정낭에서 분비되며 (Kise 등, 1996), SEMG와 복합체를 형성함으로써 SEMG가 활성 PSA에 의해 조기에 가수 분해되는 것을 방지한다 (Suzuki 등, 2007). KLK3의 활성은 전립선 분비액의 유리형 Zn^{2+}에 의해 더욱 억제된다 (Jonsson 등, 2005). SEMG 단백질이 유리형 Zn^{2+}과 chelate를 형성하면, 유용한 Zn^{2+}이 급속하게 감소하여 KLK3의 활성을 유발한다. 반대로 SEMG 단백질이 KLK3에 의해 분열됨에 따라 Zn^{2+}이 점차 방출되는데, Zn^{2+}의 농도가 증가하면 음성적 되먹임 회로가 작동하여 과도한 단백질 분해로 인한 정자 손상을 방지하게 된다 (Robert와 Gagnon, 1999).

여러 연구는 SEMG 단백질의 분절은 더욱 복잡한 과정으로 조절된다고 보고한다. 예를 들면, 체외 실험 자료는 기타 단백질분해효소, 특히 KLK2, KLK5 등과 같은 kallikrein 관련 peptidases가 SEMG 단백질의 처리 과정에 직접 혹은 간접으로 관여함을 보여 주었다 (Michael 등, 2006). 다른 연구는 단백질분해효소의 활성화가 다수의 양성 및 음성 되먹임 회로에 의한 연속적인 단계별 기전에 의해 조절된다고 하였다. 예를 들면, KLK5는 자동으로 활성화되는 한편, pro-KLK3를 활성화하기도 한다 (Michael 등, 2005). 마찬가지로, 아직 논란은 있으나 KLK2도 pro-KLK3를 활성화한다고 추측된다 (Denmeade 등, 2001). 다른 연구는 KLK14이 pro-KLK3 뿐만 아니라 정액장액 내에 있는 pro-KLK1, pro-KLK11 등과 같은 다른 pro-KLKs도 활성화한다고 하였다 (Emami와 Diamandis, 2008). 단백질의 단계별 분해 과정의 특징은 PSA의 조절이 양방향 기전으로 이루어진다는 점인데, KLK14으로 매개된 KLK3의 활성화는 KLK14에 의해 KLK3의 Lys145 위치에서 내부 분열이 일어나 불활성화된다 (Emami와 Diamandis, 2008). KLK14은 P1-Arg를 선호하는 trypsin과 유사한 KLK이다.

사람의 정액은 사정 후 자연적으로 응고되고 정상적인 생리학적 조건에서 5~20분 이내에 액화된다 (Tauber와 Zaneveld, 1981). 비록 기전이 완전하게 이해되어 있지 않지만, 정액의 응고와 액화는 주로 단백질분해효소와 그들을 억제하는 인자에 의해 조절된다고 생각된다 (Koren과 Lukac, 1979). 혈액의 응고와 섬유소 용해에 관여하는 다양한 성분들, 예를 들면, PCI, tissue type 및 urokinase type plasminogen activator (tPA 및 uPA), tissue factor (TF), TF 경로 억제제, 응혈 인자 X (factor X, FX) 등이 정액장액에서 확인되었으며, 이들은 수정 능력과 관련이 있다고 보고되었다 (Thyzel 등, 2003). 정액의 항상성과 혈액의 항상성을 조절하는 요소가 중복되는 것으로 보아 섬유소 용해와 정액의 액화는 비슷하며, 고도로 조화로운 단백질 분해 과정에 의해 조절된다 (Lwaleed 등, 2004).

전형적인 단백질 분해 과정은 시작, 진행, 실행의 3단계를 통한 단백질분해효소 효소원 (zymogen)의 연속적인 활성화로 이루어진다 (Amour 등, 2004). 단백질이 분해되는 과정은 흔히 외부 자극에 의해 시작되며, 이는 시작 단백질분해효소, 즉 '개시' 효소가 자가 활성화를 일으키게 한다. 이어 활성화된 개시제는 하위 '진행' 효소를 제한된 단백질 분해 작용에 의해 활성 형태로 전환시킨다. 끝으로 활성화된 진행 효소는 실행 단계 동안 '실행' 효소를 활성화한다. 또한, 활성화된 단백질분해효소는 흔히 양성 되먹임 기전을 통해 그들의 개시 효소를 더욱 활성화하는데, 이는 단백질 분해 작용을 증폭시킨다. 지나치게 단백질이 분해되는 것을 방지하기 위해 전형적인 단백질 분해 과정은 억제제, 자가 분해, 내부 분열 등의 다수 기전에 의해 통제된다.

KLK 가족 중 여러 구성원이 정액의 단백질 분해 과정에 참여하며, 이로써 정액 응고물의 분해 과정이 진행하게 된다. KLK14은 KLK1, KLK3, KLK11 등을 포함하는 정액의 주된 KLKs를 조절하기 때문에 정액장액 내의 단백질 분해 과정에서 주요 인자라고 간주된다 (Yoon 등, 2007). 또한, KLK14의 효소 기능의 활성화는 정액장액과 전립선 조직에서 제시된 다른 효소의 기능을 증대시키며, Zn^{2+}에 의해 억제된다고 추측된다.

Trypsin과 같은 단백질분해효소는 스스로 활성화할 수 없는 KLKs를 활성화하는 중요한 기능을 가지고 있다 (Emami 와 Diamandis, 2007). 자가 단백질 분해 능력이 없는 대표적 KLKs가 chymotrypsin과 유사한 효소인 KLK3이다. KLK3는 정액장액 내에 있으면서 겔과 같은 단백질을 분열시켜 정액의 액화를 일으킨다. 그러나 놀랍게도 KLK3의 발현 정도는 정상적인 액화와 지연 액화 사이에서 차이가 없는데 (Dube 등, 1989), 이는 불충분한 활성화로 인해 단백질이 비정상적으로 조절됨을 시사한다. KLK14은 pro-KLK3를 활성화하는 단백질이며, 비정상적인 액화와 정자무력증은 정액 내에 있는 KLK14의 발현 정도와 유의한 상관관계를 가진다고 보고되었다 (Emami 등, 2008). 응고물 내에서의 물리적 제약은 정자의 운동성을 떨어뜨리며, 액화가 지연되면 활발한 정자의 수가 70%까지 감소한다. 지연 액화가 발생한 환자에서 KLK14의 발현이 감소되는 이유가 전립선 내에서 그것의 발현에 변화가 일어났기 때문인지 혹은 정액장액으로 분비되는 과정에 부분적 폐쇄가 일어났기 때문인지는 아직 분명하지 않다.

KLK14의 선택적인 억제제인 α_1ACT의 돌연변이 억제제 ACT_{G9}으로 KLK14을 억제하더라도 정액의 액화 과정이 완전하게 차단되지 않는데, 이는 정액이 액화되기 위해서는 단백질 분해를 활성화하는 다른 인자들도 필요함을 시사하며, 이들에는 KLK2와 KLK5가 거론되고 있다. KLK14은 SEMG 단백질을 분열시킬 뿐만 아니라 정액 응고물의 또 다른 중요 성분인 fibronectin의 처리 과정에도 관여한다 (Lilja 등, 1987). 더욱이 SEMG 단백질은 활성화된 실행 효소로부터 Zn^{2+}을 격리시켜 단백질을 분해하는 작용을 조절함으로써 정액 응고물의 액화 과정에서 중요한 역할을 한다 (Robert와 Gagnon, 1999). SEMG의 이러한 반대 효과는 KLK 가족 중 KLK3와 KLK5에 대해 일어나며, Zn^{2+}의 생리학적 몰 농도가 SEMG2 단백질에

비해 10배 높을 경우에는 KLK14에 대해서도 비슷한 조절 기전이 나타난다 (Jonsson 등, 2005).

KLK14에 관한 연구 자료들을 정리한 Emami 등 (2008)에 의하면, 정액의 액화는 단백질을 분해하는 작용을 통해 정액 응고물이 분해됨으로써 운동성을 가진 정자가 방출되도록 만든다. 사람에서는 여러 KLKs가 고도로 조절되는 단백질 분해 과정을 통하여 정액의 액화 및 기능에 관여하며, 이들 중 PSA로 알려진 KLK3는 정액 응고물의 주요 성분인 SEMG1과 2의 처리 과정에 관여하는 주된 실행 효소이다. KLK14은 KLK3와 기타 KLKs를 활성화하는 단백질이며, 액화가 지연되는 남성에서는 KLK14의 발현이 유의하게 더 낮다 (p=0.0252). 또한, KLK14의 발현은 정자무력증 환자에서 유의하게 더 낮다 (p=0.0478). 합성 억제제인 ACT_{G9}으로 KLK14을 특이하게 억제하면 정액의 액화가 상당하게 지연되었는데, 사정 후 30분, 즉 조기에는 chymotrypsin 유사 작용과 KLK1의 작용이 매우 미약하였으며 사정 후 90분, 즉 후기에는 그러한 작용이 증가하였다. 반대로 재조합체의 활성 KLK14을 추가하면 액화 과정이 촉진되었는데, 이 경우 chymotrypsin 유사 작용이 조기에 증대되었고 나중에는 chymotrypsin 유사 작용이 감소하였다. 정액의 액화 과정에서 관찰되는 chymotrypsin 유사 작용은 거의 전부가 KLK3의 활성화 때문이라고 생각되며, KLK3는 양방향으로 조절된다고 간주되는데, 이는 장시간의 배양 실험 중 KLK14과 chymotrypsin 유사 작용 사이의 상호 관계에서 반전이 관찰됨으로써 뒷받침된다. 정액이 액화하는 동안 chymotrypsin 유사 작용에 의해 SEMG 단백질이 분해되는데, 이 과정에서 KLK3의 활성화는 사정 후 수초 내에 일어난 후 겔과 같은 단백질이 완전하게 분열될 때까지 계속된다. 장시간의 단백질 분해 작용으로 인한 과도한 비정상적 단백질 분해는 chymotrypsin 유사 작용을 하는 효소가 불활성화됨으로 인해 방지된다. 이와 같은 견해는 KLK14에 의해 pro-KLK3의 활성화와 불활성화가 연속으로 일어남이 관찰되었고 생체 실험에서 외인성 KLK14이 용량 의존적으로 KLK3를 분절시킴이 밝혀져 지지를 받고 있다. 이러한 기전 때문에 KLK14으로 유도된 응고물에서는 분절된 KLK3가 고농도로 관찰된다. KLK14은 정액의 KLK1을 활성화시킨다고 생각되며 KLK2 또한 pro-KLK1의 활성체라고 추측되는데, KLK1이 정액의 액화와 응고를 조절하는 기능을 가지고 있는지는 분명하지 않다. SEMG는 Zn^{2+}에 의한 KLK14의 억제를 반전시킬 수 있는데, 이는 KLK14의 새로운 조절 기전으로 제시된다.

전립선암 종양 표지자
PROSTATE CANCER TUMOR MARKER

SECTION 08

1. Aldo-Keto Reductase Family 1, Member C1 (AKR1C1) 277

2. Alpha-Methylacyl Coenzyme A Racemase (AMACR) 283

3. 5 Alpha-Reductase (5 α R) 292

4. Annexin A3 (ANXA3) 297

5. Anterior Gradient Protein 2 (AGR2) 299

6. Autoantibody 301

7. Basic Human Urinary Arginine Amidase (or Esterase) (BHUAE) 303

8. B-Cell Lymphoma 2 (BCL2) 304

9. Carcinoembryonic Antigen-Related Cell Adhesion Molecule 1
   (CEACAM1 or C-CAM1) 310

10. Caspase (CASP) 314

11. Cathepsin (CTS) 327

12. Caveolin 1 (CAV1) 333

13. Cell Cycle Progression (CCP) Score (CCP-S) 342

14. Chemokine (C-C Motif) Ligand 2(CCL2) 348

15. Chemokine (C-X-C Motif) Receptor Type 4 (CXCR4) 351

16. Clusterin (CLU) 357

17. Cysteine-Rich Secretory Protein 3 (CRISP3) 371

18. Early Prostate Cancer Antigen (EPCA) 375

19. ElaC Ribonuclease Z 2 (ELAC2) 376

20. Endoglin (ENG) 378

21. Engrailed Homolog 2 (EN2) ... 382

22. Enhancer Of Zeste Homolog 2 (EZH2) ... 384

23. Epithelial Cadherin (E-cadherin) ... 393

24. Galectin (GAL) ... 403

25. Genomic Prostate Score (GPS) ... 415

26. Glutathione-S-Transferase Pi 1 (GSTP1) ... 417

27. Golgi Membrane Protein 1 (GOLM1) ... 420

28. Hepsin (HPN) ... 423

29. Human Papilloma Virus (HPV) DNA ... 431

30. Inhibitor Of DNA-Binding Protein (ID) ... 433

31. Interleukin 6 (IL-6) And Interleukin 17 (IL-17) ... 437

32. Kallikrein-Related Peptidase (KLK) ... 440

33. Ki-67 (Antigen Ki-67) ... 480

34. Livin ... 484

36. Macrophage Scavenger Receptor 1 (MSR1) ... 489

37. Matrix Metalloproteinase (MMP) ... 491

38. Metastasis-Associated Gene 1 (MTA1) ... 493

39. MicroRNA (miRNA, miR) ... 496

40. Mini-Chromosome Maintenance Protein (MCM) ... 524

41. Neuroendocrine Differentiation ... 530

42. NK3 Homeobox Protein 1 (NKX3.1) ... 550

43. Nuclear Matrix Protein (NMP) ... 556

44. Nucleolin (NCL) ... 559

45. p53-Upregulated Modulator Of Apoptosis (PUMA) ... 564

46. Phosphatase And Tensin Homolog (PTEN) ... 565

47. pHyde ... 569

48. Poly (ADP-Ribose) Polymerase (PARP) ... 571

49. Prostate And Breast Overexpressed Gene 1 (PBOV1) ... 577

50. Prostate Androgen Regulated Transcript 1 (PART1) ... 581

51. Prostate Apoptosis Response Protein 4 (PAR4) ... 582

52. Prostate Cancer Antigen 3 (PCA3) ... 587

53. Prostate Cancer Gene Expression Marker 1 (PCGEM1) ... 597

54. Prostate Cancer Risk Calculator (PCRC) ... 599

55. Prostate Health Index (PHI) ... 601

56. Prostate Malignancy Index (PMI) ... 605

57. Prostate Secretory Protein 94 (PSP94) ... 605

58. Prostate-Specific G-Protein Coupled Receptor (PSGR) ... 606

59. Prostate-Specific Membrane Antigen (PSMA) ... 608

60. Prostate Stem Cell Antigen (PSCA) ... 608

61. Prostate Tumor Overexpressed Gene 1 Protein (PTOV1) ... 608

62. Prostatic Acid Phosphatase (PAP or PACP) ... 612

63. Protease-Activated Receptor (PAR) ... 612

64. Protein Inhibitor Of Activated STAT 1 (PIAS1) ... 614

65. Proviral Integration Site For Moloney Murine Leukemia Virus Kinase 1 (PIM1) ... 617

66. S100 Calcium Binding Protein A9 (S100A9) ... 626

67. Septin 4 (SEPT4) ... 630

68. Serine Protease Inhibitor Kazal Type 1 (SPINK1) ... 633

69. Sex-Determining Region Y (SRY)- Related High-Mobility Group (HMG) Box (SOX) ... 636

70. Six-Transmembrane Protein Of Prostate 1 (STAMP1) ... 639

71. Solute Carrier Family 45 Member 3 (SLC45A3) ... 641

72. Stabilin-2 (STAB2) ... 644

73. Survivin ... 646

74. Talin1 (TLN1) ... 656

75. Telomerase Reverse Transcriptase (TERT) ... 660

76. Thymosin Beta (TMSB) ... 666

77. Toll-Like Receptor (TLR) ... 673

78. Transient Receptor Potential Melastatin Subfamily Member 8 (TRPM8) ... 675

79. Transmembrane Protease Serine 2:ETS-Related Gene (TMPRSS2:ERG) ... 681

80. Trefoil Factor 3 (TFF3) ... 687

81. Tumor Necrosis Factor (TNF) ... 691

82. Wingless-Type Mouse Mammary Tumor Virus (MMTV) Integration Site (WNT) ... 696

83. Zinc Alpha 2-Glycoprotein (ZAG) ... 701

84. Others ... 703

85. Multiplexed Assay For Several Markers ... 712

86. Markers Of Bone Metabolism ... 715

87. Genetic Basis For Cancer Progression And Metastasis And Gene Oncotherapy ... 718

88. Biomarkers In Urine ... 726

89. Marker For Active Surveillance (AS) ... 732

90. Immunohistochemistry In Prostate Cancer ... 738

전립선암 종양 표지자
PROSTATE CANCER TUMOR MARKER

'15장 전립선암의 위험 인자'에 기술된 바와 같이 전립선암은 여러 위험 인자들을 가지고 있으며, 다양한 기전으로 형성되고 (도표 102), 다음과 같은 병리학적 소견을 나타낸다. **Acidic sulfated and nonsulfated mucin**: 세엽 내에서 발견되는 산성의 점액소는 전립선암에 특이하지 않으며, 전립선상피내암, 드물게는 양성전립선비대에서도 나타난다. 우세하게 나타나는 산성 점액소는 sialomucin이며, 점액소의 O-acetylation 정도는 암의 분화도 등급과 역상관관계를 가진다 (Saez 등, 1998). Mucin 1 (MUC1)으로도 알려진 episialin은 미세 혈관의 밀도 및 Gleason 등급과 상호 관련이 있을 수도, 없을 수도

있다 (Papadopoulos 등, 2001). **Crystalloids**: 날카로운 침 모양의 호산성 구조물로 구성된 결정체는 잘 분화된 혹은 중등도로 분화된 전립선암의 내강에서 나타나지만, 전립선암에 특이하지 않다 (Del Rosario 등, 1993). 기원을 모르는 전이 암에서 결정체가 발견되면, 그 기원이 전립선일 가능성이 높다. 결정체가 형성되는 기전은 분명하지 않지만, 양성 및 악성 세엽에서 산성 pH의 상실과 같은 단백질 및 미네랄의 비정상적인 대사 때문인 것 같다. 결정체에는 전자의 밀도가 높고, 황 (S^{2+}), 칼슘 (Ca^{2+}), 인 (P^{2-})은 풍부하게, 나트륨 (Na^+)은 소량 포함되어 있다. 정낭에서 발생하는 상당수의 암 또한 농축된 분비물을 가지며, 암의 24%는 결정체 모양을 뚜렷하게 나타낸다 (Shah 등, 2001). **Collagenous micronodule**: 흔한 소견은 아니지만, 콜라겐성 소결절은 세포 수가 적고 호산성의 원섬유 기질로 형성된 미세 결절로서 세엽의 내강을 침범하며 전립선 선암에 특이적이다. 이들 소결절은 보통 점액을 생산하는 선암에서 나타나며, 산성의 점액이 기질에 들어감으로써 만들어진다. 이들은 선암의 2~13%에서 관찰되지만 양성 결절성 증식이나 전립선상피내암에서는 발견되지 않으며, 침 생검의 0.6%, 전립선절제술의 12.7%에서 확인된다 (Bostwick 등, 1995). **Perineural invasion**: 신경 주위로의 침범은 선암의 경우 생검의 20~38%의 빈도로 흔하며, 일부 환자에서는 유일한 악성 소견으로 나타나기도 한다 (Egan 등, 1997). 이 소견은 암을 강하게 암시하는 증거이지만, 양성 세엽에서도 드물게 나타나므로 질환에 특이하다고 할 수는 없다. 신경 주위로 완전한 환상의 성장, 신경 내로의 침범, 신경절 침범 등은 거의 항상 암에서만 일어난다. 신경 주위로의 침범은 저항이 적

도표 102 전립선암의 발생

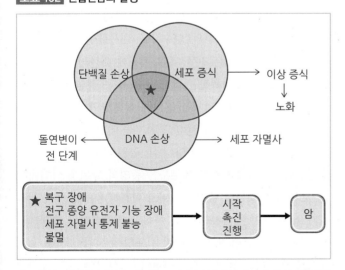

세포 증식, 단백질 손상, deoxyribonucleic acid (DNA) 손상 등이 병합하여 장기간 지속되면 여러 효과를 나타내며, 결국에는 전립선암이 발생하게 된다. Bostwick 등 (2004)의 자료를 수정 인용.

은 통로를 따라 암이 전파함을 보여 주며, 신경 주위로 침범이 있다고 반드시 림프절 침범이 있다고 할 수 없다. 생검에서 신경 주위에 침범이 있는 환자의 약 50%는 전립선 밖으로 확장된 종양을 가지며, 신경 주위로의 침범이 Gleason 등급, 혈청 PSA, 생검 시 포함된 암의 용적 등으로 추정되는 병기를 독립적으로 예측하지는 못한다 (Egan 등, 1997). 신경 주위로의 침범은 체외 방사선 요법 후 3년 시점에서의 나쁜 결과를 예측할 수 있는 독립적 인자라고 보고된 바 있지만, 이는 치료 전의 혈청 PSA가 20 ng/mL 미만인 경우에만 해당되며, 나쁜 예후를 예측하는 데는 신경 주위로의 침범이 주는 정보보다 혈청 PSA의 증가가 더 중요하다 (Bonin 등, 1997). 신경 주위로의 침범이 근치전립선절제술 후 재발이 없는 생존을 단변량 분석에서는 예측할 수 있었지만 (Ozcan, 2001), 다변량 분석에서는 그러하지 않았다 (Nelson 등, 2002). 신경 주위로의 침범이 가지는 가장 큰 중요성은 암의 용적 (Sebo 등, 2001)과 재발 (Maru 등, 2001)을 예측할 수 있는 독립적 인자라는 점이며, 그렇다고 근접 방사선 요법 후의 결과를 예측하지는 못한다 (Merrick 등, 2002). **Vascular and lymphatic invasion**: 혈관/림프관의 침범은 전립선암으로 인해 근치전립선절제술을 받은 환자에서 채집한 표본의 38%에서 발견되며, 흔히 전립선 밖으로의 침범과 림프절 전이를 각각 62%, 67% 비율로 동반하며 (Bahnson 등, 1989), 조직학적 등급과 상호 관련이 있다. 미세 혈관의 침범은 결과를 예측할 수 있는 주요 인자이며, 종양이 진행하고 사망할 확률이 4배 높다. 그러나 병기와 분화도 등급을 이용하여 분석이 이루어진 경우에는 더 이상의 독립적 예측 인자가 되지 못한다 (Bahnson 등, 1989). **Microvessel density (MVD) or angiogenesis**: 미세 혈관의 밀도는 정상 전립선 조직에 비해 전립선상피내암 (Montironi 등, 1993)과 전립선암 (Siegal 등, 1995)에서 증가된다. 평균 혈관의 수는 전이가 없는 암보다 전이를 동반한 경우에 더 많으며 (Epstein 등, 2000), 대부분의 연구는 병리학적 병기와 상호 관련이 있음을 보여 주었다 (Brawer 등, 1994). 이에 관한 연구는 200 배율의 시야, 즉 0.739 mm²에서 측정된 미세 혈관 수의 평균이 전이 전립선암에서 76.8 (중앙치 66±44.6)개, 전이가 없는 전립선암에서 39.2 (중앙치 36±18.6)개로 전이 암에서 유의하게 높다고 하였다 (p=0.0001) (Weidner 등, 1993). 미세 혈관의 밀도는 암의 진행에 대한 독립적인 예측 인자로 간주되지만 (Stamey 등 1999), 반대 의견도 있다 (Bahnson 등, 1989). 미세 혈관의 밀도가 증가함은

안드로겐에 의존적인 성장 인자의 생성과 관련이 있다고 생각된다. 미세 혈관의 밀도가 증가하면 암이 쉽게 미세 혈관을 침범하여 전립선 밖으로의 침범이 용이하게 되며, 종양세포는 원거리의 표적에서 안드로겐의 균형을 변경시킬 수 있기 때문에 원격으로 전이된 암 세포의 생존을 촉진할 수 있게 된다. 전립선암 환자로부터 채집한 3,261점의 전립선절제 표본에 대해 cluster of differentiation 31 (CD31)에 대한 항체를 이용한 면역조직화학검사로 평가한 연구는 다음과 같은 결과를 보고하였다 (Erbersdobler 등, 2010). 첫째, 미세 혈관의 밀도는 양성 조직에 비해 암을 포함하고 있는 조직 절편에서 더 높았다 (p⟨0.001). 둘째, 미세 혈관의 밀도는 수술 전 지표와는 상호 관련이 없었지만, 전립선절제 표본의 병리학적 병기 및 Gleason 점수와는 관련이 있었다 (각각 p⟨0.001). 셋째, 높은 미세 혈관의 밀도는 종양의 위치 중 주변부와 관련이 있었다 (p=0.01). 넷째, 추적 관찰한 자료로 활용이 가능한 1,521명에 대한 단변량 분석에서 점 (spot) 당 36 이상의 미세 혈관 밀도는 근치전립선절제술 후 PSA 재발에 대한 유의한 예측 인자이었다 (p=0.03). 그러나 다변량 분석에서 표준이 되는 예측 인자와 비교하였을 때는 미세 혈관의 밀도가 독립적인 예후 인자의 역할을 하지 못하였다. 이와 같은 결과는 전립선암에서 미세 혈관의 밀도가 종양의 공격성에 관여하는 여러 인자와 밀접한 관계가 있음을 보여 주지만, 이 지표를 관례적으로 병리학 보고에 활용할 것인지에 대해서는 분명한 증거를 제공해 주지 못한다.

종양 표지자란 일반적으로 암 환자의 혈액, 소변, 흉수, 복수 등과 같은 체액 혹은 신체 조직에서 증가되거나 감소되는 단백질, 효소, 호르몬, 항원, 탄수화물, 대사물질 등과 같은 물질로서 암의 존재 혹은 진행, 혹은 치료에 대한 반응, 혹은 암 환자의 예후 등을 예측하는 데 도움을 주는 생물 지표 (biomarker)를 의미하며, 넓게는 종양에 특이한 영상 지표 혹은 유전자도 포함될 수 있다. 종양 표지자는 어떤 종양 혹은 양성 질환이 존재함으로 인해 종양 자체 혹은 비종양세포에 의해 생성된다. 종양 표지자의 대부분은 종양의 항원을 나타내지만, 모든 종양 항원이 종양 표지자로 이용되지는 않는다. 민감도가 높은 종양 표지자는 거의 특이한 종양에서만 생성되는 표지자를, 민감도가 낮은 표지자는 종양세포 외에 정상 세포에서도 생성되는 표지자를 의미한다. 이상적인 종양 표지자는 첫째, 하나의 질병에 특이적이면서 민감도가 높으며, 둘째, 절단치가 낮고, 셋째, 종양의 크기와 상관관계를 나타내며, 넷

도표 103 전립선암의 생물 지표와 임상 효용성

생물 지표	임상 효용성	참고 문헌
Alpha-methylacyl coenzyme A racemase (AMACR)	전립선암에서 자가 항체의 발견율 증가; IHC에서 양성일 경우 생화학적 재발 및 사망에 대한 예측 인자	Rhodes 등, 2002; Rubin 등 (2005)
Annexin A3 (ANXA3)	전립선암 조직에 대한 IHC에서 생성 감소; 예후 위험 표지자	Wozny 등, 2007
Chromogranin A (CGA)	신경내분비 분화를 가진 안드로겐 비의존성 후기 전립선암 환자의 모니터링	Taplin 등, 2006; Fracalanza 등, 2005
Cysteine-rich secretory protein 3 (CRISP3)	고등급 전립선상피내암 조직에 대한 IHC에서 염색 증가; 전립선암 재발에 대한 독립적 예측 인자	Bjartell 등, 2006; Bjartell 등, 2007
Early prostate cancer antigen (EPCA)	IHC에서 전립선암의 발견; 국소 전립선암과 전이 전립선암을 구별하는 혈청 표지자	Leman 등, 2007; Diamandis, 2007
E-cadherin	전립선암의 경우 IHC에서 발현이 감소되고, 이는 병기 및 낮은 생존과 관련	Umbas 등, 1992; Umbas 등, 1994
Enhancer of zeste homolog 2 (EZH2)	전립선암 조직에서 유전자가 발현되는 경우는 진행에 대한 예측 표지자	Varambally 등, 2002; Rhodes 등, 2003
Glutathione-S-transferase pi 1 (GSTP1)	생검에 대한 평가를 위해 소변 내에서 유전자 촉진체의 과다 발현을 발견	Gonzalgo 등, 2004; Crocitto 등, 2004
Hepsin (HPN)	IHC에서 양성전립선비대보다 전립선상피내암과 전립선암에서 발견율 증가	Stephan 등, 2004; Dhanasekara 등, 2001
Insulin-like growth factor/IGF binding protein (IGF/IGFBP)	IGF-1은 전립선암 환자의 혈청에서 약간 증가, IGFBP 농도는 전립선암의 진행과 역상관계	Harman 등, 2000; Shariat 등, 2002
Interleukin 6 (IL-6)	전립선암의 후기에 혈청 농도가 증가	Nakashima 등, 2000; Shariat 등, 2004
Kallikrein 2 (KLK2)	피막 외부 침범, 종양 용적, 생화학적 재발 등에 대한 진단 및 예후 예측 인자	Stephan 등, 2006; Steuber 등, 2006
Kallikrein 11 (KLK11)	혈청 검사에서 전립선암에 대한 조기 예측 인자	Diamandis 등, 2002; Stephan 등, 2006
Pro-gastrin-releasing peptide (proGRP)	신경내분비 및 안드로겐 비의존성 표현형을 가진 전이 전립선암 환자에 대한 모니터링	Yashi 등, 2002; Yashi 등, 2003
Prostate cancer antigen 3 (PCA3)	전립선암을 발견하기 위한 소변 내의 생물 지표	Marks 등, 2007; Lexman 등, 2008
Prostate secretory protein 94 (PSP94)	국소적 수술 후 Gleason 점수, 수술 절제면 상태, 생화학적 재발 등에 대한 예측 인자	Nam 등, 2006
Prostate-specific membrane antigen (PSMA)	영상 표지자이며, 치료의 표적	Elgamal 등, 2000; Mincheff 등, 2006
Prostate stem cell antigen (PSCA)	IHC에서 Gleason 점수 및 병기와 관련이 있는 표지자이며, 치료의 표적	Gu 등, 2000; Gu 등, 2005
Transforming growth factor (TGF)-β1	전립선암의 진행 및 생화학적 재발이 있는 경우 IHC 염색 및 혈청 농도가 증가	Shariat 등, 2004; Shariat 등, 2008
TMPRSS2:ERG/ETV1	양성전립선비대에 비해 전립선상피내암 및 전립선암 환자의 소변에서 발견율 증가	Lexman 등, 2006; Tomlins 등, 2008
uPA receptor (uPAR)	조직 및 혈청 농도의 증가는 생화학적 재발 및 전이에 대한 예측 인자	Steuber 등, 2007; Shariat 등, 2007

ERG, ETS-related gene; ETS, v-ets avian erythroblastosis virus E26 oncogene homolog or E-twenty six; IHC, immunohistochemistry; uPA, urokinase-type plasminogen activator; TMPRSS2, transmembrane protease, serine 2.
Sardana 등 (2008)의 자료를 수정 인용.

째, 수명이 짧으면서 치료하는 동안 감소 혹은 증가하고 재발되기 전에 증가 혹은 감소함으로써 추적 관찰하기에 용이한 표지자이다. 종양 표지자는 종양의 발견, 종양 환자의 예후 예측, 종양 환자의 추적 관찰, 종양에 대한 치료 효과의 평가 등에 이용된다.

종양 표지자의 발견과 활용은 많은 악성 종양의 조기 발견, 진단, 병기 결정 등에 유익한 영향을 주며, 이로써 치료의 성공률이 높아지고 있다. 적절한 치료와 관리를 위해서는 정확한 조기 진단 외에도 임상적인 재발을 발견하기 위한 효과적

인 추적 관찰 또한 중요하다. 이를 위해 새로운 표지자를 발견하고 민감도가 높은 도구를 개발하게 된다면 치유율이 더욱 향상될 수 있을 것이다.

비뇨기계의 악성 암 중 종양 표지자의 발견과 적용으로 가장 크게 이득을 보는 암은 전립선암이다 (도표 103). 1971년에 발견되었고 1980대 후반부터 지금까지 임상에 활용되어 온 PSA는 전립선암의 진단, 병기 결정, 추적 관찰에서 매우 귀중한 도구로 발전되어 왔다. PSA를 이용한 선별검사가 널리 이용됨으로써 전립선암에 대한 인식도 크게 달라졌다. PSA

시대에서는 전립선에 국한된 암이 조기에 발견됨으로써 근치 전립선절제술 혹은 방사선 요법을 이용한 치유율이 크게 향상되었다. 1980년대와 1990년대 초에는 전립선암의 대부분이 직장수지검사의 이상 혹은 PSA의 증가 혹은 둘 다에 의해 발견된 데 비해, 근래에는 대부분이 PSA 2.5~10 ng/mL이면서 임상적으로 촉지되지 않는 병기 T1c의 질환으로서 발견되고 전립선암에 관한 인적 통계와 자연 경과를 더욱 이해하게 됨으로써 사망률도 감소하게 되었다 (Polascik 등, 1999). 그러나 PSA로 발견된 T1c 암이 모두 동일한 것은 아니다. 즉, PSA를 이용한 선별검사로 생존율이 개선되었지만, 모든 T1c 암이 동일한 결과를 나타내지는 않으며, 일부는 생존을 위협할 정도의 암일 수도 있다 (Gretzer 등, 2002). 따라서 임상적으로 중대한 전립선암을 발견할 수 있는 개선된 방법 혹은 도구를 개발할 필요가 있다.

PSA는 전립선암의 종양 표지자로 널리 인식되어 통상적으로 사용되고 있지만, 이 표지자는 전립선 외의 조직과 종양에서도 발현된다 (도표 12). 더군다나 PSA는 전립선에 특이적이지만 질환에 특이적이지 않아 특이도에는 한계가 있다. 즉, 혈청 PSA 농도의 증가는 전립선암 외에도 양성 질환에서도 증가된다. 그러므로 혈청 PSA가 증가하면 암, 염증, 양성전립선비대와 같이 전립선 내에 구조적인 변화가 있음이 의심되지만, 반드시 암이 있다고 할 수는 없다. 현재 경직장초음파촬영 하에서 생검을 실시하는 PSA 절단치는 2.5 ng/mL로 낮아졌다. 혈청 PSA가 증가된 남성에서 이러한 침습적인 생검으로 암이 진단되는 경우는 30% 이하이고, 75~80%에서는 전립선암이 발견되지 않는다. 일부 경우에서는 생검 침이 해당 부위를 채집하지 못해 암이 발견되지 않기도 한다. 이러한 이유로 PSA의 실행 효과를 증대시키기 위해 PSA 밀도, PSA 증가 속도, 연령별 농도, 분자 유도체 등이 이용되기도 한다. 이들 PSA의 대안들이 특이도를 향상시킬 목적으로 시도되고는 있지만, PSA의 가치와 대안들의 가치로 그 가치가 양분되어 서로에게 영향을 미침으로써 암 발견을 위한 민감도가 떨어지기도 한다.

PSA와 그로부터 파생된 분자 도구를 이용하여 암과 양성 질환을 감별하는 방법의 특이도를 높이기 위해서는 다른 보충 방법이 필요할 정도로 PSA가 생물 지표로서 중대한 국면에 직면하여 있다. PSA에 관한 생화학적 이해를 더욱 발전시키면, 전립선암의 발견과 관리에서 추가적 진전을 가져다 줄 것이다. 이에 관한 노력의 결과로 암 형성과 전립선암의 분자 생물학에 관하여 새롭게 이해함으로 인해 전립선암의 연구에서 새로운 시대가 열리고 있다. 즉, 분자 종양학에 관한 지식이 발전되고 새로운 기법이 적용됨으로써 새로운 생물 지표의 발견에 박차가 가해지고 있다. 이들 유망한 진단 검사는 암의 발견뿐만 아니라 공격적인 암과 진행이 느린 무증상의 (indolent) 암을 감별하는 데에도 도움을 준다.

한편, 거세 저항성 전립선암은 미국에서 연간 28,900명의 사망률을 보이는 치명적인 질환이며, 생존기간은 동반된 예후 인자에 따라 다양하지만, 7.5~27.2개월이고, 중앙치가 12개월을 약간 넘는다 (Smith 등, 1999). 거세 저항성 전립선암을 가진 환자에서 예후 인자로는 질적으로 PSA, LDH, alkaline phosphatase, 골격 동위원소 검사의 소견에 따른 전체 종양의 크기, 혈장 혈색소 농도, 체중 감소 등에 따른 환자의 전반적 수행 능력 상태 등이 있다. 그러나 그러한 인자로는 개별 전립선암의 생물학적인 활동성을 평가할 수 없다 (George와 Kantoff, 1999). 종양에서 생성되는 혈장 생물 지표는 질환의 진행과 상호 관련이 있으며, 특이한 생물학적 표현형을 예측 가능하게 한다. 그들 생물 지표는 이질적인 환자 집단을 부분적으로 구분하여 특징짓는 데 도움을 줄 뿐만 아니라 치료를 위한 새로운 생물학적 표적을 찾는 데도 유익하다.

전립선에 대한 침 생검에서 전립선암의 병소가 매우 작은 경우에는 병리학 의사가 악성 종양으로 분명하게 진단을 내리는 데 어려움이 있을 수 있다. 침 생검에서 가장 큰 진단적 문제는 대개 Gleason 점수 6 (3+3)의 작은 침윤성 악성 암인 경우에 일어난다. 침 생검으로부터 채집된 가검물의 제한된 병소에서 전립선암의 진단을 어렵게 만드는 요인이 몇 가지 있다. 첫째, 종양세포는 쉽게 간과할 수 있는 소수의 샘에 제한되어 있을 수 있다. 둘째, 전립선암으로 진단하는 데 충분하고도 특이한 하나의 조직 양상은 없다. 진단은 구조적 변화와 세포학적 변화를 병합한 근거 하에서 이루어진다. 셋째, 작고 조밀하게 들어찬 샘들, 위축, 염증성 이형성, 기저세포의 과다 형성 등과 같은 다수의 양성 전립선 조건들이 전립선암과 조직학적으로 혼동을 일으킬 수 있다. 넷째, 진단 오류의 경우 위양성 진단은 불필요한 전립선절제술 혹은 방사선 요법을 실시하도록 만들고, 위음성 진단은 효과적인 치료가 늦어짐으로 인해 심각한 결과를 유발할 수 있다. 다섯째, 생검의 가검물에서는 작은 병소의 종양일지라도 반드시 임상적으로 중요하지 않은 종양이라고 단정할 수 없으며, 종양이 재생검으로도 채취되지 않을 수 있다. 따라서 제한된 크기의 생검 가검물을 이용하여 가능한 더욱 분명한 진단을 내릴 도구의 필요성이 절실히 요구된다 (Jiang 등, 2004).

전립선암은 미국 남성들 중 가장 흔한 악성 암이며, 2011년에는 240,890명 이상이 전립선암을 가졌으며, 약 33,720명이 전립선암으로 사망하였다고 보고된 바 있다 (American Cancer Society, 2011). 새롭게 진단된 암의 10~15%는 진단 당시 이미 전이된 상태로 발견된다 (Orozco 등, 1998). 국소 암으로 치료를 받은 환자 중 재발될 확률은 약 30%이며, 이들 중 일부는 안드로겐 비의존성 전이 암으로 진행한다 (Merrill과 Brawley, 1997). 질환의 진행과 거세 저항성의 발달이 어떤 기전으로 일어나는지는 완전하게 밝혀져 있지 않으며, 전립선암 환자 중 일부는 빠르게 진행하고 일부는 느리게 진행하는 이유도 분명하지 않다. 전립선암의 생물학적 이질성과 진행 속도 및 질환 특이 사망률에서의 다양성은 다수의 유전적 혹은 후성적 인자의 영향으로 인해 유발된다고 추측된다 (Yoshida 등, 1998). 전립선암의 진행과 전이에서 어떤 역할을 하는 유전적 및 후성적 인자의 발견은 전립선암의 관리에서 대단히 중요하다.

많은 다른 암과 마찬가지로 전립선암의 발달은 시작, 진행, 침범, 전이 등과 같은 다단계의 과정을 밟는다 (Vogelstein과 Kinzler, 1993). 정상 세포가 완전하게 악성 세포로 형질 전환을 일으키는 데는 DNA의 돌연변이, RNA 및 단백질 수준에서 유전자 발현의 변화 등을 포함하는 일련의 유전적 변화를 필요로 한다 (Fearon, 1994). 여러 연구들이 전립선암과 관련이 있는 유전자를 발견하고자 노력을 기울인 결과, 전립선암의 발병과 관련이 있는 다양한 생화학적 경로에 관여하는 여러 유전자들을 발견하였다.

새로운 종양 표지자를 발견하기 위해서는 분자 생물학이 필수적이다. 정상 조직에 비해 암에서 발현되는 특유의 유전자를 확인하면, 질환의 원인이 되는 분자뿐만 아니라 암을 발견하는 새로운 방법의 개발이 가능할 수 있게 된다. 그러한 유전자를 확인함은 물론, 질환에 특이한 번역 후 (post-translational) 사건을 확인하면, 유용한 암 생물 지표가 발견될 수 있다. 사람의 혈청과 체액에서 생물 지표를 확인하려면 다양한 단백질체학 기술이 필요하다. Surface-enhanced laser desorption-ionization time-of-flight (SELDI-TOF) 질량분석법 (mass spectroscopy)과 같은 단백질체학 기술은 혈청과 기타 체액 내에서 질환이 있는지를 확인하는 데 도움을 줌은 물론, 진단과 치료에서 새로운 표적을 제공하고 암이 형성에 관해

새롭게 이해하도록 도와준다.

1. Aldo-Keto Reductase Family 1, Member C1 (AKR1C1)

스테로이드 호르몬은 효소를 통해 상호 전환되며, 강한 활성 혹은 약한 활성을 나타내는 형태로 존재한다. 이들 스테로이드를 상호간에 전환시키는, 즉 분자적으로 전환시키는 작용을 하는 효소는 수용체 전 조절 효소 (pre-receptor regulatory enzyme)로 알려져 있다. 조직에 따라 특이하게 발현되는 이들 효소로는 서로 다른 접합 phase II 효소 (conjugating phase II enzyme)인 cytochrome P450 enzyme과 hydroxysteroid dehydrogenase (HSD)가 대표적이다 (Penning, 1997). HSDs는 수용체 전 단계에서 조절하며, 짧은 사슬의 dehydrogenase/reductase 상과 혹은 aldo-keto reductase (AKR) 상과에 속한다. AKR 상과에 속해 있는 구성원은 일반적으로 세포질 내의 37 kDa 단량체로서 NAD(P)(H) 의존성의 oxidoreductase이며, carbonyl 군을 일차 혹은 이차 알코올로 전환시키는데, 공통으로 $(\alpha/\beta)8$-barrel의 단위 구조를 가지고 있다 (Jez 등, 1997). AKR 상과의 효소는 15가족으로 구분되며, 사람의 AKR 효소는 AKR1, AKR6, AKR7 등의 세 가족에 속해 있다. AKR1 가족은 AKR1A~AKR1G의 여섯 아과 (subfamily)로 구분되는데, 이들에는 aldehyde reductase인 AKR1A, aldose reductase인 AKR1B, ketosteroid를 hydroxysteroid로 환원시키는 AKR1C, 5β-reductase를 포함하는 AKR1D 등이 포함되어 있다. Aldo-keto reductase family 1, member C (AKR1C) 아과는 25가지의 효소로 구성되어 있으며, 그들 중 사람에게서 관찰되는 효소는 20α(3α)-HSD (AKR1C1) (Hara 등, 1996), type 3 3α-HSD (AKR1C2) (Dufort 등, 1996), type 2 3α/type 5 17β-HSD (AKR1C3) (Lin 등, 1997), type 1 3α-HSD (AKR1C4) (Deyashiki 등, 1994)의 네 가지이다 (도표 104). 이들 효소의 기질로는 스테로이드 (Penning 등, 1997), prostaglandins (PGs) (Bohren 등, 1989), lipid aldehydes (Hyndman 등, 2003) 등이 있으며, AKR1C 효소의 동종 효소에 따른 활성 아미노산 잔기는 도표 105에 나타나 있다.

사람에게서 발견되는 있는 이들 AKR1C 효소는 각기 다른 조직에서 발현되며, 신체 내에서 다양한 생화학적 과정에 관여한다 (Penning 등, 2000). 간은 이들 네 가지 AKR1C 모두가 비슷한 수치로 발현되는 유일한 기관이다. AKR1C4는 간

도표 104 PC-3 전립선암 세포주에게 AKR1C3로 유전자 전달 감염을 일으킨 PC3-AKR1C3 모델에서 상향 및 하향 조절되는 유전자와 그들이 나타내는 기능

상향 조절되는 유전자		하향 조절되는 유전자	
암, 세포의 성장 및 증식		세포의 사망	
BEX1	Brain expressed, X-linked 1	CALB1	Calbindin 1, 28 kDa
FBLN1	Fibulin 1	CD70	CD70 molecule
FGD3	FYVE, RhoGEF and PH domain containing 3	DDIT4	DNA-damage-inducible transcript 4
HBEGF	Heparin-binding EGF-like growth factor	FAM162A	Family with sequence similarity 162, member A
KLK3	Kallikrein-related peptidase 3	FTH1	Ferritin, heavy polypeptide 1
KLK6	Kallikrein-related peptidase 6	HCLS1	Hematopoietic cell-specific Lyn substrate 1
WNT5B	Wingless-type MMTV integration site family, member 5B	ID1	Inhibitor of DNA binding 1, dominant negative helix-loop-helix protein
		IL1RN	Interleukin 1 receptor antagonist
		LDLR	low density lipoprotein receptor (familial hypercholesterolemia)
		NEFL	Neurofilament, light polypeptide 68 kDa
		PERP	PERP, TP53 apoptosis effector
		PMAIP1	Phorbol-12-myristate-13-acetate-induced protein 1
		PRDM1	PR domain containing 1, with ZNF domain
		RUNX2	Runt-related transcription factor 2
		SERPINB5	Serpin peptidase inhibitor, clade B (ovalbumin), member 5

AKR1C, aldo-keto reductase 1C family number 3; CD, cluster of differentiation; DNA, deoxyribonucleic acid; EEG1, early endosomal antigen 1; EGF, epidermal growth factor; Fab1p, Fab protein homolog; FYVE, Fab1p-YOTB-Vac1p-EEA1; GEF, guanine nucleotide exchange factor; MMTV, mouse mammary tumor virus; PERP, p53 apoptosis effector related to peripheral myelin protein (PMP)-22; PH, pleckstrin homology; PR, pseudo-receiver (PR) domain; TP, tumor protein; Vac 1, Vac1 protein homolog; ZNF, zinc finger protein.

Dozmorov 등 (2010)의 자료를 수정 인용.

도표 105 AKR1C의 각 동종 효소가 가진 활성 아미노산 잔기

동종 효소/아미노산	54	128	129	222	224	226	306	310
AKR1C1	Leu	Val	Ile	His	Glu	Pro	Leu	Ile
AKR1C2	Val	Val	Ile	His	Glu	Pro	Leu	Ile
AKR1C3	Leu	Leu	Ser	Gln	Asp	Arg	Phe	Ser
AKR1C4	Leu	Pro	Leu	Gln	His	Leu	Val	Phe

AKR1C, aldo-keto reductase family 1; Arg, arginine; Asp, aspartic acid; Gln, glutamine; Glu, glutamic acid; His, histidine; Ile, isoleucine; Leu, leucine; Phe, phenylalanine; Pro, proline; Ser, serine; Val, valine.

Brožič등 (2011)의 자료를 수정 인용.

에서만 주로 발현되는 데 비해, 다른 세 가지의 AKR1C는 다른 조직에서도 발현된다. AKR1C1~AKR1C3는 폐에서 높은 수치로 발현된다. 전립선에서 우세하게 나타나는 동종 효소는 AKR1C2와 AKR1C3이며, 고환에서는 AKR1C1이 주로 발현된다. 유선에서는 AKR1C3가 가장 풍부하며, 자궁내막 및 지방 조직에는 AKR1C1~AKR1C3의 세 동종 효소 모두가 발견된다 (Penning 등, 2000; Blouin 등, 2005). 뇌에서의 주된 동종 효소는 AKR1C1과 AKR1C2이지만, 발현의 정도는 낮다 (Penning 등, 2000). 신장과 방광에서는 AKR1C3가 발현된다 (Sharma 등, 2006).

1.1. 약물 개발의 표적으로서 AKR1C 효소
AKR1C enzymes as potential targets for drug discovery

AKR1C는 스테로이드, prostaglandins (PGs), 생체 이물질 (xenobiotics), lipid aldehydes 등의 대사에 관여하기 때문에, AKR1C의 비정상적인 발현과 작용은 여러 병태생리학적 상황을 초래할 수 있다 (Penning과 Byrns, 2009). AKR1C는 성 호르몬의 생합성과 불활성에 관여하며, HSD의 작용에 의해 스테로이드 기질의 3-, 17-, 20-carbonyl 군을 각각 3α- 혹은 3β-, 17β-, 20α-hydroxyl 군으로 환원시킨다. NADPH가 NAD^+의 존성 산화를 억제함으로 인해 AKR1C는 생체 세포에서 환원 효소로서의 기능을 한다 (Steckelbroeck 등, 2004). 이러한 작

용과 함께 AKR1C는 안드로겐, 에스트로겐, progestin 등의 합성에서 중요한 작용을 촉진하여 분자적 전환을 유도한다. 말초 조직에서 이러한 작용을 억제하면 수용체 전 단계에서 활성 호르몬의 농도가 조절된다 (Nobel 등, 2001).

이들 스테로이드 호르몬의 대사에서 불균형이 일어나면, 세포의 증식이 증대되고 유전적 오류가 발생하게 된다. 이와 같은 변화들로 인해 호르몬 의존성 암과 기타 호르몬 의존성 질환이 발생한다 (Henderson과 Feigelson, 2000). 예를 들면, 17β-HSD의 작용을 가진 AKR1C3가 증가하면 테스토스테론 혹은 에스트라디올의 농도가 증가하고, 이로써 전립선 및 유방 세포의 증식이 증대된다. AKR1C1과 AKR1C3는 20-ketosteroid reductase로서 작용하며, 프로게스테론을 덜 활성적인 20α-hydroxyprogesterone으로 불활성화함으로써 프로게스테론에 의한 자궁 및 이소성 자궁내막의 증식 효과를 방지한다 (Šmuc 등, 2009). 한편, AKR1C2는 가장 강력한 안드로겐인 5α-dihydrotestosterone (DHT)을 5α-androstane-3α,17α-diol로의 불활성화를 촉진함으로써 전립선 세포의 과도한 증식을 방지한다. AKR1C1 또한 에스트로겐 수용체 β와 높은 친화성을 가지기 때문에 5α-DHT를 5α-androstane-3β,17α-diol로 전환시킨다. 그러므로 높은 활성도의 성 호르몬과 낮은 활성도의 성 호르몬 사이에서 일어난 불균형의 비율은 유방암, 전립선암, 자궁내막암, 난소암, 자궁내막증 등과 관련이 있을 뿐만 아니라 다모증, 지방조직 분포 등과도 관련이 있다 (Penning과 Byrns, 2009).

뇌에서는 AKR1C1과 AKR1C2가 신경 스테로이드의 대사에 관여하여 γ-aminobutyric acid (GABA) 수용체의 활성화를 조절함으로써 마취, 진통, 항불안, 항경련 등의 효과를 나타낸다. AKR1C2는 주로 5α-dihydroprogesterone을 가장 강력한 GABA 수용체 조절자인 5α-pregnane-3α-ol-20-one으로 전환시키고, AKR1C1은 이 5α-pregnane-3α-ol-20-one을 5α-pregnane-3α,20α-diol로 불활성화한다. 신경 스테로이드 대사에서의 변화는 우울증, 간질, 월경 전 증후군 (pre-menstrual syndrome) 등과 관련이 있다 (Higaki 등, 2003).

AKR1C는 생체 이물의 대사에도 관여하며, phase I 스테로이드 대사 효소에 속한다. 생체 이물은 AKR을 유발하는 물질인 동시에 AKR의 기질이다. 생체 이물의 carbonyl 군이 환원되면 생체 이물은 융합되고 제거된다. 그러한 반응은 약물 전구체의 활성뿐만 아니라 약물의 불활성화를 일으킨다 (Hung 등, 2006). 생체 이물을 기질로 인식하는 AKR1C의 기능은 발

암 화합물을 생성하게 하며, polycyclic aromatic hydrocarbons (PAH) 및 기타 오염 물질의 대사가 가능하도록 한다. 이러한 결과로 AKR1C는 폐암, 구강암, 후두암, 방광암, 유방암 등과 연관성을 가진다 (Penning과 Byrns, 2009).

이러한 AKR1C의 중요한 생리학적 기능 때문에, AKR1C, 특히 AKR1C1과 AKR1C3는 새로운 약물을 개발함에 있어 표적이 되고 있다. AKR1C1 억제제는 자궁내막암, 폐경 전 증후군, 월경 간질, 우울증, 임신 유지 등의 치료제로 관심을 받고 있으며, AKR1C3는 전립선암, 유방암, 자궁내막암 등과 같은 호르몬 의존성 암의 치료제 개발에서 표적이 되고 있다. AKR1C 억제제는 prostaglandin D_2 (PGD$_2$)를 분해하여 J 계열의 prostanoids를 생성함으로써 peroxysome proliferator-activated receptor (PPAR)를 간접적으로 활성화하기 때문에, 호르몬 비의존성 암의 치료제로도 개발될 수 있다고 생각된다 (Brožič 등, 2011).

AKR1C3를 억제하는 제제로는 비스테로이드 항염증 약물, 스테로이드 호르몬 유사체, flavonoids, cyclopentanes, benzodiazepines 등이 있다. AKR1C의 다른 동종 효소와 마찬가지로 AKR1C3는 다수 ligands와 결합하는 결정체 구조를 가지고 있으며, 이는 AKR1C3의 동종 효소에 특이한 억제제를 고안하는 데 기초가 된다. 근래 AKR1C1이나 AKR1C2와는 상당히 다르게 AKR1C3에서 ligand와의 결합에 관여하는 주머니 구조 (subpocket)가 발견되었다. 이들 주머니는 현재 활용되고 있는 AKR1C3 억제제의 결합 친화도 및 선택도를 증대시키는 데 이용될 수 있다 (Byrns 등, 2011).

1.2. AKR1C의 역할 Role of AKR1C

Type 5 17β-HSD/PGF synthase인 AKR1C3는 PGs의 대사에 관여하는데 (Lovering 등, 2004), PGD$_2$의 대사를 통해 PGF$_2$의 합성을 유도한다. 이와 함께 PGJ$_2$의 합성은 감소되며 PPAR에 대한 작용이 감소된다. 그 결과 세포의 분화 혹은 세포 자멸사를 유발하는 유전자의 발현이 감퇴되며, 이로 인해 PGD$_2$의 분화를 유발하는 작용이 억제된다. 특히, PG 대사의 변화는 PGD$_2$의 상당한 양이 합성되는 골수에서 매우 중요하며, AKR1C3의 비정상적인 발현은 급성 골수성 백혈병과 관련이 있다 (Desmond 등, 2003). 근래에는 AKR1C2도 PG의 대사에 관여한다고 제시되고 있다 (Wang 등, 2008). AKR1C, 특히 PG 대사의 장애를 동반하는 AKR1C3의 작용에서의 변화

는 전립선암 (Wang 등, 2008), 유방암 (Byrns 등, 2010), 지방 조직 분포 (Quinkler 등, 2006) 등과 관련이 있다. 호르몬 비의존성 전립선암에서는 안드로겐의 합성과 이화 작용을 매개하는 기타 효소의 증가와 함께 AKR1C3의 발현이 증가되는데, 이는 부신 안드로겐으로부터 생성된 테스토스테론 및 DHT가 세포 내에서 증가하는 기전으로 인해 전립선암이 진행하고 안드로겐 비의존성 암이 발생할 수 있음을 추측하게 한다 (Stanbrough 등, 2006).

사람의 전립선 (Lin 등, 1997)과 태반 (Dufort 등, 1999) cDNA 도서관에서 처음 복제된 AKR1C3는 다른 세 가지 AKR1Cs와 86%의 상동성을 가지며 (Penning 등, 2000), 안드로겐과 에스트로겐의 대사를 매개한다. 이 효소는 표적 조직에서 비교적 높은 17β-HSD의 작용을 통해 약한 안드로겐인 Δ4-androstene-3,17-dione (Δ4-dione)을 강한 안드로겐인 테스토스테론으로 환원시키며 (Labrie 등, 1997), 약한 에스트로겐인 estrone을 강한 에스트로겐인 17β-estradiol로 환원시킴으로써 (Penning 등, 2000) 각각 호르몬 의존성 전립선암과 유방암의 증식을 촉진한다. AKR1C3는 3α-HSD의 작용을 통해 강력한 안드로겐인 5α-DHT를 약한 안드로겐인 5α-androstane-3α,17β-diol (3α-diol)로 환원시킨다 (Lin 등, 1997). 이와 같이 AKR1C3는 안드로겐 수용체와 에스트로겐 수용체에 유용한 강한 안드로겐인 테스토스테론 및 5α-DHT 그리고 강한 에스트로겐인 17β-estradiol을 각각 조절하는데, 이는 AKR1C3의 과다 발현이 전립선암의 공격성을 증대시키는 기전으로 생각된다 (Dozmorov 등, 2010). AKR1C3는 또한 PGH_2를 $PGF_{2\alpha}$로, PGD_2를 9α,11β-PGF_2로의 환원을 매개하는데, 이는 15-deoxy-Δ(12,14)-PGJ_2를 포함하는 항증식성 PG의 형성을 제한함으로써 증식성 신호 전달에 관여한다 (Byrns 등, 2011).

AKR1C1~AKR1C4와 AKR1D1은 모든 스테로이드 호르몬의 대사, 신경 스테로이드 및 담즙산의 생합성, 복합 스테로이드 및 합성 스테로이드의 대사 등에서 필수적인 역할을 한다. 이들 효소는 스테로이드의 핵과 측쇄에 있는 C3, C5, C17, C20 등의 위치에서 NADPH 의존성 환원을 촉진한다. AKR1C1~AKR1C4는 3-keto, 17-keto, 20-keto 스테로이드의 환원효소로서 작용하는 데 비해, AKR1D1은 Δ(4)-3-ketosteroid-5β-reductase (steroid 5β-reductase)로서 작용한다. AKR1 효소는 핵 수용체의 활성 ligands의 농도를 조절하며, 핵 수용체 ligands의 관여를 조절할 뿐만 아니라 전사 촉진을

조절한다. AKR1 효소는 또한 GABA A ($GABA_A$) 및 N-methyl-D-aspartate (NMDA) 수용체의 활성을 조절하는 신경 스테로이드의 양을 조절한다. AKR1 효소는 핵 외에도 세포막과 결합하는 수용체를 수용체 전 단계에서 조절한다. *AKR1C*의 개개 유전자의 비정상적 발현은 전립선암, 유방암, 자궁내막암 등의 발생과 관련이 있다. *AKR1C1*과 *AKR1C4*의 돌연변이는 성 발달의 장애를 일으키며, *AKR1D1*의 돌연변이는 담즙산 결핍의 원인이 된다 (Rižner와 Penning, 2014).

1.3. 전립선암에서 AKR1C의 발현
Expression of AKR1C in prostate cancer

AKR1C3의 발현이 조절되지 않는 경우가 여러 암에서 관찰된다. AKR1C3 발현의 억제는 유방암 (Lewis 등, 2004), 자궁내막암 (Zakharov 등, 2010) 등에서 나타나고, AKR1C3 발현의 증가는 두경부의 편평상피세포암 (Martinez 등, 2007)에서 보고된 바 있다. 전립선의 경우 정상 전립선 상피세포에서는 AKR1C3가 발견되지 않거나 낮은 수치로 관찰되는 데 비해 (Azzarello 등, 2008), 국소 (Fung 등, 2006), 진행 (Stanbrough 등, 2006), 재발성 (Wako 등, 2008) 전립선암에서는 AKR1C3가 상당히 높은 수치로 발현된다. AKR1C3에 대항하는 항체를 이용한 면역조직화학 연구에 의하면, 면역 반응이 전립선의 정상 상피세포에서는 매우 약하거나 나타나지 않았고, 만성 염증, 위축, 요로 이행세포의 화생 (metaplasia) 등과 같은 비악성 변화에서는 다양한 정도로 증가하는 데 비해, 원발 전립선암 환자 11명 중 9명에서는 일정하게 증가되었다 (Fung 등, 2006). 안드로겐 비의존성의 골수 전이 전립선암 환자 33명에 관한 연구는 공격적인 활동을 나타내는 유전자, 예를 들면 *matrix metallopeptidase 9 (MMP9), cyclin-dependent kinases regulatory subunit 2 (CKS2), leucine rich repeat containing 15 (LRRC15), wingless-type MMTV integration site family, member 5A (WNT5A), enhancer of zeste 2 polycomb repressive complex 2 subunit (EZH2), E2F transcription factor 3 (E2F3), syndecan 1 (SDC1), S-phase kinase-associated protein 2 (SKP2), baculoviral inhibitor of apoptosis (IAP) repeat containing 5 (BIRC5* 혹은 *survivin)* 등의 발현은 증가하고 *Krueppel-like factor 6 (KLF6)*와 같이 종양을 억제하는 유전자의 발현은 감소한다고 하였으며, *androgen receptor (AR)*의 발현이 5.8배 증가함은 물론 안드로겐의

대사를 매개하는 다수 유전자, 예를 들면 *hydroxy-delta-5-steroid dehydrogenase, 3 beta- and steroid delta-isomerase 2 (HSD3B2), steroid-5-alpha-reductase, alpha polypeptide 1 (SRD5A1), UDP glucuronosyltransferase 2 family, polypeptide B15 (UGT2B15), AKR1C3, AKR1C2, AKR1C1* 등의 발현도 증가한다고 하였다 (Stanbrough 등, 2006).

전립선에서 AKR1C3의 발현이 증가하는 것은 테스토스테론 및 5α-DHT의 축적 그리고 안드로겐 수용체의 전사 촉진 때문이라고 생각된다 (Labrie 등, 1997). 안드로겐에 민감하지 않고 안드로겐 수용체가 없는 PC3 전립선암 세포주를 AKR1C3 cDNA로 유전자 전달 감염을 일으켜 PC3-AKR1C3로 형질 전환을 일으킨 세포를 만든 연구는 전립선암 세포에서 AKR1C3의 발현이 증가됨과 함께 PC3-AKR1C3 세포에서 세포 성장이 증대되었고, AKR1C3의 과다 발현은 vascular endothelial growth factor (VEGF)의 증가를 통해 혈관 형성을 촉진하였으며, PC3 세포에 의한 내피세포 관 (endothelial tube)의 형성을 촉진하였다고 보고하였다. 이와 같은 결과는 AKR1C3로 인한 스테로이드 호르몬 혹은 prostaglandin의 대사가 전립선암의 혈관 형성을 증대시켜 공격성을 증가시킨다는 가설을 뒷받침한다 (Dozmorov 등, 2010).

PC3-AKR1C3 형질 전환체 (transfectant)에는 *serpin B5 (SERPINB5), p53 apoptosis effector related to peripheral myelin protein-22 (PMP22) (PERP), phorbol-12-myristate-13-acetate-induced protein 1 (PMAIP1)* 등과 같은 유전자가 하향 조절됨이 관찰되었다 (Dozmorov 등, 2010). *SERPINB5*는 혈관 형성을 억제하는 유전자로 알려져 있기 때문에 (Zhang 등, 2000) PC3-AKR1C3 형질 전환체에서 이 유전자가 하향 조절되어 있음은 AKR1C3가 혈관 형성을 촉진하는 역할을 가지고 있음을 암시한다. *PERP* (Attardi 등, 2000)와 *PMAIP1* (Oda 등, 2000)은 종양을 억제하는 유전자인 *p53*의 신호 전달 과정 중 일부에 관여함으로써 세포 자멸사를 일으킨다. PC3-AKR1C3 형질 전환체에서 이들 두 유전자의 발현이 억제됨은 AKR1C3가 전립선암이 세포 자멸사를 일으키지 않고 진행하도록 촉진하는 역할을 가지고 있음을 나타낸다. PC3-AKR1C3 형질 전환체에는 세포 자멸사와 관련이 있는 *apoptosis antigen 1 (APO-1)*으로도 알려진 *Fas cell surface death (FAS)*와 *Caspase 6* 또한 하향 조절된다고 보고되었다 (Dozmorov 등, 2010).

PC3-AKR1C3 형질 전환체에서 상향 조절되거나 하향 조절되는 유전자의 생물학적 및 병리학적 기능에 관해 연구된 바 있다. PC3-AKR1C3 형질 전환체에서 상향 조절되는 유전자에 의해 나타나는 가장 중요한 과정은 '공격성'이며, 이는 PSA, β-catenin, 에스트로겐 수용체 등과 관련이 있다. Epidermal growth factor (EGF) 수용체 ligands 중 하나인 heparin-binding EGF (HBEGF)를 코드화하는 유전자 *HBEGF*는 유방암의 경우 크기가 큰 종양, 고등급 분화도, 공격성 등과 강한 연관성을 가지고 있다 (Revillion 등, 2008). 세포 외부 기질 내에서 칼슘과 결합하는 산성 당단백질인 fibulin 1을 코드화하는 *FBLN1*은 난소암의 진행과 정상관관계를 나타낸다 (Roger 등, 1998). *Transmembrane protease, serine 2 (TMPRSS2)*와 PSA를 코드화하는 *kallikrein-related peptidase 3 (KLK3)* 발현의 증가는 전립선암의 공격성과 관련이 있다 (Bi 등, 2010). Catenin beta 1을 코드화하는 '*CTNNB1*'에 관한 보고에 의하면, protein WNT-5b를 코드화하는 *WNT5B*와 *CTNNB1*은 종양 형성에서 잘 알려진 분자 경로이며, 이들 분자의 발현 증가는 안드로겐 수용체, 에스트로겐 수용체, 암의 진행 등과 관련이 있다 (Wang 등, 2008). '에스트로겐 수용체'와 관련한 보고에 의하면, *HBEGF* (Song 등, 2007), *FBLN1* (Moll 등, 2002), *TMPRSS2* (Setlur 등, 2008), brain-expressed X-linked protein 1을 코드화하는 *BEX1* (Naderi 등, 2007) 등은 에스트로겐 수용체를 통해 17β-estradiol에 의해 조절된다. 이러한 네 가지의 특징을 가진 PC3-AKR1C3 형질 전환체에서 상향 조절되는 유전자들은 서로 연결되어 있으며, 더욱 공격적인 암을 유발한다.

PC3-AKR1C3 형질 전환체에서 하향 조절되는 유전자의 대부분은 종양 혹은 혈관 형성을 억제하는 유전자이며, 종양을 억제하는 유전자가 더 현저하게 하향 조절된다. 종양 억제 유전자의 발현 감소는 암의 진행과 관련이 있다. 예를 들면 maspin으로도 불리는 serpin B5를 코드화하는 *SERPINB5*는 세포의 침윤과 혈관 형성을 억제하고 세포 자멸사를 촉진한다 (Bailey 등, 2006). Regulated in development and DNA damage response 1 (REDD1)으로도 불리는 DNA-damage-inducible transcript 4 protein을 코드화하는 *DDIT4*는 스트레스에 반응하는 유전자이며, 생쥐 모델에서 이 유전자가 소실되면 부착 비의존성으로 세포의 성장이 촉진되고 종양이 형성된다 (Guertin과 Sabatini, 2007). Cadherin-11을 코드화하는 종양 억제 유전자 *CDH11*의 소실은 망막모세포종 (retinoblastoma)에서 높은 빈도로 나타난다 (Marchong 등,

2004). 이 연구에서 혈관 형성과 관련이 있는 유전자는 혈관 형성을 역조절하는 인자이다. 예를 들면, Core-binding factor subunit alpha-1 (CBF-alpha-1)으로도 알려진 Runt-related transcription factor 2를 코드화하는 *RUNX2* 전사 인자는 혈관 형성과 역상관관계를 가지고 있다 (Sun 등, 2004). Activin을 억제하는 follistatin을 코드화하는 *FST*가 과다 발현되면, 소세포 폐암 세포에서 전이 세포의 군락이 감소되었으며 severe combined immunodefficiency (SCID) 생쥐에서 미세 혈관의 밀도가 감소되었다 (Ogino 등, 2008). PC3-*AKR1C3* 형질 전환체에서 중요한 역할을 담당하는 '혈관 형성'과 '종양 억제 인자'는 하향 조절되는 유전자에 의해 서로 연결되어 있다.

PC3-*AKR1C3* 형질 전환체에서 상향 및 하향 조절되는 여러 유전자는 스테로이드의 대사와도 관련이 있다. 프로게스테론과 같은 스테로이드는 GATA binding protein 1을 코드화하는 *GATA1*을 상향 조절하며 (da Silva 등, 2002), *GATA* 전사 인자의 가족 중 *GATA2*와 *GATA3*는 안드로겐에 의해 조절되는 PSA의 발현에 관여한다 (Perez-Stable, 2000). CpG binding protein 2를 코드화하는 *CP2*는 mRNA의 전환 및 번역을 조절하는데, 안드로겐 수용체의 발현을 전사 후 단계에서 조절한다 (Yeap 등, 2002). Sterol regulatory element (SRE) binding protein 1 (SREBP1)은 17β-estradiol 외에도 인슐린에 민감한 SRE1 cis-element와 상호 작용하며 (Streicher 등, 1996), *SREBP1*의 상향 조절은 안드로겐 비의존성 전립선암의 진행과 관련이 있다 (Ettinger 등, 2004). Upstream stimulatory factor 1을 코드화하는 *USF1*은 sterol의 생합성에서 *SREBP1*과 협력하여 작용한다 (Griffin 등, 2004).

전립선암에서 안드로겐 수용체가 혈관 형성에 관여하는지는 분명하지 않지만, 여러 연구는 혈관 형성이 안드로겐 수용체와 관계없이 일어난다고 보고하였다. 예를 들면, interleukin (IL)-8은 LNCaP 전립선암 세포에서 안드로겐 수용체와는 관계없이 세포 성장 및 혈관 형성을 촉진한다 (Araki 등, 2007). AKR1C3 양성의 PC3 세포에서 관찰되는 에스트로겐 수용체의 전사 촉진은 17β-estradiol 외에 AKR1C3의 3β-HSD의 작용으로 형성된 안드로겐 대사물질인 3α-diol에 의해서도 일어나며, 누드마우스를 대상으로 평가한 연구는 그러한 결과로 인해 PC3 세포의 성장이 일어난다고 하였다 (Dondi 등, 2010). AKR1C3에 의해 유발되는 안드로겐 수용체와 에스트로겐 수용체의 전사 촉진에 관해서는 앞으로 추가 연구가 필요하다.

혈관 형성과 관련이 있는 인자로서 다수의 단백질이 발견되었으며, 이는 혈관 형성을 위한 신호로서 종양에 의해 분비된다고 생각된다. 이들 인자로는 acidic fibroblast growth factor (aFGF), basic FGF (bFGF), angiogenis, EGF, granulocyte colony-stimulating factor (GM-CSF), hepatocyte growth factor (HGF), IL-8, placental growth factor (PGF), platelet-derived growth factor (PDGF), scatter factor, transforming growth factor (TGF)-α, tumor necrosis factor (TNF)-α, VEGF 등이 있다. 이들 인자 중 VEGF가 가장 중요하며, 이 인자는 많은 혈관 형성 대항제의 표적이 되고 있다. PC3-*AKR1C3* 형질 전환체에서 VEGF 발현의 증가가 VEGF 수용체를 활성화하여 모세혈관과 같은 내피세포의 관 형성을 촉진하고 혈관 형성을 일으킨다고 보고된 바 있지만, 다른 혈관 형성 인자의 관여를 배제하지 못한다 (Dozmorov 등, 2010).

전립선암의 진행에서 에스트로겐의 역할은 논란이 되고 있지만, 사람의 전립선암과 유사한 거세 개를 대상으로 평가한 연구는 3α-diol과 17β-estraldiol을 병합 투여한 경우 전립선 상피세포의 증식이 일어남을 보여 주었다 (Walsh와 Wilson, 1976). 사람의 전립선암에서 17β-estraldiol은 insulin-like growth factor 1 (IGF-1)의 신호 경로를 활성화한다 (Pandini 등, 2007). 전립선암의 진행을 촉진한다고 알려진 IGF-1 (Chan 등, 2002)과 v-akt murine thymoma viral oncogene homolog 1 (AKT 혹은 protein kinase B, PKB) (Malik 등, 2002)가 AKR1C3의 발현이 증가된 PC3 세포에서 확인되었다. 따라서 AKR1C3는 스테로이드 호르몬 수용체의 활성 및 불활성 그리고 성장 인자의 신호 경로의 활성을 조절하는 중요한 분자라고 생각된다. AKR1C3는 암의 진행에서 혈관 형성을 촉진하는 생존 기전에 관여하는 분자이기도 하다. 이러한 결과들을 근거로 암의 혈관 형성 및 진행에서 AKR1C3, estrogen receptor (ER), IGF-1, AKT, VEGF 등의 상호 관계를 밝히는 추가 연구가 필요하다 (Dozmorov 등, 2010).

Tissue array 절편을 이용하여 AKR1C3에 대한 면역 반응성을 분석한 연구에서 전립선암 환자의 33.3% (Dozmorov 등, 2010) 혹은 5.6% (Stanbrough 등, 2006))가 AKR1C3에 양성 반응을 나타낸 데 비해, 안드로겐 비의존성 전립선암 환자에서는 57.9%가 AKR1C3에 대해 양성 반응을 나타내었다 (Dozmorov 등, 2010). 다른 연구도 AKR1C3의 면역 반응성과 전립선암 병기 사이에는 상호 연관성이 있다고 하였다 (Wako 등, 2008).

다른 연구는 AKR1C1으로도 알려진 dihydrodiol dehydrogenase 1 (DDH1)과 AKR1C2로도 알려진 DDH2가 폐암과 ethacrynic acid로 유도된 약물 저항성 결장암 세포에서 과다 발현된다고 보고하였다 (Hsu 등, 2001). Daunorubicin 저항성 위암 (Ax 등, 2000), cisplatin 저항성 난소세포암 (Deng 등, 2002), 진행된 식도편평상피세포암 (Wang 등, 2004), human papillomavirus (HPV) 감염과 관련이 있는 자궁경부암 (Ueda 등, 2006), arsenic에 오염된 식수와 관련이 있는 방광암 (Tai 등, 2007) 등에서 DDH가 발견되었는데, 이는 AKR1C의 과다 발현이 화학 요법에 대한 저항성뿐만 아니라 질환의 진행, 종양의 재발, 전이, 나쁜 예후 등과 관련이 있음을 시사한다.

RT-PCR을 이용한 연구는 전립선에서 AKR1C3가 풍부하게 발현되지만 AKR1C3를 발현하는 전립선암이나 전립선에서 세포 형태를 특징화하지는 못한다고 하였다 (Penning 등, 2000). AKR1C2 혹은 AKR1C3를 안드로겐 저항성의 PC3 세포주에 형질 주입을 시도한 연구는 이들 유전자로 코드화된 두 효소가 PGF$_{2\alpha}$의 생합성을 매개함을 보여 주었다 (Wang 등, 2008). 이들 연구는 AKR1C의 발현이 전립선암의 형성과 관련이 있음을 추측하게 한다.

전립선암에서 AKR1C의 발현과 전립선암의 진행과의 연관성을 확인하기 위해 임상적으로 진단된 대만의 전립선암 환자 86명으로부터 호르몬 요법 혹은 방사선 요법을 실시하기 전에 채집한 병리학적 조직 표본을 미국인 전립선암 환자 31명의 표본과 면역조직화학적 검사 및 RT-PCR을 이용하여 비교한 연구는 대만인의 89.5% (77명/86명), 미국인의 90.3% (28명/31명)에서 AKR1C2가 과다 발현되어, AKR1C2는 두 인종 간에는 차이가 없이 전립선암에서 과다 발현됨을 확인하였으며, AKR1C2와 PGF$_{2\alpha}$의 발현 증가는 lycopene과 항암제로부터 세포를 보호하는 기능과 상호 관련이 있다고 보고하였다 (Huang 등, 2010).

비정상적인 안드로겐 수용체의 활성은 거세 저항성 전립선암으로의 진행에서 주된 인자이다. 거세 저항성 전립선암은 치명적인 전이 형태의 전립선암이기 때문에 이 질환을 치료할 약물의 개발이 시급한 실정이다. 안드로겐 축을 표적으로 하여 안드로겐의 생합성 혹은 안드로겐 수용체의 신호 경로를 억제하는 화합물이 거세 저항성 전립선암의 치료에 이용되고 있다. AKR1C3는 전립선 내의 안드로겐 생합성에서 중요한 역할을 한다. 앞에서 기술된 바와 같이 AKR1C3는 거세 저항성 전립선암에서 상향 조절되며, 약한 안드로겐 전구

체를 테스토스테론과 5α-DHT로의 17-keto 환원을 촉진한다. AKR1C3의 발현과 활성은 거세 저항성 전립선암의 발생에 영향을 주기 때문에, 이 질환의 치료에서 표적이 될 수 있다. AKR1C3와 밀접하게 관련이 있는 동종 효소 AKR1C1과 AKR1C2는 안드로겐의 불활성화에 관여하기 때문에, 선택적으로 AKR1C3를 억제함이 중요하다 (Adeniji 등, 2013).

Cyclooxygenase를 억제하는 indomethacin 유사체는 AKR1C3를 억제하는 기능을 가지고 있으며, AKR1C1/AKR1C2에 비해 AKR1C3에 대한 선택성을 가지고 있다. 납 화합물은 나노몰 수준에서 AKR1C3를 억제하는 작용을 가진다. 이 화합물은 LNCaP-AKR1C3 세포에서 AKR1C1/AKR1C2에 비해 AKR1C3에 대해 100배의 선택도를 나타내며, 테스토스테론의 형성을 차단한다. AKR1C3·NADP(+)·2′-des-methyl-indomethacin의 결정체 구조가 발견되었으며, 이는 독특한 결합 방식으로 형성된 억제제이고, 거세 저항성 전립선암의 치료제 개발에서 유망한 제제라고 생각된다 (Liedtke 등, 2013).

2. Alpha-Methylacyl Coenzyme A Racemase (AMACR)

Xu 등 (2000)은 cDNA 도서관을 분석하여 양성 및 악성 전립선 조직에서 P503S, P504S, P510S 등의 세 단백질을 발견하였으며, 382개 아미노산으로 구성된 P504S가 사람의 alpha-methylacyl coenzyme A racemase (AMACR)라고 확인하였다. AMACR을 코드화하는 유전자 AMACR은 염색체 5p13 (혹은 5p13.2)에 위치해 있다 (Rubin 등, 2002). Peroxisome과 미토콘드리아에 있는 효소인 AMACR은 β-산화를 통해 긴 사슬 지방산, 분지 사슬 지방산, C27 담즙산의 중간 산물 등의 이화 작용에서 중요한 역할을 한다. AMACR은 (R)-α-methyl branched-chain fatty acyl-CoA ester를 (S)-stereoisomer로 전환시킨다. 즉, AMACR은 (2R)-2-methylacyl-CoA를 (2S)-2-methylacyl-CoA로 전환시키는 촉매 작용을 한다 (Lloyd 등, 2008). AMACR의 mRNA는 전립선암의 경우 microarray 검색으로는 30%, RT-PCR 분석으로는 60%에서 과다 발현되며, 정상 조직에서는 낮게 발현되거나 발견되지 않는다 (Xu 등, 2000). 사람에서 AMACR이 결핍되면, 성인에서는 감각운동신경병증이, 유아에서는 간 기능 장애가 일어난다 (Dorer와 Odze, 2006).

양성 혹은 정상 전립선 상피세포에 비해 전립선암 세포에서

도표 106 각종 연구에서 보고된 전립선암 발견에 대한 AMACR의 민감도

참고 문헌	환자 수	표본 형태	항체 유형	민감도, %
Jiang 등, 2001	137	침 생검 58점, 전립선절제 77점, TURP 18점	단클론	100
Beach 등, 2002	186	침 생검	단클론	82
Luo 등, 2002	142	tissue microarray	보고되지 않음	88
Rubin 등, 2002	70	침 생검	다클론	97
Magi-Galluzzi 등, 2003	209	침 생검, 1개 core의 5% 미만인 작은 병소	다클론	88
Kunju 등, 2003	20	침 생검, 1개 core의 5% 미만인 작은 병소 6점과 포말 전립선암 표본 4점 포함	단클론	90
Zhou 등, 2004	215	침 생검	단클론	82
Jiang 등, 2004	454	침 생검 270점, 전립선절제 178점, TURP 6점	단클론	97
Molinié 등, 2004	150	보고되지 않음	단클론	97

AMACR, alpha-methylacyl coenzyme A racemase; TURP, transurethral resection of prostate.
Varma와 Jasani (2005)의 자료를 수정 인용.

AMACR이 과다 발현된다고 보고되었지만 (Kunju 등, 2005), 전립선암에서 AMACR의 기능은 충분하게 밝혀져 있지 않다. 여러 연구에서 보고되는 전립선암의 발견에 대한 AMACR의 민감도는 도표 106에 정리되어 있다. AMACR의 발현과 호르몬 상태 사이의 관계를 평가한 연구는 호르몬에 민감한 세포주에서 발현된 AMACR이 안드로겐 대항제에 노출된 후에도 변하지 않기 때문에, AMACR의 발현은 안드로겐의 경로에 의해 직접 조절되지 않는다고 하였다 (Kuefer 등, 2002). AMACR은 안드로겐 수용체의 안정성에 영향을 주지 않으며, 안드로겐 수용체의 표적 유전자의 발현 또한 조절하지 않음이 관찰되어 AMACR은 안드로겐 수용체로 매개되는 신호 경로와는 무관하게 발현된다고 생각된다 (Zha 등, 2003). 한편, 호르몬 요법을 받은 환자를 분석한 연구는 국소 전립선암의 경우 AMACR의 발현이 상당하게 감소되었다고 보고하였지만, 호르몬 요법이 AMACR의 발현에 영향을 주는 기전에 관해서는 분명하게 밝혀져 있지 않다 (Suzue 등, 2005).

2.1. 전립선암에서 AMACR
AMACR in prostate cancer

총 4,385명을 포함한 22편의 연구를 통해 AMACR의 발현과 전립선암 위험의 증가 사이의 연관성을 밝히고자 메타 분석을 실시한 연구에 의하면, 정상 혹은 양성 전립선 조직에서는 AMACR 단백질이 낮게 발현된 데 비해, 전립선암에서는 과다 발현되었다. 또한, 면역조직화학검사에서 AMACR은 전립선암의 진단율 증가와 유의한 연관성을 보였으며 (OR 76.08,

95% CI 25.53~226.68; $p < 0.00001$), RT-PCR에 의한 *AMACR*의 발현은 전립선암의 발생 위험과 관련이 있었다 (OR 33.60, 95% CI 4.67~241.77; $p < 0.00001$) (Jiang 등, 2013).

전립선 조직에는 AMACR의 mRNA와 단백질이 일정하게 증가되어 있으며 (Jamaspishvili 등, 2010), 전립선암 환자의 혈청에서 면역 반응을 통해 AMACR의 항체를 발견하였다는 보고도 있다 (Sreekumar 등, 2004). 전립선암 환자의 혈청에서 면역 반응을 통해 AMACR의 항체를 발견하는 Western blot 분석법과 면역조직화학 분석법을 이용하면 전립선암 조직과 소변에서 AMACR이 증가됨을 확인할 수 있기 때문에, AMACR은 전립선암의 면역조직화학적 표지자로 흔하게 이용된다 (Jamaspishvili 등, 2010). Luo 등 (2002)은 전립선암의 88% 그리고 치료되지 않은 전이성 암과 거세 저항성 암 둘 모두에서 AMACR에 대한 강한 양성 반응을 확인했다고 하였다. Roger 등 (2004)은 경직장 전립선 생검을 받은 26명의 남성에서 채집한 소변으로부터 AMACR의 농도를 측정하였다. AMACR은 69% (18명/26명)에서 증가되었고, 생검으로 암이 확인된 12명 중 12명에서 증가되어 100%의 민감도를 보였으며, 특이도는 58%이었다. Rubin 등 (2002)에 의한 면역조직화학 연구는 생검 조직에서 AMACR의 발현이 전립선암 발견에 대해 97%의 민감도와 100%의 특이도를 나타낸다고 하였다. 전립선암에는 없는 기저세포를 확인하는 데 이용되는 p63과 같은 다른 표지자와 AMACR을 병용하면 전립선암을 발견할 확률이 더 높아진다 (Luo 등, 2002).

Zielie 등 (2004)은 전립선 마사지 후 채취한 소변을 이용하여 전립선암을 발견하는 분석법을 개발하였다. 그들은 전

도표 107 전립선암의 표지자로서의 AMACR을 발견하기 위한 면역조직화학 염색법의 결과

참고 문헌	항체	표본 제작에 이용된 대상	민감도, % (표본 수)	특이도, % (표본 수)
Jiang 등, 2001	단클론	임상 환자 (전립선암 137명, 양성 전립선 70)	100[†] (137)	88[‡] (194)
Rubin 등, 2002	다클론	TMA 342점, 생검 표본 94점	97[¶] (94)	100[¶] (94)
Luo 등, 2002	다클론	전립선암 환자 168명	96[◑] (142)	97[◑] (144)
Beach 등, 2002	단클론	임상 표본 405점	82[†] (186)[#]	79[‡] (377)

[†], 악성 전립선에서 양성 (+) 염색이란 상피세포에서 지속적인 검은 세포질 염색 혹은 세포 정단의 과립형 염색; [‡], 양성 전립선에서 양성 (+) 염색이란 병소적 혹은 약한 혹은 환상 형태가 아닌 염색; [¶], 양성 및 악성 전립선에서 양성 (+) 염색이란 94점의 침 생검 표본에서 중등도 혹은 강한 강도의 염색; [◑], 양성 및 악성 전립선에서 양성 (+) 반응은 면역조직화학 염색을 점수로 부과한 경우 절단치를 100 이상으로 함; [#], 전립선암을 가진 침 생검 표본 186점.

AMACR, alpha-methylacyl coenzyme A racemase; TMA, tissue microarray.
Jiang 등 (2004)의 자료를 수정 인용.

립선암 10명, 암이 없는 9명, 고등급 전립선상피내암 2명 등 피험자 21명의 요침사로부터 채집한 전체 RNA에서 *AMACR* mRNA를 발견하기 위해 PCR을 이용하였다. *AMACR* 농도를 세포의 *PSA* mRNA 농도로 정규화하고 평균보다 2표준편차의 진단적 절단치를 적용하였을 때, 암이 없는 9명을 모두 확인하여 100%의 특이도를, 10명의 암 환자 중 7명을 확인하여 70%의 민감도를 보였다. 경직장초음파촬영술의 유도 하에서 생검을 실시한 후 배출된 소변을 이용하여 Western blot 분석을 실시한 또 다른 연구도 생검 결과가 음성인 환자군에서 AMACR은 전립선암 발견에 대해 100%의 민감도와 58%의 특이도를 나타냈다고 보고하였다 (Rogers 등, 2004). 그러나 소변을 이용한 생물 지표로서 AMACR의 이용은 현재 논란이 많은 상태이다 (Laxman 등, 2008).

그 외에도 여러 연구가 항체를 이용한 면역조직화학검사로 전립선암 환자에서 AMACR을 분석하였으며, 그 결과는 도표 107에 요약되어 있다. 이들 연구의 결과를 종합하여 보면, 양성 전립선과 악성 전립선에서 염색의 양성 반응에 대한 기준이 다를지라도 AMACR은 종양의 분화도 등급과는 상관없이 전립선암에 대한 중요한 표지자이며, 민감도는 82~100%, 특이도는 79~100%를 나타낸다 (Jiang 등, 2004).

2.2. 전립선암의 변형에서 AMACR
AMACR in variants of prostate cancer

포말 (foamy) 전립선암과 가성 증식성 (pseudohyperplastic) 전립선암은 전립선암에서 드문 변형이다. 포말 전립선암은 특징적으로 뚜렷한 핵소체 (nucleolus)가 없이 작고 응집된 핵, 황색종 (xanthoma) 모양의 풍부한 세포질 등을 나타낸다. 가성 증식성 전립선암은 양성전립선비대와 유사한, 크기

가 큰 악성의 분지 샘으로 구성되어 있으며, 전형적으로 핵의 이형성이 나타난다. 전립선암 중 이들 두 변형을 침 생검 가검물에서 발견해내기란 쉽지 않으며, 이러한 경우 진단을 위해서 AMACR의 발현 여부를 확인하는 것이 중요하다 (Jiang 등, 2004).

포말 전립선암으로 근치전립선절제술을 받은 23명에 관한 연구에 의하면, 악성 포말 전립선암의 72%가 AMACR에 대해 양성 반응을 나타내었으며, 면역조직화학검사에서 AMACR/P504S의 염색 강도는 57.4 (선택된 부위의 평균 염색 강도)이었는데, 이는 15.8의 양성 전립선보다는 높고 110.2의 일반적 전립선암보다는 낮은 수치이다 (Jiang 등, 2004).

가성 증식성 전립선암에 관한 연구는 6점의 전립선 절제 표본 중 83% (5점/6점)가 AMACR에 대해 양성임을 발견하였다 (Beach 등, 2002). P504S의 단클론 항체와 AMACR의 다클론 항체를 이용하여 침 생검 가검물을 대상으로 AMACR에 대한 면역조직화학검사를 실시한 연구는 다클론 항체를 이용한 경우 포말 전립선암의 경우 68%, 가성 증식성 전립선암의 경우 77%가 AMACR에 대해 양성 반응을 나타내었으며, 단클론의 P504S 항체를 이용한 경우 양성도 (positivity rates)는 포말 전립선암과 가성 증식성 전립선암에서 각각 62%, 70%이었는데, 이는 단클론과 다클론 항체를 이용한 연구의 결과가 유의한 차이를 보이지 않음을 보여 준다. 양성 반응을 나타낸 표본에서 염색된 샘의 퍼센트는 포말 전립선암에서 단클론 P504S를 이용하였을 때 74.4% (25~100%), 다클론 AMACR을 이용하였을 때 78.9% (20~100%)이었으며, 가성 증식성 전립선암에서 단클론 P504S를 이용하였을 때 91% (10~100%), 다클론 AMACR을 이용하였을 때 86.7% (10~100%)이었다 (Zhou 등, 2003).

이와 같은 연구는 포말 전립선암과 가성 증식성 전립선

의 경우 전부에서는 아니더라도 AMACR에 대해 양성 반응을 나타냄을 확인해 준다. AMACR 염색의 강도는 일반적인 전립선암에 비해 포말 전립선암에서는 더 약하다. 포말 전립선암 혹은 가성 증식성 전립선암이 의심되고 기저세포에 대한 염색이 음성 반응을 나타내는 경우에는 AMACR에 대한 염색 양성 반응으로 악성 종양을 분명하게 진단을 내릴 수 있다 (Zhou 등, 2003).

위축성 전립선암 (atrophic prostate carcinoma) 또한 전립선에서 드문 악성 종양이며, 침 생검의 가검물로부터 양성 위축성 전립선과 감별하기가 쉽지 않다. 작은 병소의 위축성 전립선암을 가진 15점의 침 생검 가검물에 관한 연구는 67% (10점/15점)가 AMACR을 발현하였고 33% (5점/15점)는 음성 반응을 보였는데, 이는 침 생검 가검물에서 일반적인 전립선암으로 진단된 경우에는 약 90%가 양성 반응을 나타낸다는 결과와 비교된다. 따라서 저자들은 AMACR의 발현 빈도가 일반적인 전립선암에서보다 위축성 전립선암에서 더 낮다고 하였다 (Farinola와 Epstein, 2003).

2.3. 전립선암 치료 후의 조건에서 AMACR
AMACR in prostate cancer after therapy

현재 전립선암 환자의 치료에서 많은 효과적인 방법이 이용되고 있으며, 이들 치료법, 특히 방사선 요법과 호르몬 요법은 전립선암 세포뿐만 아니라 인접한 양성 조직의 세포에 대해서도 상당한 조직학적 변화를 일으킨다. 이러한 조직학적 변화 때문에 병리학 의사는 전립선암이 재발되거나 지속되고 있음을 진단하는 데 어려움을 겪고 있다.

체외 방사선 요법, 근접 방사선 요법 등과 같은 방사선 요법은 일부 전립선암 환자에서는 치유 효과를 나타낸다. 방사선이 조사된 전립선암의 절편에 대한 hematoxylin and eosin (H&E) 염색으로 관찰되는 양성 상피세포의 유무는 국소 요법을 추가로 실시할 것인지를 결정하는 데 중요한 요인이 되며, 이와 같은 경우에서 방사선 요법에 의한 비정형 (atypia) 소견과 전립선암을 감별할 수 있는 표지자가 중요한 역할을 한다.

방사선 요법을 받은 전립선암 표본 5점 중 4점이 AMACR에 대해 양성 반응을 보였다는 보고가 있다 (Beach 등, 2002). 방사선이 조사된 전립선 표본 40점 (전립선암 28점, 양성 전립선 12점)과 방사선이 조사되지 않은 전립선 표본 40점 (전립선암 20점, 양성 전립선 20점)을 대상으로 평가한 연구는 방사선이 조사되었든 혹은 조사되지 않았든 전립선암 표본 48점 모두는 AMACR에 대한 면역 염색에서 강한 양성 반응을 나타내었고, 방사선이 조사되었든 혹은 조사되지 않았든 양성 전립선 표본과 방사선이 조사된 암에 인접한 양성 전립선은 AMACR에 대한 면역 염색에서 음성 반응을 나타내었다고 하였다 (Yang 등, 2003). 이들 결과는 AMACR에 대한 면역 염색이 방사선 요법 후 잔존한 전립선암과 방사선으로 인한 양성 전립선 상피세포의 비정형 조직을 구별하는 데 도움이 됨을 시사한다. 방사선 요법을 받은 26명의 전립선암 환자를 대상으로 평가한 연구는 방사선 요법 후의 전립선암 중 94%에서 P504S/AMACR의 발현이 관찰되었으며, 이들의 발현은 치료 효과의 정도에 따라 차이가 있지만 방사선 요법 후의 전립선암에서는 하향 조절된다고 하였다 (Amin 등, 2003).

전립선암 환자는 외과적 거세와 luteinizing hormone releasing hormone (LHRH) 유사체, 안드로겐 수용체 차단제 등과 같은 호르몬 제제에 의한 내과적 거세로도 치료를 받을 수 있다. 이러한 유형의 치료는 전립선암 세포와 양성 전립선에서 비슷한 위축성 변화를 일으킬 뿐만 아니라 기질의 염증성 침윤을 유발한다. 호르몬에 민감한 국소 전립선암에 비해 거세 저항성 전이 전립선암에서는 AMACR의 발현이 유의하게 감소된다는 보고가 있다 (Rubin 등, 2002). 그러나 거세 저항성 전이 전립선암 환자 14명 중 93% (13명/14명)가 AMACR에 대해 양성 반응을 보였고 71.4%는 강한 양성 반응을 나타내었으며 (Luo 등, 2002), 호르몬으로 치료를 받은 전립선암 표본 8점 중 8점이 P504S에 대해 양성 반응을 보였다는 연구도 있다 (Beach 등, 2002). 호르몬에 민감한 LNCaP 세포주를 대상으로 분석한 연구는 안드로겐 대항제에 노출된 후 AMACR의 발현에는 변화가 관찰되지 않았지만 안드로겐에 의해 조절되는 PSA는 감소했다고 하였다 (Kuefer 등, 2002). 그 후의 연구는 앞에서 기술된 바와 같이 AMACR의 발현이 안드로겐 수용체로 매개되는 신호 경로와는 무관하다고 하였다 (Zha 등, 2003). 이들 자료는 AMACR의 발현이 호르몬과는 무관하며, 호르몬 요법 후 암 환자를 관리하는 데 유용한 표지자가 될 수 있음을 보여 준다.

2.4. 전립선암 전구 병변과 AMACR
Precursor lesion of prostate cancer and AMACR

전립선의 전암 병변에서 AMACR은 두 가지의 관점에서 중요하다. 첫째, 전립선에서 종양의 형성을 이해하고 화학예방 치료제를 개발하는 데 도움을 준다. 둘째, 전암 병변과 전립선암을 감별하는 데 유익하다.

고등급 전립선상피내암은 구조적으로 양성 전립선 세엽(acini) 혹은 세포학적으로 비정형 세포가 배열된 관으로 구성되어 있으며, 중등도로 분화된 혹은 고도로 미분화된 주변부 전립선암의 전암 병변으로 간주된다 (Bostwick 등, 2000). 전립선의 침 생검 표본에서 고등급 전립선상피내암을 발견해 내는 것은 임상적으로 중요한데, 이러한 경우 재생검에서 전립선암이 발견될 확률이 27~79%이기 때문이다 (Kronz 등, 2001). 여러 연구는 전립선암 외에도 고등급 전립선상피내암에서 AMACR이 발현된다고 보고하였다. 이러한 연구 결과는 AMACR이 전립선암이 형성되는 과정의 초기에서 어떠한 역할을 함을 추측하게 한다.

그러나 고등급 전립선상피내암에서 보고되는 AMACR의 양성 비율은 13~72%로 다양하다. 다양한 이유 중 하나는 분석에 이용된 표본이 상이하기 때문이며, 특히 생검으로 소량의 전립선 조직이 채취되기 때문이다. 근치전립선절제 조직 138점으로부터 얻은 약 4,000점의 고등급 전립선상피내암 표본에서 AMACR의 발현을 분석한 연구에 의하면, 고등급 전립선상피내암의 94%에서 AMACR이 발현되었으나, 고등급 전립선상피내암을 포함하고 있는 전립선의 41.1% (1,617점/3,934점)만이 AMACR에 대해 면역 반응을 보였다고 하였다 (Jiang 등, 2004). 다른 연구도 AMACR에 대한 양성 비율이 고등급 전립선상피내암에서 90%이었으며, 고등급 전립선상피내암을 포함하고 있는 전립선에서는 41.5%이었다고 하였다 (Wu 등, 2004). 이러한 결과는 AMACR에 대한 반응을 가지거나 가지지 않은 고등급 전립선상피내암에서 상이하게 조직을 채취할 경우에는 AMACR에 대한 반응이 다양하게 나타날 수 있음을 암시한다.

전립선상피내암에서 AMACR의 발견은 고등급 전립선상피내암과 전립선암의 발생 사이에 또 다른 생화학적 연관성이 있음을 보여 주는데, 이는 고등급 전립선상피내암이 전립선암의 전구 병변임을 뒷받침한다. 그러나 AMACR이 초기 전립선암을 평가하고 다른 전암 병변을 발견하는 분자 표지자로서의 역할을 하는지는 아직 분명하게 밝혀져 있지 않다 (Jiang 등, 2004).

고등급 전립선상피내암에서 AMACR에 대한 양성 반응의 강도는 양성 전립선에서 흔히 관찰되는 약한 면역 반응부터 전립선암에서 흔히 나타나는 강한 면역 반응까지 다양하다. 고등급 전립선상피내암이 형태학적으로 모호할 때 AMACR에 대한 강한 면역 반응은 고등급 전립선상피내암으로 진단하는 데 도움이 된다. 또한, 종양으로부터 멀리 떨어진 부위에 비해 종양에 인접하여 있는 고등급 전립선상피내암에서는 AMACR에 대한 면역 반응이 더 강하다 (Wu 등, 2004). 선별검사에서, 특히 확대 생검 후 고등급 전립선상피내암으로 진단되어 재생검을 실시할 경우에는 전립선암이 발견될 확률은 비교적 낮기 때문에, 이러한 경우 재생검의 선택 기준을 마련할 필요가 있다. 따라서 AMACR에 대한 면역 반응이 강하게 관찰되는 고등급 전립선상피내암의 병소는 재생검의 또 다른 선택 기준이 될 수 있다고 생각되지만, 이에 대해서는 추가 연구에 의한 검증이 필요하다 (Varma 등, 2005).

고등급 전립선상피내암에서도 AMACR에 대한 면역 반응이 있음은 AMACR에 대한 면역 염색이 전립선암의 진단에 이용된 경우 전립선암으로 진단을 내리기 전에 우선 전립선상피내암을 배제할 필요가 있음을 시사한다. 전립선상피내암에서는 기저세포가 있고 전립선암에서는 기저세포가 없는 차이점 때문에, p63, 34βE12 등과 같은 기저세포 표지자와 함께 AMACR을 병합하여 분석하면 고등급 전립선상피내암과 전립선암을 감별하는 데 도움이 될 수 있다 (Jiang 등, 2004).

여러 연구들이 전립선의 침 생검을 이용하여 비정형 병소를 확인하는 과정에서 AMACR이 유용한지를 평가하였다. 104점의 비정형 소세엽 증식 (atypical small acinar proliferation, ASAP) 표본을 분석한 연구는 cytokeratin 5/6 (CK5/6)로는 53%만을 확인할 수 있었으나 p63/P504S로는 89%를 확인할 수 있었다고 하였다 (Molinié등, 2004). 그러나 p63/P504S로 비정형 병소가 확인되었다고 하더라도 p63 면역 염색만으로 비정형 병소를 확인할 수 있는 확률이 어느 정도인지는 알 수 없다. 다른 연구는 AMACR과 함께 34βE12, p63 등과 같은 기저세포 표지자를 병용한 면역 염색법으로 비정형 생검 표본의 93% (27점/29점)를 확인했다고 하였다. 이 연구에서 비정형 표본의 최소 86% (25점/29점)를 기저세포 표지자에 대한 면역 염색만으로 확인할 수 있었으며, 나머지 (2점/29점)는 면역조직화학검사로 기저세포 표지자에 대해 음성 반응을, AMACR에 대해서는 양성 반응을, 보임으로써 확인이 가능하였다 (Kunju 등, 2003). 그러나 이러한 결과는 기저세포에 대한 면역조직화학검사만으로 비정형 병소를 확인할 수 있다고 단정할 수는 없음을 보여 준다. 침 생검에서 발견된 비정형 병소를 세 비뇨병리학자가 34βE12와 AMACR에 대한 면역 염색으로 관찰한 자료에 의하면, 34βE12에 대한 면역 염색만으로는 각자가 비정형 병소를 각각 46%, 46%, 56%를 확인한 데 비해, AMACR에 대한 면역 염색을 실시한 경우에는 관찰자 3명 중 3명, 3명 중 2명, 3명 중 1명이 34βE12를 이용하여 비정형 병소를 확인한 비율에 추가하여 각각 12%, 24%, 56%를 더 확인할 수 있었다 (Jiang 등, 2004). 그러나 각 관찰자가 34βE12를 이용하여 확인하지 못한 비정형 병소 중 어느 정도가 AMACR로 확인되었는지는 분명하지 않다. 비정형 병소로 진단된 침 생검 표본 307점을 단일 비뇨병리학자가 분석한 다른 연구는 기저세포 표지자에 대한 면역조직화학검사로 48%가 확인되었으며, AMACR에 대한 면역 염색을 추가하면 추가로 11%를 더 확인할 수 있었다고 하였다 (Zhou 등, 2004).

2.5. 비정형 선종성 과다 형성과 AMACR

Atypical adenomatous hyperplasia and AMACR

비정형 선종성 과다 형성 (atypical adenomatous hyperplasia, AAH)은 유의한 세포학적 비정형 없이 작은 샘이 밀집되어 있는 국한된 엽의 특징을 가지고 있다 (Bostwick, 1996). AAH의 유병률은 경요도전립선절제 표본에서는 1.6~19.6% (Gaudin과 Epstein, 1994), 근치전립선절제 표본에서는 23% (Qian과 Bostwick, 1995)로 보고되었다. 유병률의 차이가 큰 이유는 병리학자에 의해 이용된 진단 기준이 다양하기 때문으로 생각된다. 대부분의 AAH는 저등급 분화도의 전립선암이 발생하는 전립선의 이행부에서 발견된다.

AAH는 저등급 전립선암과 구조적으로 유사하여 구별하기가 어렵다 (Kovi, 1985). 그러나 AAH는 저등급 전립선암과 유사한 비정상적 구조 양상을 보이지만, 전형적으로 유의한 세포학적 비정형이 결여되어 있다. AAH는 전립선암 혹은 전립선암이 의심되는 병변과 혼동될 수 있지만, AAH와 전립선암은 예후와 치료가 크게 다르기 때문에 반드시 구별해야 된다. 고분자량의 cytokeratin인 34βE12를 이용한 면역 염색에서 AAH는 기저세포가 드문드문 산재해 있는 특징을 나타내는 데 비해, 전립선암에는 보통 기저세포가 결여되어 있다. 그러나 가검물이 제한적일 때는 기저세포가 드문드문 있음으로 인해 기저세포에 대한 염색 양성 결과와 음성 결과가 구별되지 않을 수 있기 때문에, 기저세포에 대한 염색만으로 분명한 진단을 내리는 것은 적절하지 않다. 따라서 분명한 진단을 위

해 가치 있는 전립선암 표지자가 필요하다.

AAH 환자 40명을 대상으로 P504S 단클론 항체와 기저세포에 특이한 표지자 34βE12 항체를 이용한 면역조직화학검사에 의하면, AMACR이 AAH의 83% (33명/40명)에서는 발견되지 않았고, 10% (4명/40명)에서는 국한되어 발현되었으며, 8% (3명/40명)에서만 넓게 확산된 양성 반응을 보였다. AMACR에 양성인 AAH 환자 7명 중 2명은 전립선암에 인접한 부위에서 발견되었는데, 이 경우 AMACR에 대해 강한 양성 반응을 나타내었다. 양성전립선비대 환자 20명 모두는 AMACR에 대해 음성 반응을 보였으며, 연구에 참여한 전립선암 환자의 100% (20명/20명)는 AMACR에 대해 확산된 패턴의 양성 반응을 나타내었다 (Yang 등, 2002). 대조적으로 다른 연구는 AAH 환자의 31%에서 P504S/AMACR의 발현이 관찰되었다고 하였다 (Gupta 등, 2003). 이와 같은 결과는 AAH가 이질적인 질환이고 AMACR에 대한 면역 염색으로 전립선암과 대부분의 AAH를 감별할 수 있음을 보여 준다. P504S/AMACR과 34βE12를 함께 이용하면 특히 전립선 침 생검 표본에서 전립선암과 AAH를 감별하는 데 도움이 될 수 있다.

2.6. 양성 전립선과 AMACR

Benign conditions of the prostate and AMACR

앞에서 기술된 바와 같이 cDNA를 발현하는 microarray 분석에서 AMACR은 흔히 양성 전립선 조직 표본에 비해 전립선암에서 과다 발현됨이 발견되었다 (Xu 등, 2000). Western blot 분석은 양성 전립선 조직에 비해 전립선암에서 AMACR/P504S가 36배 과다 발현됨을 보여 주었다 (Jiang 등, 2001). 그러나 간혹 AMACR이 특히 면역조직화학검사에서 낮은 농도로 발견되기도 한다. 양성 분비 세포에서 단클론 항체를 이용한 면역 염색에서 AMACR에 대해 양성 반응이 관찰되는 비율은 양성 전립선의 12~21%로 보고되고 있으며 (Jiang 등, 2001), 다클론 항체를 이용한 연구도 비슷한 결과를 보인다 (Rubin 등, 2002).

전형적인 양성 전립선은 AMACR을 전혀 발현하지 않거나 매우 낮은 농도로 발현한다. AMACR에 대한 염색이 전립선암 세포주에서는 강하고 굵은 과립형 패턴을 보이는 데 비해, 양성 전립선 분비 상피에서는 세포질 내 미세한 과립 모양의 약하고 국한된 비환상 패턴을 나타내며 고배율로만 관찰된다 (Jiang 등, 2002). 확산된 형태의 염색은 양성 전립선에서는

발견되지 않는다. 또한, 위축, 기저세포의 과다 형성, 염증성 샘, 요로상피 화생 (uroepithelial metaplasia), 대부분의 선증 (adenosis) 등을 동반하여 암과 혼동될 수 있는 작은 양성 전립선은 P504S 단클론 항체를 이용한 면역조직화학검사에서 AMACR을 발현하지 않는다 (Jiang 등, 2001). 매우 드물게 기저세포의 과다 형성을 나타내는 표본의 13% (2점/15점)에서 AMACR 양성 세포가 발견된다 (Yang 등, 2003). AMACR 양성 세포의 모양 및 분포는 양성적인 과다 형성 조직에 인접한 절편 내에서 chromogranin에 대해 양성 반응을 보이는 내분비 세포의 모양 및 분포와 같다 (Yang 등, 2003). 간혹 침 생검으로 채집된 가검물의 양성 전립선 세포에서 각각 개별적으로 산재해 있는 AMACR 양성 세포가 관찰되는데, 이는 기저세포가 아니고 신경내분비 세포로 간주된다. 그러나 이들 AMACR에 대해 양성 반응을 나타내는 양성 세포의 수, 모양, 분포는 전립선암의 경우와는 분명하게 다르다. 따라서 조직학적 기준과 AMACR/P504S 염색 패턴을 함께 이용하면, 양성 전립선과 악성 전립선을 구별하는 도움이 된다. 10명의 전립선암 환자를 대상으로 ChromaVision ACIS를 이용하여 전립선암과 인접한 양성 전립선 조직에서 염색 양성 반응의 강도와 비율을 비교한 연구에 의하면, AMACR에 대한 염색에서 양성 반응을 나타낸 평균 양성률은 전립선암의 경우 45.7%, 양성 전립선 조직의 경우 0.02%이었다 ($p<0.01$). AMACR에 대해 양성 반응을 보인 세포의 염색 강도는 전립선암에서는 105.9, 양성 전립선 조직에서는 16.1이었다 ($p<0.02$) (Jiang 등, 2004).

Postatrophic hyperplasia (PAH)의 경우 단클론 항체 (P504S)를 이용하였을 때는 AMACR의 발현이 발견되지 않았으나 (Beach 등, 2002), 다클론 항체를 이용하였을 때는 AMACR의 과다 발현이 관찰되었다 (Rubin 등, 2002). 이러한 차이는 양성 전립선에 대해 각기 다른 특이도를 가진 항체를 이용하였기 때문으로 생각된다. 양성, 비정형, 악성 전립선 조직 표본에서 P504S의 단클론 항체와 AMACR의 다클론 항체에 따른 AMACR의 발현을 비교한 연구는 다클론 항체를 이용하였을 때는 양성 전립선의 68%에서 AMACR의 약한 발현이, 단클론 항체를 이용하였을 때는 7%에서만 AMACR이 발현되었다고 하였다 (Kunju 등, 2003). 전립선암에서도 다클론 항체의 민감도는 100%로 94%의 단클론 항체보다 더 높다 (Kunju 등, 2003). 항체의 특이도가 양성률에서의 차이를 설명해 주는 유일한 이유가 아닐 수 있는데, 이는 일부 PAH 표본이 AMACR에 대해 약한 양성 반응을 보였기 때문이다. 따라서 분명한 해답을 얻기 위해서는 단클론 항체와 다클론 항체를 이용하여 PAH에서 AMACR의 발현을 비교하는 대규모의 추가 연구가 필요하다.

일반적으로 양성전립선비대는 AMACR에 대해 음성 반응을 나타낸다 (Jiang 등, 2001). 그러나 다른 연구는 암에 인접해 있는 양성전립선비대 표본 8점이 AMACR을 발현하였지만, 기타 양성전립선비대 결절에서는 AMACR이 발견되지 않았다고 하였다 (Leav 등, 2003). 이러한 결과는 이행부의 전립선암이 양성전립선비대의 일부 결절 내에 있으면서 AMACR에 양성 반응을 나타내는 이행부 병변으로부터 발생함을 시사한다.

신성 선종 (nephrogenic adenoma)은 전립선부 요도에 있는 양성 질환이다. 분자 유전자 연구는 신성 선종이 AMACR을 발현하는 신세뇨관에서 유래한다고 하였다 (Mazal 등, 2002). 신성 선종에서 AMACR이 발현됨은 이러한 가설을 뒷받침한다. 이 병변은 악성 종양이 아니더라도 AMACR에 대해 양성 반응을 보이기 때문에, 전립선부 요도에서 발견되는 신성 선종을 절제할 때는 신중을 기할 필요가 있다 (Jiang 등, 2003). 일부 신성 선종은 국소적으로 혹은 확산된 형태로 AMACR에 대해 강한 면역 반응을 나타낸다 (Jiang 등, 2004). 다른 연구도 신성 선종 표본의 53% (36점/68점)가 AMACR에 대해 양성 반응을 보였으며, 염색 강도는 전립선암과 유사하게 강하거나 중등도라고 하였다 (Davis 등, 2004). 신성 선종으로 진단하는 데는 어려움이 있을 수 있는데, 이는 형태학적으로 전립선과 비슷하고 일반적으로 고분자량의 cytokeratin (CK)에 대해 음성 반응을 나타내기 때문이다 (Allan과 Epstein, 2001). 신성 선종의 26%가 AMACR에 대해 양성 반응을, 고분자량 CK에 대해서는 음성 반응을 보였는데, 이는 전립선암을 추측하게 하는 양상이다 (Gupta 등, 2004). 이러한 난제를 극복하기 위해서는 신성 선종을 의심하게 하는 형태학적 양상을 나타내는 경우에는 PSA에 대한 면역 염색이 권장된다. 이는 신성 선종이 세포질에서 약한 염색 반응을 보인 1례 외에는 모두가 PSA에 대해 음성 반응을 보였다는 보고에 근거한다 (Skinnider 등, 2004).

2.7. 다양한 악성 종양과 정상 조직에서 AMACR

AMACR in various malignant neoplasms and normal tissues

AMACR은 전립선암에서 높게 발현되기 때문에, 정상 조직과 기타 악성 종양에서 AMACR의 발현을 분석하는 것은 매우 중요하다. AMACR은 간세포, 신세뇨관, 타액선, 소장 및 대장의 흡수세포 등에서도 발현된다 (Luo 등, 2002). P504S에 대한 단클론 항체를 이용하여 222점의 정상 조직을 연구한 바에 의하면, AMACR 단백질은 간세포, 신세뇨관 상피세포, 기관지 상피세포, 담낭의 점막 상피세포, 결장 점막의 융모 등에서 발견된다 (Jiang 등, 2003).

Tissue microarray 절편에서 다클론 항체로 96점의 종양 표본을 분석한 연구는 AMACR이 결장직장암, 난소암, 유방암, 방광암, 폐암, 신세포암, 림프종, 흑색종 등에서 발견된다고 하였다 (Zhou 등, 2002). 가장 큰 과다 발현은 염색 양성 반응률이 92%인 결장직장암과 83%의 전립선암에서 관찰되었으며, 그 다음이 60%의 난소암, 44%의 유방암, 30%의 폐암 순이었고 방광암, 신장암에서도 관찰되었다. 전구 암 병변인 결장 선종과 고등급 전립선상피내암의 각각 75%, 64%에서 AMACR이 발현되었다 (Zhou 등, 2002). 이들 결과를 근거로 하였을 때, AMACR은 여러 암 및 그들의 전구 병변에 대한 종양 표지자로서의 역할을 하며, 특히 고지방 식이와 관련이 있는 암과 연관성이 높다고 생각된다 (Zhou 등, 2002).

539점의 악성 종양 표본과 222점의 정상 조직을 대상으로 단클론 항체를 이용한 면역조직화학검사 및 RT-PCR 분석을 실시한 연구에 의하면, 악성 종양 표본의 경우 AMACR mRNA의 높은 발현은 전립선암 (94%), 간암 (81%), 신장암 (75%) 등에서 관찰되었는데, 이는 본래 AMACR을 발현하는 장기에서 발생한 선암에서는 AMACR mRNA이 높게 발현됨을 보여 준다. 방광 요로상피세포암의 31%, 위암의 27% 등과 같이 정상적으로는 AMACR을 발현하지 않는 조직에서 발생한 여러 종양도 AMACR 항원에 양성 반응을 보였다. 폐, 유방, 췌장, 담관, 부신, 타액선, 난소, 갑상선, 자궁내막 등에서 발생한 선암에서 채집한 250점의 표본은 AMACR에 대해 음성 반응을 보였거나 드물게 양성 반응을 나타내었다. 또한, 신경내분비암에서는 AMACR이 드물게 발현되었으며, 상피 모양 육종 (epithelioid sarcoma), 윤활막 육종 (synovial sarcoma) 등과 같은 연조직 종양, 흑색종, 편평상피세포암, 기저세포암, 흉선종, 생식세포 종양 등에서는 AMACR이 발견되지 않았다 (Jiang 등, 2003). Zhou 등 (2002)의 연구와 Jiang 등 (2003)의 연구에서 많은 차이가 발견되었는데, 전자는 유방암, 난소암, 흑색종 등에서 AMACR의 높은 발현을 보고한 데 비해, 후자는 유방암 표본에서 15% (9점/61점), 난소암에서 7% (2점/27점),

흑색종에서 0% 등과 같이 낮은 발현을 보고하였다. 이와 같은 차이는 다른 종류의 항체를 사용하였기 때문으로 추측된다. 예를 들면, AMACR에 대한 다클론 항체는 P504S의 단클론 항체에 비해 전립선에 대한 특이도가 더 낮다 (Kunju 등, 2003).

176점의 결장직장암 표본을 분석한 연구는 정상 결장 조직에 비해 결장암에서 AMACR mRNA가 유의하게 상향 조절되며, 정상 결장 조직에서는 AMACR 단백질이 낮게 발현되거나 발현되지 않는 데 비해, 잘 분화되거나 중등도로 분화된 결장암에서는 AMACR이 각각 76%, 75%의 높은 비율로 발현된다고 하였다 (Jiang 등, 2003). 이러한 결과는 앞에서 기술된 AMACR의 다클론 항체를 이용한 연구의 결과를 뒷받침한다 (Zhou 등, 2002). 미분화 결장암은 훨씬 더 낮은 양성률을 보인다 (Kuefer 등, 2002).

AMACR이 다수의 종양에서 발현되지 않지만, 여러 비전립선 종양에서도 발현된다는 관찰은 AMACR이 전이 암의 원발 부위를 파악하기 위한 분석으로는 가치가 제한적임을 시사한다 (Jiang 등, 2004).

2.8. 다수 항체를 이용한 면역조직화학적 진단
Antibodies cocktail for immunohistochemical diagnosis of prostate cancer

기저세포의 소실은 전립선암의 중요한 조직학적 기준이 된다. 따라서 비정형 전립선 병변의 기저세포가 면역조직화학적으로 염색이 결여되어 있다면 악성 종양을 의심하게 한다 (Ng 등, 2007). 가장 흔하게 이용되는 기저세포 표지자는 34β E12, CK 5, CK5/6, CK14 등과 같은 고분자량의 cytokeratins와 p63이다 (Molinie 등, 2004). CK5는 중간 크기의 cytokeratin으로서 전형적으로 양성 전립선의 기저세포에서 발현되며, 전립선 상피의 깊은 층에서 일정하게 세포질 염색을 나타낸다 (Trpkov 등, 2009). p63는 여러 상피 조직의 기저세포 구역에서 선택적으로 발현되며, 양성 전립선 병변에서 기저세포의 핵을 확인하고자 할 때 면역조직학적으로 민감한 표적이 된다 (Ng 등, 2007).

여러 분자들, 예를 들면 AMACR, prostate tumour overexpressed-1 (PTOV1) 등이 전립선암의 면역조직화학적 표지자로 간주되고 있다 (Scarpelli 등, 2012). 이들 중 전립선암의 80~100%에서 발현되는 AMACR이 가장 널리 이용되고 있다 (Humphrey, 2007). 그러나 AMACR에 대한 염색만으로는 종양 표지자로서의 가치가 제한적인데, AMACR은 고등급 전립선상피내암, 비정형 선종성 과다 형성 (AAH, adenosis)에서도 발현되고 위축성 혹은 양성 전립선에서도 발현되기 때문이다 (Montironi 등, 2012). 기저세포 표지자만을 종양 표지자로 이용하는 경우도 가치가 제한적인데, 왜냐 하면 기저세포는 정상 전립선과 위축 전립선, PAH, AAH 등과 같이 전립선암처럼 보이는 일부 양성 병변에서 균일하게 분포되어 있지 않을 수 있고 (Humphrey, 2007), 포르말린을 이용하여 과잉으로 고정한 경우에는 염색에서 위음성 반응이 나타날 수 있기 때문에 (Evans, 2003), 면역조직화학검사로 음성 반응에 의존하여 진단을 내린다면 신뢰도가 낮아질 수밖에 없다.

그러나 두 항체를 이용한 칵테일 형태로 기저세포 표지자와 AMACR에 대한 염색을 병행하면 그러한 제한점을 극복할 수 있고, 전립선의 침 생검 결과가 모호할 경우 이들 칵테일 염색이 면역조직화학적으로 유용한 도구가 될 수 있다 (Molinie 등, 2006). 즉, AMACR 염색 양성은 종양 부위를 확인하는 데 도움이 되며, 고분자량의 CKs와 p63 전사 인자는 악성 전립선에서는 전형적으로 소실되는 정상 기저세포를 찾는 데 도움을 준다. 이들 칵테일은 전형적으로 고분자량의 CK에 대한 항체 혹은 p63에 대한 항체 중 한 가지와 AMACR 항체를 포함한다. 이에 관한 연구는 CK5/6를 AMACR과 병용하면 신뢰성이 있는 우수한 기저세포 표지로서 역할을 하며, CK5/6에 대한 염색이 균일하게 결여된 경우에는 CK5/6가 전립선암에 대한 특이도를 월등하게 높인다고 하였다 (Trpkov 등, 2009). 일부 연구는 제한된 생검물에서 전립선암에 대한 진단의 정확도를 높이기 위해 기저세포 표지자 중 한 가지를 더 추가하여 세 표지자로 구성된 칵테일, 즉 AMACR, 고분자량의 34βE12, p63 등에 대한 세 항체를 포함하는 칵테일을 이용하였다 (Jiang 등, 2005). Tissue microarray에서 이와 동일한 삼중 칵테일을 이용한 연구는 세 항체를 개별적으로 이용한 경우보다 민감도와 특이도가 각각 93.%, 100%로 증대되었다고 하였다 (Ng 등, 2007). 그러나 34βE12는 전립선암을 진단하기 위한 항체 칵테일로 사용하기에는 결점을 가지고 있다. 34βE12 항체는 CK1, 5, 10, 14 등과 같은 여러 CKs와 반응할 뿐만 아니라 일부 복합적인 상피를 최소한도로 염색하는 미확인 CK와 반응한다. 그러므로 34βE12는 CK5 항체로 음성 반응을 보이는 유관상피내암종 (ductal carcinoma in situ)과 유방 분비세포를 염색하기 때문에, 유방에서 근육 상피세포와 CK5를 발견하기 위해 항체를 사용하는 방법은 제한점을 가지고 있

다 (Dabir 등, 2012). 이러한 유형의 반응이 전립선에서 보고된 적은 없지만, 진단을 위한 항체의 특이도를 어느 정도 떨어뜨릴 우려는 있다고 생각된다. 마찬가지로 p63를 단독으로 이용하면 저장되었던 슬라이드의 경우 면역 염색 강도가 소실되며, 낮은 농도로 이용되면 관강 세포의 세포질이 실제와 다르게 거짓으로 염색된다 (Trpkov 등, 2009).

전립선의 침 생검을 통해 채집된 가검물 66점을 AMACR/p63의 두 항체 칵테일과 AMACR/p63/CK5의 세 항체 칵테일을 이용하여 두 병리학자가 면역 염색법으로 분석한 연구에 의하면, 한 병리학자는 이중 칵테일과 삼중 칵테일에서 민감도가 각각 76.4%, 75.7%로 비슷하다고 보고하였지만, 다른 병리학자는 각각 66.6%, 77.4%로 차이가 있다고 보고하였으며, 특이도에서는 삼중 칵테일의 경우 두 병리학자가 90.3%로 동일하게 보고하였으나 이중 칵테일의 경우 각자가 71.8%와 68.7%로 다르게 보고하였다. 피험자의 수가 적은 제한점이 있지만, 제한된 전립선의 침 생검에서 전립선암을 평가할 경우 이중 칵테일보다 삼중 칵테일을 이용하여 면역조직화학검사를 실시하면 특이도가 유의하게 향상된다고 생각된다 (Dabir 등, 2012).

2.9. 종양의 발병 과정에서 AMACR의 기능
Function of AMACR in the pathogenesis of cancer development

AMACR은 간, 신장, 골격근, 담낭, 뇌 등과 같은 다양한 조직에서 상당하게 발현되어 peroxisome과 미토콘드리아로 운반된다 (Schmitz 등, 1995). AMACR은 β-산화를 통해 분지 지방산을 분해하는 데 필수적인 효소이며, 여러 (2R)-methyl branched-chain fatty acyl-CoAs를 (S)-stereoisomers로의 전환을 촉진한다 (Ferdinandusse 등, 2000). 전립선암의 *AMACR* 전사물에서 유사한 5종류의 유전자 즉, *AMACR IA*, *IB*, *IIA*, *IIAs*, *IIB* 등이 발견되었다 (Mubiru 등, 2004; Shen-Ong 등, 2003). 가장 풍부한 형태인 *AMACR IA*는 382개의 아미노산으로 구성된 단백질을 코드화한다. *AMACR IIA*는 가변적인 5번째의 exon을 가지고 있으며, 288개의 아미노산으로 구성된 단백질을 코드화한다. *AMACR IIAs*는 가변적인 5번째 exon에 있는 선택적 이어맞추기 수용체 (alternative splice acceptor) 부위를 이용한다. B 형태의 *AMACR*은 IA 및 IIA 형태의 선택적 이어맞추기 변형으로서 공통적인 160 bp의 exon

3가 없다. 우세한 *AMACR IA*만이 peroxisomal targeting sig-nal peptide (PTS1)를 가지고 있으며, 다른 4종류는 염기성 단백질로서 PTS1이 결여되어 있다 (Mubiru 등, 2004).

AMACR은 담즙산의 생합성 경로와 분지 지방산의 산화성 대사에 필요한 효소이다. 분지 지방산은 소고기, 우유, 유제품 등과 같은 일부 식이 내에 높은 농도로 포함되어 있다. 여러 역학 및 동물 연구가 식이 요소와 전립선암 및 결장암의 높은 발병률 사이에 연관성이 있음을 보여 주었기 때문에 (Giovan-nucci 등, 1993), 고등급 전립선상피내암, 선종 등과 같은 전암 병변, 전립선암, 결장암 등에서 AMACR이 과다 발현된다는 관찰은 흥미로운 점이다 (Jiang 등, 2003). 전암 병변으로 간주되는 고등급 전립선상피내암과 결장 선종은 AMACR을 발현하는 데 비해, 결장암과 관련이 없는 결장의 과다 형성 용종 (hyperplastic polyp)에서는 AMACR의 발현이 낮거나 발현되지 않는다 (Jiang 등, 2003). 이들 결과를 종합해 볼 때, AMACR은 암으로의 형질 변경 초기 및 뒤이은 암의 진행에서 어떠한 역할을 할 것으로 추측된다 (Jiang 등, 2004).

유제품과 소고기 제품의 주된 성분인 두 분지 지방산, 즉 pristanic acid와 phytanic acid는 정상 전립선 기저상피세포 주인 NPrEC에서는 AMACR 단백질의 발현을 증가시키지 않았으나, 안드로겐에 민감한 전립선암 세포주인 LNCaP에서는 AMACR 단백질의 발현을 증가시켰다. 이 자료는 전립선암 세포에서 AMACR 발현의 증가가 식이 성분인 지방산의 섭취와 관련이 있음을 보여 준다 (Mobley 등, 2003). 그러나 안드로겐 대항제나 안드로겐이 AMACR의 발현에 어떠한 영향도 주지 않기 때문에, AMACR은 호르몬과는 무관하게 발현된다고 생각된다 (Kuefer 등, 2002).

전립선암 세포에서 외인성 지방산이 AMACR의 농도를 증가시키지만, AMACR이 전립선암의 발생에 관여하는 분자 기전은 분명하게 밝혀져 있지 않다. 유전성의 전립선암 가족으로부터 채취한 생식세포 DNA 표본에서 염기가 변형된 *AMACR*이 보고된 바 있는데, 이와 같은 *AMACR*의 다형성 (polymorphism)이 전립선암의 발생 위험과 관련이 있을 수 있다 (Zheng 등, 2002). 다른 연구는 전립선암의 임상 표본에서 AMACR 단백질 혹은 mRNA의 증가가 효소의 활성 증가와 관련이 있으며, *AMACR*에 대한 small interfering RNA (siRNA)는 AMACR의 발현을 감소시키고 안드로겐에 민감한 전립선암 세포주인 LAPC4의 증식을 감소시킨다고 하였다. 그러한 성장 억제의 기전은 안드로겐의 작용과는 완전하게 독립적으로 일어난다 (Zha 등, 2003). 현재로는 AMACR의 과다 발현이 종양으로의 형질 변경을 일으키는지 그리고 왜 AMACR이 전립선암에서 선택적으로 상향 조절되는지 분명하게 밝혀져 있지 않다 (Jiang 등, 2004). 따라서 전립선암과 기타 암의 발생에서 AMACR의 역할은 추후 더 연구될 필요가 있다.

3. 5 알파 환원효소 5 Alpha-Reductase (5αR)

안드로겐, 특히 dihydrotestosterone (DHT)은 전립선암의 형성에서 필수 인자로 작용한다. 전립선의 발생과 성장에서 DHT의 중요성 및 전립선암의 안드로겐 의존성은 DHT가 전립선암의 시작, 유지, 진행에서 직접 혹은 간접으로 영향을 줌을 시사한다. 역학 조사에 의하면, 부검에서 비침윤성 잠복 전립선암의 유병률은 여러 인종에서 비슷하게 나타나지만, 전립선암의 임상적 빈도는 아시아 남성에 비해 미국 흑인에서 50배 더 높다. 이들 인종에 대해 5α-reductase (5αR)의 활성을 조사해 보면, 5αR의 활성이 아시아 남성보다 아프리카계 미국인과 미국 백인에서 더 높고, 아시아에 거주하는 아시아인보다 미국에 거주하는 아시아인에서 더 높다. 이들 자료를 아시아에서 미국으로 이민 간 1세대 아시아인에 비해 2세대 아시아계 미국인에서 전립선암의 빈도가 더 높다는 연구 결과와 연관 지어 볼 때, 5αR 활성의 증가와 전립선암의 발병은 연관성이 있다고 생각된다 (Zhu와 Sun, 2005).

사람, 쥐, 원숭이에서 발견되는 두 종류의 5αR, 즉 1형 5αR (5αR-1)과 2형 5αR (5αR-2)은 아미노산 배열의 상동성이 약 50%에 불과하지만 매우 유사한 소수성 (hydrophobe)을 가져 높은 지방 친화성을 가진다 (Bartsch 등, 2000). 인종별 전립선암 환자에 관한 연구는 5αR-2의 유전자인 *steroid-5-al-pha-reductase, alpha polypeptide 2* 혹은 *3-oxo-5 alpha-ste-roid delta 4-dehydrogenase alpha 2 (SRD5A2)*의 대립 유전자 변형이 전립선암을 발생시키고 진행시킨다고 하였다. 효소의 아미노산 위치 89에서 valine이 leucine으로 치환된 과오 다형성 (missense polymorphism) V89L은 5αR의 활성 감소와 관계있고, 아프리카계 미국인, 라틴계 남성, 아시아인에서 이러한 변형의 유병률은 이들 인종에서의 전립선암 유병률과 유사하다. 또한, 5αR의 활성 증가를 동반한 *SRD5A2*의 유전자 다형성 A49T, 즉 아미노산 위치 49에서 alanine이 threonine 잔기로 변형된 다형성은 아프리카계 미국인과 라틴계 남성의 진행된 전립선암에서 가장 흔하게 발견되며, 아프리카계 미국인과 라틴계 남성에서의 높은 전립선암 발생 위험도와 관련이 있다 (Makridakis 등, 1999). A49T 변이는 전립선암의 피막 밖으로 확장, 높은 병기의 종양, 림프절 전이, 나쁜 예후 등과 관련이 있는 데 비해, V89L 유전자형은 이러한 사건과 관련이 없다 (Jaffe 등, 2000). 그러나 SRD5A2의 유전자 다형성과 전립선암과의 연관성은 다른 연구에서 입증되지 않았지만 SRD5A2 유전자의 돌연변이로 인한 남성의 가성 반음양증 (male pseudohermaphroditism)이 세계에서 가장 흔한 도미니카 친족 가계에 대한 연구가 이를 뒷받침한다 (Imperato-McGinley 등, 1992). 즉, 이들 환자에서는 전립선이 발달하지 않았고, 혈장 PSA 농도는 측정되지 않았으며, 수년을 추적해도 양성전립선비대나 전립선암이 관찰되지 않았다 (Zhu와 Sun, 2005).

5αR 억제제를 이용한 연구도 추가로 증거를 제시하고 있는데, 동물 (Homma 등, 1997)과 사람 (Thompson 등, 2003)에게 5αR 억제제를 투여하면 전립선암의 자연적 발생이 억제되었다. 5αR 억제제 (PNU 156765) 단독 혹은 flutamide 같은 안드로겐 대항제와의 병용이 Dunning R3327 쥐에서 전립선암 세포의 성장을 억제하였다는 보고가 있으며 (Zaccheo 등, 1998), 대규모의 무작위 배정, 위약 대조, 화학 예방 요법 연구인 Prostate Cancer Prevention Trial (PCPT)에 의하면, 50세 이상 남성이 5αR-2 억제제인 finasteride를 전립선암 예방 목적으로 7년 동안 복용한 경우는 위약 군에 비해 전립선암의 발생 빈도가 24.8% 감소하였다. 그러나 Gleason 점수 7~10의 고등급 분화도의 전립선암이 발생할 확률이 위약군의 5.1%에 비해 치료군에서 6.4%로 높아 전립선암의 예방 목적으로 이 약물을 사용하는 데는 다른 문제가 있음도 제기되었다 (Thompson 등, 2003).

5αR-1과 5αR-2를 억제하는 dutasteride와 5αR-2를 억제하는 finasteride를 사람의 LNCaP 전립선암 세포주에서 비교한 체외 실험은 dutasteride가 분명하지 않으나 5αR을 억제하는 기전을 통해 LNCaP 세포주를 어느 정도 억제하는 작용을 보였으며, 비교적 낮은 농도에서는 안드로겐에 대한 대항 효과를, 높은 농도에서는 세포사를 촉진하는 효과를 나타내었다고 하였다 (Lazier 등, 2004). Dutasteride가 finasteride보다 안드로겐에 대한 대항 효과가 더 크고, 5αR-1의 활성은 양성 조직에 비해 악성 조직에서 3~4배 더 높은 데 비해, 5αR-2의 활성은 두 조직에서 비슷하여 두 동종 효소를 함께 억제하는 dutasteride가 전립선암의 예방 및 억제에 더 효과적일 것으로 예측되지만, dutasteride를 이용한 Reduction by Dutasteride

of Prostate Cancer Events (REDUCE) 연구는 4년 동안 전립선암의 빈도가 23.5% 감소했다고 보고하여 PCPT에서처럼 5αR-2만을 억제한 경우나 5αR-1과 5αR-2를 함께 억제한 경우나 전립선암을 예방하는 효과는 비슷한 것 같다 (Zhu와 Sun, 2005).

고지방 식이가 전립선암의 위험 인자로 알려져 있지만, 음식 내의 지방이 전립선의 성장과 전립선암의 발생에 어떠한 기전으로 영향을 주는지는 분명하지 않다. 쥐를 대상으로 평가한 연구는 고지방 식이가 전립선과 간의 5αR-1의 유전자인 SRD5A1의 발현과 혈장 테스토스테론 농도에는 변화를 주지 않으면서 전립선의 SRD5A2의 발현과 혈중 DHT의 농도를 증가시키는데, 이러한 5αR의 활성에서의 변화가 전립선의 성장과 질환의 발생을 자극하는 기전 중 하나라고 보고하였다 (Cai 등, 2005). 식물성 에스트로겐인 genistein이 5αR-2의 활성과 tyrosine kinase의 활성을 억제하며, 지방으로 인한 전립선 내 SRD5A2의 발현과 혈장 DHT 농도의 증가를 억제하고, 에스트로겐 수용체를 통해 DHT의 작용을 억제하여 전립선암의 예방과 치료에 도움을 준다는 연구 결과가 위의 개념을 뒷받침한다 (Zhu와 Sun, 2005).

정상 전립선과 양성 전립선 질환에서는 5αR-2의 발현이 우세하며 양성전립선비대 (Bartsch 등, 2000)와 전립선암 (Thompson 등, 2003)의 발생 위험은 5αR-2와 상당하게 관련이 있다고 보고된 바 있다. 그러나 Luo 등 (2003)은 5αR-2의 발현은 전립선암 세포 내에서 매우 감소되어 있고 거세 저항성 전립선암 세포 내에서는 더욱 억제되어 있는 데 비해, 5αR-1은 전립선암과 거세 저항성 전립선암 세포에서 우세하게 발현된다고 보고하였다. 이와 같은 5αR의 다른 측면 외에도 Uemura 등 (2008)은 거세에 불응하는 전립선암 세포의 유전체와 관련이 있는 유전자 자료를 분석한 연구에서 SRD5A3에 의해 코드화되는 3형 5αR (5αR-3)이 거세 저항성 전립선암 세포에서 특별하게 과다 발현되며, 거세 저항성 전립선암의 성장과 진행에서 중요한 역할을 한다고 보고하였다. 그들은 5αR-3가 활성화되면 테스토스테론으로부터 DHT가 생성되고, 전립선암 세포에서 small interfering RNA (siRNA)를 이용하여 SRD5A3를 차단하면 DHT의 생성이 상당히 감소함과 아울러 세포의 생존력이 급격하게 떨어지는데, 이러한 결과로 볼 때 5αR-3는 거세 저항성 전립선암 세포에서 DHT의 생성 및 안드로겐/안드로겐 수용체 경로의 유지와 관련이 있으며, 이러한 기전을 통해 전립선암 세포의 성장에서 중요한 역

CHAPTER 08

도표 108 5αR의 세 동종 효소의 특성

특성	5αR-1	5αR-2	5αR-3
크기	259 AAs	254 AAs	318 AAs
분자량, kDa	29,462	28,398	보고 안 됨
상동성	49%	49%	보고 안 됨
적정 pH	6~8.5	5.0~5.5	보고 안 됨
T 친화도, μM	Km=1~5	Km=0.004~1	보고 안 됨
반감기, 시간	20~30	20~30	보고 안 됨
단백질	NADPH 의존	NADPH 의존	NADPH 의존
작용[†]	이화 작용	동화 작용	
조직 분포	간, 비생식기 피부, 두피, 피지선, 뇌, 난소, 전립선, 고환	전립선, 부고환, 정낭, 자궁, 뇌, 간, 생식기 피부, 유방, 모낭, 태반, 고환	뇌, 간, 전립선, 부고환
전립선암	증가	감소	(+)[‡]
억제제	Dutasteride	Finasteride	불분명
유전자 명칭	SRD5A1	SRD5A2	SRD5A3
유전자 구조	5 exons, 4 introns	5 exons, 4 introns	5 exons, 4 introns
염색체 자리	5p15	2p23	4q12

[†], 안드로겐 및 기타 스테로이드에 대한 작용을 나타냄; [‡], 거세 저항성 혹은 거세 후 재발성 전립선암에서 발견됨.

AAs, amino acids; 5αR, 5alpha-reductase; NADPH, nicotinamide adenine dinucleotide phosphate (reduced form); SRD5A, steroid-5-alpha-reductase, alpha polypeptide.
Wang 등 (2014), Park 등 (2012), Uemura 등 (2008) 등의 자료를 수정 인용.

할을 한다고 하였다. 이들의 결과는 5αR-3가 전립선암의 발생 및 거세 저항성 전립선암 세포로의 진행과 관련이 있음을 시사한다.

3.1. 5αR의 종류
Characteristics of three isozymes of 5αR

5αR 효소 가족은 세 종류의 아형으로 구성되어 있다 (도표 108). 5αR-1과 5αR-2는 사람의 일생을 통해 발현된다 (Azzouni 등, 2012). 5αR-1은 태아의 두피와 비생식기 피부에서 매우 낮은 농도로 발견되는 데 비해, 5αR-2는 임신 초기의 외생식기 피부에서 발현된다 (Lunacek 등, 2007). 성인에서 5αR-1은 주로 비생식기 피부, 간, 뇌의 일부 등에서 발현되며, 그 외에 전립선, 생식기 피부, 부고환, 정낭, 고환, 부신, 신장 등에서도 낮은 농도로 발현된다. 5αR-2는 전립선, 생식기 피부, 정낭, 부고환, 간 등에서 다소 높은 농도로 발견된다 (Zhu

등, 1998; Zhu와 Sun, 2005; Thigpen 등, 1993). 5αR-3는 거세 저항성 전립선암에서 발견된다고 보고되었으나 (Uemura 등, 2008), 다양한 양성 및 악성 조직에서 발현되며, 양성 조직에 비해 폐암, 고환종 (seminoma), 난황낭종 (yolk sac tumor), 안드로겐 민감성 전립선암, 거세 후 재발성 전립선암 등에서 발현된다 (Godoy 등, 2011). 5αR-1과 5αR-2는 미세소체 (microsome)에 있는 microsomal nicotinamide adenine dinucleotide phosphate (NADPH) 의존성 효소로서 각각 259개, 254개의 아미노산 잔기를 가지고 있고, 분자량이 각각 29.5 kDa, 28.4 kDa이다. 5αR-1의 최적 pH는 6~8.5인 데 비해, 5αR-2의 최적 pH는 5~5.5이다 (Traish, 2012). 5αR-3 또한 NADPH 의존성 효소이며, 318개의 아미노산 잔기를 가지고 있다 (Cantagrel 등, 2010). SRD5A1, SRD5A2, SRD5A3 등의 세 유전자는 5개의 exons와 4개의 introns를 포함하는 비슷한 구조를 가지고 있지만, 염색체 내에서 각각 5p15, 2p23, 4q12 의 자리에 다르게 위치해 있다 (Traish, 2012).

3.2. 5αR 유전자 SRD5A의 돌연변이
SRD5A mutation

포유동물에서 남성 표현형의 발달은 수정 시기에 염색체의 성 (gender)이 형성되면서 시작하며, 생식선의 성은 염색체 Yp11.3에 위치해 있고 Y 염색체를 조절하는 유전자인 testis-determining factor (TDF) 혹은 sex determining region Y (SRY)의 발현에 의해 결정된다. 이 유전자는 두 가지 성의 가능성을 지닌 생식선을 성 발달에 필요한 테스토스테론과 같은 호르몬을 합성할 수 있는 고환으로 전환시켜 남성 표현형을 만든다. 이 단계에서 테스토스테론은 androgen receptor (AR) 유전자 산물과 협동하여 부고환, 정낭, 정관 등의 내생식기를 형성한다. 태생기의 비뇨생식기에서 테스토스테론은 DHT로 전환되고, DHT는 AR과 결합하여 음경, 음낭 등의 외생식기와 전립선의 분화를 일으킨다. 따라서 돌연변이로 AR의 활성이 억제된 XY 염색체 환자에서는 고환을 가지면서 테스토스테론과 DHT의 합성은 이루어지나, 남성의 내생식기 및 외생식기는 발달하지 않는다. 5αR이 결핍된 경우에는 DHT가 합성되지 않기 때문에 내생기와 같은 다른 기관의 발달 과정은 영향을 받지 않지만 외생식기 및 전립선의 발달에는 이상이 생긴다 (Russell과 Wilson, 1994).

돌연변이로 인한 상염색체 열성 유전 질환인 5αR-2의 결핍 증후군은 1974년 도미니카의 한 혈연과 댈러스의 두 형제에서 처음 기술되었다 (Zhu 등, 1998). 5αR-2의 결핍을 가진 46XY 환자는 클리토리스를 닮은 음경, 심하게 갈라진 이분 음낭, 가성 질 (pseudovagina)의 회음음낭요도하열 등과 같은 모호한 외생식기와 미발달된 전립선의 증상을 가진다. 더 남성화된 환자들도 보고되는데, 질 입구가 분리되지 않고 요도 내로 개구된 blind vaginal pouch, 음경요도하열, 심지어 음경요도를 가진 경우도 있다. 이들 환자에서는 Wolffian duct의 분화로 정낭, 정관, 부고환, 사정관은 정상이지만 Mullerian 구조물은 존재하지 않는다. 흔히 잠복고환증이 보고되며, 고환은 보통 서혜관 혹은 음낭, 간혹은 복강 내에 위치해 있다 (Zhu와 Sun, 2005).

5αR-2가 결핍된 남성은 사춘기가 되면서 근육량이 증가하고 음성이 굵어진다. 음낭에 주름이 형성되고 과다한 색소 침착이 일어나면서 음경과 생식기가 커진다. 서혜부 고환의 일부는 사춘기에 음낭으로 내려온다. 성욕은 온전하며 발기도 가능하다. 대부분은 내려오지 않은 고환 때문에 정자부족증 혹은 무정자증을 나타내지만, 고환이 하강한 경우에는 정자의 농도가 정상이다. 도미니카 친족과 스웨덴에서 부자지간이 환자로 보고된 바도 있다 (Katz 등, 1997). 이러한 관찰은 남성의 성 기능과 정자 형성을 포함하는 사춘기의 사건은 일차적으로 테스토스테론에 의해 중재됨을 보여 준다. 다른 가능성은 5αR-2가 결핍된 상태에서는 5αR-1이 정자 형성과 남성화에서 중요한 역할을 하며, 이 때문에 충분한 양의 DHT를 생성한다는 것이다 (Thiele 등, 2005). 전형적으로 안면부 및 신체 모발은 감소하며, 이러한 조건의 유전형 남성에서는 남성형 대머리는 관찰되지 않는다 (Imperato-McGinley 등, 1992). 피지는 안드로겐 의존성 과정으로 생성되지만, 5αR-2가 결핍된 환자에서는 정상이다. 이러한 관찰들은 5αR-1이 남성형 대머리, 여드름, 간에서의 안드로겐 대사 등과 같은 생리학적 과정에서 중요한 역할을 함을 시사한다 (Bartsch 등, 2000).

이 증후군의 생화학적 소견은 수년에 걸쳐 다음과 같이 잘 규명되어져 있다 (Zhu와 Sun, 2005). 첫째, 혈장 테스토스테론은 높은 정상치 혹은 증가, 둘째, 혈장 DHT는 낮은 정상치 혹은 감소, 셋째 기준선에서 혹은 human chorionic gonadotropin (HCG)으로 자극한 후에는 DHT에 대한 테스토스테론의 비율이 증가, 넷째, 생체 내 검사에서 테스토스테론이 DHT로의 전환이 감소, 다섯째, 테스토스테론과 DHT의 대사성 청소율은 정상, 여섯째, 소변 내에는 5αR로 환원된 안드로겐 대사물질은 감소하고 5β/5α 대사물질의 비율은 증가, 일곱째, 혈장과 소변 내에 DHT의 주 대사물인 3α-androstanediol glucuronide의 감소, 여덟째, 5αR에 의한 환원이 감소되어 소변 내에 테스토스테론보다 C21 스테로이드 혹은 C19 스테로이드 (예; 11β-hydroxy-androstenedione, androstenedione, corticosterone, cortisol)의 환원된 대사물질이 감소, 아홉째, 혈장의 luteinizing hormone (LH)은 증가하며, LH 파동의 빈도는 정상이고 진폭은 증가, 열째, 혈장 follicle stimulating hormone (FSH)의 증가.

5αR-3는 polyprenols의 alpha-isoprene 단위를 환원하여 dolichols를 형성하는 데 필수적이며, dolichol과 결합한 monosaccharides와 N-glycosylation에 이용되는 oligosaccharide 전구체를 합성하는 데에도 필요하다. SRD5A3 유전자의 돌연변이가 일어난 환자에서는 N-glycosylation의 변화로 인해 선천적으로 정신 지체, 안과적 결함, 소뇌 장애 등 다계통 증후군을 가진다는 보고가 있다 (Cantagrel 등, 2010). 다른 연구도 SRD5A3의 돌연변이로 dolichol 대사에 장애가 일어나면 시신경 형성 저하증, 망막 결손, 선천성 백내장 및 녹내장 등을 포함하는 눈 기형, 뇌의 벌레 부위 (vermis) 형성 저하증, 빈혈, 비늘증 모양 (ichthyosiform) 피부염, 간 기능 장애, 응고 장애 등을 포함하는 1형 선천성 당화 장애의 증후군과 유사한 소뇌 실조 (cerebellar ataxia), 눈 기형 등을 포함하는 증후군이 발생한다고 하였다 (Morava 등, 2010).

3.3. 다양한 전립선 조건에서 5αR의 발현
Expression of 5αR in different prostate states

사람의 전립선에서 5αR-1과 5αR-2는 상피세포와 기질세포에 발견되며, 5αR-2는 기질세포에서 우세한 동종 효소이다 (Veltri와 Rodriguez, 2007). 5αR-3는 기저 상피세포에서 발현된다 (Godoy 등, 2011).

여러 연구는 양성전립선비대와 전립선암에서 5αR 동종 효소의 분포에 관하여 보고하였다. Habib 등 (1998)은 in situ hybridization (ISH)를 이용한 연구에서 5αR-1과 5αR-2는 양성전립선비대의 상피세포에서 발견되지만, 기질에서는 신호가 약하다고 하였다. 5αR-2의 발현 정도는 5αR-1의 약 3배이다. Shirakawa 등 (2004)은 5αR-1이 주로 상피세포에서 발현되는 데 비해 5αR-2는 기질세포와 상피세포 둘 모두에서 발현된다고 하였다. 5αR-2의 항체를 이용한 면역 염색법은 5αR-2

의 대부분이 상피세포에서 발현되고 일부는 기질 영역에서 발현됨을 보여 주었다. 양성전립선비대 조직의 29%에서는 5αR-2의 발현이 없거나 매우 낮았다 (Niu 등, 2011).

Thomas 등 (2003)은 면역조직화학 및 효소 활성 분석을 이용하여 양성전립선비대와 전립선암에서 5αR-1과 5αR-2의 발현을 분석하였다. 양성전립선비대의 핵에서는 5αR-1의 발현이 낮거나 중등도이었으며, 전립선암에서는 주로 세포질 내에서 5αR-1의 발현이 흔히 높게 관찰되었다. 동일 연구팀에 의한 또 다른 연구는 5αR-1의 발현이 양성전립선비대에서는 낮으며, 전립선상피내암, 원발 전립선암, 재발 및 전이 전립선암 등으로 진행할수록 증가된다고 하였다. 대조적으로 5αR-2의 발현은 양성전립선비대에 비해 전립선상피내암과 전립선암에서 더 낮았다 (Thomas 등, 2005). 다른 연구는 5αR-1과 5αR-2의 발현이 전립선암에서 높게 관찰되었으며, 저등급 분화도 전립선암에 비해 고등급 분화도 질환에서 더 높다고 하였다 (Titus 등, 2005). 한편, 5αR-3는 양성 전립선 조직에서는 기저 상피세포에 국한되어 발현되며, 고등급 전립선상피내암의 경우 기저세포 및 암성 상피세포 모두에서 발현되고, 안드로겐 민감성 및 거세 후 재발 전립선암의 경우 대부분 상피세포의 세포질에서 발현된다고 보고되었다 (Godoy 등, 2011).

종합적으로 보면, 5αR-1과 5αR-2 모두는 양성 전립선 조직의 상피세포와 기질세포에서 발견되는 데 비해 5αR-2는 기질세포 내에서 우세한 동종 효소이다. 5αR-3는 기저 상피세포에 의해 발현된다. 마찬가지로, 양성전립선비대에서는 5αR-1이 주로 상피세포에서 발현되며, 5αR-2는 기질세포와 상피세포에서 발현된다. 5αR-3는 전립선상피내암의 경우 기저세포 및 암성 상피세포에서, 전립선암의 경우 상피세포의 세포질에서 발현된다. 5αR-1과 5αR-2는 정상 전립선에 비해 양성전립선비대에서 과다 발현되며, 5αR-2가 우세한 형태이다. 양성전립선비대에 비해 전립선상피내암과 전립선암에서는 5αR-1의 발현이 증가되고 5αR-2의 발현이 감소된다. 이와 같이 전립선암에서 5αR-1과 5αR-2가 다르게 발현되기 때문에, 저급 위험 전립선암의 예방과 치료는 5αR-1과 5αR-2 모두를 억제하는 약물이 더 효과적일 것으로 기대된다 (Wang 등, 2014).

국소 전립선암으로 근치전립선절제술을 받을 예정인 환자의 전립선 조직 및 혈청에서 테스토스테론과 DHT의 농도를 분석한 연구에 의하면, 테스토스테론의 농도는 전립선 내부와 말초 혈청에서 차이가 없었으며, DHT의 농도는 말초 혈청에 비해 전립선 조직에서 약 2배 더 높았다. 국소 전립선의 DHT 농도와 말초 혈청의 DHT 농도 사이에는 정상관관계가 있었으며, 전립선의 무게 또한 국소 전립선의 DHT 농도와 정상관관계를 보였으나 말초 혈청의 DHT와는 연관성을 보이지 않았다 (Olsson 등, 2011). 수컷 쥐를 거세한 후 부성선 기관, 혈청, 정액 등에서 테스토스테론과 DHT를 분석한 연구에 의하면, 전립선 내의 테스토스테론과 DHT의 농도는 거세 후 72시간에 정상 농도의 42%, 3%로 각각 감소하였으며, 혈청 안드로겐의 농도는 거세 6시간 이후 측량 한계치 아래로 낮아졌다. 전립선 내에서는 테스토스테론/DHT의 비율이 72시간에 걸쳐 시간이 경과함에 따라 증가한 데 비해, 혈청에서는 비율이 처음에는 높았다가 거세 후 3시간 이내에 급속하게 낮아졌다 (Kashiwagi 등, 2005).

3.4. 5αR 억제제의 임상적 이용
Clinical use of 5αR inhibitor

선택적 5αR-2 억제제인 finasteride는 세포 자멸사를 통해 양성전립선비대에 효과를 나타내며, PCPT는 finasteride 요법이 전립선암의 발생률을 24.8% 감소시켰다고 보고하였다. 그러나 5αR-2는 전립선암 세포 내에서 감소되어 있기 때문에 전립선암의 치료에서 finasteride의 효과는 크게 기대하기 어렵다. 더군다나 전립선암이 SRD5A2의 발현 감소와 관련이 있다는 가설과 연관 지어 볼 때, finasteride로 SRD5A2를 더욱 억제한다는 것은 치료와는 반대되는 영향을 준다는 견해도 있다 (Luo 등, 2003). 사실, 확실한 전립선암의 치료에서 finasteride의 이점을 분명히 밝힌 보고는 아직 없고, 전이 전립선암에서 작은 효과가 관찰된 바는 있다 (Presti 등, 1992). 근치전립선절제술 후 PSA를 이용하여 생화학적 재발을 추적한 연구는 PSA의 상승을 방지하지 못했다고 하였다 (Andriole 등, 1995). DHT를 감소시키는 효과가 finasteride보다 더 큰 dutasteride가 전립선암에 대한 억제 효과가 클 것으로 기대가 모아졌다. Dutasteride가 전립선 내의 DHT를 97% 감소시키고 조기 전립선암 혹은 수술 가능한 전립선암에서 종양의 크기를 감소시킨다는 두 편의 보고가 있었다 (Andriole 등, 2004; Gleave 등, 2006). 그러나 dutasteride가 진행된 전립선암 혹은 거세 저항성 전립선암을 퇴화시키는지는 아직도 분명하지 않다. 이들 5αR 억제제가 5αR-3의 활성을 억제시킬 수 있는지는 알지 못하지만, 거세 저항성 전립선암 세포에서 5αR-3를 억제하는 제제가 개발되면 DHT를 고갈시키면서 거세

도표 109 전립선암의 화학 예방 및 치료 중 5αR에 관한 연구

	PCPT	REDUCE	REDEEM[†]	ARTS[‡]
참고 문헌	Thompson 등, 2003	Andriol 등, 2004 Andriol 등, 2010	Fleshner 등, 2007 Fleshner 등, 2012	Schröder 등, 2009 Schröder 등, 2013
발표	2003	2010	2012	2009
이용 약물	Finasteride	Dutasteride	Dutasteride	Dutasteride
피험자 수	18,882	8,231	302	294
연구 기간	7년	4년	3년	2년
연령	55세 이상	50~75세	48~82세	〈85
연구 전 혈청 PSA	≤3.0 ng/mL	2.5~10 ng/mL	≤10 ng/mL	RP 후; ≥0.4 ng/mL RT 후; ≥2.0 ng/mL
연구 종말점	전립선암 유병률; Finasteride 군 18.4% 위약군 24.4%	전립선암 유병률; Dutasteride 군 19.9% 위약군 25.1%	전립선암 진행률; Dutasteride 군 38% 위약군 48%	PSADT 및 진행[¶]
Gleason 점수 7 이상의 유병률	Finasteride 군; 37.0% 위약군; 22.2%	Dutasteride 군; 6.7% 위약군; 6.8%	Dutasteride 군; 14% 위약군; 16%	자료 없음
위약 대비 RR 감소율[♪]	0.248	0.228	자료 없음	자료 없음

[†], 혈청 PSA 10 ng/mL 이하, 임상 병기 T1c~T2a, Gleason 점수 6 이하의 저급 위험 전립선암 환자를 대상으로 dutasteride의 안전성 및 효능을 연구하였으며, 치료군 144명과 위약군 145명을 비교한 결과 전립선암의 진행에서 HR은 0.62 (95% CI 0.43~0.89)이었다; [‡], 근치전립선절제술 혹은 방사선 요법 후 생화학적 재발이 일어난 환자에서 질환의 진행에 대한 dutasteride의 효과를 연구하였다. 생화학적 재발은 근치전립선절제술의 경우 0.2 ng/mL 이상이 4주 이상 증가한 경우가 3회 이상인 경우로 정의하였고, 최종 혈청 PSA가 0.4 ng/mL 이상인 환자를 연구 대상으로 하였으며, 방사선 요법의 경우 치료 후 2.0 ng/mL 이상인 환자를 연구 대상으로 하였다. 치료군 147명 중 111명이, 위약군 147명 중 76명이 치료를 완료하였다. [¶], PSADT는 치료군이 위약군에 비해 유의하게 더 지연되었고 (RR 66.1%, 95% CI 50.35~76.90%; $p < 0.001$), 생화학적 및 비생화학적 진행도 치료군이 위약군에 비해 유의하게 더 늦었다 (RR 59%, 95% CI 32.53~75.09%; $p < 0.001$). [♪], 전립선암의 발생에서 위약과 대비한 상대적 위험의 감소 비율을 의미함.

5αR, 5alpha-reductase; ARTS, Avodart after Radical Therapy for Prostate Cancer Study; CI, confidence interval; HR, hazard ratio; PCPT, Prostate Cancer Prevention Trial; PSA, prostate-specific antigen; PSADT, prostate-specific antigen doubling time; REDEEM, Reduction by Dutasteride of Clinical Progression Events in Expectant Management Trial; REDUCE, Reduction by Dutasteride of Prostate Cancer Events Trial; RP, radical prostatectomy; RR, relative risk; RT, radiation therapy.

Wang 등 (2014)의 자료를 수정 인용.

저항성 전립선암에 대한 치료 효과를 증대시킬 수 있다고 추측된다.

테스토스테론뿐만 아니라 다른 형태의 스테로이드, 예를 들면 progesterone, androstenedione 등도 5αR-1 혹은 5αR-2에 의해 환원된다. 혈청 안드로겐이 고갈된 상태에서는 다른 형태의 스테로이드가 거세 저항성 전립선암의 생존력에서 중요한 역할을 한다 (Mizokami 등, 2004). 거세 저항성 전립선암 세포는 흔히 안드로겐 수용체, 돌연변이 안드로겐 수용체, 다른 스테로이드 수용체 등의 과다 발현을 통해 성장을 위한 신호 전달 체계를 유지한다. 5αR-3가 어느 스테로이드를 환원시키는지는 아직 분명하지 않지만, 신경 스테로이드 (neurosteroid)와 같은 일부 환원된 스테로이드가 거세 저항성 전립선암의 성장과 진행에 중요한 역할을 한다고 추측된다 (Stoffel-Wagner, 2003). 이와 같이 거세 저항성 전립선암 및 5αR-3와 관련이 있는 스테로이드를 발견하고 특징을 알게 되면, 거세 저항성 전립선암을 진행시키는 근본적인 분자 기

전을 이해하게 될 것이고 나아가 거세 저항성 전립선암에 대한 새로운 치료법이 개발될 수도 있을 것이다.

전립선암의 예방 혹은 치료에서 5αR을 억제하는 제제를 이용한 연구가 다수 있으며, 그들 중 일부는 도표 109에 정리되어 있다.

4. Annexin A3 (ANXA3)

Annexin (ANX)이란 한 무리의 세포 단백질에 대한 일반명이며, 대부분이 동물, 식물, 진균 등과 같은 진핵 생물 (eukaryotic organism)에서 발견된다. 사람에서 ANXs는 세포 내에서 발견되지만, annexin A1 (ANXA1), annexin A2 (ANXA2), annexin A5 (ANXA5) 등 일부 ANXs는 혈액과 같은 세포의 바깥 환경에서도 발견된다. 그러나 ANXs에는 단백질이 세포 밖으로 운반되는 데 필요한 신호 펩티드가 결여되어 있기 때문에 ANXs가 세포 밖으로 운반되어 혈액 내로 들어가는 기전

은 아직 의문점으로 남아 있다. ANX는 lipocortin으로도 알려져 있으며, lipocortin은 phospholipase A$_2$ (PLA2)를 억제하는데, 이는 glucocorticoid, 특히 cortisol이 염증을 억제하는 기전이 된다. 양성 전립선의 상피세포로부터 분비되어 전립선관으로 배출되는 다면적 기능을 가진 소포인 prostasome과 exosome에서 ANXA3가 발현되고 (Kravets 등, 2000) 기타 다양한 상피세포에서도 exosome이 분비되기 때문에 (Pisitkun 등, 2004), ANXA3는 다양한 기능을 가지고 있다고 추측된다. 또한 ANXA3는 양성 상피세포, 특히 세포의 정점에서 일정하게 발현되기 때문에, 전립선 조직에서 어떠한 생물학적 기능을 할 것으로 생각된다.

ANXs와 세포 내막과의 연관성이 1977년에 처음 보고된 이래, ANXs 단백질 가족의 수는 계속 증가하였다. ANXs의 확인에 관한 첫 연구는 Creutz 등 (1978)에 의해 발표되었다. 저자들은 소의 부신에서 칼슘에 의존적인 단백질을 확인하였으며, 과립이 서로 응집하거나 형질막에 응집하도록 하는 역할을 한다고 보고하였다. 이 단백질을 synexin이라고 명명하였으며, 만남이라는 의미를 가진 그리스어 'synexis'가 이 명칭의 어원이다. 이들 단백질이 광범위한 가족의 구성원이라는 개념은 단백질 서열 비교 및 항체에 의한 교차 반응을 통해 생겨났으며, 이를 연구한 사람들 중 Geisow가 'annexin' 이라는 이름을 붙였다 (Geisow 등, 1987). 2002년까지 65종에서 160개의 ANX 단백질이 확인되었다 (Gerke와 Moss, 2002). 단백질이 ANX로 분류되려면 다음과 같은 기준에 적합하여야 한다. 첫째, 칼슘 의존적인 방식으로 음전하를 띤 phospholipids와 결합할 수 있어야 하며, 둘째, ANX repeat로 불리는 70개 아미노산의 반복 서열을 가져야 한다.

ANX의 기본 구조는 두 가지의 주 영역으로 구성되어 있는데, 하나는 'core' 영역이라 불리며 COOH 말단에 위치해 있고, 다른 하나는 'head' 영역으로 불리며 NH$_2$ 말단에 위치해 있다 (Gerke와 Moss, 2002). Core 영역은 하나의 alpha helix 디스크로 되어 있으며, 디스크의 볼록면에 있는 2형 칼슘 결합 부위는 형질막에 있는 phospholipid와 상호 작용하는 데서 중요한 역할을 한다 (Oling 등, 2000). Head 영역은 core 영역의 오목면에 위치해 있으며, 세포질 단백질과 결합하는 부위이다. 일부 ANXs에서 인산화가 일어나면, 칼슘에 대한 core 영역의 친화력이 달라짐으로써 세포질 단백질과의 상호 작용에 변화가 일어난다.

ANXs는 세포 모양과 관계있는 세포 골격의 형성과 같이 세포의 생리학적 과정에서 중요하며, 소낭의 이동 및 조직화, 세포 밖으로의 배출 (exocytosis), 세포 내로의 섭취 (endocytosis), 칼슘 이온 통로의 형성 등에 관여한다 (Gerke 등, 2005). ANXs는 세포 외부 공간에서도 발견되는데, 이들은 섬유소 용해, 응혈, 염증, 세포 자멸사 등과 관련이 있다 (van Genderen 등, 2008). ANXA1은 항염증 반응에 가장 깊이 관여하는 ANXs 중의 하나이다. ANXA1은 백혈구에 있는 ANXA1 수용체에 작용하여 조직의 염증을 감소시키며, ANXA1 수용체의 활성은 감염 부위로 백혈구를 집결시키는 기능을 한다 (Prossnitz와 Ye, 1997). ANXA1이 세포 표면에서 발현되면 세포의 제거를 촉진하여 세포 자멸사를 유발한다 (Arur 등, 2003). ANXA5는 다른 유형처럼 세포 표면에서 발현되며, 2차원적 결정체를 형성하여 세포막의 지질을 보호하고 응혈 기전에 관여한다 (Gerke와 Moss, 2005). 세포 표면에서 발현되는 ANXA2는 plasmin을 생성하는 plasminogen에 대한 수용체로서의 역할을 함으로써 섬유소 용해에 관여한다 (Kim과 Hajjar, 2002).

ANXA3는 근래에 확인된 전립선암의 생물 지표로서, 전립선암 환자의 소변에서도 발견된다. ANXA3는 칼슘 및 phospholipid와 결합하는 단백질 가족에 속하며, 전립선암의 전이에서 세포의 분화 및 이동, 면역 조정, 뼈의 형성 및 광화 작용 (mineralization) 등에 관여한다 (Gerke 등, 2005). ANXA3는 전립선암의 진행과 역상관관계를 가지며, ANXA3의 특이도는 PSA의 특이도에 비해 훨씬 나은 결과를 보인다. 전립선암에서 ANXA3의 하향 조절은 자가 면역과 관련이 있다고 추측되며, prostasome에 대한 자가 면역 항체의 수치는 전립선암과 관련이 있다 (Larsson 등, 2006). ANXA3의 역할로 인해 exosomes는 혈관 신생에서 항암 작용을 나타낸다 (Park 등, 2005)는 연구 결과가 이러한 결과를 뒷받침한다.

정상 및 악성 전립선 조직에서 ANXA3의 발현을 분석한 Köllermann 등 (2008)의 면역조직화학 연구에 의하면, ANXA3는 모든 정상 전립선 상피세포에서 발현되며 주로 세포의 정점에 위치해 있다. 이 연구는 전립선상피내암에서 ANXA3의 발현이 정상 전립선과 비슷하였지만 ANXA3에 대한 염색의 강도가 약하였으며, 전립선암 조직에서는 염색이 매우 감소되었거나 염색되지 않았고 염색 부위가 세포의 정점에 국한되지 않고 분산되어 있었다고 하였다. 전립선암 표본에서 ANXA3에 대한 염색 강도는 pT 병기 및 Gleason 등급과 역상관관계를 가졌다. 전체 표본에서 ANXA3 양성에 대한

도표 110 여러 위험군의 전립선암 환자에서 ANXA3 음성 혹은 양성 상태에 따른 생화학적 재발률

위험군	ANXA3	PSA 무재발, 수 (%)	PSA 재발, 수 (%)	p
저급	음성	65 (95.6)	3 (4.4)	1.00
	양성	225 (95.3)	11 (4.6)	
중급	음성	178 (62.9)	105 (37.1)	0.0075
	양성	492 (71.7)	194 (28.3)	
상급	음성	1 (9.1)	10 (90.9)	1.00
	양성	2 (6.25)	30 (93.75)	

ANXA3, annexin A3; PSA, prostate-specific antigen.
Köllermann 등 (2008)의 자료를 수정 인용.

ANXA3 음성의 생화학적 재발의 상대적 위험도는 1.17 (95% CI 1.02~1.32; p=0.0197)이었다. ANXA3의 유무는 PSA 재발이 없는 생존 기간으로 정의되는 전립선암의 진행에 대한 독립적 예측 인자의 역할을 하였다. 특히, 수술 전 PSA 10 ng/mL 이하, 전립선절제술 표본의 Gleason 점수 6 이하의 국소 전립선암인 저급 위험군과 수술 전 PSA 20 ng/mL 이상, 전립선절제술 표본의 Gleason 점수 7 이상, 종양의 병기 pT3 이상의 상급 위험군 사이에 있는 중급 위험군에서 ANXA3는 예후를 예측하는 인자로서의 역할을 하였다. 즉, 중급 위험군에서는 ANXA3에 대한 염색 반응이 음성인 경우 PSA 무재발 63%, PSA 재발 37%, ANXA3에 대한 염색 반응이 양성인 경우 PSA 무재발 72%, PSA 재발 28%이었다 (도표 110). 결론적으로, 전립선 상피세포가 악성 변형을 일으킨 경우에는 양성 전립선 혹은 전립선상피내암의 상피세포에 비해 ANXA3에 대한 염색 강도가 전반적으로 매우 약하고 세포의 정점에서 나타나는 염색 패턴의 빈도가 감소한다. 또한, 전립선암의 약 30%까지는 ANXA3 염색에 음성 결과를 보이며 이러한 경우는 병리학적 병기 및 Gleason 점수의 증가와 관련이 있기 때문에, 전립선암에서 ANXA3의 상태는 생화학적 재발의 독립적 예후 인자의 역할을 한다고 생각된다.

ANXA3는 소변 내에서 상당히 안정적이기 때문에 소변의 exosome 및 prostasome에서도 확인이 가능하다 (Schostak 등, 2009). 임상적으로 생검을 실시하기가 애매한 조건, 즉 직장수지검사 음성, 혈청 PSA 농도 2~10 ng/mL인 환자의 소변 표본을 Western blot을 이용하여 ANXA3를 측정한 연구는 혈청 PSA 농도와 소변 ANXA3를 함께 평가하면 area under the receiver operating curve (AU-ROC)에서 가장 좋은 결과를 얻을 수 있으며, 총 PSA 농도가 2~6, 4~10 ng/mL, 전체 범위 등의 환자에서 각각 0.82, 0.83, 0.81이었다고 보고하였다 (Schostak 등, 2009).

5. Anterior Gradient Protein 2 (AGR2)

분비형 시멘트 샘 (cement gland) 단백질인 Xenopus laevis anterior gradient protein 2 (XAG-2)로도 알려진 anterior gradient protein 2 (AGR2)는 AGR2 유전자에 의해 코드화되는 19 kDa의 단백질이다. AGR2는 염색체 7p21에 위치해 있으며, 에스트로겐 수용체를 가진 유방암 세포에서 처음 발견되었다 (Thompson과 Weigel, 1998). 여러 연구에서 AGR2는 유방암 (Innes 등, 2006), 식도암 (Groome 등, 2008), 췌장암 (Lowe 등, 2007), 전립선암 (Zhang 등, 2005) 등에서 높은 농도로 관찰되었다. AGR2는 정상 식도 상피에 비해 식도암과 관련이 있는 Barrett 식도에서 70배 높게 발현된다 (Hao 등, 2006).

Xenopus laevis에서 처음 발견된 AGR2는 점액을 분비하여 배아가 하층 (substratum)에 접착하도록 돕는 시멘트 샘의 분화를 유도한다 (Aberger 등, 1998). 포유동물에서의 AGR2는 XAG-2의 상동체이다. AGR2는 protein disulfide isomerase (PDI)로서 thio-redoxin domain을 가지고 있고 장의 점액 생성에 관여한다 (Park 등, 2009). AGR2는 점액을 분비하거나 폐, 위, 소장, 결장, 전립선 등과 같이 내분비 기관으로서 기능하는 조직에서 높게 발현되며 (Thompson과 Weigel, 1998), 안드로겐과 에스트로겐의 두 호르몬에 의해 조절된다 (Vanderlaag 등, 2010). 사람의 암 세포주에서는 p35의 하향 조절 (Pohler 등, 2004), 세포의 이동 및 형질 전환 (Wang 등, 2008) 등과 관련이 있다는 보고가 있는 한편, 성장과 증식을 억제한다 (Bu 등, 2011)는 관찰도 있다. AGR2는 유방암, 전립선암 등 여러 암에서 상향 조절되고 부정적인 예후와 관련이 있으며 (Zhang 등, 2007), AGR2의 하향 조절은 염증성 장 질환과 관련이 있어 Crohn 질환, 궤양성 대장염 등의 위험을 증가시킨다 (Zheng 등, 2006).

AGR2는 전립선암 환자에서 비교적 높은 농도로 발현되며, 이는 소변 침전물에서 AGR2 전사물의 증가가 관찰됨으로써 확인되었다 (Bu 등, 2011). 골수의 미세 환경에서 배양된 전이 전립선암 세포에는 AGR2 단백질 및 AGR2 mRNA가 높게 발현되었는데, 이는 전립선암 세포가 골수로 전이하기 위해서는 AGR2가 필요함을 암시한다 (Chanda 등, 2014). AGR2 전

사물의 농도는 원발 암에 비해 전이 병변에서 더 낮으며, 낮은 농도의 AGR2가 전립선암의 재발과 관련이 있다는 보고는 흥미롭다 (Maresh 등, 2010). 또한, 전립선암에서 AGR2는 안드로겐으로 조절되며 종양 형성의 초기 단계에서만 과다 발현된다는 보고 (Zhang 등, 2005)가 있는 한편, 전이와 관련이 있는 고등급 분화도의 암에서는 발현이 감소된다는 보고 (Maresh 등, 2010)가 있다.

Epidermal growth factor receptor (EGFR) 가족에 속하는 tyrosine kinase인 v-erb-b3 erythroblastosis leukemia viral oncogene homolog (ERBB3)의 결합 단백질, 즉 ERBB3 binding protein 1 (EBP1)은 생쥐의 세포 주기를 조절하는 단백질 p38-2G4와 상동체이며 (Radomski와 Jost, 1995), 세포의 성장, 분화, 세포 자멸사 등에 관여한다 (Sithanandam과 Anderson, 2008). 특히, EBP1은 전립선암에서 heregulin (HRG)을 통해 유발되는 신호 경로와 androgen receptor (AR) 축 사이의 상호 작용에 대해 음성적으로 조절하는 인자로서의 역할을 한다 (Zhang 등, 2005). 전립선암 모델에서 EBP1 유전자의 발현은 감소되며, EBP1의 발현을 회복시키면 거세 저항성 표현형으로 발전한다 (Zhang 등, 2008). EBP1으로 유전자 전달 감염을 일으킨 전립선암 세포에 대해 microarray 분석을 시도한 연구에 의하면, AGR2는 EBP1에 의해 하향 조절된다 (Zhang 등, 2008). 근래의 연구는 EBP1-forkhead box protein A (FOXA)-AGR2를 포함하는 신호 전달 체계는 전이 전립선암의 치료에서 중요한 기능을 한다고 보고하였다 (Zhang 등, 2010).

혈중의 암 세포로부터 전체 유전자의 발현을 분석한 바에 의하면, 암의 종류와 무관하게 대부분의 전이 암 표본에서 AGR2 유전자가 발현되었다 (Smirnov 등, 2005). 이는 AGR2가 침습과 전이를 유도하는 기능을 가지고 있음을 시사한다. 특히, EBP1은 AGR2에 대해 강한 억제 인자로서의 역할을 하는데 (Zhang 등, 2010), 이는 EBP1이 전립선암의 진행과 관련이 있다는 연구와 일맥상통한다 (Zhang 등, 2008). 즉, EBP1은 AGR2의 발현을 억제함으로써 세포의 침습력을 억제한다고 생각된다 (Zhang 등, 2010).

FOXA1과 FOXA2는 AGR2에 대해 양성적으로 조절하는 인자로서의 역할을 한다. EBP1은 AGR2 촉진체가 FOXA를 활성화하는 과정을 억제함으로써 AGR2의 발현을 하향 조절하며, 이로써 침습과 전이가 억제된다 (Zhang 등, 2010). EBP1이 AGR2를 억제하는 상세한 기전은 다음과 같다. EBP1 내에

보존된 LxxLL 단위체는 구조적으로 여러 결합 부위, 예를 들면 AR, retinoblastoma protein (RB), mammalian stress-activated protein kinase-interacting protein 3 (mSIN3), histone deacetylase 2 (HDAC2) 등과 상호 작용한다 (Kowalinski 등, 2007). 이 단위체는 EBP1과 FOXA 전사 인자 사이의 상호 작용에 관여하며, 이는 AGR2의 전사 활성화를 증대시키는 기능을 한다. 세 가지의 FOXA 단백질은 네 가지의 conserved region (CR), 즉 CRI~IV를 공유하고 있다 (Qian과 Costa, 1995). 세 FOXA 단백질은 CR I 에서 90% 이상의 상동성을 나타내며, DNA와 결합하는 영역으로서 기능을 한다. COOH terminus에 있는 CRII와 CRIII, NH$_2$에 있는 CRIV는 다른 전사 인자 혹은 보조 인자와 상호 작용한다. EBP1은 AGR2 촉진체와 FOXA DNA-binding domain과의 상호 작용을 통해 FOXA 단백질과 AGR2 촉진체의 결합을 억제함으로써 혹은 다른 CR과의 상호 작용을 통해 FOXA의 전사활성화 영역을 차단함으로써 FOXA의 전사 활성을 약화시킨다고 추측된다 (Zhang 등, 2010).

AGR2와 전립선암의 골 전이와의 관계를 조사한 연구는 다음과 같은 결과를 보고하였다 (Chanda 등, 2014). 첫째, AGR2의 발현은 골수 조건의 배지에서 배양된 골 전이 전립선암 세포주 PC3에서 상향 조절되었다. 둘째, 골 전이 환자의 전립선암 조직에서 상당한 AGR2의 발현이 관찰되었다. 셋째, AGR2를 제거한 경우 세포의 fibronectin, collagen I, collagen IV, laminin I, fibrinogen 등과의 접착이 유의하게 감소되었으며, 세포 부착의 상실은 α4, α5, αv, β3, β4 integrins 발현의 감소와 관련이 있었다. 넷째, 세포가 분리된 후 세포 자멸사를 일으키지 않는 현상은 상피세포암의 전이에서 특징적인 양상이다. AGR2의 활동이 억제된 PC3 세포는 tumor necrosis factor-related apoptosis-inducing ligand (TRAIL)로 유도되는 세포 자멸사에 대해 상당한 저항성을 나타내었다. 이러한 관찰은 AGR2를 침묵화한 PC3 세포에서는 세포사를 유발하는 신호 경로의 중요한 실행기인 caspase-3의 발현이 유의하게 감소된다는 연구에 의해 뒷받침된다. 이들 결과는 AGR2가 세포의 부착과 세포 자멸사를 조절함으로써 전립선암의 전이를 촉진함을 시사한다.

Membrane metallo-endopeptidase (MME)는 neprilysin (NEP), neutral endopeptidase (NEP) 등으로도 불리는 100 kDa의 세포 표면 막 단백질 cluster of differentiation 10 (CD10)을 코드화한다. 앞에서 기술된 바와 같이 AGR2의 발

현은 정상 관강 세포에 비해 고등급 전립선상피내암 세포와 전립선암 세포에서 증가된다 (Bu 등, 2011). 대조적으로, CD10은 종양의 약 30%에서 발현되지만 암 세포에서는 감소된다 (Liu 등, 2004). CD10[+] 암 세포를 가진 종양은 Gleason 점수가 높은 전립선암에서 더 흔하며 (Dall'Era 등, 2007), CD10[+] 암 세포는 림프절 전이에서 현저하다 (Fleischmann 등, 2011). AGR2[+] 암 세포는 Gleason 점수가 낮은 암에서 현저하며, Gleason 패턴이 4 및 5인 암 세포에서는 AGR2 발현의 정도가 낮다 (Bu 등, 2011). 전립선암에서 CD10의 발현은 질환의 나쁜 결과 및 환자의 낮은 생존율과 관련이 있으며, 암 세포 내의 CD10 단백질이 막에 위치한 경우보다 세포질에 분포한 경우가 나쁜 결과와 관련이 있다 (Fleischmann 등, 2008). 이와 같은 결과는 CD10이 HSP27과 같은 heat-shock proteins (HSPs)와 관련이 있기 때문이다 (Dall'Era 등, 2007). 대조적으로 AGR2를 발현하는 전립선암은 환자의 더 긴 생존기간과 상호 관련이 있다 (Maresh 등, 2010). 조직 microarray에서 면역조직화학검사로 AGR2 및 CD10의 발현을 분석한 연구는 면역 표현형에 근거하여 전립선암을 CD10[low]AGR2[high], CD10[high]AGR2[high], CD10[low]AGR2[low], CD10[high]AGR2[low] 등의 네 표현형으로 분류하였으며, 다음과 같은 결과를 보고하였다 (Ho 등, 2013). 첫째, AGR2[+] 종양을 가진 환자에서는 무재발 생존 기간이 더 길었으며, CD10[+] 종양을 가진 환자에서는 무재발 생존 기간이 더 짧았다. 둘째, 높은 병기의 환자에서 5년 무재발 생존율은 CD10[high]AGR2[low] 표현형에 비해 CD10[low]AGR2[high] 표현형에서 더 높았으며, 각각 25%, 85%이었다. CD10[high]AGR2[high] 및 CD10[low]AGR2[low] 표현형의 생존율은 중간 정도이었다. 셋째, 각 표현형에서 재발에 대한 hazard ratio (HR)은 도표 111에 정리되어 있으며, CD10[low]AGR2[high] 표현형에 비해 CD10[high]AGR2[low] 표현형에서 약 9배 더 높았다. 넷째, 고등급 분화도의 원발 전립선암에서는 CD10[high]AGR2[low] 표현형이 가장 흔한 데 비해, 골 혹은 연조직 전이 전립선암에서는 CD10[low]AGR2[high] 표현형이 더 흔하였다. 이들 결과에 의하면, 원발 전립선암에서 CD10[high]AGR2[low] 표현형은 나쁜 결과와 관련이 있는 데 비해, CD10[low]AGR2[high] 표현형은 전이 전립선암에서 흔하며, AGR2는 원발 전립선암에서는 보호 기능을 가지고 있지만 암 세포의 원격 전파에서 어떠한 역할을 할 것으로 추측된다.

도표 111 AGR2 및 CD10의 발현과 전립선암의 재발

A	B	cHR
CD10[low]AGR2[high]	CD10[low]AGR2[low]	0.198
CD10[high]AGR[low]	CD10[low]AGR2[low]	1.488
CD10[high]AGR2[high]	CD10[low]AGR2[low]	0.762
CD10[low]AGR2[low]	CD10[low]AGR2[high]	5.045
CD10[high]AGR2[low]	CD10[low]AGR2[high]	8.806
CD10[high]AGR2[high]	CD10[low]AGR2[high]	3.995

이 도표는 B 그룹에 대한 A 그룹의 재발에 대한 hazard ratio를 보여 준다. 예를 들면, CD10[high]AGR2[low] 표현형 그룹의 무재발 생존율은 CD10[low]AGR2[high] 표현형 그룹에 비해 약 9배 더 낮다.

AGR2, anterior gradient protein 2; CD10, cluster of differentiation 10; cHR, current hazard ratio.

Ho 등 (2013)의 자료를 수정 인용.

6. Autoantibody

자가 항체 (autoantibody)는 면역 질환 및 감염의 진단에서 중심 역할을 하며, 전립선암의 발견, 위험도 분류, 예후 추정, 치료 반응 예측 등에서도 분명한 역할을 수행한다. 항체의 형성은 종양세포의 빠른 전환 주기로 인하여 적은 양의 종양 항원이 순환계 안으로 들어가 면역 반응을 일으키기 때문에 일어난다. 자가 항체는 암 세포에서 과다 발현되는 종양 관련 항원에 대한 표적이 된다. 고효율 단백질체학 (proteomics)의 기법은 암 환자의 혈청에서 종양 특이 항원에 직접 작용하는 자가 항체를 쉽게 발견할 수 있도록 한다. 근래 전립선암 표지자로 알려진 alpha-methylacyl CoA racemase (AMACR)에 대한 면역 반응으로 생긴 자가 항체를 확인하는 검사가 개발되었으며, 이로써 분비된 항체 외에 세포질 내의 종양 표지자도 혈액을 이용한 선별검사에 활용할 수 있게 되었다 (Sreekumar 등, 2004).

고효율 phage-peptide microarray 분석을 이용하여 전립선암 환자의 혈청에서 자가 항체를 발견하는 방법을 통해 전립선암에 특이한 많은 항원이 발견되었다 (Nilsson 등, 2001). 'Cancer immunomics'로 지칭되는 이 방법은 종양 내의 특이 항원에 대한 체액 반응을 전반적으로 분석하는 데 이용된다. 이를 이용하여 종양과 관련이 있는 22가지 펩티드에 대한 혈청 항체가 측정되었으며, 환자-대조군 연구에 의하면 전립선암 발견에 대한 민감도가 81.6% (95% CI 0.70~0.90), 특이도가 88.2% (95% CI 0.78~0.95)이었다. 자가 항체는 동일한 표본에 대해 PSA보다 더 나은 결과를 나타내었는데, AUC가 각

각 93%, 80%이었다 (Wang 등, 2005).

전립선암에서 과다 발현되는 다른 항원에 대한 항체들, 예를 들면, Huntingtin interacting protein 1 (HIP1), prostasomes 등도 연구되고 있다 (Bradley 등, 2005). 표지자 단독으로 혹은 다른 입증된 표지자와 병행함으로써 민감도와 특이도가 개선되었다는 보고가 있으며, 앞으로는 다수의 생물지표와 병행하는 임상 연구가 많이 실시되리라 생각된다. 전립선암 환자에서 prostasome과 같은 다른 세포질 종양 항원에 대한 면역 반응이 보고된 바 있으나 높은 민감도를 보여 주지는 못하였다 (Mintz 등, 2003).

피막으로 덮인 소포 (vesicle)를 형성하는 데 중요한 역할을 하는 단백질 clathrin과 결합하는 세포질 단백질인 HIP1은 특이하게 양성전립선비대의 상피세포에 비해 전립선암에서 증가되고 진행된 전립선암에서 과다 별현되며 (Rao 등, 2002) 성장 인자 수용체의 반감기를 연장시키고 섬유모세포를 직접 변형시키는 성장 인자 수용체의 신호 경로에 관여하기 때문에 (Rao 등, 2003), HIP1은 종양세포의 생존과 진행에서 중요한 역할을 담당한다고 추측되며, AMACR과 마찬가지로 HIP1 자가 항체의 형성은 혈액을 이용한 선별검사에서 활용이 가능하다고 생각된다.

Transgenic adenocarcinoma of the mouse prostate (TRAMP) 종양에서는 사람의 종양과 마찬가지로 HIP1이 과다 발현되고 T 항체가 종양 억제 유전자 산물인 tumor protein 53 (p53)과 retinoblastoma protein (RB)을 억제하지 않는 것으로 보아 HIP1과 암 발생과는 상당한 연관성이 있을 것으로 생각된다. 사람에서는 HIP1 가족이 여러 수용체, 예를 들면 glutamate receptor (Metzler 등, 2003), epidermal growth factor receptor (EGFR), platelet-derived growth factor h receptor (PDGFhR) (Hyun 등, 2004), transferrin receptor (Engqvist-Goldstein 등, 2003) 등을 조절하는 데 관여한다고 보고된 바 있다. HIP1이 과다 발현되면 이들 수용체의 조절로 인해 세포의 생존 및 변형이 증가한다 (Rao 등, 2003). 전립선암에서 HIP1이 clathrin의 신호 경로를 직접 조절하는지는 분명하지 않지만, clathrin에 의해 EGFR과 PDGFhR이 분명하게 조절되고 변하는 것으로 보아 HIP1이 이들 수용체로부터 나온 신호를 조절한다고 추측된다. 안드로겐 수용체와 같은 스테로이드 호르몬 수용체와 마찬가지로 HIP1이 전립선암과 관련은 있으나 clathrin으로 매개되는 세포 내 섭취 (endocytosis)에 의해 조절되지 않는 다른 수용체를 발견한다면 전립선암의 진행을 이해하는 데 큰 도움이 될 것이다.

TRAMP 생쥐는 probasin 촉진체의 조절 하에서 SV40 T 항체를 발현하는데, 이것은 전립선 상피세포에서 전이 유전자를 발현시켜 전립선암을 유발한다. 이들 생쥐에서는 상피세포암보다 신경내분비암이 더 잘 발생하지만, TRAMP 모델에서 생긴 전립선암의 진행은 사람의 전립선암과 비슷하여 상피세포의 증식, 상피내암, 국소적 침윤, 간, 폐, 림프절, 골격으로의 전이 등을 일으키기 때문에, 사람의 전립선암을 연구하는 데 적합하다 (Shappell 등, 2004). Bradley 등 (2005)은 TRAMP 모델과 실험으로 조작된 $HIP1$ 돌연변이 생쥐를 대상으로 HIP1에 대한 자가 항체가 전립선암의 표지자 역할을 할 수 있는지를 연구하였다. 이들 연구자들은 immunoblot와 enzyme-linked immunosorbent assay (ELISA)를 이용하여 HIP1에 대한 자가 항체를 측정하여 전립선암의 발견에 대한 민감도 및 특이도를 평가하였다. 이들은 $HIP1^{null/null}$ 조건에서 TRAMP 생쥐가 종양을 형성하지 못하기 때문에 HIP1은 생쥐의 종양 발생에서 중요한 역할을 한다고 하였다. 또한, 이들은 전립선암을 가진 TRAMP 생쥐의 혈청과 전립선암을 가진 환자의 혈청에서 HIP1에 대한 자가 항체의 발생을 확인했다고 하였다. PSA가 4 ng/mL인 남성에서 전립선암에 대한 민감도와 특이도는 HIP1 ELISA (+)의 경우 49%와 76%, HIP1 Western blot (+)의 경우 54%와 82%, HIP1 ELISA 및 Western blot (+)의 경우 28%와 93%, HIP1 ELISA 혹은 Western blot (+)의 경우 88%와 64%, AMACR (+)의 경우 64%와 83%, AMACR (+)와 HIP1 ELISA 혹은 Western blot (+)의 병용의 경우 55%와 97%이었다. 모든 피험자에서 전립선암에 대한 민감도와 특이도는 HIP1 ELISA (+)의 경우 46%와 73%, HIP1 Western blot (+)의 경우 46%와 73%, HIP1 ELISA 및 Western blot (+)의 경우 24%와 88%, HIP1 ELISA 혹은 Western blot (+)의 경우 69%와 56%, AMACR (+)의 경우 64%와 67%, AMACR (+)와 HIP1 ELISA 혹은 Western blot (+)의 병용의 경우 50%와 86%, PSA 4 mg/mL (+)의 경우 77%와 75%, PSA (+)와 HIP1 ELISA 혹은 Western blot (+)의 병용의 경우 66%와 91%이었다. 사람에서 항 HIP1 혈청 검사는 전립선암에 대해 항 AMACR 검사 혹은 PSA 검사와 비슷한 민감도와 특이도를 나타내었으며, 항 AMACR 검사와 병용하면 97%의 특이도를 보인다는 이들 자료는 HIP1이 종양 형성에서 어떠한 기능적인 역할을 하며, HIP1에 대한 자가 항체 검사에서 양성 반응은 전립선암의 중요한 혈청 표지자가 될 수 있음을 보여 준다.

1978년에 처음 기술된 prostasome은 전립선에서 생성되며 생체막과 결합하는 직경 40~500 nm의 분비성 소포이다 (Ronquist와 Brody, 1985). Prostasome의 단백질은 200개 이상으로 확인되었으며, 그들 중 다수는 경막 영역을 가지고 있다 (Utleg 등, 2003). 이들 단백질의 기능은 다양하며, 이들 단백질의 기능에 따라 prostasome이 생물학적 효과를 나타낸다. 정자와 prostasome 사이의 상호 작용을 통해 prostasome 막 단백질의 유익한 효과가 정자세포에 전달되면 국소적인 미세 환경이 개선되고 정자세포가 성공적으로 수정을 완수할 기회가 증가하게 된다 (Ronquist 등, 1990). Prostasome은 다양한 분야, 예를 들면 정자 운동성 (Fabiani 등, 1994), 정액 내 칼슘 항상성 (Arienti 등, 2002), 정액의 액화 (Lilja와 Laurel, 1984), 보체 (complement) 억제 (Babiker 등, 2005), 면역 억제 (Jiang와 Pillai, 1998), 혈행성 감염의 방지 및 혈액 응고의 활성 (Fernandez 등, 1997) 등에서 어떠한 역할을 한다. prostasome에 대항하는 항체 (antiprostasome antibody, APA)는 남성과 여성의 불임과 관련이 있다고 알려져 있는 antisperm antibody (ASA)에 대해 항원성을 나타내며, 정상적인 활동의 일환으로 정자와 결합한다 (Ronquist 등, 1990). 따라서 APA 수치의 증가는 불임과 관계있다고 추측된다 (Carlsson 등, 2004). 근래 들어 전립선 질환과 전립선암에서 prostasome의 역할에 관해 관심이 높아지고 있다. Prostasome은 원발 및 전이 전립선암 세포에서 생성되고 (Sahlen 등, 2004), 세포의 성장, 혈관 형성, 침윤, 전이 등에 영향을 주는 것 같다 (Delves 등, 2005).

Nilsson 등 (2001)은 혈청 PSA가 50~500 ng/mL인 13명의 전립선암 환자군에서 혈청 APA가 증가된 데 비해, 정상 혈청 PSA 농도를 가진 39명의 건강한 대조군에서는 혈청 APA가 측정되지 않을 정도임을 발견하였다. 환자군의 전이 상태는 기술되지 않았으나, 혈청 PSA가 50 ng/mL 이상이기 때문에 전립선암이 전립선 밖으로 침윤이 되었거나 전이가 일어났을 것으로 추측된다. 이 결과를 근거로 저자들은 전이 혹은 국소적 침윤성 전립선암에서만이 prostasome이 혈관계 및 림프관계로 들어가 항체를 생성한다고 가설을 세웠으며, APA는 전립선암의 표지자일 수 있고 전이 전립선암에 특이적이라고 보고하였다.

대조적으로 Stewart 등 (2009)은 APA가 전립선암의 예후 지표로서의 역할이 가능한지를 확인하기 위해 22명의 전립선암 환자군과 7명의 건강한 대조군으로부터 채취한 혈청 표본에서 ELISA를 이용하여 APA를 분석한 후, 환자군뿐만 아니라 대조군에서도 다양한 양의 APA가 검출되었고, APA 농도는 PSA와 유의하게 역상관관계를 보였으며, 다른 지표, 예를 들면 연령, 진단 후 경과 기간, 전이 상태, Gleason 점수, 호르몬 치료 등과 유의한 연관성을 나타내지 않아 APA는 전립선암의 예후 지표가 될 수 없다고 보고하였다. 이들 저자는 이전의 연구와 상충되는 결과를 나타낸 이유가 항원으로서 이용된 prostasome을 전립선 조직에서 얻지 않고 최근에 정관절제술을 받은 건강한 남성의 정액으로부터 채집함으로써 전립선 질환에 따라 구조적으로나 생화학적으로 변하지 않는 prostasome을 이용하였기 때문이라고 추측하였다. 그러나 APA에 관한 여러 연구 자료의 피험자 수가 적을 뿐만 아니라 결과 또한 다양하기 때문에, APA가 전립선암의 예후 표지자로 가능한지 혹은 가능하지 않은지에 대한 분명한 답을 얻기 위해서는 대규모의 추가 연구가 필요하다.

7. Basic Human Urinary Arginine Amidase (or Esterase) (BHUAE)

포유동물의 소변에는 어떤 생리학적, 약리학적 기능을 가진 일부 arginine amidase, 예를 들면 tissue kallikrein (EC 3.4.21.35) (Moriya 등, 1964), urokinase (EC3.4.21.69) (Pye 등, 1977), acidic arginine esterase (혹은 amidase) (Matsuda 등, 1989) 등이 포함되어 있다. 이들 효소는 포유동물의 암수 모두의 소변에서 발견된다.

염기성 단백질 분자를 가진 basic arginine esterase (BAE), 일명 Esterase A-1은 수컷 소변에서만 발견된다고 보고되었으며 (McPartland 등, 1981), 이후 쥐와 사람의 소변에서 이 효소가 정제되고 특징화되었다 (Matsuda 등, 1990). 이 효소는 전립선과 같이 하부의 성 기관 (sexual organ)에서 유래한다고 생각되며, 남성의 요관과 방광에서 채집된 소변에서는 발견되지 않는다 (Nakamura 등, 1986). Lima bean trypsin inhibitor (LBTI)와 aprotinin 친화성 흡착을 이용하여 개의 전립선, 고환, 정액장액, 소변 등에서 BAE가 분리되었으며, 특히 정액장액과 전립선에서 높은 활성이 관찰되었다 (Matsuda 등, 1991). 사람의 정액장액에서도 BAE가 정제되었다는 결과는 남성의 소변에서 발견되는 BAE의 기원이 성 기관임을 추측하게 한다 (Kobayashi 등, 1991).

Basic human urinary arginine esterase (BHUAE)는 남성

의 소변에서만 발견된다. BHUAE는 테스토스테론에 의해 영향을 받으며, 하부 성 기관, 특히 전립선에서 기원한다고 추측되는데, 그 이유는 전립선이 다량의 BAE를 함유하고 있고 (Matsuda 등, 1991), 전립선의 질환에 따라 그것의 활성화가 달라지기 때문이다 (Marshall과 Tanner, 1970). 4~70세의 정상 남성을 대상으로 D-valyl-L-leucyl-L-arginine-p-nitroanilide를 기질로 이용하여 BHUAE를 측정한 결과에 의하면, 유아기인 7세 근방까지는 활성도가 낮았으며, 8세부터 사춘기 초기 연령까지 증가하였다가 성적으로 성숙한 17~18세에서 최고치 18.2 nmol/(min·d)에 도달한 후 감소하였고 35~50세에서는 일정한 안정적인 수치를 나타내었으며, 평균치는 1.3±1.3 nmol/(min·d)이었다. BHUAE는 남성의 생식 기능이 퇴행하는 동안, 즉 35세 이상 연령에서는 낮은 활성도로 유지된다. 55세 이상의 건강한 남성에서 BHUAE의 평균치는 1.4±1.1 nmol/(min·d)이었다. BHUAE의 연령별 변화는 테스토스테론의 연령별 변화와 유사하다 (Matsuda 등, 1996).

55세 이상의 전립선암 환자와 양성전립선비대 환자에서 BHUAE를 측정한 바에 의하면 (Matsuda 등, 1996), 양성전립선비대 환자에서 Val-Leu-Arg-*p*NA 단백질 분해 활성도는 3.1±2.2 nmol/(min·d)로써 정상인에서 관찰되는 1.4±1.1 nmol/(min·d)와 유의한 차이가 없었다. 전립선암 환자에서의 활성도는 15.4±8.6 nmol/(min·d)이었으며, 이는 55세 이상의 정상인에 비해 11배 높은 수치이다 ($p < 0.02$). 따라서 소변 내에서 BHUAE의 측정치는 고령의 남성군에서 전립선암에 대한 표지자의 역할을 한다고 생각된다. 경요도전립선절제술 후 2주 이상 경과한 환자에서 BHUAE의 활성도는 40.7±13.2 nmol/(min·d)이었으며, 이는 55세 이상의 정상인에 비해 19배 높은 수치이다 ($p < 0.02$). 높은 활성도를 나타내는 이유는 수술로 인하여 BHUAE가 전립선의 실질로부터 소변으로 직접 분비되었기 때문으로 추측된다.

Tissue kallikrein과는 달리 kinin을 분비하는 기능이 없는 acidic human urinary arginine esterase (AHUAE)와 BHUAE 사이의 관계를 평가한 연구에 의하면, AHUAE가 남녀의 소변 모두에서 발견되지만 유의한 차이를 보이지 않는데, 이는 AHUAE가 신장에서 기원하기 때문이다 (Matsuda 등, 1986). AHUAE의 활성도는 신장의 원발 aldosteronism에서 유의하게 증가된다 (Matsuda 등, 1986).

전립선, 혈장, 정액장액 등에는 PSA가 함유되어 있다. PSA는 chymotrypsin과 같이 단백질을 분해하는 기능을 가지고 있지만 (Christensson 등, 1990), arginine amidase의 작용을 나타내지는 않는다 (Akiyama 등, 1987). PSA와 BHUAE는 분자량이 비슷하지만, 효소의 특성은 서로 다르다 (Wang 등, 1979). 예를 들면, 양성전립선비대 환자의 경우 혈장 PSA는 증가하지만 (Kuriyama 등, 1980), BHUAE는 증가하지 않는다. 전립선암 환자에서 혈장 PSA와 BHUAE의 상관계수는 $r = 0.733$을 나타낸다 ($p < 0.05$) (Matsuda 등, 1996).

8. B-Cell Lymphoma 2 (BCL2)

B-cell lymphoma 2 (BCL2)는 세포 자멸사에 대해 대항 작용을 나타내는 매개체로서 30년 전 BCL2가 사람의 소포림프종 (follicular lymphoma)에 관여하는 종양 단백질이라고 보고 (Tsujimoto 등, 1985)된 이래 많은 종양의 분자 생물학에 관여한다고 알려져 왔다. BCL2는 생리학적인 세포사 기전에 의해 일어나는 정상적인 세포 주기의 전환을 억제하여 세포 자멸사를 방지함으로써 악성 세포의 증식을 유도한다 (Reed, 1994). 따라서 BCL2는 여러 임상 질환에서 세포 자멸사를 유도하는 항암 요법에 대한 저항성과 관련이 있다 (Catz와 Johnson, 2003).

BCL2는 미토콘드리아의 바깥 막에 위치해 있으며, 미토콘드리아로부터 caspase를 활성화하는 단백질 cytochrome C의 분비를 억제함으로써 세포 자멸사를 방지한다 (Reed, 2000). 이와 같은 기전 외에도 세포 자멸사에 대항하는 BCL2의 여러 기능이 많은 연구에 의해 보고되었다 (Adams와 Cory, 1998; Gross 등, 1999).

8.1. 정상 전립선과 전립선암에서 BCL2의 발현
BCL2 expression in normal prostate and prostate carcinoma

정상 전립선의 상피에 있는 주된 세포 유형은 분비성 관강세포와 기저세포이며 (Abate-Shen과 Shen, 2000) 세 번째로 소수 발견되는 세포는 주변 분비 신호를 주어 관강세포의 성장을 유도한다고 알려진 신경내분비세포이다 (Abrahamsson, 1999). 주된 세포 유형인 분비성 관광세포는 전립선의 분비 단백질을 생성하고 androgen receptor (AR)를 발현하여 안드로겐 의존성 세포를 형성하는 특징을 가지고 있다. 세포의 기저막에 위치해 있는 기저세포는 AR을 매우 낮게 발현하거나

나 발현하지 않으며, 분비 단백질을 생성하지 않는다. 주된 두 유형의 세포에서 차이점 중 하나는 세포 자멸사에 대항하는 단백질을 생성하는 역량의 차이이다. 이러한 차이점은 전립선 상피와 전립선암의 기원 사이의 관계를 분석할 때 고려하여야 할 중요한 요소이다. 단클론 항체를 이용하여 정상 전립선 조직에서 BCL2의 분포를 분석하여 보면, 세포 자멸사에 대항하는 단백질은 전립선 상피의 기저세포에 국한되어 있고 분비성 세포에서는 발견되지 않는다 (Hockenbery 등, 1991). 이러한 차이는 이들 두 유형의 세포에서 나타나는 분화 정도의 차이와 관련이 있으며, 이는 줄기세포의 기능이 기저세포에서 유래된다는 보고와 일맥상통한다 (Colombel 등, 1993). 중요한 점은 BCL2 단백질이 양성전립선비대에서는 발견되지 않으며 (Hockenbery 등, 1991), BCL2에 대한 염색 반응은 전립선암의 전구 병변으로 간주되는 전립선상피내암에서 관찰된다는 점이다 (Colombel 등, 1993). 특히, 전립선상피내암에서 BCL2의 발현은 암성 상피에 있는 거의 모든 비정형 세포에서 발견된다는 점은 주목할 만하다 (Colombel 등, 1993). BCL2가 음성인 분비 세포는 전립선암 대부분의 기원이 되는 세포이고 BCL2는 진행된 전립선암에서 높은 빈도로 발현된다는 사실은 BCL2가 전립선암의 진행과 관련이 있음을 시사한다 (Catz와 Johnson, 2003). 다른 연구도 양성 전립선 조직에 비해 임상적 국소 전립선암에서 p53, BCL2, Ki-67 등이 상향 조절된다고 하였다 (Nariculam 등, 2009) 또 다른 연구에 의하면, 정상적인 성장 조건 하에서는 안드로겐 민감성 LNCaP 세포와 안드로겐 저항성 LNCaP 둘 모두가 비슷한 정도로 BCL2 유전자를 발현하였지만, Western blot 분석에서는 안드로겐 민감성 세포에서는 BCL2 단백질이 발견되었으나 안드로겐 저항성 세포에서는 발견되지 않았다. 이 연구는 안드로겐 민감성 세포와 안드로겐 저항성 세포 둘 모두가 BCL2-associated X protein (BAX)을 발현하였으며, 산화 스트레스에 노출된 경우에는 안드로겐 민감성 세포가 세포 자멸사를 일으켰지만 안드로겐 저항성 세포는 세포 자멸사에 대해 저항성을 나타내었다고 하였는데, 이는 안드로겐 저항성으로의 진행이 세포 자멸사의 조절 이상과 관련이 있음을 시사한다 (Rothermund 등, 2002).

세포 자멸사를 유도하는 분자 경로의 변화는 종양의 형성과 같은 다양한 조직의 병적 과정을 일으킨다. 미토콘드리아 경로는 BCL2 가족의 유전자와 미토콘드리아 운송 분자를 코드화하는 유전자에 의해 조절된다. 이들 단백질은 미토콘드

리아의 외막을 통해 cyctochrome C를 방출하도록 하며, 이와 같은 방출은 caspase 과정을 활성화하여 세포사를 일으킨다. 미토콘드리아의 외막을 통해 분자를 운반하는 데 관여하고 BCL2 단백질 가족과 관련이 있는 주된 운송 시스템으로는 최소한 두 가지가 있는데, voltage dependent anion channel (VDAC)과 translocase of the outer mitochondrial membrane protein (TOMM)이다. PCR을 이용하여 BCL2 가족의 유전자, 즉 세포 자멸사를 유발하는 *BCL2 homologue antagonist/killer (BAK)* 및 *BH3 interacting domain death agonist (BID)*와 세포 자멸사에 대항하는 *BCL2*, VDAC의 유전자, 즉 *VDAC1*과 *VDAC2*, TOMM의 유전자, 즉 *TOMM 20 homolog (TOMM20)*와 *TOMM22*, *TOMM40* 등을 분석한 연구는 정상 전립선에 비해 전립선암 조직에서 *BCL2*와 *VDAC1*의 발현이 유의하게 증가되었으나 *BAK*, *BID*, *VDAC2*, 세 *TOMMs* 등은 이들 조직에서 유의한 차이가 없었다고 하였다. 이 연구는 면역조직화학검사를 이용하여 세포 자멸사를 유발하는 BAX 단백질이 정상 전립선에 비해 전립선암의 분비 세포에서 유의하게 하향 조절됨을 관찰하였으며, 이 단백질은 전립선암 표지자의 좋은 후보 단백질이라고 하였다 (Asmarinah 등, 2014).

8.2. 전립선암의 진행과 BCL2
Prostate cancer progression and BCL2

안드로겐의 제거는 근치전립선절제술 혹은 방사선 요법 후 전립선암이 재발된 경우에 처음으로 시도하는 치료법이다. 또한, 암이 전파된 후 진단됨으로 인해 암이 전립선 내에 국한되지 않은 전립선암 환자에서도 안드로겐 대항 요법이 일차 치료가 된다. 안드로겐을 차단하면 전립선암의 퇴행이 일어난다는 최초의 연구 (Huggins, 1967) 이래, 테스토스테론을 거세 수준으로 감소시키면 대부분의 전립선암 환자에서 안드로겐 의존성 종양의 퇴행이 일어난다는 데 공감을 하고 있다. 그러나 그러한 퇴행은 일시적이며, 대부분의 종양은 안드로겐에 대해 불응하며 다시 성장하게 된다. 안드로겐 비의존성 전립선암은 신속하게 사망에 이르게 하며, 현재로서는 생존을 유의하게 연장시키는 분명하고도 효과적인 치료법이 없는 실정이다. 안드로겐에 반응하는 암이 안드로겐 비의존성 암으로 진행하는 정확한 기전을 이해한다면, 전립선을 효과적으로 치료할 수 있는 방법이 개발될 수 있을 것이다. 낮은 농도의 안드로겐 혹은 안드로겐 대항제에 대해서도 AR의 민감성을 증

가시키고 ligand 비의존성 방식으로 AR 경로의 활성화를 증가시키는 *AR* 유전자의 돌연변이, *AR*의 증폭 등을 포함하는 많은 기전들이 안드로겐 비의존성 질환의 발달에 관여한다고 제시되고 있다 (Grossmann 등, 2001; Feldman과 Feldman, 2001). 이와 같은 기전에 의하면, 돌연변이의 증가로 전립선암 세포가 안드로겐에 비의존적으로 성장하게 되며, 안드로겐의 신호를 우회하는 안드로겐 비의존성 경로를 나타내는 돌연변이의 양상은 전립선암의 시작, 진행, 전이 등에서 매우 중요하다 (Hyytinen 등, 1997). 세포 자멸사에 대항하는 인자의 과다 발현 혹은 하향 조절은 이러한 현상에서 중요한 역할을 한다. 세포 자멸사의 속도와 세포 증식의 속도 사이의 관계는 어떤 종양의 성장을 결정하는 핵심 요소인데, 예를 들면 높은 농도의 BCL2로 인해 유도된 세포사의 속도의 감소는 안드로겐 비의존성을 일으키는 돌연변이의 가능성을 증가시킨다 (Kyprianou, 1994). BCL2는 면역조직화학검사에 의해 처음에는 안드로겐 비의존성 전립선암의 발생과 관련이 있다고 보고되었다 (McDonnell 등, 1992). 이 연구에서 평가된 모든 안드로겐 비의존성 전립선암은 BCL2에 대한 염색에 양성 반응을 나타낸 데 비해, 안드로겐 의존성 표본의 70%는 BCL2 염색에 대해 음성 반응을 보였으며 30%는 약한 양성 반응을 나타내었다. 다른 연구도 비슷한 결과를 보고하였는데, 양성전립선비대에서보다 전립선상피내암에서, 치료를 받지 않은 전립선암에서보다 안드로겐 박탈 요법을 받은 후 발생한 안드로겐 비의존성 질환에서 BCL2가 더 높게 발현되었다고 하였다 (Colombel 등, 1993). 다른 연구는 BCL2, B-cell lymphoma extra (BCL-X), myeloid cell leukemia 1 (MCL1) 등의 증가가 전립선암의 발생과 관련이 있으며, 이들 생존 인자는 호르몬에 둔감한 전이 표현형과 관련이 있다고 하였다 (Krajewska 등, 1996). 면역세포화학적 검사를 이용한 연구 또한 병리학적 국소 전립선암이 안드로겐 비의존성 표현형을 가진 전파 형태의 병기로 진행하는 사건이 BCL2 발현의 증가와 관련이 있다고 하였다 (Furuya 등, 1996). BCL2 발현의 증가와 전립선암의 진행 사이에는 분명한 연관성이 있지만, 호르몬으로 치료를 받은 환자와 받지 않은 환자에서 발생한 골 전이의 일부가 BCL2에 대해 음성 반응을 나타낸다는 관찰은 BCL2의 상향 조절이 임상적으로 공격적인 표현형을 예측하는 인자이지만 전립선암의 진행에서 유일한 기전이 아님을 시사한다 (Denmeade 등, 1996). 다수의 조절 유전자와 종양 억제 인자의 변화가 관여한다는 이 보고와 관련이 있는 인자에는 전사 인자로서 GC-rich binding factor (GBF) 혹은 B-cell-derived protein 1 (BCD1)로도 알려진 Kruppel-like factor 6 (KLF6) (Narla 등, 2001), 세포의 성장을 조절하는 인자로서 wild-type p53-activating fragment 1 (WAF1) 혹은 cyclin-dependent kinase interacting protein 1 (CIP1)으로도 알려진 p21$^{WAF1/CIP1}$ (Fizazi 등, 2002), 세포의 주기를 조절하는 인자인 retinoblastoma protein (RB) (Bookstein 등, 1990), 종양을 억제하는 인자인 p53 (Johnson 등, 1998) 등이 포함된다. BCL2와 전립선암의 진행과의 연관성을 더욱 분명하게 밝힌 연구는 비전이 형태에 비해 전이형 전립선암 세포주에서 p53에 의해 매개되는 세포 자멸사에 관여하는 BAX가 낮은 농도로 발현되었고 BCL2는 높게 발현되었다고 하였는데 (McConkey 등, 1996), 이는 BCL2의 발현이 전이 병기의 전립선암과 관련이 있음을 확인시켜 준다. 이와 비슷한 결과를 보고한 연구는 BCL2의 높은 발현과 BAX의 낮은 발현이 방사선 요법 후 낮은 치료 반응과 상호 관련이 있다고 하였는데 (Mackey 등, 1998), 이는 BCL2의 과다 발현이 임상적인 결과에 직접 영향을 줌을 시사한다.

8.3. BCL2의 발현과 안드로겐 비의존성 전립선암
BCL2 expression and androgen-independent prostate cancer

안드로겐의 제거는 여러 생존 경로를 활성화함으로써 안드로겐이 고갈된 환경에서도 클론이 유전적으로 생존이 가능하도록 만든다는 이론이 지지를 받고 있다 (Taplin 등, 1999; Craft 등, 1999). BCL2의 상향 조절을 유도하는 경로가 이러한 과정을 매개하는 주된 경로로 제시되고 있다 (Feldman과 Feldman, 2001). 흥미로운 점은 안드로겐이 중단됨으로 인해 일어나는 세포 자멸사에 대해 기저 상피세포는 저항적이지만, 분비 세포는 그러하지 않다는 점이다 (English 등, 1989). 이러한 현상과 BCL2의 발현은 상호 관련이 있다고 보고된 이후, 안드로겐이 고갈된 환경에서 전립선암 세포가 세포 자멸사를 피할 수 있도록 만드는 역할을 BCL2가 가지고 있다는 보고가 있었다 (Colombel 등, 1993). 이는 안드로겐 비의존성 PC3 전립선암 세포에서 높은 농도의 BCL2가 관찰되었고 LNCaP 전립선암 세포주에서 안드로겐이 제거되면 BCL2가 상향 조절되었다는 연구 결과에 의해 뒷받침된다 (Lu 등, 1999). BCL2의 상향 조절은 거세 후 10일이 지난 Sprague-Dawley 쥐 모델에서도 관찰되었다 (McDonnell 등, 1992). 그러한 효과는 테스토스테론을 함께 투여하면 방지되었기 때문에, 저자들은 BCL2의 과다 발현이 안드로겐이 제거된 결과라고 결론지었다. 마찬가지로 BCL2의 발현 증가와 안드로겐 민감성으로부터 안드로겐 비의존성 전이 표현형으로의 진행 사이에 연관성이 있음이 전립선암을 가진 다른 쥐 모델에서 관찰되었다 (Furuya 등, 1996). 안드로겐 비의존성 전립선암으로 진행하는 데 BCL2가 관여함은 antisense BCL2 oligodeoxynucleotide (ODN)를 이용한 연구에 의해서도 입증되었다 (Gleave 등, 1999). 이 연구에 의하면, ODN으로 치료된 거세 전의 생쥐는 대조 생쥐에 비해 종양 용적의 급격한 감소를 나타내었는데, 이러한 결과는 BCL2를 표적화하는 치료가 전립선암의 진행을 지연시킬 수 있음을 보여 준다. 한편, 다른 연구는 안드로겐이 없는 조건에서 BCL2의 발현으로 인해 전립선암 세포주가 세포 자멸사에 대해 저항성을 가진다고 하였다 (Raffo 등, 1995). 이 연구에서 LNCaP-BCL2는 BCL2를 과다 발현하도록 변경된 LNCaP인데, LNCaP-BCL2는 AR을 정상적으로 발현하였지만, 안드로겐이 제거된 배지에서 배양될 때에는 대조세포에 비해 성장 속도가 증가되었다. 따라서 BCL2를 과다 발현하는 세포는 세포 자멸사에 대해 저항성을 가지기 때문에, 안드로겐이 제거되면 선택된다고 생각된다. 이와 같은 결과는 두 가지의 다른 기전이 서로 협동하여 상승 효과를 나타냄을 보여 준다. 즉, BCL2의 상향 조절은 세포가 안드로겐이 제거된 조건에 노출된 결과로 일어나는 한편, 안드로겐이 없는 조건에서는 세포 자멸사에 대항하는 경로가 활성화되는 세포가 선택됨으로 인해 BCL2를 과다 발현하는 전립선암 세포의 증식 속도가 증가한다 (McDonnell 등, 1992).

8.4. 전립선암에서 BCL2를 조절하는 신호 경로
Signaling pathways involved in the regulation of BCL2 in prostate cancer

'87. 전립선암의 진행 및 전이와 관련 있는 유전자와 종양 유전자 요법'에 기술된 바와 같이 전립선암의 시작과 진행에 관여하는 여러 유전자가 보고되었으며 (Abate-Shen과 Shen, 2000), 그들 중 하나가 phosphatase and tensin homolog (PTEN)이다. PTEN은 세포 자멸사, 세포 주기의 조절, 세포의 부착 및 이동, 세포의 분화 등에 관여하기 때문에, PTEN은 종양을 억제하는 중요한 분자로 간주된다 (Di Cristofano와 Pandolfi, 2000). Mutated in multiple advanced cancers 1

(MMAC1)으로도 알려져 있는 PTEN은 염색체 10q23.3에 위치해 있다. 10q22-q25에서의 결실은 전립선암을 포함하는 여러 종류의 종양에서 일어난다 (Gray 등, 1995; Cantley 등, 1999). 10q23에서의 loss of heterozygosity (LOH)가 원발 전립선암에서 흔하게 일어나지만 (Feilotter 등, 1998), PTEN의 불활성화는 진행된 병기 혹은 치명적인 전립선암에서 더 흔하며 (Suzuki 등, 1998) 부정적인 예후에 대한 병리학적 표지자로 간주된다 (McMenamin 등, 1999). PTEN은 모든 tyrosine phosphatases 단백질의 활성 부위 motif를 코드화하지만, PTEN의 주된 기질은 phosphatidylinositol 3-kinase (PI3K)에 의한 생성물인 phosphatidylinositol 3,4,5-trisphosphate (PIP3)이다 (Maehama와 Dixon, 1998). PTEN은 특히 inositol ring에 있는 위치 3′에서 PIP3를 탈인산화하는데, 이와 같이 지질의 인산을 분해하는 작용은 종양을 억제하는 기능에서 필수적인 과정이다 (Sun 등, 1999). 인산을 분해하는 PTEN의 작용이 일부 세포주에서 세포의 이동과 성장에 관여한다고 보고되었지만 (Tamura 등, 1999), PTEN의 그러한 작용은 전립선암에서는 발견되지 않는다 (Davies 등, 2002). PI3K는 전립선암, 유방암 등을 포함하는 여러 암에서 종양의 진행, 세포 주기의 진행, 전이, 혈관 형성 등과 관련이 있는 여러 기전에 관여하는 종양 유전자로 알려져 있으며 (Roymans와 Slegers, 2001), 세포의 증식 (Roche 등, 1994), 분화 (Magun 등, 1996), 세포 자멸사 (Yao와 Cooper, 1995), 당의 대사 (Deprez 등, 1997), 소포의 수송 (Herman) 등을 조절한다고 보고되었다.

PTEN이 없는 안드로겐 반응성 LNCaP 세포주가 전립선암의 림프절 전이에서 처음 분리되었으며 (Chung, 1996), 이 세포주는 전립선암의 여러 특성, 예를 들면 PSA의 분비 (Gleave 등, 1992), 성장 인자에 의한 신경내분비 분화 (Qiu 등, 1998), 흉선이 없는 생쥐에서 이종 이식 종양으로의 성장 (Umekita 등, 1996) 등을 가지고 있다. LNCaP 세포에서 PI3K는 생존 경로에 관여하며, 이들 세포에서 PI3K 억제제는 세포 자멸사를 유도한다 (Lin 등, 1999). 중요한 점은 PI3K가 안드로겐의 유무와 관계없이 LNCaP의 성장을 위해 필요하지만, 안드로겐이 없으면 세포가 PI3K 억제제 의존성 세포 자멸사에 대해 과다하게 민감해진다는 점이다 (Murillo 등, 2001). 이러한 세포주에서 안드로겐이 제거되면, PI3K의 활성이 증가되고 안드로겐 비의존성으로 진행하게 된다 (Murillo 등, 2001). 또한, LNCaP 세포는 안드로겐 대항 요법에서도 세포 자멸사를 일으키지 않으며 (Lin 등, 1999), 호르몬이 없는 배지에서 LNCaP 세포의 성장은 세포 자멸사를 일으키기보다 세포의 증식을 정지시킨다 (Saeed 등, 1997). 이와 같은 결과는 PI3K가 전립 선암의 안드로겐 비의존성 질환으로의 진행과 관련이 있음을 보여 준다. 그러면 BCL2의 상향 조절은 PI3K 경로의 말미 에 일어나는 사건인가? LNCaP 세포에서 BCL2의 상향 조절은 BCL2 p2 촉진체가 nuclear factor kappa B (NFκB)의 전사를 조절함으로써 매개된다 (Catz와 Johnson, 2001). NFκB에 의 해 매개되는 BCL2 전사의 조절은 전립선 세포에 한정되지 않 고 다른 세포 시스템에서도 나타나지만 (Heckman 등, 2002), 전립선 세포에서 NFκB의 매개로 일어나는 BCL2의 상향 조절 은 호르몬이 제거된 조건에서만 나타나며 (Catz와 Johnson, 2001), 이러한 현상은 PI3K 경로에 의해 일어나는 결과와 비 슷하다 (Murillo 등, 2001). NFκB를 활성화하는 신호 경로의 하나가 PI3K/v-akt murine thymoma viral oncogene homo-log protein 1 (AKT) 경로이다 (Khwaja, 1999). AKT는 inhibi-tor of NFκB (IκB) kinase (IKK)와 관련이 있으며, IKK를 활 성화하는데 (Romashkova와 Makarov, 1999), 이는 세포 자멸 사에 대항하는 AKT의 신호 경로와 전사 시스템 사이에 연관 성이 있음을 시사한다. 다른 연구도 PTEN을 발현하는 분자로 유전자 전달 감염을 일으킨 세포주에서 cytokine 의존성 NFκ B의 활성화에 대항하는 작용이 나타남을 관찰하였으며 (Koul 등, 2001), 이 경우에서 NFκB의 불활성화는 IκB 분해 경로의 방해를 받지 않고 인산화 기전에 의해 매개된다. LNCaP 세포 의 생존 기전에서 PI3K 경로와 BCL2가 관련이 있음은 다른 연구에 의해서도 밝혀졌다. 즉, LNCaP 세포에서 PTEN의 급 격한 발현 증가는 AKT의 불활성화와 세포 자멸사를 일으킨 다고 보고되었다 (Davies 등, 1999). 중요한 점은 LNCaP 세 포에서 BCL2의 과다 발현이 PTEN에 의해 매개되는 세포 주 기의 정지에 유의하게 영향을 주지는 않지만, p53 혹은 PTEN 에 의해 유도되는 세포 자멸사를 차단한다는 점이다 (Yuan 과 Whang, 2002). 이들 연구는 BCL2의 활성화가 PI3K의 생 존 경로에서 비가역적인 최종 단계의 과정이며, BCL2의 상향 조절 또한 p53에 의해 매개되는 세포 자멸사와 같이 다른 경 로에 의해 매개되는 세포 자멸사의 경로를 극복하도록 만든 다. 전립선암을 대상으로 면역조직화학검사를 실시한 연구 는 PTEN 단백질과 BCL2의 발현은 상호 관련이 있으며, BCL2 의 발현이 PI3K 경로와 연관성이 있음을 보여 주었다 (Huang 등, 2001). 이 연구에서 PTEN이 없는 세포에 PTEN을 발현하

는 분자로 유전자 전달 감염을 일으키면 BCL2 mRNA가 감 소되었으며, 이러한 효과는 활성 형태의 AKT가 과다 발현되 면 소실되었다. 다른 연구는 BCL2의 전사 활성화가 cAMP responsive element-binding protein (CREB)과 관련이 있다 고 하였는데, 이는 PI3K 경로에 의해 유발되는 BCL2의 상향 조절에는 NFκB와는 별도의 전사 인자가 관여할 수 있음을 보 여 준다 (Pugazhenthi 등, 2000). 이들 연구를 종합하여 보면, PI3K/NFκB 경로의 활성화와 BCL2의 상향 조절 사이의 연관 성은 전립선암의 생존 기전에서 중요한 역할을 한다 (Catz와 Johnson, 2003).

Tumor necrosis factor α (TNFα)는 세포의 생존, 세포 자멸 사 등과 같은 다양한 세포의 기능을 유도하는 신호 경로를 활 성화하는 cytokine이다 (Leong과 Karsan, 2000). 따라서 세 포의 운명은 세포 내에서 특이 유전자의 발현에 의해 결정되 는 어떠한 경로를 능가하는 또 다른 경로가 있는지에 달려 있 다. 많은 연구는 안드로겐 비의존성 전립선암 세포가 세포 자 멸사와 관련이 있는 TNFα에 둔감함을 보여 주었다 (Nakajima 등, 1996). 어떠한 조건 하에서는 TNFα가 NFκB를 활성화하 는데 (Baldwin, 2001), 이와 같은 생존 경로가 활성화되기 위 해서는 AKT 의존성 IKKα의 인산화와 NFκB-inducing kinase (NIK)의 활성화가 필요하다 (Ozes 등, 1999). 중요한 점은 TNFα가 PTEN이 없는 전립선암 세포에서 NFκB를 활성화 하지만 PTEN을 발현하는 세포에서는 그러하지 않다는 점이 다 (Gustin 등, 2001). 다른 연구는 LNCaP 세포에서 TNFα가 AKT를 매개되는 생존 신호에 영향을 받지 않고 세포 자멸사 를 유도함을 보여 주었다 (Kulik 등, 2001). 이 연구는 세포 자 멸사에 대해 대항 작용을 나타내는 NFκB를 억제한다고 알려 진 단백질 합성 억제제 cycloheximide가 TNFα 의존성 세포 자멸사의 경로를 강화한다고 하였는데 (Kreuz 등, 2001), 이 는 '초억제 인자 (super-repressor)' IκBα가 전립선암 세포를 TNFα에 의해 유도되는 세포 자멸사에 민감하도록 만든다는 보고 (Muenchen 등, 2000)와 일맥상통한다. 이와 같은 결과 는 TNFα에 의해 유도되는 생존 신호 경로에서 NFκB의 역할 이 중요하며, NFκB를 억제하여 이 경로를 차단하면 TNFα 의 존성 세포 자멸사의 경로가 촉진됨을 입증한다. 이와 같은 이 론은 NFκB가 전립선암 세포에서 TNFα에 의해 유도되는 세 포사를 방지하는 데 필수적인 역할을 한다는 연구 결과를 뒷 받침한다 (Gasparian 등, 2002). TNFα가 NFκB를 활성화하는 데는 PI3K가 관여하며, 이는 PI3K를 약리학적으로 억제한 연

구에 의해 확인되었다. 즉, 이 연구에 의하면, PI3K/AKT 신호경로의 활성화는 NFκB의 활성을 통해 세포가 TNFα로 매개되는 세포 자멸사에 대해 저항성을 가지도록 만든다 (Gustin 등, 2001). 또한, TNFα는 NFκB를 통해 LNCaP 세포에서 *BCL2* p2의 활성을 증가시킨다. 이들 세포에서 TNFα로 인한 BCL2 단백질의 발현은 호르몬이 없는 상태에서만 관찰되었으며, 호르몬이 존재하는 조건에서 NFκB를 억제하면 BCL2의 발현이 완전하게 소실되었다 (Catz와 Johnson, 2001). LNCaP 세포에서 호르몬이 제거됨으로 인해 BCL2의 발현이 증가됨은 전립선암을 가진 쥐를 거세한 연구에서도 관찰되었다 (Perlman 등, 1999). 중요한 점은 호르몬 박탈 요법을 받은 후 재발된 전립선암 환자에서는 치료를 받지 않았거나 완화 단계에 있는 환자에 비해 혈청 TNFα가 증가된다는 점이다 (Nakashima 등, 1998). 따라서 호르몬이 없는 조건에서 TNFα에 반응하여 발현이 증가된 BCL2는 질환의 상태를 파악하는 데 매우 중요하다. 호르몬 박탈 요법 동안 일어나는 현상은 암이 재발되기 전 LNCaP 세포가 안드로겐 반응성으로부터 저항성 표현형으로 전환될 때와 비슷하다. 호르몬 박탈 요법으로 호르몬이 중단된 후 재발된 환자에서 혈청 TNFα 농도의 증가는 전립선암의 진행에서 부정적인 지표가 되며, 마찬가지로 BCL2 농도의 증가는 공격적이고 치료에 저항적인 진행된 병기의 질환과 관련이 있다 (Chaudhary 등, 1999; Scherr 등, 1999).

PI3K, BCL2, 안드로겐의 이중 효과 등을 포함하는 복잡한 기전이 전립선암 세포의 생존 경로를 조절하는 것 같다. 호르몬이 없고 *PTEN*의 발현이 부족한 모델에서는 PI3K/NFκB/BCL2의 경로가 우세하게 나타난다. 이는 다음과 같은 여러 연구에 의해 뒷받침된다. 첫째, 안드로겐을 제거하면 전립선암 세포에서 PI3K의 활성이 증가한다 (Murillo 등, 2001). 둘째, 안드로겐이 제거되면 LNCaP 세포에서 TNFα/NFκB 의존성 BCL2의 발현이 증가한다 (Catz와 Johnson, 2001). 셋째, 생체 실험에서 거세 후에는 BCL2의 발현이 상향 조절되었다 (Gleave 등, 1999). 넷째, 안드로겐이 제거된 후에는 안드로겐 비의존성 표현형으로 PI3K 의존성 진행이 촉진된다 (Murillo 등, 2001). 다섯째, 안드로겐이 없는 상태에서 PI3K 억제제로 이 경로를 억제하면 세포가 세포 자멸사에 대해 민감해진다 (Murillo 등, 2001). 한편, *PTEN*이 복구되면 안드로겐의 제거로 세포 자멸사가 일어나며, 반대로 안드로겐의 존재는 AKT 비의존성, AR 의존성 방식으로 *PTEN*에 의해 유도되는 세포 자멸사로부터 세포를 보호한다 (Li 등, 2001). 이 때

문에 *PTEN*을 발현하는 LNCaP 세포의 경우 세포 자멸사만으로는 혈청을 포함하는 배지에서 세포가 성장할 때 관찰되는 성장의 억제를 모두 설명할 수 없다. 마찬가지로 *PTEN*이 복구된 조건과 비슷하게 PI3K 억제제에 의해 유도된 세포 자멸사는 5α-dihydrotestosterone (DHT)에 의해 약화된다 (Lin 등, 1999). 끝으로, *PTEN*이 없는 세포에서 TNFα/NFκB 의존성 BCL2의 과다 발현이 호르몬의 존재 하에서는 감소되었으며 (Catz와 Johnson, 2001), DHT에 의한 BCL2의 감소가 유방암 세포에서 관찰되었다 (Lapointe 등, 1999)는 보고는 *PTEN*이 존재하지 않을 때 호르몬의 제거가 PI3K/NFκB/BCL2의 경로를 유도한다는 연구를 뒷받침한다. 또한, 안드로겐 의존성에 비해 비의존성 전립선암의 이종 이식 암에서는 NFκB의 결합력이 더 높다 (Chen과 Sawyers, 2002). 따라서 안드로겐이 안드로겐 의존성 세포의 증식을 유도하는 것은 분명하지만, 안드로겐은 분명하게 밝혀져 있지 않은 기전에 의해 진행된 전립선암 세포에서 PI3K/BCL2의 경로를 하향 조절한다. 다르게 기술하면, *PTEN*이 없는 세포에서 세포 자멸사를 증대시키기 위해서는 안드로겐의 제거와 함께 PI3K/NFκB/BCL2 생존 경로를 억제하는 제제를 사용해야 하는데, 이는 안드로겐의 부족 자체가 PI3K의 생존 경로를 더욱 강화시키기 때문이다 (Murillo 등, 2001).

microRNAs (miRs) 중 *miR-205*의 발현 감소는 여러 종류의 종양에서 관찰되며, 상피의 중간엽으로의 이행에 관여함으로써 전이를 촉진하는 역할을 한다. 111점의 전립선암 표본을 분석한 바에 의하면, 대부분의 표본에서 *miR-205*의 발현이 크게 감소되었으며, 발현의 중앙치가 양성 전립선 조직에 비해 16%이었다. *miR-205*의 낮은 발현은 종양의 크기와 유의한 상관관계를 가지며, Gleason 점수가 3+4로부터 4+4로 증가함에 따라 *miR-205*의 발현이 감소하였다. *miR-205*의 표적으로서 BCL2를 평가한 연구는 다음과 같은 결과를 보고하였다 (Verdoodt 등, 2013). 첫째, Western blotting 분석에서 *miR-205*는 BCL2의 발현을 억제하였다. 둘째, 전립선암 표본에서 *BCL2* mRNA의 발현은 높은 Gleason 점수, 전립선 피막 밖으로 확대된 종양인 pT3 병기 등과 관련이 있었다. 셋째, BCL2를 표적화하는 *miR-205*는 전립선암 세포주 PC3와 LNCaP에서 cisplatin과 doxorubicin에 의한 DNA 손상에 반응하여 전립선암 세포의 세포 자멸사를 촉진하였을 뿐만 아니라 세포의 증식을 억제하였다. 이들 결과는 *miR-205*가 전립선암에서 하향 조절되며, BCL2를 조절하는 기능을 가지고 있음을 보여 준다.

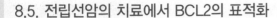

8.5. 전립선암의 치료에서 BCL2의 표적화

BCL2, a target for therapy in the treatment of prostate cancer

항암 요법에서 세포 자멸사를 직접 유도하는 제제가 이점을 강조한 연구가 많이 있다 (Johnstone 등, 2002). 전립선암은 내인성 분자적 이질성을 나타내지만 (Hyytinen 등, 1997), PI3K/NFκB/BCL2 생존 기전은 어떤 병기의 질환, 특히 안드로겐 비의존성 전립선암에서 우세하게 나타나는 경로이다. 또한, 많은 연구는 BCL2의 발현과 호르몬 저항성의 진행된 전립선암 사이에 연관성이 있음을 보고하였으며 (Chaudhary 등, 1999; Baltaci 등, 2000), BCL2의 발현은 세포 자멸사를 유도하는 여러 자극, 예를 들면 호르몬의 제거, 방사선 요법, 화학 요법 등으로부터 전립선암 세포를 보호하는 효과를 나타낸다 (Mackey 등, 1998; Huang 등, 1998). 따라서 이러한 질환을 치료할 때 이와 같은 생존 경로를 표적화하는 요법은 합리적인 방법이라고 간주된다. 이러한 개념은 생쥐에서 NFκB를 차단함으로써 BCL2 등과 같은 생존 유전자의 발현을 하향 조절하면 전립선암의 혈관 형성, 침습, 전이 등이 억제되었다는 연구에 의해 뒷받침된다 (Huang 등, 2001). 또한, 다른 동물 모델에서 antisense를 이용하여 BCL2를 하향 조절함으로써 세포 자멸사를 증가시키는 효과를 어느 정도 얻었다는 보고도 있다. 즉, 세포 자멸사에 대항하는 단백질을 표적화하는 자가 분절 RNAs 중 하나인 hammerhead ribozyme을 LNCaP 세포에 이용한 후 BCL2의 하향 조절을 관찰한 연구는 BCL2의 하향 조절이 BCL2의 발현이 낮은 세포에서는 세포 자멸사를 충분하게 일으켰으며, BCL2를 높게 발현하는 세포에서는 세포 자멸사를 유도하는 제제에 대한 민감성을 증가시켰다고 하였다 (Dorai 등, 1997). 또 다른 연구는 antisense BCL2 ODN이 거세된 누드마우스에서 BCL2 mRNA와 BCL2 단백질의 발현을 급격하게 감소시켰으며 LNCaP 종양의 크기를 감소시켰다고 하였다 (Gleave 등, 1999). 마찬가지로 antisense BCL2 ODN의 단독 요법 (Miayake 등, 1999) 혹은 BCL2의 인산화에 영향을 주는 화학 요법 제제와 antisense BCL2 ODN의 병용 요법 (Haldar 등, 1996)이 Shionogi 종양을 가진 생쥐에서 암의 진행을 유의하게 지연시켰다는 보고도 있다. 그러나 BCL2를 표적화하는 ODN의 이용이 전립선암의 치료에서 이론적으로 유망한 방법이지만, 임상에서 이를 이용하기 위해서는 DNA를 경성 종양 내로 전달하는 방법을 개선할 필요가 있다 (Johnstone 등, 2002). 세포 자멸사를 유도하는 경로를 활성화하는 세포 투과성 소분자를 이용하여 BCL2를 표적화하는 방법이 BCL2가 상향 조절된 암의 치료에서 유망한 치료법이라고 하였다 (Galderisi 등, 1999). Antisense BCL2 ODN 혹은 그러한 제제를 이용한 여러 임상 1상 혹은 2상 시험이 진행 중에 있다 (DiPaola 등, 1999; Friedland 등, 1999; Morris 등, 2002). 전립선암의 치료법으로서 BCL2를 하향 조절하기 위한 유전자 요법도 유망한 방법으로 연구 중에 있다 (Shalev 등, 2001). 안드로겐 비의존성 전립선암의 치료에서 antisense이든, 유전자 요법이든, 약물 요법이든 어떤 방식으로든 BCL2를 억제하는 요법은 BCL2의 과다 발현에 의한 생존 신호를 억제할 수 없는 기타 제제, 방사선 요법, 내인성 cytokines 등에 의한 세포 자멸사를 증대시킨다.

8.6. 결론 Conclusion

BCL2는 세포 자멸사에 대해 대항 작용을 가지는 종양 단백질이며, BCL2 단백질의 농도는 많은 암에서 예후와 역상관관계를 나타낸다. 그러나 전립선암의 진행에서 BCL2의 역할은 분명하지 않다. 근래의 연구에 의하면, BCL2는 LNCaP 전립선암 세포가 안드로겐 의존성으로부터 안드로겐 비의존성 표현형으로 전환하는 데 필요하다. BCL2의 mRNA와 단백질 농도는 안드로겐 비의존성 전립선암 세포에서 유의하게 증가된다. 또한, 안드로겐 비의존성 전립선암 세포에서 short hairpin RNA (shRNA)를 이용하여 BCL2 유전자를 침묵시키면, 자외선에 의한 세포 자멸사가 촉진되었고, 전립선 종양의 성장이 억제되었다. 안드로겐이 제거된 조건에서는 안드로겐 의존성 세포가 안드로겐 비의존성 세포로 성장하였는데, 이러한 표현형의 전환은 BCL2의 대항제인 BAX 혹은 BCL2 shRNA에 의해 차단되었다. 따라서 BCL2는 안드로겐 비의존성 전립선암 세포의 생존을 위해 중요하며, 전립선암 세포가 안드로겐 의존성으로부터 안드로겐 비의존성 표현형으로 성장하는 데도 필요하다 (LIn 등, 2007)

9. Carcinoembryonic Antigen-Related Cell Adhesion Molecule 1 (CEACAM1 or C-CAM1)

사람의 carcinoembryonic antigen (CEA) 유전자 가족은 염

색체 19에 가까이 위치해 있는 18종류의 활성 유전자로 구성되어 있으며 (Khan 등, 1992), 이 유전자 가족의 산물은 다양한 장기와 조직에 폭넓게 분포하여 있다 (Thompson 등, 1991). 정상 위장관 중 결장 점막 상피세포는 CEA 가족의 전사 수준에서 최소 4종류를 발현하는데, CEA (CD66e) (Kuroki 등, 1988), non-specific cross-reacting antigen (NCA, CD66c) (Boucher 등, 1989), biliary glycoprotein (BGP, CD66a) (Neumaier 등, 1993), CEA gene family member 2 (CGM2) (Thompson 등, 1994) 등이며, 전자 세 유전자는 각각 CD66e, CD66c, CD66a 단일 클론 항체에 의해 특이하게 인식된다 (Skubitz 등, 1995).

CEA의 혈청 농도는 흔히 결장직장암 환자에서 증가되지만, 결장의 정상 점막에서도 어느 정도 높게 발현되는 경우도 있다 (Boucher 등, 1989). NCA는 결장직장암 세포에서 CEA 보다 더 일관되게 과다 발현된다 (Boucher 등, 1989). 결장, 간 (Tanaka 등, 1997), 폐 (Kim 등, 1992), 과립구 (Skubitz 등, 1995) 등 여러 정상 조직에서 발현되는 BGP와 결장의 정상 점막 (Thompson 등, 1994)에서 발현되는 CGM2는 결장직장암에서 하향 조절되고 위암에서는 상향 조절된다 (Kinugasa 등, 1998).

장기가 발달하고 분화하는 동안 세포 접착 분자 (cell adhesion molecules, CAM)는 인접한 세포와의 신호 경로를 통해 복잡한 세포 사이의 상호 작용에 관여한다 (Edelman과 Crossin, 1991). 세포 접착 분자는 정상 조직의 구조물을 형성하고 유지하는 데 관여할 뿐만 아니라 종양의 침범 및 진행에서 중요한 역할을 한다 (Hirohashi와 Kanai, 2003). 정상 조직에 비해 악성 종양은 조직 구조물 형태의 파괴, 비정상적인 분화 등의 특징을 나타낸다. 세포와 세포 그리고 세포와 기질 사이의 상호 작용에 변화가 생기면, 종양세포가 경계를 가로질러 이동하게 되고 원격 부위로 전이가 일어난다. 세포와 세포 사이의 결합 상실은 악성 종양의 분화 및 침범력과 밀접하게 관련이 있으며, 이는 세포 접착 분자의 발현에 이상이 발생할 경우에 일어난다 (Pignatelli와 Vessey, 1994).

CAM의 세포 바깥 영역에 의해 매개되는 세포 접착은 막의 분극화 및 세포의 분화를 일으키는 과정 중 최초 단계이다 (Singer, 1992). Integrin의 경우에는 integrin의 세포질 영역이 이들 접착 후의 사건에 관여한다 (Chan 등, 1992). 또한, 쥐의 간에서 발견되는 liver CAM (L-CAM)은 71개 및 10개 아미노산으로 구성된 두 가지의 변형에서 세포질 영역을 가지고 있으며 (Cheung 등, 1993b), 세포질 영역과 어떤 세포 골격 성분 사이의 특이한 상호 작용은 세포의 분류 및 패턴을 위해 필요한데 (Jaffe 등, 1990), N-cadherin의 세포질 영역 또한 배아 형성을 위해 필수적이라고 보고되었다 (Kintner, 1992).

Cluster of differentiation 66a (CD66a), 120 kDa glycoprotein (GP120), BGP 등으로도 알려진 사람의 CEA-related cell adhesion molecule 1 (CEACAM1 혹은 C-CAM1)은 CEA 가족의 구성원이고, 세포 접착 분자의 immunoglobulin (Ig) 상과에 속하며, 쥐의 C-CAM과 상동성을 보인다. CEA의 가족의 두 군, 즉 C-CAM과 pregnancy-specific glycoprotein (PSG)의 유전자는 염색체 19의 긴 팔에 위치해 있다 (Zhou 등, 2013). CEA와 관련이 있는 유전자 무리는 염색체 19q13.2에 위치해 있으며 (Olsen 등, 1994), C-CAM1은 Ig 초유전자 (supergene; 염색체 위에서 이웃하는 유전자로서 유전자가 함께 조절되지는 않으나, 유전자가 밀접하게 연결되어 있어 함께 유전된다) 가족으로서 사람에게서 알려진 유전자 중 가장 잘 보존된 유전자로 보고되었다 (Beauchemin 등, 1999). 이 유전자는 선택적 이어맞추기 (alternative splicing)로 인한 mRNA 변형으로 아형 단백질을 만들며, 이들 아형은 주로 세포질 영역에서 차이를 나타낸다. C-CAM1 유전자는 경막 단백질을 코드화하는 9개의 exons를 가지고 있으며, exon 1은 선두체 염기 서열을, exons 2~5는 Ig과 유사한 N-terminal 영역을, exon 6는 경막 영역을, exons 7~9은 세포질 영역을 코드화한다 (Barnett 등, 1993). 53 bp의 exon 7을 삽입하면 71~73개의 아미노산으로 구성된 long C-CAM1 (C-CAM1-L)의 긴 세포질 영역이 복사된다. 짧은 형태의 short C-CAM1 (C-CAM1-S)은 단지 10개의 잔기를 가진 세포질 꼬리 영역을 가지고 있다. 구조적 및 기능적 분석에 따르면, C-CAM1의 접착 작용은 세포 외부의 Ig 영역에 의해 매개되며, 세포질 영역은 성장을 조절하는 기능을 가지고 있다 (Fournes 등, 2001).

C-CAM은 CEA 상과 구성원과 상당한 상동성을 나타내며 (Thompson 등, 1991), 전립선에서 C-CAM의 발현은 안드로겐에 의해 조절된다 (Hsieh와 Lin, 1994). C-CAM과 이들의 동족체인 BGP는 CEA 가족 단백질 중 독특하게 세포질 영역을 가지고 있는 데 비해, 다른 CEA 유사 분자는 phosphatidylinositol-glycan을 통해 세포막과 결합하거나 단백질로서 분비된다. C-CAM1은 상피세포, 내피세포, 대부분의 조혈세포 조직에 의해 폭넓게 발현되는 경막 단백질이며, C-CAM1의 세포질 영역은 인산화를 위한 여러 부위를 가지고 있는데, 그

들에는 cyclic AMP-dependent kinase, C-kinase, tyrosine kinase 등이 있다. 또한, C-CAM1은 전형적인 antigen-receptor homology (ARH) 영역도 가지고 있는데, 세포막과 결합된 membrane-bound IgM (mIgM)은 B-cells의 신호 전달에서 필수적이다 (Cambien과 Campbell, 1992). C-CAM1의 세포질 영역의 경우 상피세포에서는 $p60^{c-src}$에 의해 (Brummer 등, 1995), 중성구에서는 $p53-56^{lyn}$에 의해 (Skubitz 등, 1995) tyrosine이 인산화되며, Ser503에서 serine이 인산화되어 (Najjar 등, 1995) protein tyrosine phosphatase, non-receptor type 6 (PTPN6)로도 알려진 tyrosine phosphatase인 Src homology region 2 domain-containing phosphatase 1 (SHP-1)과 결합한다 (Beauchemin 등, 1997). 이러한 결과는 C-CAM1이 신호 전달 혹은 생물학적 사건에서 어떠한 역할을 할 것으로 추측하게 한다. C-CAM1은 동종 친화적 (homophilic) 접착뿐만 아니라 다른 CEA 가족 구성원과 이종 친화적 (heterophilic) 결합을 나타내며, 정상 조직의 구조 형태를 유지하는 데 중요한 역할을 한다 (Oikawa 등, 1992). C-CAM1은 또한 여러 병원균의 침범 및 점막에서의 집락 형성을 촉진하며 (Muenzner 등, 2005), C-CAM1으로 매개되는 신호 경로는 기저막에 망 (network) 형성을 촉진하고 내피세포의 운동성을 증대시킨다 (Muller 등, 2005).

C-CAM1은 인산화가 일어나는 세포질 영역을 통해 신호 전달에 관여함으로써 세포의 증식 및 분화에 영향을 준다 (Estrera 등, 2001). C-CAM1의 인산화는 결장암과 전립선암의 경우 tyrosine (Tyr488)과 serine (Ser503) 잔기에서 관찰된다 (Fournes 등, 2001). Tyr488에서 점 돌연변이 (point mutation)가 일어나면 종양 성장의 억제가 반전되며, Ser503에 결실 혹은 대체가 일어나면 종양에 대한 억제가 반전된다 (Izzi 등, 1999). C-CAM1의 인산화가 증식 기능의 조절에서 중요하지만, 종양을 억제하는 작용이 Tyr488의 돌연변이만으로 소멸되지는 않는다 (Estrera 등, 2001). 종양을 억제하는 데는 세포질 영역의 유전자 전달 감염만으로 충분하다 (Estrera 등, 2001). 이들 결과는 C-CAM1-L이 종양을 억제하는 기능을 가지고 있다는 보고와 일맥상통한다.

일부 연구는 calmodulin이 C-CAMs의 세포질 영역의 염기 서열에 해당하는 펩티드와 결합한다고 하였다 (Blikstad 등, 1992; Edlund와 Obrink, 1993). C-CAM1 RNA 및 단백질은 악성 세포에서 흔히 하향 조절되거나 소실된다 (Neumaier 등, 1993). C-CAM1 단백질 발현의 조절 장애는 여러 경성 종양,

예를 들면 유방암 (Plunkett와 Ellis, 2002), 결장직장암 (Brummer 등, 1995), 전립선암 (Luo 등, 1995), 방광암 (Kleinerman 등, 1996), 자궁내막암 (Bamberger 등, 1998), 간세포암 (Takanishi 등, 1997) 등에서 나타나며, C-CAM1은 흔히 주위 인접한 비악성 구조물에 비해 악성 종양에서 하향 조절되는데, 이는 C-CAM1이 종양을 억제하는 역할을 가지고 있음을 추측하게 한다. C-CAM1으로 유전자 전달 감염을 일으킨 전립선암 (Busch 등, 2002) 및 결장암 (Kunath 등, 1995) 세포에서는 종양의 형성력이 감소된다는 연구가 이러한 가설을 뒷받침한다. 전암 병변으로 알려진 쥐의 전암 간 결절 (Hixson의 미발표 자료) 외에도 사람의 이형성 전립선 (Kleinerman 등, 1995), 양성 방광 기능 장애 (Kleinerman 등, 1996), 결장직장 선종 (Nollau 등, 1997) 등에서 C-CAM의 하향 조절이 보고되어 C-CAM의 조절 이상은 종양이 형성되는 과정의 초기 사건으로 간주된다. 사람의 전립선암 세포주 PC3 (Hsieh 등, 1995)와 생쥐의 결장암 세포주 CT51 (Kunath 등, 1995)을 이용한 연구도 C-CAM1이 세포의 성장을 변화시키는 신호 경로에 관여함으로써 암이 진행하는 동안 종양을 억제하는 인자로서 기능을 한다고 보고하였다. 전립선암 세포를 이용한 다른 연구도 종양이 형성되기 위해서는 세포의 성장과 증식에 영향을 주는 신호 경로의 시작 단계가 필요한데, 이는 C-CAM1이 발현됨으로써 억제되었다고 하였다 (Lin 등, 1995). 이들 결과와 상충되는 결과를 보고한 연구도 있다. C-CAM1은 갑상선 (Liu 등, 2007)을 포함하는 여러 정상 상피세포 (Prall 등, 1996)에서는 발현되지 않는다. 또한, 인접한 정상 폐 조직에 비해 원발 폐암에서는 C-CAM1의 발현이 상향 조절되며, 이러한 상향 조절은 전이력의 증가와 관련이 있다 (Wang 등, 2000). 이와 유사한 상향 조절은 위암 (Kinugasa 등, 1998)과 피부 흑색종 (Thies 등, 2002)에서도 관찰되었는데, 이는 C-CAM1이 발암 기능을 가지고 있음을 추측하게 한다.

그러나 C-CAM1이 전립선암 세포주 등에서 종양의 형성을 억제한다고 보고되었지만, C-CAM1이 성장을 억제하는 기전은 분명하게 밝혀져 있지 않다. 또한, C-CAM의 접착 작용은 충분하게 입증되었지만, 접착 사건 이후에 일어나는 하위 효과에 관해서는 분명하지 않다. 다만, C-CAM은 간 세포의 기능적 분화 (Mowery와 Hixson, 1991), 복측 전립선의 관강 세포에 있는 정단 막의 구조 형성 (Hsieh와 Lin, 1994) 등에 관여한다는 보고가 있는데, 정상 조직에서의 이러한 관찰은 C-CAM1이 세포의 성장을 조절하는 기능을 가지고 있을 뿐

만 아니라 조직의 형태를 형성하고 유지하는 과정에도 관여한다고 추측된다. 한편, 누두마우스의 PC3 세포주를 대상으로 평가한 체외 실험에 의하면, 일부 세포주가 C-CAM1에 의해 처음에는 성장이 80%까지 억제되었지만 C-CAM1의 발현이 유지되고 성장이 억제되는 동안 종양 형성의 표현형을 다시 획득하였으며, 생체 실험에서는 이들 세포주의 공격성이 증대됨이 관찰되었다. 저자들은 이들 세포주에서 성장의 억제가 상실된 것은 C-CAM1의 발현이 소실되었기 때문이 아니고, C-CAM1으로 매개되는 종양 억제와 관련이 있는 다른 분자의 발현에 변화가 일어났기 때문이거나, 그들 세포주가 종양 억제에 직접 혹은 간접으로 관여하는 유전자를 획득하였거나 상실하였기 때문으로 추측하였다 (Comegys 등, 1999). 종양의 결절에 대해 Northern blot 및 면역형광분석을 실시한 연구도 C-CAM1의 발현은 표현형의 분화를 증대시키기보다는 감소시키며, C-CAM1에 의해 유도된 초미세 구조 및 형태의 변화는 종양의 억제와는 무관하게 일어난다고 보고하였다 (Comegys 등, 1999).

접착 표현형의 곤충 세포 Spodoptera frugiperda 9 (Sf9)을 이용하여 C-CAM1의 기능을 평가한 연구에 의하면, C-CAM1의 인산화 부위는 C-CAM1의 접착 기능에 필요하지 않고 신호 전달과 같은 다른 기능을 하는 데 필요하다 (Lin 등, 1995). 세포질 영역이 중요함은 C-CAM1의 세포질 영역 중 첫 6개 아미노산만이 가지고 있는 C-CAM3가 발현되면 응집이 소실된다는 이전의 보고 (Cheung 등, 1993)에 의해 뒷받침되는데, 이는 C-terminus의 65개 아미노산이 기능적으로 중요함을 시사한다. C-CAM1이 가진 세포질 영역의 돌연변이에서는 Sf9 세포가 접착 표현형을 나타내기 위해서는 세포질 영역의 첫 10개 아미노산으로도 충분함이 관찰되었는데, 이는 접착 기능을 위해서는 Gly454와 Arg459 사이에 있는 4개 아미노산 중 1개 이상이 필요함을 시사한다 (Lin 등, 1995). 세포의 접착 표현형을 나타내는 데는 이들 4개 아미노산이 중요하다는 보고는 10개의 아미노산으로 구성된 세포 내부 영역을 가진 생쥐의 BGPs, Mus musculus CGMla (mmCGMla), mmCGMlb 등이 접착 작용을 나타내었다는 보고와 일맥상통한다 (McCuaig 등, 1992). 흥미롭게도 mmCGMla 및 mmCGMlb와 동일한 세포질 영역을 가진 C-CAM2는 곤충 세포에서 세포 접착을 일으키지 못하였다 (Cheung 등, 1993). 이와 같은 차이가 나타나는 이유는 분명하지 않으나, C-CAM2가 COS 세포 (CV-1 in Origin and carrying the SV40 genetic material의 두문자로서

불멸화한 CV-1 세포를 배양하여 얻은 세포), PC3 전립선암 세포 등에서 발현될 때는 세포의 응집을 일으킬 수 있다 (Lin 등, 1995).

세포질 영역은 막 단백질을 선별하여 소포로 보내어 세포막의 외측 기저부 혹은 정단 부위로 운반되도록 하고 단백질을 정확한 표적으로 만들어 세포 내 섭취 (endocytosis)가 이루어지도록 하는 과정에서 중요한 역할을 한다. 간 세포에서 이들 두 과정은 통과 세포 배출 (transcytosis; 다양한 거대 분자가 세포 내 섭취, 즉 endocytosis에 의해 세포의 한 부분을 통해 세포 내로 들어온 후 세포 내부를 통과하여 세포의 다른 부분에서 세포 외 배출, exocytosis를 통해 배출되는 과정)을 통해 단백질이 막의 정단 부위로 보내지는 동안 중요한 역할을 하며, 막의 정확한 부위로 전달되기 위해서는 특정한 선별 신호가 필요하다고 알려져 있다 (Casanova 등, 1991). Polymeric Ig receptor (pIgR)의 경우 세포질 영역 내에 있는 serine 인산화 부위가 통과 세포 배출의 과정을 진행하는 데 관여하는 중요한 인자라고 생각된다 (Casanova 등, 1990). 인산화가 안 된 수용체 혹은 이 부위에서 Ala-for-Ser로 대체가 일어난 수용체는 ligand와 결합하여 인산화된 수용체와 동일한 역동성을 가지고서 내재화되지만, 정단 막으로 효과적으로 운반되지 못하고 세포질 내의 운반체인 소포 내에 남게 된다. C-CAM1, C-CAM2, BGP 등에서 말단의 4개 아미노산 중 serine은 비슷한 역할을 하며, 이들 4개의 아미노산이 소실되면 재순환 (recycling) 없이 세포 내 섭취가 일어나 C-CAM의 표면 농도가 낮아지거나 동종 친화적인 접촉의 안정성이 감소된다 (Lin 등, 1995).

접착을 위해 완전한 세포질 영역이 필요하지는 않지만 Ser/Thr 및 Tyr의 인산화는 일어나는데, 이는 C-CAM1의 세포질 영역이 세포 외부 영역으로부터 나온 신호를 전달하는 역할을 수행함을 시사한다. 이러한 측면에서 antigen recognition activation motif (ARAM)의 존재는 특히 중요하다. 이 모티프는 T-cell 수용체 및 B-cell 수용체와 결합하며, tyrosine kinase가 결합하는 부위로서 혹은 tyrosine의 인산화가 일어나는 부위로서 작용함으로써 신호를 전달하는 과정에 관여한다 (Weiss와 Littman, 1994). Pulse-chase 연구에 의하면, C-CAM1은 Ser/Thr과 Tyr 잔기에서 신속하게 인산화가 일어난다 (Culic 등, 1992). 생체 실험에서 Ser/Thr과 Tyr 잔기의 인산화가 관찰되었지만, 이들 인산화 부위에 돌연변이가 발생해도 접착 기능은 영향을 받지 않았다. 이들 결과로 볼 때, 신

호 전달에 관여하는 세포질 소영역과 세포 접착에 관여하는 세포질 소영역은 구조적으로 다르다고 생각된다 (Shaw 등, 1990).

C-CAM1의 세포질 영역에 의해 전달되는 접착 후 신호의 종말점은 분명하게 밝혀져 있지 않다. Jaffe 등 (1990)은 L-CAM, N-CAM (neuronal CAM)과 같은 CAMs의 세포질 영역은 세포의 선별 (sorting out; 세포질세망에서 합성된 여러 종류의 단백질을 각 단백질이 기능을 수행해야 할 세포의 각 부위로 분류하는 과정으로서 이러한 과정을 위해서는 단백질을 선별하여 특정한 수송 소포로 포장하고, 특정한 수송 소포를 선별적으로 표적 막에 융합시키는 두 단계의 선별 기구가 필요하다)을 위해 중요하지만, 세포의 응집을 위해서는 필요하지 않다고 하였다. 그들 저자들은 L-CAM의 세포 외부 영역과 N-CAM의 세포질 영역이 결합한 특별한 접착 분자를 발견하였고, 이 분자는 유전자 전달 감염이 일어났거나 혹은 일어나지 않은 세포에서 응집을 일으킬 수는 있지만 세포의 선별을 유도하지는 못했다고 하였다. C-CAM1의 세포질 영역도 이와 유사한 기능을 가지고 있는지는 분명하지 않다.

한편, 이전의 연구는 C-CAM이 접착 후 신호 경로를 통해 담세관 (bile canaliculus)의 형태 형성에 관여한다고 하였으나 (Mowery와 Hixson, 1991), 대조적으로 다른 연구는 PC3 세포에서 C-CAM1이 복구된 경우 조직학적인 체계화, 여러 표현형을 가진 표지자의 발현 변화, 핵 형태의 변화 등이 감소했다고 하였는데 (Comegys 등, 1999), 이러한 결과의 차이는 C-CAM1이 단독으로 발현되는 세포에서 일어나는 변화와 길이가 긴 아형인 C-CAM1과 짧은 아형인 C-CAM2가 함께 발현하는 세포에서 일어나는 변화가 서로 다르기 때문으로 추측된다.

CD98은 아미노산을 운반하는 데 관여하고 integrin으로 매개되는 세포 접착을 조절하는 다기능 단백질이다. 항 CD98 항체를 이용한 연구에 의하면, C-CAM1을 발현하는 B 세포의 기원 세포주, 즉 BaF3 세포에서 항 CD98 항체로 CD98을 자극하면 C-CAM1에 의한 세포 접착이 일어났으며, C-CAM1은 항 CD98 항체에 의해 면역 침강을 일으켰다. 또한, CD98이 자극을 받을 경우 세포질의 protein kinase C delta (PKCdelta)가 세포 접착 부위로 전위되었으며, PKCdelta의 전위를 억제하는 rottlerin은 integrin의 활성에 영향을 주지 않고 세포의 응집을 차단하였다. 이들 결과를 근거로 저자들은 CD98이 자극을 받으면 integrin과는 관계없이 C-CAM1으로 매개되는 세

포의 접착이 활성화된다고 하였다 (Kakugawa 등, 2003).

PC3 전립선암 세포주를 대상으로 C-CAM1 유전자를 운반하는 재조합 아데노바이러스 AdCAM9O2와 대조 바이러스로 그것의 antisense 구성물인 AdCAMIO1을 이용한 연구에 의하면, C-CAM1 단백질은 C-CAM1 아데노바이러스로 감염된 세포에서만 발현되었고 antisense 대조 바이러스로 감염된 세포에서는 발현되지 않았으며, 발현 정도는 용량에 의존적이었다. 또한, C-CAM1 단백질은 안정적이기 때문에, C-CAM1의 발현은 C-CAM1 아데노바이러스로 감염된 세포에서 장기간 지속됨으로써 단백질의 반감기가 짧은 다른 억제 인자에 비해 우수한 결과를 나타내었다. C-CAM1 아데노바이러스의 1회 주입만으로 누드마우스의 PC3 세포의 성장이 3주간 억제되었다. 이들 결과를 근거로 저자들은 C-CAM1은 전립선암에 대한 유망한 치료법이 될 수 있다고 하였다 (Kleinerman 등, 1995).

10. Caspase (CASP)

Cysteine-aspartic acid protease 혹은 cysteine-dependent aspartate-directed protease가 어원인 caspase는 세포 자멸사, 괴사, 염증 등에서 필수적인 역할을 하는 cysteine 단백질분해효소 가족이다 (Alnemri 등, 1996). Caspases는 성인의 발달 과정 중 거의 모든 단계에 있는 세포의 자멸사에서 필수적이며, 세포 내에서의 그러한 역할 때문에 '사형 집행자' 단백질로 불린다. 일부 caspases는 림프구의 성숙을 유도하여 면역계에 관여하기도 한다. 세포 자멸사의 실패는 종양의 발생 및 자가 면역 질환의 주된 원인 중 하나로 간주되며, 허혈 및 Alzheimer 질환에서는 원하지 않는 세포 자멸사를 일으키기 때문에, 1990년대 중반에 발견된 caspases는 여러 질환에서 치료의 표적으로 연구되어 왔다.

2009년 11월까지 사람에게서 12종류의 caspases가 발견되었으며, 개시 혹은 첨단 (initiator 혹은 apical) caspases와 실행 혹은 집행 (effector 혹은 executioner) caspases로 나뉜다. Caspase-2, -8, -9, -10 등과 같은 개시기 caspases는 실행기 caspases의 불활성 전구형을 분절시켜 활성화하며, caspase-3, -6, -7 등과 같은 실행기 caspases는 세포 내에 있는 다른 단백질 기질을 분절시켜 세포 자멸사 과정을 유발한다 (Thomadaki와 Scorilas, 2006). 이러한 단계별 반응은 caspase를 억제하는 인자에 의해 조절된다 (Gregersen, 2007).

10.1. 서언 Introduction

Caspases는 진화 과정에서 잘 보존된 aspartate에 특이한 cys-teine 의존성 단백질분해효소 가족이며, 세포 자멸사 및 염증 신호의 전달 경로에서 중심적인 역할을 한다 (Lamkanfi 등, 2002). Caspase-1, -2, -4, -5, -9, -11, -12 등은 caspase recruit-ment domain (CARD), caspase-8, -10 등은 death effector domain (DED)과 같은 상동성 소중합 (oligomerization) 단위를 포함하는 큰 전구 영역 (prodomain)을 가지고 있다. 큰 전구 영역을 가진 caspase를 직접 혹은 어댑터 (adaptor)를 통해 특이하게 동원하는 단백질로 구성된 다중합의 큰 복합체에서는 caspase의 자동 활성화가 일어난다 (Shi, 2004). 잘 연구된 caspase 복합체들로는 apoptosome (Cain 등, 2002), death inducing signalling complex (DISC) (Varfolomeev 등, 2005), PIDDosome (Tinel과 Tschopp, 2004), caspase-1-containing inflammasome (Martinon과 Tschopp, 2004) 등이 있다. 여기서 PIDDosome은 p21-induced protein with a death domain (PIDD), RIP-associated ICH1-homologue protein with a death domain (RAIDD), caspase-2 등과의 복합체이며, RIP와 ICH1은 각각 receptor interacting protein, interleukin-1 β-converting enzyme (ICE) and CED3 homolog의 약어이고 CED는 cell death abnormal의 약어이다. 짧은 전구 영역을 가진 caspases, 예를 들면 caspase-3, -6, -7, -14 등은 큰 전구 영역을 가진 caspases 혹은 다른 단백질분해효소에 의한 단백질 분해 작용에 의해 활성화된다. 이들 단백질 분해의 최종 과정은 세포 자멸사에 영향을 주는 다양한 기질에서 일어나는 특이한 분절이다 (Lamkanfi 등, 2007).

세포사가 없는 상태에서 caspase의 활성이 관찰되고 cas-pase의 기질이 발견된다는 보고는 caspase가 세포 자멸사 외의 다른 세포 반응에서도 기능을 함을 시사한다. 근래의 연구에서 보고되는 세포 자멸사 이외의 기능으로는 촉매 영역에 의해 나타나는 단백질 분해와 전구 영역에 의해 나타나는 단백질 분해 외의 기능이 포함된다. 조건이 갖춰진 caspase 결핍 생쥐와 caspase 결핍 질환으로부터 유래된 세포에 관한 정밀 분석은 세포의 분화 및 증식, nuclear factor kappa B (NFκB)의 활성 등에서 이들 단백질분해효소가 다면적인 역할을 수행함을 보여 준다 (도표 112). Caspases에는 세포 자멸사와는 다른 기능도 있다는 사실은 caspases가 세포 자멸사를 유도하든지 혹은 유도하지 않든지 독립적으로 활성화되어 특

이한 기질을 분절시킬 수 있음을 암시한다. 세포 자멸사 외의 조건에서 보고된 caspase의 기질은 도표 113에 정리되어 있다. 이들 기질에는 cytokines, kinases, transcription factors, polymerases 등과 같은 다양한 단백질 가족이 포함되어 있다. Caspase와 유사한 유인 분자 cellular caspase-8 (FLICE)-like inhibitory protein (c-FLIP), caspase-12, CARD only protein (COP), inhibitory CARD (INCA), interleukin-1-β converting enzyme (ICEberg) 등은 이와 같은 단백질 분해 외의 기능을 조절하며, 이는 세포의 생존, 증식, 분화와 염증의 조절에서 caspase가 관여하고 있음을 더욱 뒷받침한다 (Lamkanfi 등, 2007). 여기서 FLICE는 FADD-like interleukin 1β-converting enzyme의 약어이고, mediator of receptor induced toxicity 1 (MORT1)으로도 알려진 FADD는 Fas-associated death do-main containing protein의 약어이다.

10.2. Caspase로 매개되는 NF-κB의 활성화
Caspase-mediated NF-κB activation

진화적인 측면에서 볼 때, caspases와 NFκB와의 연관성은 포유동물이 발생하기 전부터 있었다. 초파리 *Drosophila*의 선천적 면역 시스템은 Gram 양성 병원체와 Gram 음성 병원체를 구별하며, 특이한 항균 펩티드의 발현에 따라 반응을 한다 (Imler와 Hoffmann, 2000). *Drosophila* caspase-8의 유전자와 상동성을 보이는 death-related CED3/NEDD2-like protein (DREDD)을 코드화하는 유전자에서 기능을 상실시키는 돌연변이가 일어나면, 초파리는 Gram 음성 세균에 대해 높은 민감성을 가지게 된다 (Leulier 등, 2000). *DREDD*가 삭제된 파리의 표현형은 NFκB와 유사한 인자인 Relish의 결핍을 유발하는 돌연변이체의 표현형과 비슷하기 때문에, DREDD는 Relish의 상류 분자에 작용하여 drosomycin, metchnikowin 등과 같은 항균 펩티드의 생성을 촉진한다고 생각된다 (Stoven 등, 2000). Relish가 활성을 나타내기 위해서는 caspase의 LQHD545-G546 부위에서 분절이 일어나야 한다 (Stoven 등, 2003). DREDD를 제외하고는 RNA interfer-ence (RNAi)로 초파리의 다른 caspases를 제거하여도 Relish 경로는 영향을 받지 않는다 (Stoven 등, 2003). 그러나 생체 밖 실험에서는 DREDD가 Relish 경로에 직접 관여함이 관찰되지 않았는데, 이는 분절이 세포 내에 있는 단백질 복합체에서 일어나기 때문이다. 이들 결과는 DREDD가 NFκB와 같

CHAPTER 08

도표 112 Caspase의 세포 자멸사 기능 외의 기능

Caspase 종류	기능	참고 문헌
Caspase-1	Cytokine의 완성 염증 과정 동안 항균 작용과 관련한 세포 자멸사 (pyroptosis)의 유도 Prodomain을 매개로 하는 NFκB의 활성	Ghayur 등, 1997 Franchi 등, 2006 Lamkanfi 등, 2004
Caspase-2	스트레스로 인한 NFκB의 활성과 세포 자멸사의 유도 사이의 전환 Prodomain을 매개로 하는 NFκB의 활성	Janssens 등, 2005 Lamkanfi 등, 2005
Caspase-3	B-cell 증식의 억제 MHC II 분자[†]의 발현 및 수지상세포 (dendritic cell, DC)의 성숙 억제 전뇌 (forebrain) 세포와 각질형성세포 (keratinocyte)의 증식 렌즈 (lens) 상피세포, 적혈구모세포 (erythroblast), 혈소판, 근육모세포 (myoblast), 골모세포 (osteoblast), 신경줄기세포 (neural stem cell) 등의 분화	Woo 등, 2003 Santambrogio 등, 2005 Okuyama 등, 2004 Fernando 등, 2005 Miura 등, 2004
Caspase-4	확인 안 됨	
Caspase-5	염증 조절 복합체 (inflammasome)에서 염증 유발 cytokines의 완성	Martinon 등, 2002
Caspase-6	확인 안 됨	
Caspase-7	확인 안 됨	
Caspase-8	T, B, NK 세포의 증식 TcR, TNF, TLR4, APO2L/TRAIL 등의 자극 후에 오는 NFκB의 활성 Prodomain을 통해 dsRNA로 매개되는 NFκB의 활성 단핵구 (monocyte)의 대식세포 (macrophage)로의 분화 태반의 융모성 영양세포 (villous trophoblast)의 분화	Beisner 등, 2005 Varfolomeev 등, 2005 Takahashi 등, 2006 Kang 등, 2004 Black 등, 2004
Caspase-9	확인 안 됨	
Caspase-10	Prodomain을 통해 dsRNA로 매개되는 NFκB의 활성	Chaudhary 등, 2000
Caspase-11	염증 유발 cytokines의 완성	Wang 등, 1998
Caspase-12	패혈증에 대한 민감성 및 염증의 약화	Saleh 등, 2006
Caspase-14	각질형성세포의 최종적인 분화?	Eckhart 등, 2000

[†], 조건에 따라 모든 세포에서 발현될 수 있지만, 정상적으로 항원 발현 세포 (antigen-presenting cell, APC), 대식세포, B 세포, 수지상세포 등에서 발현되는 분자.

APO2L, Apo-2 ligand; dsRNA, double-stranded ribonucleic acid; MHC, major histocompatibility complex; NFκB, nuclear factor kappa-B; NK, natural killer; TcR, T-cell receptor; TLR, toll-like receptor; TNF, tumor necrosis factor; TRAIL, tumor necrosis factor-related apoptosis-inducing ligand.

Lamkanfi 등 (2007)의 자료를 수정 인용.

은 전사 인자를 직접 분절시키고 활성화함으로써 항균 펩티드의 생성을 매개함을 시사한다. 근래의 연구는 포유동물의 caspases가 NFκB의 활성화에 관여한다고 하였는데, 이는 *Drosophila*의 면역이 진화하는 동안 DREDD의 역할이 잘 보존되어 있음을 입증해 준다. 포유동물에서 caspases로 매개되는 NF-κB의 활성화는 최소한 두 가지의 분자 기전을 통해 일어난다고 추측된다. 첫 번째 분자 기전은 큰 전구 영역을 가진 caspases에 의한 촉매 작용이다. T-cell receptor (TcR)가 자극을 받으면, caspase-8과 어댑터 단백질 (adaptor protein, AP)인 FADD가 CARD recruited membrane associated protein (CARMA)-BCL10-MALT1 (CBM) 복합체로 동원된다 (Su 등, 2005). 동물에서 존재하는 caspase와 관련이 있는 단백질로서 식물, 곰팡이, 원생동물 등에 있는 metacaspase와는 다르게 얇은 구조물 형태를 나타내는 paracaspase인 mucosa-as-

sociated lymphoid tissue lymphoma translocation protein 1 혹은 MALT1 paracaspase (MALT1)은 death domain (DD)과 caspase-like domain을 가지고 있으며, TcR로 유도되는 NFκB의 활성화를 위해 필요하다 (Ruland 등, 2003). TcR로 유도되는 NFκB의 활성이 inhibitor of NFκB kinase (IKK 혹은 IκB kinase) 복합체를 동원하기 위해서는 효소적으로 활성적인 caspases-8이 필요하다 (Su 등, 2005). Biotin이 단백질, 핵산, 기타 분자 등에 공유 결합을 통해 접착하는 과정, 즉 biotinylation을 일으킨 benzyloxycarbony- Val-Ala-Asp(OMe)-fluoromethylketone (zVAD-fmk)을 이용한 연구는 TcR이 자극을 받으면 Jurkat T 세포에 있는 전체 caspase-8 중 단지 일부분만이 효소적으로 활성화된다고 하였다 (Su 등, 2005). Caspase-8[-/-] 생쥐의 T 세포를 이용한 다른 연구는 TcR이 자극을 받아도 NFκB의 활성에서는 차이가 관찰되지 않았다고

도표 113 세포 자멸사 외의 조건에서 caspase의 기질

세포 과정에서 역할	기질	기능	참고 문헌
세포 주기의 조절	WEE1-like protein kinase (WEE1); G2/M checkpoint kinase	비활성화	Alam 등, 1999
	p21WAF1	비활성화	Woo 등, 2003
	p27KIP1	비활성화	Frost 등, 2001
	Nuclear factor of activated T cell (NF-AT)	비활성화	Wu 등, 2006
	Special AT-rich sequence-binding protein (SATB1)	비활성화	Olson 등, 2003
Cytokine의 완성	Interleukin-1β (IL-1β)	활성화	Li 등, 1995
	Interleukin-18 (IL-18)	활성화	Ghayur 등, 1997
NFκB의 활성	Poly [ADP-ribose] polymerase 1 (PARP1)	활성화	Petrilli, 2004
T 및 B 세포의 활성	Cellular FLICE-like inhibitory protein (c-FLIP)	활성화	Golks 등, 2006
	Lamin B (LMNB)	미확인	Alam 등, 1999
	Poly [ADP-ribose] polymerase 1 (PARP1)	활성화	Alam 등, 1999
	WEE1 kinase	비활성화	Alam 등, 1999
대식세포의 분화	p21 protein-activated kinase 2 (PAK2)	활성화	Cathelin 등, 2006
	α-Tubulin	비활성화	Cathelin 등, 2006
	Vinculin (VCL)	미확인	Cathelin 등, 2006
	Nucleophosmin	미확인	Cathelin 등, 2006
	Plasminogen activator inhibitor 2 (PAI2)	비활성화	Cathelin 등, 2006
	Heterogenous nuclear ribonucleoprotein (hnRNP)-H	미확인	Cathelin 등, 2006
	Heterogenous nuclear ribonucleoprotein (hnRNP)-C1/C2	미확인	Cathelin 등, 2006
MHC II의 발현 및 수지상세포의 성숙	β1-Adaptin	비활성화	Santambrogio 등, 2005
	γ-Adaptin	비활성화	Santambrogio 등, 2005
적혈구의 분화	Poly [ADP-ribose] polymerase 1 (PARP1)	비활성화	Zermati 등, 2001
	Lamin B (LMNB)	비활성화	Zermati 등, 2001
	Acinus	활성화	Zermati 등, 2001
근육모세포의 분화	Mammalian STE20-like protein kinase 1 (MST1)	활성화	Fernando 등, 2002
	Calpastatin	비활성화	Barnoy 등, 2003
렌즈 섬유 형성	Poly [ADP-ribose] polymerase 1 (PARP1)	비활성화	Ishizaki 등, 1998
각질형성세포의 분화	Protein kinase C delta (PKCδ)	활성화	Okuyama 등, 2004

ADP, adenosine diphosphate; FADD, Fas-associated death domain; FLICE, FADD-like interleukin 1β converting enzyme; KIP1, kinase inhibitor protein1; MHC, major histocompatibility complex; NFκB, nuclear factor kappa-B; STE20, sterile 20 protein; WAF1, wild-type p53-activating fragment 1.
Lamkanfi 등 (2007)의 자료를 수정 인용.

하였다 (Salmena 등, 2003). 이들 연구 결과에서 차이가 나는 이유는 caspase-8이 결핍된 생쥐의 경우 TcR을 자극한 후 상당한 시간, 실험으로 6시간 뒤에 T 세포에서 NFκB의 활성을 측정하였기 때문이다. NFκB의 신호를 전달하는 경로가 tumor necrosis factor receptor-associated factor 2 (TRAF2)가 결여된 세포에서 관찰됨으로써 그것의 중요성이 강조되고 있다. TRAF2가 없으면 tumor necrosis factor (TNF)에 대한 반응으로 일어나는 NFκB의 활성이 역동적으로 단지 지연되어 나타나며, 어느 시간, 실험으로는 90분 후에는 NFκB 활성의 정도가 대조 세포군에서와 대등해진다 (Yeh 등, 1997). 섬유모세포와 상피세포에서 관찰된 바와 같이 (Jun 등, 2005), caspase-8의 효소 작용은 T 세포에서 TNF로 유도되는 NFκB의 활성화에는 필요가 없다 (Su 등, 2005). 이들 관찰은 cas-pase-8의 활성은 특이한 NFκB 활성제에 의한 NFκB의 활성화에만 필요함을 시사한다.

섬유육종 Jurkat T 세포인 HT1080, 폐의 편평세포암 세포인 SK-MES-1, 폐암 세포인 A549 등과 같은 일부 세포에서 RNAi로 caspase-8을 제거하면 Apo-2 ligand/TNF-related apoptosis-inducing ligand (APO2L/TRAIL)로 인한 NFκB의 활성화가 억제되거나 지연된다 (Varfolomeev 등, 2005). TRAIL receptor (TRAIL-R)와 관련하여 형성된 DISC 복합체로부터 FADD가 유리되면 이차 신호 전달 복합체가 형성되며, 여기에는 TRAIL-R이 결여되어 있지만 FADD, caspase-8, RIP1, TRAF2, NFκB essential modulator (NEMO) 등은 포함되어 있다 (Varfolomeev 등, 2005). 후자의 세포질 단백질 복합체는 c-Jun N-terminal kinase (JNK), p38, NFκB 등의 활성

화를 매개한다. Pan-caspase 억제제인 zVAD-fmk가 APO2L/TRAIL로 매개되는 IκB의 인산화와 이차 복합체의 형성을 유의하게 지연시키기 때문에, 연구자들은 caspase-8의 효소 작용이 TRAIL-R로부터 FADD의 유리 및 뒤이은 이차 복합체의 형성을 위해 필요하다고 하였다 (Varfolomeev 등, 2005). 그러나 TNF로 인한 NFκB의 활성화는 수분 뒤에 나타나지만 TRAIL-R의 자극에 따른 NFκB의 활성화는 수시간 뒤 다소 늦게 관찰되는 것으로 보아 확인된 신호 전달 복합체가 TRAIL-R과 결합한 DISC 복합체와 무관한 일반적 세포 자멸사의 스트레스에 의해 형성될 수 있음을 배제할 수 없다. NFκB의 신호를 전달하는 경로에서 caspase-8의 정확한 역할을 이해하고 NFκB를 활성화하는 조건에서 caspase-8의 기질을 확인하기 위해서는 추가 연구가 반드시 필요하다.

APO2L/TRAIL 및 TcR로 매개되는 NFκB의 활성화에서 caspase-8의 역할 외에 짧은 전구 영역을 가진 caspases 또한 NFκB의 활성화에 관여한다. Poly-(ADP-ribose) polymerase 1 (PARP1)의 분절은 특징적으로 caspase-3/-7의 활성화와 세포 자멸사에 기여한다고 알려져 있다. 세포 자멸사가 진행하는 동안 PARP1의 분절은 세포의 DNA 회복력을 약화시킨다 (Shall 등, 2000). 그러나 근래의 연구는 caspase로 인해 생성된 PARP1의 절편들이 염증 반응과 관련이 있음을 보여 주었다. Caspase에 저항적인 PARP1을 발현하도록 조작된 생쥐의 대식세포는 NFκB가 DNA와 정상적인 결합을 하더라도 lipopolysaccharide (LPS)로 유도되고 NFκB로 매개되는 유전자의 활성화의 장애를 나타내었다. 따라서 caspase-3/-7은 PARP1로 매개되는 기전을 통해 NFκB의 핵 내로의 전위보다는 전사 촉진을 통해 유전자의 발현을 증가시킨다고 생각된다 (Petrilli 등, 2004). 이러한 가설은 caspase에 의해 생성된 PARP1의 절편들이 NFκB의 p50 및 p65 소단위 그리고 전사를 위한 공동 활성 인자 p300과 상호 작용한다는 관찰에 의해 뒷받침된다 (Hassa 등, 2003). Caspase에 저항적인 PARP1을 주입한 생쥐에서 장 및 신장의 허혈-재관류 혹은 내독소 쇼크 (endotoxin shock)에 대한 저항이 관찰되었는데, 이는 caspases가 염증 반응에서 처리자로서의 역할을 담당함을 뒷받침한다 (Petrilli 등, 2004). 이들 결과는 세포 자멸사 외의 조건에서 caspases로 매개되는 PARP1의 분절이 NFκB의 전사 작용을 유도할 수 있음을 보여 준다. NFκB의 전사 작용을 유발하는 이러한 기전이 구조적인 역할로 인한 것인지 혹은 PARP1의 PARP 작용에 의한 것인지는 분명하지 않다. 한편,

TNF 혹은 LPS로 자극을 받은 섬유모세포 혹은 대식세포에서 p300에 의해 일어나는 NFκB의 활성화는 PARP1의 효소 작용과는 무관하다는 결과와 대조적으로, PARP1의 억제제를 이용한 연구는 NFκB의 전사 작용이 증대되기 위해서는 PARP1의 효소 작용이 필요하다고 하였다 (Nakajima 등, 2004). 이러한 문제를 밝히기 위한 추가 연구가 필요하다.

NFκB를 활성화하는 두 번째 기전은 특이한 caspases의 전구 영역에 존재하는 CARD와 DED 단위와 관련이 있으며 (Kreuz 등, 2004), 이는 caspase-1, -2, -8, -10의 일시적 발현이 NFκB를 활성화할 수 있고 쥐의 caspase-9, -11, -12는 NFκB를 활성화할 수 없다는 관찰에 의해 뒷받침된다 (Takahashi 등, 2006). Caspase-1의 CARD는 특이하게 CARD를 가진 kinase인 RIP2를 집결시키며, 이는 Toll-like receptor (TLR)와 TcR에 의해 매개되는 NFκB의 활성화에 관여한다 (Kobayashi 등, 2002). 이러한 caspase-1/RIP2의 상호 작용은 어댑터 분자인 apoptosis-associated speck-like protein containing a CARD (ASC)에 의해 조절되며, ASC는 또한 caspase-1의 CARD를 통해 caspase-1과 상호 작용한다. ASC는 caspase-1/RIP2의 상호 작용을 방해함으로써 용량 의존 방식으로 NFκB의 활성화를 방해하는 데 비해, caspase-1에 의존적인 pro-IL-1β가 기능성 분자가 되도록 자극한다 (Sarkar 등, 2006). ASC가 caspase-1/RIP2로 유도되는 NFκB의 활성화를 억제하는 것과 마찬가지로, 급성 단핵세포 백혈병 환자로부터 유도된 단핵 세포주 THP-1에서 siRNA를 이용하여 ASC를 제거하면 NFκB의 활성이 증가된 데 비해, caspase-1의 활성화와 기능성 IL-1β의 유리가 감소되었다 (Sarkar 등, 2006). 이와 같은 결과는 caspase-1이 효소 작용을 통해 pro-IL-1β가 기능성 분자로 변천하도록 도와주며 caspase-1과 RIP2와의 상호 작용은 NFκB를 활성화함을 시사한다. 또한, ASC는 caspase-1이 RIP2로 매개되는 NFκB의 활성화에 관여하지 않도록 하는 대신, 염증 조절 복합체 (inflammasome)에서 pro-IL-1β가 기능성 분자로 성숙하도록 하는 '기능 변경자'의 역할을 한다고 생각된다 (Lamkanfi 등, 2007). 염증 조절 복합체는 caspase-1, pyrin-CARD (PYCARD), NACHT, LRR and PYD-containing protein (NALP), 간혹은 caspase-5 등으로 구성된 다수 단백질의 소중합체로서 caspase-11으로도 알려져 있다 (Martinon 등, 2002). NACHT는 neuronal apoptosis inhibitor protein (NAIP), MHC class II transcription factor (CIITA), het-e prion of *Podospora* anserina (HET-E), terminal protein 1 (TP1) 등으로 구성되어 있음을 의미하며, LRR 은 leucine-rich repeat, PYD는 pyrin domain, MHC는 major histocompatibility complex의 약어이다.

Caspase-2의 전구 영역에 있는 CARD 구조물은 DD를 가진 RIP1과 TRAF2의 집결을 매개하며, NFκB의 활성화를 유도한다 (Lamkanfi 등, 2005). Caspase-2를 가진 PIDDosome은 NEMO 및 RIP1과 결합하여 더 큰 복합체를 형성할 수 있는데, 이는 유전자가 독성 스트레스를 받은 후 NFκB가 활성화될 수 있음을 설명해 준다 (Janssens 등, 2005). Caspase-2의 활성화는 RIP1$^{-/-}$ 세포에서 크게 촉진되는 것으로 보아 활성적인 NFκB 경로는 caspase-2로 매개되는 세포사 경로를 차단시키거나 지연시킨다고 생각된다. 따라서 PIDDosome은 DNA 손상 후 염증 및 세포 자멸사 대항 경로와 세포 자멸사 경로 사이에서 분자적 '변경자' 혹은 '통합자' 로서의 기능을 한다고 추측된다 (Zhivotovsky와 Orrenius, 2005). 그러나 이러한 경로에서 caspase-2의 중요한 생리학적 역할은 아직 분명하지 않으며, caspase-2$^{-/-}$ 생쥐의 경우 세포 자멸사의 조절에 결함이 생기는 것으로 보아 caspase-2가 불필요한 단백질은 아닌 것 같다 (Bergeron 등, 1998).

TNF-R1이 기능을 하게 되면, caspase-8은 TRAF2 및 FLICE-associated huge protein (FLASH)과 복합체를 형성한 후 NFκB의 경로를 활성화한다 (Jun 등, 2005). 이러한 결과와 마찬가지로 섬유모세포와 상피세포에서 TNF로 매개되는 NFκB의 활성화는 caspase-8에 의존적이라고 보고되었으며, 이는 antisense에 의해 caspase-8이 고갈되면 NFκB의 활성화가 소멸된다는 연구에 의해 뒷받침된다 (Jun 등, 2005). 그러나 위에서 기술된 바와 같이 caspase-8의 효소 작용은 이들 세포에서 TNF로 유도되는 NFκB의 활성화를 위해 필요하지 않다고 생각된다. 이러한 관점에서 caspase-8은 N-terminal 전구 영역에 있는 DED 구조물을 통해 TRAF2 및 FLASH와 연관성을 가진다고 알려져 있다 (Jun 등, 2005). 뿐만 아니라 caspase-8의 전구 영역은 caspase-8의 효소 작용과는 관계없이 NFκB의 활성화를 일으킬 수 있다고 보고되었다 (Lamkanfi 등, 2005). 이들 결과는 caspase-8이 TNF로 매개되는 NFκB의 활성화에 필요하지만, 그러한 기전은 caspase-8의 효소 작용과는 무관하게 TRAF2 및 FLASH와 DED 의존적 상호 작용을 통해 이루어짐을 보여 준다 (Lamkanfi 등, 2007).

Caspase의 제한적인 자가 활성화를 통해 생성된 전구 영역의 절편들은 NFκB의 신호 경로와 관련이 있다고 생각된다.

그러한 기전은 caspase의 효소 작용에 의존적인 혹은 비의존적인 기전에서 기초가 될 수 있으며, caspases 및 caspase 유사 분자로부터 CARD와 DED를 포함하는 전구 영역의 유리가 NFκB의 신호를 전달하는 동안 caspase의 활성화에서 중요한 과정임을 나타낸다 (도표 114). 근래의 연구에 의하면, double stranded RNA (dsRNA)로 자극을 받은 후 NFκB가 활성화되기 위해서는 세포질의 RNA helicases retinoic acid-inducible gene I (RIG-I)과 melanoma differentiation-associated protein 5 (MDA5)의 하위 분자인 caspase-8과 -10으로부터 유리된 전구 영역이 필요하다 (Takahashi 등, 2006). 이러한 보고는 해당되는 caspase의 전구 영역을 코드화하는 구조물의 과다 발현이 NFκB를 강하게 활성화하는 데 비해, 전체 caspase를 코드화하는 구조물은 활성화하지 못한다는 연구에 의해 지지를 받고 있다 (Takahashi 등, 2006). dsRNA에 반응하여 유도되는 염증성 cytokines는 caspase-8과 -10이 결여된 세포에서 유의하게 감소된다. 항바이러스 신호의 전달에서는 caspase-8 및 -10이 자가 촉매 작용을 통해 전구 영역을 유리하는 역할을 하며, NFκB의 신호 전달에서는 caspase에 의해 생성된 DED를 함유한 c-FLIP 절편이 관여한다. 즉, caspase-8의 매개로 인해 long form of c-FLIP (c-FLIP$_L$)이 p43^{FLIP}로 분절이 일어나면, p43^{FLIP}/caspase-8/TRAF2 복합체를 통해 NFκB의 활성화가 일어난다 (Chang 등, 2002). 다른 연구는 caspase-8에 의해 생성된 c-FLIP$_L$의 짧은 N-terminal 절편, 즉 Asp198에서 분절이 일어남으로써 생긴 c-FLIP의 전구 영역 p22-FLIP이 림프구와 수지상세포에서 직접 IKK 복합체와 결합하여 NFκB를 활성화하는 주된 매개체라고 하였다 (Golks 등, 2006). Caspase-8의 매개로 cFLIP가 p43^{FLIP} 혹은 p22-FLIP로 분절되는 생리학적 및 분자적 정보를 얻기 위한 추가 연구가 필요하다.

10.3. 세포 주기의 조절 및 증식에서 caspase
Caspase in cell-cycle control and proliferation

여러 연구는 caspase-8이 면역세포의 증식에서 필수적인 역할을 한다고 하였다 (Beisner 등, 2005). Caspase-8에서 불활성화 돌연변이가 일어난 환자에서는 T 및 B 세포와 natural killer (NK) 세포의 증식이 억제된다 (Chun 등, 2002). 마찬가지로 caspase-8이 결여된 조건을 가진 쥐의 T 세포는 TcR이 활성화되어도 증식을 일으킬 수 없다 (Salmena 등, 2003).

도표 114 Caspase-8과 c-FLIP_L

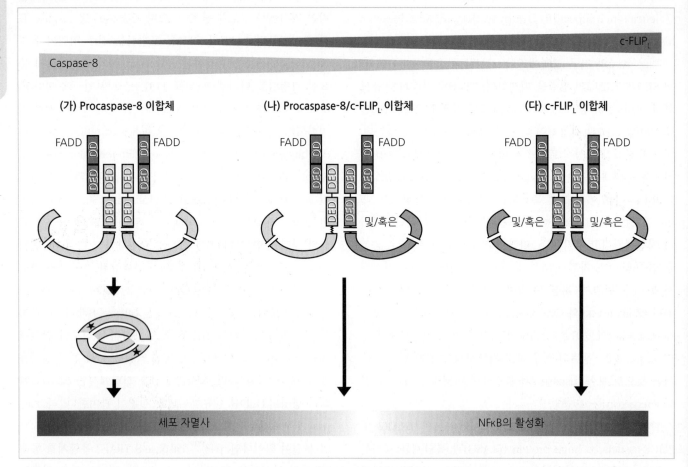

c-FLIPL은 caspase-8의 활성화와 하위 신호 경로를 조절한다. (가) c-FLIPL이 없는 상태에서 전구 caspase-8의 이합체화는 전구 caspase-8의 변천 과정과 활성화를 유발한다. DISC로부터 유리된 활성 caspase-8은 세포질 기질의 분절을 통해 세포 자멸사의 신호 경로를 작동시킨다. (나) c-FLIPL이 저농도일 경우 전구 caspase-8은 c-FLIPL과 이질 이합체를 형성한다. 이러한 조건에서는 전구 caspase-8의 자가 변천 과정이 제한적으로 일어나며, 활성적인 이질 이합체는 DISC 복합체와 함께 남아 있다. 자가 변천 과정은 전구 영역과 caspase 영역 사이에서 혹은 caspase 영역의 p20과 p10 소단위 사이에서 일어난다. 분절된 특이한 기질에 따라 세포 자멸사 혹은 NFκB의 활성화가 일어난다. (다) c-FLIPL이 고농도일 경우 DISC 내에서 전구 caspase-8의 동원과 자가 변천이 차단된다. Caspase-8의 활성화는 c-FLIPL의 분절 및 NFκB의 활성화를 일으킨다.

c-FLIP_L, long form of cellular caspase-8 (FLICE)-like inhibitory protein; DD, death domain; DED, death effector domain; DISC, death inducing signaling complex FADD, Fas-associated death domain containing protein; FLICE, FADD-like interleukin 1β-converting enzyme; NFκB, nuclear factor kappa B. Lamkanfi 등 (2007)의 자료를 수정 인용.

Caspase-8이 부족한 사람과 쥐의 T 세포에서는 cluster of differentiation protein 3 (CD3)/CD28의 자극에 의한 IL-2의 생성이 감소된다 (Chun 등, 2002). IL-2의 생성과 T 세포 증식의 경로에서 상위 분자인 caspase-8의 기능은 앞에서 기술된 바와 같이 TcR로 유도되는 NFκB의 활성화를 위해 caspase-8의 촉매 작용이 필요하다는 연구 결과에 의해 확인된다. 이들 결과를 근거로 생쥐에서 만들어진 T 세포에 특이한 caspase-8의 고갈은 caspase-8의 돌연변이를 가진 사람으로부터 확인된 면역 결핍의 기전을 설명해 준다. 이들 환자는 T, B, NK 세포를 활성화할 수 없기 때문에, 흔히 세균 감염을 일으킨다 (Chun 등, 2005). 그러나 다소 역설적이지만, caspase-8의 유전자 *caspase 8, apoptosis-related cysteine peptidase (CASP8)*에서 생식세포 계열의 점 돌연변이 (germline point mutation)가 일어난 사람에서는 면역 결핍 대신 자가 면역과 관련이 있는 림프절병 혹은 비장비대가 나타난다 (Chun 등, 2005). 생쥐에서 T 세포에 특이한 *CASP8*의 고갈로 인한 장기간의 효과에 관한 연구는 연령에 따라 림프절병, 비장비대, 폐, 간, 신장 내 T 세포의 침윤 증대 등으로 특징화되는 치명적인 림프구증식성 및 림프구침윤성 질환이 일어남을 보고하였다 (Salmena와 Hakem, 2005). 따라서 caspase-8의 소실은 면역 결핍과 자가 면역의 양상을 가진 복합적인 질환을 일으킨다고 생각된다. Caspase-8이 결핍된 환자에서 관찰되는 면역 결함은 caspase-10이 결핍된 환자에서와는 분명히 다른데, 이는 이들 두 유전자 산물이 T 세포의 증식에서 필요한 기능을 가지고 있음을 시사한다 (Wang 등, 1999). *CASP10*의 점 돌연변이를 가진 환자는 Fas ligand (FasL) 및 TRAIL로 유도되는 세포 자멸사의 결함으로 인해 림프계 세포의 축적을 일으키며, 이는 제2형 자가면역림프구증식증후군 (type II autoimmune lympho-proliferative syndrome, ALPS type II)의 특징이다 (Wang 등, 1999).

일부 연구는 종에 따라 NFκB의 활성 및 B 세포의 증식에서 caspase-8의 역할이 다소 다르다고 하였다. *CASP8*이 결여된 생쥐의 B 세포의 경우 LPS 혹은 dsRNA로 유도되는 증식에서 결함이 생기지만, TLR로 유도되는 NFκB의 활성화에는 장애가 관찰되지 않는다. 대조적으로 상동성 *CASP8*에 돌연변이가 발생한 사람의 B 세포의 경우 NFκB의 활성 및 세포의 증식 둘 모두 소실된다 (Su 등, 2005). 사람과 생쥐에서 caspase-8이 결핍된 B 세포의 반응이 서로 다른 이유가 caspase-8 결핍의 특징에서의 차이, 신호 경로의 차이, NFκB의 활성을 분석하는 실험 장비의 차이 등이 원인인지는 분명하지 않다. 이러한 차이가 있음은 생쥐의 B 세포의 증식에서 caspase-8이 NFκB의 신호 경로와는 무관하게 작용함을 시사하며, caspase-8이 결핍된 사람의 B 세포 표현형을 나타내는 데는 caspase-8이 추가로 다른 기능을 가지고 있음을 추측하게 한다.

Caspase-8은 세포 자멸사를 일으킬 수 있지만, NFκB의 활성 혹은 림프구의 증식과도 관련이 있다. Caspase-8이 활성화됨으로 인한 결과가 세포 자멸사인지 아니면 세포 자멸사 외의 기능인지는 그것의 활성 정도에 의해 결정된다. 증식 세포에서는 caspase-8이 변천 과정을 거치지 않은 채 단지 약하게 활성화되며 (Su 등, 2005), 대조적으로 FasL로 인해 세포 자멸사가 일어나는 동안에는 caspase-8의 구조가 변천되는 과정이 진행되고 강하게 활성화된다 (Peter와 Krammer, 2003). DISC 수준에서 caspase-8의 활성화를 조절하는 중요한 분자는 caspase의 활성화를 억제하는 caspase-8 유사 분자인 c-FLIP$_L$이다 (Micheau 등, 2002). c-FLIP$_L$의 농도가 낮은 경우에는 c-FLIP$_L$이 caspase-8과 함께 이질 이합체로 구성된 융합 효소 (chimeric enzyme)를 형성하며, 이는 caspase-8의 동질 이합체에 비해 훨씬 더 효율적이다 (Boatright 등, 2004). 이러한 조건에서 caspase-8의 자가 변천이 제한적으로 일어

나지만, c-FLIP$_L$이 caspase-8의 활성화가 복합체 내에 남아 있도록 한다. 따라서 caspase-8 자체, c-FLIP$_L$, RIP1 등과 같은 DISC 근위부의 기질은 분절되는 데 비해, BCL2 homology domain 3 (BH3) interacting-domain death agonist (BID)와 같은 세포질 기질은 분절되지 않는다 (Micheau 등, 2002). 이로써 세포 자멸사 혹은 세포 자멸사와는 다른 caspase-8의 기능, 예를 들면 NFκB의 활성화, 세포의 증식 등이 일어나게 된다 (Dohrman 등, 2005). c-FLIP$_L$의 농도가 높은 경우에는 caspase-8이 DISC로 동원되지 않고 caspase-8의 변천 과정이 약화됨으로써 세포사의 유발이 차단되며, 반면에 FLIP$_L$로 매개되는 NFκB의 활성화가 촉진된다 (Chang 등, 2002).

c-FLIP와 viral FLIP (v-FLIP)는 비슷하게 두 개의 DEDs를 가지고 있다 (Ekert 등, 1999). Equine herpes virus 2의 v-FLIP 분자 E8과 Molluscum Contagiosum virus의 MC159L과는 다르게 human herpes virus 8 (HHV8)에서의 v-FLIP K13 또한 세포사를 차단하는 기능 외에도 NFκB를 활성화하는 기능을 가지고 있다 (Chaudhary 등, 1999). v-FLIP 분자가 NFκB의 활성화에서 다른 기능도 가지고 있음은 CARD를 가진 caspases 중 일부 전구 영역이 NFκB의 활성화를 유도하지만 일부는 그러하지 않다는 관찰과 일맥상통한다 (Lamkanfi 등, 2005). 유전자 삽입 생쥐의 림프계 구획에서 HHV8 v-FLIP의 과다 발현은 NFκB의 활성화 및 림프종 발병률의 증가를 일으키지만, Fas로 유도되는 세포 자멸사 혹은 림프구의 발달 및 성숙에는 영향을 주지 않는다 (Chugh 등, 2005). HHV8 v-FLIP를 과다 발현하는 비장세포 및 흉선세포와 유사하게 유전자 삽입 생쥐에서 c-FLIP$_L$의 발현은 T 세포의 과다 증식을 일으킨다 (Lens 등, 2002). c-FLIP$_L$로 유전자 삽입이 된 CD8$^+$ T 세포의 증식 반응은 caspase의 작용에 의존적이기 때문에 증식은 pan-caspase 억제제인 zVAD-fmk와 QVD-Oph에 의해 크게 억제되었다. 또한, NFκB 활성의 증가는 c-FLIP$_L$로 유전자 삽입이 된 CD8$^+$ T 세포가 활성화된 후 2일에 관찰되었다 (Dohrman 등, 2005). 활성적인 caspase-8은 c-FLIP$_L$을 분절시켜 p43^{FLIP} 절편을 생성한다 (Chang 등, 2002). p43^{FLIP}는 TRAF2와 상호 작용하여 p43^{FLIP}/caspase-8/TRAF2의 삼중 복합체를 형성함으로써 NFκB를 활성화한다. 삼중 복합체에 의한 NFκB의 활성화는 p43^{FLIP48}과도 결합하는 RIP1에 의해 매개된다. DD만을 가진 RIP1의 우성 음성 돌연변이는 p43^{FLIP}로 유도되는 NFκB의 활성화를 억제한다 (Dohrman 등, 2005). 이와 같은 결과는 c-FLIP에 의한 NFκB의 활성화와 그로 인한

증식의 증대는 RIP1과 관련이 있음을 보여 준다.

　T 림프구에서 c-FLIP가 부족하도록 조건화한 생쥐는 성숙 T 세포의 발달과 증식에서 심한 결함을 나타내지만, TcR로 유도되는 NFκB의 활성화는 영향을 받지 않는다 (Zhang과 He, 2005). 반대로 caspase-8이 결핍된 T 세포에서는 TcR로 유도되는 NFκB의 활성화와 T 세포의 증식 모두가 소실된다 (Su 등, 2005). 이와 같은 결과는 caspase-8이 RIP1과 관련하여 NFκB를 활성화하는 기전 외에도 다른 기전, 즉 자체의 촉매 작용을 통해 TcR로 유도되는 NFκB의 활성화를 유발할 수 있음을 시사한다. TcR로 유도되는 증식은 c-FLIP, caspase-8, 혹은 FADD 등이 없는 상태에서는 감소되는데, 이는 이들 분자들이 TcR의 자극으로 유발되는 하나의 공통되는 경로에서 기능을 함을 시사한다. 앞에서 기술된 바와 같이 TcR로 유도되는 NFκB의 활성화는 T 세포의 증식 및 활성화가 일어나는 데 필요하지만 충분하지 않다 (Zhang과 He, 2005). FADD/caspase-8으로 매개되는 증식과 FADD/caspase-8으로 매개되는 세포 자멸사 사이를 전환시키는 중요한 인자가 무엇인지는 아직 알려져 있지 않다. 특별한 caspase-8의 기질에 대한 접근성 및 특이한 단백질 분해 작용이 이러한 전환에 영향을 줄 수 있다고 생각된다. 특히, caspase-3와 같이 짧은 전구 영역을 가진 caspases는 세포 자멸사 외의 여러 기능을 가지고 있다고 보고되고 있다. Caspase-3의 기질이 세포 내에 위치해 있고 단백질 분해 작용을 가지고 있는 것으로 미루어 보아 caspase-3가 세포의 성장을 조절하는 기능도 가지고 있다고 생각된다. 쥐의 경우를 예로 들면, 전두엽의 증식 부위에서 분열 중인 세포의 핵에는 활성적인 caspase-3가 있다 (Yan 등, 2001). Caspase로 매개되는 cyclin-dependent kinase (CDK)의 분절을 억제하는 인자인 p27^{KIP1}은 증식이 진행 중인 림프계 세포에서 세포 주기의 진행을 유도한다 (Frost 등, 2001). 대조적으로, B 세포의 과다 증식은 caspase-3가 삭제된 생쥐에서 관찰되는데, 이는 caspase-3가 B 세포의 세포 주기에 대해 역조절 인자로서 기능을 함을 시사한다 (Woo 등, 2003). CDK의 억제 인자인 p21이 세포 주기의 진행을 억제한다고 알려져 있지만, p21은 유사분열을 촉진하는 인자인 proliferating cell nuclear antigen (PCNA)과 연관성을 가질 때는 세포의 증식을 촉진하기도 한다 (Waga 등, 1994). PCNA가 결합하는 부위인 p21의 C-terminal에서 caspase-3의 매개로 분절이 일어나면, 특이하게 p21과 PCNA 사이의 상호 작용이 소실되는데, 이는 B 세포에서 이러한 분절이 일어나면 증식에 대항하는 효과가 나타

나는 이유를 설명해 준다 (Woo 등, 2003). Caspase-3가 삭제된 조건 하의 생쥐에 관한 연구는 세포 주기를 조절함에 있어 caspase-3가 추가 기능도 가지고 있음을 보여 준다. 전사 인자인 nuclear factor for activated T-cells (NFAT)는 세포 주기 중에 있는 T 세포에서 caspase-3의 기질이라고 보고된 바 있다. c-FLIP$_L$ 유전자를 삽입한 생쥐의 경우 NFAT 단백질의 농도와 NFAT의 활성은 세포 자멸사가 일어나지 않은 T 세포에서 유의하게 감소되는데, 이는 caspase의 활성화가 증가됨을 나타낸다 (Wu 등, 2006).

10.4. 세포 분화에서 caspases의 역할
Caspases in cell differentiation

여러 연구는 caspases가 수정체 세포의 분화, 적혈구 및 혈소판의 형성, 각질형성세포의 최종적인 분화 등과 같이 다양한 세포에서 핵 제거 (enucleation; 유기물의 클로닝에도 이용되는 과정으로써 세포로부터 핵이 제거되는 과정)와 같은 최종 분화 과정에 관여함을 보여 주었다. Caspase-3$^{-/-}$ 생쥐의 경우 수정체 전극 (anterior pole)에서 뚜렷한 백내장이 나타나기 때문에, caspase-3는 수정체의 투명도를 유지하는 데 필요하다고 생각된다. 또한, 수정체가 발달하는 동안 caspase-3, -6, -7 등과 같은 집행 caspases가 개별적으로 소실되거나 caspase-3와 -6가 동시에 소실된 경우에는 수정체 세포의 내부에 있는 소기관의 상실을 방지할 수 없다 (Zandy 등, 2005). 이와 같은 결과는 수정체의 상피세포가 핵이 없는 수정체 섬유로 최종 분화하는 데는 집행 caspases가 필요함을 시사한다. 사람과 쥐의 적혈구가 최종적으로 분화하는 데도 caspases가 필요하다. Caspase의 억제제는 분화의 초기 단계에서 적혈구의 전구 세포의 성숙을 방해한다 (Zermati 등, 2001). Caspase-2, -3, -9은 적혈구모세포가 분화하는 동안 일시적으로 활성화되며, Lamin B, PARP, Acinus 등과 같은 핵 단백질의 분절에 관여한다 (Zermati 등, 2001). 이들 caspase의 기질은 적혈구 분화의 특징적 양상인 염색체의 응집 및 핵 제거로 인한 무핵과 관련이 있다고 생각된다. 혈소판은 무핵 세포의 세 번째 유형이며, 성숙한 거대핵세포 (megakaryocyte)로부터 혈소판의 형성은 caspase-3 및 -9의 활성화와 함께 일어난다 (De Botton 등, 2002). 체외 실험에서 caspase의 합성 억제제가 혈소판의 형성을 차단함이 관찰되었기 때문에, 혈소판의 분화에서 caspases의 역할이 중요하다고 생각된다 (De Button 등, 2002).

또한, caspases는 phosphatidylserine에의 노출, 극미립자 (microparticle)의 유리 등과 같은 혈소판의 활성화 사건에 관여한다고 생각된다 (Shcherbina와 Remold-O'Donnell, 1999). 표피에서 각질형성세포가 무핵의 각질세포 (corneocyte)로 최종 분화하는 경우에는 caspase-14의 발현 및 변천 과정이 함께 일어난다 (Lippens 등, 2000). 그러나 이 caspase의 특이 억제제 혹은 관련이 있는 동물 실험이 보고되지 않았기 때문에, 최종 분화에서 이 caspase의 정확한 역할은 추후 연구에 의해 확인되어야 할 것이다. 흥미로운 점은 caspase-3가 배아의 표피에서 활성화된다는 점인데, 신생아의 표피에서는 활성화되지 않는다. 배아에서 caspase-3가 결핍되면, 각질형성세포의 증식이 증가하였고 분화의 감소가 일어났다 (Okuyama 등, 2004).

위에서 기술된 분화 과정은 수정체 세포, 적혈구, 거대핵세포, 각질형성세포 등과 같은 무핵 세포에서 일어난다. 핵이 제거된 세포는 생물학적으로 막다른 길에 도달한 상태이지만, 이러한 최종 분화는 세포 자멸사의 특별한 형태로 간주되며, 세포가 포식작용에 의해 제거되지 않고 남아서 기능을 하도록 한다. 그러나 caspases는 어떠한 형태의 세포 자멸사도 일으키지 않으면서 세포의 분화를 촉진하기도 한다. 예를 들면, 사람의 혈중 단핵구는 대식세포로 분화하는데, 이 과정은 caspase의 합성 억제제에 의해 차단된다 (Sordet 등, 2002). 유전적으로 caspase-8의 결손이 발생한 골수성 단핵구 (myelomonocyte)는 macrophage colony-stimulating factor (M-CSF)로 처리하여도 대식세포로의 분화를 일으키지 않았다 (Kang 등, 2004). 흥미로운 점은 caspases의 활성화가 단핵구의 대식세포로의 분화와는 관련이 있지만 수지상세포로의 분화와는 관련이 없다는 점이다 (Sordet 등, 2002). Antisense oligonucleotides 및 caspase 억제제를 이용한 연구에 의하면, caspase-8의 활성화는 사람에서 태반의 융모성 영양세포 (villous trophoblasts)가 분화하는 데 필수적이다 (Black 등, 2004). 다른 연구는 caspase-3가 삭제된 생쥐의 근육모세포 (primary myoblast)에서 근관 (myotube) 및 근섬유 형성의 심각한 장애와 근육 특이 유전자의 발현 감소가 관찰되어 골격근의 분화에서 caspase-3는 중요한 역할을 담당한다고 하였다. 저자들은 또한 caspase-3의 중요한 실행기인 serine/threonine mammalian sterile twenty-like kinase 1 (MST1)을 발견하였으며, 단백질 분해로 인한 MST1의 절편은 caspase-3가 결핍된 근육모세포에서 일어나는 분화의 결함을 회복시킨다고 하였다 (Fernando 등, 2002). Caspase-3가 결핍된 생쥐

에서는 뼈를 형성하는 분화가 저하되어 골 형성이 지연되고 골밀도가 감소된다 (Miura 등, 2004). 배양된 신경줄기세포의 유동 군집인 신경구 (neurosphere)에 관한 연구는 caspase-3가 신경줄기세포의 분화에 관여한다고 하였다 (Fernando 등, 2005). 다른 연구도 초파리의 날개 원기 (wing imaginal disc)에 있는 전구 신경세포의 발달은 caspase의 활성에 의한 정교한 조절을 받고 있다고 하였다. 이러한 조절은 IKK 관련 kinase인 *Drosophila melanogaster* homolog of IKK (DmIKKε)에 의해 이루어지는데, 이 kinase는 단백질분해효소 복합체 (proteasome)를 분해하기 위해 caspase의 억제 인자인 *Drosophila* inhibitor of apoptosis protein (DIAP)을 표적으로 하여 인산화한다 (Kuranaga 등, 2006). 세포의 분화에서 caspases가 정조절 인자로서의 역할을 하는 것과는 대조적으로, 미성숙 수지상세포에서 caspase-3의 활성화는 펩티드를 가진 MHC class II 분자가 세포 표면에서 발현되는 것과 수지상세포의 성숙을 차단한다. Adaptor protein 1 (AP1) 복합체의 β1 및 γ 소단위가 caspase-3에 의해 분절되는 과정은 중요한 분자 사건임이 발견되었다. Caspase를 억제하는 약물 혹은 LPS를 투여하면, AP1의 분절이 억제되고 수지상세포의 성숙이 일어난다 (Santambrogio 등, 2005). 또한, *Drosophila* caspases인 DREDD, *Drosophila* NEDD2-like caspase (DRONC), *Drosophila* interleukin-1-β converting enzyme (drICE) 등은 정자세포의 차별화 및 정자의 적절한 분화를 위해 필수적이라고 보고되고 있다 (Arama 등, 2003). *Drosophila*에서 caspase의 억제로 인한 정자 분화의 장애는 사람의 정자에서 가장 흔한 비정상적인 양상 중 하나인 세포질 비말 (cytoplasmic droplet)과 매우 유사하다. 정자세포의 세포질은 정자 형성의 마지막 단계에서 제거되지만 적은 양이 정자의 편모에 남을 수 있는데, 이를 세포질 비말이라고 한다. 근래의 연구는 이러한 세포질의 미세 방울이 정자가 적절한 용적을 유지하도록 하는 정상 소견이며, 정자가 부고환에서 성숙하는 동안 운동성을 가지도록 한다고 하였다 (Xu 등, 2013). 이러한 측면에서 볼 때, 비록 포유동물의 caspase 유전자에서는 확인되지 않았지만 세포 자멸사와 관련이 있는 여러 생쥐 유전자에서의 돌연변이는 정자 형성에서 결함을 유발하여 수컷 불임증을 일으킨다 (Print와 Loveland, 2000). 흥미로운 점은 *apoptotic protease activating factor 1 (APAF1)*이 결여된 수컷 생쥐의 정자 형성 및 생식 능력은 동물의 유전적 배경에 따라 차이를 나타낸다는 점이다. 즉, 129/ICR의 유전적 배경을

가진 생쥐에서 *APAF1*이 없는 경우에는 불임이 일어나지만, C57BL/6의 배경을 가진 생쥐에서 돌연변이가 일어난 경우에는 암컷을 임신시킬 수 있다 (Okamoto 등, 2006). 이러한 자료는 caspase의 억제제가 생식 능력에 대한 치료적 접근법으로 가능성이 있음을 시사한다.

10.5. 세포의 운동성에서 caspases
Caspases in cell motility

세포 이동의 조절은 caspases가 가지고 있는 세포 자멸사 기능 외의 기능 중 하나이다. DIAP의 매개로 인한 caspase-9의 동족체 DRONC의 억제는 *Drosophila*의 난소에서 보이는 변연세포 (border-cell)의 이동을 위해 필수적이라고 알려져 있다 (Geisbrecht와 Montell, 2004). 변연세포는 이동하여 *Drosophila* 난소에서 난자가 적절하게 발달하도록 도와주는 지지 세포의 군집을 형성한다. 포유동물에서 세포 자멸사가 진행하는 동안 일어나는 세포의 접착 및 이동과 관련이 있는 여러 단백질의 분절 또한 세포 이동의 조절에서 중요한 역할을 한다 (Fischer 등, 2003). Caspase-8이 결핍된 세포와 caspases의 억제 인자로 알려진 cytokine response modifier A (CrmA)를 과다 발현하는 세포에서는 세포의 이동이 크게 억제된다는 연구 결과가 이를 뒷받침한다. 저자들은 caspase-8이 ras-related C3 botulinum toxin substrate (RAC)와 calpains의 활성화를 촉진하고 세포 골격 actin의 돌출 (lamellipodium) 및 세포 골격의 재형성을 촉진한다는 모델을 제시하였다 (Helfer 등, 2006). Caspase-8$^{-/-}$ 생쥐가 배아 초기에 사망하는 주된 이유는 내피세포 이동의 결함으로 인해 순환계의 기능적인 조직화가 이루어지지 않기 때문으로 생각된다 (Varfolomeev 등, 1998). Caspase로 매개되는 세포의 이동을 조절하는 분자 기전에 관해서는 추후 추가 연구가 필요하다.

10.6. 전립선암에서 caspases
Caspases in prostate cancer

세포 자멸사는 전립선의 발달, 정상적인 전립선의 자가 재생, 안드로겐을 제거한 후 일어나는 암 관련 과정 등에서 중요한 역할을 한다 (Kaufmann과 Gores, 2000). 부적절하거나 잘못된 세포 자멸사는 전립선암을 형성하고 안드로겐에 저항적인 성장을 유도한다 (Westin과 Bergh, 1998).

암 세포는 세포 자멸사의 경로에서 많은 유전적 결함을 나타내며, 그러한 유전적 결함은 종양이 악성 표현형으로 발달하도록 도와준다. 계획된 세포사가 유전적으로 조절되는 과정인 세포 자멸사는 다세포 유기물에서 조직의 발달과 조직의 항상성을 유지하는 데 중요한 역할을 한다 (Thompson, 1995). 정상 전립선에서는 증식 속도와 세포 자멸사 속도 사이에 균형을 유지하지만, 전립선암에서는 이러한 균형이 상실되고 종양이 성장하게 된다 (Denmeade 등, 1996). Caspase의 유전자 *CASP*는 세포 자멸사의 조절에서 중요한 역할을 하며, 이러한 신호 경로가 붕괴되면, 면역 회피 (immune escape) 및 종양 형성이 발생한다 (Fennell, 2005). 즉, 세포 자멸사에 대한 조절의 실패는 종양 형성에서 중요한 역할을 하며, *CASP* 유전자 내에서의 유전적 변화는 세포 자멸사를 방해하는 신호 경로를 촉진하여 전립선암의 발달을 촉진한다 (Mittal 등, 2012).

Caspase-2는 가장 잘 보존된 caspases 중 하나이며 (Zhivotovsky와 Orrenius, 2005), 다른 개시기 caspases와 마찬가지로 procaspase-2는 긴 전구 영역을 가지고 있다. Caspase-2의 전구 영역은 caspase-9의 전구 영역과 구조적으로 밀접한 관계가 있으며, 두 종류 모두가 CARD를 가지고 있다 (Fuentes-Prior와 Salvesen, 2004). Procaspase-9이 세포 자멸사 소체 (apoptosome; 세포 자멸사의 과정에서 형성되는 네 단백질의 복합체) 내에서 활성화되는 것처럼 caspase-2는 PIDDosome 복합체 내에서 활성화된다 (Tinel과 Tschopp, 2004). 그러나 procaspase-2는 소중합체를 형성하는 데에서 어댑터 단백질을 필요로 하지 않는다. 분절되지 않는 돌연변이 형태의 caspase-2에 관한 연구에 의하면, 이합체화는 procaspase-2의 활성화가 시작하는 데 중요한 사건이며, procaspase-2 구조의 변천은 필요하지 않다 (Baliga 등, 2004). 이합체가 이루어진 후 자가 촉매 작용에 의해 procaspase-2가 분절되면 안정성과 촉매 작용이 증대된다. Caspase-2의 효소원 (zymogen)이 처음 활성을 얻는 데는 이러한 분절이 필요하지 않으나, 세포사를 일으키는 데 필요한 활성적인 크기를 얻기 위해서는 소단위 사이의 분절이 필수적이다 (Baliga 등, 2004). 세포 내부 구획에 관한 연구는 procaspase-2가 Golgi 복합체, 미토콘드리아, 핵, 세포질 등에 분포해 있다고 하였다. 특히, procaspase-2는 핵 내에 구조적으로 존재하는 유일한 procaspase이다 (Mancini 등, 2000). Procaspase-2의 핵 내로의 유입은 전구 영역에 있는 두 개의 nuclear localization signals (NLSs)에 의해 조절된다. Green fluorescent protein (GFP) 융합 단백질로서 과다 발현되면, 촉매작용의 측면에서 불활성적인 caspase-2의 돌연변이체 혹은 전구 영역이 더 높은 수준의 구조물을 형성하게 되며, 이들은 대부분 핵 내에 있다 (Paroni 등, 2002). 돌연변이가 일어난 NLS를 가진 caspase-2는 세포 자멸사를 일으키지만, 핵 내에 있는 caspase-2 집합체의 중요성은 분명하게 밝혀져 있지 않다 (Colussi 등, 1998).

여러 종류의 CDKs가 세포 주기 중 G1 기로부터 S 기로의 이행에서 중요한 역할을 한다. 각각의 완전 효소 (holoenzyme) 복합체는 최소한 하나의 조절 소단위인 cyclin과 하나의 촉매 소단위인 CDK를 가지고 있다 (Vidal과 Koff, 2000). G1 기를 통해 진행하는 동안 D-type의 cyclins는 CDK4 혹은 CDK6와 결부되어 유사분열을 촉진하는 인자에 의해 조절되는 방식으로 이를 활성화한다 (Matsushime 등, 1994). Cyclin D에 의존적인 kinase가 활성화되면, G1 기의 후반에 cyclin E/CDK2 복합체의 활성화가 증가된다 (Koff 등, 1992). Cyclin D3 혹은 cyclin E와 연관성을 가진 kinases가 S 기를 촉진하는 기능을 나타내는 이유는 종양을 억제하는 retinoblastoma protein (pRB)을 인산화하고 불활성적인 혹은 억제성의 RB-E2F 복합체로부터 E2F 전사 인자를 유리할 수 있기 때문이다 (Yamasaki, 1998). Cyclins는 이와 같은 세포 주기에서의 역할 외에도 CDK 비의존성 기능도 가지고 있다. Cyclin D1은 estrogen receptor (ER)-α와 결합하여 ligand가 없는 상태에서 ER-α의 전사를 촉진하는 기능을 활성화한다고 알려져 있다 (Neuman 등, 1997). 대조적으로 Cyclin D1과 D3는 androgen receptor (AR)와 상호 작용하며, 이는 AR의 발현에는 영향을 주지 않으면서 AR이 가지고 있는 전사를 촉진하는 기능을 억제한다 (Petre 등, 2002). 이러한 억제는 CDK와는 무관하며, RB의 인산화에서 cyclin D1과 D3의 역할과도 무관하다 (Olshavsky 등, 2008). G1 기에서 CDK 활성화의 조절은 활성화를 차단하거나 기질과 ATP의 접촉을 차단하는 CDK inhibitor proteins (CKIs)의 영향을 받는다 (Pavletich, 1999). CKIs는 구조적 유사성에 따라 두 유전자 가족, 즉 inhibitor of cyclin D-dependent kinase 4 (INK4)와 cyclin-dependent kinase interacting protein/kinase inhibitor protein (CIP/KIP)으로 구분된다. CIP/KIP 가족은 p21/CIP1 (p21^{CIP1}), p27/KIP1 (p27^{KIP1}), p57/KIP2 (p57^{KIP}2) 등의 세 구성원을 포함하고 있다. 이들 단백질은 세포 주기에서 화학량적 (stoichiometric) 억제 인자로서 작용하며, G1 기에서의 모든 복합체를 억제하지만 CDK2 복합체를 더 억제한다. Cyclin D/CDK 복합체가 적절하게 기능하기 위해서는 어느 정도는 이들 CIP/KIP 단백질을 필요로 한다 (Cheng 등, 1999).

일부 연구는 caspase-2가 세포 주기와 전사 시스템을 조절한다고 하였다. 근래의 연구는 세포 주기를 조절하는 인자인 cyclin D3가 caspase-2와 상호 작용한다고 보고하였다 (Mendelsohn 등, 2002). 또한, caspase-2는 histone deacetylase 4 (HDAC4)의 분절을 조절함으로써 전사 인자인 myocyte enhancer factor 2C (MEF2C)를 억제한다 (Paroni 등, 2004). Caspase-2의 기능 중 세포 자멸사 외의 기능에 관해서는 충분하게 이해되어 있지 않지만, 근래의 연구에 의하면, siRNA를 이용하여 LNCaP 세포의 caspase-2를 제거한 경우에는 AR 의존성 PSA 및 AR 의존성 보고 인자 (reporter)인 발광효소 (luciferase)의 발현이 하향 조절되는 것으로 보아 caspase-2의 활성은 LNCaP 세포가 AR ligand인 dihydrotestosterone (DHT)에 의해 증식을 일으키는 데 중요한 역할을 하며, caspase-2는 cyclin D3, CDK4, p21^{CIP1} 등과 복합체를 형성함으로써 세포 주기와 AR의 활성화를 조절한다 (Taghiyev 등, 2011).

염색체 4q34에 위치해 있는 caspase-3의 유전자 CASP3는 세포 자멸사의 과정 동안 중요한 역할을 하는 실행기 caspases를 코드화하며, CASP3의 돌연변이는 사람의 암 조직과 세포주에서 보고된 바 있다 (Soung 등, 2004). 비록 세포 자멸사의 조절에서 CASP3의 유전적 변화에 관한 연구가 드물지만, CASP의 다형성 (polymorphism)과 암에 대한 감수성 사이에는 연관성이 있다고 보고한 연구가 있다. 이 연구에 의하면, CASP3와 CASP9의 변형은 non-Hodgkin lymphoma (NHL), 특히 소포 림프종 (follicular lymphoma)의 위험 감소와 관련이 있었으며, 각각의 OR은 0.4 (95% CI 0.3~0.7), 0.6 (95% CI 0.4~1.0)이었다. 또한, CASP3, CASP8, CASP10 등의 변형은 변연부 림프종 (marginal zone lymphoma, MZL) 위험의 감소와, CASP3과 CASP10의 변형은 저급 위험도의 만성 림프구 백혈병 (chronic lymphocytic leukemia, CLL)과 관련이 있었다 (Lan 등, 2007). 전립선에 관한 면역조직화학검사는 CASP3의 발현이 세포의 종류 및 생리와 상호 관련이 있음을 보여 주었다 (Krajewska 등, 1997).

CASP5는 염색체 11q22.2에 위치해 있으며, 세포 자멸사 외에도 IL-1β, IL-18 등과 같은 염증성 cytokine의 성숙에 관여하는 염증 관련 유전자이다 (Martinon과 Tschopp, 2007).

CASP5가 두 가지의 종양 형성 경로, 즉 염증 및 세포 자멸사에 관여하지만, 암과 관련이 있는 CASP의 변형에 관한 연구는 많지 않다. CASP5의 exon 2 내에 위치한 single nucleotide polymorphism (SNP)은 mis-sense 돌연변이와 아미노산의 대체를 일으킨다. Exon 2에서의 체세포 돌연변이는 백혈병 (Offman 등, 2005), 결장암 (Yamaguchi 등, 2006), 폐암 (Hosomi 등, 2003) 등에서 확인되었다.

전립선암 환자 192명과 건강한 대조군 225명을 대상으로 CASP3 (G)A)와 CASP5 (G)C) (T)C)의 다형성을 조사한 연구는 다음과 같은 결과를 보고하였다 (Mittal 등, 2012). 첫째, CASP3의 변형 유전형 GG는 전립선암의 발생 위험의 증가와 관련이 있었다 (OR 2.72; p=0.005). 마찬가지로 변형 allele AG+GG (OR 1.53; p=0.034)와 G allele (OR 1.54; p=0.005) 또한 통계적으로 유의하게 전립선암의 발생 위험과 관련이 있었다. 둘째, CASP5 (CC) 이배체형 (diplotype)도 전립선암의 높은 위험과 관련이 있었다 (OR 21.67; p=0.012). 셋째, CASP3 다형성과 CASP5 다형성 사이의 상호 작용은 전립선암의 위험을 증대시켰다. 넷째, CASP5의 이형 접합체 (heterozygous) TC (T)C) 유전형은 높은 Gleason 등급의 전립선암과 관련이 있었다 (OR 2.35; p=0.042). 이들 결과를 근거로 저자들은 CASP3와 CASP5의 이배체형 유전형이 전립선암의 발생 위험과 관련이 있으며, CASP3와 CASP5 유전형의 상호 작용은 전립선암의 발생 위험을 조절한다고 하였다.

CASP9에서의 다형성, 즉 촉진체 영역 -1263A)G (rs4645978)와 -293_-275del CGTGA GGTCAGTGCGGGGA (rs4645982)에서의 변형은 폐암의 감수성과 관련이 있다고 보고된 바 있다 (Park 등, 2006). CASP8 (MIM 601763)은 과다 증식 및 악성 종양에 대항하는 필수적인 방어 기전인 세포 자멸사에서 중요한 조절 인자의 역할을 한다. CASP8에서의 다형성 변이는 암으로 인한 위험에 영향을 준다고 보고되었다. -652 6N AGTAAG ins-del 촉진체 변형은 중국인에서 여러 종류의 종양이 발생할 위험과 관련이 있다는 보고도 있었다 (Sun 등, 2007). 전립선암 환자 175명과 건강한 대조군 198명을 대상으로 CASP8과 CASP9의 다형성 유전형인 CASP8 (-652 6N del/ins)과 CASP9 (-1263 A)G; -293 19N del/ins)이 전립선암의 발생과 거세 저항성 전립선암으로의 진행에서 어떠한 역할을 하는지를 평가한 연구는 다음과 같은 결과를 보고하였다 (Kesarwani 등, 2010). 첫째, CASP9-1263 G allele가 있음은 전립선암의 위험 감소와 관련이 있었지만 (OR 0.6, 95% CI

0.39~0.92; p=0.02), CASP9의 다른 변형은 전립선암의 발생 위험과 관련이 없었다. 둘째, CASP9-1263 G allele가 있음은 전립선암이 골 전이로 진행할 위험의 증가와 관련이 있었다 (OR 2.28, 95% CI 1.14~4.53; p=0.02). 셋째, CASP8-652 (+/-) 유전형은 조기에 거세 저항성 전립선암으로 발달할 위험의 증가와 관련이 있었다 (HR 2.44, 95% CI 1.2~5.85; p=0.045). 이와 같은 결과를 근거로 저자들은 CASP9의 변형은 전립선암에 대한 감수성과 전립선암의 골 전이로의 진행에 영향을 주며, CASP8의 다형성은 전립선암이 거세 저항성 질환으로 진행하는 데 영향을 준다고 하였다.

양성 전립선 상피와 전립선암 표본을 대상으로 caspase-1과 -9, 분절되지 않은 caspase-3와 -6, 분절된 caspase-3와 -6, BCL2 등에 대한 단클론 항체를 이용하여 면역조직화학검사를 실시한 연구는 다음과 같은 결과를 보고하였다 (Ummanni 등, 2010). 첫째, 분절된 caspase-3 및 -6의 발현은 양성 전립선 상피에 비해 전립선암에서 통계적으로 유의하게 감소되었다. 둘째, 세포 자멸사에 대한 대항 인자인 BCL2 단백질은 양성 전립선 상피의 기저 부위에서 발견되었지만, 전립선암에서는 면역 염색이 관찰되지 않았다. 이들 결과를 근거로 저자들은 활성 caspases의 면역 반응성이 감소됨은 번역 후 분절의 변화를 시사하며, 이는 전립선암이 진행하는 동안 중요한 역할을 한다고 하였다.

양성전립선비대, 고등급 전립선상피내암, 전립선암 등의 전립선 질환과 관련하여 procaspase-3, -8, -9, 분절된 caspase-3, -8, caspase-7 등 여러 caspases의 발현 변화를 면역조직화학검사를 이용하여 정상 전립선 상피와 비교 분석한 연구는 caspases의 발현이 수술 전 PSA 농도와 Gleason 점수, 생화학적 진행 등과 같은 임상병리학적 양상과 상호 관련이 있다고 하였다. 분석된 모든 caspases에 대해 양성 반응을 나타낸 표본의 퍼센트는 정상 전립선 상피에 비해 전립선암에서 낮았다. 양성전립선비대 및 고등급 전립선상피내암에서 얻은 결과는 전립선암에서 얻은 결과와 질적으로 흡사하였다. 이와 같은 결과는 전립선암 세포에서 caspases의 발현은 상당수 환자에서 감소되며, 그러한 변화는 전구 암에서 일어남을 시사한다. 이들 결과를 근거로 저자들은 caspases 발현의 소실은 전립선암의 진단에서 유용한 표지자 역할을 하며, 전립선암을 효과적으로 치료하기 위해 caspases의 발현을 회복시키거나 증대시키는 접근법이 가능하다고 하였다 (Rodríguez-Berriguete 등, 2012).

10.7. 결론 및 향후 관점 Conclusions and perspectives

Caspases는 진화론적 측면에서 다면적인 기능을 가지고 있다고 생각된다 (Ameisen, 2002). 즉, caspases는 세포 주기 및 선천적 면역 시스템에서의 다면적 기능, 세포의 증식, cytokine의 유리, 세포의 분화 등에서 중요한 역할을 담당한다. 미토콘드리아의 증폭과는 무관하게 일어난 caspase 활성의 증가는 caspase 의존성 세포 자멸사를 일으킨다. 대조적으로 caspase의 제한적인 활성화는 세포 자멸사 외의 기능, 예를 들면 증식, 분화, cytokine의 유리를 통한 세포 사이 교통, NFκB의 활성 등을 나타낸다. 이러한 세포 자멸사 외의 기능은 부분적으로는 caspases의 전구 영역으로 매개되거나 caspases의 활성화에 의한 NFκB의 활성과 관련이 있다. NFκB는 세포의 세포 자멸사에 대항하는 기능을 증대시켜 caspases가 세포 자멸사 외의 기능을 가지도록 한다. 이러한 모델의 한 예가 사람에서의 caspase-8과 *Drosophila*에서의 DREDD이다. 이들 caspases는 NFκB의 활성에 의한 세포 자멸사의 중대한 매개 인자로서 그리고 선천성 면역 시스템의 활성 인자로서의 기능을 한다. 소위 '세포 자멸사' caspases가 세포의 분화와 면역 반응 및 염증 반응에 관여한다는 사실은 세포사를 방지하기 위해 caspases의 활성화를 억제하는 치료적 접근이 가능함을 시사한다. Caspases의 기능을 더욱 이해하게 되면 염증을 방지하고 자가 면역 질환을 조절하는 약물이 개발될 수 있다고 생각된다.

11. Cathepsin (CTS)

종양의 공격성은 주로 종양이 원발 종양의 위치로부터 다른 부위로 침범 혹은 원격 부위로 전이하는 정도에 따라 결정된다. 전이는 세포의 세포 외부 기질 (extracellular matrix, ECM)과의 접착, ECM 성분이 분해된 후 원발 종양의 덩이로부터 세포의 유리, 종양세포의 이동 및 이차 표적 부위에 정착 등 복합적인 과정으로 이루어진다 (Brooks 등, 2010). 전이에서 중요한 조절 요소인 ECM의 분해는 종양의 미세 환경 내에 있는 기질 세포나 종양세포로부터 분비되는 다양한 단백질분해효소의 작용을 통해 주로 이루어진다. 정상적인 생리 조건 하에서는 이들 세포의 단백질분해효소가 철저한 조절에 의해 통제를 받지만, 전이 종양의 경우에는 이들 조절 기전이 소실되거나 심한 불균형을 나타낸다 (Egeblad와 Werb, 2002). 또

한, 여러 연구는 다양한 단백질분해효소의 발현 및 활성의 증가와 종양의 전이력 사이에는 상당한 상관관계가 있다고 보고하였다 (Duffy, 2004). 세포의 단백질분해효소는 일반적으로 serine, cysteine, aspartic protease, matrix metalloprotease (MMP) 등으로 세분된다. 여러 단백질분해효소 중 MMP, urokinase-type plasminogen activator (uPA), cathepsin 등은 세포 외부의 단백질에 손상을 일으켜 종양세포의 이동과 전이를 유발하는 과정에서 단독으로 작용하거나 다른 단백질분해효소를 활성화함으로써 간접적으로 ECM을 분해하는 중요한 기능을 가지고 있다 (Dano 등, 2005).

1929년 Richard Wilstätter과 Eugen Bamann에 의해 처음 명명된 cathepsin은 그리스어인 'down' 의미의 kata와 'boil' 의미의 hepsin에서 유래되었으며, cathepsin A~H, K, L1, L2, O, S, W, Z 등과 같은 다수의 아형을 가지고 있는데, cathepsin A와 G는 serine protease이고 cathepsin D와 E는 aspartyl protease이며 나머지는 cysteine protease이다. 이들 아형 중 cathepsin H에서는 전장 (full-length) 형태에 비해 분절 형태가 효소적으로 활성적이며 분절형의 증가는 종양의 진행과 관련이 있다고 알려져 있다 (Waghray 등, 2002). Cathepsin B와 L은 각각 염색체 8p22에 위치한 CTSB, 염색체 9q21.33에 위치한 CTSL에 의해 코드화된다.

11.1. Cathepsin B와 L에 관한 임상 연구
Clinical study for cathepsin B and L

Cysteine protease, serine protease, MMP 등과 같은 단백질분해효소는 기저막과 ECM의 단백질 분해 (Buck 등, 1992), 다른 부위로 암 세포의 침범 (Tryggason 등, 1987) 등에 관여하며, 전립선암, 유방암, 결장암, 뇌종양, 폐암, 흑색종 등과 같은 경성 암에서 침범 여부를 파악하는 데 이용된다 (Jedeszko와 Sloane, 2004). 암 세포는 침범을 일으키기 전에 단백질분해효소를 이용하여 전립선의 주변부 및 피막, 정낭, 방광경부, 림프절, 기타 장기 등에 있는 막 단백질을 분해하여 암 세포가 원발 암으로부터 원격 부위로의 침범 및 이동을 용이하게 하지만 (Coussens 등, 2002), 양성전립선비대와 정상 전립선의 세포는 기저막과 ECM을 분해하거나 침범할 수 없다 (Liotta와 Stetler-Stevenson, 1991). 단백질분해효소 중 lysosomal cysteine protease인 cathepsin B와 L은 위암 (Saleh 등, 2003), 난소암 (Siewinski 등, 2003) 등 일부 암에서 활성이 증가되며,

체외 실험은 전립선암 (Friedrich 등, 1999), 골육종 (Krueger 등, 2001), 유방암 (Premzl 등, 2001) 등 다수의 종양세포로부터 분비됨을 보여 주었다. 두 효소는 ECM의 성분을 분해하고 (Guinec, 1993) 다른 기질분해효소를 활성화한다 (Wolters와 Chapman, 2000). 그러므로 cathepsin B와 L은 효소 작용을 통해 기질을 분해하고 전이에 관여한다고 생각된다. 전립선암에서는 cathepsin B의 분포 부위가 달라지고 (Sinhe 등, 2001) cathepsin B와 L의 활성이 증가되기 때문에 (Fernandez 등, 2001), cathepsins B와 L은 암의 진행과 전이에서 중요한 역할을 한다고 생각된다. 그러나 다양한 단백질분해효소를 분비하기 때문에, 기질을 분해하는 데 이용되는 단백질분해효소가 중복될 수 있다. 예를 들면, cysteine proteinase의 발현이나 활성을 억제하면 쥐의 편평상피세포암 (Coulibaly 등, 1999), 유방암 (Premzl 등, 2001), 흑색종 (Dennhofer 등, 2003), 뇌종양 (Levicar 등, 2003) 등 일부 암세포의 침범이 부분적으로 억제되었지만, 다른 암세포에서는 억제되지 않았다 (Mignatti 등, 1986). 전이에서 특별한 단백질분해효소의 역할을 파악하는 것은 전이에 관여하는 단백질분해효소를 표적화하는 요법을 개발하는 데 필수적이다. 한편, 효소면역분석법 (enzyme immunoassay, EIA)을 이용한 연구는 흑색종 (Kos 등, 1997), 결장직장암 (Kos 등, 1998) 등 일부 암 환자에서 cathepsin B의 혈청 농도로 예후를 예측할 수 있다고 하였다. 임상 연구와 마찬가지로 여러 실험 연구는 cathepsin B가 난소암 (Kobayashi 등, 1992), 골육종 (Krueger 등, 1999) 등에서 종양이 진행하는 데 중요한 역할을 함을 보여 주었다. 다른 연구는 전립선암의 확대와 cathepsin B의 발현 사이에서 강한 연관성을 발견했다고 하였다 (Sinha 등, 2002). 이들 결과는 cathepsin B가 암을 진단하는 데 표지자의 역할을 하는 것 외에도 암의 진행을 나타내는 지표 역할을 할 수 있음을 시사한다.

근래의 연구는 cathepsin B의 혈청 농도 및 밀도가 양성전립선비대 환자 혹은 건강한 대조군에 비해 전립선암 환자에서 유의하게 더 높을 뿐만 아니라 전립선에 국한된 암에 비해 전립선 외부로 침범한 경우에 유의하게 더 높으며 전립선암이 진행함에 따라 증가하기 때문에, cathepsin B의 혈청 농도와 밀도는 양성전립선비대 환자와 전립선암 환자를 구별하고 전립선암의 진행을 예측하는 데 도움이 된다고 보고하였다 (도표 115, 116). 참고로 cathepsin B의 밀도는 혈청 cathepsin B 농도를 경직장초음파촬영술에 근거하여 0.52×최대 전후 직경×최대 가로 직경×최대 상하 직경으로 산출된 전립

선 용적으로 나눈 값이다. 그러나 이 연구에서 혈청 cathepsin B 농도와 cathepsin B 밀도가 정상인 환자와 증가된 환자 사이에서 질병 특이 생존율의 차이는 관찰되지 않았는데, 저자들은 그 이유가 첫째, 피험자의 수가 적고, 둘째, 관찰 기간이 짧으며, 셋째, 대부분의 전립선암 환자들이 안드로겐 박탈 요법 후 조기에 양호한 치료 반응을 나타내었고, 넷째, 근치전립선절제술을 받은 환자와 받지 않은 환자를 함께 분석하였기 때문이라고 기술하였다 (Miyake 등, 2004).

다른 연구는 전립선암 세포주 PC3와 DU145가 Matrigel® (Engelbreth-Holm-Swarm 생쥐의 육종 세포로부터 분비되는 단백질 혼합물의 상품명이며, 다수 조직의 ECM과 유사하여 세포를 배양할 때 기질로 이용된다)을 침범할 때 cathepsins B와 L이 중요한 역할을 수행하는지를 평가하였다. 이 연구에서 두 세포주는 phorbol ester의 유사체인 phorbol 12-myristate 13-acetate (PMA)에 노출되었는데, PMA는 protein kinase C (PKC)를 활성화하여 악성 표현형을 유도하는 종양 촉진제이다 (Gomez 등, 1999). 기질을 분해하는 단백질분해효소, 예를 들면 MMP-2, MMP-9, uPA, cathepsins B/L 등을 강력하게 활성화하는 제제인 PMA는 단백질분해효소 유전자의 발현을 활성화하는 등 다수의 신호 경로를 활성화하여 세포의 침범을 증대시킨다 (Johnson 등, 1999). PMA와 같은 phorbol ester에 의해 일어나는 종양세포의 침범은 다음과 같은 세 단계의 기전으로 이루어진다. 첫째, 기저막 및 ECM과의 접착. 둘째, 단백질을 분해하는 작용을 통해 ECM의 성분을 분해 혹은 소화. 셋째, 원격 부위로의 이동 (Gomez 등, 1999). PMA에 노출된 PC3와 DU145 세포에서는 cathepsins B와 L이 증가되었고 Matrigel® 내로의 침범이 증대되었다 (Colella 등, 2004). PMA에 의한 cathepsins B와 L의 증가는 대세포 폐암 (nonsmall cell lung cancer, NSCLC) (Heidtmann 등, 1993), 유방암 (Johnson 등, 1999) 등 다수의 악성 세포주에서 보고된 바와 같이 PKC가 활성화되기 때문으로 추측된다.

PMA는 PC3와 DU145 세포의 침범력을 증가시킨다. PMA는 또한 기질을 분해하는 다른 효소의 발현 및 활성을 증가시킬 수 있는데, 이를 확인하기 위해 비가역적으로 papain, cathepsin B, cathepsin L, calpain, staphopain 등과 같은 cysteine proteinase를 억제하고 세포막을 쉽게 침투하지 못하는 epoxide, 즉 탄소-산소-탄소가 환상으로 결합한 화합물인 E64를 이용한 연구가 있다 (Colella 등, 2004). E64는 cathepsins B와 L에 대해 선택적이지 않기 때문에, lysosome의 cathepsin

도표 115 건강한 대조군과 양성전립선비대 및 전립선암 환자에서 혈청 cathepsin B 농도와 cathepsin B 밀도

	환자 수 (%)	Cathepsin B, ng/mL			Cathepsin B 밀도, ng/mL/cc		
		평균±표준 편차	p-value	증가 수 (%)	평균±표준 편차	p-value	증가 수 (%)
건강한 대조군	80 (100)	24.3±7.2			0.92±0.36		
양성전립선비대	80 (100)	25.6±14.7	NS	7 (9)	0.94±0.81	NS	4 (5)
전체 전립선암	120 (100)	37.2±20.3	〈0.001	64 (53)	1.43±1.37	〈0.005	48 (40)
임상 병기			〈0.005			〈0.05	
T1	22 (18)	27.4±14.9		3 (14)	0.98±0.82		1 (5)
T2	46 (38)	32.8±17.1		21 (46)	1.25±1.19		10 (22)
T3	46 (38)	45.1±23.7		36 (78)	1.76±1.59		33 (72)
T4	6 (6)	46.1±34.6		4 (67)	1.93±1.89		4 (67)
전이			〈0.005			〈0.05	
음성	71 (59)	32.4±15.7		30 (42)	1.22±1.12		21 (30)
양성	49 (41)	44.2±23.9		34 (69)	1.78±1.45		27 (56)
림프절 전이			NS			NS	
음성	108 (90)	36.2±17.9			1.40±1.29		
양성	12 (10)	46.2±31.8			1.70±1.66		
골 전이			〈0.05			〈0.05	
음성	74 (62)	33.1±16.8			1.24±1.15		
양성	46 (38)	43.8±26.3			1.73±1.39		
Gleason 점수			NS			NS	
〈7	22 (18)	35.5±21.3		11 (50)	1.38±1.30		8 (36)
7	53 (44)	37.0±19.7		27 (51)	1.43±1.31		19 (36)
〉7	45 (38)	38.3±19.8		26 (58)	1.45±1.37		21 (47)

NS, not significant.
Miyake 등 (2004)의 자료를 수정 인용.

도표 116 양성전립선비대 환자와 근치전립선절제술을 받은 전립선암 환자에서 혈청 cathepsin B 농도와 cathepsin B 밀도

	환자 수	Cathepsin B, ng/mL		Cathepsin B 밀도, ng/mL/cc		증가 수 (%)	
		평균±표준편차	p-value	평균±표준편차	p-value	Cathepsin B	Cathepsin B 밀도
양성전립선비대	80	25.6±14.7	NS[†]	0.94±0.81	NS[†]	7 (9)	4 (5)
전립선암			〈0.05[‡]		〈0.05[‡]		
국소	36	30.1±18.1		1.06±0.90		8 (22)	5 (14)
피막 밖 침범	30	39.2±18.3		1.54±1.02		13 (43)	12 (40)

[†], 양성전립선비대 환자와 전립선암 환자의 p-value; [‡], 국소 전립선암 환자와 피막 밖으로 침범한 전립선암 환자의 p-value.
NS, not significant.
Miyake 등 (2004)의 자료를 수정 인용.

H와 칼슘으로 활성화되는 세포질의 단백질분해효소로 알려진 calpain도 억제한다 (Barrett 등, 1982). Cathepsin H는 PC3와 DU145 세포에서 분비되지만, E64가 이를 충분하게 억제하지 못한다. 즉, cathepsin H가 억제되기 위해서는 cathepsins B와 L에 비해 10배 높은 농도가 필요하다 (Waghray 등, 2002). Calpain은 MMPs에 대한 효과를 통해 종양세포가 침범하는 데 영향을 주지만 (Popp 등, 2003), calpain은 세포 내에 월등하게 분포해 있기 때문에 E64가 효과적으로 calpain을 억제하지 못한다 (Atsma 등, 1995). 보고된 E64의 특성을 종합해 볼 때, 종양세포의 침범에 대한 E64의 효과는 cathepsin B와 L을 억제하기 때문으로 추측되지만, cathepsin H 혹은 calpain 외에 전립선암 세포의 침범을 유도하는 다른 cysteine proteinase에 대한 억제를 완전히 배제할 수는 없다.

50 μM의 E64를 단독으로 투여하면 cathepsin B와 L의 모든 작용이 억제되었다. E64와 PMA를 병용한 경우에는 E64가 DU145 세포의 Matrigel® 침범력을 상당하게 감소시켰지만,

PC3 세포에 대해서는 유의한 효과를 나타내지 못하였다. 이는 DU145 세포의 침범은 cathepsin B와 L의 활성에 의존적이기 때문으로 추측된다. 이러한 가설은 PMA가 기질을 분해하는 다른 효소의 발현과 활성을 유도하지만 (Gomez 등, 1999) DU145 세포가 PMA와 E64에 동시에 노출되면 Matrigel®을 침범하는 능력이 감소된다는 연구 결과에 의해 뒷받침된다 (Colella 등, 2004). DU145 세포와는 다르게 PC3 세포의 Matrigel® 침범은 E64에 의해 영향을 받지 않았는데, 이는 PC3 세포가 침범을 일으키는 데는 cathepsin B와 L이 필수적이지 않음을 시사한다. 그러나 PMA와 E64로 처치한 PC3 세포는 아무런 처치를 하지 않은 대조 세포에 비해 유의하게 낮은 침투력을 나타내었다. 이들 결과로 볼 때, cathepsin B와 L의 활성이 증가될 경우 PMA에 의해 자극을 받는 다른 단백질분해효소와 상관없이 PC3 세포의 침범이 유도된다고 생각된다. 대세포 폐암으로부터 배양된 세포주에서는 PMA가 metalloproteinase의 분비에 영향을 주지 않았지만 (Schuermann 등, 1997), 일반적으로 PMA는 metalloproteinase의 발현을 강력하게 활성화하는 제제이다 (Gomez 등, 1999). 유방암 세포주 MCF-7에서 PKC-α의 과다 발현은 uPA, MMP-9, MMP-2 등의 발현을 증가시키지만, 전이력의 증가는 uPA 때문이라고 생각된다 (Ways 등, 1995). PMA에 의해 단백질분해효소가 분비하는 반응은 한결같지는 않고 개개의 세포에 있는 PKC 아형의 특이한 발현 양상에 의존적이라고 추측된다. 예를 들면, PMA로 처치한 경우 DU145 세포는 PC3 세포에 비해 cathepsin의 활성화에 따른 반응이 더 큰데, 이는 DU145 세포가 PC3 세포보다 PKC-α를 더 높게 발현하기 때문으로 생각된다 (O'Brian 1998).

11.2. MMP-9, uPAR, cathepsin B에 대한 표적 요법
Targeting therapy used by MMP-9, uPAR, cathepsin B

uPA와 urokinase plasminogen activator receptor (uPAR)로 구성되는 uPA 시스템은 세포의 분화, 증식, 접착, 신호 전달 등에서 다면적인 기능을 나타내기 때문에, 많은 연구로부터 관심을 받고 있다. uPA도 활성화되지만, uPAR은 다양한 세포 표면 분자, 특히 integrins와 상호 작용하여 세포의 접착 및 이동 외에도 신호 전달에서 어떠한 역할을 한다고 생각되며 (Duffy, 2004), 세포의 증식, 생존, 세포 자멸사 등에 관여하는 여러 유전자를 조절한다 (Yuan 등, 2005). uPA와 uPAR 둘 모두가 정상 세포 및 종양세포에서 발현되지만, uPA의 활성과 uPAR의 발현은 전립선암을 포함하는 많은 악성 종양에서 증가되거나 비정상적으로 발현된다 (Dass 등, 2008). uPA/uPAR 시스템과 마찬가지로, 아연에 의존적인 단백질분해효소 MMP 또한 단백질을 분해하는 작용을 통해 ECM 성분을 분해하여 종양의 침범 및 전이에 관여하는 중요한 기능을 수행한다. 효소원 (zymogen) 형태로 분비되는 MMP는 plasmin에 의해 활성화되며, 그러한 활성은 tissue inhibitor of metalloproteinase (TIMP)에 의해 조절된다 (Khasigov 등, 2003). 종양이 전이하는 동안 활성 단백질분해효소와 억제 인자 사이의 균형이 깨어짐으로 인해 대개는 MMP의 발현이 증가하게 된다. MMP의 과다 발현은 유방암, 결장암, 두경부암, 폐암 등을 포함하는 여러 암의 전이와 관련이 있다 (Stamenkovic, 2000). MMP는 ECM의 분해 외에도 혈관 형성을 자극하는 vascular endothelial growth factor (VEGF) 등과 같은 여러 성장 인자의 분비를 유도한다 (Mira 등, 2004). 세포 외부의 단백질분해효소는 물론 세포 내부의 단백질분해효소도 종양세포의 이동 및 침범에 관여한다. 앞에서 기술되었지만, cathepsin은 lysosome 내에 위치한 cysteine 단백질분해효소이며, 펩티드의 말단 결합부를 분절하여 아미노산 혹은 dipeptide를 유리하는 효소, 즉 exopeptidase와 펩티드의 말단이 아닌 내부 사슬을 가수 분해하여 분절하는 효소로서 exopeptidase와는 다르게 펩티드가 단량체로 분절되지 않는 효소, 즉 endopeptidase로서의 기능을 가지고 있다 (Tu 등, 2008). Cathepsin은 fibronectin, type I 및 IV collagen, laminin 등과 같은 ECM 성분을 분해함으로써 직접적으로, 혹은 MMP, uPA 등과 같은 다른 단백질분해효소를 활성화함으로써 간접적으로 종양의 혈관 형성, 세포 자멸사, 염증 반응 등에 관여한다 (Yin 등, 2009). 여러 연구는 전립선암을 포함하는 다수의 암에서 cathepsin B의 발현이 증가된다고 보고하였다 (Hwang 등, 2009). Cathepsin B는 세포 내의 단백질로서 세포 내에서 일어나는 다양한 단백질 분해 사건과 신호 경로의 활성화에도 관여한다 (Hwang 등, 2009).

MMP-9, uPAR, cathepsin B 등은 개별적으로든 아니면 다른 단백질분해효소와 협동해서든 종양의 환경에서 중요한 역할을 담당하기 때문에, 이들 분자는 치료제의 개발에서 유망한 표적이 되고 있다. 연구자들은 중화 항체 (Rabbani와 Gladu, 2002), 특이 억제제 (Nemeth 등, 2002), antisense oligonucleotides (Margheri 등, 2005) 등을 이용하여 이들 분자를 성공적으로 차단하거나 하향 조절하였다. 이러한 전략은 여러 암에서 종양의 발달을 성공적으로 억제하는 데 이용된다. 근래에는 RNA interference (RNAi)가 유전자의 발현을 침묵시키는 효과적인 방법이라고 보고되었다. RNAi 기법은 이중 나선의 RNA를 이용하여 표적 유전자와 상동성의 염기 서열을 만들어 전사 후 유전자를 침묵시키는 방법이다 (Gartel과 Kandel, 2006). 전립선암 세포주를 대상으로 실시한 체내 및 체외 실험에서 MMP-9, uPAR, cathepsin B 등을 표적화하여 small interfering RNA (siRNA)를 발현하는 벡터를 이용한 연구는 MMP-9, uPAR, cathepsin B의 siRNA를 발현하는 plasmid 벡터가 전립선암 세포의 침범과 이동을 차단하며, 생체 조건에서 MMP-9, uPAR, cathepsin B를 하향 조절하면 세포 자멸사가 유도되고 종양세포의 성장 및 이동이 억제된다고 하였다 (Nella 등, 2010).

ECM의 분해 및 혈관 형성과 관련이 있는 분자의 활성화를 억제하거나 차단하여 암을 억제하려는 시도가 여러 보고에서 잘 기술되어 있다 (Brooks 등, 2010). 한 연구는 체내 및 체외 실험에서 uPA 시스템이 전립선암의 전이를 위해 중요함을 보여 주었다 (Pulukuri 등, 2005). PC3, DU145, LNCaP 등 세 종류의 전립선암 세포주에서 MMP-9, uPAR, cathepsin B 등을 제거하기 위해 plasmid를 기초로 하여 siRNA를 이용한 연구에 의하면, MMP-9의 효소 활성 및 uPAR의 발현은 이들 세포주의 침범력과 상호 관련이 있었다. MMP-9과 uPAR의 발현은 전이력이 약한 안드로겐 의존성의 LNCaP 세포주에 비해 전이력이 강한 안드로겐 비의존성의 PC3와 DU145 세포주에서 유의하게 더 높았다 (Aalinkeel 등, 2004). 그러나 cathepsin B는 DU145 세포주에서 가장 높게 발현되었고 그 다음은 LNCaP, PC3 세포주 순이었는데 (Friedrich 등, 1999), PC3 세포주보다 LNCaP 세포주에서 cathepsin B의 발현이 더 높은 이유는 밝혀져 있지 않다.

종양세포의 침범과 이동에서 공격성은 암의 전이력을 결정한다. 여러 연구는 세포의 단백질분해효소가 종양의 성장 및 전이에서 중요한 역할을 한다고 하였다 (Rao, 2003). 전립선 암 세포의 침범과 이동에서 단백질분해효소의 기능적 중요성을 평가한 연구는 plasmid를 발현하는 siRNA를 이용하여 MMP-9, uPAR, cathepsin B 등을 하향 조절하면 PC3 및 DU145 세포의 침범 및 이동뿐만 아니라 혈관 형성이 억제된다고 하였는데, 이는 이들 분자가 종양의 전이에 크게 관여함을 시사한다 (Nalla 등, 2010). 이전의 연구는 유방암 세포

(Kunigal 등, 2007), 신경교종 세포 (Gondi 등, 2004), 뇌수막종 세포 (Tummalapalli 등, 2007) 등에서 특이 억제제 (Sternlicht와 Bergers, 2000) 혹은 antisense oligonucleotides 혹은 siRNA (Lakka 등, 2002)를 이용하여 MMP-9을 하향 조절하면 종양세포의 침범 및 이동이 억제된다고 하였다. 마찬가지로 uPA/uPAR 시스템을 표적으로 하여 uPA의 활성을 억제하거나, uPA 및 uPAR의 발현을 삭제하거나, 그들의 상호 작용을 차단한 경우 여러 암에서 종양의 성장, 침범, 혈관 형성 등이 감소되었다 (Pulukuri 등, 2005; Dass 등, 2008). 다른 연구 또한 uPAR을 하향 조절하면 PC3 및 DU145 세포주의 Matrigel® 침범, 이동, 혈관 형성 등이 억제됨을 보고하였는데 (Nalla 등, 2010), 이는 uPA의 활성이 감소되거나 uPAR과 integrins 사이에서 측방향 상호 작용 (lateral interaction)이 일어나기 때문으로 생각된다. 불활성 형태의 효소인 pro-uPA로부터 생성되는 serine 단백질분해효소인 uPA는 uPAR과 결합함으로써 활성화되고 plasminogen을 plasmin으로 분절시킨다. 또한, plasmin은 여러 세포 외부 단백질을 직접 분절시키거나 간접적으로 다른 단백질분해효소를 활성화함으로써 ECM을 분해시킨다 (Dass 등, 2008). 다른 연구는 MMP-9이 하향 조절된 세포와 마찬가지로 uPAR과 cathepsin B가 삭제된 전립선암 세포주에서는 MMP-2 (72 kDa collagenase IV)가 아닌 MMP-9 (92 kDa collagenase IV)의 활성이 억제된다고 하였는데, 이는 MMP-9이 활성화되는 데는 uPAR과 cathepsin B가 중요한 역할을 함을 시사한다 (Nella 등, 2010). 여러 MMPs 중 MMP-9이 암의 전이와 관련이 있으며, 이 효소는 기저막의 기저층에 있는 type IV collagen을 분해하여 종양의 미세 환경에서 종양의 침범 및 혈관 형성을 돕는다 (Stamenkovic, 2000). MMPs, uPA/uPAR 시스템과 마찬가지로 세포 내부 및 외부의 cathepsin B도 종양의 침범을 유도하며, 뇌수막종 (Tummalapalli 등, 2007), 폐암, 신경교종 (Gondi 등, 2004) 등에서 cathepsin B를 하향 조절하면 종양의 침범이 억제된다. 다른 연구 또한 cathepsin B가 하향 조절되는 경우 전립선암 세포주의 침범력 및 전이력이 유의하게 억제된다고 하였다 (Nella 등, 2010). 한편, bi-cistron 벡터를 이용하여 두 분자를 동시에 하향 조절하면, 특이하게 하나의 유전자 혹은 분자를 표적으로 하였을 때보다 더 효과적으로 종양세포의 침범 및 이동이 억제되었다. 이러한 bi-cistron 벡터로 인한 상승 효과는 세포의 침범, 이동, 혈관 형성에서 이들 분자의 각각이 특이하고도 독립적인 역할을 하기 때문으로 생각된다 (Brooks 등, 2010).

여러 신호 경로 중 extracellular signal-regulated kinase (ERK)와 phosphoinositide 3-kinase/v-akt murine thymoma viral oncogene homolog 혹은 protein kinase B (PI3K/AKT 혹은 PKB) 경로는 종양세포의 성장, 증식, 분화, 생존, 이동 등과 관련이 있다고 알려져 있다 (Aruirre-Ghiso 등, 2003). 근래의 연구는 plasmid에 기초한 siRNA가 세포의 증식과 분화에서 중요한 기능을 하고 생존에 필수적인 분자인 AKT의 인산화를 억제한다고 하였다 (Nella 등, 2010). 이와 대조적으로 ERK 시스템은 ERK의 인산화로 활성화될 경우 세포 자멸사에 대항하는 보호 효과를 나타낸다 (Woessmann 등, 2004). 대부분의 연구는 ERK의 신호를 전달하는 경로가 활성화되면 세포 자멸사의 한계치가 증가함으로써 세포 자멸사가 억제된다고 하였지만, 일부 연구는 ERK의 활성화가 세포 자멸사를 유발한다고 하였다 (Bacus 등, 2001). 다른 연구도 MMP-9이 하향 조절되면 ERK가 활성화되고 이로써 세포 자멸사가 일어난다고 하였으며, 여러 증거들 또한 ERK의 활성이 MMP-9을 억제함으로 인해 일어나는 세포 자멸사에서 중요한 역할을 함을 보여 주었다 (Bhoopathi 등, 2008).

근래의 연구도 전립선암 세포주에서 MMP-9, uPAR, cathepsin B 등을 표적화한 siRNA를 이용하면 세포 자멸사가 일어난다고 하였다 (Nella 등, 2010). 이 보고는 유방암, 폐암, 신경교종 등에서 siRNA를 매개로 하여 이들 분자를 삭제한 경우 세포 자멸사가 일어났다는 이전의 보고와 일맥상통한다. 유전자 전달 감염을 일으킨 세포에서 DNA를 파괴한 후 terminal deoxynucleotidyl transferase dUTP nick end labeling (TUNEL) 분석으로 세포 자멸사를 확인한 연구에 의하면, 세포 자멸사는 대개 caspases의 활성화를 통해 결국 세포사를 일으키는 외인성 혹은 내인성 경로에 의해 발생한다. 또한, inhibitor of apoptosis protein 3 (IAP3)로도 알려진 X-linked inhibitor of apoptosis (XIAP), B-cell lymphoma 2 (BCL2) 등과 같은 세포 자멸사 대항 분자의 발현 감소, BCL2-associated X protein (BAX)과 같은 세포 자멸사 유발 분자의 발현 증대, 개시기 caspases인 caspase-8과 실행기 caspases인 caspase-7의 분절 혹은 활성화 등이 관찰됨으로써 세포 자멸사에는 여러 경로 및 분자가 관여한다고 생각된다. 그러나 caspase-3의 활성화는 나타나지 않는다. uPAR과 cathepsin B가 하향 조절된 신경아교종 세포주 SNB에서 caspase-3의 활성화 없이 caspase-8에 의해 매개되는 세포 자멸사가 보고된 바 있다 (Gondi 등, 2006). MMP-9, uPAR, cathepsin B 등이 하향 조절

된 전립선암 세포주에서 세포 자멸사는 세포 내부의 사망 신호가 발생하고 이는 다시 세포 외부의 신호 경로를 자극하기 때문인데, 사망 신호가 시작하는 기전은 충분히 알려져 있지 않다.

여러 연구는 항암 화학 요법제로 처치한 종양세포에서는 Fas cell surface death receptor/FAS ligand (FAS/FASL) 시스템이 증대된다고 하였다 (Mo와 Beck, 1999). 폐암 (Chetty 등, 2007), 유방암 (Kunigal 등, 2008) 등의 경우 화학 요법제 외에도 MMPs의 하향 조절이 FAS로 매개되는 세포 자멸사를 유도하고 종양의 진행을 억제한다는 보고도 있다. siRNA로 유전자 전달 감염을 일으킨 전립선암 세포주에서 FAS/FASL 시스템의 활성과 세포 자멸사와의 관계를 분석한 연구는 FasL 외에도 그것의 수용체의 발현이 증대됨을 보여 주었다. MMP-9, uPAR, cathepsin B 등이 하향 조절된 세포에서 FAS/FASL의 발현이 증가되는 기전은 완전하게 밝혀져 있지 않으나, 세포의 외부에 있는 단백질분해효소인 uPAR/uPA 시스템이 FAS 수용체에 대해 가려막기 효과 (shielding effect)를 나타내고, 이는 caspase-8의 활성화를 억제한다고 추측된다. FASL은 자가 분비뿐만 아니라 그것의 수용체 FAS와 결합함으로써 주변 분비에 의한 세포 자멸사의 매개체로서 기능을 한다. 결합한 후에는 FAS/FASL 시스템이 FAS-associated protein with death domain (FADD)의 사망 영역과 소중합체 (oligomerization)를 형성하고, 이로써 사망을 유발하는 신호 전달 복합체, 즉 death-inducing signaling complex (DISC)가 형성된다 (Chinnaiyan 등, 1995; Gajate 등, 2005). 다수의 단백질로 구성된 이 DISC는 개시기 caspases의 활성을 자극하고, 이는 다시 다른 실행기 caspases를 활성화함으로써 세포 자멸사가 진행하게 된다. MMP-9, uPAR, cathepsin B 등이 하향 조절된 전립선암 세포에서 FASL, FAS, FADD 등의 발현이 증가하고 개시기 caspase인 procaspase-8과 실행기 caspase인 procaspase-7의 분절 혹은 활성화가 일어나면, 세포 자멸사의 외인성 경로가 활성화된다. 그러나 유전자 전달 감염을 일으킨 세포의 분쇄물 내에는 BAX 단백질의 증가와 BCL2 단백질의 감소가 관찰되기 때문에, 세포 자멸사의 내인성 경로도 관여함을 배제할 수 없으며 (Lavrik 등, 2005), 앞으로 이를 확인하는 추가 연구가 필요하다.

Antisense 기법 및 siRNA를 이용한 접근법에 관한 초기의 연구는 동물 모델에서 성공적인 결과를 이끌어내었다 (Margheri 등, 2005). 한 생체 실험은 MMP-9, uPAR, cathepsin

B 등의 siRNA를 이용한 결과, 종양의 성장 및 이차 부위로의 이동이 효과적으로 억제됨을 확인하였다. 이 연구는 또한 bi-cistron의 plasmid가 단일 cistron의 plasmid에 비해 종양의 성장을 더욱 효과적으로 억제했다고 하였다. 이들 결과를 근거로 저자들은 동일한 벡터를 이용하여 동시에 두 유전자를 표적화하는 bi-cistronic siRNA plasmids가 종양의 크기를 유의하게 감소시키는 효과적인 표적 요법이 될 수 있다고 하였다 (Nella 등, 2010).

12. Caveolin 1 (CAV1)

라틴어로 'little cave'를 뜻하는 caveola는 척추동물의 여러 세포, 특히 내피세포와 지방세포의 형질막이 외피로 덮인 소포를 형성하는 단백질인 clathrin 없이 플라스크 혹은 오메가 모양으로 함몰되어 막 가까이에서 생겨난 50~100 nm의 작은 소포이다 (Williams와 Lisanti, 2005). 세포의 형질막은 지질과 단백질이 한 곳에 집결하여 형성된 microdomain, 즉 지질 뗏목과 지질 (lipid raft)의 이중층으로 구성되어 있다. Caveolae는 지질 뗏목의 소부류로서 콜레스테롤과 sphingolipids가 풍부한 미세 영역이다. Caveolae의 세포질 쪽 표면은 가로줄무늬의 피막 구조물을 가지는데, 여기에서 caveolin (CAV) 단백질이 발견된다 (Razani 등, 2002).

CAV의 기능 가운데 하나는 caveola의 막 내에 있는 신호 전달 분자들을 격리하고, 격리된 분자들의 기능을 조절하는 것이다. 포유동물의 세포에는 CAV를 코드화하는 세 가지의 유전자, 즉 염색체 7q31.1, 7q31.1, 3p25에 각각 위치해 있는 *CAV1*, *CAV2*, *CAV3*가 발현되며, 이들 유전자는 구조가 잘 보존된 다소 작은 20~24 kDa의 단백질 caveolin 1 (CAV1), CAV2, CAV3를 각각 코드화한다. 근육 외 조직에서는 CAV1과 CAV2가 우세하다. 이들은 보통 함께 발현되며, 세포질세망과 골지기관 (Golgi apparatus)에서 합쳐져 이질 소중합체 (hetero-oligomer)를 형성한다. 이들 소중합체가 형질막에 도달하면 고분자량의 복합체로 성숙하게 된다 (Razani 등, 2002). α와 β의 두 아형을 가진 CAV1은 caveolae의 구조적 성분 및 표지자로 기능하는 18~24 kDa의 단백질이다 (Drab 등, 2001). *CAV1*은 염색체 7q31.1의 D7S522 부위에 위치해 있는데, 이 부위는 유전체에서 취약한 부위라고 보고되고 있다 (Engelman 등, 1998). CAV1은 소포의 운반 (vesicular transport), 콜레스테롤의 대사, 신호 경로의 조절, 세포의 변형 등

과 같은 다수의 기능을 수행한다 (Williams와 Lisanti, 2004). CAV1은 세포 골격을 만드는 단백질로서의 역할 외에도, SRC proto-oncogene, non-receptor tyrosine kinase (SRC) 가족의 tyrosine kinase, tyrosine kinase receptor (TKR), p42/44, mitogen-activated protein kinase (MAPK), mitogen-activated protein kinase kinase (MEK), endothelial nitric oxide synthase (eNOS) 등 많은 하위 단백질의 활성화를 억제한다 (Razani 등, 2002). 또한, CAV1은 기관 및 분자의 상태에 따라 세포 자멸사에 대해 대항 작용을 나타낸다. CAV1의 과다 발현은 뇌수막종 (Barresi 등, 2006), 신장암 (Campbell 등, 2003), 폐암 (Ho 등, 2002) 등을 가진 환자에서 불리한 병리학적 특징 및 나쁜 결과와 관련이 있다고 보고되었다. CAV1의 과다 발현은 다수의 약물에 저항성을 보이는 결장암 세포주, taxol에 저항성을 나타내는 폐암 세포주 (Yang 등, 1998), adriamycin 저항성 유방암 세포주 (Lavie 등, 1998) 등에서도 발견된다. CAV2는 CAV1과 함께 발현되며 (Parolini 등, 1999), CAV3는 특이하게 골격근 및 심장근에서 발현된다 (Song 등, 1996).

12.1. Caveolin (CAV)의 분포 부위에 따른 역할
Role of caveolin in different localization

CAV는 분포하여 있는 부위에 따라 cell-associated CAV, secreted CAV, stromal CAV 등으로 분류된다.

12.1.1. 세포 caveolin (CAV) Cell-associated caveolin

'CAV를 포함하고 있지 않아 세포막 함입을 형성하지 않는 편평한 모양의' 지질 뗏목은 생화학적으로 caveolae와 유사하며, 다소 높은 농도의 콜레스테롤과 glycosphingolipids를 함유하고 있다. 정상 전립선의 조직은 간에서와 거의 동일한 정도로 높은 함량의 콜레스테롤을 포함하고 있다. 이전의 연구는 콜레스테롤의 농도를 낮추면 전립선 조직의 항상성이 달라진다고 하였다 (Schaffner와 Gordon, 1968). 이 연구는 동물에게 polyene macrolide인 candicidin을 콜레스테롤의 강하제로 투여하였을 때, 전립선의 퇴행이 일어났다고 하였다 (Schaffner, 1981). Candicidin 혹은 이와 구조적으로 유사한 화합물은 콜레스테롤과 결합하여 장을 통한 콜레스테롤의 흡수를 억제한다. 장에서 콜레스테롤의 운반체 Niemann-Pick type C1-like 1 (NPC1L1)을 차단함으로써 혈중 콜레스테롤을

낮추는 ezetimibe에 관한 연구는 ezetimibe가 생쥐에서 LN-CaP 이종 이식 암의 성장을 억제하고 종양의 혈관 형성에 대해 대항 작용을 나타낸다고 하였다. 반대로, 콜레스테롤의 함량이 높은 식이는 혈중 콜레스테롤을 증가시키며, 종양의 혈관 형성과 이종 이식 암의 성장을 촉진하였다 (Solomon 등, 2009). 이들 자료는 LNCaP 모델에는 CAV1이 없기 때문에, 종양의 성장에 대한 콜레스테롤 의존성 효과는 CAV1과는 무관함을 보여 준다.

전립선암의 성장에서 콜레스테롤의 역할은 실험 및 임상연구에 의해 지지를 받고 있다. 비정상적인 지질 대사로 인해 전립선 내에 콜레스테롤이 축적된다는 관찰에 근거한 연구는 전립선암의 존재와 조직 내 콜레스테롤 함량의 증가 사이에 상호관계가 있다고 하였다 (Freeman과 Solomon, 2004). 여러 전향 연구는 3-hydroxy-3-methylglutaryl-coenzyme A (HMG-CoA) reductase 억제제, 즉 statins를 이용한 장기간의 콜레스테롤 강하 요법이 공격적인 전립선암의 위험을 감소시킨다는 관찰에 근거하여 전립선암 세포 내에 콜레스테롤이 다량 분포하면 세포의 증식 혹은 공격적인 활동이 촉진된다고 보고하였다 (Platz 등, 2009). 전립선은 정상적으로 간과 비슷할 정도로 다량의 콜레스테롤을 합성한다. 안드로겐은 전립선암 세포에서 콜레스테롤을 생합성하는 속도를 조절하는 단계에 관여하는 fatty acid synthase (FASN)와 HMG-CoA reductase를 코드화하는 유전자의 전사를 촉진함으로써 지방의 형성을 자극한다. 다수의 연구는 여러 종류의 세포에서 안드로겐이 유전체 수준에서 지방의 형성을 조절함을 보여 주었다 (Zhang 등, 2008). CAV1 음성인 LNCaP 세포주에 관한 연구는 거세 저항성 전립선암과 관련이 있는 신호를 전달하는 경로에서 세포막에 분포해 있는 콜레스테롤의 역할을 보고하였다. 그러한 경로는 interleukin (IL)-6, signal transducer and activator of transcription 3 (STAT3), androgen receptor (AR), v-akt murine thymoma viral oncogene homolog protein 1 (AKT 혹은 protein kinase B, PKB) 등과 같은 신호를 전달하는 기전에 의해 영향을 받는다 (Cinar 등, 2007; Adam 등, 2007). 신호 전달에 대한 콜레스테롤 의존성 효과에 관하여 몇 가지 설명이 있다. 첫째, 콜레스테롤은 지질 뗏목 (raft) 영역 내에 있는 다수 단백질의 복합체를 통해 신호 경로를 변경한다 (Zhang 등, 2005). 둘째, 콜레스테롤이 안드로겐의 대사적 전구체 역할을 함으로써 종양세포는 충분한 양의 안드로겐을 합성하여 종양세포의 성장을 촉진한다 (Montgomery

등, 2008).

CAV1 음성인 LNCaP 세포에 관한 연구는 지질 뗏목을 포함하는 콜레스테롤 의존성 기전의 중요성을 보여 주는 한편, CAV1의 발현이 종양의 성장 혹은 종양세포의 생존을 유발하는 데 필요하지 않음도 보여 준다. CAV1 음성인 세포에서 나타나는 지질 뗏목의 경로가 CAV1의 상향 조절로 인해 증대되는지는 알려져 있지 않다. Caveolae가 형성되기 위해서는 CAV1 (골격근과 심근에서는 CAV3)과 함께 cavin-1으로도 알려진 협동 단백질인 polymerase I and transcript release factor (PTRF)가 필요하다 (Liu 등, 2008). Cavins는 caveolae를 구성하는 단백질 가족 중 하나로서 caveolin-1의 caveolae 형성을 촉진함을 통해 caveolin-1의 기능을 조절한다 (Hansen과 Nichols, 2010). Cavins의 동형 단백질로는 cavin-1~cavin-4가 있으며, 서로 다른 특성을 가지고 있다 (McMahon 등, 2009; Bastiani 등, 2009). 췌장암에 관한 연구에서 cavin-1과 caveolin-1은 연합하여 췌장암의 진행에서 중요한 역할을 하며, 환자의 생존에 악영향을 준다고 하였다 (Liu 등, 2014). Cavin, 즉 PTRF는 세포막에 집결하여 caveolae를 형성하는 용해성의 세포액 단백질이다. PTRF가 소실된 세포에서는 caveolae가 소실되더라도 형질막에 CAV1이 남아 있지만, CAV1의 측방향 이동과 lysosome에 의한 분해는 증가된다. 이와 관련된 한 편의 연구는 PTRF의 발현이 전립선암 조직에서 감소된다고 하였다 (Gould 등, 2010). 만일 이러한 결과가 사실이라면, 전립선암 세포는 전형적인 caveolae의 구조물이 없는 상태에서 CAV1을 과다 발현할 수 있을 것이다. 그러한 과정의 생물학적 영향은 알려져 있지 않다. CAV1/PTRF 복합체가 세포질 세망, Golgi 기관, 형질막 등에 순차적으로 집결함은 caveola의 막이 지질 뗏목이 가진 역할과는 다른 특별한 역할을 수행함을 시사한다 (Hayer 등, 2010).

CAV1은 지질단백질의 섭취를 조절함으로써 지질단백질과 triglyceride의 대사에 관여한다 (Frank 등, 2008). CAV1이 다른 신호 전달 단백질에 의해 활성화되지 않는 한, CAV1이 세포의 골격을 형성하는 세포 관련 기능, 예를 들면 kinase의 조절 또한 지질 뗏목에 의해 나타나지 않는다. CAV1이 세포 내에 있는 콜레스테롤의 농도를 조절하기 때문에, CAV1은 지질 뗏목의 신호 경로를 조절한다고 생각된다. CAV1은 low-density lipoprotein (LDL)의 섭취를 매개하는 단백질이기 때문에, 전립선암에서 CAV1의 증가는 종양의 결절 내에서 콜레스테롤의 축적을 촉진한다. 종양의 조직 내에서 혹은 그 근방에서 콜레스테롤의 증가는 지질 뗏목의 기전을 통해 혹은 종양 내 안드로겐의 합성을 자극함을 통해 신호 전달의 기전을 변경시킨다. 정상 혹은 악성 전립선 조직 내에 콜레스테롤이 축적되면, 비뇨기과적 양성 질환뿐만 아니라 암과 관련이 있는 조직의 염증이 증가한다 (Freeman 등, 2012).

12.1.2. 분비 caveolin (CAV) Secreted caveolin

앞에서 기술한 바와 같이, 전립선암이 거세 저항성 질환으로 진행하는 데는 CAV1의 발현 증가가 중요한 역할을 한다. CAV1의 과다 발현은 전립선암에서 공격적인 질환과 관련이 있지만, 사람의 조직에서 나타나는 면역 염색의 패턴은 상당히 이질적이다. 통상적인 면역조직화학검사로 측정된 CAV1의 양성률은 전이 암에서 40~60%의 범위이다 (Yang 등, 1999). CAV1 단백질의 발현이 종양에서 이질적이라는 사실은 CAV1이 세포 외부 공간으로 유출되고 주변 분비 혹은 내분비 기전을 통해 종양의 미세 환경에서 중요한 역할을 함을 시사한다.

CAV1은 생쥐와 사람의 전립선암 세포에 의해 분비되며, 그러한 분비는 AR을 발현하는 CAV1 양성 세포에서 안드로겐에 의해 자극을 받는다 (Tahir 등, 2001). CAV1은 사람의 혈청에서도 발견되며, enzyme-linked immunosorbent assay (ELISA)로 측정이 가능하고, 혈중에서 그것의 상태는 질환의 재발을 예측하는 임상적 생물 지표라고 알려져 있다 (Tahir 등, 2008). 실험 연구에 의하면, CAV1을 발현하는 전립선암 세포는 세포의 생존과 집락 형성을 촉진하는 생물학적으로 활성적인 성분을 분비하고, 이러한 분비 과정은 CAV1에 대항하는 항체에 의해 억제되는데, 이는 CAV1이 그러한 주변 분비 기전에서 중요한 역할을 함을 시사한다 (Tahir 등, 2001). CAV1이 결여된 전립선암 세포에서 CAV1의 발현은 종양의 성장을 촉진하며, CAV1에 대항하는 항체는 생체 실험에서 CAV1을 분비하는 세포를 표적화하여 치료 효과를 나타내었다 (Tahir 등, 2001). 이종 이식 암 LNCaP 모델을 이용한 연구는 CAV1이 결여된 세포의 파종으로 유발된 피하 종양이 CAV1을 발현하는 종양이 반대쪽에서 성장할 때는 CAV1 양성 종양으로 진행한다고 하였다 (Bartz 등, 2008). 이들 결과는 혈중 CAV1이 처음 분비된 위치로부터 먼 부위의 조직 내로 유입될 수 있으며, 혈중 CAV1은 종양의 미세 환경 내에서 혹은 다른 부위에서 자가 분비, 주변 분비, 혹은 내분비 효과를 나타낼 수 있음을 시사한다.

한 연구는 actin의 핵 단백질인 Diaphanous-related formin 3 (DRF3)의 불활성에 의해 혹은 epidermal growth factor (EGF)에 반응하여 전립선암 세포로부터 분비되는 1~10 μm 크기의 활성적인 소포 입자를 발견하였다. DRF3는 공격적인 전립선암에서 흔히 염색체의 결실을 일으키는 유전자 *DIAPH3*에 의해 코드화되며, *DIAPH3*의 염색체 자리의 결실 빈도는 전립선에 국한된 암보다 전이 질환에서 유의하게 더 높다 ($p=0.001$) (Di Vizio 등, 2009). 'Oncosome'으로 불리는 이들 미세 입자는 CAV1을 포함하고 있는데, 이는 혈중 CAV1이 다양한 크기의 입자 형태로 운반됨을 시사한다. EGF receptor (EGFR)의 활성화 및 세포막을 표적화하는 AKT1의 과다 발현에 의한 oncosome의 형성 및 분비는 인산화된 CAV1의 분포, 세포 형태, 세포 골격의 구조 등의 급격한 변화와 함께 일어난다. 이들 미세 입자는 신호를 전달하는 많은 단백질을 함유하고 있으며, tyrosine을 인산화하고 AKT의 경로를 활성화하여 세포의 증식과 이동을 자극한다. 이들 자료를 종합하여 볼 때, 전립선암으로부터 분비된 미세 입자가 종양의 미세 환경을 변경하여 질환을 진행시키는 데 관여하며, 이러한 과정은 DRF3 단백질에 의해 조절된다 (Di Vizio 등, 2009). LNCaP 세포에서 분비되는 oncosomes 중 여러 다른 단백질에 관한 질량분석법 (mass spectrometry)은 이러한 큰 부류의 입자가 생물학적으로 활성적인 신호 전달 복합체 없이 세포를 광범위하게 파종시키는 기전에 관여함을 보여 주었다 (Di Vizio 등, 2009). 이러한 신호 전달 사건에서 CAV1의 역할은 알려져 있지 않으나, CAV1에 대한 항체는 전립선암 분비물의 생물학적 활성을 억제한다 (Tahir 등, 2001). 혈청 CAV1의 농도는 특히 PSA와 같은 다른 표지자와 함께 이용될 경우 임상적으로 유용한 정보를 제공한다는 자료를 종합하여 볼 때, 질량분석법을 이용하여 혈청 내에서 측정된 CAV1의 함량은 임상적으로 활용이 가능한 생물 지표가 될 수 있다.

12.1.3. 기질 caveolin (CAV) Stromal caveolin

기질세포는 상피세포암이 존재할 경우 아직 충분하게 이해되어 있지 않은 복잡한 단계의 사건을 통해 반응한다. 전립선암은 '섬유 조직의 형성 (desmoplastic)'이라는 반응을 촉진함으로써 암을 동반한 섬유모세포가 상처 치유의 과정에서 나타나는 근섬유모세포의 특징을 가지게 한다. 기질세포 표현형의 전환은 기질세포 유전자 발현 프로그램에서의 변화, 기질세포의 집결, 상피의 중간엽으로의 이행 (epithelial-to-mesenchymal transition, EMT) 혹은 내피의 중간엽으로의 이행 (endothelial-to-mesenchymal transition, EndMT) 등을 통해 일어난다. 이들 '암과 관련된 섬유모세포 (cancer-associated fibroblast (CAF)'는 세포 외부 기질의 구조 변경, 여러 종류의 활성 단백질, 특히 transforming growth factor (TGF)-β_1의 분비, 혈관 형성 등을 포함하는 기전을 통해 종양의 형성에 관여한다고 알려져 있다 (Dakhova 등, 2009). CAF는 종양의 확대와 기질의 침범을 촉진하는 주변 분비의 신호 전달 기전을 통해 내피세포, 면역세포, 염증세포, 골수 유래 줄기세포, 지방세포, 암세포 등 종양의 미세 환경 내에 있는 다양한 세포와 교통한다. 사람의 종양을 대상으로 실시한 CAF에 관한 연구는 기질이 진행 전립선암 (Josson 등, 2010), 유방암 (Mercier 등, 2008) 등으로 진행하는 데 직접적인 역할을 한다고 하였다.

CAV1은 공격적인 전립선암 세포에서 상향 조절되지만, 대조적으로 여러 종양 유발 유전자로 형질 전환을 일으킨 NIH3T3 섬유모세포에 관한 연구는 유전적인 형질 전화를 통해 CAV1의 농도가 하향 조절되며, caveolae가 형성되지 않음을 보여 주었다 (Galbiati 등, 1998). 이들 실험 자료와 마찬가지로, 유방암 환자로부터 분리된 CAF에는 CAV1이 하향 조절되었다 (Sotgia 등, 2009). CAV1$^{-/-}$ 생쥐의 유방 지방층에 암세포를 착상시키면 종양의 성장이 유의하게 증대되었는데, 이는 CAV1이 음성인 기질이 종양을 촉진함을 시사한다. 유방에서 CAF의 RNA 양상에 관한 연구는 종양을 억제하는 유전자인 retinoblastoma 1 (RB1)이 기능적으로 억제될 때 나타나는 것과 유사한 유전자 신호와 CAV1의 하향 조절은 상호 관련이 있다고 하였다. 다른 연구도 기질에서 CAV1의 소실이 유방암 환자에서 재발, 침윤성 질환 혹은 전이로의 진행 등과 같은 임상적으로 나쁜 결과를 나타내는 생물 지표의 역할을 한다고 하였다 (Witkiewicz 등, 2009). 유방암과 유사하게 전립선암에 관한 연구도 기질에서 CAV1의 소실은 Gleason 점수의 증가 및 전이 질환으로의 진행과 정상관관계를 가진다고 하였다 (Di Vizio 등, 2009). 다른 연구 또한 전립선의 기질세포 내에서 CAV1의 침묵은 전립선암 세포의 이동을 촉진하고 무병 생존에 대한 예측을 가능하게 한다고 하였다 (Tuxhorn 등, 2002). 종합해 볼 때, 인접 종양으로 인한 기질의 반응, 즉 '반응성 기질 (reactive stroma)'에 관한 자료는 일부 환자에서 암의 성장, 생존, 진행 등이 기질 내에 분포한 CAV1의 하향 조절에 의해 매개된다는 가설과 일치함을 보여 준다 (Yang 등, 2005).

12.2. Caveolin 1은 종양을 촉진하는가, 억제하는가?
Caveolin 1: tumor promoter or tumor suppressor?

암의 시작과 진행에서 CAV1의 역할은 다차원적이다. CAV1은 사람의 많은 원발 암과 암 세포주 그리고 breakpoint cluster region-Abelson murine leukemia viral oncogene homolog 1 (BCR-ABL), viral Abl (v-ABL), H-RAS, Polyoma virus middle T (PyMT), CT10-regulated kinase I (CRK-I), Neu-T, c-SRC$_{Y52F}$, v-myc avian myelocytomatosis viral oncogene homolog (MYC) 등에 의하여 변형된 세포에서 하향 조절된다 (Liscovitch 등, 2005). 또한, CAV1의 유전자 CAV1은 사람의 암에서 흔하게 삭제되는 취약한 부위인 fragile site 7G (FRA7G)에 인접한 염색체 7 (7q31.1)에 위치해 있다 (Engelman 등, 1998c). 쥐 모델에서 CAV1을 감소시킨 경우에는 섬유모세포에서 형태학적인 변형이 일어났다 (Galbiati 등, 1998). CAV1을 제거한 생쥐와 종양이 잘 발생하는 PyMT 생쥐를 함께 번식시키면, 각각 피부와 유선에 발암 물질 혹은 종양 유발 유전자에 의해 발생되는 종양이 쉽게 형성되었다 (Capozza 등, 2003).

전사가 하향 조절되는 것 외에도 CAV1은 사람의 일부 암에서 돌연변이의 표적이 된다. 한 예로, CAV1의 우성 음성 돌연변이 (dominant negative mutation)로 proline-132가 leucine (P132L)으로 전환되는데, 이는 에스트로겐 수용체 α가 양성인 원발 유방암의 16%에서 일어나며 (Hayashi 등, 2001), 질환의 재발을 예측하는 인자로서의 역할을 한다 (Li 등, 2006). Membrane spanning domain에서의 이러한 점 돌연변이는 내인성 CAV1이 정위치에서 벗어나 세포 내에 축적되도록 하여 NIH3T3 세포에서 형태학적인 변형을 일으킨다 (Lee 등, 2002).

대조적으로, CAV1은 NIH3T3 섬유모세포주에서 세포 주기의 진행을 억제하는데, 이는 종양을 억제하는 기능이 있음을 추측하게 한다 (Galbiati 등, 2001). 더군다나 cyclin D1의 전사 과정은 CAV1에 의해 억제된다 (Hulit 등, 2000). 여러 연구자들은 CAV1이 wingless-type MMTV integration site (WNT)/β-catenin 단계, MEK1 및 extracellular signal-regulated kinase 1/2 (ERK1/2), MAPK 단계 등과 같이 유사분열을 촉진하는 신호 경로를 억제한다고 하였다. 이와 같은 관찰들은 CAV1이 악성으로 변형되는 과정의 초기 단계에서 종양을 억제하는 단백질로서 작용함을 추측하게 한다.

도표 117 여러 신호 경로에 대한 caveolin-1의 효과

신호 경로	실험 시스템	효과	기전	참고 문헌
MEK1/ERK1/2	Neu (c-ERBB2) 및 EGFR (erbB1) 자극	억제	CSD를 통해 MEK1 및 ERK1/2와 직접 상호 작용	Engelman 등, 1998a Galbiati 등, 1998
	FRT 세포에서, fibronectin에 부착	활성	Integrin α 소단위와 Fyn을 결합시킴	Wary 등, 1998
PI3K/AKT	LNCaP 세포주에서 thapsigargin을 이용하여 AKT의 인산화를 자극	활성	Ser/Thr phosphatases PP1, PP2A와 상호 작용하여 억제시킴	Li 등, 2003
	MCF7, HEK, HeLa 세포에서 분리 및 IGF-I으로 AKT의 인산화를 자극	활성	ND	Shack 등, 2003 Ravid 등, 2005
	Tensile force로 인한 활성	활성	ND	Sedding 등, 2005
	심근세포에서 AKT의 인산화	억제	PP2A phosphatase를 caveolae로 집결시켜 활성화함	Zuluaga 등, 2007
NOS	시험관 실험으로 결합 및 활성 분석	억제	CSD를 통해 eNOS, iNOS, nNOS와 상호 작용	Ju 등, 1997 Sato 등, 2004
	CSD로 처치한 생쥐에서 NO 방출, 대동맥 링에서 혈관 이완, carrageenan으로 유도된 표지자 감소	억제	ND	Bucci 등, 2000
	FRT 세포에서, NO 방출	억제	Caveolae 형성, 공간적 상호 작용	Sowa 등, 2001
JAK/STAT	KO 생쥐모델의 유방 상피세포와 조직에서 기저선 및 프로락틴으로 유도된 STAT5a의 인산화, STAT5a-responsive reporter의 활성화	억제	JAK2와 상호 작용	Park 등, 2002 Sotgia 등, 2006
WNT/β-catenin	RAC311 및 NIH3T3 세포에서 WNT1으로 자극, 촉진체의 활성	억제	β-Catenin을 caveolae로 집결시킴으로써 핵 내에 축적을 방해	Galbiati 등, 2000
	HeLaS3 및 HEK 세포에서 WNT3a로 자극	활성	LRP6와 결합함으로써 axin이 수용체로 집결하도록 촉진하며 복합체로부터 β-catenin을 유리하여 축적을 촉진하고 전사를 활성화함	Yamamoto 등, 2006

AKT, v-akt murine thymoma viral oncogene homolog 1 or protein kinase B; CSD, caveolin-scaffolding domain; EGFR, epidermal growth factor receptor; eNOS, endothelial nitric oxide synthase; ERBB2, v-erb-b2 avian erythroblastic leukemia protein; ERK, extracellular signal-regulated kinase; FRT, Fisher rat thyroid; Fyn, feline yes-related protein; HEK, Human Embryonic Kidney; HeLa, Henrietta Lacks; IGF, insulin-like growth factor; iNOS, inducible nitric oxide synthase; JAK2, Janus kinase 2; KO, (caveolin-1) knockout; LRP6, low-density-lipoprotein (LDL) receptor related protein 6; MCF7, Michigan Cancer Foundation-7; MEK, mitogen-activated protein kinase kinase; MMTV, mouse mammary tumor virus; ND, not determined.; Neu, proto-oncogene Neu protein; NIH, National Institutes of Health; nNOS, neuronal nitric oxide synthase; NO, nitric oxide; NOS, nitric oxide synthase; PI3K, phosphatidylinositide 3-kinase; PP2A, protein phosphatase 2; STAT5a, signal transducer and activator of transcription 5A; WNT1, wingless-type MMTV integration site family, member 1.

Shatz와 Liscovitch (2008)의 자료를 수정 인용.

그러나 CAV1이 종양을 억제한다는 가설에 관해서는 많은 논란이 있다. 여러 보고에 의하면, 다수의 암 세포주에서 CAV1의 발현은 높게 나타난다 (Davidson 등, 2001). 또한, CAV1의 농도는 다수의 약제에 저항성을 나타내는 암 세포 (Lavie 등, 1998)와 전이 전립선암 세포주 (Yang 등, 2000)에서 증가된다. CAV1의 농도는 여러 종류의 암에서 병기 및 분화도 등급과 상호 연관성을 나타내었다 (Savage 등, 2007). 종양에서 분비된 CAV1은 AKT 혹은 NOS에 의해 매개되는 신호 경로를 활성화하여 혈관 신생을 촉진한다 (Tahir 등, 2008). 이와 같은 자료들은 CAV1이 진행된 병기의 암에서 암 세포의 생존을 촉진하고 종양의 형성을 자극함을 시사한다.

다양한 신호 경로에 작용하는 CAV1을 연구한 자료들이 도표 117에 요약되어 있다.

12.3. 사람의 암에서 caveolin 1의 발현과 암의 병기 및 분화도 등급과의 상호 관계

Caveolin 1 expression in human cancer and correlation with tumor stage and grade

많은 연구들은 CAV1의 발현 증가가 공격적인 암 세포의 표현형과 상호 관련이 있다고 보고하였다. 암의 진행 및 전이와 CAV1의 발현 사이의 연관성은 전립선암에서 처음 확인되었다. 전립선암 표본을 면역조직화학적으로 분석한 결과, CAV1이 양성인 표본의 비율이 정상 조직과 증식성 조직에서 각각 8%, 18%인 데 비해, T3 N1 병기의 원발 암에서는 29%이었고 림프절 전이에서는 56%로 증가하였다 (Yang 등, 1998b). 근 치전립선절제술을 받은 환자에서 CAV1의 과다 발현은 공격

적인 암의 재발과 상호 관련이 있었으며 (Karam 등, 2007), CAV1의 과다 발현은 질환의 진행과 관련이 있는 임상 표지자와 연관성을 가져 수술 후 임상적으로 나쁜 결과를 예측하게 한다 (Satoh 등, 2003). 사람의 전립선암에 관한 또 다른 연구에서는 c-MYC와 CAV1의 발현을 병용한 경우 전립선암의 예후를 예측할 수 있었다. 즉, 104점의 근치전립선절제 표본을 면역염색법으로 분석한 연구는 다음과 같은 결과를 보고하였다 (Yang 등, 2005). 첫째, c-MYC와 CAV1을 병용한 분석에서 양성률은 Gleason 점수 및 수술 절제면 침범과 정상관관계를 나타내었으며, 각각 $p=0.0253$, $p=0.0006$이었다. 둘째, 임상적 국소 전립선암 환자에서 c-MYC와 CAV1 둘 모두의 양성 반응은 단변량 및 다변량 분석에서 수술 후 질환의 진행까지의 기간과 상호 관련이 있었으며, 각각에서 HR은 3.035 ($p=0.0039$), 2.916 ($p=0.0114$)이었다.

전립선암 외에도 폐암에서 CAV1의 과다 발현과 암의 병기 및 분화도는 정상관관계를 나타내었다 (Kato 등, 2004). CAV1의 발현과 전이력 사이의 정상관관계는 침윤성이 높다고 확인된 폐의 선암 세포주에서 관찰되었다. 또한, 폐의 원발 선암은 대부분 CAV1에 대해 음성 반응을 보인 데 비해, 림프절 전이를 가진 폐암과 림프절 전이에서는 CAV1의 발현이 통계적으로 유의하게 증가하였다 (Ho 등, 2002). CAV1의 과다 발현은 폐의 다형성 암 (pleomorphic carcinoma)과 편평상피세포암 환자에서 나쁜 예후와 유의한 상관관계를 가졌다. 주목할 점은 CAV1이 소세포폐암 (small cell lung cancer, SCLC)이 아닌 대부분의 폐암 세포주에서는 높게 발현되지만 소세포폐암 세포주의 대부분에서는 음성 소견을 나타낸다는 점인데, 이는 CAV1의 발현이 암의 병기뿐만 아니라 암 세포의 유형과도 관련이 있음을 시사한다 (Sunaga 등, 2004).

CAV1은 일부 기저세포 형태의 유방암 및 화생성 (metaplastic) 유방암에서 과다 발현되거나 증가되며, 그러한 발현은 더 짧은 무병 기간 혹은 더 짧은 생존 기간과 유의하게 관련이 있었다 (Savage 등, 2007). 유방암 표본에 대한 면역조직화학적 검사는 CAV1의 농도가 정상 유방 조직에서는 낮지만 모든 분화도 등급의 유방암에서는 그것의 발현이 크게 증가함을 보여 주었다. 이 연구에서 관내 (intraductal) 암, 침윤성 관암, 림프절 전이 등을 포함하는 악성 유방암 조직의 78~93%가 CAV1의 항체를 이용한 면역 염색에서 양성 소견을 나타내었다 (Yang 등, 1998b). 16종의 유방암 세포주를 분석한 결과, 침윤성을 가진 10종의 세포주 모두는 어느 정도로

CAV1을 발현하였지만, 침윤성이 없는 6종의 세포주 중 5종은 CAV1에 대해 음성 반응을 나타내었다 (Xie 등, 2003).

CAV1의 발현은 분화가 잘 된 저등급 분화도의 Ta~T1 종양에 비해 분화가 미흡한 고등급 분화도의 T2~T4 방광암에서 증가된다 (Rajjaybun 등, 2001). CAV1의 발현은 방광의 이행상피세포암에서 종양의 병기와 분화도 등급과 관련이 있었다 (Kunze 등, 2006). 이와 같은 연관성은 193점의 원발 방광암 표본을 분석한 자료에서도 발견되었다 (Sanchez-Carbayo 등, 2002). CAV1의 발현은 방광의 요로상피세포암에서 종양의 분화도 등급 및 편평상피세포의 분화와 상호 관련이 있었다 (Fong 등, 2003).

CAV1의 발현 증가는 신세포암에서 전이 및 나쁜 예후와 관련이 있다 (Campbell 등, 2003). 또한, 신세포암에 관한 연구에서 CAV1의 발현은 고등급 분화도의 종양, 국소 림프절 전이, 정맥 침범 등과 정상관관계를 나타내었다 (Horiguchi 등, 2004).

이들 결과들을 종합해 볼 때, CAV1의 발현 증가는 여러 종류의 암, 예를 들면 뇌, 유방, 골격, 구강 점막, 결장, 폐, 신장, 방광, 전립선 등의 암에서 나쁜 예후 인자로서의 역할을 한다고 생각된다.

12.4. Caveolin 1에 의한 세포 사망, 성장, 생존 조절
Modulation of cell death, growth and survival by caveolin 1 (CAV1)

많은 연구가 CAV1이 세포의 사망, 성장, 생존을 조절한다고 보고하였다. CAV1은 사람의 전립선암 세포주에서 c-MYC 및 thapsigargin으로 유도된 세포 자멸사를 억제하였다 (Timme 등, 2000). 한편, MCF7 유방암 세포주에서 CAV1을 억제한 경우 세포가 분리됨으로 인한 세포 자멸사, 즉 anoikis에 대한 저항성이 발생하였다 (Ravid 등, 2005). CAV1은 세포 분리로 인해 생긴 세포 자멸사를 일시적으로 방어하는 SRC 가족의 기전에 관여한다 (Loza-Coll 등, 2005). 세포 자멸사에 대한 CAV1의 대항 작용은 NIH3T3 세포주에서도 관찰되었는데, CAV1의 발현을 antisense를 이용하여 억제하면 과산화수소 (H_2O_2)로 매개되는 세포사에 대한 세포의 민감성이 증가하였다 (Volonte 등, 2002).

CAV1이 세포를 보호하는 역할을 가지고 있다는 보고와 마찬가지로, 치사량 이하의 과산화수소는 사람의 정상 유방 상

피세포에서 CAV1의 발현을 증대시키고 미성숙 세포의 노화를 증가시켰지만, CAV1을 발현하지 않는 MCF7 세포주에서는 동일한 용량이 세포 자멸사를 일으켰다 (Dasari 등, 2006). 젊은 세포에 비해 CAV1이 증가한 노화 세포는 산화 스트레스로 인해 일어나는 세포 자멸사의 반응이 약하다 (Ryu 등, 2006). 특히, 노화 표현형은 CAV1을 억제하면 반전될 수 있다 (Cho 등. 2003).

CAV1은 처음에는 유사분열을 촉진하는 작용에 대항하는 효과를 가진 성장 억제 단백질로 간주되었지만, 근래의 연구는 증식을 촉진하는 작용이 어느 정도 있음을 확인하였다. 쥐의 progestin 의존성의 암 세포주 C4HD에서, 합성 progestin인 medroxyprogesterone acetate (MPA)는 *CAV1* mRNA와 CAV1 단백질의 발현을 유도하며, 이러한 발현은 MPA로 유도되는 C4HD 세포의 증식을 위해 필요하다 (Salatino 등, 2006). siRNA를 이용하여 CAV1의 발현을 소멸시키면, p38 MAPK의 활성화가 약화되어 내피세포의 성장과 단층으로 융합하는 기능이 억제된다 (Siddiqui 등, 2007).

소세포암 외의 폐암에서 siRNA로 CAV1을 억제하면, 세포의 증식, 집락 형성, 부착 (anchorage) 비의존성 성장 등에서 장애가 발생한다 (Sunaga 등, 2004). 마찬가지로 실험용 누드 마우스에서 siRNA를 이용하여 CAV1을 억제하면, Ewing 육종 세포의 부착 비의존성 성장이 억제되고 Ewing 육종세포의 성장이 현저하게 감소된다 (Tirado 등, 2006).

CAV1이 세포의 성장을 촉진하고, 세포 자멸사에 대항하며, 세포의 생존을 유도하는 단백질로서의 기능은 전립선암에서 전형적으로 나타난다. CAV1의 발현은 전이성이 높은 전립선암 세포주와 조직 절편에서 증가되며, CAV1은 전립선암 세포의 클론 성장과 테스토스테론 의존성 생존을 위해 필요하고 전이를 촉진한다는 관찰 (Li 등, 2001a)은 동물 모델을 대상으로 실시한 생체 연구의 결과와 일치한다. *CAV1*이 없는 생쥐를 transgenic adenocarcinoma of mouse prostate (TRAMP) 모델 생쥐와 이종 교배를 일으킨 실험에서 *CAV1*의 소실이 전립선암의 최소한의 침습성에는 영향을 주지 않았지만 높은 침습성 및 전이 질환으로의 진행을 유의하게 방해하였다. *CAV1*의 1개 (+/-) 혹은 2개 (-/-) 대립 유전자의 불활성은 전립선암 크기를 유의하게 감소시켰고 국소 림프절로의 전이 및 원격 기관으로의 전이를 감소시켰다. 또한, TRAMP 암 세포로부터 유래된 전립선암 세포주에서 *CAV1*의 발현이 감소되면 종양의 형성 및 전이가 유의하게 감소되었다 (Williams

등, 2005). 분명히 CAV1은 전립선암에서 세포 자멸사에 대항하는 역할을 한다 (Timme 등, 2000). 흥미로운 점은 암이 신경 주위로 침범한 경우 신경의 기질을 통해 CAV1이 미세 환경으로 분비된다는 점이며, 이로써 신경 주위에 증가된 CAV1의 발현이 침범한 전립선암 세포의 세포 자멸사를 억제하고 암 세포의 생존과 전파를 촉진한다 (Ayala 등, 2006). 또한, 수술 전에 증가된 혈청 CAV1의 농도는 근치전립선절제술 후 암의 재발을 예측할 수 있게 한다 (Tahir 등, 2006).

이와 같은 연구의 결과는 CAV1이 세포의 생존을 촉진하고 세포 자멸사를 억제하는 작용을 가지고 있음을 보여 주며, 그러한 기전은 전립선암, 소세포 유형 외의 폐암, Ewing 육종 등의 세포를 포함하는 여러 종류의 암 세포가 악성 표현형을 가지도록 촉진한다 (Shatz와 Liscovitch, 2008).

12.5. 전립선암에서 caveolin 1 (CAV1)의 발현
Caveolin 1 expression in prostate cancer

CAV1의 과다 발현은 임상적 국소 전립선암으로 전립선절제술을 받은 환자로부터 채집한 표본의 20~39%에서 발견된다 (Yang 등, 2005). Yang 등 (2000)은 임상적 국소 전립선암을 가진 아프리카계 미국인 71명과 백인 71명으로부터 근치전립선절제술 후 채집한 표본에서 CAV1의 발현을 비교하였다. 그들은 B-cell lymphoma 2 (BCL2), c-MYC, p53 등의 발현이 아프리카계 미국인과 백인 사이에서 차이를 보이지 않았으나, CAV1의 과다 발현의 빈도는 아프리카계 미국인에서 유의하게 더 흔했다고 하였다. 다른 연구에 의하면, *CAV1*은 고등급 전립선상피내암과 전립선암의 발달에서 *MYC*와 상호 연관성을 가지며, 고등급 전립선상피내암에서 *CAV1*의 과다 발현은 *CAV1* 양성의 전립선암이 발생할 환자를 조기에 발견할 수 있는 생물 지표가 된다 (Yang 등, 2012).

전립선암 환자의 치료에 이용되는 안드로겐 박탈 및 차단 요법의 표적이 되는 단백질은 AR이며, AR은 AR의 활성을 촉진하거나 억제하는 기능을 가진 많은 단백질과 상호 작용한다. 안드로겐에 민감한 LNCaP, 안드로겐에 반응하는 22Rv1, 안드로겐에 비의존적인 PC3, DU145, ALVA41, 비악성인 RWPE1 등 6종류의 전립선암 세포주를 이용하여 내인성 AR과 CAV1과의 연관성을 분석한 연구는 다음과 같은 결과를 보고하였다 (Bennett 등, 2014). 첫째, AR을 발현하는 LNCaP와 22Rv1 세포주에서는 내인성 CAV1의 mRNA와 단백질이 낮은 수준으로 발현되었다. 둘째, AR을 거의 발현하지 않거나 전혀 발현하지 않는 DU145, PC3, ALVA41, RWPE1 등의 세포주에서는 내인성 CAV1이 높은 농도로 발현되었다. 셋째, LNCaP 세포에서 AR을 삭제한 경우에는 CAV1이 영향을 받지 않았으나, CAV1이 삭제된 경우에는 AR의 발현과 AR의 유전체 기능이 억제되었다. 이들 자료에 의하면, 전립선암 세포에서 CAV1의 mRNA와 단백질의 발현은 AR의 발현과 역상관관계를 가지며, CAV1이 삭제되면 AR 유전체의 활성이 감소되는 것으로 보아 안드로겐/AR의 신호 전달 축에 작용하는 CAV1은 AR의 공활성 인자 (co-activator; DNA와 스스로 결합할 수 없고 DNA와 결합하는 영역을 가진 활성제 혹은 전사 인자와 결합함으로써 유전자의 발현을 증대시키는 단백질)라고 생각된다.

CAV1은 세포의 형질 전환과 종양의 형성에서 중요한 역할을 하며, 전이 과정에 관여한다. 더욱이 CAV1의 발현은 스트레스의 조건 하에서 유도된다. CAV1이 고등급 분화도를 나타내는 공격적인 형태의 전립선암에서 예후 표지자의 역할을 하는지를 확인하기 위해 전립선암 환자 82명과 대조군 15명으로부터 채집한 97점의 혈청 표본을 대상으로 혈청 CAV1 과 함께 환원형 glutathione (GSH), 2,2-diphenyl-1-picrylhydra-zyl (DPPH), Trolox equivalent antioxidant capacity (TEAC), ferric-reducing antioxidant power (FRAP), dimethyl-4-phen-ylenediamine (DMPD), free radical scavenging activity (FRSA), blue chromium peroxide (CrO_5) 등과 같은 항산화 작용의 혈청 표지자를 측정한 연구는 다음과 같은 결과를 보고하였다 (Gumulec 등, 2012). 첫째, 혈청 CAV1의 농도는 5.69 ng/mL인 전립선암 환자군과 5.42 ng/mL인 대조군 사이에서 유의한 차이를 보이지 않았다. 둘째, 혈청 CAV1의 농도는 낮은 병기에 비해 TNM T4와 같이 높은 병기에서 유의하게 2.8배 증가하였으며 ($p \langle 0.004$), 조직학적 분화도 등급과 유의한 정상관계를 나타내었다 ($r=0.29$, $p=0.028$). 셋째, 혈청 CAV1이 증가된 환자에서는 체내 항산화 기능이 감소되어 있었다. 이들 결과는 CAV1이 질환의 중한 정도를 예측하는 도구가 될 수 있음을 보여 준다.

Karam 등 (2007)의 연구에서 CAV1의 과다 발현은 높은 병리학적 Gleason 점수 ($p=0.038$), 수술 전 높은 PSA 농도 ($p=0.024$) 등과 같은 공격적인 질환의 특징과 관련이 있었다. 또한, CAV1의 과다 발현은 단변량 분석에서 근치전립선절제술 후 조기 PSA 재발과 관련이 있었으나 ($p=0.023$), 이 연관

성은 전형적인 병리학적 특징으로 보정한 경우에는 통계학적으로 유의하지 않았다. Thompson 등을 포함한 많은 연구팀이 전립선암에서 CAV1의 과다 발현을 평가하였다. 이들 연구 중의 하나는 임상적 국소 전립선암으로 근치전립선절제술을 받은 189명을 대상으로 CAV1의 발현을 분석하였다 (Yang 등, 1999). 이 연구에서 환자의 51.3%가 피막 밖으로의 침범을, 14.3%가 림프절 전이를, 43.9%가 질환의 재발을 나타내었다. 연구자들은 단변량 및 다변량 분석에서 CAV1의 과다 발현이 질환의 재발 위험 증가와 관련이 있었다고 하였다. 임상적 국소 전립선암으로 근치전립선절제술을 받은 일본인 152명에서 CAV1의 발현을 분석한 Satoh 등 (2003)은 단변량 분석에서는 CAV1의 과다 발현이 있는 경우 무병 생존 기간이 더 짧았으나 다변량 분석에서는 그렇지 않았다고 하였다. 그러나 분석을 병리학적 병기가 T2 N0 M0인 전립선암 환자로 제한하였을 경우에는 CAV1의 과다 발현이 질환의 재발을 예측하는 유일한 인자이었다. 다른 연구는 혈청 CAV1 농도의 증가가 양성전립선비대 환자보다 전립선암 환자에서 나타나며 (Tahir 등, 2003), 근치전립선절제술 후 재발 위험도가 높은 환자에서 나타난다고 보고하였다 (Tahir 등, 2006). 이들 연구와는 달리 Karam 등 (2007)의 연구는 병리학적인 소견으로 림프절 전이와 정낭 침범이 없고, Gleason 점수 7 이하이며, 피막 밖으로의 침범이 없고, 수술 절제면 침범이 음성인 환자로 연구 대상을 제한하더라도 다변량 분석을 하면 CAV1의 발현과 전반적 PSA 재발과는 관련이 없었다고 하였다.

근치전립선절제술 후 PSA가 점진적으로 증가하는 것은 수술 후 잔여 전립선암이 있거나, 수술 후 림프절이나 원격 전이 질환이 잠복해 있거나, 혹은 둘 다에 의해 일어난다. 이렇게 재발된 질환은 전이 및 사망에 이르기까지 다양한 속도로 진행한다. Karam 등 (2007)의 연구에서는 CAV1의 발현과 수술 후 PSA 재발과는 연관성이 발견되지 않았는데, 저자들은 CAV1의 발현이 국소 질환이나 생물학적으로 잠재적인 암과는 연관성이 부족하기 때문으로 추측하였다. 그러나 그들은 CAV1의 발현이 PSA 실패 후 짧은 PSA 배가 기간 (PSA dou-bling time, PSADT), 국소적 구제 방사선 요법에 대한 반응의 빠른 실패, 조기 원격 전이 가능성의 증가 등과 같은 공격적인 재발성 전립선암의 소견과는 유의한 연관성을 보였다고 하였다. 따라서 CAV1은 치유 목적으로 일차 치료를 한 후 공격적인 질환으로 재발될 위험성이 큰 환자를 확인함으로써 호르몬 박탈 요법 혹은 화학 요법과 같은 전신적 요법을 조기에 실

시할 환자를 선정하는 데 도움을 준다고 생각된다.

　종양의 상피세포 내에 있는 CAV1의 농도는 전립선암이 진행하는 동안 증가한다. 대조적으로 기질 내에 있는 CAV1의 발현은 진행 및 전이 전립선암에서 감소한다. 전립선암 환자 724명의 대규모 코호트에 관한 연구는 다음과 같은 결과를 보고하였다 (Ayala 등, 2013). 첫째, 기질 내 CAV1의 농도는 Gleason 점수가 증가함에 따라 감소하였으며 (p=0.012), 기질 내에서 CAV1 발현의 감소는 무병 생존의 감소와 상호 관련이 있었는데 (p=0.009), 이는 기질의 CAV1이 질환의 진행을 억제함을 시사한다. 둘째, 전립선 섬유모세포 WPMY-1에서 small hairpin RNA (shRNA)를 이용하여 CAV1을 침묵시킨 경우 AKT의 인산화가 상향 조절되었고, 혈관 형성, 침습, 전이 등에 관여하는 유전자의 발현에서 유의한 변화가 일어났는데, 예를 들면 TGF-β1 (TGFB1)과 γ-synuclein (SNCG) 유전자의 발현이 2.5배 이상 증가하였다. 더욱이 기질세포를 유인 물질로 이용한 경우에는 CAV1의 침묵이 전립선암 세포의 이동을 유도하였다. 셋째, 약리학적으로 AKT를 억제한 경우에는 TGF-β1과 γ-synuclein이 하향 조절되었는데, 이는 기질 내에서 CAV1의 소실이 종양의 미세 환경에서 일어나는 AKT로 매개되는 신호 경로에 영향을 줄 수 있음을 시사한다. 넷째, CAV1이 고갈된 기질세포에서는 세포 내의 콜레스테롤, 안드로겐 생합성의 전구체, 스테로이드 생성 효소, 테스토스테론 등의 농도가 증가하였다. 이와 같은 결과들은 종양의 미세 환경에서 CAV1의 소실이 AKT의 활성화를 통해 TGF-β1과 γ-synuclein을 상향 조절함으로써 종양세포의 전이를 유도하며, 거세 저항성과 관련이 있는 과정인 안드로겐의 내부 분비 (intracrine) 생성이 기질에서 일어남을 시사한다.

　경성 종양은 스스로 혈관 공급을 유도하기 때문에, 미세 혈관의 밀도 (microvessel density, MVD)가 여러 종양에서 예후 인자로 간주되고 있다. 전립선암 조직에서 여러 내피 인자의 mRNA, 즉 CD31, CD34, CD105, CD144, CD146, CAV1, vascular endothelial growth factor receptor 2 (VEGFR2) mRNA 농도와 조직학적으로 측정된 미세 혈관의 밀도 혹은 병리학적 지표와의 상관관계를 평가한 연구에 의하면, 정상 표본과 종양 표본에서 mRNA를 비교하였을 때 CAV1만이 유의한 차이를 나타내어 종양 조직에서 하향 조절되었으며 (배수 변화율 [fold change] -1.89; p〈0.0001), CAV1의 하향 조절은 pT 범주 (p=0.006) 및 Gleason 점수 (p=0.041)와 상관관계를 나타내었고, CAV1 mRNA의 낮은 발현은 생화학적 재발

과 관련이 있었다 (p=0.019). 이 연구는 면역조직화학검사에서 CAV1이 주로 내피세포와 기질세포에 위치해 있음을 관찰하였다. 이 연구는 또한 미세 혈관의 밀도가 종양의 분화도 및 pT 범주와 유의한 상관관계를 보였으며, 종양 조직에서 내피 인자의 mRNA와 미세 혈관의 밀도 사이에는 연관성이 없었지만, 단지 CD31 mRNA와는 정상관관계를 (p=0.074), CAV1 mRNA와는 역상관관계를 (p=0.056) 나타내었다고 하였다. 이들 결과는 전립선암 조직에서 내피 인자의 mRNA와 미세 혈관의 밀도 사이에는 단지 약한 상관관계가 있고, CAV1 mRNA 발현의 소실은 전립선암의 진행에서 중요한 역할을 함을 보여 준다 (Steiner 등, 2012).

　안드로겐 비의존성의 전이 전립선암을 가진 동물 모델의 생체 실험에서 CAV1을 억제하면 안드로겐 민감성이 회복되었다 (Nasu 등, 1998). 결과적으로 CAV1의 과다 발현은 이러한 환자에서 어떤 종류의 치료를 이용해야 할지를 결정하는 데 영향을 줄 수 있다. 예를 들면, 전이 전립선암 환자에서 주된 요법 중 하나인 호르몬 요법은 CAV1이 과다 발현된 환자에서는 효과를 보이지 않을 것으로 생각된다. 또한, 전립선 외의 다른 장기의 암에서 CAV1의 과다 발현은 여러 약제에 대한 저항성과 관련이 있다고 보고된 바 있다 (Lavie 등, 1998; Yang 등, 1998). 전립선암이 taxane 요법에 반응하지 않는 기전 중 하나가 이와 연관이 있을 수 있다. 따라서 안드로겐 박탈 요법 혹은 화학 요법을 실시하기 전에 CAV1의 발현을 억제하면, 전신 요법의 효과를 증대시킬 수 있다고 생각된다.

　CAV1은 공격적인 전립선암에서는 상향 조절된다. 또한, 백인과 아프리카계 미국인 중 거세 저항성 전립선암 환자에서는 혈장 CAV1의 농도가 증가되지만 호르몬 민감성 전립선암 환자에서는 증가되지 않기 때문에, CAV1은 거세 저항성 전립선암의 치료에서 표적으로 간주되고 있다. 일본인 중 거세 저항성 전립선암 환자 36명과 호르몬 민감성 전립선암 환자 22명을 대상으로 혈장 CAV1의 농도와 이들 유형의 전립선암 사이의 연관성을 평가하고 거세 저항성의 PC3 세포주와 호르몬 민감성의 LNCaP 세포주에서 CAV1의 발현을 분석한 연구는 ELISA를 이용하여 혈장 CAV1의 농도를, qRT-PCR과 western blots를 이용하여 세포주 내의 CAV1 mRNA 및 단백질을 측정한 후 다음과 같은 결과를 보고하였다 (Sugie 등, 2013). 첫째, 혈장 CAV1의 농도는 호르몬 민감성 전립선암 환자에 비해 거세 저항성 전립선암 환자에서 크게 더 높았으며, 각각 0.56±0.32 ng/mL, 1.46±1.37 ng/mL이었다 (p〈0.004). 둘째,

CAV1 mRNA 및 단백질은 LNCaP 세포에서의 발현보다 PC3 세포에서 유의하게 과다 발현되었다 ($p < 0.0001$). 이들 결과는 CAV1의 발현과 전립선암의 진행 사이에는 연관성이 있으며, CAV1이 거세 저항성 전립선암 환자에서 치료적 표적이 될 수 있음을 보여 준다.

세포 내의 CAV1 농도는 종양의 진행 및 전이와 정상관계를 가진다. CAV1은 전립선암 세포에 의해 미세 환경 내로 분비되며, 종양세포 및 내피세포의 증식을 유발할 뿐만 아니라 세포 자멸사에 대해 대항 작용을 일으킨다. 일부 임상 연구는 예후가 나쁜 전립선암 환자에서 혈청 CAV1의 농도가 증가함을 보여 주었으며, 조직 배양 및 동물 모델을 이용한 실험은 다클론 항체로 분비성 CAV1을 차단하면 종양세포의 성장이 억제된다고 하였다. 따라서 CAV1은 전립선암에서 치료의 표적이 된다. *CAV1* KO 생쥐로부터 생성된 CAV1의 단클론 항체를 이용한 연구는 glutathione으로 코팅된 ELISA 실험 평판에서 glutathione S-transferase (GST)/CAV1 복합체와 결합한 항체를 생성하기 위해 11종류의 hybridoma 세포주를 이용하였으며, 조직 절편에서 ELISA를 이용하여 GST/CAV1을 분석한 후 항체를 네 부류로 분류하였다. 그들은 아미노산 1과 31 사이에 있는 N-terminus와 결합하는 5개 항체를 가진 N1-31, 아미노산 32와 80 사이에서 결합하는 3개의 항체를 가진 N32-80, scaffolding domain인 아미노산 80~101과 결합하는 2개의 항체를 가진 CAV1 scaffolding domain (CSD), C-terminus 1/2의 일부와 결합하는 1개의 항체를 가진 CAV1-C 등이다. 이 연구에서 용해성 CAV1에 대한 이들 항체의 결합 친화력 (K_d)은 $10^{-11} \sim 10^{-8}$ M이었다. 이들 항체가 CAV1으로 매개되는 신호 경로를 억제하는 강도를 배양 세포와 동물 모델에서 시험한 후 선정된 단클론 항체를 사람에게 적용한다면, 전립선암의 치료에서 새로운 전략이 개발될 수 있다고 생각된다 (Kuo 등, 2012).

Dasatinib (BMS-354825, Sprycel®)은 다수 kinase, 즉 BCR, ABL, SRC 가족 등을 억제하는 tyrosine kinase 억제제로서 만성 골수성 백혈병과 Philadelphia 염색체 양성 (Ph+) 급성 림프모구 백혈병의 일차 치료제로 승인을 받은 경구 약물이다 (FDA, 2013). Sunitinib (SU11248, Sutent®)은 다수의 receptor tyrosine kinase (RTK)를 표적화하여 억제하는 소분자의 경구 제제로서 신세포암과 imatinib에 저항성을 가진 위장관 기질 종양 (gastrointestinal stromal tumor, GIST)의 치료제로 FDA에서 승인을 받은 경구 약물이다 (US Food and Drug Administration, 2006). PC3 및 DU145 전립선암 세포의 증식, CAV1의 발현, tyrosine kinase의 신호 전달 등에 대한 dasatinib과 sunitinib의 효과를 평가한 연구는 다음과 같은 결과를 보고하였다 (Tahir 등, 2013). 첫째, 두 전립선암 세포주를 dasatinib 혹은 sunitinib의 단일 제제로 치료한 경우 VEGFR2, platelet-derived growth factor receptor (PDGFR), AKT, focal adhesion kinase (FAK), SRC (dasatinib에만 해당), CAV1 등의 인산화가 감소하였으며, 세포 내의 CAV1 및 분비 CAV1의 농도가 감소하였다. 둘째, 두 약물은 용량 의존 방식으로 두 가지 전립선암 세포의 증식을 억제하였다. 셋째, PC3와 DU145의 피하 이종 이식 암에서 dasatinib, sunitinib 혹은 CAV1의 항체를 이용한 단일 요법은 운반체 (vehicle) 혹은 IgG 단일 제제를 이용한 대조군에 비해 유의하게 종양을 억제하였다. 넷째, dasatinib과 CAV1의 항체 혹은 sunitinib과 CAV1 항체의 병용 요법은 각각의 단일 요법에 비해 종양을 더 크게 퇴행시켰다. 다섯째, CAV1의 혈청 농도는 운반체로 치료를 받은 생쥐에 비해 dasatinib 혹은 sunitinib으로 치료를 받은 경우에 더 낮았으며, 운반체를 이용한 대조군에 비해 dasatinib 혹은 sunitinib을 이용한 치료군에서 종양의 성장과 정상관관계를 나타내었다 (각각 $r=0.48$, $p=0.031$; $r=0.554$, $p=0.0065$). PC3 세포에서 *CAV1* 삭제와 dasatinib 혹은 sunitinib을 병용한 경우는 dasatinib 혹은 sunitinib으로 단독 치료한 경우에 비해 PDGFR-β 및 VEGFR2의 인산화와 PDGFR-B 및 VEGFR-A의 발현과 분비를 더 크게 감소시켰는데, 이는 이들 약물에 의해 영향을 받는 자가 분비 경로에 CAV1이 관여함을 시사한다. 이들 자료는 CAV1이 dasatinib과 sunitinib에 의한 치료의 반응을 나타내는 생물 지표의 역할을 하며, 전립선암의 치료에서 표적이 됨을 보여 준다.

13. Cell Cycle Progression (CCP) Score (CCP-S)

전립선암은 거의 안드로겐 수용체에 의존적이며, 안드로겐 수용체가 활성화되면 이로 인한 자극으로 세포의 증식이 일어난다. 세포 주기의 진행에 관여하는 여러 인자는 안드로겐에 반응하여 조절되는데, 예를 들면 cyclin D1이 상향 조절된다 (Cifuentes 등, 2003). 전립선 내에 국한되어 있지 않은 진행 전립선암의 치료제에는 안드로겐의 생성을 차단하는 luteinizing hormone releasing hormone (LHRH) 유사체 혹은 안드로겐 수용체와 결합하여 불활성화하는 안드로겐 대항제가 있다. 이들 제제는 전립선암에서 처음에는 성공적인 반응을 나타내지만 나중에는 일정하게 실패를 일으키며, 선택할 치료제가 거의 없는 공격적인 거세 저항성 질환으로 전립선암이 진행한다. 안드로겐 수용체는 이러한 저항기에서도 발현되며, 성장을 유도한다고 보고되고 있다 (Feldman과 Feldman, 2001). 이와 관련하여 small hairpin RNA (shRNA)를 이용하여 안드로겐 수용체의 하향 조절을 유도한 연구는 전립선암의 성장이 장기간 억제됨을 관찰하였고, 이는 mitogen-activated protein kinase (MAPK)의 활성화 혹은 D-type cyclin 농도의 감소와는 관계없이 cyclin-dependent kinase inhibitor 1B (CDKN1B)로도 알려진 p27KIP1 혹은 p27^{KIP1} 농도의 증가 및 retinoblastoma protein (RB) 인산화의 저하와 관련이 있다고 하였다 (Yuan 등, 2006). 따라서 세포의 성장에 관여하는 안드로겐 수용체의 하위 표적은 전립선암을 특징화하고 새로운 치료제의 개발에서 중요한 표적이 된다.

Translocated in liposarcoma (TLS)로도 알려진 fused in Ewing's sarcoma (FUS)는 Ewing's sarcoma (EWS), TA-TA-binding protein (TBP)-associated factor 15/II68 (TAF15/TAFII68) 등과 함께 ten eleven translocation (TET) 가족에 속한다 (Law 등, 2006). 이들 가족 구성원은 한 개의 N-terminal serine-tyrosine-glycine-glutamine (SYGQ)-rich region, 한 개의 C2/C2 zinc finger motif, 한 개의 RNA-recognition motif (RRM), 최소한 한 개의 arginine-glycine-glycine (RGG)-repeat region 등을 가지고 있다 (Morohoshi 등, 1998). FUS는 지방육종 (liposarcoma)에서 처음 발견되었으며, CCAAT enhancer-binding protein (C/EBP) homologous protein (CHOP)과 결합하여 종양을 유발하는 효과를 나타낸다 (Rabbitts 등, 1993). FUS는 pre-mRNA의 splicing (Meissner 등, 2003), 염색체의 안정화 (Hicks 등, 2000), 세포의 전파 및 스트레스에 대한 반응 (Andersson 등, 2008), 전사 (Wang 등, 2008) 등과 같은 다면적인 기능을 가지고 있다. 근래의 연구는 FUS가 DNA와 결합한 noncoding RNA (ncRNA)를 통해 표적 유전자의 조절 영역을 표적으로 삼아 그러한 요소와 결합한 복합체와 결합하여 억제함으로써 전사를 억제한다고 하였다 (Wang 등, 2008). 이러한 보고는 ncRNA가 전사를 조절하기 위해 FUS 등과 같이 RNA와 결합하는 단백질의 집결을 통해 선택적 ligand로서 기능을 함을 시사한다. 이러한 결과는 FUS가 안드로겐에 반응하여 하향 조절되는 안드로겐 수용체

의 표적 단백질이라고 보고한 연구와 일맥상통한다 (Brooke 등, 2011). 이 연구에서 FUS의 과다 발현은 안드로겐으로 유발된 전립선암 세포의 성장을 유의하게 지연시켰으며, cyclin D1과 같이 세포 주기의 진행에 관여하는 여러 인자의 발현을 조절하였고, 세포 주기 중 G1 기의 정지 및 세포 자멸사를 유도하였다. 따라서 이들 저자들은 FUS가 종양을 억제하는 인자의 특징을 가지고 있다고 하였다. 면역조직화학검사에 의하면, FUS의 발현은 전립선암의 등급과 역상관계를 가지며, 고농도의 FUS는 더 오랜 생존율 및 낮은 골 전이와 관련이 있기 때문에, FUS 발현의 소실은 질환의 진행과 관련이 있다 (Brooke 등, 2011).

RB1에 의해 코드화되는 RB는 종양을 억제하는 단백질로서 종양의 발생을 역조절하는 중요한 인자이다. RB는 세포 주기의 진행을 억제함으로써 종양의 형성을 방지한다 (Burkhart와 Sage, 2008). 세포 주기의 정지와 관련이 있는 조건은 RB의 인산화를 저하시키고 RB를 활성화한다. 활성 RB는 S 기로의 진입에 필요한 유전자, 예를 들면 cyclin A2 (CCNA2), mini-chromosome maintenance complex component 7 (MCM7) 등의 촉진체와 결합하며, switch/sucrose non-fermentable (SWI/SNF) 복합체 및 paired amphipathic helix 단백질인 SIN3 transcription regulator family member B (SIN3B) 등과 같은 보조 억제 분자와 연합하여 이들과 함께 전사를 억제한다. RB는 또한 E2F transcription factor (E2F)로 매개되는 전사의 활성화를 억제하는 기능을 가지고 있다. 실제로 RB의 전사 억제 영역과 종양 억제 영역은 E2F와 결합하는 소단위를 가지고 있다. RB가 E2F 비의존성 기능을 가지고 있음이 확인되었지만, 이러한 기능이 종양을 억제하는지는 분명하지 않다 (Whitaker 등, 1998). 현재의 개념으로는 RB가 활성 인자인 E2F를 억제함으로써 종양의 발생을 방지할 뿐만 아니라 세포 주기의 통제 불능을 방지한다.

세포 내외의 조건으로 세포 주기가 진행되는 경우에는 cyclin-dependent kinase/cyclin (CDK/cyclin) 복합체가 RB를 인산화하고 비활성화하며, RB의 인산화로 인하여 표적 유전자에서 E2F의 작용을 억제하는 RB의 기능이 소실되고 하위 경로인 G1 cyclins가 발현된다. 이후 활성 cyclin E 혹은 cyclin A와 CDK2와의 복합체가 RB의 인산화를 완료하며, 이로써 E2F를 억제하여 종양을 억제하는 효과가 소실되고 S 기로의 진입이 촉진된다. M 기 동안 RB의 기능은 phosphatase의 작용을 통해 재가동된다. RB의 조절을 통제하는 기전은 종

양이 발생하는 동안 흔히 달라진다 (Knudsen 등, 2008). 예를 들면, 자궁경부암이 발생하는 동안 RB는 바이러스성 종양 단백질에 의해 차단되며, 외투세포 림프종 (mantle cell lymphoma)과 같은 다른 종류의 종양에서는 RB가 cyclin D1의 증폭 혹은 과다 발현에 의해 비정상적으로 과다 인산화되거나 불활성화되며, 흑색종에서는 RB가 CDK4 및 inhibitor of CDK 4A (INK4A), p16 등으로도 알려진 p16^{INK4A}의 소실에 의해 간접적으로 불활성화된다. 또한, *RB1* 유전자 자리에서 이형 접합성의 상실 (loss of heterozygosity, LOH)은 망막모세포종의 원인이 된다 (Cavenee 등, 1985). p16^{INK4A}의 상실 혹은 비정상적인 cyclin D의 발현이 없는 종양에서는 체세포에서 *RB1*의 소실도 보고된 바 있는데, 이는 각종 종양이 RB의 기능을 교란시키는 기전을 가지고 있음을 보여 준다 (Knudsen 등, 2008). 전립선암 표본에 관한 연구는 RB의 소실이 원발 질환에서는 드물지만 거세 저항성 질환으로의 진행과 관련이 있음을 보여 주었다. 이 연구는 또한 *RB1* 자리의 소실은 RB가 붕괴되는 주된 기전이며, RB 기능의 상실은 임상적으로 나쁜 결과와 관련이 있다고 하였다. RB 기능의 장애를 나타내는 모델을 이용한 연구는 RB가 종양의 진행에서 중요한 핵 수용체를 조절하는데, 이는 E2F1으로 매개되는 안드로겐 수용체 발현의 조절을 통해 일어난다고 하였다. 이러한 경로를 통해 RB의 고갈은 안드로겐의 활성화가 억제되지 않는 환경을 만들며, 이로 인해 치료 효과가 감소되고 종양은 진행하게 된다. RB/E2F/핵 수용체 축의 붕괴는 치료에 저항성을 나타내는 여러 종양에서 흔하게 관찰된다 (Sharma 등, 2010). 이와 같은 결과는 RB가 전립선암의 진행과 치명적인 표현형을 조절함에 있어 세포 주기의 조절 외에 다른 기능도 가지고 있음을 보여 준다.

Gleason 점수, 종양의 병기, 수술 절제면 상태, PSA 농도 등과 같은 임상적 가변 인자는 현재 여러 가지로 조합된 모델에 포함되어 질환의 결과를 예측하는 데 활용되고 있다 (Shariat 등, 2008; Kattan 등, 2009). 가장 흔한 임상 조건, 즉 근치전립선절제술 후의 경우에서 이들 예후 모델은 75~85%의 정확도를 나타내지만 (Han 등, 2003), 보존적 치료를 받은 환자에서는 정확도가 떨어진다 (Kattan 등, 2008). 많은 연구자들은 임상적 가변 인자의 예측도를 증대시키기 위해 종양에서 유래된 RNA를 발현하는 표지자를 개발하였다 (Singh 등, 2002; Yu 등, 2004; Glinsky 등, 2005). 그러나 이들의 연구는 제한된 성과에 거쳤으며, 임상적 관리를 개선하지 못하였다. 대조

적으로 종양에서 유래된 RNA가 발현되는 특징은 유방암에서 예후를 예측하는 측면에서 가치를 인정받았으며 (Wang 등, 2005), 이로써 임상적 관리가 개선되었다 (Cheang 등, 2008). 이러한 특징적 양상은 흔히 매우 적은 수의 유전자에 의하지만, 질환의 재발을 예측하는 데도 이용된다 (Fan 등, 2006). 각 특징적 양상의 예측도는 cell cycle progression (CCP)의 기능으로 발현이 조절되는 유전자로부터 생성된다. CCP와 관련이 있는 유전자는 세포가 세포 주기의 여러 단계로 진행함에 따라 혹은 종양에서 그들 RNA의 발현이 달라짐이 보고되었다 (Whitfield 등, 2002).

여러 연구는 다양한 종양에서 세포 주기의 진행을 조절하는 인자를 보고하였다. 예를 들면, 유방암의 SK-BR-3 세포 및 JIMT-1 세포에서 Aplysia RAS homolog I (ARHI)의 발현은 cyclin D1의 발현을 억제하였으나 p27^{KIP1} 및 calpain1의 발현을 촉진하였으며, human epidermal growth factor receptor 2 (HER2) 양성의 유방암 세포에서 ARHI의 발현은 세포의 성장 및 증식을 억제하였으나 세포 자멸사를 촉진하였다 (Li 등, 2012). 상보성 mRNA와 직접 결합함으로써 작용하는 유전자의 발현에 대해 전사 후 억제를 조절하는 인자로서, 종양의 시작과 예후를 결정하는 중요하는 역할을 하는 microRNAs (miRNAs, miRs) 중 *miR-503*는 종양을 억제하는 인자로 알려져 있는데, endometrioid endometrial cancer (EEC) 세포에서 *miR-503*의 비정상적인 억제는 G1/S 기에 특이한 *cyclin D1* (*CCND1*)의 농도를 증가시킴으로써 EEC의 형성 및 진행을 촉진한다 (Xu 등, 2013). 결장암에서 *miR-218*은 polycomb ring finger oncogene인 *B lymphoma Mo-MLV insertion region 1 homolog* (*BMI1*)를 하향 조절함으로써 세포 주기의 진행을 억제하고 세포 자멸사를 촉진한다 (He 등, 2013). 구강의 편평세포암 (oral squamous cell carcinoma, OSCC)에서 Skp1-cullin-F-box (SCF) ubiquitin ligase의 일부인 cell division cycle associated 3 (CDCA3)의 과다 발현은 CDK를 억제하는 인자의 발현을 억제함으로써 G1 기에서 세포 주기의 정지를 방지하여 OSCC의 진행을 유도한다 (Uchida 등, 2012). 아교모세포종 (glioblastoma)에서 muscarinic receptor 2 (M2)는 G1/S 및 G2/M 기에서 세포 주기의 정지와 관련이 있으며, M2 수용체의 활성화는 교종 (glioma) 세포의 성장과 생존을 억제한다 (Ferretti 등, 2013). 결장암의 이종 이식 암 모델에서 histone H3 lysine-4 (H3K4)에 특이한 methyl transferase의 mixed lineage leukaemia (MLL) 가족에 속하는 MLL4는

H3K4의 trimethylation 및 RNA polymerase II의 집결을 통해 cyclin D (*CCND*), *CCNE*, *tumor protein 27 (p27)*, *homeobox A5 (HOXA5)*, *HOXB7* 등 세포 주기를 조절하는 유전자의 발현을 조절하여 세포의 생존 및 세포 주기의 진행에서 중요한 역할을 함으로써 종양의 성장에 관여한다 (Ansari 등, 2012).

종양 생물학의 측면에서 기본이 되는 CCP 유전자의 발현은 전립선암의 결과를 예측하는 데 활용될 수 있다고 생각된다. 근래의 연구는 근치전립선절제술 혹은 보존적 치료를 받은 환자 코호트에서 질환의 결과를 예측하는 가치가 있는 CCP 유전자 31종을 선정하였는데, *forkhead box M1 (FOXM1)*, *cell division cycle 20 (CDC20)*, *cyclin-dependent kinase inhibitor 3 (CDKN3)*, *cyclin-dependent kinase 1 (CDK1)/CDC2*, *kinesin family member 11 (KIF11)*, *KIAA0101/overexpressed in anaplastic thyroid carcinoma-1 (OEATC1)*, *nucleolar and spindle associated protein 1 (NUSAP1)*, *centromere protein F (CENPF)*, *Asp (abnormal spindle) homolog microcephaly associated (ASPM)*, *BUB1 mitotic checkpoint serine/threonine kinase B (BUB1B)*, *ribonucleotide reductase M2 (RRM2)*, *discs large homolog-associated protein 5 (DLGAP5)*, *baculoviral inhibitor of apoptosis repeat-containing 5 (BIRC5)/SURVIVIN*, *kinesin family member 20A (KIF20A)*, *polo-like kinase 1 (PLK1)* 혹은 *serine/threonine-protein kinase 13 (STPK13)*, *topoisomerase DNA 2-alpha (TOP2A)*, *thymidine kinase 1 (TK1)*, *PDZ binding kinase (PBK)*, *anti-silencing function 1B histone chaperone (ASF1B)*, *C18orf24 Homo sapiens chromosome 18 open reading frame 24 (C18orf24)*, *RAD54-like (RAD54L)*, *pituitary tumor-transforming 1 (PTTG1)*, *cell division cycle associated 3 (CDCA3)*, *minichromosome maintenance complex component 10 (MCM10)*, *protein regulator of cytokinesis 1 (PRC1)*, *denticleless E3 ubiquitin protein ligase homolog (DTL)*, *centrosomal protein 55 kDa (CEP55)*, *RAD51 recombinase (RAD51)*, *centromere protein M (CENPM)*, *cell division cycle associated 8 (CDCA8)*, *origin recognition complex subunit 6 (ORC6)* 등이다. 이들 유전자 중 *TOP2A*, *RRM2*, *BIRC5* 등의 세 유전자는 전립선암의 결과와 관련이 있다고 이미 보고된 바 있으며 (Kosari 등, 2008; Nakagawa 등, 2008), 다수의 유전자가 세포 독성 요법 혹은 방사선 요법의 표적으로 추정되고 있다. 예를 들면, *RRM*은 pemetrexed 와 gemcitabine, *TOP2A*는 anthracyclines, *KIF11*과 *KIF20A*는 taxanes, *TK1*은 fluorouracil, *RAD51*과 *RAD54L*은 방사선 및 alkylating 약물에서 각각 표적으로 이용되고 있으며, 이로써 CCP 유전자는 치료에 대한 반응을 예측하는 데 유익하다고 생각된다 (Cuzick 등, 2011). 상호 관련이 있는 이들 CCP 유전자는 또한 침습력 등과 같은 다른 인자에 관한 정보를 준다 기보다 세포의 증식에 관한 신뢰성이 있는 정보를 제공한다 (Cuzick 등, 2011).

CCP 점수를 산출하는 방법은 다음과 같다 (Cuzick 등, 2011). 종양에서 유래된 RNA는 formalin-fixed paraffin-embedded (FFPE) 종양 절편에서 분리되었으며, 총 RNA는 RNeasy FFPE 혹은 miRNeasy로 추출되었다. RNA의 질적 양상은 CCP 유전자와 상주 (housekeeper) 유전자를 증폭함으로써 평가된다. CCP 점수를 생성하기 위해서는 모든 상주 유전자와 최소 21종의 CCP 유전자가 증폭되어야 한다. 저자들은 모든 표본으로부터 CCP 점수를 산출하였다. 일부 표본에서는 일부 유전자가 증폭되지 않았으며, 이와 같은 경우에는 RNA의 질이 너무 떨어져 CCP 점수를 산출할 수 없다. 그러나 근치전립선절제술 코호트의 90%, 경요도전립선절제술 코호트의 85%와 같이 대부분의 표본은 질적으로 적절한 RNA를 가져 CCP 점수를 생성하는 데 이용되었다. 발현 자료는 threshold cycle (C_T) 값으로 기록하는데, C_T는 미리 정해진 한계치를 초과한 형광 강도에서의 polymerase chain reaction (PCR) 주기이다. 이미 설정된 31종의 CCP 유전자와 15종의 상주 유전자는 TaqMan Low Density array로 증폭되었다.

여기서 PCR 기법에 관해 간략하게 설명하고자 한다. Quantitative real-time PCR (qRT-PCR)은 1992년에 소개된 이후 다양한 생명공학 분야에서 응용되어 왔다. 핵산의 효소를 증폭하는 기법인 PCR은 극히 적은 양의 시료를 대량으로 증폭할 수 있고 그 과정이 간단하다는 장점 때문에, sequencing, cloning 등 생명공학의 대부분 분야에서 기본이 되는 기법으로 이용되고 있다. 그러나 분석 도구로서의 PCR은 한계점을 가지고 있는데, 증폭된 산물을 정량화하기가 불가능하다는 점이다. 즉, 기하급수적으로 핵산을 복제, 증폭하기 때문에 초기에 존재하였던 핵산의 양을 추정하기가 어렵다. 이 한계는 qRT-PCR의 도입으로 극복되기 시작하였다. 이 기법은 증폭되는 핵산에 형광물질을 붙이고 이 형광을 지속적으로 검출하는 방법이다. PCR을 이용하면 DNA의 증폭량이 기하급수적으로 증가하다가 한계에 도달하면 효소의 활성 저하, deoxynucleotide triphosphate (dNTP)의 고갈 등으로 인해 더 이상 증폭이 일어나지 않는 정체기에 이른다. 이러한 증폭의 양상을 실시간으로 모니터링을 하는 것이 증폭 곡선이다. PCR에 의한 증폭 산물의 양이 형광으로 검출이 가능한 양에 도달하면 증폭 곡선이 생기기 시작하며, 지수적으로 신호가 상승하였다가 정체 양상을 나타낸다. 초기에 DNA의 양이 많을수록 증폭 산물의 양이 검출 가능한 양에 도달하는 cycle의 수가 적어지므로 증폭 곡선이 빨리 나타난다. 따라서 단계적으로 희석한 표준 표본을 이용하여 qRT-PCR을 실시하면, 초기 DNA 양이 많은 순서대로 일정한 간격의 나란한 증폭 곡선을 얻을 수 있다. 이때 적당한 곳에 반응을 일으키는 최소의 한계치를 설정하면, 한계치와 증폭 곡선이 교차하는 지점인 C_T가 산출되며, C_T 값과 초기 주형 (template)의 양과는 선형 관계가 있으므로 검량선을 만들 수 있다 (도표 118). 미지의 시료에 대해서도 표준 표본과 마찬가지로 C_T 값을 산출하여 이 검량선과 대조하면 초기 주형의 양을 구할 수 있다 (도표 119).

개인의 CCP 점수를 계산하는 방법은 CCP 유전자 31종을 각각 3회 복제한 후, 각각의 값은 상주 유전자 15종을 복제하여 평균치를 뺌으로써 표준화하고, ΔC_T를 생성한다. 미리 설정한 기저선 값을 ΔC_T에서 뺌으로써 $\Delta\Delta C_T$를 생성한다. 이 양을 복사 수와 비례되는 값으로 전환하는데, $2^{-\Delta\Delta C_T}$로 계산된다. 발현이 낮아 $\Delta\Delta C_T$ 값이 없는 경우에는 $2^{-\Delta\Delta C_T}$를 0으로 한다. 각 CCP 유전자에 대해서는 표준 복제, 즉 최소 13종의 상주 유전자를 발현하는 복제의 평균 $2^{-\Delta\Delta C_T}$는 CCP 유전자로 평균을 낸다. 이것이 표준화된 $2^{-\Delta\Delta C_T}$의 평균치이며, 이는 다시 밑수 2의 logarithm에 의해 CCP 점수로 전환된다. CCP 유전자는 다음의 경우를 실패로 규정하였는데, 1번 이상의 복제가 자격을 갖추지 못한 경우, 두 번의 복제가 요건을 갖추었지만, 그들 중 하나에서 $2^{-\Delta\Delta C_T}$가 0일 경우, 세 번 복제에서 $\Delta\Delta C_T$ 값의 표준 편차가 0.5를 초과한 경우 등이다. 31종의 CCP 유전자 중 9종 이상의 실패 유전자로 산출된 CCP 점수 혹은 세 번의 복제에서 계산된 점수의 표준 편차가 높은 CCP 점수는 분석에서 제외되었다.

전진 단계적 회귀 분석 (forward stepwise regression) 모델에 의해 개발된 다변량 모델이 가장 우수하며, 연합한 위험 점수는 다음 공식으로 산출된다 (Cuzick 등, 2011):

$0.55 \times CCP + 0.81 \times \log(1+PSA) + 0.28 \times T\ stage +$

$0.64 \times Margin + 0.30 \times (Gleason\ score = 7) +$

$0.99 \times Gleason\ score \rangle 7)$

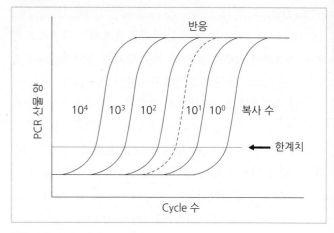

도표 118 PCR을 이용한 유전자 발현의 측량

PCR, polymerase chain reaction.

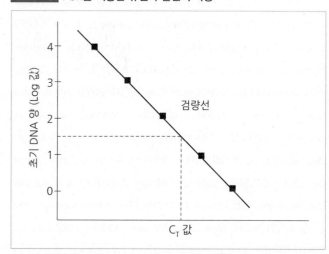

도표 119 PCR을 이용한 유전자 발현의 측량

C_T, threshold of cycle; DNA, deoxyribonucleic acid; PCR, polymerase chain reaction.

CCP, Gleason 점수, PSA 농도 등의 세 가변 인자를 포함한 전진 단계적 회귀 분석 모델에서 산출된 4중 연합 위험 점수는 CCP 점수 단독에 비해 더 유의한 예측 인자이었으며 (각각 $p=4 \times 10^{-6}$, $p=3 \times 10^{-5}$), 다음의 공식으로 계산된다 (Cuzick 등, 2011).

$0.95 \times CCP + 0.90 \times (Gleason\ score = 7) +$

$1.00 \times (Gleason\ score \rangle 7) + 0.61 \times \log(1+PSA)$

동일한 연구팀은 위의 세 가변 인자를 이용하여 다음의 공식으로 계산된 4중 연합 위험 점수가 가장 좋은 예측도를 나타내었다고 하였다 (Cuzick 등, 2012).

$0.50 \times CCP + 0.49 \times (Gleason\ score = 7) +$

$1.14 \times (Gleason\ score \rangle 7) + 0.32 \times \log(1+PSA)$

도표 120 전립선암 특이 사망에 관한 단변량 및 다변량 분석에서 CCP 점수의 역할

가변 인자	단변량 분석				다변량 분석			
	수	x^2 (1 DOF)	HR (95% CI)	p	수	x^2 (1 DOF)	HR (95% CI)	p
CCP 점수	349	37.6	2.02 (1.62~2.53)	8.6×10^{-10}	349	17.7	1.65 (1.31~2.09)	2.6×10^{-5}
Gleason 점수								
〈7	106	36.4	0.46 (0.25~0.86)	1.6×10^{-9}	106	12.1	0.61 (0.32~1.16)	5.0×10^{-4}
7	152		1 (참고치)		152		1 (참고치)	
〉7	91		2.70 (1.72~4.23)		91		1.90 (1.18~3.07)	
log(1+PSA)+	349	16.8	1.70 (1.31~2.20)	4.2×10^{-5}	349	5.7	1.37 (1.05~1.79)	0.017

†, PSA 단위는 ng/mL.

CCP, cell cycle progression; CI confidence interval; DOF, degree of freedom; HR, hazard ratio; PSA, prostate-specific antigen; x^2, chi-square.

Cuzick 등 (2012)의 자료를 수정 인용.

경요도전립선절제술에 의해 임상적 국소 전립선암으로 진단된 환자 중 보존적 치료를 받은 환자 코호트와 근치전립선절제술을 받은 환자 코호트를 대상으로 평가된 연구는 다음과 같은 결과를 보고하였다 (Cuzick 등, 2011). 첫째, 근치전립선절제술 코호트에서 CCP 점수는 생화학적 재발에 대한 유의한 예측 인자이었으며, 단변량 분석의 경우 1단위 증가에 대한 hazard ratio (HR)는 1.89 (95% CI 1.54~2.31; $p=5.6 \times 10^{-9}$)이었고 다변량 분석에서 HR은 1.77 (95% CI 1.40~2.22; $p=4.3 \times 10^{-6}$)이었다. 다변량 분석에서 CCP와 PSA는 가장 중요한 가변 인자이었으며, 다른 임상적 가변 인자에 비해 더 유의하였다. 둘째, 경요도전립선절제술 코호트에서 CCP 점수는 전립선암으로 인한 사망까지의 기간을 예측하는 가장 중요한 가변 인자이었으며, 단변량 및 다변량 분석에서 HR은 각각 2.92 (95% CI 2.38~3.57; $p=6.1 \times 10^{-22}$), 2.57 (95% CI 1.93~3.43; $p=8.2 \times 10^{-11}$)이었다. 이들 결과는 CCP 점수가 전립선암 환자에서 중요한 예후 표지자이며, 적절한 치료를 결정하는 데 중요한 역할을 함을 시사한다. 이 연구와 비슷한 결과를 보고한 연구는 CCP 점수의 중앙치는 1.03이었고, CCP 점수를 3 초과, 2 초과 3 이하, 1 초과 2 이하, 0 초과 1 이하, 0 이하 등의 다섯 그룹으로 구분하여 비교하였을 때 1단위 증가에 따른 전립선암 특이 사망의 위험, 즉 HR이 2.02배 (95% CI 1.62~2.53; $p=8.6 \times 10^{-10}$) 증가하였으며, 다변량 분석에서 추적 관찰한 기간의 전반 5년과 후반 5년에서 사망에 대한 CCP 점수의 효과, 즉 HR은 각각 2.14 (95% CI 1.55~2.95; $p=3 \times 10^{-6}$), 1.27 (95% CI 0.92~1.75; $p=8.2 \times 10^{-11}$)로 관찰되어 CCP 점수는 후기 사망보다 조기 사망을 예측하는 효과가 더 강하다고 하였다 (Cuzick 등, 2012) (도표 120).

Martini Clinic의 283명, Durham Veterans Affairs Medical Center의 176명, Intermountain Healthcare의 123명 등의 세 코호트를 대상으로 근치전립선절제 표본이 아닌 생검 표본을 이용하여 CCP 점수의 예후 예측도를 평가한 연구는 다음과 같은 결과를 보고하였다 (Bishoff 등, 2014). 첫째, CCP 점수는 생화학적 재발에 대한 강한 예측 인자이었으며, 단변량 분석에서 단위 점수 당 HR은 1.60 (95% CI 1.35~1.90; $p=2.4 \times 10^{-7}$), 다변량 분석에서 단위 점수 당 HR은 1.47 (95% CI 1.23~1.76; $p=4.7 \times 10^{-5}$)이었다. 둘째, CCP 점수는 전이 질환에 대한 강한 예측 인자이었으며, 단변량 분석에서 단위 점수 당 HR은 5.35 (95% CI 2.89~9.92; $p=2.1 \times 10^{-8}$), 임상적 가변 인자로 보정한 후 단위 점수 당 HR은 4.19 (95% CI 2.08~8.45; $p=8.2 \times 10^{-6}$)이었다. 이들 결과에 의하면, 생검 표본으로부터 산출된 CCP 점수는 수술 후 불리한 결과와 관련이 있기 때문에, 이를 이용할 경우 진단 당시에 환자의 예후를 예측함으로써 적절한 환자 관리를 가능하게 한다.

근치전립선절제술의 결과를 예측함에 있어 CCP 점수의 타당성을 평가한 연구는 다음과 같은 결과를 보고하였다 (Cooperberg 등, 2013). 첫째, 413명 중 19.9% (82명/413명)에서 재발이 관찰되었다. 여기서 재발은 수술 후 PSA가 0.2 ng/mL 이상이거나 어떤 구제 요법을 실시한 경우로 정의되었다. 둘째, 재발에 대한 CCP 점수 (-1.62~2.16의 범위)의 단위 점수 당 HR은 2.1 (95% CI 1.6~2.9)이었고, Cancer of the Prostate Risk Assessment post-Surgical (CAPRA-S) 점수로 보정한 후의 HR은 1.7 (95% CI 1.3~2.4)이었다. 셋째, CCP 점수는 2 이하의 CAPRA-S 점수로 규정되는 임상적 저급 위험 전립선암 환자를 구분할 수 있었는데, 이 경우 HR은 2.3 (95% CI 1.4~3.7)이었다. 넷째, CCP 점수와 CAPRA-S 점수와의 연합은 전반적 코호트와 저급 위험 군에서 일치 지수 (concordance index, c-index)를 향상시켰고, decision curve analysis 에서는 개별 점수를 능가하였다. 이들의 결과에 의하면, CCP 점수는 임상적, 병리학적 자료로 보정한 후에도 예후를 정확하게 예측하며, 저급 위험도의 질환을 포함하는 임상적 국소 전립선암을 구별하는 정확도를 향상시킨다. Crawford 등 (2014)도 이와 유사한 결과를 보고하였다.

14. Chemokine (C-C Motif) Ligand 2 (CCL2)

전립선암이 진행한 후 가장 흔하게 전이되는 부위는 골격이며, 보고에 의하면 전립선암으로 사망한 환자의 80% 이상이 육안적 골 전이를 가지고 있다 (Loberg 등, 2005). 세 편의 부검 연구는 진행된 거세 저항성 전립선암 환자의 85% 이상에서 골 전이가 발견된다고 하였다 (Shah 등, 2004). 그러나 전립선암에서 잘 일어나는 골 전이의 기전은 분명하지 않다. 전이는 직접적이고 특이적이며 예측 가능한 연속적인 단계를 거쳐 종말 기관에 암이 전이되는 과정이다 (Shah 등, 2004). 전립선암에서 골 전이가 흔한 이유 중 하나는 암세포가 골수의 내피에 우선적으로 부착하기 때문이다 (Cooper와 Pienta, 2000). 그러나 암세포가 장기를 침범하기 위해서는 내피 벽에 부착만으로는 충분하지 않으며, 기질세포에서 분비되는 화학주성 분자에 반응하여 내피세포의 내강 면으로부터 주위 조직으로 이동할 수 있어야 한다. 골격 내에 있는 종양세포는 세포 외부의 기질 (extracellular matrix, ECM), 기질세포, 골모세포, 파골세포, 내피세포 등과 상호 작용하여 종양세포의 생존과 증식을 촉진함으로써 진행된 전립선암을 가진 환자의 이환과 사망을 초래한다 (Pienta와 Loberg, 2005). 국소적인 미세 환경에서 분비된 cytokines와 chemokines는 특이한 기전을 통해 종양세포의 성장, 증식, 전이를 촉진한다 (Taichman 등, 2002). 즉, 여러 chemokines, 예를 들면 chemokine (C-X-C motif) ligand 12 (CXCL12), chemokine (C-C motif) ligand 2 (CCL2) 등이 각각 전립선암 (Taichman 등, 2002), 골수종 (Vanderkerken 등, 2002)에서 암세포의 화학주성 이동을 촉진한다고 보고되었다. Monocyte chemoattractant protein 1 (MCP1), small inducible cytokine A2 (SCYA2) 등으로도 알려진 CCL2는 염색체 17q11.2-q21.1에 위치해 있는 *CCL2*에 의해 코드화되고, CCβ chemokine 가족에 속한다. CCL2는 단핵구와 대식세포를 염증 부위로의 이동을 촉진한다고 보고

된 바 있다 (Balkwill, 2003).

골 전이 병변의 미세 환경에서 발현된 cytokine과 chemokine을 정상 혹은 인접 골격에서의 발현과 비교한 연구는 다음과 같은 결과를 보고하였다 (Loberg 등, 2006). 첫째, 종양이 침범한 골격의 미세 환경에서 4배 이상으로 가장 상향 조절된 chemokine은 CCL2이었다. 둘째, 종양이 있는 골격의 미세 환경에서 2배 이상 증가된 다수 cytokines로는 epidermal growth factor (EGF), fibroblast growth factor 6 (FGF-6), insulin-like growth factor bindinr protein 1 (IGFBP-1), IGFBP-2, interleukin 3 (IL-3), IL-4, IL-6, macrophage-derived chemokine/C-C motif chemokine ligand 22 (MDC/CCL22), monokine induced by interferon-gamma (MIG), transforming growth factor-β_1 (TGFβ_1), TGFβ_3, tumor necrosis factor-β (TNFβ), angiogenin 등이 있었다. 셋째, 종양이 있는 골격의 미세 환경에서 CCL2의 발현은 특이하게 연조직에 비해 골 병변에서 증가되었는데, 이는 CCL2가 전립선암의 골 생물학에서 중요한 chemokine이며, CCL2의 상향 조절은 골 전이와 상호 관련이 있음을 시사한다.

전립선암의 발생 위험과 관련이 있는 생물 지표를 진단 전에 미리 확인함은 종양학에서 중요한 과제이다. 염증 (Heikkila 등, 2007), 지방증 (adiposity) (Paz-Filho 등, 2011), 내피 부착 (van Kilsdonk 등, 2010) 등에 대한 표지자는 그러한 개념에 부합하는 좋은 후보가 되는 생물 지표이다. C-reactive protein (CRP)은 염증으로 자극을 받은 후 증가된 cytokine에 반응하여 간에서 생성되며, 급성 및 만성 염증을 진단하는 데 널리 이용되는 생물 지표이다 (Pepys와 Hirschfield, 2003). 백색의 지방 조직은 염증 과정을 조절하는 데에서 중요한 역할을 하며, leptin, adiponectin 등과 같은 adipokines을 생성한다 (Stofkova, 2009). Leptin은 T helper 1 세포를 유도하는 염증 유발 adipokine이며, adiponectin은 비만증에서 감소되고 일반적으로 항염증 작용을 나타낸다. E-selectin, intercellular adhesion molecule 1 (ICAM-1), vascular cell adhesion molecule 1 (VCAM-1), CCL2 등과 같은 부착 분자는 세포와 세포 혹은 세포와 기저막 사이에서 중요한 역할을 하며, 염증 반응에 깊이 관여한다 (O'Hanlon 등, 2002). 이들 생물 지표는 종양 형성에도 관여한다고 간주되며, 대조군과 비교한 연구는 여러 종류의 암 환자에서 CRP (Heikkila 등, 2007), leptin (Paz-Filho 등, 2011), 용해성 부착 분자 (Basoglu 등, 2007) 등의 혈청 및 혈장 농도가 더 높고, adiponectin의 농도는

더 낮다 (Barb 등 2007)고 하였다. CRP (Heikkila 등, 2011), adipokines (Moore 등, 2009), 용해성 부착 분자 (Mammerer 등, 2004) 등의 유전자에서 single nucleotide polymorphisms (SNPs)에 관한 연구 결과는 이들 표지자가 암의 발생에서 어떠한 역할을 담당함을 보여 주었다.

CCL2는 대식세포, 섬유모세포, 내피세포 등에서 생성되며, chemokine (C-C motif) receptor type 2 (CCR2)를 통해 단핵구, 대식세포, 기타 염증세포 등의 화학주성 (chemotaxis)을 자극한다 (New와 Wong, 2003). 단핵구는 특이 cytokines를 포함하고 있는 대식세포 표현형을 가진 종양 부위에 집결한다. 성숙 대식세포는 전형적으로 활성화된 M1 표현형과 다른 형태로 활성화된 M2 표현형으로 구분된다. M2 표현형의 tumor associated macrophage (TAM)는 종양의 성장을 촉진하는 여러 성장 인자, 예를 들면 TGFβ, vascular endothelial growth factor (VEGF) 등을 분비한다 (Halin 등, 2009). 여러 종류의 암에서 CCL2는 종양의 성장을 결정하는 중요한 인자이며 (Conti와 Rollins, 2004), phosphatidylinositol 3-kinase/v-akt murine thymoma viral oncogene homolog protein 1 (PI3K/AKT) 의존성 survivin을 상향 조절하는 기전을 통해 전립선암 세포의 증식, 이동, 자가 포식 세포사 (autophagic cell death)로부터의 생존 등을 촉진한다 (Roca 등, 2008).

CCL2는 protein kinase Cδ (PKCδ), SRC proto-oncogene, non-receptor tyrosine kinase (c-SRC), activator protein 1 (AP1) 등을 포함하는 신호 경로를 활성화하며, CCR2는 αvβ3 integrin의 생성을 증가하여 CCL2에 의해 촉진되는 전립선암 세포의 이동을 증대시킨다 (Lin 등, 2013). 여러 형태의 전립선암 세포주에서 발현된 CCR2의 mRNA와 단백질을 분석한 연구는 다음과 같은 결과를 보고하였다 (Lu 등, 2007). 첫째, CCR2의 mRNA와 단백질은 모든 세포에서 발현되었지만, 공격성이 낮은 LNCaP 세포 혹은 악성이 아닌 PrEC 및 RWPE-1 세포에 비해 공격성이 강한 C4-2B, DU145, PC3 등의 세포에서 더 높았다. 둘째, ONCOMINE 데이터베이스를 분석한 결과 CCR2의 발현은 질환의 진행과 상호 관련이 있었다. 셋째, RT-PCR 분석은 국소 전립선암 혹은 양성전립선비대 조직에 비해 전이 전립선암 조직에서 *CCR2* mRNA의 발현이 더 높음을 보여 주었다. 넷째, 전립선암 환자 96명과 양성 전립선을 가진 31명의 대조군으로부터 채집한 조직 표본을 대상으로 면역조직화학검사를 실시한 결과 CCR2의 발현은 Gleason 점수 및 병리학적 병기와 관련이 있으며, 정상 전립선 조직에서

도표 121 여러 세포주에서 CCL2 수용체인 CCR2의 발현

세포주	GAPDH Ct 평균치±SD	CCR2 Ct 평균치±SD	2-⊿Ct
RWPE-1	15.945±0.057	28.412±0.018	1.77E-04
PC3	17.743±0.031	27.099±0.071	3.39E-04
VCaP	16.450±0.039	27.154±0.054	6.00E-04
DU145	17.218±0.091	31.235±0.118	6.03E-05
LNCaP	18.484±0.740	32.541±0.871	5.87E-05
C4-2B	16.317±0.197	28.523±0.652	2.12E-04

이 도표에서 세 편의 실험 자료의 평균치로 표현된 CCR2의 발현은 ⊿Ct 방법을 이용하여 내인성 상주 유전자 GAPDH와 비교하여 산출되었으며, 이러한 상대적 발현을 2-⊿Ct로 표기하고 여기서 ⊿Ct는 Ct(CCR2)에서 Ct(GAPDH)를 뺀 값으로 산출된다. 통계학적인 유의성은 PC3, VCaP, C4-2B 등의 세포주에서 있었으며 p-value가 각각 〈0.01, 〈0.001, 〈0.05이었다.

CCL2, chemokine (C-C motif) ligand 2; CCR2, chemokine (C-C motif) receptor type 2; Ct, concentration; GAPDH, glyceraldehyde-3-phosphate dehydrogenase; SD, standard deviation.

Loberg 등 (2006)의 자료를 수정 인용.

는 CCR2의 발현이 낮았다. 이들 결과는 CCR2가 전립선암의 진행과 관련이 있음을 보여 준다. 여러 전립선암 세포주에서 CCR2의 발현 정도는 도표 121에 정리되어 있다.

CCL2는 유방암, 자궁경부암, 췌장암 등에서 단핵구와 대식세포의 침윤을 결정하는 중요한 인자로 알려져 있다 (Balkwill와 Mantovani, 2001). CCL2는 종양의 상피세포에 위치해 있고, TAM을 축적시킴으로써 종양의 활동에 영향을 준다 (Negus 등, 1995). CCL2는 유방암, 자궁경부암, 췌장암 등에서 대식세포와 단핵구의 침윤에 관여하는 중요한 요소라고 보고되었다 (Balkwill과 Mantovani, 2001). 난소암을 대상으로 분석한 다른 연구에 의하면, CCL2는 종양의 상피세포에 위치해 있으며 (Negus 등, 1995), CCL2의 발현 정도는 이차로 형성된 종양 부위에서의 림프구와 대식세포의 분포 양상과 상호 관련이 있다. 즉, 난소의 상피세포암으로부터 제작된 20점의 표본에 대해 면역조직화학검사를 실시한 연구는 다음과 같은 결과를 보고하였다 (Negus 등, 1997). 첫째, 침윤을 현저하게 일으킨 백혈구는 cluster of differentiation 68 (CD68)[+] 대식세포와 CD8[+]/CD45RO[+] T 세포이었으며, 중앙치는 각각 3,700개 세포/cc, 2,200개 세포/cc이었다. 자연살해세포 (natural killer cell), 비만세포 (mast cell), B 세포 등이 침윤을 일으킨 수는 적었으며, 중앙치는 약 0~200개 세포/cc이었다. 호산구 (eosinophil)의 침윤은 거의 관찰되지 않았으며, 중성구의 침윤은 대게 혈관에 국한되었다. 침윤을 일으킨 세포는 종양 부위보다 기질에서 더 많았으며, 대식세포

의 상당수는 괴사 부위에서 관찰되었다. 둘째, mRNA에 대한 in situ hybridization으로 CCL2, macrophage inflammatory protein 1α (MIP1α), MIP1β, regulated on activation, normal T cell expressed and secreted (RANTES 혹은 CCL5) 등과 같은 C-C chemokines를 분석한 바에 의하면, CCL2와 MIP1α는 MIP1β와 RANTES에 비해 유의하게 더 많은 세포를 발현하였다 (p<0.005). 종양의 상피 부위에서 현저한 chemokine은 CCL2이었으며, 기질 부위에서는 CCL2와 MIP1α가 현저하였다. CD8[+] T 세포의 수와 CCL2를 발현하는 세포의 수 사이 그리고 CD8[+] 세포의 군집과 RANTES를 발현하는 세포 사이에서 유의한 상관관계가 관찰되었다 (각각 p<0.003, p<0.003). 또한, CD68[+] 대식세포와 CCL2를 발현하는 세포 수 사이에서도 상관관계가 발견되었다 (p=0.026). 이들 결과는 CCL2가 백혈구의 침윤을 유도함을 보여 준다. 여러 연구 결과는 CCL2가 여러 암의 상피세포에 직접 작용하여 종양세포의 이동과 침습을 조절함으로써 전이력을 증대시킴을 보여 주었다. 예를 들면, 유방암을 대상으로 실시한 연구는 외인성 CCL2의 농도가 증가함에 따라 암 세포가 용량에 의존적으로 이동이 증가한다고 하였으며 (Youngs 등, 1997), 췌장암 (Neumark 등, 2003)과 유방암 (Saji 등, 2001)을 대상으로 평가한 연구는 CCL2의 발현이 암의 진행과 상호 관련이 있다고 하였다. 다른 연구는 CCL2가 골격의 미세 환경에서 전립선암 세포의 이동과 증식을 증가시킴으로써 전립선암의 골 전이를 증가시킨다고 하였다 (Loberg 등, 2006).

종양의 미세 환경은 구성하고 있는 세포에 의해 생성되는 성장 인자로 인해 촉진되는 종양 형성의 악순환에서 중요한 역할을 한다 (Halin 등, 2009). 종양과 관련이 있는 혈관계 내의 혈중 단핵구에서 기원하는 CCL2는 종양의 미세 환경에 의해 TAMs를 집결시키는 신호 중의 하나이다 (Taichman 등, 2007). 전립선암의 골 전이로부터 배양된 PC3 세포주는 안드로겐 수용체를 발현하지도 않고 안드로겐에 대해 반응을 하지도 않기 때문에, 안드로겐 비의존성 세포 모델로 이용되고 있다 (vam Bokhoven 등, 2003). 전립선암의 형성과 전이에 대한 CCL2의 효과를 평가하기 위해 발광효소 (luciferase) 유전자를 가진 PC3 세포주, 즉 PC3[luc]를 이용하여 lentivirus 유전자 전달 감염으로 CCL2 DNA를 이입함으로써 형성된 PC-3[lucCCL2]에 관한 연구는 CCL2의 증가로 인해 TAMs 및 파골세포 (osteoclast)의 집결과 함께 전립선암의 성장과 골 전이가 증대되었다고 하였다 (Mizutani 등, 2009). CCL2를 중화시

키는 항체는 전립선암의 성장을 효과적으로 억제한다는 보고 또한 있다 (Loberg 등, 2007).

종양의 미세 환경에서 CCL2의 역할을 확인하기 위해 CCL2가 크게 발현되는 세포주인 PC3[lucCCL2]를 생성한 연구에 의하면, 세포의 증식 측면에서 PC3[lucMock]와 PC3[lucCCL2]는 차이를 보이지 않기 때문에, CCL2는 성장을 직접 자극하기보다 미세 환경의 숙주 세포에 대한 간접적인 효과를 통해 성장을 촉진한다고 생각된다 (Mizutani 등, 2009).

PC3[lucMock]와 recombinant human CCL2 (rhCCL2)로 유도된 이동 세포를 비교하였을 때, 이동 세포의 수는 두 군에서 비슷하였으나, rhCCL2 군이 대조군보다는 많았다. 말초혈액의 단핵구를 종양 부위로 집결시키는 인자는 다수가 있으며, 그들 화학주성 인자로는 TGF-β, MIP1 등이 있다 (Coussens와 Werb, 2002). 체내 실험에서 CCL2의 과다 발현은 국소적으로 종양의 발아를 유의하게 증가시켰으며, 종양세포의 성장 속도는 체외 실험에서보다 증가되었다. 이러한 현상은 종양을 촉진하는 TAMs의 집결과 관련이 있다 (Sica 등, 2008). 이러한 결과는 사람과 생쥐에서 CCL2를 표적으로 치료하면 종양으로 집결되는 대식세포의 수가 감소하고 종양의 성장이 억제된다는 연구 결과에 의해 뒷받침된다 (Mizutani 등, 2009).

전립선암은 본래 골 형성을 유발하는 형태의 종양이지만, 골 전이에서는 파골세포에 의한 골 흡수가 중요한 과정으로 간주된다 (Keller와 Brown, 2004). 많은 연구가 종양으로 인해 파골세포가 형성됨을 관찰하였으며 (Nicolin 등, 2008), CCL2/CCR2의 활성은 전립선암으로 인한 파골세포의 형성을 매개한다고 알려져 있다 (Lu 등, 2009). 대조적으로 다른 연구는 CCL2가 CD11b[+]의 말초혈액 단핵구에 의한 파골세포 형성과 골 흡수에 영향을 주지 않는다고 하였다 (Mizutani 등, 2009). 이러한 차이는 골수 단핵구와 정제된 말초혈액 단핵구가 다르기 때문으로 설명된다. CCL2는 단핵구와 대식세포의 이동을 촉진하는 인자이며, 파골세포를 활성화하는 인자이다. 파골세포는 골격 종양 내 미세 환경의 '악순환'에서 중요한 역할을 한다 (Taichman 등, 2007). 골격 내에는 성장 인자가 풍부하며, 파골세포에 의해 골격이 파괴되면 다량의 성장 인자가 유리되어 종양의 성장이 촉진된다 (Sato 등, 2008). CCL2에 대한 중화 항체와 short hairpin RNA (shRNA)를 이용한 연구는 CCL2가 전립선암으로 인한 파골세포의 형성과 골 흡수에서 중요한 매개체의 역할을 한다고 하였다 (Lu 등, 2009). 다른 연구도 CCL2는 골 전이가 일어난 부위로 파골세

포 전구세포를 집결시켜 파골세포의 형성을 촉진하며, 종양의 성장을 촉진하는 다수의 인자를 유리시킨다고 하였다 (Mizu-tani 등, 2009).

PC-3M 전이 전립선암 세포주를 이용한 연구에서, CCL2는 침습을 촉진하였으며, 세포 자멸사를 억제하였다. 이 연구에서 CCL2를 투여한 경우에는 투여하지 않은 경우에 비해 mRNA와 단백질 수준에서 caspase-3가 하향 조절되었으며, VEGF와 matrix metallopeptidase 9 (MMP9)은 상향 조절되었다 ($p < 0.05$). 반면, small interference RNA (siRNA)를 이용하여 CCL2를 제거한 경우 이들 결과가 반전되었다. 이들 결과를 근거로 저자들은 전립선암의 진행과 전이에서 CCL2의 역할은 중요하며, CCL2가 caspase-3, VEGF, MMP9 등을 조절하기 때문에 이에 대한 표적 요법이 가능하다고 하였다 (Shi 등, 2011).

전립선암 환자 138명으로부터 채집한 조직 표본에서 CCL2와 대식세포에 대해 면역 염색을 실시한 연구는 다음과 같은 결과를 보고하였다 (Shirotake 등, 2012). 첫째, 세 전립선암 세포주 LNCaP, C4-2, C4-2AT6 등에서 CCL2의 발현은 angio-tensin II (AngII) type 1 receptor (AT1R)에 의해 조절되었다. 둘째, 악성도가 낮은 표본에 비해 Gleason 점수 7 이상, 병리학 병기 pT3 이상, 거세 저항성 등의 특징을 가진 전립선암의 표본에서 CCL2의 발현과 대식세포의 침윤이 유의하게 더 높았다. 셋째, 전립선암에서 CCL2 발현의 증가는 높은 PSA 재발률과 유의하게 상호 관련이 있었다. 넷째, AngII는 LNCaP 세포주에 비해 거세 저항성의 C4-2AT6 세포주에서 더 높은 농도의 CCL2를 유도한 데 비해, AT1R blockade (ARB)는 C4-2AT6 세포에서 PI3K/AKT 경로를 억제함으로써 CCL2의 생성을 억제하였다. 이들 결과에 의하면, 전립선암 표본에서 CCL2의 높은 발현과 대식세포의 높은 침윤은 높은 PSA 재발률과 상호 관련이 있으며, 거세 저항성 전립선암에서 ARB는 PI3K/AKT 경로의 억제를 통해 CCL2의 발현을 억제하고 대식세포의 침윤을 차단한다.

거세 저항성 전립선암으로의 진행에 대한 chemokines와 cytokines의 영향을 평가하기 위해 중앙치 0.5개월 동안 전이 전립선암을 가져 안드로겐 박탈 요법을 받은 환자의 혈액 표본을 채취하여 CCL2, IL-1β, IL-2, IL-6, IL-8, TNF-α 등에 대한 전기화학발광면역분석 (electrochemiluminescence assay)을 실시한 연구는 다음과 같은 결과를 보고하였다 (Sharma 등, 2014). 첫째, Eastern Cooperative Oncology Group (ECOG)

전신 상태 (1점 이상 대 0점)는 전반적 생존율과 역상관관계를 나타내었으며 (HR 2.8, 95% CI 1.1~7.0; $p=0.03$), 0.2 ng/mL 미만의 최저점 PSA는 거세 저항성 전립선암의 발생 지연과 관련이 있었다 (HR 0.3, 95% CI 0.2~0.5; $p < 0.0001$). 둘째, 각 단백질의 중앙치 이상에서 거세 저항성 전립선암으로의 진행에 대한 HR은 IL-8, TNF-α, CCL2의 경우 각각 1.4 (95% CI 0.9~2.2; $p=0.13$), 1.3 (95% CI 0.8~2; $p=0.18$), 1.0 (95% CI 0.7~1.6; $p=0.95$)이었다. 셋째, 각 단백질의 중앙치 이상에서 전반적 생존율의 중앙치에 대한 HR은 IL-8, TNF-α, CCL2의 경우 각각 1.9 (95% CI 1.0~3.5; $p=0.04$), 2.0 (95% CI 1.1~3.5; $p=0.02$), 1.7 (95% CI 1.7~3.0; $p=0.08$)이었다. IL-1β, IL-2, IL-6 등은 연관성이 없었다. 이들 결과를 근거로 저자들은 염증과 관련이 있는 cytokines의 농도 증가는 전립선암의 부정적인 결과와 상호 관련이 있으며, 이를 이용하면 전립선암에 대한 치료의 효과를 높일 수 있다고 하였다.

이들 자료를 종합하여 보면, CCL2는 전립선암의 성장과 전이에 대해 양성적 조절 인자의 역할을 하며, 대식세포와 파골세포를 집결시켜 종양의 성장을 촉진한다. 앞으로 전이 질환, 특히 골 전이를 가진 전립선암 환자에서 CCL2에 대항하는 항체의 효과를 입증하는 연구가 필요하다.

15. Chemokine (C-X-C Motif) Receptor Type 4 (CXCR4)

Chemokine 수용체 chemokine (C-X-C motif) receptor type 4 (CXCR4)는 seven-transmembrane domain receptor, hep-tahelical receptor, serpentine receptor, G protein-linked re-ceptor (GPLR) 등으로도 알려진 G protein-coupled receptors (GPCR) 가족에 속하며, T 림프구와 같은 면역 세포의 항상성과 교통 등을 포함하는 많은 생물학적 과정에서 중요한 역할을 한다. Fusin, cluster of differentiation 184 (CD184) 등으로도 알려진 CXCR4는 또한 백혈병, 유방암 등과 같은 다양한 형태의 암에서 예후 표지자로서의 역할도 한다고 알려져 있으며, 근래에는 전립선암에서의 역할이 관심을 받고 있다. 더욱이 CXCR4는 암의 전이에서 상향 조절되며 신호 경로가 증대된다. 이러한 관찰은 CXCR4가 암이 진행하는 데 중요한 역할을 함을 시사한다. 한편, CXCR4와 stromal cell-derived factor 1 (SDF1), 즉 CXC ligand 12 (CXCL12)로 이어지는 축은 정상 줄기세포의 귀소 (homing)에서 어떠한 역할을 한다. 흥미로

운 점은 종양줄기세포도 CXCR4를 발현한다는 점인데, 이는 CXCR4와 CXCL12의 축이 이들 세포를 림프절, 폐, 간, 골격 등과 같이 고농도의 CXCL12를 발현하는 장기로 수송하고 전이시키는 기능을 가지고 있음을 추측하게 한다.

15.1. 다양한 암에서 CXCR4의 역할

CXCR4 and cancer

사람의 chemokine 시스템은 현재 40종 이상의 chemokines 와 18종 이상의 chemokine 수용체를 포함하고 있다. Chemokine 수용체는 화학주성 사이토킨의 농도 차이에 따라 세포의 지향성 이동을 유도하는 기능을 가지고 있다. Chemokine 수용체는 7종의 경막 GPCR로 구성된 가족이며, 이들 수용체는 첫 두 cysteins의 위치에 근거하여 CXC, CC, C, CX3C 등의 네 군으로 분류된다 (Zlotnik와 Yoshie, 2000). Chemokine 수용체는 백혈구에서 처음 발견되었지만 여러 종류의 세포에서 발견되며, 염증 부위로 이들 세포를 집결시키는 데 중요한 역할을 한다 (Loetscher 등, 2000).

CXCR4는 CCR5와 함께 human immunodeficiency virus (HIV)의 침입에 대한 보조 수용체로서의 역할을 하고 (Didigu 와 Doms, 2012), 전립선암을 포함하는 여러 암의 전이를 매개한다고 알려지면서 많은 연구가 이루어지고 있는 수용체이다 (Sun 등, 2003). CXCR4는 352개의 아미노산으로 구성된 rhodopsin과 같은 GPCR이며, CXL12로도 알려진 CXC chemokine, 즉 CXCL12와 선택적으로 결합한다 (Fredriksson 등, 2003).

동물 모델에서 CXCL12 혹은 CXCR4의 결핍은 B cell 림프구 형성, 골수 집락화, 심장 중격 형성 등의 장애로 임신 후기에 사망하는 표현형과 거의 동일한 표현형을 유발하였다 (Zou 등, 1998). 이러한 자료는 CXCR4가 발생, 조혈, 기관 형성, 혈관 형성에서 필수적인 역할을 함을 보여 주며 (McGrath 등, 1999), 성인에서는 CXCR4가 전통적인 chemokine 수용체로서의 기능을 가진다고 알려져 있다 (Lapidot 등, 1992). 다른 연구도 CXCL12와 CXCR4가 조혈줄기세포의 귀소 및 유지, 면역세포의 생성, 원시 생식세포 (primordial germ cell, PGC)의 귀소, 심장 발생, 일부 기관에서 동맥 혈관의 분지, 일부 신경세포의 적절한 집합 등과 같은 발생 과정에서 중요한 역할을 한다고 하였다 (Nagasawa 등, 2014).

많은 증거들은 CXCR4가 암의 전이뿐만 아니라 종양줄기세

도표 122 CXCR4를 발현하는 정상 줄기세포에서 유래된 CXCR4 발현 종양

정상 줄기세포	상응하는 종양
전립선 상피 줄기세포	전립선암
조혈 줄기세포	백혈병
신경 줄기세포	뇌종양
유선 상피 줄기세포	유방암
골격근 위성세포 (satellite cell)	횡문근육종
신경외배엽 (neuroectodermal) 줄기세포	신경모세포종
신세관 상피 줄기세포	Wilms 종양
망막 색소 상피 줄기세포	망막모세포종
간 난형 (oval) 줄기세포	간모세포종
난소 상피 줄기세포	난소암
자궁경부 상피 줄기세포	자궁경부암

CXCR4, chemokine (C-X-C motif) receptor type 4.
Furusato 등 (2010)의 자료를 수정 인용.

포에서 어떤 역할을 담당함을 보여 준다. 정상 조직으로의 전환을 위한 회귀 시스템 등과 같이 세포를 조직에 특이하게 집결시키는 생리학적 기전 또한 종양줄기세포가 가지고 있는 기능이라고 생각된다. CXCR4는 여러 기관과 조직의 정상 줄기세포에서 발현되는데, 이는 일부 종양세포가 CXCR4를 발현하는 이유를 설명해 주며 악성 세포가 CXCR4를 발현하는 정상 줄기세포에서 유래된다는 가설을 뒷받침한다 (도표 122).

CXCR4-CXCL12 축은 종양의 생물학적 활동에 대해 상당한 영향력을 행사한다. 림프절, 폐, 간, 골격 등과 같은 다양한 기관 및 조직에서 고농도의 CXCL12는 CXCR4를 발현하는 종양세포의 전이를 일으킨다는 가설이 제시된 바 있다. 이러한 가설은 유방암 (Muller 등, 2001), 난소암 (Porcile 등, 2004), 전립선암 (Sun 등, 2003), 횡문근육종 (Libura 등, 2002), 신경모세포종 (Geminder 등, 2001) 등과 같이 CXCR4를 발현하는 다수의 암이 CXCL12 의존성 방식으로 혈류를 통해 골 전이를 일으킨다는 연구로 인해 지지를 받고 있다 (도표 123).

전이 동안 CXCR4/CXCL12로 매개되는 종양세포의 이동 및 집결은 정상 줄기세포의 진행 과정에 관여하는 분자 기전의 일부와 동일한 기전에 의한다. 종양줄기세포와 정상 줄기세포의 동원, 이동, 집결은 다음과 같은 다단계로 이루어진다. 첫째, 정상 줄기세포의 경우 본래 줄기세포 자리를, 종양줄기세포의 경우 원발 종양을 벗어난다. 둘째, 말초 혈액 혹은 림프를 통해 정상 줄기세포의 경우 귀소 부위에, 종양줄기세포의 경우 전이 부위에 도착한다. 셋째, 세포가 내피에 부착한

도표 123 CXCR4를 발현하는 여러 종양

CXCR4 발현 종양	참고 문헌
간암	Schimanski 등, 2006
갑상선암	Hwang 등, 2003; De Falco 등, 2007
결장암	Zeelenberg 등, 2003; Ottaiano 등, 2005
구강암	Almofti 등, 2004; Ishikawa 등, 2006
난소암	Furuya 등, 2007; Oda 등, 2007
뇌종양[†]	Schuller 등, 2005; Bian 등, 2007
백혈병	Kalinkovich 등, 2006; Konoplev 등, 2007
별아교세포종[‡]	Woerner 등, 2005
식도암	Kaifi 등, 2005; Gockel 등, 2006
신장암	Pan 등, 2006; Jones 등, 2007
유방암	Epstein, 2004; Orimo 등, 2005
자궁경부암	Kodama 등, 2007; Yang 등, 2007
전립선암	Chinni 등, 2006; Hirata 등, 2007
췌장암	Wehler 등, 2006; Billadeau 등, 2006
폐암	Hartmann 등, 2004; Huang 등, 2007
흑색종	Tucci 등, 2007; Schutyser 등, 2007

[†], 악성 신경아교종, 아교모세포종 (glioblastoma), 수모세포종 (medulloblastoma) 등이 포함됨; [‡], astrocytoma
CXCR4, chemokine (C-X-C motif) receptor type 4.
Furusato 등 (2010)과 Woerner 등 (2005)의 자료를 수정 인용.

다. 넷째, 도움을 주는 환경이 조성되면 세포의 침습, 증식, 확장 등이 일어난다. CXCR4 양성인 정상 혹은 종양 줄기세포의 화학주성 과정에서 SDF-1이 중요한 역할을 한다고 간주된다 (Kucia 등, 2005).

15.2. CXCR4의 발현 및 조절
Expression and regulation of CXCR4

CXCR4는 다양한 조직과 기관에서 정상적으로 발현되며, 골수, 혈액, 비장, 흉선, 림프절, 뇌하수체, 부신 등에서는 고농도로 발현된다. 그러나 CXCR4와 암 사이의 상호 작용은 매우 복잡한 과정을 통해 이루어진다. 흥미로운 점은 CXCR4가 다양한 암에서 발현되지만, 암에 인접한 정상 조직에서는 CXCR4의 발현이 미미하거나 없다는 점이다 (Scotton 등, 2001). 이는 종양이 진행하는 동안 혈관 내에서 혹은 산소를 운반하는 세포에서 일어나는 저산소증으로 인한 변화 때문이다 (Hirota와 Semenza, 2006). 저산소증에 대해 세포가 적응하기 위해서는 혈관 형성에 의한 산소의 전달과 당 분해에 의

한 대사 적응에 관여하는 유전자의 발현을 유도하는 전사 프로그램이 활성화될 필요가 있다. 산소의 농도가 낮으면, 단핵구, 단핵구에서 유래된 대식세포, tumor-associated macrophage (TAM), 내피세포, 종양세포 등 여러 종류의 세포에서 CXCL12 수용체인 CXCR4의 발현이 증가한다. 저산소증으로 인한 CXCR4 발현의 증가는 hypoxia-inducible factor 1 α (HIF-1α)의 활성화에 의존적이다. 저산소증으로 유도되는 HIF-1α와 CXCR4의 경로는 저산소증 조직의 미세 환경 안팎에서 세포의 이동을 조절한다. 즉, 저산소증은 저산소증으로 인한 적혈구 형성 인자 (erythropoietin)의 발현을 매개하고 혈관 형성을 조절하는 전사 인자인 HIF-1을 활성화하며, 이는 CXCR4를 포함하는 많은 표적 유전자의 발현을 촉진한다 (Schioppa 등, 2003).

종양을 억제하는 단백질인 von Hippel-Lindau (pVHL)는 산소 농도가 정상인 조건 하에서 분해 작용을 가진 HIF를 표적화하는 기능을 가지고 있기 때문에 CXCR4의 발현을 역조절한다. 이러한 과정은 산소 농도가 낮은 조건에서는 억제되며, HIF에 의존적인 CXCR4가 활성화된다. 투명세포 신세포암 대부분에서는 VHL 유전자의 돌연변이가 관찰되며, 이 경우 CXCR4가 강하게 발현되는데, 이는 종양 특이 생존율의 감소와 관련이 있다 (Staller 등, 2003). VHL을 제거한 786-O 신세포암 세포를 대상으로 RT-PCR, 면역형광법, 면역조직화학 검사 등을 이용하여 분석한 연구에 의하면, CXCR4, CXCL12, matrix metalloproteinase 2 (MMP2), MMP9, MMP의 억제제인 tissue inhibitor of metalloprotease 1 (TIMP1)과 TIMP2 등의 mRNA 및 단백질이 강하게 발현되었으며, VHL의 기능을 회복시킨 후에는 CXCR4/CXCL12의 발현이 소실되었고 MMP2/MMP9의 발현이 유의하게 감소되었지만, TIMP1 혹은 TIMP2의 발현은 영향을 받지 않았다. 이들 결과는 pVHL이 전이와 관련이 있는 유전자 CXCR4/CXCL12와 MMP2/MMP9을 조절함을 보여 주며, VHL이 삭제된 신세포암 세포에서 CXCR4/CXCL12가 동시에 발현되는데, 이는 자가 분비의 형식으로 수용체를 자극함으로써 질환의 진행과 전이에 관여함을 시사한다 (Struckmann 등, 2008).

Vascular endothelial growth factor (VEGF) 농도의 증가와 nuclear factor kappa B (NFκB)의 활성화는 특히 암이 진행하는 동안 CXCR4의 발현을 증가시킨다. 예를 들면, 이들의 유전자는 유방암에서 CXCR4의 발현을 증대시키며, 침습 및 전이를 촉진한다 (Bachelder 등, 2002; Helbig 등, 2003).

또한, paired box 3 (PAX3), forkhead box protein O1 (FOXO1), rearrangement during transfection/papillary thyroid cancer (RET/PTC) kinase 등과 같은 종양 단백질도 CXCR4의 발현을 유도한다 (Tomescu 등, 2004; Castellone 등, 2004). PAX3와 FOXO1과의 단백질 융합은 횡문근육종 세포의 이동 및 부착을 증대시키는 데 비해, RET/PTC로 유도되는 CXCR4의 발현은 유두상 갑상선암 세포 (Castellone 등, 2004)와 유방암 세포 (Wang 등, 2012)의 형질 전환을 증대시킨다.

전립선암 세포주를 대상으로 전립선암의 진행을 억제한다고 알려진 microRNAs 중 miR-494-3p와 CXCR4의 발현 사이의 연관성을 분석한 연구는 다음과 같은 결과를 보고하였다 (Shen 등, 2014). 첫째, CXCR4의 mRNA와 단백질의 발현은 PC3와 DU145 세포주에서는 유의하게 상향 조절되는 데 비해, LNCaP와 RWPE-1 세포주에서는 거의 발견되지 않았다. 둘째, CXCR4 단백질의 농도는 RWPE-1을 포함한 전립선암 세포에서 miR-494-3p의 발현 정도와 역상관관계를 가졌다. miR-494-3p의 과다 발현은 PC3 및 DU145 세포에서 CXCR4 단백질의 농도를 하향 조절하였다. 셋째, miR-494-3p는 CXCR4 유전자의 3'-UTR에 있는 염기와 결합할 수 있다. 넷째, 생체 실험에서 miR-494-3p를 인공적으로 과다 발현시키면, PC3와 DU145 세포의 세포 자멸사가 촉진되었고, 성장, 이동, 침습 등이 억제되었다. 이들 결과를 근거로 저자들은 전립선암에서 miR-494-3p가 CXCR4 mRNA에 대해 전사 후 조절자의 역할을 하며, miR-494-3p/CXCR4의 경로는 전립선암의 진행과 전이를 방지하는 치료에서 표적이 된다고 하였다.

15.3. CXCR4와 종양의 전이
CXCR4 and metastasis of cancer

종양의 진행, 특히 종양의 전이는 종양과 관련이 있는 integrin의 활성화를 통한 CXCR4/CXCL12의 신호 전달에 의해 영향을 받는다 (Fernandis 등, 2004). CXCL12의 신호 경로 또한 integrin의 활성화를 증대시키며, 이로써 세포의 mucosal addressin cell adhesion molecule 1 (MAdCAM-1)과 fibronectin으로의 부착이 증대된다 (Wright 등, 2002).

CXCR4는 전이를 매개한다고 간주되며, 이러한 경우에서 종양세포는 혈관계 혹은 림프계로 들어가 CXCL12의 발현이 높은 부위로 우선적으로 이동하여 부착한다. 유방암 세포는 이와 같은 형태로 전이를 일으키며, 주로 림프절, 폐, 간, 골수로 이동하는데, 이들 조직은 모두 CXCL12를 강하게 발현한다 (Allinen 등, 2004). 전립선암 또한 이러한 형태로 전이를 일으킨다고 생각된다 (Gladson과 Welch, 2008). 생체 실험에서 CXCR4를 중화시키는 항체 혹은 CXCR4 유전자를 표적화한 siRNA는 유방암 (Liang 등, 2005) 및 전립선암 (Du 등, 2008) 세포의 전이 및 성장을 억제하였다. 소세포 폐암 (Burger 등, 2003), 갑상선암 (Hwang 등, 2003), 신경모세포종 (Geminder 등, 2001), 혈액 종양 (Spiegel 등, 2004), 간암 (Schimanski 등, 2006) 등과 같은 다수의 다른 암 또한 CXCL12를 높게 발현하는 부위로 전이를 일으킨다. 간세포암 환자를 대상으로 평가한 연구는 CXCR4의 발현이 암의 국소 진행, 원격 전이, 무병 3년 생존율의 감소 등과 상호 관련이 있다고 하였다 (Schimanski 등, 2006).

일부 연구는 암이 전이를 일으키기 위해서는 CXCL12 혹은 CXCR4의 발현을 조절하는 후성 (epigenetic) 기전이 필요하다고 하였다. 후성 기전의 일례로 DNA의 메틸화가 있으며, 이는 전형적으로 종양을 억제하는 유전자의 불활성화와 관련이 있다 (Jones와 Baylin, 2002). 원발 결장직장암에서 DNA의 메틸화가 일어나면, CXCR4의 발현은 일정한 데 비해, 상피세포에서 CXCL12의 발현은 억제된다. 5-aza-2'-deoxycytidine을 이용하여 DNA (cytosine-5)-methyltransferase (DNMT)를 억제하거나 DNMT1과 DNMT3B 유전자를 삭제한 경우에는 촉진체의 메틸화가 방지되었고 CXCL12의 발현이 회복되었다. 생쥐에서 내인성 CXCL12를 재발현시키면 전이 암의 형성이 크게 감소되었다. 전이의 감소는 CXCL12의 재발현이 일어난 세포에서 caspase의 활성 증가와 상호 관련이 있었다. 이들 자료는 결장암 세포에서 CXCL12의 침묵은 종양세포의 전이력을 크게 증대시킴을 보여 준다 (Wendt 등, 2006). 결장직장암에서와 마찬가지로 유방암 세포주와 원발 유방암에서 기존의 CXCL12가 소실되는 기전은 촉진체의 과다 메틸화와 관련이 있다. CXCR4를 발현하는 유방암 세포에서 CXCL12의 생성을 재가동시키면, 세포의 증식 및 종양의 성장이 증가되었고 화학주성 및 전이가 감소되었으며, 외인성 CXCL12는 CXCR4 발현의 변화와 관계없이 세포 내의 칼슘 신호 경로와 화학주성 이동을 감소시켜 전이를 억제하였다. 이들 자료는 원발 종양세포에서 CXCL12의 침묵이 선택적으로 전이에 도움이 됨을 시사한다 (Wendt 등, 2008). 췌장암에서도 CXCR4 촉진체는 DNA 메틸화에 의해 조절되며, 이러한 경우 CXCR4

의 mRNA 및 단백질의 농도는 낮아진다 (Sato 등, 2005).

CXCR4의 COOH-terminal domain (CTD)은 특히 epithelial-to-mesenchymal transition (EMT)의 과정 동안 수용체의 조절에서 중요한 역할을 한다. CXCL12/CXCR4로 이루어진 신호 전달 축의 결합이 주된 원인이라고 제시되는 WHIM 증후군, 즉 warts, hypogammaglobulinemia, infections, 심한 만성 백혈구감소증 및 중성구감소증을 일으키는 선천성 백혈구 질환인 myelokathexis 등으로 구성되는 증후군에서는 CXCR4의 CTD가 절단되는 유형의 돌연변이가 관찰되는데, 이는 이러한 chemokine의 기능이 비정상적이면 여러 질환이 발생할 수 있음을 시사한다 (Hernandez 등, 2003). 유방암 세포 MCF-7에서 CXCR4의 CTD가 결실되는 돌연변이가 일어나면, 세포와 세포 사이의 접촉이 하향 조절되고, 세포의 이동 및 증식이 증대되며, EMT와 같은 형태학적 변화가 일어난다 (Ueda 등, 2006).

전립선에서 E twenty six (ETS)-related gene (ERG)의 비정상적인 발현은 phosphatase and tensin homolog (PTEN)의 소실과 협동하여 전립선암의 진행을 촉진한다. 흥미로운 점은 ERG가 과다 발현된 상태에서 세포의 이동과 관련이 있는 유전자, 즉 a disintegrin and metalloproteinase with thrombospondin motifs 1 (ADAMTS1)과 CXCR4가 상향 조절된다는 점이다 (Carver 등, 2009).

CXCR4와 CXCL12의 상호 작용은 많은 하위 경로의 활성화, 예를 들면 칼슘의 유입, mitogen-activated protein kinase/extracellular signal-regulated kinases 1/2 (MAPK/ERK1/2) 경로의 활성화 (Huang 등, 2007), phosphatidylinositol 3-kinase (PI3K) 및 v-akt murine thymoma viral oncogene homolog 1 (AKT 혹은 protein kinase B, PKB)의 활성화 (Phillips 등, 2005), NFκB의 활성 증가 (Huang 등, 2007) 등을 유발한다. 이들 경로는 세포의 증식과 생존의 조절에서 중요한 역할을 한다. 이러한 기전을 통해 CXCR4는 암의 발생 및 전이와 같은 다양한 과정에 관여한다고 생각된다.

전립선암의 임상병리학적 소견과 CXCR4의 발현 사이의 관계에 관하여 메타 분석한 연구에 의하면, CXCR4의 발현과 Gleason 점수 (7 미만 대 7 이상; OR 1.585, 95% CI 0.793~3.171; p=0.193) 혹은 병기 (T3 미만 대 T3 이상; OR 1.803, 95% CI 0.756~4.297; p=0.183) 사이에는 연관성이 없었으나, 전이 질환과는 유의하게 관련이 있었다 (OR 7.459, 95% CI 2.665~20.878; p<0.001). 이들 자료는 전립선암 표본

에서 CXCR4의 발현은 전이 질환의 존재와 유의한 상관관계가 있음을 보여 준다 (Lee 등, 2014).

전이 전립선암 환자에서 CXCR4의 발현은 여러 임상병리학적 소견, 예를 들면 치료 전 PSA의 농도, Gleason 점수, 호르몬 요법에 대한 임상적 반응, 골 전이의 범위 등과 유의한 상관관계가 없었지만 (도표 124), 다변량 분석에서 CXCR4의 발현, 병리학적 분화도 등급, 호르몬 요법에 대한 임상적 반응 등은 암 특이 생존과 관련이 있었으며, 각각의 p-value는 0.0159, 0.0025, 0.0257이었다. 이들 결과는 안드로겐 박탈 요법을 받은 전이 전립선암 환자에서 CXCR4가 예후를 예측하는 인자의 역할을 수행할 수 있음을 시사한다 (Akashi 등, 2008).

15.4. 전이 전립선암 치료의 표적으로서 CXCR4
CXCR4 as a target of treatment of metastatic prostate cancer

CXCR4는 백혈구의 교통 (Hernande 등, 2003), B 림프구의 형성 및 골수 형성 (Nagasawa 등, 1996), 위장관의 혈관 형성 (Tachibana 등, 1998), 신경세포 및 생식세포의 이동 (Knaut 등, 2003), HIV의 침범 (Connor 등, 1997) 등에 관여한다. CXCR4/CXCL12 신호 경로의 축은 전립선암의 골수로의 전이 (Taichman 등, 2002), 유방암의 폐로의 전이 (Li 등, 2004), 결장암의 간으로의 전이 (Zeelenberg 등, 2002) 등과 같이 표적화된 전이에서 중요한 역할을 한다. 이와 같은 자료는 CXCR4가 전립선암의 치료를 억제하기 위한 치료의 표적이 될 수 있음을 보여 준다.

Emodin (3-methyl-1,6,8-trihydroxyanthraquinone)은 동양의 약초에서 발견된 천연의 anthraquinone 유도체로서 항염증 (Kumar 등, 1998), 항암 (Lin 등, 2010), 항당뇨병 (Lu 등, 2011) 등의 작용을 나타낸다고 알려져 있다. 생체 내외 실험은 emodin이 종양세포의 증식, 침습, 혈관 형성, 전이 등을 포함하는 종양의 시작과 진행 중 여러 측면을 억제함을 보여 주었다 (Chun-Guang 등, 2010; Ko 등, 2010; Lu 등, 2011). Emodin은 CXCR4의 발현을 조절함으로써 종양세포의 이동과 침습을 억제한다. Emodin은 전립선암과 폐암 세포에서 p65의 핵 내로의 전위를 억제하여 CXCR4의 발현을 하향 조절한다. Emodin은 또한 CXCL12로 매개되는 세포의 이동 및 침습도 억제한다 (Ok 등, 2012).

도표 124 CXCR4의 발현과 전이 전립선암 환자의 임상병리학적 소견과의 연관성

임상병리학적 소견	전체	CXCR4의 발현[†]			p[‡]
		약		강	
		산발	국소	확산	
평균 연령 ±SD	73.4 ±7.7	77.7 ±13.6	73.2 ±7.18	73.5 ±7.9	0.9692
치료 전 평균 PSA±SD, ng/mL	412.7 ±726.9	21.4 ±23.1	443.0 ±752.0	436.0 ±747.1	0.8914
평균 Gleason 점수±SD	8.10 ±1.40	7.3 ±2.1	8.1 ±1.5	8.06 ±1.31	0.8812
호르몬 요법에 대한 임상 반응, 환자 수 완전 반응 부분 반응, 무반응, 진행	 32 20	 2 1	 21 10	 9 9	0.3447
골 전이 범위[¶], 환자 수 낮음 (0~2) 높은 (3~4)	 34 18	 3 0	 20 11	 11 7	0.9443

[†], 발현의 강도는 염색에 양성 반응을 나타낸 종양 세포의 퍼센트에 근거하여 분류되었으며, 0~5%는 산발, 6~50%는 국소, 51~100%는 확산 형태로 분류되었다; [‡], CXCR4의 약한 발현 대 강한 발현; [¶], 골 전이 범위는 Soloway (1990)에 의해 기술된 방법에 따라 분류됨. Soloway (1990)는 골 스캔의 양상에 따라 전이 범위를 다섯 범주, 즉 정상 혹은 양성 병변은 0, 골 전이의 수가 6개 미만이며 각각의 크기가 척추체 1개 크기의 50% 미만 (골 전이 1개의 크기가 척추체 1개 크기와 같으면 전이 수를 2개로 간주)인 경우는 1, 골 전이의 수가 6~20개인 경우는 2, 골 전이의 수가 20개를 초과하지만 'super scan' 까지는 아닌 상태는 3, 늑골, 척추, 골반골 등을 침범한 범위가 75%를 초과한 'super scan' 양상은 4로 분류된다. Higginbotham (1980)은 골 스캔에서 골 대 연조직의 비율이 상당히 증가되어 있고, 신장이 불분명하게 나타나며, 중심 골격에 반점 형태의 병변이 분포한 경우를 'super scan' 양상으로 규정하였다.

CXCR4, chemokine (C-X-C motif) receptor type 4; PSA, prostate-specific antigen; SD, standard deviation

Akashi 등 (2008)의 자료를 수정 인용.

여러 종류의 종양세포에서 CXCR4가 과다 발현되는 기전은 분명하지 않지만, CXCR4의 과다 발현은 앞에서 기술된 바 있는 종양 형성에 관여하는 다수의 전사 인자, 예를 들면 HIF-1α (Schioppa 등, 2003), NFκB (Helbig 등, 2003), VEGF (Bachelder 등, 2002), human epidermal growth factor receptor 2/neu/erb-b2 receptor tyrosine kinase 2 (HER2/neu/ERBB2) (Li 등, 2004), RET/PTC (Castellone 등, 2004), PAX3-FOXO1 종양 단백질의 융합 (Tomescu 등, 2004), TGF-β (Roes 등, 2003) 등에 의해 조절된다. 종양세포에서 NFκB의 활성화를 억제하는 emodin의 효과에 관심이 집중되고 있지만, CXCR4의 발현을 조절하는 기타 인자들도 emodin에 의해 억제된다고 생각된다. 또한, pVHL은 CXCR4를 역조절하는데, 이러한 효과는 저산소증의 조건 하에서는 나타나지 않는다 (Staller 등, 2003). 이들 자료는 CXCR4를 조절하는 치료제가 전이 질환을 방지하는 새로운 전략이 될 수 있음을 보여 준다.

Tumor necrosis factor (TNF)는 NFκB 의존성 부착 분자, 예를 들면 CD54로도 불리는 intercellular adhesion molecule 1 (ICAM-1), vascular cell adhesion molecule 1 (VCAM-1), E selectin으로도 불리는 endothelial leukocyte adhesion molecule 1 (ELAM-1) 등의 발현을 유도하며, 이들은 백혈구가 내피세포에 부착하는 과정에 관여하고 염증 반응과 관련이 있다 (Iademarco 등, 1992; Schindler와 Baichwal, 1994). Emo-din은 TNF로 유도되는 inhibitor of NFκB subunit alpha (IκBα)의 분해, NFκB의 활성화, 혈관의 내피세포에 있는 세포 표면 부착 분자 (cell surface adhesion molecule, CSAM)의 발현 등을 억제한다.

조혈줄기세포의 동원 효과로 미국식품의약국으로부터 승인 받은 CXCR4 억제제 plerixafor (AMD3100)와 방사선 조사를 병합한 효과를 전립선암 세포에서 평가한 연구는 다음과 같은 결과를 보고하였다 (Domanska 등, 2014). 첫째, 체외 실험에서 CXCR4 억제제인 AMD3100는 luciferase를 발현하는 PC3 (PC3-Luc) 및 LNCaP 세포주의 방사선 요법에 대한 민감도를 증대시켰다 (p=0.04). 둘째, PC3-Luc 세포를 가진 이종 이식 암 모델의 생쥐에게 매주 5 Gy의 방사선을 조사하고 3.5 mg/kg의 AMD3100을 복막 내로 매일 투여하였을 때, 대조군에 비해 방사선 요법을 받은 이종 이식 암에서 CXCR4와 CXCL12의 발현이 더 증가되었다 (각각의 p-value는 0.006, 0.01). AMD3100는 치료 4주째에 이종 이식 암을 방사선 요법에 대해 민감하도록 만들었다 (p=0.02). 그러나 생물발광 (bioluminescence) 영상법에 의하면, 치료 2주 및 3주에 종양세포의 동원이 관찰되었다 (p〈0.0001). 이들 결과를 근거로 저자들은 AMD3100가 전립선암의 방사선 민감도를 일시적으로 증대시키지만, 전립선암 세포의 가동화를 유도한다고 하였다.

CXCR4 대항제는 전립선암 외에도 여러 질환에서 치료의

도표 125 다양한 질환을 대상으로 임상 시험 중인 CXCR4 대항제

대항제 종류	임상 시험	적용 대상	후원사
Plerixafor	FDA 승인	NHL, 다발 골수종 등의 환자에서 조혈줄기세포의 가동화	Genozyme
Plerixafor	임상 1상	신경아교종, AML, CLL	Genozyme
Plerixafor	임상 1상	WHIM 증후군	Genozyme
TG-0054	임상 2상	NHL, Hodgkin 림프종, 다발 골수종 등을 가진 환자에서 조혈줄기세포의 가동화	TaiGen Biotechnology Co., Ltd.
AMD070	임상 1/2상	HIV 감염	NIAID
MSX-122	임상 1상	치료에 불응하는 전이 혹은 국소 진행 경성 종양	Metastatix, Inc.
CTCE-9908	임상 1/2상	진행된 경성 종양	Chemokine Therapeutics Corp.
POL6326	임상 2상	백혈병, 림프종, 다발 골수종 등을 가진 환자에서 조혈줄기세포의 가동화	Polyphor Ltd.

AML, acute myeloid leukemia; CLL, chronic lymphocytic leukemia; CXCR4, chemokine (C-X-C motif) receptor type 4; FDA, Food and Drug Administration; HIV, human immunodefficiency virus; NHL, non-Hodgkin's lymphoma; NIAID, National Institute of Allergy and Infectious Diseases; WHIM, warts, hypogammaglobulinemia, infection, myelokathexis.
Debnath 등 (2013)의 자료를 수정 인용.

표적이 되고 있으며, 도표 125에는 연구 중에 있는 제제가 정리되어 있다 (Debnath 등, 2013).

16. Clusterin (CLU)

Clusterin은 apolipoprotein J로도 알려져 있으며, 거의 모든 조직에 분포하면서 정자의 성숙, 조직의 분화, 조직의 구조 재형성, 형질막이나 세포의 소기관에서 소포의 출아에 의해 이탈한 막의 일부가 다시 원상태의 막으로 되돌아가는 현상인 막의 복귀 (membrane recycling), 지질 운반, 세포와 세포 혹은 세포와 기층 (substratum) 사이의 상호 작용, 세포의 증식, 세포의 사망 등 다양한 생물학적 과정에 관여하는 수수께끼와 같은 당단백질이다 (Wilson과 Easterbrook-Smith, 2000. Clusterin은 또한 많은 병적 상태, 예를 들면 신경 변성, 노화, 종양 형성 등에도 관여한다 (Trougakos와 Gonos, 2002; Shannan 등, 2006).

전립선암에 관한 연구가 상당수 이루어져 있지만, 안드로겐 비의존성 암으로 진행하는 정확한 기전은 충분하게 알려져 있지 않다. 그러나 안드로겐 비의존성 암으로 진행하는 동안의 복잡한 과정이 점차 밝혀지고 있으며, 그들에는 클론 선택 (Craft 등, 1999), 돌연변이 및/혹은 공활성화 인자 (co-activator)의 증가로 인해 안드로겐이 없는 상태에서 안드로겐 수용체의 전사 촉진 (transactivation) (Ueda 등, 2002), 성장 인자의 신호 경로의 변경 (Uehara 등, 2003), 세포의 생존과 관련이 있는 유전자의 상황에 따른 상향 조절 (Kiyama 등, 2003) 등이 포함된다. 여러 연구자들은 안드로겐 비의존성으

로의 진행은 부분적으로는 다양한 치료적 자극에 대해 저항력이 발달하고, 이로써 세포 보호와 관련이 있는 유전자가 증가되어 세포 자멸사에 대항하는 경로의 활성화가 증대되기 때문이라고 하였다 (Yamanaka 등, 2005). 이들 유전자들 중 clusterin을 코드화하는 유전자 *CLU*는 대부분 포유동물의 조직과 체액, 예를 들면 혈장, 모유, 소변, 정액 등에서 발현되고 (Jones와 Jomary, 2002), 전립선암의 치료에서 표적으로 유망하다 (Trougakos와 Gonos, 2002).

16.1. Clusterin의 발견 Identification of clusterin

숫양의 고환망 (rete testis) 액체 내에서 미성숙 쥐의 고환으로부터 유래된 Sertoli 세포, 생쥐의 고환으로부터 유래된 TM-4 세포, 여러 종으로부터 유래된 적혈구 등의 현탁액을 엉겨 붙게 만드는 ('clustering') 단백질이 Fritz 등 (1983)에 의해 처음 정제되었으며, 이를 clusterin으로 명명하였다. 이후 많은 조직에서 이 단백질의 유전자가 발현됨이 발견되었으며 (James 등, 1991), 이 때문에 clusterin은 apolipoprotein J (APO-J), Ku70-binding protein 1 (KUB1), X-ray inducible transcript 8 (XIP8), testosterone-repressed prostate message 2 (TRPM2) 등과 같이 특이한 연구 이슈에 따라 여러 다른 명칭이 붙여졌다.

쥐의 Sertoli 세포에서 생성되는 가장 중요한 당단백질 중 하나인 sulfated glycoprotein 2 (SGP2) (Collard와 Griswold, 1987)와 아미노산 배열에서 75.6%의 높은 상동성을 나타내는 단백질이 Jenne과 Tschopp (1989)에 의해 사람에서 complement cytolysis inhibitor (CLI)로 처음 분리되었으며, 이로 인해 이 단백질은 정자의 성숙에서 어떠한 역할을 할 것으로 생각되었다. *CLU* mRNA는 쥐의 복측 전립선에서 *TRPM2*로서 처음 발견되었다 (Montpetit 등, 1986). 1988년에는 SGP2가 서로 다른 (heterologous) 적혈구의 응집에 관여하는 혈청 단백질인 clusterin과 동일함이 발견되었고 (Cheng 등, 1988), 그 다음 해에는 완전한 cDNA 복제, 염기 서열 확인, 비교 등의 작업을 거쳐 *TRPM2*가 SGP2의 전체 cDNA와 완전하게 동족체임이 발견되었다 (Bettuzzi 등, 1989). 이후 이와 동일한 cDNA와 단백질이 적혈구의 응집, 보체 기능, 정자의 성숙, 안드로겐의 고갈로 인한 전립선의 퇴화 등과 같은 여러 생물학적 현상에 관여한다고 최종적으로 확인되었다. 이 단백질은 국제적으로 공인된 공식 명칭인 clusterin으로 명명되고 있다.

*CLU*의 조절 곤란은 전립선암, 유방암을 포함하는 여러 종류의 암에서 발견된다. 과학 문헌에 보고된 *CLU*에 관한 많은 자료들이 종양의 형성에 대해 상충되는 결과를 보이기 때문에 *CLU* '역설'이 발생하여 *CLU*가 종양 형성에서 양성적 조절 인자 (positive modulator)인지 음성적 조절 인자 (negative modulator)인지를 밝힐 필요가 있다 (Rizzi와 Bettuzzi, 2010).

16.2. Clusterin 단백질의 유형
Clusterin protein forms

CLU 유전자는 하나 이상의 mRNA를 코드화하며, 여러 유형의 단백질은 하나의 유전자로부터 유래된다. Clusterin 단백질은 분비 형태의 clusterin과 세포 내부 형태의 clusterin으로 분류되며, 후자는 다시 핵 형태의 clusterin과 세포질 형태의 clusterin으로 구분된다. Clusterin의 분해 경로에 관한 근래의 연구는 세포 내에서 이루어지는 이 단백질의 기초 대사에 관한 정보를 제공해 주었다. PC3 전립선암 세포에서 clusterin의 반감기는 2시간 미만이다. 이러한 신속한 분해는 proteasome을 통해 일어나며, 이는 전립선암 세포가 clusterin의 축적과 세포 자멸사를 피하는 주된 방법이 된다 (Rizzi 등, 2009a).

가장 폭넓게 연구된 clusterin은 분비형 clusterin이며, 이는 각각 약 40 kDa의 두 사슬이 다섯 개의 이황 결합 (disulfide bond)으로 연결된 75~80 kDa의 α와 β의 이질 이합체 (heterodimer)로서 포유동물의 대부분 조직과 혈장, 젖, 소변, 뇌척수액, 정액 등 거의 모든 생리학적 체액 내에 분포되어 있다 (de Silva 등, 1990a). 분비형 clusterin에 대한 번역은 두 번

째 exon에 위치해 있는 AUG로부터 시작하며, 49 kDa의 전구 단백질을 생성한다. 이 단백질은 선두에 있는 신호전달 염기에 의해 세포질세망 (endoplasmic reticulum, ER)으로 향하며, 그 후 Golgi 기관으로 운반되어 글리코실화 (glycosylation)가 되고 분절됨으로써 다섯 개의 이황 결합으로 단단하게 결합된 두 사슬을 형성한다 (Kirszbaum 등, 1992). 부분적으로 글리코실화된 비분절 단백질은 sodium dodecyl sulfate-polyacrylamide gel electrophoresis (SDS-PAGE)에 의해 60 kDa의 밴드로 발견된다. 분비형 clusterin은 세포의 외부에 있는 샤프론 (chaperone), 즉 단백질의 접힘 (folding)과 풀림 (unfolding)에 관여하여 고차원 구조의 형성을 보조하는 분자의 하나이며, 열 충격 단백질 (heat shock protein, HSP)이 가지고 있는 샤프론의 작용을 나타낸다 (Lakins 등, 2002).

분비형 clusterin에 관한 염기 서열의 분석은 샤프론의 작용을 나타내는 데 중요한 여러 구조가 있음을 보여 주었다. α 소단위의 N 말단과 β 소단위의 N 및 C 말단에 위치해 있는 양친매성 (amphipathic)의 α-helices는 clusterin과 소수성 (hydrophobic) ligands와의 결합을 매개하는 양친매성의 표면을 가지고 있다 (Law와 Griswold, 1994). Clusterin은 내부적으로 무질서한 영역과 정렬된 양친매성 α-helices를 함께 가지고 있어 유연한 결합을 한다고 생각된다 (Bailey 등, 2001).

실험에 의한 증거는 분비형 단백질 외에도 핵형 단백질이 있음을 보여 주었다. 세포 내부 형의 단백질은 상피세포주의 transforming growth factor β (TGFβ)에 의해 유도된다고 보고되었으며 (Reddy 등, 1996), 이후 MCF-7:WS8 유방암 세포주에서 이온화 방사선에 의해 유도되는 55 kDa의 핵형 clusterin이 발견되었다 (Yang 등, 2000). 다른 연구는 면역조직화학검사로 확인된 핵 내부의 clusterin과 함께 발견되는 45~55 kDa의 비분절, 비글리코실화 clusterin, 즉 세포질형 clusterin을 발견하였다 (Caccamo 등, 2005). 종양에서 핵형 및 세포질형 clusterin의 기원은 현재 연구 중에 있다.

Clusterin이 핵과 세포액 내에도 분포하여 있음을 시사하는 여러 기전이 있으며, 이는 도표 126에 요약되어 있다. 여러 가설이 있지만, 전립선암과 유방암 세포주에서 보이는 것처럼 핵형 clusterin의 발현이 세포사와 관련이 있다는 가설이 현재 인정을 받고 있다 (Leskov 등, 2001). 핵형 clusterin은 핵 DNA의 말단과 결합하는 이질 이합체인 Ku subunit 70 kDa/subunit 80 kDa (Ku70/Ku80) 복합체와 결합함으로써 DNA의 이중 가닥이 절단된 경우 이를 복구시키는 시스템을 차단한

도표 126 핵과 세포액 내에 clusterin이 존재함을 보여 주는 다양한 기전들

기전	참고 문헌
Alternative initiation of transcription in epithelial cell lines stimulated with TGF-β	Reddy 등, 1996
Alternative splicing in MCF-7 breast cancer cells exposed to ionizing radiation	Leskov 등, 2003
Removal of the leader sequence from sCLU cDNA led to the production of a 49 kDa protein band in PC3 and PNT1A epithelial prostate cell lines. This molecular weight corresponds to the expected size of the non-glycosylated and uncleaved protein form.	Scaltriti 등, 2004b
Re-internalization of secreted clusterin from the extracellular milieu into the cytosol	Kang 등, 2005
Retrotranslocation from the Golgi apparatus to the cytosol via an ERAD-like pathway in stressed cells	Nizard 등, 2007
Alternative translation in prostate cancer cells	Moretti 등, 2007

cDNA, complementary deoxyribonucleic acid; ERAD, endoplasmic reticulum-associated protein degradation; sCLU, secreted clusterin gene; TGF-β, transforming growth factor-β.
Rizzi와 Bettuzzi (2010)의 자료를 정리하여 인용.

다 (Yang 등, 2000).

16.3. CLU 유전자 발현의 조절
Regulation of CLU gene expression

염색체 8p2-p12에 위치해 있는 *CLU* 유전자는 세포 자멸사의 조절, 세포와 세포 사이의 상호 작용, 단백질의 안정화, 세포 신호의 전달, 세포의 증식, 세포의 형질 전환 등과 같은 다수의 기능을 가진 유전자이다. *CLU*는 많은 기능을 가지고 있지만, 생쥐에서는 유전적으로 *CLU*가 불활성화되어도 유해한 효과가 나타나지 않으며, *CLU* knockout (*CLU*Ko) 생쥐는 정상적으로 발달하고 생존한다 (McLaughlin 등, 2000).

*CLU*는 조직에 특이한 유전자의 복잡한 조절 과정에 반응하는 많은 *trans*-factors와 *cis*-acting elements에 의해 조절된다 (Michel 등, 1997). *CLU*의 촉진체와 결합하여 *CLU*의 작용을 조절하는 *trans*-factors로는 early growth response protein 1 (EGR1) (Criswell 등, 2005), activator protein 1 (AP1) 복합체의 구성원 (Jin과 Howe, 1999), heat shock factor protein 1/2 (HSF1/2) (Loison 등, 2006), v-myb avian myeloblastosis viral oncogene homolog (MYB)-like 2 (MYBL2 혹은 MYB-related protein B, B-MYB) (Cervellera 등, 2000) 등이 있다.

TGFβ는 FBJ murine osteosarcoma viral oncogene homolog (c-FOS)의 상호 억제 효과를 제거함으로써 *CLU* 촉진체에 있는 AP1을 활성화하며, 이로써 *CLU*의 발현에 대해 양성적 조절 인자로서의 기능을 한다 (Jin과 Howe, 1999). 근래의 연구는 각질형성세포 (keratinocyte)가 vanadium에 노출되

면 세포 자멸사, c-FOS의 발현, 분비형 clusterin의 핵형 clusterin으로의 전환 등이 일어난다고 하였다 (Markopoulou 등, 2009). 생쥐에서는 유선이 발달하는 동안 *CLU*가 두 번 상향 조절되는데, 첫 번째는 임신 말기이고, 두 번째는 노화 시작기이다. 따라서 *CLU*는 유선 상피세포의 분화에 대한 표지자의 역할을 한다. *CLU*의 급격한 두 번째 상향 조절은 TGFβ₁의 강한 유도와 함께 일어나며, 이는 β1-integrin ligand의 결합력에 의존적이다 (Itahana 등, 2007).

이온화 방사선은 상피세포를 포함하는 많은 종류의 세포와 조직에서 TGFβ의 신호 경로를 활성화한다. TGFβ₁ 경로의 활성화로 인한 *CLU* 유전자의 전사 활성화는 MCF-7 유방암 세포가 분비형 및 핵형 clusterin을 생성하도록 한다 (Klokov 등, 2004). 이온화 방사선은 두 성장 인자의 수용체, 즉 epidermal growth factor receptor (EGFR)와 insulin-like growth factor receptor (IGFR)로 구성되는 신호 경로를 활성화한다 (Yang 등, 2000). IGFR은 방사선에 반응하여 분비형 clusterin의 생성을 유도하지만, EGFR은 그러하지 않다 (Criswell 등, 2005). 이와 맥락을 같이 하여, iRNA (RNA interference)에 의한 *CLU*의 삭제가 세포사를 촉진하기 때문에, 분비형 clusterin은 손상 스트레스에 대한 보호 성격의 반응으로 유도된다고 생각된다 (Criswell 등, 2005).

여러 연구는 *CLU*가 종양 유전자와 종양 단백질에 의해 조절됨을 보여 주었다. *CLU*의 발현이 종양 유전자의 활성에 의해 조절된다는 첫 번째 증거는 1989년에 발표되었으며, 이 보고는 쥐의 경우 열로 유도되는 유전자, 즉 *CLU*의 동족체가 *v-src proto-oncogene, non-receptor tyrosine (SRC), v-fujinami poultry sarcoma (FPS), v-raf-1 murine leukemia* viral oncogene homolog (RAF 혹은 MIL proto-oncogene ser-ine/threonine-protein kinase, v-MIL) 등과 같은 retrovirus 종양 유전자에 의해 활성화된다고 하였다 (Michel 등, 1989). 종양 유전자의 kinase에 의한 유도는 AP1과 결합하는 부위에 의존적이다. 다른 연구는 CLU 발현의 조절에서 두 원형 종양 유전자 (proto-oncogene), 즉 v-myc avian myelocytomatosis viral oncogene homolog (c-MYC)와 Harvey rat sarcoma viral oncogene homolog (H-RAS)의 역할을 기술하였다. 이 연구는 H-RAS의 과다 발현이 쥐 배아의 섬유모세포 세포주 Rat-1에서 CLU의 발현을 mRNA 수준에서 억제하였으며, c-MYC의 과다 발현은 그러하지 않았다고 하였다 (Klock 등, 1998). 사람의 유방암 세포주 MCF-7에서 H-RAS가 하향 조절되면, CLU가 상향 조절되었다 (Kyprianou 등, 1991). 활성화된 H-RAS로 형질 전환을 일으킨 쥐의 섬유모세포에서 유전자의 발현을 분석한 연구는 CLU가 가장 하향 조절되는 유전자 중 하나라고 하였다 (Lund 등, 2006). 처음에는 c-MYC가 CLU의 발현을 조절하지 않는다고 생각되었지만 (Klock 등, 1998), 근래의 연구는 쥐의 대장세포 (colonocyte) 혹은 사람의 각질형성세포에서 c-MYC의 이소성 발현이 CLU의 발현을 강하게 억제하고 CLU의 과다 발현은 c-MYC 의존성 종양 형성을 최소한 어느 정도 억제한다고 하였다 (Thomas-Tikhonenko 등, 2004). 다른 연구는 c-MYC와 유사한 neuroblastoma MYC oncogene (N-MYC)이 CLU의 음성적 조절 인자라고 하였다 (Chayka 등, 2009). c-MYC 가족에 의한 억제 기전은 복잡하며, 아직 연구 중에 있다. 한편, 근래의 연구는 RAS로 매개되는 CLU의 침묵은 후성적이며, RAS는 CLU 촉진체의 아세틸 이탈 반응 (deacety-lation)을 유도하여 전사가 시작하는 부위에서 14.5 kb 상부에 위치해 있는 CpG 섬을 메틸화한다고 하였다 (Lund 등, 2006). 이들 자료에서처럼 종양 유전자가 일반적으로 CLU를 하향 조절한다는 사실은 종양 유전자에 의존적인 형질 전환을 위해서는 CLU의 억제가 필요함을 시사한다.

다른 연구는 형질 전환을 일으킨 세포와 암 조직에서 CLU의 후성적 침묵을 관찰하였다. CLU는 쥐의 전립선암 세포주 transgenic adenocarcinoma of mouse prostate (TRAMP)-C2와 사람의 전립선암 세포주 LNCaP에서 메틸화되었다. CLU의 발현은 정상 조직에 비해 치료를 받지 않은 거세 저항성 전립선암에서 유의하게 감소된다 (Rauhala 등, 2006). 이러한 후성적 기전을 뒷받침하는 연구가 있다. 예를 들면, 사람의 신경모세포종 (neuroblastoma)과 신경세포 세포주에서 유전자의

메틸화와 아세틸 이탈에 의해 CLU의 전사 활동이 중단되었다는 연구가 있다 (Nuutinen 등, 2005). 또 다른 연구에 의하면, 종양의 환경 내에 있는 내피세포의 경우 histone H3의 아세틸 이탈 및 H3 lysine-4 메틸화의 상실을 통해 CLU가 유의하게 하향 조절되었으며, CLU의 하향 조절로 인해 내피세포의 증식이 일어났는데 이는 CLU가 내피세포의 성장을 억제함을 시사하며, 한편으로 콜라겐 겔에 있는 내피세포의 타원체에서 나오는 발아가 CLU의 하향 조절에 의해 유의하게 증가되었는데 이는 CLU의 발현이 혈관 신생 및 세포 발아와 역상관관계에 있음을 시사한다 (Hellebrekers 등, 2007).

Nuclear factor κB (NFκB)는 면역과 종양에서 중요한 다기능 전사 인자이다. NFκB는 tumour necrosis factor (TNF) 수용체와 같은 외부 자극 혹은 NFκB의 억제 인자를 인산화하여 전사적으로 활성적인 NFκB를 방출하는 inhibitor of NFκB kinase (IKK)-α, β, γ에 의해 활성화된다. NFκB가 CLU의 발현을 조절한다는 증거는 생쥐 배아의 섬유모세포에서 NFκB의 표적 유전자 모두를 분리하고 분석한 연구에서 나왔다. NFκB에 의해 활성화되는 많은 유전자 중 가장 크게 조절되는 유전자 중 하나가 CLU이다 (Li 등, 2002). 세 IKKs 중 어느 하나가 억제되면 CLU의 활성화가 감소되는데, 이는 CLU의 활성화가 모든 NFκB의 신호 전달 복합체 (signalosome)에 의존적임을 시사한다. 그러나 CLU의 발현에 대한 NFκB 신호 경로의 효과는 매우 복합적이며, CLU는 inhibitor of NFκB (IκB)를 안정화함으로써 NFκB에 대해 음성적 조절 인자로서의 역할을 한다 (Savkovic 등, 2007). 불멸화된 사람의 전립선 상피세포 PNT1A에 대한 Western blotting 분석은 IκBα 발현의 증가와 NFκB 발현의 감소가 CLU의 과다 발현을 일으킴을 보여주었다 (Bettuzzi 등, 2009). 공초점 (confocal) 현미경을 이용한 연구는 CLU의 과다 발현이 세포질 내에 p65의 축적을 유도한다고 하였다. 이들 모든 증거는 CLU의 전사 작용으로 NFκB의 활성화가 억제되는 역회로 (negative loop)에 CLU가 관여한다는 가설을 뒷받침한다. 생존과 증식을 유도하는 NFκB의 표적 유전자, 예를 들면 phosphorylated protein kinase B (p-PKB 혹은 p-AKT), cyclin D1 (CCND1), B-cell lymphoma 2 (BCL2) 등은 외인성 CLU에 의해 하향 조절된다. 대조적으로, CLU로 유전자 전달 감염을 일으킨 PNT1A 세포에서는 성장을 억제하는 인자인 p21의 발현이 증가하였고 세포 주기가 지연됨이 관찰되었다 (Bettuzzi 등, 2009).

16.4. 전립선암에서 CLU의 발현
CLU expression in prostate cancer

Clusterin은 조직의 구조 변경, 지질 운반, 복제, 보체계 (complement) 조절, DNA의 복구, 세포 접착, 세포 자멸사 등 다수의 병태생리학적인 과정에 관여한다 (Rosenberg와 Silkensen, 1995). Clusterin은 세포 자멸사가 진행 중인 여러 형태의 정상 조직 및 악성 조직에서 현저하게 증가되며, 이 때문에 clusterin은 세포 사망의 표지자로 간주된다 (Connor 등, 1991). 쥐의 전립선 상피세포 (Sensibar 등, 1991), 생쥐의 안드로겐 의존성 Shionogi 종양 (Miyake 등, 2000), 사람의 전립선암의 이종 이식 (xenograft) 모델 (Wright 등, 1996) 등에서 거세로 인해 세포 자멸사가 진행되는 동안 clusterin의 발현은 크게 증가하였다. 또한, 전립선암에서 clusterin의 발현은 세포 자멸사를 유발하는 자극, 예를 들면 세포 독성의 화학 요법 (Miyake 등, 2000), 방사선 요법 (Zellweger 등, 2003), adenovirus로 매개되는 p53 유전자 전달 감염 (Yamanaka 등, 2005), 산화 스트레스 (Miyake 등, 2004) 등에 의해 일어난다.

CLU의 발현에서 일어나는 변화는 종양의 발생에서 중요한 사건이라고 보고되지만, 종양의 형성에서 CLU의 특이한 역할은 아직 논쟁거리가 되고 있다. 유방암 (Redondo 등, 2000), 난소암 (Xie 등, 2005) 등에서 CLU가 상향 조절되고 식도의 편평세포암 (Zhang 등, 2003), 결장암 (Pucci 등, 2004), 선종성 결장 폴립증 (adenomatous polyposis coli) (Chen 등, 2005) 등에서 CLU가 하향 조절된다는 등 여러 종류의 종양에서 CLU는 상향 혹은 하향 조절된다고 보고되고 있다. 전립선에 관한 연구는 CLU mRNA 및 단백질이 저등급과 고등급 분화도의 전립선암에서 하향 조절된다고 하였다 (Scaltriti 등, 2004a). 이 연구는 분화도 등급 1~5의 전립선암 환자에서 수술을 통해 채집한 전립선 표본을 이용하였다. CLU는 양성 조직에 비해 종양 표본에서 하향 조절되었다. 양성 조직에서는 상피세포와 기질세포 모두가 CLU를 발현하였지만, 기질 부분에서 염색이 더 강하였다. 저등급 전립선암의 경우 clusterin은 세포 정지의 표지자인 growth arrest-specific protein 1 (GAS1)과 함께 기질 부분에 분포하며 기저층에 축적된다. 고등급 전립선암의 경우 남아 있는 기질은 clusterin에 대한 염색에서 양성 반응을 보이지만, 상피세포는 드물게 양성 반응을 나타낸다. 이들 세포에서 나타나는 clusterin 염색에 대한 양성 반응은 세포질 내에 국한된다. 기질세포로부터 분비된

세포 밖의 clusterin은 암이 진행함으로 인해 기질 부분이 퇴화하는 동안 조직의 구조 변경에 관여한다. 다른 연구도 기질세포에서 clusterin의 강한 염색 반응을 확인하였으며, clusterin의 염색이 기질에서만 나타나는 경우는 전립선암의 재발과 관련이 있다고 하였다 (Pins 등, 2004). 레이저로 미세 절개한 표본을 이용한 연구는 CLU가 기질과 상피에서 다르게 발현되며, 기질에서 더 크게 발현된다고 하였다 (Tomlins 등, 2007). CLU가 전립선암에서 하향 조절되고 기질 부분에 많이 분포한다는 이들 결과는 CLU의 발현이 상피 부분에 국한되고 선행 보강 호르몬 요법을 받은 전립선암 환자에서 유의하게 더 높기 때문에, clusterin은 거세 저항성 전립선암의 시작에서 중요한 역할을 한다는 초기의 연구 결과 (July 등, 2002)와 일치하지 않는다. 이러한 차이는 다른 유형의 clusterin이 존재함으로 설명될 수 있다. 악성 형질 전환이 진행되는 여러 단계 동안 여러 유형의 clusterin의 발현에서 특이한 변화가 일어날 가능성도 있음이 고려되어야 한다. 또한, clusterin이 분포하는 세포 내의 위치도 clusterin의 생물학적 기능을 규정하는 중요한 요소가 된다 (Rizzi와 Bettuzzi, 2010). 현재로서는 CLU가 전립선암의 초기에 종양의 음성적 조절 인자로 작용하고 더 진행된 병기에서는 종양의 성장에 대해 양성적 조절 인자로 작용한다는 가능성을 배제할 수 없다. 이는 안드로겐 요법 혹은 화학 요법에 대한 저항이 시작하는 동안 가장 잘 나타난다 (Rizzi와 Bettuzzi, 2010).

Oncomine은 사람의 종양에 대한 유전자 발현 실험을 대규모로 수록한 공인된 데이터베이스이다 (Rhodes 등, 2004). CLU가 전립선암에서 상향 조절되는지 아니면 하향 조절되는지를 확인하기 위해 이 데이터베이스를 이용하여 메타 분석을 실시한 연구에 의하면, CLU mRNA의 발현은 정상 전립선과 전립선암 조직에서 차이를 나타내었다. 양성 조직과 전립선암을 비교한 15편의 연구 중 14편에서 CLU는 정상 전립선에 비해 전립선암 조직에서 유의하게 하향 조절되었다. 또한, CLU의 발현은 8편의 연구 중 8편에서 전립선암의 등급 혹은 전이 병기와 역상관관계를 나타내었다 (www.oncomine.org) (Rizzi와 Bettuzzi, 2010). 임상적 전립선암의 표본에서 clusterin의 과다 발현이 있는 경우는 임상적으로 나쁜 결과와 관련이 있었다 (Pins 등, 2004). 임상 전 이종 이식 암 모델에서와 마찬가지로 연구자들은 침 생검으로 채취한 표본보다 선행 호르몬 요법 후에 실시한 근치전립선절제술로 얻은 표본에서 clusterin의 발현이 더 컸다고 하였으며, 선행 보강 호

르몬 요법 후 근치전립선절제술로 채취한 표본에서 clusterin의 발현 정도는 생화학적 재발의 빈도와 밀접한 연관성을 가진다고 보고하였다 (Miyake 등, 2005).

Clusterin은 계획된 세포사, 즉 세포 자멸사의 표지자로 간주되고 있지만, 여러 연구들은 clusterin의 증가와 세포 자멸사 활성화의 증가 사이에 연관성이 있음에 대해 상충되는 결과를 보고하였다. 일부 연구자들은 암세포에서 일어나는 세포 자멸사의 억제가 clusterin에 의해 매개되는 기전이라고 하였다. Zhang 등 (2005)은 세포 내의 clusterin이 미토콘드리아 내에서 BCL2-associated X protein (BAX)의 활성을 방해하여 세포 자멸사를 억제한다고 주장하였다. Criswell 등 (2003)은 표준형의 p53에 의하여 clusterin 촉진체의 활성화 및 전사가 억제됨으로써 clusterin의 발현이 억제된다고 하였다. 근래의 연구들은 세포의 증식과 변형을 조절하는 전사 인자들, 예를 들면 MYB-related B (B-MYB 혹은 MYB-like 2, MYBL2), NFκB 등이 직접 clusterin의 발현을 조절한다고 보고하였다 (Sankill 등, 2003). 또한, clusterin은 여러 생물학적 ligands 와 결합하고 (Humphreys 등, 1999), 전사 인자인 HSF1에 의해 조절됨이 발견되었으며 (Michel 등, 1997), 이러한 관찰은 clusterin이 heat shock protein (HSP) 내지 chaperone과 유사한 기능을 하며, 세포가 스트레스를 받는 동안 단백질의 입체 구조를 안정화시키는 기능을 가지고 있다고 추측하게 한다. 종합해 볼 때, 이들 자료들은 clusterin이 세포 자멸사를 억제하는 기능을 가지고 있음을 확인시켜 준다 (Miyake 등, 2006). 한편, clusterin은 전립선암이 진행하는 동안 하향 조절되며, 치료를 받지 않은 거세 저항성 전립선암에서 clusterin의 발현이 유의하게 감소된다는 보고는 전립선암의 초기에 전립선 세포가 형질 전환을 일으키기 위해서는 CLU의 침묵이 필요하다는 이전의 연구 결과를 뒷받침한다 (Rizzi와 Bettuzzi, 2009). CLU, glutathione S-transferase pi 1 (GSTP1), aldehyde oxidase 1 (AOX1), tropomyosin 2 (beta) (TPM2), collagen, type IV, alpha 6 (COL4A6) 등의 유전자가 전립선암에서 하향 조절된다고 처음 보고한 연구는 이들 유전자의 발현과 전립선암의 진행 사이에는 역상관관계가 있다고 하였다 (Varisli, 2013).

이처럼 여러 연구는 clusterin의 발현이 상충되는 기능, 즉 세포 자멸사에 대항하는 작용 (Gleave 등, 2005) 혹은 세포 자멸사를 유발하는 작용 (Chen 등, 2004)과 관련이 있다고 보고하였다. 앞에서 기술된 바 있지만, clusterin이 서로 다른 작용

을 보이는 모호성은 alternative splicing에 의해 세포 내에서 생성되는 기능이 다른 두 개의 아형, 즉 당화 및 비당화 아형의 존재로 설명된다 (Yang 등, 2000). 75~80 kDa의 당화 단백질은 분비되어 이황산염 (disulfate)과 결합하여 이종 이합체 (heterodimer)의 당단백질로서 작용하며, CLU 유전자 전체 길이 중 첫 ATG 코돈으로부터 유래된 40 및 60 kDa의 소단위로 구성된다. 다른 아형, 즉 비당화 아형은 세포 자멸사를 유도하는 여러 자극에 따라 세포질에서 핵으로 위치를 이동한다. 그것은 두 번째 ATG 코돈에서 시작하기 때문에 세포질세망을 표적으로 하는 신호를 전달하지 못한다 (Wu 등, 2002). 이들 결과로 볼 때, 분비형은 세포를 보호하는 역할을 하고, 세포 내에 존재하는 형태는 핵 내로 이동한 후 세포 독성을 나타내어 세포사를 일으킨다 (Reddy 등, 1996). 다른 연구는 세포 자멸사를 유발하는 신호가 있는 조건에서 배양된 전립선암 세포에서는 핵으로 이동한 clusterin 단백질이 발견되지만, 수술 후 채집한 전립선암 표본 혹은 선행 호르몬 요법 후 채집한 전립선암 표본에서는 발견되지 않는다고 하였으며, 이러한 관찰은 인체 전립선암의 진행에서 clusterin의 핵 유형의 역할은 분비형에 비해 제한적임을 시사한다 (Miyake 등, 2005).

여러 연구들은 clusterin이 전립선암에서 안드로겐 비의존성으로의 진행을 촉진하며, 다양한 치료적 자극에 대해 세포를 보호하는 기능을 나타낸다고 하였다 (Miyake 등, 2003). 연구자들은 분비형의 CLU cDNA로 안드로겐 의존성 LNCaP 전립선암 세포주를 완전하게 감염시킨 후 clusterin의 과다 발현을 분석함으로써 clusterin의 기능적인 역할을 평가하였다. CLU로 유전자 전달 감염을 일으킨 LNCaP 종양은 거세, 세포 독성의 화학 요법, 방사선, adenovirus로 매개된 p53 유전자 이입 등과 같은 다양한 치료 형태에 저항성을 나타내었으며, 안드로겐 비의존성 표현형으로의 진행이 신속하게 일어났다 (Zellweger 등, 2003). 또한, clusterin의 과다 발현과 그것의 세포 자멸사 유발 신호에 대한 저항성은 유방암 (Redondo 등, 2000), 방광암 (Miyake 등, 2002), 신장암 (Miyake 등, 2002), 폐암 (July 등, 2004), 난소암 (Hough 등, 2001) 등과 같은 여러 종류의 악성 종양에서도 보고되고 있다. 이들 결과로 볼 때, CLU 유전자는 세포 자멸사가 시작될 때 증가하여 세포를 보호하는 성질을 나타내는 유전자이며, 전립선암에 대한 전통적 및 분자적 치료 전략에 저항성을 나타낸다. 따라서 진행된 전립선암에서 CLU 유전자의 상향 조절을 표적화함으로써 세포 자멸사를 유발하는 치료는 매력적인 접근이라 할 수 있다.

도표 127 Clusterin의 유전자 CLU와 종양 형성

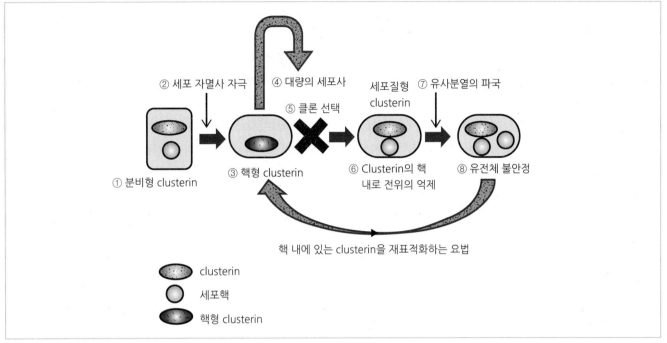

② 세포 자멸사 자극   ④ 대량의 세포사   세포질형 ⑦ 유사분열의 파국
⑤ 클론 선택   clusterin

① 분비형 clusterin   ③ 핵형 clusterin   ⑥ Clusterin의 핵   ⑧ 유전체 불안정
내로 전위의 억제

핵 내에 있는 clusterin을 재표적화하는 요법

clusterin

세포핵

핵형 clusterin

그림은 생리학적 조건 하에서 관찰되는 일반적 과정이다. ① 양성 세포에서 발현되는 clusterin의 유전자 CLU의 기저 농도는 낮으며, 분비형 clusterin으로 국한된다. ② 여러 세포 자멸사 자극에 의해 세포 자멸사가 일어난 후에는 ③ 상피세포가 핵형 clusterin을 생성하게 된다. ④ 핵형 clusterin은 anoikis로 유도되는 세포 자멸사를 통해 계획된 세포사를 일으킨다. ⑤ 종양 형성이 진행하는 경우에는 특징적으로 조기에 유전적 병변이 유발되며, 이들 병변의 일부는 세포의 생존을 도와 클론 선택을 유도한다. ⑥ 이러한 조건에서 핵 내로 clusterin의 전위가 차단되는 과정은 세포의 형질 전환에서 중요한 단계이다. 이 단계에서 clusterin은 세포 자멸사와 관련이 없이 세포질 내에서 고농도로 발견되며, 저항성 표현형의 신호를 전달한다. ⑦ 이러한 저항성 표현형은 세포의 형질 전환을 지속적으로 일으키고, 후기에는 유사분열을 억제한다. ⑧ 유사분열 방추 (mitotic spindle)의 부적절한 양상은 다핵 세포에서 나타나는 것처럼 더욱 유전체의 불안정을 일으킨다 (Scaltriti 등, 2004b). 새로운 항암 요법은 핵 내에 있는 clusterin을 재표적화함으로써 저항성을 가진 세포를 세포사에 이르게 한다.
Rizzi와 Bettuzzi (2010)의 자료를 수정 인용.

16.5. 거세 저항성 및 전이 암에 대한 CLU antisense 요법

CLU antisense therapy to hormone-refractory and metastatic cancers

국소 전립선암은 일반적으로 수술 혹은 국소 방사선 요법에 의해 치료된다. 전통적인 임상 프로토콜로 치료를 받은 환자의 약 1/3에서는 전이가 발생하여 호르몬 차단 요법을 받게 된다. 그러나 상당수 환자에서는 질환이 저항성 표현형으로 진행하여 호르몬 비의존성 상태, 즉 거세 저항성 전립선암으로 발달한다. 거세 저항성 전립선암은 호르몬 요법에 반응하지 않고 생존기간의 중앙치가 1년 미만의 매우 나쁜 예후를 나타낸다. 유방암 또한 수술, 방사선 요법, 화학 요법, 호르몬 요법 등을 이용한 다양한 병합 요법으로 치료된다. 일반적으로 치료의 초반에서는 전신적 약물이 원발 유방암의 90%와 전이 암의 50%에서 효과를 나타내지만, 다양한 기간 후에는 진행이 일어나며, 흔히 요법에 저항성을 나타낼 뿐만 아니라

예후 또한 상당히 좋지 않다 (Gonzalez-Angulo 등, 2007). 이와 같이 낮은 효능을 보이는 현재의 요법을 극복하기 위해 유전자 요법, 면역 요법, 특이 신호를 전달하는 경로의 억제 등과 같은 여러 실험적 요법이 연구 중에 있다 (도표 127).

CLU가 일반적인 대다수 종양세포에서 하향 조절되지만, 전통적인 화학 요법이나 호르몬 요법에 저항적인 전립선암 및 유방암 세포에서는 상향 조절된다 (Ranney 등, 2007). Selective estrogen receptor modulator (SERM)인 toremifene에 의한 선행 보강 항에스트로겐 요법에 반응하지 않는 유방암 환자에서 CLU가 상향 조절됨을 발견한 연구는 에스트로겐 대항 요법에 저항을 나타내는 기전에 CLU가 직접 혹은 간접으로 관여할 것으로 추측하였다 (Cappelletti 등, 2008). Docetaxel 에 저항성을 보이는 전립선암 세포주 PC3를 이용한 연구는 CLU가 tumor necrosis factor (TNF)-related apoptosis-inducing ligand (TRAIL)로 유도되는 세포 자멸사를 억제함으로써 항암제에 대한 저항성을 가지게 된다고 하였다. 다른 연구는

CLU 발현의 침묵은 화학 요법제 (Sowery 등, 2008), 이온화 방사선 (Criswell 등, 2005), 안드로겐 차단 요법 (Toffanin 등, 2008) 등에 의한 세포 독성을 증대시킨다고 하였다.

Y-box binding protein 1 (YB1)은 스트레스에 의해 활성화 되는 전사 인자로서 여러 종양에서 나쁜 임상 결과와 관련이 있다 (Kohno 등, 2003). YB1은 안드로겐 차단 요법에 의해 유도되며, YB1의 과다 발현은 거세 저항성 질환을 유발한다 (Shiota 등, 2011). YB1은 또한 cisplatin (Shiota 등, 2008)과 paclitaxel (Fujita 등, 2005)에 대한 저항성과도 관련이 있다. YB1은 PC3 전립선암 세포에서 paclitaxel에 대한 저항성을 유 도하며 (Shiota 등, 2009), YB1의 삭제는 SUM149 유방암 세 포에서 paclitaxel에 대한 민감성을 증대시킨다 (To 등, 2010). 한편, clusterin을 제거하면 신세포암 (Zellweger 등, 2001), 방 광암 (Miyake 등, 2001), 폐암 (July 등, 2004), 유방암 (So 등, 2005), 전립선암 (Sowery 등, 2008) 등과 같은 여러 종양세포 에서 종양의 성장이 억제되고 화학 요법제에 대한 민감성이 증대된다. 이들 결과는 YB1과 clusterin이 전립선암 치료에 대 한 저항성과 관련이 있음을 시사한다. 전립선암에서 YB1 및 clusterin의 증가와 paclitaxel, docetaxel 등을 포함하는 tax-ane 제제에 대한 저항성 사이의 연관성을 평가한 연구는 다음 과 같은 결과를 보고하였다. 첫째, YB1은 CLU 촉진체와 직접 결합하여 전사 수준에서 clusterin의 발현을 조절한다. 둘째, YB1은 paclitaxel과 같이 세포질세망에 대해 스트레스를 유도 하는 제제의 자극을 받으면 핵으로 전위하여 clusterin의 발현 을 증대시킨다. 셋째, 활성화된 YB1 및 clusterin의 농도는 본 래의 전립선암 세포에 비해 taxane에 대해 저항성을 가진 전 립선암 세포에서 더욱 증가된다. 넷째, YB1 혹은 clusterin의 제거는 paclitaxel에 대한 전립선암 세포의 민감성을 증가시키 고, 그들의 과다 발현은 taxane에 대한 저항성을 증대시킨다. Paclitaxel로 인한 세포 자멸사는 YB1을 제거함으로써 증가되 며 이는 clusterin의 과다 발현으로 복구되는 데 비해, pacli-taxel로 인한 세포 자멸사는 clusterin을 제거하였을 때 증가되 지만 이는 YB1의 과다 발현으로 복구되지 않는다. 이들 결과 에 의하면, 스트레스에 반응하여 YB1이 clusterin의 발현을 증 가시키며, 이는 전립선암에서 paclitaxel에 대한 저항성이 일 어나는 중요한 기전의 하나로 생각된다 (Shiota 등 2011).

일반적으로 DNA는 두 가닥의 이중 나선으로 되어 있고, 이 들 중 한 가닥에 대해 한 가닥의 RNA가 만들어지며, 이 한 가 닥으로 형성된 RNA에 따라 단백질이 생성된다. 두 가닥의

DNA 중 한 가닥은 유전 정보를, 즉 '센스'를 가지고 있고, 맞 물려 있는 반대편 한 가닥을 antisense (AS) DNA라 하는데, 정상적으로 단백질을 형성하는 데에는 이를 사용하지 않는 다. 유전 질환에서는 잘못된 DNA에 의해 생긴 비정상 RNA에 의해 단백질이 형성되기 때문에, 이를 치료하기 위해 AS DNA 를 세포에 주입하면 비정상 RNA와 결합하게 되어 RNA가 두 가닥이 됨으로써 단백질을 형성하지 못하게 되는데, 이를 AS 요법이라고 한다. CLU mRNA를 표적으로 삼는 antisense oligodeoxynucleotide (ASO)가 개발되었고 임상 시험으로 인 정을 받았다 (Chi 등, 2005). CLU ASO는 OGX-011으로 불리 며, exon 2에 위치해 있는 번역 기시부를 표적화하는 21-mer 의 변형된 ASO이다. 임상 전의 자료에 의하면, OGX-011을 전통적인 화학 요법제로 치료한 PC3 세포에 단독으로 투여 한 경우 half maximal inhibitory concentration (IC50)이 감소 되는 효과가 있었으나, 치료를 받지 않은 PC3 세포의 성장에 는 효과를 나타내지 않았다 (Miyake 등, 2000a). CLU를 표적 화하여 OGX-011 혹은 small interfering RNA (siRNA)로 유방 암 세포주 MCF-7를 치료하면 paclitaxel과 같은 항암제에 대 해 감수성이 증대된다 (So 등, 2005). 따라서 CLU는 거세 저 항성 전립선암 혹은 전이암에서 매력적인 표적으로 제시되고 있다.

Miyake 등 (2000)은 CLU mRNA의 80개 이상 영역을 표적 화한 ASO의 효능을 처음 평가하였는데, CLU의 번역 기시부 를 표적화한 ASO는 쥐와 사람의 전립선암 모델에서 clusterin 의 발현에 대하여 가장 강한 효능을 나타내는 염기 서열임 이 발견되었다. 또한, 쥐와 사람의 CLU 유전자의 번역 기시 부에 대응하는 ASO는 clusterin의 발현 양을 용량 의존적 방 식과 서열 특이 방식으로 억제하였다. ASO에 의한 clusterin 의 발현 억제가 안드로겐 차단으로 인한 효과에 미치는 영향 을 평가하기 위해 안드로겐 의존성 Shionogi 종양을 가진 생 쥐를 거세한 후 CLU 유전자를 표적으로 ASO를 전신적으로 주사하였다. CLU ASO를 이용한 보조 요법은 피하 종양에 서 clusterin의 발현을 70% 이상 억제시켰으며, 대조용 oligo-deoxynucleotide에 비해 세포 자멸사로 인한 종양의 퇴행을 더 일찍 유발시켰고 재발성 안드로겐 비의존성 종양의 출현 을 현저하게 더 지연시켰다. 이 연구의 결과는 CLU가 전립선 암에서 세포를 보호하는 성질을 가진 유전자로서 안드로겐을 차단하면 증가되며, 이를 표적화한 AS 요법은 거세로 인한 세 포 자멸사를 증대시키고 안드로겐 비의존성 암으로 진행되는

도표 128 Antisense oligodeoxynucleotide (ASO)를 이용하여 clusterin의 유전자를 표적으로 실시한 임상 전 연구의 결과

관련 문헌	표적 암	동물 모델	종양 이식	Clusterin 요법과 병용 요법	결과
Miyake 등, 2000	전립선	Shionogi 종양	피하	거세	호르몬 불응성 발달 억제
Miyake 등, 2000	전립선	Shionogi 종양	피하	거세 및 paclitaxel	항암제 민감성 증대
Zellweger 등, 2001	전립선	PC3	피하	Docetaxel	항암제 민감성 증대
Zellweger 등, 2003	전립선	LNCaP	피하	방사선	항암제 민감성 증대
Yamanaka 등, 2005	전립선	PC3	피하, 정위치	Mitoxantrone/AC-p53	전이 억제
Miyake 등, 2001	방광	KoTCC-1	피하, 정위치	Cisplatin	항암제 민감성 증대
Miyake 등, 2004	방광	KoTCC-1	복강	Gemcitabine	항암제 민감성 증대
Zellweger 등, 2001	신장	Caki-2	피하	Paclitaxel	항암제 민감성 증대
July 등, 2004	폐	A549	피하	Paclitaxel	항암제 민감성 증대

AC-p53, Ad5CMV-p53; Ad, adenovirus; CMV, cytomegalovirus.

Miyake 등 (2006)의 자료를 수정 인용.

시간을 연장시킴을 보여 준다.

CLU ASO는 또한 paclitaxel, docetaxel, mitoxantrone 등 전립선암 세포에 대한 화학 요법제의 세포 독성을 증대시켜 그들 약제의 억제 농도의 중앙치 (IC$_{50}$)를 75~90% 낮추었다 (Miyake 등, 2003). CLU ASO는 생체 실험에서 단독으로는 전립선암의 성장에 대해 효과를 나타내지 못하였지만, 전립선암 이종 이식 암 모델에서 CLU ASO는 화학 요법제와 병용하면 상호 협동하여 종양의 퇴행을 일으켰다 (Miyake 등, 2000). 다른 연구는 전립선암에서 CLU 유전자를 표적으로 siRNA를 주입하면 세포 독성을 일으키는 화학 요법의 효과가 증대되었다고 하였다 (Trougakos 등, 2004). ASO와 관련한 여러 임상 전 연구의 결과는 도표 128에 정리되어 있다.

Clusterin의 발현은 종양에서 세포 자멸사의 조절과 밀접한 관계가 있다. 세포질세망의 스트레스로 인한 세포질 clusterin, 즉 분비 전 clusterin과 분비 clusterin의 상향 조절이 세포 자멸사에 대항하는 작용을 나타내지만, 이러한 과정을 매개하는 기전은 분명하게 알려져 있지 않다. 전립선암 세포를 대상으로 실시한 근래의 연구는 binding immunoglobulin protein (BiP) 혹은 heat shock 70 kDa protein 5 (HSPA5)로도 알려진 78 kDa glucose-regulated protein (GRP78)이 세포질세망의 스트레스 하에서 clusterin의 회귀를 촉진하여 미토콘드리아 내로 재분포를 일으킨다고 하였다 (Li 등, 2013). 이 연구는 다음과 같은 결과를 보고하였다. 첫째, sarco/endoplasmic reticulum Ca^{2+}-ATPase 혹은 SR Ca^{2+}-ATPase (SERCA)로 불리는 효소 무리를 억제하는 제제인 thapsigargin (Rogers 등, 1995), proteasome을 억제하는 제제로서 c-Jun N-terminal kinase (JNK1)를 활성화하여 세포 자멸사를 유발하는 MG132 (Merck KGaA, 2014), tubulin을 표적화하는 세포 골격 제제로서 microtubule을 안정화하고 염색체가 유사분열 중기의 spindle 양상을 취하지 못하도록 함으로써 유사분열의 진행을 차단하는 paclitaxel (Brito 등, 2008) 등과 같이 세포질세망의 스트레스를 유도하는 제제는 GRP78과 clusterin의 발현을 증가시킬 뿐만 아니라 번역 후에 glycosylation이 부족한 clusterin을 변경시킨다. 둘째, 세포질세망의 스트레스는 GRP78과 clusterin 사이의 연관성을 강화하여 세포질 clusterin의 농도를 증가시킨 데 비해, 배양액 내로 분비되는 분비형 clusterin의 농도를 감소시켰다. 셋째, GRP78은 clusterin 단백질과 그것의 hypoglycosylation 형태를 특히 paclitaxel 치료 후에 안정화하였다. 넷째, GRP78은 스트레스로 인한 clusterin의 회귀를 증가시켜 세포질세망으로부터 미토콘드리아로 재분포를 유도함으로써 미토콘드리아의 막을 안정화하고 스트레스로 인한 세포 자멸사를 감소시켰다. 다섯째, GRP78을 침묵시키면, clusterin의 mRNA는 감소되지 않았지만 단백질은 감소되어 paclitaxel로 인한 세포 자멸사를 증대시켰다. 이들 결과는 미트콘드리아로 clusterin의 운반 및 재분포를 조절하는 세포질세망의 스트레스 조건하에서 GRP78과 clusterin 사이의 상호 작용을 보여 주며, 전립선암의 치료로 인한 스트레스 동안 GRP78과 clusterin이 협력하여 종양세포의 생존을 증대시키는 기전을 보여 준다.

Androgen receptor (AR) 경로를 억제하는 제제는 거세 저항성 전립선암에서 생존을 연장시키지만, 저항성은 급속하게 발달하고, 스트레스에 의해 활성화되는 샤프론 (chaperone)

단백질과 같은 clusterin이 증가하며, AR의 신호 경로는 지속된다. 샤프론이란 염색질의 형성을 위해서는 DNA와 히스톤 외에도 히스톤에 결합하는 산성 단백질 nucleoplasmin이 필수인데, 이 보조적 역할을 하는 nucleoplasmin을 분자 샤프론이라고 한 것이 기원이며, 변성 단백질의 재생, 생합성된 단백질의 접힘에 관련된 분자 샤프론의 대표적인 예가 heat shock protein (HSP)이다 근래의 연구는 안드로겐 차단, 세포 독성 화학 요법, 방사선 요법 등의 치료에 대한 저항성은 다수의 세포 기전에 의해 설명되는데, 그들 기전 중 하나가 세포 보호성, 즉 세포 자멸사에 대항하는 효과를 나타내는 샤프론 단백질의 상향 조절이며, 한 예가 거세 저항성 전립선암에서 증가되는 clusterin 단백질이라고 하였다 (Al-Asaaed와 Winquist, 2013). 안드로겐을 억제하는 치료로 인해 활성화되는 적응 경로 (adaptive pathway)는 이차적으로 저항성을 발달시키기 때문에, AR이 억제됨으로 인해 활성화되고 clusterin을 통해 매개되는 스트레스 반응을 동시에 표적화하면, 어떤 한정된 조건에서만 치사에 이르는 조건 치사 (conditional lethality)가 일어나면 예후가 개선될 수 있다고 생각된다. 근래의 연구는 clusterin의 발현이 AR을 억제하는 MDV3100 (enzalutamide)에 의해 일어나는 AR에 대한 대항 작용과 antisense에 의한 침묵화로 유도되며, 거세 저항성 혹은 MDV3100 저항성 종양 및 세포주에서 높게 발현된다고 하였다 (Matsumoto 등, 2013). Clusterine은 v-akt murine thymoma viral oncogene homolog 1 (AKT 혹은 protein kinase B, PKB)와 mitogen-activated protein kinase (MAPK)의 신호 전달 복합체 (signalosome) 외에도 MDV3100에 의한 스트레스에 반응하여 증가한다. 이러한 스트레스 반응은 ribosomal protein S6 kinase (RPS6KA)로도 알려진 p90-kDa ribosomal S6 kinase (p90RSK)로 매개되는 YB1의 인산화와 clusterin의 유도를 포함하는 feed-forward loop에 의해 조정된다. Clusterin이 억제되면, MDV3100에 의해 일어난 AKT 및 MAPK 경로의 활성화가 억제된다. 또한, MDV3100의 투여와 함께 clusterin을 제거하면, YB1에 의해 조절되는 AR의 cochaperone, 즉 FK506-binding protein 4 (FKBP52)의 발현 감소를 포함하는 여러 기전을 통해 AR의 전사 후 활성화가 감소되고 AR의 분해가 촉진된다. MDV3100로 AR을, OGX-011 (custirsen)으로 clusterin을 동시에 표적화하면, MDV3100 혹은 OGX-011의 단독 요법에 비해 세포 자멸사의 비율이 더 증가되며, 거세 저항성 전립선암 및 PSA의 진행이 지연된다. OGX-011은 clusterin을 표적화하는 ASO 제제

이다 (Al-Asaaed와 Winquist, 2013). 이들 자료는 AR의 경로를 억제하는 제제에 의해 활성화되고 clusterin에 의해 매개되는 스트레스 적응 경로를 동시에 표적화하는 치료는 조건 치사가 가능하도록 하며, 이는 임상에서 병용 요법을 이용하는 생물학적 이론적 근거를 제공한다 (Matsumoto 등, 2013).

OGX-011은 종양세포에서 clusterin의 생성을 억제하고 혈청 clusterin의 농도를 감소시킨다. Docetaxel을 이용한 6개월 동안의 1차 화학 요법에도 불구하고 진행된 거세 저항성 전이 전립선암을 가진 환자에서 2차 화학 요법과 OGX-011의 병합 요법, 즉 mitoxantrone/prednisone/custirsen (MPC) 혹은 docetaxel/prednisone/custirsen (DPC)의 효과를 평가한 연구는 100일 동안 후무작위화 (post-randomization)를 통해 혈청 clusterin의 전체 중앙치를 산출하였고, OGX-011으로 치료하는 동안 혈청 clusterin과 PSA와의 관계, PSA 반응 및 전반적 생존율에 대한 효과 등을 평가하였으며, 다음과 같은 결과를 보고하였다 (Blumenstein 등, 2013). 첫째, 생존 기간의 중앙치는 혈청 clusterin의 중앙치가 전체 중앙치 이상인 환자에 비해 미만인 환자에서 더 길었는데, MPC의 경우 6.2개월 대 15.1개월, DPC의 경우 12.1개월 대 17.0개월이었다. 둘째, 거세 저항성 전이 전립선암을 가진 환자에서 OGX-011과 병합한 두 종류의 요법으로 치료하는 동안 혈청 clusterin이 감소된 경우는 더 긴 생존 기간의 예측 인자이었다. 이들 결과는 혈청 clusterin의 측정치가 치료에 대한 생물 지표가 될 수 있음을 시사한다.

16.6. 녹차 이용한 전립선암 화학적 예방과 CLU
Role for CLU and green tea catechin in chemoprevention of prostate cancer

화학적 예방은 천연 혹은 합성 화합물을 이용하여 종양의 형성을 방지, 억제, 지연, 혹은 반전시키는 약리학적 중재로 정의된다 (Sporn 등, 1976). 종양의 화학적 예방을 확대하여 정의할 경우에는 신생물의 시작을 차단하는 화합물뿐만 아니라 형질 전환을 일으킨 세포가 임상적으로 악성 병변의 형태를 나타내기 전에 진행을 반전시키는 화합물도 포함된다 (William 등, 2009). 화학적 예방을 실시하는 전제 조건으로 발암 과정에 관한 가정이 필요하다. 즉, 발암 과정은 시작 단계, 촉진 단계, 진행 단계 등의 다단계로 이루어진다. 발암 과정은 첫째, 장시간에 걸쳐 일어난다는 점, 둘째, 다단계의 과정을

밟는다는 점, 셋째, 이러한 과정의 많은 부분이 잠재적으로는 가역적이라는 점, 넷째, 유전자 변이의 많은 부분이 현대의 분자생물학적 기법에 의해 밝힐 수 있다는 점 등은 예방 요법의 이론적 근거가 되고 있다 (Park과 Paick, 2008). 전립선암은 발병률이 높고 임상적으로 표출되는 질환으로 발달하기까지 긴 잠복기를 가지기 때문에 화학적 예방의 이상적인 표적이 된다.

차는 Theaceae 가족 중 *Camellia sinensis* 종의 차나무 잎에서 만든 음료로서 세계에서 물 다음으로 많이 소비되는 액체이다. 가장 흔한 세 종류의 차는 홍차 (black), 우롱차 (oolong), 녹차 (green)이다 (Balentine 등, 1997). 차는 다양한 화합물을 함유하고 있는데, flavanols가 차에서 발견되는 flavonoid 화합물 중 주된 계열이며, 우세한 형태가 polyphenol인 catechin (glavan-3-ols)이다. Catechin은 무색의 수용성 화합물로서 차의 쓴맛과 떫은맛을 낸다 (Balentine 등, 1997). 홍차와 녹차는 암에 대한 예방 효과 및 치료 효과 외에도 여러 건강과 관련한 유익한 효과를 나타낸다고 알려지면서 연구자들로부터 많은 관심을 받고 있다. 홍차와 우롱차의 경우 제조하는 과정 동안 대부분의 catechins가 theaflavins와 thearubigins로 전환되며 (Mukhtar와 Ahmad, 2000), 이들 화합물의 특성은 알려져 있지 않다 (Sang 등, 2011). 홍차에 남아 있는 catechin의 함량은 약 3~10%에 불과하다 (Balentine 등, 1997). 건강에 대한 홍차의 유익성이 연구되었지만, 여러 역학 연구는 홍차와 암 발생 위험의 감소 사이에서 연관성을 발견하지 못하였다 (Yuan 등, 2011). 녹차는 돌연변이 대항 작용, 항균 작용, 항산화 작용, 항암 작용, 암의 예방, 콜레스테롤혈증의 저하 등과 같은 다양한 생물학적 기능을 가지고 있으며 (Katiyar와 Mukhtar, 1996), 비산화, 비발효 차에 속한다 (Balentine 등, 1997). 홍차와 달리 녹차에서는 건조 중량의 30~42%가 catechin이며, 이와 같은 높은 catechins의 함량, 특히 epigallocatechin-3-gallate (EGCG)가 종양의 형성을 억제하고 여러 종양의 진행을 방지하는 녹차의 특성에서 주된 기능을 하는 성분이다 (Gullett 등, 2010).

차나무 *Camellia sinensis*는 수천 년 전부터 아시아에서 재배되어 왔으며, 현재는 세계 인구의 2/3 이상이 이 식물을 소비하고 있다 (Mukhtar와 Ahmad, 1999). 녹차는 신선한 찻잎을 건조시켜 제조되며, 여러 종류의 polyphenol 화합물, 예를 들면 EGCG, epigallocatechin (EGC), epicatechin-3-gallate (ECG), epicatechin (EC) 등을 포함하고 있으며, Catechin,

gallocatechin, epigallocatechin digallate, epicatechin digallate, 3-*O*-methyl EC/EGC, catechin gallate, gallocatechin gallate 등은 소량으로 함유되어 있다 (Khan 등, 2008). 가장 풍부한 EGCG는 모든 catechins 중 항산화 작용이 가장 강력하여 비타민 C와 E의 25~100배에 달한다 (Cao 등, 2002). 여러 연구는 green tea polyphenol (GTP)이 전립선암의 위험을 감소시키고 진행을 지연시킨다고 하였다 (Khan과 Mukhtar, 2007; Khan 등, 2008) (도표 129, 130). EGCG가 항암 작용을 나타내는 기전으로는 항산화 작용의 촉진, NFκB 및 AP1의 억제, 세포 주기의 조절, tyrosine kinase receptor (TKR) 경로의 억제, 후성적 변경의 조절, 면역 시스템의 조절 등이 거론되고 있다 (Shirakami 등, 2012) (도표 131).

전립선암 세포에 관한 연구는 EGCG가 Simian vacuolating virus 40 (SV40)로 불멸화된 PNT1A 세포와 전이 전립선암 세포 PC3의 성장을 억제한 데 비해, 정상 상피세포에는 유의하게 영향을 주지 않았다고 하였다 (Caporali 등, 2004). 불멸화된 세포와 암 세포주에 EGCG를 투여한 경우에는 clusterin 단백질이 세포사 표지자인 caspase-9과 함께 증가한 데 비해, 동일한 용량을 원세포 배양에 투여한 전후에는 clusterin이 발견되지 않았다 (Caporali 등, 2004). EGCG와 catechin은 일반적으로 직접 결합하여 전사 과정을 방해함으로써 유전자의 발현과 단백질의 작용을 억제하기 때문에, 이러한 결과는 주목할 만하다. *CLU*는 green tea catechin (GTC)에 의해 상향 조절되는 소수의 유전자 중 하나이다.

전립선암의 형성을 나타내는 TRAMP 모델은 전립선암의 진행을 이해하는 데 중요한 도구로 개발되었다 (Greenberg 등, 1995). TRAMP 생쥐는 전립선상피내암부터 안드로겐 비의존성 전립선암까지 전립선암의 전체 진행 과정에서 초기 및 침습성 전립선암의 진행을 보여 준다 (Kaplan-Lefko 등, 2003). TRAMP 생쥐는 전립선에 특이하고 안드로겐 의존성인 minimal rat probasin (rPB) 촉진체의 존재 하에서 SV40 Large T-antigen/Small T-antigen (T/t antigens)을 발현한다. 따라서 TRAMP 생쥐에서 전립선암의 발생은 SV40에 의해 유도되고 연령과 관련이 있다. TRAMP에 대한 GTC의 효과는 2001년에 처음 보고되었다 (Gupta 등, 2001). TRAMP 생쥐 모델에서 전립선암이 진행하는 동안 *CLU*의 발현은 하향 조절된다 (Caporali 등, 2004). 음료수 내에 함유된 0.3%의 GTC를 수컷 TRAMP 생쥐에게 경구로 투여한 경우에는 유해한 사건 없이 전립선암의 시작이 100~20% 감소하였다. GTC에 반응

도표 129 전립선암 세포 및 조직에서 GTC에 의한 화학적 예방의 기전

주된 기전	참고 문헌
Proteasome의 억제	Nam 등, 2001; Smith 등, 2002
세포 주기의 정지	Ahmad 등, 1997; Gupta 등, 2000; Nam 등, 2001; Gupta 등, 2003; Morrissey 등, 2007
세포 증식의 감소	Hastak 등, 2003; Chuu 등, 2009; Thomas 등, 2009; Brizuela 등, 2010; Pandey 등, 2010
세포 자멸사	Yu 등, 2004; Sartor 등, 2004; Adhami 등, 2007; Siddiqui 등, 2008; Luo 등, 2010
종양 형성 및 진행의 억제	Gupta 등, 2001; Saleem 등, 2005; Bettuzzi 등, 2006; Brausi 등, 2008; Adhami 등, 2009
침습 및 전이의 억제	Gupta 등, 2001; Zhou 등, 2003; Sartor 등, 2004; Siddiqui 등, 2008; Brizuela 등, 2010

GTC, green tea catechin

Connors 등 (2012)의 자료를 수정 인용.

도표 130 고등급 전립선상피내암 혹은 전립선암을 가진 환자를 대상으로 실시한 GTC의 임상 2상 시험

환자 (수)	GTC	치료 방법	결과	참고 문헌
진행된 HRPC (42)	GT 분말	6 g/일, 1~4개월	제한적인 항암 효과	Jatoi 등, 2003
HRPC (19)	GTE 캡슐	250 mg 2회/일, 4주~5개월	HRPC에 대한 약한 임상적 효과	Choan 등, 2005
HGPIN (60)	GTP 캡슐	200 mg 3회/일, 1~12개월	전구 암에 대한 화학 예방 작용	Bettuzzi 등, 2006
HGPIN (60)	GTP 캡슐	200 mg 3회/일, 1~12개월	전구 암에 대한 장기간 화학 예방 작용	Brausi 등, 2008
전립선암 (26)	PPE	800 mg 1회/일, 1주~8개월	임상적으로 유의한 치료 효과	McLarty 등, 2009

GT, green tea; GTC, green tea catechin; GTE, green tea extract; GTP, green tea polyphenols; HGPIN, high-grade prostatic intraepithelial neoplasia; HRPC, hormone-resistant prostate cancer; PPE, polyphenon E.

Connors 등 (2012)의 자료를 수정 인용.

하는 동물에서는 *CLU*의 발현이 회복되었고 뒤이어 caspase-9의 재활성화가 일어난 반면, GTC에 불응하는 동물, 즉 종양을 가진 생쥐는 *CLU*나 caspase-9를 발현하지 않았다. 전립선에서 *CLU*와 caspase-9의 발현은 면역조직화학검사 외에도 Western blotting에 의해서도 측정된다 (Scaltriti 등, 2006).

전구 암 병변인 고등급 전립선상피내암 환자 60명을 대상으로 전립선암의 예방에서 GTC의 효과를 평가한 연구에 의하면, 1년 동안 녹차 polyphenols를 복용한 환자에서는 3% (1명/30명)만이 전립선암으로 진단되었으며, 대조적으로 대조군의 경우 30% (9명/30명)에서 전립선암이 발견되었다 (Bettuzzi 등, 2006). 이 연구를 Kaplan-Meier 분석을 통해 3년 동안 추적 관찰한 바에 의하면, GTC로 치료를 받은 환자의 90%에서 전립선암이 발견되지 않았으며, 대조적으로 위약으로 치료를 받은 환자의 경우 50%에서 전립선암이 발견되지 않았다 (Brausi 등, 2008). 생검 표본을 이용한 연구는 GTCs로 치료를 받은 환자에서는 *CLU*가 상향 조절되었지만, 위약으로 치료를 받은 경우에는 *CLU*의 변화가 없었다고 하였다 (Rizzi 등, 2009b). GTC를 이용한 화학적 예방에서 clusterin의 역할을

이해하기 위해서는 추가 연구가 필요하다.

16.7. 종양 조절 인자로서의 CLU에 관한 신개념
New insights of CLU as tumour modulator

*CLU*가 유전적으로 불활성화된 생쥐의 전립선에서 형태학적인 변화를 관찰함으로써 *CLU*의 불활성화가 전립선 상피의 표현형을 변화시키는지를 평가한 연구는 *CLU*Ko 생쥐가 심장에서 자가 면역을 일으키는 경향이 있지만 현성 결함을 나타내지 않았다고 하였다 (McLaughlin 등, 2000). 다른 연구는 *CLU*의 동형 접합 결실 혹은 이형 접합 결실을 가진 생쥐의 100%와 87%에서 진행된 전립선상피내암 혹은 분화된 전립선암이 발견된 반면, 표준형의 자손에서는 어떠한 종양도 발견되지 않았다고 하였다. 이 연구는 또한 표준형을 가진 대조군에 비해 동형 접합체 및 이형 접합체의 *CLU*Ko 생쥐의 정상 전립선 상피에서는 증식 표지자인 Ki-67의 발현이 더 증가함으로써 증식 지수가 더 증가함을 보여 주었다. 이 연구는 또한 표준형의 대조군에 비해 *CLU*Ko 생쥐의 저등급 전립선상

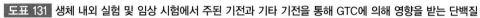

도표 131 생체 내외 실험 및 임상 시험에서 주된 기전과 기타 기전을 통해 GTC에 의해 영향을 받는 단백질

단백질의 기능	단백질의 종류	GTC에 의한 효과	
		발현 감소	발현 증가
주된 기전			
Proteasome 억제	p21		Gupta 등, 2003; Hastak 등, 2003
	p27		Smith 등, 2002; Gupta 등, 2003
	IkBα		Smith 등, 2002; Gupta 등, 2004
	BAX		Adhami 등, 2007; Siddiqui 등 2008
세포 주기 조절	CDK2	Gupta 등, 2003	
	CDK4	Gupta 등, 2003	
	CDK6	Gupta 등, 2003	
	Cyclin D (CCND)	Gupta 등, 2003	
	Cyclin E (CCNE)	Gupta 등, 2003	
	MCM2	Hastak 등, 2003	
	p14		Hastak 등, 2003
	p16		Gupta 등, 2003
	p18		Gupta 등, 2003
	p53		Gupta 등, 2000; Hastak 등, 2003
	Ph-RB	Luo 등, 2010	
세포 증식	ID2	Luo 등, 2010	
	MCM7	McCarthy 등, 2007	
세포 자멸사	Ph-BAD Ser 112	Siddiqui 등 2008	
	Ph-BAD Ser 136	Siddiqui 등 2008	
	BAK		Siddiqui 등 2008
	BCL2	Hastak 등, 2003; Hsu 등, 2010	
	BCL-XL	Siddiqui 등 2008	
	Clusterin		Caporali 등, 2004
	DR4		Siddiqui 등 2008
	FADD	Siddiqui 등 2008	
	FLIP	Siddiqui 등 2008	
	IAP	Siddiqui 등 2008; Hsu 등, 2010	
	SMAC/Diablo	Siddiqui 등 2008	
	Survivin	Siddiqui 등 2008	
	XIAP	Siddiqui 등 2008	
침습 및 전이	E-cadherin		Saleem 등, 2005
	MMP2	Pezzato 등, 2004; Sartor 등, 2004	
	MMP3	Siddiqui 등 2008	
	MMP9	Adhami 등, 2004; Vayalil 등, 2004	
	MTS1 (S100A4)	Saleem 등, 2005	
	TIMP1		Siddiqui 등 2008
	uPA	Adhami 등, 2004; Siddiqui 등 2008	
혈관 형성	Angiopoietin 1/2	Siddiqui 등 2008	
	VEGF	Adhami 등, 2007; McLarty 등, 2009	
기타 기전			
안드로겐 경로	AR	Harper 등, 2007; Chuu 등, 2009	
	DHT	Zhou 등, 2003	
	PSA	McLarty 등, 2009; Chuu 등, 2009	
	Testosterone	Cao 등, 2000; Zhou 등, 2003	
효소	FAS	Brusselmans 등, 2003	
	Mn-SOD	Morrissey 등, 2007	
	ODC	Gupta 등, 1999	
유전자 변경/발현	DNMT	Fang 등, 2003; Pandey와 Gupta, 2007	
	GST		Chow 등, 2007; Pandey 등, 2010
	HDAC 1~3	Pandey 등, 2010	
	MBD1/4	Pandey 등, 2010	
	MECP2	Pandey 등, 2010	

성장 인자	IGF-1	Harper 등, 2007; McLarty 등, 2009	Gupta 등, 2001; Adhami 등, 2009
	IGFR-1	Harper 등, 2007	
	Ph-IGFR-1	Thomas 등, 2009	
	IGFBP-3	Adhami 등, 2007; McLarty 등, 2009	
	HGH	McLarty 등, 2009	
	HGH/c-MET	Duhon 등, 2010	
염증	COX2	Hussain 등, 2005; Harper 등, 2007	
	IL-1β	Hsu 등, 2010	
	IL-6	Hsu 등, 2010	
	iNOS	Harper 등, 2007	
	Osteopontin	Siddiqui 등 2008	
	TNFα	Hsu 등, 2010	
신호 전달	AKT	Siddiqui 등 2004	Albrecht 등, 2008
	Ph-AKT	Siddiqui 등 2004; Duhon 등, 2010	Albrecht 등, 2008; Siddiqui 등 2004
	ERK1/2	Duhon 등, 2010	
	Ph-ERK1/2	Vayalil 등, 2004; Brizuela 등, 2010	
	k-RAS	Lyn-Cook 등, 1999	
	MAPK	Harper 등, 2007	
	Ph-MAPK	Thomas 등, 2009	
	p38	Kazi 등, 2002	
	Ph-p38	Vayalil 등, 2004	
	PI3K	Siddiqui 등 2004	
	PI3K p85	Adhami 등, 2004; Adhami 등, 2009	
	SPHK1	Brizuela 등 2010	
전사 인자	c-JUN	Vayalil 등, 2004	Thomas 등, 2005
	HIF-1α		
	Ph-IκBα	Zhang 등, 2006	
	IKKα	Zhang 등, 2006	
	NFκB p50	Hsu 등, 2010	
	NFκB p65	95, 133, Vayalil 등, 2004	
	Ph-NFκB p65	Siddiqui 등 2008	
	PPARγ	Adhami 등, 2007	
	RANK	Siddiqui 등 2008	
	NIK	Siddiqui 등 2008	
	SP1	Ren 등, 2000	
	STAT3	Siddiqui 등 2008	

AKT, v-akt murine thymoma viral oncogene homolog 1 or protein kinase B (PKB); AR, androgen receptor; BAD, BCL2 antagonist of cell death; BAX, BCL2-associated X protein; BCL2, B-cell lymphoma 2; BCL2-XL, BCL2 extra large; CDK, cyclin-dependent kinase; c-JUN, Jun proto-oncogene; c-MET, MET proto-oncogene, receptor tyrosine kinase or hepatocyte growth factor receptor (HGFR); COX2, cyclooxygenase 2;; DHT, dihydrotestosterone; DNMT, DNA (cytosine-5)-methyltransferase; DR, death receptor; ERK, extracellular signal-regulated kinase; FADD, fas-associated protein with death domain; FAS, fatty acid synthase; FLIP, FLICE-inhibitory protein; GST, glutathione S-transferase; GTC, green tea catechin; HDAC, histone deacetylase; HGH, human growth hormone; HIF, hypoxia-inducible factor; IAP, inhibitor of apoptosis protein; ID, inhibitor of DNA-binding protein; IGF, insulin-like growth factor; IGFBP, insulin-like growth factor binding protein; IGFR, insulin-like growth factor receptor; IκBα, inhibitor of κBα; IKK, inhibitor of NFκB kinase; IL, interleukin; iNOS, inducible nitric oxide synthase; k-RAS, Kirsten rat sarcoma viral oncogene homolog; MAPK, mitogen-activated protein kinases; MBD, methyl-CpG-binding domain protein; MCM, minichromosome maintenance protein complex; MECP, methyl-CpG-binding protein; MMP, matrix metalloproteinase; Mn-SOD, manganese superoxide dismutase; NFκB, nuclear factor kappa B; NIK, NFκB-inducing kinase; ODC, ornithine decarboxylase; Ph, phosphorylated; PI3K, phosphatidylinositol-4,5-biphosphate 3-kinase; PPAR, peroxisome proliferator-activated receptor; PSA, prostate-specific antigen; RANK, receptor activator of nuclear factor κB; RB, retinoblastoma protein; Ser, serine; SMAC, second mitochondria-derived activator of caspases; Sp, specificity protein; SPHK, sphingosine kinase; STAT, signal transducer and activator of transcription; TIMP, tissue inhibitor of metalloproteinase; TNFα, tumor necrosis factor-α; uPA, urokinase-type plasminogen activator; VEGF, vascular endothelial growth factor; XIAP, X-linked inhibitor of apoptosis protein.

Connors 등 (2012)의 자료를 수정 인용.

피내암 병변 혹은 정상 전립선 부위에서 NFκB p65 subunit, v-rel avian reticuloendotheliosis viral oncogene homolog A (RELA) 등으로도 알려진 전사 인자 p65의 염색이 훨씬 더 강함을 발견하였다 (Bettuzzi 등, 2009). 포유동물에서 NFκB는 전립선암의 시작에서 중요한 역할을 하며, 전립선암 세포가 증식하고 생존하는 데 필요하다 (Shukla 등, 2005). CLUKo의 TRAMP 생쥐를 이용한 연구는 TRAMP 생쥐에서 1개 혹은 2개의 CLU alleles가 불활성화되면 침습성 질환이 더욱 진행되며, TRAMP/CLUKo 생쥐에서 종양의 유도 및 전파가 증대되고 이소성 부위에 전이가 더 일찍 발생한다고 하였다. 이 연구는 실험 후 28주에 TRAMP 생쥐의 경우 모두 생존하였으나 TRAMP-*CLU*$^{-/-}$ 생쥐의 경우 30%가 사망하여 TRAMP/*CLU*Ko 생쥐에서는 생존율이 감소함을 보여 주었다 (*p* <0.01) (Bettuzzi 등, 2009).

따라서 종양의 진행은 분명히 *CLU*의 소실에 의해 억제되지도 않고 지연되지도 않지만, *CLU*의 상실은 반대로 종양의 성장이 조기에 시작하도록 한다. 이들 결과는 정상 생쥐에 비해 *CLU*Ko 생쥐에서는 피부암의 종양 형성에 대한 감수성이 더 높음을 보여, *CLU*는 상피세포의 형질 전환에 대해 음성적 조절 인자의 역할을 한다고 보고한 연구에 의해 뒷받침된다. 이 연구에 의하면, *CLU*는 피부암의 형성에서 상피세포의 증식을 억제할 뿐만 아니라 병기의 진행을 방해한다 (Thomas-Tikhonenko 등, 2004). *CLU*는 또한 신경모세포종에서도 음성적 조절 인자임이 발견되었다. *N-MYC proto-oncogene* (*MYCN*) 유전자를 삽입한 생쥐에서 발생한 신경모세포종의 공격성은 *CLU*가 상실된 후 유의하게 증대되었다 (Chayka 등, 2009). TRAMP 생쥐에서 관찰된 효과와 마찬가지로, *MYCN* 유전자를 삽입한 생쥐에서 *CLU*가 상실되면 상피세포의 중간엽으로의 이행이 일어나고 NFκB 신호의 전달이 활성화된다. 따라서 NFκB의 억제와 상피세포 표현형의 유지는 종양을 억제하는 *CLU*의 기능에서 중요한 양상이라고 생각된다 (Chayka 등, 2009).

17. Cysteine-Rich Secretory Protein 3 (CRISP3)

Cysteine-rich secretory protein (CRISP)은 설치류 수컷의 생식기에 관한 연구에서 처음 기술되었으며 (Cameo와 Blaquier, 1976), 그 후 타액선에서도 보고되었다 (Haendler 등, 1993). CRISP의 명칭은 별개의 영역을 형성하는 C-terminal 부위에 한 무리의 cysteine 잔기가 있다는 의미로부터 유래되었다 (Eberspaecher 등, 1995).

17.1. CRISP3에 관한 초기 자료
Result of early study for CRISP3

생쥐에서는 CRISP1이 주로 부고환의 미부에서 발견되며, 그곳에서 주세포에 의해 합성되어 내강으로 분비되고, 부고환액 단백질의 약 15%를 차지한다 (Eberspaecher 등, 1995). 이는 CRISP1이 정자의 성숙 과정의 후반기에서 어떠한 역할을 함을 암시하지만, 생쥐의 정자와 CRISP1 사이의 연관성은 약하다고 보고되었다 (Eberspaecher 등, 1995). CRISP1과 동일하다고 간주되는 mouse epididymal protein 7 (MEP7)에 관한 연구는 이 단백질이 정자와 약하게 결합하며, 부고환의 투명세포에 의해 섭취된다고 하였다 (Vierula 등, 1995).

쥐에서는 CRISP1에 해당하는 부고환 단백질 D와 E (DE)/acidic epididymal glycoprotein (AEG)이 생쥐의 CRISP1과 cysteine 잔기 16개 모두를 포함한 70%의 서열이 동일하며 (Charest 등, 1988), 역시 부고환의 미부에 월등하게 분포되어 있다. 이 단백질은 특이 수용체를 통해 정자의 두부와 결합한다고 알려져 있다 (Brooks, 1987). 림프구 등과 같은 세포의 주위에 적혈구나 다른 세포가 부착하여 장미꽃 모양으로 되는 현상, 즉 로제트 형성 (rosette formation)의 과정에 DE/AEG가 관여하고 (Fornes와 Burgos, 1994) 난자에는 상호 보완적인 부위가 존재함이 관찰되었지만 (Rochwerger 등, 1992), 이 단백질의 생물학적 기능은 분명하게 밝혀져 있지 않다.

*CRISP*의 전사물 또한 생쥐의 타액선에서 발견되었다. *CRISP1*은 낮게 발현되는 반면 *CRISP3*는 더 높게 발현된다 (Mizuki와 Kasahara, 1992). CRISP3는 CRISP1과 16개 잔기를 포함하여 서열이 77% 동일하다 (Haendler 등, 1993). 거세 및 호르몬 치환에 관한 연구는 타액선 내의 *CRISP1*과 *CRISP3* 유전자는 안드로겐에 의해 조절된다고 하였다 (Haendler 등, 1993). 그 후 *CRISP3* 유전자의 구조가 확인되었으며, 안드로겐 반응 요소 (androgen-responsive element, ARE)가 촉진체 부위에서 발견되었다 (Schwidetzky 등, 1995). *CRISP3*는 염색체 6p12.3에 위치해 있다.

CRISP 유전자의 발현은 고환에서도 발견되었다. *CRISP2*라고 밝혀진 *testis-specific protein 1* (*TPX1*) (Kasahara 등, 1989)은 *CRISP1*과 염기 서열 55% 동일하며 (Haendler 등, 1993), 수컷의 반수체 생식세포 (haploid germ cell)에서 특이하게 발현된다 (Mizuki 등, 1992). N-terminal 서열이 유사한 것으로 보아 기니피그의 TPX1에 해당한다고 생각되는 첨체 자가 항원 (acrosomal autoantigen, AA)인 AA1은 기니피그 정자의 첨체 단백질 중 6.4%를 차지한다. AA1에 대한 항체는 수정 능력에 영향을 주지 않으며 (Hardy 등, 1988), 이 단백질의 정확한 기능은 보고되어 있지 않다.

멕시코 독도마뱀 *Heloderma horridum*의 독에서 추출된 단백질인 helothermine이 CRISP 가족의 한 구성원이라고 밝혀졌다. Cell-free 분석법에 의하면, helothermine은 심장 및 골격근의 근육세포질세망과 ryanodine과의 결합을 억제하고, 심장과 골격근의 칼슘 통로인 ryanodine 수용체 통로를 차단한다. Helothermine과 ryanodine의 상호 작용은 근육 세포질 세망으로부터 칼슘의 유리를 조절하는 통로 구조물의 기능을 돕는다 (Morrissette 등, 1995).

이후 CRISP 가족에 속하는 세 형태의 단백질을 코드화하는 cDNAs가 분리되었다. CRISP1에는 C-terminal cysteine-rich 영역을 코드화하는 DNA 부분의 유무, 3′-untranslated region (3′-UTR)의 길이 등에 의해 구분되는 다섯 종류의 cDNA 아형이 있다. 앞에서 기술된 바와 같이 TPX1에 해당하는 CRISP2 cDNA는 5′-UTR 서열의 이질적 혼합성을 나타내며, CRISP3 cDNA는 특이한 단백질을 코드화한다. 사람의 여러 기관에 대한 Northern blot 분석에 의하면, CRISP1과 CRISP2는 남성의 생식기에 국한되어 있으며, CRISP1의 전사물은 부고환에 특이한 데 비해, CRISP2/TPX1의 전사물은 주로 고환에서 발견되지만 부고환에서도 발견된다. CRISP3의 전사물은 널리 분포되어 있는데, 타액선, 췌장, 전립선 등에는 우세하게, 부고환, 난소, 흉선, 결장 등에는 낮게 분포되어 있다 (Krätzschmar 등, 1996). CRISP3는 외분비 기능을 가진 조직에 특이적이라 생각되며, 그러한 조직에서 감염에 대한 대항제로서 작용한다고 생각된다 (Alexander 등, 1993).

17.2. CRISP3의 구조 및 생화학적 특징
Structure and biochemical characteristics of CRISP3

Specific granule protein of 28 kDa (SGP28)로도 알려진 CRISP3는 척추동물, 곤충 (Lu 등, 1993), 식물 (Fritig 등, 1998), 진균 (Miosga 등, 1995), 효모 (Schuren 등, 1993) 등에서 발현되는 큰 규모의 단백질 가족에 속한다. CRISP 가족 중 밀접하게 관련이 있는 세 구성원의 유전자는 염색체 6에 위치해 있으며 (Hayashi 등, 1996), 모두가 COOH 말단에 cystine이 풍부한 영역을 가지고 있어 하나의 공통된 구조 양상을 나타낸다 (Krätzschmar 등, 1996). CRISP 유전자의 발현은 쥐의 여러 안드로겐 의존성 조직에서 특징적으로 나타난다 (Haendler 등, 1997), 사람에서 CRISP3는 호중구에서 처음 발견되었고, 그것의 cDNA는 사람의 골수 cDNA 도서관으로부터 클론화되었다 (Kjeldsen 등, 1996). 사람의 CRISP3 mRNA는 타액선, 전립선, 췌장 등에서 높게 발현되며, 부고환, 흉선,

난소, 고환, 결장 (Krätzschmar 등, 1996), 눈물선 (Kasahara 등, 1989) 등에서는 훨씬 낮게 발현된다. CRISP3 단백질은 침, 땀, 혈액, 정액장액 등 사람의 여러 체액에서도 발견된다 (Udby 등, 2002). CRISP3는 남성 생식기의 분비성 상피조직에 널리 분포되어 있으며, 특히 부고환과 정관의 팽대부에서 강하게 발현된다 (Udby 등, 2005).

사람에서 CRISP3의 기능은 충분하게 밝혀져 있지 않으나, 선천적인 면역 방어 기전에서 어떠한 역할을 할 것으로 추측되는데, 이는 첫째, CRISP3가 호중구와 외분비선에서 높게 발현되며 (Udby 등, 2002), 둘째, 식물의 항균 방어 기전에 관여하는 pathogenesis-related protein (PR)과 아미노산 배열이 비슷하고 (Stintzi 등, 1993), 셋째, 만성 췌장염에서 과다 발현된다 (Friess 등, 2001)는 등의 연구 결과에 의해 뒷받침된다. 사람의 호중구에서는 CRISP3가 특이한 gelatinase 과립에 분포해 있으며, 이들 과립의 일부는 호중구가 이동하는 동안 세포 외로 배출된다 (Udby 등, 2002).

완성된 CRISP3 단백질은 225개 아미노산으로 구성되어 있다. 이 단백질은 N-glycosylation을 일으키는 자리 1개 (Asn219)와 cystine 잔기 16개를 포함하고 있으며, 그들 잔기 중 10개는 COOH 말단의 56개 아미노산에 집중되어 있다. CRISP3 가족의 상동 단백질로는 말벌의 venom allergen-5 (Hoffman, 1993), 식물의 PR1 (Fritig 등, 1998) 등과 같은 여러 알레르기의 원인 인자와 독소가 있다. 그러나 CRISP3와 CRISP 가족의 기타 구성원이 가진 기능은 충분하게 밝혀져 있지 않다. CRISP3를 발현하는 여러 기관에 관한 연구로 볼 때, CRISP3는 타액선, 눈물선과 같은 외분비선의 분비물 (Haendler 등, 1999) 혹은 쥐의 pre-B 세포와 같은 백혈구 형태의 기능 (Pfisterer 등, 1996)에 의한 방어 기전에서 어떠한 역할을 한다고 추측된다. 암에서 CRISP3의 발현 증가가 종양 세포가 생존하기 위한 하나의 기전인지 혹은 단지 종양의 형성에서 부수적 현상인지를 연구하는 작업은 매우 중요하다. 이에 대한 답은 CRISP3가 전립선암의 예후 표지자인지 혹은 치료의 유망한 표적인지를 확인하는 데 도움을 줄 것이다.

PSA와 CRISP3 전사물은 전립선, 췌장, 타액선 (Elgamal 등, 1996) 등을 포함하는 서로 동일한 수의 기관 조직에서 발현된다 (Ishikawa 등, 1998). 말의 정액장액에서는 분비 단백질인 CRISP3 단백질이 1 mg/mL까지의 농도로 발견된다 (Schambony 등, 1998). Western blot 분석은 사람에서의 CRISP3 역시 분비 단백질이고 전립선암에서 상향 조절되기 때문에,

CRISP3는 전립선암의 생물 지표로 유망하다고 하였다 (Kosari 등, 2009). Gonadotropin-releasing hormone (GnRH) 대항제를 이용하여 화학적으로 거세한 생쥐의 타액선 내에서 측정되는 *CRISP3* 전사물의 농도는 안드로겐에 의존적이라고 보고된 바 있다 (Haendler 등, 1997). 진행된 전립선암 환자를 대상으로 고환절제술을 시행한 전후에 혈청 CRISP3를 비교한 연구는 거세한 일부 환자에서 혈청 CRISP3의 농도가 감소함을 관찰하였으며, 이는 CRISP3의 발현이 안드로겐 수용체의 기능과 관련이 있음을 보여 준다 (Bjartell 등, 2006). 그러나 거세 후 혈청 CRISP3의 감소 정도가 혈청 PSA보다 미약하기 때문에, 사람의 전립선에서 CRISP3 발현의 조절에 관해서는 아직 충분하게 확인되어 있지 않은 상태이다.

17.3. 전립선암에서 CRISP3의 성장 억제 기능
Growth inhibition of CRISP3 in prostate cancer

CRISP3는 포유동물과 파충류에서 발견되는 단백질 중 CRISP 가족에 속해 있다. 전형적인 CRISP3는 두 개의 영역, 즉 cysteine-rich secretory proteins, antigen 5, and pathogenesis-related 1 proteins (CAP) 영역으로도 알려진 큰 N-terminal synaptonemal complex protein (SCP) 영역과 cysteine-rich C-terminal 영역으로 구성되어 있으며, 후자는 이온 통로를 조절하는 기능을 가지고 있다 (Gibbs 등, 2008). Microseminoprotein, beta (MSMB)로도 알려진 사람의 prostate secretory protein of 94 amino acids (PSP94)는 정액장액 내에 있는 CRISP3와 높은 친화도로 복합체를 형성한다고 알려져 있다 (Udby 등, 2005). 혈장에서는 PSP94와 구조적으로 유사성이 없고 immunoglobulin의 상과에 속해 있는 α1B-glycoprotein (A1BG)와 결합하여 복합체를 형성하는데, CRISP3가 PSP94 혹은 A1BG와 상호 작용을 하면 CRISP3의 활성이 억제된다 (Udby 등, 2010). '3장 전립선 분비 단백질' 중 '8. Prostate Secretory Protein 94'에서 기술된 바와 같이 PSP94는 PSP94 binding protein (PSPBP)과 결합한다 (Reeves 등, 2006). PSPBP의 NH2-말단 (잔기 4-170)은 상응하는 CRISP3 영역 (잔기 17-183)과 아미노산 배열이 유사한데, 이는 두 단백질에 포함되어 있는 이 영역으로 인해 PSP94와 결합할 수 있음을 시사한다 (Bjartell 등, 2007).

남성 생식기에서 *CRISP3*의 전사물은 전립선 내에 우세하게 분포하여 있는 데 비해, 부고환 내에는 적은 양으로 존재한다 (Krätzschmar 등, 1996). *CRISP3*의 발현은 양성 전립선 조직에서는 낮지만, 대부분의 고등급 전립선상피내암, 원발 전립선암, 전이 전립선암 등에서는 크게 상향 조절된다 (Bjartell 등, 2006). 두 편의 연구는 전립선암에서 가장 흔하게 상향 조절되는 유전자 중 하나가 CRISP3라고 하였다 (Asmann 등, 2002; Ernst 등, 2002). *CRISP3*의 상향 조절과 재발이 없는 생존율 사이에는 역상관관계가 있다는 보고가 있다 (Bjartell 등, 2007).

앞에서 기술된 바와 같이 낮은 농도의 PSP94는 전립선암과 관련이 있고 전립선암으로 진단된 환자에서는 나쁜 예후와 관련이 있다 (Girvan 등, 2005). 전립선암에서 PSP94 농도의 감소는 *PSP94* 유전자의 활성을 상실시키는 전사 억제 인자 enhancer of zeste human homolog 2 (EZH2)가 상향 조절되기 때문이라고 생각된다 (Beke 등, 2007). 근래에는 전립선암에 대한 민감성과 PSP94의 발현을 감소시키는 PSP94 촉진체의 다형성 사이에 연관성이 있음이 발견되었다 (Chang 등, 2009). 그러나 PSP94의 소실이 종양의 형성을 촉진하는 기전은 분명하게 알려져 있지 않다. CRISP3 및 PSPBP는 PSP94와 상호 작용하는 단백질이다 (Reeves 등, 2005). CRISP3는 대다수 전립선암에서 상향 조절되며, 이러한 상향 조절은 질환의 재발률 증가와 관련이 있다 (Bjartell 등, 2007). 이와 같이 전립선암에서 PSP94와 CRISP3의 발현 양상이 반대로 나타나는 점은 매우 흥미롭다.

PC3, WPE1-NB26, LNCaP 세포주를 대상으로 하여 PSP94/CRISP3를 발현하는 구조물로 유전자 전달 감염을 유도한 연구에 의하면, PSP94 혹은 CRISP3는 각각 세포주에 특이한 방식으로 전립선암 세포의 성장을 억제한다 (Pathak 등, 2010). CRISP3가 양성인 세포주의 성장은 PSP94에 의해 억제되었지만, PSP94가 음성인 PC3 세포주에서 CRISP3에 의해 매개되는 성장 억제는 PSP94의 재발현을 유도하여도 반전되지 않았는데, 이는 CRISP3가 관여하는 신호 전달 경로에는 PSP94에 의해 영향을 받지 않는 경로도 있음을 시사한다. 즉, 이 연구는 CRISP3가 전립선암 발생에서 PSP94와는 독립적으로 작용한다고 하였다 (도표 132).

17.4. CRISP3의 임상적 유용성
Clinical usefulness of CRISP3

CRISP3의 농도는 정상 혹은 양성 전립선 조직 및 정액장액에

도표 132 PSP94 혹은 CRISP3의 이소성 발현 (ectopic expression)에 의한 세포주의 특이 효과

세포주	내인성 PSP94		내인성 CRISP3		증식성 세포의 생존	
	전사물	단백질	전사물	단백질	PSP94 과다 발현 시	CRISP3 과다 발현 시
PC3	없음	없음	낮음	없음	영향 안 받음	감소
WPE1-NB26	없음	없음	높음	있음	감소	감소
LNCaP	있음	발견 안 됨	높음	있음	중등도 감소	영향 안 받음
PSP-94를 발현하는 PC3 클론	있음	있음	낮음	없음	NA	감소

CRISP3, cystine-rich secretory protein 3; NA, not applicable; PSP94, prostate secretory protein of 94 amino acids.
Pathak 등 (2010)의 자료를 수정 인용함.

서 낮고 전립선암에서는 흔히 높기 때문에 (Bjartell 등, 2006), CRISP3 농도의 증가는 전립선암의 생물 지표로 간주된다 (Kosari 등, 2002). 두 편의 다른 연구도 *CRISP3* mRNA가 양성 전립선 조직에서는 낮게 발현되지만, 전립선암 조직에서는 크게 과다 발현된다고 하였다 (Asmann 등, 2002; Kosari 등, 2002). RT-PCR을 이용한 또 다른 연구는 *CRISP3* mRNA가 양성 전립선 조직에 비해 전립선암 조직에서 20배 증가함을 보여 주었다 (Ernst 등, 2002). 전립선의 발현 유전자 절편 (expressed sequence tag, EST)에 대한 분석도 *CRISP3* 유전자가 전립선암에서 과다 발현됨을 확인하였다 (Kosari 등, 2009). PSA가 낮게 생성되는 고등급 분화도의 전립선암 조직에서 CRISP3의 발현이 증가되기 때문에, 근치전립선절제술 후 환자의 예후를 예측하는 데 CRISP3가 도움이 된다는 보고도 있다 (Bjartell 등, 2006). 흥미롭게도 정액장액에서는 CRISP3가 PSP94와 쉽게 복합체를 형성하여 PSP94의 일부 작용을 방해할 수 있다 (Kosari 등, 2009).

*CRISP3*의 전사물은 PSA 수준만큼 전립선에서 높게 발현되지 않는다. 그러나 *CRISP3* mRNA의 농도는 정상 조직보다 전립선암 조직에서 증가되며, 상피세포에 특이적이다. 전립선암 환자에서 CRISP3 단백질은 PSA의 경우와 마찬가지로 CRISP3를 분비하는 종양세포의 수가 증가하기 때문에 혈액과 정액에서 증가할 것으로 예상된다. PSA와는 달리 양성 조직에 비해 전립선암 조직에서 CRISP3의 발현이 증가됨은 전립선암의 진단 표지자로서 CRISP3의 특이도 및 민감도를 증대시킨다. 혈청 CRISP3의 농도가 전립선암이 발달함에 따라 증가한다면, CRISP3는 종양의 용적, 병기, 결과 등에 관한 유용한 정보를 제공할 수 있을 것이다. 이를 분명하게 밝히는 추가 연구가 필요하다 (Kosari 등, 2002). 그러나 CRISP3는 전립선암의 혈청 표지자로서는 유용하지 않다고 생각되는데, 그 이유는 골수, 호중구 등을 포함하는 다른 근원지에서 다량

의 CRISP3가 혈중으로 유입될 수 있기 때문이다 (Udby 등, 2002).

비악성 전립선 표본 6점과 *transmembrane protease, serine type 2:E-twenty six (ETS)-related gene (TMPRSS2:ERG)* 융합을 가진 16점 혹은 가지지 않은 8점의 전립선암 표본 24점을 대상으로 유전체 분석을 실시하고 별도로 QRT-PCR을 이용하여 200점의 전립선암 표본을 대상으로 타당성을 평가한 연구는 *TMPRSS2:ERG* 융합 양성인 전립선암에서의 *CRISP3* 발현은 *TMPRSS2:ERG* 융합 음성인 전립선암에 비해 40배, 비악성 전립선 조직에 비해 53배 더 증가하였다고 보고하였다. 별도의 타당성 연구에서는 *ERG*와 *CRISP3* mRNA 사이에는 강한 상호 연관성이 있었고 (r=0.65; p<0.001), 두 가지 모두가 pT3 병기와 관련이 있었다. 또한, 면역조직화학 연구의 결과는 전립선암의 63%에서 CRISP3 단백질이 과다 발현됨을 보여 주었으며, ERG의 항체를 이용한 염색질 면역침강법은 *CRISP3*가 전사 인자인 ERG의 직접적인 표적임을 보여 주었다. 이러한 결과를 근거로 저자들은 *ERG* 유전자의 재배열은 국소적으로 진행된 일부 전립선암에서 세포의 신호를 전달하는 경로와 관련이 있는 유전자의 발현에 대해 상당하게 영향을 주며, 특히 *CRISP3*는 *TMPRSS2-ERG* 융합을 가진 전립선암에서 크게 과다 발현되는 *ERG*의 직접적인 표적이 된다고 하였다 (Ribeiro 등, 2011).

근치전립선절제술 후 PSA 농도가 0.2 ng/mL 이상으로 정의되는 생화학적 재발을 일으킨 224명을 포함한 945명의 전립선암 환자를 대상으로 면역조직화학검사를 이용하여 중앙치 6.0년 동안 추적 관찰한 후 CRISP3와 PSP94의 두 표지자와 수술 후 생화학적 재발 사이의 연관성을 평가한 연구는 CRISP3 양성인 환자에서는 재발이 없을 확률이 더 낮았으며, PSP94 양성인 환자에서는 재발이 없을 확률이 더 높았다고 하였다. 단변량 분석에서는 CRISP3 음성에 대한 CRISP3 양성

의 누적 위험도 (hazard ratio, HR)가 1.53 (p=0.010), PSP94 음성에 대한 PSP94 양성의 누적 위험도는 0.63 (p=0.004)이었다. 다변량 분석에는 CRISP3 (p=0.007)와 PSP94 (p=0.002) 모두 생화학적 재발과 관련이 있었다. CRISP3 음성/PSP94 양성인 환자에 비해 CRISP3 양성/PSP94 음성인 환자의 누적 위험도는 2.38이었다. PSA, 병리학적 병기 및 분화도 등을 포함하는 기존의 표지자 모델에 CRISP3를 추가하더라도 재발을 예측하는 수준이 개선되지 않았지만, PSP94를 추가한 경우에는 일치 지수 (c-index)가 0.778에서 0.781로 미미하게 증가하였다. 이들 결과를 근거로 저자들은 CRISP3와 PSP94가 국소 전립선암 환자에게 근치전립선절제술을 실시한 후 발생하는 재발에 대한 독립적 예측 인자이지만, 기존의 예측 모델에 이들을 추가하더라도 예측도가 크게 개선되지는 않는다고 하였다 (Bjartell 등, 2007).

근치전립선절제 조직 표본 3,268점에 대해 자동 영상 분석을 실시한 연구는 다음과 같은 결과를 보고하였다 (Dahlman 등, 2011). 첫째, 고농도의 PSP94를 발현하는 전립선암 환자에서는 수술 후 생화학적 재발 위험이 유의하게 감소되었다 (HR 0.468, 95% CI 0.394~0.556; p<0.001). 임상병리학적 지표로 보정한 다변량 분석에서 PSP94의 발현은 재발 위험의 감소에 대한 독립적 예측 인자이었다 (HR 0.710, 95% CI 0.578~0.872; p<0.001). 둘째, CRISP3는 생화학적 재발이나 사망률과 유의한 연관성이 없었으며, HR은 각각 1.270 (95% CI 0.967~1.668; p=0.086), 1.192 (95% CI 0.476~2.988; p=0.708)이었다. 그러나 PSP94의 발현과 사망 위험의 감소 사이에는 유의한 연관성이 있었다 (HR 0.522, 95% CI 0.292~0.932; p=0.028). 이들 결과는 PSP94와는 달리 CRISP3와 전립선암의 생화학적 재발 사이에는 유의한 연관성이 없음을 보여 준다.

18. Early Prostate Cancer Antigen (EPCA)

Early prostate cancer antigen (EPCA)은 전립선암에서 나타나는 핵 기질 단백질 (nuclear matrix protein)이다. 핵 기질은 핵에서 핵막, 단백질, 염색질 등을 제외한 섬유상의 골격 구조로서 핵의 모양과 기능의 유지 및 핵 성분의 조직화에 관여한다. 핵 기질 단백질의 변화는 여러 종류의 암에서 종양의 형성 혹은 악성적인 변형과 연관성을 가진다 (Davido 등, 2000).

EPCA를 처음 발견한 Dhir 등 (2004)은 EPCA가 전립선암 환자에서는 발현되지만 전립선암이 없는 남성에서는 발현되지 않는다고 보고하였다. 이들의 연구는 전립선에 대한 조직 검사의 결과가 음성인 비악성 전립선이 EPCA 단백질에 대한 면역 염색에서 양성 반응을 나타내면 5년 뒤 전립선암으로 진단된다고 하였다. 다른 연구는 전립선암을 발견하는 데 대한 EPCA의 민감도는 84%, 특이도는 85%라고 하였다 (Uetsuki 등, 2005).

Paul 등 (2005)은 enzyme-linked immunosorbent assay (ELISA)를 이용하여 전립선암 환자군 12명, 건강한 장기 기증자 16명, 다른 암 혹은 양성 질환을 가진 환자군 18명 등 46명에서 혈장 EPCA를 처음 분석하였다. 이들은 전립선암 환자의 혈장 EPCA 농도의 평균치가 다른 군에 비해 유의하게 높았으며, 절단치를 450 nm에서 1.7 흡광도 (absorbance)로 설정하였을 때 전립선암에 대한 민감도는 92% (11명/12명)이었고 건강한 대조군에 대한 특이도는 100% (16명/16명), 전체 대조군에 대한 특이도는 94% (32명/34명)였다고 보고하였다.

전립선의 생검에서 고등급 전립선상피내암이 발견된 남성 (Zhao와 Zeng, 2010)과 증상이 있는 양성전립선비대로 경요도전립선절제술을 받은 남성 (Zhao 등, 2010)을 대상으로 혈청 EPCA를 측정한 두 연구는 혈청 EPCA의 증가는 경요도전립선절제술 표본에 암이 잠복해 있을 가능성 그리고 5년 이상의 추적 관찰 기간 동안 고등급 전립선상피내암이 전립선암으로 발달할 위험과 유의하게 상호 관련이 있음을 발견함으로써, EPCA가 초기 병기의 전립선암 형성에 관여하며 혈청 EPCA의 농도는 전립선암에 대한 진단 및 예후를 예측하는 표지자가 될 수 있다고 하였다.

Leman 등 (2007)은 EPCA와는 또 다른 핵 기질 단백질인 동시에 EPCA2 단백질의 항원 결정기 (epitope)인 EPCA-2.22의 혈청 농도가 전립선에 국한된 암보다 전립선 밖으로 확장된 암을 가진 환자에서 유의하게 더 높다고 하였다. 즉, ELISA를 이용한 EPCA2의 절단치를 630 nm에서 0.8 흡광도, 즉 30 ng/mL로 설정한 경우 전립선암을 가진 남성과 가지지 않은 남성을 민감도 92%, 특이도 94%로 감별할 수 있었지만, 동일 집단에서 혈청 PSA의 경우는 65%이었다. 이 표지자는 또한 질환이 전립선 밖으로 확장된 남성과 그렇지 않은 남성을 AUC-ROC 0.89로 구별할 수 있었던 데 비해, 동일 집단에서 PSA의 경우는 0.62이었다. 따라서 이들 연구자는 혈청 EPCA-2.22 농도에 대한 ELISA 분석은 전립선에 국한된 질환과 피막 밖으로 확장된 질환을 정확하게 감별할 수 있다고 하였다. 다른 연구는 두 번째 EPCA 항원 결정기인 EPCA-2.19의 절단치를 0.5 ng/mL로 설정하면, 전립선암을 가진 남성과 가지지 않은 남성을 민감도 91%, 특이도 94%로 감별할 수 있다고 하였다 (Leman 등, 2009). EPCA2란 유전자 이름이 아니고 연구팀이 발견한 두 번째 전립선암 표지자라는 의미로 붙여진 이름이다. 이로써 이전의 'EPCA'는 지금은 'EPCA1'으로 불린다. EPCA2는 EPCA1과는 관계없이 전립선암에 동반되는 핵의 구조적 단백질이다. 그렇지만 Diamandis (2010)는 혈청 EPCA의 농도가 100 ng/mL 이하로 낮으면 ELISA로 정확하게 측정되지 않기 때문에 (저자에 의하면 발견 절단치는 1,000~10,000 ng/mL) ELISA를 이용한 연구의 결과에 대해 의문을 제기하였다.

국소 전립선암으로 근치전립선절제술을 받은 77명과 국소 진행성 혹은 전이성 전립선암을 가져 호르몬 박탈 요법을 받은 51명 등 전립선암 환자 128명의 치료 전 혈청과 40명의 건강한 대조군의 혈청을 대상으로 ELISA를 이용하여 혈청 EPCA를 측정함으로써 EPCA의 진단 예측력을 평가한 연구는 다음과 같은 결과를 보고하였다 (Zhao 등, 2011). 첫째, 치료 전 EPCA 농도는 대조군에 비해 전립선암 환자에서 유의하게 더 높았으며, 각각 4.12±2.05 ng/mL, 16.84±7.60 ng/mL이었다 ($p\langle 0.001$). 둘째, 혈청 EPCA는 국소 전립선암 환자에 비해 국소 진행 질환 및 전이 환자에서 유의하게 더 높았으며, 각각 15.17±6.03 ng/mL, 22.93±5.28 ng/mL ($p=0.014$), 29.41±8.47 ng/mL ($p\langle 0.001$)이었다. 셋째, 혈청 EPCA는 국소 진행 암에 비해 전이 암에서 유의하게 더 높았다 ($p\langle 0.001$). 넷째, 혈청 EPCA의 증가는 Gleason 점수 및 임상 병기와는 정 상관관계를 보였으나, 혈청 PSA 농도나 연령과는 상호 관련이 없었다. 다섯째, 다변량 분석에 의하면, 치료 전의 가변 인자 중 혈청 EPCA의 농도가 생화학적 재발 및 거세 저항성 암으로의 진행에 대한 가장 중요한 예측 인자이었으며, HR은 각각 4.860 ($p\langle 0.001$), 5.418 ($p\langle 0.001$)이었다. 이와 같은 결과를 근거로 저자들은 혈청 EPCA의 농도는 전립선암에서 증가하며, 치료 전 혈청 EPCA의 농도는 나쁜 예후와 유의하게 상호 관련이 있기 때문에 전립선암의 진행에 대한 상당한 예측도를 가지고 있다고 하였다.

임상적 국소 전립선암 환자 109명을 대상으로 ELISA를 이용하여 측정한 근치전립선절제술 전 혈청 EPCA가 수술 후의 결과를 예측할 수 있는지를 건강한 대조군과 비교 분석한 연구는 다음과 같은 결과를 보고하였다 (Zhao 등, 2012). 첫째, 수술 전 혈청 EPCA의 평균 농도는 대조군에 비해 근치전립선절제술을 받은 환자군에서 유의하게 더 높았으며, 각각 4.62±1.15 ng/mL, 15.84±3.63 ng/mL이었다 ($p\langle 0.001$). 그러나 두 그룹에서의 혈청 EPCA의 농도는 림프절 전이와 골 전이를 가진 환자에서보다는 낮았는데, 각각 27.8±6.22 ng/mL, 28.50±6.67 ng/mL이었다 (모두 $p\langle 0.001$). 둘째, 추적 관찰하는 동안 질환이 진행한 환자에서 수술 전 혈청 EPCA의 평균치는 질환의 진행이 공격적이지 않은 환자군에 비해 공격적인 환자군에서 더 높았으며, 각각 18.15±4.63 ng/mL, 27.64±5.48 ng/mL이었다 ($p\langle 0.001$). 셋째, 수술 전과 수술 후의 다변량 분석에서 수술 전 혈청 EPCA의 농도는 질환의 진행에 대한 독립적 예측 인자의 역할을 하였으며, HR은 각각 5.016 ($p\langle 0.001$), 4.305 ($p\langle 0.001$)이었다. 이들 결과는 수술 전 혈청 EPCA의 농도는 전이 질환을 가진 국소 전립선암 환자에서 유의하게 증가되며, 수술 후 질환의 진행을 예측하는 인자로서의 역할을 함을 보여 준다.

19. ElaC Ribonuclease Z 2 (ELAC2)

Hereditary prostate cancer 2 (HPC2)로도 알려진 *ElaC ribonuclease Z 2* (ELAC2) 유전자는 zinc phosphodiesterase ELAC protein 2 혹은 elaC homolog protein 2 (ELAC2)를 코드화한다 (Rebbeck 등, 2000). Transforming growth factor (TGF)-β는 serine/threonine kinase 수용체와 결합하고 특이 단백질인 mothers against decapentaplegic homolog (SMAD)를 활성화하여 cyclin-dependent kinase inhibitor 1 (CDI-1)으로도 알려진 p21을 포함한 세포 주기와 관련이 있는 유전자의 발현을 조절함으로써 많은 정상 세포에서 성장을 강력하게 억제하는 효과를 나타낸다. 한편, SMAD2의 C-terminal MH2 domain과 ELAC2의 N-terminal region은 상호 작용함으로써 ELAC2는 활성 SMAD2와 결합한다. *ELAC2*가 제거된 전립선 세포에서는 TGFβ로 초래된 전립선 세포의 성장 정지가 억제되는 것으로 보아 *ELAC2*는 TGFβ와 SMAD의 신호를 전달하는 경로에서 중요한 역할을 한다고 생각된다 (Noda 등, 2006). ELAC2는 미토콘드리아와 핵에 위치해 있는 92 kDa의 ELAC2 단백질을 코드화한다. 이 단백질은 미토콘드리아 내부에서 tRNA 3′-processing endonuclease의 작용을 나타내는 zinc phosphodiesterase이다 (Brzezniak 등, 2011).

ELAC2/HPC2 유전자는 유전성 전립선암에 민감한 유전자 후보로 처음 발견되었으며 (Tavtigian 등, 2000), 유전형 및 가족형 전립선암과 관련이 있다 (Tavtigian 등, 2001). 유전자는 염색체의 17p11.2에 위치해 있으며, 24개의 코드화 exons을 가지고 있고, 826개의 아미노산으로 구성된 단백질을 코드화한다. 이 유전자로 인한 유전자 산물은 DNA inter-strand crosslink repair protein인 PSO2 및 73 kDa의 cleavage and polyadenylation specific factor 3, 73kDa (CRSF3 혹은 CPSF73)와 유사한 아미노산 서열을 가지고 있다. 전립선암을 가진 두 가계에서 배자 계열 돌연변이 (germline mutation)가 확인되어 유전자가 전립선암에 대한 민감성과 관련이 있다고 추측된다. 참고로 체성 돌연변이 (somatic mutation)의 경우 돌연변이가 암 세포 내에서만 일어남으로 인해 환자가 사망하면 소멸되어 유전되지 않는 데 비해, 배자 계열 돌연변이의 경우 암 세포뿐만 아니라 체내 모든 세포 내에서 돌연변이가 발생하기 때문에 유전된다. 유전자 돌연변이로 생긴 두 가지의 흔한 과오 변형 (missense variants)으로는 아미노산 217에서의 Ser-to-Leu 변화 (Ser217Leu)와 아미노산 541에서의 Ala-to-Thr 변화 (Ala541Thr)가 있다. 전립선암의 발생 위험을 예측하는 데 대한 Leu217 변형과 Thr541 변형의 유용성을 평가한 연구에 의하면, 이와 같은 변형이 건강한 피험자의 27.6~47.8%, 2.7~7.5%에서 각각 발견되었다 (Wang 등, 2001). Leu217/Thr541 변형에 관한 다른 연구에 의하면, Leu217 동형 접합체 (homozygote)는 대조군에 비해 환자군에서 더 흔하였으며, 각각의 빈도는 6.1%, 13.3%이었고, odds ratio (OR)는 2.4이었다 (p=0.0261). Thr541을 가진 경우도 대조군에 비해 환자군에서 더 흔하였으며, 각각의 빈도는 3.4%, 9.8%이었고 OR은 3.1이었다 (p=0.02) (Tavtigian 등, 2000). Thr541 변형은 Leu217 변형이 존재하는 경우에만 관찰되었다 (Tavtigian 등, 2000; Rebbeck 등, 2000. Leu217과 Thr541 변형의 빈도는 백인과 흑인에서 유의한 차이를 보이지 않는다 (Rebbeck 등, 2000).

건강한 대조군 266명과 우연히 전립선암이 발견된 환자 359명을 대상으로 분석한 연구는 다음과 같은 결과를 보고하였다 (Rebbeck 등, 2000). 첫째, 대조군에서 Thr541의 빈도는 2.9%, Leu217의 빈도는 31.6%이었으며, 인종별로는 유의한 차이가 관찰되지 않았다. Thr541은 Leu217을 가진 남성에서만 관찰되었다. 둘째, Leu217/Thr541 변형은 대조군의 3.5%, 환자군의 7.5%에서 관찰되었다. 전립선암을 가질 확률

은 Leu217/Thr541 변형을 가진 남성에서 증가되었으며, OR은 2.37 (95% CI 1.06~5.29)이었다. 이러한 위험은 가족력이나 인종에 따라 유의한 차이를 나타내지 않았다. 셋째, 일반적 모집단에서 전립선암의 원인 중 5%는 *ELAC2/HPC2*에서의 유전형 때문으로 추산되었다. 이들 자료는 *ELAC2/HPC2*에서 흔하게 발생되는 변형이 전립선암이 발생할 위험과 관련이 있음을 보여 준다.

건강한 대조군 525명과 전립선암 환자군 199명을 분석한 연구는 다음과 같은 결과를 보고하였다 (Adler 등, 2003). 첫째, Leu217 동형 접합체의 빈도는 대조군과 환자군에서 각각 8.5%, 8.6%로 차이가 없었다. Leu217 변형의 빈도는 대조군에 비해 환자군에서 더 높았으며, 각각 50.3%, 61.8%이었고, 전립선암의 발생 위험에 대한 OR은 1.6 (95% CI 1.15~2.23)이었다. 둘째, Thr541 변형은 늦게 발현되는 전립선암의 발생 위험 증가와 관련이 있었다 (p=0.028). 셋째, 전립선상피내암은 Leu217 변형이 없는 경우에 비해 가진 경우에 더 흔하였으며, 각각 26.7%, 42.3%이었고 (OR 2.05, 95% CI 1.10~3.83), Thr541 변형이 없는 경우에 비해 가진 경우에 더 흔하였으며, 각각 34.6%, 50.0%이었다 (OR 1.89, 95% CI 0.75~4.78). 이들 결과는 *ELAC2/HPC2*의 변형 Leu217과 Thr541은 전립선상피내암과 전립선암의 발생 위험 증가와 관련이 있음을 보여 준다.

미국과 유럽의 연구는 코돈 217에서 Ser과 Leu 대립 유전자 (allele)의 빈도가 전립선암 환자와 대조군 사이에 유의한 차이가 없다고 보고하였다 (Rokman 등, 2001). 특별한 점은 코돈 541에서의 다형성이 공통으로 관찰된다는 점인데, 특히 한 연구는 전립선암 환자에서 Thr 대립 유전자의 빈도가 유의하게 감소됨을 보여 주었다 (Suarez, 등, 2001). 일본인을 대상으로 분석한 연구는 코돈 217에서의 Leu 유전형은 전립선암과 관련이 있는 위험 대립 유전자이며, 분석된 모든 표본의 코돈 541에서 Ala 대립 유전자가 발견되어 일본인의 경우 코돈 541에서는 다형성이 나타나지 않는다고 하였다 (Takahashi 등, 2003). 따라서 유전자의 특이 다형성 부위에서 나타나는 각 대립 유전자의 빈도는 민족별로 차이가 있는 것 같다.

Stanford 등 (2003)은 전립선암을 발달시킬 위험이 있는 *ELAC2/HPC2*의 두 가지 과오 변형, 즉 Ser217Leu 및 Ala541Thr의 분포를 확인하기 위하여 40~64세의 환자군 591명과 대조군 538명을 대상으로 연구를 하였다. Leu217 변형의 빈도는 대조군 (29%)보다 환자군 (32%)에서 더 높았으

나, Thr541 대립 유전자의 빈도 (4%)에는 차이가 없었다. 유전형을 고려하였을 경우, Ala541/Ala541 바탕에서 Leu217 변형의 동형 접합체 (homozygote)를 가진 백인 남성의 전립선암에 대한 OR은 1.84 (95% CI 1.11~3.06)로 높았다. 환자를 질환의 공격성으로 분류하면 다른 위험 양상이 관찰되었는데, 최소 1개의 Leu217 대립 유전자를 가진 남성은 국소 병기, Gleason 점수 7 미만의 덜 공격적인 전립선암에 대한 위험이 증가되었으며 (OR 1.34, 95% CI 1.02~1.76), 2개의 Leu217 대립 유전자를 가진 남성에서는 위험도가 더 증가되었다 (OR 1.73, 95% CI 1.08~2.77). Ala541Thr 다형성은 암의 발생 위험과 관련이 없었으며, 어떠한 변형도 더 공격적인 전립선암 표현형과 관련이 없었다. 저자들은 덜 공격적인 전립선암의 14%, 그리고 65세 미만의 미국 백인 남성에서 발생하는 모든 산발적인 전립선암의 9%가 Ser217Leu 유전형이라고 하였다.

Single nucleotide polymorphisms (SNPs)의 대립 유전자 빈도는 인종별, 민족별로 차이가 있다고 알려져 있다. Ser-217Leu 다형성은 최소한 일본인에서 전립선암의 발생 위험에 대한 잠재적 지표이며, 이 다형성과 Ser627에 관한 단상형 (haplotype; 동일 염색체 위에 연쇄하는 유전자 자리의 대립 유전자 조합이며, 이를 통해 유전자 영역을 식별할 수 있다) 분석에 의하면, 전립선암이나 양성전립선비대를 가진 환자와 대조군을 포함한 모든 Leu 보유자는 코돈 627에서 wild-type, 즉 표준형인 Ser/Ser을 나타내기 때문에 둘 모두의 SNPs는 독립적으로 발생하며, 단상형보다 Ser217Leu의 다형성 자체가 전립선암의 예측 인자라고 추측된다 (Takahashi 등, 2003). ELAC2/HPC2 유전자에서 Ala541Thr은 양성전립선비대와 관련이 있으며 (Rokman 등, 2001), Ser217Leu는 전립선암과 연관성을 가진다고 보고되었다. 또한 코돈 627에서의 다형성은 암과 증식을 포함한 전립선 질환을 예측하는 데 도움을 준다 (Takahashi 등, 2003).

20. Endoglin (ENG)

전립선암 세포에서 부착 및 운동성의 변화는 전이를 일으키며, 이러한 부착 및 운동성의 변화와 관련이 있는 여러 단백질이 확인되고 있다. 경막 integrin 아형의 발현은 정상 전립선과 전립선암에서 차이를 나타낸다 (Fornaro 등, 1999). 경막 단백질인 integrin은 α와 β 소단위의 이질 이합체를 형성하며, 특이한 세포 외부의 기질 단백질과 결합하는 수용체를 형성

한다 (Yamada, 1997). 형질막에 있는 integrin 집단은 국소 부착을 위한 플라크를 형성하며, 그 위치에서 플라크의 세포질 꼬리 부분은 talin, α-actinin, vinculin 등의 어댑터 단백질을 통해 actin 세포 골격과 결합하며, 이로써 거대한 분자 구조를 통해 세포가 고정되는데, 이를 '국소 부착 (focal adhesion)' 이라고 한다 (Sastry와 Burridge, 2000).

Focal adhesion kinase (FAK) 단백질은 부착과 관련된 신호를 전달하는 기능을 가진 중요한 tyrosine kinase이며 (Hanks와 Polte, 1997), FAK는 전립선암에서 상향 조절되고 (Tremblay 등, 1996), 전립선에서 FAK의 kinase 작용을 억제하면 세포 자멸사가 일어난다 (Kyle 등, 1997). 세포의 부착이 일어나는 동안 FAK는 국소 플라크로 전위하여 β_1-integrin과 복합체를 형성한다 (Bergan 등, 1996b). β_1-Integrin은 전립선에서 흔한 integrin 아형이며, 전립선에서 FAK의 활성화를 조절한다 (Liu 등, 2000).

혈관 형성은 경성 암의 시작과 진행에서 핵심적인 역할을 한다 (Folkman, 1990). 1~2 mm 이상 크기의 종양은 기존의 내피세포로부터 발생하는 신생 혈관에 의존적으로 성장한다 (Risau, 1997). 혈관 형성은 혈관 형성을 유발하는 인자와 혈관 형성에 대항하는 인자 사이의 균형에 의해 조절되며, 정상 조직에서는 이러한 균형이 혈관을 안정적인 상태로 유지하도록 한다. 그러나 자극 인자가 증가하거나 억제 인자가 감소되어 불균형이 일어나면, 혈관 형성은 조절이 어려운 상태가 된다 (Hanahan과 Folkman, 1996). 전립선암의 진행, 예후, 생존 등은 혈관 형성과 관련이 있으며 (Lissbrant 등, 1997), 전립선암의 혈관화 (vascularization)와 혈관 형성은 전이 질환의 발생과 상호 관련이 있다 (Weidner 등, 1993).

여러 전립선 세포주에서 경성 기질과의 접착력을 측정한 바에 의하면, 전이 전립선암 세포주인 PC3-M은 분리 후 신속한 접착을 일으키는 특징적인 패턴을 나타낸다 (Liu 등, 2001). 세포의 분리를 조절하는 유전자를 조사한 연구는 암에서 정상 유전자에 비해 상향 혹은 하향 조절되는 유전자의 발현을 확인하였으며, 그들 유전자 중 염색체 9q34.11에 위치해 있는 endoglin 유전자 ENG (혹은 END)의 발현이 전립선암 세포가 분리하는 동안 상당한 변화를 일으킴이 관찰되었다 (Jovanovic 등, 2002). Cluster of differentiation molecule 105 (CD105)로도 알려진 endoglin은 180 kDa의 동질 이합체인 1형 막 단백질로서 561개의 아미노산으로 구성된 큰 세포 외부 영역, 1개의 소수성 경막 영역, 1개의 짧은 세포질 영역

등으로 형성되어 있다. 사람과 생쥐의 endoglin에는 두 동형 단백질, 즉 S-endoglin과 L-endoglin이 있으며, 사람에서 이들의 세포질 꼬리 (cytoplasmic tail)에는 각각 14개, 47개의 아미노산이 포함되어 있다. L-endoglin이 우세하게 발현되는 동형 단백질이기 때문에, 연구의 대부분은 이 동형 단백질에 관한 것이다. Endoglin은 휴식 상태의 내피세포에서는 낮게 발현되지만, 종양의 혈관, 염증 조직, 상처 치유, 건선 피부, 윤활막 관절염, 혈관 손상 후, 배아 형성 동안 등과 같이 혈관 형성이 활발한 상태의 혈관 내피세포에서는 높게 발현된다. Endoglin은 또한 신장, 뒷다리, 심장에서 허혈 후 재관류가 일어날 때 내피세포에서 과다 발현된다. Endoglin은 내피세포 외에 융합세포영양막 (syncytiotrophoblast)에서도 높게 발현된다. Endoglin의 발현은 여러 세포 형태에서 조절된다. 예를 들면, endoglin은 단핵구에 존재하는데, 단핵구가 대식세포로 이행하는 동안에는 상향 조절된다. 또한, endoglin은 정상 평활근 세포에서는 낮게 발현되는 데 비해, 동맥경화 플라크의 혈관 평활근 세포에서는 endoglin의 발현이 상향 조절된다. Endoglin은 심장의 섬유모세포에서 발현되며, 섬유 형성을 유발하는 angiotensin II의 작용을 조절한다. Endoglin은 신장, 간 등에서 섬유증이 진행하는 동안에도 발현된다 (Lopez-Novoa와 Bernabeu, 2012).

Endoglin은 전형적으로 내피세포, 조혈세포, 신장의 혈관 사이세포 (mesangial cell) 등에서 발현되며 (Gougos와 Letarte, 1990), 생쥐의 섬유모세포에서 과다 발현되면 세포의 이동이 감소된다 (Guerrero-Esteo 등, 1999). 또한, endoglin은 전립선암 조직의 신생 혈관 혹은 미성숙 혈관에서 흔하게 발견되며, 면역조직화학검사에 의하면 endoglin의 발현은 전립선암의 진행과 상호 관련이 있다 (Wikstrom 등, 2002). Endoglin은 혈관 형성에서 중요한 역할을 한다. 예를 들면, endoglin이 제거된 생쥐는 배아 초기에 다수의 혈관과 심장에 결함이 발생하여 사망하였다 (Li 등, 1999). 비정상적인 내피세포의 이동으로 인한 동정맥 기형 (arteriovenous malformation, AVM)을 특징으로 하는 hereditary hemorrhagic telangiectasia type 1 (HHT1)에서는 ENG의 돌연변이가 관찰된다 (McAllister 등, 1995). Endoglin은 혈관의 내피세포에서 높은 농도로 발현되고 (Gougos와 Letarte, 1990) 내피세포의 증식에 관여한다 (Jerkic 등, 2006). 신생 혈관은 전이된 침착 세포를 유지하는 데 필요하기 때문에, 전이 암을 가진 환자의 혈청에서 endoglin의 농도가 증가함은 놀라운 일이 아니다 (Taka-

hashi 등, 2001). 예를 들면, 전이 결장직장암 (Takahashi 등, 2001), 전이 유방암 (Li 등, 2000), 골수암 (Calabro 등, 2003) 등의 환자에서는 혈청 endoglin의 농도가 증가된다. 면역조직화학검사는 식도암 (Saad 등, 2005), 폐암 (Tanaka 등, 2001), 유방암 (Dales 등, 2003), 난소암 (Taskiran 등, 2006), 자궁내막암 (Erdem 등, 2006), 전립선암 (Wikstrom 등, 2002) 등 여러 종류의 암에서 endoglin의 발현이 증가한다고 보고되었다. 또한, endoglin의 발현은 자궁내막암 (Erdem 등, 2006)과 난소암 (Taskiran 등, 2006)의 예후에 대한 독립적 예측 인자라고 알려져 있다. Endoglin의 혈장 농도는 전이 암 환자에서 더 높다고 관찰되기 때문에 (Takahashi 등, 2001), 혈장 endoglin 농도의 증가는 종양의 혈관 형성에 대한 표지자의 역할을 하며, 추적 관찰하는 동안 암의 전이를 조기에 발견하는 데 도움이 될 수 있다 (Li 등, 2000).

혈관 형성과 혈관의 항상성에서 필수적이고 transforming growth factor (TGF)-β₁과 -β₃의 세포 표면 공동 수용체 (co-receptor)로 알려진 endoglin의 발현은 내피세포에 국한되며, 종양세포 자체에는 포함되어 있지 않다 (Cheifetz 등, 1992). 그러나 TGFβ₁과 같이 종양세포에서 분비되는 성장 인자는 endoglin의 발현을 증가시킬 수 있다 (Lastres 등, 1996). 이러한 기전은 혈장 TGFβ₁이 증가된 진행 혹은 전이 전립선암 환자, 특히 림프절 혹은 골 전이가 있는 경우에 중요하다 (Adler 등, 1999). Endoglin과 부분적으로 상동성을 나타내는 TGFβ의 공동 수용체인 TGFβ receptor III (TGFBR3), 즉 betaglycan은 세포막 유형의 matrix metalloproteinase 1 (MMP1)에 의해 조직으로부터 분비되는데 (Velasco-Loyden 등, 2004), endoglin도 유사한 기전으로 분비된다고 생각된다 (Venkatesha 등, 2006).

전립선암 세포에서 endoglin의 중요성은 분명하지 않다. 일부 연구는 전립선암 세포주에서 endoglin의 발현이 소실되며, 여러 전립선암 세포주에서 endoglin의 발현을 억제하면 암세포의 운동성과 침습이 증가한다고 하였다 (Liu 등, 2002). 대조적으로 Dunning 쥐를 대상으로 분석한 연구는 전이력이 강한 세포주보다 약한 세포주에서 endoglin의 농도가 더 낮다고 하였다 (Sharma 등, 2002).

정상 전립선은 혈관 형성을 조절하는 여러 인자를 분비하며 (Lissbrant 등, 2001), 전립선의 혈관은 정상 전립선 조직의 성장과 퇴행을 조절하는 중요한 조절자이다 (Lissbrant 등, 2004). 마찬가지로, 전립선암의 성장은 혈관 형성에 의존적이며, 전립선암의 성장은 혈관 형성에 대항하는 요법에 의해 억제된다 (Nicholson과 Theodorescu, 2004). Endoglin은 TGF-BR3와 상동성을 가져 TGFβ₁ 및 TGFβ₃와 결합하며 (Cheifetz 등, 1992), 전립선 등 여러 시스템에서 TGFβ의 신호 경로를 조절하는데, 일부에서는 TGFβ의 작용을 억제하고 (Lastres 등, 1996) 일부에서는 증대시킨다 (Altomonte 등, 1996). TGFβ는 전립선 세포를 포함한 여러 종류의 세포에서 세포의 부착 및 운동성을 조절한다고 알려져 있다 (Festuccia 등, 1999; Cai 등, 2000). Endoglin은 세포 외부 영역 내에 세 펩티드로 이루어진 단위체, 즉 arginylglycylaspartic acid (RGD)를 가지고 있다 (Altomonte 등, 1996). RGD 단위체는 세포 외부에 있는 기질 단백질인 fibronectin과 결합하며, fibronectin과 β₁-integrin 등의 integrins를 결합시키는 ligand로서의 역할을 한다 (Witkowski 등, 1993).

Endoglin은 TGFβ와 결합하며, integrin과 결합하는 단위체를 가지고 있기 때문에 integrin과 상호 작용한다. TGFβ, integrins, FAK 등의 세 단백질 모두는 세포의 부착 및 운동성을 조절하며, 전립선암의 진행과 관련이 있다. 전립선 세포주를 이용한 연구는 endoglin이 과다 발현되면 전립선 세포의 접착이 증가되고 이동 및 침습은 감소되는 한편, endoglin이 감소되면 반대 효과가 나타난다고 하였다. Endoglin은 세포의 부착에 대해서는 비교적 작은 효과만 나타내었지만, 세포의 이동과 침습에 대해서는 큰 효과를 나타내었다. 정상 전립선에 비해 전립선암 세포주에서는 endoglin의 발현이 소실되었으며, 정상 전립선 세포주에서 endoglin의 발현이 억제되면 세포의 분리가 일어났다. 이들 결과를 종합하여 볼 때, endoglin은 전립선에서 세포의 부착, 운동성, 침습 등을 조절하며, endoglin 발현의 소실은 전립선암의 진행과 관련이 있다 (Liu 등, 2002).

앞에서 기술된 바와 같이 endoglin은 전립선암 세포주의 이동과 침습에 관여한다. 중요한 점은 endoglin의 발현이 전이 전립선암 세포주에서 소실된다는 점이다 (Liu 등, 2002). 반면에, endoglin의 발현을 회복시키면 endoglin은 activin-like kinase 2 (ALK2)와 mothers against decapentaplegic homolog 1 혹은 SMAD family member 1 (SMAD1) 의존적 및 비의존적 신호를 전달하는 기전의 조절을 통해 세포의 이동이 억제된다 (Romero 등, 2009). 더욱이 endoglin은 면역이 억제된 severe combined immunodeficiency (SCID) 생쥐에서 종양을 형성하는 기능을 감소시키고 (Romero 등,

2009), 전립선암을 가진 생쥐에서 전이를 억제한다 (Lakshman 등, 2011). 그러나 이들 연구에서는 종양의 혈관화 및 성장에서 중요한 기질세포와 endoglin의 기능 사이의 상호 관계가 밝혀져 있지 않다. 한 연구에 의하면, endoglin은 G α-interacting protein C-terminus-interacting protein (GIPC) 의 매개로 phosphatidylinositol 3-kinase (PI3K)의 소단위인 p110α 및 p85와 상호 작용하여 세포막으로 PI3K와 v-akt murine thymoma viral oncogene homolog 1 (AKT 혹은 protein kinase B, PKB)를 집결시키기고 활성화하며, 이로써 내피에 의한 모세관 (capillary tube)의 안정화를 돕는다. 이러한 기전은 TGFβ₁에 의해 약화되고 bone morphogenetic protein 9 (BMP9)에 의해 증대된다 (Lee 등, 2012). 이 연구는 endoglin이 SMAD의 기능과는 다르게 GIPC와 상호 작용하여 혈관이 형성되는 동안 내피세포의 기능을 조절함을 보여 준다.

경성 종양은 악성 세포와 비악성 세포가 혼합된 비균일적인 세포군으로 구성되어 있다. 비악성 세포로는 염증세포, 줄기세포, 섬유모세포, 내피세포 등이 있으며 (Orimo와 Weinberg, 2006), 이들은 종양의 기질을 구성하고 종양의 진행과 전이를 조절하는 중요한 요소이다 (Joyce와 Pollard, 2009). 여러 기질 세포에 대한 endoglin의 영향을 평가한 연구에 의하면, 전립선암의 경우 근육에서 기원하는 carcinoma-associated fibroblast (CAF)가 존재하기 위해서는 endoglin이 필수적이며, CAF는 endoglin이 결핍되면 억제된다. 원발 전립선 기질세포에서 endoglin의 발현이 억제되면 CAF로 매개되는 내피세포의 집결과 종양에서 유래된 인자에 반응하여 일어나는 CAF의 이동이 억제되고 세포의 증식이 감소된다. 한편, insulin-like growth factor (IGF)의 신호를 전달하는 시스템은 암세포와 기질세포에서 endoglin 의존성 상호 작용이 일어나는 데 중요한 매개체이며, 이는 IGF-I이 암세포의 증식을 자극하고 (Pollak, 2008), PC3-M 세포의 전구체인 PC3를 포함하는 여러 암 세포주의 성장을 촉진한다 (Iwamura 등, 1993)는 연구에 의해 뒷받침된다. 원발 전립선 기질세포는 IGF-I을 분비하여 전립선암 세포의 증식을 촉진한다 (Kawada 등, 2006). IGF-binding protein (IGFBP)-4와 IGFBP-6는 IGF의 신호 경로를 조정하는 인자이다. IGFBP-4는 전립선암 세포의 성장을 자극하는 IGF-I에 대해 대항 작용을 나타내며 (Durai 등, 2006), 전립선암 세포주의 증식과 종양을 형성하는 기능을 억제한다 (Damon 등, 1998). 결장암 환자에서 IGFBP-6의 발현

이 억제되면 암세포의 증식이 촉진된다 (Barni 등, 1994). 다른 연구는 endoglin의 발현이 감소되면 원발 전립선 기질세포가 IGFBP-4와 IGFBP-6를 분비하여 종양의 성장이 억제된다고 하였다 (Romero 등, 2011). 따라서 원발 전립선 기질세포와 IGF에 의해 조절되는 종양의 성장을 위해서는 endoglin이 필요하며, 이러한 종양의 성장은 CAF에서 TGFβ의 신호 경로를 조절함으로써 일어난다 (Kawada 등, 2008). 이들 자료는 혈관의 형성과 종양의 성장을 촉진하는 종양의 미세 환경에서 종양의 침습과 관련이 있는 CAF와 endoglin이 상호 작용을 일으킴을 보여 준다.

전이 전립선암을 가진 쥐 모델을 대상으로 분석한 연구는 다음과 같은 결과를 보고하였다 (Lakshman 등, 2011). 첫째, 전립선암 세포에서 endoglin이 점진적으로 소실될 경우 혈중 전립선암 세포의 수는 점차 증가하였고 연조직으로의 전이가 형성되었다. 둘째, SMAD1의 전사 인자를 활성화하여 침습을 억제한다고 알려져 있는 endoglin은 선택적으로 SMAD1에 반응하는 유전자, 예를 들면 *Jun B proto-oncogene (JUNB)*, *signal transducer and activator of transcription 1 (STAT1)*, *sex determining region Y (SRY)-box 4 (SOX4)* 등을 활성화한다. 셋째, 종양의 성장 및 Ki-67 발현의 증가는 endoglin이 완전하게 소실된 상태에서만 나타난다. 넷째, 종양의 조직에서 endoglin은 TGFβ로 매개되는 성장의 억제와 TGFβ로 매개되는 신호 경로를 증가시키며, 이와 같은 성장 억제 경로의 소실은 최소한 부분적으로는 endoglin이 결핍되었을 때 종양

의 크기가 증가되는 이유가 된다. 이들 결과를 종합하면, endoglin은 원발 종양의 세포 운동성을 억제할 뿐만 아니라 원격 전이를 억제하기 때문에, endoglin은 전립선암에서 종양의 성장과 전이를 함께 조절한다고 생각된다.

임상적으로 국소 전립선암을 가진 환자에서 혈장 endoglin이 림프절 전이를 예측할 수 있는지를 평가하기 위해 근치전립선절제술과 양측 림프절절제술을 받은 425명을 대상으로 enzyme-linked immunosorbent assay (ELISA)를 이용하여 혈장을 분석한 연구는 다음과 같은 결과를 보고하였다 (Karam 등, 2008). 첫째, 수술 전 혈청 PSA와 혈장 endoglin의 중앙치 농도는 각각 5.7 ng/mL, 28.8 ng/mL이었다. 둘째, 수술 전 혈장 endoglin의 농도는 수술 전 10 ng/mL 이상의 높은 혈청 PSA 농도 ($p < 0.001$), 수술 절제면 침범 ($p=0.03$), 8 이상의 높은 Gleason 점수 ($p=0.04$), 림프절 전이 ($p < 0.001$) 등을 가진 환자에서 더 높았다. 셋째, 수술 전 PSA, 임상 병기 등 여러 가변 인자를 포함한 다변량 분석에서 수술 전 endoglin과 생검 Gleason 점수만이 림프절 전이와 관련이 있었으며, 각각의 odds ratio는 1.17 (95% CI 1.09~1.26; $p < 0.001$), 18.57 (95% CI 1.08~318.36; $p=0.04$)이었다 (도표 133). 넷째, PSA, 임상 병기, 생검 Gleason 점수 등을 포함하는 수술 전 표준 모델에 endoglin을 추가할 경우 림프절 전이에 대한 예측 정확도는 89.4%에서 97.8%로 증가하였다 ($p < 0.001$). 이들 결과를 근거로 저자들은 수술 전 혈장 endoglin 농도가 임상적으로 국소 전립선암을 가진 환자에서 골반 림프절 전이에 대한 예측 정

도표 133 임상적 국소 전립선암으로 근치전립선절제술과 양측 림프절절제술을 받은 414명에서 림프절 전이를 예측하기 위한 수술 전 결과의 단변량 및 다변량 로지스틱 회귀 분석

예측 인자	단변량 분석			다변량 분석				
	OR	*p*	예측 정확도, %	기본 모델[†]		기본 모델[†] + endoglin		*p*
				OR	*p*	OR	*p*	
수술 전 혈청 PSA	1.06	0.001	75.1	1.04	0.02	1.05	0.15	
임상 병기 T2 대 T1	10.67	0.002	74.7	5.20	0.04	3.13	0.37	
생검 Gleason 점수 7 대 2~6 8~10 대 2~6 Test for trend	8.15 40.18 –	0.01 < 0.001 < 0.001	82.8	4.82 20.52 –	0.08 < 0.001 0.001	10.95 18.57 –	0.08 0.04 0.13	
수술 전 혈장 endoglin	1.20	< 0.001	95.6			1.17	< 0.001	
예측 정확도, %				89.4		97.8		< 0.001

[†], 기본 모델에는 혈청 PSA, 임상 병기, 생검 Gleason 점수 등이 포함됨.

OR, odds ratio; PSA, prostate-specific antigen.

Karam 등 (2008)의 자료를 수정 인용.

확도를 증대시킨다고 하였다.

수술 전 혈장 endoglin의 농도와 근치전립선절제술 후 병리학적 결과 및 질환의 진행 사이의 연관성을 평가하기 위해 생화학적 재발 환자 77명을 포함한 425명의 근치전립선절제 환자를 대상으로 분석한 연구는 다음과 같은 결과를 보고하였다 (Svatek 등, 2008). 첫째, 수술 전 혈장 endoglin의 농도는 부정적인 병리학적 결과와 수술 전 높은 PSA 농도를 가진 환자에서 유의하게 증가되었다 ($p < 0.001$). 둘째, 수술 전 (p<0.001)과 후 (p=0.026)의 여러 가변 인자로 보정하였을 때 수술 전 혈장 endoglin의 농도는 수술 후 생화학적 진행에 대한 독립적 예측 인자이었다. 이들 결과에 의하면, 수술 전 혈장 endoglin 농도의 증가는 진행 전립선암의 양상과 관련이 있으며, 근치전립선절제술을 받은 환자에서 생화학적 진행의 위험에 대한 독립적 예측 인자의 역할을 한다.

진단 당시 전이가 없었고 대기 요법으로 관찰 중인 295명의 전립선암 환자에서 혈관 형성 표지자인 endoglin, factor VIII-related antigen 혹은 von Willebrand factor (vWf), 세포 증식 표지자인 Ki-67 등과 전립선암 특이 사망 사이의 연관성을 평가한 연구는 다음과 같은 결과를 보고하였다 (Josefsson 등, 2012). 첫째, 단변량 분석에서 endoglin의 혈관 밀도, vWf의 혈관 밀도, Ki-67 지수 등의 증가는 암 특이 생존 기간의 단축과 관련이 있었다. 둘째, 다변량 분석에서 Ki-67 지수와 endoglin의 혈관 밀도는 임상 병기, 종양의 용적, Gleason 점수 등을 포함하는 기본 모델 이상의 부가적인 예후 정보를 제공하였다. 셋째, Gleason 점수 6인 환자에서 높은 Ki-67 지수와 endoglin의 높은 혈관 밀도는 부정적인 예후와 관련이 있었다. 이들 결과를 근거로 저자들은 Gleason 점수가 6으로 낮은 환자에서 Ki-67 지수와 endoglin의 혈관 밀도가 낮으면 전립선암이 진행할 위험이 낮기 때문에 적극적 감시를 겸한 대기 요법의 적절한 대상이 된다고 하였다.

21. Engrailed Homolog 2 (EN2)

많은 유전자는 배아 발생의 초기에 관여하였다가 후에 암에서 재발현되는데, 그런 예가 homeodomain을 가진 전사 인자의 가족인 homeobox (HOX) 유전자이며, 세포와 조직의 발생 초기에 발견된다 (Shah와 Sukumar, 2010). HOX의 조절 장애는 대부분의 암에서 일어나며, HOX와 pre-B-cell leuke-mia homeobox (PBX)와의 결합을 표적화하는 요법은 치료적

가치가 있다 (Morgan 등, 2010).

Paired box (PAX) 유전자는 발생을 조절하는 유전자 및 전사 인자의 가족에 속하며, 배아에서 세포의 증식, 이동, 생존을 촉진함으로써 조직의 발달과 세포의 분화를 조절한다 (Buttiglieri 등, 2004). PAX는 세포의 성장과 세포 자멸사를 조절하는 표적 유전자의 전사를 활성화함으로써 원종양 유전자 (proto-oncogene)로서의 기능을 한다 (Stuart 등, 1995). 이들 전사 인자는 전사에 대해 활성과 억제의 두 가지 기능을 가지고 있다. Class III PAX 유전자인 PAX2는 발생 중인 중추신경, 눈, 귀, 비뇨기 등에서 발현되며 (Gruss와 Walther, 1992), 전립선암 세포의 생존을 위해서는 필수적이다 (Gibson 등, 2007). 암세포에서 PAX2의 발현은 증식을 자극하는데, 이는 종양을 형성하는 다단계 과정에서 일부분에 해당한다 (Gibson 등, 2007). PAX2는 DNA와의 결합을 통해 유전자의 전사를 억제하고 활성화하는 C-terminus 내에 활성화 영역을 가지고 있다 (Havick et al. 1999). PAX2는 또한 종양을 억제하는 유전자인 Wilms tumor 1 (WT1), tumor protein 53 (p53) 등과 상호 작용한다 (Dehbi 등, 1996).

전사 인자를 포함하는 HOX로서 기능을 하는 또 다른 유전자 계열에는 homeobox protein engrailed-1 혹은 engrailed homeobox 1 (EN1)과 2 (EN2)가 있으며, 이는 생쥐와 Drosophila의 segmentation polarity 유전자 En과 동족체이며 (McMahon 등, 1992), homeodomain 전사 인자를 코드화한다 (Joyner 등, 1996). PAX와 En은 뇌의 발달을 조절하는 유전자망의 일부이며, 발생을 조절하는 유전자 계층에서 높은 위치를 차지하고 있다 (Joyner, 1996). 이전의 연구는 소아 뇌종양과 acute myeloid leukemia (AML)의 경우 EN2의 발현에서 조절 장애가 있음을 보여 주었다 (Nagel 등, 2005). EN2는 유방암에서 비정상적으로 발현되고 종양을 유발하는 유전자로서의 기능을 하며, serial analysis of gene expression (SAGE) 자료에 의하면 뇌의 아교모세포종, 결장암, 난소암 등에서도 발견된다 (Martin 등, 2005). 소변 내의 EN2 단백질은 전립선암 환자의 70~85%에서 발견되며, 근치전립선절제술 후 종양의 크기와 강한 상관관계를 보인다 (Pandha 등, 2012). 다른 연구는 EN2가 전립선암에서 비정상적으로 발현되며, 전립선암 세포의 성장과 생존을 촉진하는 전사 인자 PAX2에 의해 조절된다고 하였다. 이 연구는 전립선암 세포주에서 EN2와 PAX2 유전자는 정상관관계를 나타내는데, 이로써 EN2의 발현이 감소된 세포에는 PAX2의 발현이 하향 조절

된다고 하였다 (Bose 등, 2008). 이는 Drosophila, zebra fish, 생쥐 등에 관한 연구에서 진화하는 동안 *PAX-En*의 유전자 경로가 잘 보존되어 있고 서로 상호 작용한다는 연구에 의해 뒷받침된다 (Song 등, 1996).

근래의 연구는 여러 전립선암 세포주, 예를 들면 p53 표준형과 androgen receptor (AR)가 양성인 LNCaP, 돌연변이를 일으킨 p53는 있으나 AR이 음성인 DU145, p53가 없고 AR 또한 음성인 PC3 등에서 *EN2*의 역할을 평가한 연구는 다음과 같은 결과를 보고하였다 (Bose 등, 2008). 첫째, *EN2*의 발현은 다른 두 세포주에 비해 PC3 세포주에서 가장 높았으며, PC3와 LNCaP 사이에서 가장 큰 발현 차이를 보였다. LNCaP 세포는 완만하게 성장하고 초기 전립선암으로 간주되는 데 비해, PC3는 급속하게 성장하고 공격적인 후기 전립선암으로 간주되기 때문에, 이러한 결과는 흥미롭다. 둘째, 유방암 세포주에서 small interfering RNA (siRNA)를 이용하여 *EN2*를 억제하면 암세포의 증식 속도가 유의하게 감소되었다는 연구 결과 (Martin 등, 2005)와 마찬가지의 결과가 전립선암 세포주에서도 관찰되었다. 이러한 결과는 siRNA를 이용하여 *PAX2*를 억제하면, 전립선암 세포의 성장이 급속하게 감소한다는 연구 결과 (Gibson 등, 2007)와 일맥상통한다. 이와 같이 전립선암 세포의 성장이 감소되는 이유는 *EN2*의 억제가 *PAX2*의 발현을 하향 조절하고, p53과 같이 *PAX2*에 의해 역조절되는 항증식 인자가 재활성화되기 때문으로 생각된다. 셋째, *PAX2*의 발현은 LNCaP에 비해 PC3 세포주에서 유의하게 더 높았다. 이들 결과는 *EN2*가 전립선암에서 종양을 유발하는 유전자로서의 기능을 하며, *EN2*의 발현은 *PAX2*의 조절 하에서 전립선암 세포의 성장을 유도함을 보여 준다.

RT-PCR과 면역조직화학검사를 이용하여 전립선암 조직과 전립선암 세포주에서 *EN2*의 발현을 측정하였고, enzyme-linked immunosorbent assay (ELISA)를 이용하여 직장수지검사를 받지 않은 전립선암 환자 82명과 대조군 102명의 소변 첫 부분에서 EN2 단백질을 측정한 연구는 다음과 같은 결과를 보고하였다 (Morgan 등, 2011). 첫째, EN2는 전립선암 세포주와 조직에서 발현되고 분비되었지만, 정상 전립선 조직 혹은 기질에서는 그러하지 않았다. 둘째, 직장수지검사를 실시하지 않은 상태에서도 소변 내 EN2의 존재는 민감도 66%, 특이도 88.2%로 전립선암을 강하게 예측하였다. EN2의 발현과 PSA 농도 사이에는 상관관계가 없었다. 이들 결과는 소변의 EN2가 전립선암에 대한 유망한 생물 지표임을 시사한다.

Breast cancer 1, early onset 1 (*BRCA1*) (Leongamornlert 등, 2012)과 *BRCA2* (Kote-Jarai 등, 2011) 유전자의 돌연변이가 있는 남성은 전립선암을 가질 확률이 각각 3.5배, 8.6배 높으며, 이러한 경우 암은 젊은 연령에서 발생하는 경향이 있고 더 공격적이다 (Mitra 등, 2011). *BRCA1* 혹은 *BRCA2*의 돌연변이를 가진 413명과 유전자 돌연변이를 가지지 않은 대조군 140명의 소변 표본을 대상으로 ELISA를 이용하여 EN2 단백질을 분석한 연구는 다음과 같은 결과를 보고하였다 (Killick 등, 2013). 첫째, 유전자 돌연변이를 가진 군과 대조군에서 EN2 농도의 차이는 유의하지 않았으나, 전립선암 발견에 대한 EN2의 민감도는 *BRCA2* 돌연변이 양성인 환자군에서 가장 높았다. *BRCA1*이 양성인 환자군에 비해 *BRCA2*가 양성인 환자군에서 Gleason 점수가 더 높았고 *BRCA2* 양성은 공격적인 전립선암을 예측하였다. 따라서 EN2는 공격적인 전립선암을 예측하는 데 더 효과적이다. 둘째, 전립선암에 대한 *BRCA1*/*BRCA2* 돌연변이와 EN2의 예측 계수는 각각 0.135 (95% CI 0.92~1.19), 2.788 (95% CI 1.82~3.75)이었으며, OR은 각각 1.14, 16.24이었다. 셋째, 일반 모집단에서 절단치 3.0 ng/mL 이상의 PSA는 전립선암 발견에 대해 32.2%의 민감도와 86.7%의 특이도를 나타낸 데 비해 (Thompson 등, 2005), 소변 내 42.5 ng/mL 이상의 EN2 농도는 66.7%의 민감도와 89.3%의 특이도를 나타내었다. EN2와 PSA의 positive predictive value (PPV)는 각각 38.9%, 25.0%로 낮았지만, 분석을 전립선 생검을 받은 남성으로 국한하였을 때는 PPV가 증가하였는데, PSA의 PPV는 53.8%로 증가한 데 비해 EN2의 PPV는 73.7%로 증가하였다. 넷째, 다른 연구는 EN2가 PSA와 상관관계를 나타내지 않았다고 보고하였으나 (Pandha 등, 2012), 이 연구에서는 상관계수가 0.138로 약한 상관관계를 보였다. 이와 같은 결과는 소변 내의 EN2 농도가 유전적으로 높은 위험도의 환자군에서 전립선암을 비침습적으로 조기에 발견할 수 있도록 하는 생물 지표임을 시사한다. 이 연구는 소변 내의 생물 지표인 EN2를 이용하면 전립선암 환자의 70~85%에서 암을 발견할 수 있으며, EN2는 근치전립선절제술에서 관찰되는 종양의 크기와 상호 관련이 있다는 연구 (Pandha 등, 2012)와 일맥상통한다.

중대한 전립선암을 발견한다는 것은 임상에서 중요한 목표이다. 종양의 크기가 0.5 cc 미만이고 저등급 분화도의 전립선암은 악성도가 낮다고 간주되며 (Epstein 등, 2001), 생검 cores에서 발견된 종양의 범위는 종양의 병기와 치료 후 재발 위험의 지표라고 알려져 있다 (Quintal 등, 2011). 근래의 연구는 '중대하지 않은' 전립선암에 대한 종양 용적의 한계치는 0.5 cc이며, Gleason 점수 6, 임상 병기 pT2의 전립선암 환자에서 종양의 용적이 1.3 cc 이하이면 임상적으로 중대하지 않은 전립선암의 지수가 된다고 하였다 (Wolters 등, 2011). 따라서 종양의 용적을 정확하게 평가할 수 있는 치료 전의 종양 표지자는 전립선암이 진행할 위험을 평가하는 데 매우 유용한 정보를 제공한다. 근래 들어 전립선암의 진단 표지자로 많은 생물 지표가 보고되고 있지만, *prostate cancer antigen 3* (*PCA3*)를 제외하고는 어느 것도 종양의 용적을 정확하게 반영하지 않는다. 그러나 *PCA3*에 관한 자료는 일관성이 없는데, 일부 연구는 낮은 PCA3 점수와 종양의 낮은 병기 및 낮은 등급 사이에서 유의한 연관성을 관찰하였고 (Ploussard 등, 2011), 일부 연구는 높은 PCA3 점수와 전립선피막 외부 확대 사이에서 상관관계를 발견하였다 (Whitman 등, 2008). Ploussard 등 (2011)은 PCA3 점수 25점을 한계치로 이용하여 0.5 cc 미만인 적은 용적의 종양을 발견하였지만, 큰 용적을 가진 상급 위험 질환을 발견하는 한계치를 설정하지는 못하였다. 다른 연구는 PCA3 점수와 종양 용적 사이, 그리고 PCA3 점수와 진행된 병리학적 병기 혹은 수술 표본의 높은 Gleason 점수 사이에서 상관관계를 발견하지 못하였다 (van Gils 등, 2008; Hessels 등, 2010). 또 다른 근래의 대규모 연구에서도 PCA3 점수는 적은 용적의 전립선암과는 연관성을 보였으나, 큰 용적 혹은 진행 병기의 질환과는 관련이 없었다 (Auprich 등, 2011).

소변 내의 EN2와 근치전립선절제술을 받은 남성에서의 종양 용적 사이에서 연관성을 평가한 연구는 다음과 같은 결과를 보고하였다 (Pandha 등, 2012). 첫째, EN2의 한계치를 42.5 ng/mL로 설정하였을 때, 125명의 코호트 중 70% (88명/125명)가 양성 반응을 보였다. 종양의 용적에 관한 자료로 이용이 가능한 경우는 58명이었으며, 이들 중 65% (38명/58명)가 EN2에 대해 양성이었고 이들에서 EN2의 평균치와 중앙치는 각각 917 ng/mL, 312 ng/mL이었다. 둘째, 소변 내 EN2의 농도와 혈청 PSA 농도 사이에는 연관성이 없었다. 셋째, 혈청 PSA는 종양의 용적과 관련이 없었으나 ($p=0.107$), 소변 EN2는 종양 용적과 통계적으로 유의한 상관관계를 가졌다 ($p=0.006$). 넷째, 소변 내 EN2의 농도는 종양의 병기와 관련이 있었으며 ($p=0.027$), EN2의 농도는 pT1에 비해 pT2에서 더 높았다. 이들 결과를 근거로 저자들은 수술 전의 소변 내 EN2의 농도가 근치전립선절제술 표본에서의 병기와 종양의 용적을 예측할 수 있으며 저렴하고도 신속하게 확인이 가능한 생물 지표라고 하였다.

전립선 마사지 전후 채집한 소변 내의 EN2 단백질의 존재가 진단적 표지자로서 유용한지를 평가한 연구는 다음과 같은 결과를 보고하였다 (Marszałł 등, 2015). 이 연구는 양성 전립선비대 환자의 소변 표본 76점 중 마사지 전 표본 38점과 마사지 후 표본 38점 그리고 전립선암 환자의 소변 표본 66점 중 마사지 전 표본 33점과 마사지 후 표본 33점을 대상으로 하였다. 첫째, 전립선암 환자에서 소변 내의 EN2 농도는 종양의 병기, Gleason 점수, PSA 등과 관련이 있었다. 둘째, 전립선 마사지 후 채집된 소변 내의 EN2 농도는 전립선 마사지 전 채집된 소변의 EN2 농도와 유의한 차이를 보였으며, 그러한 차이는 전립선암의 경우 1.25 ng/mL, 양성전립선비대의 경우 0.34 ng/mL이었다. 셋째, 전립선 마사지 후의 소변에서 EN2의 평균 농도는 전립선암을 가지지 않은 환자에 비해 가진 환자에서 3.76배 더 높았다. 넷째, EN2의 농도에 대한 전립선 마사지의 영향은 Gleason 점수 및 종양의 병기와 관련이 있었다. 이들 결과를 근거로 저자들은 연구에 제한점이 있지만, EN2는 전립선암에 대한 표지자로 간주되며, 프로토콜의 민감도와 특이도는 전립선 마사지에 의해 크게 영향을 받는다고 하였다.

22. Enhancer Of Zeste Homolog 2 (EZH2)

Polycomb repressor complex 2 (PRC2)에 포함되어 있고 촉매 작용을 가진 단백질인 enhancer of zeste 2 polycomb repressive complex 2 subunit 혹은 enhancer of zeste human homolog 2 (EZH2)는 histone-lysine N-methyltransferase로서 histone 3의 lysine 27 (H3K27)에 메틸기 세 개를 붙이는 '3기 메틸화' (trimethylation)를 통해 H3K27me3의 형성을 촉매하며, 세포 운명의 결정, 세포 주기의 조절, 노화, 세포의 분화, 암 형성 등과 같은 기본적인 세포 과정에 관여하는 표적 유전자의 '침묵화', 즉 표적 유전자의 활동 상실을 매개한다 (Sauvageau와 Sauvageau, 2010). 이에 관한 연구는 EZH2에 대한 통제에 장애가 일어나면 암이 발생하거나 진행하며, 많은 암에서 EZH2를 불활성화하면 치료 효과를 얻을 수 있다고 하였다.

Polycomb group (PcG) 단백질은 유전적으로 유전자를 억제하는 세포의 기억 시스템을 구성하고 있다 (Ringrose와 Paro, 2004). Polycomb은 세포의 증식 및 분화, 종양의 형성 등에 관여하는 유전자를 표적으로 삼는다. 두 가지의 PRC 가 확인되었다. 이들 중 PRC2는 유전자의 침묵을 유발한다. 포유동물에서는 단백질 histone-lysine N-methyltransferase, 즉 EZH2가 촉매 작용을 일으키기 위해서는 embryonic ectoderm development protein (EED), suppressor of zeste 12 homolog (SUZ12), Rb-associated protein 46/48 (RbAP46/48) 등의 세 단백질이 필요하며, 이들 네 단백질은 PRC2의 중심체를 구성한다 (Tsai 등, 2010). EED와 SUZ12가 복합체를 형성하면, EZH2는 histone H3의 Lys27 (H3K27)에 대해 methyltransferase로서의 기능을 한다. 3기 메틸화가 이루어진 H3K27은 PRC1, DNA methyltransferases (DNMTs), histone deacetylases (HDACs) 등이 결합하는 장소로서의 역할을 한다. PRC1은 switch/sucrose non-fermentable (SWI/SNF)의 염색질 변경 복합체 및 전사 유발 장치를 억제하여 유전자의 침묵 상태를 유지하도록 하는 기능을 한다 (Martin과 Zhang, 2005).

Histone의 N-terminus는 메틸화, 아세틸화, 인산화 등과 같은 전사 후 변경이 이루어지기 쉬우며, 이로써 다양한 구조를 가진 염색질이 생성된다. 여러 연구는 histone lysine methyltransferase인 SET and MYND domain-containing protein 3 (SMYD3)가 세포의 증식을 자극하고 그것의 methyltransferase 작용을 통해 종양 형성에서 중요한 역할을 한다고 하였다 (Silva 등, 2008). Disruptor of telomeric silencing-1/DOT1-like (DOT1/DOT1L)를 제외한 모든 histone lysine methyltransferase는 약 130개 아미노산의 SET 영역을 가지고 있다 (Volkel과 Angrand, 2007). SET 영역은 후성적 과정에 관여하는 3가지의 초파리 단백질, 즉 suppressor of position-effect variegation인 Su(var), PcG에 속한 눈빛 돌연변이체 zeste의 증폭 인자인 enhancer of zeste (E[Z]), homeobox (HOX) 유전자 조절 인자인 trithorax (TRX) 등으로 구성된 영역으로 처음 발견되었다 (Jenuwein 등, 1998). 포유동물의 histone lysine methyltransferase는 그들 SET 영역 내에서 염기 서열의 유사성 및 인접한 염기 서열에 따라, 그리고 기타 규명된 단백질 영역에 따라 여러 가족으로 분류된다 (Volkel 과 Angrand, 2007).

22.1. 종양 형성에서 EZH2의 역할
Tumourigenic role of EZH2

EZH2는 유방암, 전립선암, 방광암, 결장암, 폐암, 췌장암, 육종, 림프종 등 다양한 형태의 암에서 높게 발현된다. EZH2의 과다 발현은 흔히 진행된 병기의 암 및 나쁜 예후와 상호 관련이 있다 (Sauvageau와 Sauvageau, 2010). 염색체 7q35-q36에 위치해 있는 EZH2 유전자의 발현이 세포주에서 증대되면, 세포의 증식 및 종양 유발 잠재력이 증가한다. 생쥐 모델에서 mammary tumour virus long-terminal repeat (MMTV)-EZH2를 이용하여 종양의 형성을 유도한 경우 EZH2의 과다 발현과 함께 상피세포의 과증식 표현형이 나타났다 (Li 등, 2009). 또한, 체세포 EZH2의 돌연변이 및 결실이 미만성 거대 B 세포 림프종 (diffuse large B-cell lymphoma, DLBCL)의 22%, 소포림프종 (follicular lymphoma)의 7%, 골수 이형성 및 골수 증식성 질환의 12~23%에서 발견된다. 돌연변이의 대부분은 PRC2 복합체의 효소 작용, 즉 histone 펩티드의 메틸화를 불활성화한다고 알려져 있는데, 이는 EZH2의 발암 성질과는 상반되는 것처럼 보인다 (Piunti와 Pasini, 2011). 예를 들면, 림프종에서는 이질성 접합 미스센스 돌연변이 (heterozygous missense mutation)가 흔히 EZH2의 SET 영역에 있는 Y641 아미노산에서 일어난다. 표준형 EZH2는 H3K27에 1개의 메틸기가 붙는 첫 메틸화에 대하여 가장 높은 촉매 작용을 나타내지만, 이후의 2개 혹은 3개의 메틸기가 붙는 메틸화에 대해서는 다소 약한 촉매 작용을 나타낸다. 반대로 Y641 돌연변이체는 1개의 메틸기가 붙는 처음 메틸화에 대해 제한적인 촉매 작용을 나타내지만, 이후의 메틸화에 대해서는 더 높은 촉매 효과를 나타낸다. 따라서 돌연변이체 Y641의 대립 유전자가 DLBCL에서 이질 접합체로 표준형 대립 유전자와 항상 동반되어 발견됨은 놀라운 사실이 아니다. 그러므로 이질 접합체 Y641 돌연변이체는 표준형 EZH2와 함께 H3K27의 메틸화를 유도하며, 이는 기능적으로 EZH2의 과다 발현과 동등하다 (Chase와 Cross, 2011). 마찬가지로, EZH2와 관련이 있는 일부 후성적 조절 인자에서 보고되는 돌연변이 또한 종양의 형성에 관여한다고 생각된다. 예를 들면, H3K27 demethylase인 ubiquitously transcribed tetratricopeptide repeat gene on X chromosome (UTX)을 불활성화하는 돌연변이가 상당수 암에서 일어나는데, 이는 기능적으로 EZH2의 과다 발현과 동등하다 (Chase와 Cross, 2011). 림프종에서 보이는 돌연변이와는 대조적으로 골수암에서 일어나는 SET 영역에서 일어나는 *EZH2*의 돌연변이는 대부분이 nonsense 및 stop codon 돌연변이이기 때문에 histone methyltransferase (HMT)의 작용은 약하다 (Chase와 Cross, 2011). *EZH2*를 활성화하거나 불활성화하는 돌연변이는 암의 형태와 관련이 있다고 생각되기 때문에, 이들 *EZH2* 돌연변이체가 종양을 형성하는 특이 표적 유전자에 대해 서로 다른 조절 효과를 나타내는지를 연구할 필요가 있다 (Chang과 Hung, 2012).

22.2. 염색질에 대한 EZH2의 집결 및 기능
EZH2 function and recruitment on chromatin

PRC2 복합체가 염색질에 집결되면 EZH2가 H3K27의 3기 메틸화 (H3K27me3)를 촉매하고, 이는 histone H2A에서 lysine 119의 monoubiquitylation (H2AK119ub1)을 일으키는 PRC1 복합체를 집결시켜 RNA polymerase II 의존성의 전사 신장을 방해하게 되고, 이로써 결국 전사가 억제된다 (Sauvageau 와 Sauvageau, 2010). 또한, EZH2는 DNMT1, DNMT3A, DNMT3B 등과 같은 DNMT의 아형들과 직접 상호 작용하며, DNA의 메틸화를 유지하고 종양을 억제하는 유전자와 같은 특이 유전자를 억제한다 (Sauvageau와 Sauvageau, 2010).

초파리에서는 PcGs가 특이 DNA 서열인 polycomb response element (PRE)로 집결된다. 쥐의 PRE는 포유동물에서 전사를 억제하는 단백질인 Yin Yang 1 (YY1)에 상응하는 palindromic double phosphatase (PHO)가 결합하는 부위라고 보고되었다. 사람의 배아줄기세포에서는 YY1과 결합하는 부위를 포함하고 있는 1.8 kb의 PRE가 HOXD11 자리와 HOXD12 자리 사이에서 발견되었으며, 이 PRE로 YY1, PRC1, PRC2 요소 등이 집결하게 된다 (Morey와 Helin, 2010).

일부 연구는 DNA 결합 인자 또한 PcG를 특이 표적 유전자로 집결시키는 데 관여한다고 하였다. 예를 들면, Jumonji AT-rich interactive domain 2 (JARID2)는 PcG의 표적 유전자와 결합하며, 이러한 상호 작용은 배아줄기세포 내의 표적 유전자로 PRC2를 집결시키는 데 필요하다. 또한, 급성 전골수구성 백혈병 (acute promyelocytic leukaemia, APL)에서는 융합 발암 단백질인 promyelocytic leukaemia-retinoic acid receptor alpha (PML-RARα)가 PRC2, nucleosome-remodelling complex, DNMTs 등을 표적 유전자의 촉진체로 집결시키는 한편, PRC2 요소를 제거하면 촉진체의 재활성화가 일어

나고 과립성 백혈구의 분화가 일어난다 (Villa 등, 2007). 마찬가지로 2개의 다른 백혈병 융합 단백질인 promyelocytic leukemia zinc finger (PLZF)-RARα (Boukarabila 등, 2009)와 transmembrane protease, serine 2:E-twenty six (ETS)-related gene (TMPRSS2:ERG) (Yu 등, 2010)도 PRC2와 PRC1을 특이 표적 유전자로 집결시킬 수 있기 때문에, 종양을 유발하는 유전자는 종양 형성의 중요한 단계로서 PcG를 표적으로 삼는다고 생각된다.

Large intergenic non-coding RNAs (lincRNAs)의 20%는 PRC2와 관련이 있다. 이들 lincRNAs 중 HOX antisense intergenic RNA (HOTAIR)는 PRC2 복합체를 HOX 자리로 집결시킨다. HOTAIR은 흔히 전이 유방암에서 과다 발현된다 (Gupta 등, 2010). HOTAIR의 상실은 암세포의 침윤을 억제하지만, HOTAIR의 이소성 발현은 PRC2 복합체가 배아 섬유모세포에서 중요하게 간주되는 표적 유전자와 결합하도록 재배치한다 (Gupta 등, 2010). 이들 자료는 PRC2/EZH2를 조절하여 암의 진행에 관여하는 특이 표적 유전자로 집결시키는 데는 lincRNA의 역할이 중요함을 시사한다.

22.3. 줄기세포와 암과의 연관성에서 EZH2의 역할
EZH2 linking stem cell to cancer

많은 연구들이 성인 세포와 배아줄기세포의 자기 재생을 유지하는 데 EZH2가 관여한다고 하였다. 한 유전체 분석에 의하면, 공격적인 전립선암에 있는 PRC2의 표적 유전자는 배아줄기세포에서 PRC2의 표적 유전자이기도 하며, 종양에서 그들이 억제될 경우 나쁜 예후를 나타낸다 (Yu 등, 2007). EZH2의 표적 유전자와 octamer-binding transcription factor 4/sex determining region Y (SRY)-box 2/nanog homeobox (OCT4/SOX2/NANOG)의 표적 유전자에서 공동으로 발현되는 신호는 미분화 종양과 배아줄기세포 사이의 관계를 연결시켜 준다 (Piunti와 Pasini, 2011). EZH2의 과다 발현 또한 암의 시작 및 진행과 관련이 있다. 종양이 형성되는 동안 염색질의 상태는 DNA의 메틸화 혹은 Polycomb으로 매개되는 histone의 메틸화를 통해 완전하게 활성이 상실되는 방향으로 진행된다. EZH2의 발현은 잘 분화된 조직의 세포에서는 낮으며, EZH2의 과다 발현은 활동이 중지된 전구세포 혹은 잘 분화된 세포를 공격적인 줄기세포와 유사한 상태로 진행시킨다. 뿐만 아니라 고등급 분화도의 암은 다량의 암줄기

세포를 가지고 있으며, 더욱 공격적인 이차 암줄기세포 및 암전구세포는 암줄기세포 및 암전구세포의 항상성에 대한 통제를 차단하고 암을 진행시키는 유전자 돌연변이를 통해 원발 암줄기세포에서 생긴다고 추정된다 (Visvader과 Lindeman, 2008). EZH2의 과다 발현이 암줄기세포 및 암의 진행과 관련이 있다는 보고는 EZH2가 암줄기세포를 형성함은 물론, 암을 진행시키는 공격적인 암줄기세포를 확대시킨다는 연구 결과에 의해 지지를 받고 있다 (Chang 등, 2011). 이 연구는 손상된 DNA의 복구가 EZH2의 발현에 의해 하향 조절됨으로써 유방암 유발 세포 (breast tumour-initiating cell, BTIC)에서 *Raf-1 proto-oncogene, serine/threonine kinase (RAF1)* 유전자가 증폭되고 축적되는 기전을 확인하였으며, 이러한 기전이 공격적인 유방암에서 BTIC의 전파를 촉진하는 하위 신호 경로를 활성화한다고 하였다.

22.4. 암에서 EZH2의 조절
Regulation of EZH2 in cancer

EZH2는 여러 종류 암의 전사, 전사 후, 번역 후 단계에서 조절된다 (도표 134). 전사 인자인 E2F transcription factor (E2F)는 PRC2-EZH2 및 EED 촉진체와 결합함으로써 활성화되는데, 이러한 기전은 E2F를 매개로 하여 세포가 증식하는 데 필요하다 (Bracken 등, 2003). Ewing 육종의 경우 *EZH2*의 발현은 전사 단계에서 융합 종양 단백질인 Ewing's sarcoma protein-friend leukemia integration 1 transcription factor (EWS-FLI1)에 의해 활성화되며, 이러한 *EZH2*의 발현은 내피 및 신경외배엽의 분화와 종양의 성장에서 중요한 역할을 한다 (Richter 등, 2009). 대조적으로, 염색질의 구조를 변경시키는 sucrose non-fermenting protein 5 (SNF5)는 직접 *EZH2*의 전사를 억제하는데, SNF5의 결합으로 인해 발생한 림프종에서는 *EZH2*의 과다 발현이 요구된다 (Wilson 등, 2010).

경성 종양은 저산소증으로 인해 산소 공급이 부족한 미세 환경을 가지고 있다. 저산소증에 반응하는 전사 인자인 hypoxia inducible factor-1 alpha (HIF1α)의 활성은 고등급 분화도의 유방 기저세포암 및 나쁜 예후와 관련이 있다. 근래 연구는 BTIC에서 EZH2의 발현은 저산소증에 의해 HIF1α로 매개되는 전사의 활성화를 통해 증가되며, 이로써 BTIC의 전파와 암의 진행이 촉진된다 (Chang 등, 2011).

전사에서의 조절 외에도 *EZH2*의 전사물은 여러 microR-

NAs (miRs)에 의해 조절된다고 알려져 있다. 예를 들면, 림프종에서 *miR-26a*는 EZH2의 전사물과 결합하여 *EZH2*의 전사물의 발현을 억제한다 (Sander 등, 2008). 전이 전립선암에서 흔히 소실되는 *miR-101*은 EZH2 mRNA의 3′ UTR을 표적으로 삼아 그것의 분해를 촉진한다 (Varambally 등, 2008).

EZH2는 또한 다양한 전사 후 변경에 의해 조절된다. EZH2는 Ser21에서 protein kinase B (PKB)로도 알려진 v-akt murine thymoma viral oncogene homolog protein 1 (AKT)에 의해 인산화되며, 이로써 PRC2 HMT의 활성이 감소되어 종양의 발생이 유도된다 (Cha 등, 2005). 근래의 연구는 cyclin D-dependent kinase 1 (CDK1) 혹은 CDK2에 의해 Thr350/487에서 일어나는 인산화로 인하여 세포 주기에 의존적인 신호 경로가 EZH2를 조절한다고 하였다 (Wei 등, 2011). Thr487에서 CDK1에 의한 EZH2의 인산화는 EZH2가 다른 PRC2 요소와 상호 작용하는 것을 방해한다는 보고 (Wei 등, 2011)가 있는 한편, Thr350/487에서 EZH2의 인산화는 EZH2의 유비퀴틴화 (ubiquitination; ubiquitin으로 분해되어야 할 단백질을 표지하는 과정)를 촉진하여 분해를 조장한다는 보고 (Wu와 Zhang, 2011)도 있다. 다른 연구는 CDK1에 의한 EZH2의 인산화는 특이 유전자 자리로 EZH2의 집결을 촉진하며, CDK1을 억제하면 EZH2와 lincRNA와의 결합이 증가하여 EZH2 표적 유전자의 발현이 증가한다고 하였다 (Kaneko 등, 2010). 이와 같이 CDK1으로 매개되는 EZH2의 인산화에서 기능적으로 차이가 나는 것은 표적 유전자에 특이적이거나 세포 형태에 특이적이기 때문으로 추측된다.

또한, 담배 연기 응축물 (tobacco smoke condensate, TSC)에 노출된 폐암 세포주에서는 EZH2가 *wingless-type MMTV integration site family (WNT)* 대항 인자인 *dickkopf-related protein 1 (DKK1)*의 촉진체에 집결함으로써 발암 효과를 나타내는 *WNT*의 신호 경로를 활성화한다는 보고 (Hussain 등, 2009)가 있지만, TSC가 EZH2를 *DKK1*의 촉진체와 연결시키는 기전은 아직 분명하지 않다.

EZH2의 과다 발현과 종양의 침습 및 전이 사이의 연관성은 PRC1 단백질의 발현을 조절하는 여러 *miRs* (Cao 등, 2011), *Kruppel-like factor 2 (KLF2)* (Taniguchi 등, 2012), E-cadherin 단백질을 코드화하고 epithelial-mesenchymal transition (EMT)을 억제하는 유전자 *cadherin 1 (CDH1)* (Cao 등, 2008) 등의 발현을 EZH2가 억제한다는 연구 결과에 의해 뒷받침되고 있다. EZH2의 작용은 EMT를 유도하는 전사 인

도표 134 암에서 EZH2 발현 혹은 활성화의 조절

조절 인자	EZH2에 대한 작용 기전	종양 형태	참고 문헌
E2F	전사 활성	비특이적	Bracken 등, 2003
EWS-FLI1	전사 활성	Ewing 종양	Richter 등, 2009
SNF5	염색질 억제	악성 간상소체 종양[†]/림프종	Wilson 등, 2010
HIF1α	전사 활성	유방암	Chang 등, 2011
miR-26a[‡]	전사 억제	림프종	Sander 등, 2008
miR-101	전사 억제	전립선암	Varambally 등, 2008
AKT	인산화, EZH2의 HMT 작용을 억제	유방암	Cha 등, 2005
CDK1/2	인산화, 표적으로 EZH2의 동원 변경	유방암	Wei 등, 2011; Kaneko 등, 2010

[†], malignant rhabdoid tumor; [‡], MYC는 EZH2를 역조절하는 miR-26a를 억제함으로써 EZH2의 발현을 자극함.

AKT, protein kinase B; CDK, cyclin-dependent kinase; E2F, E2F transcription factor; EWS-FLI1, Ewing's sarcoma protein-friend leukemia integration 1 transcription factor; EZH2, enhancer of zeste homolog 2; HIF1α, hypoxia inducible factor-1 alpha; HMT, histone methyltransferase; miR, microRNA; MYC, v-myc avian myelocytomatosis viral oncogene homolog SNF5, Switch/Sucrose nonfermentable (SWI/SNF) complex component 5.
Chang과 Hung (2012)의 자료를 수정 인용.

자인 snail family zinc finger 1 (SNAI1 혹은 SNAIL)에 의해 CDH1의 전사를 억제하는 데 필요하다 (Herranz 등, 2008). CDH1은 전이 및 EMT를 억제하는 또 다른 유전자 산물인 RAF1 kinase inhibitor protein (RKIP)과 유사한 발현 양상과 조절 기전을 가지고 있다 (Granovsky와 Rosner, 2008). RKIP는 RAF1/mitogen-activated protein kinase kinase (MEK)/ extracellular signal-regulated kinases (ERK), nuclear factor kappa B (NFκB), G protein-coupled receptor (GPCR) 등의 신호를 전달하는 경로에 대한 강력한 억제 인자라고 보고된 바 있으며 (Yeung 등, 1999; Corbit 등, 2003), 전이 표현형을 가진 전립선암 세포에서는 RKIP의 발현이 소실되어 있고 이종 이식 암의 쥐 모델에서 RKIP를 복구하면 전이가 감소되는 것으로 보아 RKIP는 전립선암의 전이를 억제하는 인자라고 보고되기도 하였다 (Fu 등, 2003). RKIP의 발현 및 활성의 소실은 전립선암 외에도 유방암, 위암, 결장직장암, 간세포암 등 다양한 형태의 암의 전이에서도 보고되어 RKIP의 발현은 이러한 암을 가진 환자의 무병 생존율에 대한 예후 표지자로 제시되고 있다. EZH2의 높은 발현과 RKIP의 낮은 발현의 비율, 즉 RKIP/EZH2 비율의 유의한 감소는 여러 세포주에서 암의 공격성 및 전이와 관련이 있었으며, 유방암의 재발 및 나쁜 예후와 관련이 있었다 (Ren 등, 2012). CDH1과 마찬가지로 RKIP 발현의 소실은 항암 요법 동안 약물, 방사선, 면역 등으로 인한 세포 자멸사의 방지뿐만 아니라, EMT의 유발, 혈관 형성의 증대, 혈관 침범 등과 관련이 있다. CDH1과 마찬가지로 RKIP의 발현은 전립선암 및 유방암에서 EMT를 유

발하는 인자인 snail family zinc finger 1 (SNAI1 혹은 SNAIL)에 의해 직접 억제된다. EZH2는 histone의 변경으로 인한 억제 기능을 통해 RKIP를 음성적으로 조절한다. EZH2와 zeste 12의 억제 인자인 Suz 12가 RKIP의 근위부 E-boxes로 집결하는 것은 H3K27me3와 H3K9me3의 변경 때문이며, RKIP 발현에 대한 EZH2의 억제 기능은 HDAC 촉진체의 집결에 의존적이며 miR-101에 의해 음성적으로 조절된다. 이들 결과를 종합한 Ren 등 (2012)은 PcG 단백질과 HDAC에 의해 조절되는 histone 변경이 전이를 억제하는 유전자 RKIP를 전사 단계에서 억제함으로써 암세포가 전파되며, 이는 전립선암과 유방암에서 EZH2가 암의 진행과 공격성을 촉진하는 분자 기전의 근거 자료가 된다고 하였다.

22.5. 암에서 EZH2의 직접적인 표적
Direct EZH2 targets in cancer

상당수의 연구는 EZH2가 많은 표적 유전자를 조절하여 암의 여러 측면에 관여한다고 하였다 (도표 135). EZH2를 포함하고 있는 PRC2는 전사 단계에서 세포 주기를 억제하는 인자인 inhibitor of CDK/ADP ribosylation factor (INK/ARF)를 억제하여 세포 주기를 진행시키고, 세포의 노화 및 줄기세포/암줄기세포의 고갈을 억제한다 (Bracken 등, 2007). EZH2는 또한 bone morphogenetic protein (BMP) receptor 1-beta (BMPR1B)의 발현을 억제하고 BMPR1B로 매개되는 분화 신호의 전달을 억제하여 성상교세포 (astroglia)의 분화를 억제하고

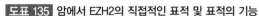

도표 135 암에서 EZH2의 직접적인 표적 및 표적의 기능

표적	표적의 기능	암 종류	참고 문헌
DKK1	WNT 억제	폐암	Hussain 등, 2009
INK/ARF	세포 주기/노화 조절	비특이	Bracken 등, 2003
BMPR1B	분화 유발	신경교종	Lee 등, 2008
CDH1	EMT 조절	전립선암	Cao 등, 2008
DAB2IP	RAS와 NFκB 억제	전립선암	Min 등, 2010
ADRB2	전이 억제	전립선암	Yu 등, 2007
VASH1	혈관 형성 억제	난소암	Lu 등, 2010
RAD51	DNA 손상 복구	유방암	Zeidler 등, 2005

ADRB2, adrenergic receptor beta-2; BMPR1B, bone morphogenetic protein (BMP) receptor1-beta; CDH1, cadherin-1 혹은 epithelial cadherin (E-cadherin); DAB2IP, disabled homolog 2-interacting protein; DKK1, dickkopf-related protein 1; DNA, deoxyribonucleic acid; EMT, epithelial-mesenchymal transition; EZH2, enhancer of zeste homolog 2; INK/ARF, inhibitor of cyclin-dependent kinase (CDK)/ADP-ribosylation factor; NFκB, nuclear factor kappa B; RAD51, RAD51 recombinase; RAS, rat sarcoma viral oncogene homolog; VASH1, vasohibin-1; WNT, wingless-type MMTV integration site family.
Chang과 Hung (2012)의 자료를 수정 인용.

신경교종의 종양 형성을 촉진한다 (Lee 등, 2008).

EZH2는 전사를 억제하는 인자인 SNAI1과 상호 작용하고 상피 표지자 *CDH1*의 발현을 억제함으로써 암의 진행 및 전이와 관련이 있는 EMT를 촉진한다 (Cao 등, 2008). EZH2는 종양을 억제하는 유전자로서 작용하는 *RAS p21 protein activator 1* (*RASA1* 혹은 *Ras GTPase-activating protein, RASGAP*) 유전자, 즉 *disabled homolog 2-interacting protein* (*DAB2IP*)을 후성적으로 침묵시켜 직접 전이를 일으키기도 한다. 이 유전자는 RAS와 NFκB를 조절하는 기능을 가지고 있다. EZH2는 *DAB2IP*를 억제하여 RAS와 NFκB를 활성화함으로써 전립선암을 유발하고 전이를 일으킨다 (Min 등, 2010). 유전체 분석에 의하면, 전이 전립선암에는 또 다른 EZH2의 표적 유전자인 *adrenergic receptor beta-2* (*ADRB2*)가 있으며, EZH2에 의해 *ADRB2*가 억제되면 전립선 상피세포의 형질 전환과 세포의 침습이 일어난다 (Yu 등, 2007).

EZH2는 종양의 혈관 형성을 촉진하는 데 관여한다. 혈관 형성을 자극하는 vascular endothelial growth factor (VEGF)는 전사 인자 E2F1/3a를 상향 조절하고 EZH2의 발현을 활성화한다. 참고로, E2F1, 2, 3은 세포 주기를 촉진하고 E2F3b, 4, 5, 6, 7, 8은 세포 주기를 억제한다. VEGF에 의한 EZH2의 발현 증가는 혈관 형성을 음성적으로 조절하는 vasohibin-1 (VASH1)의 발현을 침묵시켜 혈관 형성을 증대시킨다 (Lu 등, 2010).

저산소증 하에서는 EZH2의 발현이 손상된 DNA를 회복시키는 단백질인 RAD51 homolog (RAD51)의 발현을 하향 조절하여 *RAF1* 유전자의 증폭과 같이 유전체의 이상을 초래함으로써 RAF1-ERK-β-catenin의 신호 전달 및 BTICs의 전파를 촉진한다 (Chang 등, 2011). 이와 같은 결과는 RAF1-ERK의 신호 경로를 억제하는 임상 제제인 AZD6244가 BTICs를 제거함으로써 유방암의 진행을 방지하는 데 효과적인 이론적 근거가 된다 (Chang 등, 2011).

여러 연구에서도 EZH2에 의해 직접 표적이 되고 침묵화되는 유전자 중에는 전이를 억제하는 유전자인 *CDK1* (Cao 등, 2008), *forkhead box C1* (*FOXC1*) (Du 등, 2012), *DAB2IP* (Min 등, 2010), *RKIP* (Ren 등, 2012) 등이 있다고 보고되었다.

이들 연구를 종합해 볼 때, EZH2는 암에서 다면적이고도 필수적인 역할을 한다고 생각된다. EZH2의 발현 혹은 활성의 차단은 종양세포, 종양의 내피세포, 암줄기세포 등을 표적화하는 항암 치료에서 유망한 방법이 될 수 있다.

22.6. 전립선암에서 EZH2와 PSP94와의 연관성
Association of EZH2 with PSP94 in prostate cancer

PcG 단백질인 EZH2는 종양을 유발하는 인자의 특징을 가지고 있다 (Bracken 등, 2003). 예를 들면, EZH2는 암세포의 증식에 필수적이며, 거세 저항성의 전이 전립선암을 포함하는 많은 암에서 *EZH2* 유전자가 증폭됨으로써 과다 발현된다 (Saramäki 등, 2006). EZH2가 종양의 형성을 촉진하는 하나의 기전은 종양을 억제하는 유전자를 억제하는 것이다. DNA microarray 자료는 전이 전립선암에서 EZH2의 발현 증가는 종양을 억제하는 prostate secretory protein of 94 amino acids (PSP94)의 상실과 상호 관련이 있음을 보여 주었다 (Stanbrough 등, 2006). QRT-PCR을 이용한 연구도 *EZH2*의 전사물이 안드로겐에 민감한 PZ-HPV-7 및 LNCaP 세포주에 비해 거세 저항성의 PC3 및 DU145 세포주에서 4.14배 과다 발현된다고 보고하였다. 또한, microseminoprotein beta (MSMB)로도 알려진 PSP94를 코드화하는 유전자인 *PSP94*의 전사물은 PZ-HPV-7과 LNCaP 세포주에서는 쉽게 발견되었지만, PC3와 DU145 세포주에서는 최소 1,000배 낮게 나타났다. 중요한 점은 PSP94가 거의 발현되지 않는 PC3 세포에서는 *PSP94* 유전자가 H3K27에서 크게 메틸화되는 데 비해, PSP94를 많이 발현하는 LNCaP 세포에서는 이 유전자의 H3K27이 단지 경미하게 메틸화된다는 점이다 (Beke 등, 2007).

　EZH2는 생체 실험에서 H3K27을 메틸화하는 주된 HMT로 알려져 있어 여러 연구의 결과에서 보듯이 EZH2는 표적 유전자인 *PSP94*를 억제할 수 있다. EZH2에 대항하는 항체를 이용한 chromatin immunoprecipitation (ChIP) 연구도 EZH2가 *PSP94* 유전자의 여러 영역과 연관성이 있음을 보여 주었다. EZH2와 *PSP94* 유전자와의 결합은 EZH2의 표적 유전자로 알려진 *myelin transcription factor 1* (*MYT1*) 유전자와 EZH2와의 결합만큼 강하다. 흥미로운 점은 *PSP94* 혹은 *MYT1* 둘 중 어느 것도 H3K9에서 메틸화되지 않는다는 점이다. 3개의 메틸기가 붙는 H3K9의 메틸화 또한 전사를 억제하지만 EZH2에 비의존적인데, 이는 EZH2와 H3K27me3의 연관성은 특이적임을 시사한다 (Beke 등, 2007).

　PC3 세포에서 *EZH2*의 전사물을 약 70%까지 제거하면 대조군에 비해 *PSP94*의 발현이 3배 증가되었다. EZH2가 *PSP94*의 intron 1을 표적으로 삼지 않으면 H3K27에서 메틸화가 일어나지 않는 것으로 보아 intron 1에는 *PSP94*의 발현을 조절하는 중요한 인자가 있는 것으로 추측된다. 반대로, PZ-HPV-7 세포에서 Gal4-tag와 결합하는 EZH2가 과다 발현되면 대조군과는 달리 *PSP94* 전사물의 수치가 50% 감소하였다. 이들 결과를 종합해 볼 때, *PSP94*는 EZH2의 표적 유전자이며 *PSP94*가 억제되는 것은 H3K27의 메틸화와 관련이 있다 (Beke 등, 2007).

　Polycomb이 표적으로 삼는 유전자는 흔히 histone deacetylation (van der Vlag와 Otte, 1999)과 CpG 섬의 DNA 메틸화로도 활동이 중지된다 (Viré등, 2006). 이러한 점은 PcG 단백질이 HDAC와 결합하고 DNMT와의 친화성을 가지고 있는 것으로 설명이 가능하다. *PSP94* 유전자가 이러한 기능에 의해서도 조절되는지를 확인고자 HDAC의 억제제이면서 세포 투과성을 나타내는 trichostatin A (TSA)를 이용한 연구는 PC3 세포에 50 ng/mL의 TSA를 주입하였을 때 *PSP94* 전사물의 수치가 6배 증가한 데 비해, *EZH2*의 발현 정도는 영향을 받지 않아 *PSP94* 유전자는 histone의 탈아세틸화에 의해 추가로 불활성화된다고 하였다. 또한, 아세틸화된 histone H3의 Lys9 (H3K9ac)에 대한 항체를 이용하여 ChIP 실험을 실시하였을 때, 실험이 이루어진 *PSP94* 유전자의 4영역 중 3영역이 LNCaP 세포에 비해 PC3 세포에서 아세틸화의 감소가 일어나 PC3 세포에서 *PSP94* 유전자가 억제되는 데는 탈아세틸화가 어느 정도의 역할을 할 것으로 추측된다. DNMT의 억제제인

50-azacytidine을 PC3에 투여하면 *PSP94* 유전자의 발현이 약 5배 증가되어 DNA 메틸화가 *PSP94*를 억제한다는 가설이 지지를 받고 있다. *PSP94* 유전자에는 두 개의 CpG 섬이 있는데, 촉진체 영역에서 CpG 섬의 메틸화는 LNCaP 세포보다 PC3 세포에서 더 뚜렷하다 (Beke 등, 2007).

　결론적으로, 전이 전립선암에서 EZH2의 발현 증가는 *PSP94* 유전자의 H3K27에서 메틸화를 유발하고, 이는 PRC1 복합체의 형성을 유도하여 *PSP94*의 침묵을 유도한다. EZH2는 DNMT와 결합하거나, 간접적으로 HDAC와 결합하는데, 이들 효소는 *PSP94*의 침묵을 유지하는 데 관여한다. 따라서 EZH2의 억제제는 종양을 억제하는 유전자인 *PSP94*의 하향 조절을 반전시키기 때문에 전이 전립선암의 치료에 도움이 된다고 생각된다.

22.7. EZH2의 임상적 이용
Clinical usefulness of EZH2

Takawa 등 (2011)의 연구에 의하면, EZH2는 폐암과 기타 암에서 크게 과다 발현되며, EZH2는 암세포의 증식에서 필수적이다. QRT-PCR 분석은 비악성 조직에 비해 임상적 방광암 조직에서 EZH2의 발현이 더 높았으며 ($p < 0.0001$), cDNA microarray 분석을 이용한 경우 폐암, 결장직장암 등 많은 암에서 EZH2가 과다 발현되었다. 면역조직화학적 분석에서 EZH2에 대한 염색 양성 반응은 방광암 환자의 48% (14명/29명), 비소세포 폐암 환자의 46% (135명/292명), 결장직장암 환자의 87% (214명/245명)에서 나타났으며, 여러 정상 조직에서는 유의한 양성 반응이 관찰되지 않았다. 비소세포 폐암 환자에서는 EZH2의 발현 증가가 나쁜 예후와 관련이 있었다 ($p = 0.0239$). EZH2를 과다 발현하는 폐암과 방광암 세포에서 특이 siRNA를 이용하여 EZH2를 억제하면, bromodeoxyuridine (BrdU; 합성 nucleoside로서 세포 주기 중 S 기 동안 복제 세포 내에서 새로이 합성된 DNA와 결합하며, 조직 내의 증식 세포를 발견하는 데 흔히 이용된다)과의 결합이 억제되고 세포의 성장이 현저하게 억제된 데 비해, EZH2가 발견되지 않은 정상 세포주 CCD-18Co에서는 유의한 효과가 나타나지 않았다. EZH2의 발현은 정상 조직에서는 거의 발견되지 않기 때문에 EZH2는 종양에 특이한 치료 표적으로 유망하다고 생각된다.

　Takawa 등 (2011)은 EZH2가 비소세포 폐암에서는 예후를

예측하게 하고, 절제된 조직 표본 내의 EZH2 발현이 철저한 추적 관찰을 위해 활용이 가능한 좋은 표지자의 역할을 하는 데 비해, 결장직장암에서는 EZH2의 과다 발현이 낮은 전이율 등의 좋은 예후를 나타낸다고 하였다. 이 연구의 결장직장암 피검자 중 91.4%에서 EZH2가 과다 발현되었으며, EZH2에 대한 음성 반응은 8.6%에 불과하였다. 따라서 EZH2가 결장직장암에서 암의 표지자가 될 수는 있겠지만, 예후 표지자로 활용하기에는 어려움이 따른다. 더군다나 EZH2의 과다 발현은 암의 형태에 따라 다른 예후를 나타낸다. 예를 들면, 노르웨이인을 대상으로 평가한 연구는 병기 II 및 III의 결장암에서 EZH2의 지수가 높으면 무재발 생존율과 암 특이 생존율이 더 높다고 하였다 (Fluge 등, 2009). 대조적으로 유방암과 악성 흑색종에서 종양세포 내 EZH2의 발현은 공격적인 임상 양상 및 나쁜 예후와 관련이 있다는 보고가 있으며 (Bachmann 등, 2006), 전립선암 세포에서 EZH2는 침습 및 증식을 촉진한다는 보고가 있다 (Bryant 등, 2007).

근치전립선절제술을 실시할 경우 다양한 면역조직화학적 표지자는 종양의 공격성 및 수술 후 생화학적 재발을 예측하는 데 도움을 준다. 여러 연구는 근치전립선절제술에서 채집된 표본을 이용하여 예후를 예측할 때 EZH2 (Varambally 등, 2002), B lymphoma MO-MLV insertion region 1 homolog (BMI1) (van Leenders 등, 2007), p27^{KIP1} (Revelos 등, 2005), mindbomb E3 ubiquitin protein ligase 1 (MIB1) (Rubio 등, 2005) 등이 가치가 있음을 보고하였다. Polycomb 그룹의 유전자는 개별 세포의 특징을 유지하고 세포 주기를 조절하는 데 중요한 역할을 한다 (Pasini 등, 2004). 앞에서도 기술된 바 있지만, Polycomb 그룹의 유전자 *EZH2*와 *BMI1*은 전립선암을 포함하는 여러 형태의 암에서 나쁜 예후와 관련이 있다 (Bachmann 등, 2006; Bryant 등, 2007). *EZH2*는 국소 전립선암에 비해 거세 저항성 혹은 전이 질환에서 과다 발현되며 (Saramäki 등, 2006), 근치전립선절제술 후 질환의 진행 및 생존에 관한 예측을 가능하게 한다 (Laitinen 등, 2008). 일부 연구는 *EZH2*가 부정적인 병리학적 특징과 관련이 있다고 하였으나 (van Leenders 등, 2007), 다른 연구는 이러한 결과를 확인할 수 없었다고 하였다 (Saramäki 등, 2006). 그 후의 한 연구는 *EZH2*의 발현 증가가 근치전립선절제술 때 임상적으로 중대한 암의 발견과 관련이 있다고 하였다 (Wolters 등, 2009).

Cyclin-dependent kinase inhibitor 1B (CDKN1B), kinase inhibitor protein (KIP1) 등으로도 알려진 p27^{KIP1}은 CDK를 억제하는 인자들 중 CDK interacting protein (CIP)/KIP 가족에 속하며, 세포 주기의 진행을 조절한다. 이들 억제 인자가 소실되면, 세포 주기의 통제가 이루어지지 않아 세포가 증식하게 된다 (MacLachlan 등, 1995). 근치전립선절제술 때 전립선암에서 p27^{KIP1}의 발현이 소실되어 있는 경우는 생화학적 재발의 위험이 높고 생존율의 감소와 관련이 있으며 (Vis 등, 2000), 높은 Gleason 점수와 연관성을 갖는다 (Cheville 등, 1998)고 보고되었다. 다른 연구도 p27^{KIP1} 발현의 소실과 비슷한 30% 미만의 낮은 발현은 높은 Gleason 점수 및 더욱 진행된 병리학적 병기와 관련이 있으며 생화학적 재발의 가능성이 높다고 하였다 (Thomas 등, 2000). 생검에서 p27^{KIP1}의 발현이 50% 미만일 경우는 근치전립선절제술에서 임상적으로 중대한 전립선암이 발견될 가능성에 대한 독립적인 예측 인자라는 보고도 있다 (Vis 등, 2002). 근래의 연구는 저급 위험군에 속한 전립선암 환자일지라도 p27^{KIP1}의 발현이 낮으면, 임상적으로 중대한 질환이 발견될 가능성이 높다고 하였다 (Wolters 등, 2009).

MIB1은 Ki-67 항원을 표적으로 하는 항체이며, 세포 주기의 G1 단계에 있는 세포의 증식에 대한 표지자의 역할을 한다. 근치전립선절제술에서 높은 Ki-67의 발현은 높은 Gleason 점수 및 진행된 병기 (Khatami 등, 2008), 치료 후의 생화학적 재발 (Miyake 등, 2008), 전립선암 관련 사망 (Aaltomaa 등, 2006) 등과 연관성을 가진다고 보고되었다. 생검 조직에 대한 여러 연구도 유사한 결과를 보고하였다 (Zellweger 등, 2009). 그러나 다른 연구는 MIB1과 임상적으로 중대한 전립선 암 사이에서 연관성을 발견하지 못하였다 (Wolters 등, 2009).

치료 전에 저급 위험도의 전립선암을 가진 환자의 생검 표본을 대상으로 면역조직화학 염색을 이용한 연구는 생검에서 EZH2가 1.0%를 초과하여 높게 발현되거나 p27^{KIP1}이 90% 미만으로 낮게 발현되는 경우에는 근치전립선절제술에서 임상적으로 중대한 암이 발견되는 비율이 유의하게 높아 OR은 각각 3.19 (*p*=0.043), 4.69 (*p*=0.036)이었으며, 이 두 인자는 근치전립선절제술에서 발견되는 중대한 암에 대한 독립적 예측 인자라고 보고하였다 (Wolters 등, 2009) (도표 136). 이 연구에서 임상적으로 저급 위험 전립선암은 PSA 10 ng/mL 미만, 임상 T 병기 2 이하, 생검 Gleason 점수 6 이하, PSA 밀도 0.20 ng/mL/cc 미만, 양성 cores의 수 2개 이하 등의 조건으로 규정되었으며, 근치전립선절제술에서의 중대한 전립선암은 피막 밖으로의 확대, Gleason 패턴 4/5, 혹은 종양의 용적 0.5 cc

도표 136 근치전립선절제술 때 임상적으로 중대한 전립선암이 발견될 위험에 대한 면역 염색의 예측 수준

가변 인자	OR (95% CI)					
	단변량	p	다변량-1개 표지자	p	다변량-모든 표지자	p
EZH2 >1%	2.30 (0.88~6.03)	0.089	3.19 (1.04~9.78)	0.043	11.52 (1.91~69.37)	0.008
MIB1 >3%	1.39 (0.52~3.70)	0.511	NS		NS	
p27KIP1 <90%	3.29 (1.09~9.95)	0.035	4.69 (1.11~19.88)	0.036	5.78 (1.14~29.29)	0.034
BMI1 >70%	0.71 (0.25~2.04)	0.52	NS		NS	

임상적으로 중대한 전립선암은 전립선 외부 확대 혹은 Gleason 점수 7 이상 (Gleason 패턴 4/5), 혹은 종양 용적 0.5 cc 이상으로 규정되었다. EZH2와 p27KIP1은 단변량 분석과는 다르게 다변량 분석에서 임상적으로 중대한 암을 예측하는 정확도가 각각 AUC 0.828 (95% CI 0.714~0.941), 0.821 (0.708~0.935)로 증가하였으며, 두 표지자 모두를 포함할 경우에는 AUC가 0.863 (0.763~0.964)으로 증가하였다.

AUC, area under the curve; BMI1, B lymphoma Mo-MLV insertion region 1 homolog; CI, confidence interval; EZH2, enhancer of zeste homolog; KIP1, kinase inhibitor protein 1; MIB1, mindbomb homolog 1; NS, not significant; OR, odds ratio; p27, tumor protein 27.

Wolters 등 (2009)의 자료를 수정 인용함.

이상 등의 조건으로 규정되었다. 86점의 생검 표본 중 EZH2의 발현이 1.0%를 초과하여 증가된 경우가 42%, p27^{KIP1}의 발현이 90% 미만으로 낮은 경우가 63%이었으며, 근치전립선절제술 표본의 51% (44점/86점)에서 임상적으로 중대한 암이 발견되었다.

22.8. Polycomb의 기능 혹은 하위 신호 경로를 표적화하는 항암 치료제 및 향후 전망

Cancer therapeutics targeting polycomb function or downstream signalling and future perspectives

EZH2는 줄기세포의 유지 및 종양의 발생에서 중요한 역할을 한다고 알려져 있다. Methyltransferases를 억제하고 EZH2의 분해를 유도하는 small-molecule-S-adenosylhomocysteine hydrolase 억제제인 3-deazaneplanocin (DZNep) 혹은 siRNA를 이용하여 EZH2의 발현을 감소시키면 여러 암에서 세포의 성장 및 종양의 형성이 억제된다 (Piunti와 Pasini, 2011). 예를 들면, DZNep 혹은 short-hairpin RNA (shRNA)를 이용하여 EZH2를 붕괴시키면 아교모세포종 (glioblastoma) 줄기세포 (Suva 등, 2009) 혹은 난소암 줄기세포 (Rizzo 등, 2011)의 종양을 유발하는 능력 및 자기 재생이 현저하게 억제되었다. 생체 실험에서 shRNA를 이용하여 EZH2를 하향 조절하였을 때 이종 이식 유방암의 성장이 유의하게 억제되었고 생존율이 개선되었다 (Gonzalez 등, 2011). 마찬가지로 DZNep는 전립선암 세포의 성장을 억제하는 데도 효과가 있었으며, 그 기전의 일부는 종양을 형성하는 전립선암 줄기세포의 능력이 억제되기 때문으로 일어난다고 생각된다 (Crea 등, 2011). 그

러나 DZNep는 EZH2에 특이한 억제제가 아니고 DZNep에 의해 기타 histone lysines 및 arginines가 전반적으로 억제되기 때문에 DZNep의 치료 효과에 대해서는 추가적인 연구가 필요하다.

항암 요법으로 EZH2의 활성을 직접 조절하는 방법 외에도 EZH2로 매개되는 신호 경로를 차단하는 방법이 있다. 근래의 연구는 EZH2가 RAF1-ERK-β-catenin의 신호 경로를 유도하여 BTICs의 증식 및 생존을 증대시킨다고 하였다 (Chang 등, 2011). 이 연구의 결과는 유방암에서 BTICs를 제거하여 질환의 진행을 방지하기 위해 RAF1-ERK의 신호를 전달하는 경로를 억제하는 제제를 사용하는 근거를 제공한다.

앞에서 기술된 바와 같이, EZH2는 여러 기전에 의해 조절된다. 많은 암에서 EZH2를 조절하는 기전을 조정하게 되면, EZH2의 활성에 영향을 주어 치료 효과를 얻을 수 있다. 예를 들면, 저산소증의 경우 BTICs에서 HIF1α로 매개되는 활성화를 통해 EZH2의 발현이 증대되고, 이로써 암이 진행하게 된다 (Chang 등, 2011). HIF 억제제는 임상에서 사용되어 온 제제이며, 종양의 성장을 억제하는 데 상당한 효과를 나타낸다고 알려져 있다 (Semenza, 2003). HIF 억제제는 또한 종양줄기세포에서 EZH2의 발암 기능을 억제하여 암의 재발을 방지하는 데 효과적일 수도 있다 (Chang 등, 2011). CDK1/2의 비정상적인 활성은 종양을 억제하는 유전자인 DAB2IP의 발현을 감소시키고 Thr350에서 EZH2를 인산화하여 암세포의 공격성을 증대시킨다 (Chen 등, 2010). 따라서 EZH2의 탈인산화를 유발하는 CDK1/2의 억제제는 EZH2로 매개되는 종양 형성을 방지할 수 있다고 생각된다.

한편, EZH2를 제거하는 효과와 유사하게 *miR-101*의 과다

발현은 체외 실험에서 암세포의 증식 및 침습을 억제하였다. miR를 이용한 요법으로 *miR-101*을 발현시키면 치료 효과가 나타나는지에 관한 생체 실험이 필요하며, 이러한 miR 요법이 암 치료법으로 가능한지를 임상 전 및 임상 시험에서 밝혀야 할 것이다.

그러나 이전의 연구는 생쥐의 조혈기관, 뇌, 췌장 조직으로부터 얻은 성체줄기세포에서 EZH2를 불활성화하였을 때 정상 기관의 발달 혹은 기능에 작은 장애가 발생했다고 보고하였다 (Abdel-Wahab과 Levine, 2010). 따라서 정상 세포에서 일어나는 부작용을 피하기 위해서는 종양에 특이한 전달 체계를 갖춘 EZH2 억제제의 개발이 필요하다. 또한, EZH2로 매개되는 종양 형성의 표적 및 신호 경로를 더욱 특징화하고 이를 특이하게 차단하는 방법이 연구되어야 한다.

종합해 볼 때, EZH2의 기전 및 EZH2 표적 유전자의 기능을 이해하게 되면, EZH2/Polycomb의 매개로 일어나는 종양의 형성을 표적화하여 줄기세포의 분화 능력과 관련이 있는 발암 경로를 억제하고, 궁극적으로 암의 예방과 치료를 가능하게 하는 새로운 항암 요법 제제의 개발이 이루어질 수 있을 것이다.

23. Epithelial Cadherin (E-cadherin)

'Calcium-dependent adhesion'을 의미하는 cadherin (CDH)은 1형 경막 단백질에 속하며, 조직 내에서 세포를 결합시키는 접착 소대 (adherens junction 혹은 zonula adherens)를 형성함으로써 세포의 부착에서 중요한 역할을 하는데, 이와 같은 기능은 칼슘 이온 (Ca^{2+})에 의존적이다 (Hulpiau와 van Roy, 2009). CDH 가족의 구성원은 각기 다른 부위에서 발견된다. Type 1 cadherin (CDH1), 즉 epithelial cadherin (E-cadherin)은 상피세포에서, CDH2, 즉 neural cadherin (N-cadherin)은 신경세포에서, CDH3, 즉 placental cadherin (P-cadherin)은 태반에서 발견되며, cadherin 12 (CDH12)는 type 2 N-cadherin, N-cadherin 2, brain cadherin 등으로도 알려져 있다 (Angst 등, 2001). CDH12의 유전자 *CDH12*는 salivary adenoid cystic carcinoma (SACC)의 침습 및 전이에서 중요한 역할을 할 뿐만 아니라 결장직장암에서 암세포의 증식, 이동, 침습, 부착, 혈관 형성 등을 촉진하는 종양 유전자로서 진단 및 예후 표지자의 역할을 한다고 알려져 있다 (Zhao 등, 2013).

E-cadherin은 배아에서는 상피의 발생을 결정하고 성체

에서는 상피의 분화 및 항상성을 유지하는 기능을 가지고 있다 (Rubin 등, 2001). E-cadherin은 세포의 부착 외에도 세포의 분극화 (McNeill 등, 1999), 분리 (Takeichi 등, 1991), 침습 (Vieminckx 등, 1991) 등을 조절하는 기능을 가지고 있다. E-cadherin의 유전자 *CDH1*은 염색체 16q22.1에 위치해 있고 6개의 exons를 가지고 있으며, 이 구역의 결실은 전립선암의 32~56%에서 발견된다 (Sakr 등, 1994). 배아가 발달하는 동안 혹은 종양이 진행하는 동안 cadherin의 결합력에 변화가 일어나면, 침습 표현형을 유도하는 상피세포의 분리가 일어난다. 따라서 *CDH1*은 침습을 억제하는 유전자로 간주된다 (Birchmeier 등, 1995). *Snail family zinc finger 1 (SNAI1/SNAIL)* (Cano 등, 2000), *zinc finger homeobox 1B/SMAD interacting protein 1 (ZFHX1B/SIP1)* (Comijn 등, 2001), *SNAI2/SLUG* (De Craene 등 2005), *twist basic helix-loop-helix transcription factor 1 (TWIST1)* (Yang 등, 2004), *delta-crystallin enhancer binding factor 1/zinc finger E-box-binding homeobox 1 (DeltaEF1/ZEB1)* (Eger 등, 2005) 등은 E-cadherin을 하향 조절하며, 전사를 억제하는 이들 유전자는 여러 형태의 암에서 과다 발현된다. *Runt-related transcription factor 1/acute myeloid leukemia 1 (RUNX1/AML1)*, p300, *hepatocyte nuclear factor 3 (HNF3)* 등은 E-cadherin을 상향 조절한다 (Liu 등 2005; Lombaerts 등, 2006).

전립선암의 전이는 상피의 중간엽으로의 이행 (epithelial-mesenchymal transition, EMT)을 통한 침습력의 획득, 전신 혈관계 혹은 림프관계로의 접근을 통한 혈관 내 유입, 순환계 내에서 생존, 미세 혈관 내에서 이동을 정지한 후 혈관 외 유출, 원격 장기에서 성장 등과 같은 다단계 과정을 필요로 한다 (Deep과 Agarwal, 2010). 이들 사건 중 EMT는 흔히 전이를 위해 절대적으로 필요한 요건이라고 간주된다 (Guarino 등, 2007). EMT 동안 종양세포는 상피세포의 양상을 탈피하고 상피 층판에서 분리된 후 중간엽 표현형으로 세포 골격의 변화를 일으킴으로써 운동성과 침습성이 증대된다 (Christiansen과 Rajasekaran, 2006). EMT는 세포의 침습력과 이동력을 증대시킬 뿐만 아니라 종양세포가 줄기세포능 (stemness), 약물 및 anoikis에 대한 저항성 등과 같은 공격적인 특성을 가지도록 하는데, 이러한 과정은 종양세포가 원발 장기로부터 원격 전이 부위로 이동하는 동안 생존할 수 있도록 도와준다 (Drasin 등, 2011). 따라서 전립선암 세포에게 공격적인 표현형을 제공하는 EMT의 역할을 이해하게 되면, 전이로의 진행

을 억제할 수 있을 것이다. EMT에 대한 분자 조절은 매우 복잡하며, 상호 관련이 있는 경로, 독립적인 경로, 신호를 전달하는 분자 등 많은 인자들이 관여한다 (Polyak와 Weinberg, 2009). 이들 경로 중 일부는 E-cadherin의 발현을 하향 조절한다. E-cadherin은 세포와 세포의 부착과 세포의 극성을 조절하며, 인접 세포의 E-cadherin 분자 외에도 catenin (α, β 및 p120)을 통한 actin 미세 잔섬유와의 상호 작용으로 세포의 모양을 형성한다 (Baranwal과 Alahari, 2009). E-cadherin이 소실되면, catenin이 막에서 분리되어 핵의 신호를 전달하는 데 관여하며, 이로써 종양세포의 증식 및 침습, EMT 등이 촉진된다 (Jiang 등, 2007). E-cadherin의 발현은 유전적 기전, 후성적 기전, 전사를 통한 기전, 전사 후 기전 등에 의해 조절된다 (Guarino 등, 2007).

23.1. E-cadherin의 역할 Role of E-cadherin

*CDH1*에 의해 코드화되는 120 kDa의 E-cadherin은 세포와 세포 사이의 부착에서 중요한 역할을 하며, 이러한 부착의 분리는 전립선암을 포함하는 선암의 악성 진행과 관련이 있다 (Rios-Doria 등, 2002). 근래에는 80 kDa의 E-cadherin 절편이 거의 전립선암 조직의 신생물 부위에서만 관찰된다는 보고가 있었다 (Kuefer 등, 2003). 또한, 이러한 용해성 절편은 결장직장암 (Velikova 등, 1998), 방광암 (Protheroe 등, 1999), 위암 (Chan 등, 2003) 등 여러 선암의 혈청에서 측정된다고 보고되었다. 다른 연구는 전립선암 환자의 혈청에서 80 kDa E-cadherin이 축적되며, 이는 전립선암의 진행을 예측하는 혈청 표지자의 역할을 한다고 하였다 (Kuefer 등, 2005).

E-cadherin은 상피에서 세포와 세포로 이루어지는 구조를 적절하게 유지시키는 역할을 하는 세포 부착 분자이며 (Takeichi, 1990), cadherin-1, uvomorulin, cell adhesion molecule 120/80 (CAM120/80) 등으로도 알려져 있다. 세포 부착에서의 변화와 종양의 진행 사이에 연관성이 있음은 약 70년 전 병리학 의사에 의해 처음 보고되었다 (Coman, 1944). 그로부터 40년 후 세포 배양 실험에서 80 kDa의 E-cadherin 절편이 발견됨으로써 (Wheelock 등, 1987) E-cadherin의 분절에 관한 논의가 시작되었다. E-cadherin의 아미노산 말단에서 단백질 분해로 생성되는 이 절편은 종양세포의 배지에서 발견되며, 굶주림, 고칼슘 부하 등과 같은 스트레스 자극에 의해 재생성이 가능하다. 이 절편은 포유동물의 상피에서 세포와

세포 사이의 부착을 붕괴시키기 때문에 침습을 유발하는 작용을 가지고 있다고 생각된다 (Noe 등, 2001).

전립선암에서 E-cadherin이 발현되는 정도는 논란 중에 있다. 일부 연구는 종양이 진행하고 전이함에 따라 E-cadherin의 발현이 감소된다고 하였고, 일부 연구는 이러한 관계를 발견하지 못했다고 하였다. 이에 여러 질환을 가진 전립선의 고밀도 tissue microarray (TMA)를 이용하여 면역조직화학검사를 실시한 연구는 다음과 같은 결과를 보고하였다 (Rubin 등, 2001). 1,220점의 TMA 표본을 분석하였으며, E-cadherin의 비정상적 발현은 세포의 70% 미만이 강한 염색을 나타내는 경우로 규정되었다. 첫째, 정상적으로 높은 E-cadherin의 발현은 757점의 양성 전립선 표본 중 87%, 41점의 고등급 전립선상피내암 표본 중 80%, 325점의 전립선암 표본 중 82%, 97점의 거세 저항성 전립선암 표본 중 90%에서 관찰되었다. 둘째, E-cadherin의 비정상적 발현은 수술 절제면 침범 (p=0.012), 높은 Gleason 점수 (p=0.18), 생화학적 실패 (p=0.09) 등과 통계학적으로 관련이 있는 경향을 보였으나 유의하지는 않았다. E-cadherin의 비정상적 발현은 크기가 큰 종양과 유의한 상관관계를 나타내었으나 (p=0.01), 전립선 외부 침범 혹은 정낭 침범과는 유의한 연관성이 없었다. 수술로만 치료를 받은 임상적 국소 전립선암에서는 E-cadherin이 높게 발현되었다. 거세 저항성 전이 전립선암에서는 E-cadherin 매우 높게 발현되었고 비정상적인 발현은 매우 드물었다. 이 연구의 결과는 E-cadherin이 국소 전립선암에서는 일시적으로 하향 조절되며, 전이 전립선암에서는 강하게 발현됨을 보여 준다. TMA를 이용한 다른 연구는 전립선암이 진행하면서 E-cadherin 단독으로 혹은 다른 생물 표지자와 함께 발현이 감소된다고 하였다. 이 연구에 의하면, enhancer of zeste homolog 2 (EZH2)의 중등도 혹은 강한 발현과 E-cadherin의 중등도 이하 발현을 EZH2/E-cadherin 양성 반응으로 규정하였을 때, 종양의 병기, Gleason 점수, PSA 농도 등의 임상 지표로 보정한 후 EZH2/E-cadherin 상태의 생화학적 재발에 대한 HR은 3.19 (95% CI 1.50~6.77; p=0.003)이었다 (Rhodes 등, 2003). (Rhodes 등, 2003).

다른 연구도 전립선암 조직에서 120 kDa의 분자량을 가진 E-cadherin의 분절이 증가함을 관찰하였으며, 120 kDa는 97 및 100 kDa의 절편으로 분절된다 (Rios-Doria 등, 2002). 또한, 전이 전립선암 조직의 세포 외부 구역에 80 kDa의 절편이 상당하게 축적됨이 관찰되었다 (Kuefer 등, 2003). E-cadherin

의 분절에 관해서는 여러 기전이 논의되고 있다. 조건 배지를 이용한 연구에 의하면, serine protease인 plasmin이 E-cadherin의 세포 외부 영역 (ectodomain)을 직접 분절시켜 80 kDa의 soluble E-cadherin (sE-cadherin)을 생성하며, plasmin에 의해 유리된 sE-cadherin은 E-cadherin의 기능을 억제함으로써 종양세포가 1형 콜라겐 내로 침습을 일으키도록 유도하며 E-cadherin 의존성 종양세포의 응집을 억제한다. sE-cadherin에 의해 억제된 E-cadherin의 기능은 aprotinin 혹은 E-cadherin의 세포 외부 절편에 대한 항체에 의해 복구되었다. 이 연구는 plasmin이 세포 밖의 E-cadherin 절편을 생성하며, 이 절편은 E-cadherin/catenin 복합체를 가진 세포에서 E-cadherin의 기능을 조절함을 보여 준다 (Ryniers 등, 2002). 다른 연구에 의하면, sE-cadherin의 유리는 phorbol-12-my-ristate-13-acetate에 의해 자극을 받는 데 비해, tissue inhibitor of metalloproteinase 2 (TIMP2)의 과다 발현에 의해 억제되며, metalloproteinases인 matrilysin과 stromelysin-1은 세포 표면에서 E-cadherin을 분절시킨다 (Noë등, 2001). E-cadherin의 절편이 생성되는 기전이 더욱 분명하게 밝혀진다면, 성공적인 치료의 표지자로서 E-cadherin의 절편을 이용하는 특이 요법을 실시할 수 있을 것이다 (Kuefer 등, 2005). 80 kDa의 E-cadherin 절편을 발견하기 위한 항체 HECD-1 (human E-cadherin에 대한 단클론 항체를 의미함)을 이용한 여러 연구는 장 혹은 방광에 암을 가진 환자의 혈청에는 80 kDa의 절편이 존재한다고 하였다.

발견이 가능한 80 kDa sE-cadherin의 양은 건강인에 비해 위암 환자에서 유의하게 더 높다 (Chan 등, 2001). 80 kDa 절편의 혈청 농도는 carcinoembryonic antigen (CEA) (Gofuku 등, 1998), carbohydrate antigen 19-9 (CA19-9), CA19-9의 ligand인 E-selectin (Sato 등, 2010) 등과 같이 잘 알려진 다른 종양 표지자보다 악성 종양에 대한 민감도가 더 높다. 위암 환자를 대상으로 분석한 연구는 80 kDa 절편의 혈청 농도는 장기간 생존에 대한 독립적 예측 인자라고 하였다. 즉, 75명의 남성 위암 환자와 41명의 여성 위암 환자를 대상으로 평가한 이 연구에 의하면, 치료 전 sE-cadherin의 농도는 6,002~10,025 ng/mL, 평균 9,159 ng/mL이었으며, sE-cadherin의 혈청 농도가 10,000 ng/mL를 초과한 환자의 90%가 3년 미만의 생존 기간을 가졌다 ($p=0.009$) (Chan 등, 2003).

80 kDa 절편은 혈청뿐만 아니라 소변에서도 측정되며, 여러 종양 환자의 소변에서 농도가 증가된다 (Katayama 등,

1994a). 방광암 환자를 대상으로 평가한 연구는 소변 내에 sE-cadherin 절편이 증가하는 것으로 보아 방광이 악성 변화를 일으킬 때 E-cadherin의 기능이 상실된다고 하였다 (Banks 등, 1995). 이러한 관찰은 방광암 환자에서 E-cadherin의 발현이 감소되면, 생존율이 낮아진다는 연구 결과와 일맥상통한다 (Syrigos 등, 1995). 다른 연구는 소변을 이용하여 sE-cadherin과 단백질/creatinine 지수의 가치를 비교하였다. 방광암 환자 34명, 양성 비뇨기계 질환 환자 14명, 건강한 대조군 21명을 대상으로 소변 내의 sE-cadherin과 총 단백질 농도를 분석한 연구는 다음과 같은 결과를 보고하였다 (Protheroe 등, 1999). 첫째, 암 환자군의 sE-cadherin 농도는 대조군에 비해 유의하게 높았으나 ($p<0.001$), 비악성 질환 환자군은 암 환자군 혹은 대조군과 유의한 차이를 나타내지 않았다. 둘째, sE-cadherin의 농도를 creatinine으로 보정하였을 때, 결과는 비슷하였으나 통계적으로 더욱 유의하였는데, 양성 질환 환자군의 sE-cadherin 농도는 대조군에 비해 유의하게 증가되었다 ($p<0.01$). 침습 암과 비침습 암 사이에서는 차이가 발견되지 않았다. 셋째, 소변 내의 총 단백질 농도는 양성 질환 환자군 ($p<0.05$)이나 대조군 ($p<0.001$)에 비해 암 환자군에서 유의하게 더 높았으나, 양성 질환 환자군과 비침습 암 환자군 사이 혹은 양성 질환 환자군과 대조군 사이에서는 차이가 발견되지 않았다. 단백질/creatinine 지수만이 종양의 병기와 유의한 상관관계를 가졌다 ($p<0.01$). 이들 결과를 근거로 저자들은 소변 내의 sE-cadherin 농도가 소변 내 총 단백질 농도에 비해 더 큰 가치를 나타내지 않는다고 하였다. 그러나 방광암의 선별검사에 이 단백질만 활용한다는 것은 적절하지 않다 (Protheroe 등, 1999). 방광암이 발견된 당시에 sE-cadherin의 혈청 농도를 측정한 연구는 고등급 분화도이고 근육을 침범한 방광암 환자에서 유의하게 더 높게 발현되며, 전립선암의 경우와 마찬가지로 방광암이 조기에 재발할 위험이 있는 환자에서 sE-cadherin의 혈청 농도가 유의하게 증가된다고 하였다 (Griffiths 등, 1996).

E-cadherin은 cadherin 가족에 속하며, Ca^{2+} 의존성으로 세포를 부착시키고 세포 골격에 고정시키기 위해서는 catenin을 필요로 한다 (Cowein과 Burke, 1996). E-cadherin이 결합한 복합체의 불활성은 유전적 변화, 후성적 사건 등을 포함하는 다양한 기전에 의해 일어난다. Cadherin의 조절에 관한 많은 연구는 catenin 및 p120와 결합하는 세포질 내 결합 영역에 초점을 맞추었다 (Hinck 등, 1994). 성장 인자의 수용체는 결

도표 137 근치전립선절제술 후 생화학적 재발[†]의 예측 인자로서 E-cadherin에 관한 연구

참고 문헌	환자 수	병리학적 병기	Gleason 점수	PSA, ng/mL	재발 범위, %	PSA 재발에 대한 예측도	
						단변량	다변량
Kuczyk 등, 1998	67	pT1~4	2~10	NA	NA	NS	NS
Brewster 등, 1999	76	pT1~4	4~10	0.9~37	22~37	NS	NP
Rhodes 등, 2003	259	pT2~4	2~10	0.5~43	NA	NS	NP
Wu 등, 2003	70	pT2a+b	2~9	0.4~93.6	13~44	$p=0.03$	NP

[†], 생화학적 재발, 즉 PSA 재발은 수술 후 2년 내에 PSA 농도가 2 ng/mL 이상인 경우로 규정되었다.
E-cadherin, epithelial cadherin; NA, not available; NP, not performed; NS, not significant; PSA, prostate-specific agent.
Nariculam 등 (2009)의 자료를 수정 인용.

합을 방해한다고 보고되었는데, 예를 들면 epidermal growth factor (EGF) receptor (EGFR)의 결합은 β-catenin의 tyrosine 수용체 인산화를 유발함으로써 부착 부위의 용해를 일으킨다 (Shiozaki 등, 1995). 따라서 성장 인자의 활성은 세포의 부착력 상실에서 중요한 역할을 한다고 생각된다.

E-cadherin의 기능이 상실됨으로써 일어나는 후속 효과에 관한 자료는 많지 않다. 이에 관한 한 연구는 E-cadherin에 의해 매개되는 세포의 응집이 차단되면 세포 자멸사가 일어난다고 하였다 (Day 등, 1999). 이 연구는 E-cadherin 의존성 응집이 retinoblastoma protein (RB)을 인산화하고 활성화함으로써 G1 세포 주기의 정지를 유도하는데, 이는 세포의 생존에서 중요한 역할을 한다고 하였다. LNCaP 세포를 이용한 연구에 의하면, 성장 인자는 PSA 생성물의 분비를 증대시키며, LNCaP 세포에서 생성된 PSA는 세포 외부의 기질을 분해하여 전립선암 세포의 침습을 촉진한다 (Webber 등, 1995). 단백질을 분해하는 PSA의 작용으로 인해 세포 외부 기질에 있는 insulin-like growth factor (IGF)-binding protein (IGFBP)으로부터 IGF-1이 분리된다 (Cohen 등, 1992). PSA의 생성은 미분화 전립선 세포에서는 감소된다 (Partin 등, 1990). 그러나 E-cadherin의 발현이 감소된 상피세포는 PSA의 분비가 조절되지 않아 PSA를 신속하게 분비하며, 상피세포와 기저막 사이에 불규칙하게 운반된 PSA는 기저막을 파괴하고 PSA의 구획화를 상실시킨다. 면역조직화학검사 및 Western blot 분석을 이용한 연구는 전립선암 세포에 비해 정상 전립선 상피세포에서 E-cadherin의 발현이 더 높음을 확인하였으며, E-cadherin의 항체를 가진 정상 전립선 상피세포를 배양한 경우에서의 정상 세포뿐만 아니라 LNCaP 세포의 배지에서 PSA의 양이 증가하는 것으로 보아 E-cadherin은 침습을 억제하는 인자로서 기능을 한다고 하였다 (Krill 등, 2001). 정리하면,

E-cadherin의 부착 기능이 상실되면, 미세 환경으로 분비되는 PSA가 증가한다. 분비된 PSA는 전립선 세포의 활동과 성장의 조절에서 변화를 일으킨다. 이와 같이 cadherin의 발현이 상실됨으로 인한 효과를 추가 연구에 의해 더욱 이해하게 되면, 조직 구조의 유지를 변경시키는 사건이 종양의 진행에 어떻게 관여하는지에 관해 유익한 정보를 얻을 수 있을 것이다 (Krill 등, 2001).

암세포의 세포막에서 E-cadherin의 소실 혹은 발현 감소는 전립선암, 위암, 유방암 등을 포함하는 여러 암에서 나쁜 조직 분화도 및 임상 병기 그리고 나쁜 예후와 관련이 있다고 보고되었다 (van Roy와 Berx, 2008; Whiteland 등, 2013). E-cadherin은 전립선암에서 예후 표지자이며, 비정상적으로 낮은 발현은 고등급 분화도의 암 (Cheng 등, 1996), 나쁜 치료 결과 (Umbas 등, 1994), 혈중 전립선암 세포 및 수술 후 PSA 실패 (Loric 등, 2001) 등과 관련이 있다고 알려져 있다. 더욱이 E-cadherin의 기능 장애와 생화학적 재발 사이에는 강한 연관성이 있다고 보고된 바 있다 (Wu 등, 2003). 그러나 다른 연구는 E-cadherin이 전립선암으로 치료를 받은 환자에서 생화학적 재발을 예측하지 못한다고 보고하여 (Brewster 등, 1999; Rhodes 등, 2003) (도표 137), 독립적 예후 인자로서 E-cadherin의 역할에 대해 의문을 제기하였으며 (De Marzo 등, 1999), 전이 표현형이 발생하기 전의 국소 전립선암에서 일시적으로 하향 조절된다는 보고 또한 있다 (Rubin 등, 2001). 근치전립선절제술 표본 41점으로부터 채취된 양성 조직과 악성 조직의 microarray를 대상으로 B-cell lymphoma 2 (BCL2), Ki-67, p53, E-cadherin 등의 네 표지자에 대해 면역조직화학검사를 실시한 연구는 E-cadherin을 제외한 BCL2, Ki-67, p53 등은 양성 조직에 비해 전립선암 조직에서 유의하게 상향 조절되었으며 ($p < 0.01$), 수술 후 조기에 생화학적 재발이 있는

도표 138 단변량 및 다변량 회귀 분석에서 여러 임상 지표와 80 kDa E-cadherin 절편 혈청 농도의 PSA 실패와의 연관성

변수	HR (95% CI)	p-value
단변량 분석		
인종	1.16 (0.76~1.79)	0.49
연령	1.03 (0.78~2.14)	0.23
수술 전 PSA	1.004 (0.97~1.05)	0.83
전립선 무게	0.98 (0.95~1.0)	0.17
Gleason 점수	2.49 (1.62~3.84)	⟨0.001
다발 병소	1.27 (0.43~3.78)	0.67
전립선 외부 침범	10.94 (4.22~28.37)	⟨0.001
정낭 침범	4.34 (1.74~10.81)	0.002
수술 절제면 양성	4.66 (1.91~11.36)	0.001
종양 병기	2.67 (1.69~4.22)	⟨0.001
80 kDa E-cadherin 절편[†]	1.12 (0.45~2.65)	0.79
다변량 분석		
Gleason 점수	2.16 (1.24~4.25)	0.007
전립선 외부 침범	5.34 (1.60~17.84)	0.007
80 kDa E-cadherin 절편[‡]	확인 안 됨	⟨0.05

[†], 단변량 분석에서는 80 kDa E-cadherin 절편의 혈청 농도와 PSA 실패 사이에 연관성이 관찰되지 않았다; [‡], 다변량 분석에서는 3년 동안 추적 관찰한 후 절단치 7.9 μg/L를 초과하는 80 kDa E-cadherin 절편 농도는 PSA 실패의 높은 위험과 유의하게 상호 관련이 있었으며, 이 시점에서의 상대적 위험도 (RR)는 55.1이었다.

CI, confidence interval; E-cadherin, epithelial cadherin; HR, hazard ratio; PSA, prostate-specific agent; RR, relative risk.

Kuefer 등 (2005)의 자료를 수정 인용.

환자와 재발이 없는 환자 사이에서 유의하게 발현의 차이를 보인 표지자는 없었다고 하였다 (Nariculam 등, 2009).

전립선암을 대상으로 분석한 연구에 의하면, 80 kDa E-cadherin 절편의 혈청 농도는 전립선의 악성 변화와 관련이 있다. 이 연구에서 80 kDa 절편의 혈청 평균 농도는 건강인, 양성전립선비대, 국소 전립선암, 전이 전립선암 환자에서 각각 6.27±0.31 (95% CI 5.59~6.96), 7.26±0.21 (95% CI 6.82~7.70), 9.46±0.42 (95% CI 8.63~10.29), 27.49±4.81 (95% CI 17.23~37.75) ng/mL이었다. 80 kDa 절편의 중앙치 농도는 국소 전립선암 환자에서 7.93 ng/mL이었으며 거세 저항성의 전이 전립선암 환자에서 가장 높은 발현양을 나타내었다. 이 연구는 다음과 같은 결과를 보고하였다 (Kuefer 등, 2005) (도표 138). 첫째, 혈청 내에서 80 kDa 절편의 농도는 전립선의 악성 변화와 상당한 연관성을 보였다. 둘째, 임상적 국소 전립선암에서 80 kDa 절편은 종양의 크기를 포함하는 여러 임상 지표와는 연관성이 없이 독립적인 역할을 하였

다. 셋째, 80 kDa 절편은 기존 종양의 생물학적 특성을 반영한다. 종양의 생물학적 특성은 전이력과 직접 관련이 있으며, 그로 인해 특이한 치료를 실시한 후 재발과 연관성을 가진다. 이러한 개념은 진단 당시 80 kDa 절편의 혈청 농도가 절단치 7.9 ng/mL보다 높은 국소 전립선암 환자는 혈청 농도가 낮은 환자에 비해 수술 후 추적 관찰 3년 시점에서 생화학적 재발 위험이 55배 더 높다는 결과에 의해 뒷받침된다. 이들 결과는 진단 당시 혈청 80 kDa E-cadherin 절편의 높은 농도가 생화학적 재발과 같은 나쁜 예후와 관련이 있음을 보여 준다.

전립선암의 발생과 진행에서 E-cadherin, N-cadherin, transforming growth factor (TGF)-β_1, TWIST 단백질 등의 발현과 유의성을 평가하기 위해 면역조직화학적 Streptavidin-Biotin Complex (SABC) 염색법을 이용하여 전립선암 조직 표본 59점과 인접한 양성 조직 표본 21점을 분석한 연구는 다음과 같은 결과를 보고하였다 (Liu 등, 2014). 첫째, E-cadherin, N-cadherin, TGF-β_1, TWIST 단백질의 양성률은 전립선암 조직에서는 각각 32.2%, 54.2%, 71.2% , 74.6%, 종양에 인접한 양성 조직에서는 각각 85.7%, 9.52%, 19.0%, 9.52%이었으며, 두 군 사이의 차이는 유의하였다 ($p < 0.05$). 둘째, E-cadherin의 발현 감소는 전립선암 조직의 분화, PSA 농도 등과 상호 관련이 있었지만, 임상 병기, 림프절 전이, 골 전이, 연령 등과는 관련이 없었다. 셋째, N-cadherin, TGF-β_1, TWIST 단백질 등의 발현 증가는 전립선암 조직의 분화, 임상 병기, 림프절 전이, 골 전이 등과 상호 관련이 있었지만, 연령과는 관련이 없었다. 넷째, N-cadherin과 TGF-β_1의 발현 양성률은 PSA 20 ng/mL 이하 군과 20 ng/mL 초과 군 사이에서 유의한 차이를 나타내었으나, TWIST 단백질은 두 군 사이에서 유의한 차이가 없었다. 다섯째, E-cadherin의 발현은 N-cadherin 및 TWIST 단백질의 발현과 상당한 역상관관계를 나타내었으며, TGF-β_1의 발현은 E-cadherin, N-cadherin, TWIST 단백질 등과 상호 관련이 있었다. 이들 결과는 E-cadherin의 발현 감소, N-cadherin의 비정상적인 발현 증가, E-cadherin의 N-cadherin으로의 전환, TGF-β_1 및 TWIST의 발현 증가 등은 전립선암의 발생과 진행에서 중요한 역할을 함을 시사한다.

선행 보강 요법을 받지 않고 근치전립선절제술을 받은 10명의 전립선암 환자와 10명의 대조군에서 Proteome Profiler Antibody Array를 이용하여 119종의 단백질을 검색하였고, 환자군과 대조군에서 뚜렷한 차이를 보이는 혈청 표지자들을 ELISA를 이용하여 165명의 전립선암 환자와 19명의 대조군

을 대상으로 평가한 연구는 다음과 같은 결과를 보고하였다 (Tsaur 등, 2015). 첫째, 평가에 이용된 단백질은 sE-cadherin, E-selectin, matrix metalloproteinase 2 (MMP2), MMP9, TIMP1, TIMP2, galectin, clusterin 등이었다. 둘째, 대조군에 비해 전립선암 환자에서 유의하게 과다 발현된 단백질은 sE-cadherin, TIMP1, galectin, clusterin 등이었고, 과소 발현된 단백질은 MMP9이었다. 셋째, sE-cadherin, MMP2, clusterin 등은 전립선절제술에서의 Gleason 점수와 역상관관계를, MMP9, TIMP1 등은 정상관관계를 나타내었다. sE-cadherin만이 가장 높은 Gleason 패턴과 유의하게 상호 관련이 있었다. 넷째, 혈청 PSA에 비해 sE-cadherin은 Gleason 점수 7 이상의 공격적인 종양과 근치전립선절제술에서의 높은 등급을 가진 전립선암 환자를 독립적으로 더 나은 수준으로 예측하였다. 이들 결과를 근거로 저자들은 sE-cadherin이 전립선암에 대한 생물 표지자로서 가치가 있다고 하였다.

23.2. E-cadherin의 조절 Regulation of E-cadherin

E-cadherin의 하향 조절은 과다 메틸화 (Graff 등, 1998), 돌연변이 (Guilford 등, 1998), 전사 인자 등에 의하며, 전사를 통해 E-cadherin을 억제하는 인자들로는 zinc finger 가족에 속하는 SNAI1 (Battle 등, 2000)과 SNAI2 (혹은 SLUG) (Bolós 등, 2003), two-handed zinc finger 가족에 속하는 ZEB1과 ZEB2 (SIP1으로도 알려짐) (Comijin 등, 2001), basic helix-loop-helix (bHLH) 전사 인자의 E 가족에 속하는 E12/E47 (Peréz-Moreno 등, 2001), TWIST (Vesuna 등, 2008) 등이 있다. 또한, EMT가 진행 중인 심장 상피세포와 섬유모세포인 NIH3T3에서 E-cadherin은 zinc finger transcription factor (ZF-TF)인 Wilms tumor 1 (WT1)에 의해 조절되며 (Hosono 등, 2000), WT1은 직접 혹은 억제 인자인 SNAI1을 상향 조절함으로써 간접으로 E-cadherin을 억제한다고 보고되었다 (Martinez-Estrada 등, 2009). WT1에는 다수의 아형이 있지만, 전사를 조절하는 아형은 exon 9에 세 펩티드, 즉 lysine, threonine, serine (KTS)의 삽입이 결여되어 있다 (Haber, 1991). WT1은 신장의 Wilms' tumor에서 돌연변이로 불활성화됨이 처음 발견되어 종양을 억제하는 인자로 간주되었다 (Haber 등, 1990). 대조적으로, 급성 백혈병 (Patmasiriwat 등, 1999), 갑상선암 (Oji 등, 2003), 췌장암 (Oji 등, 2004), 전립선암 (Devilard 등, 2006; Gregg 등, 2010), 난소암 (Netinatsun-

thorn 등, 2006), 자궁내막암 (Ohno 등, 2009) 등과 같은 다른 종류의 종양에서는 WT1이 증가되기 때문에, WT1은 종양을 유발하는 기능을 가지고 있다고 보고되었다. 전립선암에서는 WT1이 종양의 진행에 대한 표지자로 보고되었으며 (Devilard 등, 2006), 주로 고등급 분화도의 전립선암 상피세포에서 발현된다 (Gregg 등, 2010).

근래의 연구는 다음과 같은 결과를 근거로 WT1이 전사를 통해 E-cadherin을 억제한다고 하였다 (Brett 등, 2013). 첫째, PC3 및 LNCaP 세포에서 WT1과 CDH1 mRNA는 역상관관계를 보였다. 둘째, WT1이 과다 발현하면 CDH1 mRNA의 수치가 감소하였으며, WT1의 발현을 억제하면 CDH1 mRNA의 수치가 증가하였다. 유전자 전달 감염을 이용하여 WT1의 수치를 다르게 적정할 경우 WT1의 발현 정도에 따라 E-cadherin의 발현과 세포의 이동력이 달라졌다. KTS가 결여된 WT1 (KTS⁻) 아형의 과다 발현은 난소암 세포의 이동력 및 침습력을 증대시킨데 비해, 다른 아형은 그와 같은 효과를 나타내지 않았다 (Jomgeow 등, 2006). 셋째, 전립선암 세포주에서 WT1이 CDH1 촉진체의 활성을 억제하는 기전을 연구한 바에 의하면, CDH1의 촉진체에는 WT1과 결합하는 두 부위가 있으며, PC3 및 LNCaP 세포의 경우 WT1은 염색질에서 CDH1 촉진체와 결합한다. 특히, WT1과 결합하는 세 부위가 있다고 추측되는 -220 bp 부위를 조사한 연구는 CDH1 촉진체의 근위부를 억제하는 새로운 -146 bp의 WT1 결합 부위를 발견하였다. 이들 결과는 WT1이 CDH1 mRNA의 수치를 조절하기에 충분하며, 전립선암에서 E-cadherin을 조절하기 위해서는 WT1이 필요함을 보여 준다. 이들 전립선암 세포주에서는 WT1으로 매개되는 E-cadherin 농도의 변화로 인한 생물학적 효과로 인해 전이에서 중요한 세포의 이동력이 증대된다 (Brett 등, 2013).

악성 종양이 가진 특징 중 하나는 EMT 과정을 통한 침습 및 전이이며 (Hanahan과 Weinberg, 2011), E-cadherin은 EMT 과정에서 소실되는 가장 중요한 상피세포 표지자 중 하나이다. E-cadherin의 mRNA 및 단백질의 농도는 PC3 세포에 비해 LNCaP 세포에서 더 높다 (Morton 등, 1993). CDH1과는 대조적으로 WT1 mRNA는 LNCaP 세포에 비해 PC3 세포에서 더 높다. LNCaP와 PC3 세포에서 나타나는 WT1과 CDH1 사이의 역상관관계는 이들 두 세포주 사이에서 나타나는 공격 표현형의 차이와 일치한다 (Dozmorov 등, 2009). 난소암 세포에서와 마찬가지로 LNCaP 세포에서 WT1이 과다 발현되면, 세포의 이동력이 증가되었다 (Jomgeow 등, 2006). 세포의 이동은 integrins, selectins, immunoglobulin 가족 구성원, cadherins 등을 포함하는 세포 부착 분자 (cell adhesion molecules, CAMs)의 붕괴에 의존적이다. CAMs의 catenins와의 상호 작용을 통해 cadherins는 F-actin과 같이 세포 골격을 형성하는 구조물과 함께 이음부 복합체 (junctional complex)를 형성한다. 따라서 WT1은 이음부 복합체의 구성원을 조절함으로써 세포의 이동에 영향을 준다 (Brett 등, 2013).

WT1의 과다 발현은 LNCaP 세포의 이동을 증가시키기에 충분하며, WT1의 발현을 억제하면 높은 이동성을 가진 PC3 세포의 운동성이 유의하게 감소된다. 이러한 결과는 transwell 이동 분석에서 WT1 siRNA oligonucleotide 유전자 전달 감염을 이용하여 WT1을 억제한 경우 PC3 세포의 이동이 감소하였다는 연구에 의해 뒷받침된다 (Brett 등, 2013). 이는 human umbilical vascular endothelial cell (HUVEC)에서 WT1을 침묵시키면 세포의 이동이 억제된다는 연구 결과와 일맥상통한다 (Wagner 등, 2008). HUVEC에서 WT1은 혈관 형성과 침습에 관여하는 전사 인자인 E-twenty six 1 (ETS1)을 조절한다. 따라서 PC3 세포에서 WT1은 CDH1의 전사에 대한 효과를 통해 직접 세포의 이동을 증대시킨다고 생각된다. WT1의 과다 발현과 침묵이 전립선암 세포의 이동에 영향을 준다는 이들 자료는 WT1이 종양을 유발하는 유전자로서의 기능을 하며, 전립선암의 전이 과정을 촉진한다는 가설을 뒷받침한다 (Brett 등, 2013).

WT1이 세포의 이동을 증대시키는 기전으로는 CDH1의 전사를 억제하는 기전이 가장 유력하다. WT1이 E-cadherin을 조절한다는 보고는 이전에도 있었는데, 쥐의 섬유모세포에 대해 평가한 연구는 WT1이 쥐에서 E-cadherin을 상향 조절하고 사람의 CDH1 촉진체를 상향 조절한다고 하였다 (Hosono 등, 2000). 대조적으로, 다른 연구는 WT1이 사람의 CDH1 촉진체를 하향 조절한다고 하였다 (Brett 등, 2013). 이러한 차이는 쥐의 정상 섬유모세포와 사람의 전립선암 상피세포의 경우 cadherins를 발현하는 정도가 서로 다르다는 세포 특이성으로 설명이 가능하다. 한편, WT1을 과다 발현하는 쥐의 심장 상피세포에는 CDH1의 mRNA와 촉진체의 활성이 하향 조절되며, WT1은 억제 인자인 SNAI1을 통해 간접으로 E-cadherin을 하향 조절한다는 보고가 있었지만 (Martinez-Estrada 등, 2009), 다른 연구는 전립선암 세포에서 이러한 관찰을 확인하지 못하였다 (Brett 등, 2013). 이러한 차이 또한 쥐의 정상 심장 상피세포와 사람의 전립선암 상피세포 사이에는 차이가

있음을 반영한다. 더욱이 심장 상피세포에서 E-cadherin의 억제는 -51 bp의 WT1 결합 부위에 있는 중심부 촉진체에 의해 매개되는 데 비해, 전립선암 상피세포에서 E-cadherin의 조절은 전사가 시작하는 부위로부터 -146 bp 상위에 위치해 있는 WT1 결합 부위를 포함하는 근위부 촉진체에 의해 매개된다. PC3 및 DU145 세포에서 WT1은 CDH1의 근위부 촉진체의 활성을 억제하며, -146 bp WT1 결합 부위의 돌연변이는 이러한 억제를 방지하였지만, 촉진체의 중심부에 있는 WT1 결합 부위의 돌연변이는 그러한 효과를 나타내지 않는다. 이들 결과를 종합해 볼 때, 촉진체의 중심부에 있는 WT1 결합 부위는 WT1에 의해 CDH1 촉진체의 활성을 억제하는 데 관여하지 않는 대신, 촉진체의 근위부에 있는 -146 bp의 결합 부위가 전립선암 세포에서 WT1의 매개로 인한 CDH1의 억제에 필수적인 역할을 한다고 생각된다 (Brett 등, 2013). 종양세포가 이동하기 전에 억제되고 EMT 동안 소실되는 CDH1 유전자의 발현을 WT1이 억제하지만, WT1이 EMT와 전립선암 세포의 전이에 어느 정도로 관여하는지는 분명하지 않다. 정상 전립선이나 양성전립선비대에 비해 전립선암에서 발현이 증가된 WT1이 EMT와 종양세포의 이동에서 중요한 단계를 조절하는 인자임은 분명하다. 아직 충분하게 이해되어 있지 않은 전립선암 전이 과정에서 WT1이 EMT와 전이에 관여하는 분명한 기전을 밝히기 위해서는 추가 연구가 필요하다.

E-cadherin의 소실은 신호를 전달하는 여러 분자의 발현을 변경시켜 전립선암 세포의 증식과 줄기세포능을 증대시키며, 주로 CDH1의 전사를 억제하는 인자 SNAI1을 통해 그러한 효과를 나타낸다. SNAI1은 EMT를 조절하는 주된 인자로서 전이를 촉진시키는데, E-cadherin, claudin, occludin 등과 같은 여러 상피 표지자의 발현을 억제함은 물론 (Emadi 등, 2010), fibronectin (FN), vimentin (VIM), alpha smooth muscle actin (α-SMA 혹은 ASMA) 등과 같은 중간엽 유전자의 발현을 촉진함으로써 중간엽 표현형을 강화한다 (McKeithen 등, 2010). SNAI1은 여러 암세포에서 과다 발현되며, 전립선암의 경우 전립선암의 발생 초기 단계에서 상향 조절된다 (Heebøll 등, 2009). 종양에서 SNAI1의 발현 증가는 흔히 공격적인 질환 및 나쁜 예후와 상호 관련이 있다 (Mak 등, 2010). SNAI1은 종양세포의 생존, 세포 주기의 조절, 세포 자멸사의 회피, 신경내분비 분화, 항암제 저항성 등과 관련이 있다 (Hwang 등, 2011). E-cadherin의 발현이 낮은 공격적인 전립선암에서 SNAI1의 역할을 분석한 연구에 의하면, SNAI1은 전립선암 세

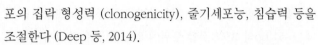

포의 집락 형성력 (clonogenicity), 줄기세포능, 침습력 등을 조절한다 (Deep 등, 2014).

일부 연구는 원발 전립선암 조직에 비해 전이 조직에서 E-cadherin의 발현이 감소된다고 보고한 반면 (Pontes 등, 2010), 일부 연구는 정상이거나 증가된다고 보고한 바와 같이 (Saha 등, 2008), 전립선암의 전이 조직에서 E-cadherin은 비균질적으로 발현된다고 알려져 있다. 연조직 전이에 비해 골 전이에서 E-cadherin의 발현이 유의하게 더 높기 때문에, E-cadherin의 발현은 전이된 장기에 의존적이라는 보고가 있다 (Putzke 등, 2011). EMT를 조절하는 인자 중 하나인 SNAI1은 유방암에서 종양의 재발 위험 및 나쁜 예후와 상호 관련이 있으며 (Moody 등, 2005), 결장직장암에서는 질환의 진행과 상호 관련이 있다 (Fan 등, 2013). 전립선암 환자 215명의 조직 표본을 대상으로 여러 EMT 생물 지표와 질환의 결과 사이 연관성을 평가한 연구는 전립선암 세포의 세포막에서 E-cadherin의 발현 소실은 높은 Gleason 점수 및 높은 임상 병기와 유의하게 상호 관련이 있었으며, 핵에서 SNAI1의 발현은 전립선암 조직에서 유의하게 증가되었고 높은 Gleason 점수 및 높은 임상 병기와 강한 연관성을 나타내었으나 PSA 재발 및 환자의 생존과는 유의한 상관관계를 나타내지 않았다고 하였다 (Whiteland 등, 2013). 따라서 E-cadherin과 SNAI1은 질환의 임상적 진행에서 중요한 역할을 한다고 간주된다. 이와 맥락을 같이한 다른 연구도 E-cadherin과 SNAI1이 증식 속도, 집락 형성력, 줄기세포능 등의 증가와 줄기세포능, EMT, 전이 등에 대한 생물 지표의 발현 증가와 같이 전립선암의 공격적인 특성을 나타내는 데 관여한다고 하였다 (Deep 등, 2014).

EMT는 암세포의 운동성과 침습성을 증대시킬 뿐만 아니라 줄기세포능, 치료 저항성, anoikis 저항성 등과 같은 여러 공격적인 양상을 추가로 제공한다. 유방암 세포에 관한 연구는 E-cadherin이 하향 조절되면 EMT가 유도될 뿐만 아니라 암줄기세포 (cancer stem cell, CSC)의 군집 형성이 증대된다고 하였다 (Gupta 등, 2009). 실제로 암줄기세포 군집과 침습성 혹은 전이 세포군은 상당히 중복되는 양상을 나타낸다. 유방암 환자를 대상으로 평가한 연구에 의하면, 골수 내로 조기에 파종된 암세포는 암줄기세포의 표현형을 가졌다 (Balic 등, 2006). 또 다른 연구도 유방암 환자의 혈중에 있는 암세포의 대부분이 줄기세포의 특징을 가짐을 보여 주었다 (AKTas 등, 2009). 이러한 결과에 관한 설명으로, 전이 암세포가 가진 높은 줄기세포능이 '고정 상태의 암줄기세포'를 EMT 과정

을 통해 '전이성 암줄기세포'로 만들기 때문이라는 가설이 있다 (Li와 Tang, 2011). 또 다른 설명으로, 암줄기세포가 아닌 종양의 분화된 상피세포에서 일어난 EMT가 침습성을 증대시킬 뿐만 아니라 줄기세포능도 증대시킨다는 설명이 있다 (van der Pluijm, 2011). 어느 경우로든 증가된 줄기세포능은 전이가 진행하는 동안과 원격 부위에서 집락을 형성하는 동안 암세포가 미세 환경에 적응하도록 가소성 (plasticity)을 부여한다. 예를 들면, PC3 세포에서 E-cadherin을 제거하면 EMT가 줄기세포능을 증대시켜 PC3 세포의 집락 형성 및 전립선구 (prostasphere) 형성이 유의하게 증대된다 (Deep 등, 2014). 다른 연구에 의하면, PC3에서 유래되고 상피 표현형이 풍부한 세포군이 자가 재생 및 전분화능 (pluripotency) 유전자망을 더 강하게 발현하였고 더 공격적인 특성을 가졌다. 더욱이 상피 표현형을 억제한 경우에는 종양세포의 자가 재생 및 전분화능 유전자망, 접착 비의존성 조건하에서의 성장력, 종양 형성력 및 전이력 등이 억제되었다. 이들 연구자는 상피 표현형과 중간엽 표현형이 공존하는 비균질적 세포군이 상호 작용 및 협동 작용을 통해 종양이 국소 침습 혹은 원격 전이를 일으키도록 만든다고 하였다 (Celia-Terrassa 등, 2012). 이들 자료는 전립선암에서 가소성을 강조하며, 이러한 가소성은 상피, 중간엽, 혹은 혼합 표현형의 전립선암이 병기 혹은 미세 환경에 의존적으로 진행하도록 만든다.

앞에서 기술된 바와 같이, SNAI1은 zinc finger 전사 인자의 가족에 속하며, E-cadherin의 발현을 억제한다고 알려져 있다 (Foubert 등, 2010). SNAI1은 전이 전립선암에서 유전자 증폭을 나타내는 염색체 20q13에 위치해 있다 (Dhanasekaran 등, 2001). SNAI1의 발현 증가는 전립선암의 형성 과정에서 조기에 나타나는 사건으로 간주되지만, 침습성을 가진 세포에 국한된다 (Heebøll 등, 2009). SNAI1은 또한 receptor activator of nuclear factor kappa-B ligand (RANKL)의 발현, 파골세포의 형성 (osteoclastogenesis), 골격 내 집락 형성 등을 증대시킨다고 보고되었다 (Odero-Marah 등, 2008). 더욱이 SNAI1은 유방암과 결장직장암에서 암줄기세포의 활성과 종양 형성력을 조절하며, SNAI1의 발현이 강한 결장직장암 환자의 경우 전이 가능성이 높다 (Hwang 등, 2011). 다른 연구는 전립선암 세포에서 SNAI1을 삭제하면 암세포의 생존력이 유의하게 감소되고 integrins (ITGs)의 발현을 조절함으로써 암세포의 재접착이 방지되기 때문에, SNAI1은 생존 인자로서 그리고 세포 노화를 억제하는 인자로서 작용한다고 하였다

(Emadi-Baygi 등, 2010). 전립선암 세포 ARCaP에서 SNAI1이 과다 발현되면, 활성 산소종 (reactive oxygen species, ROS) 의 생성을 통해 EMT가 유도되고 염증 chemokine인 chemokine (C-C motif) ligand 5 (CCL5)의 발현과 extracellular signal-regulated kinase (ERK)의 활성이 증가되는 데 비해 (Barnett 등, 2011), SNAI1을 과다 발현하는 ARCaP 및 C4-2 세포에서 SNAI1이 삭제되면, 이들 세포의 이동력이 저하된 다 (Neal 등, 2011). SNAI1의 발현이 높을수록 단백질분해효 소를 억제하는 인자인 mapsin을 역조절하여 전립선암 세포 의 이동과 침습이 촉진된다 (Neal 등, 2012). SNAI1은 또한 중 간엽 표지자인 vimentin과 fibronectin의 발현을 증가시킬 뿐 만 아니라 metalloproteinase 2/9과 같이 종양의 침습에 관여 하는 단백질과 ZEB1, lymphoid enhancer-binding factor 1 (LEF1) 등과 같은 전사 인자의 발현을 증가시킨다 (Smith와 Odero-Marah, 2012). SNAI1의 발현은 Raf proto-oncogene serine/threonine-protein kinase/mitogen-activated protein kinase kinase/ERK (RAF1/MEK/ERK)와 nuclear factor kappa B (NFκB)의 신호를 전달하는 경로를 표적으로 하여 세포의 생존, 증식, 침습을 억제하는 전이 억제 단백질 RAF kinase inhibitor protein (RKIP)과 역상관관계를 가진다 (Beach 등, 2008). 다른 연구에 의하면, PC3 세포에서 E-cadherin의 유전 자 CDH1의 발현을 삭제한 경우 세포 배양 및 이종 이식 암에 서 SNAI1의 발현이 크게 증가하였으며, SNAI1을 억제한 경우 에는 CDH1이 삭제된 ShEC-PC3 세포의 줄기세포능, 집락 형 성력, 침습력 등이 감소되었다. 이 연구는 SNAI1을 억제하면 integrins, vimentin 혹은 기타 EMT 조절 인자의 하향 조절, ROS 농도의 감소, mapsin 혹은 RKIP의 증가 등과 함께 노화 혹은 세포 자멸사가 유도되어 ShEC-PC3 세포의 생존이 감소 된다고 하였다. 이 연구는 또한 SNAI1을 억제하면 cluster of differentiation 44 (CD44) 발현이 감소됨으로써 ShEC-PC3 세 포의 줄기세포능이 감소되고, ShEC-PC3 세포에서 SNAI1을 삭제하면 SRC proto-oncogene, non-receptor tyrosine kinase (SRC)가 인산화됨으로써 침습성이 감소된다고 하였다 ('SRC' 는 sarcoma를 의미한다) (Deep 등, 2014). 따라서 SNAI1의 삭제는 여러 기전을 통해 ShEC-PC3 세포가 가진 줄기세포능 과 침습성을 억제한다고 생각되지만, 이에 관하여 추가 연구 를 통해 충분하게 입증할 필요가 있다.

SNAI1은 전사를 통해 E-cadherin의 발현을 하향 조절함은 분명하지만, PC3 세포에서 CDH1이 삭제된 경우에는 SNAI1 의 발현이 증가된다는 사실은 흥미롭다. 따라서 E-cadherin의 소실과 SNAI1의 상향 조절은 전립선암이 형성되는 동안 상 호 연관성을 가지며, SNAI1의 증가는 E-cadherin의 발현을 억 제하고 CDH1의 억제는 SNAI1의 발현을 증가시킨다. 이전의 연구는 glycogen synthase kinase-3 beta (GSK-3β)가 SNAI1 을 인산화하고 핵으로부터 SNAI1의 유출을 촉진하여 세포질 에서 proteasome에 의한 분해를 촉진한다고 하였다 (Zhou 등, 2004). 반대로 p21-activated kinase 1 (PAK1)은 SNAI1을 인산화하여 SNAI1의 핵 내 유입을 촉진하여 전사 인자로서 의 활성을 촉진한다 (Yang 등, 2005). 다른 연구는 protein kinase D1 (PKD1) 또한 Ser11에서 SNAI1을 인산화하여 14-3-3 σ 결합을 통해 핵으로부터 유출을 유도함으로써 EMT를 조절 하고 종양 및 전이를 억제한다고 하였다 (Du 등, 2010). 또 다 른 연구는 NFκB가 SNAI1의 안정화에서 중요한 역할을 한다 고 하였다 (Wu 등, 2009). CDH1이 삭제되었을 때 SNAI1의 발현이 증가하는 기전은 몇 가지로 설명될 수 있다. 첫째, 핵 내의 β-catenin이 증가함으로써 SNAI1의 발현이 증대된다. 둘 째, 핵에서 p65의 발현이 다소 증가함으로써 SNAI1의 발현 이 증대된다. 셋째, GSK-3β 및/혹은 PKD1의 감소 혹은 PAK1 및/혹은 NFκB의 증가를 통해 SNAI1의 인산화를 변경함으로 써 SNAI1의 핵 내 위치와 안정화를 촉진한다.

E-cadherin의 조절에 관하여 면역조직화학검사 및 immunoblotting 분석을 통해 평가한 연구는 다음과 같은 결과 를 보고하였다 (Deep 등, 2014). 첫째, CDH1을 삭제하였을 때 세포 배지와 이종 이식 암에서 줄기세포능을 조절하는 인 자 및 생물 지표, 예를 들면 CD44, 분절된 notch homolog 1 (NOTCH1), early growth response 1 (EGR1) 등과 EMT를 조 절하는 인자 및 생물 지표, 예를 들면 vimentin, pSRC-Tyr416, integrin β3, β-catenin, NFκB 등의 발현이 증가되었다. 둘 째, CDH1이 삭제된 PC3 세포에서 골 전이와 관련이 있는 분 자, 즉 chemokine (C-X-C motif) receptor 4 (CXCR4), urokinase-type plasminogen activator (uPA), RANKL, RUNX2 등의 발현이 증가되었다. 셋째, CDH1이 삭제된 PC3 세포 의 세포질 및 핵, 전립선구 (prostasphere), 이종 이식 암 등 에서 SNAI1의 발현이 현저하게 증가되었다. 넷째, CDH1이 삭제된 PC3 세포에서 특이 siRNA를 이용하여 SNAI1을 삭 제하면 전립선구 형성, 집락 형성, 침습성 등이 억제되었으 며, pSRC-Tyr416, total SRC, CD44 등이 감소하였다. 다섯째, RWPE-1, WPE1-NA22, WPE1-NB14, DU145 등의 세포에서는

특징적으로 SNAI1의 발현 및 전립선구 형성의 증가와 함께 E-cadherin의 발현이 낮았다. 이들 결과는 E-cadherin의 소실이 SNAI1의 발현을 촉진하여 전립선암 세포의 공격성을 조절함을 시사한다.

전립선암 세포주를 대상으로 면역조직화학검사와 Weatern blotting 분석을 실시한 연구는 다음과 같은 결과를 보고하였다 (Fan 등, 2012). 첫째, CDH1에 특이한 siRNA를 이용하여 E-cadherin을 하향 조절하면, 대조군에 비해 metastasis-associated protein 1 (MTA1)의 발현이 상향 조절되고, 암세포의 부착력이 감소될 뿐만 아니라 세포의 운동성 및 침습력, 세포의 극성 (polarity) 등이 증대된다고 하였다 ($p<0.05$). 둘째, E-cadherin은 경과 시간에 의존적으로 MTA1을 조절하며, 전립선암에서는 E-cadherin과 MTA1이 역상관관계를 나타낸다고 하였다 ($p<0.05$; $r=-0.434$). 이러한 결과는 E-cadherin이 MTA1의 발현을 조절함으로써 전립선암의 전이에서 중요한 역할을 함을 시사한다. MTA1과 함께 E-cadherin은 전립선암의 악성 표현형을 변경시킬 수 있기 때문에, 이들은 전립선암의 치료에서 유망한 표적이 될 수 있다.

전립선암 세포의 이동과 침습을 촉진하는 trefoil factor 1 (TFF1)에 관한 연구에 의하면, TFF1은 E-cadherin의 유전자인 CDH1의 전사를 억제함으로써 세포의 이동과 침습을 증대시킨다. 따라서 전립선의 전이를 방지하기 위한 표적 요법의 하나로 TFF1의 억제를 고려해 볼 만하다 (Bougen 등, 2013).

전립선암이 진행하는 동안 E-cadherin은 세포 표면에서 a disintegrin and metalloproteinase domain-containing protein 15 (ADAM15)의 단백질을 분해하는 작용에 의해 분절되어 세포 외부에 존재하는 80 kDa의 sE-cadherin 절편을 생성한다. 전립선암에서와는 다르게 양성 전립선의 상피에서 sE-cadherin 절편의 생성은 ADAM10의 활성과 상호 관련이 있다. ADAM10에 특이한 억제제 INCB8765와 ADAM10 prodomain은 sE-cadherin의 생성을 억제할 뿐만 아니라 하위 신호의 전달과 세포의 증식을 억제한다. 형질 변형이 일어나지 않은 세포주에 EGF 혹은 amphiregulin (AREG)을 추가하면, 배지 내로 유출되는 sE-cadherin의 양이 증가하고 EGFR과 결합한 sE-cadherin이 증가한다. 또한, shRNA를 이용하여 ADAM10을 삭제하면 sE-cadherin의 유출량이 감소하는 것으로 보아 EGF와 관련한 sE-cadherin의 유출은 ADAM10에 의해 매개된다고 생각된다. Immunoglobulin G (IgG)의 Fc 영역과 E-cadherin의 세포 외부 영역이 결합한 Fc-Ecad를 형질

변형을 일으키지 않은 전립선 상피세포에 투여한 경우에는 EGFR의 인산화와 ERK에 의한 후속 신호의 전달이 일어났으며 세포의 증식이 증가하였다. EGFR에 대항하는 치료용 단클론 항체 cetuximab을 양성전립선비대 세포주 BPH-1과 불멸화된 전립선 상피세포주 PrEC에 투여한 경우 Fc-Ecad에 의한 EGFR의 인산화, 하위 신호의 전달, 세포의 증식 등이 감소하였다. 이들 자료는 ADAM10의 매개로 생성된 sE-cadherin이 EGFR ligand에 비의존적인 EGFR 신호의 전달에서 중요한 역할을 함을 시사한다 (Grabowska 등, 2012).

염색체 8p23.1-22에 위치해 있는 종양을 억제하는 유전자 deleted in liver cancer 1 (DLC1)의 발현은 전이 전립선암 세포에서 E-cadherin의 발현을 증가시키며, 세포와 세포 사이의 응집 속도를 증가시킨다. DLC1의 매개로 인한 E-cadherin의 발현 증가는 E-cadherin과 관련이 있는 DLC1 결합 단백질 α-catenin이나 세포 밀도에 의존적이지 않다. E-cadherin 발현의 증가는 DLC1 Rho GTPase-activating protein (RhoGAP)에 의존적으로 mRNA 수준에서 일어나며, 전이 전립선암 세포에 높은 농도로 분포해 있는 Ras homologous protein A-guanosine triphosphate (RhoA-GTP)와 RhoC-GTP의 활성을 억제한다. Rho와 Rho-associated coil kinase (ROCK)의 억제제를 투여하면, DLC1을 도입하였을 때와 동일한 효과를 나타내었다. RhoA를 삭제하면 E-cadherin이 중등도로 증가하는데 비해, RhoC를 삭제하면 E-cadherin이 상당하게 증가한다. 활성적인 RhoA(V14)와 RhoC(V14)에 의한 E-cadherin의 하향 조절은 DLC1 음성 세포주에서 DLC1의 발현을 유도하여도 반전되지 않는다. 전이 전립선암 세포의 침습이 DLC1의 매개로 억제되는 양상은 E-cadherin의 이소성 발현과 관련한 양상 혹은 Rho/ROCK의 억제제나 shRNA 억제에 의해 Rho 경로가 억제됨으로써 일어나는 양상과 유사하다. 이들 자료는 DLC1의 발현은 E-cadherin의 발현에 대해 정조절 인자로서 역할을 하며, Rho 경로를 조절함으로써 전이 전립선암 세포의 침습을 억제하기 때문에, RhoGTPases의 활성도가 높은 암의 치료에서 유망한 표적이 될 수 있음을 시사한다 (Tripathi 등, 2014).

23.3. 전립선암에 대한 표적 요법에서 E-cadherin과 SNAI1
E-cadherin and SNAI1 as target in prostate cancer therapy

여러 연구의 결과를 종합해 볼 때, 기존의 혹은 새로운 암에

대한 예방 제제를 이용하여 전립선암 세포에서 E-cadherin의 발현을 재개시키거나 증가시킴으로써 혹은 SNAI1의 발현을 표적으로 함으로써 국소 전립선암의 전이를 방지할 수 있다고 생각된다 (Raina 등, 2008). 예를 들면, transgenic adenocarcinoma of the mouse prostate (TRAMP) 생쥐를 이용한 연구에서, 질환이 전립선상피내암으로부터 미분화 전립선암으로 진행하는 동안 E-cadherin의 발현은 소실된 데 비해, SNAI1의 발현은 증가하였는데, 큰엉겅퀴 (milk thistle) 추출물 내에 있는 천연 flavonoid, 즉 silymarin의 활성제 silibinin (Siliphos®)을 투여하면 E-cadherin의 발현이 크게 증대되고 SNAI1의 발현은 감소되어 전립선암의 원격 전이가 방지되었다 (Raina 등, 2008). MCF7 암세포에서 *SNAI1*의 발현을 표적화한 새로운 전략을 개발한 연구에 의하면, Co(III)Schiff와 특이 oligonucleotide의 복합체인 Co(III)-E-box는 E-box와 결합하는 zinc finger 가족의 전사 인자를 선택적 표적으로 삼으며, E-cadherin의 유전자인 *CDH1* 촉진체의 활성을 증대시키고 *SNAI1*을 불활성화한다 (Harney 등, 2012). 그러나 *SNAI1*은 배아 발생에서 중요한 역할을 할 뿐만 아니라 줄기세포를 조절하는 중요한 인자로 간주되기 때문에, *SNAI1*을 억제하는 제제는 특이하게 암세포만을 표적화하여야 함을 숙지해야 한다. SNAI1이 억제되면, E-cadherin이 재발현됨은 물론 전이 조직에 있는 다른 상피 표지자의 발현도 증가할 수 있으며, E-cadherin 혹은 상피의 특성이 증가함으로 인해 생존과 증식에서 유익한 효과를 얻을 수 있다 (Celia-Terrassa 등, 2012). 이와 같이 전립선암의 치료에서 상피의 가소성을 표적화할 경우에는 E-cadherin의 촉진 및 SNAI1의 하향 조절에 의해 원발 종양의 성장과 침습이 방지될 수 있지만, 어떤 전이 부위에서는 성장이 증대될 수 있기 때문에, 추가 연구에 의한 철저한 대비가 필요하다.

24. Galectin (GAL)

척추동물에서 여러 *lectin, galactoside-binding soluble (LGALS)* 아형에 의해 코드화되는 galectin은 10개의 polypeptides로 구성된 단백질 가족이며 (Hughes, 1997), glycan과 결합하는 내인성 단백질인 lectin에 속한다. 이들 galectin은 공통된 구조물과 N- 및 O-glycans를 발현하는 1형 (Galβ1,3GlcNAc), 2형 (Galβ1,4GlcNAc) disaccharide N-acetyllactosamine 등과 같은 β-galactoside의 측쇄 잔기 1개 혹

은 그 이상을 인식하고 그들과 특이하게 결합하는 carbohydrate recognition domain (CRD)을 가지고 있어 용해성 β-galactoside-binding lectin으로 불린다 (Barondes 등, 1994; Karmakar 등, 2008). Galectins 가족은 15종이 발견되었으며 (houzelstein 등, 2003), 세 부류, 즉 이합체를 형성할 수 있는 CRD를 1개 보유하며 생물학적으로 단량체 (galectin-5, -7, -10) 혹은 동질 이합체 (galectin-1, -2, -11, -13, -14, -15)로서 활성적인 '원형 (proto-type)' galectin, 1개의 폴리펩티드 사슬 내에서 각기 다른 두 CRD가 일렬로 배열되어 길지 않은 펩티드와 결합한 'tandem repeat' galectin (galectin-4, -6, -8, -9, 12), 관련이 없는 아미노산 말단 영역, 즉 lectin이 아닌 N-terminus와 CRD가 결합하여 소중합화 (oligomerization)를 일으킨 '융합형 (chimeric type)' galectin (galectin-3) 등으로 분류된다 (Jemal 등, 2008; Rabinobich와 CroCI 2012). Galectins는 해양 무척추동물과 진균이 진화하는 동안 매우 초기 과정에서 기원하였다고 생각된다 (Arata 등, 1997). Galectins는 접착하는 동안 세포의 표면 혹은 세포 외부에서의 역할 (Kaltner과 Stierstorfer, 1998), 세포에 대한 인식 및 신호 전달 (Inohara와 Raz, 1995), 세포 내에서 특이한 소기관과의 연관성 및 핵에서 mRNA splicing 요소와의 연관성 (Vyakarnam 등, 1998) 등과 같이 세포의 거의 모든 영역에서 다양한 기능을 나타낸다. Galectins의 종류에 따라 다른 기능도 가지고 있다고 보고되었는데, 그들에는 배아 발생, 신호 전달, 분화 (Lu와 Lotan, 1999), 형질 전환 (Ellerhorst 등, 1999), 종양의 억제, 전이, 면역 반응 (Akahani 등, 1997; Cortegano 등, 1998; Hsu 등, 1999) 등이 있다. 즉, galectins는 세포 밖에서 세포 표면의 당결합체 (glycoconjugates)와 상호 작용하며, 세포의 신호를 전달하여 이동, 면역, 혈관 형성 등을 조절하는 한편, 세포 내에서는 종양의 형질 전환, 증식, 생존 등을 조절한다 (Levy 등, 2011). 아직까지도 galectins의 생리학적 기능에 관해 완전하게 이해되어 있지 않으며, 현재도 galectins가 세포 내에서 어떤 생물학적 역할을 가지고 있는지를 밝히기 위해 많은 연구를 하고 있다.

포유동물에서 galectin의 명칭은 발견된 시간적 순서에 따라 붙여지기 때문에, 문헌에는 galectin-1과 -3에 관한 보고가 가장 많다. 일렬 반복 (tandem repeat) 염기 서열의 CRD 영역을 가진 galectins인 galectin-4, -6, -8, -9은 충분하게 특징화되어 있지 않다. 이러한 형태의 galectins는 진화하는 동안 단일 CRD를 가진 유전자의 해당 exons가 복제되고 확장됨으로

써 생겨났다고 생각된다. 두 CRD 사이에 구조적 상동성이 보존되어 있고 약 30%의 아미노산이 동일하다는 관찰이 이러한 개념을 뒷받침한다 (Wada와 Kanwar, 1997). 일반적으로 galectins는 당결합체 수용체와 결합하여 다합체를 형성하는 경향을 가지고 있다. Galectin-1과 -2와 같이 결합하지 않은 상태인 본래 고유의 단일 CRD galectins는 이합체이며, 다수의 결합 부위를 가진 수용체가 존재할 때에는 galectin-5, -7, -10 등과 같이 더 높은 번호의 결합체를 형성한다 (Kaltner와 Stierstorfer, 1998). 각 CRD가 다른 당결합체를 인식하는 이중 CRD를 가진 분자는 이질적으로 이중 기능을 가진 교차 결합 물질로 작용함으로써 더욱 광범위하게 상호 작용에 관여한다 (Gitt 등, 1998a). 이는 더 많은 결합을 이룬 복합체인 tandem repeat 형태의 galectins가 관여하는 상호 작용은 더 광범위함을 의미한다. 사람에서는 galectin-1~4, -7~10, -12, -13 등이 확인되었으며, galectin-5, -6 등은 설치류에서, galectin-11, -14, -15 등은 양과 염소에서 각각 발견되었다 (Barondes 등, 1994). Galectin-8으로도 알려진 prostate carcinoma tumor antigen 1 (PCTA1)은 전립선암 세포의 표면에서 특이하게 발현되는 분자를 확인하는 클로닝 과정에서 분리되었으며 (Shen 등, 1994), 쥐의 galectin-8과는 81%의 아미노산 상동성을 가지고 있다 (Su 등, 1996).

Galectins의 CRDs는 약 135개 아미노산 영역으로 구성되며, PCTA1에서는 소위 '연결부 (linker region)'에 의해 분리되어 있다. CRD는 모든 galectin 유전자 *LGALS*에 있는 세 개의 exons에 의해 코드화되며, 가운데 exon은 당 잔기와 결합하는 부위를 코드화하는 codon을 보유하고 있다 (Hadari 등, 1995). PCTA1도 이러한 측면에서는 마찬가지이며, exons 3 ±5 및 exons 8±10은 CRD를 코드화하는 염기 서열을 가지고 있다. PCTA1의 연결부는 가장 보편적인 mRNA 종에 있는 두 exons에 의해 코드화된다. PCTA1의 유전체 구조는 연결부의 길이를 변경하는 exons 7′ 및 7″의 선택적 이어맞추기 (alternate splicing)로 인해 galectin-4, -6, -9과 같이 tandem repeat 형태를 포함하는 galectins와는 다르다. 이들 exons는 개방형 해독틀 (open reading frame, ORF) 내로 alternate splicing이 이루지고, 7′, 7″ 혹은 둘 모두가 기존의 PCTA1 ORF 내로 splicing이 이루어지는지에 따라 126 bp (43 aa), 75 bp (25 aa), 201 bp (68 aa) 등에 의해 연결부를 확장시킨다. 추후 연구에서, 여러 동형 단백질에 의해 인식된 다양한 polysaccharides에 영향을 주는 확장된 연결부의 중요성에 대

한 평가가 이루어져야 한다. Galectin-3에서 N-terminus 영역의 결손이 있는 경우에는 galectin-3의 세포 내 위치가 달라질 수 있다 (Mehul과 Hughes, 1997).

24.1. Prostate carcinoma tumor antigen 1 (PCTA1)

Galectin-1, -3 등과 같이 동물의 일부 galectins는 당과 결합하는 작용을 가진 분자로서 혹은 적혈구응집소 (hemagglutinin)의 기능을 가진 분자로서 생화학적 과정을 거쳐 분리되고 정제되었다 (Iglesias 등, 1998). Galectin-5, PCTA1 (사람에서의 galectin-8), 쥐의 galectin-8 등은 종양 형성 혹은 분화와 같이 특이한 생물학적 현상과 관련이 있는 분자를 검색하는 과정에서 분리되었다 (Gitt 등, 1998a). PCTA1은 전립선암 세포의 표면 표지자를 확인하는 검색 과정 (Su 등, 1996)과 폐암의 cDNA 발현을 검색하는 과정 (Bassen 등, 1999)에서 각각 발견되었다. 전혀 관련이 없는 단백질은 인식하지 않는다고 알려진 insulin receptor substrate 1 (IRS1)의 항체를 이용한 발현 검색에서 쥐의 galectin-8이 우연히 확인되었다 (Hadari 등, 1995). PCTA1을 분리하기 위해 Pro 1.5 항체를 이용한 연구는 세포주 및 조직 내에서 이 단백질이 정상 혹은 악성 전립선 표본에 따라 차이를 나타낸다고 하였다 (Su 등, 1996). PCTA1을 코드화하고 사람의 galectin-8 유전자와 관련이 있는 유전자 *PCTA1*은 염색체 1q42.2-43에 위치해 있는데, 이 자리는 전립선암을 일으키는 경향을 가진 유전자가 위치하는 자리이다 (Berthon 등, 1998). *Poly ADP-ribose polymerase* (*PARP*), *Ras-related GTP-binding protein 4* (*RAB4*) 등을 포함하는 다른 유전자도 이 자리에 위치해 있다 (Berthon 등, 1998). 이 자리는 또한 유전적으로 불안정하여 복제 오류를 일으키는 자리 (Murty 등, 1994)와 취약 부위 (Feichtinger과 Schmid, 1989)를 가지고 있으며, 아교모세포종 (glioblastoma)에서는 전위가 일어난다는 보고가 있다 (Li 등, 1995).

PCTA1은 세포 내에서 핵의 바깥에 위치해 있으며, 세포질 내에서 균일하지 않고 세포의 소기관과 연관되어 미세 집단을 이룬다 (Bassen 등, 1999). 전립선암 단일 클론 항체 Pro 1.5를 이용한 처음의 연구는 항원이 세포 표면에 있다고 하였으나 (Su 등, 1996), Pro 1.5와 Pro 66의 단일 클론 항체를 이용한 연구는 Western blotting을 통해 세포 단백질 추출물에서 다수의 밴드를 발견하였다. 따라서 PCTA-1의 세포 내 위

치는 세포의 생리학적 상태, 특이한 세포 형태, 발현되는 동형 단백질, 세포 외부의 신호에 대한 반응 등에 따라 달라질 수 있다고 생각된다 (Gopalkrishnan 등, 2000).

Tumor-associated antigen (TAA)과 같은 분자를 확인하고 클로닝하기 위해 rapid expression cloning, surface-epitope masking (SEM), antibody expression cloning 등과 같은 획기적인 방법이 개발되었다. 이러한 접근으로 항체 Pro 1.5에 의해 인식된 TAA를 코드화하는 *PCTA1*이 발견되었다. 염기서열 분석에서 *PCTA1*은 3.85 kb의 cDNA로 구성되어 있으며, ≈1.25 kb cDNA의 쥐 galectin-8과 뉴클레오티드의 경우 83%, 아미노산의 경우 81%의 상동성을 가졌다 (Hadari 등, 1995). 단백질 구조에 관한 분석에서 PCTA1은 galactose와 결합하는 단백질의 S 형 lectin 가족과 구조적으로 40%까지의 상동성을 보인다 (Barondes 등, 1994). 이들과 높은 상동성을 보이는 단백질로는 NIH3T3 섬유모세포주에서 발현되는 35 kDa의 carbohydrate-binding protein (CBP35), 쥐의 전이 암에서 관찰되는 34 kDa의 표면 항원, 사람의 전이 암에서 나타나는 31 kDa의 표면 단백질, 어린 햄스터의 신장 세포에서 발견되는 30 kDa의 CBP30, 쥐와 사람의 폐에서 발견되는 29 kDa의 galactose-binding lectin, 쥐의 호염기 세포에서 발견되는 IgE-binding protein, thioglycollate에 의해 유도된 쥐의 대식세포에서 발견되는 32 kDa의 표면 항원 macrophage cell-surface protein 2 (MAC2; 후에 galectin-3으로 알려짐) 등이 있다 (Barondes 등, 1994). 앞에서 기술된 바와 같이 galectin 단백질의 역할은 다양하며, 세포의 신호 전달, 증식 조절, 세포 접착, 세포 이동 등 중요한 생물학적 과정에 영향을 주기 때문에, *PCTA1*이 galectin과 특이하게 상동성을 나타내는 단백질을 코드화한다는 결과는 이 분자, 즉 human tumor homologue of rat galectin-8 (galectin-8HT)이 전립선암의 발생과 진행에 영향을 줌을 시사한다 (Su 등, 1996).

SEM 분석은 전립선암 세포에서 흘러나온 것으로 생각되는 TAA를 코드화하는 *PCTA1*이 침윤성 전립선암 및 초기 전립선암의 세포 표면에서 발견되었으나 정상 전립선이나 양성전립선비대 조직에서는 발견되지 않았으며, RT-PCR을 이용한 연구도 *PCTA1*의 발현이 전립선암과 전립선상피내암에서 관찰되었으나 정상 전립선이나 양성전립선비대에서는 발견되지 않았다고 하였다 (Su 등, 1996). 그러므로 antisense oligonucleotide, antisense 발현 벡터, ribozyme 등을 이용한 접근법을 이용하여 *PCTA1*을 억제하면 전립선암의 전이력을 감소

시킬 수 있다고 생각된다 (Su 등, 1996). 다른 연구는 PCTA1의 발현은 LNCaP 세포에서는 성장을 억제하는 인자로서 작용하지만, 세포의 형질 전환이 일어난 후 종양이 진행될 때는 반대되는 역할을 하여 종양의 진행 및 전이를 유발하는 인자로서 작용한다고 하였다 (Gopalkrishnan 등, 2000).

근래의 연구에 의하면, PCTA1은 galectin-8과 동일한 단백질이라고 보고되었다. Galectin-8은 여러 조직의 도처에서 발현되고 전립선암에서 상향 조절된다고 보고되었다 (Gopalkrishnan 등, 2000). 전립선암 세포주와 원발 전립선암에서 'tandem repeat' galectin이 발현되며, galectin-8의 발현 정도는 전립선암의 모든 병기에서 비슷하다 (Laderach 등, 2013). Galectin-8의 다양한 아형, 세포 내에 분포하는 부위의 다양성, 독특한 발현 양상 등으로 미루어 볼 때, galectin-8은 세포의 증식 및 접착, 혈관 형성 등의 조절을 포함하는 전립선암의 생물학에서 중요한 역할을 한다고 추측된다 (Delgado 등, 2011).

24.2. Galectin-1

Galectin-3, -4, -9, -12 등은 진행된 병기의 원발 전립선암에서 하향 조절된다고 보고되었는데 (Laderach 등, 2013), 이는 galectin-3의 발현이 종양이 성장하는 동안 촉진체의 메틸화 (Ahmed 등, 2007)와 metalloproteinase로 매개되는 단백질 분절 (Wang 등, 2009)의 기전을 통해 감소된다는 이전의 보고와 일맥상통한다 (Merseburger 등, 2008). Galectin-3는 세포의 내부에 위치하는지 아니면 외부에 위치하는지에 따라 종양 형성을 유발하는 효과와 대항하는 효과의 이중적인 생물학적 특성을 나타낸다 (Califice 등, 2004). 즉, 세포질의 galectin-3는 전립선암 세포의 세포 자멸사에 대한 저항성, 부착 비의존성 성장, 세포 외부 기질로의 침범 등을 촉진하고, 세포 외부의 galectin-3는 전립선 세포가 내피에 접착하는 데 관여한다 (Nakahara 등, 2005). 근래의 연구는 galectin-3의 하향 조절이 다른 galectin 아형의 발현과 함께 전립선암의 진행에 대한 지표이며, 전립선암에서 가장 풍부하게 발현되는 내인성 lectin인 galectin-1은 거세 저항성 전립선암에서 유망한 생물 지표인 동시에 치료의 표적이 된다고 하였다 (Laderach 등, 2013). 135개의 아미노산으로 구성된 galectin-1은 4개의 exons를 가진 *LGALS1*에 의해 코드화되며, *LGALS1*은 염색체 22q13.1에 위치해 있다 (Gitt와 Barondes, 1991).

24.2.1. 항암 요법의 표적으로서의 galectin-1
Galectin-1 as target of anticancer therapy

효과적인 항암 요법은 전형적으로 건강한 조직과 종양 조직 사이에서 생기는 분자 차이를 표적으로 한다. 유전체 시대가 열린 이후 복합 당질 (glycome)에 관한 연구는 정상 조직으로부터 종양 조직으로 이행하는 데는 특이한 glycan 구조가 필요함을 보여 주었다 (Rillahan과 Paulson, 2011). 복합 당질에 관한 생물학적 정보에 의하면, glycan과 결합하는 내인성 단백질인 lectin은 종양이 진행하는 동안 발현되고 조절된다 (Dube와 Bertozzi, 2005). Glycan과 결합하는 단백질 가족인 galectin은 종양의 형질 전환, 침윤, 혈관 형성, 종양의 면역 탈피 등에 직접 영향을 미침으로써 종양 생물학의 조절 인자로서 중심적 역할을 한다 (Rabinovich와 Croci, 2012).

전립선암은 단순히 상피세포가 비정상적으로 증식하는 질환이 아니고 전립선암의 상피세포와 암의 미세 환경 사이에서 일어나는 복잡한 상호 작용으로 발생하는 질환이라고 할 수 있다 (van den Brûle 등, 2001). 신호를 전달하는 다수의 경로와 생물학적 사건이 종양의 성장을 매개하는데, 여기에는 안드로겐 수용체의 신호 경로, tyrosine kinase의 신호 경로, 혈관 형성, 종양의 면역 회피 (tumor-immune escape) 등이 포함된다 (Ramsay와 Leung, 2009). 다수의 결합 부위를 가진 lectins와 glycans 사이의 상호 작용은 기질세포, 내피세포, 면역세포의 기능을 조절함으로써 이러한 복잡한 연결망에 관여한다 (Liu와 Rabinovich, 2005). 탄수화물에 대한 특이성과 구조적 상동성을 보유하고 있어 처음에는 galectins가 기능적으로 불필요하다고 추측되었으나, 근래에는 종양세포의 침윤, 염증, 혈관 형성 등에서 galectin 가족의 각 구성원이 특이한 역할을 나타내어 'galectin에는 특이한 특징'이 있다고 생각된다 (Rabinovich와 Croci, 2012). 예를 들면, galectin-1의 발현은 전립선암 세포의 분화와 생존을 조절하며 (Valenzuela 등, 2007), T-cell의 이동을 억제한다 (He와 Baum, 2006). Galectin-3는 혈관 내에서 전립선암 세포의 동형 응집 및 이형 응집을 조절하고 (Glinsky 등, 2003), 그들의 생존력을 조절한다 (Fukumori 등, 2006). 종양세포에서 galectin-3의 발현은 낮은 병기의 암으로부터 거세 저항성 암으로 이행하고 있음을 암시하며 (Merseburger 등, 2008), 발현의 조절은 촉진체의 메틸화와 관련이 있다 (Ahmed 등, 2007). Galectin-3의 기능을 차단하면 전립선암 세포의 이동, 침윤, 증식 등이 억제된다 (Wang 등, 2009). PCTA1으로도 알려진 galectin-8은 integrin으로 매개되는 세포와 fibronectin과 같은 세포 외부 기질 사이의 접착을 조절하여 종양세포의 침범에 관여한다 (Zick 등, 2004).

이전의 연구는 DU145, PC3, LNCaP 등의 세포주에서 galectin-2, -4, -7, -9 등이 발현되지 않았으나 상당한 양의 galectin-8은 발현되었으며, galectin-1과 -3는 DU145, PC3 등의 세포주에서는 발현되었으나 LNCaP 세포주에서는 발현되지 않았다고 하였다 (Lahm 등, 2001). 대조적으로 다른 연구는 안드로겐에 대해 반응하지 않는 22Rv1 및 PC3 세포주에 비해 20배 낮지만 LNCaP 세포주에서도 mRNA 및 단백질 수준에서 galectin-1이 유의하게 발견되었으며, LNCaP 세포를 호르몬이 없는 상태에서 수주 동안 배양하면 galectin-1의 발현이 증대된다고 하였다. 저자들은 다른 연구 결과와 차이가 있는 이유는 배양 조건, 세포주의 기원, 프로토콜 등이 다르기 때문이라고 하였다 (Laderach 등, 2013). Galectin-1의 발현은 백혈병 및 림프종 세포, 유방암 세포 등에서도 보고되었다 (Hernandez 등, 2002).

Galectin-1은 세포 외부에서 작용하며, 정상 혹은 형질 전환을 일으킨 T 림프구의 세포 자멸사를 유도한다고 알려져 있다 (Brandt 등, 2008). 유방암 세포 MCF7과 융모막암 (chorionic carcinoma) 세포 BeWo를 이용한 연구도 galectin-1이 고열과 같은 스트레스 자극 하에서 세포 자멸사를 유도한다고 하였다 (Wiest 등, 2005). Galectin-1은 종양의 미세 환경에서 자가 분비 및 주변 분비의 작용을 통해 혈관 형성 (Thijssen 등, 2008), 세포 접착 및 침윤 (Le Mercier 등, 2009), 면역 억제 (Saussez 등, 2009) 등과 같은 다면적인 기능을 나타내기 때문에, galectin-1의 상향 조절은 전립선암이 진행하는 데 상당한 영향을 미친다고 생각된다. Galectin-1은 내피세포에서 발현되고 (Banh 등, 2011), 다양한 암에서 상향 조절된다고 보고된 바 있다 (Liu와 Rabinovich, 2005). 혈관 형성에서 필수적인 역할을 하는 galectin-1은 진행된 전립선암에서는 내피세포 표지자와 상호 관련이 있지만, 유방암에서는 그러하지 않다 (Laderach 등, 2013). 이는 galectin-1이 희소돌기아교세포종 (oligodendroglioma) (Le Mercier 등, 2009), B16 흑색종 (Thijssen 등, 2010), Kaposi 육종 (Croci 등, 2012) 등에서는 혈관 형성을 유도하지만, Lewis 폐암과 같은 다른 종양에서는 그러하지 않다 (Saussez 등, 2007)는 보고와 일맥상통한다. 이들 결과를 종합하여 볼 때, 전립선암 세포에서 galectin-1의 유전자인 *LGALS1*의 활동을 침묵시키는 전략은 혈관 형성과 관련이 있는 다른 유전자의 발현에는 영향을 주지 않으면서 종양의 혈관 형성을 억제할 수 있다고 생각된다 (Laderach 등, 2013).

전립선암 외의 다른 암의 항암 요법에서 galectin-1을 이용한 자료도 있다. Galectin-1의 탄수화물과 결합하는 결정 인자, 즉 galectin-1 ligand는 활성 림프구에서 발현되며, galectin-1과 결합한 후에는 세포 자멸사를 유발하는 신호를 전달하거나 조절 기능을 가진 cytokins의 생성을 촉진한다 (Toscano 등, 2007). 항암 효과체인 T 세포는 다량의 galectin-1을 발현하기 때문에, galectin-1이 풍부한 종양의 미세 환경에서는 T 세포의 생존력과 기능이 손상을 받게 된다. 실제 종양에서 유래되는 galectin-1이 소실될 때는 interferon (INF)-γ를 생성하는 세포의 활성이 증대되어 종양의 진행이 억제된다 (Ilarregui 등, 2009). 이와 마찬가지로 cluster of differentiation 43 (CD43)과 같은 galectin-1 ligand가 없으면, 종양의 성장이 억제된다 (Fuzii와 Travassos, 2002). N-Acetyllactosamine의 합성을 대사적으로 억제하는 제제인 4-fluoro-glucosamine (4-F-GlcNAc) (Barthel 등, 2011)을 이용하여 T 세포막에서 galectin-1과 N-acetyllactosamine과의 결합을 제한한 연구는 항암 효과를 나타내는 면역 반응의 증대로 인해 B16 흑색종과 EL-4 림프종의 성장이 억제됨을 관찰하였다. 즉, 4-F-GlcNAc를 투여한 경우에는 효과체 T 세포와 natural killer (NK) 세포에서 galectin-1과 결합하는 N-acetyllactosamine의 형성이 억제되어 galectin-1에 의해 유도되는 세포 자멸사가 억제됨과 함께 흑색종에 특이한 cytotoxic T lymphocyte (CTL)와 INF γ의 수치가 증가하였다. 이들 결과를 근거로 저자들은 galectin-1 ligand의 형성에 대한 대사적 대항 작용으로 galectin-1/galectin-1 ligand 축을 차단하면 효과적인 면역 요법에 의한 항암 효과를 얻을 수 있다고 하였다 (Cedeno-Laurent 등, 2012).

24.2.2. Galectin-1으로 인한 세포 자멸사

Apoptosis induced by galectin-1

세포 표면의 당단백질과 당지질의 당화 패턴에서의 특이 변화는 세포가 형질 전환을 일으키거나 종양이 진행하는 동안 일어난다 (Ono와 Hakomori, 2004). 이들 '당 항원 결정 인자 (glyco-epitope)' 는 기저막으로부터 세포를 분리하여 전이 부위로 이동, 면역 반응으로부터 종양세포를 은폐, 세포 자멸사를 유발하는 내인성 인자로부터 종양세포를 보호 등과 같

은 여러 기전을 통해 종양의 진행을 촉진한다 (Hagisawa 등, 2005). 참고로, 당화 (glycosylation)란 효소에 의해 탄수화물, 즉 glycosyl 기가 hydroxyl 기 혹은 기타 기능성 기와 결합하는 과정으로서, 대표적인 예로 asparagine, arginine의 amide nitrogen에 당이 붙는 'N-linked glycosylation', serine과 threonine 잔기의 hydroxy oxygen에 당이 붙는 'O-linked glycosylation' 이 있다.

전립선암에서 종양세포로 인한 당화 반응의 변화와 종양세포 및 기질에 의해 glycan과 결합한 lectins의 발현 변화가 보고된 바 있다 (Andersen 등, 2003). 전립선암 세포에서 당화 반응의 변화는 전립선암 세포의 성장, 침범 및 전이, 그리고 안드로겐 비의존성으로의 진행 등에 영향을 미친다고 보고되었다. 예를 들면, 정상 혹은 양성 전립선에서 유래된 PSA의 glycans는 두 개의 sialic acid를 가지는 복합체를 형성하는데, 낮은 등전점 (isoelectric point, Ip)의 PSA에서는 glycans의 약 50%가 두 개의 sialic acid를 가지는 데 비해 높은 등전점의 PSA에서는 대부분이 한 개의 sialic acid를 가진다. 정상 PSA의 glycan이 sialic acid를 가지는 데 비해, 전립선암 세포 LNCaP에 있는 PSA의 oligosaccharide는 모두 중화 (neutral) 상태이며 fucose를 다량 함유하고 있다. 구조물의 10~15%에서는 fucose가 alpha 1-2에서 galactose와 결합하여 정상 PSA에는 없는 H2 항원 결정 인자를 형성한다. LNCaP의 glycan에서는 N-acetylgalactosamine (GalNAc)이 65%에서 나타나는 데 비해, 정상 PSA의 경우에는 불과 25%에서만 관찰된다. 이와 같이 PSA의 탄수화물에서의 차이가 정상 전립선과 전립선암을 구별할 수 있는 감별점이 될 수도 있다 (Peracaula 등, 2003). 또한, 종양세포 표면의 당단백질인 전립선 뮤신 항원 (prostate mucin antigen, PMA)은 많은 O-glycans를 가지고 있으며, 이 항원은 전립선암 세포에서는 발현되지만 정상 전립선 세포에서는 발현되지 않는다 (Beckett와 Wright, 1995). 전립선암 세포에 있는 O-glycans는 흔히 당 항원 결정 인자인 Tn 항원, 즉 GalNAc-O-Ser/Thr를 가지며 종양의 면역 요법에서 표적이 되는 한편, O-glycans에 있는 T 항원, 즉 Galβ 1,3GalNAc는 전립선암 세포가 내피세포에 접착하는 데 관여한다 (Glinsky 등, 2001).

세포 표면의 특이한 당화는 galectin-1으로 유도되는 T 림프구의 사망에 필요한 glycan ligand를 만들거나 은폐시킨다고 보고되었지만 (Amano 등, 2003), galectin-1에 대한 전립선암 상피세포의 민감성을 조절하는 세포 표면의 당화에 관

해 알려진 바는 별로 없다. 쥐 모델에서 *LGALS1* cDNA에 의한 유전자 전달 감염 혹은 sodium butyrate에 의한 처치로 LNCaP 세포에서 발현된 galectin-1은 이 세포주에서 세포 자멸사를 유도한다고 보고되었지만, 이 연구는 LNCaP 세포에 의해 분비된 galectin-1을 분석하지 않았으며, galectin-1의 glycan ligands에 관한 특징을 평가하지도 않았다 (Ellerhorst 등, 1999). 대조적으로 DU145와 PC3 전립선암 세포는 많은 양의 galectin-1을 합성하고 분비하는데, 이는 이들 세포주가 galectin-1에 의해 유발되는 세포사에 저항적임을 시사한다 (Ellerhorst 등, 1999). 마찬가지로 PSA 양성 LNCaP 세포에 비해 안드로겐 의존성의 PSA 음성 LNCaP 세포에서는 *LGALS1* mRNA의 발현이 25배 이상 더 증가하고 galectin-1 단백질의 발현도 더 증가한다 (Harkonen 등, 2003). PSA 발현의 소실은 더 공격적인 암으로의 진행과 상호 관련이 있기 때문에, PSA 음성 LNCaP 세포에서 galectin-1이 강하게 발현됨은 galectin-1의 발현 증가와 전립선암의 진행 사이에 상호 관련이 있음을 암시한다. 다른 연구 또한 전립선암의 기질에서 galectin-1의 발현 증가가 전립선암의 공격성 및 부정적인 예후와 상호 관련이 있으며, 이는 종양세포가 galectin-1으로 유도되는 세포사에 대해 저항성을 습득함으로써 종양세포가 세포사를 회피할 수 있는 유리한 조건이 만들어졌기 때문이라고 하였다 (van den Brûle 등, 2001). 흑색종 쥐 모델에 관한 연구는 흑색종 세포에서 galectin-1의 발현이 침윤성을 가진 T 세포의 사망을 유도한 데 비해, galectin-1의 발현을 억제하면 CD8 T 세포의 공격성이 증대된다고 하였다 (Rubinstein 등, 2004). 다른 연구는 세포 외부 기질에 있는 galectin-1이 침윤성 T 세포를 살해한다고 하였다 (He와 Baum, 2004). 따라서 galectin-1으로 유도되는 세포 자멸사에 대한 저항성은 전립선암 세포의 전이를 증대시키고 면역 반응으로부터 종양세포를 보호하는 역할을 한다.

전립선암 세포에서 galectin-1과 결합하여 세포사를 일으키는 glycan ligands를 발견하였다고 보고된 바는 없지만, 근래의 연구는 galectin-1이 LNCaP 세포의 사망을 유도하는 데 필요한 특이한 glycan 구조물을 발견하였다. LNCaP 세포에 있는 이 glycan ligand는 galectin-1으로 유도되는 세포사에 대한 민감성을 높이는 데 필요하며, galectin-1에 대한 T 세포의 민감성을 높이는 데 필요한 구조물과 동일하였다 (Galvan 등, 2000). 이들 자료로 미루어 볼 때, 전립선암 세포는 galectin-1으로 유도되는 세포사에 관여하는 T 세포의 당단백질 수용체,

예를 들면 CD7 (Pace 등, 2000), CD43 (Pace 등, 1999), CD45 (Nguyen 등, 2001) 등을 발현하지 않기 때문에, galectin-1으로 유도되는 상피세포와 중간엽세포의 사망은 세포 유형에 따라 다른 polypeptide와 결합하는 공통된 saccharide ligand에 의해 이루어진다고 생각된다 (Valenzuela 등, 2007).

전립선암의 다른 세포주에 비해 LNCaP 세포주에서 galectin-1에 대한 민감성을 유발하는 glycan ligand를 조사한 연구는 galectin-1에 민감한 PSA 양성 LNCaP 세포에 비해 galectin-1에 저항적인 PSA 음성 LNCaP 세포에서 T 림프종 세포가 galectin-1에 대한 민감성을 얻는 데 필요한 glycosyltransferase의 일종인 core 2 N-acetylglucosaminyltransferase가 하향 조절되어 있으며, $\alpha2,3$-sialyltransferase 1의 발현으로 O-glycan의 확장을 차단시키면 LNCaP 세포가 galectin-1에 대해 저항성을 나타내기 때문에, 특이한 O-glycans가 galectin-1의 민감성에서 중요한 역할을 한다고 하였다 (Valenzuela 등, 2007). 또한, galectin-1을 발현하는 전립선암 세포는 T 세포의 사망을 유도하지만, galectin-1을 발현하지 않는 전립선암 세포는 T 세포의 사망을 유도하지 못함이 관찰되었는데, 이는 galectin-1의 민감성이 소실되고 내인성 galectin-1의 합성이 억제된 경우에는 종양이 면역 공격으로부터 은폐됨을 시사한다. 이들 결과를 근거로 저자들은 galectin-1으로 유도되는 세포 자멸사에 대한 저항성이 전립선암 세포의 생존 및 면역으로부터의 은폐를 촉진한다고 하였다 (Valenzuela 등, 2007).

24.2.3. Galectin-1의 항염증 효과
Anti-inflammatory effect of galectin-1

말초 혈액의 림프구가 종양, 감염, 조직 손상 등의 부위로 집결하는 현상은 염증에서 중요한 단계이다 (Rao 등, 2005). 림프구가 염증 부위로 침윤하는 형태와 정도를 조절하는 데는 많은 인자들이 관여하며, 그들 인자로는 염증 조직 내에서 활성화되어 내피에 접착하는 림프구의 잠재력, 내피세포 층을 통과하여 조직 내로 들어가는 림프구의 활동력, 조직을 통해 이동하는 림프구의 능력, 염증 환경에서 나타나는 림프구의 생존력 등이 있다. 림프구의 접착 및 이동에 대한 정조절 인자로는 selectin, integrin, vascular cell adhesion molecule (VCAM) 등이 있다고 알려져 있지만, 내피 장벽을 가로질러 이동하는 림프구에 대한 역조절 인자에 대해서는 알려진 바가 별로 없지만 (He와 Baum, 2006), galectin-1이 세포 자멸사를 일으키는 신호를 유도하고 T helper 2 세포 (Th2) 및 조절

성 cytokine으로 암의 미세 환경을 변화시킴으로써 백혈구의 운명과 기능에 영향을 미친다는 보고가 있다 (Juszczynski 등, 2007; Ilarregui 등, 2009).

Galectin-1은 T 림프구의 생존과 기능을 조절하는 lectin이다. Galectin-1은 활성적인 내피세포, 기질의 섬유모세포, 종양세포, 항원을 나타내는 세포 등의 표면에서 발현되며, 염증 조직과 신생물 조직에서 발현이 증가된다 (La 등, 2003; van den Brûle 등, 2003). Galectin-1은 본래의 T 세포에서는 생존을 촉진하지만, 활성화된 T 세포에서는 세포 자멸사를 유도한다 (Endharti 등, 2005). 활성화된 T 세포는 내인성 galectin-1의 발현을 증가시키는데, 이는 자가 분비성 세포의 사망은 T 세포의 면역 반응을 하향 조절함을 시사한다 (Ouellet 등, 2005). 자가 면역 질환 및 이식 질환 모델에게 투여된 galectin-1은 T 세포의 세포 자멸사를 직접 유도함으로써 혹은 INF γ, interleukin (IL)-2, tumor necrosis factor (TNF)-α 등의 생성을 감소시킴으로써 T 세포로 매개되는 염증을 억제하였다 (Baum 등, 2003). Galectin-1은 또한 T 세포에서 T helper 1 세포 (Th1)의 반응을 억제하는 IL-10의 생성을 촉진한다 (van der Leij 등, 2004). 종양 및 종양을 동반한 기질에 의해 galectin-1의 발현이 증가되면 T 세포의 침윤이 감소하고 T 세포의 생존이 감소하는 반면, 종양세포에 의해 galectin-1의 발현이 감소되면 T 세포로 매개되는 종양의 파괴가 증대된다 (He와 Baum, 2004; Rubinstein 등, 2004). 마찬가지로, 관절염 환자의 윤활 조직에서 galectin-1의 발현이 감소되면, 염증세포의 축적이 증가된다 (Harjacek 등, 2001). 따라서 galectin-1은 T 세포로 매개되는 염증을 하향 조절한다고 생각된다 (Rabinovich 등, 2002).

체외 실험에서 lipopolysaccharide (LPS) 혹은 cytokines를 이용하여 내피세포를 활성화한 경우에는 내피세포의 표면에 있는 galectin-1의 발현이 증가되었으며, 내피세포에 의한 galectin-1의 발현 증가는 염증이 일어난 림프절에서 관찰되었다 (Baum 등, 1995). 난소암과 전립선암 세포를 이용한 적응용 배지 (conditioned medium)는 밝혀지지 않은 기전을 통해 기질세포와 내피세포에 의한 galectin-1의 발현을 증가시켰다 (Clausse 등, 1999). 내피세포의 galectin-1이 T 세포의 사망을 유도하는 기능을 가지고 있다고 밝혀져 있지만, 내피세포와의 접착, 내피를 통한 이동 등과 같은 T 세포의 다른 기능을 조절하는 역할도 수행하는지는 잘 알려져 있지 않다. 암세포의 적응용 배지를 이용하여 내인성 galectin-1의 발현과 내피세포

에 의한 분비를 유도함으로써 galectin-1이 T 세포와 내피세포 사이의 상호 작용에 미치는 영향을 평가한 연구는 galectin-1의 발현이 T 세포와 내피세포와의 접착에 영향을 주지 않았으나, 내피세포에서 galectin-1의 발현이 증가된 경우에는 내피를 통과하는 T 세포의 이동력이 감소되었고, T 세포가 세포 외부 기질을 통한 이동력도 감소되었다고 하였다. 이와 같은 결과를 근거로 저자들은 galectin-1이 T 세포의 기능과 생존에 미치는 효과 외에도 T 세포의 염증 부위로 이동을 감소시키는 항염증 효과도 가지고 있다고 하였다 (He와 Baum, 2006).

24.3. Galectin-3

염색체 14q21-q22에 위치해 있는 *LGALS3*에 의해 코드화되는 galectin-3는 β-galactoside와 결합하는 단백질 가족 중 가장 폭넓게 연구된 구성원들 중 하나이다. 31 kDa의 유전자 산물인 galectin-3는 주로 세포질 내에 분포해 있고 세포 표면에서 발현된다 (Kawachi 등, 2002). 이 단량체 단백질은 세 가지의 영역, 즉 탄수화물과 결합하는 COOH 말단 영역, 20개 아미노산의 NH_2 말단 영역, proline, glycine, tyrosine이 풍부한 반복 요소로 구성된 R 영역 등으로 구성되어 있다 (Herrmann 등, 1993).

Galectin-3 단백질은 세포와 세포 사이 그리고 세포와 기질 사이의 상호 작용 (Matarrese 등. 2000), pre-mRNA splicing (Dagher 등. 1995), 세포 증식 (Inohara 등. 1998), 세포 주기의 조절 (Lin 등. 2000), 혈관 형성 (Nangia-Makker 등. 2000), 종양의 형성 및 전이 (Takenaka 등. 2004) 등 여러 생물학적 과정에 관여한다. Galectin-3는 소화기계의 암, 예를 들면 결장암 (Arfaoui-Toumi 등, 2010), 위암 (Okada 등. 2006), 간암 (Matsuda 등, 2008) 등에서 높게 발현된다고 보고되었으며, 그 외에도 갑상선암 (Chiu 등, 2010), 비소세포 폐암 (Szöke 등, 2007), 뇌하수체암 (Righi 등, 2010), 신세포암 (Sakaki 등, 2010), 피부 흑색종 (Abdou 등, 2010), 유방 소엽암 (Koo와 Jung, 2011), 후두 편평상피세포암 (Choi 등, 2010), 갈색세포종 (pheochromocytoma) (Saffar 등, 2011), 난소암 (Brustmann, 2008), 방광암 (Canesin 등, 2010) 등에서 과다 발현됨이 관찰되었다.

형질막과 연관성을 가지고 세포 외부 기질로 분비된 galectin-3는 다양한 당포합체 (glycoconjugate)와의 결합을 통해 세포와 세포, 세포와 기질 사이의 상호 작용을 매개한다

도표 139 세포 내부 및 외부에서 galectins의 기능

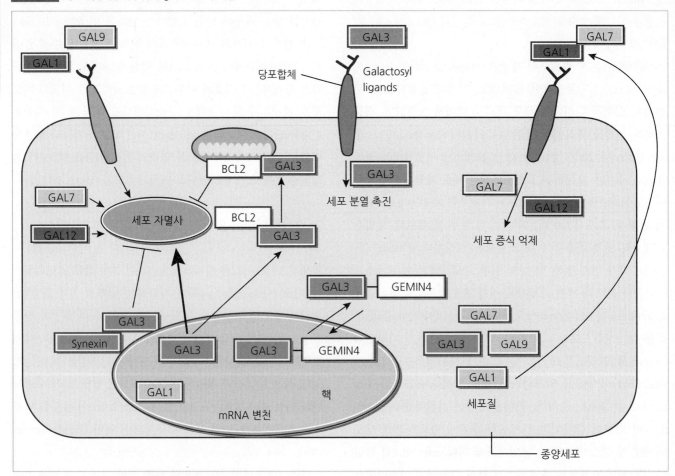

Galectins의 여러 아형은 세포 내에 분포하거나 세포 외부 공간으로 분비된다. 세포 외부에서 galectins는 galactose를 함유한 oligosaccharides에 의해 형성된 세포 표면의 당포합체 (glycoconjugates)와 교차 결합하며, 세포 내부로 신호를 전달한다. Galectins는 이러한 기전을 통해 세포의 유사분열, 세포 자멸사, 세포 주기의 진행 등을 조절한다. 세포 내부에서 galectins는 핵과 세포질 사이를 왕래하면서 pre-mRNA splicing과 같은 기본적인 과정에 관여한다. 또한, galectins는 신호를 조절하는 세포 내부의 경로와 상호 작용함으로써 세포의 성장, 세포 주기의 진행, 세포 자멸사 등을 조절한다. 이 그림에서는 galectins에 의해 인식되는 galactosyl ligands가 동일하게 그려져 있지만, galectins는 oligosaccharides에 대해 높은 특이도를 가지며, 각각은 당포합체의 서로 다른 부위와 결합한다. 이 그림에는 나타나 있지 않지만, galectins는 glycolipids 뿐만 아니라 glycoproteins와도 결합할 수 있다. Galectins는 세포 자멸사를 조절하는데, GAL1과 GAL9은 외인성으로 세포에 부가되는 경우에 종양세포의 자멸사를 유도하는 반면, GAL7과 GAL12는 세포 내부의 기전을 통해 세포 자멸사를 촉진한다. GAL3는 세포 자멸사에 대해 대항하는 기능을 가지고 있으며, 세포 자멸사의 자극을 받은 세포에서는 GAL3가 핵막의 주변부와 미토콘드리아로 전위된다. 인지질 및 Ca^{2+}과 결합하는 단백질인 synexin은 GAL3와 상호 작용하며, GAL3의 전위는 synexin에 의존적이다. GAL3는 또한 세포 내부에서 세포 자멸사를 조절하는 인자, 예를 들면 BCL2와 상호 작용함으로써 기능을 하며, 결정적인 증거가 부족하지만 GAL3는 BCL2가 미토콘드리아에 위치하도록 촉진한다고 생각된다. GAL3는 세포질에서 GEMIN4와 상호 작용하여 함께 핵 내로 이동하며, 핵 내에서 SMN 복합체와 함께 spliceosome을 형성하고, SMN 복합체의 다른 성분 및 GEMIN4와 함께 핵 밖으로 이동하여 snRNP 사이클을 진행한다. 세포 자멸사의 조절에서 GAL3의 효과는 GAL3의 세포 내 위치에 의존적인데, 세포질에 있는 GAL3는 세포 자멸사에 대해 대항 효과를 나타내는 반면, 핵 내에 있는 GAL3는 세포 자멸사를 유발한다.

BCL2, B-cell lymphoma 2; GAL, galectin; GEMIN4, Gemini body (gem) nuclear organelle associated protein 4; SMN, survival of motor neuron; snRNP, small nuclear ribonucleic particle.

Liu와 Rabinovich (2005)의 자료를 수정 인용.

(van den Brûle과 Castronovo, 2000). 세포질 (Gritzmacher 등, 1988)과 핵 주위 미토콘드리아의 막 (Yu 등, 2002)에서 발견되는 galectin-3는 B-cell lymphoma 2 (BCL2) 단백질과의 상호 작용을 통해 세포 자멸사를 조절한다 (Akahani 등, 1997) (도표 139). 체외 실험은 핵에 있는 galectin-3가 핵산과 결합할 수 있음을 보여 주었다 (Wang 등, 1995). 증식 활

동이 진행 중인 섬유모세포에서는 증식 활동이 없는 세포에 비해 핵 내에서 galectin-3의 발현이 증가된다 (Moutsatsos 등, 1987). 이들 섬유모세포의 핵에는 인산화 및 비인산화 galectin-3 모두가 발견되지만, 세포질에서는 인산화 형태만 발견된다 (Cowles 등, 1990). Galectin-3는 핵에 위치해 있는 영역을 가지고 있지 않다 (Gaudin 등, 2000). Galectin-3의 핵 밖

도표 140 세포 주기의 조절에서 galectins의 역할

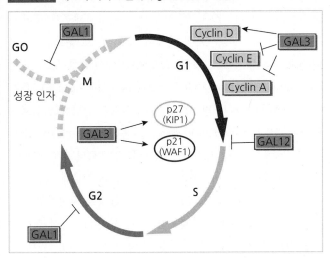

Galectins는 세포 주기의 진행을 조절함으로써 종양의 진행을 통제한다. 특히, GAL3는 cyclin A, D, E 등과 같이 세포 주기를 조절하는 인자뿐만 아니라 p21 (CIP 혹은 WAF1), p27 (KIP1) 등과 같이 세포 주기를 억제하는 인자의 농도를 조절함으로써 세포 주기의 진행을 차단한다. 분자 기전은 분명하게 밝혀져 있지 않지만, GAL1과 GAL12는 세포 주기의 여러 단계에서 진행을 차단한다. CDK, cyclin-dependent kinase; CIP, CDK interacting protein; GAL. galectin; KIP1, kinase inhibitor protein 1; WAF1, wild-type p53-activated fragment 1. Liu와 Rabinovich (2005)의 자료를 수정 인용.

으로의 이동은 leucin이 풍부한 핵의 송출 신호에 의해 매개된다고 보고되었지만 (Tsay 등, 1999), 핵 내로 이동하는 기전에 관해서는 밝혀져 있지 않다. 핵의 galectin-3는 survival of motor neuron (SMN) 단백질의 한 구성원으로서 (Park 등, 2001) pre-mRNA splicing에 관여한다 (Dagher 등, 1995). Galectin-3는 또한 cyclin D1 촉진체의 활성을 유도하여 유전자의 전사를 조절한다 (Lin 등, 2002) (도표 140).

Galectin-3의 발현과 세포에서의 위치는 여러 암의 예후를 평가하는 데 중요하다. 결장직장암에서는 galectin-3가 하향 조절되며, 더 진행된 병기의 암에서는 세포질 내에 위치한 galectin-3의 발현이 증가된다 (Sanjuan 등, 1997). 핵에서 lectin의 소실은 정상 점막으로부터 선종 및 선암으로의 이행과 상호 관련이 있다 (Lotz 등, 1993). 자궁내막암 세포에서는 정상 점막에 비해 특징적으로 galectin-3의 발현이 하향 조절되어 있으며, 암세포의 세포질 내에서 galectin-3의 발현은 핵 내에서 발현된 경우에 비해 자궁근층의 침범과 관련이 있다 (van den Brûle 등, 1996). Galectin-3의 하향 조절은 전립선암에서 관찰된다 (van den Brûle 등, 2000). Galectin-3가 핵에는 없고 세포질 내에 위치한 경우는 질환의 진행과 관련이 있다 (van den Brûle 등, 2000). 설암에서는 핵의 galectin-3가 감소

되며, 정상에서 암으로 진행하는 동안 세포질의 galectin-3는 증가하며, 세포질 내에서 galectin-3의 증가는 무병 생존율의 감소와 관련이 있다 (Honio 등, 2000).

24.3.1. 전립선암의 기저세포 표지자
Basal cell marker in prostate cancer

전립선의 상피에는 관강 (luminal), 기저 (basal), 신경내분비 (neuroendocrine) 등 세 유형의 상피세포가 있다. 관강세포는 양극화된 원주세포이며, 안드로겐 수용체, PSA, cytokeratin 8 (CK8), CK18 등과 같은 특징적인 표지자들을 발현한다. 관강 상피 아래에 있는 기저세포는 기저막에 배열되어 있고, CK5, CK14, p63, BCL2, glutathione S-transferase-π (GST-π) 등과 같은 생물 지표를 발현한다. 드문 세포군인 신경내분비세포는 관강세포와 기저세포 사이에 드문드문 산재해 있으며, 특징적으로 chromogranin A와 serotonin을 발현한다 (Long 등, 2005; Wang 등, 2012). 전립선암의 기원 세포에 관해서는 논란이 있다. 일부 연구는 전립선암 세포의 기원은 관강세포라고 하였고 (Iwata 등, 2010), 일부 연구는 기저세포라고 하였지만 (Goldstein 등, 2010), 다른 연구는 전립선암이 전립선암 줄기세포로부터 기원한다고 하였다 (Maitland 등, 2011).

Galectin-3는 세포의 증식, 세포 자멸사, 세포의 침범, 전이 등의 조절을 통해 종양의 형성 및 전이에서 중요한 역할을 한다 (Nangia-Makker 등, 2007). Galectin-3는 암에서의 역할 외에도 세포의 분화와 관련이 있다. 갑상선의 solid cell nest (SCN)는 주세포 (main cell)와 C 세포로 구성되어 있으며, 주세포는 다분화능 (pluripotent) 세포로 추측되고 C 세포 및 소낭세포의 조직 형성에 관여한다 (Cameselle-Teijeiro 등, 1995). SCN의 주세포에서 galectin-3는 p63, BCL2 등과 함께 면역 염색에서 양성 반응을 나타내기 때문에, galectin-3는 갑상선 주세포의 표지자로 간주된다 (Rios 등, 2011). 그러나 구인두 및 후두 편평상피세포암에 관한 연구에서 galectin-3의 반응은 정상 상피의 기저세포에서는 발견되지 않았으며, 종양 세포는 galectin-3를 발현하였고 반응 강도는 종양의 분화와 정상관계를 가졌다 (Plzak 등, 2001). 따라서 galectin-3는 다분화능 세포 혹은 분화된 세포의 표지자로 제시된다. 한편, 전립선 조직에 관한 연구는 galectin-3의 발현이 정상 전립선과 전립선상피내암의 관강세포에서는 이질적이지만 기저세포에서는 강하고 균일하다고 하였다 (Ellerhorst 등, 1999).

큰 핵의 수용체 가족 중 스테로이드 호르몬 수용체에 속하

는 androgen receptor (AR)는 전립선의 발생과 분화 그리고 전립선암의 발달에서 필수적인 역할을 한다. 구조적으로 AR은 전사를 자극하는 아미노산 말단 영역, DNA와 결합하는 중심 영역, carboxy 말단에서 ligand와 결합하는 영역 등 세 영역을 가지고 있다 (Brinkmann 등, 1999). 안드로겐이 없는 상태에서는 AR이 heat shock protein 90 (HSP90) 복합체를 동반하는데, 이로써 AR은 ligand와 결합하는 구조를 유지하게 된다. AR은 안드로겐과 결합하는 즉시 구조적 변화가 일어나 동질 이합체의 형성, DNA와의 결합, 안드로겐 의존성 유전자의 전사를 활성화하는 다수 전사 인자의 동원 등을 일으킨다 (Balk, 2002). 일반적으로 AR의 발현은 전립선암 표본에서 이질적으로 나타나는데, 이는 전립선암이 조직학적으로 이질적임을 반영한다 (Tamburrino 등, 2012). AR은 또한 전립선 상피의 관강 표현형의 표지자로 간주되기도 한다 (Robinson 등, 1998).

전립선암이 기원하는 세포에 관해서는 논란이 있지만, 전형적으로는 대부분의 종양세포가 관강의 특징을 나타내는 것으로 보아 관강세포로부터 기원한다고 생각된다 (Sherwood 등, 1990). *Phosphatase and tensin homolog* (PTEN)가 제거된 쥐에서 생긴 전립선암의 관강 전구세포는 암을 유발하는 세포로서 작용한다 (Ma 등, 2005). PSA-Cre;*PTEN*^flox/flox 생쥐에 관한 연구는 드물게 보이는 관강 *clusterin, tumor-associated calcium signal transducer 2, stem cell antigen 1* 등이 양성인 세포군, 즉 *CLU⁺TACSTD2⁺SCA1⁺* 세포군이 이 모델에서 기원 세포에 해당한다고 하였다 (Korsten 등, 2009). 다른 연구는 관강 세포군인 castration resistant *NK3 homeobox 1* (NKX3-1)-expressing cell (CARN)은 자가 분열을 하고 신장 이식에서 전립선관을 재건함을 보여 주었다. 또한 CARN에서 *PTEN*의 결실이 있는 경우 전립선의 재생이 일어났으며 안드로겐으로 보충한 후에는 침윤성 암이 발생하였다 (Wang 등, 2009). 참고로, 조건 유전자 표적화의 경우 표적 유전자를 제거시킨 발현 부위 exon 양끝의 비발현 부위 intron에 인식 배열인 loxP를 분배하는데, 이를 'flox'라고 하며, 그 자체로 유전자의 발현에는 영향을 미치지 않게 한다.

대조적으로, 다른 연구는 기저세포가 전립선암에서 기원되는 세포의 역할을 한다고 하였는데, 이 가설은 Pb-Cre4;*PTEN*^flox/flox 생쥐에서 기저세포뿐만 아니라 중간세포 (intermediate cell)의 확장을 관찰한 연구에 의해 지지를 받고 있다 (Wang 등, 2006). 생쥐에서 *lin homolog A*가 음

성이고 *SCA1*과 *cluster of differentiation 49f*가 양성인 세포군, 즉 *LIN⁻SCA1⁺CD49f*^high 세포군에는 기저세포가 우세하며, 이들 세포는 이종 이식 암에서 관강세포로 분화할 수 있다 (Lawson 등, 2007). 또한, *LIN⁻SCA1⁺CD49f*^high 세포군에서 v-akt murine thymoma viral oncogene homolog 1 (AKT 혹은 protein kinase B, PKB) 및 AR의 신호를 전달하는 경로의 활성과 *E26 transformation-specific* (혹은 *E-twenty-six, EST*) *related gene 1* (ERG1)의 과다 발현은 암으로의 형질 전환을 일으켰다 (Lawson 등, 2010). 다른 연구도 관강세포가 아닌 기저세포가 전립선암의 기원 세포일 가능성을 제시하였으며, 형질 변형이 일어난 기저세포는 관강 표현형을 가진 전립선암을 일으킬 수 있다고 하였다 (Goldstein 등, 2010).

전립선암 줄기세포가 전립선암의 기원이 되는 세포라는 가설도 있으며 (Oldridge 등, 2011), 이에 많은 연구들이 전립선암 줄기세포를 확인하고자 노력하였다. 생쥐의 전립선암을 대상으로 분석한 연구는 Pb-Cre4;*PTEN*^flox/flox 생쥐로부터 채집한 *LIN⁻SCA1⁺CD49f⁺* 세포가 종양을 유발하는 특성을 가지고 있음을 보여 주었다 (Mulholland 등, 2009). 사람의 전립선암에서는 전립선암 줄기세포로 추정되는 세포가 *CD133⁺alpha2 beta1 integrin* (ITGA2B1)^high*CD44⁺* 세포의 표면 표지자와 함께 분리되었다 (Collins 등, 2005). 위의 자료를 종합하여 볼 때, 전립선암은 각기 기원이 다른 세포에서 발생하며, 이로써 여러 유형의 전립선암이 발달할 수 있다.

종양이 진행하는 과정에서 galectin-3의 역할은 이전의 연구에서 어느 정도 밝혀져 있다. Galectin-3의 발현 정도는 전립선 상피가 악성으로 변형하는 동안 감소한다 (Merseburger 등, 2008). 또한, galectin-3의 염색 반응은 전립선 상피의 관강 층에서는 이질적이지만 기저층에서는 균일한데, 이와 같이 galectin-3의 발현이 다르게 나타나는 것은 전립선암이 이질적인 암임을 반영한다 (Ellerhorst 등, 1999). 전립선암이 진행하는 동안 AR 신호의 증폭 (Visakorpi 등, 1995), AR의 돌연변이 (Taplin 등, 1995), 다른 신호를 전달하는 경로에 의한 AR의 활성 (Nazareth와 Weigel, 1996) 등과 같이 AR의 신호 경로에서 다양한 변화가 일어난다. 전립선암 조직에서 AR의 발현 또한 이질적이다. Galectin-3와 AR의 이질적인 발현 양상은 전립선암이 이질적임을 더욱 확인시켜 준다.

다른 연구는 여러 전립선암 세포에서 galectin-3의 발현이 항상 AR의 발현과는 반대되는 양상, 예를 들면 galectin-3⁺/AR⁻ 혹은 galectin-3⁻/AR⁺의 패턴을 나타낸다고 하였다. 그러

나 이러한 반대되는 양상은 galectin-3 혹은 AR 단백질이 서로를 조절하기 때문인 것 같지는 않다. Galectin-3는 암에서의 역할 외에도 세포의 분화와도 관련이 있다. Brand 등 (2011)은 galectin-3가 골수 전구세포의 마지막 분화 단계에 관여한다고 하였다. Galectin-3의 분비는 신장의 개재세포 (interca-lated cell)의 분화 단계와도 관련이 있다 (Al-Awqati, 2010). 이들 결과와 같이 galectin-3는 세포의 분화에 관여하고 AR과는 반대되는 발현 양상을 나타내는데, 이는 galectin-3가 기저세포의 표지자임을 시사한다. 이를 뒷받침하는 연구는 정상 상피세포주인 PZ-HPV-7에서 galectin-3, GST-π, BCL2 등은 양성이었지만 AR과 CK18은 음성이었으며, 이러한 패턴은 전립선암 세포에서도 마찬가지였다고 하였다. 또한, 전립선암 조직에 대한 면역조직화학검사는 전립선관의 기저층에서 galectin-3의 양성 반응이 관찰되어 galectin-3는 기저세포의 표지자 역할을 한다고 하였다 (Wang 등, 2013).

전립선암에는 관강 표현형이 우세하지만, 안드로겐 비의존성 전립선암의 대부분은 기저세포의 특징을 나타낸다 (Long 등, 2005). Liu 등 (1999)은 여러 전립선암 조직으로부터 관강 세포 표지자인 CD57+ 세포와 기저세포 표지자인 CD44+ 세포를 분석하고 분류하였으며, CD57+ 세포는 원발 암 조직에서, CD44+ 세포는 전이 조직에서 우세함을 발견하였다. Wang 등 (2013)은 관강세포 표현형을 나타내는 LNCaP 혹은 C4-2B 세포에 비해 LNCaP 세포에서 파생된 VUI3 세포는 기저세포의 특징을 보이며, 성장 속도가 더 빠르고, 화학 요법 제제에 대한 저항성을 나타내며, 군집을 형성하는 비율이 더 높고, 전이력이 더 크다고 하였다. 이와 같은 결과로 볼 때, 기저세포의 특징을 보이는 암세포는 더 공격적이라고 생각된다.

Liu 등 (1999)은 모든 전립선암 조직을 CD57+ 세포/CD44+ 세포의 비율로 특징지을 수 있다고 하였다. 전립선암은 관강 세포의 특징과 기저세포의 특징을 모두 가지고 있고 기저세포 표현형이 더 공격적이기 때문에, 전립선암의 유형을 구별하는 것은 임상적으로 의미가 크다. Galectin-3는 기저세포 표현형의 표지자로서 임상적 가치가 있으며, galectin-3와 AR에 대한 염색법은 전립선암의 세포 형태를 구별하는 데 더욱 유용하다. 이전의 연구는 분비된 galectin-3가 matrix metallo-proteinase (MMP)의 기질이라고 하였다 (Nangia-Makker 등, 2010). 완성된 galectin-3에 비해 MMP에 의해 분절된 galec-tin-3가 유방암에서 세포의 침범 및 혈관 형성을 증가시킨다는 연구 결과는 전립선암에서 galectin-3가 공격적인 표현형을

촉진하는 이유를 설명해 줄 수도 있다. Galectin-3의 발현은 전립선암에서 생화학적 재발과 유의하게 상호 관련이 있으며 (Knapp 등, 2013), 방광암의 예후를 예측할 수 있는 인자라고 보고 (Rodriguez Faba와 Palou, 2012)된 바 있다. Galectin-3의 발현과 전립선암 환자의 생존율 사이에는 상호 관련이 있으며, galectin-3+ 세포/AR+ 세포의 비율은 전립선암 환자에 대해 개별화된 치료를 가능하게 함으로써 환자의 생존율을 향상시킬 수 있다고 생각된다 (Wang 등, 2013).

Galectin-3의 기능을 억제하면 전립선암의 진행을 억제시킬 수 있다. Galectin-3를 억제하는 제제로서 소화기계로의 흡수가 용이하도록 개선된 citrus pectin을 투여하면 전립선암의 폐 전이가 유의하게 감소되었다 (Pienta 등, 1995). 전립선암 세포에서 galectin-3를 제거하면 연질의 한천 배지에서 세포의 증식, 세포의 이동 및 침범, 군집 형성 등이 감소되었고, 누드마우스에서 종양 형성이 감소되었다 (Wang 등, 2009). Galectin-3가 제거된 전립선암 세포에 의해 형성된 종양은 caspase-3에 대한 면역 염색법에서 반응이 더 강하였고 BCL2와 MMP-9에 대한 염색 반응은 더 약하였는데, 이는 galectin-3의 하향 조절이 전립선암의 진행을 억제하는 데 도움이 됨을 시사한다 (Wang 등, 2013). 이들 결과를 근거로 저자들은 전립선암에서 galectin-3+ 세포/AR+ 세포의 비율이 높은 진행 전립선암은 galectin-3의 억제를 표적화하는 요법에 의해 효과적으로 치료될 수 있다고 하였다 (Wang 등, 2013).

24.3.2. 전립선암에서 이중 작용
Dual activities in prostate cancer

Galectin-3의 발현은 암세포에서 변동적이며, 악성 표현형으로 전환하는 데 관여한다. LNCaP 전립선암 세포주에 관한 연구에서 galectin-3는 발현하는 위치가 세포질인지 아니면 핵인지에 따라 반대 작용을 나타내었다. 생체 실험에서 세포질의 galectin-3를 이용하여 세포 이입을 실시하였을 때 암의 공격성이 유의하게 증대되었다 (Matarrese 등, 2000a). 다른 연구는 핵의 galectin-3가 암세포에서 악성 잠재력을 역으로 조절한다고 보고하였는데 (Califice 등, 2004), 이는 핵과 세포질 모두에서 lectin을 발현하는 전립선암 세포에 비해 세포질에서 galectin-3를 발현하는 암세포의 경우 나쁜 예후를 나타낸다는 관찰 (van den Brûle 등, 2000)과 일맥상통한다. 체내 실험 혹은 체외 실험에서 배양된 세포질 클론은 핵 galectin-3에 대한 면역 염색법에서 뚜렷한 반응을 보이지 않았고 핵 내에

galectin-3을 가진 클론과 같은 작용을 하지도 않았으나, 반대로 핵 클론은 nuclear localization sequence (NLS)와 결합한 소량의 세포질 galectin-3-(NLS)$_3$를 발현하였는데 (Califice 등, 2004), 이러한 발현은 세포질에서의 합성 및 핵으로부터 세포질 내로의 이동 때문이라고 생각된다 (Tsay 등, 1999).

세포질 galectin-3로 세포 이입을 실시하면 군집 형성이 증가되었으며, 이는 여러 다른 연구 결과 (Yoshii 등, 2001)에 의해 뒷받침된다. 이러한 현상의 기전으로는 anoikis의 감소 (Kim 등, 1999), α6β1 integrin의 발현 증가 (Warfield 등, 1997) 등이 거론된다. 세포질의 galectin-3는 외인성 galectin-3 (Le Marer와 Hughes, 1996)와 마찬가지로 Matrigel 침범을 촉진하였지만, 핵 galectin-3는 억제하였다. 생체 실험에서 α6β1 integrin이 침윤성 전립선암과 관련이 있다고 보고되었지만, 이후의 연구는 세포질 galectin-3로 세포 이입을 하여 침윤성 표현형이 증가된 경우는 세포 표면에서 발현되는 α6β1 integrin과 관련이 없다고 보고하였는데 (Califice 등, 2004), 이전의 연구 결과와 차이를 보이는 이유는 실험 배지의 차이 때문으로 추측된다.

전립선암이 발달하는 과정에서 중요한 병태생리적 인자는 세포 증식의 증대이기 보다는 세포 자멸사의 억제이다 (Gurumurthy 등, 2001). 세포질의 galectin-3는 종양세포의 세포 자멸사에 대한 민감성의 감소와 관련이 있는 데 비해, 핵의 galectin-3는 세포 자멸사를 증가시킨다. 후자의 관찰은 galectin-3를 발현하는 BT-549 유방암 세포의 cisplatin에 의한 세포 자멸사를 leptomycin B가 증대시킨다는 보고와 일맥상통한다 (Takenaka 등, 2004). 이러한 결과는 galectin-3가 분포하는 위치에 따라 세포 자멸사에 대해 이중적인 역할을 나타냄을 시사한다. 세포질의 galectin-3가 나타내는 세포 자멸사에 대한 대항 작용은 BCL2에도 함유되어 있는 Asp-Trp-Gly-Arg (NWGR) motif에 의해 매개된다 (Yu 등, 2002). 세포질 내에 있는 galectin-3는 손상된 DNA를 복구하는 효소인 poly ADP ribose polymerase (PARP)의 분절을 차단하는데, 이는 caspase의 활성화를 억제하기 때문으로 추측된다. 그러나 caspase-8의 분절과 caspase-9의 분절에서의 유의한 차이는 세포질 내에서 galectin-3를 발현하는 LNCaP 세포와 대조군 사이에서 발견되지 않았다. BT-549 유방암 세포에서는 galectin-3가 세포 자멸사의 내인성 경로를 억제하였지만 (Matarrese 등, 2000a), 외인성 경로는 억제하지 않았다 (Moon 등, 2001). 그러나 다른 유방암 세포주에서는 galectin-3가 TNFα에 의해 유도된 세포 자멸사에 대해 외인성 경로를 통해 대항 작용을 나타내었다 (Matarrese 등, 2000b). LNCaP 세포에서는 세포질의 galectin-3가 actinomycin D, X-선 조사와 같은 내인성 세포 자멸사 경로, TNFα와 같은 외인성 경로 모두를 억제하였다. 핵의 galectin-3는 PARP의 분절과 caspase-8 및 caspase-9의 활성을 유의하게 증가시킨다. LNCaP 세포에서는 내인성 경로와 외인성 경로가 상호 의존적이라고 생각된다 (Nesterov 등, 2001).

세포질 galectin-3에 의해 형성된 세포 이입체는 대조군에 비해 더 크고 더 조기에 형성되는 종양과 관련이 있는 데 비해, 핵 galectin-3를 발현하는 종양은 더 작고 더 완만한 성장을 보이며 (Nangia-Makker 등, 1995; Honjo 등, 2001), 핵 galectin-3 클론은 핵 green fluorescent protein (GFP) 클론보다 더 작은 종양을 형성하는 경향이 있다. 다른 연구도 LNCaP 전립선암 세포주에서 세포질 galectin-3의 효과를 촉진시키면 혈관 형성이 증가되고 세포 자멸사가 감소되는 데 비해, 핵 galectin-3는 혈관 형성을 감소시키고 세포 자멸사를 증대시킴으로써 종양 형성을 억제하며, 침윤성 표현형을 감소시킨다고 보고하였다 (Nangia-Makker 등, 2000; Califice 등, 2004).

Galectin-3와 핵과의 상호 관계는 이전의 보고에서 이미 기술된 바 있다. Galectin-3는 핵산과 결합하며 (Wang 등, 1995), mRNA splicing에 관여한다 (Dagher 등, 1995). Galectin-3는 HCC-associated protein 1 (HCAP1)으로도 알려진 Gemini body (gem) (nuclear organelle) associated protein 4 (GEMIN4)와 상호 작용하는데, 둘 모두는 SMN으로 표현되는 고분자 복합체의 성분들이다 (Park 등, 2001). 따라서 galectin-3는 세포질에서 small nuclear ribonucleic particle (snRNP)의 생합성 동안 GEMIN4와 상호 작용하여 함께 핵 내로 이동한다. 핵 내부로 들어온 galectin-3는 SMN 복합체와 함께 이어맞추기 복합체 (spliceosome)를 형성하며, 후에 SMN 복합체의 다른 성분 및 GEMIN4와 함께 핵 밖으로 이동하여 snRNP 사이클을 반복한다 (Davidson 등, 2002).

Galectin-3가 유방의 상피세포에서 specificity protein 1 (SP1)과 cAMP-responsive element (CRE)를 통해 cyclin D1 촉진체의 활성을 증대시킨다는 관찰 (Lin 등, 2002)을 근거로 하였을 때, 핵 galectin-3는 유전자의 전사를 조절하는 기능을 가지고 있다고 생각된다. 형질 전환이 일어난 갑상선 세포에서 galectin-3는 thyroid transcription factor 1 (TTF1) homeodomain (homeobox 유전자에 의해 코드화되는 DNA

결합 전사체)과의 상호 작용을 통해 TTF1의 전사 작용을 상향 조절한다 (Paron 등, 2003). TTF1은 homeodomain을 가진 전사 인자 중 NK 계열에 속하기 때문에 (Guazzi 등, 1990), galectin-3는 NKX homeodomain 가족에 속하는 다른 구성원과도 상호 작용할 수 있다. NKX 가족의 또 다른 구성원인 NKX3-1은 정상 전립선 세포 (Gelmann 등, 2003), 전립선암 세포 (Bowen 등, 2000), LNCaP 세포주 (Bowen 등, 2000) 등의 핵에서 발견된다. NKX3-1은 전립선암을 억제하는 인자로 간주되기 때문에, 핵에 있는 galectin-3는 NKX3-1과 상호 작용하여 암 표현형을 감소시킨다고 추측된다.

여러 연구 결과를 종합하여 볼 때, galectin-3는 정상 전립선 세포의 핵에는 발현되지만 전립선암 세포의 핵에는 관찰되지 않는다는 이전의 보고 (van den Brûle 등, 2000)와 마찬가지로, 핵에서 발현되는 galectin-3는 항암 효과를 나타내고 세포질에서 발현되는 galectin-3는 종양의 진행을 촉진한다고 생각된다. 즉, galectin-3가 핵 내에 없음은 침윤성 및 전이성 표현형을 가지는 데 중요한 인자로 생각되는 데 비해, 핵 ga-lectin-3를 발현하는 종양세포는 공격성이 낮다. 이러한 관찰을 입증하는 분명한 기전을 추후 연구로 밝히면 항암 요법에서 새로운 전략을 수립할 수도 있을 것으로 생각된다 (Califice 등, 2004).

25. Genomic Prostate Score (GPS)

상급 위험도의 전립선암을 조기에 발견하여 공격적으로 치료하면 암 특이 사망률이 감소한다는 데는 공감대가 형성되어 있지만, 저급 위험도의 비공격적인 질환에 대한 과잉 치료가 흔하여 이를 방지하고자 US Preventative Services Task Force (USPSTF)는 관습적인 선별검사를 거부하였다 (Moyer, 2012). 이에 여러 기관은 공격적인 치료의 대안으로 '적극적 감시 (active surveillance)'로 불리는 관리 전략을 제시하였다. 적극적 감시는 종양이 진행하는 신호가 나타날 때까지 치유를 위한 중재를 지연시키는 기대 요법으로 정의되며, 이로써 무증상 질환에 대한 과잉 치료를 줄임은 물론 생명을 위협하는 암을 가진 환자에서만 집중적인 치료를 함으로써 비용과 이환율을 최대한 제한할 수 있다는 장점이 있다. 적극적 감시로 좋은 결과가 보고되고 있지만 임상에서의 이용은 제한적이며, 미국에서는 무증상 질환으로 진단을 받은 남성의 90%가 즉시 방사선 요법 혹은 수술로 치료를 받는다 (Cooperberg 등,

2011). 적극적 감시가 널리 보급되지 않는 이유로는 첫째, 치유할 수 있는 기회를 놓쳤다는 소송 제기에 대한 공포와 관련된 법적 문제, 둘째, 중재적인 치료로서의 관찰만으로는 낮게 책정된 의사의 보수와 관련된 경제적인 문제, 셋째, 알고 있는 암을 치료하지 않고 있다는 환자 및 가족의 불안과 관련된 정서적 문제 등이 있다. 그러나 적극적 감시의 이용을 제한하는 가장 큰 문제는 진단 당시 무증상의 질환과 공격적인 질환을 구별할 수 있고, 적극적 감시 중인 환자에서 실제 생물학적 진행이 있는지를 파악하기 위해 재생검을 결정하는 데 도움을 줄 수 있는 도구가 부족하다는 점이다 (Klein, 2013).

이에 전립선 침 생검으로부터 채집된 종양에서 유전자를 분석하여 근치전립선절제술 당시의 나쁜 병리학적 결과를 예측하기 위해 Glickman Urological and Kidney Institute에서 근치전립선절제술을 받은 약 2,600명으로부터 채집된 441점의 종양 표본과 추가로 다른 기관에서 생검 및 근치전립선절제술을 함께 받은 환자로부터 채집되어 파라핀으로 고정된 167점의 침 생검 표본을 대상으로 qRT-PCR을 이용하여 727가지 후보 유전자를 분석한 연구는 다음과 같은 결과를 보고하였다 (Klein, 2013). 2012 American Society of Clinical Oncology (ASCO) Annual Meeting에서 보고된 자료에 의하면, 가장 많이 분포된 Gleason 패턴 및 가장 높은 Gleason 패턴에서 임상적 재발을 예측할 수 있는 288종의 유전자가 확인되었으며 (Klein 등, 2012), 어떤 유전자는 Gleason 패턴과 관계없이 종양의 공격성을 예측할 수 있었다. 이들 유전자는 공격성과 각기 다른 연관성을 가지는 다수의 경로를 가지고 있었는데, 예를 들면 기질 반응 혹은 증식과 관련이 있는 유전자 그룹의 발현이 증가된 경우는 임상적 재발의 위험이 더 높은 데 비해, 세포의 조직화 혹은 기저 상피세포 혹은 안드로겐, 혹은 스트레스 반응과 관련이 있는 유전자 그룹의 발현이 증가된 경우에는 재발 위험이 더 낮았다. 치료 전 PSA, T 병기, Gleason 점수 등에 근거한 American Urological Association (AUA)의 위험 인자 그룹으로 보정한 경우 가장 많이 분포된 Gleason 패턴 및 가장 높은 Gleason 패턴에서 임상적 재발과 강하게 관련이 있는 유전자는 위의 여섯 그룹에 속한 유전자를 포함한 198종이었다. 중요한 점은 이들 유전자 그룹의 발현 양상을 이용하면, 침 생검 표본으로부터 채집된 종양 표본에서 근치전립선절제술 당시의 나쁜 병리학적 결과를 예측할 수 있다는 점이다 (도표 141). 전반적으로 볼 때, 연구된 81종의 유전자 중 72% (58종/81종)가 높은 등급 혹은 침습 질환을

도표 141 근치전립선절제 표본 및 침 생검 표본에서 나쁜 결과를 예측할 수 있는 종양 형성 관련 유전자 그룹 및 경로

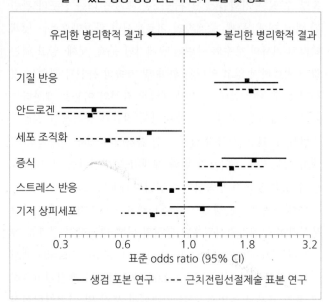

Klein (2013)의 자료를 수정 인용.

glycoprotein 1 (*AZGP1*), kallikrein 2 (*KLK2*), steroid-5-alpha-reductase, alpha polypeptide 2 (혹은 *3-oxo-5 alpha-steroid delta 4-dehydrogenase alpha 2*) (*SRD5A2*), family with sequence similarity 13, member C (*FAM13C*), 세포의 조직화와 관련이 있는 filamin C, gamma (*FLNC*), gelsolin (*GSN*), tropomyosin 2 (*beta*) (*TPM2*), glutathione S-transferase Mu 2 (*GSTM2*), 세포의 증식과 관련이 있는 *TPX2, microtubule-associated, homolog* (*TPX2*), 기질 반응과 관련이 있는 biglycan (*BGN*), collagen 1 alpha 1 (*COL1A1*), secreted frizzled-related protein 5 (*SFRP4*) 등이다 (Knezevic 등, 2013). 암과 관련이 있는 12종의 유전자를 이용한 Genomic Prostate Score (GPS)는 전립선암의 부정적인 병리학적 결과를 예측함에 있어 임상적 및 병리학적 인자 이상의 가치가 있다고 보고되었다 (Cooperberg 등, 2013). GPS 계산법은 도표 142에 정리되어 있다.

Oncotype DX Prostate Cancer Assay를 이용한 연구에 의하면, 분석 과정에 대한 정확성의 표준 편차는 개별 유전자에서 0.21 crossing point (Cp, 유전자 발현 측정치), 모든 유전자에서 1.86 GPS 단위 이하이었으며, 재현성의 표준 편차는 개별 유전자에서 0.21 Cp, 모든 유전자에서 2.11 GPS 단위 이하이었다. Oncotype DX Prostate Cancer Assay에서 17종 유전자의 증폭 효율 평균치는 93%이었으며, 모든 유전자는 ±6%의 표준 편차 내에 있었다. 이들 결과는 이러한 다유전자 분석법이 신뢰성이 있는 분석법임을 보여 준다 (Knezevic 등, 2013).

Oncotype DX Prostate Cancer Assay는 PSA 농도, Gleason 점수, 임상 병기 등과 같은 전통적인 임상 및 병리학 양상을 보완하는 역할을 하며, 임상의로 하여금 활동성이 낮은 전립선암과 공격적인 전립선암을 구별할 수 있게 함으로써 가장 적절한 치료를 제공하게 한다. 또한, 이러한 분석법은 초기 병기의 전립선암을 가진 환자에서 중간 단계의 치료를 할 것인지 혹은 적극적 감시의 기대 요법을 할 것인지를 결정하는 데 도움을 준다 (Knezevic 등, 2013) (도표 143).

RT-PCR로 측정된 생검 표본이 가진 유전자 발현의 특징, 즉 GPS와 임상적 재발 사이의 연관성을 평가한 연구는 다음과 같은 결과를 보고하였다 (Klein 등, 2014). 첫째, 분석된 732종의 후보 유전자 중 39% (288종/732종)가 전립선암의 임상적 재발을 예측하였으며, PSA, Gleason 점수, 임상 병기 등으로 보정한 후 27% (198종/732종)가 공격적인 질환을 예측

예측할 수 있었으며, 위양성률은 10% 미만에 불과하였다.

전립선암을 진단하기 위해 파라핀으로 고정한 전립선 침 생검 표본을 분석하는 Oncotype DX® Prostate Cancer Assay가 고안되었다. 이러한 생검에 근거한 분석법을 개발하는 데는 어려움이 있는데, 그 이유는 질환이 비균질적, 다면적인 특성을 가지고 있고 침 생검으로 채집된 조직에서 진단용으로 활용이 가능한 종양의 용적은 매우 제한적이기 때문이다. 새롭게 진단된 전립선암 환자의 대부분은 하나의 생검 core로부터 진단되며 용적이 적은 종양을 가지고 있다 (Thorson 등, 1998). 파라핀으로 고정된 침 생검 종양 조직에서 종양의 생물학적 특성을 분석하기 위해 특별하게 고안된 다유전자 RT-PCR 분석법인 Oncotype DX Prostate Cancer Assay는 Oncotype DX Colon and Breast Cancer Assays 등과 같은 다른 Oncotype DX 분석법보다 110~180배 더 낮은 농도의 RNA 입력으로도 정확성 및 재현성에서 좋은 성과를 나타내었으며 (Cronin 등, 2007), 여기에는 *ADP-ribosylation factor 1* (*ARF1*), *ATP synthase, H+ transporting, mitochondrial F1 complex, epsilon subunit* (*ATP5E*), *clathrin heavy chain 1* (*CLTC*), *G protein pathway suppressor 1* (*GPS1*), *phosphoglycerate kinase 1* (*PGK1*) 등의 참고 유전자 5종과 종양 형성에서 뚜렷한 생물학적 역할을 가진 12종의 종양 유전자가 포함되는데, 안드로겐 경로와 관련이 있는 *alpha-2-zinc binding*

도표 142 Genomic Prostate Score (GPS) 계산법

종양형성 관련 유전자 군의 구별				참고 유전자
기질 군	세포 조직화 군	안드로겐 군	증식 군	
BGN COL1A1 SFRP4	FLNC/ABPL GSN TPM2 GSTM2	FAM13C KLK2 AZGP1 SRD5A2	TPX2	ARF1 ATP5E CLTC GPS1 PGK1

GPSu=(0.735×기질 군)−(0.368×세포 조직화 군)−(0.352×안드로겐 군)+(0.095×증식 군)

여기서 SRD5A2의 한계치는 5.5 미만일 경우 5.5, 그 외에는 측정된 SRD5A2 값으로 정하였으며, TPX2의 한계치는 5.0 미만일 경우 5.0, 그 외에는 측정된 TPX2 값으로 정하였다.

기질 군의 점수=0.527×BGN+0.457×COL1A1+0.156×SFRP4

세포 조직화 군의 점수=0.163×FLNC+0.504×GSN+0.421×TPM2+0.394×GSTM2

안드로겐 군의 점수=0.634×FAM13C+1.079×KLK2+0.642×AZGP1+0.997×SRD5A2의 한계치

증식 군의 점수=TPX2의 한계치

100의 단위로 산출되는 GPSs는 13.4×(GPSu-10.5)의 공식으로 계산되며, 그 값이 0 미만이면 0점, 100을 초과하면 100점, 그 외에는 산출된 값으로 한다.

참고 유전자는 암 관련 유전자의 발현을 표준화하기 위해, 즉 표본 조직의 고정, RNA 단편화 (fragmentation), 조직의 질 등과 같은 분석 전 변동성, 분석 정판 (assay plate; RT, qPCR)과 도구 (예; liquid handler 혹은 LC480) 등과 같은 분석법의 변동성, 다양한 RNA 입력 (표적 RNA 입력량 20 ng) 등을 보정하기 위해 이용된다. GPS 계산에서 음 상관계수는 더 유리한 결과와, 양 상관계수는 더 불리한 결과와 관련이 있다.

ABPL, actin-binding protein 280-like protein; ARF1, ADP-ribosylation factor 1; ATP5E, ATP synthase, H+ transporting, mitochondrial F1 complex, epsilon subunit; AZGP1, alpha-2-zinc binding glycoprotein 1; BGN, biglycan; CLTC, clathrin heavy chain 1; COL1A1, collagen 1 alpha 1; FAM13C, family with sequence similarity 13, member C; FLNC, filamin C, gamma; GPS1, G protein pathway suppressor 1; GPSs, scaled Genomic Prostate Score; GPSu, unscaled Genomic Prostate Score; GSN, gelsolin; GSTM2, glutathione S-transferase Mu 2; KLK2, kallikrein 2; PGK1, phosphoglycerate kinase 1; SFRP4, secreted frizzled-related protein 5; SRD5A2, steroid-5-alpha-reductase, alpha polypeptide 2 (3-oxo-5 alpha-steroid delta 4-dehydrogenase alpha 2); TPM2, tropomyosin 2 (beta); TPX2, targeting protein for Xenopus kinesin-like protein 2 (Xklp2) or TPX2, microtubule-associated, homolog.

Knezevic 등 (2013)의 자료를 수정 인용.

하였다. 추가 분석에서 다수의 생물학적 경로를 나타내는 17종의 유전자가 발견되었으며, 이를 GPS 알고리듬에 이용하였다. 둘째, 타당성 검증 연구에서 GPS는 근치전립선절제술 당시의 병리학적 높은 병기와 높은 등급을 예측하였는데, 각각의 odds ratio (OR)는 각 GPS 20점 증가 당 1.9 (95% CI 1.3~3.0, p=0.003), 2.3 (95% CI 1.5~3.7, p<0.001)이었다. 셋째, GPS는 Cancer of the Prostate Risk Assessment (CAPRA) 점수 혹은 National Comprehensive Cancer Network (NCCN) 위험군 혹은 연령, PSA, 임상 병기, 생검 Gleason 점수로 보정한 세 경우에서도 높은 병기 혹은 높은 분화도 등급을 예측하였는데, 이 경우 OR은 각각 2.1 (95% CI 1.4~3.2, p<0.005),

도표 143 적극적 감시를 이용한 기대 요법에서 적절한 환자의 선정과 관리를 위해 생검에 근거한 유전자 발현의 임상적 활용

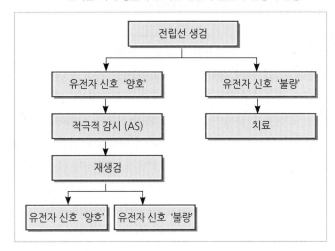

AS, active surveillance.
Klein (2013)의 자료를 수정 인용.

1.9 (95% CI 1.3~2.8, p=0.001), 1.9 (95% CI 1.2~2.8, p=0.003)이었다. 이들 결과에 의하면, 전립선암이 비균일적이고 다면적이며 생검에서의 표본 채집이 제한적임에도 불구하고 생검 표본에서 다수의 생물학적 경로를 나타내는 유전자를 분석하면 공격적인 전립선암의 구별이 가능하며, 생검에 근거한 17종의 유전자를 이용한 GPS는 부정적인 병리학적 결과를 예측할 수 있기 때문에, GPS는 전립선암 환자가 적극적 감시의 기대 요법이나 즉각적인 근치적 치료를 선택하는 데 도움이 된다.

26. Glutathione-S-Transferase Pi 1 (GSTP1)

DNA의 메틸화는 효소의 매개를 통해 DNA의 특정한 부위에 methyl (-CH₃) 기가 추가되는 화학적 변경이다. 촉진체 (promoter) 영역에서의 DNA 메틸화는 유전자 활동을 억제하는 강력한 기전에 속하며, 종양이 형성되는 과정에서 조기에 일어나는 사건이다. DNA 메틸화가 종양의 형성에서 필수적인 사건인지 아니면 임시적인 것인지 아직 분명하지 않다. Deafness, X-linked 7 (DFN7), epididymis secretory protein Li 22 등으로도 알려진 glutathione-s-transferase pi 1 (GSTP1)은 유리 기 (free radical)의 손상으로부터 DNA를 보호하는 기능을 가진 해독 효소 (detoxifying enzyme)로서 유전자에 대해 독성을 가진 화합물의 제거, 해독, 대사에 관여한다 (Phé

등, 2010). 이 효소를 코드화하는 *GSTP1* 유전자는 염색체 11q13.2에 위치해 있으며, 전립선암은 특징적으로 이 유전자를 억제한다. 촉진체의 과다 메틸화로 인해 *GSTP1*의 발현이 상실되는 현상은 전립선암과 고등급 전립선상피내암 혹은 전립선상피내암에서 각각 90% 이상, 70%로 가장 빈번하게 보고되는 체세포 유전자의 변경이다 (Lee 등, 1994). 이러한 체세포 유전자의 침묵 ('silencing')은 촉진체의 메틸화와 직접 관련이 있다 (Harden 등, 2003). 과다 메틸화로 인한 DNA의 변화는 전립선암 조직의 90% 이상에서 나타나며, 소변 채집을 통한 여러 연구들은 19~76%의 민감도, 56~100%의 특이도를 보고하였다 (Goessl 등, 2001; Crocitto 등, 2004). 전립선을 마사지하지 않은 상태에서 소변을 채집한 경우에는 민감도가 가장 낮게 나타났으며 (Jerónimo 등, 2002), 전립선암의 Gleason 점수 (Goessl 등, 2001) 혹은 병기 (Gonzalgo 등, 2003)와의 연관성은 발견되지 않았다.

전립선암 환자 118명, 고등급 전립선상피내암 환자 38명, 양성전립선비대 환자 30명 등으로부터 채집한 조직 DNA에서 메틸화에 특이한 PCR (quantitative methylation-specific polymerase chain reaction, QMSP)를 이용하여 9가지의 유전자 촉진체, 즉 *GSTP1, adenomatous polyposis coli (APC), O6-methylguanine-DNA methyltransferase (MGMT), p14 alternate reading frame (p14ARF* 혹은 *p14*[ARF]), *p16 inhibitor of cyclin-dependent kinase 4A (p16*[INK4A] 혹은 *CDKN2A), ras association (GalGDS/AF-6) domain family 1A (RASSF1A), tissue inhibitor of metalloproteinase 3 (TIMP3), S100 calcium binding protein A2 (S100A2), cellular retinol binding protein 1 (CRBP1)* 등을 분석한 연구는 다음과 같은 결과를 보고하였다 (Jerónimo 등, 2004). 첫째, 양성전립선비대에 비해 전립선암에서 메틸화의 빈도가 유의하게 더 높은 유전자 촉진체는 *GSTP1*과 *APC* 뿐이었다 ($p < 0.001$). 둘째, *GSTP1, APC, RASSF1A, CRBP1* 등의 메틸화 정도는 전립선암과 고등급 전립선상피내암 및/혹은 고등급 전립선상피내암과 양성전립선비대 사이에서 유의한 차이를 보였다 ($p < 0.0001$). 셋째, QMSP와 경험적 절단치를 이용하였을 때, 전립선암에 대한 *GSTP1*과 *APC* 병합의 민감도와 특이도는 각각 98.3%, 100% 이었다. 넷째, *GSTP1*과 *APC*의 메틸화 정도는 종양의 등급과, *GSTP1, APC, RASSF1A* 등의 메틸화 정도는 종양의 병기와 상호 관련이 있었다. 이와 같은 결과를 종합하여 보면, 전립선암의 형성 과정에서 암과 관련이 있는 유전자 촉진체의 메틸

화 정도는 점차 증가하며, QMSP를 통해 분석된 *GSTP1, APC, RASSF1A* 등의 메틸화 정도는 진행된 등급 및 병기와 관련이 있다.

*GSTP1*은 전립선암에 매우 특이적이면서 소변, 정액장액, 배출된 전립선 분비액, 전립선암 조직 등에서 발견되기 때문에, 가치 있는 생물 지표라고 할 수 있다. 그러나 소변에서의 발견율을 향상시키려면 부단한 개선 노력이 필요한데, 이유는 QMSP로 발견하는 현재의 방법은 소변 표본을 대상으로 실시하였을 때는 실망스러운 예측 수준을 나타내었기 때문이다 (Goessl 등, 2002). 이를 극복하기 위해 소변을 채집하기 전에 실시하는 전립선 마사지 방법은 복합적인 결과를 나타내었다 (Crocitto 등, 2004). *p16*[INK4A] (혹은 *CDKN2A), p14*[ARF], *MGMT, GSTP1, retinoic acid receptor-beta2 (RARB2), E-cadherin (CDH1), TIMP3, RASSF1A, APC* 등 9종의 유전자 촉진체에서 비정상적인 메틸화를 보이는 DNA를 확인하기 위해 QMSP를 이용하여 요침사를 분석한 환자-대조군 연구는 전립선암 환자 52명으로부터 채집한 소변에서 최소 1종의 유전자에서 촉진체의 과다 메틸화가 발견되었다고 하였다. 요침사에서 발견된 전반적 메틸화는 원발 종양 내의 메틸화 상태를 반영하였다. 또한, 비뇨기계의 암이 없는 91명의 대조군에서는 *p16*[INK4A], *p14*[ARF], *MGMT, GSTP1* 등의 촉진체에서 메틸화가 발견되지 않은 반면, *RARB2, TIMP3, CDH1, RASSF1A, APC* 등의 메틸화는 관찰되었다. 이들 결과를 근거로 저자들은 4종의 유전자, 즉 *p16*[INK4A], *p14*[ARF], *MGMT, GSTP1* 등을 함께 분석하면 100%의 특이도로 전립선암의 87%를 발견할 수 있으며, 전립선암을 비침습적으로 조기에 발견하는 데는 QMSP를 이용한 소변 DNA의 분석이 도움이 된다고 하였다 (Hoque 등, 2005).

여러 연구는 단일 유전자의 분석보다 종양을 억제하는 다수 유전자의 과다 메틸화를 분석하면 전립선암을 발견하는 데 도움이 되며, 이들 유전자로는 *GSTP1, APC, T1G1, prostaglandin G/H synthase 2 (PTGS2* 혹은 *cyclooxygenase 1 [COX1]), endothelin receptor B (EDNRB)* 등이 있다고 하였다. 또한, 암이 재발할 때는 이들 유전자의 메틸화 양상이 변하기 때문에, 이를 이용하면 전립선암의 재발을 조기에 예측할 수 있다고 생각된다 (Phé 등, 2010) (도표 144).

여러 연구들이 배출된 소변, 전립선 마사지 후의 소변, 사정액 혹은 전립선 분비액 등에서 유전자의 과다 메틸화를 평가하였다. 이들 연구의 목적은 유전자의 과다 메틸화가 전립

도표 144 체액 표본에서 전립선암 발견에 대한 유전자 메틸화의 생물 지표

유전자	명칭	표본	민감도, %	특이도, %	참고 문헌
GSTP1	glutathione-S-transferase pi 1	생검	75~100	75~100	Harden 등, 2003
		소변	18.8~76	82~100	Gonzalgo 등, 2003
		혈장/혈청	13~72	100	Jeronimo 등, 2002
		정액	50	100	Goessl 등, 2000
RARbeta	retinoic acid receptor-beta2	소변	29~62.1	84~91	Vener 등, 2008
APC	adenomatous polyposis coli	소변	36~51	83~91	Vener 등, 2008
RASSF1A	ras association domain family 1A	소변	77.9		Rouprêt 등, 2007[†]
TIMP3	tissue inhibitor of metalloproteinase 3	소변	43.2		Rouprêt 등, 2007[†]
CDH1	E-cadherin	소변	30.5		Rouprêt 등, 2007[†]
MGMT	O6-methylguanine-DNA methyltransferase	소변	14.7		Rouprêt 등, 2007[†]
p14ARF	p14 alternate reading frame	소변	6.3		Rouprêt 등, 2007[†]

[†], 전립선 마사지 후 채집한 소변을 이용한 Rouprêt 등 (2007)의 연구에 의하면 GSTP1, RASSF1A, CDH1, APC, DAPK, MGMT, p14ARF, p16INK4, RARbeta2, TIMP3 등과 같은 10종의 유전자 중 ROC 분석에서 악성과 비악성 질환을 가장 정확하게 구별할 수 있는 유전자는 GSTP1, RASSF1A, RARbeta2, APC 등이었고 각각의 AUC는 0.86 (95% CI 0.79~0.93), 0.85 (95% CI 0.77~0.92), 0.80 (95% CI 0.73~0.87), 0.74 (0.65~0.82), OR은 각각 32.6 (95% CI 11~96.3), 41.1 (95% CI 11.5~147.1), 60.6 (95% CI 7.9~461.1), 18.4 (95% CI 4.2~80.7)이었으며 (모든 p-value는 <0.0001), 이들 네 유전자를 연합한 경우 민감도와 정확도는 각각 86%, 89%이었다.

ARF, alternative reading frame; AUC, area under the curve; CI, confidence interval; DAPK, death-associated protein kinase 1; INK4, inhibitor of cyclin-dependent kinase 4A; OR, odds ratio; ROC, receiver operator curve.

Phé등 (2010)의 자료를 수정 인용.

선암의 발견에서 PSA의 민감도와 특이도를 향상시킬 수 있는지를 확인하는 것이었다. 이들 연구는 대체로 GSTP1의 과다 메틸화가 민감도를 어느 정도 향상시키고 특이도를 현저하게 향상시킴을 보여 주었으며, 소변 내에서 GSTP1 및/혹은 다른 유전자의 민감도는 70~83%, 특이도는 86~100%이었다 (Jerónimo 등, 2004; Ellinger 등, 2008). DNA 메틸화는 종양 형성의 특징적 양상이며, 전립선암에서는 GSTP1의 과다 메틸화가 가장 흔하다. 진단 생검을 위해 의뢰되어 온 100명의 남성으로부터 채집된 침 생검 core와 전립선 마사지 후의 소변에서 GSTP1의 과다 메틸화를 평가한 연구는 다음과 같은 결과를 보고하였다 (Woodson 등, 2008). 첫째, 소변 표본에서 GSTP1의 메틸화는 전립선암의 발견에 대해 75%의 민감도와 98%의 특이도를 나타내었다. 둘째, 생검 표본에서 GSTP1의 과다 메틸화는 91%의 민감도와 88%의 특이도를 나타내었다. 셋째, 흥미로운 점은 병기 II에 비해 병기 III의 질환에서 GSTP1 메틸화의 빈도가 더 높다는 점인데, 각각 20%, 100%이었다 (p=0.05).

혈장, 혈청, 전혈 (whole blood), 소변, 사정액, 전립선 분비액 등의 체액에서 GSTP1의 메틸화를 평가한 22편의 연구를 메타 분석한 연구에 의하면, 생검 음성인 대조군에서 채집한 혈장, 혈청, 소변 등에서 측정된 GSTP1 촉진체의 메틸화는 0.89 (95% CI 0.80~0.95)의 높은 통합 특이도를 나타내었으며, 통합 민감도는 0.52 (85% CI 0.40~0.64)이었다. 따라서 혈장, 혈청, 소변 등에서 측정된 GSTP1 촉진체의 메틸화는 PSA보다 높지 않은 보통 정도의 민감도와 PSA보다 훨씬 높은 특이도를 보이기 때문에, 전립선암을 진단하기 위한 PSA 선별검사에서 보조 역할을 할 수 있다고 생각된다 (Wu 등, 2011).

전립선암 환자 31명과 양성전립선비대 환자 44명을 대상으로 methylation-specific polymerase chain reaction (MS-PCR)을 이용하여 혈장 DNA에서 촉진체의 과다 메틸화를 평가한 연구는 다음과 같은 결과를 보고하였다 (Dumache 등, 2014). 첫째, 혈장 표본에서 GSTP1 유전자의 과다 메틸화는 전립선암 환자와 비뇨생식기계의 암이 없는 대조군의 각각 92.9% (27점/31점), 10.6% (3점/44점)에서 발견되었다. 둘째, 혈청 PSA, 병리학적 병기, Gleason 점수, GSTP1의 과다 메틸화 상태 등을 포함한 receiver operating curve (ROC)의 경우 전립선암 발견에 대한 민감도, 특이도, 정확도는 각각 95%, 87%, 93%이었다. 이들 결과는 비침습적인 방법으로 혈장 표본에서 유전체 DNA를 분석하여 GSTP1의 과다 메틸화를 평가함으로써 전립선암 환자와 양성전립선비대 환자의 감별이 가능함을 보여 준다.

처음 생검에서 음성이었으나 전립선암이 있다고 매우 의심되는 86명을 대상으로 처음 음성 생검의 조직과 재생검 조직에서 APC와 GSTP1의 메틸화를 비교한 연구는 다음과 같

은 결과를 보고하였다 (Trock 등, 2012). 재생검에서 24% (21명/86명)가 전립선암을 가졌다. 첫째, *APC*와 *GSTP1*의 메틸화 비율이 전립선암이 없음을 예측하는 한계치의 아래인 경우 음성 예측도 (negative predictive value, NPV)는 각각 0.96, 0.80이었다. 둘째, *APC*의 상대적 음성 예측도는 1.2 (95% CI 1.06~1.36)이었는데, 이는 *APC*의 음성 예측도가 유의하게 더 높음을 시사한다. 셋째, 한계치 이상의 메틸화 비율은 *APC*와 *GSTP1*에서 각각 0.95, 0.43이었다. 넷째, 두 메틸화 표지자를 병합한 경우의 결과는 *APC* 단독의 경우와 비슷하였다. 이들 결과를 근거로 저자들은 *APC* 메틸화가 매우 높은 음성 예측도를 나타내어 위음성의 비율을 낮추기 때문에, 이를 이용하면 불필요한 재생검을 줄일 수 있다고 하였다.

전립선암으로 수술을 받은 452명의 조직 표본을 대상으로 QMSP에 의해 전립선암에서 비정상으로 메틸화된다고 확인된 *absent in melanoma 1* (AIM1), *cyclin D2* (CCND2), *glutathione peroxidase 3* (GPX3), *melanoma cell adhesion molecule* (MCAM 혹은 CD146), *single-stranded DNA-binding protein 2* (SSBP2), *APC*, *RARB2*, *TIMP3*, *GSTP1* 등과 같은 유전자의 촉진체 메틸화를 평가한 연구는 다음과 같은 결과를 보고하였다 (Maldonado 등, 2014). 첫째, *GSTP1* 메틸화의 정도는 대조군 (p=0.01)과 암이 전립선에 국한되었거나 전립선 외부로의 침범이 제한적인 초기 질환을 가진 환자 (p=0.001)에 비해 재발 환자에서 더 높았다. 둘째, 다변량 분석에서 *GSTP1* 촉진체의 높은 메틸화는 초기 질환을 가진 환자에서 재발 위험의 증가와 관련이 있었다 (p=0.05). 이들 결과에 의하면, 전립선암 조직에서 *GSTP1* 촉진체의 높은 메틸화는 초기 질환을 가진 환자에서 재발 위험과 독립적으로 관련이 있으며, 조직에서의 *GSTP1* 촉진체의 메틸화는 재발에 대한 표지자의 역할을 한다.

27. Golgi Membrane Protein 1 (GOLM1)

골지기관 (Golgi apparatus)은 세포질세망 (endoplasmic reticulum, ER)에서 나온 단백질을 분류하고 변경하는 중요한 역할을 한다. Golgi phosphoprotein 2 (GOLPH2), Golgi membrane protein GP73 (GP73)등으로도 알려진 Golgi membrane protein 1 (GOLM1)은 골지기관 유전자 *GOLM1*에 의해 코드화되는 인단백질 (phosphoprotein)이며, 골지기관과 관련하여 상주해 있는 73 kDa의 *cis*-Golgi 막단백질이

다. GOLM1은 조면 세포질세망 (rough ER)에서 합성된 단백질을 처리하고, 골지기관을 통한 단백질의 운반을 돕는다. 급성 및 만성 거대세포간염 (giant cell hepatitis) 혹은 간세포암을 가진 환자의 간세포에서 GOLM1의 증가가 처음 보고되었으며 (Kladney 등, 2000), 전립선암 (Laxman 등, 2008), 폐암 (Zhang 등, 2010) 등에서도 GOLM1의 과다 발현이 발견되었다. 처음 보고는 GOLM1이 Golgi 구역의 cis 및 내측에 위치해 있는 II형 골지막 단백질인 giantin과 동일한 부위에서 발견된다고 하였다. 염색체 9q21.33에 위치해 있는 유전자 *GOLM1*에 의해 코드화 되는 단백질 GOLM1은 골지기관 내강면에 접한 C-terminal, coiled-coil 영역과 N-terminal 경막 영역을 가지고 있다. GOLM1은 *trans* Golgi network (TGN) 혹은 세포 표면에 있는 다양한 단백질분해효소에 노출되면, 세포 외부 영역이 분절되어 세포의 외부 환경으로 유리된다. 그러한 단백질분해효소에 속하는 중요한 그룹 중 하나가 kexin 가족의 serine protease인 subtilisin, 즉 proprotein convertase (PC)이다. PC는 furin, paired basic amino acid cleaving enzyme 4 (PACE4 혹은 subtilisin-like proprotein convertase 4, SPC4), PC1/3, PC2, PC4, PC5/6, PC7/8/lymphoma proprotein convertase (LPC) 등의 7종의 효소로 구성된 가족이며, 호르몬, metalloprotease, 성장 인자, 신호 전달 펩티드 등을 포함하는 많은 전구 단백질을 처리한다 (Rockwell 등, 2002). GOLM1이 furin에 의해 N-terminal에서 분절이 일어나면, C-terminal ectodomain이 방출되어 혈청 내에 나타나게 된다 (Bachert 등, 2007). GOLM1의 분절 형태는 간세포암 환자의 혈청에서 발견되며, 진단적인 가치가 있다 (Marrero 등, 2005). 많은 연구들이 암에서 PCs가 상향 조절된다고 보고하였다. 예를 들면, 폐암, 유방암, 두경부암 등에서는 furin이, 신경내분비암에서는 PC1/3와 PC2가, 유방암, 두경부암에서는 PACE4가 (Khatib 등, 2002), 결장암에서는 PC5가 (Rovere 등, 1998), 유방암에서는 PC7이 (Cheng 등, 1997) 상향 조절된다. 특히 furin 농도의 증가는 두경부암을 포함한 여러 암의 공격 및 전이 표현형과 관련이 있다 (Bassi 등, 2003; Bassi 등, 2005).

정상 및 신생물 조직에서 GOLM1의 조절 기능과 기타 관련 기전은 분명하지 않지만, 일반적으로 번역 후 단백질 변형, 분비 단백질의 운반, 세포의 신호 전달, 골지기관 기능의 유지 등에 관여한다고 추측된다. 기능적인 분석은 GOLM1의 과다 발현이 종양의 형성을 유발하는 특성을 종양세포에게 전달하는지 그리고 그러한 과다 발현이 어떻게 조절되는지를 이

해하는 데 도움이 된다 (Kristiansen 등, 2008). 또 다른 Golgi 표지자인 Golgi phosphoprotein 130 (GPP130)와의 공존 실험은 정상과 악성 전립선 조직에서 다른 형태로 공존함을 보여 주었지만, 추가 연구가 필요하다. GOLM1은 여러 당화 (glycosylation) 부위를 가지고 있으며, 간세포로부터 분비된 GOLM1의 75%까지는 분자에 fucose가 추가되는 fucosylation이 이루진다고 보고된 바 있지만, 정상 및 악성 전립선 상피에서 GOLM1의 당화 형태는 연구되어 있지 않다 (Norton 등, 2007).

간세포암 세포주 HepG2가 아데노바이러스 감염을 일으킨 후에는 GOLM1이 강하게 상향 조절되었는데, 이는 GOLM1이 간 조직 내에서 바이러스 감염의 표지자 역할을 함을 시사한다 (Kladney 등, 2002a/b). GOLM1은 건강한 대조군에 비해 간세포암 환자의 혈청에서 상향 조절되며, GOLM1은 α-fetoprotein보다 간세포암에 대해 더 민감한 혈청 표지자의 역할을 한다고 보고되었다 (Block 등, 2005). GOLM1을 과다 발현하는 간세포는 정상적으로 막과 결합한 Golgi 단백질을 분절시켜 혈청으로 분비하는데, 이는 진단을 하는 데 활용이 가능하다 (Bachert 등, 2007). 다른 연구는 GOLM1이 간세포암에서 발현되지만, 결장직장암, 유방암, 전립선암 등에서 비슷하거나 더 강한 면역 염색 반응을 나타내기 때문에, GOLM1이 간세포암에 특이한 표지자가 아니라고 하였다 (Kristiansen 등, 2008). GOLM1 단백질은 정상적인 신장 조직, 특히 원위부 세관의 상피에서 발현되며, 투명세포 신세포암의 대부분에서 하향 조절된다. 또한, 유두상 신세포암과 혐색소성 (chromophobe) 신세포암에서는 GOLM1이 일정하게 나타난다. 따라서 GOLM1의 발현이 간세포암과 전립선암에서 진단적 가치가 있는 것과는 대조적으로, 신세포암에서는 예후나 진단 측면에서 가치가 있다고 생각되지 않는다 (Fritzsche 등, 2008).

혈청 PSA를 이용한 선별검사로 인해 전립선 침 생검의 빈도가 증가하였으며, 이로써 작은 암의 침윤, 암과 유사한 양성 조직 등과 같이 면역조직화학검사가 필요할 정도로 진단하기 어려운 상황이 발생하는 빈도 또한 증가하였다. 기저세포의 소실은 전립선암의 특징이며, 이 때문에 고분자량의 cyto-keratins와 p63가 기저세포 조직의 표지자로서 널리 이용되었다. 그러나 어떠한 경우에는 기저세포의 소실이 있더라도 진단하기 어려울 수 있어 전립선암에 대한 다른 표지자의 필요성이 요구되었다. 이전에는 alpha-methylacyl CoA racemase

도표 145 전립선암에서 AMACR과 GOLM1 발현의 종양 〉 정상 비율

	GOLM1 종양〉정상		AMACR
	아님	예	합계
AMACR 종양〉정상			
아님	5	26	31 (5%)
예	42	541	583 (95%)
GOLM1 합계	47 (7.7%)	567 (92.3%)	

'종양〉정상' 은 인접한 정상 조직과 비교하였을 때 종양 조직에서 과다 발현한 경우임.
AMACR, alpha-methylacyl-CoA racemase; GOLM1, Golgi membrane protein 1.
Kristiansen 등 (2008)의 자료를 수정 인용.

(AMACR)가 전립선암의 유용한 표지자로서 널리 공감을 얻었지만, 종양 내에서의 비균질적인 발현 (Murphy 등, 2007), AMACR에 음성인 전립선암 (Wang 등, 2006) 등과 같은 두 가지 제한점을 가지고 있다. 근치전립선절제술을 받은 614명을 대상으로 분석한 연구에 의하면, 생검 cores 모두가 완전하게 AMACR에 대해 음성인 전립선암 환자가 5% (31명/614명), 조직 표본에 있는 두 종양 cores 중 하나가 음성인 전립선암 환자가 7% (43명/614명)이었다. 생검 표본에서 AMACR 면역염색법으로 전립선암이 없다고 간주될 수 있는 이들 12%의 환자에 대해 GOLM1 면역염색법을 추가로 실시하였을 때, 84% (26명/31명)의 환자가 전립선암으로 진단될 수 있었다 (도표 145). 이러한 이유는 부분적으로는 종양 내에서 GOLM1이 비균질적으로 분포하는 비율이 약 25%로 낮기 때문이다 (Kristiansen 등, 2008). 이들 결과는 GOLM1이 전립선암의 조직학적 발견에서 보조적인 유망한 표지자가 될 수 있음을 시사한다. 따라서 AMACR과 비교해 볼 때, GOLM1은 고비용이고 불필요한 재생검의 빈도를 줄이는 데 도움이 된다고 생각된다 (Jiang 등, 2004). GOLM1이 정상 조직에서 생리학적으로도 발현되기 때문에 AMACR보다 결과를 해석하기가 어려울 수 있지만, 정상 조직에서 면역 염색에 양성 반응을 나타내는 내부 양성 대조군 (internal positive control)을 이용하면 장점이 될 수도 있다. 또한, 단클론 항체를 이용한 면역염색법에서 특징적인 Golgi 양상, 즉 핵 주위에서 과립 형태로 나타나는 염색은 특이한 면역 반응의 지표인 데 비해, 동일한 슬라이드에서의 과도한 염색은 흔히 세포질일 가능성이 높다 (Kristiansen 등, 2008).

Varambally 등 (2008)은 전립선암의 상피세포에서 GOLM1이 증가됨을 발견하였고, 전립선암 세포주 배양액의 상청액에서 이 단백질의 분비형을 확인하였다. 골지기관의 내강에

있는 GOLM1에는 N-terminal FLAG가 붙어 있는 것으로 보아 전립선암 세포에서 GOLM1이 내강으로 유리되는 기전은 간세포암의 경우와는 달리 PCs와는 무관하다고 생각된다. GOLM1이 분절되지 않은 상태로 분비되는 기전은 매우 흥미롭지만 완전하게 이해되어 있지 않다. 소변 내의 GOLM1은 탈락된 전립선암 세포에서 유래된다고 여겨지며, 전형적으로는 전립선 마사지 후에 그리고 진행된 병기의 암에서 발견된다 (Hessels 등, 2003). 그러나 이러한 관찰이 배양된 세포로부터 단백질이 온전한 상태로 유리되는 과정을 설명해 주지는 못한다. 전립선암 세포주로부터 GOLM1의 유리는 단백질의 운반을 억제하는 제제인 brefeldin A에 의하여 억제될 수 있으며 (Ivessa 등, 1997), 이러한 과정이 분비 기전에 관여한다고 추측된다. GOLM1은 exosome (Johnstone, 2006)과 microvesicle (MacKenzie 등, 2001) 내로 분비되기도 한다. 기전은 분명하게 알지 못하지만, 혈청 PSA를 이용한 선별검사와 직장수지검사의 보충 검사로 소변 내에서 GOLM1을 측정하는 방법은 가치가 있다고 생각된다. Serine protease inhibitor Kazal-type 1 (SPINK1) 및 prostate cancer antigen 3 (PCA3) 전사물의 발현, 그리고 transmembrane protease, serine 2:E-twenty six-related gene (TMPRSS2:ERG) 유전자 융합 등과 함께 소변에서 GOLM1 전사물의 증가는 전립선암을 예측할 수 있다고 주장한 연구는 소변에서 이들 생물 지표에 대한 병합 검사가 전립선암을 예측함에 있어 혈청 PSA 혹은 PCA3의 예측도를 능가한다고 보고하였다 (Laxman 등, 2008).

GOLM1의 기능이 분명하게 밝혀져 있지 않지만, 그것의 발현이 증가됨은 암에서 흔한 양상이기 때문에 암의 생물 지표로서 유망하다고 생각된다. GOLM1 유전자는 방광암, 유방암, 결장암, 자궁내막암, 신장암, 간암, 폐암, 피부 흑색종, 림프종, 췌장암, 전립선암, 갑상선암 등을 포함하는 20종의 흔한 암에서 일정하게 조절 장애를 일으키는 187종의 유전자 중 하나로 간주된다 (Lu 등, 2007). 배양된 세포에 대해 아데노바이러스 감염을 일으키면, 아데노바이러스의 E1A 단백질의 C-terminal-binding protein (CtBP) 영역을 통해 GOLM1이 발현된다 (Kladney 등, 2002). 세포 배양을 이용한 연구는 생쥐의 자궁암 (Moggs 등, 2004)과 거세 저항성 전립선암 (Coleman 등, 2006) 세포주에서 GOLM1의 발현이 에스트로겐에 의해 변경됨을 발견하였으며, 이를 근거로 GOLM1의 발현은 호르몬에 의해 조절된다고 추측하였다. 다른 연구는 전립선암에서 암세포에 특이하게 GOLM1과 myosin VI (MYO6)의

발현이 변경된다고 보고하였다 (Wei 등, 2008).

메타 분석을 통해 다수 유전자의 발현을 비교한 연구는 GOLM1이 임상적으로 전립선에 국한된 암에서 일정하게 증가됨을 관찰하였다. 이러한 관찰은 RT-PCR에 의해 확인되었으며, 단백질 수준에서는 immunoblot assay 및 면역조직화학검사에 의해 입증되었다. GOLM1의 면역 반응은 전립선암 세포주의 상청액과 전립선암 환자의 소변에서 관찰되었다. 전립선암의 발견에서 GOLM1은 혈청 PSA보다 우수한 결과를 보였는데, AUC-ROC가 GOLM1과 혈청 PSA에 대해 각각 0.622 (p=0.0009), 0.495 (p=0.902)이었다. 이 연구에서 PSA에 대한 AUC-ROC가 다른 연구에 비해 낮은 이유는 표본 크기가 작기 때문이라고 생각된다 (Varambally 등, 2008).

근치전립선절제술을 받은 614명을 대상으로 전립선암 표지자인 AMACR과 GOLM1을 비교한 연구는 GOLM1의 발현이 정상 전립선에 비해 전립선암에서 유의하게 더 높으며 (p<0.001) (도표 146), GOLM1 단백질은 92.3% (567명/614명)에서, AMACR은 95% (583명/614명)에서 상향 조절되었다고 하였다 (상관계수 0.113, p=0.005) (도표 145). 면역조직화학검사에서 종양 내의 이질적인 양상은 GOLM1의 경우 25%로 45%인 AMACR보다 낮았다 (Kristiansen 등, 2008).

GOLM1의 발현이 전립선암의 진단에서 중요한 역할을 하는지를 평가하기 위해 전립선암의 조직 microarray에서 전립선암 세포에 대한 면역형광검사를 실시하여 GOLM1의 위치를, QRT-PCR과 Western blotting을 실시하여 mRNA 및 단백질 수준에서 GOLM1의 발현을 분석한 연구는 다음과 같은 결과를 보고하였다 (Li 등, 2012). 첫째, 면역형광검사는 GOLM1이 DU145 세포의 cis-Golgi에 위치해 있음을 보여 주었다. 둘째, GOLM1의 전사물과 GOLM1 단백질은 DU145, 22RV1, PC3, LNCaP 등과 같은 다양한 전립선암 세포주에서 과다 발현되었다. 셋째, 면역조직화학검사는 GOLM1 단백질의 염색이 정상 전립선과 양성전립선비대에서도 간혹 발견되지만 전립선암 세포의 세포질에서는 대부분 관찰됨을 보여 주었다. 넷째, GOLM1 단백질은 전립선암 조직에서 강하게 발현되며, 정상 전립선 및 양성전립선비대와 유의한 차이를 보였다 (p<0.05). 다섯째, 조직학적 등급, 병리학적 병기 등을 포함하는 전립선암의 병리학적 양상과 GOLM1의 과다 발현 사이에는 유의한 상호관계가 나타나지 않았다 (p<0.05). 이들 결과는 GOLM1 단백질이 정상 전립선과 양성전립선비대에 비해 전립선암에서 유의하게 더 발현되어 GOLM1이 전립선암의

도표 146 전립선암에서 GOLM1 단백질의 발현

	GOLM1의 발현			
	1+ 수 (%)	2+ 수 (%)	3+ 수 (%)	p
전체	10 (1.6)	275 (44.8)	329 (53.6)	
연령				0.321
≤62	6 (1.9)	143 (46.3)	160 (51.8)	
>62	4 (1.3)	132 (43.3)	169 (55.4)	
수술 전 PSA				0.475
≤10 ng/mL	5 (1.1)	197 (44.6)	240 (54.3)	
>10 ng/mL	5 (3.0)	73 (44.2)	87 (52.7)	
pT 상태				0.267
pT2	8 (1.9)	194 (45.9)	221 (52.2)	
pT3/4	2 (1.0)	81 (42.4)	108 (56.5)	
Gleason 점수				0.264
3~6	1 (0.5)	92 (42.4)	124 (57.1)	
7	7 (2.4)	136 (46.7)	148 (50.9)	
8~10	2 (1.9)	47 (44.3)	57 (53.8)	
수술 절제면				0.457
음성	6 (1.4)	206 (46.4)	232 (52.3)	
양성	4 (2.4)	68 (40.7)	95 (56.9)	
AMACR 발현				0.005
0	2 (10.5)	7 (36.8)	10 (52.6)	
1+	3 (2.9)	53 (52.5)	45 (44.6)	
2+	2 (0.6)	152 (47.2)	168 (52.2)	
3+	3 (1.7)	63 (36.6)	106 (61.6)	

염색 반응의 강도는 0 (음성), 1+ (약한 반응), 2+ (중등도 반응), 3+ (강한 반응) 등의 네 부류로 분류되었다.

AMACR, alpha-methylacyl-CoA racemase; GOLM1, Golgi membrane protein 1; PSA, prostate-specific antigen; pT, pathologic tumor stage.

Kristiansen 등 (2008)의 자료를 수정 인용.

진단 및 치료에 유용하다고 생각되는 한편, GOLM1의 과다 발현은 질환의 병기나 등급과는 연관성이 없음을 보여 준다.

28. Hepsin (HPN)

Transmembrane protease serine 1 (TMPRSS1)으로도 불리는 hepsin은 간, 신장, 전립선, 갑상선 등 사람의 여러 조직에서 발현되는 세포막의 serine protease이다. Hepsin의 생리학적 기능에 관하여는 충분하게 밝혀져 있지 않다. 생체 밖 실험 연구에 의하면, hepsin은 혈액을 응고하는 인자, 예를 들면 factor VII, IX, XII 등 외에도 pro-urokinase type of plas-minogen activator (pro-uPA), pro-hepatocyte growth factor (pro-HGF) 등을 활성화한다고 하였다. 또한, hepsin을 코드화하는 유전자 hepsin (HPN)은 전립선암에서 가장 상향 조절

되는 유전자 중 하나라고 보고되었다. HPN의 상향 조절은 질환의 진행과 상호 관련이 있다. 따라서 hepsin은 전립선암의 진단 및 예후에서 중요한 생물 지표의 역할을 하며, 전립선암의 치료에서 우수한 표적이 된다고 여겨진다.

28.1. Hepsin에 관한 역사적 배경
Historical background for hepsin

사람의 HPN cDNA는 1980년대 후반 trypsin과 같은 protease를 검색하는 과정에서 HepG2 간암 세포 도서관으로부터 처음 발견되었다 (Leytus 등, 1988). Hepsin의 아미노산 서열은 trypsin과 같은 protease가 가지고 있는 특징적인 양상, 예를 들면 활성화 분절 부위, 활성 His, Asp, Ser 잔기를 가진 촉매 영역 등을 가지고 있다. 그러나 hepsin은 모든 trypsin pro-tease가 포함하고 있는 신호 펩티드가 없으며, 대신 세포 표면에서 protease를 고정시키는 경막 영역으로서 기능을 하는 소수성 (hydrophobic) 영역이 N-terminus 근방에 있다. 수십 년 동안 enteropeptidase가 소장의 융모막 (brush border mem-brane)과 관련이 있다고 알려졌었지만 (Maroux 등, 1971), 전장의 cDNA가 복제된 1990년대 초까지는 세포막과 결합한 양상의 구조가 밝혀져 있지 않았다 (Kitamoto 등, 1995). 따라서 hepsin은 경막 영역을 가졌다고 알려진 최초의 trypsin 유사 protease이다.

HPN은 간세포에서 가장 풍부하게 발현된다. 그 외에도 HPN mRNA는 신장, 췌장, 전립선, 갑상선 등과 같은 여러 조직에서 낮은 농도로 발견된다 (Tsuji 등, 1991). Hepsin의 독특한 구조 양상과 조직 분포 때문에, 많은 연구에서 관심의 대상이 되어 왔다. 여러 연구는 hepsin이 혈액 응고 (Kazama 등, 1995), 간세포의 성장 (Torres-Rosado 등, 1993), 배아 발생 (Vu 등, 1997) 등에서 어떠한 역할을 한다고 보고하였다. 그러나 유전자 표적화 기법에 의해 생성된 HPN 결여 생쥐는 생존과 임신이 가능하였고 정상적인 성장을 나타내었는데 (Yu 등, 2000), 이는 hepsin이 배아 발생과 출생 후 생존에서 필수적이지 않음을 시사한다. HPN이 결여된 생쥐에서는 간의 조직이나 생학학적 측면에서 결함이 발견되지 않았다. 이들 생쥐에서는 혈액 응고 시간 혹은 꼬리 부분의 출혈 시간 또한 정상이었는데, 이는 hepsin이 정상적인 항상성과 간 기능에서 필요한 효소가 아님을 시사한다. 골격으로부터 유래된 alkaline phosphatase는 대조군 생쥐에 비해 HPN이 결여된

생쥐에서 2배까지 증가되었는데, 이러한 결과의 생물학적 중요성은 분명하지 않다. 현재까지 hepsin의 생리학적 기능은 충분하게 밝혀져 있지 않은 상태이다.

28.2. Hepsin의 유전자 및 단백질
Hepsin gene and protein

보체 DNA (cDNA) microarray 분석을 이용하여 6,500종 이상의 유전자에 대해 발현을 연구한 결과, 210종의 유전자가 전립선암과 관련이 있었다. 그들 중 HPN 유전자는 정상 전립선 혹은 양성전립선비대와 전립선암 사이에서 발현 비율의 차이가 가장 큰 유전자 중 하나이다 (Wu와 Parry, 2007). 염색체 19q13.12에 위치한 HPN은 26 kb 길이의 유전자로서 13개의 exons를 가지고 있고, 세포 표면에 있는 유형 II의 경막 serine protease인 hepsin을 코드화하며, 전립선암에서 과다 발현된다고 보고되었다 (Stephan 등, 2004). HPN이 위치한 염색체 자리는 전립선암의 공격성과 관련이 있다고 이전 연구에서 보고된 19q12-q13과 동일한 자리이다 (Witte 등, 2000). BHK-21과 HepG2 세포에 관한 연구에 의하면, hepsin은 형질막에 있으며, 촉매 영역은 세포 표면에 있고, NH₂ terminus는 세포질에 접해 있다 (Leytus 등, 1988).

전장 (full-length)의 HPN cDNA는 417개 아미노산으로 구성된 폴리펩티드를 코드화한다 (Leytus 등, 1988). 도표 147에서 나타나 있듯이, hepsin은 제2형 경막 serine protease의 구조를 가지고 있다 (Szabo 등, 2003). 경막은 N-terminus 가까이에 위치해 있고, protease의 세포 외부 영역은 C-terminus에 위치해 있다. 이들 두 영역 사이에는 macrophage scavenger receptor (MSR)와 같은 cysteine이 풍부한 영역이 있다. Chymotrypsin 가족 중 2개의 사슬을 가진 다수의 serine protease와 마찬가지로, propeptide에 있는 위치 153와 protease에 있는 위치 277의 cysteine 잔기는 효소가 활성화 부위에서 분절된 후 세포 표면에 있는 protease 영역을 연결하는 이황화 결합을 형성한다.

근래의 연구는 용해가 가능한 형태의 hepsin을 발견하였으며 (Li 등, 2005), scavenger receptor와 유사한 cysteine이 풍부한 영역과 protease 영역을 가진 용해성 hepsin의 3차원적 구조를 밝혀내었다 (Herter 등, 2005). Hepsin의 protease 영역은 chymotrypsin 가족의 serine protease에서 전형적인 2개의 six-stranded β barrels 구조를 나타낸다. 이러한 측면에서

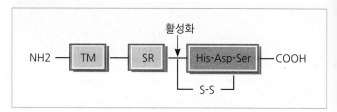

도표 147 Hepsin 단백질 영역의 구조

화살표는 활성 분절 부위를 가리키며, S-S 결합은 propeptide와 protease 영역을 연결한다.
Asp, aspartate; His, histidine; Ser, serine; SR, scavenger receptor-like cysteine-rich domain; S-S, disulfide bond; TM, transmembrane domain
Wu와 Parry (2007)의 자료를 수정 인용.

hepsin은 protease 영역의 구조가 chymotrypsin과 유사한 두 경막 serine protease, 즉 enteropeptidase (Lu 등, 1999), matriptase (혹은 membrane-type serine protease 1, MT-SP1 혹은 suppressor of tumorigenicity 14 protein, ST14) (Friedrich 등, 2002) 등과 유사하다. 실제로 hepsin의 protease 영역은 tryptase, chymotrypsin, urokinase, enteropeptidase, matriptase 등에 있는 protease 영역과 일치한다 (Somoza 등, 2003). Hepsin은 기질 특이성을 나타내는 여러 개의 loop 구조를 가지며, 특히 잔기 241과 256 사이에 있는 큰 loop는 기질을 인식하는 주된 역할을 한다 (Herter 등, 2005).

Hepsin에는 scavenger receptor와 같이 cysteine-rich domain이 있는데, 이 domain은 다른 scavenger receptor와 마찬가지로 접히는 구조 양상을 나타낸다. 이러한 hepsin 영역의 구조는 macrophage 2 antigen (MAC2) binding protein (MAC2BP)에 있는 scavenger receptor 유사 cysteine-rich domain과 거의 같다. Hepsin의 결정체 구조에서 scavenger receptor와 같은 영역과 protease 영역은 세포막 표면에서 70 Å까지의 긴 구조를 형성하며, 이들 두 영역 사이에는 Cys153과 Cys277을 연결하는 이황화 결합 외에도 다수의 수소 결합부와 염 (salt) 결합부가 있다. 이들에 의한 상호 작용은 세포 표면에 있는 protease 영역의 유연성을 약화시킨다고 생각된다 (Wu와 Parry, 2007).

상피세포의 경우 세포 밖에서 serine protease의 활성화는 epidermal growth factor receptor (EGFR)의 신호를 전달하는 두 효소 즉, MT-SP1, protease, serine, 14 (PRSS14), tumor-associated differentially-expressed gene 15 protein (TADG15), epithin 등으로도 알려진 matriptase와 PRSS8, channel-activating protease 1 (CAP1) 등으로도 알려진 prostasin에 의해

매개된다. Matriptase는 prostasin의 위치 44 (R44)의 Arg 잔기에서 pro-peptide 영역을 분절시킴으로써 prostasin을 활성화한다. Prostasin의 Arg-to-Ala 돌연변이체 (R44A)를 이용한 연구는 다음과 같은 결과를 보고하였다 (Chen 등, 2010). 첫째, matriptase에 의한 prostasin의 분절은 Arg44에서 일어난다. 이와 같은 단백질 분해로 인하여 활성화를 일으키는 prostasin 부위는 hepsin에 의해서도 분절되며, 이로써 생성된 활성 prostasin은 protease nexin 1 (PN1)과 복합체를 형성한다. 둘째, extracellular domain (ECD)에서 EGFR의 아미노산 말단의 분절은 EGFR이 hepsin과 함께 발현될 때 관찰되었다. 셋째, hepsin과 matriptase는 각기 다른 부위에서 EGFR ECD를 분절시키며, hepsin에 의한 분절은 활성 prostasin에 의해 영향을 받지 않지만 matriptase에 의한 EGFR의 분절을 증대시킨다. 넷째, EGFR로 유전자 전달 감염을 일으킨 세포에서 prostasin을 활성화하는 단백질분해효소로서 hepsin을 이용하였을 때, 활성 prostasin은 EGFR ECD를 직접 분절시키지 않았다. 정제된 활성 prostasin 또한 정제된 EGFR을 분절시키지 않았다. Hepsin에 의한 EGFR의 분절은 수용체의 tyrosine 인산화에 의존적이지 않은 데 비해, hepsin에 의해 분절된 EGFR은 Tyr1068에서 인산화되며, EGF 자극에 의해 더 이상 반응하지 않게 된다. 다섯째, hepsin에 의한 EGFR의 분절은 matriptase와 prostasin에 의한 EGFR의 분절에 의해 유도되는 사건인 extracellular signal-regulated kinases 1/2 (ERK1/2)의 인산화를 증대시키지 않았다. 이 연구는 hepsin이 prostasin을 활성화하고 EGFR의 세포 외부 영역을 분절시킴을 확인하였다.

28.3. 종양에서 hepsin의 역할
Possible roles of hepsin in cancer

간암 세포를 hepsin의 항체로 처치하였을 때 성장이 중단되었고 정상적으로 성장하고 있는 세포의 표면에서 hepsin 분자가 발견되었다는 이전의 연구 결과는 세포를 특이한 antisense oligonucleotides로 처치한 후에는 세포의 hepsin 농도가 급격하게 감소되고 세포의 성장이 억제된다는 연구 결과와 일맥상통한다. 또한, 발달 중인 생쥐 배아의 다양한 조직, 특히 활발하게 증식을 일으키는 부위에서는 hepsin의 농도가 크게 증가되어 있는데, 이는 hepsin이 세포의 성장과 세포 형태의 유지에서 필수적인 역할을 함을 보여 준다 (Torres-Rosado 등, 1993).

전립선암에서 hepsin이 상향 조절된다는 증거는 분명하지만, 생물학적 중요성에 관하여 충분하게 이해되어 있지 않다. 단백질을 분해하는 효소로서 hepsin은 세포 외부 기질 (extracellular matrix, ECM) 단백질을 분해하여 암세포가 전파되도록 만든다. *HPN*이 과다 발현되도록 유전자를 삽입한 생쥐에서 전립선암 조직의 기저막이 파괴되어 있음이 관찰되었다 (Klezovitch 등, 2004). 그러나 기질 단백질은 대개 trypsin과 같은 protease의 기질로서 적절하지 않기 때문에, 기저막이 전적으로 hepsin의 작용에 의해서만 분해된다고 할 수 없다. 생화학적 연구에 의하면, hepsin의 기질 특이성은 다소 낮은 편이다 (Herter 등, 2005). 대신 hepsin은 plasminogen/plasmin 경로의 protease를 활성화하며, 이로 인해 기질을 분해하는 metalloproteinase가 활성화된다. Hepsin이 pro-uPA를 활성 uPA로 전환시킨다고 보고되었는데 (Moran 등, 2006), 이는 hepsin이 plasminogen/plasmin 경로를 촉진하여 matrix metalloproteinase (MMP)를 활성화하는 데 관여한다는 이전의 연구를 뒷받침한다.

uPA 활성화의 상향 조절은 많은 암에서 흔하게 보고된다 (Dano 등, 2005). 근래의 연구는 uPA가 전립선암 조직의 경우 암세포가 아닌 대식세포에서 주로 발현됨을 관찰하였다 (Usher 등, 2005). 따라서 uPA의 활성화가 hepsin이 암의 진행을 촉진하는 유일한 기전이라고 생각되지 않는다. 그렇다면 다른 가능한 기전은 무엇이 있을까? 수년 동안 serine protease는 성장 인자와 같은 기능을 가지고 있다고 알려져 왔다. 예를 들면, thrombin은 혈관의 섬유모세포와 평활근세포의 유사분열을 강력하게 촉진하는 분자이다 (Fenton, 1986). HGF (Nakamura 등, 1989), growth arrest-specific protein 6 (GAS6) (Manfioletti 등, 1993) 등과 같은 여러 성장 인자는 염기 서열이나 구조적인 측면에서 응혈 단백질과 유사하다. Hepsin은 이러한 성장 인자를 활성화할 수 있다. 여러 연구는 hepsin이 pro-HGF를 활성화함을 보여 주었다 (Kirchhofer 등, 2005). HGF는 암의 진행에서 중요한 역할을 하는 receptor tyrosine kinase (RTK), 즉 HGFR로도 알려진 MET proto-oncogene, receptor tyrosine kinase (c-MET 혹은 MET)를 강력하게 자극한다 (Knudsen과 Edlund, 2004). 따라서 pro-HGF의 활성화는 hepsin이 암의 발달을 촉진하는 기전 중 하나라고 생각된다. 그러나 HGF의 활성 인자 (Miyazawa 등, 1993), matriptase (Lee 등, 2000), plasma kallikrein (Peek 등, 2002), 응혈 인자인 factor XIa (Peek 등, 2002) 등과 같은 많은

proteases가 pro-HGF를 활성화한다. Hepsin의 매개로 인한 pro-HGF의 활성화가 전립선암의 발병 기전에서 중요한 역할을 하는지를 확인하는 추가 연구가 필요하다.

Hepsin은 pro-HGF 외에도 혈액을 응고하는 인자, 예를 들면 factor VII, IX, XII 등을 분절시킨다 (Kazama 등, 1995; Herter 등, 2005). 앞에서 기술한 바와 같이 *HPN* 유전자가 결여된 생쥐는 정상적인 혈액 응고를 나타내기 때문에, 이들 응혈 인자는 hepsin의 생리학적 기질이 아니라고 생각된다 (Wu, 2001). 심장의 근육세포에 관한 연구는 *TMPRSS10* 으로도 알려진 *CORIN*에 의해 코드화되는 atrial natriuretic peptide-converting enzyme (혹은 corin)이 혈액의 용적과 혈압을 조절하는 호르몬인 pro-atrial natriuretic peptide를 활성 atrial natriuretic peptide로 전환시킴을 발견하였는데, 이 연구의 결과는 corin과 같은 제2형 경막 serine protease가 펩티드 호르몬의 변천 과정에서 어떠한 역할을 수행함을 시사한다 (Wu 등, 2005). 전립선암은 스테로이드 및 펩티드 호르몬의 자극에 대해 민감하다. Hepsin이 전립선 상피세포에서 호르몬을 변천시키는 효소로서 작용하는지를 확인하는 연구가 필요하다.

28.4. 여러 종양에서 hepsin에 관한 임상 연구
Clinical study to hepsin in variable cancer

유방암에 관한 연구에 의하면, 유방암 조직에서 hepsin의 과다 발현은 종양의 병기 (p=0.037), 림프절 전이 (p=0.010), 에스트로겐 수용체 양성 (p=0.019), 프로게스테론 수용체 양성 (p<0.0001) 등과 유의하게 관련이 있으며, small interfering RNA (siRNA)를 이용하여 hepsin의 발현을 하향 조절하면 유방암 세포주 MDA-MB-231과 HER18의 증식과 침습이 유의하게 감소되었다. 이와 같은 결과는 hepsin의 발현이 유방암 조직에서 흔히 상향 조절되며, 이는 종양의 성장 및 진행과 관련이 있음을 보여 준다 (Xing 등, 2011).

Hepsin은 정상적인 여러 조직과 여러 형태의 세포에서 발현되며, 정상적인 간과 신장에서 가장 현저하게 발현된다. Hepsin의 과다 발현은 전립선암, 난소암, 신세포암 등에서 관찰된다. 난소암을 가진 생쥐 모델을 대상으로 평가한 연구에 의하면, 난소암 세포주에서 hepsin은 암의 진행에 관여하는 macula adhaerens, 즉 desmosome의 결합 부위에서 발현되며, hepsin에 의한 단백질 분해의 기질로 추정되는 간세포의

성장 인자가 이 부위에 함께 위치해 있다. 이들 결과는 hepsin의 과다 발현이 난소암의 성장을 촉진하는 기능을 가짐을 보여 준다 (Miao 등, 2008). 이와 상충되는 결과를 보고한 연구는 난소암에서는 hepsin이 p53 의존성 세포 자멸사의 상향 조절과 caspase-3, -6, -7 등의 활성화를 통해 세포의 성장을 억제하기 때문에, hepsin이 난소암의 치료에서 새로운 접근법의 유망한 표적이 된다고 하였다 (Nakamura 등, 2006).

신세포암 환자 7명에 관한 연구는 환자 모두의 종양세포 막에서 hepsin이 강하게 염색되었다고 하였으나 (Zacharski 등, 1998), 상충된 결과를 보고한 연구도 있다. 신세포암 환자 27명에 관한 연구는 *HPN* mRNA 농도가 초기 병기의 암에서는 정상 대조군과 비슷하였지만, 진행된 질환에서는 감소되었다고 하였다. 이 연구는 또한 *HPN* mRNA의 농도가 낮을수록 생존율이 낮다고 하였다 (Roemer 등, 2004). 신세포암 환자 66명에 관한 연구는 초기 병기의 암에서는 *HPN* mRNA의 발현이 낮았지만, 진행된 질환을 가진 11명에서는 3배 이상 과다 발현되었으며, *HPN* mRNA의 농도가 높은 환자에서는 생존율이 감소되었다고 하였다 (Betsunoh 등, 2007). 이와 같은 상충된 결과는 표본을 채집하는 방법의 차이, *HPN* mRNA를 측정하는 실험 기법의 차이 등이 원인이라고 생각된다.

근래 TMPRSS2, TMPRSS4, matriptase 등을 포함하는 많은 II형 경막 serine proteases가 확인되었으며, 이들은 여러 암에서 과다 발현된다 (Del Rosso 등, 2002). 다수의 연구 또한 hepsin이 전립선암에서 과다 발현된다고 보고하였다 (Luo 등, 2001; Ernst 등, 2002). 알려진 생물학적 및 생화학적 기능에 비추어 볼 때, hepsin이 종양의 진행에서 어떠한 역할을 하는지는 분명하지 않다. *HPN*으로 유전자 전달 감염을 일으킨 햄스터의 신장 세포를 이용하여 혈액 응고에서 hepsin의 역할을 연구한 바에 의하면, *HPN*으로 유전자 전달 감염을 일으킨 세포는 단백질을 분해하는 작용을 통해 시간 의존적 및 칼슘 의존적 방식으로 factor VII을 활성화하고 세포 표면에서 응혈 경로를 유발함으로써 thrombin을 형성하게 한다 (Kazama 등, 1995). *HPN*을 삭제한 생쥐에서 hepsin의 생물학적 기능을 평가한 연구는 종양의 형성과 관계있는 어떠한 표현형도 관찰되지 않았다고 하였다 (Yu 등, 2000; Wu, 2001).

*HPN*은 원발 전립선암에서 과다 발현된다고 알려져 있으나, 거세 저항성 전이 전립선암과 PSA 농도가 증가된 환자에서는 *HPN*의 발현이 감소된다고 보고되어 연구자들에게 흥미로운 관심사가 되고 있다 (Neil과 Kelsell, 2001; Dhanasekaran 등, 2001). *HPN*의 과다 발현은 신세포암 (Zacharski 등, 1998), 난소암 (Tanimoto 등, 1997) 등에서도 보고된 바 있다. PC3 전립선암 세포에 *HPN*을 주입하여 유전자 전달 감염을 일으킨 연구에 의하면, 세포의 성장 및 침범과 배지 내 집락 형성이 크게 감소하였다. 또한, *HPN* 양성 PC3 세포의 상당수가 세포 주기 중 G2-M 기에 있었으며, 세포 자멸사를 일으키는 세포의 수가 증가하였다. LNCaP 및 DU145 전립선암 세포를 *HPN*으로 유전자 전달 감염을 일으킨 경우에도 세포의 성장이 억제되는 효과가 나타났다. 이들 결과를 근거로 저자들은 원발 전립선암에서 *HPN*이 과다 발현되는 원인은 분명하지 않지만, 전이 전립선암 세포에서 *HPN*은 세포의 성장을 역조절하는 기능을 가지며 종양세포를 침범 혹은 전이 표현형으로부터 보호하기 때문에, *HPN* 발현의 감소 혹은 소실과 나쁜 예후를 가진 전립선암은 상호 관련이 있다고 하였다 (Srikantan 등, 2002). 다른 연구도 *HPN* mRNA의 발현은 임상적으로 국소 전립선암에 비해 거세 저항성 전립선암에서 더 낮다고 하였다 (Fromont 등, 2005).

Tissue microarray를 이용한 면역조직화학적 연구는 양성 전립선 표본에서는 hepsin의 발현이 약하거나 없는 데 비해, 전립선암 조직의 형질막에서는 hepsin의 발현이 강했다고 하였다 ($p < 0.0001$). 흥미롭게도 고등급 전립선상피내암에서 단백질 발현이 가장 강하였으며, hepsin의 비발현 혹은 약한 발현은 높은 Gleason 점수 (hazard ratio [HR] 1.65; $p=0.037$)와 수술 후 PSA 실패 (HR 2.9; $p=0.0004$)와 관련이 있었다. 또한, 거세 저항성 전립선암에서는 PSA 농도의 증가와 함께 hepsin의 발현이 낮았다. 이들 결과를 근거로 저자들은 hepsin 단백질의 발현이 전립선암의 예후와 역상관관계를 가진다고 보고하였다 (Dhanasekaran 등, 2001).

전립선암 세포주를 대상으로 hepsin의 기능을 평가한 연구는 hepsin의 과다 발현이 보호성 되먹임 반응 (protective feed back response)을 나타내고 hepsin이 전립선암 세포의 종양 형성을 억제하는 효과를 보이는데, 이는 hepsin이 암세포 밖의 간질을 분해하여 세포의 이동을 억제하기 때문이라고 하였다 (Srikantan 등, 2002). Hepsin은 암의 진단율을 높이는 역할 외에도 전립선암의 공격성을 평가하는 데 도움을 주어 예후에 관한 정보를 제공한다고 생각된다.

대조적으로 대규모 정량 분석 연구는 *HPN* mRNA의 발현이 저등급 분화도의 종양에 비해 고등급 분화도의 종양에서 유의하게 증가된다고 하였다 (Stephan 등, 2004). 그 외에 면역조직화학적 연구도 전립선암의 분화도 등급이 증가함에 따라 hepsin 단백질의 발현이 증가되고 골 전이에서도 단백질의 발현이 높게 유지된다고 하였다 (Zuan 등, 2006). 이들 연구자는 hepsin이 암의 진행을 촉진하는 인자를 활성화하지는 않지만, 세포 외부 기질을 분해함으로써 침윤에는 영향을 준다고 보고하였다. 다른 연구는 전립선암이 고등급 질환으로 진행하는 동안 *HPN*과 *v-myelocytomatosis viral oncogene homolog* (*MYC*)는 서로 협동한다고 하였다 (Nandana 등, 2010).

면역조직화학적 연구는 종양의 세포막에서 hepsin이 뚜렷하게 염색됨을 보여 주었으며, hepsin을 코드화하는 유전자는 모든 전립선암 환자의 90%까지에서 과다 발현된다 (Stephan 등, 2004). 이 연구는 전립선암 환자의 암 조직 중 53%에서 hepsin이 10배 이상 과다 발현했다고 보고하였다. 다른 연구는 암이 없는 조직에 비해 Gleason 등급 4~5의 종양에서 발현이 약 34배 증가했다고 하였다 (Stamey 등, 2001). 두 연구에서는 *HPN* mRNA의 발현이 질환의 공격성과 상호 관련이 있었다 (Stamey 등, 2001; Stephan 등, 2004). 그 외의 여러 연구도 전립선암에서 hepsin의 증가를 보고하였는데, 그들 결과는 도표 148에 정리되어 있다.

Hepsin의 항체를 이용한 Strepavidin biotin 방법으로 생검조직 표본에 대해 면역조직화학적 염색을 실시한 연구는 전립선암 환자에서 100% (48명/48명), 순수한 양성전립선비대 환자에서 11.9% (5명/42명), 양성전립선비대와 전립선상피내암을 동반한 환자에서 57.14% (4명/7명), 양성전립선비대와 전립선염이 동반된 환자에서 0% (0명/4명)로 hepsin이 발현되었으며, 저등급 분화도보다 고등급 분화도의 전립선암에서 hepsin의 발현이 더 높기 때문에, hepsin의 발현과 전립선암 위험 사이에는 유의한 연관성이 있다고 하였다 (Goel 등, 2011) (도표 149). 인도인을 대상으로 실시한 이 연구의 경우 전립선암 환자의 100%에서 hepsin이 발현되었다. 이 연구에 포함된 전립선암 환자 대부분은 혈청 PSA 농도가 높으면서 진행된 암을 가졌는데, 이는 서구보다 인도에서는 전립선암에 대한 선별검사가 활성화되어 있지 않기 때문으로 추측된다. 또한, 전체 환자의 수가 적기 때문에 이 연구의 결과를 해석하는 데는 신중을 기해야 할 것이다.

근치치골후전립선절제술을 받은 18명으로부터 채집한 전립선암 조직에 대해 면역조직화학검사를 이용하여 hepsin의 발현을 분석한 연구는 다음과 같은 결과를 보고하였다 (Pace

도표 148 Hepsin의 발현과 전립선암과의 연관성에 관한 문헌들

관련 문헌	피험자 수	연구 방법	결론
Luo 등, 2001	25명; 악성 16명 BPH 9명	DNA microarray	*HPN*의 발현은 전립선암에서 높고 BPH에서는 없거나 경미함
Magee 등, 2001	15명; 악성 11명 비악성 4명	냉동조직 DNA microarray 후 RT-PCR와 ISH	비악성과는 대조적으로 암에서 *HPN*이 증가됨 암의 분화도 등급과 전이는 *HPN* 발현과 상호 관계가 없음
	23명; 악성 13명 비악성 10명	RT-PCR	*HPN*은 전립선암에서 증가됨 *HPN*의 발현은 BPH에서 낮고 암에서 높으며, 양성 조직에 비해 PIN에서 더 높다
Welsh 등, 2001	33명; 원발 암 23명 전이 1명 비악성 9명	RT-PCR	가장 상향 조절되는 유전자는 *HPN*
Ernst 등, 2002	암 조직 17점, 암 인접 정상 조직 9점	RT-PCR	상향 조절되는 유전자 9종 중 하나가 *HPN*
Srikantan 등, 2002	전립선암 세포주 (LNCaP, DU145, PC3)	Cell based assay, Northern blot, flow cytometry	Hepsin은 전이 전립선암에서 세포 성장을 억제하며, hepsin의 발현이 소실된 경우는 예후가 나쁨
Xuan 등, 2006	16명의 조직을 배양; 정상 4, BPH 4, 암 4, 전이 동반 암 4	IHC에서 침습 및 전이를 확인하기 위해 생쥐의 단일 클론 항체를 이용 하여 실시된 cell based assay	Hepsin은 질환의 모든 병기에서 발견되며, 질환이 진행함에 따라 발현이 증가되고 전립선암이 골격으로 전이된 경우에도 hepsin이 확인됨
Pal 등, 2006	암 590명, 대조군 576명		*HPN* 유전자의 SNPs는 전립선암과 정상 남성 사이 allele 빈도 차이와 유의하게 관련이 있음
Goel 등, 2011	전립선암 48명, BPH 53명	BPH와 전립선암 조직을 포르말린에 고정한 후 IHC	Hepsin 발현의 양성 비율은 BPH에서 16.98%, 전립선암에서는 100%임

BPH, benign prostatic hyperplasia; HPN, hepsin gene; IHC, immunohistochemistry; ISH, in situ hybridization; PIN, prostatic intraepithelial neoplasia; RT-PCR, reverse transcription polymerase chain reaction; SNP, single nucleotide polymorphism.
Wu와 Parry (2007) 및 Goel 등 (2011)의 자료를 수정 인용.

도표 149 각기 다른 전립선 조건에서 *HPN* 유전자의 발현

*HPN*의 발현	BPH 수 (%)	BPH+전립선염 수 (%)	BPH+전립선상피내암 수 (%)	전립선암 수 (%)	합계 (%)
음성	37 (88.10)	4 (100.00)	3 (42.86)	0	44 (43.56)
양성	5 (11.90)	0	4 (57.14)	48 (100.00)	57 (56.44)
합계	42	4	7	48	101

BPH, benign prostatic hyperplasia: HPN, hepsin gene.
Goel 등 (2011)의 자료를 수정 인용.

등, 2012). 이 연구는 양성 면역 반응의 강도를 음성 0, 약한 양성 1+, 중등도 양성 2+, 강한 양성 3+ 등의 네 부류로 분류 하였다. 첫째, hepsin의 면역 반응은 전립선암 환자의 100%에 서 관찰되었으며, 94.4%는 2+/3+, 5.6%는 1+를 나타내었다. 둘째, 암에 인접한 양성 조직에서의 면역 반응은 5.6%에서는 2+, 83.3%에서는 1+, 11.1%에서는 0을 나타내었다. 셋째, 전 립선암 조직에서 hepsin에 대한 면역 반응은 인접한 양성 조 직에 비해 유의하게 더 강한 2.67+를 나타내었다 ($p < 0.05$). 이들 결과는 전립선암의 조직병리학적 진단에서 hepsin이 유 망한 면역조직화학적 표지자의 역할을 함을 보여 준다.

28.5. 전립선암과 관련 있는 hepsin (HPN)의 단일 뉴클레오티드 다형성

Single nucleotide polymorphisms of hepsin (HPN) associated with prostate cancer

전립선암의 발생과 진행은 유전 인자와 관련이 있다는 증거 가 많이 있으며, 유전 인자로 설명되는 경우가 약 40%로 추정 된다 (Lichtenstein 등, 2000). 염색체에서 전립선암에 민감한 다수의 유전자 자리가 연관 분석에 의해 확인되었다 (Simard 등, 2002). 전장 유전체 연관 분석 (whole genome linkage

도표 150 전립선암 환자군과 대조군에서 11종류 *HPN* SNPs의 위치, MAF, 및 그들의 연관성

SNP 번호 (유전자 위치)	rs 번호	NCBI 위치	MAF		전립선암 확률 x^2	p
			환자군 (수)	대조군 (수)		
SNP1 (5′ UTR)	rs10410046GA	40223642	0.012 (580)	0.018 (573)	1.477	0.224
SNP2 (intron 3)	rs870379CT	40235596	0.356 (570)	0.332 (558)	1.137	0.286
SNP3 (intron 3)	rs2451996GA	40236803	0.431 (551)	0.427 (549)	0.021	0.886
SNP4 (intron 8)	rs1688043AG	40245181	0.146 (548)	0.153 (558)	0.197	0.657
SNP5 (intron 8)	rs1350290CT	40245812	0.058 (543)	0.081 (543)	3.665	0.055
SNP6 (intron 8)	rs1615767GA	40246607	0.057 (569)	0.082 (548)	4.743	0.029
SNP7 (intron 9)	rs2305745AG	40248121	0.243 (561)	0.292 (547)	5.373	0.021
SNP8 (intron 9)	rs2305746AG	40248140	0.055 (576)	0.078 (552)	3.929	0.047
SNP9 (intron 9)	rs2305747CT	40248197	0.241 (552)	0.293 (523)	6.268	0.012
SNP10 (3′ UTR)	rs1042328TG	40249100	0.327 (571)	0.306 (550)	0.892	0.345
SNP11 (3′ UTR)	rs1688029AG	40249280	0.319 (563)	0.309 (549)	0.211	0.646

굵은 글씨의 다섯 SNPs가 전립선암과 유의한 연관성을 가졌다.

HPN, hepsin gene; MAF, minor allele frequency; NCBI, national center for biotechnology information; rs, DbSNP record identification (ID) number; SNPs, single nucleotide polymorphisms; UTR, untranslated region.

Pal 등 (2006)의 자료를 수정 인용.

scan)을 이용한 연구는 염색체 2q, 4q, 5q, 7q, 12p, 15q, 16p, 16q, 19q 자리가 전립선암의 발생 및 공격성에 대한 감수성과 관련이 있다고 하였다 (Neville 등, 2003). 많은 연구들이 전립선암 발생 위험의 증가와 관련이 있는 유전자에서 single nucleotide polymorphism (SNP)과 전립선암 사이의 연관성을 평가하였다. 유럽인 중 조직학적 검사를 통해 전립선암으로 확인된 환자 590명과 전립선암과 관련이 없는 대조군 576명을 대상으로 *HPN*에서 11가지의 SNPs를 분석한 연구는 5종의 SNPs가 대립 유전자의 빈도 측면에서 전립선암 환자와 대조군 사이에 차이를 보여 *HPN*이 전립선암 위험의 민감성에 관여하는 중요한 유전자라고 하였으며 (도표 150), 그들 SNPs 중 하나인 rs1688043가 Gleason 점수와 관련이 있었는데, 'major' allele의 빈도는 Gleason 점수 2~6의 환자에 비해 Gleason 점수 7~9 환자에서 유의하게 더 높아 *HPN*이 종양의 공격성에서 어떠한 역할을 할 것으로 추측하였다 (Pal 등, 2006). 그러나 이 연구에서 전립선암과 관련이 있다고 보고된 SNPs 중 하나인 rs2305747은 백인과 아프리카계 미국인을 대상으로 실시된 다른 연구에서는 전립선암과 관련이 없다고 보고되어 (Holt 등, 2010) SNPs는 인종별로 차이가 있을 것으로 추측된다. 전립선암 환자 240명과 대조군 223명을 포함한 한국인을 대상으로 *HPN*에서 17종의 SNPs를 분석한 연구는 rs45512696, rs2305745, rs2305747 등이 각각 odds ratio (OR)

2.22 (p=0.04), 0.73 (p=0.03), 0.76 (p=0.05)로 전립선암의 위험과 유의하게 연관성을 가졌다고 하였다 (Kim 등, 2012).

28.6 전립선암의 진행과 관련 있는 hepsin의 기질, laminin 332

Laminin 332, substrate of hepsin associated with prostate cancer progression

과거에는 laminin 5로도 알려진 laminin 332 (LAM332)는 ECM의 분자로서 기저막의 중요한 성분이다 (Rousselle 등, 1991). LAM332는 α3, β3, γ2 polypeptide chains의 소단위가 disulfide로 연결된 삼합체 당단백질이다 (Aumailley 등, 2005). 기저막에서 LAM332의 중요성은 junctional epidermolysis bullosa (JEB; 외상 후의 물집 형성을 특징으로 하는 피부 및 점막의 치명적인 상염색체 열성 수포성 질환으로서 중간엽과 상피를 분리하는 면이 기저막 영역의 lamina lucida 내에 있다)의 발생이 알려지면서 확인되었으며, 이 질환은 LAM332의 세 사슬 중 어느 한 곳에서 돌연변이가 발생하여 생긴다 (Meneguzzi 등, 1992). LAM332는 또한 발생, 상처 치유, 종양 형성 등에서 중요한 역할을 한다 (Ryan 등, 1996). LAM332는 식도암, 피부암, 구강암, 후두암, 결장암, 기관지암, 자궁경부암 등 여러 종양에서 과다 발현되지만 (Marinkovich, 2007), 전립선암에서는 소실된다 (Calaluce 등, 2006). LAM332의 세 사슬 모두는 단백질을 분해하는 다른 효소에 의해 처리될 수 있으며 (Schenk와 Quaranta, 2003), 때로는 세포의 이동을 조절하는 역할을 수행하기도 한다 (Hintermann 과 Quaranta, 2004).

LAM332의 γ2 사슬은 단백질을 분해하는 작용을 가진 여러 MMPs에 의해 분절됨으로써 세포의 이동을 증가시킨다. LAM332의 γ2 사슬은 MMP2와 membrane type 1 MMP (MT1-MMP) (Koshikawa 등, 2004)에 의해 분절된다는 보고가 있으며, MMP-3, -8, -12, -13, -14, -20에 의해 분절된다는 보고도 있다 (Pirila 등, 2003). LAM332를 분할한다고 보고된 다른 효소로는 cathepsin S (Wang 등, 2006), mammalian tolloid (mTLD) (Veitch 등, 2003), bone morphogenetic protein 1 (BMP1) (Amano 등, 2000), neutrophil elastase (Mydel 등, 2008) 등이 있다. LAM332의 β3 사슬은 단백질을 분해하는 작용에 대해 비교적 저항적이며, MT1-MMP (Udayakumar 등, 2003)와 matrilysin (Remy 등, 2006)에 의해 처리된다고 보고되었다. 또 다른 연구는 LAM332의 β3 사슬이 사람의 각질형성세포 (keratinocyte)와 기타 세포주에서 내인성 단백질분해효소에 의해 N-terminus 부위에서 분절된다고 하였지만 (Nakashima 등, 2005), 저자들은 분절에 관여하는 특이 단백질분해효소에 대해 기술하지는 않았다. 이들 연구에 의하면, 단백질을 분해하는 작용에 의한 LAM332의 처리는 생리학적으로 일어나며, 이로써 최소한 세포의 이동과 같은 세포 활동에서의 변화가 일어난다.

Hepsin에 의한 분절 부위는 거의 LAM332 β3 사슬의 영역 V와 영역 VI 사이의 경계면에 있다 (Aumailley 등, 2005). 따라서 hepsin에 의해 분절이 일어나면, β3 사슬의 영역 VI가 유리된다. LAM332는 β3 사슬의 영역 VI를 통해 collagen VII과 상호 작용한다고 보고되었다 (Brittingham 등, 2006). 그러므로 hepsin에 의한 영역 VI의 유리는 collagen VII과 LAM332 사이의 상호 작용을 방해하게 되며, 이로써 최소한 다음과 같은 두 가지의 결과를 일으킨다. 첫째, β3 사슬의 영역 VI는 LAM332와 collagen VII을 통해 상피세포를 기저 조직에 부착시키는 integrin을 기초한 부착 복합체 (Litjens 등, 2006)인 반결합체 (hemidesmosomes)의 형성에서 중요한 역할을 한다 (Waterman 등, 2007). 따라서 hepsin은 반결합체의 형성을 방지하거나 하향 조절한다고 생각된다. 둘째, LAM332 β3 사슬과 상호 작용하는 collagen VII의 특이한 영역인

fibronectin-like sequences within noncollagenous domain 1 (NC1) (FNC1) (Chen 등, 1999)은 LAM332에 의존적인 방식으로 종양의 침범을 촉진한다 (Ortiz-Urda 등, 2005). 이들 두 관찰은 hepsin에 의한 분절이 상피세포의 조직화 과정에서 어떤 생리적인 역할을 하거나 종양의 발달에서 어떤 병적인 역할을 함을 보여 준다. 이러한 관점에서 볼 때, 전립선암에서 반결합체 복합체가 소실된다는 점은 주목할 만하다 (Nagle 등, 1995). 앞으로 hepsin에 의한 LAM332 β3 사슬의 분절이 LAM332와 collagen VII 사이의 상호 작용에 영향을 주는지를 연구할 필요가 있다.

생체 밖 실험은 hepsin에 의해 LAM332가 분절이 일어난 경우 DU145 세포의 이동이 약 1.7배 증가됨을 보여 주었다. Hepsin이 낮게 발현하는 LNCaP-17 세포에 비해 과다 발현하는 LNCaP-34 세포에서 세포의 이동이 유의하게 증가하였다. 이와 같이 세포의 이동이 증가하는 기전은 분명하지 않으나, 이로써 종양을 유발하고 침범을 유발하는 효과가 나타난다 (Klezovitch 등, 2004). 또한, 이러한 결과로 인해 LNCaP-17 종양에 비해 LNCaP-34 종양이 더 크게 성장하였으며, LNCaP-34 종양을 가진 쥐 모델의 100%가 맞은편 전립선에 침범을 일으킨 데 비해, LNCaP-17 종양을 가진 쥐 모델에서는 침범이 관찰되지 않았다 (Li 등, 2007).

전립선에서 발현되는 laminin 사슬 중 α1 (LAM111)은 태아 및 신생아에서 발현되며, 성인에서는 α3 (LAM332)와 α5 (LAM511/LAM521)로 대체된다 (Nagle, 2004). LAM511/LAM521과 LAM211은 정상 전립선과 전립선암에 존재한다. 대조적으로 LAM332는 정상 전립선에는 존재하지만 전립선암에서는 소실된다 (Nagle, 2004). 따라서 LAM332는 전립선암이 진행하는 동안 hepsin의 기질로서 관심을 받고 있다. LAM332는 이질 삼합체를 형성하는 유일한 β3 사슬이기 때문에, laminins 중 특유하게 hepsin의 기질로서 역할을 한다. 다른 laminin β 사슬인 β1과 β2는 β3와 상동성을 가지지만 hepsin의 기질 염기 서열, 즉 SQLR↓LQGSCFC 염기를 포함하고 있지 않기 때문에 hepsin의 기질로서의 역할을 하지 못한다 (Tripathi 등, 2008). 그러나 앞으로 다른 laminins와 같은 세포 외부 기질의 고분자가 hepsin의 기질로서 기능을 하는지를 연구할 필요가 있다.

전립선암이 진행하는 동안 다양한 유전적 및 후성적 변화가 일어난다 (Morrissey 등, 2008). 종양을 억제하는 여러 유전자는 소실되거나 하향 조절되는 데 비해 (Narla 등, 2001),

여러 유전자는 상향 조절되거나 과다 발현된다 (Turner와 Watson, 2008). 앞에서 기술되어 있지만, 이들 유전자 중 전립선암 환자의 90%에서 상향 조절되는 유전자가 *HPN*이다 (Stephan 등, 2004). 전립선암을 가진 생쥐 모델을 이용한 연구는 *HPN*의 과다 발현이 기저막을 붕괴시키고, 전립선암의 진행과 전이를 촉진시킨다고 하였다 (Klezovitch 등, 2004). 기저막을 붕괴시키는 기전은 분명하지 않으나, 저자들은 전립선 조직을 면역조직화학검사로 분석한 결과, LAM332에 대한 염색이 표준형 생쥐에 비해 *HPN*을 과다 발현하는 생쥐에서 더 약하다고 하였다. HPN을 과다 발현하는 생쥐에서 LAM332의 염색 강도가 약하다는 관찰은 LAM332가 hepsin에 의해 처리됨을 추측하게 하며, 이는 전립선암의 진행에서 중요한 과정이라고 생각된다. Hepsin의 생리학적 기능은 분명하지 않다 (Wu와 Parry, 2007). 생체 실험은 hepsin의 기질이 응혈 인자임을 발견하였다 (Kazama 등, 1995). Pro-HGF와 pro-uPA 또한 hepsin의 기질이다 (Moran 등, 2006). 전립선암의 90% 이상에서 hepsin이 과다 발현되고 HPN의 발현이 전립선암의 진행과 상호 관련이 있기 때문에, 전립선암에서 hepsin의 역할은 많은 관심을 받고 있다 (Xuan 등, 2006).

비암성 조직에 비해 전립선암 조직에서 hepsin이 10배 이상 과다 발현된다는 연구 (Stephan 등, 2004)를 포함한 많은 연구가 hepsin이 전립선암에서 일정하게 상향 조절됨을 보여 주었다 (Chen 등, 2003). 한편, 많은 연구는 LAM332의 발현이 전립선암 조직에서 하향 조절된다고 하였다 (Nagle, 2004). 이들 생체 실험은 hepsin에 의해 LAM332의 분절이 일어난다는 정황적인 증거를 보여 주었다. 종양 조직에서 정량적인 hepsin/LAM332 비율은 중요하며, 여러 연구를 근거로 하였을 때 효소/기질 비율은 전립선암에서 증가한다 (Tripathi 등, 2008). 생체 밖 실험에서 hepsin에 의한 LAM332의 분절은 효소/기질의 비율이 1:1.5인 상태에서 관찰되었으며, 1:0.15의 비율에서는 최대의 분절이 관찰되었다 (Tripathi 등, 2008). 이와 같이 생체 밖 실험에서 높은 비율이 필요한 이유는 부분적으로는 LAM332가 다수 사슬 및 490 kDa의 고분자량을 가짐으로써 분절 부위로의 접근이 어렵기 때문이다. 여러 MMPs에 의한 laminin의 분절을 연구한 다른 자료도 생체 밖 실험에서 비교적 높은 비율을 이용하였다 (Mydel 등, 2008). 다른 연구 또한 1:2의 효소/기질 비율에서 hepsin과 마찬가지로 세포 표면에서 단백질을 분해하는 경막 효소인 MT1-MMP에 의해 LAM511이 분절됨을 보고하였다 (Bair 등, 2005). 이들 저자들은 생체 실험에서 MT1-MMP이 침습성 종양에 가까이 위치해 있기 때문에 LAM511/MT1-MMP의 비율이 1:1에 근접하다고 하였다. 더군다나 생체 실험에서 단백질을 분해하는 작용은 온도, pH, 양이온, 효소와 기질의 상대적 위치 등과 같은 여러 다른 요소에 의해서도 영향을 받는다. 이러한 측면에서 hepsin이 경막에 위치함으로써 기저막에 근접하여 있음은 매우 중요하다. Hepsin의 구조 때문에, 그것의 촉매 영역은 세포 외부에 있으면서 형질막 위에 편평하게 놓여 있는데, 이러한 상태로 위치해 있음은 LAM332와 같은 기저막 기질에 접근하기가 용이하도록 만든다 (Somoza 등, 2003). 앞으로 상피세포와 기저막과 같은 미세 환경 사이에 일어나는 상호 작용을 평가하는 추가 연구가 필요하다.

29. Human Papilloma Virus (HPV) DNA

인간유두종바이러스 (human papillomavirus, HPV)와 *tumor protein p53* (*TP53*) 유전자, 그리고 전립선암 사이의 관계는 충분하게 밝혀져 있지 않다. 이전의 연구는 안드로겐 수용체 유전자의 구조적 이상 (Suzuki 등, 1993)과 암 유전자 *rat sarcoma viral oncogene homolog* (*RAS*) (Suzuki 등, 1994)가 전립선암의 진행과 관련이 있다고 보고하였다. *Transformation-related protein 53* (*TRP53*), *P53*, *Li-Fraumeni syndrome* (*LFS1*) 등으로도 알려진 유전자는 종양을 억제하는 유전자 중 하나이며, 그것의 결실 (deletion) 혹은 점 돌연변이 (point mutation)는 여러 종류의 종양에서 관찰된다 (Levine 등, 1991). Isaac 등 (1991)은 *TP53* 유전자의 돌연변이가 5종의 전립선암 세포주 중 3종에서 그리고 2종의 원발 전립선암 표본 중 1종에서 발견되었으며, *TP53*의 역할은 전립선암의 형성을 억제하는 것이라고 보고하였다.

성관계로 전파되는 HPV는 사람의 생식기에서 여러 암의 원인이 된다. 자궁경부암의 80% 이상이 유전체 DNA 내에 삽입된 *HPV* DNA를 가지기 때문에, HPV는 자궁경부암의 원인으로 간주된다 (Fukushima 등, 1985). *HPV* DNA의 삽입은 또한 음경암 (Suzuki 등, 1994)과 방광암 (Furihata 등, 1993)에서도 보고되었다. 전립선암과 관련하여 유전체 DNA 내의 *HPV* 빈도를 보고한 연구는 소수에 불과하다. 암을 유발하는 HPVs의 E6 단백질이 표준형 p53 단백질의 기능을 억제하는 효과를 나타냄이 발견되었다 (Werness 등, 1990). 따라서 자궁경부암에서 *HPV* 염기 서열의 존재와 *TP53* 유전자 돌연변이는 역상관관계를 보인다고 추측된다.

서구인을 대상으로 분석한 일부 연구는 진행된 전립선암의 15~23%에서 TP53 유전자 돌연변이가 발견되었다고 하였다 (Dinjens 등, 1994). 병기 B의 전립선암으로 근치전립선절제술을 받은 29명과 안드로겐 저항성 전이 질환으로 사망하여 부검한 22명을 포함한 일본인 51명의 조직 표본을 대상으로 분석한 연구에서는 TP53 유전자 돌연변이가 22명의 부검 환자들 중 32% (7명/21명)에서 발견되었지만 병기 B의 전립선암 환자에서는 발견되지 않았다 (병기 B 환자 대 부검 환자; p〈0.01). TP53의 염기 서열에서 이상을 보인 7명 중 4명의 경우 전이 조직에서만 TP53 유전자의 돌연변이가 관찰되어 TP53 유전자의 이상은 전립선암의 마지막 단계에서 출현한다고 추측된다 (Suzuki 등, 1996). 진행된 전립선암에서 TP53 유전자 돌연변이의 빈도는 미국인과 일본인 사이에서 뚜렷한 차이가 나타나지 않으나, 돌연변이의 양상에 대해서는 차이를 보인다. 즉, 일본인에서는 TP53 돌연변이의 2/3가 염기 전환 (transversion; DNA 염기에는 pyrimidine으로 T, C가 있고 purine으로는 A, G가 있는데, pyrimidine 염기에서 purine 염기로, purine 염기에서 pyrimidine 염기로 치환되는 경우)을 보이지만, 미국인과 유럽인에서는 2/3가 염기 전이 (transition; DNA 염기가 pyrimidine끼리 혹은 purine끼리 치환되는 경우)를 나타낸다. 이 차이는 전립선암의 원인 인자가 다르기 때문으로 추측된다.

항문생식기 부위에 감염되는 HPVs는 저급 및 상급 위험의 HPVs로 구분된다. HPV16과 18을 포함하는 상급 위험군은 흔히 악성 진행과 관련이 있으며, 자궁경부암의 80% 이상이 상급 위험 HPV의 삽입을 가지고 있다 (Drst 등, 1983). HPV 유전자형 31, 33, 35, 39, 45, 51, 52, 56, 58도 자궁경부의 이형성 및 암과의 연관성이 발견되어 상급 위험의 HPV로 간주된다 (Zur Hausen, 1989). PCR을 이용한 연구는 전립선암 환자의 21%에서 HPV16 염기 서열의 삽입을 발견했다고 하였다 (Yoshikawa 등, 1991). 미국의 연구는 PCR과 hybridization으로 HPV16과 18을 분석한 결과, 27명의 전립선암 환자 중 14명에서 HPV16이 발견되었다고 하였다 (McNicol과 Dodd, 1991). 이들 결과를 종합해 보면, 일본인 및 미국인 전립선암의 약 1/3이 HPV의 염기 서열을 가지며, 삽입된 HPV 유전형은 주로 HPV16임을 알 수 있다. 68명의 전립선암 환자와 10명의 정상 남성 및 양성전립선비대 환자를 대상으로 HPV16, 18, 33 DNA에 대해 PCR 및 dot blot hybridization으로 분석

한 일본의 연구는 다소 다른 HPV 유전형의 비율을 보고하였는데, 24% (16명/68명)에서 RAS 유전자의 돌연변이가 발견되었으며 돌연변이 중 11개는 Harvey RAS (H-RAS)의 코돈 61, 4개는 neuroblastoma RAS (N-RAS)의 코돈 12, 2개는 Kirsten RAS (K-RAS)의 코돈 61에서 발견되었고, 41% (28명/68명)가 HPV DNAs에 대해 양성을 나타내었다. HPV DNAs에 양성을 나타낸 경우는 HPV16, 18, 33에 대해 각각 11명, 17명, 5명이었다 (Anwar 등, 1992). 이 연구는 RAS 돌연변이와 HPV 감염의 빈도는 진행된 병기의 종양과 높은 Gleason 점수를 가진 환자에서 증가하였으며, 전립선암이 골격으로 전이된 경우에는 H-RAS 61.2 (CAG → CTG) 돌연변이와 HPV18 DNA가 우세하게 나타났다고 하였다. 음경암에서의 HPV 삽입과 마찬가지로, 빈도는 여러 나라에서 비슷하지만 유전형은 차이를 나타낸다 (Higgins 등, 1992).

유형 16을 포함한 종양 유전자 HPVs의 E6 단백질은 p53 단백질과 결합하여 p53 단백질의 분해를 촉진하기 때문에, 자궁경부암에서 HPVs의 존재와 TP53 유전자 돌연변이 사이의 관계에 관한 연구가 이루어져 왔다. 36명의 자궁경부암 환자에서 HPV DNA 염기 서열과 TP53 유전자 돌연변이가 각각 19례, 2례에서 발견되었으며, 후자 2례의 경우는 HPV도 양성이었다. 이 연구의 저자들은 점 돌연변이에 의한 TP53 유전자의 불활성은 HPV의 감염 여부와 관계없이 드물다고 결론지었다 (Fujita 등, 1992). 다른 연구는 7종의 사람 자궁경부암 세포주에서 TP53 유전자 돌연변이가 2종의 HPV 음성 세포주에서 발견되었으나 5종의 HPV 양성 세포주에서는 발견되지 않았다고 하였다 (Scheffner 등, 1991). 8종의 사람 자궁경부암 세포주에 관한 연구도 비슷한 결과를 보고하였다 (Crook 등, 1991). 전립선암에 관한 연구는 자궁경부암에서와 비슷하게 HPV 양성인 8례 중 1례에서만 TP53 유전자 돌연변이가 발견되었다고 하였다 (Suzuki 등, 1996). 전립선암에서 TP53 유전자의 돌연변이는 HPV 양성의 경우와는 달리 진행된 질환에서만 발견되었다. 이는 TP53 유전자 돌연변이는 전립선암의 진행 과정에서 후기에 나타나지만, HPV 삽입은 조기에 나타남을 시사한다. 전립선암에서 TP53 유전자 돌연변이의 빈도는 자궁경부암을 제외한 다른 암에 비해 비교적 낮으며, 이것의 발생 원인의 일부는 앞에서 기술된 바와 같이 HPV E6 단백질이 표준형 p53 단백질의 정상 기능을 억제하기 때문이라고 생각된다. TP53의 변종은 세포의 불멸성을 촉진하며, 비정상적인 TP53 유전자를 가진 암세포는 높

은 악성도를 나타낸다 (Shaulsky 등, 1991).

정리하면, 표준형 *TP53*의 기능 상실은 전립선암의 발달에서 중요하며, 이는 *TP53* 유전자 돌연변이 혹은 *HPV16* 종양 유전자의 E6 단백질에 의해 발생된다고 생각된다. 그러나 이에 관한 분명한 답변을 위해서는 대규모의 추가 연구가 필요하다.

원발 전립선암 환자 150명의 예후 측면에서 생존에 대한 HPV 감염의 영향을 평가한 연구는 다음과 같은 결과를 보고하였다 (Pascale 등, 2013). 첫째, 종양 조직에 대한 면역조직화학검사에서 HPV E7 단백질이 74.7% (112명/150명)에서 발현되었다. 둘째, HPV의 감염이 확인된 환자에 대한 DNA 분석에서 유전형 16이 발견되었다. 셋째, Kaplan-Meier 분석에서 HPV 양성 전립선암 환자는 HPV 음성 환자에 비해 더 나쁜 전반적 생존을 보였으며, 생존 기간의 중앙치는 각각 4.59년, 8.24년이었다 (p=0.0381). 다변량 분석에서, 연령, Gleason 점수, 핵 등급, HPV 상태 등은 전반적 생존에 대한 독립적 예후 인자이었으며, 각각의 p-value는 <0.001, <0.001, 0.002, 0.034이었다. 이들 결과는 전립선암 환자에서 HPV E7 종양 단백질의 출현율이 전립선암 환자에서 높으며, HPV 감염과 전립선암 사이에는 연관성이 있음을 보여 준다.

앞의 여러 연구와 상충되는 결과를 보고한 연구도 있다. PCR을 이용하여 양성전립선비대와 전립선암 조직에서 *HPV* DNA의 유무와 유형을, enzyme-linked immunosorbent assay (ELISA)를 이용하여 모든 환자와 대조군의 혈청에서 HPV에 특이한 항체를 분석한 연구는 다음과 같은 결과를 보고하였다 (Tachezy 등, 2012). 첫째, 양성전립선비대 환자와 전립선암 환자 사이에서 *HPV* DNA의 출현율은 유의한 차이를 보이지 않으며, 각각 2%, 2%이었다 (p=1.000). 둘째, HPV6 virus-like particle (VLP)에 대한 항체의 혈청 양성률은 전립선암 환자에서 더 흔하게 발견되었으나 (p=0.018), 그 외에는 환자군과 대조군에서 혈청 양성률의 유의한 차이가 관찰되지 않았다. 셋째, HPV16 E6 혹은 E7 종양 단백질의 혈청 출현율 또한 환자군과 건강한 대조군 사이에서 차이가 없었다. 넷째, 종양이 없는 256명의 남성에서 채집된 생검 조직에서 HPV의 전반적 출현율은 4%이었다. 이들 결과를 근거로 저자들은 HPV 감염과 전립선의 종양 형성 사이에는 연관성이 없지만, 비뇨생식기가 일부 HPV의 전파를 위한 저장고로서의 역할을 수행한고 하였다.

30. Inhibitor Of DNA-Binding Protein (ID)

Inhibitor of differentiation protein으로도 알려진 inhibitor of DNA-binding protein (ID)은 basic helix-loop-helix (bHLH) 전사 인자와 결합하는 영역을 가져 이질 이합체를 형성함으로써 bHLH 단백질과 DNA와의 결합을 억제함으로써 bHLH의 전사를 조절하는 단백질의 가족이다. 이 영역은 ID 가족이 bHLH 전사 인자와 이합체를 형성하도록 하지만, 염기성 영역이 부족하여 ID-bHLH 이합체가 전사적으로 불활성화됨으로써 DNA와 결합하지 못하고, bHLH와 결합하는 DNA 염기 서열 부위 CANNTG, 즉 Ephrussi-box (E-box)에 의존적인 유전자 촉진체의 활성화가 조절되지 못한다 (Murre 등, 1989). ID 단백질은 또한 HLH와 이합체를 형성하는 영역을 가지고 있으며, 여기에는 DNA와 결합하는 염기성 영역이 결여되어 ID가 bHLH 단백질과 이질 이합체를 형성할 때 bHLH 전사 인자, 예를 들면 E2A, transcription factor 3 (TCF3)를 역조절한다 (Coppe 등, 2003; Perk 등, 2005). DNA와 결합하는 bHLH 단백질은 상당수의 세포 계통에서 조직에 특이하게 전사를 조절한다 (Massari와 Murre, 2000). A 계열의 bHLH는 이질성 혹은 동질성 이합체화에 의존적으로 DNA와 결합하는 작용을 가지며, 이는 D 계열의 bHLH의 *ID* 유전자 가족에 의해 조절된다 (Murre 등, 1994). IDs 단백질은 개체가 발달하는 동안 세포의 증식 및 분화, 그리고 조직의 항상성을 조절하며 (Lasorella 등, 2001), 특히 분화의 종결을 유도하는 전사 인자와 흔히 불활성적인 이합체를 형성하여 세포를 전구 상태로 유지시킨다. 따라서 여러 암에서 IDs 단백질의 과다 발현은 세포의 증식, 침범, 혈관 형성을 촉진하고 분화를 방지한다 (Zebedee와 Hara, 2001).

IDs에는 ID1, ID2, ID3, ID4 등 4가지의 아형이 있으며, 각각은 *ID1*, *ID2*, *ID3*, *ID4* 유전자에 의해 코드화되고, 각 유전자의 염색체 자리는 20q11, 2p25, 1p36.13-p36.12, 6p22.3이다 (Hara 등, 1994; Pagliuca 등, 1995), IDs의 HLH 영역은 잘 보존되어 있으나 각기 다른 N- 및 C- 말단을 가지고 있다. 이러한 염기 서열의 차이는 단백질에 특이한 상호 작용으로 인해 ID 단백질이 각기 다른 기능을 나타내는 이유를 설명해 준다 (Jen 등, 1997). 모든 ID 단백질이 E 단백질 혹은 TCF3와 상호 작용하지만, bHLH와 non-bHLH의 상호 작용은 아형에 특이하게 일어난다고 알려져 있으며, 그들 상호 작용의 예는 다음과 같고, 이러한 상호 작용은 차단된 세포 주기를 여러 단계에서 완화함으로써 종양을 유발하는 효과를 나타낸다 (Zebedee와 Hara, 2001). 첫째, ID1과 calcium/calmodulin-dependent serine protein kinase (CASK)와의 상호 작용 (Qi 등, 2005). 둘째, ID1 및 ID3와 v-ets erythroblastosis virus E26 oncogene homolog (ETS) (Xiao 등, 2003) 및 paired box transcription factor (PAX) homeodomain (Roberts 등, 2005)과의 상호 작용. 셋째, ID2와 탈인산화된 retinoblastoma protein (pRB) 단백질 가족 (Lasorella 등, 1996) 및 polycystins (Li 등, 2005)와의 상호 작용. 넷째, ID2 및 ID4와 A 계열 bHLH인 oligodendrocyte transcription factor (OLIG)와의 상호 작용 (Samanta와 Kessler, 2004). 다른 연구는 ID와 non-bHLH와의 아형 특이 상호 작용에 관하여 다음과 같이 기술하였다 (Ruzinova와 Benezra, 2003; Coppe 등, 2003). ID1의 경우 CASK, ETS-like protein 1 (ELK1), GATA binding protein 4 (GATA4), caveolin 등과, ID2의 경우 ELK1, 3, 4, cyclin-dependent kinase 2 (CDK2), PAX2, 5, 8, RB 및 Rb-related pocket protein 등과, ID3의 경우 ELK1, 4, alpha-adducin 1 (ADD1) 등과 상호 작용하며, ID4와 상호 작용하는 non-bHLH에 관해서는 알려져 있지 않다. 참고로 pocket protein 가족에는 retinoblastoma protein (RB), retinoblastoma-like protein 1 (p107), retinoblastoma-like protein 2 (p130) 등과 같은 세 단백질이 포함되어 있다. 상호 작용이 유전자에 특이적인 것과 마찬가지로, ID 단백질 또한 아형에 따라 다른 기능을 나타내는데, 예를 들면 ID4는 *breast cancer 1, early onset (BRCA1)* 촉진체의 활성을 조절하며 (Welcsh 등, 2002), ID1은 centrosome에 위치함으로 인해 비정상적인 수의 centrosome을 가진 세포의 축적을 유도하고 (Hasskarl 등, 2004), ID2는 골수세포 전구체, 골육종 (Florio 등, 1998), 신경세포 (Gleichmann 등, 2002) 등에서 HLH 비의존적 기전을 통해 세포 자멸사를 일으킨다. 그러므로 ID 단백질은 특이한 bHLH 및 non-bHLH와의 상호 작용을 통해 다수의 유전자의 발현을 조절함으로써 세포의 성장, 분화, 세포 자멸사 등과 같은 많은 세포 과정을 조절할 수 있다 (Norton 등, 1998).

ID 단백질은 발달 과정의 어떤 시점에 있는 모든 세포 계통에 의해 발현되며, 대개는 세포의 증식을 촉진한다 (Norton 등, 1998). 일반적으로 IDs의 발현은 미분화된 증식 세포군에서 가장 높으며, 세포가 세포 주기를 이탈하고 분화가 끝나감에 따라 하향 조절된다 (Coppe 등, 2003). 이러한 관찰은 IDs의 여러 아형이 다수의 암에서 발현이 증가된다는 보고와 일맥상통한다 (Wong 등, 2004; Perk 등, 2005). *ID2*가 삭제된 생쥐는 수유 장애 (de Candia 등, 2004), 연골 형성 장애 (Sakata-Goto 등, 2012), B cell의 발달 (Li 등, 2010), 중대한 심장 장애 (Jongbloed 등, 2011) 등으로 인해 성장 부진 및 신생아 이환의 비정상적인 표현형을 나타낸다. $ID2^{-/-}$ 수컷 생쥐는 또한 정자 형성의 장애를 일으킨다 (Norton, 2000). *ID3*가 삭제된 생쥐에서는 원발 Sjögren 증후군 유사 증상 (Li 등, 2004), B/T 림프구의 특이한 발달 장애 (Pan 등, 1999), 흉선 세포의 생성 (thymopoiesis) 동안 gamma delta 계통의 발달 장애 (Ueda-Hayakawa 등, 2009) 등이 나타난다. 흥미롭게도 *ID1*만 결여된 생쥐에서는 어떠한 표현형도 나타나지 않는데, 이는 *ID1*의 기능이 다른 세 IDs에 의해 효율적으로 보상되고 있음을 시사한다. 배아의 높은 치사율은 *ID1*과 *ID3* 둘 다가 결여된 생쥐에서만 관찰되었는데, 이는 *ID1*과 *ID3*의 기능은 상당히 중복되기 때문으로 생각된다 (Lyden 등, 1999). *ID4*는 신경줄기세포의 증식 및 분화를 조절함으로써 발달 중인 대뇌피질과 해마에서 증식 부위의 외측 확장 그리고 뇌의 정상 크기로의 발달을 위해 필요하다 (Yun 등, 2004). *ID4*는 또한 p38 mitogen-activated protein kinase (MAPK) 의존성 경로를 통한 유선의 정상적인 발달 (Dong 등, 2011)과 정자줄기세포의 재생 (Oatley 등, 2011)을 위해 필요하다.

ID1~3에 비해 ID4의 기능은 잘 이해되어져 있지 않지만, 여러 연구는 ID4가 다른 IDs와 달리 골모세포 (Tokuzawa 등, 2010), 지방세포 (Murad 등, 2010), 신경세포 (Yun 등, 2003), 희소돌기아교세포 (oligodendrocyte) (Kondo와 Raff, 2000) 등과 같은 많은 세포 계열에서 분화를 촉진함을 보여 주었다. 역설적이긴 하지만, *ID4*는 종양을 유발하는 성질과 종양에 대항하는 성질 모두를 가지고 있음을 보여 준다. *ID4*가 종양을 억제하는 기능을 가지고 있음은 백혈병 (Yu 등, 2005), 유방암 (Noetzel 등, 2008), 결장직장암 (Umetani 등, 2004), 식도암 (Smith 등, 2008), 위암 (Chan 등, 2003) 등에서 촉진체의 과다 메틸화로 인해 ID4의 발현이 소실되었다는 관찰에 근거를 둔다. 반면에, t(6;14) (p22;q32) 염색체 전위로 인한 B-cell precursor acute lymphoblastic leukemia (BCP-ALL) (Russell 등, 2008)와 B-cell acute lymphoblastic leukemia (BC-ALL) (Bellido 등, 2003), 그 외에도 방광암 (Wu 등, 2005), 쥐의 유선암 (Shan 등, 2003) 등에서는 ID4가 높게 발현되기 때문에,

ID4는 종양을 유발하는 효과도 가지고 있다고 생각된다. 근래의 연구는 다수의 암에서 종양 유전자 혹은 보조 종양 유전자로서 작용하는 ID1~3 (Wong 등, 2004)와는 다르게 ID4는 독특하게 종양을 억제하는 역할을 한다고 하였다 (Carey 등, 2009).

전립선암에서는 ID1이 잘 연구되어 있는데, 이 경우 특히 내피세포에서 상향 조절되며 (Perk 등, 2006) 생체 밖 실험에서 ID1은 전립선암 세포의 증식과 생존을 촉진하였다 (Ling 등, 2003). 면역조직화학적 연구는 ID1과 ID2의 상향조절이 일반적으로 ID4 단백질의 발현을 감소시킨다고 하였다 (Yuen 등, 2006). 다소 역설적이지만, 핵 내에서 ID4에 대한 염색이 양성인 경우 암의 전이력은 유의하게 더 증대된다 (Vinarskaja 등, 2012).

전립선암에서는 매우 높게 발현되지만 정상 전립선에서는 낮거나 무시해도 될 정도로 발현되는 ID1, ID3와 같은 다른 IDs와는 다르게 (Sharma 등, 2012), ID4는 정상 전립선에서는 높게 발현되고 전립선암에서는 촉진체의 과다 메틸화로 인해 발현이 감소된다 (Sharma 등, 2012). 또한, ID4는 고환의 Sertoli 세포, 전립선 상피세포 등과 같이 안드로겐의 자극에 대해 반응을 하는 세포 내에서 안드로겐에 의해 조절되며 (Asirvatham 등, 2006), 안드로겐 수용체가 없는 전립선암 세포주 DU145에서 안드로겐 수용체의 발현과 활성을 회복시킨다 (Carey 등, 2009). 이와 같은 결과는 ID4가 안드로겐 수용체에 의존적으로 작용하며, 전립선의 발달과 기능을 조절함을 시사한다.

전립선 상피세포에서 ID4의 발현은 특히 흥미롭다. 정상 전립선 상피세포 (Chaudhary 등, 2005)와 안드로겐에 민감한 전립선암 세포주 LNCaP (Asirvatham 등, 2006)에서 ID4는 안드로겐에 의해 조절된다. ID4는 안드로겐에 비의존적인 DU145 세포주에서는 발견되지 않거나 약하게 발현되며, PC3 세포주에서는 낮은 수치로 관찰된다 (Asirvatham 등, 2006). LNCaP 세포주는 DU145 및 PC3 전립선암 세포주에 비해 종양 형성력이 더 약하고 분화도는 더 높다. 이들 관찰은 ID4의 발현이 전립선 상피세포의 분화 상태 및 종양 형성력과 관련이 있음을 시사한다. 이러한 가설은 안드로겐 수용체 음성인 DU145 및 PC3 전립선암 세포주에서 ID4의 이소성 발현을 유도한 경우 부분적으로 세포 주기 중 S 기의 정지 및 G2/M 기의 연장으로 인해 세포의 증식이 감소되고 세포 자멸사가 증대되며, 이와 같은 변화는 안드로겐 수용체, p21, p27, p53 등

의 발현 증가와 관련이 있다는 연구 결과 (Carey 등, 2009)에 의해 지지를 받고 있다.

유전자의 촉진체 영역에 가까이 있고 정상 조직에서는 결코 메틸화되지 않는 CpG 섬의 과다 메틸화는 전사 작용의 중단과 관련이 있으며, 이는 종양의 형성에서 유전자를 침묵시키는 중요한 기전인 동시에 (Herman과 Baylin, 2003), 이러한 후성적 변화는 생물 지표로 활용되고 있다 (Laird, 2003). 전립선암은 점 돌연변이, 유전자 재배열, 염색체 이상 외에도 많은 후성적 변화와 관련이 있다 (Schulz와 Hoffmann, 2009). *Glutathione S-transferase Pi 1 (GSTP1), adenomatous polyposis coli (APC), Ras association (RalGDS/AF-6) domain family member 1A (RASSF1A), retinoic acid receptor beta 2 (RARB2)* 등을 포함하는 많은 유전자가 과다 메틸화에 의해 조절된다. 생검이나 체액에서 이들 유전자의 과다 메틸화를 분석하게 되면, 높은 민감도와 특이도로 전립선암을 발견할 수 있다 (Candiloro 등, 2011). T-/natural killer cell ALL (Yu 등, 2005), 위암 (Chan 등, 2003), 유방암 (Noetzel 등, 2008), 결장직장암 (Umetani 등, 2004) 등과 같은 다른 기관의 암에서 *ID4*의 후성적 침묵, 즉 촉진체의 과다 메틸화는 종양을 억제하는 역할을 한다고 추측된다. DU145 전립선암 세포주에서도 *ID4*의 전사 불활성화는 촉진체의 비정상적 메틸화와 관련이 있었다 (Carey 등, 2009). *ID4*를 재발현시키면, cyclin-dependent kinase inhibitor 1 (CDKN1), CDK-interacting protein 1 (CIP1), wild-type p53-activated fragment 1 (WAF1) p21^CIP1, 등으로도 알려진 p21과 CDKN1B, kinase inhibitor protein 1 (KIP1), p27^KIP1 등으로도 알려진 p27 의한 경로를 통해 세포 주기의 정지 및 세포 자멸사가 일어난다 (Carey 등, 2009).

분자 수준에서 bHLH의 활성을 역조절하는 핵심 기능은 ID1~3의 세 가족 구성원에 보전되어 있다. ID4는 효율적으로 E 단백질과 이합체를 형성하여 E-box 의존적인 유전자의 전사 활성화를 차단한다 (Pagliuca 등, 1995). ID4가 DU145 전립선암 세포주에서 S 주기를 정지시키고 증식을 감소시키는 효과는 종양을 억제하는 인자인 E-cadherin, p27, p21, bHLH의 전사 인자 E12/E47 등이 발현되기 때문이거나 종양을 억제하는 인자의 침묵이 활성화되기 때문에 일어난다 (Viglietto 등, 2002). p27 및 p21 전사물의 증가는 ID4의 과다 발현으로 세포 내의 전사 경로가 변경되어 p27 및 p21의 발현 자체가 증가됨을 시사한다. E-cadherin의 증가는 p27의 발현 증가

로 인한 이차적 사건 혹은 ID4 (Supriatno 등, 2003)에 의해 전사를 억제하는 인자인 bHLH가 중화되기 때문으로 생각된다 (Perez-Moreno 등, 2001).

DU145-ID4 세포에서 p21 농도의 증가는 부분적으로는 transformation-related protein 53 (TRP53)로도 알려진 p53의 발현이 증가되기 때문일 수 있다 (Lavin과 Gueven, 2006). 그러나 DU145 세포의 돌연변이 형태인 $p53^{mt/mt}$에서 p53이 발현되기 때문에, p53는 S 기의 정지 및 세포 자멸사를 위해 필요하지 않다고 생각된다 (Isaacs 등, 1991). $p53$이 삭제된 PC3-ID4 세포에서도 비슷한 S 기의 정지가 관찰되어 이 기전을 뒷받침한다. DU145 세포에서의 $p53$ 돌연변이는 $p53$의 전사 활동을 차단하는 DNA 결합 영역인 P223L과 V274F 내에서 일어난다. 세포 자멸사 및 S 기의 정지에서 ID4의 작용 기전을 알기 위해서는 표준형 $p53$이 이소성 발현을 하는 DU145-ID4에서 세포 자멸사와 nuclear factor kappaB (NFκB), B-cell lymphoma 2 (BCL2), B-cell lymphoma-extra large (BCL-xl) 등을 포함하는 다른 세포 자멸사 경로를 평가하는 연구가 필요하다. DU145 세포가 아닌 PC3 세포에서 $p21$ 및 $p16$가 후성적으로 침묵한다는 보고는 S 기 및 G2/M 기의 정지에 관여하는 기전은 충분하게 밝혀져 있지 않지만 독특함을 시사한다 (Bott 등, 2005). 그러나 근래의 연구는 ID4가 DU145 및 PC3 전립선암 세포주에서 세포 주기의 차단에 관여함을 확인하였고, ID4가 S 기의 정지를 촉진하는 기전은 cyclin dependent kinase inhibitor (CDKI)에 비의존적이라고 하였다 (Carey 등, 2009).

비선택적으로 메틸화를 제거하는 제제인 5-aza-2' deoxy-cytidine (Nakayama 등, 2000) 혹은 nerve growth factor (NGF) (Sigala 등, 2002)로 DU145 세포를 처치하면 기능성 안드로겐 수용체를 재차 발현시킬 수 있다. DU145 세포에서는 촉진체의 메틸화에도 불구하고 안드로겐 수용체의 발현이 낮다 (Alimirah 등, 2006). 따라서 DU145 세포에서 안드로겐의 발현이 증가하기 위해서는 비후성적 신호 전달 및 전사 수준에서 ID4에 의한 전사망의 복구가 필요하다. 직접 혹은 간접으로 p21의 발현 증가를 통해 ID4와 p53가 함께 발현하려면 이와 비슷한 기전이 필요하다 (Lavin과 Gueven, 2006).

ID4는 또한 악성 형질 전환 및 성장을 촉진하는 인자로서 작용할 수 있다는 보고도 있다. 유방암 세포에서 ID4와 BRCA1은 음성적인 되먹임 기전을 가지고 있다 (Roldan 등, 2006). 쥐의 유선암에서 ID4의 발현은 증식 및 침범과 관련이

있다 (Shan 등, 2003). 유방암에 관한 다른 연구는 촉진체의 과다 메틸화 때문에 ID4가 하향 조절된다고 하였다 (Noetzel 등, 2008). 그러므로 유방과 같이 동일한 장기에서 생긴 암일지라도 ID4가 반대되는 효과를 나타낼 수 있다 (Shan 등, 2003; Noetzel 등, 2008). ID4는 또한 t(6;14) (p22;q32) 염색체 전위로 인해 ALL에서 과다 발현된다 (Bellido 등, 2003). 따라서 ID4는 여러 형태의 암에서 독특한 조절 기능을 나타낸다고 생각된다. 이와 같이 다양하고도 혼란스러운 결과가 나오는 것은 ID4의 기능이 특별한 유전적 배경에 따라 복합적임을 시사한다. 근래의 한 연구는 ID4의 발현과 전립선암 전이 사이에 정상관관계가 있다고 하였으나 (Yuen 등, 2006), 다수의 단백질과 교차 반응을 하는 항 ID4 항체를 이용하여 Western blot 분석을 실시한 연구는 ID4가 촉진체의 과다 메틸화에 의해 전립선암에서 하향 조절된다고 하였다 (Carey 등, 2009). 전립선 조직 표본 47점과 양성전립선비대 조직 표본 13점을 대상으로 RT-PCR을 이용하여 $ID4$ mRNA를, methylation specific (MS)-PCR과 단일염기다형성 분석 (pyrosequencing; single nucleotide polymorphism analysis)을 이용하여 메틸화를 분석한 연구도 $ID4$가 전립선암, 특히 임상적 혹은 조직학적으로 나쁜 양상을 보이고 재발의 초기에 있는 전립선암에서 유의하게 하향 조절되었으며, 전립선암의 경우 과다 메틸화가 발견되었지만 양성 전립선 조직에서도 약한 메틸화가 관찰되었다고 하였다 (Vinarskaja 등, 2012).

6~8주 된 $ID4^{-/-}$, $ID4^{+/-}$, $ID4^{+/+}$ 생쥐를 대상으로 면역조직화학검사에 의해 ID1, sex determining region Y (SRY)-box 9 (SOX9), v-myc avian myelocytomatosis viral oncogene homolog (MYC), androgen receptor (AR), v-akt murine thymoma viral oncogene homolog protein 1 (AKT 혹은 RAC-alpha serine/threonine-protein kinase, RAC), phosphatase and tensin homolog (PTEN), NK3 transcription factor related, locus 1 (NKX3.1) 등의 발현을 분석한 연구는 다음과 같은 결과를 보고하였다 (Sharam 등, 2013). 첫째, $ID4^{-/-}$ 생쥐의 경우 전립선의 크기가 더 작았고, 세관의 직경 크기가 더 작았으며, 세관의 수도 적어 전립선상피내암의 양상을 보였다. 둘째, AR의 수치는 표준형과 $ID4^{-/-}$ 전립선 사이에 큰 차이가 없었다. 셋째, $ID4^{-/-}$ 생쥐에서 NKX3.1의 발현 감소는 부분적으로는 NKX3.1 촉진체에 대한 AR의 결합이 감소되기 때문이다. 넷째, $ID4^{-/-}$ 전립선에서 MYC, SOX9, ID1, Ki67 등의 발현 증가와 PTEN, AKT, 인산화 AKT 등의 발현 감소는 전립선상피내암과 유사

한 병변과 관련이 있었다. 다섯째, *ID4*가 침묵되었거나 과다 발현된 전립선암 세포주 모델은 *ID4*가 NKX3.1, SOX9, PTEN 등을 조절함을 보여 주었다. 이들 결과를 근거로 저자들은 *ID4*의 소실은 전립선의 정상적인 발달을 저해하고 과다 형성 및 이형성을 촉진하여 MYC 및 ID1 발현의 증가와 NKX3.1 및 PTEN의 발현 감소로 특징화되는 전립선상피내암 유사 병변을 유도하며, *ID4*가 전립선의 정상적인 발달을 조절하는 기전들 중 하나는 NKX3.1에 있는 안드로겐 반응 요소 (androgen response element, ARE)에 대한 안드로겐 수용체의 결합을 조절하는 것이라고 하였다. 저자들은 또한 *ID4^-/-* 전립선에는 크기가 큰 종양이 관찰되지 않는데, 그 이유는 AKT의 소실과 같이 중대한 전암 병변의 형성을 제한하는 다른 기전들 혹은 다른 경로가 작동하기 때문으로 추측하였다.

31. Interleukin 6 (IL-6) And Interleukin 17 (IL-17)

Interleukin 6 (IL-6)는 조혈 작용, 면역 반응, 고열과 급성기 염증 반응 등에 대하여 다양한 효과를 나타내는 다면적 발현성 (pleiotropic) cytokine으로서 염색체 자리 7p21-p15에 위치해 있는 *IL6* 유전자에 의해 코드화된다 (Ferguson-Smith 등, 1988). IL-6는 감염 동안 혹은 외상 후, 특히 화상이나 염증으로 인한 조직 손상 후 T 세포와 대식세포에서 분비되어 면역 반응을 자극한다. IL-6는 또한 Streptococcus pneumoniae에 저항성을 나타내는 등 감염에 대항하는 작용을 나타낸다 (van der Poll 등, 1997). IL-6는 혈관의 평활근세포로부터 생성되어 염증을 유발하는 cytokine으로 작용하기도 하지만, tumor necrosis factor-α (TNFα)와 IL-1을 억제하거나 IL-1 receptor antigen (IL-1RA)과 IL-10을 활성화함으로써 염증에 대항하는 myokine으로서 작용하기도 한다 (Pedersen과 Febbraio, 2008). IL-6는 신체 운동 중 혈중에서 약 100배 증가하며 비만과 관련이 있고 인슐린의 작용을 감소시킨다 (Pedersen과 Febbraio, 2008).

IL-6, IL-11, leukemia inhibitory factor (LIF), oncostatin M (OSM), ciliary neurotrophic factor (CNTF), cardiotrophin 1 (CT1), cardiotrophin-like cytokine factor 1 (CLCF1) 등은 손상과 감염으로 인한 급성기 반응을 조절하는 데 관여하는 매개체 가족에 속한다. 이들 IL-6 유형의 cytokines는 염증과 면역 반응에서의 기능 외에도 혈구 형성, 간과 신경세포의 재생, 배아 발생, 생식 능력 등에서도 중요한 역할을 한다. IL-6의 신호 경로가 조절되지 않으면, 류마티스관절염, 장염, 골다공증, 다발경화증, 다발골수종, 전립선암을 포함한 다양한 암 등과 같은 여러 질환이 시작되거나 유지된다. IL-6 유형의 cytokines는 IL-6 수용체, LIF 수용체, OSM 수용체 등을 통해 작용하며, Janus kinase/signal transducer and activator of transcription (JAK/STAT) 및 MAPK (mitogen-activated protein kinase)의 경로를 활성화한다. JAK/STAT의 신호를 전달하는 경로는 tyrosine phosphatase, suppressor of cytokine signalling (SOCS) 되먹임 억제제, protein inhibitor of activated STAT (PIAS) 등에 의해 조절되거나 종결된다 (Heinrich 등, 2003).

IL-6는 안드로겐 비의존성 전립선암 세포에 의하여 생성되며, 자가 분비 혹은 주변 분비 방식으로 그들 세포의 성장을 자극하며, 안드로겐 의존성 세포에 대해서는 성장을 억제하는 효과를 나타낸다 (Lee 등, 2003). IL-6는 신세포암, 림프종, Kaposi 육종, 형질세포종 (plasmacytoma), 골수종, 유선세포종 등 많은 종양세포의 유전적 종양 형성에도 관여한다 (Chung 등, 1999). IL-6의 분자 작용은 완전하게 밝혀져 있지 않으나, 이차 당단백질인 glycoprotein 130 (gp130)과 관련이 있는 경막 수용체인 IL-6 receptor protein 80 (Rp80)과 결합한다고 알려져 있다 (Heinrich 등, 2003). 신호 경로는 안드로겐 비의존성 전립선암과 관련이 있는 경로인 v-erb-b2 erythroblastosis leukemia viral oncogene homolog 3(2) protein (ERBB3[2])/MAPK) 경로, JAK/STAT 경로, phosphoinositide 3-kinase/p21-activated kinase 1/epithelial and endothelial tyrosine kinase (PI3K/PAK1/ETK) 경로 등을 통해 진행된다 (Heinrich 등, 2003). IL-6 receptor (IL-6R)의 활성은 MAPK 및 STAT3의 신호를 전달하는 경로를 통해 안드로겐 수용체의 N-terminal 영역을 보조적으로 활성화한다고 보고되기도 한다 (Ueda 등, 2002).

진행된 전립선암을 가진 환자에서 IL-6 농도는 생물학적 예후와 상호 관련이 있으며, IL-6에 대한 통제 불능은 조기 사망 및 부종양성 (paraneoplastic) 이환을 일으킬 수 있다. 이를 뒷받침하는 연구가 여러 편 있다. Heinrich 등 (2003)은 IL-6가 손상과 감염에 대한 급성 반응에서 중요한 매개체 역할을 한다고 하였다. Twillie 등 (1995)은 IL-6가 전립선암의 발병 매개체이며, 일부 환자의 사망은 IL-6의 증가 때문이라고 하였다. Nishimoto 등 (2000)은 IL-6의 농도가 만성적으로 높은 증후군인 Castleman 질환의 증상으로는 피로, 빈혈, 식욕 부진, 체중 감소 등이 있으며, 말기 전립선암을 가진 많은 환자들이 이를 경험하는데, IL-6에 대항하는 단일 클론 항체는 Castleman 질환을 앓고 있는 환자들의 증상을 효과적으로 완화시킨다고 보고하였다. 그러나 IL-6가 그러한 생물학적 양상을 단독으로 나타낸다지만, 그것의 예후적 유의성은 PSA, lactic dehydrogenase (LDH), 전신적 수행 능력 상태, 숙주 상태와 관련이 있는 다른 인자 등과 상호 관련이 있다고 추측된다.

IL-6 음성인 LNCaP 전립선암 세포 내로 *IL6* cDNA를 삽입하여 IL-6의 이소성 발현을 유도한 후 ELISA와 RT-PCR을 이용하여 IL-6의 발현을 측정함으로써 전립선암 세포의 성장 조절에서 IL-6의 역할을 평가한 연구는 다음과 같은 결과를 보고하였다 (Lou 등, 2000). 첫째, IL-6는 TSU, PC3, DU145 등의 전립선암 세포주와 같이 안드로겐에 민감하지 않은 전립선암 세포주에서 발견되었지만, 안드로겐에 민감한 LNCaP 세포주에서는 발견되지 않았다. 둘째, IL-6R은 LNCaP, TSU, PC3, DU145 등과 같은 모든 종류의 전립선암 세포주에서 발현되었다. 셋째, IL-6의 이소성 발현에 의해 IL-6가 과다 발현된 LNCaP 세포주에서는 IL-6 음성인 세포주에 비해 세포의 군집 형성과 세포의 증식이 유의하게 증대되었다. IL-6에 의한 세포의 성장 증대는 STAT3의 신호 경로가 활성화되기 때문이다. 이들 결과에 의하면, IL-6는 LNCaP 전립선암 세포에 대한 자가 분비성의 성장 인자이며, 전립선암 세포의 성장에 대한 IL-6의 효과는 JAK/STAT의 신호 경로에 의해 매개된다.

4편의 연구가 혈청 IL-6의 농도를 측정하여 여러 병기의 전립선암과 양성전립선비대를 가진 환자군을 대조군과 비교하였다. 이들 연구 중 3편은 전이 질환을 가진 환자에서 IL-6의 중앙치가 유의하게 더 높았다고 보고하였고 (Kim 등, 2000), 1편은 거세 저항성 전립선암 환자에서 유의하게 더 높았다고 하였다 (Drachenberg 등, 1999). 전립선암 환자를 대상으로 실시한 단변량 분석에서 혈청 IL-6 농도의 증가와 낮은 생존율 사이에 유의한 연관성이 있었다. 또한, 환자의 전신 상태, 질환의 범위, 종양의 병력, PSA, LDH, alkaline phosphatase (ALP), 혈색소 등에 대해 보정한 소규모 다변량 분석에서는 IL-6의 증가와 질환의 범위만이 유의한 예후 인자이었다 (Nakashima 등, 2000). 그러나 이 연구는 전체 대상 환자의 수가 74명으로 소규모이고 병기 D인 환자가 37명뿐이라는 제한점을 가지고 있다. 다른 연구는 전이 전립선암과 거세 저항성 전립선암에서 IL-6와 IL-6R의 농도가 증가하기 때문에

(Shariat 등, 2001), 이들은 전립선암 진행에 대한 표지자의 역할을 한다고 하였다 (Nakashima 등, 2000). 전립선암의 진단에서 IL-6와 transforming growth factor (TGF)-β₁을 병용하면 더 나은 예측력을 나타낸다 (Shariat 등, 2004).

전향적으로 채집한 다기관 자료를 이용하여 ligand 비의존성 방식으로 안드로겐 수용체를 활성화시키고 거세 저항성 전립선암에서 기능적으로 중요한 역할을 하는 IL-6가 예후를 예측하는 측면에서 유의성을 가지는지가 평가되었다 (George 등, 2005). 이 연구는 Cancer and Leukemia Group B 9480 (CALGB 9480)에 등록된 390명의 거세 저항성 전이 전립선암 환자들 중 IL-6에 관한 자료가 있는 191명을 대상으로 치료 전에 채집한 혈장을 면역분석법을 이용하여 IL-6를 측정하였다. 191명의 코호트에서 IL-6 농도의 중앙치는 4.80 pg/mL이었다. IL-6의 농도가 중앙치 이하인 환자의 생존 기간은 19 (95% CI 17~22)개월인 데 비해, IL-6의 농도가 중앙치를 초과한 환자의 생존기간은 11 (95% CI 8~14)개월이었다 (*p*=0.0004). 또한, 환자의 전신 상태, PSA, LDH로 보정한 다변량 분석에서 절단치를 중앙치로 설정한 경우의 hazard ratio (HR)는 1.38 (95% CI 1.01~1.89; *p*=0.043)이었고, 절단치를 13.31 pg/mL로 설정한 경우 HR은 2.02 (95% CI 1.36~2.98; *p*=0.0005)를 나타내어 IL-6가 예후 측면에서 유의함을 보여주었다 (도표 151).

이 연구에서 IL-6는 지속적인 변수로서는 예후적 유의성을 보이지 않았는데, 이는 염증을 동반한 경우에 IL-6의 농도가 약간 증가하는 것과 같이 IL의 농도는 다른 질환이 동반되어 있으면 달라질 수 있음을 시사하며, 그러한 혼동 요소와 함께 특히 IL-6의 농도가 낮을 경우에는 예후와의 연관성이 낮아진다. 그러나 IL-6 농도의 가장 높은 4분위 수에 속한 환자는 생물학적으로 더 공격적인 전립선암을 가져 예후와 강한 연관성을 나타내었다. 이는 IL-6가 생물학적 공격성을 보이는 신경내분비 표현형으로의 분화를 증대시킨다는 연구 (Kim 등, 2004)와 일맥상통한다. IL-6는 안드로겐이 없는 상태에서는 안드로겐 수용체를 다소 강하게 활성화시키며, 안드로겐이 낮은 농도로 있으면 상승 작용을 나타낸다 (Jia 등, 2003). 또한, IL-6는 안드로겐 비의존성 전립선암 세포의 성장에 대해 자가 분비성의 성장 인자로 기능을 한다 (Giri 등, 2001). 그러나 일부 연구는 IL-6가 더 분화된 등급의 암에서는 증식을 억제하고 세포 자멸사를 일으킨다고 보고하였다 (Chung 등, 2000). 이들 연구의 결과들은 세포에 대한 IL-6의 궁극적 효과는

도표 151 거세 저항성 전이 전립선암 환자에서 전반적 생존을 예측하기 위한 다변량 누적 위험도 분석

모델 1: 환자 수 191명	HR (95% CI)	p
IL-6 (〉4.80 대 ≤4.80)[†]	1.38 (1.010~1.885)	0.0432
PS (2 대 0~1)	2.17 (1.340~3.498)	0.0016
PSA (〉130 대 ≤130)[‡]	1.74 (1.272~2.367)	0.0005
LDH (〉199 대 ≤199)[¶]	1.35 (0.995~1.818)	0.0543

모델 2: 환자 수 191명	HR (95% CI)	p
IL-6 (〉13.31 대 ≤13.31)	2.02 (1.362~2.982)	0.0005
PS (2 대 0~1)	1.81 (1.096~2.976)	0.0204
PSA (〉130 대 ≤130)	1.69 (1.233~2.306)	0.0011
LDH (〉199 대 ≤199)	1.28 (0.943~1.745)	0.1122

모델 1은 IL-6 농도의 중앙치를 절단치로 설정한 분석이며, 모델 2는 IL-6 농도의 최고 4분위수를 절단치로 설정한 분석임.

[†], IL-6의 단위는 pg/mL; [‡], PSA의 단위는 ng/mL; [¶], LDH의 단위는 U/L.
CI, confidence interval; HR, hazard ratio; IL, interleukin; LDH, lactate dehydrogenase; PS, performance status; PSA, prostate-specific antigen.
George 등 (2005)의 자료를 수정 인용.

STAT3, PI3K 등과 같은 하위 경로를 포함하는 다른 분자적 및 유전적 양상에 의존적임을 추측하게 한다 (George 등, 2005).

전립선암 환자 82명, 고등급 전립선상피내암 환자 24명, 양성전립선비대 환자 25명, 만성 전립선염 환자 17명 등의 생검 전 혈청에서 염증 유발성 cytokine인 IL-6와 함께 total PSA (tPSA), free PSA (fPSA), free/total ratio (f/tPSA) 등을 측정하여 혈청 IL-6가 전립선 질환에서 표지자로서의 역할을 하는지를 평가한 연구는 다음과 같은 결과를 보고하였다 (Miličević 등, 2014). 첫째, 네 환자군에서 혈청 IL-6의 농도는 통계적으로 유의한 차이를 보이지 않았다 (p=0.088). 둘째, Gleason 점수 3+4 및 7 미만의 중등도 분화도를 가진 전립선암 환자에 비해 Gleason 점수 4+3 및 7 초과의 미분화 전립선암 환자에서 혈청 IL-6의 농도가 유의하게 더 높았다 (p=0007). 이들 결과는 혈청 IL-6의 농도가 미분화 전립선암의 표지자로서 유망함을 보여 준다 (도표 152).

전립선암 환자에 대한 표준 요법의 하나로 안드로겐 박탈 요법을 실시하는데, 이 경우 혈청 테스토스테론은 상당하게 감소하지만 전립선 내부의 안드로겐 농도는 안드로겐 수용체를 활성화하고 종양의 성장을 자극할 정도로 충분한 양이 측정된다. 이는 전립선 내에서 내부 분비 (intracrine)의 방식으로 안드로겐이 합성됨으로써 암세포가 생존하게 됨을 시사한다. IL-6는 안드로겐 수용체의 활성화와 전립선암 세포의 성

장 및 분화에 관여한다고 알려져 있다. IL-6와 안드로겐 대사와의 관계를 평가한 연구는 다음과 같은 결과를 보고하였다 (Chun 등, 2009). 첫째, IL-6는 스테로이드의 생성에 관여하는 효소, 예를 들면 hydroxy-delta-5-steroid dehydrogenase, 3 beta- and steroid delta-isomerase 2 (HSD3B2)와 aldo-keto reductase family 1, member C3 (AKR1C3)를 코드화하는 유전자의 발현을 증대시켰다. 둘째, small interfering RNA (siRNA)를 이용하여 IL-6R의 발현을 하향 조절하면, IL-6에 의해 매개되는 AKR1C3의 발현이 소멸되었는데, 이는 IL-6의 신호 경로가 AKR1C3의 발현을 유도함을 시사한다. 셋째, IL-6가 AKR1C3 촉진체의 활성을 증가시켰는데, 이는 IL-6로 매개되는 AKR1C3의 발현이 부분적으로는 전사 수준에서 일어남을 시사한다. 넷째, IL-6는 LNCaP 세포에서 테스토스테론의 농도를 증가시켰다. 거세된 생쥐의 전립선 내로 IL-6를 과다 발현하는 LNCaP-IL6 양성 세포를 주입한 경우 종양 내의 테스토스테론 농도는 378 pg/g이었다. 이들 결과는 IL-6가 전립선암 세포에서 안드로겐의 대사를 매개하는 유전자의 발현을 증대시켜 내부 분비에 의한 안드로겐의 농도를 증가시킴을 보여 준다.

거세 저항성 전립선암에서 docetaxel에 대한 저항이 발생하는 분자 기전은 충분하게 밝혀져 있지 않다. 이와 관련하여 단백질체학을 기초로 분석한 연구는 다음과 같은 결과를 보고하였다 (Zhang 등, 2014). 첫째, reactive oxygen species (ROS)를 하향 조절하는 superoxide dismutase 2 (SOD2)는 docetaxel에 민감한 세포에 비해 저항성을 가진 PC3 세포에서 유의하게 상향 조절되었으며, *insulin-like growth factor-1 receptor (IGF-1R), C-X-C chemokine receptor type 4 (CXCR4), B-cell lymphoma 2 (BCL2)* 등과 같이 산화 환원 반응 (redox)을 조절하는 유전자의 발현 또한 증가되었다. 둘째, docetaxel에 민감한 세포에서 *SOD2*의 강한 발현은 IGF-1R 단백질을 증가시키고 이로 인해 약물에 대한 저항성이 유발된 데 비해, docetaxel에 저항성을 가진 세포에서 SOD2를 침묵시키면 IGF-1R 단백질이 감소되었다. 셋째, SOD2는 ROS에서의 변화를 통해 IGF-1R을 분해하는 adaptor 단백질인 ar-restin, beta 1 (ARRB1)에 대한 역조절 인자로서 작용을 하였다. 넷째, docetaxel에 저항적인 세포에서 상향 조절되는 IL-6를 차단하면, SOD2와 STAT3의 발현이 감소되었고 ARRB1의 발현이 증대되었으며, 결과적으로 단백질과 전사 수준에서 IGF-1R이 감소하였다. 이들 결과를 종합하여 보면, docetaxel

CHAPTER 08

도표 152 다양한 전립선 질환에서 여러 혈청 표지자의 비교 분석

질환 (환자 수)	IL-6, pg/mL		tPSA, ng/mL		fPSA, ng/mL		f/tPSA, %	
	범위	중앙치	범위	중앙치	범위	중앙치	범위	중앙치
전립선암 (82)	1.49~16.75	2.09	2.1~686.3	9.20[†]	0.13~60.90	1.35	5~33	16[†]
GS≤3+4 (61)	1.49~16.75	1.76	2.1~42.6	6.90	0.31~6.73	1.18	7~33	16
GS≥4+3 (21)	1.49~10.67	3.30[†]	3.3~686.3	54.30[†]	0.13~60.90	7.74[†]	5~30	10
전립선상피내암 (24)	1.49~5.93	2.16	1.4~20.0	4.80	0.47~4.17	1.20	17~37	22
양성전립선비대 (25)	1.49~3.84	1.63	1.7~15.3	5.70	0.28~2.72	1.22	9~40	20
전립선염 (17)	1.49~4.61	1.55	1.9~17.8	6.10	0.52~8.12	1.19	14~46	20

[†], p-value <0.05 (통계적으로 유의함).

GS, Gleason score; IL-6, interleukin 6; fPSA, free PSA; f/tPSA, free PSA/ total PSA ratio; PSA, prostate-specific antigen; tPSA, total PSA.

Miličević등 (2014)의 자료를 수정 인용.

에 저항성을 가진 세포에서 IL-6 농도의 증가는 SOD2의 발현을 자극하고, 이는 최소한 부분적으로는 ROS의 농도를 감소시킴으로써 ARRB1이 소멸되고 IGF-1R의 발현이 증가한다.

주변 분비성 IL-6는 전립선암 세포에서 신경돌기 (neurite) 유사 표현형의 획득, 성장 정지 등과 같은 신경내분비 (neuroendocrine, NE) 양상을 매개한다. 그러나 IL-6가 신경내분비 분화 (neuroendocrine differentiation, NED)를 유도하는 기전에 관하여서는 알려진 바가 거의 없다. 이에 LNCaP 세포에서 immunoblotting을 이용하여 regulatory element 1 (RE1)-silencing transcription factor (REST)와 neuron-specific enolase (NSE), chromogranin A (CHGA), synaptophysin (SYP) 등과 같은 신경내분비 표지자를 측정한 연구는 다음과 같은 결과를 보고하였다 (Zhu 등, 2014). 첫째, LNCaP 세포에서 IL-6에 의해 유도된 신경내분비 분화는 REST에 의해 억제되었으며, 전립선암 세포에서 외인성 REST의 과다 발현은 IL-6로 유도된 신경내분비 분화를 소멸시켰다. 둘째, alpha trans-inducing protein (α-TIP)로도 알려진 herpes simplex virus protein vmw65 (VP16)를 이용한 재조합 REST-VP16 융합 단백질은 REST의 표적 유전자 외에도 신경세포의 분화와 관련이 있는 기타 유전자를 활성화하였으며, 신경세포의 생리학적 특성을 형성하였다. 셋째, 신경내분비 분화를 일으킨 LNCaP 세포에서 REST 단백질의 전환 (turnover)은 deubiquitylase인 herpes virus-associated ubiquitin-specific protease (HAUSP)의 발현 감소, ubiquitin-proteasome 경로 등에 의해 촉진되었는데, 이는 REST의 분해를 일으키는 경로가 IL-6에 의해 유도되는 신경내분비 분화에 관여함을 시사한다. 이들 결과는 REST가 LNCaP 세포에서 IL-6에 의해 유도된 신경내분

비 분화를 전환시키는 기능을 가지고 있음을 보여 준다.

Phosphatase and tensin homolog (PTEN)의 돌연변이로 침습성 전립선암이 발생한 생쥐를 대상으로 분석한 연구는 다음과 같은 결과를 보고하였다 (Zhang 등, 2014). 첫째, IL-17 receptor C (IL-17RC) 음성인 생쥐는 IL-17RC 양성인 생쥐에 비해 전립선의 크기가 더 작았다. 둘째, 침습성 전립선암은 IL-17RC 음성인 생쥐에 비해 IL-17RC 양성인 생쥐에서 더 흔하게 발생하였으며, 발생률은 각각 23%, 65%이었다. 셋째, 거세를 실시한 경우 IL-17RC 양성 생쥐에 비해 IL-17RC 음성 생쥐의 전립선에서 세포의 증식률이 더 낮았으며, 세포 자멸사의 비율은 더 높았고, matrix metalloproteinase 7 (MMP7), Y box-binding protein 1 (YBX1), metastasis-associated protein 1 (MTA1), ubiquitin-conjugating enzyme E2 C (UBE2C) 등의 단백질 농도는 더 낮았다. 넷째, IL-17RC 음성 생쥐가 거세된 경우에는 혈관 형성이 더 약하였는데, 이는 cyclooxygenase 2 (COX2)와 vascular endothelial growth factor (VEGF) 농도의 감소와 관련이 있었다. 다섯째, 거세된 IL-17RC 음성 생쥐의 전립선에서는 림프구, 대식세포, myeloid-derived suppressor cell (MDSC) 등과 같은 염증세포의 수가 더 적었다. 이들 결과를 종합해 볼 때, IL-17은 거세 조건에서 면역 저항성 (immunotolerance)을 획득하고 혈관 형성을 유도함으로써 침습성 전립선암의 발생을 촉진한다고 생각된다.

32. Kallikrein-Related Peptidase (KLK)

1926년 E. K. Frey는 사람과 기타 포유동물의 소변을 정맥 주사를 통해 개에게 주입한 후 혈압이 강하됨을 관찰하였으며,

소변에는 말초 동맥을 확장시키는 고분자량의 활성 물질이 함유되어 있다고 하였다 (Kraut 등, 1930). 1930년 kallikrein 은 독일 바이엘 제약회사에서 Padutin®으로 상품화되었으며, 이차 대전 중에도 혈관 질환의 치료제로 이용되기도 하였다 (Oshima, 1994). 1934년 Eugen Werle은 이 물질이 그리스어로 'kallikreas'인 췌장 내에 고농도로 분포하여 있음을 발견하여 췌장이 근원지로 생각하였고, 이로 인해 그는 이 물질을 tissue kallikrein (KLK1)으로 불렀다 (Kontos와 Scorilas, 2012). 이로부터 40년 후 정액에서 남성에 특이한 항원을 찾고자 시도한 연구는 후에 KLK3로 재명명된 prostate-specific antigen (PSA)을 발견하였다 (Hara 등, 1971; Li와 Beling, 1973). 오늘날까지 KLK3는 kallikrein과 관련이 있는 펩티드 중 가장 상세하게 특징지어졌으며, 전립선암의 진단과 상급 위험을 가진 환자군의 모니터링에서 임상적으로 유용하게 활용되고 있다 (Mavridis와 Scorilas, 2010). 1989년 tissue kallikrein (hK1)을 코드화하는 KLK1과 PSA (hK3)를 코드화하는 KLK3 유전자 외에도, 후에 KLK2로 명명된 human glandular kallikrein 1 (hGK1)을 코드화하는 유전자도 염색체 19q13.4 에 위치해 있음이 확인되었다 (Riegman 등, 1989). 1990년대 후반 들어 kallikrein 관련 펩티드를 코드화하는 12종의 새로운 유전자가 발견되었으며, 이들은 처음 세 kallikrein 유전자와 염기 서열, 구조 등의 측면에서 유사할 뿐만 아니라 염색체 자리 또한 동일하여 kallikrein 유전자 가족으로 분류되었다 (Yousef 등, 2000). Human Genome Project는 발견된 유전자의 일부가 전통적인 세 kallikreins 유전자와 동일한 염색체 자리를 가짐을 확인하였으며, 그들로는 normal epithelial cell-specific 1 (NES1; KLK10으로 명명됨) (Liu 등, 1996), zyme/protease M/neurosin (protease, serine, type 9, PRSS9; KLK6) (Yamashiro 등, 1997), neuropsin/tumor-associated differentially expressed gene 14 (TADG14; KLK8) (Underwood 등, 1999), hippostasin/trypsin-like serine protease (TLSP; KLK11) (Mitsui 등, 2000), stratum corneum tryptic enzyme (SCTE; KLK5) (Hansson 등, 1994), stratum corneum chymotryptic enzyme (SCCE/PRSS6; KLK7) (Brattsand 와, Egelrud, 1999) 등이 있다. 그 후 kallikrein-like gene 3 (KLK-L3; KLK9) (Yousef와 Diamandis, 2000) 등 6종의 KLKs 가 추가로 발견되어 조직 KLKs는 15종으로 증가되었으며, KLK2와 KLK4 유전자 사이에 위치해 있는 kallikrein pseudogene, 즉 PsiKLK1 (KLKP1) (Yousef 등, 2004)도 발견되었다.

이들 유전자는 다양한 조직에서 다양한 농도로 발현되며, 서로 다른 발현 패턴을 나타낸다 (Harvey 등, 2000). 조직 kallikreins에 대한 명명법은 유전자의 경우 적절한 숫자를 붙인 KLK로, 단백질의 경우 적절한 숫자를 붙인 KLK 혹은 hK로 정해졌다 (Lundwall 등, 2006).

Kallikrein-related peptidases (kallikreins, KLKs)는 다양한 조직과 생물 체액에서 발견되는 serine proteases의 한 그룹이다. Kallikreins는 혈장과 조직의 두 그룹으로 분류되며, 혈장 kallikrein은 단일 유전자에 의해 코드화되고 (Clements, 1997), 설치류의 조직 kallikreins는 다수의 유전자 가족에 의해 코드화된다 (Evans 등, 1987). 'Kallikrein'은 생물학적으로 활성적인 펩티드인 kinin을 분비하기 위해 전구 분자, 즉 kininogen에 작용하는 효소를 기술하기 위해 사용되는 용어이다 (Clements, 1997). 그러나 일반 용어 '조직 kallikrein'은 효소의 기능적인 정의에만 국한되지 않으며, 동일한 염색체 자리에 위치하면서 잘 보존된 유전자와 단백질 구조를 가진 효소의 집단을 일컫는 데 사용된다. 처음 발견된 세 kallikreins 유전자 중 KLK1만이 kininogenase의 작용이 강한 단백질을 코드화하고, KLK2와 KLK3에 의해 코드화되는 효소는 kininogenase의 작용이 매우 약하다. 이러한 kallikrein 유전자 가족의 구성원은 많은 유사점들을 가지고 있는데, 이들은 도표 153에 정리되어 있다 (Diamandis 등, 2000; Yousef와 Diamandis, 2000).

전립선암 표지자는 사람의 kallikrein 유전자 가족의 단백질 생성물 중에서 확인되었다. 처음에는 이 유전자 가족 중 세 유전자만이 확인되었는데, 췌장/신장의 조직 kallikrein으로 알려진 human kallikrein 1으로 알려진 hK1/hKLK1/human histidine-containing protein kinase (hPRK), human kallikrein 2로 알려진 hK2/hKLK2/hGK-1, PSA로 알려진 hK3/hKLK3 유전자 등이다 (Lilja, 1997). 그 후 다른 kallikrein 유전자 12종이 확인되어 현재 이 단백질분해효소 유전자 가족은 15종으로 구성되어 있으며, 서로 다른 명칭으로 기술되고 있다. 이들 유전자는 염색체 자리 19q13.3~q13.4에 위치해 있으며 구조적으로 비슷하다 (Yousef 등, 2000). KLK3와 KLK2를 제외한 모든 유전자들이 염색체 말단 소립(telomere)으로부터 동심절(centromere)까지 전사된다 (Clements 등, 2004). 이들 유전자는 trypsin 혹은 chymotrypsin과 같은 작용을 한다고 알려졌거나 추측되는 15종의 분비성 serine protease를 코드화한다. 이들 serine protease의 아미노산 염기 서열은 비슷하여

도표 153 Human kallikrein 유전자 가족 KLKs의 유사점

① 모든 유전자는 동일한 염색체 자리, 즉 19q13.3~13.4에 위치해 있다.
② 모든 유전자는 적절한 위치에서 잘 보존된 catalytic triad를 가진 serine proteases를 코드화 하며, catalytic triad는 두 번째 코드화 exon의 말단 가까이에 위치해 있는 histidine (His), 세 번째 exon의 중간에 위치해 있는 aspartic acid (Asp), 마지막 exon인 다섯 번째 exon의 기시부에 위치해 있는 serine (Ser) 등이다.
③ 모든 유전자는 5개의 코드화 exons를 가지고 있으며, 일부는 1개 이상의 5′-untranslated exons를 포함하고 있다.
④ 코드화 exon의 크기는 비슷하거나 동일하다.
⑤ Intron 과정은 완전하게 보존되어 있다.
⑥ 모든 유전자는 DNA와 아미노산 수준에서 30~80%의 상동성을 가진다.
⑦ 이들 유전자의 대부분은 스테로이드 호르몬 혹은 후성적 인자, 예를 들면 메틸화, histone 변경 등에 의해 조절된다.

DNA, deoxyribonucleic acid; KLKs, kallikreins.
Diamandis 등 (2000)과 Yousef 등 (2000)의 자료를 정리.

human kallikrein 1 (hK1)은 PSA와 60%, hK2는 PSA와 78%의 상동성을 보인다 (Clements, 1989). hK2와 hK3는 전립선 상피세포에서 효소원 형태로 분비되며 정액과 혈청에서 발견된다. 그들은 구조적으로 상동성을 나타내며, 둘 다가 α₂-macroglobulin (A2M), α₁-antichymotrypsin (ACT)과 같은 다양한 내인성 단백질분해효소 억제제와 결합하여 복합체를 형성한다 (Rittenhouse 등, 1998). Kallikreins와 관련이 있는 펩티드는 proteases of mixed nucleophile, superfamily A (PA clan)의 S1 가족 중 분비 serine proteases로 분류된다. 사람의 경우 178종의 serine proteases 가운데 kallikrein과 관련이 있는 펩티드가 사람 유전체에서 가장 큰 무리의 단백질분해효소 유전자를 형성한다.

Serine proteases는 단백질을 분해하는 효소로 구성된 한 무리의 상동성 가족이며, 이들 단백질분해효소는 응혈 및 섬유소 용해, 소화 작용, 상처의 치유, 혈관 신생, 조직의 구조 변경, kringle 영역을 포함하는 성장 인자의 활성 등 다양한 생물학적 기능에 관여한다 (Aznavoorian 등, 1993; Matrisian, 1999). 그러므로 이들 효소의 발현은 많은 종양세포의 침윤 및 전이와 연관성을 가질 것으로 추측된다 (Nelson 등, 2000; Schmitt와 Magdolen, 2009).

KLK mRNA 전사물은 단일 사슬로 연결된 serine protease 전전구 효소 (preproenzyme)를 코드화한다. 16~30개의 아미노산으로 구성된 신호 전달 펩티드는 분비되기 전 단백질의 N-terminus에서 분절된다. 전전구 효소는 다른 hKs나 다른 단백질분해효소에 의해 짧은 염기 서열의 prodomain으로 분절됨으로써 효소로서의 활성을 일으킨다. Pro-hK4를 제외한 pro-hKs는 arginine 혹은 lysine 잔기 뒤에서 분절됨으로써 활성화된다. hKs 단백질은 아미노산 서열의 40~80%가 서로 동일하며, 효소의 촉매 작용에서 중요한 기능을 하는 세 잔기, 즉 His, Asp, Ser을 가지고 있다. KLKs의 mRNA와 단백질은

다양한 세포 형태와 조직에서 발현되며, 단백질을 분해하는 과정을 통해 여러 생리학적 기능을 나타낸다 (Clements 등, 2004). KLKs의 발현은 호르몬 인자 혹은 histone 변경이나 메틸화와 같은 후성적 인자에 의해 조절된다. KLKs는 스테로이드 호르몬에 의해 조절된다는 증거들이 상당수 있다 (Obiezu와 Diamandis, 2005). 이들 KLKs는 정상 생리 및 병태생리학적 과정에서 상호 작용한다 (Yousef 등, 2002b). 모든 KLKs는 여러 유사점들을 가지고 있지만, mRNA와 단백질은 종양의 종류에 따라 다르게 발현되고 암이 있는 조직과 암이 없는 조직에서 KLKs 유전자의 조절 양상이 다르기 때문에, 종양의 생물 지표로 매우 유망하다고 생각된다 (Paliouras 등, 2007).

KLK 유전자는 흔히 특이 조직에서 발현된다. 다수의 문헌들을 종합하여 볼 때, 거의 모든 kallikreins는 타액에서 발견되지만, KLK 2~5, 11, 14, 15 등은 전립선에서, KLK 1, 4~11, 13, 14 등은 피부, KLK 3~6, 8, 10, 13, 14 등은 유방, KLK 1, 6~13 등은 췌장, KLK 5~9, 11, 14 등은 중추신경계, KLK 4, 15는 갑상선에서 발견된다 (Yousef 등, 2003; Clements 등, 2004; Borgoño 등, 2004; Paliouras 등, 2007).

hK1은 전립선 외에도 신장, 췌장, 타액선 등 다른 조직에서 확인되지만, hK2와 hK3는 거의 전립선에서만 분비된다 (Morris, 1989). 전립선에서는 hK2의 발현이 PSA의 발현보다 발현 정도가 작다 (Young 등, 1992). PSA/hK2의 비율은 혈청에서 0.1~34, 정액장액에서는 100~500이다 (Black 등, 1999). 전립선암 조직에서는 PSA의 발현이 낮지만, hK2의 농도는 미분화된 전립선암에서 증가한다 (Darson 등, 1997). PSA와 같이 hK2도 전립선암을 발견하는 데 도움을 준다 (Partin 등, 1999). Serine protease의 kallikrein 가족 중 여러 다른 구성원들도 유용한 종양 표지자의 역할을 수행할 수 있다. 한편, hK 1, 2, 4~6, 8, 10~15는 trypsin 같은 작용을, hK 3, 7, 9는 chymotrypsin 같은 작용을 한다고 보고되었다 (Paliouras와

Diamandis, 2006).

전립선암을 진단함에 있어 PSA가 종양 표지자로 가장 널리 이용되고 있지만, PSA 외에도 hK2가 전립선암을 진단하는 데 중요한 정보를 주며, 특히 PSA의 농도가 낮을 때 그러하다 (Nam 등, 2000). 또한, hK2는 PSA 전구체, 즉 proPSA를 활성 PSA로 전환시키고 전립선 밖에서는 이들 두 kallikreins가 서로 협력하여 작용한다고 보고되지만 (Yousef와 Diamandis, 2001), 다른 연구는 hK2가 proPSA를 PSA로 활성화하는 것을 확인하지 못했다고 하였다 (Denmeade 등, 2001). *Prostase/ KLK4* (*KLK-L1*)도 전립선암과 관련이 있다고 추측된다 (Nelson 등, 1999). Kallikrein 유전자 가족의 다른 구성원도 종양과 관련이 있다는 보고가 많다. *KLK6*는 원발 유방암과 난소암에서 다르게 발현되며 (Anisowicz 등, 1996), *KLK7* 또한 난소암에서 비정상적으로 높게 과다 발현되고 (Tanimoto 등, 1999), *KLK8*은 난소암 조직의 약 60%에서 과다 발현된다 (Underwood 등, 1999). 조직 kallikrein 유전자인 *KLK10*은 종양을 억제하는 인자로 알려져 있으며, 유방암이 진행하는 동안 감소된다 (Goyal 등, 1998). *KLK12* (*KLK-L5*)와 *KLK13* (*KLK-L4*)도 유방암에서 감소됨이 관찰되었다 (Yousef 등, 2000).

많은 kallikrein 유전자들은 사람에서 여러 질환의 발생과 연관성을 가진다. *KLK1* 유전자는 염증 (Clements, 1997), 고혈압 (Margolius 등, 1974), 신염 및 당뇨병성 신장 질환 (Jaffa 등, 1992)에 관여한다. *KLK7*은 병적 각질화, 건선 등을 포함하는 피부 질환과 관련이 있다 (Sondell 등, 1996). 아밀로이드의 생성과 관련이 있는 *KLK6*는 Alzheimer 질환에서 어떠한 역할을 한다 (Little 등, 1997). *KLK8*은 간질을 포함하는 중추신경계의 질환에서 발현된다 (Momota 등, 1998). 갑상선에서 주로 발현되는 *KLK15*은 갑상선의 정상 생리와 병태생리에서 중요한 역할을 한다. 갑상선에는 다른 kallikreins도 발견되지만 다른 조직에 비해 갑상선에서 가장 높게 발현되는 것은 *KLK15* 외에는 없다.

PSA (*KLK3*)는 다른 조직에 비해 전립선 조직에서 높게 발현된다. *KLKs*는 다양한 암과 관련이 있으며, 암 종류에 따라 발현 정도가 다르다. 예를 들면, *KLK4, KLK11, KLK14, KLK15* 등은 정상 조직에 비해 난소암, 자궁경부암, 결장직장암, 위암, 폐암, 방광암, 췌장암, 전립선암 등의 조직에서 과다 발현되며, *KLK2, KLK3, KLK5, KLK6, KLK10, KLK13* 등은 유방암과 전립선암 조직에서 과소 발현된다 (Paliouras 등, 2007).

KLK5, KLK7 등은 폐암 (Planque 등, 2005), 난소암 (Dong 등, 2003), 방광암 (Shinoda 등, 2007), 고환암 (Luo 등, 2003), 자궁경부암 (Tian 등, 2004) 등에서 과다 발현되지만, 전립선암 (Yousef 등, 2002)과 유방암 (Yousef 등, 2004)에서 과소 발현된다. 난소암에서는 *KLK2~KLK8, KLK10, KLK11, KLK13~KLK15*의 발현이 증가된다 (Avgeris 등, 2012). 이들 유전자들 중 *KLK4, KLK11, KLK14, KLK15*의 발현 정도가 전립선암의 생물 지표로 유망하며 (도표 154), 전립선암에서 이들의 병태생물학적 역할은 도표 155에 요약되어 있다.

hKs는 protease-activated receptors (PARs)의 활성을 통해 내피세포의 증식을 유도한다. PARs는 G 단백질과 결합하는 수용체 가족에 속하며, PARs의 세포 외부 영역이 단백질을 분해하는 작용에 의해 분절됨으로써 활성화된다 (Ramsay 등, 2008). hK2, hK3와 같은 hKs는 insulin-like growth factor (IGF)-binding proteins (IGFBPs)를 분절시키며, 이로써 IGFs의 수용체와 결합하여 활성화하는 IGFs의 유용성이 증가되며, 이는 다시 세포의 생존, 분열, 분화를 조절하게 된다. 또

도표 154 전립선 조직에서 kallikreins 유전자의 발현과 임상적 활용

KLK	발현	임상 활용	참고 문헌
2	MT〈NT	진단	Magklara 등, 2000
3	MT〈NT	선별검사, 진단, 예후, 추적 관찰	Hakalahti 등, 1993 Magklara 등, 2000
4	MT〉NT MT〉BT	미확인	Xi 등, 2004 Dong 등, 2005
5	MT〈NT	유리한 예후	Yousef 등, 2002
6	MT〈NT MT〈BT	미확인	Petraki 등, 2003
7	MT〈NT	미확인	Xuan 등, 2008
10[†]	MT〈NT MT〈BT	미확인	Goyal 등, 1998 Petraki 등, 2003
11[‡]	MT〉NT	진단	Nakamura 등, 2003
13	MT〈NT MT〈BT	미확인	Kapadia 등, 2003 Petraki 등, 2003
14	MT〉NT	나쁜 예후	Hooper 등, 2001
15	MT〉NT	나쁜 예후	Stephan 등, 2003

[†], 일부 악성 세포 계열에서는 발현이 증가됨; [‡], 정상 남성에 비해 암 환자의 혈청에서도 증가됨. KLK2 (Steuber 등, 2007), KLK3 (Ulmert 등, 2009), KLK4 (Avgeris 등, 2011b), KLK14 (Rabien 등, 2008), KLK15 (Mavridis 등, 2010a) 등은 불리한 예후를, KLK5 (Korbakis 등, 2009), KLK11의 prostate-type (Bi 등, 2010) 등은 유리한 예후를 예측하는 생물 지표로 간주된다.

BT, benign tissue; KLK, kallikrein-related peptide; MT, malignant tumor; NT, normal tissue.

Paliouras 등 (2007)과 Avgeris 등 (2012)의 자료를 수정 인용.

도표 155 전립선암에서 KLKs의 병태생물학적 역할

KLKs 종류	병태생물학적 역할	참고 문헌
KLK1	세포 침습 촉진, 혈관 형성	Emanueli 등, 2001; Giusti 등, 2005; Gao 등, 2010
KLK2	종양 성장 촉진, ECM 분해	Mikolajczyk 등, 1999; Rehault 등, 2001; Mize 등, 2008
KLK3	종양 성장 촉진, EMT 유사 변화, ECM 분해, 혈관 형성, 전이	Ishii 등, 2004; Pezzato 등, 2004; Romanov 등, 2004; Dallas 등, 2005; Veveris-Lowe 등, 2005; Goya 등, 2006; Nadiminty 등, 2006
KLK4	종양 성장 촉진, EMT 유사 변화, ECM 분해, 전이	Matsumura 등, 2005; Beaufort 등, 2006; Gao 등, 2007; Klokk 등, 2007; Mize 등, 2008; Ramsay 등, 2008a; Wang 등, 2010
KLK7	세포 침습 촉진, EMT 유사 변화	Mo 등, 2010
KLK14	종양 성장 촉진, ECM 분해	Borgoño 등, 2007

ECM, extracellular matrix; EMT, epithelial-to-mesenchymal transition; KLKs, kallikrein-related peptidases.
Avgeris 등 (2012)의 자료를 수정 인용.

한, hK3는 latent transforming growth factor (TGF)-β-binding protein (LTBP)을 분절하여 latent TGFβ를 활성화함으로써 세포의 증식을 유도한다 (Borgoño 등, 2004).

공동으로 조절되고 조직에서 함께 발현되는 대부분의 hKs는 정액의 액화, 피부 표피 탈락, 신경 퇴행, 종양의 촉진 혹은 억제 등과 같이 단백질을 분해하는 과정에 관여한다 (Sotiropoulou 등, 2009). 예를 들면, 피부 각질층에는 촉매 작용이 활성적인 hK5, hK7, hK14 등이 발견되었으며, 이들 세 효소는 불활성적인 전구체로서 생성된다. hK5와 hK14는 trypsin과 같은 특이성과 알칼리성의 적정 pH를 가지며, 최대 촉매 속도와 촉매 효율의 측면에서 hK14이 hK5에 비해 더 우수하다. hK5는 적정 pH 5~7에서 pro-hK7을 활성화하지만, hK14은 그러하지 않다. hK5는 pro-hK5 뿐만 아니라 pro-hK14도 활성화하는 데 비해, hK14은 pro-hK5를 활성화하지만, 그 자체의 전구체를 활성화하지는 못한다. 자가 활성화 혹은 hK14에 의한 pro-hK5의 활성화는 중성 혹은 약알칼리성 pH에서 최대의 촉매 속도가 나타나는 데 비해, hK5에 의해 pro-hK14이 활성화하는 데 적정 pH는 6~7이다. 이와 같은 자료는 피부 각질층에서 일어나는 단백질의 분해 과정 중 일부를 보여 주며, 생리학적 효과가 pH와 관련이 있음을 시사한다 (Brattsand 등, 2005). 또한, 전립선액 내로 분비된 hKs는 hK3의 불활성적 효소원인 pro-hK3를 활성화하며, hK3는 semenogelin I과 II를 분해함으로써 정액의 응고물을 액화시킨다 (Pampalakis 와 Sotiropoulou, 2007). Corneodesmosome의 분해에 의한 표피 탈락에는 hK5와 hK7이 관여하지만, 다수의 다른 hKs도 표피의 탈락에 관여하는데, 이러한 과정이 일어나는 데는 hKs에 의한 desmoglein 1의 분해, serine protease inhibitor Kazal-type 5 (SPINK5)에 의한 hKs의 조절 등이 영향을 준다 (Kontos와 Scorilas, 2005).

계통 발생 (phylogenesis)에 근거하여 서로 관계가 있는 KLKs에 따라 여러 그룹으로 분류되는데, KLK1, KLK2, KLK3 등을 포함하는 소그룹, KLK4, KLK5 등을 포함하는 소그룹, KLK6, KLK13, KLK14 등을 포함하는 소그룹, KLK9, KLK11 등을 포함하는 소그룹, KLK10, KLK12 등을 포함하는 소그룹 등이다 (Bayani와 Diamandis, 2012). 진화론적 관점에서 볼 때, 서로 닮은 두 종류의 KLKs, 예를 들면 KLK2와 KLK3, KLK4와 KLK5, KLK9과 KLK11, KLK10과 KLK12 등은 생물 체액 및 조직에서 동격으로 조절되며, 흔히 질환이 있는 상태에서 공통되는 비정상적인 발현 양상을 나타낸다 (Borgoño와 Diamandis, 2004). 예를 들면, KLK9과 KLK11은 식도, 질, 위, 유방, 타액선, 췌장 등에서 높게 발현되며, KLK4와 KLK5는 유방과 자궁경부에서 함께 높게 발현되고, KLK10과 KLK12는 타액선, 식도, 나팔관, 췌장 등에서 높게 발현된다 (Harvey 등, 2000; Shaw와 Diamandis, 2007). 이러한 맥락에서 볼 때, 자궁경부 및 질 분비물 내에서 높은 농도로 발견되는 KLK 5~7, 10, 12, 13 등은 자궁경부 점액질의 구조 변경과 질 상피의 탈락에서 어떠한 역할을 할 것으로 생각된다 (Shaw 등, 2007; Shaw 등, 2008). 한편, KLK 5~8, 10, 11, 14 등은 난소암에서 공동으로 상향 조절되며 (Yousef 등, 2003), KLK 5, 6, 8, 10 등은 유방암에서 공동으로 하향 조절된다 (Yousef 등, 2004). KLKs가 조직에 특이하게 공동으로 발현된다는 관찰은 각 KLK 유전자가 보존된 전사 조절 기전에 의해 독립적으로 조절된다는 가설을 뒷받침한다 (Pavlopoulou 등, 2010).

KLKs와 종양의 진행 사이의 연관성에 관하여 많은 연구가 이루어져 왔다. 종양의 형성은 악성 세포가 완성되는 첫 단계이지만, 암이 진행하는 질환으로 발전하기 위해서는 암세포가

주위 조직으로 침습을 일으킨 후 혈관계 내로의 유출 및 원격 전이의 과정을 필요로 한다. 종양세포의 악성 표현형으로의 진행과 세포 외부 기질 (extracellular matrix, ECM)의 구조 변경은 이들 단계를 조절한다.

세포 외부에서 일어나는 단백질 분해는 조직의 미세 환경이 구조 변경을 일으키는 데 중요한 과정이다. ECM 단백질은 종양세포가 주위 조직으로 이동하고 혈중으로 유입되는 과정에서 물리적 장벽의 역할을 한다. Matrix metalloproteinase (MMP), plasmin, cathepsin 등은 암과 관련이 있는 ECM의 분해에 관여한다 (Mason과 Joyce, 2011). 그러나 근래의 연구는 세포 외부의 단백질을 분해하는 데 hKs가 영향을 줌을 보여 주었다. hKs는 ECM의 성분을 직접 분절시킬 뿐만 아니라 다른 단백질분해효소를 활성화하여 간접으로 ECM 단백질을 분해하기도 한다 (Borgoño와 Diamandis, 2004). 많은 hKs가 세포 외부의 fibronectin, laminin, collagen 등을 분해하며, MMPs 혹은 urokinase-type plasminogen activator (uPA)/uPA receptor (uPAR) 과정을 활성화한다. 또한, KLK activome으로 알려진 hKs의 교차 활성화 및/혹은 자가 활성화는 충분하게 입증되어 있다 (Yoon 등, 2009). 효소의 촉매 과정이 단백질 분해의 시작을 유도하는 자극을 증폭시키며, 이로써 단백질 분해 과정이 활성화되면 ECM의 광범위한 구조 변경이 일어난다.

전립선과 관련이 있는 hK2 (Deperthes 등, 1996), hK3 (Webber 등, 1995), hK14 (Borgoño 등, 2007b) 등은 fibronectin과 laminin을 분해한다고 알려져 있으며, hK14는 collagen I~IV 또한 분해한다. 전립선암에서 uPA-uPAR-MMPs 과정이 활성화되면, ECM은 더욱 효율적으로 분해된다 (Kessenbrock 등, 2010). hK2 (Takayama 등, 1997)와 hK4 (Takayama 등, 2001)는 pro-uPA를 분절시켜 uPA를 유리하며, uPA는 경막 수용체인 uPAR과 결합한다. 이러한 방식으로 plasmin과 MMPs는 각각의 전구체인 plasminogen과 pro-MMPs로부터 활성화된다. 다른 방식으로는, hK2가 uPA의 억제제인 plasminogen activator inhibitor 1 (PAI-1)을 분해함으로써 간접적으로 uPA-uPAR 축을 촉진한다 (Mikolajczyk 등, 1999). uPA와는 별도로 hK4는 uPAR을 직접 분절시킴으로써 uPA-uPAR 축을 활성화할 수 있고 (Beaufort 등, 2006), hK3는 pro-MMP2를 분절시켜 MMP2를 활성화한다 (Pezzato 등, 2004). 또한, 생체 밖 실험에서 hK3를 중화하는 항체 (Webber 등, 1995) 혹은 Zn^{2+} (Ishii 등, 2004)은 단백질을 분해하는 hK2의 작용을 차단

함으로써 LNCaP 전립선암 세포의 침습력을 약화시켰다.

상피의 중간엽 이행 (epithelial-mesenchymal transition, EMT)은 상피세포가 중간엽과 같은 형질 전환을 일으켜 세포의 이동, 침습, 성장 등이 증대되는 세포 과정이다 (Thiery 등, 2009). 대다수 경성 종양의 기원이 상피세포이기 때문에, EMT는 경성 종양이 진행하는 데 대한 기준점이 된다. EMT는 상피세포의 방추형 중간엽 세포로의 형태학적 변화를 촉진하고, 세포와 세포 사이, 세포와 ECM 사이의 부착력을 소실시킨다. 더욱 상세하게 기술하면, EMT는 E-cadherin의 소실을 유도함으로써 세포와 세포 사이의 부착을 약화시키며, N-cadherin, vimentin 등과 같은 중간엽 표지자의 발현을 증가시킴으로써 종양세포의 운동성과 침습성을 증대시킨다.

여러 연구는 E-cadherin의 발현이 정상 전립선에 비해 전립선암 조직에서 감소될 뿐만 아니라, 진행 병기와 전이 질환에서도 감소됨을 보여 주었다 (Hugo 등, 2007). 또한, Gleason 점수가 높은 환자에서는 중간엽과 관련이 있는 N-cadherin으로의 전환이 관찰되었다. 전립선암에서 EMT와 같은 변화가 촉진되는 것은 KLKs와 관련이 있다는 보고가 있었다 (Whitbread 등, 2006). KLK3와 KLK4를 발현하도록 유전자 전달 감염을 일으킨 PC3 전립선암 세포에서는 이동력 및 방추형 형태가 증대되었으며, E-cadherin의 발현이 감소되었고, vimentin의 발현이 상향 조절되었다 (Veveris-Lowe 등, 2005). KLK3와 KLK4로 유도되는 EMT의 기전은 분명하게 밝혀져 있지 않지만, TGF-β_2가 이들 KLKs의 하위 매개체라고 생각된다. EMT와 같은 변화를 촉진하는 TGF-β_2는 hK3의 기질이며 (Dallas 등, 2005), hK4는 hK3에 대한 강력한 활성체이다 (Takayama 등, 2001). 더욱이 KLK7은 22RV1 및 DU145 전립선암 세포에서 EMT와 같은 변화를 유도함으로써 이들 세포의 이동과 침습력을 증대시킨다 (Mo 등, 2010). KLK1 또한 DU145 세포가 이동력 및 침습력을 가진 악성 표현형으로 변화하도록 촉진하며, 이는 proteinase-activated receptor 1 (PAR1)에 의해 매개된다고 생각된다 (Gao 등, 2010).

전이는 부착된 종양세포의 분리, 주위 조직으로의 침습, 혈중으로의 유입 등을 필요로 하는 복잡한 과정이다. hKs와 이들 전이 과정 사이에는 분명한 연관성이 있지만, 근래의 연구는 전이에서 hKs의 또 다른 역할을 보고하였다. 전립선암은 특징적으로 골모세포 전이를 일으킨다. hK3는 골모세포의 증식 및 파골세포의 세포 자멸사를 촉진한다 (Killian 등,1993; Goya 등, 2006). 골모세포의 증식은 TGFβ로 매개되는 기전

에 의해 유도된다. 이는 hK3에 의존적으로 TGF-β의 유전자인 *TGFB* mRNA 농도가 상향 조절되고 TGFβ에 대한 항체와 serine proteases 억제제에 의해 골모세포의 증식이 억제된다는 연구와 일맥상통한다 (Yonou 등, 2001). 흥미로운 점은 *KLK3*로 유전자 전달 감염을 일으킨 SaOs2 골육종 세포에서 골모세포의 분화를 촉진하는 유전자의 발현이 증가되고 골모세포와 같은 모양으로의 형태학적 변화가 증대된다는 점이다 (Nadiminty 등, 2006). 또한, 생체 밖 실험은 RNA interference (iRNA)에 의해 *KLK3*의 발현이 하향 조절되면, 전립선암 세포와 골수 내피세포 사이의 부착이 감소됨을 보여 주었다. hK3에 대한 항체를 이용한 경우에도 동일한 결과를 얻을 수 있었는데, 이는 전립선암 세포와 골격 내피세포 사이에서 일어나는 세포와 세포 사이의 상호 작용에는 hK3가 중요한 역할을 수행함을 나타낸다 (Romanov 등, 2004). hK3에 의한 para-thyroid hormone-related protein (PTHrP) (Cramer 등, 1996) 및 TGF-β$_2$ (Dallas 등, 2005)의 분절은 골격의 구조 변경 및 골 전이의 형성을 조절한다. 한편, hK4에 관한 생체 실험은 전립선암이 골 전이를 일으킨 경우 암세포와 골모세포에서 hK4의 발현이 상향 조절됨을 보여 주었다. 골모세포 형태의 SaOs2 세포와 전립선암 세포를 함께 배양하면, mRNA와 단백질 수준에서 *KLK4*의 발현이 유의하게 상향 조절되며, 이는 전립선암 세포의 이동과 암세포의 골격 기질 단백질과의 부착을 촉진한다 (Gao 등, 2007).

*KLK6*는 유방암에서 후성적 변화로 인해 유의하게 하향 조절된다고 알려져 있다. 상세하게 기술하면, 전이 유방암 환자에서 *KLK6* 촉진체의 과다 메틸화가 일어나면, *KLK6* 발현의 후성적 침묵이 일어난다 (Pampalakis 등, 2009). 이는 유방암에서 *KLK6*가 종양을 억제하는 기능을 가지고 있음을 시사하는데, 이러한 결과는 MDAMB-231 유방암 세포가 *KLK6*로 유전자 전달 감염을 일으킨 후에는 악성 표현형이 억제되어 증식이 저하되고 부착 비의존성 성장이 억제되며 이동이 감소된다는 연구에 의해 지지를 받고 있다. 또한, *KLK6*의 발현은 누드마우스에서 유방암 세포의 종양 형성력을 유의하게 감소시켰다. 유방암 세포에서 *KLK6*가 종양을 억제하는 기전은 EMT로 진행하는 변화가 전환되기 때문이라고 추측된다. 이러한 가설은 *KLK6*의 안정적인 발현이 vimentin을 감소시키고 calreticulin과 상피세포 표지자인 cytokeratin 8/19을 회복시킨다는 연구에 의해 지지를 받고 있다. 더욱이 *KLK1*은 유방암 세포의 침습성을 촉진한다고 보고되었다. 이들 연구에 의

하면, 합성 펩티드 형태로 생성된 억제제에 의해 hK1이 억제되었을 때 용량 의존적으로 MDAMB-231 유방암 세포의 침습이 감소되었다 (Wolf 등, 2001). 또한, 생체 밖 실험으로 hK1에 대한 억제제를 사용하면, 유방암 세포의 폐 간질로의 침습이 약화되었다.

많은 *KLKs*가 난소암에서 암세포의 침습 표현형을 자극한다고 보고되었다. 생체 밖 실험에서 *KLK4*, *KLK5*, *KLK6*, *KLK7* 등을 안정적으로 발현하도록 유전자 전달 감염을 일으킨 OV-MZ-6 난소암 세포에서는 침습력이 증대되었다. 생체 실험에서 유전자 전달 감염을 일으킨 난소암 세포를 주입한 경우 종양의 크기가 증가되었는데, 이는 난소암의 진행에서 이들 *KLKs*의 역할이 중요함을 보여 준다 (Prezas 등, 2006). 이러한 효과는 부분적으로는 hK5 (Michael 등, 2005), hK6 (Bernett 등, 2002), hK7 (Borgoño와 Diamandis, 2004) 등이 ECM 단백질을 분해하는 기능을 가지고 있고, hK4 (Takayama 등, 2001)가 uPA-uPAR-MMPs 축을 활성화함으로써 간접적으로 ECM 단백질을 분해하는 기능을 가지고 있는 것과 관련이 있다.

난소암에서 *KLK7*이 종양을 촉진하는 역할은 세포 부착 분자 (cell adhesion molecules, CAMs)의 기능적 상태와 관련이 있다. 상세하게 기술하면, SKOV-3 난소암 세포를 이용한 생체 밖 실험에서 hK7의 과다 발현은 다수 세포의 응집을 촉진하였으며, 이로써 암세포의 생존과 paclitaxel에 대한 저항성이 증대되었다. 형질 변형을 일으킨 SKOV-3 세포에서 hK7과 α5/β1 integrins는 상호 관련이 있음이 관찰되었다 (Dong 등, 2010). 더욱이 항체를 이용하여 hK7과 α5/β1 integrins를 차단하였을 때 다수 세포의 응집이 억제되었다. 이들 자료는 hK7이 integrin 부착 수용체의 기능적 상태를 조절하는 효과를 나타내기 때문에 난소암 세포의 전파를 촉진한다는 가설을 뒷받침한다 (Avgeris 등, 2012).

*KLK10*이 유방암의 병태생리학적 과정에 관여한다고 보고되었지만, 이로 인한 하위 경로는 분명하게 밝혀져 있지 않다. 그러나 *KLK10*이 유방암의 발생과 진행에 영향을 준다고 보고되었기 때문에, 이 질환에서 중요한 인자로 간주된다. 후성적으로 *KLK10*의 발현이 소실된 경우와 진행 병기의 유방암 사이에 상호 관련이 있음은 질환이 진행하는 동안 *KLK10*이 어떠한 역할을 하는지 의문을 가지게 한다. 유방암 세포에서 EMT와 같은 변화와 관련이 있는 TGFβ/TGFβ receptor (TGFβR)/small mothers against decapentaplegic protein (SMAD)

축의 과다 활성은 cadherin 1 (CDH1)과 같은 다른 유전자와 함께 KLK10의 메틸화를 조절한다 (Papageorgis 등, 2010). 유방암 세포에서 SMAD의 신호 경로가 억제되면, 침묵되었던 유전자의 재발현이 일어나고, 상피세포의 형태가 갖추어지며, 이동력과 침습성이 감소된다. 이러한 결과는 유방암 세포에서 일어나는 EMT의 변화는 KLK10과 관련이 있음을 시사하지만, 이를 확인할 추가 연구가 필요하다 (Avgeris 등, 2012).

혈관 형성은 기존에 있던 혈관에서 새로운 혈관이 성장하는 상태로 정의된다. 혈관 형성은 발생 및 성장의 기간 동안 일어나는 생리학적 과정이지만, 암의 진행을 나타내는 특징으로 간주된다. 새로운 혈관의 발달은 종양세포의 생존과 성장을 도울 뿐만 아니라 주위 조직으로의 침습과 그로 인한 원격 전이를 도와준다.

혈관 형성에서 hKs의 역할은 아직 분명하지 않지만, ECM의 구조 변경에서 hKs가 분포함은 혈관 형성을 촉진하는 과정으로 간주된다. ECM 단백질은 hKs에 의해 직접 분해되거나 hK2, hK4 등으로 인한 uPA의 활성화와 hK1, hK3, hK7 등으로 인한 MMPs의 활성화를 통해 간접으로 분해되는데, 이로써 새로운 혈관이 성장하는 데 필요한 세포 외부의 공간이 만들어진다. 또한, 혈관 형성을 유발하는 인자인 TGF-β_2는 hK3로 인해 활성화되는데, 이는 혈관 형성을 직접 자극한다. 한편, hK3 (Heidtmann 등, 1999), hK5 (Michael 등, 2005), hK6 (Bayes 등, 2004), hK13 (Sotiropoulou 등, 2003) 등은 단백질을 분해하는 작용을 통해 plasminogen을 분해함으로써 angiostatin과 같은 절편을 유리하며, 이는 내피세포의 증식과 혈관 형성을 차단한다. 더욱이 생체 실험에서 내피세포를 hK3로 처치하면 내피세포의 증식과 이동이 감소되었으며, 이러한 내피세포에서는 hK3로 인해 fibroblast growth factor (FGF)와 vascular endothelial growth factor (VEGF)에 대한 반응이 억제되었고 (Fortier 등, 1999) 혈관 형성 또한 억제되었다 (Fortier 등, 2003). hK3가 혈관 형성에 대해 대항 효과를 나타낸다는 보고는 hK3의 발현이 감소된 전립선암 표본에서 혈관 형성이 증가되었다는 연구에 의해 지지를 받고 있다 (Papadopoulos 등, 2001).

근래의 연구는 hK12가 혈관 형성에서 중심적인 조절 분자라고 하였다. 생체 밖 실험에서 항체를 이용하여 hK12를 차단하면, 미세 혈관에 있는 내피세포의 증식, 이동, 분지 형성 등이 감소되었다. hK12를 차단하면 cAMP와 cGMP의 농도가 감소되고 extracellular signal-regulated kinase (ERK)의 인산화가 감소된다는 관찰은 혈관 형성을 유도하는 hK12의 역할이 kinin과 관련이 있는 신호 경로의 자극에 의존적임을 나타낸다. hK1으로 매개되는 kinin 하위 단계의 활성화는 전립선암의 혈관 형성에서 관찰된 바 있다 (Giusti 등, 2005). 다른 연구는 hK12의 자극으로 인한 혈관 형성을 앞에서 제시된 경로와는 다른 분자 경로로 설명하였다. 즉, hK12는 모세포 (matricellular) 단백질인 cyclin A2 (CCN1 혹은 cysteine-rich angiogenic protein 61, CYR61)와 CCN5 (WNT1 inducible signaling pathway protein 2, WISP2)를 분절함으로써 혈관 형성을 촉진하는 성장인자인 VEGF, bone morphogenetic protein 2 (BMP2), TGF-β_1, FGF2 등의 생체 이용률을 조절한다 (Guillon-Munos 등, 2011). KLK12가 전립선암 환자에서 상향 조절된다는 관찰은 전립선암에서 hK12가 혈관 형성에 관여함을 추측하게 한다. 또한, 내피세포는 KLK1을 발현하는데 (Plendl 등, 2000), 이는 혈관 형성이 kinin의 생성을 통해 이루어짐을 시사한다 (Emanueli 등, 2001). 전립선암에서 혈관 형성은 hK1의 매개로 인한 하위 kinin 경로의 활성화와 관련이 있음이 관찰되었다 (Giusti 등, 2005).

Kallikreins는 다방면으로 연구되고 있는 분자이며, 그러한 상황은 도표 156에 요약되어 있다.

32.1. Tissue kallikrein/human kallikrein 1 (hK1, KLK1)

KLKs는 크게 혈장 KLK (plasma kallikrein 혹은 kallikrein B plasma 1, KLKB1)와 조직 KLK (tissue kallikrein, TK)로 분류되며, KLKB1의 동족체는 알려져 있지 않으나 TK에는 15종이 보고되고 있다. KLKB1은 염색체 4q34-q35에 위치해 있으며, 혈장 human kallikrein (hK)를 코드화한다. 혈장 hK는 비활성적인 전구 kallikrein으로 합성된 후 factor XII, prolylcarboxypeptidase (PRCP) 등의 자극을 받아 단백질 분해 작용에 의해 분절됨으로써 활성화된다. 혈장 hK는 kininogen으로부터 bradykinin, kallidin 등과 같은 kinins를 유리하며, 혈압과 염증 반응을 조절한다. 혈장 hK는 plasminogen으로부터 plasmin을 생성할 수 있다 (Offermanns와 Rosenthal, 2008).

췌장/신장의 조직 kallikrein으로 알려진 human kallikrein 1 (hK1, hKLK1)은 human histidine-containing protein kinase (hPRK)로도 알려져 있다. True tissue kallikrein (TK, hK1)은 주로 저분자량의 기질인 kininogen을 단백질 분해 작

도표 156 Kallikreins에 관한 연구 분야

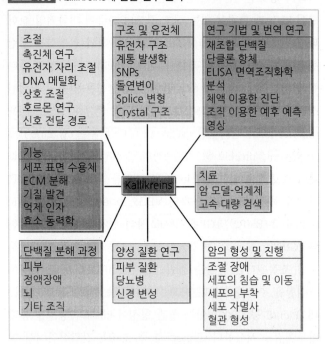

조절
촉진체 연구
유전자 자리 조절
DNA 메틸화
상호 조절
호르몬 연구
신호 전달 경로

구조 및 유전체
유전자 구조
계통 발생학
SNPs
돌연변이
Splice 변형
Crystal 구조

연구 기법 및 번역 연구
재조합 단백질
단클론 항체
ELISA 면역조직화학
분석
체액 이용한 진단
조직 이용한 예후 예측
영상

기능
세포 표면 수용체
ECM 분해
기질 발견
억제 인자
효소 동력학

Kallikreins

치료
암 모델-억제제
고속 대량 검색

단백질 분해 과정
피부
정액장액
뇌
기타 조직

양성 질환 연구
피부 질환
당뇨병
신경 변성

암의 형성 및 진행
조절 장애
세포의 침습 및 이동
세포의 부착
세포 자멸사
혈관 형성

DNA, deoxyribonucleic acid; ECM, extracellular matrix; ELISA, enzyme-linked immunosorbent assay; SNPs, single nucleotide polymorphisms.
Paliouras와 Diamandis (2006)의 자료를 수정 인용.

용으로 분절시켜 kinin 펩티드를 생성함으로써 생물학적 효과를 나타내며, 이는 kinin B2 receptor를 자극한다 (Bhoola 등, 1992). 사람의 TK는 저분자량의 kininogen으로부터 Lys-bradykinin을 유리시키는 데 비해 (Fiedler, 1979), 쥐의 TK는 고분자량의 kininogen으로부터 bradykinin을 유리시킨다 (Kato 등, 1985). Lys-bradykinin과 bradykinin은 kinin B2 receptor를 동일하게 자극하여 생물학적 작용을 나타낸다. 흥미로운 점은 TK가 Chinese hamster ovary (CHO) 배양세포에서 kininogen/kinin의 유리와는 독립적인 기전을 통해 kinin B2 receptor를 직접 활성화한다는 점이다 (Biyashev 등, 2006). 더욱이 TK는 kinin이 없는 상태에서 분리된 쥐의 자궁조직을 수축시켰으며, kininogen이 결핍된 쥐에서 직접 kinin B2 receptor를 활성화하여 심장을 보호하는 효과를 나타내었다 (Chao 등, 1981, 2008). TK는 또한 nitric oxide (NO)와 prostaglandin의 분비, kinin B1 receptor의 활성화 등과는 독립적인 기전인 PAR4의 활성화를 통해 설치류에서 염증과 발의 부종에 관여한다 (Houle 등, 2005). 사람의 악성 상피세포에서 PAR1의 과다 발현은 침습성 암의 전이력과 관련이 있는 한편, PAR1의 antisense oligonucleotides는 유방암 세포의

침습을 차단한다 (Yin 등, 2003). 근래의 연구는 TK가 PAR1의 활성화와 epidermal growth factor receptor (EGFR)의 전사를 자극함으로써 각질형성세포의 이동을 촉진한다고 하였다 (Gao 등, 2009). 이들 결과는 TK가 PARs 혹은 저분자량을 포함한 기타 기질에 작용함으로써 생물학적 효과를 나타냄을 보여 준다.

TK는 대동맥과 같은 큰 혈관뿐만 아니라 중간 혹은 작은 혈관의 내피세포와 평활근세포에서 합성된다 (Wolf 등, 1999). 혈관에서 합성된 TK는 kinins를 통해 혈관 항상성의 조절과 혈관 형성에 관여한다 (Plendl 등, 2000). Kinins는 혈관 확장, 혈장의 혈관 외부 유출, 내피세포의 증식 등과 같은 혈관의 다양한 기능을 조절한다 (Emanueli 등, 2001). 만성적인 혈관 부전증을 가진 환자에서는 TK의 농도가 증가하지만 혈관재생술 후에는 정상으로 회복되는데, 이는 만성적인 허혈이 있는 경우 적절한 조직 관류를 유지하기 위해 보상 효과로 TK가 증가됨을 나타낸다 (Porcu 등, 2002). 전신 경화증이 초기인 환자의 피부에 관한 연구도 내피 및 혈관 주위의 염증세포에서 TK가 발견되었다고 보고하였으며, 이는 TK가 전신 경화증에서 미세 혈관의 변화와 관련이 있음을 보여 준다 (Del Rosso 등, 2005). 혈관 확장 외에도 G-protein coupled receptor (GPCR)을 통한 신호 경로는 혈관의 투과성을 증가시키며, 혈관 외의 평활근을 수축시켜 평활근의 연축을 일으키고, C-fiber nociceptor를 자극하여 통증을 유발한다. TK는 혈관에 관한 효과 외에도 bradykinin 수용체를 통해 염증을 유발하는 cytokines의 분비를 자극함으로써 면역에 관여하기도 한다 (Lundwall 등, 2008). 짧은 꼬리 뾰족뒤쥐 (shrew)의 타액에서 TK를 포함한 강한 독물이 발견되었으며, 이로 인한 독성은 bradykinin이 다량 생성되어 B1 및 B2 수용체를 통해 저혈압 및 기타 여러 효과를 나타낸다 (Kita 등, 2004). Proangiogenic cells (PACs)의 집결은 화학주성에 의해 유도되며, 세포 외부 기질을 파괴하기 위한 단백질분해효소를 필요로 한다. PACs와 mononuclear cells (MNCs)은 TK를 발현하고 분비하며, *KLK1* 유전자를 침묵시키면 PACs의 이동 및 침습과 혈관 형성을 유발하는 작용이 감소된다. 이와 같은 결과는 혈관 형성에서 TK와 PACs의 역할이 중요함을 보여 준다 (Spinetti 등, 2011). 생쥐에서 KLK1b9은 전구 단백질을 분해하여 EGF를 유리하며 (Frey 등, 1979), KLK1B3는 7S nerve growth factor (NGF) 복합체를 분해하여 NGF를 생성한다 (Berger와 Shooter, 1977)는 보고는 TK가 세포의 성장에서 어떠한 역할

을 할 것으로 추측하게 한다.

KLK5~KLK8, KLK10, KLK11 등과 같은 일부 TK 유전자 가족은 종양의 형성, 종양의 침습, 전이 등을 촉진한다 (Borgoño와 Diamandis, 2004; Borgoño 등, 2004). TK 유전자 (hKLK1) 발현의 증가는 TK 단백질과 협동하여 종양의 형성, 혈관 형성, 암세포의 증식, 혈관의 투과성 등을 촉진하며, 자궁내막암, 뇌하수체암, 전립선암 등에서 암세포의 침습을 조절한다 (Mahabeer와 Bhoola, 2000). 이들 외에도 TK는 허혈 후의 혈관 신생에서 중요한 역할을 하며 (Stone 등, 2009), 췌장암 (Wolf 등, 2001), 식도암 (Dlamini와 Bhoola, 2005), 위암 (Sawant 등, 2001), 폐암 (Chee 등, 2008), 위장관 기질 종양 (gastrointestinal stromal tumour, GIST) (Dominek 등, 2010) 등의 성장과 침습에 관여한다고 알려져 있다. Kinin과 kinin B2 receptor 또한 혈관의 투과성, 혈관 형성, 종양의 성장 및 전이 등에 관여한다 (Ishihara 등, 2002; Ikeda 등, 2004). TK와 bradykinin (B2) receptor는 전립선 질환과 LNCaP 및 DU145의 두 전립선암 세포주에서 다양한 정도로 발현되는데, 이는 전립선 질환에서 kallikrein-kinin 시스템이 기능을 하며, 전립선 조직 내의 종양 형성에서 어떠한 역할을 함을 나타낸다 (Clements와 Mukhtar, 1997). 쥐의 유방암 세포를 TK 억제제인 FE999024로 치료하면, 폐 순환계 내로 암세포의 침습 혹은 전이가 억제되었다 (Wolf 등, 2001). 내인성 TK 억제제인 kallistatin을 주입하면, 종양의 혈관 형성과 이종 이식 암유방암의 성장이 억제되었다 (Miao 등, 2002).

일부 TK 유전자 가족, 예를 들면 KLK5, KLK6, KLK14 등은 PAR을 발현하는 세포주에서 PAR1, PAR2, PAR4 등을 활성화한다 (Oikonomopoulou 등, 2006a,b). PAR1의 활성화는 세포 내부에서 protein kinase C (PKC), SRC proto-oncogene, non-receptor tyrosine kinase (SRC), EGFR의 전사 등을 활성화함으로써 세포 외부의 ERK1/2를 인산화한다 (Sabri 등, 2002). EGFR은 각질형성세포에서 MMP의 매개로 유도되는 heparin binding epidermal growth factor (HBEGF)의 분비에 의해 활성화된다 (Tokumaru 등, 2005). 더욱이 TK는 pro-EGF를 분절시켜 자유 ligand를 생성하여 EGFR을 활성화하고 ERK를 인산화함으로써 점막 아래에 위치한 샘의 비후 및 증식을 촉진한다 (Casalino-Matsuda 등, 2004). Pro-MMP2와 pro-MMP9 또한 생체 밖 실험에서 TK에 의해 활성화되었으며, 활성화된 MMPs는 혈관 형성, 종양의 침습 및 전이 등을 증대시킨다 (Manes 등, 1999).

전립선암 세포주를 이용한 연구도 위의 결과와 유사한 결과를 보고하였다 (Gao 등, 2010). 첫째, TK는 세포막과 결합한 PAR1을 활성화하여 세포 내부에서 PKC 및 SRC 의존성 EGFR의 활성화를 유도하고, 이는 다시 MMP로 매개되는 EGF의 분비를 통해 ERK를 인산화함으로써 전립선암 세포의 이동과 침습을 촉진하였다. 둘째, TK는 DU145 전립선암 세포에서 PAR1 의존성 EGFR의 활성화를 통해 세포의 이동 및 침습을 촉진하는 한편, kinin과 kinin B2 receptor의 자극을 통해 세포의 증식을 자극하였다. 이들 결과는 TK가 전립선암 세포의 이동과 침습을 촉진하는 기전과 증식을 자극하는 기전이 다름을 보여 준다. 즉, TK는 다른 신호 경로를 통해 세포의 이동 및 침습 혹은 증식을 촉진한다고 생각된다.

다른 종에서 정제된 TK이더라도 비슷한 저분자량의 기질인 kininogen에 특이하게 작용한다 (Chagas 등, 1992). thrombin과 EGF에 의해 유도되는 세포의 이동에 관여하는 PKC 및 SRC의 활성화는 EGFR의 전사가 활성화됨으로써 일어난다 (Bassa 등, 2007). 다른 연구도 PKC 및 SRC kinase의 억제제가 TK로 인한 DU145 세포의 이동과 침습을 억제하기 때문에, PKC 및 SRC로 매개되는 신호 경로가 TK의 효과에 관여한다고 하였다 (Gao 등, 2010). 그러나 kinin과 kinin B2 receptor는 TK에 의한 세포의 이동과 침습에 대해 제한적인 효과를 나타낸다고 생각되는데, 이는 trypsin 억제제인 aprotinin과 다르게 kinin B2 receptor 대항제인 icatibant는 TK의 효과를 10% 미만으로만 억제하였기 때문이다.

MMP를 억제하면 TK로 유도되는 DU145 세포의 이동과 침습이 억제되기 때문에, MMP는 TK 의존성 신호 경로에 의해 일어나는 사건에 관여한다고 생각된다. MMP의 활성화는 면역 반응을 억제하고 세포의 생존 및 이동, 혈관 형성, 세포 외부 기질의 분해 등을 증대시킴으로써 암이 진행하는 동안 종양의 전이를 촉진한다 (Manes 등, 1999). MMP2와 MMP9은 종양세포의 전이와 혈관 형성에 관여하는 gelatinase이며, TK는 MMP2와 MMP9의 활성화를 직접 유도한다 (Tschesche 등, 1989). DU145세포에서 효소를 발견하기 위한 전기영동법인 zymography를 이용하여 분석한 연구도 TK가 MMP2와 MMP9의 분비와 활성화를 자극한다고 하였다 (Gao 등, 2010). MMP2는 또한 세포 표면에서 MMP14과 같은 다른 MMPs에 의해 활성화될 수 있다 (Strongin 등, 1995). MMP2, MMP9, MMP14 등은 VEGF의 생성과 fibrin 기질의 분해를 통해 암의 혈관 형성에 관여하고, 생체 내외 실험에서 암의 침습과 전이에도 영향을 준다고 보고되었다 (Egeblad와 Werb, 2002).

MMPs, 특히 membrane-type MMPs (MTMMPs)는 EGFR ligand를 유리시키고 EGFR의 활성화에 관여한다 (Koon 등, 2004). EGFR은 1개의 경막 영역, tyrosine kinase의 기능을 나타내는 1개의 세포 내부 영역, ligand와 결합하는 1개의 세포 외부 영역 등을 가지고 있다. Angiotensin II는 GPCR의 활성화, HBEGF ligand의 유리, 그로 인한 ERK의 활성화 등을 통해 각질형성세포의 이동을 유도한다고 알려져 있다 (Yahata 등, 2006). EGFR과 마찬가지로 HBEGF는 MMPs에 의해 유리되며, 유방암 세포의 이동과 GPCR에 의해 매개되는 EGFR 전사의 활성화를 위해 필요하다 (Hart 등, 2005). MMPs의 활성화는 PKC 및 SRC의 인산화에 의해 조절된다 (Shah 등, 2006). 다른 연구도 TK는 PKC-SRC-MMP로 매개되는 EGFR ligand의 유리를 통해 EGFR의 전사를 활성화하고 PAR1을 활성화함으로써 각질형성세포의 이동을 촉진한다고 하였다 (Gao 등, 2009).

PAR1의 발현은 정상 전립선의 상피세포 혹은 양성전립선비대에 비해 전립선암에서 유의하게 증가되며, PAR1의 활성화는 nuclear factor kappa B (NFκB)의 활성화와 B-cell lymphoma-extra large (BCL-XL)의 상향 조절을 통해 DU145 및 PC3 세포의 생존을 촉진한다 (Tantivejkul 등, 2005). 다른 연구는 GPCR을 자극하면, EGFR의 전사가 활성화된다고 하였다. 따라서 GPCR에 속하는 PAR1의 활성화는 EGFR의 전사를 활성화하여 세포의 이동과 증식을 촉진한다고 생각된다 (Kalmes 등, 2001). DU145 세포에 관한 다른 연구 또한 TK가 EGFR의 전사를 활성화하고 그로 인해 PAR1으로 매개되는 신호 경로를 통해 ERK를 활성화함으로써 세포의 이동 및 침습을 촉진한다고 하였다 (Gao 등, 2010). EGFR 전사의 활성화는 또한 결장암 세포, 심장의 섬유모세포, 심장의 근육세포 등의 증식에서 PAR1이 활성화됨으로써 이차적으로 일어난다고 보고되었다 (Sabri 등, 2002). Thrombin은 PAR1을 통해 염증을 유발하는 반응을 활성화하며, 이러한 과정은 TK 억제제인 aprotinin에 의해 차단된다 (Day 등, 2006). 더욱이 ERK의 인산화는 EGFR의 활성화로 인해 일어나는 중요한 하위 신호 전달 매개체 중 하나이다. 진피의 섬유모세포에서 β2-adrenergic receptor 작용제는 EGFR 전사의 활성화와 ERK의 인산화를 통해 이동 및 증식을 유발하는 경로를 활성화한다고 보고된 바 있다 (Pullar 등, 2006). EGFR의 자가 인산화 부위는 세포

의 증식과 이동에서 ERK의 인산화와 같은 하위 신호 경로를 유발하는 데 중요하다 (Gao 등, 2010). 따라서 ERK의 인산화는 TK에 의해 매개되는 전립선암 세포의 이동에서 중요하다고 생각된다.

TK는 PAR1이 아닌 kinin B2 receptor에 의존적인 방식으로 DU145 세포의 증식을 자극할 수 있다. TK보다 10배 높은 농도의 kinin은 세포의 증식에 대해 영향을 주지 않지만, icatibant는 TK에 의해 유도된 세포의 증식을 차단한다. 이러한 결과는 TK가 kinin B2 receptor의 활성화를 통해 암세포의 증식을 자극함을 나타낸다. TK는 kininogen이 결여된 쥐에서 심장의 기능을 개선하고 세포 자멸사 및 염증을 약화시킨다 (Chao 등, 2008). 돼지에 관한 연구에 의하면, kinin B2 receptor는 소변 내의 kallikrein에 의한 단백질 분해 작용에 의해 직접 혹은 B2 receptor를 활성화하는 펩티드의 유리를 통해 TK에 의해 간접으로 활성화될 수 있다. 이와 같이 TK는 위에서 기술된 바와 같은 기전을 통해 kinin B2 receptor를 활성화함으로써 DU145 세포의 증식을 억제한다. 더욱이 icatibant를 투여하거나 kinin B2 receptor를 제거하면, 이종 이식 암 종양의 성장이 억제된다 (Ishihara 등, 2002). 따라서 TK에 의해 매개되는 kinin B2 receptor의 활성화는 종양의 성장에서 kinin과는 독립적으로 중요한 역할을 한다고 생각된다.

32.2. Human kallikrein 2 (hK2, KLK2)

Human kallikrein 2 (hK2 [단백질] 혹은 KLK2 [유전자])는 PSA와 밀접하게 관련이 있는 전립선 특이 serine protease로서 얼마 전까지는 중요하게 생각되지 않았었다. 1987년 Schedlich 등이 당시에는 human glandular kallikrein 1 (hGK-1)으로 불렸던 hK2를 코드화하는 유전자를 발견하였다. hK2는 PSA와 마찬가지로 주로 전립선 조직에서 발현되며 (Morris, 1989), 전립선 조직에서 발현되는 정도는 PSA의 10~50% 수준이다 (Chapdelaine 등, 1988). 그러나 단백질이 정액장액으로부터 분리된 것은 1995년이며, 대부분이 protein C inhibitor (PCI)와 결합한 상태로 발견되었다 (Deperthes 등, 1995). 양성전립선비대 조직에서는 PSA 발현과 KLK2 mRNA 사이에 상호 연관성이 있었으나 전립선암 조직에서는 그러한 관계가 뚜렷하지 않다는 보고가 있었다 (Henttu 등, 1990).

근치전립선절제 표본 257점에 대해 항체를 이용하여 면역조직화학검사를 실시한 연구는 다음과 같은 결과를 보고하였

다 (Darson 등, 1997). 첫째, hK2, PSA, PAP 등에 대한 상피세포의 면역 반응은 모든 표본에서 관찰되었다. 둘째, hK2의 발현 강도는 고등급 전립선상피내암에 비해 전립선암에서 더 컸으며, 양성 상피에 비해 고등급 전립선상피내암에서 더 컸다. hK2와는 달리 PSA와 prostatic acid phosphatase (PAP)는 양성 상피에서 가장 강한 면역 반응을 보인 데 비해 고등급 전립선상피내암과 암에서는 상대적으로 면역 반응이 약하였다. 셋째, hK2의 발현은 양성 상피에서 고등급 전립선상피내암, 전립선암으로 진행하는 동안 점차 증가되었다. PSA와 PAP는 hK2와 비교하였을 때 반대되는 면역 반응을 나타내었다. 넷째, Gleason 등급 4와 5의 암은 거의 모든 세포에서 hK2에 대한 면역 반응을 나타내었으나, 낮은 등급의 암에서는 균일하지 않았다. 다섯째, 병기 T2의 전립선암을 가진 환자에서 hK2와 PSA에 대해 면역 반응을 나타내는 세포의 수는 암의 재발을 예측하지 못하였다. 이와 같은 결과는 hK2가 모든 전립선암에서 발현되며, hK2가 전립선에 위치해 있고, 암과 관련이 있으며 조직 내에서 hK2의 발현은 PSA 및 PAP와는 독립적으로 조절됨을 보여 준다. 이들의 자료는 hK2의 발현이 정상 상피조직에서 원발 암과 림프절 전이로 진행하는 동안 점차 증가함을 시사한다. PSA와 마찬가지로 hK2는 정액장액에서도 발견되지만, PSA 농도의 1% 정도에 불과하며 (Darson 등, 1999), 혈청 hK2 농도는 전립선 질환을 가진 남성들에서 증가하는데, 건강한 정상 남성과 여성에서는 각각 0.33 ng/mL, 0.37 ng/mL인 데 비해 양성전립선비대와 전립선암 환자에서는 각각 0.86 ng/mL, 6.77 ng/mL로 보고되었다 (Finlay 등, 1998).

hK2는 사람의 간에 관한 유전체 도서관 (genomic library)을 검색하는 과정에서 1992년도에 확인되었으며, 아미노산 서열과 DNA의 수준에서 PSA (hK3)와 각각 78%, 80%의 상동성을 가지고 있다 (Yousef와 Diamandis, 2001). 전립선에 특이한 이들 두 단백질이 높은 상동성을 가지고 있기 때문에 생리학적으로 비슷한 기능을 할 것으로 추측되는데, 이들은 전립선 조직에 대해 비슷한 특이도를 나타내며, PSA와 마찬가지로 안드로겐에 의해 조절된다. Recombinant hK2 또한 알려지고 정제된 바 있다 (Kumar 등, 1996).

hK2의 전구체는 261개의 아미노산으로 구성되어 있지만, 최종 완성된 단백질은 237개의 아미노산으로 구성되어 있고 Asn78에 1개의 glycosylation site를 가지고 있다. Sodium dodecyl sulfate polyacrylamide gel electrophoresis (SDS-PAGE)로 측정된 hK2의 외관상 분자량은 31~33 kDa 이지만, (Grauer 등, 1996), laser desorption mass spectrometry (LDMS)를 이용한 실제적인 분자량은 28.5 kDa 이다 (Mikolajczyk 등, 1998). 단백질은 세포질세망으로 이동한 후에 제거되는 1개의 peptide와 활성화 후에 제거되는 1개의 propeptide를 가지고 있다. hK2의 활성화는 자가 촉매 작용 (autocatalysis)에 의한다고 생각되지만, 정확하게 어디에서 일어나는지는 밝혀져 있지 않다 (Lövgren 등, 1999). protein C inhibitor (PCI)는 hK2에 대해 높은 친화력을 가지고 있고 (kass = 2.0×10^5 $M^{-1} \cdot s^{-1}$) 정액장액에는 PCI와 hK2가 각각 4 μM, 0.2 μM의 높은 농도로 포함되어 있어 hK2는 PCI를 표적화하는 단백질분해효소라고 간주된다. hK2는 전립선에서 발견되는 Zn^{2+} 농도인 9 mM보다 훨씬 낮은 μM 농도의 Zn^{2+}에 의해 가역적으로 억제된다 (Lövgren 등, 1999).

hK2 분자는 촉매 부위에 aspartate 잔기를 가지고 있는데, 이것은 여러 kallikreins가 trypsin과 같은 기질에 국한되어 특이성을 나타내도록 하는 역할을 한다 (Schedlich 등, 1987). hK2는 기질이 arginines, 간혹은 lysines, histidines의 C-terminus에서 분절되도록 촉매한다 (Lövgren 등, 1999). hK2의 생물학적인 기능 중 하나는 PSA의 효소원 형태를 효소로서 기능을 나타내는 활성 단백질로 전환하는 것이다 (Kumar 등, 1997). 전립선의 serine 단백질분해효소도 proPSA를 활성화한다고 보고되었다 (Takayama 등, 2001). PSA와 마찬가지로 hK2도 semenogelins와 fibronectin을 분절시킨다. hK2에 의한 semenogelin I과 II의 분절 형태와 분절 부위는 PSA의 경우와는 다르며 (Deperthes 등, 1996), 액화된 정액장액의 semenogelin에서 확인되는 분절은 hK2에 의한 것이 아니고 PSA에 의한 것이다 (Lilja와 Abrahamsson, 1988). hK2의 기능 중 하나로 uPA의 조절이 있다. hK2는 uPA를 활성화하고 uPA의 주요 억제제인 PAI-1의 불활성화를 촉매한다 (Frenette 등, 1997). Kininogenase를 활성화함으로써 고분자량의 kininogen (high molecular weight kininogen, HMWK)으로부터 bradykinin을 유리시키는 기능도 가지고 있는 (Charlesworth 등, 1999) hK2는 정액장액에서 bradykinin을 통해 정자의 운동성을 증가시키는 생리학적 기능을 가지고 있다 (Bhoola 등, 1992). hK2가 가진 단백질의 분해 기능은 PSA에 비해 20,000배 더 강하다 (Mikolajczyk 등, 1998).

hK2는 정액장액 내에서 대부분이 PCI와 결합한 불활성 상태로 있다고 보고되었다 (Deperthes 등, 1995). 그 후 연구는

hK2가 PCI 외에도 세포 밖의 단백질분해효소 억제제들, 예를 들면 α_2-antiplasmin (α_2-AP), A2M, ACT, C1-inactivator, PAI-1, anti-thrombin III (ATIII)와도 결합할 수 있다고 보고하였다 (Grauer 등, 1998). hK2가 α_1-antitrypsin (A1AT; α_1-protease inhibitor, API)과 결합체를 형성한다는 보고는 아직 없다. hK2가 PCI, PAI-1, A2M 등과 복합체를 형성할 경우 가장 신속하게 단백질 분해에 대한 억제가 일어난다 (Frenette 등, 1997). hK2도 PSA와 마찬가지로 혈청에서 여러 분자 형태로 존재하는데, PSA와는 다르게 hK2의 유리형이 우세하며 hK2-ACT 복합체는 전체 hK2의 4~19%에 불과하다 (Becker 등, 2000). 또한, 전립선암 조직에서 hK2의 약 10%는 세포 내에 있는 serpin B6 (SERPINB6)로도 알려진 protease inhibitor 6 (PI6)와 결합하는데 (Mikolajczyk 등, 1999), hK2의 새로운 복합체인 hK2-PI6는 종양의 괴사로 인해 생성되며, 이행부 및 주변부의 정상 세포에 비해 전립선암 조직과 큰 연관성을 가진다 (Mikolajczyk 등, 1999). hK2의 효소 작용은 micromole 농도의 Zn^{2+}에 의하여 조절되는데, 앞에서 기술된 바와 같이 아연이 전립선과 정액장액에서는 millimole 농도로 높게 존재하기 때문에 그와 같은 사실은 주목할 만하다 (Lövgren 등, 1999).

혈청에서 발견되는 면역성을 가진 hK2의 대부분은 30 kDa의 유리형이다. prohK2는 촉매 작용을 가지지 않은 불활성의 hK2 전구체로서 양성전립선비대 환자와 전립선암 환자에서 증가하며, 혈청 유리형 hK2의 상당한 부분을 차지한다 (Saedi 등, 1998). hK2의 5~20%는 90 kDa이며, ACT와 같은 단백질분해효소 억제제와 결합한다 (Becker 등, 2000). 따라서 hK2의 조절에 대한 세포 외부 단백질분해효소 억제제의 중요성은 아직 완전하게 이해되어 있지 않다. 혈청으로부터 hK2가 제거되는 경로에 관한 자료는 많지 않지만, 혈청에서 발견되는 hK2의 대부분은 유리형이기 때문에 사구체에 의하여 제거된다고 생각된다 (Black 등, 1999). 전립선절제술 동안 전립선을 조작하게 되면 free PSA (fPSA) 농도가 약 10배 증가하지만, hK2의 농도는 증가하지 않는다 (Lilja 등, 1999). 실제 수술 후 2시간 이내에는 평균 hK2 농도가 분석법으로 발견할 수 있는 기능적 절단치인 0.05 ng/mL 미만이다. hK2가 순환계에서 신속하게 제거된다고 생각은 되지만, 혈청에서는 hK2의 농도가 매우 낮으며 이용되고 있는 분석법의 기능적 민감도가 제한적이기 때문에, 그것의 청소율을 산출하기란 현재로서는 거의 불가능하다.

PSA와 마찬가지로 hK2는 전립선 외의 조직과 체액에서도 소량이 발견된다 (Stephan 등, 2000) (도표 12, 13). 전립선 조직, 정액장액, 혈청에서 hK2의 농도는 PSA보다 수배 더 낮으며, 전립선 조직에서 KLK2 mRNA의 농도는 KLK3 mRNA 농도의 10~50%이고, 정액과 혈청에서 hK2의 농도는 PSA의 1~3%이다 (Darson 등, 1997). 초기에는 특이도의 문제, PSA와의 교차 반응, 낮은 농도를 분석하는 데 따른 제한점 등이 연구의 걸림돌이었으나, 근래에는 hK2를 정제하는 기술의 발달과 hK2에 대한 단일 클론 항체의 개발로 신뢰성이 있는 분석이 이루어지고 있으며, 이로써 hK2에 관한 임상 연구도 활발해지고 있다 (Becker 등, 2000).

면역조직화학적 연구는 hK2와 PSA가 조직의 발현에서 다른 양상을 나타낸다고 하였다. 양성전립선비대에서는 hK2가 약한 면역 반응을 나타내지만, PSA는 강하게 발현된다 (Darson 등, 1999). 대조적으로 암 조직에서는 hK2의 발현이 더 강하다. 또한, hK2는 PSA에 비해 전립선암의 Gleason 등급에 따라 면역조직화학적으로 다른 형태의 염색 양상을 나타낸다. 즉, Gleason 등급 4~5인 상급 분화도의 암과 림프절 전이가 있는 경우에는 강하게 염색되고, Gleason 등급 1~3인 저급 분화도의 암에서는 약하게 염색되며, 양성 조직에서는 더욱 약하게 염색되는데, PSA는 후자의 경우 강하게 염색된다 (Tremblay 등, 1997). 면역조직화학적 연구는 hK2가 전립선에서 발현되며, 정상 전립선 상피로부터 전이성, 미분화 전립선 상피로 진행할수록 hK2의 발현이 더 증가된다고 하였다 (Darson 등, 1997). 전립선암을 가진 남성에 관한 예비 연구는 혈청 hK2가 전립선암을 조기에 발견하는 데 임상적으로 유용하며, 저급 분화도의 종양과 상급 분화도의 종양을 구분하고, 병기 2와 병기 3을 구별하는 데 도움을 준다고 하였다 (Partin 등, 1999).

hK2의 단일 클론 항체를 이용한 분석법이 도입되면서 많은 연구자들은 전립선암이 없는 남성에 비해 암을 가진 남성에서 hK2의 농도가 증가함을 관찰하였으며, 저급 분화도의 질환을 가진 남성에서는 더 공격적인 암을 가진 남성에 비해 hK2의 농도가 더 낮음도 확인하였다 (Becker 등, 2000). 또한, fPSA에 대한 hK2의 비율, 즉 hK2/fPSA가 양성 조직과 암 조직을 감별하는 데 도움을 준다고 보고되었다 (Kwiatkowski 등, 1998). Total PSA (tPSA)가 4~10 ng/mL 범위인 남성에서 hK2/fPSA는 전립선암과 양성전립선비대에서 유의하게 차이를 나타낸 데 비해, hK2/tPSA은 그러하지 않았다

(Becker 등, 2000). hK2 단독 및 fPSA/tPSA (%fPSA)를 함께 이용한 다기관 연구는 생검으로 전립선암이 확인된 남성에서 이들 지표가 통계적으로 유의한 차이를 보였다고 하였다 (Kwiatkowski 등, 1998). 937점의 혈청 표본을 분석한 연구는 %fPSA에 hK2/fPSA를 추가하면 tPSA가 2~10 ng/mL의 범위에서 암에 대한 양성 예측도가 9%에서 62%로 향상된다고 하였고, 2~4 ng/mL의 범위에서도 hK2/fPSA와 %fPSA를 병용함으로써 전립선암의 40%를 확인함으로써 이들 남성 중 16.5%만이 생검을 받았다고 하였다 (Partin 등, 1999). ROC 분석에서 hK2/fPSA의 비율은 %fPSA보다 암에 대하여 더 강한 예측인자이었으며, 각각의 AUC는 0.69, 0.64이었다 (Magklara 등, 1999). 95% 특이도에서 hK2/fPSA는 tPSA가 2.5~10 ng/mL인 경우 암의 30%를 확인하였고, tPSA가 2.5~4 ng/mL인 경우 암의 25%를 확인하였다. 다른 연구들도 hK2, hK2/fPSA, %fPSA 등을 이용하면 전립선암을 발견하는 민감도를 높일 수 있다고 하였다 (Nam 등, 2000).

다른 연구도 tPSA가 4 ng/mL 미만이고 암이 있을 가능성이 높은 집단에서 hK2가 유용하다고 하였다 (Scorilas 등, 2003). 전립선암과 양성전립선비대 환자를 대상으로 분석한 연구는 hK2/fPSA의 중앙치가 각각 0.139, 0.075였고, 90% 이상의 민감도에서 hK2/fPSA와 %fPSA의 특이도는 각각 60.4%, 27.6%이었다고 보고하였다 (Kwiatkowski 등, 1998). 전립선암에 대한 모집단 근거 무작위 선별 연구의 피험자 중 tPSA 농도가 3.0 ng/mL 이상인 5,853명을 대상으로 전립선암의 조기 발견에서 hK2, fPSA, tPSA 등의 임상적 가치를 비교한 연구는 다음과 같은 결과를 보고하였다 (Becker 등, 2000). 첫째, 생검을 받은 611명 중 604명의 혈청에서 hK2, fPSA, tPSA 등을 분석하였으며, 이들 중 18%는 직장수지검사가 양성이었고, tPSA는 3.0~220 ng/mL이었으며, 220명에서 전립선암이 발견되었다. 둘째, hK2의 농도와 hK2×tPSA/fPSA 비율은 전립선암 환자에서 유의하게 증가되었다. 셋째, ROC 분석에서 hK2×tPSA/fPSA의 AUC는 tPSA에 비해 유의하게 더 컸으며, %fPSA보다도 더 컸으나 유의하지는 않았다. 넷째, 특이도 75~90%에서 전립선암의 발견에 대한 민감도는 %fPSA와 tPSA에 비해 hK2×tPSA/fPSA를 이용한 경우 유의하게 증대되었다 ($p < 0.05$). 즉, 75%의 특이도에서 hK2×tPSA/fPSA, %fPSA, tPSA의 민감도는 각각 74%, 64%, 54%이었고, 90%의 특이도에서 각각의 민감도는 55%, 41%, 36%이었다. 이들 결과를 근거로 저자들은 무작위로 선정된 집단에서 전립선암

을 가진 남성과 가지지 않은 남성을 감별할 때 tPSA, fPSA 등과 함께 hK2를 측정하면 도움이 된다고 하였다. 전립선 질환을 가진 환자의 혈청에서 hK2, fPSA, tPSA 등의 농도를 비교 분석한 연구는 다음과 같은 결과를 보고하였다 (Becker 등, 2000). 첫째, hK2의 농도는 건강한 지원자의 100% (50명/50명)에서 0.05 ng/mL 미만, 양성전립선비대 환자의 52% (28명/54명)에서 0.05 ng/mL 이상인 데 비해, 국소 전립선암 환자의 경우 74% (100명/136명)에서 0.05 ng/mL 이상이었고 중앙치는 0.085 ng/mL이었다 ($p < 0.0001$). 국소 전립선암 환자에 비해 진행 전립선암 환자에서 hK2의 농도가 유의하게 더 높았으며, 96% (55명/57명)가 0.05 ng/mL 이상이었고 중앙치는 0.57 ng/mL이었다 ($p < 0.0001$). 둘째, hK2 농도의 중앙치는 세 군에서 tPSA 농도의 1.3~1.6% 범위이었으나, hK2/fPSA%와 hK2×tPSA/fPSA는 양성전립선비대 환자에 비해 전립선암 환자에서 유의하게 더 높았다. 셋째, 전립선암과 양성전립선비대 환자의 감별에서 hK2×tPSA/fPSA가 0.81의 가장 큰 ROC-AUC를 나타내었으며, 0.70의 tPSA에 비해 유의하게 더 컸다 ($p = 0.025$). 넷째, tPSA와 %fPSA를 병용한 경우에 비해 tPSA, fPSA, hK2 등을 함께 측정한 경우 민감도와 특이도가 증가되었다. 이들 결과를 근거로 저자들은 원인을 알지 못하지만 hK2/fPSA의 비율이 양성전립선비대 환자에 비해 전립선암 환자에서 더 높으며, 양성전립선비대와 전립선암의 감별력은 tPSA와 fPSA 외에 hK2를 추가로 측정하면 증대된다고 하였다. 생검을 받은 324명에 대한 연구에 의하면, 생검의 결과가 음성인 남성에 비해 양성인 환자에서 hK2 농도와 hK2/fPSA 비율이 유의하게 더 높았다 (Nam 등, 2000). 저자들은 hK2의 농도와 hK2/fPSA의 비율이 증가된 경우에는 전립선암 발생 위험이 5~8배 높아 이들 지표는 전립선 생검을 의뢰할 환자를 선정하는 기준이 될 수 있다고 하였다.

국소 전립선암으로 근치전립선절제술을 받은 461명을 대상으로 혈청 tPSA, 임상 병기, 생검 Gleason 등급 등으로 구성된 기본 모델과 fPSA와 hK2를 추가한 모델에서 생화학적 재발에 대한 예측 정확도를 비교한 연구는 다음과 같은 결과를 보고하였다 (Steuber 등, 2006). 첫째, 생화학적 재발은 치료 전 tPSA가 14 ng/mL 이하인 환자 48명 (10%)과 10 ng/mL 이하인 환자 28명 (6%)을 포함한 90명 (20%)에서 발생하였다. 둘째, 기본 모델의 예측 정확도는 fPSA 혹은 hK2를 추가한 후 증가하지 않았으며, 기본 모델과 추가 모델의 concordance index (c-index)는 각각 0.813, 0.818이었다. 그러나 tPSA가

중등도로 증가한 10 ng/mL 이하의 환자군에서는 fPSA와 hK2를 추가한 경우 기본 모델에 비해 예측 정확도가 증가하였다 (*p*=0.005). 이들 결과를 근거로 저자들은 fPSA와 hK2를 측정하면, 치료 전에 생화학적 재발의 위험에 관하여 환자와 상담할 때 도움이 된다고 하였다.

다른 보고들은 hK2의 수치로 병리학적인 결과, 즉 Gleason 등급 4, 5인 암을 예측할 수 있기 때문에, 전립선의 재생검을 결정하는 데 가장 정확한 도움을 준다고 하였으며 (Nam 등, 2001), 재생검에서 암이 발견된 남성은 재생검에서 암이 발견되지 않은 남성에 비해 hK2와 hK2/fPSA의 수치가 더 높기 때문에, hK2는 재생검 실시 여부를 결정하는 데 도움이 된다고 하였다 (Nam 등, 2001). 병리학적으로 전립선 내에 국한된 암과 국한되지 않은 암을 감별하는 데 hK2가 도움이 되는지를 평가한 연구는 단변량 ROC와 다변량 로지스틱 회귀 분석에서 hK2가 전립선에 국한된 암을 적절하게 예측했다고 보고하였다 (Haese 등, 2003).

이들 결과는 고무적이긴 하지만, 종양에 대한 표지자로서 hK2를 임상에 적용하기 위해서는 추후 더 많은 연구가 필요하다.

32.3. Human kallikrein 3 (hK3, KLK3 or PSA)

'3장 전립선 분비 단백질'의 '1. 전립선 특이 항원'에 기술되어 있다.

32.4. Human kallikrein 4 (hK4, KLK-L1, KLK4)

염색체 19 (19q13.3-q13.4)에서 human kallikrein과 유사한 기타 유전자를 발견하기 위해 노력을 경주하여 human kallikrein 유전자 가족에 속하는 *KLK-like gene 1 (KLK-L1)*을 확인하였다 (Diamandis, 2000). Nelson 등 (1999)은 4가지의 다른 정상 조직으로부터 cDNAs를 이용한 감산 (subtraction)을 통하여 *prostase*로 불리는 유전자를 확인하였으며, 발현 유전자 절편 (expressed sequence tag)을 양산하여 cDNA 도서관을 만들었고, prostase의 염기 서열은 kallikrein 가족에 속해 있는 다른 구성원과 유사한 양상을 나타낸다고 하였다. Yousef 등 (1999)도 유방 조직에서 *KLK-L1*을 발견하였는데, 이는 호르몬으로 조절되며 상동성 분석에서 prostase와 동일하였다. *KLK-L1, prostase, androgen-regulated message 1*

(ARM1) 등으로 불리던 이 *KLK*는 후에 *KLK4*로 명명되었다.

*KLKs*와 KLK 단백질은 serine protease 효소 가족의 소그룹이며, 이들 단백질분해효소는 상당한 기질 특이성을 나타낸다. Nelson 등 (1999)은 Northern blot 분석에서 *prostase*, 즉 *KLK-L1*은 거의 전립선 조직에서만 발현된다고 보고하였다. RT-PCR을 이용한 Yousef 등 (1999)은 *KLK-L1*이 고환, 여자의 유선, 부신, 자궁, 갑상선, 결장, 뇌, 폐, 타액선 등과 같은 다른 조직에서도 관찰된다고 하였다. 또한, 이 유전자는 유방암 세포주 BT-474 (Yousef 등, 1999)와 전립선암 세포주 LNCaP (Nelson 등, 1999)에서 안드로겐, progestins 등 다수 호르몬에 의해 상향 조절되었다. 더욱이 *KLK-L1*의 발현은 전립선암이 안드로겐 비의존성 단계로 진행하는 단계에서는 조절되지 않는데, 이는 *KLK-L1*이 전립선암의 진행에서 어떠한 역할을 수행함을 시사한다 (Korkmaz 등, 2001).

*KLK-L1*은 다른 *KLKs*와 몇 가지 유사점을 가지고 있다. 첫째, *KLK-L1*은 serine proteases를 코드화한다. 둘째, *KLK-L1*은 5개의 코드화 exons를 가지고 있다 (근래 연구는 다르게 기술하고 있다). 셋째, *KLK-L1*은 DNA와 단백질 수준에서 다른 *KLKs*와 서로 상당한 상동성을 가지고 있다. 넷째, *KLK-L1*은 염색체 19q13.3-q13.4에 위치해 있다. 다섯째, *KLK-L1*은 스테로이드 호르몬에 의해 조절된다.

유전자 *KLK4*는 27 kDa의 hK4 단백질을 코드화하며 주로 정상 전립선의 기저세포 내에서 발현된다 (Obiezu 등, 2006). 그러나 LNCaP 세포에서 발현되는 hK4의 분자량은 번역 후 변경으로 인해 45 kDa가 된다 (Dong 등, 2005). 이 peptide는 분비되지 않고 주로 핵 내에 위치해 있다고 보고되었지만 (Xi 등, 2004), 다른 연구는 *KLK4*가 이어맞추기 이성질체 (splice isoform)를 코드화하는데, 대체 이어맞추기 (alternative splicing)를 통해 최소한 8종의 mRNA 형태를 만들어 최소한 7종의 단백질을 코드화한다고 하였다 (Kurlender 등, 2005). 그러나 코드화된 단백질 중 2종만이 확인되었는데, 하나는 세포 내에, 주로 핵에 존재하는 형태이고 (Dong 등, 2005), 하나는 세포질로 분비된 형태이다 (Obiezu 등, 2005). RT-PCR 분석을 이용한 다른 연구도 500 bp 및 750 bp의 추가 밴드가 증폭됨을 관찰하였으며, 이는 각각 short isoform of *KLK4* (*KLK4-S*)와 long isoform of *KLK4* (*KLK4-L*)로 불린다. *KLK4-S*는 전장의 *KLK4*로부터 잔기 110에서 분절되어 11.9 kD의 폴리펩티드를 코드화하는 데 비해, *KLK4-L*은 잔기 110에서 분절된 후 36개의 잔기를 가지며 15.5 kD의 단백질을 코드화한다

(Korkmaz 등, 2001). 이러한 변경으로 인해 serine proteases 로서 촉매 작용을 나타내는 세 잔기 중 Ser138이 제거되며 (Clements, 1997), 이로써 *KLK4-S*와 *KLK4-L*은 촉매 기능을 상실한다 (Korkmaz 등, 2001).

*KLK4*에 관한 컴퓨터 분석은 다른 *KLK* 유전자 가족과 마찬 가지로 5개의 exons와 4개의 introns를 가지고 있다고 하였으 나 (Stephenson 등, 1999), 다른 연구에 의하면, *KLK4*는 신호 펩티드를 코드화하는 첫 번째 exon이 없이 4개의 exons를 가 지며, 이는 주로 세포 외부에서 기능을 하는 다른 *KLKs*와 다 르게 *KLK4*는 세포 내부에 분포함은 물론, 세포 내부에서 기능 을 함을 시사한다. 이러한 가설은 green fluorescent protein (GFP)과 융합한 *KLK4*가 핵 주위에 분포함이 관찰되어 지지 를 받고 있다 (Korkmaz 등, 2001). *KLK4*의 발현은 전립선암 세포에서 다수의 호르몬에 의해 조절되며, 안드로겐 비의존 성 전립선암으로 진행하는 과정에서는 *KLK4*가 조절되지 않 는 것으로 보아 전립선암의 진행에서 어떠한 역할을 할 것으 로 추측된다 (Korkmaz 등, 2001).

전립선암 환자 1,300명과 대조군 1,300명에서 전립선암 의 발생 위험 및 Gleason 점수가 7 이상인 전립선암의 공 격성과 *KLK4*의 single nucleotide polymorphisms (SNPs) 와의 연관성을 평가하기 위해 *KLK4* 자리에서 61종의 SNPs 를 분석한 연구는 이들 중 7종의 SNPs가 전립선암 발생 위 험의 감소와 관련이 있다고 하였으며, 그들은 rs268923 (OR 0.89, 95% CI 0.79~1.00; *p*=0.045), rs56112930 (OR 0.37, 95% CI 0.14~0.96; *p*=0.040), tagSNP rs7248321 (OR 0.77, 95% CI 0.60~0.98; *p*=0.033), rs1654551 (OR 0.79, 95% CI 0.65~0.97; *p*=0.023), rs1701927 (OR 0.85, 95% CI 0.73~0.98; *p*=0.030), rs1090649 (OR 0.86, 95% CI 0.73~1.00; *p*=0.044), rs806019 (OR 0.85, 95% CI0.73~0.99; *p*=0.036) 등이다 (Lose 등, 2012). 이들 결과는 *KLK4*의 유전 자 자리에서 유전적 변동이 전립선암을 일으킬 경향에 대해 어떠한 역할을 함을 시사한다.

*KLK4*는 전립선암 세포 LNCaP에서 안드로겐에 의해 조절 되는 유전자로서 발견되었지만 (Korkmaz 등, 2000), 유방암 세포 BT-474에서는 *KLK4*의 발현이 안드로겐과 progestin에 의해 증가된다 (Yousef 등, 1999). 다른 연구는 LNCaP 세포 에서 *KLK4*의 발현이 안드로겐과 progestin 외에도 에스트로 겐과 dexamethasone에 의해 상향 조절되지만, 비타민 D3 혹 은 갑상선호르몬에 의해서는 그러하지 않다고 하였다 (Kork-

marz 등, 2001). 에스트로겐에 의한 *KLK4*의 조절은 에스트로 겐 수용체 혹은 돌연변이를 일으킨 안드로겐 수용체에 의해 매개된다 (Korkmaz 등, 2001).

hK4는 쥐와 돼지에서 enamelysin, amelogenin 등과 협 동하여 치아에 있는 에나멜의 성숙을 돕는다 (Nagano 등, 2003). 사람에서 *KLK4*의 점 돌연변이 (point mutation)는 범 랑질 형성 부전증 (amelogenesis imperfecta, AI)으로 불리는 치아 에나멜의 성숙 결함의 원인으로 제시되고 있다 (Hart 등, 2004). 전립선 조직 및 정액장액에서 hK4의 생리적 기능을 연구한 바에 의하면, hK4가 hK2보다 pro-PSA를 더 활성화하 며 (Takayama 등, 2001), hK3 (PSA)의 활성과 정액 응고물의 용해에 관여하는 단백질 분해 작용에서 어떠한 역할을 한다 (Takayama 등, 1997). 정액장액에 관한 기타 체외 실험은 hK4 가 prostatic acid phosphatase (PACP)를 완전하게 분해하기 때문에, hK4는 PACP를 통해 정액장액의 응고를 조절한다고 하였다 (Takayama 등, 2001). hK4는 aprotinin, benzamidine, soybean trypsin inhibitor, tosyl-lysyl chloromethyl ketone (TLCK) 등에 의해 억제된다고 알려져 있다 (Takayama 등, 2001). hK4의 기능과 구조에 관해서는 계속 연구 중에 있다.

처음에는 *KLK4* mRNA의 발현이 전립선에서만 나타난다 고 보고되었으나, RT-PCR 분석에 의하면 고환, 부신, 자궁, 갑 상선, 타액선 등에서도 낮은 수치로 발현된다 (Day 등, 2002). 그러나 소장에서는 발견되지 않는다 (Nelson 등, 1999). hK4 의 발현이 정상 전립선과 전립선암 둘 다에서 발현되지만, *KLK4* mRNA는 정상 전립선 조직에 비해 대부분의 전립선 암 조직에서 더 높은 농도로 발현된다 (Xi 등, 2004). 전립선 암 외에 유방암, 결장암, 폐암, 난소암 등의 조직에서는 *KLK4* 가 극히 낮은 수치로 발현되거나 발견되지 않는다 (Day 등, 2002). hK4 단백질은 전립선암 세포에서 상피의 중배엽으로 의 이행 (EMT), E-cadherin의 상실 (Veveris-Lowe 등, 2005), 공격적인 표현형, 골 전이 (Lose 등, 2012) 등에 관여한다. 다 른 연구는 전립선암 세포주에서 hK4의 이소성 발현이 일어 나면 세포의 증식 및 운동성이 급격하게 증가되며, hK4의 과 다 발현은 세포 주기와 관련이 있는 유전자의 발현에 영향을 주고, LNCaP 세포에서 small interfering RNA (siRNA)를 이 용하여 내인성 hK4를 제거하면 세포의 증식이 억제된다고 하였다. 이들 결과를 근거로 저자들은 hK4가 전립선암 세포 의 세포 주기를 조절하여 증식을 일으킨다고 하였다 (Klokk 등, 2007). hK4를 발현하는 세포에서는 세포 주기를 정상관관계로 조절하여 세포의 증식을 유도하는 유전자, 예를 들면 *proliferating cell nuclear antigen* (*PCNA*), *Ki-67* 등이 상향 조절되고, cyclin-dependent kinase (CDK)를 억제하여 세포 주기를 억제하는 유전자, 예를 들면 *tumor protein 15* (*TP15*) 혹은 *p15*, *TP16* 혹은 *p16*, *TP21* 혹은 *p21* 등이 하향 조절되는데, 이는 *KLK4*가 세포 주기를 조절하여 세포의 증식을 유도함을 시사한다.

면역조직화학 연구는 정상 전립선에 비해 전립선암에서 *KLK4* mRNA의 발현이 증가된다고 하였다 (Xi 등, 2004). hK4의 발현이 정상 전립선에 비해 암 조직에서 분명히 증가되지만, 분화도 등급에 따른 발현 정도의 차이는 관찰되지 않는다 (Klokk 등, 2007).

전립선암에 관한 연구는 상충되는 결과가 보고된 바 있는데, 전립선암 환자 16명과 양성전립선비대 환자 18명을 대상으로 평가한 연구는 두 군에서 hK4의 발현이 차이를 나타내지 않는다고 보고한 데 비해 (Obiezu 등, 2005), 다른 연구는 대조군 6명에 비해 전립선암 환자 6명에서 hK4의 발현이 증가되었다고 하였다. 양성 전립선 조직 표본 42점과 악성 전립선 조직 표본 207점을 대상으로 분석한 연구는 양성 조직에 비해 악성 조직에서 hK4가 과다 발현된다고 보고하면서 다른 연구가 상충되는 결과를 나타낸 이유를 다음과 같이 설명하였다 (Klokk 등, 2007). 첫째, 앞의 두 연구에서는 표본의 수가 적어 일정한 결과를 나타내기 어렵다. 둘째, 앞의 두 연구는 hK4의 세포질 내 분비형의 발현을 평가하였는데, 이는 우세하게 분포하는 핵 형태와는 다르다. 더군다나 hK4의 두 이성질체는 세포 내 분포 부위와 기능에서 서로 다르다.

전립선암 환자 20명과 정상 성인 13명의 혈청을 대상으로 ELISA를 이용하여 nonstructural protein 1 (NS1)-hK4에 특이한 항체를 분석한 연구에 의하면, 전립선암 환자 20명 중 7명에서 항체가 발견된 데 비해, 정상 성인 모두에서는 항체가 발견되지 않았다. 이러한 결과를 근거로 hK4가 전립선암의 진단 및 추적 관찰에 유익하고 면역 요법의 표적으로서 활용이 가능하다고 하였다 (Day 등, 2002).

다클론 항체를 이용한 면역조직화학 연구는 건강한 성인의 조직을 대상으로 분석한 경우 hK4에 대한 면역 반응이 신장, 간, 전립선 등에서 나타났으나 결장, 폐 등에서는 나타나지 않았으며, 전립선암 환자 44명을 대상으로 분석한 경우 hK4에 대한 면역 염색이 암 조직의 상피세포에서는 관찰되었지만 주위의 기질세포에서는 관찰되지 않았다고 하였다. 이 연구는 또한 hK4의 발현이 pT1+2 병기의 암보다 pT3+4 병기의 암에서 더 낮아 hK4는 후기가 아닌 초기의 전립선암에서 상향 조절된다고 하였다 (Seiz 등, 2010).

32.5. Human kallikrein 5 (hK5, KLK5)

*KLK5*는 kallikrein 가족의 한 구성원으로 근래 복제되었으며, 이전에는 *kallikrein-like gene 2* (*KLK-L2*) (Yousef와 Diamandis, 1999) 혹은 *stratum corneum tryptic enzyme* (*SCTE*) (Brattsand와 Egelrud, 1999)으로 알려졌었다. *KLK5* 유전자 자리의 양 옆으로 *KLK4*와 *KLK6*가 있다. *KLK5*는 293개 아미노산으로 구성된 분비성 단백질분해효소인 hK5를 코드화하며 전전구 효소로서 합성된다. 효소로서 활성적이기 위해서는 arginine 잔기 (Arg66-Ile67)의 분절이 필요하다. 활성적인 hK5 단백질은 스테로이드 호르몬에 의하여 조절되며, hK2, hK3와 마찬가지로 정액장액에서 단백질을 분해하는 과정에 관여하는 등 trypsin과 같은 작용을 한다 (Emami와 Diamandis, 2007). hK2와 hK3는 정액장액에서 semenogelin (SEMG) 1과 2를 단백질 분해 작용을 통해 분해함으로써 사정액을 액화시킨다는 많은 증거들이 있다 (Vaisanen 등, 1999). 또한, hK5는 피부 세포의 분리 및 피부 생리에 관여한다. hK7 혹은 hK14과 마찬가지로 hK5의 활성이 높아지면 여러 피부 질환에서 과다한 피부 탈락이 발생한다 (Komatsu 등, 2006).

*KLK5*의 mRNA 및 단백질은 피부, 유방, 난소, 고환, 타액선 등에서 높게 발현되고, 전립선과 중추신경계에서는 낮게 발현된다 (Clements 등, 2004). *KLK5*는 생체액 가운데 모유, 유방 낭종액, 난소암 복수 (ascites) 등에서는 높게, 정액장액, 난포액, 유방암의 액상 세포질, 양수, 타액, 뇌척수액, 소변 등에서는 더 낮게 측정된다 (Emami 등, 2007). *KLK5*는 유방암, 난소암, 전립선암, 고환암 등과 같은 호르몬 의존성 종양과 폐암, 방광암 등과 같은 호르몬 비의존성 종양에서 다르게 발현된다는 보고가 있다 (Yousef 등, 2002; Planque 등, 2005).

Kallikrein 유전자 중에는 mRNA 형태가 1가지 이상인 경우가 흔하다. *KLK5*에는 전형적인 *KLK5* 외에도 두 splice 변형, 즉 *KLK5 splice variant 1* (*KLK5-SV1*)과 *KLK5-SV2*가 있으며, 이들 세 mRNA 중 전형적인 KLK5가 가장 우세하여 더 많은 조직에서 더 높게 발현되고, 그 다음은 *KLK5-SV1*이다. *KLK5-SV1*은 난소암, 췌장암, 유방암, 전립선암 등의 세포주에서 높게 발현된다. *KLK5-SV1*은 10점의 난소암 표본 중 9점에서 발견되었으나, 정상 난소 조직에서는 발견되지 않았다. 대조적으로, 이 변형은 전립선암 조직에 비해 정상 전립선 조직에서 유의하게 더 높게 발현된다. 따라서 *KLK5-SV1*은 전립선 암과 난소암에서 유망한 생물 지표가 될 수 있다고 생각된다 (Kurlender 등, 2004).

KLK5, *KLK6*, *KLK12*, *KLK13* 등의 유전자에서 tagging SNPs (tagSNPs)를 분석한 연구에 의하면, *KLK12*의 rs3865443 는 전립선암의 발생 위험과 관련이 있었지만 (OR 1.28, 95% CI 1.04~1.57; *p*=0.018), 그 외의 유전자에서는 어느 tagSNPs 도 전립선암 위험과 관련이 없었다 (Lose 등, 2013).

Korbakis 등 (2009)은 높은 민감도의 quantitative realtime PCR (qRT-PCR)을 이용하여 103점의 전립선 침 생검 표본에서 *KLK5* mRNA 농도를 측정하였으며, 대조 유전자로는 glyceraldehyde-3-phosphate dehydrogenase (GAPDH)를 이용하였다. *KLK5* mRNA의 발현은 전립선암보다 양성전립선비대 환자로부터 채집한 표본에서 더 높았다 (*p*=0.024). ROC 분석에 의하면, *KLK5*와 혈청 PSA는 양성전립선비대와 전립선 암 사이에서 유의한 차이를 나타내었으며 각각의 AUC는 0.64 (*p*=0.016), 0.69 (*p*=0.001)이었고, *KLK5*와 혈청 PSA를 병용한 경우에는 AUC가 0.72 (*p*<0.001)이었다. *KLK5* mRNA의 발현은 전립선암 환자에서 총 혈청 PSA 농도와 통계적으로 유의한 역상관관계를 나타내었다 (*p*=0.003). *KLK5*의 발현은 후기 병기보다 초기 병기의 종양에서 더 높았으며 (*p*=0.014), Gleason 점수와는 역상관관계를 나타내었다 (*p*=0.005). 이러한 결과는 혈청 PSA와 달리 *KLK5*가 안드로겐에 의해 하향 조절되기 때문으로 추측된다. 따라서 전립선 침 생검 표본에서 qRT-PCR을 이용한 *KLK5* mRNA 분석의 결과는 전립선암에서 감별 진단 및 예후에 대한 독립적인 생물 지표가 될 수 있다고 생각된다. *KLK11*과 *KLK15*의 mRNA 발현 정도로도 전립선암 과 양성전립선비대 조직을 구별할 수 있다는 보고 또한 있다 (Stavropoulou 등, 2005).

거세 저항성 전립선암은 전립선 암 중에서도 매우 공격적이고 전이성이 높으며 거의 치명적인 형태이다 (Bryant와 Hamdy, 2008). 현재까지 거세 저항성 전립선암에 대한 가장 효과적인 치료법은 미국 식품의약국에서 공인한 docetaxel, mitoxantrone 등의 화학 요법 제제를 투여하는 방법이다. 이들 항암제는 질환의 증상을 완화시키고 환자의 생존 기간을 연장한다고 보고되었다 (Collins 등, 2006). 그러나 시행되고 있는 다양한 화학 요법이 모든 환자에서 동일한 효과를 나타

내지는 않는다. 또한 항암 요법에 대한 각 환자의 반응이 치료 과정 동안 변경될 수 있기 때문에, 화학 요법 중 환자의 반응을 평가하고 추적 관찰할 수 있는 유용한 분자적 생물 지표의 필요성이 강조되고 있다 (Lassi와 Dawson, 2009). 치료 후 측정되는 혈청 PSA의 농도가 도움이 되지만, 다소 부정확한 요소를 가지고 있다. 거세 저항성 전립선암 환자에게 docetaxel, mitoxantrone 등을 이용한 화학 요법 혹은 방사선 요법을 실시한 후, 혈청 PSA의 감소는 생존 기간의 연장과 상호 관련이 있는 데 비해, 혈청 PSA의 증가는 전이성 진행 혹은 질환으로 인한 사망의 위험과 상당하게 관련이 있다. 따라서 치료 후에 일어나는 PSA의 변화는 추후 치료 전략을 결정하는 데 도움을 준다 (Fleming 등, 2006). 그러나 거세 저항성 전립선암 환자에서 치료법을 결정할 때, PSA의 동역학에만 의존한다는 것은 문제가 있다. 효과적인 화학 요법 제제라고 하여 항상 PSA 농도를 감소시키지는 않는데, 왜냐 하면 세포 분화제 (differentiating agent), 성장 인자를 억제하는 인자, 혈관 형성, 종양의 진행 등은 간혹 PSA의 농도가 감소되기 전에 증가를 일으킬 수 있기 때문이다. 또한, 항암제는 PSA의 농도에 변화를 주지 않는 생물학적 경로에 영향을 줄 수 있다. 어떠한 화학 요법 제제도 PSA 농도의 변화에만 근거하여 거세 저항성 전립선암의 치료 결과를 평가해서는 안 된다. 이로 인하여 전립선암 환자의 치료 반응을 효과적으로 평가할 수 있는 PSA 혹은 기타 생물 지표의 역할에 대해 많은 연구가 진행 중에 있다 (Van Poppel 등, 2009).

안드로겐 비의존성 전립선암인 DU145 세포주의 배양액에 docetaxel 혹은 mitoxantrone을 투여한 연구에서 세포의 성장이 억제되었고 세포 독성 현상이 나타났는데, 이는 약물의 농도 및 노출 시간에 의존적이었다. 이러한 현상은 괴사보다 세포 증식이 억제됨으로 인해 일어났다. 또한, *KLK5* mRNA의 수치는 이들 항암제의 투여로 크게 영향을 받았다. 특히, 4.0 nM의 docetaxel을 투여한 경우 *KLK5* mRNA의 복사가 점차 증가하여 치료 후 72시간에는 대조군에 비해 4.6배 증가하였다. 40 nM의 mitoxantrone을 투여한 DU145 세포에서도 동일한 양상이 일어났는데, *KLK5* mRNA의 수치가 치료 후 72시간에 6.4배 증가하였다 (Mavridis 등, 2010).

이 연구에서 이용된 화학 요법 제제는 다양한 기전을 통해 세포 성장의 억제, 세포 자멸사의 유발 등과 같은 동일한 결과를 나타낸다고 알려져 있다. (Pienta와 Smith, 2005). Taxanes 가족에 속하는 docetaxel은 미세소관 (microtubule)

의 역동학적 결합 및 분해를 방해함으로써 세포의 유사분열을 억제하여 세포 자멸사를 일으킨다 (Van Poppel, 2005). Anthracenedione인 mitoxantrone은 topoisomerase II를 표적으로 하여 억제함으로써 DNA 및 RNA의 합성을 방해하고 DNA의 가닥을 절단하여 결국에는 세포 자멸사를 일으킨다 (Collins 등, 2006). 한 연구는 anthracenediones와 taxanes을 포함하는 광범위 화학 요법 제제는 여러 암 세포주에서 세포 자멸사와 관련이 있는 유전자의 변경을 유발한다고 하였다. mRNA 수준에서 조절된다고 확인된 유전자에는 BCL 유전자 가족에 속하는 BCL2-like 12 (BCL2L12)와 BCL2-associated X protein (BAX 혹은 BCL2L4)가 있는데, 흥미롭게도 KLK 유전자들과 동일한 염색체 19q13.3와 19q13.4에 각각 위치해 있다 (Thomadaki와 Scorilas, 2008). 또한, 근래의 연구는 PC3 전립선암 세포에서 KLK5 mRNA의 수치는 mitoxantrone을 포함하는 일부 항암제로 치료한 후에 증가됨을 보여 주었다 (Thomadaki 등, 2009). KLK5는 또한 사람의 상당수 암에서 발현되며, 이들 암의 임상병리학적 특징과 상호 연관성을 가지고 있다 (Emami와 Diamandis, 2008). 실제 KLK5 mRNA의 수치는 양성 전립선 조직에 비해 악성 전립선 조직에서 하향 조절되는데, KLK5 mRNA 수치의 증가는 진행된 전립선암보다 비악성 혹은 덜 공격적인 전립선암에서 더 흔히 발견된다는 관찰에 근거하여 KLK5는 유리한 예후의 표지자로 간주된다 (Korbakis 등, 2009). KLK의 발현 양상이 암의 시작, 진행, 전이 등과 같은 종양 형성 과정과 관련이 있다는 많은 자료가 있지만 (Obiezu와 Diamandis, 2005), 종양 형성에서 KLK5 혹은 hK5의 역할에 관해서는 충분하게 밝혀져 있지 않다.

근래의 연구는 내인성 KLK5의 발현이 전립선암의 일차 화학 요법 제제에 의해 일어나는 세포 증식의 억제를 돕는 역할을 하는데, 이는 hK5가 세포 자멸사를 일으키는 항암제에 의한 생화학적 경로에 영향을 줌을 의미한다고 하였다 (Mavridis 등, 2010). 전립선암의 세포 자멸사는 세포 자멸사와 관련이 있는 유전자와 연관성을 가지고 있다. 생체 실험 혹은 생체 외 실험은 전립선암 세포가 B-cell lymphoma 2 (BCL2), BCL-extra large (BCL-XL) 등과 같은 세포 자멸사 대항 유전자의 과다 발현 혹은 BAX와 같은 세포 자멸사 유발 유전자의 과소 발현 때문에, 세포 자멸사에 대해 저항적임을 보여 주었다. 또한 antisense BCL2 oligonucleotides는 BCL2의 발현을 감소시키고 전립선암 세포가 세포 자멸사에 민감하도록 만든다는 보고도 있다 (Bruckheimer와 Kyprianou, 2000). 다른 연

구는 hK1, 2, 3가 insulin-like growth factor binding proteins (IGFBP2, 3, 4, 5)를 분해함으로써 암 세포의 생존을 증대시킨다고 하였다. 결과적으로 이들 hK1, 2, 3는 IGF1 수용체와 결합하여 유사분열을 촉진하는 인자인 IGF1을 증가시킴으로써 세포의 증식을 촉진하고 세포 자멸사를 방지하게 된다. 또한, KLK3는 많은 정상 세포와 악성 세포에서 세포의 증식을 억제하고 세포 자멸사를 유도하는 TGFβ를 활성화한다고 보고된 바 있다 (Sotiropoulou 등, 2009).

이들 여러 연구의 결과로 볼 때, 전립선암을 docetaxel 혹은 mitoxantrone으로 치료한 후 환자를 추적 관찰할 때, RT-PCR을 이용하여 KLK5의 발현을 측정하는 방법이 유용할 수 있다고 생각되지만, 이를 분명하게 입증하기 위해서는 대규모 연구를 통한 보다 더 충분한 분석이 필요하다고 생각된다.

32.6. Human kallikrein 6 (hK6, KLK6)

Human Genome Organization (HUGO) Gene Nomenclature Committee (HGNC) Database는 protease, serine 9 (PRSS9), PRSS18, protease M, brain-specific serine protease (BSSP), neurosin, serine protease 9, serine protease 19, SP59, zyme 등의 명칭으로 불리던 kallikrein을 kallikrein-related peptide 6 (KLK6)로 명명하였다. 원발 및 전이 유방암 세포주에 대한 cDNA 검색을 통해 Protease M으로 처음 알려진 KLK6는 일부 전이 유방암 세포주에서 하향 조절된다고 알려졌으나, 원발 유방암 세포주와 원발 난소암 세포주뿐만 아니라 원발 종양에서 높은 전사물 농도가 보고되었다 (Anisowicz 등, 1996). 1년 후 Yamashiro 등 (1997)이 사람의 결장암 세포주 COLO201에서 동일한 cDNA를 복제하였으며, 이를 Neurosin으로 명명하였다. 곧이어 여러 연구 그룹이 KLK6가 다양한 조직과 질환에서 다르게 발현됨을 보고하였다.

유전자 지도 작성에서 KLK5와 KLK7의 사이에 위치해 있는 KLK6는 7개의 exons와 6개의 introns를 가지며, 길이가 약 11.0 kilo-base pair (kb)이다 (Yousef 등, 2004). 조상 효소인 trypsin과 같은 KLK로부터 진화한 KLK6는 KLK14, KLK5, KLK10, KLK15 등과 함께 가장 일찍 등장한 KLKs 중 하나이며, 염기 서열 및 단백질 측면에서 KLK13과 가장 큰 상동성을 가진다 (Pavlopoulou 등, 2010).

KLK6는 절단형과 전장의 hK6를 코드화하는 많은 대체 전사물을 가지고 있다 (Kurlender 등, 2005). Isoform A,

NM_002774.3, GenBank Accession U62801 등으로도 불리는 *KLK6*의 '전형적 전사물'은 정상 유방의 근육상피세포에서 처음 발견되었으며 (Anisowicz 등, 1996), 그 후 사람의 결장암 세포주 COLO201 (Yamashiro 등, 1997), Alzheimer 질환의 뇌 조직 (Little 등, 1997)에서도 발견되었다. 이전의 연구에서 *KLK6*의 RNA와 단백질은 중추신경계 조직에서 가장 높게 발현되었으며, 그 다음은 신장, 유방, 난소, 피부이었으며, 간, 폐, 심장, 비장 등에서는 낮게 발현되는 데 비해 결장, 골격근, 췌장, 전립선 등에서는 발견되지 않았다 (Harvey 등, 2000; Shaw와 Diamandis, 2007). 그 후의 연구는 hK6가 척수, 뇌 등에서는 높게, 부신, 기관지, 대동맥, 질, 폐, 위, 자궁경부, 나팔관, 신장, 고환, 유방, 식도, 편도선, 타액선 등에서는 중간 정도로 발현되며, 피부, 갑상선, 흉선, 췌장, 근육, 림프절, 후두, 연골, 자궁내막, 골격, 방광, 뇌하수체, 난소 등에서는 최소량이 발현되거나 발견되지 않는다고 하였다 (Bayani와 Diamandis, 2012).

*KLK6*는 하나의 사슬로 형성된 244개 아미노산의 불활성 효소인 전전구 효소 (preproenzyme)를 활성화한다 (Yousef 등, 1999). 이 전전구 효소는 Ala (A)와 Glu (E) 사이가 절단되어 16개 아미노산이 제거됨으로써 불활성 pro-kallikrein으로 변형되어 세포질세망을 통과한다. pro-kallikrein은 세포 외부 공간으로 분비되고, Lys (K)와 Leu (L) 사이가 단백질을 분해하는 작용에 의해 분절됨으로써 5개 아미노산이 제거되어 활성적인 최종 peptidase로 전환된다 (Debela 등, 2008). 효소의 활성 부위 중심에서 함께 기능을 하는 세 아미노산 잔기 (catalytic triad), 즉 His62 , Asp106, Ser197 등은 serine protease의 특징인데, hK6 내에 잘 보존되어 있다 (Yousef 등, 1999). 더욱이 위치 191에 있는 Asp는 hK6가 trypsin과 같은 작용을 하도록 만든다. hK6는 또한 6개의 이황화 (disulphide) 결합, 1개의 글리코실화 (glycosylation) 부위, 12개의 cystine 잔기 외에도 serine protease의 활성 부위 가까이에 29개의 불변 아미노산 중 27개가 보존되어 있다 (Debela 등, 2008).

hK6의 활성화는 trypsin과 같은 특성을 가지고 단백질을 분해하는 작용에 관여하는데, hKs는 스스로 혹은 서로를 활성화한다 (Debela 등, 2008). hK6는 enterokinase, plasmin, hK5 등에 의해 활성화된다고 보고된 바 있으며 (Blaber 등, 2007; Yoon 등, 2008), urokinase plasminogen activator (uPA) (Yoon 등, 2008), glycosaminoglycans, kosmotropic salts (Angelo 등, 2007) 등에 의해서도 활성화된다고 보고되

었다. 재조합 pro-hK6에 관한 연구는 hK6가 자가 활성화의 기능을 가진다고 하였지만 (Little 등, 1997), 완전하게 이해된 상태는 아니다. 많은 생체 밖 실험은 내인성 단백질분해효소가 pro-hK6를 인지하거나 분절시키지 못하며, hK6는 자가 분해 작용에 의해 Arg76-Glu77 펩티드 결합 부위에서 분절시킨다고 하였다 (Bernett 등, 2002). hK6에 의해 분해되는 기질은 도표 157에 요약되어 있으며, AAPF-AMC가 분해되지 않는 것으로 보아 hK6에는 chymotrypsin 같은 작용이 결여되어 있다고 생각된다 (Ghosh 등, 2004).

hK6는 주로 ELISA (Diamandis 등, 2000) 혹은 면역조직화학검사 (Petraki 등, 2001)에 의해 많은 정상 조직과 체액에서 분석되었다. 면역조직화학적 연구에 의하면, hK6에 대한 면역 반응은 세포 혹은 조직에 특이하다. 면역 반응이 말초 신경과 맥락막총 (choroid plexus)보다는 약하지만, 유방과 자궁내막의 상피세포 내 세포질은 hK6에 대해 중등도의 양성 반응을 나타낸다. 전립선의 원주세포는 강하게 염색되지만, 기저세포는 면역 반응을 보이지 않는다. 대장의 샘 상피, 식도 및 항문의 관 상피, 특히 췌장의 Langerhans 섬과 같은 신경내분비 세포 등을 포함하는 다양한 위장관 조직은 면역 양성 반응을 나타내지만, 외분비 췌장의 세엽세포, 간세포 등은 면역 반응을 나타내지 않는다. 흉선의 Hassall 소체 (corpuscle), 뇌하수체 전방의 세포 등은 강한 양성 반응을, 호흡기와 부신의 세포, 중간엽 세포 등은 중등도 내지 약한 양성 반응을 나타내지만, 난소의 정상 상피세포는 거의 반응을 나타내지 않는다 (Petraki 등, 2006). 또한, 기관지 상피 (Nathalie 등, 2009)는 낮은 반응을, 신경아교세포 (Singh 등, 2008)와 타액선 (Darling 등, 2006)은 중등도의 반응을 나타낸다. 그러나 질환을 가진 조직과 체액에서는 hK6 단백질의 농도가 달라지는데, *KLK6*의 전사물과 단백질은 난소암 (White 등, 2009), 유방암 (Wang 등, 2008), 자궁암 (Santin 등, 2005), 췌장암 (Ruckert 등, 2008), 결장직장암 (Ogawa 등, 2005), 위암 (Nagahara 등, 2005), 피부암 (Klucky 등, 2007), 방광암 (Shinoda 등, 2007), 신경아교종 (Strojnik 등, 2009), 폐암 (Singh 등, 2008), 타액선암 (Darling 등, 2006) 등 다양한 암에서 과다 발현된다. Alzheimer 질환 (Zarghooni 등, 2002)과 Parkinson 질환 (Scarisbrick, 2008)을 가진 환자에서는 hK6가 감소되며, 건선, 아토피성 피부염 등과 같은 피부 질환에서는 hK6 농도의 증가된다 (Komatsu 등, 2007).

hK6의 과다 발현으로 인한 결과는 기저막을 구성하는 fi-

도표 157 KLK6의 기질을 확인하기 위한 실험의 결과

기질	참고 문헌
분해되는 기질	
Pro-KLK1	Yoon 등, 2007
Pro-KLK2	Yoon 등, 2007
Pro-KLK3	Yoon 등, 2007
Pro-KLK5	Yoon 등, 2007
Pro-KLK6	Blaber 등, 2007
Pro-KLK9	Yoon 등, 2007
Pro-KLK11	Yoon 등, 2007
Plasminogen	Bayes 등, 2004
Casein	Magklara 등, 2003
Collagen type I	Magklara 등, 2003
Collagen type II	Ghosh 등, 2004
Collagen type III	Ghosh 등, 2004
Collagen type IV	Magklara 등, 2003
Fibrinogen	Magklara 등, 2003
Amyloid precursor protein[†]	Angelo 등, 2006
Laminin	Bernett 등, 2002
Fibronectin	Ghosh 등, 2004
Vitronectin	Ghosh 등, 2004
PAR2	Oikonomopoulou 등, 2006
α-synuclein	Iwata 등, 2003
Human growth hormone	Komatsu 등, 2007
Desmoglein 1	Borgoño 등, 2007
Myelin basic protein[†]	Angelo 등, 2006
IGR[†]	Angelo 등, 2006
Phe-Ser-Arg-AMC	Magklara 등, 2003
Val-Pro-Arg-AMC	Magklara 등, 2003
Asp-Pro-Arg-AMC	Magklara 등, 2003
Gln-Gly-Arg-AMC	Magklara 등, 2003
Pro-Phe-Arg-AMC	Magklara 등, 2003
Val-Pro-Arg-AMC	Magklara 등, 2003
Val-Leu-Lys-AMC	Ghosh 등, 2004
Glu-Gly-Arg-AMC	Ghosh 등, 2004
Gly-Gly-Arg-AMC	Ghosh 등, 2004
분해되지 않는 단백질	
AAPF-AMC	Magklara 등, 2003
Glu-Lys-Lys-AMC	Magklara 등, 2003
Ala-Ala-Pro-Phe-AMC	Ghosh 등, 2004
Pro-KLK4	Yoon 등, 2007
Pro-KLK7	Yoon 등, 2007
Pro-KLK8	Yoon 등, 2007
Pro-KLK10	Yoon 등, 2007
Pro-KLK12	Yoon 등, 2007
Pro-KLK13	Yoon 등, 2007
Pro-KLK14	Yoon 등, 2007
Pro-KLK15	Yoon 등, 2007

[†], 합성제제.

AAPF, Ala-Ala-Pro-Phe; Ala, alanine (A); AMC, aminomethyl coumarin; Asp, aspartic acid (D); Gln, glutamine (Q); Glu, glutamic acid (E); Gly, glycine (G); IGR, ionotropic glutamate receptor; KLK, kallikrein-related peptidase; Leu, leucine (L); Lys, lysine (K); Phe, phenylalanine (F); PAR2, protease-activated receptor 2; Pro, proline (P); Ser, serine (S); Val, valine (V).

Bayani와 Diamandis (2012)의 자료를 수정 인용.

brinogen과 여러 collagen을 분해하는 hK6의 기능과 관련이

있으며 (Ghosh 등, 2004), 이는 조직의 구조 변경, 종양의 침습, 이동 등에 영향을 준다. 이와 관련이 있는 여러 연구는 억제제 혹은 siRNA를 이용하여 hK6 단백질을 감소시키면, 세포의 증식과 침습력이 약화됨을 보여 주었다 (Henkhaus 등, 2008). 결장암 세포주에 대해 KLK6-siRNA로 처치한 연구는 비록 일부 세포주가 대조군과 비슷한 양상을 보였지만, 세포의 증식이 다양한 정도로 감소되었다고 하였다 (Kim 등, 2011). siRNA로 처치한 일부 세포주에서는 MMP1과 MMP12의 하향 조절이 관찰되었다. KLK4~KLK7을 발현하는 벡터로 유전자 전달 감염을 일으킨 난소암에 관한 연구는 어느 KLK가 종양의 형성에서 어느 정도로 기여하는지는 알 수 없었으나, 종양의 크기와 침습력이 증대되었다고 하였다 (Prezas 등, 2006). 생쥐의 각질형성세포에 관한 연구는 KLK6의 이소성 발현이 방추형 형태를 유도하였으며, 세포의 증식, 이동, 침습을 증대시켰다고 하였다 (Klucky 등, 2007). 더욱이 KLK6를 발현하는 생쥐의 각질형성세포와 KLK6를 발현하는 plasmid로 감염을 일으킨 사람의 HEK293 세포에서는 세포막에 분포된 E-cadherin 단백질의 농도가 감소되었고, β-catenin의 핵으로의 전위가 감소됨이 관찰되었다. 이러한 E-cadherin의 변화는 결장암 세포주에서 외인성 KLK6-GFP의 과다 발현으로 E-cadherin 촉진체가 강하게 억제된 경우에도 관찰되었는데 (Kim 등, 2011), 이는 hK6의 분비가 E-cadherin을 하향 조절함을 시사한다. 또한, hK6가 존재하는 경우에는 세포의 부착 과정에 결함이 관찰되었으며, 이러한 결함은 tissue inhibitor of metalloproteinase 1 (TIMP1)과 TIMP3가 존재하면 회복되었다. hK6의 발현과 세포 부착 및 교통 분자의 비정상적 발현 사이의 연관성을 평가하기 위해 흑색종 모델에서 hK6, hK7 등과 함께 connexin 43, desmocollin 3, cytokeratin 5 등을 분석한 면역조직화학 연구에 의하면, KLK6와 KLK7의 발현은 세포와 세포 사이에서 일어나는 부착의 상실과 관련이 있었다 (Rezze 등, 2011).

세포 부착의 결함은 형태학적인 변화를 일으킬 뿐만 아니라 세포 자멸사, 혈관 형성 등과 같은 기타 분자 경로의 변화를 유도한다. hK6를 억제하면 caspase-8과 caspase-3의 활성화가 일어나고 p21 CDK inhibitor protein (CIP) (p21[CIP])이 상향 조절된다는 연구 결과 (Kim 등, 2011)는 조혈세포에서 hK6가 과다 발현되면 세포의 생존을 유도하는 경로가 활성화된다는 보고 (Scarisbrick 등, 2011)와 일맥상통한다. 부착 의존성 세포가 주위의 세포 외부 기질로부터 분리됨으로

써 세포 자멸사를 일으키는 과정으로 정의되는 아노이키스 (anoikis)는 암이 전이 질환으로 진행하는 기전에 영향을 준다 (Frisch와 Screation, 2001). 이와 관련된 연구는 세포가 분리되어 성장하는 조건 하에서 아노이키스 저항성 구강 편평세포암 세포주가 형성된다고 하였다 (Kupferman 등, 2007). 세포 분리 배양 조건에서 *KLK6* cDNA의 발현은 아노이키스 민감성 세포에 비해 아노이키스 저항성 세포에서 6.2배 더 증가되었다. 이러한 결과는 *KLK6*가 세포 자멸사에 대항하는 경로와 관련이 있음을 보여 준다. 또한, 암이 진행하기 위해서는 추가적인 혈관 형성을 필요로 하며, 내피세포에서 *KLK6*를 포함한 기타 유전자의 발현을 관찰하였다는 보고가 있다 (Aimes 등, 2003). 유전자 특이 RT-PCR을 이용하여 22종의 serine proteases 유전자를 분석한 연구에 의하면, 내피세포에서 *acrosin (ACR)*, *testisin (혹은 protease, serine 21, PRSS21)*, *neurosin (혹은 KLK6)*, *PSP*, *neurotrypsin (혹은 PRSS12)* 등 5종의 유전자 외에도 *urokinase-type plasminogen activator (PLAU)*, *protein C (PROC)*, *transmembrane protease, serine 2 (TMPRSS2)*, *hepsin (HPN)*, *matriptase (혹은 membrane-type serine protease 1, MT-SP1)*, *dipeptidylpeptidase IV (DPP4)*, *seprase (혹은 fibroblast activation protein, FAP)* 등 7종의 유전자가 발견되었으며, 여러 serine protease는 부분적으로는 기저막 혹은 fibrillar type I collagen과 같은 기층 (substratum)의 특성에 의해 조절됨이 관찰되었다. 이들 결과는 serine protease가 혈관의 기능 및 혈관 형성에서 어떠한 역할을 함을 시사한다.

세포 내부의 신호 경로에서 hK6의 역할은 PAR와 연관 지어 활발하게 연구되어 왔다 (Hansen 등, 2008). PAR1~4는 수용체의 N-terminal 염기가 분절됨으로써 활성화되는 GPCR 가족에 속하며, 이들 수용체는 혈소판의 활성, 내피세포 및 혈관 평활근세포의 기능 조절, 관절 손상에 대한 염증 반응, 종양세포의 성장 및 전이 등과 같은 다양한 생리학적 기전에 관여한다 (Oikonomopoulou 등, 2010). 생체 밖 실험은 hK6 뿐만 아니라 기타 kallikreins가 PAR1, PAR2, PAR4 등의 염기를 분절시켜 수용체를 활성화하거나 무력화시킨다고 하였다 (Oikonomopoulou 등, 2006). PAR2를 발현하는 쥐의 Kirsten virus-ras-transformed NRK (KNRK) 신장 세포에서는 칼슘의 신호 경로가 hK5, hK6, hK14 등에 의해 활성화되는 한편, PAR1과 PAR2가 함께 발현하는 HEK 세포에서 칼슘의 신호 경로는 PAR2를 매개로 hK6에 의해 활성화된다. 이러한 연구

의 대부분은 염증과 관련이 있는 경로에 초점을 맞추었으나, 종양의 형성은 염증과 연관성을 가지기 때문에 전립선암에서 hK4가 PAR1과 PAR2를 통한 신호 전달에서 어떠한 역할을 하는 것 (Ramsay 등, 2008)과 마찬가지로 hK6에 의한 PARs의 활성이 phosphatidylinositol 3-kinase (PI3K), RAS 등과 같은 종양 관련 경로에 영향을 줄 것으로 생각된다 (Castellano와 Downward, 2010).

*KLK6*는 거의 대부분의 상피세포암에서 과다 발현되기 때문에, 많은 증거들이 종양 형성에서 *KLK6*가 어떠한 역할을 한다고 제시하고 있다. 그러나 최초로 *KLK6*를 복제한 연구에 의하면, 전이 유방암에서 *KLK6*의 발현이 소실되었기 때문에 class II 종양 억제 유전자로 생각되었다 (Anisowicz 등, 1996). 다른 연구도 전이 유방암에서는 후성적 사건으로 인해 *KLK6*가 불활성화되며, 그로 인해 EMT가 억제되어 암의 진행에 대항하는 보호 효과가 나타난다고 하였다 (Pampalakis 등, 2009). *KLK6*를 발현하지 않는 유방암 세포주 MDAMB-231을 preproKLK6로 유전자 전달 감염을 유도한 연구는 세포의 증식 및 이동과 부착 비의존성 성장이 감소되었다고 하였다. 이들 세포주에 대한 단백질체학 분석은 중간엽 표지자인 vimentin이 하향 조절되고 상피 표지자인 cytokeratin 8, cytokeratin 19, calreticulin 등이 상향 조절됨을 보여 주었는데, 이는 상피세포 표현으로의 이행을 나타낸다. 유전자 전달 감염을 일으킨 severe combined immunodeficiency (SCID) 생쥐에서 *KLK6*를 발현하는 MDA-MB-231 세포주의 경우 거짓 감염을 일으킨 세포주에 비해 종양의 성장이 유의하게 억제되었다. 흥미로운 점은 유방암 조직에서 거의 생리학적 조건인 1~30 µg/L 농도로 hK6를 발현하는 클론과 100~400 µg/L 이상 과다 발현하는 클론을 비교하였을 때, 이들 종양의 크기나 빈도가 거짓 유전자 감염을 일으킨 경우와 비슷하다는 점이다. 또한, *KLK6*의 발현은 정상 신장에 비해 신세포암에서 감소됨이 발견되었지만, 일반적으로 저등급 종양에 비해 고등급 종양에서 더 높다 (Gabril 등, 2010). 유방암에 관한 많은 연구 자료가 *KLK6*의 과다 발현이 종양의 형성에 관여함을 보여 주었기 때문에, 위와 같은 결과는 그러한 발현의 균형과 생리학적 상태가 기능적 측면에서 중요한 요인이 됨을 시사한다 (Bayani와 Diamandis, 2012).

비악성 전립선을 가진 남성 25명과 전립선암 환자 179명으로부터 채집한 전립선 조직에서 hK6, hK10, hK13 등에 대해 면역조직화학검사를 실시한 연구에 의하면, 전립선암 환자 중

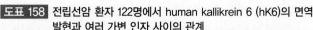

도표 158 전립선암 환자 122명에서 human kallikrein 6 (hK6)의 면역 발현과 여러 가변 인자 사이의 관계

가변 인자	환자 수	환자 수 (%)		p
		hK6 (-)	hK6 (+)	
4단계 조직 등급				
A	32	6 (18.75)	26 (81.25)	0.475
B	25	6 (24)	19 (76)	
C	24	4 (16.7)	20 (83.3)	
D	41	4 (9.8)	37 (90.2)	
2단계 조직 등급				
I	57	12 (21.1)	45 (78.9)	0.193
II	65	8 (12.3)	57 (87.7)	
피막 외부 확대				
음성	22	8 (36.4)	14 (63.6)	0.475
양성	33	9 (27.3)	24 (72.7)	
정낭 침범				
음성	40	13 (32.5)	27 (67.5)	0.677
양성	15	4 (26.7)	11 (73.3)	
림프절 침범				
음성	52	17 (32.7)	35 (67.3)	0.233
양성	3	0 (0)	3 (100)	
생화학적 재발				
음성	10	2 (20)	8 (80)	0.868
양성	16	4 (25)	12 (75)	

Gleason 점수의 범위는 2~10이며, Gleason 점수 7에서 분화도 등급 3이 우세한 경우는 7a, 등급 4가 우세한 경우는 7b로 규정하였다. Gleason 점수에 따른 4단계 조직 등급 A, B, C, D는 각각 ≤6, 7a, 7b, ≥8이며, 2단계 조직 등급 I, II는 각각 ≤7a, ≥7b이다.
Petraki 등 (2003)의 자료를 수정 인용.

hK6, hK10, hK13에 대해 면역 염색 반응을 나타낸 경우는 각각 122명, 94명, 113명이었으며, 이들 세 kallikreins는 암 조직에서 약간 더 낮은 비율로 발현되었지만, 비악성 및 악성 전립선에서 발현되었고, 발현 정도가 공격성과 상호 관련이 없었기 때문에, 전립선암의 예후를 예측하는 데 도움을 주지 않는다고 생각된다 (Petraki 등, 2003) (도표 158). 이 연구 결과에 관하여 '32.12. Human kallikrein 13 (KLK13)'을 참고하면 도움이 된다.

32.7. Human kallikrein 7 (hK7, KLK7)

Human tissue kallikrein 7 (hK7)은 사람 피부의 각질층에서 처음 복제되었으며 (Hansson 등, 1994), serine protease로서 분류되었다 (Yousef 등, 2000). 이전에는 stratum corneum chymotryptic enzyme (SCCE)으로도 알려졌던 hK7 단백질은 병적인 각질화, 건선, 난소암 등과 관련이 있다고 보고되었다

(Tanimoto 등, 1999). 효소원인 pro-hK7 (27,525 Da, 253 아미노산 잔기; Gene ID 5650)은 또 다른 kallikrein인 hK5에 의해 hK7으로 전환된다 (Caubet 등, 2004).

KLK5와 KLK7은 피부 조직 (Ekholm 등, 2000)과 난소암 (Yousef 등, 2000)에서 함께 발현됨이 관찰되었는데, 이를 설명하는 분명한 기전은 알려져 있지 않다. Li 등 (2009)은 KLK5와 KLK7의 5′-control regions 사이에서 동일한 네 개의 염기 서열과 그들의 5′-control regions와 결합하는 10개의 전사 인자를 확인하였다. 또한, KLK5 mRNA와 KLK7 mRNA 둘 모두는 KLK6, KLK8, KLK10, KLK12, GATA binding protein 3 (GATA3), heat shock transcription factor 2 (HSF2), pre-B-cell leukemia homeobox 1 (PBX1), sterol regulatory element-binding transcription factor 1 (SREBP1) 등의 발현 정도와 상호 관련이 있음이 발견되었다. 유방암에서 KLK5와 KLK7이 함께 과소 발현됨을 설명해 주는 또 다른 가설은 이들이 같은 전사 인자에 의해 조절된다는 것이다. KLK5와 KLK7이 KLK6 및 KLK8과 이웃하고 있어 이 위치의 복사 수가 KLK5와 KLK7이 함께 감소하는 이유가 될 수 있으며, 공히 estrogen 및 progestin에 의해 상향 조절된다는 점도 그 이유가 될 수 있다 (Yousef 등, 2000).

KLK7은 피부에서 현저하게 발현되며, 피부 외에도 식도, 신장, 폐, 위, 자궁경부, 난소, 질 등과 같은 정상 조직에서 발현된다 (Shaw와 Diamandis, 2007). KLK7은 자궁경부암, 자궁암 (Termini 등, 2010), 췌장암 (Avgeris 등, 2010), 난소암 (Psyrri 등, 2008), 결장암 (Talieri 등, 2009) 등을 가진 환자의 종양 조직에서 상향 조절되며, 전립선암 (Xuan 등, 2008) 유방암 (Mangé 등, 2008), 신장암 (Gabril 등, 2010) 등에서 하향 조절된다고 보고되었다. 난소암, 자궁경부암, 유방암 등을 가진 환자의 혈청에서 KLK7의 존재는 부정적인 예후 표지자로 제시되었으며, 더욱이 KLK7의 과다 발현은 난소암, 뇌종양, 췌장암 등의 세포에서 공격성의 발달과 관련이 있다 (Mo 등, 2010; Dorn 등, 2013; Zhang 등, 2015). 난소암 환자 260명의 난소암 세포질에서 ELISA를 이용하여 hK7을 분석한 연구는 다음과 같은 결과를 보고하였다 (Shan 등, 2006). 첫째, 난소의 양성 조직 혹은 난소 외의 암이 전이된 경우에 비해 난소암의 세포질에서 hK7이 과다 생성되었다 ($p < 0.001$). 둘째, 난소암 세포질에서 hK7 농도의 중앙치는 전체 단백질 mg 당 2.84 (0~32.8) ng이었으며, 이를 절단치로 설정하여 hK7 양성과 hK7 음성을 규정하였을 때, hK7 음성 종양에 비해 hK7 양성

종양을 가진 여성에서 진행 병기 질환, 높은 분화도 등급, 부적절한 용적 축소 수술 등의 빈도가 더 흔하였다 ($p<0.001$). 셋째, 단변량 분석에서 hK7 양성은 더 짧은 무진행 생존과 유의하게 관련이 있었으나 ($p=0.01$), 다변량 분석에서는 hK7 양성이 무진행 생존이나 전반적 생존과 관련이 없었다. 난소암에 대한 그 후의 연구는 상충되는 결과를 보고하였다. 난소암 환자 98명으로부터 채집한 종양 조직 표본을 대상으로 ELISA를 이용하여 hK7을 분석한 연구는 높은 농도의 hK7을 가진 환자는 낮은 농도의 환자에 비해 사망 위험과 재발 위험이 약 2배 더 낮았으며, 각각의 HR은 0.51 (95% CI 0.29~0.90; $p=0.019$), 0.47 (95% CI 0.25~0.91; $p=0.024$)이었다 (Dorn 등, 2014). 대조적으로, 결장직장암 환자 105명의 종양 표본과 정상 남성 54명의 결장 점막 표본을 RT-PCR과 면역조직화학 검사로 분석한 연구에 의하면, hK7의 발현은 정상 조직에 비해 암 조직에서 더 높으며, 진행된 병기의 질환에서는 더 높게 발현되고, hK7의 발현은 짧은 생존 기간과 짧은 무병 생존 기간과 관련이 있었다 (Talieri 등, 2009).

KLK5 mRNA와 KLK7 mRNA는 정상 및 양성 유방 조직, 원발 유방암, 림프절 전이 등에서 확인되어 KLK5와 KLK7은 유방의 암 형성 전 과정과 유방암 발생에서 어떠한 역할을 할 것으로 생각된다. KLK5와 KLK7이 유방암에서 과소 발현되고 림프절 전이에서 하향 조절되는 것으로 보아 그들의 감소는 유방의 암 형성과 유방암의 발달에 기여한다고 추측된다. hK5와 hK7은 전립선암 (Yousef 등, 2002)과 유방암 (Yousef 등, 2004)에서는 과소 발현된다. 그러나 hK5와 hK7이 유방암에서 예후를 예측할 수 있는지는 분명하지 않다. Yousef 등 (2002)은 유방암 환자에서 hK5의 과다 발현이 무병 생존율 및 전반적 생존율의 감소와 유의한 연관성을 보였다고 하였으며 Talieri 등 (2004)도 hK7 양성인 유방암 환자는 hK7 음성인 유방암 환자에 비해 무병 생존 및 전반적 생존이 다소 더 짧았다고 보고하였다. 그러나 Holzscheiter 등 (2006)은 유방암에서 KLK7 mRNA의 높은 수치는 좋은 예후를 나타낸다고 결론지었다.

hK7은 chymotrypsin과 같은 분비 serine protease로서 피부의 각질층에 있는 세포와 세포 사이에 있는 접착 구조물의 분해를 촉진하여 세포 분리 (desquamation), 표피 탈락을 유도한다 (Lundstrom과 Egelrud, 1991). 그러므로 hK7은 암의 침윤과 전이에 어떠한 영향을 줄 것으로 추측된다. 한편, hK7을 억제하면 피부의 정상적인 탈락을 방지할 수 있다는 사실은

hK7이 암세포의 침윤과 전이를 억제하기 위한 치료적인 표적이 될 수 있음을 시사한다. 생체 밖 실험은 hK7이 E-cadherin을 분열시키며, 분열된 용해성 E-cadherin은 세포 밖 기질을 통한 췌장암 세포주 PANC1의 침윤성을 크게 증대시키는데, 이로써 PANC1의 응집력은 떨어진다 (Johnson 등, 2007). 이와 같은 결과는 KLK7의 비정상 발현이 췌장암에서 중요한 역할을 하며, 췌장암과 기타 선암에서 hK7의 단백질 분해 작용을 증가시킬 것으로 생각된다. hK7이 전립선 조직에서 발현된다지만 전립선암에서 그것의 생물학적인 역할은 잘 알려져 있지 않다. 이에 Mo 등 (2010)은 hK7을 코드화하는 발현 벡터의 매개로 전립선암의 22RV1, DU145 세포로 유전자 전달 감염을 일으킨 hK7 발현 세포 모델을 연구하였다. 저자들은 hK7을 과다 발현하는 세포와 공벡터 (empty vector)로 유전자 전달 감염을 유도한 세포 사이에서 세포 증식의 분명한 차이를 발견하지 못하였지만, Matrigel 침윤 분석은 hK7이 전립선암 세포의 이동과 침윤을 현저하게 증가시킴을 보여 주었다 ($p<0.01$). 더군다나 hK7은 전립선암 세포의 상피로부터 중배엽으로의 이행 (EMT)과 같은 변화를 일으켰는데, 이러한 결과는 산재한 세포의 성장, 중배엽과 유사한 형상, 중배엽의 표지자인 vimentin의 발현 증가 등으로 알 수 있다. 이들 자료는 hK7이 전립선암의 진행에서 중요한 역할을 함을 시사하며, hK7이 최소한 EMT를 유발하는 기전을 통해 전립선암 세포의 침습과 전이를 촉진할 것으로 추측하게 한다.

Elafin, peptidase inhibitor 3 (PI3) 등으로도 알려진 skin-derived antileukoprotease (SKALP) 혹은 antileukoprotease (ALP)는 백혈구의 분비성 단백질분해효소 억제제로 백혈구 chymotrypsin, trypsin, elastase, cathepsin G6 등을 강력하게 억제하며, 염증 반응이 진행하는 동안 중성구 단백질분해효소에 대한 방어 기전에서 중요한 역할을 한다고 알려져 있다 (Song 등, 1999). 피부 세포의 hK7 의존성 탈락은 PI3에 의해 코드화되는 ALP에 의하여 억제된다 (Franzke 등, 1996). 이 serine protease 억제제는 전립선, 이하선, 기관지, 자궁경부, 고환 등의 분비 세포에서 생성된 후 점액 안으로 방출된다 (Thompson과 Ohlsson, 1986). ALP는 자궁경부의 샘 및 남성 생식기 조직의 단백질 분해에 대해 국소적 보호 역할을 한다 (Ohlsson 등, 1995). 여러 연구자들은 ALP의 발현이 난소암 조직 (Hough 등, 2001)과 비소세포 (non-small cell) 폐암 환자의 혈청 (Ameshima 등, 2000)에서 증가된다고 하였다. 다른 연구도 ALP가 hK7과 비슷하게 난소암 세포에서 과다 발

현된다고 하였다 (Shigemasa 등, 2001). 여러 장기에서 발생한 공격적, 상급 위험, 전이성 암에서 hK7과 ALP가 흔히 과다 발현된다는 이들 결과는 hK7과 ALP가 암 형성과 전이에서 어떠한 역할을 함을 시사한다. 그러나 hK7과 ALP의 발현이 전립선암의 발생과 진행에서 어떠한 효과를 나타내는지에 관해 거의 알려진 바가 없다.

Xuan 등 (2008)은 전립선암에서 KLK7과 그것의 억제제인 PI3의 발현을 RT-PCR을 이용해 분석한 결과, 양성 전립선의 상피세포보다 전립선암에서 ALP 및 KLK7 mRNA의 발현이 유의하게 감소하였으며 (p<0.001), 정상 전립선 조직 20점, 양성전립선비대 조직 50점, 전립선암 조직 103점에서 hK7 및 ALP 단백질의 발현을 면역조직화학적으로 분석한 결과, 양성 전립선 상피세포에서 hK7과 ALP가 발현되었으나, 전립선암에서는 염색 소견이 거의 혹은 전혀 관찰되지 않았다고 하였다. Western blot 분석도 악성 전립선 상피세포에서 hK7 및 ALP가 감소됨을 보여 주었다. 이들 결과는 ALP가 과연 hK7에 대해 효과적인 억제제 역할을 하는지 의문을 가지게 한다. 이 연구에서는 기술적인 문제로 혈청 농도가 측정되지 않았지만, 조직 내에서 단백질의 발현 정도가 반드시 단백질의 혈청 농도를 반영하지는 않는다. 이는 PSA와 hK2의 농도가 전립선암 환자의 혈청에서는 증가되지만 전립선암 조직에서는 더 낮다는 연구 결과와 일맥상통한다 (Magklara 등, 2000). 혈청 농도의 증가는 혈관 신생, 조직 구조물의 파괴, 이들 단백질의 전신 순환계로의 누출 등으로 인해 일어난다 (Diamandis 등, 2000). 마찬가지로 hK7의 농도가 전립선암 조직에서는 감소되더라도 혈청에서는 증가되리라 추측된다.

근치전립선절제 표본 70점에서 KLK7을 분석한 연구에 의하면, KLK7의 발현은 정상 및 양성 전립선 세포에 비해 전립선암 세포에서 감소되며 (p=0.026), 전립선암과 양성전립선비대 사이에서 KLK7은 양성적인 상관관계를 나타낸다 (rs=0.74, p<0.001) (Jamaspishvili 등, 2011). 전립선암 환자 116명과 양성전립선비대 환자 92명으로부터 채집한 조직 표본을 대상으로 면역조직화학검사, RT-PCR, western blot 등을 이용하여 KLK7의 mRNA와 단백질을 분석한 연구는 다음과 같은 결과를 보고하였다 (Zhang 등, 2015). 첫째, 국소 전립선암을 Gleason 점수 7 미만, 7, 7 초과 등으로 분류하였을 때, KLK7 mRNA의 발현은 낮은 Gleason 점수와 관련이 있었으며, 7 미만에서 가장 높았다. 수술 전 혈청 PSA를 10 미만, 10~20, 20 초과 ng/mL 등으로 분류하였을 때, KLK7 mRNA의

낮은 발현은 높은 PSA 농도와 양성적인 관계를 나타내었으며 (p<0.05), PSA 농도가 20 ng/mL를 초과한 환자군에서 KLK7 mRNA의 낮은 발현은 Gleason 점수 7 초과와, 높은 발현은 Gleason 점수 7 미만과 관련이 있었다 (p<0.05). 또한, KLK7 mRNA의 발현은 전립선상피내암으로부터 국소 전립선암, 전이 전립선암으로 진행할수록 낮아졌다. 둘째, hK7에 대한 염색 양성률은 양성 혹은 정상 표본과 암 표본에서 유의한 차이를 나타내었으며, 각각 69.6% (64점/92점), 19.8% (23점/116점)이었다 (p<0.001). Western blot 분석에서도 hK7의 농도가 양성 혹은 정상 조직 표본에 비해 암 조직 표본에서 더 낮았다. 이와 같은 결과는 KLK7과 hK7의 발현이 전립선암에서 하향 조절되며, 발현이 낮을수록 높은 Gleason 점수 및 높은 PSA 농도와 밀접하게 관련이 있음을 보여 준다.

피부 질환에서 hK7을 억제하여 효과를 얻은 연구 결과는 전립선암의 전파 및 전이를 억제 혹은 감소시키는 치료에서 hK7이 표적이 될 수 있음을 시사하며, hK7의 특이 억제제인 ALP가 ALP의 발현이 낮은 암에서 암의 성장과 진행을 완화시키는 데 도움을 줄 수 있다고 추측된다 (Xuan 등, 2008).

32.8. Human kallikrein 9 (hK9, KLK9)

Kallikrein-like gene 3 (KLK-L3)로도 알려진 KLK9은 5개의 exons를 가지며, KLK8과 KLK10 사이에 위치하고, 길이는 7.1 kb이다. 다른 조직 kallikreins와 마찬가지로 KLK9에 의해 코드화된 hK9 단백질은 251개의 아미노산으로 구성된 전전구 효소로서 합성되며, 단백질 분해 과정을 거쳐 229개 아미노산으로 구성된 최종 hK9이 생성된다. hK9은 19개의 아미노산으로 구성된 1개의 신호 펩티드와 1개의 3-aa pro-segment를 가지고 있다 (Yousef와 Diamandis, 2000, 2001). KLK9은 스테로이드 호르몬에 의해 조절되며, 유방암 세포주의 경우 pro-gestin, estrogen, androgen 등에 의해 상향 조절된다 (Yousef 와 Diamandis, 2000).

RT-PCR 분석에 의하면, KLK9 mRNA는 다양한 조직에서 발견된다 (Yousef와 Diamandis, 2000). 여러 병기, 분화도 등급, 조직학적 유형의 난소암 조직에 대해 QRT-PCR 분석을 실시한 연구에 의하면, KLK9의 높은 발현은 난소암 환자에서 유리한 예후와 관련이 있다. 즉, 말기 병기 및 높은 분화도 등급의 난소암으로서 충분한 용적축소술을 받지 못한 환자에 비해 초기 병기 및 낮은 분화도 등급의 난소암으로서 적절한 용

적축소술을 받은 환자에서 KLK9의 발현이 유의하게 더 높았으며, KLK9 음성인 환자에 비해 KLK9 양성인 환자에서 무진행 생존 및 전반적 생존이 더 길었다 (Yousef 등, 2001a). 또한, 유방암 환자에서 KLK9의 높은 발현은 더 긴 무병 생존 및 전반적 생존과 관련이 있었다 (Yousef 등, 2003).

Western blotting 분석에서 hK9에 대한 토끼의 항혈청은 특이하게 포유동물의 hK9을 인식하였으며, 다른 조직 kallikreins와의 교차 반응은 나타나지 않았다. 사람의 다양한 조직으로부터 유래된 세포질 추출물을 대상으로 실시한 Western blotting에서 hK9은 고환과 정낭에서 가장 높은 농도로 발견되었으며, RT-PCR 분석에서 KLK9 mRNA는 고환에서 최대로 높게 발현되었다 (Memari 등, 2006). 그러나 KLK9 mRNA는 고환 외에도 흉선, 척수, 중추신경계, 타액선, 유방, 전립선, 난소, 피부 등과 같은 여러 다른 조직에서도 발현되기 때문에 조직에 특이적이지 않다 (Yousef와 Diamandis, 2000; Yousef 등, 2001). KLK9 mRNA 외에 정상 고환 조직에서 높게 발현되는 조직 kallikreins의 mRNA로는 KLK5, KLK10, KLK12~14 등이 있다 (Luo 등, 2003b). 이와 같이 다수의 조직 kallikreins가 고환 조직에서 발현된다는 관찰은 새로 형성된 정자세포의 형태학적 및 기능적 분화를 위해 필요한 단백질분해효소의 기능이 필수적으로 요구되는 정자 형성과 같은 과정을 매개하는 효소 반응에 이들 kallikreins가 관여함을 나타낸다. 많은 생체 밖 연구는 조직 kallikreins가 다른 조직 kallikrein을 활성화할 수 있음을 보여 준다 (Takayama 등, 2001a; Brattsand 등, 2005). 생체 연구 또한 일부 조직 kallikreins가 seminogelin, prostatic acid phosphatase 등과 같은 정액 단백질을 분해하거나 PSA와 같은 정액 내의 조직 kallikreins를 활성화할 수 있음을 보여 주는데 (Takayama 등, 2001b), 추후 연구를 통해 이러한 기전에서 hK9의 역할을 확인할 필요가 있다. 또한, 고환암에서는 KLK5, KLK10, KLK13, KLK14 등의 mRNAs가 하향 조절된다고 보고되었는데 (Yousef 등, 2002c; Luo 등, 2003b), 고환암과 KLK9과의 연관성도 추후 연구에 의해 밝힐 필요가 있다.

난소암 환자 168명의 종양 조직 표본을 대상으로 qRT-PCR 분석을 실시한 연구는 다음과 같은 결과를 보고하였다 (Yousef 등, 2001). 첫째, KLK9의 발현은 1 혹은 2의 초기 병기 질환과 적절한 용적축소술을 받은 환자에서 유의하게 더 높았으며, 각각의 p-value는 0.044, 0.019이었다. 둘째, Kaplan-Meier 생존 곡선에서 KLK9 양성 종양을 가진 환자는 상당하게 더 긴 무진행 및 전반적 생존을 나타내었으며, 각의 p-value는 <0.001, 0.016이었다. 셋째, Cox 회귀 분석에서 KLK9의 발현은 낮은 분화도 등급의 종양, 초기 병기 질환 등을 가진 환자와 난소암의 용적이 적절하게 축소된 환자에서 무진행 생존에 대한 유의한 예측 인자이었으며, 각각의 hazard ratio (HR)는 0.13 (p=0.0015), 0.099 (p=0.031), 0.26 (p=0.012)이었다. 다른 예후 인자로 보정한 후에도 KLK9은 예후에 대한 독립적인 예측 인자의 역할을 하였다. 넷째, cancer antigen 125 (CA125)와 KLK9 사이에는 역상관관계가 발견되었다 (p=0.002). 다섯째, 난소암과 유방암 세포주에서 KLK9은 스테로이드 호르몬의 조절을 받았으며, 면역조직화학검사에 의하면 hK9은 난소암 조직 상피세포의 핵에서는 발견되지 않았고 세포질 내에 분포해 있었다. 이와 같은 결과에 의하면, KLK9은 낮은 분화도 등급, 초기 병기, 적절하게 크기가 축소된 난소암을 독립적으로 예측하는 긍정적인 예후 표지자로 간주된다.

유방암 환자 169명으로부터 채집한 종양 조직 표본을 qRT-PCR을 이용하여 분석한 연구는 다음과 같은 결과를 보고하였다 (Yousef 등, 2003). 첫째, KLK9의 발현은 초기 병기 질환과 2 cm 미만의 작은 종양을 가진 환자에서 유의하게 더 높았으며, 각각의 p-value는 0.039, 0.028이었다. 둘째, 단변량 및 다변량 분석에서 KLK9의 발현은 무병 생존 및 전반적 생존의 증가와 관련이 있었다. 셋째, estrogen receptor (ER)와 progesterone receptor (PR) 음성인 환자군에 대한 Cox 회귀 분석에 의하면, KLK9의 발현은 무병 생존에 대한 유의한 예측 인자이었으며, 각각의 HR은 0.28 (p=0.011), 0.38 (p=0.028)이었다. 이들 소집단에서는 알려진 다른 예후 인자로 보정하여도 KLK9은 예후를 예측하는 독립적인 인자로서의 역할을 하였다. 이들 결과는 유방암에서 KLK9이 긍정적인 예후에 대한 독립적 표지자임을 보여 준다.

32.9. Human kallikrein 10 (hK10, KLK10)

Kallikrein gene 10 (KLK10)은 정상적인 유방 상피세포와 불멸 유방 상피세포 사이에서 감수잡종형성 (subtractive hybridization; 어떤 조직이나 세포에 특이적으로 발현하는 유전자를 농축, 분리하는 방법)에 의해 발견되었다 (Liu 등, 1996). Normal epithelial cell-specific 1 (NES1)으로도 알려진 KLK10은 분비 serine protease로서 276개의 아미노산으로 구성된 hK10을 코드화한다 (Luo 등, 2001). hK10은 다양한 생물 체액, 조직 추출물, 혈청 등에서 발견된다. 면역조직화학적 분석에 의하면, hK10은 상피세포의 세포질에서 발현되며, 장기에 특이적이지 않다. hK10이 발현되는 정상 조직으로는 유방, 전립선, 신장, 부고환, 자궁내막, 나팔관, 난소, 위장관, 결장, 기관지, 타액선, 피부, 담관, 담낭 등이 있다 (Luo 등, 2001; Petrakis 등, 2002). 맥락막총 (choroid plexus) 상피, 말초신경, 그리고 Leydig 세포, 부신 수질, Langerhans 섬, 선뇌하수체 (adenohypophysis) 등과 같은 일부 신경내분비 조직 등은 hK10을 강하게 발현한다. 고환의 생식상피는 hK10을 중등도로 발현한다. 특징적인 면역 염색은 흉선의 Hassall 소체, 갑상선과 부갑상선의 호산세포 (oxyphilic cell), 연골세포 등에서 관찰된다 (Petraki 등, 2002). 면역 분석에서 hK10의 검출 한계는 0.05 μg/L이며, hK10이 발현되는 생물 체액으로는 모유, 정액장액, 뇌척수액, 양수, 혈청 등이 있다 (Luo 등, 2001). 난소암 환자에서 hK10의 높은 농도는 낮은 농도에 비해 사망과 재발의 가능성이 더 높았다 (Luo 등, 2001). 97명의 정상 대조군, 141명의 양성 부인과 질환 환자, 146명의 난소암 환자 등을 대상으로 면역 분석을 실시한 연구에 의하면, 혈청 hK10의 정상 범위는 50~1,040 ng/L, 평균 439 ng/L이었으며, 난소암 환자의 수술 전 혈청 농도는 106~11,746 ng/L, 평균 1,067 ng/L로 유의하게 증가되었으나 양성 부인과 질환을 가진 환자에서는 혈청 농도가 120~1,200 ng/L, 평균 447 ng/L로 유의한 증가를 보이지 않았다. 혈청 hK10의 절단치를 700 ng/L로 설정하여 진단 특이도를 90%로 하였을 때, 난소암에 대한 진단 민감도는 54%이었다. 병기 I/II 난소암 환자에서는 CA125 단독에 비해 hK10과 CA125 두 표지자를 병용하게 되면, 특이도 90%에서 민감도가 21% 증가하였다. 또한, 혈청 hK10의 높은 농도는 심각한 상피세포 표현형, 후반 병기, 진행된 등급, 1 cm를 초과하는 큰 잔여 종양, 부적절한 용적 축소, 화학 요법에 대한 불응 등과 관련이 있었으며, 각각의 경우에서 p-value는 〈0.001이었다 (Luo 등, 2003).

여러 암세포를 이용하여 스테로이드 호르몬에 의한 KLK10 발현의 조절을 평가한 연구에 의하면, 에스트로겐, 안드로겐, progestin 등이 그들의 수용체를 통해 KLK10의 발현을 조절하지만, 이러한 조절은 KLK10의 촉진체에 있는 hormone response element (HRE)에 의해 매개되지 않는다 (Luo 등, 2003).

KLK10 mRNA는 전립선암, 유방암 등과 같은 다양한 암의 세포주에서 감소된다고 알려져 있다 (Li 등, 2001). 여러 종양,

정상 조직, 혈액 등에서 PCR 증폭을 이용하여 KLK10 유전자의 5개 exons를 분석한 연구는 전립선암, 유방암, 난소암, 고환암에서는 KLK10의 체세포 돌연변이가 관찰되지 않았으나, 코돈 50에서 single nucleotide의 변형이 전립선암의 발생 위험과 관련이 있었다고 하였다 (Bharai 등, 2002). 다른 연구는 어떤 유방암 세포주 및 원발 유방암에서 KLK10 유전자의 CpG 섬 (island)에 과다 메틸화가 발생하면 종양에 특이적으로 KLK10 유전자의 발현이 소실된다고 하였다 (Li 등, 2001). 이러한 결과를 근거로 전립선암과 난소암의 세포에서 KLK10의 발현은 후성적 변화로 인해 상실된다는 가설을 세운 연구는 전립선암, 난소암, 유방암 등에서 KLK10 mRNA 및 hK10 단백질의 종양에 특이한 소실이 CpG 섬 과다 메틸화와 관련이 있는지를 평가하였다 (Sidiropoulos 등, 2005). 염기 서열 분석법은 exons 2, 3, 4가 CpG에 풍부함을 보여 주었다. 또한, 유방암, 난소암, 전립선암 등의 세포주와 원발 난소암의 DNA를 sodium bisulfite로 처치한 후 염기 서열 분석을 실시한 경우에는 KLK10 유전자의 exon 3에서 종양 특이적인 CpG 섬의 과다 메틸화가 관찰되었다. KLK10의 mRNA 및 hK10 단백질의 발현이 낮거나 없는 대부분의 암 세포주를 메틸화 제거제인 5-aza-2′-deoxycytidine (5-aza-dC)으로 처치한 후 RT-PCR 및 ELISA로 분석한 결과, 억제된 유전자가 새로이 발현되었으며 KLK10 mRNA 및 hK10 단백질의 발현이 회복되었다. 이 연구에서는 전립선과 관련이 있는 LNCaP, PC3 세포주, 유방과 관련이 있는 MDA-MB-231, MDA-MB-468, MCF-7, ZR-75-1, T- 47D, BT-474 세포주, 난소와 관련이 있는 BG-1, HTB-75, HTB-161, MDAH-2774, PA-1, ES-2 세포주 등이 이용되었다. 이와 같은 결과는 CpG 섬의 과다 메틸화가 KLK10의 mRNA 및 단백질의 감소에서 중요한 역할을 함을 보여 준다. 그러나 이러한 관찰이 평가된 모든 세포주와 조직에서 나타난 이 유전자의 발현 상태를 설명해 주지는 못한다. 다른 연구도 전립선암 세포주를 5-aza-dC로 처치하면 KLK6와 KLK10의 발현이 증가되었는데, 이는 DNA 메틸화가 이들 유전자를 조절하는 역할을 가짐을 나타낸다. 이 연구는 2007~2011년에 근치전립선절제술을 받은 150명 (코호트 1)과 1998~2001년에 수술을 받은 124명 (코호트 2)에서 KLK6와 KLK10의 DNA 메틸화를 측정하였으며, 다음과 같은 결과를 보고하였다 (Olkhov-Mitsel 등, 2012). 첫째, 코호트 1에서 KLK6와 KLK10의 DNA 메틸화 정도는 정상 조직에 비해 암 조직에서 유의하게 더 높았다. 둘째, DNA 메틸화와 임상병리학적 지표

사이의 관계를 평가한 바에 의하면, *KLK6* DNA 메틸화는 코호트 1에서만 병리학적 병기와 유의하게 관련이 있는 데 비해, *KLK10* DNA 메틸화는 두 코호트 모두에서 병리학적 병기와 유의하게 관련이 있었다. 코호트 2에 대한 단변량 및 다변량 분석에서 낮은 *KLK10* DNA 메틸화는 생화학적 재발과 관련이 있었다. *KLK6* DNA 메틸화에 대해서도 비슷한 경향이 관찰되었다. 이들 결과에 의하면, *KLK6* 및 *KLK10* DNA 메틸화는 전립선 내에 국한된 전립선암과 국소적으로 침범한 질환 사이에서 차이를 나타내기 때문에 예후를 예측하는 데 도움을 준다고 생각된다.

*KLK10*은 고환 조직에서 높게 발현된다 (Liu 등, 1996). 고환암은 젊은 남성에서 흔한 종양이며, 미국에서 연간 발병률은 3~4명/10만 명이다 (Coleman 등, 1993). 고환암의 90%는 종자세포 조직에서 유래되는 종자세포종양 (germ cell tumour, GCT)이며, 10%는 Leydig 세포암과 같이 간질세포 조직에서 유래되는 비종자세포종양이다. 세계보건기구에 의하면, GCT는 정상피세포종 (seminoma)과 비정상피세포종 (nonseminoma)으로 분류되며, 비정상피세포종은 조직학적인 형태에 따라 배아암종 (embryonal carcinoma), 기형종 (teratoma), 융모막암종 (choriocarcinoma), 두 가지 이상의 조직 형태를 가진 기타 종양 등으로 세분된다. GCT는 흔히 양성적인 임상 경과를 나타내는 기형종을 제외하고는 악성 종양이다 (Einhorn, 1994). GCT는 침습 전구 병변인 carcinoma in situ (CIS)로부터 유래된다 (Skakkebaek 등, 1987). 종양을 유발하는 유전자와 억제하는 유전자 모두는 CIS가 침습 형태로 전환하는 데 관여한다 (Dean과 Moul, 1998). CIS는 정상피세포종과 유사한 표현형을 가지지만, cyclin-dependent kinase inhibitor (CDI)인 p18-inhibitor of kinase 4c (p18^{INK4c})는 CIS에서 풍부하나 정상피세포종에서는 하향 조절된다 (Bartkova 등, 2000). 고환의 원발 GCT 환자 14명으로부터 채집한 표본을 RT-PCR로 분석한 연구는 *KLK10*의 발현이 종양에 인접한 정상 조직에 비해 종양 조직에서 유의하게 감소되거나 발견되지 않기 때문에 *KLK10*은 종양을 억제하는 인자라고 하였다. 이 연구는 또한 6명의 GCT 환자로부터 채집한 종양 조직과 8명의 정상인으로부터 채집한 정상 조직을 분석한 결과, hK10은 정조세포와 마찬가지로 침습 표현형의 전구 병변인 CIS에서 높게 발현되었다. 이들 결과에 의하면, hk10이 종양을 억제하는 기능을 가지고 있으며, *KLK10*은 고환암의 진행에서 어떠한 역할을 할 것으로 추측된다 (Luo 등, 2001).

유방암 세포에서 *KLK10*의 발현을 분석한 연구는 다음과 같은 결과를 보고하였다 (Zhang 등, 2006). 첫째, *KLK10*의 발현은 대부분의 유방암 세포주에서 감소되었다. 둘째, *KLK10* 음성인 유방암 세포 내로 *KLK10* 유전자 전달 감염을 일으키면 종양의 형성이 감소되었다. 셋째, methylation-specific PCR (MS-PCR) 분석은 *KLK10*의 과다 메틸화와 mRNA 발현의 소실 사이에서 강한 상관관계를 발견하였다. 넷째, *KLK10*은 정상 유방 표본의 100%에서 발현되는 데 비해, ductal carcinoma in situ (DCIS)의 46%와 infiltrating ductal carcinoma (IDC)의 대부분에서는 *KLK10* mRNA의 발현이 결여되어 있었다. 다섯째, 흥미로운 점은 생검으로 진단된 *KLK10* 음성 DCIS가 최종 수술에서는 IDC로 진단되었다는 점이다. 여섯째, hK10은 스테로이드에 의해 조절된다. *KLK10*은 유방암 외에도 전립선암, 자궁경부암, 급성 림프구 백혈병 등에서 하향 조절되며, 난소암에서 상향 조절된다. 이들 결과는 암의 종류에 따라 *KLK10*이 다른 역할을 가짐을 보여 준다.

QRT-PCR을 이용하여 190점의 결장직장암 표본을 분석한 연구는 다음과 같은 결과를 보고하였다 (Alexopoulou 등, 2013). 첫째, *KLK10*의 발현은 암 조직에서 유의하게 더 높았으며 ($p < 0.001$), 진행된 TNM 병기의 질환에서 *KLK10*의 높은 발현이 관찰되었다 ($p = 0.036$). 둘째, *KLK10*의 발현이 높은 환자에서는 무병 생존 및 전반적 생존이 더 짧았으며, 각각의 p-value는 0.014, 0.020이었다. 이들 결과는 *KLK10*이 결장직장암 환자에서 부정적인 예후에 대한 표지자임을 보여 준다.

비악성 전립선을 가진 남성 25명과 전립선암 환자 179명으로부터 채집한 전립선 조직에서 hK6, hK10, hK13 등에 대해 면역조직화학검사를 실시한 연구에 의하면, 전립선암 환자 중 hK6, hK10, hK13에 대해 면역 염색 반응을 나타낸 경우는 각각 122명, 94명, 113명이었으며, 이들 세 kallikreins는 암 조직에서 약간 더 낮은 비율로 발현되었지만, 비악성 및 악성 전립선에서 발현되었고, 발현 정도가 공격성과 상호 관련이 없었기 때문에, 전립선암의 예후를 예측하는 데 도움을 주지 않는다고 생각된다 (Petraki 등, 2003) (도표 159). 이 연구 결과에 관하여 '32.12. Human kallikrein 13 (KLK13)'을 참고하면 도움이 된다.

32.10. Human kallikrein 11 (hK11, KLK11)

Human kallikrein 11 (hK11)을 코드화하는 유전자 *KLK11*

CHAPTER 08

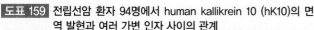

도표 159 전립선암 환자 94명에서 human kallikrein 10 (hK10)의 면역 발현과 여러 가변 인자 사이의 관계

가변 인자	환자 수	환자 수 (%)		p
		hK10 (-)	hK10 (+)	
4단계 조직 등급				
A	19	5 (26.3)	14 (73.7)	0.973
B	14	3 (21.4)	11 (78.6)	
C	18	4 (22.2)	14 (77.8)	
D	43	9 (20.9)	34 (79.1)	
2단계 조직 등급				
I	33	8 (24.2)	25 (75.8)	0.745
II	61	13 (21.3)	48 (78.7)	
피막 외부 확대				
음성	14	5 (35.7)	9 (64.3)	0.400
양성	18	4 (22.2)	14 (77.8)	
정낭 침범				
음성	21	7 (33.3)	14 (66.7)	0.365
양성	11	2 (18.2)	9 (81.8)	
림프절 침범				
음성	29	8 (27.6)	21 (72.4)	0.833
양성	3	1 (33.3)	2 (66.7)	
생화학적 재발				
음성	4	0 (0)	4 (100)	0.974
양성	10	2 (20)	8 (80)	

Gleason 점수의 범위는 2~10이며, Gleason 점수 7에서 분화도 등급 3이 우세한 경우는 7a, 등급 4가 우세한 경우는 7b로 규정하였다. Gleason 점수에 따른 4단계 조직 등급 A, B, C, D는 각각 ≤6, 7a, 7b, ≥8이며, 2단계 조직 등급 I, II는 각각 ≤7a, ≥7b이다.
Petraki 등 (2003)의 자료를 수정 인용.

은 사람의 해마 (hippocampus)에서 처음 분리되었으며 (Yoshida 등, 1998), *trypsin-like serine protease (TLSP), hippostasin, protease, serine 20 (PRSS20)*로 기술되다가 새로운 유전자 명명법에 따라 현재 유전자는 *KLK11*으로, 그것의 단백질은 hK11으로 명명된다 (Nakamura 등, 2000). *KLK11*은 *KLK10/NES1*과 *KLK12* 유전자 사이의 염색체 19q13.4에 위치해 있다. 이 유전자가 분비 serine protease를 코드화한다고 추측되었지만, 조직 추출물 혹은 생물 체액 내에 있는 단백질 hK11을 측량할 수 있는 방법은 없었다. *KLK11* 유전자는 RT-PCR에 의해 뇌, 피부, 타액선, 위, 전립선, 장 등과 같은 많은 조직에서 발현됨이 밝혀졌다. hK11은 뉴클레오티드 및 단백질 구조 측면에서 PSA (hK3)와 상당한 상동성을 가진다 (Diamandis와 Yousef, 2002). hK11은 alternative splicing에 의해 뇌 유형의 1형 이성질체 (isomer), 전립선 유형의 2형 이성질체, 3형 이성질체 등의 세 이성질체를 가지고 있다. 1형 이성질체는 250개 아미노산으로 구성되어 있고, 2형 이성

질체는 1형의 말단에 32개 이상의 아미노산을 가지고 있다. 3형 이성질체는 활성 부위에 추가로 25개 아미노산을 가지고 있다 (Yousef 등, 2000b; Nakamura 등, 2003a). 각 76점의 정상 전립선 조직과 전립선암 조직을 QRT-PCR로 분석한 바에 의하면, *KLK11*의 두 아형, 즉 뇌 유형과 전립선 유형은 정상 조직에 비해 전립선암 조직에서 25~45% 더 높게 발현되었으며, *KLK11*의 두 아형 중 전립선 유형의 낮은 발현은 높은 병기, 높은 Gleason 점수, 높은 분화도 등급 등과 유의한 연관성을 보였지만, 그러한 연관성은 뇌 유형에서는 관찰되지 않았다 (Nakamura 등, 2003).

Diamandis 등 (2002)은 baculovirus, 효모, 세균 발현 시스템 등에서 재조합 hK11 단백질을 생성하여 이를 단일 클론 항체 혹은 다중 클론 항체를 만들기 위한 면역원 (immunogen)으로 이용하였다. 이들 연구자들은 처음으로 이 항체를 이용한 면역형광측정법을 개발하여 조직 추출물, 생물 체액, 혈청에서 hK11을 측정하였다. hK2, hK3, hK4, hK6, hK10 등과 같은 일부 다른 kallikreins와 같이 hK11은 다른 조직보다 전립선에서 높게 발현된다.

hK11에 대한 면역형광측정법은 높은 민감성을 나타내며, 다른 kallikreins와 교차 반응을 하지 않아 특이도가 높고, 발견 절단치는 0.1 μg/L이다. 단백질 수준에서 hK11의 조직 발현은 전립선에서 가장 높고, 그 다음은 위, 기관지, 피부, 결장 순이다. hK11은 생물 체액 중 정액장액에서 가장 높은 농도로 발견되며, 이 외에 양수, 모유, 뇌척수액, 난포액, 유방암 세포질 등에서도 발견된다. 전립선 조직 추출물과 정액장액에서 hK11의 농도는 hK2의 농도와 비슷하나 PSA보다는 약 300배까지 낮다 (Black 등, 1999). PSA는 semenogelins를 분해하여 정액의 액화를 촉진하며 (Lovgren 등, 1997), hK2 (Takayama 등, 2001)와 hK15 (Yousef 등, 2001)은 PSA의 전구체를 활성화하는데, hK11도 그들과 유사한 작용을 가지는지는 밝혀져 있지 않다.

Luo 등 (2006)은 정액장액에서 면역 친화적 색층 분석 (immunoaffinity chromatography)을 이용하여 hK11을 처음 정제하여 특성을 밝혔다. 그들은 hK11은 정액장액 내에 2~37 μg/L로 포함되어 있으며, 약 40 kDa의 유리형 효소로 존재한다고 하였다. hK11의 약 40%는 효소적으로 활성적인 데 비해, 나머지는 Arg156 뒤에서 약 20 kDa의 두 펩티드로 내부 분열을 일으키고 내부에서 이황화 결합 (disulfide bond)으로 연결되어 불활성 상태로 있다. 정제된 hK11은 trypsin과 같은 작

용을 하며 lysine 잔기가 아닌 arginine 뒤에서 합성 펩티드를 분절시킨다. hK11은 chymotrypsin의 기질을 분열시키지는 않는다. Antithrombin, α_1-antichymotrypsin, α_2-antiplasmin, α_1-antitrypsin 등은 hK11의 작용에 영향을 주지 않으며, 생체 밖 실험에서 hK11과의 복합체를 형성하지도 않는다. 단백질분해효소를 비가역적으로 특이하게 억제하는 4-amidino-phenylmethanesulphonyl fluoride (APMSF)는 hK11의 활성을 2.5 mmol/L 농도에서 완전하게 억제하였다. Aprotinin과 hK11 특이 단클론 항체는 hK11의 활성을 40%까지 억제하였으며, plasmin은 Arg156에서 hK11을 분절시키는 강력한 인자로서의 역할을 한다. 저자들은 hK11이 사정 후 정액을 액화시키는 경로에 관여한다고 하였다.

hK11은 상피세포에서 분비됨이 면역조직화학적 검사로 확인되었다. hK2, hK3, hK4 등은 안드로겐에 의해 상향 조절되지만, 유방암 세포주에서 hK11은 에스트라디올에 의해 증가된다 (Yousef와 Diamandis, 2001). hK11은 생물 체액 내에서는 주로 유리형으로 발견되며, 혈청에서는 다른 kallikreins와 마찬가지로 단백질분해효소 억제제와 복합체를 이룬 형태로 발견된다. 그러나 현재의 분석법이 hK11의 유리형 혹은 복합형의 미세량까지 측정할 수 있는지 분명하지 않아 hK11의 정확한 농도는 알지 못하는 실정이다.

KLK11의 발현은 스테로이드 호르몬에 의해 조절되기 때문에 (Yousef 등, 2000b), 유방암, 난소암, 전립선암 등과 같은 내분비와 관련이 있는 암에서 어떠한 역할을 할 것으로 생각된다 (Stavropoulou 등, 2005). 혈청 hk11 농도의 증가는 난소암 (Borgono 등, 2003), 전립선암 (Nakamura 등, 2003c) 등에서 발견된다.

혈청 hK11 농도는 난소암 환자의 70%와 전립선암 환자의 60%에서 증가되며, 종양세포의 세포질에서 뚜렷하게 양성 반응을 보인다 (Diamandis 등, 2001). 난소암의 조기 발견 혹은 양성전립선비대와 전립선암과의 감별, 난소암과 전립선암의 추적 관리 등을 위해 hK11과 다른 표지자를 함께 활용하면 도움이 된다고 생각된다. 또한, 총 PSA에 대한 hK11의 비율을 이용하면 조직검사의 횟수를 줄일 수 있다. 이와 같은 자료는 free PSA (fPSA)의 분석과 비슷하다 (Nakamura 등, 2003).

hK11의 농도가 양성전립선비대와 전립선암을 구별하는 데 이용될 수 있는지를 평가하기 위해 실시된 연구는 조직학적으로 확인된 양성전립선비대 남성 64명과 전립선암 남성 86명으로부터 채취한 혈청 표본 150점을 대상으로 hK11, total PSA (tPSA), free PSA/tPSA (%fPSA)를 측정하였으며 fPSA와 tPSA는 Immulite PSA 분석으로, hK11은 면역형광측정법으로 분석하였다 (Nakamura 등, 2003). 혈청 hK11의 농도와 hK11:tPSA의 비율 둘 다는 양성전립선비대보다 전립선암 환자에서 유의하게 더 낮았다. %fPSA가 20% 미만인 소그룹에서는 hK11:tPSA의 비율을 이용함으로써 양성전립선비대 환자의 51%가 추가로 생검을 피할 수 있었다. 즉, 양성전립선비대 환자 64명 가운데 29명인 45%는 %fPSA가 20%를 초과하여 90%의 민감도로 생검을 줄였으며, 나머지 35명 중 18명은 hK11:tPSA의 비율이 0.05를 초과하여 생검을 하지 않았다. 결과적으로 %fPSA와 hK11:tPSA의 비율을 병용함으로써 양성전립선비대 환자의 73%가 생검을 피할 수 있었다. ROC 분석에 의하면, hK11:tPSA의 비율과 %fPSA의 AUC가 각각 0.83, 0.83으로 AUC가 0.69인 tPSA보다 전립선암에 대해 더 강한 예측 인자로서의 역할을 하였다. 따라서 저자들은 hK11:tPSA의 비율이 전립선암에 대한 유용한 종양 표지자이며, %fPSA와 병용하면 불필요한 생검 횟수를 줄일 수 있다고 보고하였다.

침 생검으로 확인된 양성전립선비대 환자 42명과 전립선암 환자 22명을 대상으로 RT-PCR을 이용하여 KLK11의 발현을 분석한 연구는 양성전립선비대 환자의 23.8% (10명/42명), 전립선암 환자의 54.5% (12명/22명)가 전립선 유형의 KLK11에 양성 반응을 보였으며 ($p < 0.025$), KLK11의 발현은 양성전립선비대와 전립선암에 대해 유의한 변별력을 나타내어 crude OR이 3.84 ($p < 0.016$), AUC가 0.65 (95% CI 0.51~0.80)이었다고 하였다 (Scorilas와 Gregorakis, 2006) (도표 160).

전립선암 조직 표본 63점에서 QRT-PCR을 이용하여 TMPRSS2와 KLK11을 분석한 연구는 다음과 같은 결과를 보고하였다 (Bi 등, 2010). 첫째, 정상 전립선 조직과 전립선암 조직에서 TMPRSS2의 평균치는 각각 0.26 ± 0.04, 3.91 ± 0.78, KLK11의 아형 중 전립선 유형의 평균치는 각각 0.49 ± 0.07, 3.63 ± 0.42, KLK11의 뇌 유형의 평균치는 각각 0.46 ± 0.05, 3.11 ± 0.30으로 TMPRSS2와 KLK11 둘 모두는 정상 조직에 비해 암 조직에서 유의하게 더 높게 발현되었다. 둘째, TMPRSS2의 발현은 종양의 병기 ($p=0.02$), Gleason 점수 ($p=0.008$), 종양의 분화도 등급 ($p=0.016$) 등과 상호 관련이 있었으며, KLK11의 전립선 유형이 낮게 발현되는 경우도 높은 병기 ($p=0.009$), 높은 Gleason 점수 ($p=0.01$), 높은 분화도 등급 ($p=0.006$) 등과 유의하게 관련이 있었으나 KLK11의 뇌 유형은 그러한 연관성을 보이지 않았다. 셋째, TMPRSS2를 높

도표 160 전립선암 및 양성전립선비대 환자에서 전립선암의 존재를 예측하기 위한 로지스틱 회귀 분석 결과

공변량	단변량 분석		다변량 분석	
	Crude OR (95% CI)	p-value	Crude OR (95% CI)	p-value
tPSA	1.05 (1.02~1.09)	0.016	1.09 (1.01~1.17)	0.022
fPSA	0.91 (0.56~1.44)	0.002	0.51 (0.25~1.04)	0.066
KLK11	3.84 (1.23~11.5)	0.68	3.77 (1.16~12.2)	0.027

CI, confidence interval; fPSA, free prostate-specific antigen; KLK11, kallikrein-related peptidase 11; OR, odds ratio; PSA, prostate-specific antigen; tPSA, total prostate-specific antigen.
Scorilas와 Gregorakis (2006)의 자료를 수정 인용.

게 발현하고 *KLK11*을 낮게 발현하는 전립선암을 가진 환자의 생존율은 가장 낮았다 ($p=0.003$). 이들 결과는 진행된 공격적인 전립선암에서 *TMPRSS2* 유전자의 상향 조절과 *KLK11* 유전자의 하향 조절이 공격적인 질환을 구별할 수 있는 예후 표지자임을 보여 준다.

근치전립선절제 표본 70점에서 hK7과 hK11에 대해 면역조직화학검사를 실시한 연구는 다음과 같은 결과를 보고하였다 (Jamaspishvili 등, 2011). 첫째, hK7과 hK11의 발현은 정상 및 양성 전립선 세포에 비해 전립선암 세포에서 감소되었으며 *p*-value는 각각 0.025, <0.001이었다. 둘째, 전립선암과 양성전립선비대 사이에서 hK7과 hK11은 상관관계가 있음이 관찰되었으며, 각각의 경우에서 *rs*는 0.74, 0.35, *p*-value는 <0.001, 0.003이었다. 셋째, hK11은 국소 전립선암에 비해 진행 전립선암에서 유의하게 상향 조절되었다 ($p=0.026$). 이들 결과에 의하면, hK11의 발현은 양성전립선비대에 비해 전립선암에서 더 낮으며, 국소 전립선암에 비해 진행 전립선암에서 약간 상향 조절되기 때문에, 초기 전립선암의 진단에서 hK11은 활용할 가치가 있다고 생각된다.

32.11. Human kallikrein 12 (hK12, KLK12)

Yousef 등 (2000)에 의해 처음 복제된 *kallikrein gene 12* (*KLK12*)는 다른 kallikreins와 마찬가지로 5개의 코드화 exons를 가지며, 최소 3종의 alternatively spliced forms를 가지고 있고 (Kurlender 등, 2005), trypsin과 같은 기능을 하는 serine protease hK12를 코드화한다.

KLK12 mRNA 및 단백질 수준에서 타액선, 위, 자궁, 폐, 흉선, 전립선, 결장, 뇌, 유방, 갑상선, 기관 (trachea), 골격 및 골수 등과 같은 다양한 조직에서 발현된다 (Yousef 등, 2000;

Shaw와 Diamandis, 2007). *KLK12* mRNA는 유방암에서 하향 조절되며, 유방암 및 전립선암 세포주에서 스테로이드 호르몬에 의해 조절된다고 보고되었다 (Yousef 등, 2000).

KLK5, *KLK6*, *KLK12*, *KLK13* 등은 전립선암의 위험과 공격성의 발달에서 흔히 유전적 변형을 일으킨다. 오스트레일리아 자료에 포함되어 있는 전립선암 환자 1,000명과 대조군 남성 1,300명에서 22종의 tagging single nucleotide polymorphisms (TagSNPs)의 유전형을 분석하였고, 영국의 전립선암 관련 genome-wide association study (GWAS)에 포함된 전립선암 환자 1,844명과 대조군 1,886명을 평가한 연구에 의하면, *KLK12*에서 1개의 SNP, 즉 rs3865443가 전립선암의 발생 위험과 관련이 있었으며, 이후 309명의 전립선암 환자에서 유전형을 분석한 결과 이 유전자 변형이 전립선암의 위험을 증가시킴을 확인하였다 (OR 1.28, 95% CI 1.04~1.57; $p=0.018$) (Lose 등, 2013). 그러나 이 연구에서는 다른 *KLKs*, 즉 *KLK5*, *KLK6*, *KLK13* 등에서는 전립선암의 위험 혹은 공격성 관련이 있는 SNPs가 발견되지 않았다.

hK12의 효소 작용은 pH와 Zn^{2+}에 의해 영향을 받는다. hK12는 생리학적 pH (~7.5)에서 가장 높은 활성도를 나타낸다. hK12의 활성은 용액이 산성일수록 pH의 변화에 대해 매우 민감하다. pH가 7.0 이하로 떨어지면 효소의 활성은 급속하게 상실되는데, 활성화 완충액의 pH가 7.0 이하이면 pro-KLK12의 자가 활성화가 일어나지 않는다. 따라서 pH는 hK12의 자가 활성화에서 중요한 인자이다. hK12의 효소 작용은 Zn^{2+}에 의해서도 조절된다 (Memari 등, 2007). hK12는 타액선, 전립선, 중추신경계 등과 같은 분비샘 조직에 배열된 상피세포에서 발현된다 (Yousef 등, 2000b). 이들 조직에서는 분비 과립 내의 Zn^{2+} 농도가 9 mM 정도로 높다 (Kavanagh, 1985). Zn^{2+}의 대부분은 다른 단백질 혹은 용매 (solvent)와 결합하여 복합체를 형성하며, 일부는 자유 형태로 존재한다. hK12의 활성을 50% 억제하는 데는 10 µM의 Zn^{2+}으로 충분하며, 0.2 mM의 Zn^{2+}은 hK12의 활성을 95% 이상 억제할 수 있다. 따라서 Zn^{2+} 또한 hK12의 활성을 조절하는 중요한 기능을 가지고 있다 (Memari 등, 2007). Kallikreins에 대한 Zn^{2+}의 조절 기능은 hK2 (Lovgren 등, 1999a), hK3 (Malm 등, 2000), hK5 (Michael 등, 2006) 등에서도 관찰된다.

단백질분해효소의 불활성화에 관여하는 기전으로는 단백질 분해에 의한 분절, 단백질분해효소 억제제와의 복합체 형성 등이 있다. 단백질분해효소의 분절은 자가 소화 혹은 다른

단백질분해효소에 의한 단백질 분해에 의해 일어난다. 자가 소화, 즉 자가 단백질 분해에 의한 불활성화는 hK6 (Bayés 등, 2004) 혹은 hK11 (Luo 등, 2006) 등과 같은 다른 kallikreins에서도 보고되었다. Serine protease inhibitor, 즉 Serpin은 사람의 조직과 생물 체액 내에 분포되어 있는 주된 단백질분해효소 억제제이다. hK12는 생체 밖 실험에서 α_2-antiplasmin, protein C inhibitor, C1 inhibitor 등과 공유 결합하여 복합체를 형성하지만, 연관 속도 상수 (association rate constant)에 근거하였을 때 α_2-antiplasmin이 hK12와 가장 신속하게 결합하는 serpin으로 간주된다. α_2-Macroglobulin 또한 혈청 내에 풍부하게 분포해 있는 단백질분해효소 억제제이지만, hK12에 대한 억제 효과는 없다 (도표 161). 즉, 활성 hK12가 혈중에 유리되면, hK12와 복합체를 형성하는 억제제의 대부분은 α_2-antiplasmin이다. 종합하여 볼 때, 생리학적 조건 하에서 자가 분절 및 hK12와 α_2-antiplasmin과의 복합체 형성은 단백질을 분해하는 hK12의 작용을 약화시킨다 (Memari 등, 2007).

hK12는 기질과 결합하는 부위에 aspartic acid 잔기가 존재하기 때문에 trypsin과 같은 작용을 한다고 간주되며 (Shin-mura 등, 2004), 다수의 펩티드 기질을 검색한 바에 의하면 hK12는 hK12의 분절 부위인 P1에 있는 arginine 혹은 lysine을 선호한다 (Memari 등, 2007).

hK 가족의 일부는 특이 조직에서 단백질을 분해하는 과정에 관여하여 생리학적 기전을 촉진한다. 지금까지 자가 활성화가 보고된 kallikreins로는 hK2 (Lovgren 등, 1999b)와 hK5 (Michael 등, 2005)가 있다. 생체 밖 실험은 hK2는 pro-hK3를 활성화할 수 있음을 보여 주었다 (Vaisanen 등, 1999). 마찬가지로 hK5는 pro-hK7과 pro-hK14을 활성화할 수 있다 (Brattsand 등, 2005). 이러한 맥락에서 볼 때, hK2는 정액장액에서 hK3의 생리학적 활성제이고, hK5는 hK7, hK14 등과 함께 피부 각질층에서 효소 과정의 개시자로 간주된다. 또한, hK4와 hK15은 생체 밖 실험에서 pro-hK3를 활성화하였다 (Takayama 등, 2001b). pro-hK12는 자가 활성화를 일으킬 뿐만 아니라, hK12는 pro-hK11을 신속하게 활성화한다. hK12는 pro-hK14을 활성화하지는 않으나 pro-hK7에 대해서는 느리게 활성화한다고 관찰되었다 (Memari 등, 2007). hK11과 hK12는 타액선, 유방, 위장관, 자궁 등 많은 조직에서 함께 발현되기 때문에 (Yousef와 Diamandis, 2001), hK12는 일부 조직에서 hK11의 생리학적 활성제라고 생각된다.

hK12의 생리학적 기능은 분명하지 않으나, 혈관 형성에서

도표 161 hK12의 효소 작용을 불활성화하는 여러 단백질분해효소 억제제

억제제	억제 농도	K_{ass} ($M^{-1}S^{-1}$)
$\alpha2$-Antiplasmin (A2AP)		2.1×10^5
C1 inhibitor (C1IN)		2.2×10^3
Protein C inhibitor (PCI)		1×10^3
Antithrombin III (AT3)		$\langle 103a$
$\alpha1$-Antitrypsin (A1AT)		$\langle 103a$
$\alpha1$-Antichymotrypsin (AACT)	ND	
Kallistatin (KAL)	ND	
PAI-1	ND	
$\alpha2$-Macroglobulin (A2M)	ND	
STI	ND	
Aprotinin	2 μM	
3,4-DCI	0.25 mM	
Benzamidine	5 mM	

억제제에 관하여, hK12 활성의 95% 이상을 억제하는 데 요구되는 농도와 hK12에 따른 association rate의 상수를 나타낸다.

3,4-DCI, 3,4-dichloroisocoumarin; hK12, human kallikrein-related peptidase 12; Kass, association rate constant; ND, not detected; PAI-1, plasminogen activator inhibitor 1; STI, soybean trypsin inhibitor.

Memari 등 (2007)의 자료를 수정 인용.

중요한 역할을 수행한다고 생각된다. hK12는 다양한 성장 인자와 상호 작용하는 다수 영역을 가진 세포 외부 기질의 단백질인 cyclin (CCN) 가족의 구성원 6종 모두를 분절시킴으로써 VEGF와 같은 성장 인자의 생체 이용률과 활성화를 조절한다. CCN 가족이란 세포 외부 기질에서 처음 발견된 세 단백질, 즉 cysteine-rich angiogenic protein 61 (CYR61 혹은 CCN1), connective tissue growth factor (CTGF 혹은 CCN2), nephro-blastoma overexpressed (NOV 혹은 CCN3) 등의 두문자에서 유래되었으며, 전체는 CCN1~CCN6의 6종으로 구성되어 있다. CCNs의 제한적인 단백질 분해는 hK1, hK5, hK14 등의 일부 hKs에 의해 관찰되며, hK6, hK11, hK13 등은 CCNs를 분절시키지 못한다 (Guillon-Munos 등, 2011). hK12, CCNs, 혈관 형성에 관여하는 여러 인자 등의 연관성을 분석한 바에 의하면, hK12에 의한 CCN1 혹은 CCN5의 분절은 VEGF의 결합을 방해하는 한편, CCN 복합체로부터 VEGF와 bone morphogenetic protein 2 (BMP2)를 유리시킨다. 또한, hK12는 농도 의존적으로 $TGF\beta_1$과 fibroblast growth factor 2 (FGF2)를 유리시킨다. 이와 같은 결과는 hK12가 여러 성장 인자가 결합하는 CCNs를 분절시킴으로써 성장 인자의 생체 이용률과 활성을

간접적으로 조절함으로 보여 준다 (Guillon-Munos 등, 2011). 한편, hK12의 조절 장애는 혈관 형성에서의 결함을 나타내는 전신 경화증에서 발견되며, 항체를 이용하여 피부의 내피세포에 있는 hK12를 억제하면 내피세포의 성장, 이동, 세관 형성 등이 감소된다 (Giusti 등, 2005). 따라서 hK12의 혈관 형성과의 연관성은 kinin receptor B2 (B2R)의 활성화에 의한 kinins와 관련이 있다고 생각된다.

앞에서 기술된 바와 같이, hK12는 혈관 형성을 유발하는 인자의 생체 이용률을 조절하고 B2R의 경로를 활성화함으로써 혈관 형성에 관여한다고 보고된 바 있으며, hK12는 고분자량의 kininogen을 가수 분해하여 -COOH 말단을 가진 kinins를 포함하는 절편을 생성한다. 그러나 kinin 염기의 N-terminus는 분절에 대해 저항성을 가지고 있기 때문에, hK12에 의한 kininogenase의 활성화는 이러한 절편 생성의 과정과 관련이 없다고 생각된다. hK12와 kininogen을 함께 배양한 실험에서 매우 소량의 kinins 만이 유리됨이 관찰되어 내피세포에서 일어나는 hK12의 혈관 형성 유발 효과가 kinin의 유리와는 관련이 없다는 연구 결과를 뒷받침한다 (Kryza 등, 2013). 그러나 hK12가 고분자량의 kininogen을 분절하여 혈관 형성을 유도하는 기전을 완전하게 배제할 수 없으며 (Giusti 등, 2005), 제시되는 다른 기전으로는 hK12가 kininogen의 D5 영역을 분절시킴으로써 kininostatin과 관련이 있는 혈관 형성에 대한 저항 작용을 억제한다는 기전이 있다 (Kryza 등, 2013).

hK12는 세포 외부 기질 내에 있거나 세포막과 결합한 platelet-derived growth factor subunit B (PDGF-B)를 용해성 단백질로 전환시킨다. PDGF-B와 VEGF A (VEGF-A)는 내피에서의 세관 형성을 모방한 혈관 형성 조건의 배지에서 hK12에 의한 혈관 형성에 관여함이 관찰되었다. hK12, PDGF-B, VEGF-A 등의 상호 관계를 분석한 연구에 의하면, hK12가 PDGF-B를 유리시키며, 이는 섬유모세포에 의한 VEGF-A의 분비를 유도하고, 이로써 내피세포의 분화와 모세혈관의 관 형성이 자극을 받게 된다. 따라서 hK12는 내피세포와 기질세포의 상호 작용을 돕는다고 생각된다. 분비된 PDGF-B는 주변 분비 인자로서 작용을 하여 기질세포에 의한 VEGF-A의 분비를 조절함으로써, 결국 혈관 형성을 유발한다. hK12와 PDGF-B를 코드화하는 유전자 KLK12와 PDGFB는 모두 내피세포에서 발현되며, 저산소증 하의 종양세포에서 상향 조절되는데, 이는 hK12가 PDGF-B의 성숙 과정에 관여한다는 보고와 일맥상통한다 (Kryza 등, 2014).

재조합 hK12에 대한 항체를 생성하여 양성 및 악성 전립선에 대해 면역 염색법을 실시한 연구에 의하면, hK12의 항체가 정상 전립선의 경우 내강세포의 첨단부 및 세포막에서 현저하게 염색 반응을 나타낸 데 비해, 전립선상피내암과 전립선암의 경우 세포질에서 현저하게 염색 반응을 나타내었으며, tissue microarray 분석에서는 전립선암의 95% 이상이 hK12에 대해 양성 반응을 나타내었다. 악성 전립선 조직에서 hK12의 농도가 높고 hK12가 세포질에 위치한다는 이 연구의 결과는 KLK12가 전립선암의 형성에서 어떠한 역할을 함을 나타낸다. (Memari 등, 2007).

위암 환자 133명에 관한 연구는 KLK12 mRNA는 위암 조직에서 과다 발현되었고, hK12의 과다 발현은 림프절 전이 (p=0.001), 조직학적 형태 (p<0.001) 등과 관련이 있었으며, hK12의 발현이 낮은 환자에 비해 높은 환자에서 5년 생존율이 더 낮아 KLK12의 mRNA와 단백질은 위암의 진단과 예후 예측에서 도움이 된다고 하였다 (Zhao 등, 2012). 다른 연구는 KLK12 mRNA의 발현은 유방암 조직에서 하향 조절되며, 유방암 및 전립선암 세포주에서 스테로이드 호르몬에 의해 상향 조절된다고 하였다 (Yousef 등, 2000). 비소세포 폐암 (non-small cell lung cancer, NSCLC) 환자 51명과 건강한 대조군 50명의 혈청에서 ELISA를 이용하여 hK1, hK4~8, hK10~14 등을 포함한 11종의 kallikreins를 분석한 연구는 다음과 같은 결과를 보고하였다 (Planque 등, 2008). 첫째, 대조군의 혈청에 비해 비소세포 폐암 환자의 혈청에서 hK5, hK7, hK8, hK10, hK12 등의 농도는 더 낮았고, hK11, hK13, hK14 등의 농도는 더 높았다. 둘째, hK11과 hK12의 발현은 종양의 병기와 상호 관련이 있었다. 셋째, hK11~hK14는 단변량 및 다변량 분석에서 비소세포 폐암의 높은 위험과 관련이 있었다. 넷째, hK4, hK8, hK10~hK14 등을 병용하였을 때, ROC-AUC는 0.90 (95% CI 0.87~0.97)이었다. 이들 결과는 폐암의 진단에서 다수 kallikreins 표지자를 이용하면 정확도가 증가됨을 보여 준다.

32.12. Human kallikrein 13 (hK13, KLK13)

Kallikrein-like gene 4 (KLK-L4)로도 알려진 kallikrein-related peptidase 13 (KLK13)은 다른 여러 kallikreins와 높은 상동성을 가진다. KLK13은 mRNA 수준에서 주로 고환, 유방, 전립선, 타액선 등에서 발현된다. 다른 kallikreins와 마찬가지

로 *KLK13*에 의해 코드화되는 단백질 hK13의 활성 부위 중심에는 기능을 같이 하는 세 아미노산, 즉 catalytic triad인 serine, histidine, aspartate 등이 잘 보존되어 있다 (Yousef 등, 2000a).

유방암 환자 19명에 관한 PCR 연구는 *KLK13*이 하향 조절되며, *KLK13* 양성은 재발 및 사망의 유의한 감소와 관련이 있다고 하였다 (Yousef 등, 2000a). 유방암의 공격성에서 *KLK13*의 역할을 설명해 주는 기전은 분명하지 않지만, 유방암을 억제하는 인자의 생성이나 활성화하는 기전, 부정적인 인자의 작용을 중단시키는 기전 등이 제시된다. PSA는 전립선암과 유방암 조직에서 하향 조절된다고 알려져 있는데, 이는 PSA가 긍정적인 인자로서의 기능을 함을 나타낸다 (Yu 등, 1998). 다른 자료에 의하면, PSA는 종양을 억제하는 인자 (Balbay 등, 1999), 세포 자멸사를 유발하는 인자 (Balbay 등, 1999), 세포의 성장을 역조절하는 인자 (Lai 등, 1996), 혈관 형성을 억제하는 인자 (Fortier 등, 1999) 등으로 제시되었다. hK10도 유방암 및 전립선암 세포주에서 하향 조절되어 종양을 억제하는 기능을 가지고 있다고 간주된다 (Goyal 등, 1998). 기타 단백질분해효소, 예를 들면 pepsinogen C (PGC), matrix metalloproteinase 9 (MMP9) 등도 유방암에서 유리한 지표라고 보고되었다 (Scorilas 등, 2001).

유방암에서 에스트로겐 수용체와 프로게스테론 수용체의 발현이 높은 종양세포의 유무는 호르몬 요법의 반응을 예측하는 중요한 인자이다. 에스트로겐 수용체 양성인 종양을 가진 환자는 음성인 환자에 비해 생존 기간이 더 길다고 보고되었다. 진행 유방암 환자 342명에서 수용체를 분석한 연구는 프로게스테론 수용체 농도의 증가는 tamoxifen에 대한 반응의 증가, 치료 실패까지 기간의 연장, 전반적 생존의 연장 등과 유의하게 관련이 있었으며, 프로게스테론 수용체의 농도가 10 미만, 10~99, 100 이상 fmol/mg인 경우 tamoxifen에 대한 반응률은 각각 43%, 53%, 61%이었고, 에스트로겐 수용체 양성인 환자에서 반응률은 폐경 전 환자의 경우 24%인 데 비해 폐경 후 여성으로서 에스트로겐 수용체 농도가 38 fmol/mg 이상이고 프로게스테론 수용체 농도가 329 fmol/mg 이상이면 86%이라고 하였다 (Ravdin 등, 1992). 유방 상피세포암 환자 173명에게서 RT-PCR을 이용하여 *KLK13*의 발현을 분석한 연구는 다음과 같은 결과를 보고하였다 (Chang 등, 2002). 이 연구에서 절단치는 40th perceltile로 설정하였다. 첫째, *KLK13* 발현의 높은 양성도 (positivity)는 고령이고 에스트로겐 수용체 양성인 환자에서 발견되었다. 둘째, 단변량 분석에서 *KLK13*의 발현은 무병 생존과 전반적 생존의 증가와 유의하게 관련이 있었으며, 각각의 *p*-value는 〈0.001, 0.009이었다. 셋째, 다변량 분석에서도 *KLK13*의 발현은 독립적인 예후 인자의 역할을 하였는데, 무병 생존과 전반적 생존에 대한 HR은 등급 I~II 환자군에서 각각 0.22 (*p*=0.001), 0.24 (*p*=0.008), 림프절 양성인 환자군에서 각각 0.36 (*p*=0.008), 0.44 (*p*=0.038), 에스트로겐 수용체 양성인 환자군에서 각각 0.36 (*p*=0.008), 0.18 (*p*=0.008)이었다. 넷째, 림프절 양성 및 에스트로겐 수용체 양성인 환자군에서 무병 생존에 대한 *KLK13* 발현의 HR은 0.25 (*p*=0.006), 림프절 양성 및 프로게스테론 수용체 양성인 환자군에서 무병 생존에 대한 *KLK13* 발현의 HR은 0.24 (*p*=0.008)이었다. 이들 자료는 유방암의 여러 소집단에서 *KLK13* 발현의 증가가 재발 혹은 사망의 위험에서 약 55~80% 감소와 관련이 있으며, 유방암에 대한 긍정적인 예후 표지자임을 보여 준다.

비악성 전립선을 가진 남성 25명과 전립선암 환자 179명으로부터 채집한 전립선 조직에서 hK6, hK10, hK13 등에 대해 면역조직화학검사를 실시한 연구는 다음과 같은 결과를 보고하였다 (Petraki 등, 2003) (도표 162). 첫째, 전립선암 환자 중 hK6, hK10, hK13에 대해 면역 염색 반응을 나타낸 경우는 각각 122명, 94명, 113명이었으며, 추적 관찰은 근치전립선절제술을 받은 68명에 대해 평균치 13.4±1.7개월, 중앙치 8.0개월 (1~58개월) 동안 하였고, 생화학적 재발의 절단치는 혈청 PSA 0.2 ng/mL로 규정되었다. 근치전립선절제술 환자에서 추적 관찰의 정보가 유효한 경우는 hK6에 대해 염색된 55명 중 26명, hK10에 대해 염색된 32명 중 14명, hK13에 대해 염색된 59명 중 25명이었다. Gleason 점수 7은 주된 등급에 따라 7a와 7b로 세분되었으며, Gleason 점수 2~7a인 전립선암을 낮은 악성도, Gleason 점수 7b~10을 높은 악성도로 분류하였다. 둘째, 면역조직화학검사에서 양성 전립선과 전립선 상피내암의 경우 세포질에 대한 염색 반응의 강도는 다양하게 나타났다. 전립선암의 경우 세 kallikreins에 대한 면역 발현은 감소되었는데, hK6, hK10, hK13에 대한 양성률은 각각 84% (102명/122명), 78% (73명/94명), 86% (97명/113명)이었다. 발현에서 통계적으로 유의한 차이는 비악성 전립선과 비교하였을 때 나타났으며, 이 경우 각각에서 *p*-value는 0.029, 0.009, 0.045이었다. 또한, 이들 세 kallikreins의 면역 발현 사이에서 양성적인 상호 관계가 발견되었다. 셋째, 조직학적 등

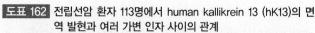

도표 162 전립선암 환자 113명에서 human kallikrein 13 (hK13)의 면역 발현과 여러 가변 인자 사이의 관계

가변 인자	환자 수	환자 수 (%)		p
		hK13 (-)	hK13 (+)	
4단계 조직 등급				
A	22	4 (18.2)	18 (81.8)	0.096
B	20	6 (30)	14 (70)	
C	22	2 (9.1)	20 (90.9)	
D	49	4 (8.2)	45 (91.8)	
2단계 조직 등급				
I	42	10 (23.8)	32 (76.2)	0.024
II	71	6 (8.5)	65 (91.5)	
피막 외부 확대				
음성	27	8 (29.6)	19 (70.4)	0.103
양성	32	4 (12.5)	28 (87.5)	
정낭 침범				
음성	44	10 (22.7)	34 (77.3)	0.435
양성	15	2 (13.3)	13 (86.7)	
림프절 침범				
음성	55	11 (20)	44 (80)	0.810
양성	4	1 (25)	3 (75)	
생화학적 재발				
음성	10	2 (20)	8 (80)	0.288
양성	15	1 (6.7)	14 (93.3)	

Gleason 점수의 범위는 2~10이며, Gleason 점수 7에서 분화도 등급 3이 우세한 경우는 7a, 등급 4가 우세한 경우는 7b로 규정하였다. Gleason 점수에 따른 4단계 조직 등급 A, B, C, D는 각각 ≤6, 7a, 7b, ≥8이며, 2단계 조직 등급 I, II는 각각 ≤7a, ≥7b이다.
Petraki 등 (2003)의 자료를 수정 인용.

급과 관련하여, 낮은 악성도에 비해 높은 악성도의 전립선암에서 이들 세 kallikreins를 발현하는 비율이 약간 더 높았는데, hK6, hK10, hK13 등에 대해 각각 79% 대 88%, 76% 대 79%, 76% 대 92%이었다. 이러한 차이는 hK13의 경우에서만 통계적으로 유의하였다 (p=0.024). 넷째, 전립선암에서 혈청 PSA는 이들 세 kallikreins의 면역 발현과 상호 관련이 없었다. 또한, 근치전립선절제술 환자에서 세 kallikreins의 발현은 병리학적 병기 혹은 재발과 유의한 연관성이 발견되지 않았다. 결과를 종합하여 볼 때, 이들 세 kallikreins는 암 조직에서 약간 더 낮은 비율로 발현되지만, 비악성 및 악성 전립선에서 발현되며, 발현 정도가 공격성과 상호 관련이 없기 때문에 전립선암의 예후를 예측하는 데 도움을 주지 않는다고 생각된다.

32.13. Human kallikrein 14 (hK14, KLK14)

Kallikrein-like gene 6 (KLK-L6)로도 알려진 KLK14 유전자는

2001년에 복제되었으며, 5개의 exons와 4개의 introns를 가지고 있다 (Hooper 등, 2001; Yousef 등, 2001), KLK14는 251개의 아미노산으로 구성된 전전구 효소 (preproenzyme)를 생성되며, 이 전구체는 18개 아미노산의 신호 펩티드와 6개 아미노산의 활성 펩티드를 가지고 있다 (Yousef 등, 2001b). 다른 kallikreins와 마찬가지로 KLK14에 의해 코드화되는 단백질 hK14의 활성 부위 중심에는 기능을 같이 하는 세 아미노산, 즉 catalytic triad인 serine, histidine, aspartate 등이 잘 보존되어 있으며, hK3를 포함하는 다른 kallikreins와 높은 상동성을 나타낸다 (Yousef 등, 2002).

RT-PCR 분석을 이용한 Yousef 등 (2001)은 KLK14 mRNA가 주로 중추신경계에서 발현된다고 하였으나, in situ hybridization (IHS)과 Northern blot 분석을 이용한 Hooper 등 (2001)은 주로 전립선과 골격근에서 발현된다고 하였다. 기타 연구와 종합하여 볼 때, KLK14 mRNA는 중추신경계, 척수, 전립선, 갑상선, 자궁, 난소, 고환 등에서 발현된다 (Yousef 등, 2002). KLK14 mRNA와 단백질 hK14은 안드로겐, progestins 등과 같은 스테로이드 호르몬에 반응하여 안드로겐 수용체에 의해 조절되고, 유방, 전립선, 난소, 고환 등과 같은 내분비 조직에서 우세하게 발현된다 (Yousef 등, 2002; Borgoño 등, 2003; Yousef 등, 2003b,d). hK14은 콜라겐, laminin 등과 같은 세포 외부 기질의 단백질을 분해하며 (Borgoño 등, 2007), 생체 밖 실험에 의하면, trypsin과 같은 작용을 한다고 생각된다 (Felber 등, 2005). hK14의 발현은 hK2나 PSA의 발현과 유사하며 (Hooper 등, 2001), ISH를 이용한 연구는 KLK14가 양성 전립선, 전립선상피내암, 악성 전립선 등의 분비성 상피세포에서 발현된다고 하였다 (Yousef 등, 2002). ELISA를 이용하여 사람의 조직 추출물과 생물 체액을 연구한 바에 의하면, hK14은 유방, 피부, 전립선, 정액장액, 양수 등에서 가장 높은 농도로 관찰되며, 정상 혈청에서의 농도는 거의 발견되지 않는 수준이다 (Yousef 등, 2002). 면역 분석에 의하면, 정상 혹은 질환을 가진 피부, 유방, 전립선, 난소 등에 hK14이 가장 높은 농도로 포함되어 있으며, hK14의 혈청 농도는 건강한 남성에 비해 전립선암 환자에서 유의하게 증가된다 (Borgoño 등, 2007).

KLK14 mRNA의 농도가 전립선암, 고환암, 난소암, 유방암 등의 조직에서 하향 조절된다는 보고가 있었지만 (Yousef 등, 2002), 그 후의 연구는 상충되는 결과를 보고하였다. 이와 관련된 다른 연구에 의하면, hK14의 농도는 정상 난소 조직에 비

해 난소암 조직에서 40% 더 높다. 혈청 hK14의 농도는 난소암 환자의 65%에서, 유방암 환자의 40%에서 증가되고, 유방암 조직의 경우 *KLK14*의 mRNA와 단백질이 각각 40%, 61%에서 증가되기 때문에, 유방암과 난소암에 대한 생물 지표로 간주된다 (Borgoño 등, 2003). 면역조직화학검사는 hK14에 대한 염색이 정상 및 악성 피부, 난소, 유방, 고환 등의 상피세포 세포질에서 강하게 나타남을 보여 주었다 (Borgoño 등, 2003).

hK14의 활성은 여러 요소에 의해 조절되는데, 그들에는 효소의 불활성화를 일으키는 자가 단백질 분해에 의한 분절, plasminogen activator inhibitor (PAI)-1 외에도 alpha1-antitrypsin, alpha2-antiplasmin, antithrombin III, alpha1-antichymotrypsin 등과 같은 억제성 serpins, 자극 효과와 억제 효과를 각각 나타내는 citrate와 Zn^{2+} 등이 있다. 또한, hK14의 표적으로 보고된 단백질로는 collagens I~IV, fibronectin, laminin, kininogen, fibrinogen, plasminogen, vitronectin, insulin-like growth factor-binding proteins 2/3 (IGFBP2/3) 등이 있다. 이러한 결과는 hK14이 연골의 변성으로 인한 관절 질환뿐만 아니라 성장, 침습, 혈관 형성 등을 포함하는 종양의 진행에 영향을 줄 수 있음을 보여 준다 (Borgoño 등, 2007). Zn^{2+}은 *KLK14*이 높게 발현되는 유방 조직이나 피부보다 *KLK14*이 가장 높게 발현되는 전립선에서 풍부하게 발견된다 (Borgoño 등, 2003). *KLK14*이 혈관 형성을 억제하는 인자를 분비하여 종양을 억제하는 기능을 가지고 있다고 생각되지만, 종양을 촉진하는 기능이 더 우세하다고 여겨지며, 그러한 결과는 종양의 종류와 종양의 미세 환경에 따라 다르다고 추측된다 (Borgoño 등, 2007).

hK14에 대한 phage (혹은 bacteriophage) 기질로서 선정된 기질 중 extracellular matrix (ECM) 단백질과 연관 지어 분석한 연구는 SwissProt 자료를 이용하여 trypsin과 같은 여러 기질을 보고하였다 (Felber 등, 2005) (도표 163). 시험 대상 중 가장 흥미로운 ECM 단백질은 laminin α-5 chain이었는데, 이 단백질은 클론 E7의 염기 서열과 동일한 LSRDN 염기 서열을 가지고 있다. Laminin α-5 chain은 laminin 10/11의 일부이며, 이 단백질은 정상 및 악성 상피세포의 강력한 부착 복합체이다. hK14은 낮은 농도에서 laminin α-5 chain을 효과적으로 분절시킬 수 있다. 동일한 조건에서 hK14은 collagen IV 또한 효과적으로 분해할 수 있다. 이 경우 다수의 분절이 발생하는데, 이는 collagen IV에는 hK14으로 인한 분절 부위가 1개 이상이 있음을 시사한다. 종합해 볼 때, hK2 (Frenette 등,

도표 163 SwissProt 데이터베이스를 통해 발견된 hK14의 가능성 있는 생리학적 기질

선정된 펩티드[†]	가능성 있는 단백질 기질[‡]
E7 (LSRDN)	Laminin α-5 chain 전구체 (잔기 2419-2423)
C11 (RQTND)	SPINK5 전구체 (잔기 1034-1037) Laminin α-1 chain 전구체 (잔기 1988-1991)
G1 (VGSLR)	Matrilin-4 전구체; 연골 ECM의 주성분 (잔기 178-182) Villin-like protein; 종양 억제 인자로 추정 (잔기 61-65)
F11 (QRLRD)	ET2 전구체; 혈관 수축 (잔기 145-149) VEGFR3 전구체 (잔기 1126-1130)
D9 (RGKTN)	Collagen α1 (XII) chain과 (XIX) chain 전구체 (잔기 1838-1841) Collagen α3 (IV) chain 전구체 (잔기 832-835)
E4 (TTDLR)	PCSK5 전구체 (잔기 371-375)
E12 (RVTST)	Airway trypsin-like protease 전구체 (잔기 6-10)

[†], 가능성이 있는 단백질 기질과 동일하다고 phage 시험으로 선정된 염기 서열 내의 아미노산 잔기는 굵은 글자로 표시되어 있다; [‡], 가능성이 있는 단백질 기질 내에 있는 상동성 염기 서열의 위치는 ( ) 내에 표시되어 있다.

ECM, extracellular matrix; ET2, endothelin 2; hK14, human kallikrein 14; PCSK5, proprotein convertase subtilisin/kexin type 5; SPINK5, serine protease inhibitor Kazal-type 5; VEGFR3, vascular endothelial growth factor receptor 3.
Felber 등 (2005)의 자료를 수정 인용.

1997b)와 PSA (Webber 등, 1995)가 암세포의 이동에 관여한다는 보고와 마찬가지로, 이러한 단백질을 분해하는 작용은 hK14을 분비한다고 알려진 유방암과 난소암 세포의 침습 활동과 관련이 있다고 생각된다. Phage로부터 선정된 펩티드에서 발견된 생물학적 기질 중 matrilin 4 (MATN4)는 콜라겐이 아닌 ECM 단백질이다. 이 단백질은 배아 발생 동안 발현되며 발달 중인 관절 표면에서 발현되지만, 그것의 역할이나 단백질이 분해된 후의 결과에 관하여 알려진 바는 없다 (Klatt 등, 2002). Endothelin 2 (ET2)의 전구체 또한 C-terminus 부위에 기질 염기를 가져 hK14에 의한 단백질 분해의 표적이 된다. ET2는 preproendothelin으로부터 내인성으로 생성되어 크기가 큰 endothelin을 형성하며, 이는 endothelin-converting enzyme (ECE)에 의해 분절되어 활성 펩티드가 된다. Endothelin은 그것의 G-protein coupled receptor (GPCR)와 결합함으로써 생리학적 작용을 나타내며, 주된 작용은 혈압 및 혈관 긴장도의 증가이다. hK14에 의한 ET2의 분절 부위는 활성 단백질의 염기 서열 내에 있지는 않지만, ET2의 C-terminus 부위가 분절되면 ECE에 의한 전구체의 활성화가 방지되고 새로운 형태의 활성 ET2가 유리될 수 있다 (Goraca, 2002). Lympho-epithelial Kazal-type-related inhibitor (LEKTI)로도

도표 164 *KLK14*의 SNPs와 전립선암의 공격성과의 연관성

*KLK14*의 SNPs와 전립선암의 공격성 (Gleason 점수 7 미만 대 7 이상)과의 연관성

KLK14 SNP	GS (7 (환자 수))	GS≥7 (환자 수)	OR (95% CI)	*p*-value
rs17728459	264	704	0.33 (0.15~0.73)	0.006
rs4802765	314	791	1.31 (1.00~1.72)	0.050
rs35287116	312	805	1.28 (1.06~1.56)	0.012

*KLK14*의 SNPs와 전립선암의 공격성 (Gleason 점수 6 이하 대 8 이상)과의 연관성

KLK14 SNP	GS≤6	GS≥8	OR (95% CI)	*p*-value
rs73051038	313	163	1.94 (1.10~3.40)	0.021
rs35287116	312	162	1.38 (1.03~1.85)	0.030

CI, confidence interval; GS, Gleason score; KLK14, kallikrein-related peptidase 14; OR, odds ratio; SNPs, single nucleotide polymorphisms.
Lose 등 (2012)의 자료를 수정 인용.

불리는 serine proteinase inhibitor Kazal-type 5 (SPINK5)의 전구체 또한 hK14의 표적이라고 보고되었다. Tryptase 억제 제인 leech derived tryptase inhibitor (LDTI)와 상당한 상동성을 나타내는 염기 서열인 영역 15는 hK14에 의해 분절된다. LEKTI의 역할은 분명하게 밝혀져 있지 않지만, 돌연변이가 있을 경우 만성 피부 염증, 전신 소양증, 심한 탈수증, 왜소 생장 등을 나타내는 상염색체 열성 질환으로서 모발 줄기의 결함으로 'bamboo hair' 의 특징을 가지는 심각한 선천성 질환인 Netherton 증후군이 발생하는 것으로 보아 생물학적으로 중요한 역할을 할 것으로 추측된다 (Magert 등, 2002). 세포 내에 있다고 추정되는 단백질 proprotein convertase subtilisin/kexin type 5 (PCSK5)와 신호 펩티드 airway trypsin-like precursor에서도 동일한 상황이 일어난다 (Felber 등, 2005).

안드로겐이 전립선암의 진행에 크게 관여하기 때문에, 안드로겐 박탈 요법은 진행된 전립선암에서 중요한 치료 방법으로 간주되고 있다. *KLKs*는 호르몬에 의해 분명하게 반응하는 유전자 가족이며, 특히 *KLK2*와 *KLK3*는 전형적으로 안드로겐에 의해 조절되는 유전자로서 안드로겐에 반응하는 전립선의 상피세포에서만 발현된다 (Lawrence 등, 2010). 여러 연구는 유방암 및 난소암 세포주에서 발현되는 *KLK14* mRNA가 안드로겐, 에스트로겐, progestins 등과 같은 스테로이드 호르몬에 의해 자극을 받으며, 이들 호르몬은 단백질 수준에서 더욱 민감한 영향을 나타낸다고 하였다 (Shaw와 Diamandis, 2008). 전립선암 세포에서 *KLK14*은 낮은 농도로 어떠한 부위에서도 발현되지만, 세포주의 안드로겐 수용체와 상호 관련이 없다는 보고 (Lawrence 등, 2010)도 있기 때문에, 이를 명확

하게 밝히는 연구가 필요하다.

*KLK14*은 안드로겐에 의해 역으로 조절되어 안드로겐 대항제에 의해 혹은 안드로겐이 박탈된 조건에서 증가되며, 안드로겐 박탈을 포함하는 호르몬 요법의 과정 중에 있는 전립선암에서 *KLK14*의 발현이 계속 유지됨으로 인해 암의 진행을 촉진하는 미세 환경에서 지속적으로 단백질을 분해하는 효과를 나타낸다. 전립선암 환자 1,200명과 대조군 1,300명에서 *KLK14* 유전자 자리의 변형과 전립선암의 공격성과의 연관성을 평가한 바에 의하면, 평가된 41개 single nucleotide polymorphisms (SNPs) 중 rs17728459, rs4802765, rs35287116 등의 세 SNPs가 Gleason 점수 7 이상과 연관성을 가졌다 (도표 164). 이들 연구 결과에 근거하여 저자들은 *KLK14*이 전립선암의 예후 표지자로 유용하다고 하였다 (Lose 등, 2012).

앞에서 기술된 바와 같이 *KLK14* mRNA는 정상 조직에 비해 유방암 세포주 혹은 유방암, 난소암, 고환암, 전립선암 등의 조직에서 감소된다고 기술되었으나 (Yousef 등, 2002), 다른 연구는 유방암 (Fritzsche 등, 2006), 난소암 (Yousef 등, 2003), 전립선암 (Yousef 등, 2003) 등에서 증가된다고 보고하였다. ELISA 혹은 면역조직화학검사로 유방암과 난소암에서 hK14의 발현이 증가됨이 발견되었으며, 높은 공격성과 관련이 있었다 (Borgoño 등, 2003). 정상 유방 조직과 유방암 조직에서 QRT-PCR을 이용하여 *KLK14* mRNA를 (38명), 면역조직화학검사를 이용하여 hK14를 (127명) 분석한 연구는 다음과 같은 결과를 보고하였다 (Fritzsche 등, 2006). 첫째, *KLK14* mRNA는 정상 유방 조직에 비해 전립선암에서 더 높게 발현되었다 (*p*=0.0027). 둘째, 세포질 내의 hK14은 정상

도표 165 *KLK14*의 발현을 포함한 임상병리학적 지표와 전립선암 진행에 대한 지표로서의 PSA 재발과의 관계

가변 인자	RR (95% CI)	*p*-value
단변량 분석		
연령 (63세 이하 대 63세 초과)	1,013 (0,518~1,982)	0,971
수술 전 PSA (9.8 이하 대 9.8 초과 ng/mL)	3,088 (1,433~6,653)	0,004
종양 병기 (pT2 대 pT3~4)	2,343 (1,211~4,535)	0,011
종양 분화도 등급 (Gleason 점수 3~6 대 7~10)	4,066 (1,840~8,984)	0,001
수술 절제면 상태 (R0 대 R1)	1,630 (1,826~3,219)	0,159
KLK14의 발현 (음성 반응 대 약한 혹은 강한 양성 반응)	2,189 (1,351~3,545)	0,001
다변량 분석		
수술 전 PSA (9.8 이하 대 9.8 초과 ng/mL)	2,174 (0,991~4,770)	0,053
종양 병기 (pT2 대 pT3~4)	1,408 (0,676~2,930)	0,361
종양 분화도 등급 (Gleason 점수 3~6 대 7~10)	2,998 (1,227~7,324)	0,016
KLK14의 발현 (음성 반응 대 약한 혹은 강한 양성 반응)	1,668 (1,003~2,775)	0,049

CI, confidence interval; KLK14, kallikrein-related peptidase 14; PSA, prostate-specific antigen; R0, negative resection margin; R1, positive resection margin; RR, relative risk.
Rabien 등 (2008)의 자료를 수정 인용.

유방 조직에 비해 침습 유방암에서 유의하게 더 높게 발현되었다 (*p*=0.003). 단변량 분석에서 hK14의 발현은 종양의 높은 분화도 등급 (*p*=0.041), 림프절 양성 (*p*=0.045) 등과 관련이 있었지만, 무병 생존 혹은 전반적 생존과는 유의한 연관성을 보이지 않았다. 이와 같은 결과는 *KLK14*이 정상 유방암 조직에 비해 유방암에서 과다 발현되고 종양의 공격성을 나타내는 전통적인 지표와 관련이 있지만, hK14이 생존 기간과의 연관성을 보이지 않기 때문에 전립선암의 예후 표지자로 이용하기는 부족한 점이 있음을 시사한다.

hK14 농도의 증가는 유방암, 난소암, 전립선암 등을 가진 환자의 혈청에서도 발견된다 (Borgoño 등, 2007). 두 연구는 유방암 혹은 전립선암을 가진 환자에서 혈청 hK14 발현의 증가가 부정적인 예후를 예측하는 인자라고 보고하였다 (Yousef 등, 2002; Yousef 등, 2003). *KLK14*은 질환의 진행이 없는 전반적 생존율을 예측하게 하는 독립 인자로 간주되며, 유방암에서는 부정적인 예후 (Yousef 등, 2002), 난소암에서는 긍정적인 예후 (Yousef 등, 2003)와 관련이 있다.

면역조직화학적 검사와 실시간 RT-PCR을 이용하여 근치전립선절제술을 받은 146명을 5년 동안 *KLK14* mRNA의 분석으로 추적 관찰한 연구에 의하면, 5년 재발률은 *KLK14*의 발현이 음성인 경우 14.6±7.2%, *KLK14*이 약하게 발현된 경우 25.1±5.6%, *KLK14*이 높게 발현된 경우 40.8±8.9%이었다. hK14의 발현은 종양의 병리학적 상태와 관련이 있었으며, 단변량 Kaplan-Meier 분석에서 PSA 재발로 규정되는 질환의 진행과 연관성을 가졌다. 다변량 Cox 비례 위험 회귀 분석 (proportional hazards regression model)은 *KLK14*이 전립선암에서

독립적인 예후 인자임을 보여 주었다 (도표 165). 이들 결과를 근거로 저자들은 *KLK14*이 근치전립선절제술 후 질환이 진행할 위험이 있는 환자를 발견하기 위한 예후 인자로서 적절하다고 하였다 (Rabien 등, 2008).

32.14. Human kallikrein 15 (hK15, KLK15)

Yousef 등 (2001)은 새로운 human kallikrein 15 (hK15)의 유전자 *KLK15*을 발견하였다. *KLK15*은 kallikrein 가족 중 가장 최근에 발견되었으며, 전형적인 mRNA 아형은 'prostinogen' 으로도 알려진 28 kDa의 활성 단백질 hK15을 코드화하고 (Takayama 등, 2001), 세 가지의 스플라이싱 변형 (spliced variant; RNA 스플라이싱에 의해 생성된 mRNA의 변이체)은 절단형 단백질을 코드화한다 (Kurlender 등, 2005). 이 유전자는 다른 *KLKs*와 마찬가지로 유전자 지도에서 염색체 19q13.4에 위치해 있으며, *KLK1*과 *KLK3* 사이에 있다. *KLK15*은 5개의 coding exons와 4개의 introns를 가지고 있고, 다른 kallikreins 유전자 그리고 kallikrein 유사 유전자와 구조적으로 비슷하며 (Yousef 등, 2001), *KLK3*와는 41%의 상동성을 가진다 (Yousef 등, 2002). 단백질 수준에서 hK15은 hK3와 40%는 동일하고 53%는 유사하다. hK15은 hK9 및 hK11과도 50%까지 유사하다. hK15은 기질과 결합하는 부위에 aspartate 잔기를 가지고 있지 않기 때문에 chymotrypsin과 같은 기질에 특이성을 나타낸다고 생각된다 (Yousef 등, 2002).

유전자 *KLK15* mRNA는 갑상선에서 가장 뚜렷하게 발현되지만, 전립선, 타액선, 부신, 결장, 고환, 신장 등에서도 낮

은 농도로 발현된다 (Yousef 등, 2001). 2007년에 사람의 여러 조직과 생물 체액에서 *KLK15*에 의해 코드화되는 hK15 단백질의 발현을 분석하였는데, 조직으로는 유방과 태아 피부에서, 생물 체액으로는 정액장액, 모유, 자궁경부 및 질 분비액 등에서 가장 풍부하였다 (Shaw 등, 2007). hK15의 생리학적 기능은 충분하게 알려져 있지 않으나 proPSA를 활성화한다고 보고된 바 있다 (Yousef 등, 2001).

mRNA 수준에서 *KLK15*의 발현은 비악성 조직에 비해 여러 악성 조직에서 유의하게 더 높다. *KLK15*은 전립선암과 난소암에서 과다 발현되며, 이들 암에서 부정적인 예후의 표지자로 간주된다 (Stephan 등, 2003). 반대로 유방암에서는 상충되는 결과가 보고되었다. 유방암 환자로부터 채집한 202점의 조직 표본을 QRT-PCR을 이용하여 *KLK15*의 발현을 분석한 연구는 다음과 같은 결과를 보고하였다 (Yousef 등, 2002). 첫째, *KLK15*의 발현은 진행이 없는 생존과 전반적 생존에 대한 유의한 예측 인자이었으며, 각각의 HR은 0.41 (p=0.011), 0.34 (p=0.009)이었다. 여러 혼동 인자로 보정한 후의 다변량 분석에서도 *KLK15*의 예후 예측력은 유지되었다. 둘째, 높은 농도의 *KLK15* mRNA는 림프절 음성인 환자에서 더 흔하게 발견되었다 (p=0.042). *KLK15*의 발현과 기타 임상병리학적 가변 인자 사이에서는 연관성이 발견되지 않았다. 셋째, *KLK15*은 낮은 분화도 등급의 환자군과 에스트로겐 수용체 음성 및 프로게스테론 수용체 음성인 환자군에서 무진행 생존과 전반적 생존에 대한 독립적 예후 인자이었다. 통계적으로 유의하지 않았지만, *KLK15*의 발현 정도는 에스트로겐 수용체 음성 및 프로게스테론 수용체 음성인 환자군에서 약간 더 높았다. 넷째, *KLK15*은 유방암 세포주에서 안드로겐에 의해 상향 조절되었다.

*KLK15*의 발현은 LNCaP 전립선암 세포주에서 스테로이드 호르몬에 의해 상향 조절되지만, 조직에서의 발현 정도는 수술 전에 받은 안드로겐 대항 요법에 의해 영향을 받지 않는다. mRNA 수준에서 *KLK15* 유전자는 정상 전립선 조직에 비해 전립선암에서 증가된다. 또한, *KLK15*의 증가는 더 공격적인 전립선암과 관련이 있다고 보고되었다 (Yousef 등, 2001). 29명의 전립선암 환자로부터 채집한 표본을 대상으로 *KLK15*의 조절을 분석한 연구에서, 환자의 약 1/2은 암 조직에서 *KLK15* 농도의 증가를 보였으며 3명은 감소를 나타내었다. pT3 병기 환자 모두와 분화도 등급 3의 종양을 가진 환자 모두는 *KLK15*에 양성 반응을 나타내었으나, 낮은 등급 및 낮은

병기의 환자에서는 *KLK15*의 발현이 2/3에서만 증가하였다 (Yousef 등, 2001). 이 연구는 피험자의 수가 적다는 제한점이 있지만, *KLK15*의 높은 발현은 Gleason 분화도 등급 3 이상, Gleason 점수 7 이상, 병기 III의 전립선암에서 더 흔하게 발견되기 때문에, hK14과 마찬가지로 hK15도 종양의 공격성과 관련이 있다고 생각되며, 전립선암의 진단 및 예후에 대한 생물 지표로서 활용할 가치가 있다고 여겨진다.

근치전립선절제술을 받은 90명의 환자로부터 채집된 조직 표본을 이용하여 *KLK15*의 발현과 임상병리학적 지표 사이의 연관성을 평가한 연구는 다음과 같은 결과를 보고하였다 (Stephan 등, 2003). 첫째, 비악성 조직에 비해 악성 조직에서 *KLK15*이 과다 발현된 경우는 전립선암 환자의 84.4% (76명/90명)에서 발견되었다 (p<0.001). 둘째, 악성 조직 *KLK15* 대 비악성 조직 *KLK15*의 비율은 병리학적 병기 pT2에 비해 pT3/4 전립선암 환자에서 더 높은 경향을 보였다 (p=0.1). 셋째, *KLK15*의 발현은 분화도 등급 2에 비해 등급 3에서 (p=0.18), Gleason 점수 7 미만에 비해 7 이상에서 (p=0.23) 더 높은 경향을 보였다. 넷째, 40th percentile에서 절단치 1.7은 병리학적 병기 pT2와 pT3/4를 유의하게 감별하였다 (p=0.029). 이와 같은 결과는 *KLK15*의 발현이 비악성 조직에 비해 악성 조직에서 유의하게 더 높으며, 진행 혹은 공격적인 전립선암에서 *KLK15*이 상향 조절됨을 보여 준다.

25점의 전립선암 조직 표본에 대해서는 RT-PCR을 이용하여 *KLK15* mRNA를, 193점의 전립선암 조직 표본에 대해서는 면역조직화학검사를 이용하여 hK15을 분석한 연구는 *KLK15*의 mRNA와 단백질은 병리학적 병기 및 Gleason 점수와 상호 관련이 있었으며, *KLK15*은 생화학적 재발로 정의되는 질환의 진행과 유의한 연관성을 나타내었다고 하였다 (p=0.001). 이 연구는 또한 다변량 분석에서 *KLK15*이 나쁜 결과에 대한 독립적 예후 인자의 역할을 하였기 때문에 (HR 1.802, 95% CI 1.037~3.132; p=0.037), *KLK15*은 근치전립선절제술 후 질환의 진행을 예측하는 종양 표지자로서의 역할을 한다고 하였다 (Rabien 등, 2010).

104점의 전립선암 및 양성전립선비대 조직 표본을 대상으로 RT-PCR을 이용하여 *KLK15* mRNA를 분석한 연구에 의하면, 양성전립선비대에 비해 전립선암에서 활성적인 아형과 스프라이싱 변형 3을 코드화하는 *KLK15*의 전사물이 더 흔하게 과다 발현되었으며, 더 공격적인 암에서 더 높게 발현되었다 (p=0.017) (도표 166). 이들 결과는 *KLK15*이 양성전립선

도표 166 전립선암 및 양성전립선비대 환자에서 전립선암의 존재를 예측하기 위한 로지스틱 회귀 분석의 결과

공변량	단변량 분석		다변량 분석	
	Crude OR (95% CI)	p-value	Crude OR (95% CI)	p-value
연령	0.88 (0.82~0.95)	<0.001	0.86 (0.79~0.94)	0.001
PSA	1.24 (1.09~1.41)	0.001	1.21 (1.04~1.39)	0.012
KLK15 classical mRNA isoform	1.79 (1.34~2.39)	0.001	1.96 (1.31~2.95)	0.001
KLK15 splice variants 1, 2	1.04 (0.91~1.19)	0.52	–	
KLK15 splice variant 3	1.17 (0.97~1.41)	0.085	–	

CI, confidence interval; KLK15, kallikrein-related peptidase 15; OR, odds ratio; PSA, prostate-specific antigen.
Mavridis 등 (2010)의 자료를 수정 인용.

비대와 전립선암을 구별하고 전립선암의 부정적인 예후를 예측하는 표지자로 활용할 가치가 있음을 시사한다 (Mavridis 등, 2010). 전립선암 조직 표본 150점을 대상으로 QRT-PCR을 이용하여 KLK15의 발현을 분석한 연구는 다음과 같은 결과를 보고하였다 (Mavridis 등, 2013). 첫째, KLK15의 발현 정도는 양성 표본에 비해 악성 표본에서 유의하게 상향 조절되었으며 (p<0.001), 이러한 감별력은 ROC 곡선과 로지스틱 회귀 분석에서 확인되었다 (p<0.001). 둘째, 생화학적 재발을 이용하여 측정된 무진행 생존 기간은 KLK15 음성 환자군에 비해 KLK15 양성 환자군에서 더 짧았다 (p=0.006). 셋째, 다변량 회귀 분석에서 KLK15의 발현은 생화학적 재발에 대한 독립적 예측 인자이었으며, HR은 3.36이었다 (p=0.038). 이들 결과는 전립선 조직에서 KLK15 mRNA를 측량하면 전립선암의 진단과 예후를 예측하는 데 도움이 됨을 보여 준다.

32.15. 기타 Others

위에 기술된 kallikreins 외에 전립선에 특이한 5가지의 유전자가 근래 복제되었는데, 그들은 KLK15과 동일하다고 여겨지는 prostin (Takayama 등, 2001), prostein (Xu 등, 2001), G protein-coupled receptor (GPCR)와 상동성을 가지는 prostate-specific G protein-coupled receptor (PSGR) (Xu 등, 2000), transient receptor potential cation channel (TRP)과 높은 상동성을 가지는 transient receptor potential-p8 (TRP-p8) (Tsavaler 등, 2001), prostate androgen regulated transcript 1 (PART1) (Sidiropoulus 등, 2001) 등이다.

hK15으로 추정되는 prostin의 효소원은 240개 아미노산의 prostinogen이며, 5개의 아미노산이 분절되면 235개 아미노산으로 구성된 최종 효소가 생성된다. Prostin은 proPSA가 단백질 분해 작용에 의해 활성 PSA로 전환되는 단계에서 hK2보다 더 강한 작용을 한다. 52명의 전립선암 환자들로부터 채집한 암 조직을 분석한 연구에서, PSGR 유전자가 종양 표본의 62%에서는 과다 발현, 27%에서는 불변, 11.5%에서는 감소함이 관찰되었다. TRP-p8과 PART1은 암이 없는 전립선 조직에 비해 암 조직에서 과다 발현되었다. 전립선에 위치해 있으면서 kallikrein 가족에 속하는 이들 복제 유전자들을 전립선암을 발견하는 데 이용하기 위해서는 철저한 추가 연구가 필요하다.

32.16. Kallikrein 표지자 이용한 공격성 질환 예측
Prediction for aggressive prostate cancer by 4 kallikrein markers

전립선암에 대한 치료 방법을 선택할 때, 병리학적으로 중대하지 않은 질환과 공격적인 질환의 감별이 매우 중요하기 때문에, 여러 연구들이 비활동성 전립선암 혹은 공격적인 전립선암을 예측하기 위한 모델을 개발하여 왔다.

ERSPC 자료에서 근치전립선절제술로 치료를 받은 임상 병기 T1c 혹은 T2a 전립선암 환자 247명을 대상으로 혈청 PSA, 초음파로 측정된 전립선 용적, 임상 병기, 생검에서의 Gleason 등급, 생검 cores에서의 악성 및 비악성 조직의 전체 길이 등을 포함한 노모그램의 타당성을 검증한 연구는 다음과 같은 결과를 보고하였다 (Steyerberg 등, 2007). 이 연구에서 비활동성 암은 미분화 성분이 없는 0.5 cc 이하 용적의 암으로 규정되었다. 첫째, 노모그램에 의해 예측된 비활동성 전립선암의 평균 확률은 20%이었으나, 실제로는 49% (121명/247명)이었다 (p<0.001). 둘째, 개별 가변 인자의 효과도 이와 비슷하였으며, 분별력은 적절하였다 (AUC 0.76). 이들 결과를

근거로 저자들은 선별검사에 의해 발견된 전립선암은 노모그램으로 예측된 확률보다 훨씬 더 높은 빈도의 비활동성 질환을 가진다고 하였다.

생검 Gleason 점수가 6 이하인 전립선암으로 인해 근치전립선절제술을 받은 370명을 대상으로 여러 노모그램 모델을 이용하여 중대하지 않은 질환에 대한 예측도를 평가한 연구는 다음과 같은 결과를 보고하였다 (Iremashvili 등, 2013). 첫째, 38% (141명/370명)에서 중대하지 않은 전립선암이 확인되었다. 둘째, 연구된 다른 노모그램에 비해 Kattan 및 Steyerberg 모델이 감별력, 예측 정확도 측면에서 더 우수하였으며, ROC-AUC는 각각 0.768, 0.770이었다. 둘째, 모든 노모그램은 예측된 확률이 높을수록 낮은 정확도를 나타내었다. 셋째, 노모그램의 성과는 전방 첨단부 (anterior apical) 종양에 비해 후기저부 (posterior basal) 종양을 가진 환자에서 더 우수하였다. 예측된 확률이 높은 경우에도 후기저부 종양을 가진 환자군에서는 중대하지 않은 전립선암의 실제 유병률과의 상관관계가 유지되었다. 이들 결과에 의하면, Gleason 점수 6 이하의 전립선암 환자 코호트에서 중대하지 않은 질환을 예측하는 모델 중 Kattan 노모그램과 Steyerberg 노모그램이 가장 우수한 성과를 나타내며, 연구된 모든 노모그램은 중대하지 않은 질환보다 중대한 질환을 발견하는 데 더 높은 정확도를 보이는데, 특히 종양이 전방 및 첨단부에 위치해 있을 경우에 그러하다.

근치전립선절제 표본에 대한 병리학적 검사를 통해 확인된 병리학적으로 중요하지 않은 질환과 공격적인 질환을 감별함에 있어 4종의 kallikrein 표지자, 즉 혈청 tota PSA (tPSA), free PSA (fPSA), intact PSA (iPSA), KLK2 등의 분별력을 평가한 연구는 다음과 같은 결과를 보고하였다 (Carlsson 등, 2013). 이 연구는 ERSPC Rotterdam 부분의 1차 및 2차 연구에 참여한 392명을 대상으로 분석하였으며, 이들 대상자는 혈청 PSA가 3.0 ng/mL 이상으로 인해 근치전립선절제술을 받았다. 이 연구에서 병리학적으로 공격적인 암은 pT3~T4, 전립선피막 외부로의 확대, 종양 용적 0.5 cc 초과 혹은 Gleason 등급 4 이상으로 규정하였고, 연령, 임상 병기, 혈청 PSA, 생검 소견 등의 예측 인자를 임상적 기본 모델로 설정하였다. 첫째, 연구 대상자의 67% (261명/392명)가 근치전립선절제 표본에 대한 병리학적 검사에서 중대한 질환을 가졌다. 둘째, 공격적인 질환에 대한 예측에서 기본 모델은 높은 정확도를 나타내었고 4종의 kallikrein 표지자는 기본 모델의 정확도를 증대시

켰는데 각각의 AUC는 0.81, 0.84이었다 (p < 0.0005). 이러한 4종의 kallikrein 표지자가 가진 예측도는 저급 위험 및 최저급 위험의 질환을 가진 환자에서도 유지되었으며, Steyerberg 노모그램과 비슷하였다 (도표 167). 셋째, 4종의 kallikrein 표지자를 포함하는 모델을 임상에 적용할 경우 전반적으로 1,000명의 환자 중 135명까지 그리고 병리학적으로 중요하지 않은 질환을 가진 334명의 환자 중 110명까지의 비율로 수술을 줄일 수 있다 (도표 168). 이들 결과를 근거로 저자들은 혈액에서 측정된 4종의 kallikrein 표지자에 근거한 예측 모델은 근치전립선절제술 후 병리학적 검사에서 중요하지 않은 질환과 공격적인 질환을 높은 정확도로 감별하며, 이 모델을 임상에 이용할 경우 불필요한 적극적 치료의 빈도를 줄일 수 있다고 하였다.

33. Ki-67 (Antigen Ki-67)

항원 Ki-67은 염색체 10q26.2에 위치해 있고, 16개의 exons를 가진 *marker of proliferation Ki-67* (*MKI67*)에 의해 코드화되며, 세포 자멸사를 조절하는 mindbomb E3 ubiquitin protein ligase 1 (MIB1)은 Ki-67에 대한 항체의 기능을 가지고 있다. Ki-67과 proliferating cell nuclear antigen (PCNA)은 증식 표지자로 알려져 있다. 세포 계수 방법에 의한 Ki-67 항원은 세포 주기 G0를 제외한 G1, M, G2, S 기에 속한 증식 세포에서 발현되며, 세포의 증식에 대한 신뢰성이 있는 지수를 제공한다 (Lumachi 등, 2006). 면역조직화학적 방법에 의하면, Ki-67은 G1 기 후반에 나타나 M 기의 전기 및 중기에 최대로 발현되며 후기 및 말기에 감소된다 (Ishida 등, 2003). 따라서 Ki-67의 면역학적 발현은 G1, S, G2 등의 간기 대부분 동안에는 발견이 어려울 정도이기 때문에, Ki-67은 유사분열 활동의 지표로 간주된다. 즉, Ki-67의 발현 증가는 유사분열 및 세포 증식의 증가를 시사한다. 36-kd DNA polymerase delta의 보조 단백질로서 복제에서 필수적인 PCNA는 산성의 핵 단백질이며, cyclin D (CCND) 및 cyclin-dependent kinase (CDK)와 복합체를 형성한다. PCNA는 악성 및 비악성 세포의 증식에 관여하며, 특별히 증식 세포의 핵에서 발현된다. PCNA의 특이 항체는 PCNA 단백질을 인식하며 세포 주기의 G1 후반기 및 S 기에서 최대로 발현되며 (Bantis 등, 2004), 다양한 조직, 특히 신경 조직이 여러 형태의 공격을 받으면 첫 반응으로 활성화된다 (De Marzo 등, 1999). 그러나 PCNA의 진단적 가

도표 167 암이 전립선에 국한되지 않고 종양 용적이 0.5 cc 초과 혹은 Gleason 등급 3 초과한 질환으로 규정된 공격적인 전립선암의 예측에서 임상 모델과 Steyerberg 노모그램, 그리고 4종의 kallikrein 표지자를 추가한 경우의 정확도 (AUC)

위험 분류	환자 수	임상 모델[†] AUC	임상 모델+kallikrein 근거 위험 점수 모델[‡] AUC	p value
모든 위험	392	0.81 (95% CI 0.77~0.85)	0.84 (95% CI 0.80~0.89)	⟨0.0005
저급 위험[¶]	289	0.75 (95% CI 0.69~0.80)	0.81 (95% CI 0.77~0.86)	⟨0.0005
최저급 위험[◑]	186	0.72 (95% CI 0.65~0.79)	0.81 (95% CI 0.75~0.88)	⟨0.0005

위험 분류	환자 수	Steyerberg 노모그램 AUC	Steyerberg 노모그램+kallikrein 근거 위험 점수 모델 AUC	p value
모든 위험	384	0.82 (95% CI 0.77~0.86)	0.84 (95% CI 0.80~0.88)	⟨0.0005
저급 위험[¶]	284	0.80 (95% CI 0.75~0.85)	0.83 (95% CI 0.79~0.88)	⟨0.0005
최저급 위험[◑]	183	0.78 (95% CI 0.72~0.85)	0.83 (95% CI 0.77~0.89)	⟨0.0005

Steyerberg 노모그램은 근치전립선절제 표본에 근거하여 병리학적으로 중대하지 않은 암을 예측하기 위한 모델로서 PSA, 경직장초음파촬영술에서의 전립선 용적, 임상 병기, 생검 Gleason 등급, 생검 cores에서 전체 암과 비암성 조직의 길이 등을 이용함.

[†], 연령, 생검 결과 (Gleason 점수, 양성 cores, 종양 조직 크기), 병기, PSA; [‡], total PSA, free PSA, intact PSA, KLK2; [¶], Gleason 점수 6 이하; [◑], Gleason 점수 6 이하, T1c, PSA 10 mg/mL 미만.
AUC, area under the curve; KLK2, kallikrein-related peptidase 2; PSA, prostate-specific antigen.
Carlsson 등 (2013)의 자료를 수정 인용.

도표 168 공격적인 질환일 확률의 한계치를 30%로 설정하여 이 한계치 이상인 경우 근치전립선절제술을 실시하였을 때 1,000명 당 수술을 받은 남성의 수와 병리학적으로 중요하지 않은 질환인데도 치료를 받은 남성의 수

	치료		병리학적으로 중요하지 않은 암		공격적 질환으로 추정되는 암	
	치료 받은 수	치료 않은 수	치료 받은 수	치료 않은 수	치료 받은 수	치료 않은 수
전체 치료	1,000	0	334	0	666	0
임상 모델[†]	939	61	286	48	653	13
임상 모델+KLK 근거 모델[‡]	865	135	224	110	640	26

[†], 연령, 생검 결과 (Gleason 점수, 양성 cores, 종양 조직 크기), 병기, PSA; [‡], total PSA, free PSA, intact PSA, kallikrein-related peptidase 2.
Carlsson 등 (2013)의 자료를 수정 인용.

치에 관해서는 논란이 되고 있다. 일부 연구는 PCNA 지수가 괴사, 고등급 이형성 (atypia), 세포 충실도 (cellularity), 유사 분열 속도 등과 상호 관련이 있다고 보고한 데 비해 (Ray 등, 1994), 다른 연구는 PCNA의 발현과 위장관 간질 종양 (gastrointestinal stromal tumor, GIST)의 생존율 사이에서 연관성을 발견하지 못했다고 하였다 (Sbasching 등, 1994).

Ki-67 항원은 histone이 없는 핵 단백질이며 non-G0 증식 세포에 의해 발현된다 (Cattoretti 등, 1992). Ki-67 및 MIB1 표지 지수는 전립선암과 상호 관련이 있다 (Harper 등, 1992). 그렇지만 높은 증식 지수가 Gleason 점수, 병리학적 병기, DNA ploidy보다 더 나은 예후 정보를 제공하지는 않는다 (Coetzee 등, 1997). Ki-67 표지 지수는 국소 암과 전이 암을 감별할 수 있다 (Cher 등, 1995). 따라서 Ki-67 혹은 MIB1 증식 지수의 증가는 암의 진행을 반영한다고 할 수 있다

(Bubendorf 등, 1996). 여러 연구는 Ki-67의 발현이 돌연변이 p53 (Moul 등, 1996), 염색체 이상 (Henke 등, 1993), epidermal growth factor receptor (EGFR) (Glynne-Jones 등, 1996), 신경 주위의 침범 (Aaltomaa 등, 1997) 등과 상호 관련이 있다고 보고하였다. 이와 같은 결과는 Ki-67의 발현이 질환의 재발 (Szende 등, 2001), 질환의 진행 (Segawa 등, 2001), 생존율 (Borre 등, 1992) 등과 약한 연관성을 가짐을 보여 준다.

포르말린으로 고정하여 파라핀 처리한 비뇨기과 환자의 가검물에 대해 면역화학적 분석을 활용하기 시작한 이래 (Fontana 등, 1987), Ki-67은 초기 병기의 전립선암에 대한 표지자로 관심을 받아 왔다 (Oomens 등, 1991). 경요도전립선절제술 표본 (Feneley 등, 1996), 생검 표본 (Ojea 등, 2004), 근치 전립선절제술 표본 (Inoue 등, 2005), 방사선 요법 후 생검 표본 (Li 등, 2004) 등을 대상으로 Ki-67에 대한 분석이 이루어

졌으며, 이들 중 일부의 경우 다변량 분석에서 Ki-67이 예후를 예측할 수 있음을 보여 주었다. 다른 연구는 전립선암 환자에서 적극적 감시를 이용한 치료가 적합한지를 평가하는 데 Ki-67의 측정이 유효하다고 하였다 (Berney 등, 2009).

Ki-67 라벨링 지수는 Ki-67에 대한 항체인 mindbomb homolog 1, 즉 MIB1을 이용한 면역조직화학적 분석에서 전체 종양세포 중 Ki-67 양성 세포가 차지하는 퍼센트를 의미한다. Ki-67 라벨링 지수를 정확하게 산출하기 위해서는 한 관찰자가 여러 번 계산하여 평균을 내든지 아니면 두 사람 이상의 관찰자가 계산하여 평균을 내는 것이 좋다. 치료 전의 전립선암 환자 106명으로부터 채취한 전립선암 조직을 이용하여 Ki-67 라벨링 지수와 방사선 요법 결과와의 연관성을 평가한 연구에 의하면, 전체 코호트의 Ki-67 라벨링 지수 평균치 및 중앙치는 각각 3.2%, 2.3%이었으며, 평균치는 병기 T3/T4, Gleason 점수 7~10, 치료 실패 등을 가진 환자에서 더 높았다. 이와 유사한 관계는 Ki-67 라벨링 지수가 3.5% 이하로 낮은 군과 3.5%를 초과한 높은 군으로 구분하였을 때 관찰되었다. 5년 동안 생화학적으로 질환이 없는 생존율은 Ki-67 라벨링 지수가 낮은 군과 높은 군에서 각각 76%, 33%이었다 ($p < 0.0001$) (도표 169). 이들 결과를 근거로 저자들은 치료 전 전립선암 조직으로부터 관찰된 Ki-67 라벨링 지수는 방사선 요법 후 치료 실패를 예측할 수 있는 독립적 인자라고 하였다 (Cowen 등, 2002). 그 외의 여러 연구가 면역조직화학검사에 근거한 Ki-67 라벨링 지수와 치료 실패 사이의 연관성을 평가하였으며, 그 결과는 도표 170에 정리되어 있다.

림프절 전이를 동반한 전립선암 환자 56명을 대상으로 Ki-67, p53, B-cell lymphoma 2 (BCL2)의 예후 예측도를 평가한 연구도 단변량 생존 분석에서 8.4 이상의 Ki-67 라벨링 지수를 나타내는 원발 전립선암은 나쁜 예후와 유의하게 상호 관련이 있었다고 하였다 ($p < 0.001$). 다변량 분석에서 원발 종양 조직 ($p < 0.01$) 및 림프절 전이 조직 ($p < 0.01$)의 Ki-67 라벨링 지수는 독립적 예후 인자의 역할을 하였으나, p53과 BCL2의 발현은 림프절 전이를 동반한 전립선암 환자에서 예후 인자의 역할을 하지 못하였다. 이들 결과를 근거로 저자들은 림프절 전이를 동반한 전립선암 환자에서 p53과 BCL2의 발현보다 Ki-67 라벨링 지수가 예후 예측 수준이 더 높다고 하였다 (Masuda 등, 1998).

예후 인자는 크게 임상적 인자와 생물학적 인자로 구분될 수 있다. 임상적 인자는 생검에 대한 방사선 및 현미경 평가

도표 169 생화학적으로 질환이 없는 생존을 예측하는 인자에 대한 다변량 분석

	구분	x^2	RR (95% CI)	p
Ki67-LI, %	≤3.5 : >3.5	8.8	2.8 (1.4~5.4)	0.003
치료 전 PSA, ng/mL	≤10 : >10	8.2	2.7 (1.3~5.5)	0.004
병기	T1/T2 : T3/T4	7.6	2.6 (1.3~5.0)	0.006
GS	2~6 : 7~10	7.1	3.4 (1.3~9.2)	0.008

CI, confidence interval; GS, Gleason score; Ki-67-LI, Ki-67 labelling index; PSA, prostate-specific antigen; RR, relative risk; χ2, chi-square (카이제곱, 교차 분석). Cowen 등 (2002)의 자료를 수정 인용.

와 혈액검사를 통해 얻어지며, 종양의 분화도 등급은 중요한 임상적 인자 중 하나이다. 생물학적 인자에는 p53, p27, Ki-67 등이 있다. 전립선암 환자 49명의 생검 표본을 대상으로 면역조직화학적 염색을 실시하여 Ki-67과 p53의 발현이 예후 인자로서의 역할을 하는지를 평가한 연구는 도표 171과 같은 결과를 얻음으로써 Ki-67이 전립선암의 예후 인자로서 활용이 가능하지만, p53과 전립선암의 예후와의 연관성에 관하여서는 추가 연구가 필요하다고 하였다 (Madani 등, 2011).

Ki-67과 PCNA의 라벨링 지수는 다른 결과를 나타낸다 (Zhong 등, 2008). 첫째, Ki-67과 PCNA는 정상 전립선 상피세포보다 LNCaP나 PC3와 같은 전립선암 세포주에서 더 많이 발현된다. 더욱이 Ki-67의 상향 조절은 PC3와 LNCaP 세포주에서 차이를 나타내는데, 후자보다 전자에서 더 뚜렷하다. 이는 1일 1회인 PC3 세포주의 증식 속도가 6~7일 당 1회의 LNCaP 세포주보다 더 빠르기 때문이다. 둘째, 이들 두 표지자의 발현 증가는 전립선암과 양성전립선비대 조직에서 나타난다. 셋째, 두 표지자의 발현은 양성전립선비대 조직에 비해 전립선암 조직에서 더 증가된다. 증가 폭은 PCNA보다 Ki-67에서 더 큰데, 이는 PCNA보다 Ki-67이 전립선암 조직의 세포 증식 속도를 더 잘 반영함을 나타낸다.

전립선암 세포주 LNCaP와 PC3, 정상 전립선 상피세포주 HuPEC, 121명의 전립선암 환자, 45명의 양성전립선비대 환자, 36명의 정상 남성 등으로부터 채취한 조직 등을 대상으로 실시한 연구는 RT-PCR을 이용하여 MKI67 및 PCNA mRNA의 발현을 분석하였으며, 면역조직화학적 염색을 이용하여 Ki-67 및 PCNA 단백질의 발현과 전립선암의 임상적 등급 사

도표 170 Ki-67과 전립선암 환자의 예후 사이 연관성을 평가한 연구들의 결과

참고 문헌	환자 수	치료	추적관찰, 년	Ki-67-LI % (수)	5년 실패	단변량	다변량
Bubendorf 등, 1996	137	RP	5	〈7.5 대 ≥7.5	20[†], 35[†]	S	S
Bettencourt 등, 1996	180	RP	4	〈1 (18) 대 1~25 (90) 대 ≥26 (72)	17[†], 31[†], 56[†]	S	S
Stapleton 등, 1998	47	RP	5	중앙치 2.4		S	NS
Coetzee 등, 1997	244	RP	2	〈1 대 ≥1		NS	NS
Stattin 등, 1997	125	O/HT	6	≤3 (99) 대 〉3 (26)	18[†], 63[†]	S	S
Borre 등, 1998	221	O/HT	〉5	≤10 대 〉10	37[†], 62[†]	S	S
Kreshgegian 등, 1998	208	RP	4	≤6.4 (106) 대 〉6.4 (102)	8[†], 20[†]	S	S
Scalzo 등, 1998[¶]	42	RT		≤5 대 〉5 Nu/HPF		S	S
Kallakury 등, 1999[¶]	132	RP	4	1~3 대 4~6 대 〉7 Nu/HPF		NS	NS
Vis 등, 2000	92	RP	9	〈10 (44) 대 ≥10 (48)	25[†], 48[†]	S	NS
Cowen 등, 2002	106	RT	5	≤3.5 (71) 대 〉3.5 (35)	24[†], 67[†]	S	S

[†], 생화학적 및/혹은 질환에 의한 실패; [‡], 암 특이 사망; [¶], 고배율 시야에서의 Ki-67 양성 세포의 수를 계산함.

Ki-67-LI, Ki-67 labelling index; NS, not significant; Nu/HPF, nucleolus/high power field; O/HT, observation/hormone therapy; RP, radical prostatectomy; RT, radiation therapy; S, significant.

Cowen 등 (2002)의 자료를 수정 인용.

도표 171 전립선암의 분화도 등급에 따른 p53의 발현 및 Ki-67-LI의 빈도

p53	Gleason 등급[†]			합계
	저등급 (%)	중등급 (%)	고등급 (%)	
양성	–	9 (43)	12 (48)	21
음성	3 (100)	12 (57)	13 (52)	28
합계	3 (100)	21 (100)	25 (100)	49

Ki-67-LI	Gleason 등급			합계
	저등급 (%)	중등급 (%)	고등급 (%)	
〈2	3 (100)	8 (38)	2 (12)	14
〈25	–	12 (58)	12 (48)	24
26~50	–	1 (4)	5 (20)	6
51~75	–	–	2 (8)	2
76~100	–	–	3 (12)	3
합계	3 (100)	21 (100)	25 (100)	49

[†], 저등급 well-differentiated tumor, 중등급 moderately differentiated tumor, 고등급 poorly differentiated tumor.

Ki-67-LI, Ki-67 labelling index.

Madani 등 (2011)의 자료를 수정 인용.

이의 연관성을 평가하였다. *MKI67*과 *PCNA* mRNA의 발현률은 HuPEC보다 LNCaP와 PC3에서 더 높았다 ($p < 0.001$). 두 표지자는 세 조직에서 다르게 발현되었는데, 정상 전립선 조직에 비해 전립선암 조직 ($p < 0.05$)과 양성전립선비대 조직 ($p < 0.05$)에서 증가하는 양상을 나타내었다. Ki-67과 PCNA의 발현률은 양성전립선비대에 비해 전립선암 조직에서 증가하였다 ($p < 0.05$). Ki-67의 증가가 PCNA의 증가보다 컸으며, 두 표지자의 발현은 전립선암의 등급에 따라 증가하였다. Ki-67/PCNA의 비율은 병기 I, IIa, IIb, III 등의 전립선암 조직에서 각각 0.073, 0.119, 0.141, 0.234이었다. 이들 결과를 근거로 저자들은 전립선암의 증식 표지자인 Ki-67과 PCNA를 병행하면, 전립선암에 대한 조기 진단의 정확도를 증대시킬 수 있다고 하였다 (Zhong 등, 2008).

전립선암으로 인한 사망을 예측함에 있어 세포 증식과 생검 양상의 역할을 확인하기 위해 선행 호르몬 요법 없이 근치전립선절제술을 받은 451명을 대상으로 전립선암 침 생검을 실시하여 얻은 표본에서 DNA 배수성 (ploidy)과 Ki-67 (혹은 MIB1)을 측정한 연구는 다음과 같은 결과를 보고하였다 (Tollefson 등, 2014) (도표 172). 첫째, 추적 관찰한 기간의 중앙치 12.9년 동안 피험자의 10% (46명/451명)가 국소 혹은 전신적 진행을 경험하였으며, 4% (18명/451명)는 전립선암으로 사망하였다. 둘째, 생검 표본에서 Ki-67의 발현, 신경 주위 침범, Gleason 점수 등의 양상은 국소 혹은 전신적 진행과 관련이 있었다. 셋째, Ki-67의 발현, 신경 주위 침범, Gleason 점수 등은 일치 지수 (concordance index, c-index) 0.892로 암 특이 사망과 관련이 있었다. 넷째, 신경 주위 침범과 Gleason 점수로 보정한 경우 Ki-67의 발현이 1% 증가함에 따라 암 특이 사망은 12% 증가하였다 ($p < 0.001$). 따라서 Ki-67의 발현 단

도표 172 전립선암의 진행, 국소적 혹은 전신적 진행, 암 특이 사망 등과 관련한 Mayo 다변량 모델

특징	HR (95% CI)	p value
암의 진행†		
임상 병기		
T1 혹은 T2	1.0 (참고)	
T3	2.43 (1.05~5.61)	0.04
수술 전 혈청 PSA	1.21 (1.04~1.40)	0.02
Gleason 점수		
≤6	1.0 (참고)	
7	1.97 (1.31~2.97)	0.001
8~9	3.15 (1.82~5.46)	⟨0.001
신경 주위 침범		
(−)	1.0 (참고)	
(+)	1.72 (1.17~2.52)	0.006
Ki-67 발현 (1% 증가)	1.07 (1.03~1.11)	⟨0.001
국소적 혹은 전신적 진행		
Gleason 점수		
≤6	1.0 (참고)	
7	2.69 (1.23~5.86)	0.01
8~9	5.45 (2.29~12.98)	⟨0.001
신경 주위 침범		
(−)	1.0 (참고)	
(+)	2.08 (1.12~3.86)	0.02
Ki-67 발현 (1% 증가)	1.11 (1.07~1.15)	⟨0.001
암 특이 사망		
Gleason 점수		
⟨7	1.0 (참고)	
≥7	6.29 (1.35~29.32)	0.02
신경 주위 침범		
(−)	1.0 (참고)	
(+)	4.63 (1.63~13.17)	0.004
Ki-67 발현 (1% 증가)	1.12 (1.06~1.19)	⟨0.001

†, 암의 진행에는 생화학적 실패, 국소적 혹은 전신적 진행, 암 특이 사망 등이 포함된다.
CI, confidence interval; HR, hazard ratio; PSA, prostate-specific antigen.
Tollefson 등 (2014)의 자료를 수정 인용.

독으로도 암에 특이한 결과에 대해 강한 예측 인자로서의 역할을 하였으며, 기존에 사용되는 알고리듬의 예측력을 개선시킬 수 있었다. 이들 결과는 Ki-67의 발현, 신경 주위 침범, Gleason 점수 등을 병용하면 전립선암으로 인한 장기간의 결과를 평가하는 데 도움이 됨을 보여 준다. 생검에서 나타나는 신경 주위 침범 및 Gleason 점수의 양상 외에 Ki-67의 발현을 추가하는 방법은 저비용, 신속한 평가, 강한 예측력 등의 장점이 있기 때문에, 이들 다수 인자의 병용은 임상에서 표준으로 활용이 가능한 모델이라고 생각된다.

34. Livin

Melanoma inhibitor of apoptosis protein (ML-IAP), kidney inhibitor of apoptosis protein (KIAP) 등으로도 알려진 Livin은 가장 최근에 발견된 세포 자멸사를 억제하는 단백질이며, 전립선암을 포함하는 다양한 종양 조직에서 풍부하게 발현되는 데 비해 (Ye 등, 2011), 정상 조직에서는 발현되지 않거나 낮은 농도로 발현된다 (Gazzaniga 등, 2003). 세포 자멸사 대항 기전은 caspase-3, -7, -9의 억제 (Chang과 Schimmer, 2007) 외에도 diablo homolog 혹은 diablo, IAP-binding mitochondrial protein (DIABLO)으로도 알려진 second mitochondria-derived activator of caspases (SMAC)의 분해를 촉진하는 E3 ubiquitin-ligase와 같은 작용을 통해 이루어진다 (Ma 등, 2006). 초기의 연구는 두 종류의 Livin, 즉 Livin-α와 Livin-β를 발견하였으며, Livin-α에서의 차이점은 baculoviral IAP repeat (BIR)와 really interesting new gene (RING) 영역 사이에 18개의 아미노산이 위치해 있다는 점이다. Livin의 두 아형은 구조적으로 비슷하지만 세포 자멸사에 대한 특징이 서로 다르다. Livin-α는 전립선암에서 G1~S 세포 주기의 이행을 조절함으로써 세포의 증식을 촉진하는 데 비해 (Ye 등, 2011), Livin-β는 Hela 세포에서 세포 자멸사를 억제하는 중요한 매개체로서 기능을 한다. 즉, Hela 세포에서 RNA interference (RNAi)를 이용하여 Livin-β를 침묵시키면, Hela 세포의 성장이 차단되었으며, 자외선 조사, tumor necrosis factor alpha (TNF-α), etoposide 등과 같이 세포 자멸사를 유발하는 자극에 대해 Hela 세포가 민감하게 변하였다 (Crnković-Mertens 등, 2006).

종양세포가 전이되기 위해서는 세포의 생존이 비정상적으로 증대될 필요가 있다. 세포를 보호하는 단백질인 inhibitor of apoptosis protein (IAP)는 종양세포의 세포 자멸사를 억제한다 (Mehlen과 Puisieux, 2006). IAPs에는 Cydia pomonella granulosis virus (CpGV)-IAP (Cp-IAP), Orgyia pseudotsugata multinucleocapsid nucleopolyhedrosis virus (OpMNPV)-IAP (Op-IAP), X-linked inhibitor of apoptosis (XIAP), cellular (c)-IAP1, c-IAP2, neuronal apoptosis inhibitor protein (NAIP), survivin (혹은 BIR-containing 5, BIRC5), Livin 등이 있다. 이전의 연구는 IAPs가 세포의 침습 및 전이의 조절, 염증과 관련이 있는 신호의 전달, mitogen-associated protein kinase (MAPK)의 신호 전달 등과 같은 다수의 세

도표 173 전립선암 조직에서 면역조직화학검사를 통한 Livin의 발현

그룹	환자 수	Livin, %[†]	양성률, %	p
비전이 암	23	52.8±7.4	86.9	< 0.01
전이 암	13	78.5±5.2	92.3	< 0.01

[†], Livin 양성인 세포핵의 퍼센트 (평균±표준 편차).

Chen 등 (2012)의 자료를 수정 인용.

포 과정에 관여한다고 하였다 (Gyrd-Hansen과 Meier, 2010). 다른 연구는 XIAP와 survivin 사이의 상호 작용은 세포의 침습과 전이를 촉진한다고 하였다 (Mehrotra 등, 2010). 따라서 종양세포의 침습 및 전이의 조절은 다수 IAPs의 일반적 속성과 관련이 있다고 생각된다. 종양세포의 침습은 전이를 위해 필수적이며, 전이의 첫 단계이다. 그러므로 종양세포의 침습을 억제하는 방법을 발견하게 되면, 종양세포의 전이를 감소시킬 수 있을 것이다 (Chen 등, 2012). Livin은 종양세포에서만 발현된다고 보고되어 항암 요법의 이상적인 분자 표적으로 간주되기도 한다 (LaCasse 등, 2008).

Livin은 전립선암 조직에서 과다 발현되며, Livin의 발현은 전립선암의 임상병리학적 등급과 관련이 있다는 보고가 있다 (Ye 등, 2011). 다른 연구는 구강의 편평세포암에서 (Jiang 등, 2010)와 마찬가지로 Livin의 발현이 비전이 전립선암 조직에 비해 전이 전립선암 조직에서 더 높다고 하였다. 이와 같은 결과는 Livin이 전이 전립선암에서 과다 발현되며, 종양의 임상 병기와 관련 있음을 시사한다 (Chen 등, 2012) (도표 173).

그러나 종양세포의 침습과 전이의 조절에서 Livin의 역할은 분명하게 밝혀져 있지 않다. 이전의 한 연구는 유전자 LIVIN의 발현을 침묵시키면 SMMC-7721 간암 세포주의 침습력이 감소된다고 보고하였으며, 이는 LIVIN 유전자의 발현이 종양세포의 침습 및 전이와 관련이 있음을 시사한다 (Liu 등, 2010). 다른 연구는 PC3 세포에서 LIVIN의 발현이 RNAi에 의해 감소되며, 이로써 PC3 세포의 침습력이 억제된다고 하였다. 이 연구는 또한 RNAi에 의한 LIVIN의 발현 감소는 종양세포의 성장을 억제하고 세포 자멸사를 일으킨다고 하였다 (Ye 등, 2011). 이러한 세포 증식의 억제와 세포 자멸사의 증가는 부분적으로 세포의 침습에 영향을 준다. 반대로, 벡터를 통해 세포 감염을 일으켜 LNCaP 세포에서 LIVIN의 두 아형의 발현을 증가시키면, 더 많은 세포가 Matrigel을 통해 이동함이 관찰되었다. 이러한 결과는 Livin이 전립선암 세포의 침습을 매개하며, 이를 근거로 세포 자멸사를 유도하면 세포의 침습력

을 최소화할 수 있음을 보여 준다 (Chen 등, 2012).

많은 연구가 여러 종류의 종양에서 Livin의 효과를 평가하였으며, 세포 자멸사에 대한 다양한 효과가 여러 세포주에서 보고되었다. 이들 연구는 복잡한 조절 균형이 있음을 보여 주었으며, 두 아형의 차이점인 18개의 아미노산이 특이 결합 부위를 형성함으로써 각기 다른 기능을 나타낸다고 하였다 (Wang 등, 2008). 그러나 전립선암 세포의 침습에 대한 두 아형의 조절 효과는 분명하게 밝혀져 있지 않지만, PC3 세포에서 LIVIN alpha와 LIVIN beta의 발현을 제거한 연구에 의하면, siRNA-normal control (NC) 세포군에 비해 siRNA-LIVIN alpha 및 siRNA-LIVIN beta 세포군에서 PC3 세포의 침습이 더 억제되었으며, 침습의 조절에서 두 아형의 차이는 발견되지 않았다. 반대로 각 아형의 발현이 상향 조절된 경우에는 LNCaP 세포의 침습력이 증대되었다 (Chen 등, 2012). 이들 결과는 Livin의 각 아형이 전립선암 세포의 침습을 매개하며, 하류 분자의 효과 측면에서 두 아형은 비슷하게 전립선암 세포의 침습을 조절함을 보여 준다.

IAPs는 세포 내의 신호를 전달하는 여러 경로를 활성화한다 (Srinivasula와 Ashwell, 2008). 신호를 전달하는 경로 중 하나인 전사 인자 nuclear factor kappa-light-chain-enhancer of activated B cells (NFκB) 경로는 세포의 세포 자멸사, 증식, 침습, 세포 신호의 전달, 염증, 기타 생리학적 과정 등에서 중요한 역할을 한다고 알려져 있다 (Naugler와 Karin, 2008). NFκB 경로가 Livin에 의해 매개되는 전립선암의 침습에 관여한다고 생각된다. 이에 관한 연구에 의하면, siRNA-NC 세포에 비해 siRNA-LIVIN PC3 세포에서 NFκB 경로가 더 크게 억제되었으며, NFκB 경로의 활성은 NC-벡터 세포군에 비해 LIVIN이 과다 발현된 LNCaP 세포군에서 더 증가되었다 (Chen 등, 2012). 이와 같은 결과는 Livin이 NFκB 경로를 통해 전립선암 세포의 침습을 조절함을 보여 주는데, 이는 BIRC5로도 알려진 survivin과 XIAP의 복합체가 NFκB를 활성화한다는 보고와 일맥상통한다 (Mahrotra 등, 2010).

NFκB는 종양세포의 침습과 관련이 있는 유전자를 포함하는 많은 유전자의 발현을 조절한다고 알려져 있다 (Haddad 등, 2010). 이에 관한 연구에 의하면, 정상 대조군 세포에 비해 PC3 세포에서 fibronectin (FN)의 발현이 RNAi에 의해 감소되었으며, siRNA-NC 세포군에 비해 siRNA-LIVIN PC3 세포군은 focal adhesion kinase (FAK) 및 SRC proto-oncogene, non-receptor tyrosine kinase (SRC)에 대해 낮은 인산화를 나

타내었다. 반대로, *LIVIN*의 과다 발현은 *LIVIN* 양성인 LNCaP 세포에서 FN의 발현을 증대시켰다 (Chen 등, 2012). 이들 결과는 *LIVIN*이 FN의 발현을 변화시켜 전립선암 세포의 침습을 직접 조절함을 보여 준다. *LIVIN*이 FN의 발현을 조절하는 기전 중 하나는 NFκB 경로에 의한다고 생각된다. 이전의 연구는 세포 자멸사에 대항하는 *LIVIN* 유전자의 효과는 caspase-9을 직접 억제하기보다 XIAP와 SMAC의 상호 작용에 대해 대항 작용을 나타내기 때문이라고 하였다 (Vacic 등, 2005). Livin이 다른 IAPs와 협동하여 종양세포의 침습을 조절하는지는 아직 분명하지 않다. 근래의 연구는 SH3 and multiple ankyrin repeat domain (SHANK)-associated RH domain interacting protein (SHARPIN)의 과다 발현이 NFκB 경로와 하위 표적인 survivin 및 Livin의 활성화를 촉진함으로써 전립선암의 진행과 전이를 유도한다고 하였다 (Zhang 등, 2014).

Chemokine (C-X-C motif) receptor 4 (CXCR4)는 G protein-coupled receptor (GPCR) 가족에 속하며, 일부 종양에서 종양세포의 전이 조절, 림프구의 화학주성 등 많은 생물학적 과정에서 중요한 역할을 한다고 알려져 있다 (Saini 등, 2010). CXCR4의 발현은 siRNA-NC 세포군에 비해 siRNA-PC3 세포군에서 감소되며, $\alpha_5 \beta_3$ integrins의 발현은 CXCR4로 매개되는 부착에 의해 감소된다 (Engl 등, 2006). 반대로, CXCR4의 발현은 *LIVIN* 양성 LNCaP 세포에서 증가된다 (Chen 등, 2012). 이와 같은 결과는 Livin으로 매개되는 전립선암 세포의 침습에서 CXCR4가 또 다른 하류 분자임을 보여 주며, 전립선암 세포에서 Livin과 CXCR4는 서로 관련이 있음을 보여 준다. 이와 관련된 다른 연구는 PC3 세포에서 CXCR4의 발현은 MAPK/extracellular regulated protein kinase (MEK/ERK) 신호 경로와 NFκB 경로 둘 모두와 관련이 있고 (Kukreja 등, 2005) Livin의 기전 또한 다른 신호 경로에 관여하므로, 이는 두 신호 경로가 함께 작동하게 되는 이유를 설명해 준다. 또한, CXCR4는 전립선암과 전립선암 세포주에서 발현이 증가되기 때문에 기관 및 세포에 대한 특이성을 가지고 있다고 생각된다 (Sun 등, 2010).

이들 자료를 종합해 보면, Livin은 NFκB의 신호 경로와 FN 및 CXCR4의 발현에 영향을 주어 FAK, SRC, α_5/β_3 integrins 등을 억제함으로써 전립선암 세포의 침습을 직접 조절한다. 따라서 Livin은 전립선암 세포의 침습을 억제하는 치료의 표적이 될 수 있다.

전립선암에서 세포 자멸사를 억제하는 유전자인 *LIVIN*의 발현을 연구하고 그것의 임상적 및 병리학적 영향을 평가한 연구에 의하면, *LIVIN*은 전립선암 조직에서는 높게 발현되지만 정상 전립선 조직에서는 발현율이 낮다. Livin 단백질의 발현이 양성인 경우는 전립선암 표본의 59.7% (37점/62점)에서 관찰되었으며, 분화가 잘 된, 중등도 분화, 미분화 등 전립선암의 분화도에 따른 양성률은 각각 28.6%, 60.0%, 83.3%를 보여 분화가 잘 된 군과 미분화 군 사이에서 유의한 차이를 나타내었다. 또한, *LIVIN*의 양성률은 종양의 병기와 유의한 상관관계를 가졌으며, 종양이 진행함에 따라 증가하였다. 이들 결과를 근거로 저자들은 *LIVIN*이 전립선암의 형성에서 중요한 기능을 하며, 전립선암의 예후 표지자로서의 역할을 수행한다고 하였다 (Song 등, 2008).

신세포암과 비악성 신장 조직을 대상으로 QRT-PCR과 면역조직화학검사를 이용하여 mRNA와 단백질 수준에서 Livin을 분석한 연구는 *LIVIN alpha*와 *LIVIN beta*가 신세포암과 정상 신장 조직 모두에서 발현되었으며, Livin 단백질의 경우 신세포암에서는 세포질과 핵 둘 모두에서 염색되는 데 비해, 비악성 조직에서는 세포질에 국한되어 발현되었다고 하였다 (Wagener 등, 2007). 신세포암 환자 682명으로부터 채집한 종양 조직 표본을 대상으로 면역조직화학검사를 이용하여 Livin을 분석한 연구는 다음과 같은 결과를 보고하였다 (Haferkamp 등, 2008). 첫째, 추적 관찰한 기간 0~16.1년, 중앙치 5.2년 동안 28% (204명/682명)가 사망하였으며, 1년과 5년 시점에 암 특이 생존율은 각각 88%, 71%이었다. 둘째, Livin에 대한 세포질 염색 음성인 경우는 76% (516명/682명), 양성인 경우는 24% (166명/682명)이었다. Livin에 대한 핵 염색이 25% 이하로 약한 경우는 84% (571명/682명), 26~100%로 강한 경우는 16% (111명/682명)이었다. 셋째, 다변량 분석에서 핵 염색이 26% 이상으로 강한 경우는 진행이 없는 생존과 암 특이 생존의 긍정적인 예후에 대한 독립적 예측 인자이었으나, 세포질 염색은 예측 인자의 역할을 하지 못하였다. 이들 결과를 종합하여 보면, 신세포암의 핵에서 Livin의 높은 발현은 진행이 없는 생존과 암 특이 생존의 긍정적인 예후에 대한 독립적 예측 인자의 역할을 한다.

35. Macrophage Inhibitory Cytokine 1 (MIC1)

전립선암이 전이를 일으키는 원인은 아직 분명하게 밝혀져 있지 않다. 성장 인자, cytokine 등을 포함하는 많은 유전자 산물과 그들의 수용체가 이러한 과다 증식성 질환이 발생하는 동안 과다 발현되거나 하향 조절된다. Macrophage inhibitory cytokine 1 (MIC1)은 transforming growth factor beta (TGFβ) 가족에 속하며, growth differentiation factor 15 (GDF15), placental TGFβ (TGF-PL), prostate differentiation factor (PDF), placental bone morphogenetic protein (PLAB), porcine TGFβ (PTGFB), non-steroidal anti-inflammatory drug (NSAID)-regulated gene 1 protein (NRG1), NSAID-activated gene 1 (NAG1) 등으로도 알려져 있다 (Hromas 등, 1997; Lawton 등, 1997; Paralkar 등, 1998; Bottner 등, 1999; Baek 등, 2001). 염색체 19p13.11에 위치해 있는 유전자 MIC1에 의해 코드화되는 단백질 MIC1은 간에서 가장 풍부하며, 일부 다른 장기에서도 낮은 농도로 발견된다. 간, 신장, 심장, 폐 등이 손상을 받으면, 간에서 MIC1의 발현이 유의하게 상향 조절되며 (Hsiao 등, 2000; Zimmers 등, 2005; Ago 와 Sadoshima, 2006), 전립선암이 안드로겐 비의존성 및 재발 질환으로 진행하는 동안에도 흔히 과다 발현된다 (Karan 등, 2003). 생성 초기의 MIC1 단백질은 신호 펩티드, 전구 펩티드, 성숙 펩티드 등으로 구성되어 있으며, 세포 내에서 분절이 일어난 후에는 성숙 단백질이 이황화 결합에 의한 동질 이합체로서 분비된다 (Bootcov 등, 1997). 중요한 점은 전립선암 환자에서 MIC1의 높은 발현이 안드로겐 비의존성 표현형의 발생, 부정적인 예후 등과 관련이 있다는 점이다 (Selander 등, 2007; Wakchoure 등, 2009). MIC1의 농도는 전립선암 외에도 정상 남성에 비해 전이 유방암과 결장직장암 환자에서 증가된다 (Welsh 등, 2003). 더욱이 MIC1은 urokinase-type plasminogen activator (uPA) 시스템의 상향 조절에 의한 위암 세포의 침습을 유도한다 (Lee 등, 2003). 이들 자료는 MIC1이 전립선암의 진행에도 관여함을 추측하게 한다.

MIC1은 모든 개인의 혈액에서 검출될 수 있다 (Brown 등, 2002). 암에 의해 MIC1이 발현되는데, 종양의 병기와 범위 따라 혈중 MIC1의 농도는 증가한다 (Brown 등, 2009). 예를 들면, MIC1의 혈청 농도는 결장 폴립에서 고등급의 이형성 폴립, 국소 결장직장암, 전이 결장직장암 등으로 진행함에 따라 점차 증가한다 (Brown 등, 2003). 또한, 혈청 MIC1의 농도가 증가된 결장직장암 환자는 전반적인 예후가 더 나쁘고 조기에 질환이 재발한다 (Wallin 등, 2011). 전립선암에서 혈청 MIC1의 농도는 암의 존재에 대한 독립적 예측 인자의 역할을 하며 (Brown 등, 2006), 더 진행된 질환에서는 전반적인 생존

과 골 전이를 예측할 수 있다 (Selander 등, 2007). 높은 농도의 MIC1은 흑색종 (Suesskind 등, 2011), 췌장암 (Koopmann 등, 2006), 갑상선암 (Fluge 등, 2006), 난소암 (Staff 등, 2010), 자궁내막암 (Staff 등, 2011) 등을 포함하는 많은 암의 진단과 결과를 예측하는 데 도움을 준다.

진행된 암을 가진 환자에서 혈청 MIC1의 농도는 흔히 정상 평균치인 450 pg/mL (Brown 등, 2003)로부터 1만~10만 pg/mL 이상 (Welsh 등, 2003)으로 증가하며, 암으로 인한 식욕 부진과 악액질 (cachexia)을 일으킨다 (Tsai 등, 2012). 암 환자에서 일어나는 이러한 합병증은 뇌에 있는 섭식 중추에 대한 MIC1의 작용에 의해 매개되며, 중화 항체에 의해 반전될 수 있다 (Tsai 등, 2012). 암에서 MIC1의 혈청 농도는 MIC1이 과다 발현된 정도와 종양에 의한 MIC1의 변천 과정에 의존적으로 영향을 받는다. 세포 내에서 변천 과정을 밟은 후에는 MIC1이 전구 펩티드가 제거되어 분비된 후 혈중으로 확산되어 들어간다. 그러나 전구 펩티드는 암의 기질과 상호 작용하며, 변천되지 않고 분비된 단백질은 MIC1을 생성하는 종양에 근접해 있는 extracellular matrix (ECM)와 결합한 상태로 있다 (Bauskin 등, 2010). 전립선암에서 증가된 기질의 MIC1은 환자의 긍정적인 결과와 관련이 있으며, 특히 Gleason 점수 6 이하의 저등급 국소 전립선암에서 그러하다 (Bauskin 등, 2005). 대조적으로 MIC1의 높은 혈중 농도는 부정적인 예후와 관련이 있다 (Bauskin 등, 2005). 그러나 암에서 MIC1의 과다 발현이 암의 결과에 대해 유익한지 아니면 유해한지는 역학적 연구만으로 결정하기는 어렵다.

이종 이식 암을 이용한 많은 생체 실험은 상충되는 결과를 보여 주었다. 예를 들면, 면역이 결핍된 생쥐로 이종 이식된 종양의 경우 HCT-116 결장암 세포 (Baek 등, 2001)와 DU145 전립선암 세포 (Wang 등, 2012)에서 MIC1의 과다 발현은 종양의 크기를 감소시켰다. 생체 밖 실험에서 MIC1에 의해 영향을 받지 않은 생쥐의 아교모세포종 (glioblastoma) 세포주 내로 MIC1을 유전자 전달 감염을 일으킨 경우 종양이 발생하지 않았다 (Albertoni 등, 2002). 저자들은 MIC1이 국소 종양의 미세 환경에 작용하여 종양의 성장을 억제한다고 하였다. 대조적으로 사람의 흑색종과 생쥐의 아교모세포종 세포주에서 MIC1을 삭제한 경우 종양의 크기가 유의하게 감소되었다. 또한, MIC1을 과다 발현하도록 조작한 PC3 전립선암 세포주의 이종 이식 암은 성장 속도가 더 빨랐으며 (Tsui 등, 2012), 정위치에 이식한 경우에는 focal adhesion kinase (FAK)-RhoA

경로를 통해 전이를 유도하였다 (Senapati 등, 2010).

면역이 결핍된 생쥐의 이종 이식 암 모델과는 다르게 적절한 면역을 가진 생쥐에서 발암 물질로 유도되거나 자연적으로 발생한 종양 모델은 암의 발병 기전과 매우 흡사한데, 화학 물질로 유도된 암 모델에서 유전자 전달 감염을 통한 MIC1의 과다 발현은 urethane으로 유도되는 폐암 (Cekanova 등, 2009)과 azoxymethane으로 유도되는 결장암 (Baek 등, 2006)에 대해 저항성을 유발하였다. 두 경우에서는 유전자 전달 감염에 의한 MIC1의 과다 발현이 종양을 억제하는 역할을 하였지만, diethylnitrosamine에 의해 유도된 간세포암에서는 *MIC1* 유전자의 결실이 종양의 형성 속도, 성장 속도, 침습 등에 대해 분명한 효과를 나타내지 않았다 (Zimmers 등, 2008).

유전자 전달 감염으로 자연 발생한 암은 사람의 암과 가장 흡사하여 대부분의 연구는 이를 이용한다. 이러한 경우 MIC1은 조기 질환에서 대개 보호 역할을 한다. 예를 들면, *adenomatous polyposis coli* (*APC*)^{mim} 생쥐에서 대장 폴립 및 암의 발생은 유전자 전달 감염에 의한 MIC1의 과다 발현에 의해 감소되었다 (Baek 등, 2006). 또한, Polyp Prevention Trial에 의하면, NSAID를 사용한 남성은 사용하지 않은 남성에 비해 혈청 MIC1의 농도가 더 높으며, 혈청 MIC1 농도의 증가는 결장 선종의 재발을 방지하는 역할을 한다 (Mehta 등, 2014).

Transgenic adenocarcinoma of mouse prostate (TRAMP)를 이용한 연구는 이들 생쥐에서 과다 발현된 MIC1이 원발 종양의 성장 및 조직학적 등급의 감소, 생존의 증가 등과 관련이 있다고 하였으며 (Husaini 등, 2012), 이는 암의 초기 단계에서는 MIC1이 유익한 효과를 나타낸다는 연구 결과를 뒷받침한다. 그러나 종양이 진행함에 따라 이들 생쥐에서는 전이가 더 흔하게 발생하였는데, 이는 암의 후기에서는 MIC1의 과다 발현이 유해한 효과를 나타냄을 추측하게 한다 (Husaini 등, 2012). *MIC1*을 삭제한 TRAMP$^{MIC1-/-}$ 모델을 이용한 연구도 원발 전립선암의 발생 초기에서는 *MIC1*의 결실이 국소 종양의 성장을 증대시킴으로써 생존을 감소시켜 MIC1이 전반적으로 방어 역할을 하지만, 진행된 질환에서는 MIC1의 과다 발현이 국소 침습 및 전이를 촉진한다고 하였다 (Husaini 등, 2015).

전립선암으로 치료를 받은 환자 1,011명과 치료 전 환자 431명의 혈액을 채집하여 혈청 MIC1의 농도를 분석한 연구는 다음과 같은 결과를 보고하였다 (Brown 등, 2009). 첫째, 혈청 MIC1의 농도가 가장 낮은 4분위수에 속한 환자군에 비해 가장 높은 4분위수에 속한 환자에서 암 특이 사망률이 약 3배 더 높아 혈청 MIC1의 농도는 암 특이 생존의 감소를 독립적으로 예측하였다 (HR 2.98, 95% CI 1.82~4.68). 둘째, 치료 전의 혈청 MIC1 농도는 질환의 결과와 훨씬 더 강한 연관성을 보였는데, 가장 낮은 4분위수에 비해 가장 높은 4분위수 환자군에서 사망률이 약 8배 더 높았다 (HR 7.98, 95% CI 1.73~36.86). 셋째, 국소 전립선암 환자에서 MIC1은 알려진 예후 표지자인 임상 병기, 병리학적 등급, PSA 농도 등에 비해 활동성이 낮은 질환과 치명적인 질환을 구별하는 감별력이 유의하게 더 높았다 (*p*=0.016). 넷째, *MIC1* 유전자의 변형은 혈청 MIC1 농도 및 전립선암 사망률의 감소와 관련이 있었는데, 이는 MIC1이 전립선암의 예후에 관여함을 시사한다.

70명의 남성에서 채집한 혈청에서 p-Chip에 근거하여 MIC1에 대해 면역 분석을 실시한 연구는 다음과 같은 결과를 보고하였다 (Li 등, 2015). 첫째, 혈청 MIC1 농도의 평균치는 정상인, 전립선암 환자 중 PSA 2.5 ng/mL 미만, 2.5~10 ng/mL, 10 ng/mL 초과 등의 경우에서 각각 0.93, 1.24, 1.35, 1.72 ng/mL이었다. 둘째, 전립선암의 진단에 대한 area under the curve-receiver operator curve (AUC-ROC)는 MIC1, PSA, 두 가지를 병합한 경우 등에서 각각 0.776, 0.684, 0.809이었다. 셋째, 절단치를 MIC1-PSA의 로지스틱 회귀 분석 점수 0.494로 설정하면, 민감도가 83.3%, 특이도가 60.7%이었다. 대조적으로 전통적인 PSA 절단치 4 ng/mL를 이용하면 민감도와 특이도가 각각 54.8%, 57.1%이었으며, PSA 절단치 2.5 ng/mL를 이용하면 민감도와 특이도가 각각 71.4%, 50%이었다. 이들 결과는 전립선암 환자의 혈청에서 MIC1과 PSA 농도를 병합하여 분석하면 PSA 검사 단독에 의한 높은 민감도를 유지하면서 전립선암 진단에 대한 특이도를 높일 수 있으며, 전립선암 치료의 예후를 예측할 수 있음을 보여 준다.

여러 실험 연구에 의하면, 전립선암 세포에서 MIC1은 안드로겐에 의해 조절된다 (Karan 등, 2003). 전립선암에서 MIC1의 역할을 평가하기 위해 안드로겐 수용체와 MIC1이 없는 DU145 세포에게 외인성으로 MIC1을 투여한 경우 RhoE와 catenin δ1의 발현이 감소됨으로써 세포의 부착이 억제되었다 (Liu 등, 2003). 그러나 안드로겐 수용체가 있는 LNCaP 세포에서 MIC1은 자가 분비 및 주변 분비의 방식으로 세포의 증식을 촉진하며, MIC1으로 매개되는 증식은 TGFβ 외에도 extracellular signal-regulated kinase 1/2 (ERK1/2), p90 ribosomal S6 kinase (p90RSK) 등을 포함하는 다른 경로를 통해 일어난다고 보고되었다 (Chen 등, 2007). 이와 같이 MIC1은 전립선암에서 상충되는 역할을 한다고 보고되었으며, 그 외에도 bone mor-phogenetic protein (BMP)과 관련된 기능을 통해 연골 및 골 형성 (Paralkar 등, 1998), 대식세포의 활성화 (Fairlie 등, 1999) uPA 시스템의 상향 조절로 인한 위암 세포의 침습 유도 (Lee 등, 2003) 등 세포 형태에 따라 다양한 생물학적 기능을 나타낸다. 따라서 암세포 종류에 의존적인 MIC1의 작용 기전을 정확하게 정립할 필요가 있다. (Karan 등, 2009). 임상 관찰에 의하면, MIC1의 발현은 전이 전립선암 환자에서 증가되어 환자의 예후와 관련이 있다 (Selander 등, 2007).

혈청 MIC1의 농도와 기타 혈청 표지자 carboxy-terminal collagen crosslink (CTX), pro-collagen type 1 N-terminal propeptide (P1NP) 등이 전립선암의 존재와 앞으로의 발생을 예측할 수 있는지를 159명의 전립선암 환자 코호트에서 분석한 연구는 다음과 같은 결과를 보고하였다 (Selander 등, 2007). 첫째, 연구된 생물 표지자 모두의 평균치는 골 전이가 없는 환자군에 비해 골 전이를 가진 환자군에서 유의하게 더 높았다. 둘째, 다변량 분석에서 MIC1과 P1NP는 골 전이의 존재를 독립적으로 예측하였다. ROC 분석에 근거하였을 때, MIC1이 CTX, P1NP, PSA 등에 비해 골 전이의 존재를 유의하게 더 정확하게 예측하였다. 골 재발을 가지지 않은 환자에 비해 가진 환자에서 기저 MIC1의 농도가 유의하게 더 높았는데, 각각 988.4, 1476.7 pg/mL이었다 ($p=0.03$). 이들 결과는 혈청 MIC1의 농도가 전립선암 환자에서 현재 골 전이의 진단과 앞으로 골 전이의 발생을 예측하는 유용한 도구임을 보여 준다.

전립선암의 전이에서 MIC1의 과다 발현이 가지는 역할을 평가하기 위해 PC3 세포에서 MIC1을 과다 발현시키고 PC-3M 세포에서 MIC1을 하향 조절한 연구는 다음과 같은 결과를 보고하였다 (Senapati 등, 2010). 첫째, MIC1은 전립선암의 전이에서 중요한 역할을 한다. 둘째, MIC1에 의한 PC3 세포의 전이력 증대는 부분적으로는 PC3 세포의 이동력 증가를 통해 일어났다. 셋째, MIC1은 FAK-RhoA의 신호 경로를 활성화하여 PC3 세포의 이동력을 증대시켰다. 넷째, 전립선암 세포의 최소한 일부 세포군에서 MIC1은 이들 세포의 전이력을 증가시키는 역할을 하였다.

36. Macrophage Scavenger Receptor 1 (MSR1)

종양 조직은 다양한 수의 암세포와 기질세포로 구성되어 있

다. 이들 세포는 종양이 진행하는 동안 암에 특이한 미세 환경을 형성한다. 대식세포는 가장 풍부한 암의 기질세포로서 숙주의 면역 시스템에 관여하며, tumor-associated macrophage (TAM)의 침윤은 나쁜 예후와 상호 관련이 있다 (Pollard, 2004). 대식세포는 두 가지의 기능을 가지고 있는데, 종양을 억제하는 M1 기능과 종양을 유도하는 M2 기능이다 (Mills 등, 2000). M1 대식세포는 특징적으로 interleukin 1 (IL-1), IL-6, IL-12, tumor necrosis factor (TNF) 등과 같이 염증을 유발하는 cytokines의 발현이 높으며, M2 대식세포는 IL-4^{high}, IL-10^{high}, IL-12^{low}를 특징으로 하고 종양의 형성, 혈관 형성, 기질 재형성, 전이 등에서 중요한 역할을 한다 (Mantovani 등, 2002). TAM은 주로 cluster of differentiation 68 (CD68)에 대한 면역 염색으로 평가된다. 그러나 CD68은 M1과 M2 표현형을 감별할 수 없는 광범위한 대식세포 표지자이다. 근래의 연구는 class A macrophage scavenger receptor (MSR-A)에 속하는 CD204와 scavenger receptor cysteine-rich domain 가족에 속하는 막 단백질 CD163이 M2 대식세포에 의해 강하게 발현된다고 하였다 (Martinez 등, 2006; Komohara 등, 2008). CD204 혹은 CD163을 발현하는 TAM은 신경아교종 (Komohara 등, 2008), 난소의 상피성 종양 (Kawamura 등, 2009), 식도의 편평세포암 (Shigeoka 등, 2013), 담관암 (Hasita 등, 2010), 폐암 (Ohtaki 등, 2010), 췌장암 (Kurahara 등, 2011), 자궁내막암 (Espinosa 등, 2010), 신세포암 (Komohara 등, 2011), 유방암 (Medrek 등, 2012), 구강암 (Fujii 등, 2012) 등에서 종양의 진행 및 나쁜 예후와 관련이 있다.

MSR-A는 변경된 지질단백질의 세포 내 섭취를 억제하거나 직접 결합함으로써 많은 분자를 인식하지 않거나 인식한다. 그들 중 ligand로는 산화 low-density lipoprotein (LDL), 아세틸화 LDL, 산화 high-density lipoprotein (HDL), maleylated bovine serum albumin (BSA), malondialdehyde BSA, fucoidan, dextran sulfate, polyguanylic acid (poly G), polyinosinic acid (poly I), crocidolite asbestos, silica, lipopolysaccharide (LPS), lipoteichoic acid (LTA), Gram 음성 및 양성 세균, 세포 자멸사 세포 등이 있으며, non-ligand로는 자연 LDL, 자연 HDL, BSA, hHeparin, chondroitan sulfate, polycytidylic acid (poly C), polyadenylic acid (poly A) 등이 있다 (Platt와 Gordon, 2001).

CD204로도 알려진 macrophage scavenger receptor 1 (MSR1)는 염색체 8p22-p23의 짧은 팔에 위치해 있으며,

MSR1 단백질은 전립선암의 형성과 관련이 있는 여러 기능을 가지고 있다. MSR1의 돌연변이는 전립선암의 위험과 관련이 있다 (Nelson 등, 2001; Xu 등, 2002). *MSR1*의 생식계 돌연변이 (germline mutation)는 hereditary prostate cancer (HPC)를 가진 가족과 non-HPC를 가진 환자에서 전립선암 발생 위험과 관련이 있다고 보고된 바 있다 (Xu 등, 2002). 6종의 *MSR1* 변형, 즉 P275A, INDEL7, P346P, 3' UTR 70006, PRO3, INDEL1 등이 발견되었으며, 이들 중 3종은 전립선암과 관련이 있었다. P275A G allele을 가진 환자는 전립선암 발생 위험의 37% 감소를 나타내었으며 (OR 0.63, 95% CI 0.39-1.02), 국소 전립선암에서는 감소가 더욱 뚜렷하였는데 OR은 0.25 (95% CI 0.12~0.52; $p<0.01$)이었다. INDEL7 변형을 가진 환자는 전체 전립선암 위험에서는 26%의 감소를 나타내었고 (OR 0.74, 95% CI 0.43~1.26), 국소 전립선암 위험에서는 67% 감소를 나타내었다 (OR은 0.33, 95% CI 0.16~0.68; $p<0.01$). P346P G allele (AG+GG)을 가진 남성은 전체 전립선암 위험의 경우 53%의 유의한 감소를 나타내었으며 (OR 0.47, 95% CI 0.23~0.96; $p<0.05$), 국소 전립선암의 경우에는 39%의 감소를 보였다 (OR 0.61, 95% CI 0.23~1.57) (Hsing 등, 2007). 산발형 및 가족형 전립선암과 *MSR1* 변형과의 연관성을 평가한 다른 연구는 *MSR1* 변형이 전립선암의 위험과 관련이 없다고 하였다 (Wang 등, 2003). 다른 연구도 *MSR1*에는 3종의 single nucleotide polymorphism (SNP)이 발견되었는데, 이들과 전립선암의 높은 분화도 등급 혹은 진행된 병기와 연관성이 없다고 하였다 (Chen 등, 2008).

MSR1은 동질 삼합체의 막 단백질이며, 세균을 포함하는 다수의 polyanionic ligand에 대한 수용체로서의 기능을 한다 (Platt와 Gordon, 2001). MSR은 대식세포에 우세하게 분포해 있지만, 혈관의 내피세포, 평활근 세포, 섬유모세포 (Pitas, 1990), 전립선암 (Yang 등, 2004) 등에서도 보고된다. 전립선 절제 표본에서 임상적, 병리학적 상관관계를 평가한 연구에 의하면, MSR 양성 세포 수의 감소는 종양의 진행을 나타낸다고 하였다 (Yang 등, 2004).

MSR mRNA의 발현은 macrophage colony-stimulating factor (M-CSF)에 의해 상향 조절되며, interferon gamma (IFN-γ), TNFα, transforming growth factor beta (TGFβ), IL-10 등에 의해 하향 조절된다 (Geng과, Hansson, 1992; de Villiers 등, 1994). 산화 스트레스가 증가된 조건에서 전립선 상피의 염증과 증식성 재생은 대식세포에서 발현되는 MSR1

과 관련이 있으며, 전립선의 발생에 관여한다 (DeMarzo 등, 1999). 135명의 환자로부터 채집한 표본의 0.06175 mm^2에서 400배의 배율로 MSR 양성 세포의 수를 계산한 연구는 MSR 양성 세포 수의 평균인 24를 초과한 경우를 높은 발현, 24 이하를 낮은 발현으로 설정한 후 다음과 같은 결과를 보고하였다 (Takayama 등, 2009). 첫째, MSR의 낮은 발현은 높은 Gleason 점수 및 높은 병기의 종양과 상호 관련이 있었는데, 이는 전립선 절제 표본에서 MSR 양성 세포 수의 증가와 전립선암의 나쁜 예후는 상호 관련이 있다는 보고 (Yang 등, 2004)와 일맥상통한다. 둘째, 무재발 생존율은 MSR 양성 세포 수가 낮은 환자보다 높은 환자에서, Gleason 점수가 8 이상보다 8 미만에서 더 높았다 (둘 모두에서 $p<0.001$). 셋째, 이러한 결과는 수술에 의한 절제 표본과 생검 표본에서, 방사선 요법과 근치전립선절제술을 받은 환자에서 비슷하였다. 넷째, 다변량 분석에서 MSR 양성 세포 수, Gleason 점수, 전립선 외부 확대, 원격 전이 등이 예후 인자의 역할을 하였다 (각각의 p-value는 0.002, 0.011, 0.038, 0.003).

활성 대식세포에 의해 granulocyte macrophage CSF (GM-CSF)는 종양에 대항하는 기전을 증대시킨다 (de Villiers 등, 1994). 면역 반응은 국소적으로 cytokines를 분비하는 종양 세포의 면역화에 의해 유도된다 (de Villiers 등, 1994). 질환이 진행함에 따라 MSR을 하향 조절하는 여러 인자들이 보고되었다 (Geng과 Hansson, 1992). MSR은 특이 cytokine에 의해 조절되는데, TGFβ$_1$은 단핵구/대식세포 세포주인 THP-1 세포에서 MSR의 발현을 억제한다 (Nishimura 등, 1998). TGFβ$_1$ 농도의 증가는 전립선암의 진행 및 전이와 관련이 있다 (Wilstrom 등, 1998). THP-1 세포에서 IL-6는 전사 수준에서 MSR의 발현을 억제한다 (Liao 등, 1999). 전립선암 환자의 혈청 IL-6 농도는 악성도가 증가함에 따라 점차 증가하며, 전이와 정상관관계를 가진다는 보고가 있다 (Adler 등, 1999). MSR은 말초 혈액 내의 단핵구에서 낮은 농도로 발현되지만, MSR은 치료 후의 생화학적 재발을 예측할 수 있기 때문에 전립선암의 예후 표지자로서의 역할을 할 수 있으며, 종양에 대해 국소적으로 대항하는 효과를 나타낸다 (Takayama 등, 2009).

재발성 혹은 만성적인 염증은 위암, 간암, 결장암, 방광암 등을 포함하는 많은 암의 발생에 관여한다 (Coussens와 Werb, 2002; Park과 Paick, 2005). 일부 염증세포는 전립선에서 암의 형성과 진행을 유발한다고 보고되었다 (Palapattu 등, 2005; Sun 등, 2007). 많은 종류의 염증세포 중 MSR 양성 세포의 침윤 감소는 전립선암의 진행에서 중요한 역할을 한다고 보고되었다 (Yang 등, 2004). 일차 생검이 음성인 환자 92명에 대해 재생검을 실시한 후 CD68과 CD204의 단클론 항체를 이용한 면역조직화학검사로 TAM의 수와 MSR 양성 세포의 수를 측정한 연구는 다음과 같은 결과를 보고하였다 (Nonomura 등, 2010). 이 연구의 경우 재생검 환자의 32.6% (30명/92명)에서 암이 발견되었다. 첫째, TAM의 수는 전립선암을 가진 환자와 가지지 않은 환자 사이에서 차이가 없었다. 대조적으로 MSR 양성 세포의 수는 암을 가지지 않은 환자에 비해 가진 환자에서 유의하게 더 낮았다 ($p < 0.001$). 둘째, 로지스틱 회귀 분석에서 MSR 양성 세포의 수는 재생검 양성 결과에 대해 PSA 증가 속도, 일차와 이차 생검 사이의 간격, TAM의 수 등보다 더 나은 예측도를 나타내었다. 셋째, 일차 생검이 음성인 표본에서 MSR 양성 세포의 침윤이 낮은 경우는 재생검에서 양성 결과와 상호 관련이 있었다. 이들 결과는 MSR 양성 세포의 수는 불필요한 재생검을 줄일 수 있는 좋은 표지자임을 보여 준다.

37. Matrix Metalloproteinase (MMP)

Matrix metalloproteinase (MMP)는 사람을 포함한 척추동물에서 처음 기술되었으나, 이후 무척추동물과 식물에서도 발견되었다. MMP는 아연 의존성의 펩티드내부분해효소 (endopeptidase)이며, 다른 가족 구성원으로 adamalysin, serralysin, astacin 등이 있다. MMP는 metzincin 상과로 알려진 큰 단백질분해효소 가족에 속한다. Gross와 Lapiere (1962)에 의해 MMP가 처음 기술되었는데, 그들은 올챙이 꼬리가 탈바꿈을 하는 동안 콜라겐의 삼중 나선을 분해하는 효소 작용을 관찰하였으며 이 간질 콜라겐분해효소 (interstitial collagenase)를 MMP1이라고 명명하였다. 이 효소는 후에 사람의 피부에서도 정제되었으며 (Eisen 등, 1968), 효소원 (zymogen)으로 합성된다고 알려져 있다 (Harper 등, 1971). 모든 MMP는 효소원으로 합성되어 전구 효소로서 분비되며, 세포 밖에서 활성화되는데, 여기에는 organomercurial, chaotropic agent, 기타 단백질분해효소 등을 포함하는 많은 기전들이 관여한다 (Pei 등, 2000).

Collagenase (MMP1, 8, 13), gelatinase (MMP2, 9), stromelysin (MMP3, 10, 11), matrilysin (MMP7, 26), membrane-type MMPs (MMP14, 15, 16, 17, 24, 25), metalloelastase (MMP12), enamelysin (MMP20), 기타 (MMP19, 21, 23A, 23B, 27, 28) 등으로 분류되는 MMPs는 특이한 내인성 tissue inhibitor of metalloproteinase (TIMP), reversion inducing cysteine-rich protein with Kazal motifs (RECK) 등에 의해 억제된다 (Brew와 Nagase, 2010; Takahashi 등, 1998).

전사 후 단계에서 모든 MMP는 MMP의 촉매 영역과 결합하는 특이한 TIMP의 조절을 받으며, 이로써 MMP는 기질과의 접착이 방지된다. TIMP는 extracellular matrix (ECM)에서 MMP의 작용을 조절할 뿐만 아니라 종양세포의 성장을 억제하고 (Henriet 등, 1999) 혈관 형성을 억제하는 (Cox 등, 2000) 다면적 기능을 가지고 있다. 태반의 발생에 관한 연구에 의하면, TIMP2와 TIMP3는 성교 후 14.5일과 17.5일 사이에 지속적으로 증가하며, TIMP는 선택적으로 태아의 혈관과 모체의 혈액동 (blood sinus)에서 풍부한 labyrinthine 구역과 태아와 모체 조직의 경계 부위를 형성하는 giant cell 구역을 구분하는 spongiotrophoblast 세포에 의해 발현된다. TIMP는 또한 종양의 성장을 억제하였다. 흑색종 세포의 경우 생쥐의 피부에 이식된 종양의 성장이 TIMP2의 과다 발현에 의해 억제되었는데, 이러한 억제는 혈관 형성과는 독립적이었고 collagen 기질의 원섬유 (fibril)에 의존적이었으며, 이는 cyclin 억제제인 $p27^{KIP1}$의 상향 조절과 관련이 있었다. 따라서 TIMP는 종양의 침습과 전이를 억제할 뿐만 아니라 종양세포의 성장도 조절한다 (Henriet 등, 1999). TIMP는 활성 MMP와 비공유 결합으로 억제성 복합체를 형성함으로써 이들을 억제한다. TIMP에는 TIMP1, 2, 3, 4의 4가지 단백질분해효소 억제제가 있으며, 이들 중 TIMP1은 선택적으로 전구 MMP9과 결합하는 MMP9의 주된 억제제이다 (Nawrocki 등, 1997). RECK 유전자는 Kirsten rat sarcoma viral oncogene homolog (KRAS)-transformed NIH3T3 세포에서 편평 형태 (flat morphology)를 유발하는 인자라고 확인되었다 (Takahashi 등, 1998). RECK는 사람의 정상 기관에서 발현되지만, 여러 종양 유발 인자, 예를 들면 활성 RAS (Sasahara 등, 1999), Epstein Barr virus (EBV) latent membrane protein 1 (LMP1) (Chang 등, 2004), human epidermal growth factor receptor 2 (HER2/neu 혹은 v-erb-b2 avian erythroblastic leukemia viral oncogene homolog 2, ERBB2) (Hsu 등, 2006) 등은 RECK의 발현을 억제한다. 또한, RECK의 과다 발현은 배양액 내에서 활성 MMP2와 MMP9의 양을 감소시키며, 생체 밖 실험 (Oh 등, 2001)과 생체 실험 (Chang 등, 2008)에서 전이력을 억제한다고 보고된 바 있다.

MMP는 형태 형성, 혈관 형성, 조직 복구, 간 경화, 관절염, 전이 등과 같이 다양한 생리적, 병적인 과정에서 중요한 역할을 한다. MMP2와 MMP9은 전이 과정에서, MMP1은 류마티스 관절염 및 퇴행성 관절염에서 중요하다고 간주된다. 과다한 MMP는 대동맥 벽의 구조성 단백질을 분해함으로써 대동맥류의 발병 기전에 관여한다 (Liu 등, 2006). MMP는 종양의 혈관 형성에서 이중적인 기능을 나타내는데, MMP2와 MT1-MMP는 혈관 형성의 초기 단계에서 기저막 장벽을 분해하는 데 필요하며, 기타 MMP는 기질인 plasmin을 혈관 형성을 억제하는 angiostatin으로 전환시키는 데 관여한다 (Cao 등, 1996; Zucker 등, 2000).

기저막과 세포 외부 기질의 분해는 종양의 침윤 및 발달을 위해 필수적이며, MMP는 이러한 과정에서 중요한 역할을 하는 강력한 단백질분해효소이다. MMP 가족에 속하는 MMP2 (gelatinase A, 72 kDa)와 MMP9 (gelatinase B, 92 kDa)은 기저막의 주성분인 IV형 collagen과 gelatin을 분해한다 (Toi 등, 1998). MMP9의 발현은 방광암 (Eissa 등, 2007), 결장직장암 (Liabakk 등, 1996), 피부암 (Pyke 등, 1992), 폐암 (Kodate 등, 1997) 등과 같은 많은 신생물의 발생과 진행에 영향을 준다. MMP와 그들의 특이 억제제 사이의 균형은 정상 조직에서 결합조직의 항상성을 유지하는 데 중요한 역할을 한다 (Chen, 1992). MMP와 그들의 특이 억제제 사이의 불균형은 과도한 분해 작용을 일으키며, 이는 종양세포의 침윤을 유발한다 (Polette 등, 2004).

MMP는 암의 침습과 전이에 관여한다. Moses 등 (1998)은 다양한 암을 가진 환자의 소변에서 MMP를 측정하기 위해 gelatin을 기질로 이용한 전기영동법, 즉 zymography로 분석한 결과, 전립선암에 대한 민감도는 64%의 MMP9이 39%의 MMP2에 비해 더 높았으나, 특이도는 84%의 MMP9에 비해 98%의 MMP2가 더 높았다고 하였다. 소변에서 chromatography, zymography, mass spectrometry 등을 이용한 근래의 연구는 미확인된 분자량 125 kDa 이상인 여러 고분자량의 gelatinase의 활성을 발견하였으며, 약 140 kDa, 220 kDa 이상, 약 190 kDa의 gelatinase 각각은 MMP9/TIMP1 복합체, MMP9 이합체, a disintegrin and metalloproteinase with thrombospondin motif 7 (ADAMTS7)으로 밝혀졌다 (Roy 등, 2008). MMP9 이합체와 MMP9은 전립선암과 방광암을 구별해 내는 독립적인 예측 인자이다 (각각 $p < 0.001$). 소변 내

의 MMP2 혹은 MMPs 및 vascular endothelial growth factor (VEGF)의 농도는 방사선 요법을 받은 전립선암 환자에서 1년 동안 진행이 없는 생존에 대한 예측 표지자라고 보고되었다. 이 연구는 또한 소변 내의 VEGF 농도는 국소 전립선암과 정상 대조군을, 전이 전립선암과 국소 질환을 감별할 수 있었으며 (각각 $p=0.04$, 0.01), MMPs의 농도도 마찬가지의 결과를 나타내었다고 하였다 (각각 $p=0.03$, 0.0001) (Chan 등, 2004). VEGF의 소변 농도는 건강한 대조군에 비해 전립선암 환자군에서 유의하게 더 높으며 (Miyake 등, 2005), 거세 저항성 전립선암 환자의 생존을 예측할 수 있는 인자라고 보고된 바 있다 (Bok 등, 2001).

대조 조직에 비해 폐암 조직에서 *MMP9* mRNA가 상향 조절되었다는 보고가 있고 (Simi 등, 2004), 혈장에서 MMP9, TIMP1, TIMP2 등을 병합하여 평가하면 임상적으로 구강암 환자를 관리하는 데 도움이 된다는 보고도 있다 (Singh 등, 2011). 임상적으로 국소 전립선암으로 진단되어 근치전립선 절제술을 받은 79명으로부터 채집한 표본과 양성전립선비대 환자 11명으로부터 채집한 대조 표본에서 *MMP9*, *TIMP1*, *RECK* 등과 같은 유전자의 발현을 비교한 연구는 다음과 같은 결과를 보고하였다 (Reis 등, 2011). 첫째, 양성전립선비대 조직에 비해 전립선암 조직에서 *MMP9*이 9.2배 과다 발현되었으며, *TIMP1*과 *RECK*는 각각 0.75배, 0.80배로 과소 발현되었다. 둘째, *MMP9*과 10 ng/mL 이상의 PSA 농도 사이에는 연관성이 있었다 ($p=0.033$). 셋째, *MMP9*의 발현 증가와 생화학적 재발 사이에 연관성은 있었으나 유의성은 약하였다 ($p=0.089$). 넷째, 전립선암 환자의 양성 전립선 조직에서 *MMP9*의 발현 패턴은 악성 전립선 조직에서 발견되는 것과 유사하였지만, *MMP9*의 역조절 인자인 *TIMP1*과 *RECK*는 양성전립선비대 환자의 양성 조직에 비해 전립선암 환자의 양성 조직에서 대부분 과다 발현되었다. 이들 결과를 근거로 하여 저자들은 *MMP9*이 종양 형성의 과정에 관여하며, *MMP9*의 발현양은 혈청 PSA의 증가와 동반하여 상승하기 때문에 예후 인자로서의 역할을 할 수 있다고 하였다.

원발 암과 전이 암 주위에 있는 세포 외부 기질의 분해는 상피세포암의 침윤 및 전이에서 중요한 역할을 한다 (Sun 등, 2001). 기질세포 (London 등, 2003)와 내피세포 (Holmberg 등, 2002)에 의한 MMPs의 발현은 여러 용해성 인자 혹은 세포와 결합한 인자, 예를 들면 immunoglobulin (Ig) 가족의 구성원인 Basigin (BSG)에 의해 조절된다. Extracellular matrix metalloproteinase inducer (EMMPRIN) 혹은 cluster of dif-ferentiation 147 (CD147)으로도 알려진 BSG는 적혈구에 있는 말라리아 기생충 *Plasmodium falciparum*의 필수 수용체이며 *BSG* 유전자에 의해 코드화된다고 알려져 있다 (Yurch-enko 등, 2006). BSG는 인접한 섬유모세포에서 MMP의 합성을 자극함으로써 암세포의 침윤과 전이에 관여하며 (Tang 등, 2004), ERK1/2 및 p38 mitogen-activated protein kinase (MAPK)의 활성화를 통해 악성 세포의 증식에 관여하고 (Vignesw 등, 2006), VEGF를 통해 혈관 형성을 증대시키며 (Tang 등, 2005), hyaluronan의 생성을 통해 화합물에 저항하는 종양세포를 유도하고 (Marieb 등, 2004), B-cell lymphoma 2 (BCL2)-like protein 11 (BCL2L11 혹은 BCL2 interacting mediator of cell death, BIM)의 억제를 통해 anoikis에 대한 종양세포의 저항성을 유발한다 (Yang 등, 2006). BSG는 부착분자의 특성을 가져 세포와 세포, 세포와 기질 사이의 부착을 매개한다 (Erica 등, 2004). 다른 연구는 BSG가 섬유모세포 및 종양의 기질세포로부터 MMP의 생성을 촉진하여 기저세포막과 세포 외부 기질에 있는 대부분의 성분을 분해함으로써 종양의 전이에 관여한다고 하였다 (Nabeshima 등, 2006). BSG는 RNA와 단백질 수준에서 VEGF의 발현에 영향을 주며, 종양 혈관계의 성장을 촉진한다 (Liguo 등, 2006). BSG는 gly-cosylation을 통한 전사 후 변경에 따라 다양한 기능을 가지고 있으며, 이러한 전사 후 변경은 세포 유형에 특이하거나 종양과 관련이 있다고 생각된다 (Michele 등, 2008).

BSG의 발현은 유방암 (Zhou 등, 2005), 폐암 (Sienel 등, 2008), 위암 (Zheng 등, 2006), 담낭암 (Wu 등, 2009) 등과 마찬가지로 정상 전립선 조직에 비해 전립선암에서 증가된다. BSG의 염색은 주로 세포막과 세포질에서 관찰되며, 종양 조직에서는 염색이 이질적인 양상을 나타낸다. BSG 단백질은 정자 형성, 배아 착상, 신경망 형성, 종양의 진행 등에서 중요한 형질막 단백질이다. 많은 Ig과 마찬가지로 BSG는 Ig su-perfamily (IgSF) 영역 두 개, 전하를 띤 잔기 (Glu)를 가진 경막 영역 한 개, 40개의 잔기로 구성된 세포질 영역 한 개 등으로 구성되어 있는데, 이는 BSG가 세포막과 세포질에 위치해 있는 이유를 설명해 준다. 세포막과 세포질에서의 BSG 염색은 유방암, 폐암, 위암, 담낭암 등에서도 기술되었다. 신장암 등 다른 요로계 종양 (Liang 등, 2009)과 유사하게 전립선암 환자의 62%에서 BSG의 발현이 증가된다고 보고된 바 있다 (Han 등, 2010). 일부 연구는 BSG가 유방암의 결과와 관련이

있으며 (Schrgder 등, 2001), BSG의 발현이 전립선암 환자의 전반적 생존율과 관련이 있다고 보고하였다 (Han 등, 2009). 다른 연구도 BSG의 과다 발현은 전립선암의 공격성 및 생화학적 재발이 없는 생존과 상호 관련이 있으며, 전립선암에 대한 치료의 결정과 추적 관찰에 유용한 생물 지표라고 하였다 (Bi 등, 2011) (도표 174, 175).

38. Metastasis-Associated Gene 1 (MTA1)

Metastasis-associated 1 (*MTA1*)은 염색체 14q32.3에 위치해 있으며, 전이 유방암 세포주를 이용한 cDNA 검색에서 처음 발견되었다 (Toh 등, 1994). *MTA1*은 proline이 풍부한 영역인 SH3-binding motif 1개, zinc finger motif 1개, leucine zipper motif 1개, Ser-Pro-X-X (SPXX) DNA-binding motif 5개 등을 포함하는 단백질 metastasis-associated protein 1 (MTA1)을 코드화한다 (Nicolson 등, 2003).

많은 증거들은 *MTA1*이 종양의 전이에서 중요한 역할을 함을 보여 주었다 (Toh와 Nicolson, 2009). *MTA1*은 흑색종과 육종을 제외한 유방암, 난소암, 폐암, 위암, 결장직장암 등과 같은 사람의 다양한 암 세포주와 유방암, 식도암, 결장직장암, 췌장암 등과 같은 암 조직에서 발견된다. Northern blot 분석에 의하면, *MTA1* 전사물은 흑색종, 유방암, 자궁경부암, 난소암 세포와 정상 유방 상피세포 등 사람의 거의 모든 세포주에서 발견된다. 그러나 정상 유방 상피세포에서 발현되는 *MTA1*의 양은 빠르게 성장하는 암과 비정형 상피세포주에서 발견되는 발현양의 약 50% 정도이다. 사람의 *MTA1*은 nucleotide와 아미노산 서열 측면에서 쥐의 *MTA1*과 각각 88%, 96%의 상동성을 나타낸다 (Nicolson 등, 2003). 다른 연구도 *MTA1* 유전자가 식도암 (Qian 등, 2005), 흉선종 (Sasaki 등, 2001), 난소암 (Dannenmann 등, 2008), 유방암 (Tong 등, 2007) 등과 같은 많은 종양과 관련이 있으며, *MTA1*은 이들 암의 침습과 전이에서 중요한 역할을 한다고 보고되었다. Serological analysis of recombinant cDNA expression libraries (SEREX)는 *MTA1*이 정상 조직에 비해 악성 전립선암에서 빈번하게 발현됨을 발견하였는데, 이는 *MTA1*이 전립선암의 전이에서 어떠한 역할을 할 것으로 추측하게 한다 (Geng 등, 2008). 다른 연구도 *MTA1*이 국소 전립선암이나 양성 전립선 조직에 비해 전이 전립선에서 선택적으로 과다 발현된다고 하였다 (Hofer 등, 2004).

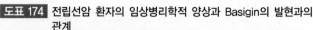

도표 174 전립선암 환자의 임상병리학적 양상과 Basigin의 발현과의 관계

임상병리학적 양상	수	Basigin		p
		1+	0	
연령 (평균±SD)	300	65.9±9.0	67.1±8.3	0.4
수술 전 PSA, ng/mL	300	93.9±10.3	12.5±6.9	<0.001
AJCC pT 병기				0.006
2a	64	30 (46.9)	34 (53.1)	
2b	30	15 (50.0)	15 (50.0)	
2c	123	75 (61.0)	48 (39.0)	
3a	49	36 (73.5)	13 (26.5)	
3b	34	30 (88.2)	4 (11.8)	
Gleason 점수				<0.001
≤6	116	53 (45.7)	63 (54.3)	
7	125	83 (66.4)	42 (33.6)	
≥8	59	50 (84.7)	9 (15.3)	
수술 절제면				<0.001
음성	196	89 (45.4)	107 (54.6)	
양성	104	97 (93.3)	7 (6.7)	
위험도				<0.001
저급 위험	118	53 (44.9)	65 (55.1)	
중급 위험	123	80 (65.0)	43 (35.0)	
상급 위험	59	53 (89.8)	6 (10.2)	
수술 후 림프절				<0.001
음성	270	159 (58.9)	111 (41.1)	
양성	30	27 (90.0)	3 (10.0)	

Basigin의 발현에 대한 평가 기준은 염색된 종양세포의 수가 5% 이하를 음성 (0), 5% 초과를 양성 (1+)으로 규정하였다.
AJCC pT, American Joint Committee on Cancer pathologic tumor; PSA, prostate-specific antigen; SD, standard deviation.
Bi 등 (2011)의 자료를 수정 인용.

도표 175 생화학적 재발이 없는 생존에 대한 Basigin의 단변량 및 다변량 Cox 회귀 분석

단변량	HR (95% CI)	p
AJCC pT 병기	2.53 (1.35~3.78)	<0.001
Gleason 점수	1.96 (1.34~2.53)	<0.001
수술 절제면 상태	2.09 (1.05~3.15)	<0.001
수술 전 PSA	1.26 (1.08~1.92)	<0.001
Basigin의 발현	6.64 (3.78~11.09))	<0.001
위험도	1.58 (1.34~2.01)	<0.001
수술 후 림프절 상태	2.56 (1.98~2.95)	<0.001
다변량	**HR (95% CI)**	**p**
AJCC pT 병기	1.67 (0.78~2.59)	0.653
Gleason 점수	2.05 (1.24~2.67)	<0.001
수술 절제면 상태	0.84 (0.34~1.35)	0.341
수술 전 PSA	1.38 (1.03~2.01)	<0.001
Basigin의 발현	5.92 (3.05~9.07)	<0.001
위험도 분류	1.58 (1.34~1.72)	<0.001
수술 후 림프절 상태	1.61 (0.92~1.95)	0.278

AJCC pT, American Joint Committee on Cancer pathologic tumor; CI, confidence interval; HR, hazard ratio; PSA, prostate-specific antigen.
Bi 등 (2011)의 자료를 수정 인용.

이들 연구는 *MTA1*이 전립선암의 전이에서 중요한 역할을 함을 보여 주었으나, *MTA1*이 전이 과정에 관여하는 기전은 충분하게 이해되어 있지 않다. 여러 연구는 *MTA1* mRNA의 농도가 식도암 (Toh 등, 1999), 폐암 (Sasaki 등, 2002), 유방암 (Jang 등, 2006), 췌장암 (Iguchi 등, 2000) 등을 포함하는 여러 형태의 암 환자에서 림프절 전이, 종양의 분화도 등급 등의 증가 및 혈관 형성의 증가와 관련이 있다고 하였다.

비교적 MTA1을 높게 발현하는 MDA-MB-231 유방암 세포주에서 antisense phosphorothioate oligonucleotide를 이용하여 MTA1 단백질의 발현을 억제하면, 암세포의 성장과 침습이 억제되었다. *MTA1*를 가진 벡터로 유전자 전달 감염을 유도한 세포에서 MTA1은 세포핵 내에서 발견되었다. MTA1의 일부는 세포질에서도 발견되지만, 대부분의 MTA1은 세포핵 내에 위치해 있다. GATA 성분을 가진 정보 제공 유전자 (reporter)를 MTA1을 발현하는 세포에 유전자 전달 감염을 일으킨 경우 정보 제공 유전자의 발현이 MTA1을 발현하지 않는 세포에 감염을 일으킨 경우에 비해 10~20배 증가하였기 때문에, MTA1은 GATA 성분을 가진 전사 인자와 같은 작용을 한다고 생각된다 (Nicolson 등, 2003). 염색질의 재형성에 관여하는 nucleosome remodeling histone deacetylase (NuRD) 복합체는 MTA1과 MTA1-related protein (MTA2)을 가지고 있다는 보고 (Zhang 등, 1999)에 근거하여 MTA1의 유무를 확인하기 위해 NuRD를 분석한 실험에 의하면, MTA1은 histone deacetylase (HDAC)와 관련이 있었다 (Nicolson 등, 2003). 다른 연구도 MTA1이 histone deacetylation과 전사 조절의 변경에서 중요한 역할을 하는 HDAC와 상호 작용한다고 하였다 (Manavathi 등, 2007). Estrogen receptor (ER)와 결합하는 motif, 즉 Leu-Arg-Ile-Leu-Leu (LRILL)를 가진 short form of MTA1 (MTA1s)은 세포질 내에 위치해 있으며, 세포질 내에 ER을 격리하여 ER의 반응을 증대시킨다 (Kumar 등, 2002). MTA1은 estrogen response element (ERE)를 가진 표적 유전자의 염색질로 HDAC를 집결시킴으로써 ERα에 의해 유도되는 전사를 억제하며, cyclin-dependent kinase-activating kinase (CAK)에 의해 유도되는 ER의 활성화를 억제한다 (Yao

와 Yang, 2003). 이와 같은 여러 분자와의 상호 작용 외에도 MTA1은 NuRD 복합체의 일부분으로서 *tumor protein 53 (TP53* 혹은 *p53)*와 같이 종양을 억제하는 유전자의 전사 후 변경을 역조절한다 (Dias 등, 2013). 포도, 블루베리, 산딸기, 오디 등에 함유된 stilbenoid인 resveratrol이 MTA1/NuRD를 조절하고 p53의 아세틸화를 재활성화한다는 연구 결과를 근거로 resveratrol의 유사체인 pterostilbene (PTER)을 전립선암 이종 이식 암에 투여한 연구는 PTER이 MTA1의 신호 경로에 의존적으로 p53의 아세틸화를 증가시켜 세포 자멸사의 증대 및 혈관 형성의 감소를 유발하여 암의 진행과 전이를 감소시켰다고 하였다 (Li 등, 2013). 이와 같은 자료는 MTA1이 전이 상피세포의 성장, 침습, 진행에서 중요한 신호의 전달, 염색질의 재형성, 전사 과정 등을 조절하는 다수의 기능을 가지고 있음을 보여 준다 (Nicolson 등, 2003).

상피세포가 암세포로 발달하기 위해서는 epithelial mesenchymal transition (EMT)이 일어나야 한다 (Singh과 Settleman, 2010). EMT는 상피세포 층이 극성과 함께 세포와 세포 사이의 접촉을 상실하도록 함으로써 세포 골격의 구조 변경을 유도한다 (Yilmaz와 Christofori, 2009). Epithelial cadherin (E-cadherin)은 EMT의 발생에 대한 주된 지표로 간주되고 있다 (Liu 등, 2008). E-cadherin은 세포의 부착, 분화, 구조 등을 포함하는 악성 표현형의 발달에서 중요한 역할을 한다. E-cadherin의 상향 조절은 EMT를 불활성화하는 데 비해 E-cadherin의 소실은 EMT를 유도하여 종양세포의 침습, anoikis 저항성 등을 일으키기 때문에, E-cadherin은 종양의 발생에서 종양을 강하게 억제하는 인자로 간주된다 (Onder 등, 2008). E-cadherin의 유전자 *CDH1*에 있는 CpG 섬의 과다 메틸화 혹은 histone 탈아세틸화는 종양에서 *CDH1*이 침묵하게 되는 주된 기전이다 (Pederico 등, 2009). MTA1은 histone 탈아세틸화, 염색질 구조의 변경, 전사 조절 등에 관여한다고 알려져 있다 (Toh 등, 2004; Molli 등, 2008). 이와 같은 결과는 MTA1이 E-cadherin을 조절할 수 있음을 추측하게 한다. 더욱이 MTA1은 EMT의 표현형에 영향을 준다고 보고된 바 있으며 (Pakala 등, 2010), E-cadherin의 발현은 *MTA1* small interfering RNA (siRNA)로 치료를 받은 흑색종과 자궁경부암에서 상향 조절된다고 보고되었다 (Rao 등, 2011). 그러나 이들 연구는 MTA1이 *CDH1*의 발현을 조절하는 기전에 초점을 맞추지 않았다. Phosphatidylinositol 3-kinase/v-akt murine thymoma viral oncogene homolog protein 1 (PI3K/AKT) 경

로는 전립선암을 포함하는 여러 암의 진행에 관여하며 (Fang 등, 2007), MTA1은 AKT의 발현을 조절한다 (Shimul과 Rajiv, 2010). 암세포가 악성 표현형을 얻는 데는 MTA1/AKT 경로가 세포의 전이를 유도하는 유전자를 활성화하거나 세포의 증식을 억제하는 유전자에 대항하는 기전이 필요하다. PI3K/AKT 경로는 EMT를 조절하는 중요한 인자이며 (Larue와 Bellacosa, 2005), E-cadherin 또한 EMT를 조절하고 PI3K/AKT의 경로에 의해 조절되는 암의 발달을 억제한다 (Yan 등, 2009).

*MTA1*은 전립선암의 전이와 상당히 관련이 있지만, 전이를 촉진하는 *MTA1*의 분자 기전에 대해서는 충분하게 이해되어 있지 않다. siRNA를 이용하여 *MTA1*을 침묵시킨 연구는 다음과 같은 결과를 보고하였다 (Wang 등, 2012). 첫째, *MTA1*의 침묵은 AKT를 인산화함으로써 E-cadherin이 상향 조절되고 전립선암 세포의 침습이 감소되었다. 둘째, *MTA1*은 정상 전립선 조직에서는 발현되지 않는 데 비해 전립선암 조직의 90% 이상에서, 특히 전이 전립선암 조직에서 발현되었다. 셋째, RT-PCR 및 Western blot 분석에 의하면, *MTA1*의 발현은 전이력이 약한 PC-3M-2B4 (2B4) 세포에 비해 전이력이 강한 PC-3M-1E8 (1E8) 세포에서 유의하게 더 높았다. 넷째, 세포의 부착력을 포함하는 세포의 악성 표현형이 증가된 1E8 세포에서 siRNA를 이용하여 *MTA1*의 발현을 침묵시키면 세포의 침습력이 감소되었으며, 세포 골격에서 극성의 변화가 일어났다. *MTA1*이 과다 발현된 1E8 세포에서는 E-cadherin의 발현이 감소되었으며, *MTA1* siRNA로 처치된 1E8 세포에서는 E-cadherin이 더 높게 발현되었다. 다섯째, 인산화된 AKT가 발현되거나 100 nM의 wortmannin에 의해 인산화된 AKT가 억제되면, E-cadherin의 발현을 조절하는 *MTA1*의 기능에서 변화가 일어났다. E-cadherin 발현의 변화는 세포의 악성적인 특성에 대한 인산화 AKT의 역할을 조절하였다. 이들 결과는 *MTA1*이 인산화 AKT/E-cadherin의 경로를 통해 전립선암 세포의 악성적인 형질 전환에서 중요한 역할을 수행하며, 전립선암의 전이를 조절하는 역할을 가지고 있음을 보여 준다.

현재의 전립선암 치료는 질환의 진행을 방지하기 위해 전립선암을 과잉으로 치료하는 경향이 있기 때문에, 임상에서 공격적인 질환과 활동성이 낮은 질환을 감별하려는 노력은 중요한 과제이다. 전립선암 환자 300명으로부터 채집한 1,940점의 조직 cores를 포함하는 tissue microarray (TMA)를 이용하여 MTA1에 대해 면역조직화학검사를 실시한 연구는 다음과 같은 결과를 보고하였다 (Hofer 등, 2004). 첫째,

MTA1에 대한 평균 염색 강도 (최대 강도는 4점)와 MTA1에 대해 양성인 cores의 비율이 양성 전립선 조직이나 국소 전립선암 조직에 비해 전이 전립선암에서 유의하게 더 높았으며, 각각 1.5점/25%, 2.8점/63%, 3.4점/83%이었다 (모두에서 p<0.00001). 둘째, 역설적으로 국소 전립선암의 경우 MTA1의 높은 발현은 근치전립선절제술 후 낮은 생화학적 재발과 관련이 있었다. 이와 같은 결과는 MTA1의 발현이 전립선암의 진행과 관련이 있음을 확인해 준다.

생쥐의 이종 이식 암과 사람의 TMA를 이용하여 전립선암의 형성에서 MTA1의 역할을 평가한 연구는 다음과 같은 결과를 보고하였다 (Kai 등, 2011). 첫째, MTA1은 골 전이를 일으킨 전립선암의 특징 중 하나이었으며, 이는 MTA1이 전립선암의 진행과 전이에서 어떠한 역할을 할 것으로 추정하게 한다. 둘째, MTA1의 발현은 정상 전립선 상피세포주에 비해 전립선암 세포주에서 더 높았다. 셋째, RNAi에 의한 MTA1의 침묵은 생체 밖 실험에서 세포의 침습과 혈관 형성을 유의하게 억제하였으며, 생쥐의 이종 이식 암에서 종양의 형성과 발달을 지연시켰다. 넷째, MTA1을 발현하는 종양의 경우 증식 지수가 더 높았으며, vascular endothelial growth factor (VEGF)의 분비양이 더 많았고, 혈관 분포양이 더 많았다. 다섯째, 사람의 TMA를 분석한 바에 의하면, MTA1의 세포핵 내에 위치 및 MTA1에 대한 염색 강도는 전립선암의 공격성과 정상관계를 가졌다. 이와 같은 결과는 혈관 형성 및 침습을 유도하는 기능을 가진 MTA1이 전립선암의 성장과 전이를 촉진하며, 예후 표지자 및 전립선암 치료의 표적으로 활용이 가능함을 보여 준다.

원발 전립선암 조직에서 MTA1의 과다 발현이 전립선암의 공격성과 전이를 예측할 수 있는지를 면역조직화학검사를 이용하여 평가한 연구는 다음과 같은 결과를 보고하였다 (Dias 등, 2013). 첫째 세포핵에서 MTA1의 과다 발현은 질환의 진행 정도와 정상관관계를 가졌으며, 전이 전립선암에서 가장 높았다. 둘째, 세포핵 내 MTA1의 과다 발현은 아프리카계 미국인에서 Gleason 점수 7 초과와 유의하게 관련이 있었으나, 백인에서는 그러하지 않았다. 셋째, 세포핵 내에서 MTA1의 과다 발현은 재발에 대한 예측 인자의 역할을 하였다. 이들 결과에 의하면, MTA1이 세포핵에서 과다 발현됨은 예후 지표의 역할을 하며, 아프리카계 미국인이 공격적인 전립선암을 가진 경우에서 치료의 표적이 된다. 또한, 세포핵 내 MTA1의 과다 발현은 재발과 전이를 가질 가능성이 높은 아프리카계 미국인과

그렇지 않은 경우를 구별할 때 활용이 가능하다.

39. MicroRNA (miRNA, miR)

MicroRNA (miRNA, miR)는 내인성의 작은 단일 가닥인 non-coding RNA로서 약 22개 (19~25개)의 nucleotides로 구성되어 있으며, 표적 mRNA의 안정성과 번역 효율에 영향을 주어 유전자의 발현을 조절한다 (Lai, 2002). 이들은 대개 3′ untranslated regions (3′-UTR) 및 코드화 영역 혹은 5′-UTR에 위치한 결합 부위를 표적으로 하여 결합함으로써 mRNA의 분해 혹은 번역을 억제한다 (Rigoutsoa, 2009). 세포의 기본적인 발달과 종양의 형성 과정 중 전사 혹은 전사 후 조절의 수준에서 miRNA의 역할을 밝히려는 연구가 최근까지도 실시되고 있다 (Iorio와 Croce, 2009). 근래에는 miRNA가 스트레스에 의한 노화와 관련이 있다고 보고되었다 (Liong 등, 2009). miRNA의 조절 효과는 miRNA와 그들의 표적 mRNA 사이에서 일어나는 상호 작용에 의해 매개되며, 유전자 발현의 30% 정도는 이러한 상호 작용을 통한 miRNA에 의해 조절된다고 추측된다. 그러나 그러한 과정에 관여하는 조절 인자에 관해서는 충분하게 이해되어 있지 않다. 개개의 miRNA는 mRNA에 대해 불완전한 염기 짝짓기를 유도하여 200개까지의 표적을 조절하는 한편, 특별한 표적에 대해서는 miRNA가 표적 3′ UTR에 있는 다른 개수와 다른 형태의 결합 부위를 통해 조절하기 때문에, 하나의 miRNA는 표적의 발현과 기능에 영향을 주어 다양한 생물학적, 병리학적 신호 경로를 조절한다고 추측된다 (Filipowicz, 2008). 따라서 세포 내에서 일어나는 miRNA에 의한 조절 경로는 매우 복잡하다고 할 수 있다.

miRNA는 종양의 발병에 관여하는 조절 인자이다. Microarray 기법은 종양에서 miRNA의 비정상적인 발현을 특징화하기 위해 널리 이용되고 있지만, 종양의 비균질성 때문에 동일한 종양이라도 실험실에 따라 miRNA 발현의 특징이 다르게 보고된다. 통제 불능의 miRNA가 전립선암을 형성하는 기전 또한 분명하지 않은 실정이다. 38가지의 유전자 개념 (Gene Ontology, GO) 용어, 16개의 Kyoto Encyclopedia of Genes and Genomes (KEGG) 경로, 99개의 GeneGO (MetaCore Pathway Analysis) 경로를 분석한 연구는 유전자 수준보다 더 일정하게 종양의 비균질성을 설명해 주는 여러 경로 수준에서 miRNA의 특징적인 발현을 관찰하였으며 (도표 176), 이와 같이 miRNA의 조절 경로가 다양하게 존재함은 전립선암에서

다른 *miRNA*와의 협동 기능이 가능함을 시사한다 (Tang 등, 2013).

　*miRNA*에 관한 연구에 의하면, *miR-21*, *miR-24*, *miR-32*, *miR-125b*, *miR-221*, *miR-222* 등은 전립선암에서 상향 조절되며, 반대로 *miR-7*, *miR-34a*, *miR-101*, *miR-143*, *miR-145*, *let-7a* 등은 하향 조절된다 (Catto 등, 2001). 또한, 여러 *miRNA*가 전립선암에서 전이를 매개한다고 보고되었다. 예를 들면, *miR-21*은 전립선암에서 과다 발현되며, myristoylated alanine-rich C-kinase substrate (MARCKS)를 표적으로 함으로써 세포 자멸사에 대한 저항성, 침습, 전이 등을 촉진한다 (Li 등, 2009). *miR-29b*는 전립선암 세포에서 전이를 억제하는 *miRNA*라고 알려져 있으며, epithelial-mesenchymal transition (EMT)의 신호 경로를 조절한다 (Ru 등, 2012). *miR-143*는 전립선암 세포의 증식과 이동을 감소시키며, Kirsten rat sarcoma viral oncogene homolog (KRAS)를 억제함으로써 docetaxel과 같은 약제에 대한 민감성을 증대시킨다 (Xu 등, 2011). *miR-221*은 공격적인 전이 전립선암에서 점차 감소되며, *miR-221*의 감소는 임상적 재발을 예측하게 한다 (Spahn 등, 2010).

　근래 들어 *miRNA*와 표적 유전자 사이의 상호 관계에 의해 조절되는 암세포의 성장, 분화, 세포 자멸사 등의 조절에 관한 연구가 많이 진행되고 있다. 발현에 변화가 일어난 많은 *miRNA*가 사람의 상당수 암에서 암의 형성 및 진행과 밀접한 연관성을 가지며, *miRNA* 유전자들의 약 50%는 암과 관련이 있는 유전체 영역에 위치해 있다. 이러한 과정에서 *miRNA*는 종양을 유발하는 유전자 혹은 종양을 억제하는 유전자로서 기능을 하며, 전자의 경우는 암에서 흔히 증가하는 반면, 후자의 경우는 암에서 감소된다 (Vrba 등, 2010). 이들 *miRNA*와 그들 표적과의 상호 관계가 전립선암의 형성과 관련이 있음이 근래 밝혀졌다 (Lu 등, 2008). 전립선암에서도 비정상적으로 발현되는 다수의 *miRNA* 및 그들의 표적이 발견되었으며, *miRNA*로 인해 질환의 발생, 침윤, 전이가 일어난다고 생각된다. 일부 *miRNA*의 비정상 발현은 전립선암의 진단, 예후, 분류 목적을 위한 생물 지표가 될 수 있다 (Prueitt 등, 2008). 따라서 *miRNA*의 비정상적인 특징을 이해하고 *miRNA*와 mRNA 사이의 조절 경로를 정상으로 회복시키는 방법을 모색한다면 전립선암에 대한 새로운 치료 전략이 개발될 수 있다고 생각된다.

도표 176 GeneGO 경로에서 확인된 전립선암 관련 microRNA의 흔한 15가지 경로

범주	경로
발생	Ligand 비의존성 ESR1 및 ESR2의 활성화
발생	골격근 형성의 조절에서 HDAC 및 CAMK의 역할
발생	Neurotrophin 가족의 신호 전달
발생	세포막과 결합한 ESR1: 성장 인자의 신호 경로와 상호 작용
번역	EIF2의 활성화를 조절
번역	번역을 통한 인슐린 조절
발생	IGF-1 수용체의 신호 전달
전사	수용체로 매개되는 HIF의 조절
면역 반응	IL-15의 신호 전달
발생	심근세포에서 PIP3의 신호 전달
신호 전달	Activin A의 신호 경로를 조절
세포 자멸사/생존	BAD의 인산화
신경생리 과정	NMDA-dependent postsynaptic long-term potentiation in CA1 hippocampal neuron
G 단백질 신호 경로	Pro-insulin C-peptide의 신호 전달
발생	Thrombopoietin으로 조절되는 세포 과정

BAD, BCL2-associated death promoter; CA1, Cornu Ammonis area 1; CAMK, calcium/calmodulin-dependent kinase; EIF2, eukaryotic initiation factor 2; ESR, estrogen receptor; HDAC, histone deacetylase; HIF, hypoxia-inducible factor; IGF1, insulin-like growth factor 1; IL-15, interleukin-15; NMDA, N-methyl-D-aspartate; PIP3, phosphatidylinositol (3,4,5)-triphosphate.
Tang 등 (2013)의 자료를 수정 인용.

39.1. miRNA와 kallikrein-related peptidase (KLK) 의 상호 작용

Interaction of miRNA and kallikrein axis

*Kallikrein-related peptidase (KLK)*는 상당수 암의 발생과 진행에 관여하지만 그들의 조절 장애를 통제하는 기전은 분명하지 않다. 이러한 조절은 부분적으로는 *miRNA*를 통해 전사 후의 사건으로 이루어진다고 보고되었다 (Yousef, 2008). 다른 연구는 두 가지의 독립적 증거를 통해 전립선암에서 *miRNA*가 *KLK*의 조절 장애를 일으킨다고 하였다 (White 등, 2012). 첫째, 전립선암 조직에서 조절 장애를 일으킨 *miRNA*와 그들의 표적 *KLK*, 예를 들면 *miR-143*와 표적 *KLK2*, *miR-331-3p*와 표적 *KLK4* 사이에는 역상관관계가 있음이 관찰되었는데, 이는 *miRNA*가 전립선암에서 *KLK*의 발현을 조절할 수 있음을 보여 준다. 둘째, *miR-143*로 유전자 전달 감염을 일으킨 전립선암 세포주 모델에서는 *KLK2*의 발현과 세

포의 성장이 감소되었다. 그러나 *miR-143*는 이러한 생물학적 효과를 일으키는 다른 표적을 가지고 있기 때문에, 이 결과를 해석할 때는 주의를 필요로 한다. *miR-143*의 과다 발현은 mitogen-activated protein kinase (MAPK)의 신호 전달, 즉 epidermal growth factor receptor/rat sarcoma viral oncogene homolog/MAPK (EGFR/RAS/MAPK) 경로를 표적화함으로써 전립선암의 증식과 이동을 억제하고 docetaxel에 대한 민감성을 증가시킨다 (Xu 등, 2011). 전립선암에서 알려진 *miR-143*의 다른 표적으로는 extracellular signal-regulated kinase 5 (ERK5) (Clape 등, 2009), EMT에 관여하는 유전자 (Peng 등, 2011) 등이 있다.

Microarray 분석에 의하면, 전립선암에서 조절 장애를 일으키는 *miRNA*는 55종이다 (Schaefer 등, 2001a). 이들 중 22종은 상향 조절되고, 26종은 하향 조절되며, 7종은 연구에 따라 상향 조절되거나 하향 조절된다고 보고되었다 (Williams 등, 2013) (도표 177). 55종의 *miRNA* 중 29종이 *KLK*를 표적화하며, 이들 중 8종은 둘 이상의 *KLK* 유전자를 표적화함이 관찰되었다. 예를 들면, *miR-143*는 *KLK2*, *KLK5*, *KLK10*, *KLK13* 등 다수의 *KLKs*를 표적화한다. 또한, 하나의 *KLK*는 둘 이상의 *miRNA*에 의해 표적화될 수 있는데, 예를 들면 *KLK10*은 *miR-1*, *miR-16*, *miR-17-5p*, *miR-21*, *miR-24*, *miR-31*, *miR-143*, *miR-193b* 등에 의해 표적화된다. 이와 같은 복잡한 상호 작용은 도표 178에 요약되어 있다. *miR-16*, *miR-21*, *miR-24* 등의 세 *miRNA*는 *KLK2*와 *KLK10* 모두를 표적화한다. 다른 연구는 *miR-378*이 *KLK2*와 *KLK4*를 표적화한다고 하였다 (Avgeris 등, 2014).

*miRNA*가 다수의 표적을 가지고 있고 1개 이상의 유전자를 표적으로 삼는다는 사실은 중요하다. 동일한 경로에서 다수의 유전자를 표적화함은 치료에서 상당한 영향을 미친다. 이러한 경우 *miRNA*를 이용하여 다방면에서 해당 경로를 표적으로 손상을 입히면, 경로가 성공적으로 억제될 기회가 증가할 것이다 (White와 Yousef, 2011). 한편으로는, *miRNA*가 여러 경로에서 다수의 표적을 가질 수 있기 때문에, 표적을 정확하게 조절하기 어려운 경우가 생길 수 있을 것이다. 이 때문에 입체적인 실험 방법, 생물 정보학과 실험적 접근법의 병용, 다수의 검증 기법 등이 필요하다 (White 등, 2012).

전립선암에서 *miRNA*의 조절 장애를 일으키는 기전을 이해하기 위해 생물 정보학을 분석한 바에 의하면, 서로 근접하여 위치해 있는 *miRNA*, 즉 *miRNA* 집합체는 협조하면서 조직화된 조절 장애를 일으키는데, 이는 조절과 기능이 체계화되어 있음을 나타낸다 (White 등, 2012). 이러한 양상은 *KLK*에서도 마찬가지이다. *KLK* 유전자가 위치해 있는 염색체 자리 19q13에는 다수의 *miRNA*도 자리해 있으며, 이러한 *miRNA* 집합체는 사람의 유전체에서 가장 큰 집합체로서 'chromosome 19에 위치해 있는 *miRNA* cluster'의 의미로 *C19MC*라 한다 (Bentwich 등, 2005). 흥미로운 점은 이 구역이 신경외배엽 종양 중 독특한 유전자 발현 양상, 특징적인 조직 소견, 낮은 생존 등을 나타내는 공격적인 형태와 관련이 있다는 점이다 (Li 등, 2009a).

전립선암에서 *miRNA*의 조절 장애의 기전을 이해하기 위해 전립선암에서 흔한 염색체 이상을 조사한 연구는 종양에서 *miRNA*의 조절 장애와 염색체의 이상 사이에는 연관성이 있다고 하였다 (White 등, 2012). 이 연구에 의하면, 전립선암에서 조절 장애를 일으킨다고 보고된 22종의 *miRNA*가 염색체 이상과 관련이 있는 전립선암에서 발견되었다. 이들 중 59% (13종/22종)는 전립선암에서 염색체의 변화와 상호 관련이 있었는데, 예를 들면 *miR-449*과 *miR-449a*는 전립선암에서 하향 조절되며 전립선암에서 손실을 일으킨다고 보고된 염색체 5q11.2에 위치해 있다 (도표 179). 이들 자료는 전립선암에서 염색체의 변화가 부분적으로 *miRNA*의 조절 장애를 일으킬 수 있음을 보여 준다.

전립선암에서 조절 장애를 일으키고 전립선암의 발병 기전에서 *KLK*를 표적화하는 *miRNA*의 역할을 평가하기 위해 29종의 *miRNA*에 대한 표적 예측 분석 (target prediction analysis)을 실시하고 전립선암에서 흔히 조절 장애를 일으키는 경로와의 상호 작용을 분석한 연구에 의하면, 이들 *miRNA* 중 16종이 전립선암에서 흔히 조절 장애를 일으키는 경로와 관련이 있었다 (도표 180). 전립선암의 30~50%에서 과다 활성화되는 경로 중 하나가 phophatidylinositol 3-kinase (PI3K)와 RAC-alpha serine/threonine-protein kinase (RAC-ALPHA)로도 알려진 v-akt murine thymoma viral oncogene homolog 1 (AKT)의 신호 경로이다. 이 경로의 주된 요소는 종양을 억제하는 phosphatase and tensin homolog (PTEN)이며, 정상적으로 PI3K의 활성화를 차단한다. 전립선암에서 흔히 조절 장애를 일으키는 또 다른 경로로는 androgen receptor (AR) 경로가 있다.

다른 연구는 전립선암에서 *miRNA*와 *KLK3 (PSA)*의 관계를 조사함으로써 *miRNA*와 *KLK*의 상호 작용을 평가하였다.

도표 177 전립선암에서 조절되지 않는 55종의 miRNAs와 이들 중 27종의 miRNAs에 의해 표적이 되는 KLKs

miRNA	전립선암에서 발현	예측되는 표적 KLK	miRNA	전립선암에서 발현	예측되는 표적 KLK
let-7a	하향	–	miR-143	하향	KLK2, 5, 10, 13
let-7i	하향	–	miR-145	하향	KLK7
miR-1	상향/하향	KLK10, 13	miR-146a	하향	–
miR-7	하향	KLK3	miR-148a	상향/하향	–
miR-15	하향	KLK2	miR-193b	상향	KLK10
miR-16	상향/하향	KLK2, 10	miR-194	상향	–
miR-17-5p	하향	KLK5, 7, 10	miR-197	상향	–
miR-20a	상향	–	miR-200a	상향†	KLK13
miR-21	상향	KLK2, 10	miR-200b	상향†	KLK7
miR-24	상향	KLK2, 3, 7, 10	miR-205	하향	KLK2
miR-30d	하향	–	miR-221	상향/하향	–
miR-31	상향	KLK10	miR-222	상향/하향	–
miR-32	상향	–	miR-320	상향	–
miR-34a	하향	KLK13	miR-324-3p	하향	KLK2
miR-34c	하향	KLK13	miR-330-3p	하향	KLK4
miR-92	상향	–	miR-331-3p	하향	KLK2, 4
miR-96	상향	–	miR-363	하향	–
miR-99	하향	–	miR-370	하향	KLK2
miR-101	하향	–	miR-449	하향	–
miR-103	상향	KLK5	miR-449a	하향	KLK13
miR-106b	상향/하향	–	miR-485-3p	상향	–
miR-107	상향/하향	KLK5	miR-486-5p	상향	KLK11
miR-125b	상향	–	miR-521	상향	–
miR-126	하향	–	miR-766	상향	KLK3
miR-133a	상향	–	miR-768-3p	상향	KLK11
miR-133b	하향	–	miR-801	하향	–
miR-140	하향	KLK6, 9	miR-1296	하향	–
miR-141	상향	–			

20종의 miRNAs는 상향 조절되는 반면, 28종의 miRNAs는 하향 조절된다. 7종의 miRNAs는 연구에 따라 상향 혹은 하향 조절된다는 상충되는 결과가 보고되었다.

†, White 등 (2012)은 상향 조절된다고 보고하였으나 Kong 등 (2009), Williams 등 (2013)은 하향 조절된다고 하였다.

KLKs, kallikrein related peptides; miR, microRNA; miRNAs, microRNAs.

White 등 (2012)의 자료를 수정 인용.

이 연구에서 *miR-99a*, *miR-99b*, *miR-100* 등에 의한 전립선암 세포주의 유전자 전달 감염은 전립선암 세포의 성장을 억제 하였으며, *KLK3*의 발현을 감소시켰다. *miR-99* 가족을 억제한 경우에는 PSA 농도가 증가하였는데, 이는 *miRNA*가 전립선암 에서 *KLK3*를 조절함을 나타낸다 (Sun 등, 2011).

*miRNA*는 전립선암에서 임상적 표지자로서 활용도가 높은 분자이다. 이에 관한 연구는 혈청 PSA 농도와 *miR-21* 및 *miR-141*의 양상을 병합할 경우 전립선암에서 양성 예측도 (positive predictive value, PPV)가 40%에서 87.5%로 증가 한다고 하였다 (Hao 등, 2011). 근치전립선절제 표본을 이용 한 다른 연구는 단백질을 코드화하는 유전자 10종, 즉 *RAD23 homolog B* (*RAD23B*), *far-upstream element* (*FUSE*) *bind-*

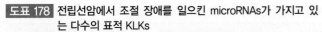

도표 178 전립선암에서 조절 장애를 일으킨 microRNAs가 가지고 있는 다수의 표적 KLKs

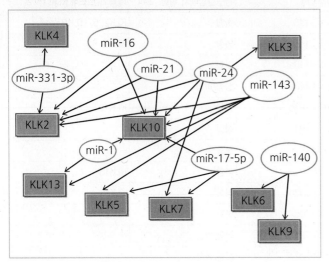

이 도표는 두 가지 이상의 KLKs를 표적화하는 microRNA 만을 보여 준다. 하나의 microRNA가 다수의 KLKs를 표적화할 수 있으며, 하나의 KLK가 다수의 microRNAs에 의해 표적화될 수 있다.
KLK, kallikrein-related peptidase; miR, microRNA; RNA, ribonucleic acid.
White 등 (2012)의 자료를 수정 인용.

도표 179 전립선암에서 조절 장애를 일으키는 microRNA의 염색체 변화

microRNA	miR 조절 장애	염색체 위치	염색체 변화
miR-1	상향 조절	20q13.33	추가
miR-15	하향 조절	13q14.2	결실
miR-24	상향 조절	9q22.32	추가
miR-30d	하향 조절	8q24.22	추가
miR-32	상향 조절	9q31.3	추가
miR-96	상향 조절	7q32.2	추가
miR-106b	상향 조절	7q22.1	추가
miR-107	하향 조절	10q23.31	결실
miR-140	하향 조절	16q22.1	결실
miR-324-3p	하향 조절	17p13.1	결실
miR-449	하향 조절	5q11.2	결실
miR-449a	하향 조절	5q11.2	결실
miR-1296	하향 조절	10q21.3	결실

miR, microRNA.
White 등 (2012)의 자료를 수정 인용.

ing protein 1 (FBP1), tumor necrosis factor receptor super-family member 1A (TNFRSF1A), cyclin G2 (CCNG2), notch 3 (NOTCH3), E26 transformation-specific (ETS) variant 1 (ETV1), B-cell lymphoma 2 (BCL2) homology domain 3 (BH3) interacting domain death agonist (BID), single-mind-

ed 2 (SIM2), leucine zipper-EF-hand containing transmembrane protein 1 (LETM1) domain containing 1 (LETMD1), annexin A1 (ANXA1) 등과 2종의 miRNA, 즉 miR-519d, miR-647 등을 병합하여 분석하면, 전체 환자 (p⟨0.001) 외에도 Gleason 점수 7의 환자 (p⟨0.001)에서 생화학적 재발을 유의하게 예측할 수 있다고 하였다 (Long 등, 2011). 또 다른 연구는 전립선암 환자의 혈장 miR-141 농도는 임상 결과를 예측할 수 있으며, odds ratio (OR)가 최소한 8.3이라고 하였다. 이 연구는 miR-141이 PSA의 변화와 가장 높은 상관관계를 나타내었고 다른 생물 지표의 변화와도 높은 상관관계를 보였다고 하였다 (Gonzales 등, 2011).

위에 기술된 자료를 종합하여 볼 때, miRNA와 KLK의 상호 작용은 전립선암의 발병 기전에 관여하며, 이러한 관계는 매우 복잡하다. 하나의 miRNA는 둘 이상의 KLK를 표적화할 수 있으며, 하나의 KLK는 둘 이상의 miRNA에 의해 표적화될 수 있기 때문에, 복잡한 상호 작용의 양상을 나타낸다. 복잡성 외에도 이러한 상호 작용은 직접적일 수도 있고 간접적일 수도 있다. miRNA는 전사 후에 작용을 나타내지만, 근래의 연구는 miRNA가 대개는 표적 mRNA의 안정성을 억제한다고 하였다 (Guimbellot 등, 2009). 더욱이 KLKs는 KLK가 세포핵에 위치해 있는 경우에서처럼 miRNA 촉진체의 전사를 조절함으로써 miRNA를 조절할 수 있다. 따라서 miRNA는 KLK의 조절에 관여하며, 이들 두 분자는 전립선암의 형성과 진행에 상당한 영향을 준다고 생각된다 (White 등, 2012).

39.2. 전립선암에서 microRNA의 비정상적 발현
Aberrant expression of microRNA in prostate cancer

전립선암 환자 37명으로부터 채집한 순수 종양 표본 40점, 정상 상피 표본 10점, 인접 기질 표본 10점 등을 대상으로 PCR을 이용하여 miRNA를 분석한 연구는 종양세포에서 조절 장애를 일으킨 miRNA가 정상 상피에 비해 2배 이상인 경우를 유의하다고 설정하였을 때 34종의 miRNA가 조절 장애를 일으킴이 관찰되었으며 (도표 181), Gleason 점수 6에 비해 8 이상의 고등급 종양에서 상향 조절되는 miRNA는 miR-9, miR-34, miR-122, miR-138, miR-144, miR-184, miR-193, miR-198, miR-215, miR-335, miR-373 등이고 하향 조절되는 miRNAs는 miR-27, miR-92, miR-96, miR-125, miR-126,

도표 180 전립선암에서 조절 장애를 일으키고 KLKs를 표적화한다고 추정되는 16종의 microRNA가 표적화하는 전립선암 형성 관련 유전자

microRNA	전립선암에서 발현	적절한 표적	참고 문헌
miR-7	하향 조절	EGFR	Giles 등, 2011
miR-15	하향 조절	BCL2, CCND1, WNT3A	Bonci 등, 2008
miR-16	상향 조절	BCL2, CCND1, WNT3A	Bonci 등, 2008
miR-21	상향 조절	BMPR2, MARCKS, PDCD4, PTEN, ANP32A, SMARCA4, SPRY1	Darimipourain 등, 2011; Liu 등, 2011b; Schramedei 등, 2011
miR-24	상향 조절	FAF1	Qin 등, 2010
miR-31	상향 조절	E2F6	Bhatnagar 등, 2010
miR-34a	하향 조절	CD44, SIRT1, BCL2	Kojima 등, 2010; Liu 등, 2011a
miR-34c	하향 조절	E2F3, BCL2	Hagman 등, 2010
miR-107	상향/하향 조절	GRN	Wang 등, 2010
miR-143	하향 조절	MYO6, KRAS, ERK5, ICP4	Szczyrba 등, 2010; Xu 등, 2011
miR-145	하향 조절	MYO6, ICP4, SWAP70, FSCN1, TNFSF10	Chiyomaru 등, 2011; Fuse 등, 2011
miR-200b	상향 조절	ZEB2	Kong 등, 2009
miR-205	하향 조절	BCL2	Bhatnagar 등, 2010
miR-330-3p	하향 조절	E2F1	Lee 등, 2009b
miR-331-3p	하향 조절	ERBB2, PSA	Epis 등, 2009
miR-449a	하향 조절	HDAC1, CCND1	Noonan 등, 2009; Noonan 등, 2010

ANP32A, acidic leucine-rich nuclear phosphoprotein 32 family member A; BCL2, B-cell lymphoma protein 2; BMPR2, bone morphogenetic protein receptor type II, CCND1, cyclin D1; CD44, cluster of differentiation 44; E2F3, E2F transcription factor 3; E2F6, E2F transcription factor 6; EGFR, epidermal growth factor receptor; ERBB2, v-erb-b2 erythroblastosis leukemia viral   oncogene homolog 2; ERK5, extracellular signal-regulated kinase 5; FAF1, FAS (TNFRSF6) associated factor 1; FSCN1, fascin actin-bundling protein 1; GRN, granulin; HDAC1, histone deacetylase 1; ICP4, infected cell polypeptide (or protein) 4; KRAS, Kirsten rat sarcoma viral oncogene homolog; MARCKS, myristoylated alanine-rich C-kinase substrate; miR, microRNA; MYO6, myosin VI; PDCD4, programmed cell death protein; PSA, prostate-specific antigen; PTEN, phosphatase and tensin homolog; SIRT1, sirtuin 1; SMARCA4, SWI/SNF related, matrix associated, actin dependent regulator of chromatin, subfamily a, member 4; SNF, sucrose nonfermentable; SPRY1, sprouty homolog 1; SWAP, switch-associated protein; SWI, switch; SWAP70, SWAP switching B-cell complex 70kDa subunit; TNFSF10, tumor necrosis factor (ligand) superfamily, member 10; WNT3A, wingless-type MMTV integration site family, member 3A; ZEB2, zinc finger E-box-binding homeobox 2.

White 등 (2012)의 자료를 수정 인용.

miR-148, miR-222 등이라고 하였다 (Walter 등, 2013). 그러나 도표 177과 도표 181에서 보듯이 전립선암에서 상향 조절 혹은 하향 조절되는 *miRNA*가 연구에 따라 다르게 보고되기 때문에 이를 해석할 때는 신중을 기해야 될 것이다.

*miRNA*의 비정상적인 발현과 관련이 있는 기전으로는 *miRNA* 복사 수의 변화 (Zhang 등, 2006), 후성적인 (epigenetic) *miRNA*의 변경, 특히 DNA 메틸화로 인한 *miRNA*의 침묵 (Rouhi 등, 2008) 등이 있다. 역으로 *miRNA*는 후성적인 기전을 통해 표적 유전자의 발현을 조절한다 (Friedman 등, 2009). 또한, *miRNA* 전구체의 돌연변이가 발견되었으며, 이러한 돌연변이가 DiGeorge syndrome chromosomal region 8 (DGCR8) 결합과 Drosha 절단을 위해 중요한 stem 혹은 unpaired flanking region에서 일어날 경우에는 *miRNA*의 변천 과정과 존재량이 상당하게 영향을 받게 되지만, loop region에

서 발생한 돌연변이는 *miRNA*의 변천 과정에 영향을 주지 않는다 (DeVere White 등, 2009). *miRNA*의 변천 과정의 장애, *miRNA* 촉진체의 조절 장애 등과 같은 다른 인자도 *miRNA*의 발현에 영향을 준다. 이들 기전은 *miRNA*의 발현 정도가 전립선암에서 조절되지 않는 이유가 될 수 있다. 예를 들면, 변천 과정에서 필수 효소인 dicer는 전립선암에서 증가되고 *miRNA*를 통제 불능 상태로 만들며, 임상 병기, Gleason 점수와 상호 연관성을 가진다 (Chiosea 등, 2006). 현재 전립선암에서 조절 불능인 *miRNA*가 50여 종이 있는데, 그들 중 암을 유발하는 *miRNA*로는 *miR-21, miR-125b, miR-221, miR-222* 등이 있고, 암을 억제하는 *miRNA*로는 *miR-34* cluster, *miR-101, miR-126*, *miR-146a, miR-200* family, *miR-330* 등이 있다 (도표 177). *miR-200* 가족은 염색체 1과 12에 각각 위치해 있는 두 개의 무리들로 구성되며, 전자의 무리는 *miR-200a, miR-200b,*

도표 181 정상 상피 표본에 비해 전립선암 표본에서 조절 장애를 일으킨다고 확인된 microRNAs

microRNA	종양 표본 (배수)[†]	p
miR-10b	13.8783	0.0452
miR-15a	4.9671	0.0367
miR-15b	3.4761	0.0418
miR-16	3.2266	0.0246
miR-18a	4.2568	0.0265
miR-18b	6.8081	0.0133
miR-20b	3.1928	0.0501
miR-25	3.7029	0.0095
miR-30c	3.3999	0.0025[‡]
miR-32	5.0747	0.0406
miR-34a	4.3198	0.0162
miR-34c-5p	8.0395	0.0283
miR-92a	3.0015	0.0177
miR-122	5.5663	0.0054[‡]
miR-124	9.5068	0.0265
miR-125a-5p	3.2052	0.0083[‡]
miR-125b	3.1034	0.0124
miR-128a	4.5004	0.0143
miR-133b	4.2942	0.0501
miR-134	23.1323	0.0125
miR-135b	4.0019	0.0141
miR-146b-5p	3.5577	0.0019[‡]
miR-148b	2.8135	0.0358
miR-181a	3.6192	0.0087[‡]
miR-181b	16.8217	0.0245
miR-181c	4.9187	0.0046[‡]
miR-184	4.0633	0.0086[‡]
miR-193a-5p	4.5984	0.0094[‡]
miR-193b	12.649	0.0021[‡]
miR-206	7.1932	0.0309
miR-214	9.9075	0.0055[‡]
miR-215	8.4863	0.038
miR-301a	4.2033	0.0167
miR-372	6.8639	0.0184

[†], 정상 상피에 비해 종양 조직에서 2배 이상 발현되는 microRNAs로서 이들 모두는 2.8~23배의 범위로 상향 조절된다; [‡], p-value가 대략 0.005 미만으로 가장 유의하게 상향 조절되는 microRNAs를 나타낸다.

miR, microRNA.

Walter 등 (2013)의 자료를 수정 인용.

miR-429 등을 포함하며, 후자 무리는 miR-200c, miR-141 등을 포함한다. Vrba 등 (2010)은 miRNA에 인접해 있는 CpG 섬

(유전체 상에 CpG 배열이 상당수 포함되어 섬 모양으로 띄엄띄엄 떨어져 있는 영역을 가리키며, CpG는 'phosphodiester 결합에 의한 C와 G의 연결'을 의미한다)의 과다 메틸화는 이에 상응하는 miRNA의 발현과 역상관관계에 있음을 발견하였다. 그들은 PC3 전립선암 세포주가 miR-200c와 miR-141에 인접한 CpG 섬의 비정상적 메틸화로 miR-200s와 miR-141의 발현이 상실되는 데 비해, LNCaP와 DU145 전립선암 세포주는 CpG 섬이 변하지 않아 miR-200와 miR-141의 발현이 정상임을 보여 주었다. 거의 동시에 dicer의 발현이 공격적인 전립선암에서 증가되는데, 이는 전립선암과 관계있는 miRNA의 대부분을 증가시키는 기전 중 하나이다 (Chiosea 등, 2006). 또한, 안드로겐/안드로겐 수용체의 신호 경로는 전립선암에서 miRNA를 조절한다고 보고되었다. Ribas 등 (2009)의 연구는 안드로겐으로 유도된 안드로겐 수용체는 miR-21 촉진체와 결합함으로써 miR-21의 과다 발현을 일으키는데, 이는 전립선암에서는 안드로겐 의존성 세포의 성장과 거세 저항성이 동반될 수 있다는 보고에 의해 뒷받침된다.

또한, 일부 비정상적으로 발현되는 miRNA는 전립선암에 특이하며, 발현 정도는 양성 전립선 질환과 악성 전립선암 사이에서 뚜렷한 차이를 나타낸다. Tumor protein 53 (TP53 혹은 p53)에 의한 miR-34의 과다 발현은 안드로겐 의존성의 LNCaP 세포주에서만 발견되며 (Rokhlin 등, 2008), miR-21은 안드로겐 비의존성 PC3와 DU145 세포주에서는 높은 수치로, LNCaP 세포주에서는 낮은 수치로 발견된다 (Li 등, 2009). 전립선암에서 miRNA는 그들이 조절하는 표적에 따라 암을 유발하거나 억제한다고 알려져 있다. 한편, Sun 등 (2009)은 표적 mRNA 양의 감소가 miRNA와 결합한 부위의 수 및 3′ UTRs의 길이와 정상관관계를 가진다고 보고하였다.

miRNA의 기능에 관한 연구의 접근법은 공통적으로 miRNA의 습득과 상실을 일으키는 생물학적인 영향을 입증하는 것이다. 비정상적으로 발현되어 전립선암에 있는 표적의 발현과 활성을 변화시킨다고 알려진 miRNA가 50종 이상이지만, 전립선암의 시작, 진행, 전이에 관여한다고 실험적으로 확인된 miRNA는 수종에 불과하다. 서로 다르게 발현되는 이들 miRNA는 암을 유발하거나 암을 억제하는 기능을 하며, 암을 억제하는 유전자 혹은 암을 유발하는 유전자를 표적으로 삼는다 (Schaefer 등, 2009). 안드로겐 박탈 요법에 대한 저항성의 발생은 진행된 전립선암의 관리에서 큰 장애물이다. 안드로겐 수용체 대항제 및 안드로겐 차단으로 치료하면, 처음에는

종양이 퇴행을 일으키지만, 후에는 안드로겐 수용체를 우회하는 신호 경로를 포함하는 보상 기전의 발달로 인해 종양이 재성장하게 된다. 작은 크기의 조절 RNAs인 *miRNA*는 종양세포에서 흔히 달라지는 세포의 항상성을 유지하는 데 관여한다. 안드로겐 박탈 요법에 대한 저항성의 발달과 1,113개 *miRNA*의 발현 사이의 연관성을 평가하기 위해 안드로겐 박탈 요법과 안드로겐 수용체 대항제 Casodex (CDX)를 이용하여 안드로겐의 공급을 중단시킨 후, 이러한 치료에 저항성을 일으키는 안드로겐 민감성 전립선암 세포를 대상으로 분석한 연구는 치료에 대한 저항성이 발달하는 동안 유의하게 변화를 일으키는 43종의 *miRNA*를 발견하였다 (Ottman 등, 2014). 이에 관한 연구 결과는 '37.6. 전립선암의 안드로겐 대항요법 저항성과 miRNA의 발현 사이 연관성'에 기술되어 있다.

39.3. 전립선암의 발달과 관련 있는 miRNA

miRNA associated with development of prostate cancer

*miRNA*의 발현에 관한 자료를 분석한 결과, 전립선암에서 증가되는 많은 *miRNA*가 발견되었다. 암을 일으키거나 억제하는 유전자처럼 작용하는, 즉 암과 관련이 있는 *miRNA*의 한 형태인 oncomir의 과다 발현은 세포 자멸사와 연관성이 있는 유전자를 후성적으로 침묵시켜 종양의 성장과 전이를 유도한다.

miR17-92 집합체에 속해 있는 *miR-18a*는 전립선암에서 상향 조절된다고 보고된 바 있으며, 임상적 종양 표본과 암 세포주에서 상향 조절된다는 보고도 있었다. Luciferase reporter 분석에 의하면, serine/threonine-protein kinase 4 (STK4)는 *miR-18a*의 직접적인 표적이다. 흥미로운 점은 *miR-18a*를 삭제하면, STK4로 매개되는 AKT의 탈인산화가 일어나고 이로써 세포 자멸사가 유도됨으로써 전립선암 세포의 성장이 감소되고 종양의 크기가 감소된다는 점이다. 이와 같은 결과는 *miR-18a*가 STK4를 표적화하는 oncomir의 역할을 하며, *miR-18a* 발현의 억제는 전립선암의 치료에서 유익한 선택이 될 수 있음을 보여 준다 (Hsu 등, 2014).

Oncomir 중 하나인 *miR-21*은 폐암, 유방암, 결장암, 직장암, 전립선암 등에서 과다 발현되며, 종양의 성장, 침윤, 전이를 일으키는 중요한 종양 유전자의 조절 인자로서 기능을 한다 (Seleuklu 등, 2009). 발현과 관련된 자료를 분석한 결과, *miR-21*의 과다 발현은 안드로겐 비의존성 PC3/DU145 세포주에서는 분명한 데 비해, 안드로겐 의존성의 LNCaP 세포주에서는 낮았다 (Li 등, 2009). *miR-21*은 *programmed cell death protein 4 (PDCD4)*, *myristoylated alanine-rich protein kinase substrate (MARPKS)*, *tropomyosin α-1 (TPM1)* 등을 직접 조절함을 통해 작용하며, 전립선암 세포의 운동성, 침윤성, 세포 자멸사 저항성 등을 증대시킨다 (Li 등, 2009). 이는 antisense oligonucleotide에 의한 *miR-21*의 불활성화가 전립선암 세포의 세포 자멸사에 대한 민감성을 증가시키고 암세포의 이동과 침윤을 억제시킨다는 관찰에 의해 확인되었다 (Li 등, 2009). 다른 연구는 안드로겐의 존재 하에서 안드로겐 수용체가 전사 단계에 있는 *miR-21*의 촉진체 putative promotor region of *miR-21* (miPPR21)과 결합함으로써 거세에 대한 저항성을 유발한다고 하였다 (Ribas 등, 2009).

*miR-125b*는 세포의 증식에서 필수적이며, 전립선암에서 과다 발현된다 (Lee 등, 2005). BCL2 가족 중 세포 자멸사를 유도한다고 알려진 *BCL2 homologous antagonist/killer 1 (BAK1)*의 3' UTR 전사물을 표적으로 삼아 합성 *miR-125b*를 이용하여 유전자 전달 감염을 일으키면, 안드로겐 비의존성의 전립선암 세포가 성장하게 된다 (DeVere 등, 2009). Small interfering RNA (siRNA)로 *BAK1*을 제거하는 방법에 의해 *BAK1*이 감소된 경우에는 *miR-125b*로 매개된 세포의 성장이 반전되지 않는 것으로 보아 전립선암에는 *miR-125b*의 다른 표적이 있다고 추정된다 (Shi 등, 2007). 예를 들면, *eukaryotic translation initiation factor 4E-binding protein 1 (EIF4EBP1)*이 전립선암에서 *miR-125b*의 또 다른 특이한 표적 중 하나라고 확인되었다. 이와 같은 증거는 개개의 *miRNA*가 다른 경로를 통해 여러 표적을 조절한다는 가설을 확인시켜 준다. PC-346C-*miR-125b* 세포를 무흉선 (athymic) 생쥐의 피하로 주사하여 *miR-125b*를 과다 발현하는 이종 이식 종양을 대상으로 전립선암의 발병 기전에 대한 *miR-125b*의 영향을 평가한 연구는 다음과 같은 결과를 보고하였다 (Shi 등, 2011). 첫째, 인위적으로 발현된 *miR-125b*는 온전하거나 거세된 생쥐에서 종양의 성장을 촉진하였다. 둘째, *miR-125b*는 세포 자멸사를 유발하는 유전자, 예를 들면 *p53*, *p53 upregulated modulator of apoptosis (PUMA* 혹은 *BCL2 binding component 3, BBC3)*, *BAK1* 등을 직접 표적으로 삼아 작용하였다. *miR-125b*가 증가한 경우 이들 세 유전자에 의해 코드화된 단백질의 농도가 급격하게 감소되었다. 이와 같은 결과는 *miR-125b*가 세포 자멸사를 유도하는 세 유전자를 하

향 조절함으로써 전립선의 이종 이식 암의 성장을 촉진하기 때문에 종양 유전자로 간주되며, 전립선암의 치료에서 유망한 표적이 될 수 있음을 보여 준다. PC3 세포를 *miR-125a-3p* 혹은 *miR-Vec* (대조군)로 유전자 전달 감염을 일으킨 연구는 *miR-125a-3p*의 과다 발현이 FYN proto-oncogene, SRC family tyrosine kinase (FYN), focal adhesion kinase (FAK), paxillin (PAX) 등의 활성화를 감소시켰으며, PC3 세포의 이동을 감소시키고 세포 자멸사를 증대시켰다고 하였다. 이 연구는 또한 *miR-125a-3p*와 Gleason 점수 사이에는 역상관관계가 있다고 하였다 (Ninio-Many 등, 2014).

전립선암 조직 표본 27점과 정상 전립선 조직 표본 30점을 대상으로 RT-PCR을 이용하여 전체 *miRNA*의 발현양과 *miR-181b*의 상대적 발현양을 측정하고, PC3 전립선암 세포에 *miR-181b* allele-specific oligonucleotide (ASO)로 유전자 전달 감염을 일으킨 후 *miR-181b*의 발현을 분석한 연구는 다음과 같은 결과를 보고하였다 (He 등, 2013). 첫째, *miR-181b*는 정상 전립선 표본에 비해 전립선암에서 상향 조절되었다. 둘째, *miR-181b*는 *miR-181b* ASO를 이용하여 PC3 전립선암 세포에 유전자 전달 감염을 일으킨 후에는 하향 조절되었다. 셋째, PC3 세포에서 *miR-181b*의 하향 조절은 PC3 세포의 세포 자멸사를 유도한 데 비해, 증식을 억제하였고, 침습을 감소시켰다. 이들 결과를 근거로 저자들은 *miR-181b*는 전립선암에서 과다 발현되며, 그것의 하향 조절은 종양세포의 세포 자멸사를 유도하고 증식을 억제하며 침습을 감소시키기 때문에 전립선암의 유전자 요법으로 유망하다고 하였다.

전립선암을 포함한 여러 종류의 종양에서 증가된다고 보고되는 상동성이 높은 두 *miRNA*, 즉 *miR-221*과 *miR-222*가 전립선암의 발달과 전이에 관여함이 확인되었다. LNCaP 세포주에 비해 PC3 세포주에서 *miR-221/222*가 비교적 과다 발현된다는 관찰과 마찬가지로, 생체 내외 실험에서 안드로겐 의존성 전립선암 세포보다 안드로겐 비의존성 전립선암 세포에서 *miR-221/222*의 발현이 높다고 보고되었다 (Sun 등, 2009). *miR-221/222*가 전립선암의 발달에 관여하는 기전들 중의 하나는 그들이 종양의 성장을 유도하는 표적 mRNA *p27*[kip1] (혹은 *kinase inhibitor protein 1, KIP1*)과 결합하는 기능을 가지고 있기 때문에 일어난다 (Galurdi 등, 2007). 안드로겐 비의존성 전립선암 세포에서 *miR-221/222*는 안드로겐 수용체로 매개되는 신호 전달에 영향을 주는 기전을 통해 거세, 즉 안드로겐 박탈에 저항성을 나타내는 전립선암을 발달시키거나 유

지시킨다 (Sun 등, 2009). 그러나 전립선암에서 *miR-221/222*의 발현과 관련하여 상충되는 보고들도 있는데, 이들은 안드로겐이 *miR-221/222*의 생성을 억제한다고 하였다 (Ambs 등, 2008).

전이력이 각기 다른 전립선암 세포주를 대상으로 공격적인 전립선암에서 *miRNA*의 역할을 분석한 연구는 다음과 같은 결과를 보고하였다 (Lewis 등, 2014). 첫째, *miR-888*은 침습이 없는 PC3 세포에 비해 전이를 일으킨 PC3 세포에서 가장 다르게 발현되었다. 둘째, *miR-888*의 발현은 원발 전립선암 환자, 특히 정낭을 침습한 전립선암에서 더 높았다. 셋째, 전립선을 마사지한 후 소변 내의 전립선액에서 *miR-888*을 분석한 결과, 분화도 등급이 높을수록 증가되었다. 넷째, *miR-888*과 전립선암의 진행과의 관계를 분석한 결과, *miR-888*의 과다 발현은 세포의 증식과 이동을 증가시킨 데 비해, *miR-888*의 활성화를 억제하면 그러한 과정이 차단되었다. 이들 자료는 *miR-888*이 전립선암의 진행을 촉진하는 기능을 가지고 있으며, 종양 억제 유전자 *retinoblastoma-like protein 1 (RBL1)*과 *SMAD family member 4* 혹은 *mothers against decapentaplegic homolog 4 (SMAD4; SMAD*는 *C. elegans*의 *Sma* 유전자와 *Drosophila*의 *Mad* 유전자의 산물로 처음 발견되었다)의 단백질 농도를 감소시킬 수 있음을 시사한다. 이와 같은 결과를 바탕으로 저자들은 *miR-888*이 전립선액을 이용하여 진단할 수 있는 획기적인 진단 도구이며, 공격적인 전립선암의 치료에서 유망한 표적이 된다고 하였다.

39.4. 전립선암의 억제와 관련 있는 miRNA
miRNA associated with suppression of prostate cancer

전립선암에서 하향 조절된다고 알려진 *miRNA* 중에는 *let-7* 가족이 있으며 (Nadiminty 등, 2012), 이 가족에는 *let-7a~g*, *let-i*, *miR-98* 등이 포함되어 있다. *let-7* 가족의 일부는 유방암 (Qian 등, 2011), 난소암 (Dahiya 등, 2008), 폐암 (Takamizawa 등, 2004) 등과 같은 여러 암에서 하향 조절된다고 보고되었다. *let-7*의 표적 유전자로는 *RAS* (Johnson 등, 2005), *v-myc avian myelocytomatosis viral oncogene homolog (c-MYC)* (Kim 등, 2009), *enhancer of zeste 2 polycomb repressive complex 2 subunit* 혹은 *enhancer of zeste human homolog 2 (EZH2)* (Kong 등, 2012), *high-mobility group*

AT-hook 2 (HMGA2) (Mayr 등, 2007) 등이 있는데, 이는 let-7이 전립선암 세포의 자가 재생과 성장에 관여하는 종양 유전자를 조절함으로써 종양을 억제하는 기능을 가지고 있음을 나타낸다. 근래의 연구는 전립선암 줄기세포가 특징적으로 let-7 가족의 하향 조절을 나타내며 (Liu 등, 2012), let-7이 MYC를 조절하여 안드로겐 수용체 신호의 전달, 세포의 증식 및 분화 등을 음성적으로 조절함으로써 종양의 형성을 억제한다고 하였다 (Nadiminty 등, 2012). 높은 위험도의 전립선암에서 예후 표지자의 역할을 하는 miRNA를 발견하기 위해 상급 위험 전립선암 환자 98명을 대상으로 qRT-PCR을 이용하여 microarray 분석을 시도한 연구는 다음과 같은 결과를 보고하였다 (Schubert 등, 2013). 첫째, 임상적 진행이 없는 생존을 나타낸 1군과 임상적 실패를 나타낸 2군에서 차이를 보인 miRNA로는 let-7a/b/c, miR-146b, miR-181b, miR-361, miR-515-3p/5p 등 7종이 있었다. 둘째, qRT-PCR 분석은 상급 위험 전립선암 환자 코호트의 대부분에서 let-7 가족이 하향 조절됨을 보여 주었다. 셋째, 상급 위험 환자군에서 let-7 가족은 임상적 결과의 지표와 상호 관련이 있었다. let-7a는 임상적 자료와 어떠한 연관성이나 상관관계를 나타내지 않았지만, let-7b와 let-7c는 전립선암 환자에서 임상적 실패와 관련이 있었다. 별개의 상급 위험 전립선암 환자군을 이용한 타당성 검사에서 let-7b는 생화학적 재발 및 임상적 실패에 대한 독립적 예후 표지자로서의 역할을 하였지만, let-7c는 그러하지 않았다. 넷째, non-histone 단백질인 HMGA1은 let-7b의 표적으로 간주되며, 원발 전립선암 표본에서 let-7b의 하향 조절과 HMGA1의 과다 발현은 상호 관련이 있었다. 이러한 결과는 종양을 억제하는 miRNA인 let-7b가 상급 위험 전립선암에서 예후 표지자의 역할을 할 수 있음을 보여 준다.

miR-1/133a 집합체와 miR-206/133b 집합체에 의해 코드화되는 miR-1과 miR-133b는 근육에 특이한 miRNA로서 (Townley-Tilson 등, 2010) 여러 형태의 종양에서 하향 조절된다고 알려져 있다 (Nohata 등, 2012). 또한, 이들 miRNA의 이소성 과다 발현은 여러 형태의 암에서 세포의 성장과 이동을 억제하였고 세포 자멸사를 유도하였다 (Nohata 등, 2012). miR-1이 전립선암의 재발을 예측하는 예후 표지자라는 보고가 있었다 (Hudson 등, 2012). miR-1의 하향 조절은 그것의 표적의 농도를 증가시킴으로써 전립선암의 재발에 관여한다. 예를 들면, miR-1의 표적으로 간주되는 chemokine (C-X-C motif) receptor 4 (CXCR4)와 stromal cell-derived factor 1α

(SDF-1α) (Leone 등, 2011)의 과다 발현은 전립선암에서 국소 재발 및 원격 전이와 관련이 있으며 (Jung 등, 2011), 병기 II의 췌장암에서 나쁜 예후와 관련이 있다 (Liang 등, 2010). miR-1의 표적인 notch 3 (NOTCH3)의 상향 조절 또한 전립선암의 재발과 관련이 있다 (Long 등, 2010). 한편, miR-133b는 결장직장암에서 전반적 생존 및 전이와 관련이 있다고 보고되었으며 (Akçakaya 등, 2011), 전립선암에서 재발의 예후 표지자로 제시되었다 (Li 등, 2014). miR-133b의 표적, 예를 들면 결장직장암에서 CXCR4 (Duan 등, 2013), 소세포 폐암에서 fibroblast growth factor receptor 1 (FGFR1) (Yang 등, 2013), 결장직장암에서 fascin actin-bundling protein 1 (FSCN1) (Oh 등, 2012) 등의 증가는 여러 암의 예후와 관련이 있다고 보고되었다. 재발한 전립선암 조직 표본 41점과 재발하지 않은 전립선암 조직 표본 41점에서 miRNA의 발현 양상을 비교한 연구는 miR-1 (p=0.036)과 miR-133b (p=0.012)가 재발한 표본에서 유의하게 하향 조절되었으며, 재발 전립선암과 비재발 전립선암의 감별에서 PSA, miR-1, miR-133b 등의 ROC-AUC는 각각 0.950, 0.661, 0.692이었고 miR-1과 miR-133b를 병용한 경우의 AUC는 0.719이었다. 이와 같은 결과를 근거로 저자들은 이들 두 miRNA가 전립선암의 진행을 예측하는 생물지표의 역할을 할 수 있다고 하였다 (Karatas 등, 2014).

miR-29b에 관한 연구는 다음과 같은 결과를 보고하였다 (Ru 등, 2012). 첫째, miR-29b의 발현은 비악성 조직에 비해 전립선암 조직에서 유의하게 하향 조절되었다. 둘째, miR-29b의 이소성 발현이 있는 PC3 세포에서는 상처 치유, 침습 등이 억제되었으며, severe combined immune deficiency (SCID) 생쥐의 정맥으로 miR-29b를 주사한 경우 폐와 간에서 세포의 군집 형성이 억제된 데 비해, 대조 miRNA를 발현하는 PC3 세포는 전이를 일으켰다. 셋째, 대조 miRNA를 발현하는 전립선암 세포에 비해 유전자 전달 감염을 통해 miR-29b의 발현이 증대된 암세포에서는 상피세포 표지자인 E-cadherin의 발현이 증대되었다. 넷째, miR-29b를 발현하는 PC3 세포에서는 N-cadherin, twist family basic helix-loop-helix (bHLH) transcription factor 1 (TWIST1), snail family zinc finger 2 (SNAI2) 등의 발현이 하향 조절되었다. 이들 결과를 종합하여 볼 때, miR-29b는 전립선암에서 EMT를 조절함으로써 전이에 대항하는 기능을 가지고 있으며, 전립선암의 치료에서 유망한 표적이 될 수 있다.

세포 자멸사를 유도하는 여러 제제로 처치한 후 AR의 발현이 세포 자멸사에 미치는 효과를 평가한 연구에 의하면, siRNA *AR*은 topoisomerase를 억제하는 제제인 doxorubicin (DOX)과 camptothecin (Campt)에 의해 유도되는 세포 자멸사를 유의하게 감소시켰으며, DNA double-strand break (DSB)는 p53를 인산화하여 활성화함으로써 세포 자멸사와 관련이 있는 여러 유전자, 예를 들면 *miR-34a*, *miR-34b/c* 등의 발현을 조절하였다. DOX는 p53의 다섯 부위, 즉 Ser15, 20, 37, 46, 392의 인산화를 유도하며, 이들 모든 부위는 siRNA에 의해 억제된다. *AR*의 조절 하에 있는 Ste20-like proline-/alanine-rich kinase (SPAK), mediator of DNA-damage checkpoint 1 (MDC1), calcium/calmodulin-dependent protein kinase II (CaMKII) 중 MDC1과 CaMKII는 p53을 억제하는 p53의 상위 사건에 관여한다. DOX 후에는 *miR-34a*의 수치가 3배까지 증가하였지만, siRNA로는 증가가 관찰되지 않았다. *miR-34c*의 발현은 DOX 후 27배 증가하였지만, siRNA *AR*로는 단지 2.7배 증가하였다. *AR* 의존성 p53의 억제는 *miR-34a*와 *miR-34c*의 발현을 억제하였다. 중요한 점은 DOX가 *AR* 음성 전립선암 세포주인 DU145, PC3 등과 안드로겐이 없는 배지에서 성장한 LNCaP 세포에서 *miR-34*를 유도하지 않는다는 점이다. *miR-34* 대항 oligonucleotide 혹은 *miR-34*로 유전자 전달 감염을 일으킴으로써 DOX로 매개되는 세포 자멸사에서 *miR-34*의 역할을 분석한 바에 의하면, *miR-34a* 혹은 *miR-34c*와 같이 *miR-34*가 개별로 억제되거나 개별로 강하게 과다 발현된 경우에는 DOX로 매개되는 세포 자멸사에서 변화가 관찰되지 않았다. 그러나 *miR-34a*와 *miR-34c* 둘 모두가 동시에 억제되거나 강하게 과다 발현되면, DOX로 매개되는 세포 자멸사의 조절이 일어났다. 이들 자료를 종합하여 보면, 전립선암에서 *miR-34a*와 *miR-34c* 사이의 협동 작용은 *AR*에 의존적인 p53 매개 세포 자멸사에서 중요한 역할을 한다.

암을 억제하는 *miRNA*의 상실 또한 전립선암의 진행과 연관성 있는 기전이다. 암의 이형성과 관련이 있는 polycomb 유전자의 가족에 속하는 *EZH2*는 DNA 메틸화에 관여하는 histone-lysine N-methyltransferase를 코드화한다. EZH2 효소는 polycomb repressive complex 2 (PRC2)의 구성 요소로서 종양의 발생을 억제하는 유전자를 억제한다. 전립선암에서 *miR-101*의 상실은 *EZH2*의 과다 발현을 동반한다. *miR-101*을 코드화하는 유전체 자리는 임상적 국소 전립선암의 37.0%와 전이 암의 66.7%에서 상실됨이 발견되었다. 전립선암이 진행하는 동안 *miR-101*의 발현은 감소되고 *EZH2*는 과다 발현

되며, 이로써 암세포의 성장과 침습이 진행된다 (Varambully 등, 2008). 염증을 유발하는 prostaglandins를 조절하는 cyclo-oxygenase 2 (COX2)는 세포의 증식과 성장을 촉진하며 종양의 조직에서 흔히 과다 발현되는데, BPH1(CmiR101) 전립선암 세포주에 외인성 *miR-101*을 주입하여 *miR-101*의 과다 발현을 유도한 연구는 *miR-101*이 *COX2* mRNA의 3'-UTR과 직접 결합하여 COX2의 발현을 억제함으로써 전립선암 세포의 성장을 억제한다고 하였다 (Hao 등, 2011).

Solute carrier family 45 member 3 (SLC45A3)로도 알려진 prostein (PRST)은 전립선에 특이한 항원들 중의 하나이며, 전립선암 세포의 이동과 침윤을 촉진한다 (Xu 등, 2001). 전립선암 세포에는 *epidermal growth factor (EGF)-like domain 7 (EGFL7)*의 전사물이 없으며, *miR-126*의 아홉 번째 intron의 splicing에 의해 생성되는 *miR-126*' 또한 결여되어 있다. *PRST* mRNA의 3'-UTR에는 *miR-126*'와 결합할 수 있는 부위가 두 군데 있으며, 이들이 결합할 경우 *PRST*의 번역이 어제된다. LNCaP 전립선암 세포 내로 합성 *miR-126*'를 이용하여 유전자 전달 감염을 일으킨 연구는 *PRST*의 번역이 강하게 억제됨을 관찰하였으며, *PRST*의 소실은 전립선암 세포의 이동 및 침습의 감소와 관련이 있다. 이들 결과는 전립선암 세포에서 prostein 단백질의 발현은 *EGFL7* 유전자의 억제로 인한 *miR-126*'의 소실과 *PRST* 유전자의 전사 활성화 때문임을 보여 준다 (Musiyenko 등, 2008). 전립선암 환자 128명을 대상으로 qRT-PCR을 이용하여 측정된 *miR-126*의 발현이 질환의 예후와 연관성을 가지는지를 분석한 연구는 다음과 같은 결과를 보고하였다 (Sun 등, 2013). 첫째, *miR-126*의 발현은 양성 전립선 조직에 비해 전립선암 조직에서 유의하게 더 낮았으며, 각각 1.05±0.63, 2.92±0.98이었다 ($p < 0.001$). 둘째, *miR-126*의 발현이 상실된 경우는 진행된 병리학적 병기, 림프절 전이 양성, 수술 전 높은 PSA 농도, 혈관 및 림프관 침범 등과 같은 공격적인 임상병리학적 소견과 관련이 있었으며, 각각의 p-value는 0.001, 0.006, 0.003, 0.001이었다. 셋째, Kaplan-Meier 생존 분석에 의하면, *miR-126*의 발현이 높은 환자에 비해 낮은 환자에서 생화학적 재발이 없는 생존 기간이 더 짧았다. 다변량 분석 또한 *miR-126*의 발현이 근치전립선절제술 후 생화학적 재발이 없는 생존에 대한 독립적 예후 인자임을 보여 주었다. 이와 같은 결과는 *miR-126* 발현의 상실이 전립선암의 악성 진행에 관여하며, *miR-126*의 하향 조절은 전립선암 환자에서 생화학적 재발이 없는 생존에 대한 독립적

예후 인자의 역할을 함을 나타낸다.

miR-130a, miR-203, miR-205 등은 연합하여 원발 전립선암의 발생과 특히 거세 저항성 질환으로의 진행에서 중요한 두 경로 즉, 여러 AR의 보조 조절 인자와 Harvey rat sarcoma viral oncogene homolog (HRAS) 중 AR 및 MAPK 신호 경로의 여러 성분을 직접 표적화하여 신호 경로를 억제함으로써 세포 자멸사를 유도하고 세포 주기를 정지시켜 종양세포의 성장을 억제한다. 이들 microRNA는 연합하여 종양을 억제하는 인자로서 기능을 하며, 거세 저항성 질환으로의 진행을 방해한다 (Boll 등, 2013).

근래의 연구는 miR-143/145 집합체가 전립선암 조직에서 하향 조절되는 것으로 보아 이들 miRNA 집합체는 종양을 억제하는 역할을 담당한다고 하였다. 이와 관련된 연구는 다음과 같은 결과를 보고하였다 (Kojima 등, 2014). 첫째, PC3 및 DU145 세포주에서 miR-143 혹은 miR-145를 복원시킨 경우 이들 miRNA는 종양세포의 이동 및 침습을 유의하게 억제하였다. 둘째, 유전자 발현 자료와 가상 실험 분석은 Golgi membrane protein 1 (GOLM1)이 miR-143/145 집합체의 표적 유전자임을 보여 주었다. 셋째, 유전자 발현 연구와 luciferase reporter 유전자 분석은 GOLM1이 miR-143/145 집합체에 의해 직접 조절됨을 보여 주었다. 넷째, GOLM1의 침묵은 전립선암 세포의 이동과 침습을 유의하게 억제하였으며, 면역 조직화학검사에 의하면, 전립선암 조직 내에서 GOLM1의 발현은 상향 조절되었다. 다섯째, 종양을 억제하는 miR-143/145 집합체의 소실은 GOLM1을 직접 조절하여 전립선암 세포의 이동과 침습을 증대시켰다. 종양을 억제하는 miR-143/145 집합체에 의해 조절되는 표적 유전자에 관한 이들 자료는 전립선암의 형성과 전이를 일으키는 기전에 관한 새로운 정보를 제공한다.

Lin 등 (2008)은 전립선암의 조직과 세포주에서 감소한다고 확인된 8종, miR-19b, miR-29b, miR-128b, miR-146a, miR-146b, miR-221, miR-222, miR-663 등과 증가한다고 확인된 3종, miR-184, miR-361, miR-424 등의 miRNA를 분석한 결과, 감소하는 8종 miRNA 중 하나인 miR-146a가 안드로겐 의존성 세포에서는 높게 발현되고 안드로겐 비의존성 세포에서는 소실됨을 발견하였다. 안드로겐 비의존성의 PC3 세포를 miR-146a로 유전자 전달 감염을 일으켜 miR-146a를 높게 발현시킨 경우에는 Rho-associated coiled-coil protein kinase 1 (ROCK1)의 발현이 82% 이상 억제되어 세포의 이동, 침습,

증식, 골수로의 전이 등이 크게 감소되었다. 이와 같은 결과는 miR-146a가 안드로겐 의존성 전립선암에서 hyaluronan (HA)/ROCK1으로 매개되는 안드로겐 비의존성의 종양 형성에서 종양을 억제하는 유전자로서 기능을 함을 보여 준다. ROCK1은 miR-146a의 표적 유전자 중 하나로 추정되며, HA로 매개되는 거세 저항성 전립선암으로의 형질 전환과 전이에 관여한다 (Lin 등, 2007). HA에 의해 자극을 받은 ROCK1의 신호 경로가 발암 과정에 관여하는 기전으로는 다음과 같은 세 경로가 제시되고 있다 (Lin 등, 2007). 첫째, myosin light chain (MLC)의 인산화로 인한 세포의 이동 및 침습의 증가. 둘째, PI3K로 매개되는 protein kinase B (PKB 혹은 AKT)/mammalian target of rapamycin/EIF 4E (AKT/mTOR/EIF4E)의 신호 경로의 활성화로 인한 세포의 증식 및 세포 자멸사에 대한 대항 작용, 셋째, macrophage colony-stimulating factor (M-CSF) cytokine 생성의 증대로 인한 골 용해성 전이의 촉진. 많은 경성 종양에서 HA의 함량이 100 mg/mL 이상으로 증가된다고 보고되었다 (Paszek 등, 2005). 따라서 높은 밀도의 HA 조건 하에서 miR-146a로 매개되는 ROCK1의 침묵은 암세포의 증식 혹은 세포 자멸사에 대한 대항 작용, 침습, 전이 등과 같은 거세 저항성 전립선암의 형성을 억제하는 중요한 역할을 한다 (Lin 등, 2008).

miR-146b의 하향 조절은 거세 저항성 전립선암의 발달과 관련이 있다고 보고되었다 (Man 등, 2011). 다른 연구는 miR-146b와 miR-181b는 모든 전립선암 환자에서 하향 조절되지만, 임상적 진행이 없이 생존한 환자에 비해 임상적 실패를 가진 환자에서 상향 조절된다고 하였다 (Schubert 등, 2013). 이러한 결과는 이들 miRNA의 상향 조절이 암 환자에서 예후와 관련이 있다는 연구에 의해 뒷받침된다. 즉, 편평세포 폐암 환자의 경우 miR-146b의 발현이 낮은 환자에 비해 높은 환자에서 전반적 생존율이 유의하게 더 감소된다는 보고가 있고 (Raponi 등, 2009), miR-181은 저급 위험도의 myelodysplastic syndrome (MDS) 환자에서 유의하게 더 낮게 발현되지만, 상급 위험도의 MDS 환자에서는 miR-181의 발현이 증가된다는 보고도 있다 (Sokol 등, 2011).

miR-181은 처음에는 조혈줄기세포와 조혈기원세포에서 발현되는 경우 B 세포의 분화를 촉진한다고 보고되었다 (Chen 등, 2004). 그 후 miR-181의 가족, 즉 miR-181a와 miR-181b는 신경교종에서 세포의 성장을 억제하고, 세포 자멸사를 유도하며, 침습을 억제하는 등 종양을 억제하는 기능을 가지

고 있다고 보고되었다 (Shi 등, 2008). 다른 연구는 별아교세 포 (astrocyte)에서 *miR-181*이 BCL2 가족의 다수를 표적화하 여 세포 자멸사를 일으킨다고 하였다 (Quyang 등, 2011). 여러 연구는 *miR-181*이 백혈병 (Bai 등, 2012), 신경교종 (Chen 등, 2010), 위암 (Zhu 등, 2010), 폐암 (Zhu 등, 2010) 등의 여러 종양세포에서 *BCL2*를 포함하는 다수의 세포 자멸사 대항 유전자를 표적화하여 약물 혹은 방사선에 의한 세포 자멸사 의 효과를 증대시킨다고 하였다. 만성 골수성 백혈병 환자를 대상으로 분석한 연구는 *miR-181a*가 RAS와 관련이 있는 단백 질인 RAS-like protein A (RAL-A)를 코드화하는 *v-ral simian leukemia viral oncogene homolog A* (*RALA*) 유전자를 하향 조절함으로써 성장을 억제하고 세포 자멸사를 유도한다고 하 였다 (Fei 등, 2012). 한편, cinobufacini는 중국두꺼비 *Bufo bufo gargarizans* Cantor의 피부와 이하선에 있는 독샘으로부 터 추출된 물질로서, 중국인의 다양한 종양의 치료에 이용하 여 환자의 생존율과 삶의 질이 개선되었다는 연구에 근거하 여 중국의 State Food and Drug Administration (SFDA)으로 부터 승인을 받은 제제이다 (Zhai 등, 2013). Cinobufacini의 주된 약리학적 성분은 bufalin, cinobufagin, resibufogenin, bufotalin, lumichrome 등을 포함하는 bufadienolides, al-kaloids, biogenic amines, 펩티드, 단백질 등이다 (Yang 등, 2000). 여러 연구는 bufalin, cinobufagin 등과 같은 일부 활성 화합물이 세포 증식의 억제, 세포 분화의 유도, 세포 자멸사의 유도, 세포 주기의 붕괴, 종양에서 혈관 형성의 억제, 다약제 저항성의 전환, 면역 반응의 조절 등과 같은 중대한 항암 작 용을 나타낸다고 하였다 (Qi 등, 2010). Bufalin으로 유도되는 세포 자멸사는 여러 종양세포에서 연구되었다. 예를 들면, 사 람의 위암 세포에서 bufalin은 PI3K/AKT의 신호 경로를 억제 함으로써 세포 자멸사를 유도한다 (Li 등, 2009). 전립선암 세 포에서 bufalin은 p53 및 Fas cell surface death (FAS 혹은 tu-mor necrosis factor superfamily member 6, TNFSF6)로 매개 되는 세포 자멸사 경로를 통해 세포 자멸사를 유의하게 유도 한다 (Yu 등, 2008). 폐암 세포에서 bufalin은 reactive oxygen species (ROS)로 매개되는 BCL2-associated X protein (BAX) 의 전위, 미토콘드리아 투과성의 이행, caspase-3의 활성 등을 일으킨다 (Sun 등, 2011). 간세포암의 동소 이식 (orthotopic transplantation) 종양 모델에서 bufalin은 세포 자멸사와 관 련이 있는 단백질 BCL2 및 BAX의 발현을 조절함으로써 항암 작용을 나타내었다 (Han 등, 2007). 사람의 자궁내막암 및 난

소암 세포에서 bufalin은 BCL2, B-cell lymphoma-extra large (BCL-XL), caspase-9 등과 관련이 있는 세포 자멸사를 유도하 였다 (Takai 등, 2008). 전립선암 세포주 PC3를 대상으로 분 석한 연구는 다음과 같은 결과를 보고하였다 (Zhai 등, 2013). 첫째, PC3 세포를 bufalin으로 처치하면 용량 의존 방식으로 *miR-181a*의 발현이 유의하게 증가되었다. 둘째, *miR-181*은 BCL2 단백질의 하향 조절을 통해 세포 자멸사를 유발하였다. 셋째, *miR-181a*의 억제제는 bufalin으로 유도되는 BCL2의 감 소 및 caspase-3의 활성화 차단을 통해 bufalin에 의한 세포 자멸사를 유의하게 감소시켰다. 이들 결과를 근거로 저자들 은 *miR-181a*가 bufalin으로 유도되는 하위의 세포 자멸사 경 로를 매개하며, bufalin이 *miR-181a*의 발현을 유도하여 BCL2 단백질을 억제함으로써 세포 자멸사를 유발한다고 하였다.

Sterol regulatory element-binding protein (SREBP)은 지 질 및 콜레스테롤의 생합성과 관련한 대사에서 중요한 basic helix-loop-helix leucine zipper (bHLHZip) 전사 인자이며 (Shimano, 2001), 주된 아형은 SREBP1a, SREBP1c, SREBP2 등이다 (Hua 등, 1995). SREBP1은 지방산, 지질, 콜레스테롤 의 생합성에 관여하는 유전자를 조절하는 데 비해 (Brown 과 Goldstein, 1997), SREBP2는 더 특이하게 콜레스테롤의 대사와 항상성을 조절한다 (Shimano 등, 1997). SREBP 뿐만 아니라 지질 및 콜레스테롤의 생합성과 관련이 있는 SREBs 의 하위 표적 유전자에 대한 통제 불능은 종양과 관련이 있 다. 예를 들면, 대사적 종양 유발 유전자 *fatty acid synthase* (*FASN*) (Menendez 등, 2005)와 콜레스테롤의 생합성에서 속 도 제한 단계에 관여하는 *3-hydroxy-3-methylglutaryl CoA reductase* (*HMGCR*) (Hager 등, 2006)가 있으며, 이들 두 단 백질은 전립선암의 발생과 진행에 관여한다고 알려져 있 다. SREBP1과 *FASN*은 각각 종양 유발 유전자의 전사 인자 (Huang 등, 2012), 대사성 종양 유발 유전자 (Baron 등, 2004) 이다. SREBP1의 과다 발현은 정상 혹은 양성 전립선 조직에 비해 전립선암 표본에서 관찰되며 (Huang 등, 2012), 이는 호 르몬 불응성 및 거세 저항성 질환으로의 진행과 관련이 있다 (Ettinger 등, 2004). 비정상적인 SREBP-지질/콜레스테롤 생 합성의 경로를 표적화하는 치료는 전립선암의 치료에서 새 로운 접근법이라고 할 수 있다 (Li 등, 2013). 한편, *miR-185* 와 *miR-342*는 전립선암 세포에서 세포의 증식, 군집 형성, 이 동, 침습 등을 감소시키며, caspase로 매개되는 세포 자멸사 를 일으킨다 (Tong 등, 2009). 전립선암의 SREBP-지질 생합

성-콜레스테롤 생합성의 경로에서 *miRNA*의 역할은 분명하지 않다. 이에 관한 연구는 다음과 같은 결과를 보고하면서 *miR-185*와 *miR-342*가 전립선암 세포에서 SREBP-지질/콜레스테롤 생합성의 경로를 조절하는 인자로서 기능을 한다고 하였다 (Li 등, 2013). 첫째, *miR-185*와 *miR-342*는 전립선암 세포에서 SREBP1/2 및 그들의 하위 유전자, *FASN, HMGCR* 등의 발현을 억제하며 지방산과 콜레스테롤의 농도를 감소시킨다. 둘째, *miR-185*와 *miR-342*는 성장 및 생존 인자로 알려진 안드로겐 수용체의 발현을 감소시킨다. 셋째, 전립선암 세포에서 *miR-185*와 *miR-342*는 종양을 형성하는 역량과 세포의 침습을 억제하며, caspase/poly ADP ribose polymerase (PARP)로 매개되는 세포 자멸사 경로를 활성화하여 세포 자멸사를 유도한다. 넷째, *miR-185*와 *miR-342*의 농도는 정상 혹은 비악성 전립선 상피세포에 비해 전립선암 세포에서 더 낮다. 이와 같은 결과를 근거로 저자들은 *miR-185*와 *miR-342*가 지질 및 콜레스테롤의 생합성 기전을 차단함으로써 종양을 억제하는 유전자의 역할을 하기 때문에 전립선암 치료의 새로운 표적이 된다고 보고하였다.

Cystic fibrosis (CF) transmembrane conductance regulator (CFTR)는 다양한 조직의 상피세포에서 발현되는 음이온 통로로서 Cl⁻과 HCO3⁻를 전달하며, 이 단백질의 유전자 *CFTR*에서 돌연변이가 일어나면 백인에서 치명적인 상염색체 열성 질환인 낭성 섬유종 (cystic fibrosis)가 발생한다 (Collins, 1992). 낭성 섬유종에서 사망의 주된 원인이 만성 염증 및 세균 감염으로 인한 폐질환의 진행이지만, CFTR 이온 통로의 기능이 상실되거나 감소되면 다수 기관에서 다양한 낭성 섬유종의 표현형이 발생한다. 지난 30여 년 동안 낭성 섬유종의 관리에서 현저한 진전이 있어 생존율이 급격하게 개선되었다. 미국과 유럽의 낭성 섬유종 환자 코호트에 관한 연구는 위장관, 췌장, 간 및 담관 등에서 발생하는 악성 종양의 발생 위험이 증가됨을 발견하였다 (McWilliams 등, 2010). 그러나 다른 연구는 유전자 돌연변이에 의한 낭성 섬유종이 있는 경우 흑색종 (Warren 등, 1991), 유방암 (Abraham 등, 1996), 결장암 (Padua 등, 1997), 전립선암 (Qiao 등, 2008), 폐암 (Li 등, 2010) 등의 위험이 낮다고 하였다. 이와 같이 상충되는 결과가 보고되는 이유는 표본 크기, 연구 디자인 등의 차이, 다양한 *CFTR*의 돌연변이 때문이라고 생각된다. 한편, *CFTR*은 암세포주 (Mishra 등, 2010)와 원발 암 (Moribe 등, 2009)에서 흔히 과다 메틸화된다고 보고되었다. 이러한 결과는 DNA 메틸화로 인해 *CFTR* 전사의 침묵이 일어나면 종양의 형성이 촉진됨을 보여 준다. PC3 전립선암 세포주에 관한 연구에 의하면, *CFTR*의 과다 발현은 urokinase type plasminogen activator (uPA) 외에도 종양의 침습과 이동에 관여하는 여러 유전자, 예를 들면, *TWIST1, FGFR2, integrin alpha 1 (ITGA1), thrombospondin 1 (THBS1)* 등을 하향 조절한다 (Xie 등, 2013). PC3 전립선암 세포와 이종 이식 암 종양에서 *CFTR*의 과다 발현 혹은 삭제는 *miR-193b*를 각각 상향 조절 혹은 하향 조절을 유도하였는데, 이에 관한 기전을 분석한 연구는 다음과 같은 결과를 보고하였다 (Xie 등, 2013). 첫째, *CFTR*의 발현은 전립선암 세포주와 조직 표본에서 유의하게 감소되었다. 둘째, 전립선암 세포주에서 *CFTR*의 과다 발현은 종양세포의 성장, 부착, 이동 등과 같은 종양의 진행을 억제한 데 비해, *CFTR*의 삭제는 악성도를 증가시켰다. 셋째, *CFTR*의 삭제로 인한 세포의 증식, 세포의 침습 및 이동 등의 증대는 종양의 악성적인 발달에 관여하는 uPA 혹은 uPA receptor (uPAR)에 대한 항체에 의해 유의하게 반전되었다. 넷째, 전립선암 세포주에서 *CFTR*의 과다 발현은 종양을 억제하는 인자로 알려진 *miR-193b*를 상향 조절함으로써 uPA를 억제하였으며, *pre-miR-193b*의 과다 발현은 *CFTR*이 삭제됨으로써 증대된 악성 표현형을 반전시켰고 증가된 활성 uPA를 감소시켰다. 이와 같은 결과는 *CFTR*이 *miR-193b*를 조절함으로써 전립선암의 형성을 억제함을 보여 준다.

정상 세포와 암세포에서 *miR-200c*와 *miR-141*의 발현을 조절하는 과정에는 후성적 기전이 관여한다. *miR-200c*과 *miR-141*의 전사가 시작하는 부위의 가까이에 CpG 섬이 있는데, 이는 정상 세포와 암세포에서 *miR-200c* 및 *miR-141*의 발현과 DNA 메틸화는 서로 관련이 있음을 나타낸다. CpG 섬은 *miR-200/miR-141*을 발현하는 정상 상피세포와 이들 *miRNAs*가 양성인 종양세포에서는 메틸화되지 않는다. 반면에, *miR-200/miR-141* 음성인 섬유모세포와 이들 *miRNA*가 음성인 종양세포에서는 CpG 섬이 강하게 메틸화된다. 생쥐 세포를 대상으로 평가한 연구도 DNA 메틸화와 *miR-200c* 발현 사이에는 역상관관계가 있음을 보여 주었다. 허용성 histone 변경, 즉 histone 3 (H3)의 아세틸화와 histone 3 lysine 4 (H3K4)의 삼중 메틸화는 *miR-200c/miR-141* 양성의 정상 상피세포에서 관찰되는 데 비해, 억제성의 H3K9 이중 메틸화는 *miR-200c/miR-141* 음성인 정상 섬유모세포와 *miR-200c/miR-141* 음성인 암세포에서 관찰되고 허용성

histone 변경은 나타나지 않는다. 후성적 변경을 유도하는 제제인 5-aza-2′-deoxycytidine은 *miR-200c*와 *miR-141*의 발현을 재활성화하는데, 이는 이들 *miRNA*의 전사 조절에서 후성적 기전이 기능적으로 관여함을 나타낸다. 따라서 암세포에서 *miR-200c/miR-141* CpG 섬의 비정상적인 DNA 메틸화는 *miR-200c*와 *miR-141*의 부적절한 침묵과 관련이 있다 (Vrba 등, 2010).

miR-200 가족은 전립선암에서 감소되며, 발현이 감소된 *miR-200* 가족은 암세포의 이동 및 전이와 관련이 있는 상피의 중간엽으로의 이행, 즉 EMT에서 중요한 역할을 한다고 알려져 있다. *miR-200c*와 *miR-141*의 발현이 상실된 PC3 세포는 *miR-200c*와 *miR-141*에 인접한 CpG의 비정상적인 메틸화 때문에 중간엽 형태의 표현형을 나타내며, 암세포의 침윤과 전이를 유발한다 (Vrba 등, 2010). EMT를 유발한다고 알려진 platelet-derived growth factor D (PDGF-D)가 과다 발현된 PC3 전립선암 세포에서는 *miR-200* 가족이 하향 조절되어 있으며, 이로써 *zinc-finger E-box binding homeobox 1* (*ZEB1*), *ZEB2*, *SNAI2* 등의 발현이 하향 조절됨을 관찰한 연구는 PDGF-D가 과다 발현된 PC3 세포를 *miR-200b*로 유전자 전달 감염을 일으킨 경우 세포의 이동과 침습이 억제되었다고 하였다. 이러한 결과는 PC3 세포에서 PDGF-D로 인해 EMT의 표현형이 발생하는 원인이 부분적으로는 *miR-200*의 억제 때문이며, 침습성 전립선암의 치료로 *miR-200*의 상향 조절이 유망함을 보여 준다 (Kong 등, 2009). 근치전립선절제술 후 재발한 환자 18명과 재발하지 않은 환자 18명을 대상으로 *miR-200a*를 분석한 연구는 *miR-200a*의 발현이 재발하지 않은 환자와 비교하였을 때 재발한 환자 중 11명에서는 더 낮았고, 2명에서는 더 높았으며, 5명에서는 재발하지 않은 환자와 비슷했다고 하였다. 이 연구는 또한 전립선암 세포주에서 *miR-200a*로 유전자 전달 감염을 일으키면 세포의 증식은 유의하게 감소되었지만 침습에는 영향을 주지 않았다고 하였다. 이와 같은 결과를 근거로 저자들은 *miR-200a*의 과다 발현이 전립선암 세포의 증식을 억제시키기 때문에, *miR-200a*와 다른 표지자를 병용하면 환자의 관리 및 치료에 도움이 된다고 하였다 (Barron 등, 2012). PC3 세포를 이용하여 *miR-200b*의 역할을 분석한 연구는 다음과 같은 결과를 보고하였다 (Williams 등, 2013). 첫째, PC3 세포에서 *miR-200b*의 과다 발현은 PC3 세포의 증식과 피하 종양의 형성을 유의하게 억제하였다. 둘째, 같은 자리 (orthotopic) 종양 모델에서

*miR-200b*는 PC3에 의한 전이와 혈관 형성을 차단하였다. 셋째, 이러한 전이력의 감소는 EMT가 반전되기 때문으로 생각되는데, 이는 *miR-200b*에 의해 상피세포 표지자인 E-cadherin과 전립선 상피세포의 특이 표지자인 cytokeratin 8/18이 증가되고 중간엽 표지자인 fibronectin과 vimentin이 감소된다는 연구에 의해 뒷받침된다. 이와 같은 결과는 전립선암의 진행에서 *miR-200b*가 중요한 역할을 하며 전립선암의 치료에서 *miR-200b*가 유용할 수 있음을 보여 준다. DU145 전립선암 세포를 *miR-200c*로 유전자 전달 감염을 일으킨 연구는 대조군에 비해 이들 세포에서 *ZEB1*과 vimentin 단백질이 낮게 발현되는 데 비해, E-cadherin은 높게 발현됨을 관찰하였으며, *miR-200c*가 DU145 전립선암 세포주의 증식을 유의하게 억제할 뿐만 아니라 EMT에 의한 침습과 이동을 억제한다고 하였다 (Shi 등, 2014).

*miR-330*는 비악성 전립선 상피세포에서보다 전립선암 세포주에서 유의하게 낮게 발현된다. 또한, E2 transcription factor 1 (E2F1)과 *miR-330*의 발현 정도는 전립선암 표본과 세포주에서 역상관관계를 나타낸다. PC3 세포에서 *miR-330*가 과다 발현되면, E2F1으로 매개되는 AKT의 인산화가 감소되어 세포의 성장이 억제되며, 이로써 세포 자멸사가 유도된다. 이와 같은 결과는 E2F1이 *miR-330*에 의해 역조절되며, *miR-330*는 전립선암 세포에서 E2F1으로 매개되는 AKT의 인산화를 억제함으로써 세포 자멸사를 유도함을 보여 준다 (Lee 등, 2009).

잘 보존된 비수용체 (nonreceptor)의 protein tyrosine kinase 중 Abelson murine leukemia viral oncogene homolog, 즉 Abelson (ABL) 가족은 세포의 생존, 증식, 세포의 접착, 운동성 등을 포함하는 다양한 생물학적 과정에서 중요한 역할을 한다 (Pendergast, 2002). 포유동물의 세포는 체내에서 폭넓게 발현되는 두 종류의 ABL 가족 kinase 유전자, 즉 *ABL proto-oncogene 1, non-receptor tyrosine kinase* (*ABL1* 혹은 *c-ABL*)와 *ABL-related gene* (*ARG*)으로도 알려진 *ABL2*를 가지고 있다 (Ganguly와 Plattner, 2012). ABL kinase의 생화학적 및 생리학적 중요한 기능은 세포골격 단백질 및 DNA와 결합하는 영역과 함께 SRC homology 3-SRC homology 2-tyrosine kinase (SH3-SH2-TK) 영역과의 결합이며, 이러한 결합은 이들 단백질로 신호의 전달을 가능하게 한다 (Colicelli, 2010). 여기서 SRC의 공식 명칭은 SRC proto-oncogene, non-receptor tyrosine kinase이며, v-src avian sarcoma

(Schmidt-Ruppin A-2) viral oncogene homolog로도 알려져 있다. ABL kinase의 작용은 ABL kinase 영역에 영향을 주고 tyrosine kinase의 활성화를 자체적으로 억제하는 분자 내부의 복합적인 상호 작용에 의해 조절된다 (Pluk 등, 2002). *Breakpoint cluster region (BCR), translocation ETS leukemia (TEL), ETS variant 6 (ETV6)* 등과 같은 다양한 유전자와 인접해 있는 *ABL1* 혹은 *ABL2*의 전위에 의해 자가 억제가 붕괴되면, 구성 요소의 활성화가 일어나고 악성 종양, 특히 백혈병이 발생한다 (Iijima 등, 2000). *ABL1* 유전자의 돌연변이는 흔히 만성 골수성 백혈병을 동반하며, 이러한 경우에서 *ABL1* 유전자는 염색체 22q11.23에 위치해 있는 *BCR* 유전자 내에서 전위됨으로써 활성화되어 새로운 융합 유전자 *BCR-ABL*을 형성하며, 이는 통제되지 않는 tyrosine kinase를 코드화한다 (De Braekeleer 등, 2011).

염색체 9q34.1에 위치해 있는 *ABL1*과 1q25.2에 위치해 있는 *ABL2*는 백혈병을 유발한다고 잘 알려져 있지만, 경성 종양에서의 역할은 최근에 들어 밝혀지고 있다. *ABL1*과 *ABL2*는 유전자의 돌연변이나 전위와는 관계없이 독특한 기전을 통해 일부 경성 종양의 세포주에서 활성화되며, 이와 같은 활성화는 세포의 증식, 기질의 분해, 침습, 종양 형성, 전이 등을 촉진한다 (Ganguly와 Plattner, 2012)). *ABL1/ABL2*의 활성화가 전립선암의 진행을 촉진한다는 증거가 다수 있으며, 면역조직화학검사는 전립선암을 포함한 다양한 경성 종양에서 *ABL1/ABL2*의 발현이 유의하게 증가됨을 보여 주었다 (Singer 등, 2004). 중요한 점은 *ABL1*의 침묵이 골모세포 (osteoblast)의 증식을 억제하고 골모세포의 분화를 촉진하기 때문에, ABL1을 억제하면 골 전이에 의한 성장을 방지할 수 있다는 점이다 (Lee 등, 2010). SRC family kinase (SFK)와 BCR/ABL kinase를 이중으로 억제하는 dasatinib (BMS-354825)은 골 전이를 일으킨 전립선암의 치료제로 현재 임상 2상 시험을 마친 상태이다 (Yu 등, 2011). SFK/ABL의 억제제인 bosutinib (SKI-606) 또한 AKT, MAPK, FAK 등과 같은 신호를 전달하는 분자의 인산화를 감소시킴으로써 PC3와 DU145 전립선암 세포의 이동, 침습, 부착 비의존성 성장, 증식 등을 차단하며, 체내 실험에서 bosutinib을 피하 혹은 골격 내로 주사하였을 때 PC3 종양의 성장이 억제되었다 (Rabbani 등, 2010). PDGF에 의한 ABL1의 활성화는 전립선암 세포의 생존을 증대시킨다 (Iqbal 등, 2010). ABL kinase는 전립선암 세포의 운동성 및 침습, 질환의 진행 등을 조절하는 데 중요한 역할을 한다

(Teng 등, 2012). 따라서 ABL kinase는 전립선암에서 중요한 역할을 담당하며, 특이한 항암 요법에서 유망한 표적이 된다고 생각된다. 그러나 전립선암에서 ABL kinase가 과다 발현되는 분자 기전은 알려져 있지 않다. 전립선암 표본 코호트에서 *miR-4723*의 발현 양상을 분석한 연구는 다음과 같은 결과를 보고하였다 (Arora 등, 2013). 첫째, *miR-4723*의 발현은 전립선암에서 크게 저하되고 *miR-4723*의 낮은 발현은 낮은 생존율과 유의하게 상호 관련이 있어 *miR-4723*는 전립선암에서 진단과 예후의 생물 지표로 간주된다. 둘째, 전립선암 세포주에서 *miR-4723*의 과다 발현은 세포의 성장, 클론 형성, 침습, 이동 등을 유의하게 감소시키고 세포 자멸사를 크게 유발하기 때문에, *miR-4723*는 세포 자멸사를 유발하여 전립선암의 형성을 억제하는 *miRNA*로 간주된다. 셋째, *miR-4723*는 *ABL1*과 *ABL2* 외에도 *integrin alpha 3 (ITGA3)* 및 *methyl CpG binding protein 2 (MECP2)*를 표적으로 한다. 넷째, 전립선암의 임상 표본에서 ABL kinase의 발현은 *miR-4723*의 발현과 역상관관계를 가졌다. 다섯째, *ABL1*의 삭제는 부분적으로 *miR-4723* 재발현의 표현형 복사 (phenocopy)를 유도하기 때문에, *ABL*은 전립선암에서 기능적으로 *miR-4723*의 적절한 표적이라고 생각된다. 이와 같은 결과는 *miR-4723*가 전립선암에서 ABL kinases의 조절을 매개하는 *miRNA*이며, 전립선암의 치료에서 유망한 표적이 될 수 있음을 시사한다.

이들 자료를 종합하여 볼 때, *miRNA*가 전립선암의 시작, 안드로겐 의존성에서 안드로겐 비의존성으로의 진행, 침윤, 전이 등의 과정에 관여한다고 생각되며, *miRNA*의 발견으로 전립선암의 조절망이 더욱 복잡해졌다. *miRNA*가 전사 후 단계에서 그들의 표적과 결합함으로써 나타나는 조절 효과는 전립선암의 경우 안드로겐/안드로겐 수용체의 신호 경로, 전립선 특이 단백질 혹은 세포 주기 확인점 (cell cycle checkpoint) 및 생존과 관련이 있는 요소 등으로 매개되거나, 증식성 신호 경로 혹은 세포 자멸사의 신호 경로에 의해 매개된다.

39.5. 전립선암 줄기세포에서 miRNA
miRNA in prostate cancer stem cell

불멸은 종양세포 내에 줄기세포와 유사한 별개의 세포군이 존재함으로 인해 악성 세포가 가지게 되는 기본적인 생물학적 특성 중 하나이다. 종양세포의 자가 재생은 종양세포가 장기간에 걸쳐 증식력을 나타내는 기초가 되며, 배아줄기세포

(embryonic stem cell, ESC) 혹은 원시 성체줄기세포 (primitive somatic stem cell)가 가진 유전자 발현 양상을 공유하고 있다 (Pece 등, 2010). 지난 수년 동안 많은 연구는 자가 재생을 하는 줄기세포의 특성을 가진 종양세포, 즉 암줄기세포 (cancer stem cell, CSC) 혹은 종양시작세포 (tumor initiating cell, TIC)가 존재함을 입증하였다 (Al-Hajj 등, 2003; Singh 등, 2003).

약 36년 전 이미 종양 내에 있는 일부 세포가 치료에 저항성을 나타내는 내인성 특징을 가지고 있다는 가설이 제시되었으며 (Goldie와 Coldman, 1979), 암줄기세포의 이론은 이 가설을 뒷받침한다. 즉, 안드로겐 박탈 요법에 대해 임상적으로 반응을 보이던 전이 전립선암 환자에서 저항성 표현형을 가진 새로운 세포 집단의 출현을 포함하는 독특한 특징을 가진 세포의 소집단이 생존함으로써 치료를 시작한 후 수개월 내에 암이 재발하게 된다. 여러 연구자들이 전립선암 줄기세포 (prostate cancer stem cell, PSCS)의 기원에 관하여 여러 가지의 이론을 제시하였는데, 예를 들면 정상 줄기세포 (Bonkhoff와 Remberger, 1996), 이행증폭세포 (transit-amplifying [TA] cell) (De Marzo 등, 1998), 미분화 관강세포 (Liu 등, 1999) 등이다. 현재의 증거들은 첫 번째의 견해를 지지한다. 정상 전립선 줄기세포는 androgen receptor (AR)를 발현하지 않으며, 만일 전립선암 줄기세포가 그들 세포로부터 실제 기원한다면 전립선암 줄기세포는 AR을 발현하지 않을 것으로 예상된다. 따라서 전립선암 줄기세포의 생존과 증식은 안드로겐에 의존적이지 않으며, 안드로겐을 갑자기 중단하여도 이들 세포는 생존하게 된다 (Bonkhoff와 Remberger, 1996). 이후 암줄기세포는 거세 수준의 안드로겐 하에서 생존할 수 있다는 장점을 가진 분화된 세포의 클론을 만든다. 이러한 암줄기세포 모델은 줄기세포 표현형을 표적화하지 않고 분화된 세포를 표적화할 경우에는 장기간의 치유 효과를 얻을 수 없음을 시사한다. 그러나 아직 암줄기세포가 충분하게 특징화되어 있지 않기 때문에, 이들 세포를 표적화한 효과적인 요법의 개발이 이루어지지 않고 있다 (Rizzo 등, 2005). 한편, 거세 저항성 전립선암은 AR에서의 기능 획득 (gain-of-function) 및 AR의 재활성의 특징을 나타낸다. 전신적 요법 후에도 생존한 암줄기세포는 거세 저항성 질환과 질환의 재발로 진행하기 때문에, 암줄기세포에 관한 가설에 의한다면, AR 유전자의 증폭과 같이 AR이 기능을 획득하도록 하는 유전적 선택이 줄기세포군의 수준에서 일어나야 하며, 이 때문에 전립선암 줄기

세포는 AR을 발현할 것으로 예상된다. 그러나 앞에서 기술된 바와 같이, 이전의 연구는 전립선암 줄기세포는 AR을 발현하지 않는다고 하였다 (Patrawala 등, 2006). Cluster of differentiation 44 (CD44) 양성/CD24 음성 (CD44$^+$/CD24$^-$) LNCaP 전립선암 줄기세포를 Western blotting 방법으로 분석한 연구는 단백질 수준에서 AR이 발현됨을 관찰함으로써 최소한 일부 전립선암은 줄기세포에서 AR을 발현한다고 하였다 (Shari 등, 2008).

종양은 줄기세포를 가지고 있다는 이론이 30년 이상 전부터 보고되고 있지만 (Mackillop 등, 1983), 아직 실체를 증명한 연구는 거의 없는 실정이다. 암줄기세포를 조혈계에서 처음 확인한 연구는 급성 골수성 백혈병에서 종양을 시작하는 세포가 정상 조혈줄기세포와 함께 세포 표면에 CD34$^+$/CD38$^-$의 면역 표현형을 가지고 있음을 보여 주었다 (Bonnet과 Dick, 1997). 다른 연구는 전립선의 암줄기세포가 CD44, CD133, integrin α2β1, CD117 (Maitland와 Collins, 2008; Liu 등, 2011) 등과 같은 세포 표면 표현형을 가지고 있다고 하였다 (도표 182). 근래 들어 경성 종양도 줄기세포 군집을 가지고 있음이 확인되었으며, 암줄기세포를 가지고 있다고 보고된 종양으로는 유방암 (Al-Hajj 등, 2004), 뇌종양 (Galli 등, 2004), 폐암 (Kim 등, 2005), 신장암 (Florek 등, 2005), 결장암 (O'Brien 등, 2007), 췌장암 (Li 등, 2007), 난소암 (Szotek 등, 2006), 흑색종 (Fang 등, 2005) 등이 있다. 직접적인 증거는 충분하지 않으나, 전립선에도 정상 줄기세포가 있다고 보고되고 있다.

39.5.1. 암줄기세포의 역할 및 조절
Role and regulation of cancer stem cells

암줄기세포는 종양 내에 있는 작은 세포 집단으로서 자가 재생 및 다수 계통으로의 분화가 가능하며, 종양을 유발하려는 강한 잠재력을 가지고 있다. 암줄기세포는 종양의 진행과 전이에 관여하며, 생체 실험에서 공격성과 전이를 증대시킨다 (Liu 등, 2011). 따라서 암줄기세포는 종양의 시작, 진행, 요법에 대한 저항성, 재발, 전이 등을 일으킨다고 생각되지만 (Visvader과 Lindeman, 2008), 종양의 발생과 전이에서 전립선암 줄기세포의 역할은 아직 충분하게 이해되어 있지 않다.

전립선암의 진행에서 종양줄기세포의 역할을 이해하기 위해 LNCaP, 22RV1, DU145, PC3 등의 전립선암 세포주를 무혈청 현탁 배양 시스템에서 종양세포구 (tumorsphere)의 형

도표 182 종양의 종류에 따른 암줄기세포의 세포 표면 표현형

종양 종류	암줄기세포 표지자의 표현형	참고 문헌
백혈병	CD34[+], CD38[−], HLA-DR[−], CD71[−], CD90[−], CD117[−], CD123[+]	Guzman과 Jordan, 2004
유방암	ESA[+], CD44[+], CD24[−/low]Lineage[−], ALDH-1[high]	Al-Hajj 등, 2003; Ginestier 등, 2007
간암	CD133[+], CD49f[+], CD90[+]	Yang 등, 2008; Rountree 등, 2008
뇌종양	CD133[+], BCRP1[+], A2B5[+], SSEA1[+]	Singh 등, 2004; Gilbert와 Ross, 2009
폐암	CD133[+], ABCG2[high]	Eramo 등, 2007; Ho 등, 2007
결장암	CD133[+], CD44[+], CD166[+], EpCAM[+], CD24[+]	Dalerba 등, 2007; Yeung 등, 2010
다발골수종	CD138[−]	Matsui 등, 2004; Matsui 등, 2008
전립선암	CD44[+], ITGα2β1[high], CD133[+]	Collins 등, 2005
췌장암	CD133[+], CD44[+], EpCAM[+], CD24[+]	Li 등, 2007; Simeone 등, 2008
흑색종	CD20[+]	Fang 등, 2005
두경부암	CD44[+]	Prince 등, 2007

A2B5, nestin and neuronal cell surface antigen; ABCG2, ATP-binding cassette subfamily G member 2; ALDH, aldehyde dehydrogenase; BCRP1, breast cancer resistance protein 1 (혹은 ABCG2); CD, cluster of differentiation; DR, death receptor; EpCAM, epithelial cell adhesion molecule; ESA, erythropoietin-stimulating antigen; HLA, human leukocyte antigen; ITG, integrin; SSEA1, stage-specific embryonal antigen 1.

Chen 등 (2013)의 자료를 수정 인용.

성을 유도하여 전립선암 종양세포구로부터 종양줄기세포의 특징을 평가한 연구는 전립선암 종양세포구의 자가 재생, 항암제 저항성, 종양 형성력, 줄기세포능 (stemness) 등과 관련이 있는 단백질의 발현 정도 등을 부모격인 흡착 세포와 비교하여 측정한 후 다음과 같은 결과를 보고하였다 (Zhang 등, 2012) (도표 183). 첫째, 전립선암 세포주로부터 유래된 종양세포구의 세포에서는 흡착 세포에 비해 자가 재생, 항암제에 대한 저항성, 종양 유발 능력 등이 증대되었다. 둘째, 이들 종양세포구 세포는 종양줄기세포의 표지자인 CD44를 과다 발현하였다. 종양세포구 세포는 *glioma-associated oncogene homolog 1 (GLI1)*, *ATP-binding cassette subfamily G member 2 (ABCG2)*, *B lymphoma Mo-MLV insertion region 1 homolog (BMI1)* 등과 같이 '줄기세포능'과 관련이 있는 유전자를 크게 발현하였다. 이들 결과를 종합하여 보면, 전립선암 종양세포구는 종양줄기세포의 특성과 항암제에 대한 저항성을 가지고 있으며, 전립선암 줄기세포의 발견은 전립선암의 치명적인 표현형을 이해하고 새로운 치료법을 개발하는 데 도움을 줄 수 있다고 생각된다.

여러 조직에서 줄기세포 표지자에 관한 관심이 높아지고 있다. 정상 조직과 종양 조직에서 두 종류의 줄기세포 표지자, 즉 Hoechst 33342를 배출시키는 측면 개체군 (side population, SP; 주된 세포군과는 다른 세포군으로서 줄기세포의 특성과 같은 별도의 생물학적 특징을 가지며, 그러한 특징적 양

도표 183 배양 과정에서 전립선암 세포가 자가 재생을 일으키는 종양세포구 (tumorspheres)를 형성하는 모식도

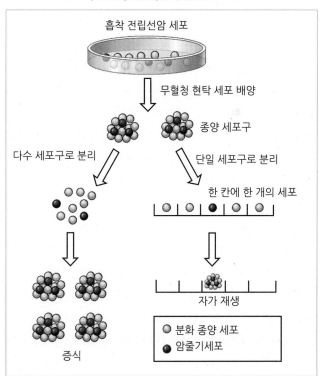

Zhang 등 (2012)의 자료를 수정 인용.

상은 측면 개체군을 확인하기 위해 사용된 표지자에 의존적이다) 세포와 세포 표면 표지자 CD133가 발견되었으며, 이들

은 전립선에서도 확인된다 (Zhang 등, 2012).

골수줄기세포의 특징적인 기능 중 하나는 핵산과 결합하는 형광 색소인 Hoechst 33342를 발산하는 기능이다. 실험에서 Hoechst 33342와 결합한 색소의 형광 정도는 세포의 DNA 함량에 비례하며, 이 때문에 세포 주기에 관한 평가가 가능하다. 쥐의 골수를 두 파장에서 Hoechst의 방사를 측정한 결과 약한 형광을 가진 SP 세포가 발견되었다 (Goodell 등, 1996). 약한 형광은 세포의 표면에서 발현되는 ATP-binding cassette (ABC) 운반체 가족인 약물 저항성 펌프 단백질이 색소를 발산하는 작용을 나타내기 때문이다. SP 세포만이 원초적인 조혈 표현형을 나타내며, 이들 중 일부가 특징적인 줄기세포의 표지자를 나타낸다. 붉은털원숭이에서도 SP 세포가 분리되었는데, 이는 조혈 SP 세포가 여러 종에서 보존되어 있음을 시사한다 (Goodell 등, 1997). 전립선 상피조직이 상피세포의 1.38%에 해당하는 SP 세포를 가지고 있으며, 이들 세포에서는 세포 주기의 활동이 낮은데, 이는 일반적인 줄기세포의 특징으로 간주된다 (Bhatt 등, 2003). 그러나 전립선의 SP 세포는 비균질적인 표현형을 나타내어 기저 혹은 관강 keratin을 발현하며, 흐름세포측정법 (flow cytometry)에 의해 빛 산란의 특징이 서로 다른 세포군이 발견된다. 약한 형광 ('tail')을 보이는 SP 세포는 높은 농도의 integrin α2를 발현하는데, 이는 상피세포 중 줄기세포가 풍부한 세포군의 표지자 역할을 한다 (Collins 등, 2001). 최소한 일부 전립선암 세포주는 SP 세포를 가지고 있으며, 22RV-1 전립선암 세포에서는 SP 세포가 세포의 1% 미만이라는 예비 연구가 있지만, 전립선암에서 SP를 증명한 연구는 현재 없다 (Rizzo 등, 2005).

AC133 혹은 사람과 설치류에서 promin-1 (PROM1)으로도 알려진 CD133는 promin의 동족체로서 생쥐의 신경상피줄기세포에서 처음 발견된 세포 표면 단백질이다. CD133는 5개의 경막 영역을 가진 세포 표면의 당단백질이며, 형질막의 돌출부에 위치해 있다. CD133의 기능은 알려져 있지 않지만, 한 예로 해독틀 이동 돌연변이 (frameshift mutation; 유전 암호는 mRNA의 염기 서열의 3조를 하나의 아미노산에 대응하는 틀 [frame]로서 읽는다. 따라서 하나의 염기가 결실되거나 반대로 삽입될 때는 그 위치에서 하류의 해독틀 [reading frame]이 빗나가서, 즉 'frame shift'가 일어남으로 인해 정상의 아미노산 배열과는 다른 배열을 지닌 단백질이 생성되어 돌연변이가 발생한다)로 인해 단백질이 세포 표면으로 운반되지 않으면 망막변성이 일어나는데 (Maw 등, 2000), 이는 CD133

가 필수적인 형질막 돌출을 형성하거나 유지하는 데 관여함을 시사한다 (Corbei 등, 2001). 항체는 여러 조직으로부터 CD133 양성 (CD133$^+$) 줄기세포를 확인하고 분리하는 데 이용된다. CD133$^+$ 줄기세포는 조혈세포에서 처음 분리되었다 (Yin 등, 1997). 이후 그러한 분리 기법은 내피세포 (Peichev 등, 2000), 신경세포 (Uchida 등, 2000), 전립선 기원세포 (Richardson 등, 2004), 신장 기원세포 (Bussolati 등, 2005) 등으로 확대되어 실시되었다. CD133는 이들 세포 외에도 아교모세포종 (glioblastoma) (Sanai 등, 2005), 여러 소아 뇌종양 (Singh 등, 2003), 유방, 기관지, 타액선, 태반, 소화기, 고환 등과 같은 다양한 조직 (Mizrak 등, 2008)에서 발견된다.

다른 조직에서와 마찬가지로 전립선에 있는 소수의 세포는 CD133를 발현한다 (Richardson 등, 2004). 이들 세포는 신속하게 부착하는 고농도의 integrin α2β1^{high}을 발현하는 기저세포의 군집을 형성하며 상피줄기세포를 가지고 있고 (Collins 등, 2001), 항 CD133 항체로 코팅된 자성 구슬 (magnetic bead)을 이용한 시험은 풍부한 줄기세포를 가지고 있음을 보여 주었다. CD133$^+$ 세포군은 CD133$^-$ 세포군에 비해 더 큰 군집을 형성하는 경향이 있으며, 증식 효과가 더 크다. 군집은 CD133$^-$α2β1^{high} 세포보다 5일 늦게 CD133$^+$ 세포로부터 처음 나타나는데, 이는 CD133$^+$ 세포가 더 오랫동안 비활동 상태에 있음을 시사한다. α2β1^{high} 군집 내에 있는 CD133$^+$ 세포의 비율은 4개 중 1개의 비율이며, 이는 CD133$^+$ 세포군이 전체 기저세포군의 약 0.75%에 해당함을 시사한다. 면역형광염색법으로 기저층 내에 들어 있는 CD133$^+$ 세포를 확인할 수 있으며, 분리된 세포가 염색 양성 반응을 보이면 기저세포 표현형을 나타내고 대다수가 keratin 5 (K5) 및 K14을 발현하지만 PSA 혹은 AR에 대해서는 양성 반응을 보이지 않는다. 이들 세포가 줄기세포로 기능을 하는지를 확인하기 위해서는 CD133$^+$ 혹은 CD133$^-$ 세포를 사람의 기질세포와 함께 누드마우스에게 이식해 보면 알 수 있다. CD133$^+$ 세포에 의한 이식편만이 성장을 일으키며, 기저세포뿐만 아니라 K8, prostatic acid phosphatase (PAP), AR에 대해 염색 양성 반응을 보이는 관강세포로 완전하게 분화한다.

전립선암은 동일한 표현형을 가진 세포군을 가지고 있다고 보고한 연구 (Collins 등, 2001)를 근거로 원발 및 전이 전립선암 환자 40명을 대상으로 실시한 연구에서 종양세포의 약 0.01%가 CD44$^+$/α2β1^{high}/CD133$^+$의 줄기세포 표지자 양상을 가지고 있음이 관찰되었다. 이들 세포는 정상 줄기세와 마찬가지로 기저세포 표현형을 나타내며, K5와 K14을 발현하지만 K18, PSA, PAP, AR, mesenchymal-epithelial transition factor (c-MET) 등은 발현하지 않는다. 줄기세포 표현형 외에도, 변화-증식 세포 (transit-amplifying cell, TAC; 세포의 증식이 활발한 세포로서 일정 수준의 세포 수를 가질 때까지 증식하여 분화됨)에서 보이는 CD44$^+$/α2β1^{high}/CD133$^-$ 혹은 CD44$^+$/α2β1^{low}를 가진 더욱 분화되고 증식성의 CD44$^+$ 세포도 있다. 암줄기세포는 다른 종류의 세포에 비해 자가 재생을 일으키는 능력이 강하며, MCF7 혹은 PC3M 세포에 비해 methylcellulose 내에서 더 큰 부착 비의존성을 나타내고 Matrigel을 통한 침습력이 더 강하다 (Rizzo 등, 2005). 한 예비 연구는 거세 저항성 전립선암에서 methylcellulose에서 생존이 연장되고 정상 세포군에 비해 증식력이 더 큰 CD133$^+$ 세포군을 확인하였으며, 이들 종양에서는 호르몬에 민감한 종양에서보다 줄기세포의 비율이 더 높았다 (Rizzo 등, 2005).

정상 조직에서는 분화 혹은 세포 자멸사를 통한 세포의 소실과 줄기세포의 자가 재생 사이의 정밀한 균형에 의해 항상성이 유지된다. 이러한 항상성은 세포가 성장 인자, 세포 외부 기질, 인접 세포 등과 같은 환경 인자와 상호 작용을 함으로써 이루어진다 (Fuchs 등, 2004). 줄기세포의 자가 재생에 관여하는 인자 중 일부는 암줄기세포의 조절에도 영향을 주는데, 이들에는 DELTA/NOTCH1 경로, Hedgehog (Hh) 경로, transforming growth factor β (TGFβ) 등이 있다.

NOTCH 수용체와 그것의 ligand인 DELTA는 조직의 발생 (Artavanis-Tsakonas 등, 1999)과 성체 조직의 유지 (Milner 등, 1994)에 관여한다. 피부에 있는 각질형성세포 (keratinocyte) 줄기세포는 주변 세포에 비해 더 높은 농도의 DELTA1 (혹은 DELTA-like 1, DLL1)을 발현하며, NOTCH1을 통해 주변 세포에 신호를 전달하여 분화 경로를 유도한다 (Lowell 등, 2000). 전립선에 관한 연구는 생쥐의 전립선에서 NOTCH의 발현을 제거하면 발생기 동안 형태 형성의 분지화, 성장, 분화 등이 억제되며, 거세된 생쥐에서 호르몬 치환에 의한 전립선의 재성장이 억제된다고 하였다 (Wang 등, 2004). 또한, transgenic adenocarcinoma of mouse prostate (TRAMP) 생쥐 모델에서 NOTCH1은 종양이 형성되는 동안 상향 조절된다 (Shou 등, 2001).

배아의 패턴 형성과 줄기세포의 자가 재생에서 중요한 신호 경로 중 하나는 Hh 및 그것의 수용체 Patched (PTCH) 그리고 Smoothened (SMO)를 포함하는데, 이들은 복합적인 경로를 통해 GLI 전사 인자로 신호를 전달한다. Hh의 신호 경로는 기저세포암, 수모세포종 (medulloblastoma), 전립선암 등과 같은 여러 종류의 암에 영향을 준다 (Stecca 등, 2005). 여러 종류의 전립선암 세포주는 Hh 경로의 구성 요소를 높게 발현하며, 체내 및 체외 실험은 cyclopamine을 이용하여 Hh의 신호 경로를 차단하였을 때 세포의 성장이 억제됨을 보여 주었다 (Karhadkar 등, 2004). 기원세포의 성장에서 Hh의 직접적인 역할은 cyclopamine 혹은 Hh 중화 항체를 이용하여 Hh 경로를 차단하면 거세로 인해 퇴행을 일으킨 전립선에서 전립선의 재생이 억제된다는 실험에 의해 유추될 수 있다. GLI의 과다 발현에 의한 Hh 신호 경로의 붕괴는 정상 세포에서 종양의 형성을 유도한다 (Rizzo 등, 2005).

비활동성 줄기세포를 나타내는 DNA 표지 세포 (label-retaining cell, LRC)가 기질에서 유래된 TGFβ가 고농도로 있는 전립선관의 근위부에 집중되어 있음이 관찰되었다. 이 연구는 고농도의 TGFβ가 비활동성 상태에 있는 줄기세포를 유지하는 데 관여한다고 추측하였다. 이 연구는 또한 다량의 BCL2가 전립선관의 근위부에서 생성되며, 고농도의 BCL2는 TGFβ로 유도되는 세포 자멸사로부터 세포를 보호한다고 하였다. 이는 특히 거세 후 TGFβ의 농도가 증가되는 경우에 중요하다 (Tsujimura 등, 2002). 다른 연구는 BCL2가 종양세포에서 TGFβ의 효과에 대해 대항 작용을 나타내며, 이로써 정상 줄기세포와 종양세포는 고농도의 BCL2를 발현한다고 하였다 (Bruckheimer와 Kyprianou, 2002).

전립선암 줄기세포의 조절에 관여하는 기타 인자로는 기저세포군에서 발현되고 세포 주기에 대해 역조절 인자이며 종양에서 소실되는 kinase inhibitor protein 1, 즉 p27^{KIP1} (Di Cristofano 등, 2001), 전립선 세포의 성장을 조절하는 전사 조절 인자인 Polycomb 계열의 단백질 등이 있다 (Bernard 등, 2005).

안드로겐 비의존성 종양세포의 대부분은 AR을 발현하기 때문에 (Linja 등, 2001), 안드로겐의 낮은 혈중 농도에 의한 AR의 비정상적 활성화는 안드로겐 비의존성 전립선암으로의 성장을 유발한다 (Litvinov 등, 2003). AR 유전자의 발현을 증대시키고 안드로겐 비의존성 전립선암을 유발하는 여러 단백질이 보고되고 있으며, 그들 단백질 중 하나가 proto-oncogene Int-1 homolog (INT1)로도 알려진 wingless-type MMTV integration site family member 1 (WNT1)의 신호 경로를 작동하는 β-catenin이다 (Clevers, 2006). WNT 신호 경로는 Dickkopf-related protein 1 (DKK1) 혹은 secreted Frizzled-related protein (sFRP)에 의해 억제될 수 있는데, 전자는 WNT 수용체의 Frizzled 가족과 연관되어 세포 표면 단백질인 low-density lipoprotein-related protein 5/6 (LRP5/6)와 직접 결합함으로써 전형적인 WNT의 신호 경로를 차단하며 (Mao 등, 2002), 후자의 경우는 Frizzled 가족의 cysteine-rich ligand-binding domain과 유사하며 세포 외부에서 WNT를 억제하는 인자로서 기능을 한다 (Hall과 Keller, 2006). β-Catenin을 안정화하는 돌연변이는 여러 종양에서 일어나며, 이는 핵 내에 β-catenin이 축적되도록 한다 (Clevers, 2006). 전립선암에서 돌연변이에 의한 β-catenin의 활성화는 전립선암의 5%에서 보고되었다 (de la Taille 등, 2003). WNT의 신호 경로는 안드로겐 비의존성 전이 전립선암의 발생과 진행에서 중요한 역할을 하며, 이들 종양의 25~38%에서 β-catenin이 핵 내에 분포된 양상의 종양세포가 관찰된다 (Chesire와 Isaacs, 2002). 전립선암 세포에서 핵 내의 β-catenin이 증가하면, T cell transcription factor (TCF) 가족의 전사 인자 혹은 AR과의 상호 작용을 통해 전사 과정에서 변화가 일어난다.

줄기세포의 특징을 가진 전립선암 세포는 전립선암 세포주의 비흡착 배양에서 단일 세포가 자가 재생을 하는 '전립선구 (prostasphere)'를 형성하는 관찰을 통해 확인된다. 전립선구는 증식, 분화, 줄기세포 등과 관련이 있는 표지자, 즉 CD44, CD133, ABCG2 등의 비균질적 발현을 나타낸다. 줄기세포의 특징을 가진 전립선암 세포의 자가 재생 및 분화에서 WNT 신호 경로의 역할을 분석한 연구는 다음과 같은 결과를 보고하였다 (Bisson 등, 2009). 첫째, WNT의 억제제는 전립선구의 크기와 자가 재생을 감소시켰다. 둘째, WNT3a를 추가한 경우 전립선구의 크기와 자가 재생이 증가되었으며, 이는 CD44, CD133, K18, 핵 β-catenin 등의 발현 증가와 관련이 있었다. 셋째, LNCaP와 C4-2B 전립선암 세포의 상당수가 AR을 발현하기 때문에, AR 대항제인 bicalutamide를 이용하여 AR을 억제한 결과, 전립선구의 크기와 PSA의 발현이 감소된 반면, 전립선구의 형성은 억제되지 않았다. 이와 같은 효과는 줄기세포의 특징인 안드로겐 비의존성 자가 재생과 변화-증식 세포 (TAC)가 가지고 있는 안드로겐 의존성 증식 효과와 일치한다. 전형적인 WNT 신호 경로의 작동 인자인 β-catenin 또한 AR과 관련이 있기 때문에, 종양의 파급은 WNT와 AR의 활성 사이의 균형에 의해 영향을 받으며, 이로써 줄기세포의 특징을 가진 전립선암 세포의 자가 재생과 변화-증식 세포의 증식

및 분화가 유도된다. 이들 결과를 근거로 저자들은 WNT의 활성은 AR의 활성과는 관계없이 줄기세포의 특징을 가진 전립선암 세포의 자가 재생을 조절하기 때문에, WNT 신호 경로의 억제는 이들 세포의 자가 재생을 감소시켜 치료의 효과를 향상시킬 수 있다고 하였다.

자가 재생 세포, 즉 암줄기세포는 종양세포가 불멸하는 특성을 가지도록 하며, 세 가지의 전사 인자, 즉 *octamer-binding transcription factor 3/4 (OCT3/4)*, *sex-determining region Y box 2 (SOX2)*, *Nanog homeobox (NANOG)* 등과 같이 배아줄기세포의 자가 재생 및 다능성 (pluripotency)의 기능을 가진 유전자가 종양의 형성을 유도하는 발동기의 역할을 한다고 보고되었다 (Po 등, 2010; Zbinden 등, 2010). 상피암세포에서 *NANOG*의 발현과 종양의 발생 사이의 관계를 분석한 연구에 의하면, 성체 암세포에 있는 *NANOG* mRNA는 배아줄기세포에서 발현되는 *NANOG1* locus와는 다른 retrogene (역전사에 의해 mRNA로부터 거꾸로 복제되는 DNA 유전자) 유도체로서 염색체 15q14에 위치한 *Nanog homeobox pseudogene 8 (NANOGP8)*으로부터 주로 기원하며, *NANOGP8* mRNA는 MCF7 전립선암 세포의 SP 세포 내에 있는 CD44[+] 전립선암 줄기세포 및 기원세포에서 풍부하게 발현된다 (Jeter 등, 2009). 이 연구는 NANOG 단백질이 원발 전립선암뿐만 아니라 이종 이식 암 세포에서 비균질적으로 발현되며, *NANOG*를 삭제하면 MCF7 유방암 세포주, Colo320 결장암 세포주, PC3, DU145, LAPC9 등의 전립선암 세포주 및 이종 이식 암에서 군집의 형성과 종양의 형성이 감소된다고 하였다. 이와 같은 결과는 *NANOG*가 전립선암을 포함하는 여러 종양의 형성과 진행에 관여함을 시사한다.

*NANOG*의 삭제를 이용한 연구는 *NANOG*의 과다 발현이 종양세포로 하여금 암줄기세포의 특성 및 표현형을 가지도록 유도한다고 하였다 (Jeter 등, 2009). 이 연구에 의하면, *NANOG*는 LNCaP 세포에서 클론원성 생존을, MCF7 세포에서 항암제에 대한 저항성을, LNCaP 및 DU145 세포에서 종양의 발달을 촉진하였다. *NANOG*는 그러한 암줄기세포의 생물학적 특성을 나타내는 것 외에도 *NANOG*의 과다 발현은 *CD133, ABCG2, aldehyde dehydrogenase 1 family, member A1 (ALDH1A1), CD44* 등과 같이 암줄기세포와 관련이 있는 분자의 발현을 증대시킨다 (Jeter 등, 2011).

촉진체에 대한 추적 연구 (promoter-tracking study)에서 *NANOGP8*의 발현은 안드로겐이 박탈된 조건 하에 LNCaP 세

포의 생존력을 증대시켰으며, 기능 획득 연구 (gain-of-function study)에서 *NANOG*의 과다 발현은 안드로겐이 박탈된 조건 하에 LNCaP 세포의 재생 및 군집 형성을 촉진한 결과로 볼 때, *NANOG*는 전립선암이 거세 저항성 질환으로 진행하는 데 관여한다고 생각된다 (Jeter 등, 2011). 이는 *NANOG*의 과다 발현이 AR 음성의 안드로겐 비의존성 DU145 세포에서 종양 세포의 재생을 증대시킨다는 연구와 PSA가 낮은 농도로 발현되는, 즉 안드로겐의 차단에 대해 저항성을 나타내는 전립선암 세포에서 *NANOG*가 우선적으로 발현된다는 유전체 cDNA microarray 분석 (Qin의 미발표 연구)에 의해 뒷받침된다.

*NANOG*는 몇 가지의 추정되는 기전에 의해 안드로겐 비의존성 표현형과 거세 저항성을 유도한다. 첫 번째 기전은 *NANOG*에 의해 촉진되는 암줄기세포의 표현형 및 특성과 관련이 있다. 앞에서 기술된 바와 같이 전립선암 줄기세포는 AR을 낮은 농도로 발현하기 때문에 AR의 신호 경로에 대한 의존성이 낮다 (Li 등, 2009). 이러한 관계는 핵에서 AR과 *NANOG* 사이에 상호간 발현을 일으킨다는 연구 (Jeter 등, 2009)와 특히 거세된 피험체에서 발생한 종양에서 *NANOG*를 과다 발현하는 LNCaP 세포는 AR을 더 낮은 농도로 발현한다는 연구 (Jeter 등, 2011)에 의해 뒷받침된다. 두 번째 기전은 LNCaP 세포에서 *NANOG*로 매개되는 거세 저항성에 관여하는 BCL2, CXCR4, insulin-like growth factor-binding protein 5 (IGFBP5) 등과 같은 기타 분자의 촉진과 관련이 있다. BCL2는 세포 자멸사 대항 단백질로서 BCL2의 과다 발현은 거세 저항성 전립선암의 발생과 상당한 관련이 있다 (McDonnell 등, 1992). CXCR4와 chemokine (C-X-C motif) ligand 12 (CXCL12)는 전립선암 세포의 이동과 침습에 관여한다 (Frigo 등, 2009). *NANOG*에 의해 CXCR4의 발현이 촉진되면, *NANOGP8*을 발현하는 안드로겐 비의존성 LNCaP 세포의 이동력이 증대된다 (Singh 등, 2004). IGFBP5의 mRNA와 단백질은 거세에 반응하여 상향 조절되며, 외인성 IGFBP5는 전립선의 불멸화된 상피세포의 증식을 자극한다 (Xu 등, 2007). 또한, IGFBP5의 과다 발현은 안드로겐이 박탈된 조건 하에서 PI3K 의존성 방식으로 LNCaP 세포의 증식을 촉진한다 (Miyake 등, 2000). IGFBP5는 IGF-1 수용체의 신호전달을 조절함으로써 LNCaP 및 LAPC-9 세포가 안드로겐 비의존성으로 진행하는 데 관여하며 (Nickerson 등, 2001), 항암제에 대해 저항성을 나타내는 CD133⁺ PC9 세포의 출현을 위해 필요하다 (Sharma 등, 2010).

39.5.2. 전립선암의 골 전이에 영향을 주는 골수 내의 암줄기세포 관련 인자

Factors in bone marrow affected bone metastasis of prostate cancer

전립선암이 진행하는 동안 악성 세포는 신체 다른 부위에 전파되어 더욱 공격적인 종양, 예를 들면 전이 골종양 등을 형성한다 (Sathiakumar 등, 2011). 골수 환경에는 다양한 cytokines와 성장 인자가 저장되어 있는데, 전이 종양세포와 관련하여 이러한 관계를 '종자와 토양'으로 비유되기도 한다 (Paget, 1989). 전립선암 세포의 전파는 질환의 초기에 일어날 수 있으며, 이 경우 전이 세포의 일부는 표현형을 변경하여 비활동 상태로 혹은 증식 속도가 낮은 상태로 골수 내에 잠복하여 있게 된다 (Ibrahim 등, 2010). 전립선암의 재발과 전이는 또한 종양 내에서 줄기세포의 특징을 가진 암줄기세포로 정의되는 미분화 세포 집단의 생물학적 특성과도 밀접한 관련이 있다 (Kong 등, 2010). 여러 자료는 골수의 조건이 암줄기세포의 생존 및 증식을 위한 적절한 미세 환경을 제공할 뿐만 아니라 이들 세포가 줄기세포능을 유지하도록 도와줌을 보여주었다 (Joyce와 Pollard, 2009).

골수는 stem cell factor (SCF), granulocyte colony-stimulating factor (G-CSF) 등을 포함하는 조혈 cytokines의 주된 근원지이다. SCF는 조기에 작용하는 조혈 cytokine으로서 그것의 수용체인 CD117과 함께 다능성 기원세포의 증식과 생존에서 대단히 중요한 역할을 한다 (Mroczko와 Szmitkowski, 2004). G-CSF의 수용체는 골수에 있는 여러 조혈세포의 전구 세포에 분포해 있으며, G-CSF를 자극하면 이들 전구세포가 성숙한 과립구로 분화 및 증식을 일으킨다 (Knudsen 등, 2011). SCF는 유방암, 소세포폐암 등을 포함하는 조혈계 이외의 종양 세포주 배양액의 상청액에서도 발견되는데, 이는 CD117 수용체를 가진 종양세포에서 세포의 성장이 SCF의 자가 분비성 생성에 의해 자극을 받음을 나타낸다 (Turner 등, 1992). 혈청 SCF의 농도는 폐암 환자에서 유의하게 증가된다 (Mroczko 등, 1999). 전립선암 세포 또한 SCF를 세포 외부 환경으로 분비하는데, 이는 SCF-CD117 신호의 전달 시스템이 전립선암의 골 전이를 유발할 수 있음을 시사한다 (Wiesner 등, 2008). G-CSF와 그것의 수용체는 두경부암 (Sugimoto 등, 2001), 방광암 (Tachibana 등, 1995), 난소암 (Brandstetter 등, 2001) 등과 같은 종양세포에서 발견되며, 이들 종양세포의 성장과 관련이 있다. 폐암 (Pei 등, 1999)과 방광암 (Sawazaki

등, 2010) 세포에 의한 G-CSF의 생성은 이들 종양세포의 침습성과 관련이 있음이 보고되었다. 면역조직화학검사를 이용한 연구는 전립선암 세포의 일부가 G-CSF를 생성하며, 이는 전립선암의 예후와 관련이 있다고 하였다 (Matsuoka 등, 2009).

SCF와 G-CSF의 병합은 조혈세포의 증식, 분화, 생존을 증대시키는 상승 효과를 나타낸다 (Duarte와 Franf, 2002). 그러나 전립선암 세포에서 SCF와 G-CSF의 병합 효과는 충분하게 알려져 있지 않다. PC3 및 DU145 세포에서 줄기세포의 특성에 대한 SCF와 G-CSF의 효과를 분석하고 이들 cytokines의 상승 효과를 평가한 연구는 다음과 같은 결과를 보고하였다 (Ma 등, 2010). 첫째, SCF와 G-CSF로 자극한 경우 흐름세포측정법에서 CD117, ABCG2, CD44 등의 농도가 더 증가됨이 관찰되었다. 둘째, SCF와 G-CSF의 자극 하에서 *OCT3/4* 및 *NANOG*의 발현 또한 상향 조절됨이 qRT-PCR로 관찰되었으며, 증가된 *NANOG*는 대부분 *NANOGP8*으로부터 유래되었다. 셋째, 이들 cytokines의 자극으로 전립선암 세포에서 OCT3/4 및 NANOG 단백질이 증가함과 더불어 군집과 세포구를 형성하는 비율이 더 증가하였다. 넷째, 군집 및 세포구의 형성과 ABCG2의 발현에 대해 SCF와 G-CSF는 상승 효과를 나타내었다. 이들 결과에 의하면, 골수는 전립선암 세포에게 적절한 환경을 제공하며, 골수에서 전립선암 세포의 줄기세포능이 유지되는 것은 최소한 SCF와 G-CSF에 의한다.

39.5.3. 암줄기세포에 대한 microRNA의 영향
Influence of microRNA (miRNA) to cancer stem cell

*miRNA*의 통제 불능은 종양세포의 증식, 분화, 세포 자멸사, 전이 등과 관련이 있어 종양을 유발하거나 억제하는 유전자로서의 기능을 한다 (Calin과 Croce, 2006). *miRNA*는 또한 암줄기세포의 중요한 조절 인자로 알려져 있다. 예를 들면, *let-7 miRNA*는 자가 재생과 분화에 관여하는 유전자를 침묵시킴으로써 유방암을 유발하는 세포의 특성을 조절하며 (Yu 등, 2007), *miR-34a*는 CD44를 직접 억제함으로써 전립선암의 줄기세포와 전이를 억제하고 (Liu 등, 2011), *miR-320*은 WNT/beta-catenin의 신호 경로를 하향 조절함으로써 전립선암 세포가 가진 줄기세포의 특성을 억제한다 (Hsieh 등, 2012).

정상 조직의 줄기세포가 가진 특성, 즉 자가 재생과 분화의 기능을 가진 종양세포는 급성 골수성 및 림프구성 백혈병의 근본 원인으로 알려져 있다 (George 등, 2001). 이들 세포를 암줄기세포라 하며, 뇌종양 (Singh 등, 2003), 결장암 (Ric-

ci-Vitiani 등, 2007), 유방암 (Al-Hajj 등, 2003) 등을 포함하는 다수의 경성 종양에서 종양 형성의 근간이 된다. Defined cell culture media (DCCM)의 비흡착 배양 기법은 줄기세포의 특징을 가진 중추신경계 세포 (Uchida 등, 2000), 결장암 세포 (Ricci-Vitiani 등, 2007), 유방암 세포 (Dontu 등, 2003) 등을 분리하는 데 이용되어 왔으며, 근래에는 이러한 배양 시스템이 전립선으로부터 유래된 세포까지 확대되어 실시되고 있다. Human telomerase reverse transcriptase (hTERT)로 불멸의 특성을 가지게 된 원발 전립선암 세포는 '전립선구'로 불리는 세포구를 형성하며 (Miki 등, 2007), 분리된 쥐의 원발 전립선암 줄기세포는 전립선구 배양에서 복제로 인한 자가 재생을 일으킨다고 보고되었다 (Xin 등, 2007). 여러 연구는 무혈청 현탁 배양을 이용하여 PC3 세포구로부터 암줄기세포를 풍부하게 만들었으며 (Fan 등, 2012), 암줄기세포로 추정되는 줄기세포를 많이 만들고 확인하는 효과적인 방법으로는 비부착성 세포구를 배양하는 방법이 흔히 이용되고 있다 (Fan 등, 2011). 따라서 전립선암의 전이 기전을 밝히기 위해 전립선암 줄기세포 모델로서 세포구가 이용된다. 암줄기세포의 표지자, 예를 들면 OCT4, SOX2, NANOG 등의 발현은 재부착 배양에서 세포구가 단일 세포로 흡수될 때 점차 감소된다 (Fan 등, 2013). PC3 세포구와 부착 세포에서 *miRNA*의 발현 양상을 분석하기 위해 microarray 및 qRT-PCR을, 이들 세포의 이동을 평가하기 위해 transwell 분석을 각각 이용하여 전립선암의 전이와 암줄기세포에 관여하는 *miRNA*를 확인한 연구는 다음과 같은 결과를 보고하였다 (Fan 등, 2013). 첫째, PC3 세포구에서는 *miR-143*의 발현과 이동력이 감소하였으나 세포구의 재부착 배양을 시행하는 동안에는 점차 증가하였다. 둘째, *miR-143*의 하향 조절은 체외 실험에서 전립선암 세포의 이동과 침습을 억제하였고, 체내 실험에서 전이를 억제하였다 (도표 184). 셋째, 세포의 운동성을 조절하는 fibronectin type

도표 184 전립선암을 이식한 누드마우스를 miR-143 억제제와 NC로 치료한 후 전신적 및 간 전이의 빈도

	전신 전이	간 전이
NC	8/10	9/10
miR-143 억제제	2/10	3/10
p (χ^2 test)	0.023[†]	0.02[†]

[†], $p < 0.05$.

miR-143, microRNA-143; NC, negative control.

Fan 등 (2013)의 자료를 수정 인용.

III domain containing 3B (FNDC3B)는 *miR-143*의 표적임이 확인되었다. *miR-143*를 억제할 경우 체내 및 체외 실험에서 FNDC3B 단백질의 발현이 증가되었지만, *FNDC3B* mRNA는 증가되지 않았다. 이들 결과에 의하면, *miR-143*는 전립선암 줄기세포가 분화하는 동안 상향 조절되며, 상향 조절된 *miR-143*는 FNDC3B의 발현을 억제함으로써 전립선암의 전이를 촉진한다. 이와 같이 *miRNA*가 암줄기세포의 전사 후 조절에 관여하기 때문에, 전립선암의 치료에서 유망한 표적이 될 수 있다.

39.5.4. 암줄기세포 관련 신호 경로와 항암 요법
Signaling pathway associated with cancer stem cell and anticancer therapy

암줄기세포와 관련이 있는 신호 경로는 부분적으로 앞에서 기술되어 있지만, 다시 간략하게 정리하고자 한다. ABC 전달체는 ATP의 가수 분해에 힘입어 세포 독성 제제, 염색제 등서로 다른 여러 작은 분자들을 세포 밖으로 펌프질해내는 세포막 전달체이다. 정상 줄기세포와 암줄기세포는 높은 농도로 ABC 전달체를 발현한다. 이러한 현상은 많은 항암제를 세포 밖으로 밀어내어 세포 내의 약물 농도를 낮게 유지하도록 하기 때문에 다약제 저항성 (multidrug resistance, MDR)의 원인이 된다 (Kruger 등, 2006). 따라서 ABC 전달체 농도의 증가는 암줄기세포가 현재의 항암 요법에 대해 저항성을 가지도록 만든다 (Deeley 등, 2006). ABC 가족에 속하는 단백질로는 multidrug resistance-associated protein (MRP/ABCC), breast cancer resistance protein (BCRP/ABCG2), P-glycoprotein (P-gp/ABCB1) 등이 있다 (Deeley 등, 2006). 악성 세포에서 ABC 전달체의 높은 발현은 세포를 염색제 Hoechst 33342로 처리함으로써 확인할 수 있다. ABC 전달체를 높은 농도로 함유한 세포는 Hoechst를 밀어내는데, 이러한 세포가 SP 세포로 간주되며, SP가 아닌 세포에 비해 종양 형성력이 더 크다. 신호 경로의 조절 장애는 암줄기세포가 줄기세포의 특성을 유지하는 데 중요한 역할을 한다. 도표 185에서 요약된 바와 같이, 암줄기세포와 정상 줄기세포의 자가 재생 및 분화를 조절하는 경로 및 요소로는 PI3K/AKT (Guo 등, 2010), PTEN (Roy 등, 2010), Janus kinase/signal transducers andactivators of transcription protein (JAK/STAT) (Chen 등, 2008), WNT/β-catenin (Clevers, 2006), Hh (Rizzo 등, 2005), NOTCH (Harrison 등, 2010), nuclear factor kappa B (NFκ

도표 185 암줄기세포와 관련이 있는 신호 경로

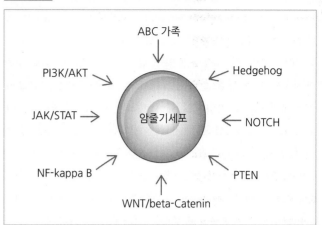

신호 경로의 조절 장애는 암줄기세포의 줄기세포능을 유지하는 데 중요한 역할을 한다. 암줄기세포뿐만 아니라 정상 줄기세포의 분화와 자가 재생의 조절에 관여하는 경로 및 요소로는 PI3K/AKT, JAK/STAT, WNT/β-catenin, Hedgehog, NOTCH, NF-κB, ABC 가족 등이 있다. 암줄기세포는 이러한 비정상적인 경로를 통해 암의 형성을 시작하고 수술 후 재발을 촉진하는 특유의 기능을 획득하게 된다. ABC, ATP-binding cassette; AKT, v-akt murine thymoma viral oncogene homolog protein 1 or protein kinase B (PKB); JAK, Janus kinase; MMTV, mouse mammary tumor virus; NF-kappa B, nuclear factor-kappa B; PI3K, phosphatidylinositol 3-kinase; PTEN, phosphatase and tensin homolog; STAT, signal transducers and activators of transcription protein; WNT, Wingless-type MMTV integration site family, member 1.
Chen 등 (2013)의 자료를 수정 인용.

B) (Baud와 Karin, 2009), BCL2 (Chen 등, 2009) 등이 있다. PI3K/AKT 신호 경로는 급성 및 만성 골수성 백혈병을 포함하는 많은 암과 관련이 있다. AKT의 활성화는 세포의 형질 전환과 종양의 형성에서 매우 중요하다. v-ABL에 의해 매개되는 세포의 형질 전환의 경우 *AKT1* 유전자에서 E17K 돌연변이, 즉 아미노산 위치 17에서 glutamic acid가 lysine으로 대치되는 돌연변이가 중요한 역할을 함이 관찰되었다. *AKT1* 돌연변이체는 BCL2 단백질의 농도를 증가시키고 세포 자멸사를 유도하는 단백질인 BCL2-associated death promoter (BAD)의 인산화를 증가시킴으로써 세포 자멸사에 대한 저항성을 증대시킨다. 또한, PI3K 경로의 다른 단백질, 예를 들면 PTEN, mTOR 등도 leukemia stem cell (LSC)을 유지하는 기능을 나타낸다. *PTEN*의 침묵 혹은 돌연변이는 급성 림프모구 백혈병, 전립선암, 흑색종, 아교모세포종, 자궁내막암 등에서 관찰된다 (Gutierrez 등, 2009). JAK/STAT의 신호 경로 또한 종양을 유발하는 데 관여한다. JAK/STAT 경로의 이상은 다수의 암, 특히 백혈병에서 관찰된다. v-ABL은 강력한 non-receptor tyrosine kinase로서 JAK/STAT 경로에 영향을 주어 B-cell 전

구 세포의 악성 형질 전환을 유도한다 (Chen 등, 2008). Pro-virus integration site for Moloney murine leukemia virus 1 (PIM1)과 PIM2 kinase는 B-cell의 전구 세포에서 v-ABL 의존성 JAK/STAT 신호 경로에 의해 유도되며, 세포의 형질 전환에서 중요한 역할을 한다 (Pradhan 등, 2007). 또한, *JAK2* 유전자에서 V617F 돌연변이, 즉 아미노산 위치 617에서 valine이 phenylalanine으로 대치되는 돌연변이는 조혈세포의 악성 형질 전환을 일으키는 중요한 인자로 간주된다 (Chen 등, 2008). JAK/STAT의 신호 경로를 역조절하는 기전은 sup-pressor of cytokine signaling (SOCS) 가족에 의해 매개된다. JAK/STAT 신호 경로의 활성화는 여러 종양 유전자에 의한 형질 전환을 위해 필요하기 때문에, SOCS1과 SOCS3의 조절 효과의 억제는 종양 형성에서 중요한 역할을 한다. 만성 골수성 백혈병을 일으키는 융합 tyrosine kinase인 BCR-ABL에 의해 활성화된 신호 경로는 SOCS1과 SOCS3의 kinase를 인산화함으로써 이들 단백질이 JAK/STAT 신호 경로의 활성화를 억제하는 과정을 차단한다 (Qiu 등, 2012). 여러 유전자의 발현을 조절하는 전사 인자인 NFκB는 cytokines, 세균, 자유기, 자외선 등과 같은 여러 자극에 대한 세포의 반응에 관여한다 (Baud와 Karin, 2009). NFκB는 BCL-XL, BCL2, survivin, cel-lular inhibitors of apoptosis (cIAP), TNF receptor-associated factor (TRAF), 세포 주기 조절 단백질 등과 같이 세포 자멸사와 관련이 있는 여러 단백질의 발현에 영향을 준다. NFκB의 비정상적인 활성화는 암의 발생 및 진행, 화학 제제에 대한 저항성, 만성 염증, 자가 면역 질환 등을 일으킨다 (Grivennikov 등, 2010; Chaturvedi 등, 2011). NOTCH, Hedgehog, WNT 등의 신호 경로는 암줄기세포의 군집을 유지하는 기본적인 역할을 한다. NOTCH 신호 경로는 정상적인 유방 줄기세포의 계통 특이 분화와 자가 재생에 영향을 준다 (Dontu 등, 2004). 더욱이 NOTCH4가 활성화되면 유방의 암줄기세포가 증가하며, NOTCH4의 활성화가 억제되면 유방 암줄기세포의 군집이 감소하여 종양의 시작이 억제된다 (Harrison 등, 2010). Hedgehog 경로의 비정상적인 조절은 여러 암과 관련이 있으며, 질환을 치료한 후의 결과에 영향을 주는 중요한 인자이다. Hedgehog 경로를 표적화하는 여러 제제는 임상 전 시험에서 희망적인 결과를 나타내었으며, 현재 임상 1상 및 2상 시험 중에 있다 (Merchant와 Matsui, 2010). WNT 경로는 암줄기세포가 줄기세포의 특성을 유지하는 데 관여한다. 비정상적인 WNT/β-catenin의 신호 경로는 백혈병, 결장암, 내피암,

유방암, 피부암 등과 같은 다양한 암에서 발견된다 (Malanchi 등, 2008; Zeng과 Nusse, 2010). 결장암의 발생 원인 중 하나는 *adenomatous polyposis coli* (*APC*) 유전자의 결손 돌연변이이다. *APC*의 결손 돌연변이는 β-catenin의 불안정화를 유도함으로써 WNT 경로를 활성화하고 상피세포의 형질 전환을 유도한다 (Reya와 Clevers, 2005).

현재의 항암 요법은 치료 실패를 흔하게 일으킨다는 제한점을 가지고 있다. 여러 암에서 치료 실패의 흔한 원인은 화학 요법과 방사선 요법에 대한 저항성이다. 또한, 암줄기세포에 대해 충분하게 선택적이지 않은 치료 전략은 건강한 조직에 대해 독성을 나타내는 한편, 대부분의 요법이 암줄기세포를 완전하게 제거하지 못하기 때문에 환자들은 대개 재발과 전이의 위험에 직면하게 된다 (Cho 등, 2008). 암줄기세포가 없는 세포군에 비해 암줄기세포 군집은 통상적인 항암 요법에 대해 더 저항적이기 때문에, 암줄기세포의 제거는 암의 치료에서 중요한 과제이다 (LaBarge, 2010). 근래의 많은 새로운 요법은 암줄기세포의 제거를 목표로 하며, 이들 세포를 지지하고 있는 미세 환경을 변경시키려는 시도를 하고 있다. 세포 표면 표지자와 신호 경로는 암줄기세포에 따라 차이를 보이기 때문에, 이러한 요법에서 유망한 표적이 된다. 연구자들은 암줄기세포에 대한 요법에서 많은 표적을 발견하였는데, 예를 들면 ABC 가족, 세포 자멸사 대항 인자, 해독 효소, DNA 복구 효소 등 외에도 WNT/β-catenin, Hh, EGFR, NOTCH 등과 같은 종양 유발과 관련이 있는 신호 경로가 있다 (Liu 등, 2009; Wang 등, 2010). 현재 일부 치료 전략은 암줄기세포를 성공적으로 제거할 수 있다고 보고되었으며, 일부는 아직 임상 전 혹은 임상 시험 중에 있다. 암줄기세포를 표적화하는 여러 치료 전략은 도표 186에 요약되어 있다.

39.6. 전립선암의 안드로겐 대항 요법 저항성과 miRNA의 발현 사이 연관성
Association between miRNA expression and antiandrogen therapy resistance

안드로겐 박탈 요법에 대한 저항성의 발생은 진행된 전립선암의 관리에서 큰 장애물이다. 안드로겐 수용체 대항제 및 안드로겐 차단 요법으로 치료하면, 처음에는 종양이 퇴행을 일으키지만, 후에는 안드로겐 수용체를 우회하는 신호 경로를 포함하는 보상 기전의 발달로 종양이 재성장하게 된다. 작은

도표 186 암줄기세포를 표적화하는 요법

암줄기세포 표적 요법

표면 항원 표적	신호 경로 표적	미세 환경 표적	ABC 표적
CD44	WNT	VEGF/VEGFR	Tariquidar
CD90	NF-kB	CXCL12/	Verapamil
CD133	NOTCH	CXCR4	MS-209
CD33	Hedgehog	약산성 pH	VX-710

수년 전부터 암줄기세포를 제거하기 위한 많은 요법이 개발되어 왔으며, 현재로서는 네 영역으로 요약될 수 있다. 첫째, 암줄기세포의 표면 표지자를 선택적으로 표적화하는 방법은 보다 정확한 효과를 얻을 수 있는 한편, 부작용을 줄일 수 있다. 둘째, 분자 생물학 기법에 의해 중요한 신호 요소와 경로가 점점 밝혀지고 있다. 비정상적인 경로를 개선하는 방법은 암줄기세포의 특이한 특징을 억제하며, 이에 관한 연구는 희망적인 결과를 보고하고 있다. 셋째, ABC cassette를 억제하는 3세대 분자 약물인 tariquidar는 P-glycoprotein (혹은 ABCB1)과 MRP1 (혹은 ABCC1)을 억제하며 (Robey 등, 2008), 이와 같은 약물의 일부는 임상 시험 중에 있다. 넷째, 암줄기세포를 돕는 종양의 미세 환경 또한 많은 관심을 끌고 있다. 혈관의 성장을 차단하거나 특별한 pH 환경을 조성하는 방법은 유망한 방법이라고 간주되고 있다.
ABC, ATP-binding cassette; ABCB1, ABC subfamily B member 1; ABCC1, ABC subfamily C member 1; CD, cluster of differentiation; CXCL12, chemokine (C-X-C motif) ligand 12; CXCR4, chemokine (C-X-C motif) receptor 4; MRP1, multidrug resistance-associated protein; NF-κB, nuclear factor-kappa B; P-glycoprotein, permeability glycoprotein; pH, potential of hydrogen ion; VEGF, vascular endothelial growth factor; VEGFR, VEGF receptor; WNT, Wingless-type MMTV integration site family, member 1.
Chen 등 (2013)의 자료를 수정 인용.

크기의 조절 RNA인 *miRNA*는 종양세포에서 흔히 달라지는 세포의 항상성을 유지하는 데 관여한다. 안드로겐 박탈 요법에 대한 저항성의 발달과 1,113개 *miRNA*의 발현 사이의 연관성을 조사하기 위해 안드로겐 박탈 요법과 안드로겐 수용체 대항제 Casodex (CDX)를 이용하여 안드로겐을 차단한 후 이들 치료에 대해 저항성을 일으키는 안드로겐 민감성 전립선암 세포를 대상으로 평가한 연구는 치료에 대한 저항성이 발생하는 동안 유의하게 변화를 일으키는 43개의 *miRNA*를 발견하였다 (Ottman 등, 2014). 이들 중 상향 조절되는 *miRNA*로는 *let-7f-1* (Vaksman 등, 2011), *miR-22* (Jiang 등, 2011), *miR-22** (자료 없음), *miR-29a* (Han 등, 2010), *miR-34b** (Svoboda 등, 2012), *miR-136* (Mclver 등, 2012), *miR-143* (Peng 등, 2011), *miR-146a* (Xiao 등, 2012), *miR-218* (Hassan 등, 2012), *miR-222* (Visone 등, 2007), *miR-302a** (Watson 등, 2013), *miR-493** (Lehmann 등, 2010), *miR-548h* (자료 없음), *miR-548l* (자료 없음), *miR-548p* (자료 없음), *miR-548t* (자

료 없음), *miR-664* (Yang 등, 2013), *miR-3138* (자료 없음), *miR-3144b-5p* (Hamfjord 등, 2012), *miR-3192* (자료 없음), *miR-3199* (자료 없음) 등이 있으며, 하향 조절되는 *miRNA*로는 *miR-7* (Fang 등, 2012), *miR-9* (Guo 등, 2009), *miR-15b* (Zheng 등, 2013), *miR-15b** (Lui 등, 2007), *miR-17* (Wei 등, 2012), *miR-17** (Suh 등, 2004), *miR-18a* (Tao 등, 2012), *miR-18b* (Landgraf 등, 2007), *miR-20a* (Chang 등, 2013), *miR-20a** (Michael 등, 2003), *miR-20b** (Sewer 등, 2005), *miR-106a* (Hummel 등, 2011), *miR-205* (Hulf 등, 2012), *miR-205** (자료 없음), *miR-422a* (Faltejskova 등, 2012), *miR-454* (Berezikov 등, 2006), *miR-518b* (Zhang 등, 2012), *miR-596* (Cummins 등, 2006), *miR-759* (Berezikov 등, 2006), *miR-1244* (자료 없음), *miR-3131* (Stark 등, 2010), *miR-3185* (Stark 등, 2010) 등이 있다.

안드로겐의 중단과 CDX로 치료를 받은 LNCaP 세포에서 발현의 변화를 일으킨 *miRNA* 중 선택된 *miRNA*에 대한 표적을 확인하기 위해 miRDB 및 TargetScan 데이터베이스를 이용하여 하나 혹은 다수의 *miRNA*에 의해 조절되고, 한 종류 이상의 검색에서 높은 표적 점수 (target score)를 받은 단백질은 도표 187에 정리되어 있다 (Ottman 등, 2014). Western blot 분석을 이용한 연구는 일부 표적의 예측되는 발현 양상을 확인하였다 (Ottman 등, 2014). *Cbl proto-oncogene, E3 ubiquitin protein ligase* (CBL 혹은 p27[KIP1]), *tumor necrosis factor* (TNF) *receptor associated factor 6* (TRAF6), *interleukin receptor associated kinase 1* (IRAK1), *zinc finger, AN1-type domain 1* (ZFAND1) 등의 발현은 CDX로 치료를 받았거나 안드로겐이 중단된 LNCaP 세포에서 유의하게 점차 하향 조절되었다. 마찬가지로, *FYVE, GhoGEF and PH domain containing 4* (FGD4), *vascular endothelial growth factor A* (VEGFA), *epidermal growth factor receptor* (EGFR), *docking protein 4* (DOK4), *abhydrolase domain-containing 3* (ABHD3) 등의 발현은 CDX 혹은 charcoal-stripped fetal calf serum (CS-FBS)으로 치료를 받은 LNCaP 세포에서 중등도 내지 고도로 상향 조절되었다.

정리하면, 상향 조절된 *miRNA*에 의한 *tumor protein p53* (TP53), *breast cancer 1, early onset* (BRCA), *Toll-like receptor* (TLR), IRAK1, STAT1, *conserved helix-loop-helix ubiquitous kinase* (CHUK), *Fas-associated protein with death domain* (FADD) 등의 발현 억제, 그리고 하향 조절된 *miRNA*

도표 187 안드로겐 중단 혹은 CDX로 치료를 받은 LNCaP 세포에서 발현의 변화를 일으킨 miRNA의 예상되는 표적 mRNA

유전자 기호	유전자명	miRNAs	참고 문헌
상향 조절된 miRNA의 예상되는 표적 mRNA			
BCORL1	BCL6 co-repressor-like 1	miR-143, miR-146a, miR-548t	Tiacci 등, 2012
CBL	Cbl proto-oncogene, E3 ubiquitin protein ligase	miR-22, miR-136, miR-222, miR-1197, miR-3199	Wei 등, 2012
CCDC67	Coiled coil domain containing 67	miR-22	Park 등, 2012
CDKN1B	Cyclin-dependent kinase inhibitor 1B (p27^{KIP1})	miR-222	Sharma 등, 2012
IGFBP5	Insulin-like growth factor binding protein 5	miR-143	Ha 등, 2013
IRAK1	Interleukin receptor associated kinase 1	miR-146a	Tiacci 등, 2012
NET1	Neuroepithelial cell transforming gene 1	miR-22, miR-143, miR-222	Srougi와 Burridge, 2011
NOVA1	Neuro-oncological ventral antigen 1	miR-143, miR-146a, miR-548l	Iourov 등, 2009
RGS6	Regulator of G-protein signaling 6	miR-222	Maity 등, 2013
RNASEL	Ribonuclease L	miR-146a, miR-548l	
TRAF6	Tumor necrosis factor receptor associated factor 6	miR-146a	Wei 등, 2012
ZFAND1	Zinc finger, AN1-type domain 1	miR-136, miR-548h, miR-548l, miR-548t	Maity 등, 2013
하향 조절된 miRNA의 예상되는 표적 mRNA			
ABHD3	Abhydrolase domain-containing 3	miR-130a, miR-205, miR-1244	Long 등, 2011
CCNJ	Cyclin J	miR-205-5p	Ting 등, 2013
CHAMP1/ZNF828	Chromosome alignment maintaining phosphoprotein 1/Zinc finger protein 828	miR-7-5p, miR-378a-3p	Itoh 등, 2011
DOK4/IRS5	Docking protein 4	miR-205	Al-Sarraf 등, 2007
E2F1	E2F transcription factor 1	miR-17, miR-20b, miR-205	Gandellini 등, 2009
EGFR	Epidermal growth factor receptor	miR-7	Cai 등, 2009
FGD4	FYVE, RhoGEF and PH domain containing 4	miR-17, miR-20a, miR-106a	Errington 등, 2012
MYB	v-Myb myeloblastosis viral oncogene homolog (avian)	miR-15b-5p, miR-16-5p	Srivastava 등, 2012
PI3KCD	Phosphoinositide-3-kinase, catalytic delta polypeptide	miR-7-5p	Fang 등, 2012
RAB9B	RAB9B, member RAS oncogene family	miR-9-5p, miR-15b-5p, miR-16-5p, miR-130a-3p	Yoon과 De Micheli, 2005
SPOPL	Speckle-type POZ protein-like	miR-9-3p	Errington 등, 2012
VEGFA	Vascular endothelial growth factor A	miR-15b, miR-205	Yang 등, 2012

BCL6, B-cell lymphoma 6; Cbl, Casitas B-lineage lymphoma; CDX, Casodex (bicalutamide); FYVE, Fabip, YOTB, VAC1p, EEA1 domain; IRS5, insulin receptor substrate 5; KIP1, kinase inhibitor protein 1; miR, microRNA; miRNA, microRNA; PH, pleckstrin homology; POZ, Poxvirus and zinc finger; RhoGEF, Rho guanine nucleotide exchange factor.
Ottman 등 (2014)의 자료를 수정 인용.

의 표적인 *EGFR, NFκB1/v-rel reticuloendotheliosis viral oncogene homolog A (RELA), E2F transcription factor (E2F)* 가족, *BCL2-like 2 (BCL2L2), zinc finger and BTB domain containing 7A (ZBTB7A), argonaute RISC catalytic component 2 (AGO2* 혹은 *eukaryotic translation initiation factor 2C, 2,*

EIF2C2), zinc finger E-box binding homeobox 2 (ZEB2) 등의 증가는 안드로겐 비의존성 LNCaP 세포의 성장과 생존을 유도하는 많은 사건들 중 일부라고 할 수 있다. 안드로겐이 박탈된 조건 하에서 안드로겐 수용체 대항제로 치료하는 동안 상향 조절된 *miRNA*의 표적인 *DEAD (Asp-Glu-Ala-Asp)*

box polypeptide 20 (DDX20), unidentified reading frame 1 (URF1), interferon regulatory factor 5 (IRF5), cyclin-dependent kinase inhibitor 3 (CDKN3) 등의 발현 억제, 그리고 하향 조절된 *miRNA*의 결과로서 *PR domain containg 1, with ZNF domain (PRDM1), DOK4, TNFSF9, NOTCH2* 등의 발현 증가 또한 CDX로 인한 세포사에 대해 보호 효과를 나타낸다 (Ottman 등, 2014). 그러나 전립선암 세포가 안드로겐 수용체 대항제에 대해 저항성을 얻는 동안 일어나는 신호 경로의 활성화 및 비활성화를 정확하게 이해하기 위해서는 더욱 심도가 있는 추가 연구가 필요하다.

39.7. 전립선암에서 miRNA의 적용 및 전망
Application and prospect of miRNA in prostate cancer

*miRNA*의 발현에 관한 연구는 *miRNA*가 사람의 여러 종류의 암에서 비정상적으로 발현되며, 종양 및 조직에 강한 특이성을 나타낸다고 하였다 (Lu 등, 2005). 그러므로 *miRNA*의 발현 양상에 대한 분석은 암, 특히 치유할 수 없는 거세 저항성 전립선암의 분류, 조기 진단, 유망한 치료 표적의 발견 등을 가능하도록 만들기 때문에, *miRNA*는 생물 지표, 치료 전략 등을 목적으로 하는 임상 연구에서 이용할 가치가 있다고 생각된다 (도표 188).

*miRNA*의 특성은 정상 조직과 암 조직을 정확하게 구별하며 암의 병기를 분류할 수 있게 한다. mRNA의 발현과 *miRNA*의 발현을 비교한 연구에서, 17종의 암 중 1종만이 mRNA의 발현 양상에 의해 구별된 데 비해, 17종의 암 중 12종이 *miRNA*의 발현 양상에 의해 구별되었다 (Lu 등, 2005). 암의 형성은 여러 신호 경로의 변화에 따른 복잡한 단계로 이루어지기 때문에, 하나의 *miRNA*보다는 암에 특이한 생물 지표로서 가치가 있는 여러 *miRNA*의 발현 양상을 연구하는 것이 적절하다고 생각된다. 더 많은 *miRNA*의 발현 양상은 임상적 진단 결과의 정확도를 더 향상시킬 수 있다.

현재는 혈청 PSA의 측정이 전립선암의 진단에서 표준으로 되어 있다. 그러나 PSA 검사는 임상적으로 중요하지 않은 암에 대해 과잉 진단과 과잉 치료를 유발하는 문제점을 가지고 있다. 따라서 PSA의 제한점을 극복하기 위한 새로운 생물 지표가 절실히 필요한 실정이다. 일부 *miRNA*가 전립선암에서 특별하게 발현된다고 알려져 있어 이들 *miRNA*가 전립선암의

진단, 예후, 분류에 이용이 가능한지 주목할 필요가 있다. 예를 들면, *miR-21*의 발현 정도는 안드로겐 의존성 전립선암 세포보다 안드로겐 비의존성 전립선암 세포에서 훨씬 더 크다 (Li 등, 2009). 따라서 *miR-21*의 발현 양상은 전립선암의 병기를 구별하는 데 이용될 수 있다. 1 picogram의 RNA 양으로도 높은 민감성을 보이는 고효율의 *miRNA* 발현 양상은 전립선암과 유방암의 생검에 대한 새로운 생물 지표로 평가를 받을 만하다 (Maltie 등, 2006). Mitchell 등 (2008)은 *miRNA*가 혈장과 혈청뿐만 아니라 포르말린으로 고정된 조직에서도 매우 안정적이기 때문에, 암 진단에서 우수한 생물 지표가 될 수 있다고 하였다. 전립선암 조직에서 유래된 *miRNA*는 순환계로 들어가 매우 일정한 농도로 유지된다. 건강인에 비해 전이 전립선암을 가진 환자의 혈청에서 *miR-125b*와 *miR-141*의 발현 양은 각각 6.35배와 65배 더 높다. 그러므로 PSA와 *miRNA*를 생물 지표로서 동시에 분석하면, 전립선암에 대한 진단의 정확도를 한층 더 높일 수 있을 것이다.

낮은 위험도의 국소 전립선암 28명, 높은 위험도의 국소 전립선암 30명, 거세 저항성 전립선암 26명 등의 혈청을 Taq-Man Human MicroRNA Arrays 및 QRT-PCR로 분석한 연구는 *miR-375, miR-378*, *miR-141* 등이 낮은 위험도의 국소 전립선암 환자에 비해 거세 저항성 전립선암 환자에서 유의하게 과다 발현되었으며, *miR-409-3p*는 유의하게 과소 발현되었고, *miR-375*와 *miR-141*은 정상 전립선 조직에 비해 원발 전립선암 표본에서 더 높게 발현되었다고 보고하였다. 이 연구의 결과는 비침습적으로 분석된 혈청 *miRNA*가 전립선암의 진행에 대한 예후 표지자로 유망함을 보여 준다 (Nguyen 등, 2013).

전립선암과 양성전립선비대 환자로부터 채집한 전립선 조직을 qRT-PCR로 분석한 연구는 다음과 같은 결과를 보고하였다 (Avgeris 등, 2014). 첫째, *miR-378*은 양성전립선비대에 비해 전립선암에서 하향 조절되었으며 (p=0.050), *KLK2*와 *KLK4*를 표적화하였다. 둘째, *miR-378*의 감소는 높은 Gleason 점수, 크기가 큰 종양, 높은 PSA 농도 등과 관련이 있었으며, 각각의 p-value는 0.018, 0.034, 0.006이었다. 셋째, 예후와 관련하여 *miR-378*은 Gleason 점수와 종양의 병기에 따른 위험 분류를 용이하게 하였으며, *miR-378*의 농도가 낮은 환자에서는 재발 위험이 더 높았다. 넷째, 다변량 분석에서 *miR-378*의 소실은 재발 위험이 높거나 매우 높은 환자에서 단기간의 재발을 예측하였다 (p=0.018). 이들 결과에 의하면, *miR-378*의 발현이 소실된 경우에는 적극적인 치료를 하더라도 전립선

도표 188 전립선암에서 비정상적 microRNAs 발현에 관한 연구들

관련 문헌	전립선암 표본 수	miRNA의 발현	확인된 표적	전립선암에서 역할	암세포 관련 기능
Li 등, 2009	암 세포주 4	miR-21[†] ⇧	PDCD4, TPM1, MARPKS	암 유발	운동, 침윤, 세포 자멸사 저항
Shi 등, 2007 Ozen 등, 2008	PCa 조직 10 양성 조직 2 암 세포주 9	miR-125b[‡] ⇧	BAK1, EIF4EBP1	암 유발	증식
Sun 등, 2009	암 세포주 2	miR-220/221[†] ⇧	p27	암 유발	
Varambully 등, 2008	국소 암조직 16 전이 암조직 33	miR-101 ⇩	EZH2	암 억제	전이
Rokhlin 등, 2008	암 세포주 4	miR-34 가족[†] ⇩		암 억제	세포 자멸사
Musiyenko 등, 2008	암 세포주 1	miR-126* ⇩	SLC45A3	암 억제	운동, 침윤
Lin 등, 2008	암 세포주 5 PCa 조직 60	miR-146a ⇩	ROCK1	암 억제	운동
Vrba 등, 2010	암 세포주 4	miR-200c ⇩		암 억제	EMT
Kong 등, 2009	불분명	miR-200b ⇩	PDGF-D	암 억제	EMT
Mitchell 등, 2008	PCa 환자 혈청 25 정상 남자 혈청 25	miR-141[‡] ⇧			
Vrba 등, 2010	암 세포주 4	miR-141 ⇩		암 억제	EMT
Lee 등, 2009	불분명	miR-330 ⇩	E2F1	암 억제	세포 자멸사

[†], 이들 miRNAs는 전립선암이 발달하는 동안 안드로겐 수용체와 강한 연관성을 가진다; [‡], miR-125b와 miR-141의 발현은 전립선암 환자의 혈청에서도 증가된다.

BAK1, BCL2 homologous antagonist/killer 1; E2F1, E2 transcription factor 1; EIF4EBP1, eukaryotic translation initiation factor 4E-binding protein 1; EMT, epithelial mesenchymal transition; EZH2, enhancer of zeste homolog 2; MARPKS, myristoylated alanine-rich protein kinase substrate; miRNA, microRNA; PCa, prostate cancer; PDCD4, programmed cell death protein 4; PDGF-D, platelet-derived growth factor D; ROCK1, Rho-associated coiled-coil containing protein kinase 1; SLC45A3, solute carrier family 45 member 3 or prostein; TPM1, tropomyosin 1 or tropomyosin alpha-1.

Pang 등 (2010)의 자료를 수정 인용.

이 진행하고 재발할 위험이 높다.

전립선암에서 *miRNA*의 발현 양상을 분석하고 그들의 표적을 발견하면 새로운 치료법의 개발도 가능할 것이다. 발암 효과를 나타내는 *miRNA*의 발현 억제 및 종양 억제 효과를 나타내는 *miRNA*의 발현 증가는 효과적인 치료적 접근이 된다. 종양을 억제하는 유전자의 역할을 하는 *miRNA*를 암세포에 재주입하면 종양의 성장이 억제되고 심지어 암세포가 정상 세포로 복원되기도 한다. 예를 들면, *miR-101*의 과다 발현은 DU145 전립선암 세포의 침윤을 현저하게 감소시켰다 (Friedman 등, 2009). *miR-125b*는 안드로겐 비의존성 세포의 성장을 촉진한다고 간주된다. *miR-125b*의 대항 인자를 암세포에 유전자 감염을 일으키면 세포 자멸사를 통해 세포의 성장이 억제된다 (Shi 등, 2007).

후성적인 변화가 *miRNA*의 발현을 조절하여 종양에 있는 표적의 활성에 영향을 준다는 보고는 후성적인 약물의 개발에 의한 또 다른 표적 치료법을 제시한다. Methyltransferase 억제제인 5-aza-29-deoxycytidine (5-Adc)은 이러한 목적으로 이용되었다. 5-Adc 요법은 전립선암 세포에서 *miR-200*의 증가를 유도한다 (Vrba 등, 2010). 비록 이와 같은 새로운 치료 전략이 세포 수준에서 시험 단계에 있고 아직 임상에서 이용되고 있지 않지만, *miRNA*가 단일 요법 혹은 기존의 약물 요법과의 병용 요법을 통해 유망한 치료 전략으로 발전할 가능성이 있다.

40. Mini-Chromosome Maintenance Protein (MCM)

정상 세포의 염색체 DNA는 복제 원점 (replication origin)에서 시작되는 복제 분기점 (replication fork)으로부터 정확하게 두 개로 복사된다. 정확하게 복사된 이중 염색체는 복제 허용 시스템 (replication-licensing system)에 의해 유지된다. 이 시스템은 복제 원점의 비정상적인 활성을 방지하는데, 원점이 불충분하게 활성화되면 DNA 가닥의 절단과 염색체 재배열이 일어나며, 원점이 과도하게 활성화되면 DNA의 증폭이 일어

난다 (Bailis와 Forsburg, 2004). 원점의 복제는 세포 주기 중 S 기 전 그리고 G1 초기에서 여섯 mini-chromosome maintenance protein (MCM) 단백질, 즉 MCM2~MCM7으로 구성된 MCM 단백질 복합체가 원점에 있는 DNA에 작동함으로써 일어난다 (Lei, 2005). MCM의 발현이 통제되지 않으면, 유전자의 안정성이 파괴되고 효모의 경우 DNA의 손상이 일어난다. MCM의 과다 발현은 사람의 다양한 이형성 전구 암 병변과 암에서 보고되고 있다 (Blow와 Gillespie, 2008). 참고로 세포 주기에서 한 번의 분열로부터 다음의 핵 분열까지를 1주기라하며, M 기 (핵 분열기; 전기, 중기, 후기, 말기로 구분됨), G1 기 (제1 휴지기 혹은 DNA 합성 전기), S 기 (DNA 합성기), G2 기 (제2 휴지기 혹은 DNA 합성 후기 혹은 분열 준비기)로 구분되는데 M 기를 분열기, G1~S~G2 기를 간기라 한다. G0 세포는 분열하지 않는, 즉 신경세포, 적혈구 등과 같이 분열이 끝난 세포로서 G1 기에서 멈춰 있고 S 기로 진행하지 않아 분열하지 않는 세포를 의미한다.

진핵세포 (eukaryotic cell) 내에서 일어나는 DNA 복제는 유전체의 안정을 위해 유전자 정보를 정확하게 중첩되도록 만드는 고도의 조절 과정이다. MCM을 포함하는 많은 실행 분자들이 DNA의 복제에 관여한다 (Ilves 등, 2010). MCM 단백질은 염색체 밖에서 일어나는 minichromosome 복제에서 나타나는 돌연변이를 검색하는 과정 중 *Saccharomyces cerevisiae* 효모에서 처음 발견되었으며 (Maine 등, 1984), DNA 복제의 시작 및 신장에서 필수적인 인자이다 (Tye, 1999). DNA 복제의 시작은 성장을 조절하는 하위 경로와 발암성 성장의 신호 경로에서 최종적이고도 중요한 단계이며, 이 때문에 진단과 치료에서 표적이 되고 있다 (Williams와 Stoeber, 2007). MCM 단백질은 DNA 복제의 시작에서 핵심 요소로 간주되며, 세포 주기 G1 기에 있는 염색질에서 복제 전 복합체 (pre-replicative complex, pre-RC)를 형성하는 데 관여하며, 뒤이은 S 기에서 DNA의 합성을 유도한다 (Remus와 Diffley, 2009). MCM 단백질은 DNA 복제 helicase를 구성하기 때문에 염색체의 중첩 (duplication)에서 필수적인 요소이다. 이들 단백질은 세포 분열 주기의 모든 단계에서 발현되지만, 정지기 G0, 분화 완료 상태, 노화 상태에서는 하향 조절된다 (Barkley 등, 2007). MCM 단백질은 여러 상피 조직에서 발생한 과다 증식성 형성 이상 (hyperproliferative dysplasia)과 악성 종양에서는 통제되지 않고 과다 발현되며, 이로써 MCM 양성 종양세포의 탈락이 일어난다 (Going 등, 2002). 탈락된

MCM 양성 종양세포를 확인하기 위한 소변 침전물 검사, 자궁경부 Papanicolaou 도말검사, 위내시경으로 채취된 표본 검사, 담즙 흡인액 검사 등은 방광암 (Stoeber 등, 2002), 자궁경부암 (Williams 등, 1998), 식도암 (Williams 등, 2004), 췌장암 (Freeman 등, 1999), 담관암 (Ayaru 등, 2008) 등의 진단에 이용되고 있다.

MCM2~MCM7의 여섯 가지 MCM 단백질은 복합체를 형성함으로써 DNA 복제의 시작 및 신장 단계에 관여한다 (Lei와 Tye, 2001). 그들은 200개의 아미노산으로 구성된 뉴클레오티드 결합 영역을 가지고 있으며, 이합체, 삼합체, 육합체 등 여러 아형 복합체를 형성한다 (Koonin, 1993). 생체 밖 실험에서 MCM4/6/7 삼합체와 MCM2/3/4/5/6/7 육합체는 ATPase 및 DNA helicase의 작용을 나타낸다 (Lei와 Tye, 2001). MCM 단백질은 세포 주기 중 G1 단계의 시작과 말기의 후반부에서 염색질과 상호 작용한다 (Dimitrova 등, 2002). 세포 주기 중 S 기 동안 MCM 단백질은 DNA 복제가 시작된 후 복제 원점에서 유리되어 복제 분기점으로 이동하며, 이 부위에서 MCM 단백질은 DNA helicase로서의 기능을 한다고 생각된다. 세포 주기 당 1회만 DNA 복제가 이루어지도록 하는 기전은 복제 원점이 활성화된 후 MCM 단백질이 염색질로부터 유리되고 세포 주기의 말기까지는 MCM 단백질이 염색질에 다시 작용하지 못하도록 한다. 이는 MCM 단백질이 DNA 복제에서 필수적인 조절 인자의 하나이며, 일부 MCM 단백질이 통제되지 않을 경우에는 질환을 일으킬 수 있음을 시사한다 (Fujioka 등, 2009).

MCM 복합체는 다양한 세포 활동과 관련이 있는 ATPases associated with various cellular activities (AAA+) 가족에 속하며, DNA가 복제 허용 기전에 의해 세포 주기 당 1회 복제가 이루어지도록 한다 (Costa와 Onesti, 2008). MCM4/6/7 아형 복합체는 복제 분기점에서 이중 가닥으로 된 DNA의 풀림 (unwinding)을 촉진하는 DNA helicase의 기능을 가지고 있다 (Kelman 등, 1999). 비정상적인 DNA 복제가 암을 포함하는 여러 질환을 일으킨다고 보고되지만, 제어되지 않는 MCM 단백질이 종양의 형성과 나쁜 예후를 가진 공격적인 암을 유발하는 기전은 분명하게 밝혀져 있지 않다.

MCM 단백질은 증식 세포와 증식 잠재력을 가진 비증식 세포 둘 모두에서 발견되기 때문에, MCM 단백질의 발현은 통상적인 증식 표지자에 비해 상피세포암에 대한 민감도가 더 높다 (Stoeber 등, 2001). 예를 들면, 요로상피암에서 MCM5를

발현하는 세포의 비율은 이행세포암의 병리학적 분화도 등급과 관련이 있는데, 미분화인 등급 3 종양, 중등도 분화의 등급 2 종양, 잘 분화된 등급 1 종양에서 MCM5 발현 세포의 비율은 각각 78%, 70%, 45%라고 보고되었다 (Stoeber 등, 1999). 이들 비율은 통상적인 증식 표지자 Ki-67에 의해 관찰되는 비율보다 성장을 더 잘 반영하는데, 등급 3, 등급 2, 등급 1의 종양에서 Ki-67을 발현하는 세포의 비율은 각각 16%, 6%, 5%의 범위이다 (Mulder 등, 1992). 혈뇨 혹은 하부요로증상을 보인 환자 혹은 요로상피암의 추적 관찰을 위해 방광경검사를 받은 환자 353명의 소변 침전물에 대해 면역형광계측법 (immunofluorometric assay)으로 MCM5 농도를 측정한 연구에 의하면, MCM5 검사는 87%의 민감도와 87%의 특이도로 원발 및 재발 방광암을 발견하였으며, 소변 세포학 검사 (urine cytology)와 MCM5 검사의 특이도를 동일하게 설정한 절단치에서의 민감도는 각각 48% (95% CI 35~60%), 73% (95% CI 61~85%)로 MCM5 검사에서 더 높았다 (Stoeber 등, 2002).

MCM5는 전립선암에서 과다 발현되며, 근치전립선절제술 (Meng 등, 2001) 혹은 안드로겐 박탈 요법과 방사선 요법 (Dudderidge 등, 2007)을 받은 환자에 대한 다변량 분석에서 생존율을 예측하는 독립적 인자라고 보고된 바 있다. 또한, MCM 발현의 증가는 분화가 정지된 종양과 관련이 있으며, mitogen-activated protein kinase kinase 5/extracellular signal-regulated kinase 5 (MEK5 혹은 MAP2K5/ERK5) 경로의 활성을 증가시킨다 (Dudderidge 등, 2007). 전암 혹은 악성 암과는 대조적으로 양성 전립선 조직에서는 매우 낮은 농도로 MCMs가 발현되며, 정상 및 과다 증식 전립선의 경우 기저세포의 2% 미만에서 MCMs가 발현된다 (Meng 등, 2001). 이와 같은 결과는 MCM2~7이 전립선암을 발견하기 위한 생물 지표의 역할을 할 수 있음을 시사한다. 흥미로운 점은 12명의 혈뇨 환자를 대상으로 방광암의 생물 지표로서 MCM5를 분석한 연구에서 전립선암이 새롭게 진단되었다는 점이다. 이들 남성은 암을 가지지 않은 남성에 비해 소변 침전물에서 MCM5의 농도가 더 높았다 (p<0.001). 특히, 양성전립선비대 환자 70명에서는 MCM5가 발견되지 않았다 (Stoeber 등, 2002). 이들 자료를 종합해 보면, MCM5 농도의 증가는 임상적으로 중대한 전립선암의 발견율을 증가시킨다고 생각된다.

소변, 전립선 배출액, 정액 등은 전립선암의 생물 지표를 발견하기 위한 적절한 진단용 물질이다. 정액의 채집은 불편하고 항상 가능하지 않으며, 전립선 분비액의 양이 적을 경우 이를 이용하기는 적합하지 않다. 소변을 이용한 전립선암 검사인 prostate cancer gene 3 (PCA3) 검사는 간단하게 전립선을 마사지한 후 소변의 처음 부분을 채집하여 표본으로 사용한다. PCA3 검사는 전립선암에서 과다 발현되는 PCA3 유전자로부터 non-coding mRNA를 분석하는 검사이다 (Hessels와 Schalken, 2009). 이 유전자의 생물학적 중요성은 잘 알려져 있지 않으나, 전립선암을 발견하는 유용한 진단 도구로서 AUC가 0.68이다 (Chun 등, 2009). 이처럼 전립선을 마사지한 후 채집된 소변은 전립선암의 발견에서 효과적인 표적 표본이 된다. 전립선암 환자 88명, 정상 전립선 남성 28명, 양성 전립선 남성 331명 등으로부터 전립선 마사지 전후에 소변을 채집하여 면역형광계측법으로 MCM5를 분석한 연구는 다음과 같은 결과를 보고하였다 (Dudderidge 등, 2010). 첫째, 전립선암 발견에 대한 MCM5의 민감도는 마사지 전 소변과 후 소변에서 각각 60% (95% CI 46~73%), 82% (95% CI 69~91%)이었고, 대조군에서 MCM5의 특이도는 73% (95% CI 68~78%) 내지 93% (95% CI 76~99%)이었다. 둘째, 전립선 마사지를 실시한 경우는 전립선 마사지 전 표본에 비해 MCM5 신호를 증대시켰으며, 각각의 중앙치와 interquartile range (IQR)는 3,440 (2,280~5,220), 2,360 (1,800~4,360)이었다 (p=0.009). 이들 결과에 의하면, 전립선을 마사지한 후의 소변을 이용한 MCM5의 분석은 전립선암 환자를 간단하고 비침습적이면서 정확하게 발견하는 방법이라고 생각된다.

한편, 호르몬으로 조절되는 serpin인 uterine milk protein (UTMP), 즉 ovine uterine serpin (OvUS)은 세포 주기의 진행을 차단함으로써 PC3 전립선암 세포와 림프구의 증식을 억제한다. 12시간과 24시간 동안 recombinant OvUS (rOvUS)를 투여하여 PC3 세포를 배양한 후, OvUS에 의해 조절되는 세포 주기 관련 유전자를 발견하기 위해 RT-PCR을 이용한 연구는 다음과 같은 결과를 보고하였다 (Padua와 Hansen, 2009). 첫째, 12시간의 배양에서 rOvUS는 세포 주기의 확인점 (checkpoints) 및 정지와 관련이 있는 3가지 유전자, 즉 cyclin-dependent kinase inhibitor 1A (CDKN1A), CDKN2B, cyclin G2 (CCNG2) 등의 발현을 증가시켰다. 또한, S 기를 통한 진행에 관여하는 유전자 MCM3, MCM5, proliferating cell nuclear antigen (PCNA), M 기를 통한 진행에 관여하는 유전자 cell division cycle protein 2 homolog (CDC2 혹은 cyclin-dependent kinase 1, CDK1), cyclin-dependent kinases regulatory subunit 2 (CKS2), CCNH, baculoviral inhibitor of apoptosis repeat-containing 5 (*BIRC5* 혹은 *survivin*), *mitotic arrest deficient-like 1* (*MAD2L1*), *MAD2L2*, G1 기를 통한 진행에 관여하는 유전자 *CDK4*, *clusterin 1* (*CUL1*), *CDKN3*, DNA 손상 확인점 및 회복과 관련이 있는 유전자 *RAD1 checkpoint DNA exonuclease* (*RAD1*), *RNA-binding protein 8* (*RBP8*) 등은 하향 조절되었다. 둘째, 24시간의 배양에서 rOvUS는 M 기를 통한 진행 및 조절과 관련이 있는 유전자 *BIRC5*, *CCNB1*, *CKS2*, *CDK5 regulatory subunit-associated protein 1* (*CDK5RAP1*), *CDC20*, *E2F transcription factor 4* (*E2F4*), *MAD2L2*, G1 기를 통한 진행 및 조절과 관련이 있는 유전자 *CDK4*, *CDKN3*, *transcription factor Dp-2* 혹은 *E2F dimerization partner 2* (*TFDP2*), DNA 손상 확인점 및 회복과 관련이 있는 유전자 *RAD17*, *breast cancer 1, early onset* (*BRCA1*), *BRCA2 and CDKN1A interacting protein* (*BCCIP*), *karyopherin alpha 2* (*KPNA2*), *RAD1* 등의 발현을 감소시켰다. 셋째, rOvUS는 G0 기의 세포에서는 존재하지 않는 세포 증식 표지자 Ki-67의 유전자 *marker of proliferation Ki-67* (*MKI67*)의 발현을 감소시켰다. 이들 결과는 OvUS가 세포 주기 확인점 및 정지와 관련이 있는 유전자를 상향 조절하고 세포 주기의 진행에 관여하는 유전자를 하향 조절함으로써 세포 주기의 진행을 차단함을 보여 준다.

근래의 한 연구는 retinoblastoma (RB) 단백질이 G1 후반기에서 MCM7과 상호 작용하여 MCM 복합체와 결합하며, TGFβ$_1$은 G1/S 기에서 그들이 분리되는 것을 차단한다고 하였다 (Mukherjee 등, 2010). MCM7의 과다 발현은 TGFβ$_1$의 작용을 효과적으로 방지하여 G1 후반기에 있는 세포를 차단한다. G1 후반기에 형성된 RB와 MCM7의 복합체는 TGFβ$_1$ 신호의 표적이 되며, RB의 소실 혹은 MCM7의 과다 발현에 의해 RB와 MCM7의 상호 작용에 변화가 일어나면 G1 후반기에서 S 기로 전환시키는 TGFβ$_1$의 기능이 손상을 입는다. 이들 결과는 종양에서 MCM7이 세포 주기의 진행을 강하게 촉진하는 역할을 가지고 있음을 시사한다. 이와 마찬가지로 MCM2는 폐의 전암 병변에 대한 유망한 표지자로 보고되고 있고, 비소세포 폐암 환자의 생존율에 대한 독립적 예측 인자로 간주되기도 한다. 즉, 두 증식 표지자 MCM2와 Ki-67의 항체를 이용하여 정상 점막, 화생 (metaplasia), 형성 이상 (dysplasia), 상피 내암종 (carcinoma in situ) 등을 포함하는 기관지 생검 표본 41점을 분석한 연구는 다음과 같은 결과를 보고하였다 (Tan 등, 2001). 첫째, Ki-67의 항체보다 MCM2의 항체에 의한 염색의 평균 빈도가 유의하게 더 높았으며, 각각 16%, 39%이었다 (*p*<0.001). 둘째, 화생 병변의 경우 MCM2 항체는 상피 표면 가까이에 있는 세포에서 발견되었지만, Ki-67의 항체는 그러하지 않았다. 이들 결과는 증식성의 전암 폐 세포에서 Ki-67에 비해 MCM2가 2~3배 더 흔하게 발견됨을 보여 준다. 비소세포 폐암 (non-small cell lung cancer, NSCLC) 환자 128명의 종양 조직을 대상으로 면역조직화학검사를 이용하여 두 증식 표지자 MCM2, Ki-67과 actin과 결합하는 단백질인 운동성 표지자 gelsolin을 분석한 연구는 다음과 같은 결과를 보고하였다 (Yang 등, 2006). 첫째, 세 표지자 중 높은 농도의 gelsolin은 사망 위험의 증가와 유의하게 관련이 있었으며, 높은 농도의 MCM2는 유의하지는 않았으나 사망 위험의 증가와 관련이 있었는데, 각각의 relative risk (RR)은 1.89 (95% CI 1.17~3.05; *p*=0.01), 1.36 (95% CI 0.84~2.20; *p*=0.22)이었다. 둘째, 병합 검사에서 gelsolin과 MCM2의 높은 발현은 낮은 발현에 비해 유의하게 나쁜 예후와 관련이 있었으나 (RR 2.32, 95% CI 1.21~4.45; *p*=0.01), Ki-67은 분명한 예후 효과를 보여 주지 못하였다. 이들 결과는 NSCLC 환자의 예후에서 종양의 증식과 운동성의 증가는 중요하며, 이를 평가하기 위해서는 단일 표지자에 비해 여러 표지자를 분석함이 적절함을 보여 준다.

MCM 단백질은 복제 원점보다 훨씬 풍부하게 존재하는데, 이는 MCM 단백질이 복제 유발 기능 외에도 다른 기능을 가지고 있음을 시사한다 (Todorov 등, 1995). MCMs는 MCM2, MCM3, MCM7 등의 경우와 같이 RNA polymerase II의 carboxy-terminal 영역과 결합하거나 (Yankulov 등, 1999), MCM3/MCM4/MCM5 복합체가 signal transducers and activators of transcription protein 1a (STAT1a)와 결합하는 경우처럼 특이한 전사 인자와 결합하거나 (DaFonseca 등, 2001), MCM7이 MADS-box 전사 인자인 MCM1과 결합함으로써 (Fitch 등, 2003) 전사에 관여하기도 한다. MADS-box 유전자 명칭은 처음 효모에서 발견된 *ARG80*을 제외한 네 구성원, 즉 효모로부터의 *MCM1*, 애기장대 식물로부터의 *AGAMOUS*, 금어초로부터의 *DEFICIENS*, 사람으로부터의 *serum response factor* (*SRF*) 등의 두문자에서 유래되었다. MCM7의 발현이 증가하면, 화학물질에 의해 유발된 피부암의 악성 전환, 종양의 형성 및 진행 등이 촉진된다 (Honeycutt 등, 2006). 누드마우스의 HEK293 세포에서 MCM3의 이소성 발현은 종양의 형성을 유발하였다 (Ha 등, 2004). siRNA를 이용하여 MCM2, MCM3, MCM7 등이 제거된 경우 cell division control protein 42 (CDC42) 및 Rho의 활성이 억제됨으로써 수모세포종 (medulloblastoma) 세포의 이동 및 침윤이 억제된 반면, 이들 MCMs가 과다 발현된 경우에는 수모세포종 세포의 이동 및 침윤이 배지 내에서 증가하였다 (Lau 등, 2010).

MCM의 발현에 대한 통제 상실은 여러 조직 및 기관의 이형성 병변과 악성 병변에서 발견되며 (Freeman 등, 1999), 그러한 통제 상실은 종양의 형성에서 초기 사건으로 간주된다 (Williams와 Stoeber, 2007). 근래까지 대부분의 연구들이 MCM2에만 관심을 보여 왔다. 높은 농도의 MCM2 단백질은 유방암 (Gonzalez 등, 2003), 비소세포 폐암 (Ramnath 등, 2001), 식도편평상피세포암 (Kato 등, 2003), 결장직장암 (Hanna-Morris 등, 2009), 신경교종 (Wharton 등, 2001), 신세포암 (Rodins 등, 2002), 요로상피세포암 (Korkolopoulou 등, 2005) 등과 관련이 있으며, MCM2의 비정상적인 발현은 환자의 나쁜 예후와 상호 관련이 있다 (Korkolopoulou 등, 2005). 여러 연구에 의하면, 다른 MCMs에 비해 MCM7의 과다 발현은 전립선암 환자에서 재발, 국소 침범, 고등급 분화도, 낮은 생존율 등과 관련이 있었다 (Ren 등, 2006). MCM6 단백질의 발현 증가 또한 외투세포림프종 (mantle cell lymphoma) 환자에서 나쁜 예후와 관련이 있었다 (Schrader 등, 2005). 수모세포종 환자의 약 50%가 MCM2, MCM3, MCM7의 발현과 연관성을 보였으며, 이들 중 MCM3만이 환자의 예후와 관련이 있었는데, MCM3의 과다 발현은 낮은 생존을 나타내었다 (Lau 등, 2010).

MCM7은 DNA의 합성에 필요한 복제 분기점에서 필수 요소이며 (Ishimi, 1997), DNA 복제의 시작을 조절하는 중요한 역할을 한다 (Edwards 등, 2002). 충분하게 분화된 세포에는 복제 복합체 단백질이 고갈되어 있으며, 공격적인 전립선암에서는 염색체 7q21.3에 위치해 있는 MCM7 유전자가 크게 증폭됨이 발견되었다. MCM7과 여러 다른 요소는 유전체 복제 원점과 결합하여 DNA polymerase 복합체를 형성함으로써 DNA를 복제하게 된다 (Pacek과 Walter, 2004). 이들 요소의 발현은 여러 신호 경로에 의해 철저하게 조절됨으로써 DNA의 복제가 적절하게 이루어지게 된다 (Jiang 등, 1999). 예를 들면, MCM7의 발현은 DNA 합성의 재개시를 방지하기 위해 세포 주기의 S, G2, 초기 M 기 등의 단계 동안 중지된다. MCM7의 증폭이 일어나면 MCM7으로 인한 세포 주기 특이 조절이 감소하게 된다. 세포 주기가 진행하는 동안 MCM7이 지속적으로 존재하면, 더 많은 세포가 증식 주기로 집결하고 부적절한 DNA의 합성이 다시 시작됨으로써 비정상적인 염색체

가 발생될 위험이 증가한다 (Clark 등, 2003).

MCM7은 여러 형태의 암에서 발현이 증가되며 (Cromer 등, 2004), MCM7을 발현하는 세포는 이종 이식 종양 모델에서 더 큰 용적의 종양과 관련이 있었다 (Yoshida와 Inoue, 2003). MCM7이 전립선상피내암과 전립선암에 대한 증식 표지자로서 유용하다는 보고가 있었지만 (Padmanabhan 등, 2004), MCM7과 종양 생물학 사이의 연관성을 밝히지는 못하였다. 다른 연구는 MCM7을 포함하는 염색체 7q의 습득이 강한 침윤성을 가진 일부 전립선암에서 관찰되었다고 하였다 (Laitinen 등, 2002). 다른 연구는 MCM7의 증폭 및 발현과 전립선암의 진행 사이에는 강한 연관성이 있으며, 증폭 없이 MCM7의 발현이 한결같이 있는 경우에는 종양의 성장률이 증가하고 환자의 생존율이 감소한다고 하였다 (Ren 등, 2006).

MCM7의 역할을 평가한 연구에 의하면, 연구된 전립선암 표본의 약 50%가 MCM7 유전자의 증폭을 나타내었으며, 공격적인 전립선암 표본의 60%에서 MCM7 단백질의 발현이 증가되었다. MCM7의 증폭 혹은 과다 발현은 재발, 국소 침범, 나쁜 분화도 등급 등과 유의하게 관련이 있었다. 사람의 전립선암 세포주 DU145에서 MCM7의 발현은 DNA의 합성과 세포의 증식을 현저하게 증가시켰으며, 생체 밖 실험에서 세포 침범을 증가시켰다. 원발 종양의 크기는 대조군에 비해 MCM7의 과다 발현이 있는 생쥐에서 12배 더 컸으며, 그러한 종양을 가진 생쥐는 조기에 사망하였다. 이러한 결과를 근거로 저자들은 MCM7이 전립선암의 진행, 성장, 침범 등에 관여한다고 하였다 (Ren 등, 2006).

다른 연구에 의하면, 폐암, 방광암, 간암 등을 포함하는 여러 암 조직에서는 MCM7의 mRNA 및 단백질 수치가 유의하게 높은 반면, 여러 정상 조직에서는 두 가지가 낮았다 (도표 189). 특히 siRNA를 이용하여 MCM7의 발현을 삭제하면 암 세포의 성장이 억제되었지만, 정상적인 사람의 폐 섬유모세포 HFL-1과 결장 근섬유모세포 CCD-18Co의 경우 성장의 억제가 거의 관찰되지 않았다. 또한, MCM4/6/7 의존성 DNA helicase의 활성화를 특이하게 억제하는 heliquinomycin은 HFL-1 세포주에 비해 암 세포주의 성장을 효과적으로 억제하였다. 이들 결과를 근거로 저자들은 MCM7의 활성을 최대한 억제하는 방법이 암 치료의 새로운 전략이 될 수 있다고 하였다 (Toyokawa 등, 2011).

대부분의 신생물에서 공통되는 양상 중 하나가 정상 조직에 비해 증식 속도가 빠르다는 점이며, 이러한 점이 공격적

도표 189 각종 암 조직에서 cDNA microarray[†]에 의해 분석된 MCM7 유전자의 발현 양상

조직 형태	환자 수	종양 조직/정상 조직의 비율		
		Count >2	Count >3	Count >5
비소세포 폐암 (NSCLC)	37	9 (24.3%)	4 (10.8%)	0 (0%)
소세포 폐암 (SCLC)	15	12 (80.0%)	9 (60.0%)	2 (13.3%)
식도암	62	37 (59.7%)	28 (45.2%)	12 (19.4%)
결장직장암	42	17 (40.5%)	9 (21.4%)	0 (0%)
간암	20	8 (40.0%)	5 (25.0%)	1 (5.0%)
췌장암	18	8 (44.4%)	3 (16.7%)	1 (5.6%)
방광암	34	33 (97.1%)	23 (67.6%)	11 (34.4%)
고환암	13	10 (76.9%)	7 (53.8%)	4 (30.8%)
AML	56	18 (32.1%)	6 (10.7%)	1 (1.8%)
골육종	25	13 (52.0%)	6 (24.0%)	2 (8.0%)
연조직암	63	51 (81.0%)	35 (55.6%)	16 (25.4%)

이 연구에서 염색 강도는 종양세포에서 측정 가능한 염색이 없는 경우를 음성, 종양세포 핵의 30%를 초과하여 측정 가능한 갈색 염색이 있는 경우를 양성으로 규정하였으며, MCM 유전자는 quantitative real time PCR을 이용하여 측정되었다.

[†], 암 조직과 상응하는 동일 환자의 정상 조직에서 MCM7의 신호 강도를 비교함.

AML, acute myeloid leukemia; MCM7, mini-chromosome maintenance 7; NSCLC, non-small cell lung cancer; PCR, polymerase chain reaction; SCLC, small cell lung cancer.

Toyokawa 등 (2011)의 자료를 수정 인용.

인 암과 비활동성 혹은 무증상의 암과의 차이라고 할 수 있다 (Freeman 등, 1999). 많은 악성 종양의 증식 활동은 질환의 진행 및 예후와 상호 관련이 있다 (Hall과 Levison, 1990). 세포의 증식을 측정하는 방법이 여러 가지 있지만, proliferating cell nuclear antigens (PCNA), Ki-67 등과 같은 단백질의 항체를 이용한 면역조직화학적 분석이 가장 흔하게 활용되고 있다 (Ross 등, 2002). PCNA는 CDK와 결합하여 이 효소를 활성화함으로써 세포 주기 동안 세포의 분열을 조절하는 단백질인 cyclin 중 하나로서 DNA의 복제에 필수적이며, DNA의 손상 부위를 절제하고 그 부위를 건강한 DNA로 교체하여 회복을 돕는 세포 내 시스템인 DNA 절제 회복 (DNA excision repair)에 관여하는 DNA polymerase δ의 보조 단백질이다 (Takasaki 등, 2001). Ki-67은 충분하게 특징화되지 않은 비히스톤 (non-histone) 핵 단백질로서 세포 주기의 G1, S, G2, M 기에서 발현되지만, G0 기에서는 발현되지 않는다 (Gerdes 등, 1984). 기존의 Ki-67 항체는 신선한 조직 혹은 급속 냉각 조직에서만 Ki-67을 인식할 수 있었다. 그 후 mindbomb E3 ubiquitin protein ligase 1 (MIB1)의 항체가 개발되었는데, 이것은 포르말린으로 고정되고 파라핀 왁스로 처리한 조직에서

Ki-67을 인식할 수 있다 (Cattoretti 등, 1992). 전립선암의 예후 표지자로서 PCNA와 Ki-67 라벨링 (labelling)이 광범위하게 연구되었지만, 상충되는 결과가 보고되었다. 대부분의 연구는 라벨화가 된 세포의 퍼센트로 산출되는 Ki-67 라벨링 지수가 환자의 결과를 예측할 수 있다고 하였으나, 측정 방법과 보고 방법에서 차이가 있고 공감대가 형성된 절단치가 설정되지 않아 이들 연구의 결과를 서로 비교하는 데는 어려움이 있다 (Bostwick 등, 2000). 근래 들어 MCM 단백질이 사람의 조직에서 세포 증식의 표지자로서의 역할을 수행할 수 있는지가 연구되고 있다 (Stoeber 등, 2002). MCM 단백질은 복제 세포에서 나타나지만, 정지 세포, 분화가 끝난 세포 혹은 노화 세포에서는 발현되지 않기 때문에 증식의 표지자로서 활용할 가치가 있다고 생각된다 (Stoeber 등, 2001). MCM2, MCM5, MCM7의 면역조직화학적 발현은 정상 표피, 장, 림프 조직 등의 증식 부위에 국한된다고 알려져 있으며 (Todorov 등, 1998), 그들의 과다 발현은 대부분의 경성 종양 및 증식성 전암 상태에서 관찰된다 (Williams 등, 1998). 이형성 및 악성 세포 내에 MCM 단백질이 존재함은 이들 단백질이 자궁경부 (Williams 등, 1998)와 방광 (Stoeber 등, 1999)의 상피내암 및 침윤성 암을 임상적으로 진단하는 데 유용함을 시사한다. 전립선암에 관한 연구는 Gleason 등급, 수술 절제면 상태, 선행호르몬 요법 등과는 독립적으로 MCM2의 발현이 근치전립선절제술 후 무병 생존율을 예측할 수 있다고 하였다 (Meng 등, 2001). MCM7의 항체를 이용하여 증식세포의 퍼센트, 즉 증식 지수 (proliferation index)를 분석한 면역조직화학 연구는 정상 상피, 전립선상피내암, 침윤성 전립선암 등에서 Ki-67보다 MCM7의 증식 지수가 더 높은 차이를 나타내어 MCM7은 전립선암에서 유용한 증식 표지자의 역할을 한다고 하였다 (Padmanabhan 등, 2004) (도표 190).

한편, 호르몬 요법으로 치료를 받은 전립선암 환자 247명의 생검 표본에 대해 면역조직화학적 분석을 실시한 연구는 enhancer of zeste homolog 2 (EZH2), Ki-67, MCM7 등 세 생물지표의 상대적 위험도는 각각 2.0 (95% CI 1.2~3.3), 3.4 (95% CI 2.1~5.5), 2.4 (95% CI 1.5~3.9)이었으며, Ki-67 면역 염색 지수는 상대적 위험도가 9.1 (95% CI 8.0~10.3)로 Gleason 점수 7의 상급 위험 전립선암 환자를 발견함으로써 질환이 진행할 위험이 높은 Gleason 점수 7을 가진 전립선암을 발견하는 데는 세 생물 지표 중 Ki-67이 가장 유용한 생물 지표라고 보고하였다 (Tolonen 등, 2011).

도표 190 전립선에서 Ki-67과 MCM7의 평균 증식 지수

조직 형태	증식 지수 평균치, %	
	Ki-67	MCM7
양성 전립선 내강세포	0.7 (0.8)	1.2 (1.9)
양성 전립선 기저세포	0.8 (0.9)	8.2 (8.4)
전립선상피내암 비기저세포	4.9 (6.8)	10.6 (15.0)
전립선상피내암 기저세포	0.7 (1.0)	3.1 (6.9)
전립선암	9.8 (9.5)	22.7 (18.5)

( ) 안의 숫자는 표준 편차.

MCM, mini-chromosome maintenance protein.

Padmanabhan 등 (2004)의 자료를 수정 인용.

41. 신경내분비 분화
Neuroendocrine Differentiation

많은 임상적, 내분비학적, 병리학적, 유전적 예후 인자들이 전립선암의 관리에 이용되고 있으며 (Ross 등, 2002), 이들 인자를 이해하게 되면 전립선암을 개별화 혹은 특징화하는 데 도움이 된다. 근래 전립선암의 신경내분비 분화 (neuroendocrine differentiation)에 관해 관심이 높아지고 있으며, 진단, 예후, 치료 등의 측면에서 이와 관련이 있는 단백질의 유용성이 널리 인정을 받고 있다 (Kamiya 등, 2008). 신경내분비세포는 안드로겐 수용체를 발현하지 않아 안드로겐에 비의존적이라고 간주되며 (Bonkhoff 등, 1993), 이는 거세 저항성 전립선암의 중요한 기전 중 하나라고 생각된다 (Debes와 Tindall, 2004).

41.1. 정상 전립선의 신경내분비세포
Neuroendocrine cells in the normal prostate

전립선의 관 및 세엽의 상피는 관강 분비세포, 기저세포, 신경내분비세포 등의 여러 세포로 구성되어 있다 (Cohen 등, 1994). 내분비세포와 신경세포의 이중적 특성을 가짐으로써 분비 형태 및 자가 분비/주변 분비 형태로 작용하는 신경내분비세포는 정상 전립선의 관과 세엽에 널리 분포되어 있다. 전립선이 발생하는 동안 신경내분비세포의 존재에 관해 알려진 바는 거의 없지만, 근래의 연구는 관강의 신경내분비세포, 기저세포, 분비세포는 동일하게 내배엽의 다능성 줄기세포 (endodermal pluripotent stem cell)로부터 기원한다고 하였다 (Huss 등, 2004). 면역조직화학검사를 이용한 연구는 다른

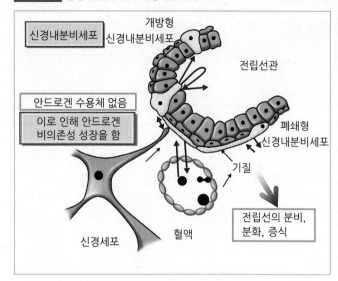

도표 191 정상 전립선에서 신경내분비세포

Komiya 등 (2009)의 자료를 수정 인용.

세포와 마찬가지로 신경내분비세포에서도 PSA가 발현되는 것으로 보아 세 유형의 세포는 동일한 전구 세포에서 유래한다고 보고한 데 비해 (Aprilian 등, 1993), 다른 연구는 신경내분비세포가 신경에서 기원하는 고유의 세포 계보를 나타내기 때문에 비뇨생식동 (urogenital sinus)에서 유래하는 분비세포 혹은 기저세포와는 구별된다고 하였다 (Aumuller 등, 1999). 분비상피세포와 신경내분비세포는 주변 분비의 형태로 기질과 상호 작용한다. 신경내분비세포에는 정점이 신장되면서 관강과 연결되어 있는 개방세포 그리고 인접한 세포 사이에서 확장되어 기저층 위에 놓여 있고 신경과 위치적으로 매우 근접해 있으면서 신경세포의 수상돌기와 유사한 돌기를 나타내는 폐쇄세포의 두 유형이 있다 (도표 191). 이들 두 유형의 세포는 다양한 분비물을 생성하여 연결망을 형성하고 세포의 조절에 관여한다. 전립선 신경내분비세포의 생리적 역할은 알려져 있지 않으나, 전립선의 조절, 분화, 분비에 관여할 것으로 생각된다. 전립선 신경내분비세포의 세포질에는 조밀한 core의 과립들이 있으며, 이들 과립에는 펩티드 호르몬과 전구 호르몬이 저장되어 있다. 그러므로 신경내분비세포는 관습적인 hematoxylin/eosin (HE) 염색보다 이들 물질에 대한 항체를 이용한 면역조직화학적 염색에 의해 발견된다. 이들 과립은 단일 생성물을 포함하고 있거나 chromogranin A (CHGA), chromogranin B (CHGB), neuron-specific enolase (NSE), somatostatin (SST), human chorionic gonadotropin (HCG), thyroid-stimulating hormone (TSH), serotonin, parathyroid hormone-related protein (PTHrP), bombesin, calcitonin gene family (calcitonin, katacalcin, calcitonin gene-related peptide [CGRP]) 등의 혼합물을 포함하고 있다 (Di Sant' Agnese와 de Mesy Jensen, 1984; Abrahamsson 등, 1986; Bonkhoff 등, 1991; Harper 등, 1996; Aprikian 등, 1998; Hansson과 Abrahamsson, 2003). 이들 중 다수 펩티드는 높은 농도로 정액장액에서 발견되며, 이들 생성물의 대부분은 혈류 내로 유리되어 면역 분석에 의해 측정된다 (Isshiki 등, 2002; Kamiya 등, 2003).

Serotonin (5-hydroxytryptamine, 5-HT)은 악성 형질 전환과 관련이 있으며 (Julius 등, 1989), bombesin은 배양된 PC3 세포에서 성장을 자극할 뿐만 아니라 (Bologna 등, 1989) 무활동성 섬유모세포에서 *FBJ murine osteosarcoma viral oncogene homolog (c-FOS), v-myc avian myelocytomatosis viral oncogene homolog (c-MYC)* 등과 같은 종양 유전자의 발현을 유도한다 (Rozengut와 Sinnett-Smith, 1988). 배양된 PC3 세포에서 CGRP의 효과 (Nagakawa 등, 1998)와 마찬가지로 bombesin은 Matrigel에서 PC3 세포와 LNCaP 세포의 침습을 유도함이 관찰되었다 (Hoosein 등, 1993).

Calcitonin과 katacalcin은 CGRP와 관련이 있는 생성물로서 전립선의 신경내분비세포에서 발현된다 (di Sant' Agnese 등, 1989). 정상 전립선 조직에서 calcitonin의 농도는 갑상선을 제외한 여러 다른 기관에서 보고된 농도보다 더 높다. 신경내분비세포에서 TSH와 유사한 펩티드가 발견되었으나, 이것의 기능은 밝혀져 있지 않다 (Abrhamsson과 Lilja, 1989).

In situ hybridization (ISH)은 calcitonin 수용체가 분비성 상피세포가 아닌 신경내분비세포에 위치해 있음을 보여주었으며, 이들 세포의 일부는 calcitonin을 분비한다 (Wu 등, 1996). Calcitonin은 혈중 칼슘을 저하시키는 효과를 나타내며, 폐암 세포주 BEN으로부터 PTHrP의 분비를 자극한다 (Deftos 등, 1989). PTHrP는 정상 전립선의 신경내분비세포 내에 존재하며, 전립선암 조직에서 과다 발현된다고 보고되었다 (Iwamura 등, 1994). PTHrP는 세 형태의 단백질로 생성되며, 이들은 여러 폴리펩티드로 분절되어 생물학적으로 각기 다른 작용을 한다. PTHrP1-34는 성장을 조절한다고 알려져 있으며, 혈중 칼슘을 증가시키는 효과를 나타내고, PTHrP107-141은 파골세포 (osteoclast)의 기능을 조절한다. 전립선암은 흔히 골 전이를 일으키는데, 전립선의 악성 상피세포는 interleukin 6 (IL-6)를 생성하며, 이는 직접 파골세

포를 조절하거나 PTHrP의 자극을 통해 간접적으로 조절한다 (Ritchie 등, 1997). PTHrP와 PSA는 정액장액 내에 풍부하게 포함되어 있으며, PSA는 단백질 분해를 통해 PTHrP1-34를 분절시켜 PTH/PTHrP 수용체와의 상호 작용을 억제함으로써 PTHrP1-34의 PTH와 같은 작용을 억제한다 (Iwamura 등, 1996). 전립선암에서는 PSA가 하향 조절되기 때문에, 분절되지 않은 PTHrP1-34의 농도가 증가되어 성장을 촉진하는 효과가 나타나게 된다. 안드로겐은 PSA를 상향 조절하기 때문에 (Magklara 등, 2000), 안드로겐이 차단된 환자에서는 이러한 효과가 더욱 증대된다. 그러나 원발 전립선암과 전이 전립선암 세포는 다른 생물학적 효과를 나타내는데, 원발 암은 PTHrP를 높게 발현하고 PTHrP 수용체를 낮게 발현하는 데 비해, 전이 암은 반대 양상을 나타낸다. 전이 암이 성장하기 위해서는 새로운 혈관의 형성을 필요로 한다. PTHrP는 전립선 세포의 증식 지수를 증가시키는 한편, 혈관 형성을 억제한다 (Bakre 등, 2002).

Growth hormone-inhibiting hormone (GHIH)으로도 알려진 SST는 면역조직화학적으로 신경내분비세포에 분포해 있으며, 정액장액에서의 농도는 혈장 농도에 비해 200배까지 높다 (Odum 등, 1995). SST는 장의 점막세포, 면역세포 등과 같이 정상적으로 분열하는 세포뿐만 아니라 전립선암의 LNCaP 세포와 같이 악성 종양세포에서 항증식 작용을 나타낸다 (Brevini 등, 1993). SST는 세포의 분비를 억제하며, 세포 주기의 정지 및 세포 자멸사를 유도하여 세포의 증식을 방지한다. 이러한 효과는 종양세포에 위치해 있는 SST receptor (SSTR)에 의해 직접 매개되거나 비종양세포에 위치해 있는 수용체로서 종양세포의 성장, 혈관 형성, 혈관 수축 등을 촉진하고 면역세포의 기능을 조절하는 데 관여하는 성장 인자와 호르몬의 분비를 억제하는 수용체에 의해 간접적으로 매개된다. SST에 의해 간접적으로 억제되는 성장 인자 중 하나가 시상하부-뇌하수체 축에 의해 하향 조절되는 insulin-like growth factor 1 (IGF-1)이며, growth hormone (GH)의 분비를 억제한다. GH는 간에서 분비되거나 전립선의 기질에서 국소적으로 생성되는 IGF-1의 생성을 자극하며, 안드로겐 비의존성의 조건에서는 IGF-1의 영향이 더 강해져 안드로겐 수용체의 전사 활성화를 유도한다 (Hansson과 Abrahamsson, 2003). 전립선의 정상 및 악성 조직에서 분비성 상피세포와 신경내분비세포는 SSTR을 발현한다 (Hansson 등, 2002). SST는 전립선의 악성 상피세포에 있는 SSTR과 직접 결합함으로써 암세

포의 증식을 조절할 뿐만 아니라 신경내분비세포에 위치해 있는 자가 분비 수용체를 통해 신경내분비세포로부터 분비되는 신경펩티드를 억제하고 IGF-1의 분비를 억제한다.

Neprilysin, neutral endopeptidase (NEP), cluster of differentiation 10 (CD10), common acute lymphoblastic leukemia antigen (CALLA), skin fibroblast elastase (SFE) 등으로도 알려진 membrane metallo-endopeptidase (MME)는 신경내분비세포 분비물의 생체 이용률을 조절하고 안드로겐에 의해 조절되는 생성물이며 90~110 kDa의 zinc 의존성 metalloproteinase이다. MME는 전립선의 상피세포에 의해 발현되는 세포 표면 효소로서 신경펩티드를 분절시키고 불활성화한다. 염색체 3q25.2에 위치해 있는 *MME* 유전자의 전사는 안드로겐에 의해 활성화되며, 안드로겐을 차단하면 MME의 발현이 감소된다. MME는 안드로겐 의존성으로부터 안드로겐 비의존성 전립선암으로 이행하는 동안 하향 조절된다 (Papandreou 등, 1998). 전립선암에서 흔하게 나타나는 *MME* 유전자 촉진체의 과다 메틸화는 MME의 소실을 일으킨다. MME의 기질로는 bombesin과 endothelin-1이 있으며, 이들 신경펩티드와 세포 표면에 있는 그들의 수용체와의 결합은 MME의 촉매 영역에 의해 음성적으로 조절된다.

신경내분비세포의 과립에 포함되어 있는 펩티드 중 CHGA와 NSE는 가장 광범위하게 연구되고 있으며, 전립선의 신경내분비 분화에 대한 가장 좋은 표지자로 간주되고 있다 (Sasaki 등, 2005). 신경내분비세포는 과립의 세포막과의 융합 및 내용물의 세포외배출 (exocytosis)의 과정을 통해 펩티드 호르몬 혹은 전구 호르몬을 유리시킨다. 표적 세포는 내분비 전달, 주변 분비 전달, 자가 분비 전달, 신경내분비 전달 등 네 가지의 경로를 통해 영향을 받으며, 이들 전달 과정을 통해 신경내분비세포는 전립선의 성장, 분화, 분비를 조절할 수 있게 된다 (Cussenot 등, 1998). 중요한 점은 정상 전립선의 신경내분비세포는 증식과 관련이 있는 Ki-67과 mindbomb E3 ubiquitin protein ligase 1 (MIB-1) 항원이 결여되어 있기 때문에, 완전하게 분화된, 유사분열이 종료된 세포로 간주되며 (Bonkhoff 등, 1995), 안드로겐 수용체의 발현이 없어 안드로겐에 의한 영향을 받지 않는 세포로 간주된다 (Bang 등, 1994).

41.2. 전립선암에서의 신경내분비 분화
Neuroendocrine differentiation in prostate cancer

신경내분비 분화는 전립선암의 특유한 양상 중 하나이다. 전립선암에서 신경내분비 분화는 널리 인정을 받고 있으며, 진단, 예후, 치료 등에서 큰 관심의 대상이 되고 있다. 그러나 전립선암의 신경내분비 분화에 대한 분명한 정의가 없는 실정이다. 소세포암 (small cell carcinoma), 유암종 (carcinoid) 등과 같이 전립선암의 전체가 신경내분비 분화를 이룬 경우를 제외하고는 흔히 신경내분비 분화는 우세한 선암세포 사이에 산재해 있는 분화된 신경내분비세포의 군집으로 특징화된다 (di Sant'Agnese, 1993). 이들 신경내분비세포의 대부분은 serotonin을 함유하고 있으며, 드물게 calcitonin (혹은 thyrocalcitonin), SST, HCG 등도 포함하고 있다. 호르몬의 이소성 분비는 대부분의 경우에서 관찰되지 않는다 (di Sant'Agnese, 1993). 악성 신경내분비세포는 CHGA 혹은 NSE와 같이 신경내분비세포에서 생성되는 신경내분비 표지자에 대한 면역조직화학적 염색에 의해 발견된다. 면역조직화학적 염색을 이용할 경우 신경내분비세포는 전립선암의 10~100%에서 확인된다 (Abrahamsson, 1999; Kamiya 등, 2008). 연구에 따라 발견율에서 큰 차이를 나타내는 이유는 부분적으로는 양적 분석을 위한 일정한 조직영상기법이 부족하기 때문이다. MIB-1 및 CHGA에 대한 이중 염색을 실시한 경우, 악성 신경내분비세포의 증식은 양성 반응을 나타내지만 매우 약하며, 전립선의 소세포암은 매우 높은 증식 지수를 나타낸다 (Helpap과 Kollermann, 2001). 안드로겐 수용체의 발현이 결여되어 있기 때문에 악성 전립선의 신경내분비세포는 안드로겐의 조절에 의해 영향을 받지 않는다. 따라서 악성 신경내분비세포는 전립선암이 안드로겐에 비의존적인 암으로 진행하는 데 중요한 역할을 한다고 생각된다.

41.3. 전립선암에서 신경내분비 분화의 분자 기전
Molecular mechanism of neuroendocrine differentiation in prostate cancer

신경내분비 표지자를 이용한 연구에 의하면, 전립선암의 약 10%가 광범위하고 다병소의 신경내분비세포를 가지고 있으며, 신경내분비세포는 정상 전립선, 양성전립선비대 외에도 전립선암에서 발견된다 (di Sant'Agnese와 Cockett, 1996).

전립선암이 어느 경로를 통해 신경내분비 분화를 진행하게 되는지는 분명하지 않다. 그러나 호르몬 요법 자체가 전립선암 세포에서 신경내분비 분화를 유도한다고 생각된다. 이러한 개념은 신경내분비세포가 비신경내분비의 분비형 암세포에서 유래된다는 가설을 뒷받침한다. Interleukin-6 (IL-6)는 LNCaP 세포에서 세포막과 결합하거나 용해성 IL-6 수용체와 결합하여 signal transducer and activator of transcription (STAT3), mitogen activated protein kinases (MAPKs), cyclic AMP-dependent protein kinase (PKA), phosphatidylinositol 3-kinase (PI3K) 등에 의존적인 다수 신호 경로를 활성화함으로써 세포의 성장 및 신경내분비 분화를 조절한다 (Xie 등, 2004; Wang 등, 2004). 확실하게 분화한 세포 혹은 그것의 분열에 의해 만들어진 자손 세포가 다른 분화로 진행하는 현상을 전환 분화 (transdifferentiation)라고 하는데, 전립선암 세포에서 신경내분비세포가 전환 분비를 일으키면 종양의 성장이 억제된다는 보고가 있다 (Deeble 등, 2001). 전립선암에서 신경내분비 분화는 PI3K-v-akt murine thymoma viral oncogene homolog protein 1 (AKT)-mammalian target of rapamycin (mTOR) 경로가 필수적이라는 보고도 있다 (Wu와 Huang, 2007), 안드로겐 의존성 전립선암 세포주인 LNCaP 세포에서 안드로겐 박탈은 신경내분비 분화를 유도하고 extracellular signal-regulated kinase (ERK) 및 PI3K-AKT-mTOR의 신호 경로를 활성화한다 (Burchardt 등, 1999). 그러나 신경내분비 분화를 위해서는 PI3K-AKT-mTOR 신호 경로만 필요하다. 본질적으로 AKT (혹은 protein kinase B, PKB)는 신경내분비 분화를 촉진한다. IGF-1에 의한 AKT의 활성은 신경내분비 분화를 유도하고 에피네프린에 의해 유도되는 신경내분비 분화는 AKT의 활성을 필요로 한다 (Cox 등, 1999). mTOR을 억제하는 rapamycin은 안드로겐이 중단된 LNCaP 세포에서 NSE의 발현을 유의하게 억제하였다. 한편, mTOR은 mechanistic target of rapamycin, rapamycin and FKBP12 target 1 (RAFT1), FK506 binding protein 12 (FKBP12)-rapamycin associated protein 1 (FRAP1) 등으로도 알려진 serine/threonine protein kinase이며, 염색체 1p36에 위치해 있는 유전자 *MTOR*에 의해 코드화된다 (Moore 등, 1996).

전립선암에서 증식의 증가는 신경내분비 종양세포와 밀접한 관계가 있다 (Bonkhoff 등, 1991). Ki-67 표지 지수는 증식을 나타내며, 전립선 생검 (Bubendorf 등, 1998) 혹은 근치

전립선절제술 (Bubendorf 등, 1996)로 채집된 표본에서 독립적 예후 인자이다. 증식 지수인 Ki-67의 발현을 이용하여 전립선암의 증식에서 신경내분비 분화의 영향을 평가한 연구는 신경내분비 분화가 약하거나 없는 전립선암에 비해 신경내분비 분화가 큰 전립선암에서 Ki-67의 발현이 더 높다고 하였다 (Grobholz 등, 2005). 전립선암에서 신경내분비 분화가 현저하고 군집을 형성한 경우는 증식이 증가하고 조기에 종양이 진행하는 데 비해, 신경내분비 종양세포의 수가 적거나 하나일 경우에는 예후 효과가 없다. 체외 실험은 pancreastatin의 C-terminal인 CHGA (286-301) 절편이 PC3 및 DU145 세포주의 침습력을 증대시킴을 보여 주었다 (Nagakawa 등, 1999). CHGA (286-301)는 또한 이들 세포의 접촉 주성 (haptotaxis) 이동 및 urokinase-type plasminogen activator (uPA)의 생성을 증가시킨다.

전립선의 자율신경 및 감각신경의 말단과 신경내분비세포에서 CGRP, gastrin-releasing peptide (GRP), substance P (SP), neuropeptide Y (NPY), vasoactive intestinal polypeptide (VIP), calcitonin (CT), leucine-enkephalin (L-ENK), methionine-enkephalin (M-ENK), glucagon, PTHrP 등과 같은 10종류의 신경펩티드가 발견되었다 (Gkonos 등, 1995). 제조된 기저막 Matrigel을 통한 DU145 전립선암 세포의 침범과 Transwell 세포 배양에서 DU145, TSU-prl, LNCaP 전립선암 세포의 접촉 주성 이동에 대한 이들 신경펩티드의 효과를 분석한 연구는 다음과 같은 결과를 보고하였다 (Nagakawa 등, 2001). 첫째, GRP, CGRP, PTH-rP 등은 종양세포의 침범력을 증대시킨 데 비해, SP, VIP, CT, L-ENK, M-ENK., NPY, glucagon 등은 유의한 효과를 나타내지 못하였다. 둘째, GRP, CGRP, PTHrP 등의 세 신경펩티드는 종양세포의 fibronectin으로의 접촉 주성 이동을 증대시켰다. 셋째, VIP, CGRP, GRP 등은 LNCaP 전립선암 세포의 접촉주성 이동을, GRP와 PTHrP는 TSU-prl 전립선암 세포의 이동을 증대시켰다. 이와 같은 결과는 전립선의 신경펩티드가 부분적으로는 세포의 운동성을 증대시켜 전립선암 세포의 침범력을 증대시킴을 시사한다.

GRP가 PC3 및 DU145 전립선암 세포의 운동성을 증대시키는 기전은 분명하지 않으나, protein kinase C (PKC)와 protein tyrosine kinase (PTK)의 억제제가 bombesin에 의해 증대된 PC3 세포의 침범력을 억제하기 때문에, PKC와 PTK가 GRP 뿐만 아니라 bombesin에 의해 유도되는 종양의 침범과

관련이 있는 신호 경로에 관여한다고 생각된다 (Aprokian 등, 1997).

전립선암을 포함한 여러 악성 종양에서 유형 IV collagenase는 종양의 침범, 전이, 혈관 형성 등과 관련이 있다고 보고되었다 (Kuniyasu 등, 2000). 근래 연구는 유형 IV collagenases에 속하는 bombesin이 전립선암 세포주에서 matrix metalloproteinase 9 (MMP9)의 분비를 자극한다고 하였다 (Sehgal 등, 1998). Bombesin의 수용체가 전립선암 세포주에서 발견되었으며 (Bologna 등, 1989), bombesin에 대한 면역 반응성이 전립선암 조직에서 관찰되었다 (Reile 등, 1994). 또한, bombesin은 제조된 기저막을 통한 침범력을 PC3 세포의 경우 2.2배, LNCaP 세포의 경우 8.3배 증가시킨다는 보고도 있다 (Hoosein 등, 1993). 전립선암에서 bombesin과 MMP9의 역할을 평가하기 위해 현미경적 림프절 전이를 가진 9명을 포함한 임상적 국소 전립선암 환자 41명을 대상으로 면역조직화학검사를 실시한 연구에 의하면, 근치전립선절제 표본의 64% (27점/41점)가 MMP9과 bombesin 둘 모두에 대해 양성 반응을 보였고, 이들 분자의 발현은 동일한 군의 종양세포에서 관찰되었다. 나머지 14점의 표본은 MMP9과 bombesin 둘 모두에 대해 음성 반응을 보였다. Gleason 점수 7 이상의 고등급 전립선암은 Gleason 점수 6 이하의 저등급 전립선암에 비해 MMP9과 bombesin을 더 흔하게 발현하였으며, 각각 88% (21점/24점), 41% (7점/17점)이었다. 병리학적 림프절 전이를 가진 9명 중 8명에서 MMP9과 bombesin의 발현이 전이 부위에서 관찰되었다. NSE는 39%의 표본 (16점/41점)에서 양성 반응을 보였으며, 이 경우 bombesin의 발현을 항상 동반하지는 않았다. 이와 같은 결과를 근거로 저자들은 MMP9과 bombesin의 발현은 전립선암에서 흔하며, 공격적인 표현형과 관련이 있다고 하였다 (Ishimaru 등, 2002).

전립선암의 전이에서 신경내분비세포의 역할을 평가한 연구는 생쥐의 신경내분비암 모델인 NE-10 동종 이식 암의 경우 피하로 심은 LNCaP 세포가 증식의 변화는 없이 세포의 침범이 증대되어 폐로의 전이가 촉진되었다. 신경내분비세포로부터 생성된 분비물은 actin과 결합하는 단백질인 gelsolin의 발현을 상향 조절하였으며, 이로써 LNCaP 세포의 이동이 항진되었다 (Uchida 등, 2006). 이와 같은 결과는 신경내분비세포의 생성물이 전립선암 세포의 증식, 침범, 전이 등에 영향을 줌을 시사한다.

41.4. 전립선암에서 신경내분비 표지자에 대한 면역 조직화학적 염색
Immunohistochemical staining of neuroendocrine marker in prostate cancer

면역조직화학적 염색을 이용하여 160명의 전립선암 환자를 대상으로 평가한 연구는 신경내분비세포가 높은 분화도 등급 및 병기의 질환에서 더 흔하지만, 5년 생존율은 신경내분비세포가 음성인 환자와 양성인 환자 사이에 유의한 차이가 없었다고 하였다 (Allen 등, 1995). CHGA 및 NSE에 대한 면역조직화학적 염색을 이용한 연구는 전립선암 조직의 52%에서 신경내분비의 분화를 발견하였으며, 신경내분비의 분화는 종양의 낮은 분화도 혹은 높은 분화도 등급, 골 전이, 낮은 생존율 등과 상호 관련이 있다고 하였다 (McWilliam 등, 1997). 임상적 국소 전립선암으로 근치전립선절제술을 받은 환자에 대한 연구는 CHGA에 대한 면역조직화학적 염색으로 확인된 신경내분비 분화가 생화학적 진행에 대한 독립적 예후 인자의 역할을 한다고 보고하였다 (Weinstein 등, 1996). 면역조직화학적 염색을 이용한 다른 연구는 병기 D2 전립선암의 22%가 CHGA를 과다 발현하였으며, 호르몬 요법 후 재발까지의 기간은 CHGA 음성 반응 환자에 비해 양성 반응 환자에서 유의하게 짧았지만, CHGA의 발현이 연령, PSA 농도, Gleason 점수, 골 전이의 범위 등과는 상호 관련이 없었다고 하였다 (Kokubo 등, 2005). 병기 D2 전립선암 환자에 관한 연구는 CHGA 및 CHGA/NSE에 대해 강한 염색 양성 반응을 보이는 환자에서 호르몬 요법 후 질병 특이 생존율이 유의하게 더 낮음을 보여 주었다 (Kamiya 등, 2008). 마찬가지로 병기 D2 전립선암 환자를 대상으로 질병 특이 생존율에 대한 다변량 분석을 실시한 연구는 면역조직화학적 염색에서 신경내분비 표지자에 대해 강한 양성 반응을 보인 경우와 높은 사망 위험은 상호 관련이 있었다고 하였다 (Kamiya 등, 2008). 이와 같은 결과로 볼 때, 면역조직화학적 염색에 의해 발견된 신경내분비 분화는 전립선암 환자의 예후를 예측할 수 있다.

전립선암 환자 30명으로부터 채취한 생검 및 근치전립선절제 표본을 대상으로 면역조직화학검사를 실시한 연구에 의하면, GRP의 발현은 근치전립선절제 표본의 60% (18점/30점), 생검 표본의 50% (15점/30점)에서 발견되었으며, GRP에 대한 면역 반응 양성은 재발 (p=0.029) 및 진행된 병기 질환 (p=0.049)과 관련이 있었다. 이러한 결과를 근거로 저자들은

GRP의 면역 발현은 진단 및 예후의 표지자로서 어느 정도 가치가 있으며, GRP 면역 염색이 양성인 환자는 질환이 진행하고 재발될 위험이 높기 때문에 철저한 감시가 필요하다고 하였다 (Constantinides 등, 2003).

41.5. 전립선암의 혈청 신경내분비 표지자
Serum neuroendocrine markers in prostate cancer

College of American Pathologists Consensus Statement 1999은 전립선암에서 신경내분비 분화가 환자의 예후를 가늠하는 수준으로 볼 때 category III에 속하는 인자로 간주하였다 (Bostwick 등, 2000). 그러나 category III에 속한 인자가 통상적인 임상 진료에 이용하기 충분하다는 증거는 아직 없지만, 여러 나라에서 CHGA의 농도가 전립선암을 평가하는 데 이용되고 있다 (Shariff와 Ather, 2006).

면역조직화학적 염색 대신 혈청에서 측정된 신경내분비 표지자는 종양의 신경내분비 분화를 더 잘 나타내 주는 객관적인 양적인 지표이며, 원발 종양세포군과 전이의 존재를 잘 표현해 준다 (Abrahamsson, 1999). 신경내분비 생성물의 대부분은 혈류 내로 유리되며, 면역분석법에 의해 측정이 가능하다. 신경내분비 표지자 중 CHGA와 NSE가 신경내분비 전립선암에서 흔히 발현된다. CHGA, NSE, proGRP 등과 같은 혈청 신경내분비 표지자의 치료 전 측정치는 호르몬 요법을 받은 전이 전립선암 환자에서 예후 표지자의 역할을 한다 (Yashi 등, 2002).

41.5.1. Chromogranin A (CHGA or CGA)

근래 들어 전립선암에서 신경내분비 분화의 임상적 중요성이 관심을 받고 있다. 신경내분비 분화가 전립선암의 진행에 관여한다는 개념은 신경내분비 인자에 의한 전립선암의 전이력 및 세포 증식의 조절, 신경내분비세포의 분화와 안드로겐 비의존성 전립선암과의 연관성, 환자의 생존에 대한 신경내분비 분화의 역효과 등과 같은 연구 결과에 근거한다 (Abrahamsson, 1999).

염색체 14q32에 위치해 있는 유전자 CHGA에 의해 코드화되고 parathyroid secretory protein 1으로도 알려진 CHGA는 신경내분비 분비성 단백질의 granin 가족에 속하며, 신경세포와 내분비세포의 분비성 소포 내에 분포해 있다 (Helman 등, 1988). CHGA를 생성하는 세포로는 부신수질, 부신경절

(paraganglia), 전립선, 방광, 간 등의 chromaffin 세포, 위 점막의 enterochromaffin-like cell (ECL), 췌장의 베타 세포 등이 있다 (Ehrlich 등, 1994). CHGA는 vasostatin, pancreastatin, catestatin, parastatin 등을 포함하는 여러 기능성 펩티드의 전구체이다. 이들 펩티드는 자가 분비 혹은 주변 분비 세포의 신경내분비 기능을 음으로 조절한다. 기능은 분명하지 않으나 CHGA로부터 유래되는 기타 펩티드로는 chromostatin, WE-14, GE-25 등이 있다. CHGA는 분비성 과립의 생성을 촉진한다 (Cotesta 등, 2005).

혈중 CHGA의 농도가 신경내분비 분화를 반영하기 때문에, CHGA는 신경내분비세포의 표지자로 간주되며 (Bollito 등, 2001), 혈청 CHGA의 농도는 전립선에서 신경내분비세포의 활성을 나타내는 가장 좋은 지표라고 생각된다 (Angelsen 등, 1997). CHGA의 혈중 농도와 양성 혹은 악성 전립선 질환과의 연관성은 여러 연구에서 평가되었다 (Isshiki 등, 2002). 그들 연구는 양성 전립선에 비해 전립선암 환자에서 CHGA 농도가 더 높게 측정되어 CHGA 농도와 전립선암의 중증도 사이에는 정상관관계가 있다고 하였다. 면역조직화학검사는 CHGA의 농도가 거세 저항성 전립선암에서 유의하게 증가되며, 신경내분비 분화가 장기간의 안드로겐 박탈 요법 후에 발생하는 거세 저항성 전립선암에 대한 독립적 예측 인자임을 보여 주었다 (Hirano 등, 2004).

혈청 CHGA는 크롬친화세포종 (pheochromocytoma), 췌장섬세포암 (pancreatic islet cell tumor), 갑상선 카르시노이드종양 (carcinoid tumor) 및 수질암 (medullar carcinoma) 등과 같은 다양한 내분비 종양에서 증가되며, 신기능장애, 양성자 펌프 억제제 등과 같은 여러 다른 질환이나 약물도 CHGA의 농도에 영향을 준다 (Angelsen 등, 1997). CHGA는 이들 종양에서 유용한 표지자로 인정을 받고 있다 (Nobels 등, 1997). NSE, CHGB, TSH, pancreastatin 등과 같은 다른 신경내분비 표지자의 혈청 농도 및 면역조직화학적 결과는 관련이 없지만, 전립선의 91%는 신경내분비세포를 가지고 있고 CHGA 양성의 종양세포를 가진 전립선암 환자에서는 혈청 CHGA의 농도가 증가되기 때문에, CHGA는 전립선암에서 신경내분비 분화의 정도를 예측할 수 있는 유용한 표지자라고 할 수 있다 (Angelsen 등, 1997). 측정법이 개선됨에 따라 혈청 및 혈장 CHGA를 측정하기가 더욱 용이해졌으며, 결과는 더욱 신뢰성을 가지게 되었다.

여러 연구는 혈장 CHGA가 신경내분비 분화의 표지자 역

할을 하며, 혈장 CHGA의 농도와 전립선암의 병기 사이에 정상관관계가 있다고 하였다 (Cussenot 등, 1996). 다른 연구는 병기 D1, C, A/B의 전립선암에 비해 병기 D2의 전립선암에서 혈중 CHGA의 농도가 더 높다고 하였다 (Berruti 등, 2001). CHGA는 신경내분비 분화의 표지자이고 조기에 혈청 농도가 증가되면 호르몬 요법에 저항성을 가진다는 보고가 있으며 (Wu 등, 1998), 병기 D2 전립선암 환자의 48%에서 혈청 CHGA 농도가 증가하고 일부에서는 농도가 임상 경과에 따라 증가한다는 보고도 있다 (Kadmon 등, 1991). 다른 연구는 양성전립선비대 환자와 전립선암 환자에서 CHGA의 혈청 농도가 상당히 중복되는 부분이 있지만, 혈청 CHGA는 호르몬 요법을 받지 않은 환자에서 증가되며 호르몬 요법에 저항적인 전립선암을 조기에 발견하는 데 도움이 된다고 하였다 (Wu 등, 1998). 또 다른 연구에 의하면, 전립선암과 양성전립선비대 환자에서 혈청 CHGA의 평균 농도는 각각 59.4, 59.3 ng/mL로 유의한 차이를 보이지 않지만, 잘 분화된 전립선암에 비해 미분화 전립선암에서 혈청 CHGA가 더 높으며 (p=0.044), 혈청 PSA의 중앙치가 172.1 ng/mL 이하인 병기 D 전립선암 환자의 경우 혈청 CHGA가 낮은 경우에 비해 더 높은 경우에는 나쁜 예후를 나타낸다 (Isshiki 등, 2002). 따라서 미분화 전립선암에서는 혈청 CHGA의 농도가 증가되어 있기 때문에 전립선암의 조직학적 등급과 혈중 CHGA 농도 사이에는 상관관계가 있으며, PSA와 CHGA를 병용하면 병기 D2 전립선암 환자에서 호르몬 요법 후의 나쁜 예후를 효과적으로 예측할 수 있다고 생각된다. 전립선암 세포에서 면역조직화학적 염색을 이용한 연구는 분화도 등급이 높으면 CHGA에 대한 염색 강도가 증가한다고 보고하였다 (Hirano 등, 2004). 상충되는 결과를 보고한 연구도 있는데, 혈중 CHGA와 혈청 PSA 사이의 연관성에 관한 연구는 혈중 CHGA가 증가한 진행 전립선암 환자의 상당수가 정상 혹은 경계선의 혈청 PSA 농도를 가지기 때문에, 혈중 CHGA 농도와 혈청 PSA 농도 사이의 연관성은 유의하지 않다고 하였다 (Berruti 등, 2001).

많은 추적 연구는 진행된 호르몬 민감성 질환에 비해 진행된 거세 저항성 질환을 가진 환자에서 혈중 CHGA 농도의 증가가 더 흔하게 관찰된다고 하였다 (Kadmon 등, 1991; Kimura 등, 1997). 다른 임상 연구는 안드로겐 박탈 요법 (Sciarra 등, 2004) 혹은 간헐적 안드로겐 박탈 요법 (Sciarra 등, 2003) 후에는 혈중 CHGA가 유의하게 증가됨을 관찰하였다. 이종 이식 암 모델을 이용한 연구는 거세 후에 CHGA를 발현하는

세포가 40배 증가한다고 하였다 (Jongsma 등, 2000). 면역조직학적 연구 또한 신경내분비 분화와 거세 저항성 상태 사이에는 정상관관계가 있음을 확인하였다 (Hirano 등, 2004).

병기 T2 N0 M0인 임상적 초기 병기의 전립선암으로 근치전립선절제술을 받은 83명에서 혈청 CHGA를 예측 인자로 이용하여 혈중 CHGA의 영향을 분석한 전향 연구는 혈청 CHGA가 근치전립선절제술로 확인된 pT3 종양에 대한 독립적 예측 인자의 역할을 하였지만 낮은 병기의 전립선암에서는 혈청 CHGA가 증가하지 않았다고 하였으며 (Sciarra 등, 2004), 이는 다른 여러 연구의 결과와 유사하다 (Berruti 등, 2000). 다른 연구 또한 근치전립선절제술을 받은 환자에서 혈청 CHGA의 농도가 피막 침범 혹은 생화학적 실패와 관련이 없었으며, 수술 전 혈청 CHGA의 농도는 병기 B 혹은 C 전립선암을 예측하지 못한다고 하였다 (Hirano 등, 2007).

대조적으로 혈중 CHGA의 농도는 진행 전립선암 환자에 대한 유용한 진단적 표지자이고 예후 표지자라고 보고한 연구도 있다. 혈청 PSA가 5172.1 ng/mL인 진행 전립선암 환자에서 혈중 CHGA 농도의 증가는 호르몬 요법 후 나쁜 예후를 효과적으로 예측할 수 있다는 보고가 있으며 (Isshiki 등, 2002), 단면조사 연구 또한 원격 전이 전립선암 환자에서 혈중 CHGA 농도의 증가가 나쁜 예후를 예측하며, 혈중 CHGA는 혈청 PSA와 함께 전립선암 환자를 관리하는 데 유망한 표지자라고 하였다 (Ferrero-Pous 등, 2001).

B 병기 이하 22명, C 병기 10명, D1 병기 2명, 호르몬 민감성 D2 병기 12명, 거세 저항성 D2 병기 11명 등 조직학적으로 전립선암이 확인된 57명과 전립선암이 발견되지 않은 22명을 대상으로 ELISA를 이용하여 혈중 CHGA 농도가 전립선암에서 임상병리학적 정보 및 예후 관련 정보를 제공하는지를 평가한 연구는 다음과 같은 결과를 보고하였다 (Hirano 등, 2007) (도표 192). 첫째, 혈장 CHGA 농도의 중앙치는 전립선암이 발견되지 않은 환자에 비해 전립선암 환자에서 유의하게 더 높았다 (p=0.0271). 둘째, 전립선암의 병기가 높을수록 (p<0.0001), 분화도 등급이 높을수록 (p=0.0412) 혈장 CHGA의 농도는 더 높았다. 셋째, 근치전립선절제술을 받은 환자에서 수술 후 임상적 실패는 보고되지 않았으나, PSA 실패는 중앙치 20.3개월 추적 관찰한 후 44%에서 보고되었으며, 정상 범위 이상의 혈장 CHGA 농도는 근치전립선절제술을 받은 환자의 15% (4명/27명)에서 관찰되었다. 넷째, 다변량 분석은 병리학적 병기가 수술 후 PSA 실패에 대한 유일한 독립

도표 192 근치전립선절제술을 받은 환자에서 수술 후 PSA 실패에 대한 다변량 분석

가변 인자	RR	95% CI	p
PSA (≥20 ng/mL, 8명 대 〈20 ng/mL, 19명)	2.542	0.607~10.637	0.2016
CHGA (≥20 U/L, 4명 대 〈20 U/L, 23명)	1.474	0.172~12.638	0.7233
분화도 등급 (미분화, 8명 대 양호한 내지 중등도 분화, 19명)	1.449	0.375~5.590	0.5907
임상 병기 (병기 C, 10명 대 병기 B 이하, 17명)	2.495	0.429~14.499	0.3085
병리학적 병기 (pT3, 18명 대 pT2 이하, 9명)	13.594	1.006~183.643	0.0494

CHGA, chromogranin A; CI, confidence interval; PSA, prostate-specific antigen; RR, relative risk.
Hirano 등 (2007)의 자료를 수정 인용.

도표 193 비전이 전립선암 환자군과 전이 전립선암 환자군에서 Gleason 점수에 따른 혈청 CHGA 농도

	비전이 전립선암 환자군 264명 (1군)			전이 전립선암 환자군 89명 (2군)		
	Gleason 점수 7, (3+4) 이하	Gleason 점수 7, (4+3) 이상	p	Gleason 점수 7, (3+4) 이하	Gleason 점수 7, (4+3) 이상	p
평균 CHGA ng/mL	51.22±18.91	60.18±25.73	0.0001	104.48±39.22	167.83±165.24	0.0080
CHGA〉60 ng/mL, %	29.6 (45명/152명)	46.4 (52명/112명)	0.0001	100 (27명/27명)	100 (62명/62명)	–
CHGA〉90 ng/mL, %	3.9 (6명/152명)	9.8 (11명/112명)	0.0028	51.8 (14명/27명)	77.4 (48명/62명)	0.0028
OR CHGA〉60 ng/mL	1.0	2.06 (1.24~3.43)	0.0038	–	–	–
OR CHGA〉90 ng/mL	1.0	2.65 (0.95~7.4)	0.0484	1.0	3.18 (1.22~8.33)	0.0165

1군의 Gleason 점수 3+4 이하, Gleason 점수 4+3 이상과 2군의 Gleason 점수 3+4 이하, Gleason 점수 4+3 이상에서 CHGA 농도의 중앙치 ng/mL는 각각 49, 58, 104, 130이었다. OR의 ( ) 안의 수는 95% CI 범위이다.
CHGA, chromogranin A; CI, confidence interval; OR, odds ratio.
Sciarra 등 (2009)의 자료를 수정 인용.

적 예측 인자이었다 (p=0.0494). 다섯째, 수술 전 혈장 CHGA 농도는 근치전립선절제술을 받은 환자에서 수술 후 PSA 실패와 관련이 없었다. 여섯째, 혈장 CHGA 농도의 증가는 중앙치 22.5개월 추적 관찰한 후 병기 D2 전립선암 환자에서 낮은 생존을 보이는 나쁜 예후와 관련이 있었다. 이들 결과를 근거로 저자들은 전립선암에서 혈장 CHGA 농도는 질환이 중할수록 증가하며, 특히 호르몬 요법 후 거세 저항성 전립선암으로 진행할 경우 증가하기 때문에, 혈장 CHGA 농도는 거세 저항성 전립선암을 효과적으로 예측하며 전이 전립선암 환자에서 예후를 예측할 수 있다고 하였다.

근치전립선절제술이 계획된 비전이 전립선암 환자 264명 (1군)과 전이 전립선암 환자 89명 (2군)을 대상으로 혈청 PSA와 CHGA를 측정한 연구는 CHGA 증가의 절단치를 60 및 90 ng/mL 이상의 두 절단치를 이용하였으며, 결과는 다음과 같다 (Sciarra 등, 2009) (도표 193). 첫째, 1군과 2군에서 혈청 CHGA의 평균치는 각각 54.60±22.15, 148.69±142.26 ng/mL이었다 (p〈0.0001). 둘째, 1군에서 CHGA가 60 ng/mL 이상과 90 ng/mL 이상인 경우가 각각 35.0%, 6.4%이었

으며, 2군에서 CHGA가 60 ng/mL 이상과 90 ng/mL 이상인 경우는 각각 100%, 69.7%이었다 (p〈0.0001). 셋째, 60 ng/mL 이상과 90 ng/mL 이상의 CHGA에 대한 odds ratio (OR)는 비전이로부터 전이 전립선암으로 진행한 경우 증가되었다 (p=0.0001). 넷째, 1군에서는 Gleason 점수 7 (3+4) 이하 환자와 7 (4+3) 이상 환자 중 혈청 CHGA가 60 ng/mL 이상인 경우가 각각 29.6%, 46.4%, (p=0.0001), 2군에서는 Gleason 점수 7 (3+4) 이하 환자와 7 (4+3) 이상 환자 중 혈청 CHGA가 90 ng/mL 이상인 경우가 각각 51.8%, 77.4%이었다 (p=0.0028). 이들 결과를 근거로 저자들은 60 ng/mL의 절단치를 이용한 비전이 전립선암 환자에서든, 90 ng/mL의 절단치를 이용한 전이 전립선암 환자에서든 유의한 빈도로 혈청 CHGA의 농도가 증가한다고 하였다.

41.5.2. 신경세포 특이 enolase Neuron-specific enolase (NSE)

전립선암에서 신경내분비 분화는 예후와 치료와의 연관성 때문에 근래 많은 관심을 받고 있다. 앞에서도 기술된 바 있지만, 전립선암에서 신경내분비 분화는 드물지만 공격적인 소

세포암, 유암종 및 유암종 유사 종양 등과 같이 전적으로 신경내분비세포로만 구성된 종양에서 관찰되지만, 더 흔하게는 전통적인 전립선 선암 내에 국소적 신경내분비 분화가 있는 종양에서 관찰된다 (di Sant' Agnese, 1992). 전립선암에서 국소적 신경내분비 분화의 예후적 중요성은 논란이 되고 있지만, 현재까지의 증거로는 신경내분비 분화가 거세 저항성 종양의 예후에 영향을 주며 거세 저항성 표현형으로 전환하는 데 어떠한 역할을 할 것으로 추측된다 (Bostwick 등, 2000).

CHGA와 NSE는 조직에서 혹은 혈중에서 신경내분비 양상을 발견하는 표지자로서 가장 흔하게 이용된다 (Isshiki 등, 2002). 전립선암의 혈청 신경내분비 표지자 중 하나인 NSE는 gamma-enolase, enolase 2 (ENO2) 등으로도 알려져 있으며, 염색체 12p13에 위치해 있는 ENO2 (혹은 NSE)에 의해 코드화된다. 치료 전의 혈청 CHGA 및 NSE의 농도와 질환의 진행 및 환자의 생존율 사이에서 연관성이 있음을 발견한 연구는 치료 전의 혈청 CHGA와 NSE 농도는 호르몬 요법을 받고 있는 병기 D 전립선암 환자에서 예후를 예측하는 인자로 활용이 가능하다고 하였다 (Kamiya 등, 2003). 면역조직화학검사를 이용한 연구는 신경내분비세포가 고등급 분화도와 높은 병기의 질환에서 더 흔하였지만, 5년 생존율은 신경내분비세포 양성 환자와 음성 환자 사이에서 차이가 없었다고 하였다 (Allen 등, 1995). CHGA와 NSE에 대해 면역조직화학검사를 실시한 연구는 전립선암 조직의 52%에서 신경내분비 분화가 발견되었으며, 신경내분비 분화는 생존율이 나쁜 골 전이의 존재 및 고등급 분화도의 종양과 상관관계를 가졌다고 하였다 (McWilliam 등, 1997).

일부 연구는 전립선암의 발병 기전에서 혈청 NSE 농도의 임상적 중요성을 발견하지 못했으나 (Berruti 등, 2000), 일부 연구는 병기 D 환자에서 NSE의 농도가 높으면 생존율이 더 낮다고 하였다 (Kamiya 등, 2003). 전립선암 환자에서 혈청 NSE 농도를 측정한 연구는 이들 신경내분비 분비성 생성물의 혈청 농도가 증가되는 신경내분비 분화는 안드로겐 비의존성 및 나쁜 예후와 상호 관련이 있음을 보여 주었다 (Kamiya 등, 2003). 거세 저항성 전립선암 환자를 대상으로 실시한 연구는 혈청 NSE 및 CHGA의 증가가 나쁜 예후에 대한 예측 인자이며, NSE에 비해 CHGA가 전립선암에서 신경내분비 효과를 더 반영한다고 하였다 (Berruti 등, 2000). 다른 연구는 전이 전립선암 환자에서 NSE 농도가 높을수록 생존율이 낮으며, PSA, NSE, CHGA 등의 혈청 농도 사이에는 상호 관련이 없다고 하

였다 (Isshiki 등, 2002). 전이 전립선암 환자에서 질병 특이 생존율에 대한 다변량 분석에서 골 전이의 범위 (상대적 위험도 10.3, p=0.029), 혈청 CHGA (상대적 위험도 8.72, p=0.024), 혈청 PSA, 조직학적 분화도 등급, 호르몬 요법에 대한 반응 (후자 세 가지는 유의하지 않았음) 등과 같은 다른 가변 인자 중 혈청 NSE가 나쁜 예후와 가장 높은 비율로 관련이 있었다 (Kamiya 등, 2003). 따라서 혈청 NSE는 호르몬 요법을 받은 전이 전립선암 환자에서 가장 강한 예후 인자라고 할 수 있다.

전립선암에서 신경내분비 분화의 면역조직학적 발견과 Gleason 점수 등과의 상관관계를 평가하고 여러 신경내분비 표지자의 상대적 위험도를 분석하기 위해 경요도전립선절제술 혹은 근치치골후전립선절제술을 받은 평균 연령 70±9.2세의 환자 84명으로부터 채집한 종양 표본을 대상으로 세 종류의 표지자, 즉 CHGA, NSE, major synaptic vesicle protein 38로도 알려진 synaptophysin (SYN) 등에 대해 면역조직화학적 염색을 실시한 연구는 진단 당시의 병기에 따라 환자를 세 군으로 구분하였다. 즉, 이 연구는 전립선에 국한된 암을 가진 환자 14명은 1군, 국소 침습 질환을 가진 환자 31명은 2군, 원격 전이 암을 가진 환자 39명은 3군으로 설정한 후 다음과 같은 결과를 보고하였다 (Ather 등, 2008). 첫째, CHGA는 33명, NSE는 44명, SYN은 8명에서 각각 발견되었다. 둘째, CHGA의 발현은 1군의 7%, 2군의 37%, 3군의 35%에서 발견되었다 (p=0.059). 셋째, CHGA (p=0.024)와 NSE (p=0.006)의 발현은 Gleason 등급이 높을수록 더 높았다. 이와 같은 결과를 근거로 저자들은 이용된 다른 표지자에 비해 CHGA가 발견 당시의 질환과 더 나은 상관관계를 나타내며 CHGA의 발현은 조직학적 등급이 높을수록 증가되기 때문에 NSE보다 예후에 대한 더 나은 예측 인자라고 하였다.

치료를 받지 않은 병기 D2 전립선암 환자에서 CHGA 및 NSE의 면역조직화학적 양상과 혈청 농도 사이의 상관관계를 분석한 연구는 다음과 같은 결과를 보고하였다 (Kamiya 등, 2008). 첫째, CHGA 양성률 (positivity; positivity/negativity 비율)과 혈청 CHGA 농도 사이에는 통계적으로 유의한 상관관계가 있었으나 (p=0.0421), NSE 양성률과 혈청 NSE 농도 사이에는 통계적으로 유의한 상관관계가 발견되지 않았다 (p>0.05). 둘째, CHGA와 NSE의 면역조직화학적 양성률에 따라 병기 D2 환자를 (−), (+), (++)의 세 군으로 분류한 경우 질병 특이 생존은 CHGA 단독 혹은 CHGA와 NSE 모두에 강한 양성 반응을 보인 (++) 군에서 유의하게 더 나빴다

(p=0.0379). 셋째, 병기 D2 전립선암 환자의 질병 특이 생존에 대한 다변량 분석에서 면역조직화학적 염색에서 강한 반응은 높은 사망 위험의 독립적 예측 인자이었으며, (-)/(+) 대 (++)의 상대적 위험도는 0.26 (95% CI 0.007~0.83; p=0.0143)이었다. 이와 같은 결과를 근거로 저자들은 혈청 농도와 면역조직화학적 양성률의 상관관계가 NSE보다 CHGA에서 더 큰데, 이는 전립선암의 경우 신경내분비 분화의 정도를 예측하는 종양 표지자로서 CHGA가 NSE보다 더 유용하다고 하였다.

한편, 다른 연구는 NSE와 CHGA의 혈청 농도를 병용하였을 때, NSE와 CHGA 모두가 증가된 환자는 다른 환자에 비해 27개월 미만의 가장 나쁜 생존을 보였다고 하였다 (p〈0.0004) (Kamiya 등, 2009).

41.5.3. Gastrin 분비 펩티드 Gastrin-releasing peptide (GRP)

양서류 펩티드인 bombesin의 동족체로서 27개의 아미노산으로 구성된 포유동물의 gastrin-releasing peptide (GRP)와 그것의 receptor (GRPR)는 췌장에서 높게 발현되며, 부신피질, 중추신경계, 위장관. 기관지, 전립선 등에도 널리 분포되어 있다 (di Sant'Agnese, 1991, 1992; Jensen 등, 2008), GRP와 GRPR은 외분비 및 내분비 분비, 평활근 수축, 통증 전달, 혈압 유지, 포만감, 체온 조절, 활동 등과 같은 많은 생리학적 기능에서 중요한 역할을 한다 (Gonzalez 등, 2008). 더욱이 GRP는 일부 암에서 자가 분비 혹은 주변 분비 작용을 가져 유사분열을 촉진하는 인자, 형태원 (morphogen), 혈관 형성을 유발하는 인자 등으로서의 기능을 한다 (Patel 등, 2006). GRP는 위의 G 세포로부터 gastrin의 분비를 자극한다고 잘 알려져 있다 (Merali 등, 1999).

41.5.3.1. GRP 및 GRPR의 구조
Structure of GRP and its receptor

GRP의 유전자는 염색체 18q21.1-q21.32에 위치해 있으며, 세 개의 exons와 두 개의 introns를 가지고 있다 (Naylor 등, 1987). GRP precursor (proGRP)의 세 동형 단백질은 C-말단에서 서로 차이를 나타내며, 하나의 mRNA로부터 선택적 이어맞추기 (alternate splicing)에 의해 생겨난다 (Sausville 등, 1986). I형, II형, III형의 mRNA는 각각 148, 141, 138개의 아미노산으로 구성된 펩티드를 코드화하며, 이들의 첫 122개 아미노산은 동일하다.

I형 preproGRP는 처음에는 148개의 전전구펩티드로 합성되며, 23개의 아미노산으로 구성된 신호 펩티드가 제거되어 proGRP1-125가 생성되고, 위치 29-30에서 분절이 Lys-Lys 염기 서열의 뒤편에 일어나 C-말단 부위를 가진 proGRP31-125가 유리된다. 그 후 carboxypeptidase가 GRP1-30의 C-말단으로부터 두 개의 lysines를 제거하여 GRP1-27gly를 생성한다. C-말단의 methionine에서 아미드화 (amidation)가 일어나면 GRP1-27amide가 형성되고, 위치 17에서 단일 arginine이 잘 보존된 상태로 분절이 일어나면 GRP18-27amide가 생성되는데, 이것이 앞으로 기술되는 GRP에 해당한다.

다양한 종에서 proGRP의 아미노산 염기 서열을 비교한 결과, 여러 영역으로부터 상당한 상동성이 관찰되었다 (Baldwin 등, 2007). 개구리부터 사람에 이르기까지 아미노산 21과 31 사이는 분명한 상동성을 나타내었다. 따라서 진화론적 관점에서 볼 때, 전구 펩티드 중 아미드화된 GRP18-27 절편 (위치 28-31에 있는 아미노산이 분절되어 떨어져나간 상태)이 활성적임은 놀라운 사실이 아니다. 보존된 21-31 염기 서열의 진화론적 중요성은 생물학적 활성을 위해 필요한 최소로 아미드화된 GRP 절편이 heptapeptide GRP21-27이라는 사실로 보아 알 수 있다 (Lin 등, 1995). proGRP에서 두 번째로 보존된 부분은 아미노산 43과 97 사이이며, 이는 포유동물에서만 발견된다 (Baldwin 등, 2007). 이와 같이 진화 과정에서 보존된 펩티드 염기 서열은 생물학적으로 중요한 역할을 하며, proGRP로부터 유래된 C-terminal 절편은 여러 종양에서 발견된다 (Patel 등, 2007). proGRP31-98에 대한 항체는 소세포 폐암 (small cell lung carcinoma, SCLC) (Molina 등, 2004), 전립선암 (Yashi 등, 2003), 갑상선수질암 (medullary thyroid cancer, MTC) (Inaji 등, 2000) 등을 가진 환자의 종양과 혈청에서 proGRP 농도의 증가를 발견하는 데 이용되지만, 생물학적 시스템 내에서 proGRP31-125 절편이 분명하게 존재하는지 그리고 그것의 생리학적 기능이 무엇인지는 현재 연구 중에 있다. 포유동물에는 세 종류의 bombesin 유사 펩티드 수용체가 있는데, neuromedin B receptor (NMBR 혹은 BB₁), GRPR (혹은 bombesin receptor 2, BB₂), bombesin receptor subtype 3 (BRS3 혹은 BB₃) 등이다. 세 종류 모두는 G-protein과 결합하는 수용체로서 7개의 경막 영역을 가지고 있다. 포유동물에서 GRPR (Spindel 등, 1990)과 NMBR (Wada 등, 1991)의 ligand는 발견되었지만 BRS3 (Fathi 등, 1993)의 ligand는 발견되지 않았다. proGRP31-125와 그로부터 유래된 절편의 수용체는 발견되지 않았다 (Patel 등, 2007).

41.5.3.2. 아미드화된 GRP의 생물학적 작용
Biological activity of amidated GRP

GRP는 여러 정신 질환과 관련이 있다. GRP 유전자의 돌연변이는 공황장애와 관련이 있다고 알려져 있지만 (Hodges 등, 2008), single nucleotide polymorphism (SNP) 분석에서는 GRPR과 공황장애 사이에 연관성이 발견되지 않았다 (Strug 등, 2008). 다른 연구는 자폐증 환자에서 GRPR의 돌연변이가 발견되지 않았다고 하였다 (Seidita 등, 2008). 설치류를 대상으로 분석한 연구는 GRPR의 대항제가 공포와 관련된 기억 작업, 특히 어떠한 행동을 하였을 때 그 행동으로 인해 고통을 당하면 다음에는 동일한 행동을 기피하게 되는 억제성 회피 (inhibitory avoidance)를 방해함을 확인하였다 (Luft 등, 2008). 다른 연구는 GRP가 공포 반응에 관여하지만, 불안증에서는 중요하지 않다고 하였다 (Bédard 등, 2007).

포유동물에 관한 여러 연구는 GRP가 1일 주기 리듬에서 어떠한 역할을 한다고 하였다. 시신경 교차상핵 (suprachiasmic nucleus, SCN)에 있는 GRP는 cAMP response element-binding protein (CREB) 경로 및 Period 1 (PER1) 단백질을 코드화하는 유전자 PER1의 활성화를 통해 1일 주기 리듬을 조절한다는 보고가 있다 (Gamble 등, 2007). 인산화된 ERK1/2는 주간이 아닌 야간에 GRP를 가진 신경세포로 격리되는데 (Guillaumond 증, 2007), 이러한 현상은 야간에 시신경 교차상핵 내로 GRP를 주입하면 1일 주기의 단계가 어둠에서 밝음으로 이동하지만 주간에 주입한 경우에는 그러한 효과가 나타나지 않는다는 연구에 의해 입증되었다 (Kallingal과 Mintz, 2007).

척수에서 GRP를 가진 신경세포의 역할을 평가한 연구는 GRP가 가려운 감각을 전달하는 데는 관여하지만 통증의 전달과는 관련이 없다고 하였다 (Swain, 2008). 거세한 생쥐를 대상으로 평가한 다른 연구는 요척수 내에서 GRP를 가진 신경세포를 자극하면 음경반사와 사정이 회복된다고 하였다 (Sakamoto 등, 2008).

염증 및 상처 회복에서 GRP의 역할을 조사한 연구는 GRPR의 대항제가 패혈증의 유해한 효과를 감소시키며 (Cornelio 등, 2007), 아미드화된 GRP의 유사체인 bombesin (14개의 잔기를 가진 개구리 펩티드로서 아미드화된 C-말단의 7개 잔기는 GRP21-27과 동일하다)이 NMBR을 통해 상처 회복에 관여하는 인자를 자극한다고 하였다 (Baroni 등, 2008). 관절염에 관한 연구는 관절염이 생긴 무릎 관절의 윤활막 내 세포 (Grimsholm 등, 2008)와 염증성 침윤물 (Grimsholm 등,

2007)에서 GRP 및 GRPR의 mRNA와 단백질이 증가함을 발견하였다. 또한, GRPR에 대한 면역 반응이 정상 무릎의 관절 표면에 배열된 연골세포에서 관찰되었으며, 이는 관절염을 가진 무릎에서는 감소한다 (Grimsholm 등, 2007).

siRNA로 GRPR을 제거하면 생체 밖 실험에서 신경모세포종 세포주의 성장이 억제되었으며, 생체 실험에서 종양의 성장이 지연되었고 전이가 감소되었다 (Qiao 등, 2008). GRPR은 자궁경부의 정상 조직에서는 발견되지 않았으나, 자궁경부암의 99% (87명/88명)에서 발견되었다 (Cornelio 등, 2007). 종양의 형성에 관한 연구는 GRPR이 난소암에서 종양과 관련이 있는 혈관 구조에서 과다 발현되었지만 종양세포 자체에서는 과다 발현되지 않았다고 하였다 (Fleischmann 등, 2007). 또한, bombesin은 혈관 형성 표지자인 platelet endothelial cell adhesion molecule (PECAM)과 vascular endothelial growth factor (VEGF)의 발현을 자극하는 한편, GRP 및 GRPR의 유전자가 침묵할 경우 VEGF의 발현이 억제되며 GRPR의 대항제는 혈관 형성을 억제한다 (Kang 등, 2007).

41.5.3.3. 비아미드화 proGRP로부터 유래된 펩티드의 생물학적 활성
Biological activity of nonamidated proGRP–derived peptide

아미드화 형태의 펩티드 호르몬만이 생물학적 활성을 가진다는 사실이 수년 동안 정설로 되어 왔다 (Merkler, 1994). 그러나 비아미드화 전구체가 종양 조직에서 흔히 더 풍부하다는 관찰은 이러한 형태가 생물학적으로 활성적인지, 아니면 단순히 아미드화 펩티드가 합성되는 과정에서 생성된 부산물인지의 의문을 일으킨다. GRP의 활성에 관한 대부분의 문헌은 GRP1-27, GRP18-27 등과 같은 아미드화 펩티드만이 활성적이라고 보고하였지만, 현재는 proGRP 혹은 progastrin과 같은 상당수의 전구 호르몬과 같이 아미드화되지 않은 중간 산물도 활성적이라고 알려져 있다 (He 등, 2004)). 비아미드화 펩티드는 전형적인 아미드화 형태의 호르몬과 동일한 수용체 혹은 새로운 수용체를 통해 작용한다.

proGRP에서 유래되고 C-말단이 확장된 비아미드화 펩티드는 포유동물의 조직과 종양에서 발견된다. 임신한 사람과 양의 자궁내막은 GRP1-27보다 더 크지만 C-말단에서 일부 상동성을 나타내는 proGRP 절편을 다량 생성한다 (Giraud 등, 1996). Bombesin 중 glycine이 확장된 형태는 소세포 폐암 세포주인 NCI-H345, 섬유모세포 Swiss 3T3, 췌장 세엽

(Mervic 등, 1991) 등에서 GRPR을 통해 생물학적으로 활성을 나타낸다 (Oiry 등, 2000). Glycine이 확장된 형태의 GRP인 proGRP18-28 (GRPgly)은 GRPR을 통해 결장직장암 세포주의 증식과 이동을 자극한다 (Patel 등, 2004).

proGRP31-125로 구성된 절편은 생물학적으로 활성적이다 (Patel 등, 2007). proGRP18-125, proGRP31-125, proGRP42-98 등은 사람의 결장직장암 세포주인 DLD-1과 전립선암 세포주 DU145의 증식 및 이동을 자극한다. 이들은 GRPgly와는 대조적으로 GRPR의 선택적 대항제에 의해 활성이 억제되지 않는다 (Patel 등, 2007). 짧은 합성 펩티드인 proGRP47-68과 (Tyr79)proGRP80-97은 inositol phosphate의 생성, MAPK kinase (MAP2K 혹은 MEK)의 활성, DLD-1 세포의 증식 및 이동 등을 자극한다 (Patel 등, 2007). 방사능 표지 펩티드를 이용한 연구는 각 펩티드가 다른 펩티드와 경쟁함을 보여 주었는데, 이는 두 펩티드가 동일한 수용체와 결합함을 시사한다. 더욱이 GRPR의 대항제가 결합을 억제하지 못한다는 관찰은 수용체가 이미 알려진 두 종류의 GRPR과는 다름을 나타낸다 (Patel 등, 2007). 생물학적으로 활성적인 proGRP42-98이 thrombin에 의해 Lys79 뒤에서 분절되어 proGRP42-79과 proGRP80-98이 생성됨을 관찰한 후 이들 절편을 high performance liquid chromatography (HPLC)를 이용하여 분석한 연구는 proGRP42-79과 proGRP80-98 둘 모두가 결장직장암 세포주 DLD-1의 증식을 자극하였고 상처 회복의 과정에서 활성을 나타내었지만, GRPR 혹은 BRS3와 결합하지 않았다고 하였다. 이를 근거로 저자들은 proGRP C-terminus의 두 영역은 알려져 있는 GRP 수용체와는 다른 수용체를 통해 활성화된다고 하였다 (Patel 등, 2007).

proGRP의 세 동형 단백질에서 C-말단의 생물학적 활성을 분석한 연구에 의하면, III형인 proGRP99-115가 소세포 폐암 세포주인 NCI-H345의 배양액 상청액으로부터 분리되었으며, 이것은 다른 소세포 폐암 세포주 NCI-N592와 특이하게 결합하였다. 결합은 Kd 70 pM의 높은 친화도 부위와 Kd 2 nM의 낮은 친화도 부위의 두 모델에서 일어났으며, 고농도의 GRP, bombesin, 합성 proGRP103-125로 억제되지 않았다 (Reeve 등, 1989). 배지에서 GRP에 비해 proGRP의 C-말단 절편이 약 10배 더 높게 발현되었다 (Reeve 등, 1989). I, II, III형에서 유래된 합성 펩티드 proGRP31-52, II형에서 유래된 합성 펩티드 proGRP103-125, III형에서 유래된 합성 펩티드 proGRP99-115 등은 개에서 산 분비 혹은 gastrin 분비를 자극

하지 못하였다 (Walsh 등, 1988). 세포의 증식에 대한 이들 펩티드의 효과는 보고된 바 없지만, proGRP C-말단의 염기 서열 중 진화 동안 보존된 영역이 lysine 97에서 종료된다는 사실은 이들 펩티드가 생물학적으로 중요하지 않음을 시사한다 (Ischia 등, 2009).

41.5.3.4. 종양에서 proGRP 유래 펩티드의 발현
Expression of proGRP-derived peptide in cancer

proGRP는 GRP보다 더 긴 반감기를 가지고 있으며, GRP의 농도와 비슷한 농도로 혈청에서 발견된다. proGRP는 임상적으로 적용이 가능한 enzyme-linked immunospecific assay (ELISA; 효소 표식자에 의한 항원항체 반응을 이용하여 항원 혹은 항체의 양을 측정하는 방법을 일반적으로 효소면역분석법으로 총칭한다. 이 방법을 개발한 Enbvall은 최초로 면역흡착제를 사용하였으며, 이를 enzyme-linked immunosorbent assay라고 명하였다) 장치에 의해 측정될 수 있다 (Cuttitta 등, 1985).

소세포 폐암은 신경내분비 분화를 나타내며 나쁜 예후를 가진 악성 폐암이기 때문에, proGRP에서 유래된 펩티드를 혈청 생물 지표로 이용하여 소세포 폐암을 분석한 연구가 많이 있다 (Molina 등, 2004). 폐암 환자의 혈청에서 GRP가 발견되는 경우는 드문데, 이러한 결과가 GRP의 반감기가 짧기 때문인지, 아니면 종양 조직 내에서 처리 과정 및 아미드화가 결여되기 때문인지는 분명하지 않다 (Yamaguchi 등, 1983). 더 큰 크기의 proGRP C-말단 절편은 혈중에서 더 안정적이며, proGRP는 폐암 환자의 혈청 및 종양 내에서 발견된다. 특히 proGRP31-98은 소세포 폐암에서 진단, 예후 예측, 치료 반응 등을 평가할 수 있는 유효한 도구라고 보고되고 있다.

proGRP31-98에 대한 다클론 항혈청으로 측정되는 혈청 proGRP의 농도는 소세포 폐암 환자의 68~86%에서 증가되는 데 비해, 비소세포 폐암 환자, 양성 폐질환 환자, 건강한 대조군에서는 각각 4~10%, 0~7%, 0%에서만 증가된다 (Molina 등, 2005; Liu 등, 2008). 소세포 폐암 환자의 혈청과 종양 세포주에서 proGRP42-53를 발견하기 위해 방사선면역분석법을 실시한 연구는 두 표본에서 면역 반응성이 관찰된 proGRP 절편은 분자량 8~10 kDa의 크기이며 이것이 주된 proGRP 절편이라고 하였다 (Holst 등, 1989).

NSE가 소세포 폐암의 종양 표지자로 간주되지만, NSE 혹은 CHGA에 비해 proGRP의 민감도와 특이도가 더 높다는 보

고가 많이 있다 (Aoyagi 등, 1995; Lamy 등, 2000). proGRP와 NSE의 위양성률은 10% 미만이다 (Shibayama 등, 2001). 그러나 대부분의 대규모 연구는 proGRP가 소세포 폐암 환자에서 예후와 치료에 대한 반응을 예측하지 못한다고 하였다 (Satoh 등, 2006). NSE는 민감도가 떨어지기는 하지만 상당히 나쁜 예후를 가진 환자를 발견하는 데 도움이 된다 (Satoh 등, 2006). 비소세포 폐암 환자에서는 proGRP와 NSE 둘 모두가 화학 요법에 대한 반응을 예측하는 데 어떠한 효과도 보여 주지 못하였다 (Nisman 등, 2006). 그러나 proGRP는 국소 비소세포 폐암과 전이 소세포 폐암을 구별하고 (Nisman 등, 2006) 종격림프절 (mediastinal lymph node)의 침범을 예측하는 데 (Ando 등, 2003) 이용될 수 있다.

폐암 표본에서 proGRP의 C-말단으로부터 유래된 펩티드를 면역 염색법으로 분석한 연구는 소세포 폐암 표본의 70% (175점/250점)에서 proGRP31-51에 대해 양성 반응을 보였으나, 편평세포암, 선암, 대세포암 (large cell carcinoma)을 포함한 비내분비 폐암 환자 144명의 표본에서는 반응이 나타나지 않았다고 하였다 (Hamid 등, 1987). 토끼의 다클론 proGRP 대항 항체를 이용한 면역조직화학검사는 소세포 폐암 표본의 34.5% (10점/29점)에서 양성 반응을 나타냄을 보여 주었다 (Shibayama 등, 2001). 면역조직화학검사를 이용한 다른 연구는 소세포 폐암 및 비소세포 폐암 표본 176점의 대부분에서 proGRP가 발현되지만 GRP의 발현 비율은 매우 낮다고 하였다. 그러나 proGRP의 염색 반응과 예후 사이에는 유의한 연관성이 발견되지 않았다 (Sunday 등, 1991). 대조적으로, proGRP31-51에 대한 항체를 이용한 다른 연구는 면역 반응을 나타내는 펩티드를 가지지 않은 환자에 비해 가진 환자의 생존 기간이 유의하게 더 짧다고 하였으며, 각각의 평균 생존 기간은 1,128일, 185일이었다 (Hamid 등, 1987). RT-PCR을 이용한 다른 연구는 ELISA로 혈청 proGRP31-98의 농도가 증가된 환자 (5명/7명)의 종양 조직에서만 *proGRP* mRNA가 발견되었다고 하였으며, 이 연구에서 I형, II형, III형 *proGRP* mRNA의 비율은 각각 55%, 2%, 43%인 데 비해, *GRPR* mRNA는 proGRP를 발현하는 종양 표본 5점 중 2점에서만 발견되었다. proGRP 단백질이 *proGRP* mRNA를 발현하는 종양에서만 발견됨은 면역조직화학검사에 의해 확인되었다. 이들 결과를 근거로 저자들은 *proGRP* mRNA의 발현과 혈중으로 유리되는 proGRP 단백질의 합성은 밀접한 관계가 있다고 보고하였다 (Uchida 등, 2002). 영역에 특이한 전구 bombesin의 항체

를 이용하여 폐의 소세포암 250점, 폐 외의 소세포암 28점, 유암종 (carcinoid tumor) 49점, 비정형 폐 유암종 62점 등을 분석한 연구에 의하면, bombesin에 대한 면역 염색은 특히 양성 유암종에서 강한 데 비해, 소세포 폐암과 같이 더 악성인 신경내분비암의 종양세포는 proGRP의 C-말단 인접 부위에 대한 항체에 의해 가장 잘 염색되었다 (Polak 등, 1988).

전립선암에서 proGRP의 중요성은 최근 들어 연구되고 있다. 양성전립선비대 환자 50명과 전립선암 환자 200명의 코호트를 평가한 연구는 PSA와 혈청 proGRP 농도 사이의 상관관계가 치료를 받지 않은 전립선암 환자에서는 약하였으나 가장 진행된 질환을 가진 환자에서 가장 강했다고 하였다. 또한, proGRP의 농도는 진행된 전립선암을 안드로겐 대항제로 치료한 경우 낮아졌다. 비록 수가 적지만, 일부 환자에서 proGRP의 농도는 질환이 진행함에 따라 PSA에 비해 더 조기에 증가하였다. 이 연구에서 실시된 면역조직화학검사는 진행된 전립선암의 경우 최소한 CHGA의 경우와 같은 빈도로 proGRP가 발견됨을 보여 주었다 (Yashi 등, 2002). 진행된 전립선암에 대한 한 증례 연구는 CHGA 혹은 PSA에 대한 염색 반응이 없는 조건에서도 proGRP가 염색됨을 발견하였다 (Kinebuchi 등, 2007).

혈청 proGRP31-98의 농도는 질환이 진행함에 따라 증가하며, 초기 암이 아닌 진행된 전이 암과 거세 저항성 암에서는 정상 농도보다 높다 (Yashi 등, 2002). 양성 및 악성 전립선 질환, 만성 신부전, 건강한 대조군 등을 가진 460명을 대상으로 ELISA를 이용하여 혈청 proGRP를 측정한 연구는 다음과 같은 결과를 보고하였다 (Yashi 등, 2003). 예후 분석은 호르몬 요법을 받은 신경내분비 암 환자 4명을 포함한 70명의 전이 전립선암 환자를 대상으로 하였다. 첫째, 전립선암이 전이 혹은 안드로겐 비의존성 질환으로 진행함에 따라 proGRP의 발현이 증가하였다. 둘째, 단변량 분석에서 전신 상태 불량, 골 질환의 범위, 높은 혈청 alkaline phosphatase (ALP), 높은 혈청 proGRP, 최저점 PSA 농도 등은 낮은 무진행 생존과 관련이 있었다 (*p* < 0.005). 셋째, 다변량 분석에서 전신 상태, 혈청 proGRP, 최저점 PSA 농도 등은 무진행 생존에 대한 독립적 예후 인자이었으며 (*p* < 0.05), 이들 모두는 골격과 관련이 있는 인자와 상호 관련이 있었다. 이 모델에서 proGRP는 치료 전 인자 중 가장 유의한 예측 인자이었다 (*p* = 0.0094). 소세포 내분비 전립선암은 원발 전립선암의 0.5~2%로 드물게 발생한다고 보고되었지만, 근래의 부검 연구에 의하면 거세 저

항성 질환의 10~20%에서 발생한다. 소세포 내분비 전립선암에 관한 증례 보고는 혈청 proGRP가 임상 경과와 상당한 상관관계를 보였으며, 이러한 표현형에서 혈청 PSA가 질환의 상태를 반영하지 못할 때 proGRP를 포함하는 신경내분비 표지자의 혈청 농도가 도움이 된다고 하였다 (Yashi 등, 2006). 다른 연구는 미분화가 심한 전립선암일수록 proGRP31-98의 농도가 증가한다고 하였다 (Nagakawa 등, 2002). 전립선암에서 proGRP의 발현에 관한 증거는 충분하지만, 전립선암의 발생과 진행에서 C-말단의 proGRP 절편이 가지고 있는 역할에 관해서는 거의 알려져 있지 않다 (Ishia 등, 2009).

proGRP는 소세포암이나 신경내분비암이 아닌 경우에는 드물게 발현된다. 한 연구에 의하면, 유방암 환자 1명/30명, 부인과적 암 환자 1명/15명, 원발 간암 환자 2명/20명, 혈액학적 암 환자 4명/15명의 비율로 혈청 proGRP의 농도가 증가하였으며, 대부분 110 pg/mL 미만의 단지 중등도의 증가를 나타내었다. 결장직장암 환자 17명과 췌장암 환자 12명 중에는 혈청 proGRP의 농도가 증가한 경우는 없었다 (Molina 등, 2004). 비소세포 폐암 환자 544명과 소세포 폐암 환자 206명을 대상으로 ELISA를 이용하여 proGRP를 분석한 연구는 다음과 같은 결과를 보고하였다 (Goto 등, 1998). 첫째, 비소세포 폐암 환자의 4.2% (23명/544명)와 소세포 폐암 환자의 68.0% (140명/206명)에서 혈청 proGRP의 농도가 증가되었다. 둘째, 이들 비소세포 폐암 환자 23명 중 7명에서는 혈청 proGRP의 농도가 100 pg/mL 이상이었으며, 나머지 16명에서는 70 pg/mL 미만이었다. 혈청 proGRP의 농도가 증가된 환자 중 2명은 신부전을, 1명은 세포학적으로 선암을, 2명은 부분적으로 소세포를 가진 편평세포암을, 2명은 미분화 선암을 동반한 대세포 신경내분비암을 가졌다. 이들 결과를 근거로 저자들은 비소세포 폐암 환자의 대부분에서는 혈청 proGRP 농도가 100 pg/mL 미만이며, 만일 비소세포 폐암 환자에서 혈청 proGRP의 농도가 100 pg/mL 이상이면 신부전을 가지고 있는지, 소세포 성분을 포함하고 있는지, 신경내분비 분화가 있는지 등에 관한 조사가 필요하다고 하였다. 식도의 소세포암과 같이 소세포 표현형의 일부 암에서는 혈청 proGRP31-98의 농도가 증가된다 (Yanagawa 등, 1998). GRP가 갑상선 수질암에서 발견된다고 보고되었지만, 특별히 proGRP의 C-말단 절편에 집중한 연구 자료는 거의 없다. 한 연구는 proGRP31-98의 농도가 갑상선 수질암 환자 7명 모두에서 증가되었지만, 갑상선의 유두상암 혹은 소포암을 가

진 12명에서는 증가되지 않았다고 하였다 (Inaji 등, 2000). 다른 연구는 갑상선 수질암 환자의 80% (12명/15명)에서 혈청 proGRP의 농도가 증가함을 발견하였다 (Ide 등, 2001).

41.5.3.5. 향후 방향 Future direction

많은 양의 proGRP가 분비되지만, 혈중 형태의 proGRP에 대해서는 아직 특징화되어 있지 않으며, proGRP의 C-말단 절편에서 유래된 펩티드의 생물학적 활성 또한 충분하게 연구되어 있지 않다. proGRP31-98 농도의 증가를 보고한 연구는 항원 결정 인자에 대한 다클론 항체를 이용하고 있다. 생체 내에서 발견되는 proGRP 절편을 확인하기 위해서는 특이한 단클론 항체의 개발이 필요하다. 계통발생학적 (phylogenetic) 분석은 포유동물에서 proGRP43-97과 같이 잘 보존된 염기 서열의 절편이 중요한 생리학적 역할을 가진 펩티드를 생성함을 보여 주었지만, 건강한 조직과 암에서 이들 절편의 역할을 규명하고 아미드화된 GRP의 작용과는 다른 효과를 확인하는 추가 연구가 필요하다. proGRP의 C-말단 절편은 GRPR을 통해 작용하지 않는다는 사실은 이와 관련이 있는 수용체를 발견할 경우 새로운 암 치료법에 이용될 선택적 대항제가 개발될 수 있음을 시사한다 (Ishia 등, 2009).

41.6. 국소 붕괴된 기저세포층을 가진 전립선에서 chromogranin A 및 microRNA (miRNA)의 비정상적 발현

Aberrant expression of chromogranin A and microRNA (miRNA) in prostate structure with focally disrupted basal cell layer

기저세포층은 종양을 억제하는 인자인 p63과 maspin의 유일한 근원지이며, 기저층의 붕괴는 종양이 침범을 일으키기 위해 반드시 필요한 전제 조건이라는 사실 (Cher 등, 2003)에 근거하여 전립선암에서 기저세포의 붕괴를 조기에 확인할 수 있는 방법을 찾으려는 연구가 근래 많이 시도되었다. 침범이 일어났거나 일어나지 않은 전립선암 환자 50명을 대상으로 기저세포층의 구조적 완전성을 조사한 연구에 의하면, 평가된 2,047점의 관 및 세엽 표본 중 197점에서 최소한 연속된 세 조직 절편 중 최소한 세 개의 기저세포를 합친 크기 이상의 틈이 생길 정도로 기저세포가 소실된 경우로 정의되는 기저세포층의 국소적 붕괴가 발견되었다 (Man 등, 2011). 기저세포층의

국소적 붕괴의 빈도는 22명의 환자에서는 전혀 관찰되지 않았다는 보고부터 환자 17명의 관 혹은 세엽 중 1/3에서 관찰되었다는 보고까지 다양하다 (Man 등, 2005). 붕괴되지 않은 경우에 비해 국소적으로 붕괴된 기저세포층은 종양을 억제하는 인자의 발현 및 증식의 빈도가 낮지만, 변성 및 백혈구 침습의 빈도가 유의하게 더 높다 (Man 등, 2005). 반면, 국소적으로 붕괴된 기저세포층 위에 있는 상피세포의 경우 세포의 성장, 종양의 침범, 줄기세포 등과 관련이 있는 표지자, 예를 들면 leukemia inhibitory factor (LIF), myeloid cell leukemia 1 (MCL1), receptor tyrosine kinase (RTK), nuclear receptor co-repressor 2 (NCOR2) 등의 발현 및 증식의 빈도가 유의하게 더 높다. 이들 결과를 근거로 전립선암의 침범은 자가 면역 반응에 의해 기저세포층이 국소적으로 붕괴되고 기원세포 (progenitor) 혹은 생물학적으로 더 공격적인 세포 클론의 단클론 증식이 일어남으로써 유도된다는 주장이 제기되었다 (Man과 Gardner, 2008). 이는 국소적으로 붕괴된 종양의 피막에서 생긴 종양세포의 발아 ('budding')는 식도암 (Miyata 등, 2009), 결장직장암 (Wang 등, 2009) 등을 포함하는 다양한 종류의 암을 가진 환자의 예후 및 생존을 예측할 수 있는 유력한 예후 인자라는 여러 연구의 결과와 일맥상통한다. 따라서 국소적으로 붕괴된 기저세포층에 있는 세포 군집을 조기에 발견하고 중재적 시술을 가함은 과학적이고도 치료적으로 가치가 있다고 생각된다.

근래의 연구는 전립선암의 신경내분비 분화가 거세 저항성 질환으로의 진행과 관련이 있으며, 혈중 CHGA는 신경내분비 분화를 반영하고 호르몬에 대한 무반응과 상호 관련이 있음을 보여 주었다 (Ather 등, 2008). 따라서 CHGA는 조기의 세포 분화 혹은 종양 줄기세포를 나타내는 표지자로서 국소적으로 붕괴된 기저세포층을 가진 전립선 구조에서 높게 발현된다는 가설 하에서 CHGA를 발현하는 세포의 분포와 기저세포층의 국소적 붕괴 사이의 상관관계를 평가해 볼 필요가 있다. 또한, 많은 증거들이 microRNAs (miRNAs)가 종양의 진행과 침범에서 중요한 역할을 함을 보여 주었기 때문에, CHGA 양성 세포군과 형태학적으로 유사한 CHGA 음성 세포군 사이에서 miRNAs의 발현을 평가함으로써 암의 조기 진단에서 miRNAs의 역할을 연구해 볼 필요도 있다.

많은 연구자들은 전립선암의 침범 혹은 전이가 정상, 과다 형성, 전립선상피내암, 침범 혹은 전이 등의 다단계를 거치며 진행한다는 데 공감하고 있으며, 어느 병기에서 다른 병기로 의 진행은 유전적 이상의 축적과 병기 특이 분자의 발현에 의해 유발된다고 생각된다 (DeMarzo 등, 2003). 이러한 가설은 세포 배양 및 동물 모델에 관한 연구의 결과로 지지를 받았지만, 다음과 같은 사실에 의해 완전한 공감을 얻기에는 문제가 있음도 제기되었다. 첫째, 19~29세의 일부 건강한 남성에서 전립선상피내암, 초기 전립선암 등과 같은 전립선 병변이 발견되었다는 보고가 있다 (Gardner, 1995). 둘째, 침범을 일으킨 전립선암에서 확인된 것과 동일한 DNA 표현형이 일부 건강한 남성과 전립선암에 인접한 정상 전립선 조직에서 발견되었다는 보고가 있다 (Malins 등, 2005). 셋째, 많은 노력에도 불구하고 한 병기에서 다른 병기로의 진행을 일으키는 기전이나 분자가 규명되어 있지 않다. 종양의 진행 혹은 침범과 관련이 있는 많은 표지자가 보고되었지만, 전립선암의 임상적 진단 표지자로서 미국 식품의약국으로부터 승인된 것은 PSA가 유일하다 (Kasahara와 Tsukada, 2004). 넷째, 전립선상피내암이 침범성 혹은 전이성 전립선암의 전구체로 간주되지만, 임상적, 유전적, 생화학적 양상에서 많은 차이를 나타내는 불균일한 병변을 가지고 있다 (Joniau 등, 2005). 다섯째, 이행부 및 중심부 전립선의 전립선상피내암을 가진 789명의 환자를 11년 동안 장기간 추적 관찰한 연구는 4.6% (36명/789명)에서 전립선암이 발생했다고 하였다 (Harvei 등, 1998). 여섯째, 전립선상피내암을 가진 207명을 2년 동안 단기간 추적 관찰한 연구는 저등급 전립선상피내암의 30%, 고등급 전립선상피내암의 27%에서 전립선암이 발생했다고 하였다 (Goeman 등, 2003).

그러나 대부분의 전립선상피내암 환자는 증상이 없고 PSA가 증가하지 않기 때문에, 이들 중에서 침습성 전립선 병변을 가질 위험이 큰 특이 환자를 확인한다는 것은 매우 어려운 과제이다 (Ashida 등, 2004). 또한, computerized tomography (CT), 초음파 유도 하 전립선 생검, 유전자 발현 양상 등을 포함하는 어떠한 임상 검사도 어느 전립선상피내암이 진행할 것인지를 예측할 수 없다. p53, v-erb-b2 avian erythroblastic leukemia viral oncogene homolog 2 (ERBB2 혹은 human epidermal growth factor receptor 2, HER2), Ki-67 (혹은 marker of proliferation Ki-67, MKI67), estrogen receptor (ER), progesterone receptor (PR), B-cell lymphoma 2 (BCL2), 혈관 형성 표지자 등에 관한 유방암 연구는 이들 모든 표지자가 조직학적 등급과 상당한 상관관계를 보였지만, 어떠한 것도 침습성 병기로의 진행과는 관련이 없었다고 하였다 (Warnberg 등, 2001). 따라서 전립선상피내암의 진행을 감시하기 위해 유용한 유일한 방법은 반복적인 생검인데, 이 방법은 고비용을 요구하고 통증을 동반한다는 제한점이 있다. 전립선암 환자의 90% 이상이 침습성 질환으로 인해 사망에 이르며 전립선상피내암의 빈도가 관습적인 혹은 초음파 유도 하 전립선 생검을 통해 16.5~25%로 높다고 보고되기 때문에 (Joniau 등, 2005), 전립선암이 침습을 일으키는 고유의 기전을 발견하고 침습성 병변을 일으킬 위험이 있는 특이한 종양 혹은 환자를 조기에 발견할 필요가 있다. 조기에 진단 및 중재적 시술이 이루어진다면, 예후가 유의하게 개선되고 치료와 관련이 있는 비용이 절감하게 될 것이다.

앞에서 기술된 바와 같이, 침습의 전면에 있는 기질 내에 하나의 세포 혹은 4개까지의 세포로 구성된 작은 군집으로 규정되는 '종양세포의 발아'는 식도암 (Miyata 등, 2009)과 결장직장암 (Wang 등, 2009)을 가진 환자의 예후와 생존을 예측할 수 있다. 폐 선암을 가진 201명에 관한 연구는 181명의 침습성 선암 환자 중 43.1% (78명/181명)에서 종양 발아가 관찰되었다고 하였다. 또한, 종양 발아가 있음은 림프절 전이 (p=0.005), 혈관 침습 (p=0.003), 흉막 침습 (p=0.009) 등과 유의하게 관련이 있었다. 종양세포의 발아가 있는 경우와 없는 경우의 전반적 5년 생존율은 각각 67.5, 88.3%이었다 (p=0.0057). 둥지를 형성하는 종양세포에 비해 발아 세포에서는 E-cadherin, β-catenin 등과 같은 세포접착분자의 발현이 유의하게 감소되는 데 비해 (p<0.05), laminin 5-gamma2의 발현은 유의하게 증가된다 (p<0.05) (Yamaguchi 등, 2010). 전립선암에서 보고된 CHGA 양성 세포의 형태학적, 면역조직화학적 양상이 식도암 (Miyata 등, 2009), 결장직장암 (Wang 등, 2009), 폐암 (Hart, 2009), 유방암 (Fu 등, 2011) 등에서 기술된 연구 결과와 매우 유사하다는 점은 이들 세포가 동일한 임상 과정으로 진행하며 동일한 결과를 가짐을 시사한다 (Man 등, 2011).

50명의 국소 전립선암 환자로부터 채집된 표본을 대상으로 기저세포와 CHGA에 대한 단클론 항체를 이용하여 면역조직화학적 분석을 실시한 연구는 CHGA 양성 세포가 모든 환자의 기저세포층과 관강세포군 둘 모두에서 관찰되었지만, 16% (8명/50명)에서만 주어진 부위에서 CHGA 양성 세포가 응집되어 큰 군집을 형성하였고 이들 모든 혹은 거의 모든 세포가 유사한 형태학적, 면역조직화학적 양상을 나타내었다고 하였다. miR-146a와 miR-146b-5p의 발현은 CHGA 음성 세

포 군집에 비해 CHGA 양성 세포 군집을 가진 상피 구조물에서 각각 5배와 7배 더 낮았다. 기저세포층의 국소적 붕괴와 miR-146a 및 miR-146b-5p의 감소 혹은 소실은 전립선암의 침습 그리고 호르몬에 대한 무반응과 상호 관련이 있다고 보고된 바 있기 때문에, 이들 결과는 기저세포층이 국소적으로 붕괴된 상피 구조물에서 관찰되는 CHGA의 비정상적 발현이 이들 사건을 조기에 알려 주는 신호로 간주될 수 있음을 보여 준다 (Man 등, 2011).

NOTCH 단백질의 일부는 세포 외부에, 일부는 세포 내부에 위치해 있으며, ligand 단백질과 세포 외부 영역이 결합하면 단백질 분해를 통해 세포 내부 영역이 분절되고 유리된다. 유리된 영역은 세포의 핵으로 들어가 유전자의 발현을 변경시킨다. 이 단백질은 세포 간의 신호 전달에 관여하고 배아 발생에서 lateral inhibition에 관여한다. miR-146a 및 miR-146b-5p에 의해 조절되는 NOTCH 신호 경로와 활성화된 혹은 비활동성 T 림프구에서 interleukin 2 (IL-2)의 발현은 전립선암을 포함하는 여러 종류의 암에서 흔히 조절 장애를 일으킨다 (Pannuti 등, 2010). miR-146a는 안드로겐 의존성 전립선암에서 hyaluronan/RhoA-kinase 1 (HA/ROCK1)에 의한 종양 형성을 억제하는 유전자로서 기능을 한다고 추측된다 (Xu 등, 2010). 또한, pre-miR-146a의 유전적 변동은 완전한 miR-146a의 발현양에 영향을 주며, 이는 전립선암의 유전적 소인이 된다 (Xu 등, 2010). 많은 연구는 miR-146a 및 miR-146b-5p의 비정상적인 발현과 거세 저항성 전립선암의 발생 (Lin 등, 2008) 혹은 신경교종의 침습이나 이동 (Katakowski 등, 2010) 사이에 연관성이 있다고 하였다. 이러한 결과를 종합해 볼 때, 종양의 피막이 완전한지를 확인하고 국소적으로 붕괴된 종양 피막 위에 있는 세포의 성장 패턴 및 생물학적 양상을 확인하는 과정은 침습을 일으킬 경향이 있는 종양의 유형과 침습의 위험이 높은 환자를 발견하는 데 도움이 된다고 생각된다 (Man 등, 2011).

CHGA 양성인 세포의 군집이 주로 국소적으로 붕괴된 기저세포층이 있는 상피 구조물에서 형성되는 기전은 분명하게 알려져 있지 않지만, 그러한 기저층의 붕괴로 인해 일어나는 생리학적 결과로 인해 CHGA 양성 세포의 군집이 나타난다고 생각된다. 전립선 상피는 정상적으로 혈관과 림프관을 가지고 있지 않기 때문에, 또한 기저세포층은 종양을 억제하는 인자의 유일한 근원지이기 때문에, 기저세포층에서의 국소적 붕괴는 다음과 같은 여러 국소적 변화를 일으킬 수 있다. 첫째,

종양을 억제하는 인자 및 주변 분비를 억제하는 기능이 국소적으로 소실되며, 이는 상피세포의 성장을 유도하고 세포 자멸사를 억제한다 (Brummer 등, 2006). 둘째, 산소, 영양소, 성장 인자 등에 대한 투과성이 국소적으로 증가되며, 이는 선택적으로 기원세포 혹은 줄기세포의 증식을 촉진한다 (Csete 등, 2001). 셋째, 백혈구의 침윤이 증가되며, 이는 직접적인 물리적 접촉을 통해 성장 인자를 상피세포로 직접 전달하게 만든다 (Qu, 2006). 넷째, 상피세포와 기질세포의 직접적인 접촉이 일어나며, 이는 기질의 matrix metalloproteinase (MMP)의 발현을 증대시키거나 E-cadherin 혹은 기타 세포접착분자의 정상적인 생성 및 분포를 억제함으로써 상피세포의 중간엽세포로의 이행 (epithelial-mesenchymal transition, EMT)과 세포의 이동을 촉진한다 (Klos 등, 2006). 다섯째, 상피세포가 여러 cytokines에 직접 노출되며, 이는 혈관 형성 의태 (mimicry)와 종양의 혈관 형성을 촉진한다 (Carter 등, 2001). 여섯째, 새로 형성된 세포 군집과 기질세포가 직접 접촉하게 되며, 이는 기질 조직의 구조 변경과 혈관 형성을 촉진하는 tenascin 및 기타 침습 관련 분자의 생성을 자극함으로써 상피세포의 이동과 증식에 유리한 미세 환경이 조성된다 (Ilunga 등, 2004).

이러한 변화는 개별적으로 혹은 연합하여 그러한 붕괴 부위에 있는 세포의 증식과 운동성을 증대시킨다. 더욱이 이들 변화는 국소적으로 붕괴된 기저세포층에 분포해 있는 기원세포 혹은 줄기세포의 증식을 선택적으로 촉진하거나 유사분열 촉진제에 의해 활성화되는 protein kinases와 protein kinase C를 활성화하여 침묵하고 있는 잔존 줄기세포의 기능화를 촉진한다. 그러므로 침습을 일으키기 전이지만 CHGA를 발현하는 전립선암은 침습성 종양으로 진행할 소인을 가진 기원세포의 군집을 형성하거나 생물학적으로 더 공격적인 세포 클론을 형성한다고 생각된다 (Man 등, 2011).

41.7. 전립선암에서 안드로겐 박탈 요법 동안 혈청 신경내분비 표지자의 변화

Changes in serum neuroendocrine marker during androgen deprivation therapy in prostate cancer

41.7.1. Chromogranin A (CHGA) and neuron-specific enolase (NSE)

신경내분비 표지자 중 CHGA와 NSE에 관한 보고가 가장 많

다. 한 연구에 의하면, 근치전립선절제술 후 PSA가 증가한 pT3 전립선암 환자에게 안드로겐 박탈 요법을 실시한 경우 혈청 CHGA 농도가 증가하였으며, CHGA 경사도가 거세 요법에서는 0.60 ng/mL/month이었고 bicalutamide에 의한 단일 요법에서는 0.29 ng/mL/month인 데 비해, 안드로겐 차단제를 복합적으로 사용한 경우에는 CHGA가 증가하지 않았다. 이 연구에서 추적 관찰한 기간은 24개월이었으며, 이 연구에는 거세 저항성 전립선암 환자가 포함되지 않았다 (Sciarra 등, 2004). 일부 연구는 혈청 NSE 농도의 진행에 관하여 보고하였다. CHGA 및 NSE 농도의 변화는 골 전이로 인하여 방사선을 이용한 완화 요법을 받고 있는 거세 저항성 전립선암 환자에서 관찰되었는데, 방사선 요법 후에는 혈청 NSE 농도가 감소하였고 혈청 PSA 및 CHGA 농도는 증가하였다 (Hvamstad 등, 2003). 전립선암 환자를 15개월 동안 관찰한 연구에 의하면, 호르몬 요법을 받지 않은 환자에 비해 호르몬 요법을 받은 환자에서는 마지막 6개월 동안 CHGA에 대한 양성률이 통계적으로 유의하게 더 높았다 (p〈0.001) (Tarle 등, 2002). 거세 저항성 전립선암 환자를 대상으로 평균 4년 동안 추적 관찰을 실시하고 CHGA 농도의 변화를 평가한 연구는 전이 전립선암 환자에서는 호르몬 요법 동안 혈청 CHGA의 농도가 혈청 PSA 농도와 관련이 없었으며, 혈청 CHGA는 호르몬 요법의 기간이 길수록 증가하는 정상관관계를 보였다고 하였다 (p〈0.05). CHGA의 증가 속도는 PSA 실패가 없는 환자에 비해 PSA 실패를 가진 환자에서 더 높았는데, 각각 2.09, 6.98 ng/mL/month이었다 (p=0.011). 이는 CHGA 농도의 증가 속도가 호르몬 요법 후 안드로겐 비의존성 전립선암으로의 진행을 예측할 수 있는 인자임을 시사한다. 그러나 동일한 코호트에서 혈청 NSE의 농도는 호르몬 요법 동안 유의한 변화가 관찰되지 않았다 (Sasaki 등, 2005).

도표 194에는 호르몬 요법 동안 혈청 CHGA의 변화를 평가한 연구의 결과가 요약되어 있다. 이들 자료를 비교해 볼 때, 신경내분비 분화는 안드로겐 박탈 요법을 강하게 할수록 더 신속하게 진행한다. 혈청 CHGA의 농도로 확인한 바에 의하면, 신경내분비 분화는 대기 요법, 적극적 감시요법 등 치료를 하지 않거나 간헐적 호르몬 요법을 하는 동안에는 진행하지 않는다. 반면, 최대한으로 안드로겐 차단제를 사용하면 특히 진행된 전립선암에서 신경내분비 분화가 가장 신속하게 유도된다 (Kamiya 등, 2009).

도표 194 전립선암 환자의 호르몬 요법 동안 혈청 CHGA 농도의 변화에 관한 연구

참고 문헌	환자 수	치료	CHGA 변화, ng/mL/month	추적관찰, 개월	치료 전 CHGA[†]	치료 전 PSA[†]
Tarle 등, 2002	병기 C~D1 67	않음	→ (0)	15	38	14
	양성전립선비대 20	않음	→ (0)	15	41	5
Sciarra 등, 2004	RP 후 PSA 실패 (pT3) 24	항안드로겐 단일 요법	↑ (0.29)	24	36	6
	RP 후 PSA 실패 (pT3) 24	LHRH 작용제 단일 요법	↑ (0.60)	24	33	6
Sciarra 등, 2003	RP 후 PSA 실패 (pT3) 20	최대 안드로겐 차단제	↑ (0.83)	24	38	1.3
	병기 D2 20	최대 안드로겐 차단제	↑ (1.00)	24	73	41
	병기 D2 20	간헐적 안드로겐 차단제	→ (0)			
Sasaki 등, 2004	병기 D2 38	최대 안드로겐 차단제	↑ (4.04)	47.1	108	1941
	병기 D2, 거세 저항성, PSA 실패 17		↑ (6.97)			

[†], CHGA와 PSA 농도의 단위는 ng/mL.

CHGA, chromogranin A; LHRH, luteinizing hormone-releasing hormone; PSA, prostate-specific antigen; RP, radical prostatectomy.

Kamiya 등 (2009)의 자료를 수정 인용.

41.7.2. ProGRP

병기 D의 전립선암 환자에서 호르몬 요법 동안 혈청 proGRP를 연속으로 측정한 연구는 처음 농도와 호르몬 요법 후 4개월의 농도를 비교하였을 때 호르몬 요법 후에는 혈청 proGRP의 농도가 감소한다고 하였다. 혈청 proGRP 농도에서의 종적 변화는 분명한 패턴을 나타내지 않으며, 혈청 PSA와 상관관계를 보이지도 않는다 (Yashi 등, 2002).

41.8. 신경내분비 표적 요법
Neuroendocrine-targeted therapy

신경내분비 표적 요법으로는 somatostatin (SST) 유사체, bombesin 대항제, serotonin 대항제, mammalian target of rapamycin (mTOR) 억제제 등이 있다.

41.8.1. Somatostatin (SST) 유사체
Somatostatin (SST) analogs

SST는 전립선의 분비성, 신경내분비, 기질, 내피세포에서 발현되는 SSTR을 통해 신경내분비 및 기타 성장 조절 시스템에 대항하는 작용을 한다. SSTR이 항암 효과를 나타내는 기전으로는 혈관 형성 및 증식의 억제, 세포 자멸사의 촉진 등이 있다 (Hansson 등, 2002). 또한, SST 유사체는 높은 치료 지수를 나타내며, 중대한 부작용을 일으키지 않는다 (Schally, 1988). 보고되는 부작용은 대부분 위장관 증상이며, 경미한 욕지기, 설사, 변비 등이다. SST는 신경내분비 활성을 억제하는 유일한 신경내분비 물질이다. 임상에서는 두 가지의 SST 유사체

가 이용되고 있다. Octreotide는 여러 발표된 보고에서 만족스러운 결과를 보이지 않는다 (Verhelst 등, 1994; Vainas 등, 1997). 거세 저항성 전립선암은 Lanreotide의 단일 요법에 대해 약한 반응을 나타낸다 (Maulard 등, 1995; Figg 등, 1995). SST 유사체와 dexamethasone의 병용 요법이 진행이 없이 7개월 동안 생존한 거세 저항성 전립선암 환자의 90%에서 PSA와 증상에 대해 반응을 나타내었다는 보고가 있으며 (Koutsilieris 등, 2004), Lanreotide와 ethinylestradiol의 병용 요법이 진행이 없이 18.5개월 동안 생존한 거세 저항성 전립선암 환자의 90%에서 PSA와 증상에 대해 반응을 나타내었다는 보고도 있다 (Di Sillverio와 Sciarra, 2003). 이러한 치료 동안 혹은 치료 실패 후조차도 혈청 CHGA는 감소되어 정상 범위를 유지하였다. 따라서 SST와 다른 제제와의 병용은 거세 저항성 전립선암의 치료에서 어떠한 역할을 한다고 생각된다 (Sciarra 등, 2004).

41.8.2. Bombesin 대항제 Bombesin antagonists

Polypeptide 호르몬인 bombesin과 GRP는 자가 분비 및 주변 분비 방식의 성장 인자로서 작용하며, 세포의 성장, 분화, 세포 자멸사 등을 조절한다 (Djakiew, 2000). Tetradecapeptide bombesin은 유럽산 무당개구리의 피부에서 분리되었으며, 그 후 포유동물에서 bombesin과 유사한 펩티드가 특징화되었는데, GRP와 neuromedin B (NMB)이다 (Spindel 등, 1993). GRP와 bombesin은 위장관 호르몬의 분비에 영향을 주며, gastrin과 SST의 분비를 자극하고, 췌장의 외분비성 분비를 유도하며 (Ohki-Hamazaki 등, 2005), 위, 담낭, 자궁, 방

광, 전립선 등의 평활근 수축을 유도한다 (Watts와 Cohen, 1991). GRP는 처음에는 Swiss 3T3 쥐 배아의 섬유모세포에 대한 유사분열 촉진제로 알려졌으나, 그 후 생체 실험 및 세포 배양에서 많은 종류의 정상 세포와 종양에 대해서도 영향을 준다고 보고되었다 (Sausville 등, 1990). 소세포암과 기타 종양에서 GRP와 GRPR이 발견된다는 보고에 근거하여 현재는 GRP가 전형적인 자가 분비성 성장 인자로 간주되고 있다 (Cuttitta 등, 1985). GRP는 전립선암, 유방암, 결장암, 췌장암 등을 포함하는 여러 종류의 암에서 성장 인자를 자극한다고 알려져 있다 (Hohla와 Schally, 2010). 앞에서도 기술된 바 있지만, 포유동물에는 bombesin/GRP 가족 펩티드의 수용체가 세 종류가 있다. GRPR 혹은 BB_2로 명명되는 아형 1 수용체는 bombesin, GRP, GRP 대항제인 RC-3940-II 등과 높은 친화도로 결합한다. NMBR 혹은 BB_1으로 명명되는 아형 2 수용체는 주로 NMB와 결합하지만 중등도의 친화도로 GRP와도 결합한다. BRS3 혹은 BB_3로 명명되는 아형 3 수용체는 아직 그것의 ligand가 발견되지 않아 희귀 수용체로 분류된다 (Rick 등, 2012). GRPR을 차단하는 GRP의 대항제는 여러 악성 종양의 치료제로 개발되고 있다 (Stangelberger 등, 2008). RC-3940-II를 포함한 강력한 GRP 대항제는 실험에서 전립선암 및 기타 많은 암의 성장을 억제하였으며, VEGF, epidermal growth factor (EGF), basic fibroblast growth factor (bFGF) 등과 같은 종양의 성장과 관련이 있는 인자를 억제하였고, 그들의 수용체를 하향 조절하였다 (Szepeshazi 등, 2012). GRPR은 정상 전립선, 양성전립선비대, 전립선암 등의 조직과 전립선암 세포주에서 발견된다 (Patel 등, 2006).

양성전립선비대는 나이가 증가함에 따라 점차적으로 전립선의 선 조직과 기질 조직이 증식하는 질환이며 (Isaacs, 1994), 질환의 임상적 특징은 전립선 크기의 증가와 하부요로증상이다. 양성전립선비대를 효과적으로 완전하게 치료하는 방법은 없다. 내과적 요법으로는 아드레날린성 긴장을 낮추는 α-adrenergic 차단제, dihydrotestosterone (DHT)의 농도를 감소시키는 5α-reductase inhibitor (5-ARI), 이들의 병용 등이 있다. 수술은 보통 경요도전립선절제술로 이루어지는데, 이는 가장 효과적인 시술이다 (Ventura 등, 2011). 다양한 성장 인자와 염증이 양성전립선비대의 발병 기전으로 보고되지만 아직 분명하지 않으며, 보다 확실한 치료법이 요구되고 있다 (Rick 등, 2013). Wistar 수컷 쥐에게 테스토스테론을 주사하면 양성전립선비대가 발생하며 (Maggi 등, 1989),

주로 상피의 과다 형성을 나타낸다 (Altavilla 등, 2012). Growth hormone-releasing hormone (GHRH), luteinizing hormone-releasing hormone (LHRH) 등과 같은 신경호르몬 또한 양성전립선비대에 관한 실험에서 성장 인자로서 작용한다 (Rick 등, 2012). GHRH 혹은 LHRH의 강력한 합성 대항제는 실험에서 전립선의 GHRH 혹은 LHRH를 직접 억제하거나 염증을 유발하는 IL-1β, nuclear factor kappa B (NFκB)/p65, cyclooxygenase 2 (COX2) 등과 기타 다양한 성장 인자 및 염증성 cytokines를 억제함으로써 양성전립선비대를 위축시켰다 (Rick 등, 2011).

테스토스테론을 주사하여 양성전립선비대를 일으킨 Wistar 쥐를 이용한 생체 실험과 사람의 전립선 상피세포 BPH-1 및 전립선 기질세포 WPMY-1을 이용한 생체 밖 실험에서 GRP 대항제인 RC-3940-II가 세포의 생존과 세포의 용적에 미치는 영향을 평가한 연구는 다음과 같은 결과를 보고하였다 (Rick 등, 2013). 첫째, 생체 밖 실험에서 RC-3940-II는 용량 의존적으로 BPH-1과 WPMY-1 세포의 증식을 억제하였으며, 전립선의 세포 용적을 감소시켰다. 둘째, 전립선의 위축은 RC-3940-II로 치료한 후 6주에 관찰되었는데, 용량이 25 μg/day의 경우 15.9%, 50 μg/day의 경우 18.4%의 위축을 보였다 ($p < 0.05$) (도표 195). 셋째, 증식 세포의 핵 항원 (proliferating cell nuclear antigen, PCNA), NFκB/p50, COX2, 안드로겐 수용체 등의 수치 또한 유의하게 감소하였다. 넷째, 성장, 염증 과정, 신호 전달 등과 관련이 있는 유전자의 전사물을 분석한 결과 90종 이상의 유전자에서 발현의 변화가 관찰되었다. 이들 결과를 근거로 저자들은 실험용 양성전립선비대에서 GRP의 대항제가 전립선의 GRPR을 직접 억제함으로써 전립선 세포의 용적을 감소시키고 전립선의 무게를 줄이기 때문에, GRP 대항제는 양성전립선비대의 유망한 치료법으로 개발될 수 있다고 하였다.

Bombesin의 대항제 RC-3095는 Dunning R-3327-AT-1 세포 (Pinski 등, 1994), DU145 세포 (Jungwirth 등, 1997), PC3 세포 (Jungwirth 등, 1997)의 성장을 억제한다고 보고되었으며, 이와 같은 결과는 전립선암을 포함한 악성 종양에서 bombesin을 표적화하는 치료가 유망함을 나타낸다. 즉, 전립선암 세포주에서 bombesin은 안드로겐 비의존성 성장을 자극하기 때문에, bombesin의 작용을 억제하면 거세 저항성 전립선암의 치료에 유효할 것으로 생각된다 (Ishimaru 등, 2002).

도표 195 쥐의 복측 전립선에서 GRP 대항제 RC-3940-II의 전립선 상피, 세포 증식, 세포 자멸사 등에 대한 효과

그룹	시야에서 상피가 차지 하는 평균 면적, %	완전하게 상피세포로만 구성된 하나의 이론적 영역 내에서 유사분열 세포의 수	완전하게 상피세포로만 구성된 하나의 이론적 영역 내에서 자멸사 세포의 수
대조군	$15.1 \pm 1.2^{\dagger}$	1.10 ± 0.23	0.82 ± 0.50
테스토스테론	31.8 ± 1.6	1.04 ± 0.25	1.06 ± 0.17
Finasteride	$20.6 \pm 0.2^{\dagger}$	0.40 ± 0.21	$2.10 \pm 0.15^{\dagger}$
RC-3940-II (25 μg/day)	$23.9 \pm 2.0^{\dagger}$	$0.14 \pm 0.14^{\dagger}$	$2.96 \pm 0.29^{\dagger}$
RC-3940-II (50 μg/day)	$21.2 \pm 1.6^{\dagger}$	0.52 ± 0.32	$4.22 \pm 1.01^{\dagger\ddagger}$

Wistar 쥐에게 테스토스테론을 투여하여 양성전립선비대를 형성한 후 finasteride, RC-3940-II 등의 효과를 분석한 연구이며, one-way analysis of variance (ANOVA) 후 Bonferroni t test에 의해 평가되었다.

[†], 테스토스테론 군과 비교 시 $p < 0.05$; [‡], 테스토스테론/finasteride 군과 비교 시 $p < 0.05$.

GRP, gastrin-releasing peptide.

Rick 등 (2013)의 자료를 수정 인용.

Bombesin은 소세포 폐암, 위암, 신경모세포종 (neuroblastoma) 등의 종양 표지자로 알려져 있다 (Ohlsson 등, 1999). Bombesin/GRP의 생리학적 효과는 전립선암 조직에서 안드로겐 의존성 성장, 침범, 전이 외에도 bombesin 수용체의 존재 및 세포 내부의 신호 경로와 관련이 있다 (Nelson과 Carducci 2000). 사람의 전립선암 중 91%는 GRP 수용체를 발현하는데, 이는 bombesin/GRP가 전립선암의 일반적인 진행에서 중요한 역할을 함을 시사한다 (Sun 등, 2000). Bombesin/GRP의 대항제인 RC-3940-II가 누드마우스로 이종 이식된 안드로겐 비의존성 PC3 전립선암 세포주의 성장을 크게 억제하였다는 보고가 있으며 (Jungwirth 등, 1997), bombesin의 강력한 세포 독성 유사체인 AN-215가 DU145 세포주에서 BCL2/BAX 비율을 감소시키고 LuCaP-35 세포주에서 세포 자멸사에 대항하는 기능을 가진 BCL2의 발현을 감소시킨다는 보고도 있다 (Stangelbergere 등, 2006). 따라서 bombesin의 대항제는 앞으로 전립선암에 대한 효과적인 치료제로 개발될 가능성이 있다 (Levine 등, 2003).

GRPR은 전립선암에서 과다 발현된다는 보고 외에도, serine/threonine protein kinase인 mTOR을 억제하면 여러 종류의 암세포가 방사성 핵종 요법에 대해 민감해진다는 보고에 근거하여 PC3 전립선암 세포주를 대상으로 ^{177}Lu-labeled GRPR의 대항제인 ^{177}Lu-RM2 (BAY 1017858)를 단독으로 혹은 rapamycin 및 방사선 요법과 연합하여 치료한 후 효과를 평가한 연구는 다음과 같은 결과를 얻었다 (Dumont 등, 2013). 첫째, 4 mg/kg까지의 rapamycin 요법 후에도 GRPR은 안정적인 발현을 유지하였다. 둘째, 72 및 144 MBq의 고용량 ^{177}Lu-RM2에 의한 단독 요법은 치료를 받은 생쥐의 60%에서 종양의 완전한 완화에 효과적이었다. 셋째, 단독 요법에 비해 37 MBq의 ^{177}Lu-RM2와 rapamycin의 병합 요법은 생존 기간을 유의하게 더 연장하였으며, 치료로 인한 독성 효과는 나타나지 않았다. 이들 결과를 종합하여 저자들은 ^{177}Lu-labeled GRPR의 대항제를 이용한 단독 요법 혹은 rapamycin과의 병합 요법이 생체 실험에서 종양의 성장을 억제하는 데 효과적이었으며, 전립선암의 치료에서 유망한 전략이 될 수 있다고 하였다.

41.8.3. Serotonin 대항제 Serotonin antagonists

신경내분비세포는 생체 아민의 신경전달물질이면서 전립선암의 성장과 관련이 있는 강력한 유사분열 촉진제인 serotonin (5-HT)을 생성하고 분비한다. 5-HT receptor (5-HTR)는 거세 저항성 전립선암 조직 및 전립선암 세포주에서 과다 발현된다는 보고가 있다 (Siddiqui 등, 2006). 전립선암의 치료에서 5-HTR의 대항제를 이용한 후 전망이 밝은 결과를 보고한 연구가 있다 (Hansson과 Abrahamsson, 2003). 다른 연구는 5-HTR이 여러 병기의 종양에서 존재하며 5-HTR의 대항제는 안드로겐 비의존성 전립선암 세포주인 DU145의 증식 활동을 억제한다고 하였다 (Dizeyi 등, 2005).

41.8.4. Mammalian target of rapamycin (mTOR) inhibitor

mTOR은 protein kinase로서 단백질의 유전 암호 해독, 세포의 성장, 세포 자멸사 등을 조절한다. mTOR을 조절하는 경로의 변경은 전립선암, 방광암, 신장암 등을 포함하는 많은 경성 종양에서 일어나며, 전립선암 모델을 이용한 생체 실

험 및 생체 밖 실험은 전립선암의 진행과 전이를 조절하는 데 mTOR의 경로가 중요함을 보여 주었다 (Garcia와 Danielpour, 2008). 앞에서 기술된 바와 같이 신경내분비 분화는 PI3K-AKT-mTOR의 경로를 통해 활성화되며, mTOR의 억제제인 rapamycin은 안드로겐이 억제된 조건 하에서 LNCaP 내 NSE의 발현을 유의하게 억제시킨다는 보고가 있으며 (Wu와 Huang, 2007), DU145 및 PC3 세포주의 성장과 클론원성 생존은 rapamycin의 유사체인 temsirolimus (CCI-779), 즉 2007년 미국 식품의약국으로부터 신세포암에 대한 정맥 주사용 치료제로 승인된 약물에 의해 용량 의존적으로 억제되며, 이 제제는 DU145 및 PC3 세포주보다 DU145 및 PC3 세포주로부터 유래된 이종 이식 암의 성장을 더 크게 억제한다는 보고 또한 있다 (Wu 등, 2005).

41.8.5. 전립선 소세포암에 대한 화학 요법
Chemotherapy to small cell carcinoma of the prostate

신경내분비 소세포암은 조직학적으로 드문 변형으로서 원발 전립선암의 0.5~2.0%의 빈도로 발생한다. 그러나 근래의 부검 연구는 이러한 표현형이 거세 저항성 전립선암 환자의 10~20%에서 발생한다고 하였다 (Tanaka 등, 2001). 신경내분비 소세포 전립선암 환자의 약 50%에서는 소세포암과 선암이 혼합되어 있다. 대부분의 소세포 전립선암은 임상적으로 분명한 호르몬을 생성하지 않으나, 이러한 유형의 종양은 전립선암에서 임상적으로 분명한 adrenocorticotropic hormone (ACTH) 혹은 antidiuretic hormone (ADH)의 대부분을 생성한다 (Tetu 등, 1989; Kawai 등, 2003). 소세포 전립선암은 소세포 폐암과 동일하다고 생각된다 (Tetu 등, 1987). 따라서 cisplatin에 기초하여 소세포 폐암을 치료하기 위해 세포 독성 제제를 이용하는 방법으로 irinotecan (camptothecin 11, CPT-11)+cisplatin (cis-diamminedichloroplatinum, CDDP) 혹은 etoposide (VP-16; 약제를 연구한 화학자 von Wartburg와 von Kuhn 그리고 podophyllotoxin의 두문자를 합성한 명칭)+cisplatin (CDDP) 등이 있는데 (Noda 등, 2002), 이를 소세포 전립선암의 치료에도 적용할 수 있다 (Kamiya 등, 2009).

42. NK3 Homeobox Protein 1 (NKX3.1)

다른 암과 마찬가지로 전립선암에서 돌연변이의 발생을 알기

위해서는 loss of heterozygosity (LOH)를 흔하게 일으키는 염색체 자리를 확인하는 것이 중요하다. 비유전성의 산발성 전립선암에서 염색체 자리 (locus)의 LOH에 관한 연구에 의하면, 8p에서의 LOH는 전립선암의 85.9% (85점/99점)에서 관찰되었으며, 가장 높은 결실을 표지자는 염색체 8p12-21에 위치해 있는 D8S133, D8S136, NEFL, D8S137 등인데 각각 62%, 72%, 64%, 75%이었다 (Vocke 등, 1996). 전립선에서 발현되는 조절 인자 중 NKX3 homeobox 1 (NKX3.1) 유전자는 전립선암의 60~85%에서 LOH가 일어나는 염색체 8p21.2의 작은 부위에 위치해 있다 (Vocke 등, 1996; Voeller 등, 1997). NKX3.1의 발현은 배아 발생 동안 전립선이 형성되기 전에 전립선 상피세포의 윤곽을 만들며, 신생아가 발달하는 동안뿐만 아니라 재조합 조직에서도 전립선의 상피세포를 분명하게 만든다. 또한, NKX3.1은 전립선이 기능을 하는 데도 필요하기 때문에, NKX3.1이 없는 돌연변이체는 전립선관의 형성과 분비 단백질의 생성에 장애를 일으킨다. NKX3.1은 전립선 상피세포의 증식을 조절하며, NKX3.1의 소실은 암 전 단계와 연령이 증가함에 따라 상피세포의 과다 형성 및 이형성을 유발한다. 이러한 결과는 NKX3.1이 정상 전립선의 발달과 전립선암의 형성에서 중요한 역할을 함을 보여 준다. 즉, NKX3.1은 정상 전립선의 분화를 유지하고 NKX3.1의 소실은 전립선암의 형성을 유도한다 (Bhatia-Gaur 등, 1999).

전립선암의 85%까지에서 상실되는 8p21.2의 결실부위는 전립선에 특이한 homeodomain 단백질인 NK3 transcription factor homolog A 혹은 NK3 homeobox protein 1 (NKX3.1)을 코드화하는 유전자 NKX3.1를 포함하고 있다 (Swalwell 등, 2002). Homeodomain은 DNA 혹은 RNA와 결합하는 형태 형성 단백질로서 homeobox에 의해 코드화되며, 세포의 분화를 유도하고 다분화능 (pluripotency)을 유지하는 데 관여한다. NKX3.1은 특이하게 전립선의 관강 상피세포에서 발현되며, 전립선암이 호르몬 비의존성 및 전이로 진행함에 따라 점차 소실된다 (Bowen 등, 2000). NKX3.1 유전자는 전립선암에서 체세포 돌연변이를 일으키지 않지만 (Ornstein 등, 2001), 생쥐를 대상으로 분석한 연구는 NKX3.1 반수체 기능 부전 (haploinsufficiency; 2개 조의 염색체를 가진 개체에서 한쪽 복사가 돌연변이에 의해 불활성화되어 하나의 기능성 복사만 가짐으로써 표준형의 유전자 산물, 즉 단백질을 생성하지 못하는 경우이며, 이로써 비정상적 혹은 질병 상태가 만들어진다)이 전립선 상피세포의 이형성을 일으키고 다

른 발암성 돌연변이와 협동하여 종양의 형성을 촉진함을 보여 주었다 (Kim 등, 2002). 생쥐에 대한 유전자 표적 연구에서 *NKX3.1* 반수체 기능 부전의 경우 *NKX3.1*과 관련이 있는 경로가 불활성화됨으로써 과다 증식 및 전립선상피내암이 발생하였다 (Magee 등, 2003). 여러 자료들은 NKX3.1이 종양을 억제하는 기능을 가진 단백질이며, 초기 병기의 전립선암에서 불활성화됨을 보여 주었다.

일반적으로 이중 대립 유전자가 파괴되면 종양 억제 유전자는 억제 기능이 완전하게 상실되고 종양을 형성하게 된다. 일부의 경우에서는 억제 단백질의 농도가 감소됨으로써 세포의 표현형이 달라지기도 한다. 전사 인자의 활성은 농도에 민감하다. 예를 들면, 위암의 경우 이질 이합체로 형성된 전사 인자의 DNA 결합 요소를 코드화하는 유전자 *runt-related transcription factor 3/acute myelogenous leukemia 2 (RUNX3/AML2)*의 과다 메틸화 혹은 반수체 기능 부전은 억제 단백질의 발현을 감소시키고 초기 암의 발달에 관여한다 (Li 등, 2002). 생식세포종 (germ cell tumor)에서 종양을 억제하는 인자로 작용하는 homeoprotein인 octamer-binding transcription factor 3/4 (OCT3/4) 또한 유전자의 발현양에 따라 불활성화된다 (Gidekel 등, 2003). 그러나 LOH와 단백질 발현의 감소 사이의 관계는 충분하게 알려져 있지 않다. 전립선암 표본에서 NKX3.1의 발현을 평가한 한 연구는 조직 절편 내의 mRNA 혹은 단백질의 수치가 Gleason 등급이나 종양의 병기와 연관성이 없다고 보고하였다 (Korkmaz 등, 2004). 그러나 그러한 표본의 15% 이하에서 발현이 소실된 상태이었기 때문에, 단백질 발현에 대한 반수체 기능 부전의 영향을 평가하기 위해서는 생물학적 차이나 기술적인 문제로 생기는 개인별 변동으로 보정한 양적인 평가가 필요하다 (Bowen 등, 2000).

근치전립선절제술 후 채취한 원발 전립선암 표본 48점을 대상으로 형광면역현미경검사를 실시한 연구에서 *NKX3.1* LOH는 검사된 조직 표본의 63% (27점/43점)에서 발견되었다. *NKX3.1* 유전자 내에 있는 전형적인 CpG 섬의 메틸화는 전립선암 세포주나 조직에서 발견되지 않았다. 그러나 검사된 표본의 83% (33점/40점)의 경우 -921, -903, -47에 있는 CpG 부위가 인접한 정상 세포에 비해 악성 세포에서 더 크게 메틸화되었다. 면역형광법에 의해 측정된 NKX3.1 단백질의 발현은 모든 표본에서 평균 0.68 (95% CI 0.05)이었으며, 48점의 표본 중 43점 (약 90%)에서는 NKX3.1 단백질의 발현이 인접한 정상 관강 상피세포에 비해 0.34~0.90 감소하였다. 고등급 전립선상피내암을 가진 12점의 표본에서 NKX3.1의 발현 수치는 침범 전 및 침범 후 암세포와 비슷하였으며, 인접한 정상 세포에 비해서는 유의하게 더 낮았다. 대립 유전자가 상실된 경우에도 전립선암에서 NKX3.1의 발현이 크게 감소되어 NKX3.1의 발현에는 다양한 인자가 영향을 준다고 추측된다. 암세포에서 단백질의 발현이 중앙값 이하인 표본에서는 *NKX3.1* 결실과 선택적 CpG 섬 메틸화 모두가 관찰되었다. 이들 결과에 근거하여 저자들은 NKX3.1 발현의 감소는 고등급 전립선상피내암과 악성 형질 전환의 초기에 일어난다고 하였다 (Asatiani 등, 2005).

쥐의 전립선에서 NKX3.1이 세포의 성장과 분화를 조절한다는 보고와 *NKX3.1*의 결실은 *phosphatase and tensin homolog (PTEN)* 및 *tumor protein 27 (p27)*의 상실과 협동하여 전립선에서 종양의 형성을 촉진한다는 보고는 NKX3.1 발현의 변화가 전립선암의 발생에 영향을 줌을 시사한다. NKX3.1은 DNA와 직접적인 결합 (Steadman 등, 2000), c-FOS serum response element-binding transcription factor로도 알려진 serum response factor (SRF)와 같은 기타 전사 인자와의 상호 작용 (Gelmann 등, 2002) 등 광범위한 분자의 상호 작용에 관여한다. 단백질 관련 연구는 NKX3.1이 DNA의 복제와 전사 복합체의 활성에도 관여한다고 하였다 (Vocke 등, 1996).

42.1. 전립선 형성의 초기 사건으로 NKX3.1의 발현
NKX3.1 expression defines early events in prostate formation

전립선은 평활근 기질로 감싸진 길쭉한 원주상피세포로 구성되어 있으며, 방광 기저부에 위치하여 정액장액 내로 단백질을 분비하는 샘이다 (Cunha 등, 1987). 정상 전립선이 성장하고 분화하기 위해서는 상피와 중간엽 (mesenchyme) 사이의 신호 전달에 의한 상호 작용이 필요하며, 이러한 상호 작용에 장애가 일어나면 연령이 증가함에 따라 부적절한 재활성화로 인하여 세포의 증식이 일어난다 (McNeal, 1978). 배아 발생기 동안 비뇨생식동 중간엽으로부터 나온 시작 신호가 인접한 상피로부터 전립선의 발아를 유도한다 (Cunha, 1994). 출생 후 상피와 기질, 즉 중간엽 사이의 상호 작용으로 전립선관의 형태가 만들어지고 전립선이 성숙한다 (Donjacour과 Cunha, 1988). 전립선이 발달하고 성숙하는 모든 단계에서 이들 조직이 상호 작용하기 위해서는 처음에는 중간엽, 나중에는 상피 내에 기능성 안드로겐 수용체가 필요하다 (Cunha, 1994).

전립선 형성의 초기 사건과 이 과정에 관여하는 분자 경로에 관해 알려진 바는 거의 없다. 전에는 비뇨생식동의 중간엽으로부터 나온 신호로 인해 상피가 전립선 싹을 형성한다고 알려져 있었다. 그러나 전립선의 발아가 시작하기 2일 전 NKX3.1의 발현으로 장래의 전립선 상피가 표시되는데, 이는 비뇨생식동의 상피가 형태 형성이 일어나기 전부터 중간엽 신호에 반응하는 분화능을 가지고 있음을 시사한다. 특히, NKX3.1의 발현 패턴은 비뇨생식동 상피 부위의 경계를 나타내며, NKX3.1이 발현하는 부위의 배부는 장래의 전방 전립선, 중간 부위는 장래의 측배부 전립선, 복부는 장래의 복부 전립선에 각각 해당한다. 따라서 NKX3.1의 발현은 비뇨생식동 상피가 전립선부와 비전립선부로 형태화하기 전에 나타난다고 추측된다.

NKX3.1은 가장 일찍 알려진 전립선 상피의 분화 표지자이지만, NKX3.1의 기능이 상실되더라도 전립선의 형성이 완전하게 실패되지 않는 것으로 보아 다른 조절 유전자와 협동 작용이 필요할 것으로 생각된다. 추정되는 다른 전사 인자 중 homeobox D (HOXD) 무리가 있는데, 이들 중 일부 구성원은 성인의 전립선에서 발현되며 정확한 전립선의 형태 형성을 위해 필요하다 (Podlasek 등, 1997). 분비 신호 분자 중 sonic hedgehog (SHH)는 체절 (somite)이 형성되는 동안 NKX3.1의 발현을 조절한다고 알려져 있다 (Kos 등, 1998). 비뇨생식동 상피에서 SHH의 발현은 전립선의 발아가 시작하기 전에 나타난다 (Asatiani 등, 2005).

42.2. 전립선의 분화 및 기능에서 NKX3.1의 역할
Roles for NKX3.1 in prostate differentiation and function

NKX3.1의 발현은 배아 전립선의 발생, 신생아 전립선의 분화, 성인 전립선의 기능 등과 관련이 있다. 많은 측면에서 돌연변이 생쥐의 표현형 및 NKX3.1의 발현 양상은 다른 척추동물에서 NKX homeobox 유전자의 경우와 비슷하다. 예를 들면, NKX2.5는 심장 전 중배엽 (precardiac mesoderm)과 발달 중인 심장에서 발현되며, 삭제 돌연변이 (null mutation)가 발생한 경우 심장의 루프 및 근육 형성에 장애가 일어난다 (Lyons 등, 1995). 마찬가지로 NKX2.1은 폐가 발달하는 동안 발

현되며, NKX2.1에 대해 표적 파괴가 발생한 경우 기관지 분지화의 심한 장애가 일어난다 (Kimura 등, 1996). 이들 NKX 유전자는 조직의 세분화 및 형태 형성의 초기 단계에서 매우 한정된 패턴으로 발현되며, 전립선의 경우 NKX3.1은 전립선 상피의 기원 부위와 분화 중인 전립선의 상피에서 발현된다. NKX 유전자의 돌연변이가 형태 형성 및 세포 분화에 장애를 일으킨다는 보고처럼 NKX3.1에 돌연변이가 일어나면 관의 분지화와 단백질 분비에 장애가 발생한다. 따라서 다른 NKX 유전자와 마찬가지로 NKX3.1은 기관 형성 (organogenesis) 에서 필수적인 역할을 한다고 생각된다 (Asatiani 등, 2005).

NKX3.1 돌연변이의 경우 mucin을 생성하는 세포가 급격하게 감소하고 대신에 관세포가 증가한다는 연구 결과로 볼 때, NKX3.1은 전립선의 발달에 관여하는 것 외에 구부요도선 (bulbourethral gland, BUG)에서도 특유의 기능을 가질 것으로 생각된다. 전립선의 엽은 평활근의 기질로 둘러싸인 원주 세포로 구성된 데 비해, BUG는 주로 골격근 피막 내에 있는 mucin 형성 세포로 구성되어 있다. 전립선의 상피는 과다 증식성 성장 및 종양 형성에 대해 매우 민감하지만, BUG의 상피는 그러하지 않다. 따라서 NKX3.1의 기능이 상실되면 세포의 구성에서 상당한 변화가 일어나지만, BUG 상피의 과다 증식성 성장은 일어나지 않는다.

전립선의 기관 형성을 위해서는 성숙을 유도하는 기능에 의해 전립선이 형성되는 모든 단계에서 안드로겐의 신호 경로를 필요로 한다. 배아 형성기 동안에는 전립선의 형성을 위해 중간엽 내에 안드로겐 수용체가 필요하지만 (Cunha 등, 1987), 성인에서는 분비되는 단백질을 생성하기 위해 상피 내에 안드로겐 수용체를 필요로 한다 (Donjacour와 Cunha 1993). NKX3.1은 상피의 기능성 안드로겐 수용체가 나타나기 전에 발현되는 것으로 보아 NKX3.1의 발현이 시작하는 데는 전립선 상피에서 일어나는 안드로겐 수용체의 신호 경로가 필요하지 않다고 생각된다 (Takeda와 Chang 1991). 그러나 여성의 비뇨생식계에서는 NKX3.1이 발현되지 않기 때문에, 중간엽의 안드로겐 수용체는 NKX3.1의 발현을 시작하는 데 간접적으로 필요한 것 같다. 또한, NKX3.1이 지속적으로 발현되기 위해서도 안드로겐 수용체의 신호 경로가 필요한데 (Prescott 등, 1998), 상피의 안드로겐 수용체가 결여된 재조합 조직의 경우 초기 단계에서는 NKX3.1이 발현되지만 후기 단계에서는 발현되지 않는다는 보고가 이를 뒷받침한다. 이들 재조합 조직에서는 분비 단백질이 생성되지 않기 때문에,

도표 196 NKX3.1에 대한 progression array staining의 빈도

NKX3.1 염색 점수	Tissue array 표본 수 (%)						RP 절편 수 (%)
	BPH	PIN	T1a/b	T3/4	HR	MC	
2	36 (84)	9 (45)	83 (76)	14 (52)	64 (50)	4 (10)	19 (63)
1	5 (12)	7 (35)	19 (17)	7 (26)	20 (16)	5 (13)	7 (23)
0	2 (5)	4 (20)	7 (6)	6 (22)	44 (34)	31 (78)	4 (13)
합계	43	20	109	27	128	40	30

염색 점수는 염색되지 않은 경우를 0점, 이질적인 염색을 1점, 전반적인 염색을 2점 등으로 부과하였다.
BPH, benign prostatic hyperplasia; HR, hormone-refractory cancer; MC, metastatic cancer; NKX3.1, NK3 homeobox 1; PIN, prostatic intraepithelial neoplasia; RP, radical prostatectomy; T, tumor stage.
Bowen 등 (2000)의 자료를 수정 인용.

*NKX3.1*의 발현과 분비 단백질의 생성 사이에는 분명히 연관성이 있다. *NKX3.1*이 상응하는 전사 인자를 코드화하기 때문에, *NKX3.1*은 안드로젠 수용체의 신호 경로에 반응하여 특이한 분비성 단백질의 발현을 조절한다고 생각된다 (Asatiani 등, 2005).

42.3. 전립선암 형성에서 NKX3.1의 역할
Potential role for NKX3.1 in prostate carcinogenesis

*NKX3.1*은 전립선암과 상당히 관련이 있는 염색체에 위치해 있으며, 여러 연구는 *NKX3.1*이 전립선암을 억제하는 유전자라고 평가하였다. *NKX3.1*에 돌연변이가 일어난 생쥐의 상피에서 전암 병변인 과다 증식증 및 이형성이 관찰되었다는 보고가 이를 뒷받침한다. 이러한 상피의 과다 증식증 및 이형성은 고령의 사람에서 전립선암이 진행되는 과정과 유사하다. 또한, 사람과 쥐에서 *NKX3.1*의 과다 발현은 전립선암 세포주의 성장과 종양을 형성하는 능력을 억제하였다 (Asatiani 등, 2005). 현재로서는 사람의 전립선암에서 *NKX3.1*의 코드화 영역에 돌연변이가 있다는 증거는 없다 (Voeller 등, 1997). 그러나 *NKX3.1* 이질 접합체 (heterozygosity)의 생쥐는 반수체 기능 부전으로 인한 상피의 과다 증식증 및 이형성을 나타내었다. 그러므로 *NKX3.1*의 단일 대립 유전자가 상실되더라도 사람에서 전립선암의 형성이 촉진되기에는 충분하다 (Fero 등, 1998). 전립선암 표본에서는 종양을 억제하는 후보 유전자의 돌연변이가 관찰되는 경우는 드물기 때문에, 반수체 기능 부전은 전립선암에서 중요하다고 할 수 있다 (Asatiani 등, 2005).

NKX3.1은 전립선 외의 정상 조직 중 고환, 폐의 점액선, 요

관의 이행상피 등에서 발현되었고, 근치전립선절제술 후 채취된 61점의 조직 절편을 분석한 연구에서는 정상 전립선 상피세포의 핵에서 NKX3.1이 일정하게 발현되었다. 전립선암 상피를 가진 507점의 표본을 분석한 연구에 의하면, NKX3.1 발현의 완전한 소실은 양성전립선비대의 5%, 고등급 전립선 상피내암의 20%, T1a/b 병기의 6%, T3/4 병기의 22%, 거세 저항성 전립선암의 34%, 전이 암의 78%에서 관찰되었다. 이들 결과를 근거로 저자들은 NKX3.1이 전적으로 전립선에서만 발현되지는 않으나 전립선에 대한 특이도가 높고 NKX3.1 발현의 소실은 거세 저항성 전립선암과 진행된 병기의 전립선암과 관련이 있다고 하였다 ($p<0.0001$) (Bowen 등, 2000) (도표 196). 기관지 점액선, 고환, 요관 등에서 NKX3.1의 기능은 밝혀져 있지 않으며, 쥐의 고환에서는 *NKX3.1*이 발현되지 않았고 *NKX3.1*[-/-] 생쥐는 임신이 가능하다. 동물 실험에서 *NKX3.1* 발현의 소실이 전립선 외의 기관에서는 뚜렷한 발병을 일으키지 않기 때문에 (Bhatia-Gaur 등, 1999), 전립선에 대한 특이도가 높고 종양을 억제하는 기능을 가진 *NKX3.1*은 유전자 요법에서 활용될 가능성이 있다고 생각된다 (Bowen 등, 2000).

많은 homeobox 유전자가 종양의 형성에 관여하지만, *NKX3.1*은 종양을 유발하는 유전자라기보다 종양을 억제하는 유전자로 간주된다. *NKX3.1*의 소실은 전립선암 형성의 초기 사건으로 전암 병변을 만들며, 뒤이은 유전적 사건이 암으로 진행시킨다. *NKX3.1*의 소실과 협동하여 작용하는 후보 유전자의 사건으로 *MYC associated factor X (MAX)-interacting protein 1 (MXI1)* 혹은 *PTEN*의 상실이 있으며, 이로 인한 돌연변이 생쥐의 경우 악성 형질 전환을 나타내지 않으면서 전립선 상피의 과다 증식증 및 이형성을 나타내었다 (Di Crisofano 등, 1998). 따라서 *NKX3.1* 돌연변이 생쥐는 전립선암의 시작에 필요한 분자 사건을 재현하고 전립선암의 진행에 관여하는 하위 유전자 사건을 규명하기 위한 우수한 모델로 간주된다 (Asatiani 등, 2005).

Kinase inhibitor protein 1 (KIP1), cyclin-dependent kinase inhibitor 1B (CDKN1B) 등으로도 알려진 p27KIP1, 즉 p27^{KIP1}은 cyclin-dependent kinase (CDK)와 cyclin의 복합체를 붕괴시켜 세포 자멸사를 유발하고 세포의 증식을 억제한다. 전립선암을 억제하는 기능을 가진 *NKX3.1*과 *p27*^{KIP1}의 발현이 결여된 경우는 대부분의 진행 전립선암에서 발견되며, 임상적으로 나쁜 예후와 관련이 있다. *NKX3.1*과 *p27*^{KIP1}의 내인성 발현은 안드로겐 비의존성 PC3 전립선암 세포에서는 소실되지만, 기능성 안드로겐 수용체를 가지고 있고 호르몬에 반응하는 LNCaP 전립선암 세포에는 그대로 남아 있음이 관찰되었다. PC3 세포에서 *NKX3.1* 혹은 *p27*^{KIP1}의 발현을 복구시키면, 세포의 증식이 감소되고 세포사가 증가한다. 두 분자가 함께 발현되면, 이들 두 효과가 협동하여 더 증대된다. PC3 세포에서 *p27*^{KIP1}이 과다 발현되면 세포 주기 중 G0/G1 기에서 정지된 세포의 군집이 증가하며, 이러한 세포 주기의 정지 효과는 *NKX3.1*의 공동 발현에 의해 유의하게 증대된다. 또한, *NKX3.1*과 *p27*^{KIP1}은 협동하여 PC3 세포의 세포 자멸사를 유도한다. 이와 맥락을 같이 하여 *NKX3.1*과 *p27*^{KIP1}의 공동 발현은 종양 유전자 *B-cell lymphoma 2* (*BCL2*)의 발현을 감소시키고 *BCL2-associated X protein* (*BAX*)의 발현을 증가시킨다. 이들은 또한 caspase-3를 활성화하여 poly ADP ribose polymerase (PARP)의 분절을 증가시킨다. 이와 같은 결과는 안드로겐 비의존성 전립선암 세포에서 *NKX3.1*과 *p27*^{KIP1}을 공동 발현시키면 연합하여 증식 대항 작용과 세포 자멸사 유발 작용을 나타내기 때문에, 호르몬 저항성 전립선암의 관리에서 단일 유전자보다 다수 유전자를 처치하면 임상적으로 더 나은 결과를 얻을 수 있음을 보여 준다 (Wang 등, 2009).

전립선암에서 NKX3.1의 소실은 *androgen receptor* (*AR*) (Burkhardt 등, 2013), *v-myc avian myelocytomatosis viral oncogene homolog* (*c-MYC*) (Anderson 등, 2012), *p53*, *PTEN* (Lei 등, 2006), *topoisomerase I* (*TOP1*) (Song 등, 2013), *twist basic helix-loop-helix transcription factor 1* (*TWIST1*) (Eide 등, 2013) 등의 암 관련 기능을 유도한다. NKX3.1을 억제하면, NKX3.1의 표적 유전자, 예를 들면 *histone deacetylase 9* (*HDAC9*), *RUNX1*, *transmembrane protease, serine 2* (*TM-*

PRSS2), *TMPRSS2:E-twenty-six* (*ETS*)-*related gene* (*ERG*), *nuclear factor kappa B* (*NFκB*), *jumonji, AT rich interactive domain 2* (*JARID2*) 등의 발현이 증가한다 (Thangapazham 등, 2014). 전립선암이 형성되는 과정에는 대립 유전자의 결실, 반수체 기능 부전, 발현의 저하, 단백질 안정성의 감소 등과 같은 *NKX3.1*의 다양한 결함이 관찰된다. *NKX3.1*은 *TMPRSS2*의 상위 염기 서열과 직접 결합함으로써 *TMPRSS2*에 대해 음성적 조절 인자의 역할을 하는 한편, 전립선암에서 *NKX3.1*의 반수체 기능 부전은 *TMPRSS2*와 *ERG*와의 유전자 융합을 통해 종양 유발 작용을 나타내는 *ERG*를 활성화한다. 따라서 전립선암의 형성에서 *TMPRSS2:ERG* 융합의 활성화와 *NKX3.1* 기능의 상실은 협동 작용을 한다고 생각된다 (Thangapazham 등, 2014). 안드로겐 수용체에 의해 전사가 진행하는 동안 DNA의 손상이 일어나면, *TMPRSS2* 유전자의 재배열이 유도되며, 이는 전립선암의 초기 단계에서 *ETS* 전사 인자의 발현을 활성화한다. *TMPRSS2:ERG*의 재배열이 존재함은 NKX3.1의 낮은 발현과 유의하게 상호 관련이 있다는 보고 (Bowen 등, 2015)는 NKX3.1이 암의 원인이 되는 유전자의 재배열을 억제한다는 이전의 연구 결과와 일맥상통한다.

42.4. 전립선암 형성 동안 NKX3.1의 소실과 하위 표적 유전자의 활성

Loss of NKX3.1 and activation of discrete downstream target genes during prostate tumorigenesis

NKX3.1의 발현은 전립선상피내암과 원발 전립선암의 50%까지에서, 모든 전이 암의 80%에서 감소되거나 소실된다 (Bowen 등, 2000). 생식세포의 *NKX3.1*에 돌연변이가 발생하여 DNA와 결합하는 작용과 homeodomain의 구조에 변화가 일어나면 전립선암의 발생 위험이 증가된다 (Zheng 등, 2006). 반대로 NKX3.1의 과다 발현은 생체 밖 실험에서 세포의 증식 및 부착 비의존성 성장을 억제하였으며, 누드마우스를 이용한 생체 실험에서 종양의 성장을 억제하였다 (Kim 등, 2002). 따라서 이들 분자적 특징과 높은 빈도의 LOH가 관찰됨은 *NKX3.1*이 전립선암을 억제하는 유전자임을 뒷받침한다.

사람의 전립선상피내암의 경우 염색체의 *NKX3.1* 자리에서 LOH가 흔한 것과 마찬가지로, *NKX3.1*의 단일 대립 유전자가 결실된 성체 생쥐에서 양성전립선비대와 전립선암 형성의 초기 단계로 여겨지는 전립선상피내암이 발달하였다 (Abdulkadir 등, 2002). 이러한 모델을 이용한 연구는 증식성 관강 상피 세포가 세포 주기를 이탈하는 속도를 *NKX3.1*이 조절하기 때문에, 거세 후 호르몬 치환에 의해 일어나는 전립선의 재생은 *NKX3.1*의 발현에 의존적이라고 하였다 (Magee 등, 2003). 이들 결과는 *NKX3.1* 발현의 소실이 전립선암 형성의 시작 단계에서 일어나는 사건이며, *NKX3.1*이 전립선암의 형성과 관련이 있는 다른 유전자로부터 전립선을 지키는 '문지기' 역할을 함을 시사한다.

*PTEN*의 기능이 상실된 모델 (Wang 등, 2003)과 *c-MYC*가 과다 발현된 유전자 이식 모델 (Ellwood-Yen 등, 2003)에 관한 연구는 *NKX3.1*이 종양을 억제하는 유전자로서의 역할을 함을 보여 주었다. 이 두 모델에서 *NKX3.1*의 발현은 암이 진행하는 동안 소실되는 시기가 각기 다르긴 하였지만, 두 모델에서 소실되었다. 예를 들면, *PTEN*의 기능이 상실된 생쥐 모델에서 *NKX3.1*의 발현은 전립선암 형성의 가장 초기 단계인 과다 증식 세포에서 소실된 데 비해, *c-MYC*가 과다 발현된 유전자 이식 생쥐 모델에서는 전립선상피내암이 침윤성 암으로 이행될 때까지 소실되지 않거나 종양 형성의 말기에 소실되었다. 한편, *PTEN*의 상실과 *v-akt murine thymoma viral oncogene homolog* (AKT 혹은 *protein kinase B*, PKB)의 활성으로 형성된 전립선암에서는 *quiescin Q6*, *clusterin* (CLU) 등과 같은 다수 유전자의 비정상적인 발현이 관찰되는데, 이러한 경우 이들 유전자 발현의 변화는 *NKX3.1*의 소실에 의존적이다. 이들 자료는 *NKX3.1*이 소실되는 시기가 전립선암의 형성에 영향을 주는 하위 신호 경로의 활성화에서 중요한 역할을 함을 보여 준다.

*Quiescin Q6*는 *NKX3.1*의 하위 표적으로서 그것의 발현은 *NKX3.1* 유전자의 양에 의존적이고, 거세 후 테스토스테론을 치환하는 동안 *NKX3.1*$^{+/-}$ 및 *NKX3.1*$^{-/-}$ 전립선에서 일어나는 비정상적인 증식의 증가와 관련이 있다 (Magee 등, 2003). *Quiescin Q6*의 발현은 비정상적인 *PTEN* 및 *AKT*의 신호 경로에 의해 생긴 전립선암에서는 제어되지 않으며, 이러한 암에서는 *NKX3.1*의 발현이 감소된다. *Quiescin Q6*는 전립선상피내암과 같이 종양 형성의 초기 단계에서 매우 높게 발현되는데, 이는 이 유전자가 초기 전립선암 전구 병변에 있는 세포에게 선택적인 이점을 제공함을 시사한다. Quiescin Q6는 disulfide를 함유한 분비 단백질을 생성하는 과정에서 sulfhydryl 그룹을 산화하여 hydrogen peroxide을 생성하는 sulfhydryl oxidase이기 때문에 quiescin sulfhydryl oxidase

(QSOX)로 표기되기도 한다 (Thorpe 등, 2002). 세포 내에서 산화 촉진제로 작용하는 quiescin Q6는 활성 산소종 (reactive oxygen species, ROS)의 축적을 증가시킨다. 다른 연구는 고령의 *NKX3.1*$^{-/-}$ 생쥐에서 생긴 전립선상피내암의 경우 항산화 효소 및 산화 촉진 효소가 비정상적으로 발현된다고 하였다 (Ouyang 등, 2005). 다른 생체 밖 실험은 quiescin Q6가 전사를 억제하는 인자인 *NKX3.1*의 직접적인 표적이며, *NKX3.1*의 소실 후 일어나는 이러한 산화 촉진 효소의 증가가 ROS의 축적 및 뒤이은 산화 손상을 통해 전립선암의 시작을 매개한다고 하였다 (Bostwick 등, 2000). 전립선암 형성의 초기에 quiescin Q6의 발현이 높다는 결과는 비타민 E, 셀레늄 등과 같은 항산화제가 전립선암의 위험을 낮추는 데 도움이 되는 이유를 설명해 주며 (Chan 등, 2005), quiescin Q6의 억제제가 전립선암의 위험을 감소시키는 데 활용될 수 있음을 시사한다 (Song 등, 2009).

전립선암의 진행 초기에 *NKX3.1*의 소실과 관련이 있는 유전자로 *CLU* 또한 확인되었다. Apolipoprotein J (APOJ), testosterone-repressed prostate message 2 (TRPM2) 등으로도 알려진 clusterin은 종양 형성과 관련이 있는 다양한 기능을 가지고 있으며 세포 자멸사에 대해 대항 작용을 나타내는 당단백질이다 (Shannan 등, 2006). 종양의 형성에서 clusterin의 역할은 분명하지 않지만, 근래에는 거세 저항성 전립선암의 표적 치료에 이용되고 있다 (Gleave와 Miyake, 2005). 생쥐 모델에 관한 연구는 전립선암 형성의 시작 단계에 있는 세포 수준에서 *NKX3.1*의 소실과 *CLU*의 과다 발현은 직접적인 연관성을 가지며, 이는 *NKX3.1*의 발현이 전립선암의 시작을 방지하는 데 중요한 인자임을 입증해 준다고 하였다 (Song 등, 2009). *PTEN*이 결여된 전립선 외식편 (explant)에 대해 *NKX3.1*의 발현을 복구할 경우 세포의 증식이 감소되고 세포사가 증가하여 궁극적으로 종양의 시작을 방지할 수 있는데 (Lei 등, 2006), 이는 *NKX3.1*이 전립선암의 시작을 억제하는 인자임을 더욱 뒷받침해 준다. *NKX3.1*이 소실되는 시기가 비정상적인 분자가 생성되는 데 중요한 요인으로 작용하기 때문에, 앞으로 침윤성 암과 같이 후기 병기의 전립선암에서 *PTEN*이 결여된 경우 전립선암 세포로 *NKX3.1*을 재주입할 경우 암의 진행이 억제되는지를 확인하는 연구가 필요하다.

*NKX3.1*의 소실과 관련이 있는 유전자 신호는 *c-MYC* 유전자 이식 생쥐 모델에서는 나타나지 않았고, 이 모델의 전립선 병변에서 *NKX3.1*의 소실은 훨씬 후기 병기에서 일어났는데,

이는 하위 신호 경로에서 차이가 있음을 시사한다. 예를 들면, NKX3.1이 결여된 생쥐의 전립선상피내암 병변에서 관찰되는 산화 스트레스의 조절과 관련이 있는 유전자의 비정상적인 발현은 c-MYC 유전자를 이식한 생쥐에서는 일어나지 않았다 (Ouyang 등, 2005). 전립선암을 포함한 여러 암에서 상향 조절되는 leukocyte antigen 6 (LY6) 유전자 가족의 발현은 하위 신호 경로의 차이를 잘 설명해 준다 (Xin 등, 2005). c-MYC 생쥐 모델에서 이 유전자 가족의 구성원은 PTEN, AKT, NKX3.1 생쥐 모델과는 다른 발현 양상을 나타낸다. c-MYC 유전자 이식 생쥐의 전립선에서는 LY6c와 LY6d는 뚜렷하게 상향 조절되는 데 비해, prostate stem cell antigen (PSCA), LY6a (혹은 stem cell antigen 1, SCA1), LY6e 등은 PTEN-AKT-NKX3.1 축에 이상이 생김으로 인해 발생한 병변에서 일관되게 과다 발현된다. NKX3.1이 결여된 전립선에는 상향 조절되는 유전자 외에도 probasin (PB), intelectin (ITLN) 등과 같이 하향 조절되는 유전자도 있으며, 이들은 PTEN이 결여된 생쥐 혹은 caAKT 유전자를 이식한 생쥐의 병변에서 낮은 수치로 발현된다. PTEN이 결여된 전립선암 세포와 c-MYC 유전자를 이식한 전립선암 세포에 대해 NKX3.1을 복구시키는 연구 혹은 NKX3.1의 결여와 함께 초기에 과다 발현되는 c-MYC에 관한 연구는 전립선암의 형성에서 여러 신호 경로의 상호 작용을 이해하는 데 도움을 줄 것으로 생각된다 (Song 등, 2009).

흥미로운 연구에 의하면, PTEN이 결여된 상피에서 NKX3.1의 발현을 복구하면 p53의 안정화 및 AKT 활성의 억제로 인해 종양 형성의 시작이 억제되었는데 (Lei 등, 2006), 이는 PTEN이 결여되어 생기는 전립선암의 형성에서 NKX3.1 발현의 소실은 필수적인 역할을 함을 시사한다. Transgenic adenocarcinoma of mouse prostate (TRAMP) 전립선암 모델에서도 질환의 진행은 NKX3.1 단백질 농도의 감소와 관련이 있었다 (Bethel과 Bieberich, 2007). 사람 조직의 경우 NKX3.1의 발현이 전구 암의 병변으로 알려진 증식성 염증성 위축증 (proliferative inflammatory atrophy, PIA)의 소부류인 병소 위축증에서 감소되었다 (Bethel 등, 2006). 또한, tumor necrosis factor α (TNFα), interleukin-1β (IL-1β) 등과 같은 염증 유발 cytokines는 신속한 ubiquitination (76개 아미노산으로 구성된 ubiquitin 단백질이 특정 단백질과 결합하여 그 단백질의 분해를 촉진하는 현상)과 proteasome의 분해를 통해 NKX3.1 단백질의 소실을 촉진한다 (Markowski 등, 2008). 이들 결과는 NKX3.1이 종양 형성의 초기 단계에서 관강세포의

악성화를 방지함으로써 전립선암을 억제하는 인자로 작용한다는 개념을 뒷받침한다 (Lei 등, 2006).

43. Nuclear Matrix Protein (NMP)

핵의 공간은 핵 기질 (nuclear matrix, NM)이라는 단백질 구조물로 조직화되어 있으며, 이러한 기질은 Berezney와 Coffey (1974)에 의해 처음 분리되었다. 핵 단백질의 10%를 차지하는 NM은 2%의 DNA, 4%의 RNA, 94%의 단백질로 구성되어 있으며, 효모에서부터 사람까지 광범위한 진핵생물 (eucaryote)에서 확인된다. NM에는 peripheral lamins 및 pore complex, residual nucleoli, 핵 내 기질 (internal nuclear matrix, INM)로도 알려진 internal fibrogranular network 등의 세 영역이 포함되어 있고, 이 핵의 하위 구조물은 다음과 같은 기능을 가지고 있다. 첫째, 핵의 형태를 결정하고, 둘째, DNA의 전사 및 복제로 핵 공간을 조직화하며, 셋째, 유전자 발현 및 RNA 합성에 관여하는 조절 기전을 체계화한다. NM은 특이한 전사 인자와 염색질 전사의 기능 및 구조 변경에 영향을 주는 deacetylase, topoisomerase (TOP), histone acetyltransferase (HAT) 등과 같은 효소와 함께 분리된다. 이 단백질의 대부분은 모든 유형의 세포에서 공통되는 구성 요소이지만, 일부는 조직에 특이적이며 세포의 분화 및 형질 전환과 관련이 있다 (Davido와 Getzenberg, 2000).

암의 발달이 단계적으로 진행하는 동안 핵 형태와 이질 염색질 (heterochromatin)의 양 및 분포가 지속적으로 변한다. 이들 변화의 한 예가 모든 종양에서 관찰되고 진단에서 가장 중요한 변화인 핵 구조의 변화이다 (Lever와 Sheer, 2010). 암의 형성에서 염색질의 변화는 NM의 구조 변경과 관련이 있다. 여러 연구들은 종양이 진행하는 동안 NM protein (NMP)에서 특이한 변화가 관찰되는데 (Spencer 등, 2001), 이들 변화는 이질 염색질의 재배열과 함께 일어난다고 보고하였다 (Barboro 등, 1993).

염색질이 지지 구조물인 핵 기질, 즉 NM과 부착함으로써 유전체는 여러 염색질 loop 영역으로 구분된다. 염색질과 NM 사이의 상호 작용은 matrix attachment region (MAR)으로 알려진 AT-rich DNA sequences를 통해 일어난다. MARs는 염색질 loop의 형성, 유전자 발현의 증대, 복제 촉진 등과 같은 여러 과정에 관여한다 (Gluch 등, 2008). 모든 MAR이 NM과 결합하거나 loop 부착 부위를 형성하지는 않는다. MARs의 결합은 세

포 유형 혹은 세포 주기에 의존적이며, 협동하여 멀리 있는 유전자를 조절한다 (Razin, 2001). MAR과 결합하는 여러 단백질이 발견되었으며, 이들 중 일부는 암세포에서 통제되지 않는다. 흔히 그들 단백질의 발현은 공격적인 암의 표현형과 유의한 상관관계를 가진다. 또한, NMP와 MAR 사이의 상호 작용에서의 변화는 종양이 형성되는 동안 관찰되는 염색질의 재구성과 관련이 있다. 이 때문에 MAR 및 MAR과 결합하는 단백질이 항암제의 표적으로 관심의 대상이 되고 있다 (Gluth 등, 2008).

쥐를 대상으로 평가한 연구는 초기 병기의 간암에서 관찰되는 큰 규모의 염색질 재구성이 NMP의 구성 성분의 변화 혹은 NM의 형태학적 변화와 관련이 있다고 하였다. 이들 변화는 NMP가 RNA와 DNA를 가진 MAR과 결합하는 기능을 변경시킨다 (Barboro 등, 2009). 더욱이 이들 변화와 함께 핵형질 (nucleoplasm) 내에 있는 lamins의 조직화에서 변화가 일어난다. 정상적인 간세포의 lamins는 미세 섬유를 만들어 직각 모양의 격자 (orthogonal lattice)를 형성하는 데 비해, 형질 전환이 일어난 간세포에서는 이차원적인 국소 배열이 상실된다 (Barboro 등, 2010).

전립선암 모델에서 핵 조직화의 변화는 poly ADP ribose polymerase (PARP), special AT-rich sequence-binding protein 1 (SATB1) 등과 같은 소수 단백질의 발현과 lamin B 인산화의 증가의 협동 작용을 통해 일어난다. 이와 같이 NM 구조에서 변화가 일어나면, NM과 MARs 사이의 상호 작용에서 변화가 일어남으로 인해 loop의 구조와 유전자의 발현에서 변화가 일어나며, 이로써 공격적인 표현형으로 진행하게 된다. 단백질체학적 분석에 의하면, 수백 종의 NMP가 있고 이들 중 다수 단백질의 발현이 암이 진행하는 동안 변화를 일으키지만, MAR과 결합하는 극히 소수의 단백질만이 세포 유형 혹은 세포 분화에 의존적이며 암의 진행에서 중요한 역할을 한다 (Gluth 등, 2008).

전립선암에서 PARP의 기능을 분석한 연구에 의하면, 잘 분화된 종양 표본에 비해 미분화 악성 유방암 표본에서 PARP의 base-unpairing region (BUR) 특이 결합이 발견되었다 (Galande와 Kohwi-Shigematsu, 2000). 또한, 노화 쥐의 간과 산화 스트레스로 인한 간암 세포를 대상으로 분석한 연구에 의하면, 안드로겐 수용체 전사의 하향 조절은 덜 분화된 전립선암에서 높게 발현되는 NMP인 heterogeneous nuclear ribonucleoprotein K (hnRNP K)와 함께 PARP에 의해 조절되었다 (Barboro 등, 2009). SATB1은 MAR과 결합하는 단백질로서

염색질 loop의 조직화와 전반적인 전사의 조절에 관여한다고 알려져 있다 (Galande 등, 2007). 그러나 종양의 발달에서 이 단백질의 발현 농도와 역할에 관해서는 상충되는 결과가 보고되고 있는데, SATB1의 발현 농도는 유방암에서 나쁜 예후와 관련이 있고 종양의 성장과 전이를 촉진한다는 보고가 있는 반면 (Han 등, 2008), SATB1은 유방암의 발병 기전과 관련이 없으며 (Iorns 등, 2010), SATB1 발현의 소실이 폐의 편평상피세포암과 비소세포암 (non-small cell carcinoma)에서 발견된다는 보고가 있다 (Selinger 등, 2011). 다른 연구는 NM 내에 있는 SATB1의 발현이 덜 분화된 전립선암에서 감소되며, SATB1은 염색질 loop의 구조를 형성하는 데 관여한다고 하였는데 (Misteli, 2010), 이는 전립선암 세포의 분화 측면에서 볼 때 SATB1과 MAR 사이에서 일어나는 상호 작용의 정도가 SATB1의 발현 농도보다 더 중요함을 시사한다. 여러 자료를 종합해 보면, NM과 MAR 사이의 상호 작용은 전립선암의 분화에 관여하며, 안드로겐 비의존성 표현형으로 진행하는 과정에서 중요한 역할을 한다. 따라서 MAR과 결합한 NMP는 안드로겐 비의존성 전립선암의 치료에서 새로운 표적이 될 수 있다 (Barboro 등, 2012).

비악성 표본과 함께 44점의 전립선암 조직 표본을 분석한 연구에 의하면, 공격적인 암에서는 MAR과 결합하는 NMP의 수가 감소함과 동시에 NMP 패턴의 복잡성이 증가한다. PARP1은 가장 분명한 변화를 나타내는 단백질로서 종양의 공격성에 따라 NM과 함께 PARP1의 발현이 증가한다. 면역조직화학적 분석은 이 단백질이 종양세포에서 유의하게 과다 발현됨을 보여 주었다. 전립선암 세포를 PARP 억제제인 ABT-888으로 처치한 후 전립선암의 진행에서 PARP1의 역할을 평가한 연구는 안드로겐 비의존성 PC3 세포에서 PARP를 억제하면 세포의 생존력, 이동, 침습, 염색질 loop의 크기, histone acetylation 등이 유의하게 감소된다고 하였다. 이들 결과는 MAR과 결합하는 단백질이 전립선암의 발생과 진행에 관여하며, PARP가 염색질의 구획화와 공격적인 표현형의 발생에서 중요한 역할을 함으로 보여 준다 (Barboro 등, 2015).

염색질의 탈응축 (decondensation)은 유전자 활성의 초기 사건으로 간주되며, NM의 구성 및 조직화의 변화는 암 형성의 시작과 관련이 있는 유전자 발현 양상의 변화에 직접 영향을 준다. 따라서 핵 구조물의 악성 변화는 암의 발생에서 중요한 기전이라 할 수 있다. 여러 암의 발생과 관련이 있다고 보고된 NMP는 도표 197에 정리되어 있다. 암과 관련 있는

도표 197 양과 관련이 있는 핵 기질 단백질 (NMP)

조직 종류	발견된 NMP의 종류		참고 문헌
	정상 조직[†]	종양 조직[‡]	
방광	BLNL1~3 –	BLCA 1~6 NMP22	Getzenberg 등, 1996 Zippe 등, 1999
유방	NMNB A, B –	NMBW~Z p114[¶]	Khanuja 등, 1993 Yanagisawa 등, 1996
자궁경	–	CvC1~5	Keesee 등, 1998
결장	NC1~4 NC1~6	CC1~6 CC1~6	Keesee 등, 1994 Brünagel 등, 2002
두경부	N 12~15	C 1~11	McCaffery 등, 1997
신장	RCNL-1	RCCA1~5	Konety 등, 1998
전립선	NP1~3 – –	PC-1 NMP6~7 NMP6~8	Partin 등, 1993 Alberti 등, 2000 Boccardo 등, 2003

[†], 정상 조직에서만 발견된 NMP; [‡], 종양 조직에서만 발견된 NMP, [¶], MAR-binding protein.

MAR, matrix attachment region; NMP, nuclear matrix protein.

Barboro 등 (2005)의 자료를 수정 인용.

NMP 단백질은 임상적인 진단 혹은 연구에 이용된다. 예를 들면, nuclear mitotic apparatus protein (NuMA)의 한 조각인 NMP22 단백질은 요로 이행상피세포암의 재발을 추적 관찰하는 방법으로 미국 식품의약국에서 승인을 받았다 (Soloway 등, 1996). 소변의 NMP22는 신장암의 존재와 관련이 있다고 보고되었다 (Ozer 등, 2002). 방광암에서만 나타나는 NMP인 bladder cancer specific nuclear matrix protein 4 (BLCA4)는 방광암에 대해 민감도와 특이도가 상당히 높은 표지자이며 (Konety 등, 2000), E-twenty six (ETS) 전사 인자 가족의 한 멤버라고 확인되었다. 동물 모델을 이용한 연구는 BLCA4의 발현이 양성 비뇨기과 질환에서는 관찰되지 않으며, BLCA4가 과다 발현되면 세포의 성장 속도가 증가하고, 육안적으로 방광암이 보이기 전에 BLCA4가 발현되기 때문에 방광암과 관련이 있는 가장 초기의 변화들 중 하나라고 하였다 (Van Le 등, 2004). NMP179에 대한 단클론 항체를 이용한 면역조직화학검사로 편평상피세포를 분석한 결과, NMP179으로 고등급 자궁경부 상피내암 여성의 96.7%, 저등급 자궁경부 상피내암 여성의 70.5%가 발견되었으며, 저등급 혹은 고등급 자궁경부 상피세포내암을 발견하는 데 대한 민감도와 특이도가 각각 79.3%, 70.4%를 나타내어 NMP179은 자궁경부 상피내암의 조기 발견에 이용된다 (Keesee 등, 1999). 18점의 결장암 표본과 10점의 정상 결장 상피 표본을 분석한 연구는 최소 6종

의 NMPs가 결장암 표본 모두에서 발견되었지만 정상 상피 표본에서는 발견되지 않았으며, 4종의 NMPs는 결장암 표본에서는 발견되지 않았지만 정상 상피 표본 모두에서는 발견되었다고 하였다 (Keesee 등, 1994). 결장암이 간에 전이를 일으킨 12명과 대조군을 비교 분석한 연구는 3종의 NMPs가 전이된 간 표본에서 발견되었지만 정상 간 조직에서는 발견되지 않았고, 이들 세 단백질은 결장암 표본에서도 발견되었다고 하였다 (Brünagel 등, 2002).

Partin 등 (1993)은 정상 전립선, 양성전립선비대, 전립선암에 따라 존재하거나 없는 14종의 NMP를 확인하였으며, 이는 분자량과 등전점 (isoelectric point, pI)에 의해 구분된다. PC-1이라 불리는 한 단백질은 분자량 56,000, 등전점 6.58이며, 이것은 전립선암의 모든 NM 표본에서는 발견되지만 정상 전립선이나 양성전립선비대에서는 발견되지 않는다. 이들 연구자들은 PC-1에 대한 단클론 항체인 PRO:4-216를 개발하여 면역조직화학적 분석을 실시한 후, 항체가 정상 전립선 조직의 9%, 양성전립선비대 조직의 5%, 전립선암 조직의 85%에서 각각 특이 단백질과 결합함을 관찰했다고 하였다 (Partin 등, 1997). 항체 PRO:4-216는 안정된 정상 세포에 비하여 암세포나 증식 세포에서 더 흔하게 발견되는 nucleolar phosphoprotein으로서 numatrin, nucleolar phosphoprotein B23 등으로도 알려진 nucleophosmin (NPM)을 인식할 수 있다 (Subong 등, 1999). Lakshmanan 등 (1998)은 전립선암의 공격성 정도에 따라 NMP의 발현 정도도 다르다고 하였다. 근치전립선절제 표본 39점을 이용한 이 연구에 의하면, 등전점 6.0~6.6, 분자량 76 kDa의 전하를 띤 특이 단백질 YL-1은 침범 혹은 전이를 일으킨 공격적인 암 표본 19점 중 19점에서 발견된 데 비해, 질환이 전립선에 국한되었거나 국소적 피막 침범을 가진 Gleason 점수 7 미만의 전립선암으로 정의되는 긍정적인 예후를 보인 10점의 표본 중에서는 1점에서만 발견되었고, Gleason 점수 6이고 피막을 침범하였거나 Gleason 점수 7이고 전립선에 국한된 질환으로 정의되는 중등도 예후를 보인 10점 중에서는 9점에서 약한 양성을 나타내었다. 이에 저자들은 YL-1이 병리학적 병기와 관련이 있으며, 임상적 국소 전립선암 환자에서 나쁜 예후에 대한 표지자가 될 수 있다고 하였다.

근치전립선절제술을 받은 10명의 환자로부터 채취한 암 조직에서 NM-IF (intermediate filament) 복합체가 분리되었으며 (Alberti 등, 1996), 29명의 전립선암 환자를 대상으로 분석

한 연구는 NM과 IF의 발현이 종양이 진행함에 따라 다르다고 하였다. 즉, 분화도가 나쁜 Gleason 점수 8~9의 전립선암에서는 여러 구성원의 cytokeratins (CKs 8, 18, 19)가 크게 감소되었고, 정상 및 양성전립선비대에 비해 분화도가 좋은 Gleason 점수 4~5와 6~7의 전립선암 등의 조직에서는 그들의 발현이 유의할 정도로 감소되었다 ($p<0.05$) (Alberti 등, 2000). 즉, 분화가 덜 된 전립선암에서는 특징적으로 일부 단백질의 발현이 감소되고, 일부는 일정하게 유지된다. 75명의 전립선암 환자를 대상으로 암과 관련이 있는 8종의 NMP, 즉 NMP 1~8의 발현에 대해서만 분석한 연구는 NMP6~8이 Gleason 점수 및 림프절 침범과 강한 연관성을 보였다고 하였다. 중앙치 54개월 동안 장기간 추적 관찰한 결과, NMP6, NMP7, NMP8 중 1종류 이하가 발현된 암은 가장 좋은 예후를 나타내었으며, 세 단백질 모두가 발현된 암은 가장 나쁜 예후를 나타내었다. 이 연구에서 NMP6~8의 발현은 병기가 높을수록, 분화도 등급이 높을수록 증가하였으며, 생화학적 진행과 유의하게 상호 관련이 있었다 (Boccardo 등, 2003).

전립선암 환자 94명에서 채집한 종양 조직 표본을 대상으로 two-dimensional polyacrylamide gel electrophoresis (2D-PAGE)를 이용하여 NMP 8종을 분석한 연구는 다음과 같은 결과를 보고하였다 (Ricci 등, 2012). 첫째, 중앙치 11.7년 동안 추적 관찰하는 동안 50명에서 질환이 진행하였고 22명이 사망하였다. 둘째, 단변량 분석에서 NMP6, NMP7, NMP8 등은 PSA가 진행할 위험과 관련이 있었으며, 각각의 hazard ratio (HR)는 2.66 (95% CI 1.29~5.48; $p≤0.008$), 1.77 (95% CI 0.99~3.11; $p≤0.050$), 2.01 (95% CI 1.15~3.53; $p≤0.015$)이었다. 셋째, 다변량 분석에서 NMP6와 NMP8은 사망 위험과 관련이 있었으며, 각각의 HR은 3.20 (95% CI 1.01~10.09; $p≤0.04$), 2.46 (95% CI 1.04~5.82; $p≤0.04$)이었다. 이와 같은 결과를 근거로 저자들은 NMP에서의 변화가 근치전립선절제술 후 환자의 임상적 결과와 상당한 연관성을 가진다고 하였다.

Surface-enhanced laser desorption/ionization time of flight mass spectrometry (SELDI-TOF MS) 분석에 기초하여 단백질체 형태를 연구한 Hlavaty 등 (2003)은 50.8 kDa의 독특한 단백질, 즉 NMP48을 발견하였다. Peptide 지문 감식법 (mass printing)에 의하면, 이 단백질은 비타민 D와 결합하는 단백질이다. 전립선암, 양성전립선비대, 정상의 남성으로부터 채취한 혈청을 분석한 결과, 전립선암 환자의 표본에서 비타민 D와 결합하는 단백질이 확인되었다. SELDI-TOF는 암을

가진 52명 중 50명 (96%), 생검에서 양성 질환으로 확인된 20명 중 5명 (25%), 양성전립선비대를 가진 10명 중 3명 (30%), 정상 남성 50명 중 2명 (4%)에서 이 단백질을 확인하였다. 이 단백질이 전립선암 종양 표지자로 가치가 있는지는 현재 연구 중에 있다.

44. Nucleolin (NCL)

Nucleolin은 *NCL* 유전자에 의해 코드화되는 단백질이다 (Srivastava 등, 1990). 11 kb의 *NCL*은 염색체 2q37.1에 위치해 있으며, 14개의 exons와 13개의 introns로 구성되어 있다. *NCL*의 intron 11은 작은 핵소체 (nucleolus) RNA, 즉 U20를 코드화한다 (Litchfield 등, 2012). Neurite growth-promoting factor 2 (NEGF2)로 알려진 midkine (MDK)과 NEGF1, heparin-binding brain mitogen (HBBM), heparin-binding growth factor 8 (HBGF8) 등으로 알려진 pleiotrophin (PTN)은 친화성이 낮은 수용체로서의 역할을 하는 세포 표면의 nucleolin과 결합하며, 이러한 결합은 human immunodeficiency virus (HIV)의 감염을 억제한다 (Said 등, 2005).

Nucleolin은 ribosome의 전사, 합성, 성숙에서 중요한 기능을 하는 산성 인단백질이다 (Srivastava와 Pollard, 1999). Nucleolin은 세포의 증식과 성장의 조절에 관여하며 (Strock 등, 2008), 주로 핵소체 내에 위치해 있지만 일부 유형의 세포에서는 세포질이나 세포 표면에서도 발견된다 (Legrand 등, 2004; Stepanova 등, 2008). Nucleolin의 과다 발현은 여러 종양세포에서 발견되며, 세포질과 세포 표면에 있는 nucleolin의 농도 증가는 아교모세포종 (glioblastoma)의 분화도 등급 및 증식 속도와 관련이 있다고 보고되었다 (Galzio 등, 2012).

진핵세포 (eukaryotic cell)에서 ribosomal RNA (rRNA)의 합성은 핵에 위치해 있는 소기관인 핵소체 (nucleolus)에서 일어난다. 핵소체에서의 동역학적 평형은 전사 작용을 하지 않는 rDNA, 활동적으로 전사 작용을 하는 rDNA, 성숙하여 완성된 일차 전사물 사이에서 형성된다. 이러한 평형에 영향을 줄 수 있는 유일한 인자가 100 kDa의 핵소체 인단백질 (phosphoprotein)인 nucleolin (혹은 C_{23})이다.

Nucleolin은 preribosomal RNA와 상호 작용하며, rRNA의 성숙에 관여한다 (Herrera와 Olson, 1986). Nucleolin은 rRNA의 합성을 조절하는 데도 영향을 준다 (Ballal 등, 1975). Nucleolin은 특이한 전사 유발 인자가 아니고 핵소체 염색질

과 상호 작용하기 때문에, high-mobility-group (HMG) 단백질과 유사한 기능을 가지고 있다고 생각된다 (Bouche 등, 1984). 이는 면역화학검사에 의해 nucleolin이 핵 내의 핵소체가 형성되어 있는 부위와 리보솜 유전자의 위치에서 발견된다는 연구에 의해 뒷받침된다 (Lischwe 등, 1981). 또한, nucleolin은 histone H1과 결합함으로써 염색질의 탈응축 (decondensation)을 유도하는데, 이는 nucleolin이 HMG와 유사한 단백질임을 시사한다 (Erard 등, 1988). 다른 연구는 구균 핵산분해효소 (micrococcal nuclease)가 핵소체를 분해함으로써 유리되는 nucleolin의 일부가 mono-, di-, tri-nucleosome과 함께 침전물을 형성한다고 하였다 (Olson과 Thompson, 1983). Nucleolin의 N-terminus 1/3에 있는 아미노산 서열을 분석한 바에 의하면, HMG와 같이 양극성을 나타내는 영역이 있으며, 인산화 부위가 포함된 4개의 산성 stretches와 염기성 lysine 잔기를 가지고 있다. 산성 stretches는 histone과, 염기성 잔기는 이중 가닥의 DNA와 상호 작용한다. 이들 자료를 종합하여 보면, nucleolin은 preribosomal ribonucleoprotein (RNP) 입자 형성의 초기 단계에 관여하며, 핵소체 염색질의 구조를 변경한다. 그러한 이중 기능은 nucleolin의 염기 서열 내에 두 영역, 즉 RNA와 결합하는 다른 단백질과 상동성을 보이는 carboxy-terminal 영역 (Bugler 등, 1987)과 HMG 단백질과 상동성을 보이는 N-terminal 영역 (Lapeyre 등, 1987)이 있기 때문으로 추측된다. 이들 결과는 nucleolin이 rRNA의 전사와 성숙에서 중요한 역할을 하며, 이로써 활성적인 염색질과 비활성적인 염색질 사이의 평형에 관여함을 보여 준다 (Erard 등, 1988).

44.1. Nucleolin의 기능 Functions of nucleolin

Nucleolin은 대부분 세포의 핵소체와 핵형질 (nucleoplasm) 뿐만 아니라 암세포, 혈관 형성 내피세포 등을 포함하는 일부 세포의 세포질과 세포 표면에 존재하는 다기능 단백질이다 (Christian 등, 2003; Storck 등, 2007). Nucleolin의 농도는 세포의 증식 속도와 관련이 있다고 알려져 있으며, 악성 세포와 같이 빠르게 분열하는 세포에서 증가되고 정지기 상태의 세포에서는 거의 발견되지 않는다 (Sirri 등, 1997). Nucleolin은 rDNA 전사의 조절, preribosome 보존 (packaging), 핵소체 염색질의 조직화 등에 관여함으로써 리보솜의 생체 내 발생 (biogenesis)에서 중요한 역할을 할 뿐만 아니라, 세포질과 핵/핵소체 사이에서 세포의 단백질을 수송하는 운반 단

백질로서의 기능도 한다. Nucleolin은 핵산 helicase로서 그리고 G 사중합체 결합 단백질로서의 기능을 함으로써 세포자멸사, 핵 기질 구조물의 형성, DNA의 복제, mRNA의 안정화, 전사의 조절, 신호 전달, telomere의 유지, 세포질 분열 (cytokinesis) 등과 같은 여러 기능에 직접 혹은 간접으로 영향을 준다 (Mi 등, 2003; Girvan 등, 2006; Mongelard와 Bouvet, 2007). 또한, nucleolin은 세포의 표면에 존재하면서 actin (Hovanessian 등, 2000), urokinase (Dumler 등, 1999), lactoferrin (Legrand 등, 2004), midkine (Shibata 등, 2002), vascular endothelial growth factor (VEGF) (Huang 등, 2006) 등 다양한 ligands에 대한 수용체로서의 기능을 한다. 근래 들어 암 생물학에서 nucleolin의 중요성이 증가되고 있으며, 만성 림프구 백혈병 (Otake 등, 2007), 자궁경부암 (Grinstein 등, 2002), 신경아교종 (glioma) (Galzio 등, 2012) 등의 악성적인 형질 전환에 직접 관여한다고 보고되고 있다. Histone 샤프론 (chaperone)의 역할을 하는 nucleolin은 기본이 되는 다양한 세포 과정을 조절할 뿐만 아니라 (Mongelard와 Bouvet, 2007), 악성 형질 전환과 종양의 진행에서도 중요한 역할을 한다 (Storck 등, 2007).

Jak-binding protein 1 (JBP1) 혹은 SHK1 kinase binding protein 1 (SKB1)으로도 알려져 있는 protein arginine methyltransferase 5 (PRMT5)는 symmetrical dimethylarginine (sDMA)의 형성을 촉진하는 효소로서 nucleolin과 결합하고, antisoma 1411 (AS1411)에 의해 분포와 기능이 달라진다. PRMT5와 결합한 nucleolin은 sDMA를 가지고 있으며, 이는 nucleolin이 PRMT5의 기질임을 시사한다. Nucleolin과 PRMT5의 생물학적 기능 사이에는 상당하게 중복되는 점이 있는데, 예를 들면 둘 모두는 전사의 조절, 염색질의 재편성, 정모세포 (spermatocyte)의 성숙, RNA의 프로세싱, survival motor neuron protein 1 (SMN1)과의 복합체 형성, 핵 혹은 세포질로의 위치 선정 등에 관여한다 (Lefebvre 등, 2002; Angelov 등, 2006; Masumi 등, 2006; Grinstein 등, 2007). *PRMT5* 는 염색체 14q11.2에 위치해 있다. Antisense (AS) *PRMT5*를 이용하여 *PRMT5* mRNA의 농도를 90% 이상 감소시키면, 종양을 억제하는 2종의 유전자 *suppressor of tumorigenicity protein 7 (ST7)*과 *non-metastatic protein 23 (NM23)*가 상향 조절되었다. 과다 발현되는 경우 세포 주기를 조절하여 종양의 진행을 조절하는 인자인 *cyclin E2 (CCNE2)* 또한 AS *PRMT5*를 발현하는 세포에서 유도되었는데, 이러한 현상이

직접적인 효과인지는 분명하지 않다. AS PRMT5를 발현하는 세포의 경우 CCNE2의 발현이 증대되더라도 표준형 세포에 비해 성장이 완만하였다. ST7은 loss of heterozygosity (LOH)가 흔히 일어나는 염색체 7q31.1에 위치해 있으며, 전립선암 등 일부 암에서 발현이 감소된다 (Hooi 등, 2006). 돌연변이로 인한 ST7의 불활성화는 염색질의 구성에서 일어나는 후성적 침묵 때문이며, 그러한 침묵은 PRMT5에 의해 매개된다고 추측된다 (Pal 등, 2007). ST7의 이소성 발현은 사람의 유방암 세포와 전립선암 세포에서 고정 비의존성 성장을 감소시켰으며, 면역이 결핍된 생쥐에서 종양을 형성하는 기능을 억제하였다 (Hooi 등, 2006).

ATPases의 rat sarcoma viral oncogene homolog (RAS) 가족은 세포 외부의 신호를 전달하는데, 이는 epidermal growth factor receptor (EGFR)로도 불리는 v-erb-b1 erythroblastosis leukemia viral oncogene homolog (ERBB1)에 의해 유도되며, 세포의 증식, 분화, 이동, 세포사 등을 조절한다 (Vojtek 와 Der, 1998). 활성화된 RAS에 의해 전달된 신호는 다수의 경로를 활성화한다. 즉, 활성화된 RAS 단백질은 세포 형태와 기타 인자에 따라 세포 자멸사에 대해 양성적 혹은 음성적 효과를 나타내는데, 이는 RAS가 다수의 효과기 경로를 직접 조절하기 때문이며, 이들 경로로는 생존 신호를 제공하는 phosphatidylinositol 3-kinase (PI3K), 생존을 억제하는 Raf-1 proto-oncogene serine/threonine-protein kinase (RAF1) 경로 등이 있다. 또한, RAS는 PI3K를 통한 v-akt murine thymoma viral oncogene homolog 1 (AKT 혹은 protein kinase B, PKB)의 활성화 혹은 nuclear factor kappa B (NFκB)의 활성화를 통해 세포 자멸사로부터 세포를 보호하는 역할을 한다 (Downward, 1998).

세포 표면에 있는 nucleolin의 농도 혹은 활성을 억제하면 높은 농도의 활성 RAS 단백질을 발현하는 여러 암세포의 성장이 억제되었다 (Destouches 등, 2008). 다른 연구는 nucleolus와 관련이 없는 일부 nucleolin이 ERBB 수용체와 상호 작용함을 발견하였으며, 이러한 상호 작용은 ERBB1/EGFR의 활성화를 유도할 뿐만 아니라 세포 집락의 성장을 유도한다고 하였다 (Di Segni 등, 2008). 또한, nucleolin, ERBB1, RAS 등의 단백질은 서로 교통함이 근래 연구에 의해 밝혀졌으며 (Farin 등, 2011), RAS 억제제인 S-trans,trans-farnesylthiosalicylic acid (FTS 혹은 Salirasib)와 세포 표면의 nucleolin을 표적화하는 앱타머 (aptamer)인 GroA (AS1411)로 결장암과 전

립선암 세포를 치료한 연구는 세포의 성장과 고정 비의존성 성장이 억제됨을 관찰하였다 (Schokoroy 등, 2013). 아교모세포종을 이용한 연구에 의하면, nucleolin은 ERBB1의 ligand인 EGF의 유무와 관계없이 ERBB1의 활성화에 관여하며, GroA는 ERBB1과 nucleolin의 상호 작용을 감소시킬 뿐만 아니라 EGF로 유도되는 ERBB1의 활성화에 영향을 주어 ERBB1의 분해를 촉진하였다. 또한, GroA를 이용한 치료는 세포의 증식을 유의하게 억제한 데 비해, FTS는 세포사를 증대시켰고 세포의 이동을 감소시켰다. 누드마우스를 이용한 생체 실험에서 이들 두 제제를 병용한 경우 ERBB1의 인산화가 감소되고 ERBB1과 nucleolin 사이의 상호 작용이 억제됨으로써 세포사가 유도되었고 종양의 크기가 감소되었다 (Goldshmit 등, 2014). 이들 결과는 nucleolin과 RAS 둘 모두를 표적화하는 치료는 아교모세포종과 같이 이들 종양 유전자와 관련이 있는 여러 암에서 유익한 효과를 나타낼 수 있음을 보여 준다.

44.2. Hepatocyte growth factor (HGF)와의 관계
Relation with hepatocyte growth factor (HGF)

전립선에서 세포와 기질과의 부착, 세포의 운동성, 침습성 등은 상피세포와 기질세포 사이에서 일어나는 신호의 상호 작용에 의해 조절된다 (Chung 등, 2005). 신호가 서로 영향을 줌으로 인해 전립선 기질의 섬유모세포는 상피세포의 증식을 조절하는 한편 (Nemeth와 Lee, 1996), 상피세포는 기질에 있는 평활근의 성숙과 같은 과정을 조절한다 (Cunha 등, 1992). 신호가 접수되거나 세포 사이 신호가 교환되어 부착 기능의 변화가 일어나면, 종양이 형성되고 진행될 수 있다. 암세포는 기질의 성장 환경을 최적화한다 (Sung과 Chung, 2002). Hepatocyte growth factor/scatter factor (HGF/SF)를 포함하는 많은 성장 인자들이 상피세포와 기질세포 사이의 양방향 상호 작용에 관여한다 (Liotta와 Rao, 1986).

HGF/SF는 기관의 발생, 조직의 재생, 종양의 형성 등과 같은 과정에서 세포의 활동을 조절한다 (Ma 등, 2003). HGF는 골격의 기질세포에 의해 발현되며, 전립선의 상피세포에 대해 강력한 유사분열 촉진제로서의 기능을 한다 (Pisters 등, 1995). 세포 표면에 있는 HGF receptor (HGFR)로도 알려져 있는 met proto-oncogene tyrosine kinase (MET) 단백질과 함께 HGF의 기원, 수용, 효과 등이 전립선암 세포에서 연구되어 왔다 (Knudsen과 Edlund, 2004). 대부분의 HGF는 분비되

는 즉시 heparan sulfate proteoglycans와 결합함으로써 기질 세포의 세포 외부 기질 내에서 정지 상태가 된다 (Hartmann 등, 1998). HGF는 전립선관 및 세엽의 기저세포 그리고 소수의 전립선관 관강세포 및 기질 평활근세포에서 MET 수용체와 결합한다 (Gmyrek 등, 2001). 전립선 내에서 분지가 발달하는 사춘기 동안 기질의 자극에 반응하여 전립선관의 끝에서 높은 농도의 MET가 관찰되는데, 이는 HGF/MET로 매개되는 특징적인 작용의 하나이다 (Xue 등, 2001). MET의 신호 경로는 신장, 유선, 간, 췌장, 폐 등의 관 형성에서도 중요한 역할을 한다 (Rosario와 Birchmeier, 2003). 높은 농도의 MET는 세포 운동성의 증가와 관련이 있으며, 실제로 전이는 전립선암의 초기 병기에서 나타나는 통제되지 않는 전립선의 분지 형성과 관련이 있다 (Bonkhoff, 2001). 또한, MET의 높은 발현과 기능 장애는 위암 (Lee 등, 2000), 두경부암 (head and neck squamous cell carcinoma, HNSC) (Di Renzo 등, 2000), 신장암 (Schmidt 등, 1999), 유방암 (Lengyel 등, 2005), 전립선암 (Knudsen 등, 2002) 등 사람의 여러 암에서 발견되며, 동물에서의 일부 전이 암과도 상호 관련이 있다 (Jeffers 등, 1998).

암이 진행하는 동안 MET의 발현에 관한 연구는 상충되는 결과를 보고하고 있다. MET의 발현은 전립선암이 진행하는 동안 증가하는 경향이 있으나, MET의 발현과 Gleason 등급 사이의 상호관계는 매우 약하다. 국소 전립선암의 약 50%가 MET를 발현하며 (Watanabe 등, 1999), 전이 암의 경우에는 발현 비율이 훨씬 더 높다 (Knudsen 등, 2002). 양성전립선비대 표본의 18% (2점/11점)에 비해 원발 전립선암 표본의 84% (36점/43점), 림프절 전이 표본의 100% (4점/4점), 골수 전이 표본의 100% (23점/23점)에서 MET의 발현이 증가된다는 보고가 있으며 (Pisters 등, 1995), MET 단백질이 전립선암의 45% (58명/128명)에서 발견되었고 원발 전립선암에 비해 전이 질환에서 발견율이 더 높으며, 각각에서 40% (43명/108명), 75% (15명/20명)이라는 연구도 있다 ($p < 0.005$). 후자의 연구는 MET 단백질이 안드로겐이 차단된 상태에서 상향 조절되며 안드로겐에 민감하지 않은 전이 세포에서 더 흔하게 발현되기 때문에, 질환의 진행과 MET의 발현 사이에는 연관성이 있을 것으로 추측하였다 (Humphrey 등, 1995). 이 연구에서 수용체는 세포 표면과 세포질 둘 모두에서 염색되었다. 다른 연구는 높은 분화도 등급의 전립선암에서 MET의 발현이 증가되었으며 (Watanabe 등, 1999), 림프절 전이에 비

해 골 전이의 경우 MET가 더 높게 발현되었지만 (Pisters 등, 1995), 5년 동안 추적 관찰한 연구는 MET의 발현과 질환의 진행 사이에는 연관성이 없었다고 하였다 (Knudsen 등, 2002). MET의 발현 양상은 질환의 결과와 일정한 연관성을 보여 주지 않을 뿐만 아니라 MET의 발현에 관한 여러 실험 모델은 혼동되는 결과를 보여 주었다. MET의 발현은 진행이 덜 된 세포에 비해 일부 전이 전립선암 표본에서 더 높았는데 (Tsuka 등, 1998), 예를 들면 MET의 RNA 및 단백질의 농도는 안드로겐 의존성인 LNCaP 세포주에 비해 안드로겐 비의존성의 DU145, PC3, PC3M 세포주에서 증가되었다 (Nishimura 등, 2003). 그러나 이러한 상호관계는 LNCaP에서 유래된 세포주에서는 성립되지 않았는데, LNCaP와 그로부터 유래된 안드로겐 비의존성 C4-2 세포주는 HGF 수용체인 MET를 발현하지 않기 때문이다 (Tate 등, 2006). 따라서 HGF와 MET가 전립선암의 진행에서 매우 중요하지만, 그들의 기능에 관해서는 아직 충분하게 이해되어 있지 않은 상태라고 할 수 있다.

고농도의 MET 발현이 HGF에 대해 항상 농도 의존적으로 반응하지 않기 때문에, 전립선암 모델에서 MET와 HGF와의 상관관계는 더욱 복잡하다. 즉, MET의 발현이 높은 DU145 전립선암 세포는 HGF에 대해 농도 의존적으로 반응하여 세포의 운동성을 증가시키는 데 반해, MET의 발현이 동일하게 높은 PC3 세포는 동일한 조건 하에서 HGF에 대해 반응하지 않는다 (Humphrey 등, 1995). 세포 종류에 따라 HGF의 투여로 인해 세포 자멸사에 대항하는 작용과 세포 자멸사를 유발하는 작용이 다르게 나타나는 이유는 신호 경로에서 하위 신호가 부족하기 때문이거나 (Nishimura 등, 1998), HGF와 MET 자체의 아형 때문이거나 (Wordinger 등, 1999), PI3K/protein kinase B alpha (혹은 AKT1)와 같은 신호 경로의 중간 매체가 세포 외부 기질의 부착에 의해 포화됨으로써 더 이상 인산화가 일어나지 않기 때문으로 추측된다 (Gandino 등, 1994). 세포 외부 기질과 세포와의 부착은 HGF에 반응하여 일어나는 세포의 파급 및 이동에서 중요한 역할을 한다. LNCaP와 C4-2 세포에서는 MET의 단백질 혹은 RNA의 발현이 발견되지 않는다 (Knudsen과 Edlund, 2004).

HGF는 다수의 아형, 수용체, 신호 경로 등을 통해 다양한 세포 반응을 일으킨다. 또한, HGF는 침습을 촉진하는 인자인 plasminogen (Kim 등, 1998)과 마찬가지로 내피세포암과 전이 상피세포암에서 세포의 운동성을 자극한다 (Meiners 등, 1998). HGF는 전립선에서 세포의 부착과 운동성에 관여

하는 분자인 integrins의 기능에 영향을 준다 (Nishimura 등, 1999). HGF는 전립선암 세포에서 MET 외에도 핵 단백질인 nucleolin과 결합한다 (Ginisty 등, 1999). 세포 표면에서 발견되는 nucleolin은 heparin-bound growth factor (HBGF)와 상호 작용하며 (Shibata 등, 2002), 세포 표면의 수용체로서 그리고 핵 내외로의 운반용 단백질로서 기능을 한다 (Christian 등, 2003).

Prostate stromal-conditioned media (pSCM)를 이용한 연구는 다음과 같은 결과를 보고하였다 (Tate 등, 2006). 첫째, HGF는 LNCaP 세포에서 HGF 신호를 수용하는 단백질인 nucleolin에 영향을 준다. 항체를 이용하여 pSCM에 있는 HGF 혹은 세포 표면에 있는 nucleolin의 작용을 억제하면, 부착을 자극하는 pSCM의 부착 자극 효과가 소실되었다. 둘째, LNCaP 계열에서 유래된 안드로겐 비의존성 전립선암 세포주 C4-2는 농도 의존성 방식으로 HGF에 대해 반응을 하였으며, 이로써 laminin 층에서 세포의 부착이 증대되었고 세포의 이동이 감소되었다. LNCaP 혹은 C4-2 세포에서는 HGF 수용체 MET가 발견되지 않기 때문에, 그러한 HGF 효과는 laminin과 결합하는 integrins의 발현양의 변화와 관련이 없으며, MET의 발현과도 관련이 없다고 생각된다. MET가 존재하지 않는 상태에서도 GTPase가 활성화됨으로써 HGF는 막의 돌출과 integrins의 활성화를 자극하였다. 셋째, 세포막 표면에 위치해 있는 nucleolin의 농도는 PC3 및 LNCaP 세포주 모델에서 암이 진행하는 동안 증가하였다. 이들 결과에 의하면, nucleolin은 HGF를 포함하는 HBGFs와 결합하며, 전립선암이 진행하는 동안 상향 조절된다. 또한, nucleolin에 대한 항체는 MET 음성인 전립선암 세포에 대한 HGF의 자극 효과를 향상시킬 수 있다. HGF와 nucleolin 사이의 상호 작용은 HGF의 반응과 MET의 발현이 다양하게 나타나는 이유를 설명해 줄 수 있다.

44.3. Antisoma 1411 (AS1411)과의 연관성
Relation with antisoma 1411 (AS1411)

Oligonucleotide 앱타머는 짧은 염기 서열을 가진 DNA 혹은 RNA로서 표적 단백질과 3차원적인 결합을 함으로써 단백질의 상호 작용을 억제하는 고분자 물질이다. 따라서 이들 분자는 기계론적으로 치료용의 단클론 항체와 유사하지만, 안정성, 제조 용이성, 비면역원성 (nonimmunogenicity) 등과 같은 항체 이상의 장점을 가지고 있다 (Pestourie 등, 2005). 앱

타머 oligonucleotide는 hairpins나 G-quartets와 같은 이차 구조 단위를 가지고 있으며, 보통 분자진화기법에 의해 발견되지만, 우연하게 발견되기도 한다 (Cogoi 등, 2004).

Phosphodiester인 guanine-rich oligonucleotide (GRO)는 nucleolin과 결합하는 앱타머로서의 기능을 한다 (Girvan 등, 2006). GRO는 여러 형태의 암세포에서 성장을 억제하는 작용을 나타내지만, 비악성 세포에 대해서는 그러한 효과가 약하다 (Xu 등, 2001). 활성 GRO는 세포와 핵에 있는 핵산말단분해효소 (exonuclease) 혹은 열에 의한 분해에 대해 저항성을 나타내는 안정된 guanine 사중합체 구조물을 형성한다 (Dapic 등, 2003). GRO 중 하나인 AS1411 (혹은 AGRO100 혹은 GRO26B-OH)은 항암제로서 임상 시험을 거친 첫 앱타머이다. AS1411은 전이 암을 가진 환자에서 실시한 임상 1상 시험에서 심각한 부작용을 나타내지 않았으며 (Miller 등, 2006), 전이 신세포암 환자에서 객관적인 반응을 보여 임상에서 유망한 제제로 관심을 받고 있다 (Laber 등, 2005). 이 분자는 다수의 암세포에서 세포의 증식을 억제하였고 세포사를 유도하였으나, 정상 세포에서는 그러한 효과를 거의 나타내지 않았다 (Bates 등, 1999). 암세포에서 이 계열의 분자는 세포 주기의 정지, nuclear factor kappa B (NFκB) essential modulator (NEMO)와 결합함으로 인한 NFκB 신호 경로의 억제, 종양 억제 유전자의 발현 유도, B-cell lymphoma 2 (BCL2)의 발현 감소 등과 같은 생물학적 효과를 나타낸다 (Soundararajan 등, 2008; Bates 등, 2009).

Nucleolin과 결합하는 많은 다른 ligands와 마찬가지로, AS1411은 세포 표면의 nucleolin과 결합하며 암세포에 의해 내재화된다 (Xu 등, 2001). 세포의 내부로 들어간 결합체 AS1411은 nucleolin과 그것의 ligand 사이의 상호 작용을 조절함으로써 다양한 생물학적 효과를 나타낸다. Nucleolin을 표적으로 하는 AS1411은 nucleolin과 결합된 복합체의 분포 위치를 변경하고 nucleolin의 분자 상호 작용을 방해함으로써 암세포의 증식을 억제하며 (Teng 등, 2007), 현재 다양한 암의 치료제로서 임상 2상 시험 중에 있다 (Bates 등, 2009).

Nucleolin은 다양한 ligands의 세포 내 섭취 (endocytosis)를 매개하며, AS1411의 수용체로서 작용하고, nucleolin의 발현은 암세포에 의해 증가되기 때문에, AS1411은 종양에 선택적으로 섭취된다고 간주된다 (Bates 등, 2007). 이러한 연구 자료를 근거로 AS1411을 평가한 연구는 다음과 같은 결과를 보고하였다 (Teng 등, 2007). 첫째, PRMT5의 농도는 AS1411

이 투여된 DU145 전립선암 세포의 핵에서 감소되었지만, 세포질에서는 증가하였다. 이러한 변화는 nucleolin에 의존적이었으며, nucleolin 특이 small interfering RNA (siRNA)로 전처치가 이루어진 세포에서는 관찰되지 않았다. 둘째, AS1411을 투여한 경우 핵으로부터 세포질로 PRMT5의 재분포가 일어났다. 셋째, nucleolin 자체는 PRMT5의 기질 역할을 하였으며, sDMA에 의해 변경된 nucleolin의 분포는 AS1411에 의해 달라졌다. 넷째, PRMT5에 의한 histone arginine 메틸화가 전사를 억제한다는 연구에 근거하여 AS1411이 투여된 세포에서 PRMT5의 표적 유전자의 발현을 분석한 바에 의하면, 세포 주기를 조절하는 유전자 CCNE2, 종양을 억제하는 유전자 ST7 등과 같은 일부 유전자의 유의한 상향 조절이 관찰되었으며, 이는 AS1411으로 인해 핵 내의 PRMT5 양이 감소함으로써 PRMT5와 그들 유전자의 촉진체와 결합이 감소하기 때문으로 추측된다. 그러나 세포 주기 G1 기에서 S 기로의 이행을 조절하고 성장을 촉진하는 CCNE2가 AS1411에 의해 상향 조절되는 기전과 그로 인한 역할은 분명하지 않다. 이들 결과를 종합하면, nucleolin은 PRMT5와 결합하는 기질이며, AS1411은 nucleolin과 PRMT5의 복합체를 핵으로부터 세포질로 재분포시킨다. 결과적으로 핵에서 PRMT5의 기능이 감소됨으로써 PRMT5의 일부 표적 유전자의 활성화가 일어나고, 이는 AS1411의 생물학적 효과로 나타난다.

전립선암 세포 DU145와 비악성 피부 섬유모세포 Hs27에서 fluorophore-labeled AS1411 (FL-AS1411)의 섭취를 비교한 연구는 다음과 같은 결과를 보고하였다 (Reyes-Reyes 등, 2010). 첫째, FL-AS1411의 섭취는 두 종류 세포의 세포 내 섭취에 의해 일어났으며, 이러한 섭취는 사중합체가 아닌 불활성 oligonucleotide에 비해 훨씬 효율적으로 일어났다. 둘째, 세포 내 섭취는 clathrin 매개 세포 내 섭취, caveolae 매개 세포 내 섭취, clathrin/caveolae 비의존성 세포 내 섭취, 거대식세포 작용 (macropinocytosis) 등의 기전을 통해 일어난다 (Doherty와 McMahon, 2009). FL-AS1411의 섭취는 예상 밖으로 Hs27 세포에 비해 암세포에서 낮았으나, 섭취 기전은 서로 차이를 나타내었다. 즉, 암세포에서는 거대식세포 작용에 의해 섭취가 일어난 데 비해, Hs27에서는 거대식세포 작용과는 다른 경로를 통해 일어났다. 셋째, 여러 암세포에 대해 AS1411을 투여한 경우 거대식세포 작용이 과다하게 자극을 받음으로 인해 AS1411 자체의 섭취가 증가되었지만, 비악성 세포에서는 그러한 자극이 관찰되지 않았다. 넷째, FL-AS1411

의 섭취 과정 중 처음에는 nucleolin이 요구되지 않았지만, 후에는 거대식세포 작용 및 FL-AS1411 섭취를 위해 이 단백질이 필요하였다. 이들 결과는 다른 연구 결과 (Teng 등, 2007)와 일부 차이를 나타내기는 하지만, AS1411의 작용 기전을 보여주며, 약물 전달의 한 과정인 거대식세포 작용을 자극하는 데는 nucleolin이 필요함을 보여 준다.

45. p53-Upregulated Modulator Of Apoptosis (PUMA)

BCL2 homology domain 3 (BH3) 소그룹에 속하는 *p53-upregulated modulator of apoptosis* (PUMA)는 *BCL2-binding component 3* (BBC3)로도 알려져 있으며, 세포 자멸사를 강하게 유발하는 유전자이다. 염색체 19q13.3-q13.4에 위치해 있는 *PUMA*는 p53의 유도를 통한 유전자 독성 스트레스에 반응하여 유도되는 p53의 표적 유전자로서 처음 발견되었다 (Yu 등, 2001). PUMA에 의해 코드화되는 단백질은 미토콘드리아에서만 발견되며, BH3 domain을 통해 B-cell lymphoma 2 (BCL2) 및 B-cell lymphoma extra large (BCL-XL)와 결합한다. PUMA는 p53와 관련한 세포 자멸사를 직접 매개한다고 추측되며, 외인성 PUMA의 발현은 매우 신속하게 세포 자멸사를 일으키는데, 외인성 p53에 의한 세포 자멸사보다 훨씬 더 일찍 일어난다 (Yu 등, 2001).

Reactive oxygen species (ROS)의 증가는 포유동물의 세포에서 세포 자멸사를 일으킨다. PUMA를 발현하는 결장직장 세포 DLD-1.PUMA를 이용한 연구는 다음과 같은 결과를 보고하였다 (Liu 등, 2005). 첫째, PUMA에 의해 유도된 세포 자멸사는 용량 및 시간에 의존적이었다. 둘째, PUMA에 의해 유도된 세포 자멸사는 ROS의 생성과 직접 관련이 있었다. 셋째, ROS를 차단하는 diphenyleneiodonium chloride (DPI) 혹은 BCL2-associated X protein (BAX)의 전위를 억제하는 BAX-inhibiting peptide (BIP)는 DLD-1.PUMA 세포에서 ROS의 생성과 세포 자멸사를 감소시켰다. 넷째, PUMA의 과다 발현은 peroxiredoxin 1을 1.34배 이상 상향 조절하였으며, proteasome에 의해 매개되는 분해를 통해 세포 미세관의 역동학을 조절하는 단백질인 stathmin을 25%까지 하향 조절하였다. 다섯째, 과산화수소는 stathmin을 하향 조절하였으며, 세포의 미세관을 파괴하였다. 이들 결과를 종합하여 보면, PUMA는 세포 자멸사를 유도하는데, 이는 최소한 일부는 BAX 의존성 초과산화물 및 과산화수소의 생성으로 인한다. 또한, ROS의 과다 발현 및 산화 스트레스는 세포 자멸사 세포에서 stath-min의 분해, 세포 미세관의 파괴 등과 같은 proteasome과 관련이 있는 변화를 유발한다.

PUMA는 또한 cytokine 혹은 성장 인자의 신호 경로가 중단된 상태에서 p53 비의존적 방식으로 forkhead box O (FOXO)의 전사 인자 가족에 속하는 FOXO3a에 의해 상향 조절될 수 있다 (You 등, 2006). 세포 자멸사를 일으키는 FOXO3a의 작용은 protein kinase B (PKB), 즉 v-akt murine thymoma viral oncogene homolog protein 1 (AKT)에 의해 매개되는 인산화에 의해 억제되며, 이 경우 FOXO3a는 kinase, 인산분해효소, 경막 수용체 등과 같은 다양한 신호 전달 단백질과 결합하는 14-3-3 단백질과 결합하고 세포질로 전위를 일으켜 proteosome의 분해를 유발한다. 암에서는 phosphoinositide 3-kinase (PI3K)의 기능 획득 돌연변이 (gain-of-function mutation) 혹은 phosphatase and tensin homolog (PTEN)의 결실 돌연변이에 의해 PI3K/AKT의 경로가 상향 조절되며, 이로써 암세포의 생존을 증대시킨다 (Brunet 등, 1999). PI3K/AKT 신호 경로가 존재하지 않으면, FOXO3a는 핵 내에 위치하며, 표적이 되는 유전자인 PUMA와 growth arrest and DNA-damage-inducible, alpha (GADD45)의 전사를 유발한다 (Tran 등, 2002). 또한, microRNAs 중 miRNA-155는 FOXO3a의 3′-untranslated region과 직접 상호 작용하여 FOXO3a 단백질의 발현을 억제한다 (Yamamoto 등, 2011). 유방암 세포주 MCF-7에 관한 연구에서 FOXO3a는 estradiol 의존성 및 estrogen receptor alpha (ERα 혹은 ESR1) 매개의 세포 증식을 억제하였다 (Zou 등, 2008).

ERβ (ESR2)는 여러 암에서 종양을 억제한다고 알려져 있으며, 이는 소장암 (Giroux 등, 2008), 전립선암 (Slusarz 등, 2012) 등을 가진 생쥐에서 ERβ를 제거한 연구에서 입증되었다. 세포주를 이용하여 ERβ의 기능을 평가한 연구는 ERβ가 증식을 억제하는 효과 (Dey 등, 2012), aromatase가 제거된 생쥐 전립선의 거세 저항성 기저 상피세포에서 외인성 경로를 통해 세포 자멸사를 촉진하는 효과 (Hussain 등, 2012), 세포 자멸사를 유발하는 유전자 BCL2-interacting killer (BIK)를 상향 조절함으로써 tamoxifen에 의한 세포사를 증가시키는 효과 (Hodges-Gallagher 등, 2008) 등을 나타낸다고 하였다. 이와 같은 연구 결과는 분자 기전이 분명하게 밝혀지지 않지만, ERβ가 세포 자멸사의 효과를 나타냄을 보여 준다. 다른

연구는 전립선암에서 ERβ가 p53 비의존적, FOXO3a 의존적으로 PUMA의 발현을 증가시켜 세포 자멸사를 일으키며, ERβ, FOXO3a, PUMA 등의 발현은 Gleason 등급 4 이상의 전립선암에 비해 양성전립선비대에서 더 높고 Gleason 등급이 높은 전립선암에서 이들 유전자의 발현이 소실된다고 하였다 (Dey 등, 2014). 이 연구의 결과는 ERβ가 전립선암에서 FOXO3a의 전사를 증가시켜 PUMA의 발현을 증가시키고, 이로써 caspase-9을 포함하는 내인성 경로를 통해 세포 자멸사를 유도함을 보여 준다.

전립선상피내암, 호르몬 민감성 전립선암, 호르몬 저항성 전립선암 등의 조직 표본을 대상으로 면역조직화학검사를 이용하여 세포 자멸사를 유발하는 NADPH oxidase activator (NOXA) 및 PUMA와 전립선암의 생화학적 재발 사이의 연관성을 평가한 연구는 다음과 같은 결과를 보고하였다 (Diallo 등, 2007). 첫째, NOXA의 발현 증가는 전립선암의 진행과 관련이 있었으며, 호르몬 저항성 전립선암에서 가장 높은 농도를 보였다. NOXA의 발현 증가는 호르몬 민감성 전립선암 환자의 68%에서 관찰되었으며, 생화학적 재발을 예측하였다 (LR 8.64; p=0.003). 둘째, PUMA의 발현 증가는 호르몬 민감성 전립선암에서 가장 높았으며, 호르몬 민감성 전립선암 환자의 70%에서 PUMA의 발현이 증가되었지만 PUMA 단독으로는 생화학적 재발을 예측하지 못하였다. 셋째, NOXA, PUMA, 수술 절제면 상태 등을 포함하는 모델은 생화학적 재발을 예측하였으며, integrated Brier score (IBS)는 0.1.7 (95% CI 0.065~0.128)이었다. 이들 결과는 NOXA 및 PUMA의 발현이 전립선암의 진행과 관련이 있음을 보여 주며, 앞으로 이들 단백질과 함께, 수술 절제면 상태, 수술 전 PSA 농도 등을 포함하는 모델이 생화학적 재발을 예측할 수 있는지를 평가할 필요가 있다.

46. Phosphatase And Tensin Homolog (PTEN)

Phosphatidylinositol 3,4,5-trisphosphate 3-phosphatase and dual-specificity protein phosphatase PTEN, mitochondrial phosphatase and tensin protein alpha 등으로도 알려진 phosphatase and tensin homolog (PTEN)는 염색체 10q23.3에 위치해 있고 mutated in multiple advanced cancers 1 (MMAC1)으로도 알려진 유전자 PTEN에 의해 코드화되는

단백질이며, *PTEN* 유전자는 여러 암의 발생과 관련이 있다 (Steck 등, 1997). *PTEN* 유전자는 그것의 단백질 생성물인 phosphatase를 통해 종양을 억제하는 작용을 나타낸다. 이 phosphatase는 세포의 주기를 조절하여 세포의 빠른 성장과 분열을 방지하며 (Chu와 Tarnawski, 2004), 발암 oncomir인 *microRNA 21* (miR-21)의 표적이 되기도 한다. 이 효소 단백 질은 phosphatidylinositol-3,4, 5-trisphosphate (PIP3)의 탈인 산화 (dephosphorylation) 반응을 일으키는데, 이 탈인산화는 v-akt murine thymoma viral oncogene homolog protein 1 (AKT 혹은 protein kinase B, PKB)의 신호 경로를 억제함으로 써 종양을 억제하는 인자로서의 기능을 한다 (Lee 등, 1999).

전립선암에서는 특이 염색체 위치에서 흔히 대립 유전자의 결실이 일어나는데, 이는 6q, 7q, 8p, 10q, 13q, 16q, 17p, 17q, 18q 등을 포함하는 다양한 염색체 팔에는 종양을 억제하는 유 전자가 존재함을 시사한다 (Carter 등, 1990). 전립선암의 경우 염색체 10의 긴 팔에서 흔하게 결손되는 두 부위, 즉 10q22-q24와 10q25가 발견되었으며 (Komiya 등, 1996), *PTEN* 유전 자가 있는 10q23에서는 loss of heterozygosity (LOH)가 흔하 다고 보고되었다 (Ittmann, 1996). 7q, 8p, 13q, 16q 등과 같은 염색체 네 자리를 평가한 연구에 의하면, 1개 이상의 위치에서 LOH가 발견된 경우는 전립선암 발견에 대한 민감도가 73%, 특이도는 67%이었으며 (Cussenot 등, 2001), 7q, 8p, 12p, 13q, 16q, 18q 등의 여섯 자리를 평가하였을 때는 87%의 민감도와 44%의 특이도를 얻었다 (Thuret 등, 2005).

전이 조직으로부터 유래된 세 가지 전립선암 세포주에서 종양 억제 유전자 *PTEN*이 불활성적인 형태로 변하였음이 관 찰되었다 (Steck 등, 1997). Cairns 등 (1997)은 원발 종양 60 점, 골반림프절 전이 20점 등을 포함하는 80점의 전립선암 표 본을 검색하였으며, 29% (23점/80점)에서 10q23 위치에 LOH 가 있음을 발견하였다. LOH를 가진 23점의 표본 중 6점에서 균질한 결손이, 4점에서는 돌연변이가 확인되었는데, 이는 분 석된 표본의 12.5% (10점/80점)에서 *PTEN*이 완전하게 불활 성화되었음을 나타낸다. 흥미로운 점은 *PTEN*의 불활성화는 국소 전립선암의 5%에서만 관찰된 데 비해, 림프절 전이의 경 우는 30% 이상에서 관찰되었다는 점이다.

전이된 Dunning 쥐를 대상으로 실시한 연구에서, micro-cell-mediated chromosome transfer (MMCT; 세포 노화 기전 으로서 정상 염색체를 불멸화 세포에 도입하는 기술)를 통해 염색체 10의 *PTEN* 위치를 포함한 10q 내에 전이 억제를 활성

화하는 영역을 만들면 전립선암 세포의 전이력이 상실되었다 (Nihei 등, 1995). 전립선암 세포에서 10q LOH에 관한 연구도 10q22-24에서의 LOH와 전이 암 표현형 사이에는 관련이 있 음을 발견하였다 (Komiya 등, 1996). 또한, 전립선암으로 사 망한 19명의 전립선암 조직에 대한 연구도 결손 혹은 점돌연 변이 (point mutation)를 포함한 *PTEN* 유전자의 변화가 19명 중 12명에서 확인되어 치명적인 전립선암에서는 이들 유전자 의 변화가 흔함을 보여 주었다 (Suzuki 등, 1998). 이들 자료 를 종합해 볼 때, 전이 암을 포함한 치명적인 전립선암에서는 *PTEN* 유전자의 변화가 흔히 일어나며, *PTEN* 유전자의 불활 성화는 전립선암이 전이력을 획득하도록 만든다고 생각된다.

46.1. PTEN의 종양 억제 기전
Mechanism associated with tumor suppression of PTEN

공격적인 거세 저항성 전립선암이 발생하는 기전으로 비정 상적인 receptor tyrosine kinase (RTK) 신호 전달에 의한 phosphatidylinositol 3-kinase (PI3K)/AKT와 rat sarcoma vi-ral oncogene homolog/extracellular signal-regulated kinase (RAS/ERK) 두 경로의 활성화가 제시되었다 (Yap 등, 2011). 유전체 분석은 원발 전립선암의 43%, 전이 질환의 거의 대부 분에서 PI3K/AKT 및 RAS/ERK 경로가 관여함을 발견하였다 (Taylor 등, 2010). PI3K와 RAS의 이중 작용은 성장 정지, 노 화 등과 같이 원발 암에 대한 억제 반응을 우회하는 기전과 관 련이 있다 (Kennedy 등, 2011). 흥미로운 점은 PI3K와 RAS의 과정을 음성 되먹임으로 조절하는 PTEN과 sprouty homolog 2 (SPRY2)의 발현이 *phosphoinositide 3-kinase, catalytic, alpha polypeptide (PI3KCA), Kirsten RAS (KRAS), B-Raf proto-oncogene, serine/threonine kinase (BRAF)* 등과 같은 종양 유전자의 돌연변이에 의한 활성화보다 더 높은 빈도로 감소된다는 점이다 (McKie 등, 2005; Taylor 등, 2010). 이는 이들 경로가 전립선암의 진행에서 상호 보완적으로 작용함을 보여 주며, 이러한 생물학적 변화는 전립선암 환자의 분류와 치료적 관리에 도움을 준다.

RTK로 매개되는 PI3K의 활성화는 PIP3의 농도를 증가시 키며, 이로써 AKT가 활성화된다 (Engelmann, 2009). 지질인 산가수분해효소인 PTEN은 PIP3의 탈인산화를 유도함으로써 PI3K/AKT의 경로를 음성적으로 조절한다. PTEN은 암에서 흔히 돌연변이를 일으키는 종양 억제 인자이다 (Salmena 등,

2008). 인산화를 일으킨 PTEN은 구조적으로 변화를 일으켜 세포막과 결합할 수 없으며, 이 때문에 PI3K의 신호 경로를 억제할 수 없게 된다 (Ross와 Gericke, 2009). PTEN은 세포막에서의 역할 외에도 핵에서 tumor protein 53 (p53)과 결합하여 이를 안정화함으로써 종양을 억제하는 기능을 나타내며, 이로써 성장 정지 및 세포 자멸사를 유도한다 (Baker, 2007; Song 등, 2011). PTEN의 불활성화는 전립선암의 진행과 관련이 있으며 (Alimonti 등, 2010), 이러한 사건은 전립선암이 진행하는 과정의 후반부에 일어난다 (Whang 등, 1998). *PTEN*의 이질 접합체를 가진 생쥐에서는 전립선상피내암이 발생하는 데 비해, 기능적 *PTEN*의 완전한 소실은 전립선암을 일으킨다 (Trotman 등, 2003). 전사 후 변경에 의한 PTEN의 조절 장애 또한 전립선암의 형성과 관련이 있다 (Trotman 등, 2007). 이들 자료를 종합하여 보면, PTEN의 활성화가 상실된 경우는 종양의 시작과 관련이 있는 데 비해, PTEN의 발현이 감소된 경우는 종양의 진행과 관련이 있다 (Patel 등, 2013).

Sprouty 단백질 SPRY1~4는 RTK를 음성적으로 조절하는 가족으로서 Drosophila에서 처음 발견되었으며, fibroblast growth factor (FGF)의 신호 경로에 대해 대항 작용을 나타낸다 (Hacohen 등, 1998). SPRY2는 종양을 억제하는 인자로서 SPRY2의 발현은 유방암, 폐암, 간암 등에서 감소된다 (Lo 등, 2006). 그러나 결장암을 포함하는 일부 암에서는 종양 유전자로서의 기능을 한다 (Holgren 등, 2010). 배양 실험에서 종양을 억제하는 기능을 가진 SPRY2가 과다 발현되면, 종양세포의 증식, 이동, 침습이 억제되었다 (Lee 등, 2004). SPRY2는 RAS/ERK의 신호 경로를 억제한다고 알려져 있으며, 폐암에서는 ERK의 활성화를 억제함으로써 종양을 억제하는 작용을 나타낸다 (Guy 등, 2009). SPRY2는 또한 protein phosphatase 2A (PP2A)와 같이 종양을 억제하는 다른 단백질과 결합하고 상호 작용한다. 그러나 SPRY2가 PP2A의 기능에 영향을 주는 기전은 잘 알려져 있지 않다. PP2A는 다중 결합을 하는 serine/threonine phosphatase이며, 진핵세포에서 많은 인산 가수분해에 관여한다 (Mumby, 2007). PP2A의 활성화를 억제하면, PI3K, RAS 등과 같은 중요한 경로가 활성화되어 여러 종류의 세포에서 형질 전환이 일어난다 (Junttila 등, 2007).

임상적 전립선암에 대한 유전체 분석에 의하면, 원발 전립선암의 18%, 전이 암의 70% 이상에서 *SPRY2*의 불활성화가 관찰되며, 이는 SPRY2가 종양을 억제하는 기능을 가지고 있다는 연구를 뒷받침한다 (Taylor 등, 2010). *SPRY2*의 후성

적 침묵이 전립선암에서 흔하다는 보고도 있다 (McKie 등, 2005). 다른 연구는 SPRY2가 RAS/ERK 경로 외에도 PTEN의 기능을 증대시켜 PI3K의 신호 경로를 조절한다고 하였다 (Edwin 등, 2006). 따라서 SPRY2는 RAS/ERK와 PI3K/AKT의 두 신호 경로 모두를 억제함으로써 종양을 억제하는 역할을 한다고 생각된다.

이들 자료를 근거로 더욱 정밀하게 평가한 연구는 *PTEN*이 종양을 억제하는 기전을 다음과 같이 기술하였다 (Patel 등, 2013). RAS/ERK와 PI3K/AKT 경로가 동시에 활성화되는 기전은 전립선암의 진행에 관여한다. 이들 경로를 음성적으로 조절하는 인자로는 *SPRY2*, *PP2A*, *PTEN* 등이 있으며, 이들은 전립선암에서 흔히 불활성화된다. 이들 유전자의 변화가 서로 협동하는 분자 기전은 알려져 있지 않다. *SPRY2*가 결여된 조건 단독으로 AKT와 ERK를 활성화할 수 있지만, 이 기전만으로 종양 형성을 유도하기에는 충분하지 않다. *SPRY2*의 소실은 또한 *PP2A* 의존성으로 종양을 억제하는 checkpoint kinase 1 (CHEK1)을 활성화한다. *PP2A*에 의해 매개되는 성장의 정지는 glycogen synthase kinase 3 beta (GSK3B)에 의존적이며, 결국에는 핵에 위치해 있는 *PTEN*에 의해 매개된다. 전립선암을 가진 쥐 모델에서 *PTEN*의 반수체 기능 부전 (haploinsufficiency)은 *SPRY2*가 결여된 조건과 협동하여 전이를 포함한 종양의 형성을 유도하였다. 이들 결과를 종합하여 보면, *PTEN*의 소실은 종양을 억제하는 인자인 CHEK1을 우회함으로써 *SPRY2*의 결여 조건과 협동한다. 또한, 전립선암에서 *SPRY2* 발현의 소실은 *PTEN* 혹은 *PP2A*의 소실과 상호 강하게 관련이 있다. *SPRY2*의 결여와 *PTEN* 혹은 *PP2A*의 불활성화 사이의 협동은 종양의 형성과 진행을 촉진한다. 따라서 전립선암의 진행에서 *SPRY2*, *PTEN*, *PP2A* 등은 중요한 인자라고 제시된다.

46.2. PTEN에 관한 임상 연구 Clinical study of PTEN

*PTEN*의 돌연변이는 전립선암과 관련이 있다고 보고되었으며 (Gray 등, 1998), PTEN 단백질과 유전체의 소실은 나쁜 예후와 상호 관련이 있다 (Schmitz 등, 2007). 면역조직화학검사에 의해 발견된 PTEN의 소실은 유방암에서 예후를 예측하는 가장 중요한 인자이고, 전립선암과 방광암 코호트에서 환자의 나쁜 결과와 유의하게 상호 관련이 있다는 보고가 있으며 (Saal 등, 2007), *PTEN*, *SMAD family member 4 (SMAD4*

도표 198 유전체 CNV 영역과 PSA 재발과의 상호 관계

복사 수 소실 및 유전체 위치	관련 유전자	PSA 재발	
		있음, 수 (%)	없음, 수 (%)
10q23.2-10q23.31 염색체 10: 89351602-89572982	*PAPSS2*	6/9 (66.7)	1/11 (9.1)
10q23.31 염색체 10: 89572982-91817088	*ACTA2, ANKRD22, ATAD1, CH25H, FAS, IFIT1, IFIT1B, IFIT2, IFIT3, IFIT5, KIF20B, KLLN, LIPA, LIPF, LIPJ, LIPK, LIPM, LIPN, miR-107, PANK1, PTEN, RNLS, SLC16A12, STAMBPL1*	7/9 (77.8)	3/11 (27.3)

ACTA2, actin, alpha 2, smooth muscle, aorta; ANKRD22, ankyrin repeat domain 22; ATAD1, ATPase domain 1; CH25H, cholesterol-25-hydroxylase; CNV, copy number variation; FAD, fatty acid desaturase; FAS, fatty acid synthase; IFIT1, interferon-induced protein with tetratricopeptide repeats 1; KIF20B, kinesin family member 20B; KLLN, killin; LIPA, lipase A; miR-107, microRNA 107; PANK1, pantothenate kinase 1; PAPSS2, 3´-phosphoadenosine 5´-phosphosulfate synthase 2; PSA, prostate-specific antigen; PTEN, phosphatase and tensin homolog; RNLS, renalase, FAD-dependent amine oxidase; SLC16A12, solute carrier family 16, member 12; STAM, signal-transducing adapter molecule; STAMBPL1, STAM binding protein-like 1.
Ibeawuchi 등 (2015)의 자료를 수정 인용.

혹은 *MAD, mothers against decapentaplegic homolog 4, MADH4), cyclin D1* (CCND1), *secreted phosphoprotein 1* (*SPP1*) 등 네 유전자의 특징적 발현은 근치전립선절술 코호트에서 생화학적 재발과 치명적인 전이에 대한 예후 예측 인자라는 보고도 있다 (Ding 등, 2011). 281명의 전립선암 환자에서 mRNA microarray 분석을 이용한 연구는 줄기세포 양상의 특징과 *p53* 및 *PTEN*의 소실은 매우 나쁜 결과와 관련이 있다고 하였으며 (Markert 등, 2011), fluorescent in situ hybridization (FISH)을 이용한 연구는 *PTEN*이 전립선암 특이 사망 (Reid 등, 2010)과 생화학적 재발 (Krohn 등, 2012)에 대한 예후 예측 인자로서 유용하다고 하였다. 그러나 다른 연구는 *PTEN*이 단독으로는 생화학적 재발에 대한 좋은 예측 인자가 아니지만, *AKT*와 병용하면 예측 인자의 역할을 한다고 하였다 (Bedolla 등, 2007). 또한, *PTEN, fatty acid synthase* (*FAS*), *3´-phosphoadenosine 5´-phosphosulfate synthase 2* (*PAPSS2*) 등의 유전자와 같이 염색체 10q에 있는 영역의 소실에 민감한 여러 유전자는 근치전립선절제술 후 생화학적 재발과 관련이 있다는 보고가 있다 (Ibeawuchi 등, 2015) (도표 198).

전립선 생검 표본에서 PTEN의 상태가 근치전립선절제술 후의 결과와 안드로겐 박탈 요법에 대한 반응을 예측할 수 있는지를 확인하기 위해 근치전립선절제술을 받은 77명의 생검 표본을 대상으로 PREZEON 분석을 실시하였고 염색이 10%를 초과한 경우를 양성으로 설정한 연구는 다음과 같은 결과를 보고하였다 (Mithal 등, 2014). 첫째, 중앙치 8.8년 동안 추적 관찰하였으며, 51% (39명/77명)에서 생화학적 재발이, 5% (4명/77명)에서 거세 저항성 질환이, 3% (2명/77명)에서 전이

가, 3% (2명/77명)에서 사망이 발생하였다. 둘째, PTEN의 소실은 생화학적 재발과는 유의한 연관성을 나타내지 않았지만 (HR 2.1, 95% CI 0.9~5.1; p=0.10), 거세 저항성 질환의 위험 증가 (p<0.0001), 전립선 특이 사망 (p<0.0001), 안드로겐 박탈 요법으로부터 거세 저항성 질환이 발생한 때까지의 기간 (p=0.003) 등을 유의하게 예측하였다. PTEN의 소실이 없는 환자에서는 전이 혹은 전립선암 특이 사망이 일어나지 않았다. 이들 결과는 전립선 생검에서 PTEN의 소실이 전이 발생까지의 기간, 전립선암 특이 사망, 거세 저항성 전립선암의 발생 위험, 수술 후 안드로겐 박탈 요법에 대한 반응 등을 예측할 수 있음을 보여 준다.

암을 가진 core가 1개 이상인 침생검 환자 194명을 대상으로 종양 병소의 수 및 클론 형성능 (clonality)의 표지자인 E26 혹은 v-ets avian erythroblastosis virus E26 oncogene homolog (ETS)-related gene (ERG)과 예후 정보를 제공하는 PTEN을 면역조직화학검사를 이용하여 분석한 연구는 다음과 같은 결과를 보고하였다 (Shah 등, 2015). 첫째, 최소 1개 이상의 암 core에서 ERG의 과다 발현 혹은 PTEN의 소실이 관찰된 경우는 각각 57% (111명/194명), 36% (69명/194명)이었다. 둘째, ERG의 과다 발현은 PTEN의 소실과 유의하게 관련이 있었으며 (p<0.0001), PTEN의 소실은 높은 Gleason 점수와 관련이 있었다 (p<0.0001). 셋째, ERG가 과다 발현된 경우에는 core와 core 사이 그리고 core 내에서의 이질적 염색이 각각 42%, 5%에서 관찰된 데 비해, PTEN이 소실된 경우에는 core와 core 사이 그리고 core 내에서의 이질적 염색이 68%에서 관찰되었다. PTEN의 염색은 종양의 부위에 따라 크게 차이를 나타내었다. 넷째, Gleason 점수가 종양 부위에서 균일하지

않을 때는 가장 높은 Gleason 점수와 가장 큰 종양의 용적을 나타내는 cores가 ERG의 과다 발현과 PTEN의 소실을 나타낼 가능성이 가장 높았으며, 각각 92%, 98%이었다. Gleason 등급이 종양 부위에서 균일할 때는 가장 큰 용적의 종양을 나타내는 core에서 ERG가 과다 발현되는 빈도가 높았으나 PTEN이 소실된 빈도는 낮았는데, 각각 90%, 76%이었다. 이들 결과는 전립선암의 종양 부위에서의 이질성이 ERG와 PTEN 분자의 이상을 확인하는 데 도움이 됨을 보여 준다.

전립선암으로 보존적 치료를 받은 675명을 대상으로 immunohistochemistry (IHC)와 fluorescent in situ hybridization (FISH)를 이용하여 PTEN을 분석한 연구는 다음과 같은 결과를 보고하였다 (Cuzick 등, 2013). 첫째, IHC에 의한 PTEN의 소실은 18%에서 관찰되었으며, 단변량 분석에서 전립선암 특이 사망과 유의하게 관련이 있었다 (HR 3.51, 95% CI 2.60~4.73; $p=3.1 \times 10^{-14}$). IHC에 의한 PTEN의 소실은 PSA, Ki-67, 질환의 범위 등을 근거로 산출된 저급 위험 점수를 가진 환자의 50%에서 전립선암 특이 사망을 예측하였지만 (HR 7.4, 95% CI 2.2~24.6; $p=0.012$), 높은 위험을 가진 환자에서는 예후를 예측하지 못하였다. 둘째, FISH에 의한 *PTEN*의 소실은 IHC에 의한 PTEN의 소실과 약한 연관성을 보였다 ($\kappa=0.5$). 셋째, FISH에 의한 *PTEN*의 소실 및 증대는 단변량 분석에서는 전립선암 특이 사망을 예측하였지만 (HR 2.46, 95% CI 1.72~3.51; $p=8 \times 10^{-7}$), 다변량 분석에서는 그러하지 않았다. 이들 결과를 종합하여 보면, 저급 위험의 환자에서 IHC에 의한 PTEN의 소실은 PSA, Ki-67, 질환의 범위 등에 한 예후 예측에 대해 추가적인 정보를 제공한다.

PTEN 유전자의 이상과 *TMPRSS2:ERG*의 융합은 전립선암에서 흔하게 나타나는 유전체 사건인데, 이들의 빈도를 PCR과 FISH를 이용하여 평가한 연구는 다음과 같은 결과를 보고하였다 (Fallahabadi 등, 2016). 첫째, PCR을 이용한 분석에 의하면, 전립선암 표본 42점 중 64% (27점/42점)에서 *TMPRSS2:ERG* 융합이 발견되었으며, 이들 중 21점이 *PTEN*의 결실을 동반하였다. 둘째, *PTEN*의 결실은 전립선암 표본의 21% (11점/21점)에서 발견되었으며, 모두가 낮은 수준의 발현을 나타내었다. 셋째, 전립선암에서는 *PTEN*의 결실 혹은 낮은 발현과 *TMPRSS2:ERG* 융합이 동시에 발견되는데, *PTEN*의 결실이 있는 표본 모두 (11점/11점, 100%)에서는 *TMPRSS2:ERG* 융합이 발견된 데 비해 *PTEN*의 결실은 *TMPRSS2:ERG* 융합이 있는 표본 모두에서 나타나지 않았다.

넷째, 양성전립선비대 표본 29점 및 종양에 인접한 정상 조직 표본 8점에서는 *TMPRSS2:ERG* 융합이 발견되지 않았다. 이들 결과는 전립선암에서 *PTEN*의 결실이 *TMPRSS2:ERG*의 융합과 협력함을 보여 주며, 전립선암 표본의 대부분은 *TMPRSS2:ERG* 융합뿐만 아니라 *PTEN* 유전자의 결실을 가지는 반면, 정상 조직은 이들 분자의 이상이 나타나지 않음을 보여 준다.

47. pHyde

전립선암이 형성되는 과정은 종양의 시작, 변형 (transformation), 전환 (conversion), 진행 등의 다단계로 이루어진다 (Carter 등, 1990). 이러한 과정은 염색체의 불안정, 자연적인 돌연변이, 발암 물질에 의한 유전적 및 후성적 변화 등을 포함하는 다수 인자에 의해 유발된다. *Insulin-like growth factor 1 (IGF1)* (Wolk 등, 1998), *double C2 protein (DOC2)* (Tseng 등, 1998), *phosphoprotein 32 (PP32)* (Kadkol 등, 1998) 등이 종양의 형성에 관여하지만, 전립선암을 진행시키는 분명한 돌연변이 사건에 관해서는 충분하게 알려져 있지 않다. 전립선암을 일으키는 분자 기전을 더욱 이해하게 되면 전립선암에 대한 새로운 치료법이 개발될 수도 있을 것이다.

cDNA competition hybridization 기법을 이용한 연구는 각기 다른 전이 형태를 가진 두 Dunning 쥐의 전립선암 세포주로부터 2,713개의 nucleotides로 구성된 새로운 cDNA인 *pHyde*를 분리해냈다 (Rinaldy와 Steiner, 1999). *STEAP family member 3, metalloreductase (STEAP3)*, *six-transmembrane epithelial antigen of prostate 3 (STMP3)* 등으로도 알려진 *tumor suppressor pHyde (pHyde)*는 어떠한 전장 cDNA의 염기 서열과 상동성을 나타내지 않지만, tumor protein 53 (p53)을 유도하여 세포 자멸사를 일으키며, 쥐의 cDNA 도서관에서 분리된 *tumor suppressor activated pathway 6 (TSAP6)*와는 76%의 상동성을 나타낸다 (Amson 등, 1996).

Dunning 쥐의 전립선암 세포주 AT-1과 AT-3를 대상으로 *pHyde* cDNA 유전자 (AdRSVpHyde)를 이용한 연구는 다음과 같은 결과를 보고하였다 (Rinaldy 등, 2000; Steiner 등, 2000). 첫째, pHyde는 세포 자멸사를 일으키는 내재성 인자로서 작용한다. 둘째, 안정적으로 *pHyde*를 발현하는 쥐의 전립선암 세포는 자외선에 의한 DNA 손상에 대해 더 민감해져 세포 자멸사를 일으킨다. 셋째, *pHyde*를 발현하는 재조합형

CHAPTER 08

도표 199 사람의 여러 암 세포주에서 pHyde의 효과

세포주	DU145	LNCaP	PPC-1	PC-3	TSU-Pr	MDA231	MCF-7
성장 억제 %	76.5	83.1	30.8	0	24.5	38.7	14.5

200 moi의 AdpHyde로 세포 감염을 일으킨 연구군과 AdpHyde를 주입하지 않은 대조군으로 구분하였으며, 바이러스로 세포 감염을 일으킨 후 5~7일에 세포 수를 계산하였다. %는 대조군과 비교하여 연구군에서 성장이 억제된 %이다.
Zhang 등 (2001)의 자료를 수정 인용.

도표 200 Flow cytometry에 의한 세포군 분석

세포	Pre-G1/세포 자멸사, %	G0/G1, %	S, %	G2/M, %
무처치군	1.67	62.66	18.58	16.45
대조군	3.68	48.69	19.37	24.88
연구군	13.23	37.75	19.74	24.16

이 연구는 200 moi의 AdpHyde로 세포 감염을 일으킨 연구군, 대조 바이러스를 주입한 대조군, 아무 것으로도 처치하지 않은 무처치군으로 구분하였으며, 바이러스로 세포 감염을 일으킨 후 72시간에 상청액에 있는 세포와 부착 세포를 수집하여 propidium iodide로 염색하여 형광 flow cytometry로 분석하였다. %는 각 세포기에 해당하는 세포군의 %를 나타낸다.
Zhang 등 (2001)의 자료를 수정 인용.

아데노바이러스 AdRSVpHyde로 인한 pHyde의 과다 발현은 생체 내외 실험에서 사람의 전립선암 세포의 성장을 크게 억제하였다. 넷째, pHyde는 사람의 전립선암 세포에서 직접 세포 자멸사를 유발하였는데, 이는 세포 자멸사가 최소한 일부는 pHyde의 매개로 인한 성장 억제 때문임을 시사한다. 다섯째, AdRSVpHyde가 DU145 세포에서 p53의 발현을 유도하였는데, 이는 pHyde가 세포 자멸사를 일으키는 기전 중 하나가 p53 경로를 자극함으로 인해 일어남을 시사한다. p53는 염기 서열에 특이한 방식으로 DNAs와 결합함으로써 유전자를 활성화하는 전사 인자로서 세포 자멸사, 유전체의 안정화, 혈관 형성의 억제 등에 관여하여 종양을 억제하는 역할을 한다.

사람의 전립선암 세포주 PC3, TSU, LNCaP, DU145에서 Northern blot 분석을 이용하여 pHyde에 의한 세포 자멸사의 민감성과 p53 상태 사이의 연관성을 연구한 자료에 의하면, PC3와 TSU 세포에서는 p53 mRNA가 발현되지 않았으나, LNCaP와 DU145 세포에서는 발현되었다. 4종류의 세포주에 AdRSVpHyde를 주입하였을 때, AdRSVpHyde를 주입하지 않은 대조군보다 주입한 대조군에서 p53을 발현하는 LNCaP와 DU145 세포의 성장이 각각 83.1%, 76.9% 억제된 데 비해, p53를 발현하지 않는 PC3와 TSU의 경우에는 AdRSVpHyde가 PC3 세포의 성장에 대해 억제 효과를 나타내지 않았으며 TSU 세포의 성장에 대해서는 치료를 하지 않은 대조군에 비해 24.5% 정도의 약한 억제 효과를 나타내었다. 또한, AdRS-

VpHyde를 주입한 PC3와 TSU 세포에서는 어떠한 세포 자멸사도 일어나지 않았다. 이들 결과는 pHyde로 매개되는 세포 자멸사에 대한 세포의 민감성과 p53의 존재 사이에는 연관성이 있으며, p53는 pHyde로 매개되는 세포 자멸사의 시작에서 필요함을 보여 준다. pHyde가 p53를 발현하지 않는 두 세포주에서 각기 다른 성장 억제 효과를 나타내는 이유는 아직 밝혀져 있지 않다 (Zhang 등, 2001) (도표 199, 200). 또한, Zhang 등 (2001)은 pHyde가 caspase-3로 매개되는 세포 자멸사를 유도함으로써 전립선암을 억제한다고 보고하였다. 이들 연구자는 pHyde가 caspase-3의 효소 작용을 증대시키고 caspase-3 활성의 증가는 caspase-3의 활성을 특이하게 차단하여 세포 자멸사를 억제하는 succinyl-Asp-Glu-Val-Asp-aldehyde (DEVD)와 benzyloxycarbonyl-Val-Asp-fluoromethylketone (VAD)에 의해 차단되기 때문에 (Okuma 등, 2000), pHyde로 매개되는 caspase-3 활성의 증가는 특이적이라고 하였다. DEVD와 VAD는 증가된 caspase-3의 활성을 차단할 뿐만 아니라 pHyde로 인한 세포 자멸사도 차단한다. Fas ligand로 매개되는 세포 자멸사 또한 caspase-3에 특이한 억제제에 의해 차단되었다 (Hyer 등, 2000). 내인성 caspase-3의 발현과 pHyde의 작용에 대한 세포의 민감성 사이에서 역상관관계가 관찰되었는데, pHyde에 의한 성장 억제에 대해 전혀 혹은 거의 민감하지 않은 세포인 PC3와 MCF7 (Michigan Cancer Foundation의 두문자로서 유방암 세포주이다) 세포는 내인성 caspase-3 단백질을 전혀 혹은 거의 발현하지 않았다. 이들 결과는 pHyde에 의한 세포 성장의 억제 및 세포 자멸사가 caspase-3 의존성 경로를 통해 일어남을 보여 준다 (Zhang 등, 2001). Caspase-3를 발현하는 MCF7 세포는 pHyde로 매개되는 성장 억제에 대해 더 민감하다는 결과 (Janicke 등, 1998)는 흥미로운 보고이다.

계획된 세포사인 세포 자멸사는 사망과 관련이 있는 단백질분해효소인 caspase의 활성과 세포의 광범위한 생화학적, 형태학적 변화를 동반한다 (Porter 등, 1997). Caspase-3는 포유동물의 caspase 가족에 속하며, 세포 자멸사의 효과기인

caspase로서 작용한다 (Chang과 Yang, 2000). 활성 caspase는 aspartic acid에서 일어나는 단백질 분해에 의해 생성된다 (Thornberry 등, 1992). Caspase-3, 6, 7 등과 같은 효과기 caspase의 불활성 전구체는 caspase-2, 8, 9, 10 등과 같은 시작기 caspase에 의해 가장 흔하게 활성화되지만, 다른 단백질분해효소에 의해서도 활성화된다 (Stennicke 등, 1998). Procaspase-3는 aspartic acid에 특이한 serine protease로서 cytotoxic T lymphocyte와 natural killer cell로부터 분비되는 세포 자멸사의 효과기인 granzyme B에 의해서도 활성화된다 (Yang 등, 1998). Procaspase-3는 또한 arginine-glycine-aspartate (RGD)를 함유한 짧은 펩티드에 의해 활성화될 수 있다 (Buckley 등, 1999).

Caspase-activated DNase (CAD)는 염색체의 DNA를 분절시켜 DNA를 조각내는 DNA endonuclease인데, 세포 자멸사의 신호가 없는 경우에는 CAD가 inhibitor of CAD (ICAD)를 분해시키지만 (Enari 등, 1998), 세포 자멸사 동안에는 caspase-3가 ICAD를 하위 표적으로 삼아 분절시키고 불활성화함으로써 활성 CAD가 핵으로 전위하여 DNA를 분해하도록 한다 (Sakahira 등, 1998). 다른 연구는 caspase-3가 세포 자멸사와 관련이 있는 DNA 조각화 및 형태학적 변화에서 필수적이라고 하였다 (Janicke 등, 1998). 세포 자멸사는 대개 전형적인 형태학적 변화와 DNA 조각화를 동반하지만, DNA 조각화가 없이도 일어날 수 있는데 (Schulze-Osthoff 등, 1994), 이는 세포 자멸사가 caspase-3와 관계없는 경로에 의해서도 일어날 수 있음을 시사한다. Caspase-3 (CASP3) 유전자의 exon 3 내에 47 bp의 결손이 있음으로 인해 caspase-3의 활성이 결여된 MCF-7 세포는 DNA 조각화가 없어도 세포 자멸사를 자극하는 tumor necrosis factor (TNF) (Janicke 등, 1998), Fas cell surface death receptor (FAS) (Duan 등, 1996), cytochrome C (CYC) (Li 등, 1997), staurosporine (STS) (Jänicke 등, 1998), 에스트로겐 대항제 tamoxifen과 mifepristone (El-Etreby 등, 1998) 등을 통해 세포 자멸사를 일으킨다. MCF-7 세포에서 caspase-3의 발현을 유도하면, TNF로 인해 세포 자멸사가 진행하는 동안 세포 자멸사와 관련이 있는 형태 및 DNA 조각화가 나타나는데, 이는 세포 자멸사가 일어나는 데는 caspase-3 의존성 외에도 비의존성 경로가 있음을 시사한다.

Phosphatase and tensin homolog (PTEN) (Whang 등, 1998), *DOC-2* (Tseng 등, 1998), *E-cadherin* (Luo 등, 1999), *cell-cell adhesion molecule 1* (*C-CAM1*) (Kleinerman 등, 1995) 등과 같이 종양을 억제하는 여러 유전자는 전립선암의 성장을 억제한다. 종양 억제 유전자를 이용한 유전자 요법은 다수의 암에서 효과를 나타내고 있다. 아데노바이러스의 매개를 통한 *p53* 유전자 요법은 결장직장암 (Spitz 등, 1996), 전립선암 (Ko 등, 1996), 유방암 (Nielsen 등, 1997), 자궁경부암 (Amson 등, 1996), 난소암 (Munjoo 등, 1996), 흑색종 (Cirielli 등, 1995) 등에서 효과적이라고 보고되었다. 그 후 종양을 억제하는 유전자로서 *breast cancer type 1 susceptibility protein*으로도 알려진 *breast cancer 1, early onset* (*BRCA1*)를 발현하는 레트로바이러스 LXSN은 진행된 전립선암 환자의 임상 1상 시험에 이용되었다 (Steiner 등, 1998). 종양 억제 유전자 *p16*을 발현하는 아데노바이러스는 동물 모델에서 전립선암의 성장을 유의하게 억제하였고 생존을 연장시켰다 (Steiner 등, 2000). 이와 같이 새로운 종양 억제 유전자를 발견하면, 전립선암뿐만 아니라 다른 암에 대한 유전자 요법이 추가로 개발될 가능성이 있다.

전립선암이 진행하는 동안 세포 자멸사의 불균형이 일어난다. 예를 들면, 세포 자멸사를 억제하는 단백질인 B-cell lymphoma 2 (BCL2)가 전립선암에서 관찰되며 (McDonnell 등, 1992), 이 단백질의 발현 정도는 암의 병기 (Colombel 등, 1993)와 화학 요법에 대한 저항성 (Berchem 등, 1995)과 상호 관련이 있다. 따라서 전립선암을 효과적으로 치료하기 위해서는 전립선암 세포에서 *pHyde*를 과다 발현시킴으로써 세포 자멸사를 촉진하거나, *BCL2*를 억제함으로써 세포 자멸사의 균형을 이룰 수 있다. 유전자 요법으로 *transformation-related protein 53* (*TRP53*), *Li-Fraumeni syndrome 1* (*LFS1*) 등으로도 알려진 *p53* (Sandig 등, 1997), *apoptosis antigen 1* (*APO1*), *cluster of differentiation 95* (*CD95*) 등으로도 알려진 *Fas cell surface death receptor* (*FAS*) (Hedlund 등, 1999) 등과 같이 세포 자멸사를 유발하는 유전자를 발현하는 아데노바이러스가 유전자 요법으로 이용되어 온 것과 마찬가지로 AdRSV-pHyde가 전립선암의 치료에 도움이 될 것으로 생각된다.

48. Poly (ADP-Ribose) Polymerase (PARP)

Nicotinamide adenine dinucleotide (NAD^+)는 다양한 기능을 가진 생체 분자로서 수십 년 동안 여러 산화환원 반응에서 보조 효소로 기능을 한다고 알려져 있다 (Rongvaux 등, 2003).

NAD⁺는 또한 ADP-ribose 영역이 아미노산 수용체 (acceptor)로 전달되는 세포 과정으로 1개의 영역이 전달되는 과정인 mono (ADP-ribosyl)ation (MARylation)과 2개 이상의 영역이 전달되는 과정인 poly (ADP-ribosyl)ation (PARylation)에서 혹은 acetyl 그룹으로 전달되어 2′-O-acetyl-ADP-ribose를 생성하는 과정에서 기질로서의 역할을 한다. Acetyl 그룹으로의 전달 과정은 NAD⁺ 의존성 histone deacetylase의 sirtuin (SIRT) 가족에 의해 매개되는 과정인 Lys 잔기의 탈아세틸화가 일어나는 동안 진행된다. 두 경우의 결과로 인한 NAD⁺의 소모와 ADP-ribose 유도체의 생성은 세포 내에서 일어나는 신호 경로의 여러 측면에서 NAD⁺ 대사와 에너지 상태를 나타낸다 (Berger 등, 2004).

ADP-ribose가 단백질로 전달되는 과정은 Corynebacterium diphtheriae 독소와 같은 세균 독소에서 처음 발견되었으며, ADP-ribosylation은 translation elongation factor 2 (EF2)를 불활성화한다. ADP-ribosyl transferase (ART)에 의해 촉진되는 MARylation 반응은 고등 진핵 생물에서 폭넓게 일어나며, 면역 반응, 세포 부착, 세포 내의 신호 전달, 대사 등을 조절한다 (Berger 등, 2004). PARylation은 번역 후 변경 과정이며, poly (ADP-ribose) polymerase (PARP)에 의해 매개된다.

PARP1은 PARP 가족 중 처음 발견된 단백질로서 가장 광범위하게 연구되어 왔다. PARP1은 DNA 염색분체 손상 (DNA-strand break)에 반응하여 NAD⁺를 기질로 이용하며, DNA의 상호 작용 (heteromodification) 혹은 PARP1 자체 (automodification)와 관련이 있는 수용체 단백질의 Glu 잔기 중 γ-carboxyl 그룹에서 ADP-ribose의 공유 결합을 촉진한다. 이러한 과정으로 생성된 중합체 poly ADP-ribose (PAR)는 다양한 크기의 다음이온 (polyanion)으로 구성되어 있으며, DNA 손상 및 DNA 대사로 인한 세포 반응에 관여하는 많은 표적 단백질과 특정한 방식으로 상호 작용한다. 이들 표적은 PAR과 결합하는 공통되는 단위를 가지고 있으며, 이러한 단위는 단백질 혹은 DNA와 결합하는 영역과 같은 기능성 영역과 흔히 중복되기 때문에, PAR과 결합한 후에는 이들 표적 단백질의 기능적인 특성에 변화가 일어난다 (Schreiber 등, 2006). PARP 가족의 촉매 작용으로 흔히 생성되는 PAR은 유전자 독소에 대항하는 제1선의 방어 기전에 관여하며, 다양한 생물학적 과정을 조절한다 (Schreiber 등, 2006).

PARP 가족은 17종의 구성원을 가지며, PARP의 특정 영역의 보존은 구성원에 따라 다르다. 예를 들면, PARP1의

Glu988과 같은 촉매 잔기는 PARP7 (혹은 TCDD-inducible PARP, tiPARP), PARP9/B-aggressive lymphoma protein 1 (BAL1), PARP10, PARP13, PARP16 등과 같은 일부 구성원의 경우 비보존 잔기에 의해 대치되어 있는데, 이들 단백질이 MARylation 혹은 PARylation 작용을 가지는지는 분명하지 않다. PARP9/BAL1은 불활성적이고 PARP7과 PARP10은 PARylation 작용을 가진다고 보고되었다 (Schreiber 등, 2006). PARP 가족 중 PARylation 작용을 가진다고 확인된 구성원으로는 PARP1, PARP2, PARP4 (혹은 vault PARP, vPARP), PARP5a 및 PARP5b (혹은 tankyrase-1 및 -2), PARP7, PARP10 등이며, PARP3, PARP6, PARP8, PARP9, PARP11, PARP12, PARP14, PARP15, PARP16 등은 그러한 작용을 가진다고 추정된다 (Schreiber 등, 2006; Wikipedia). PARP 가족은 추정되는 기능 영역 혹은 입증된 기능에 따라 분류되기도 한다. DNA 의존성 PARPs로는 PARP1과 PARP2, tankyrase로는 tankyrase 1 (TANK1 혹은 PARP5a)과 TANK2 (혹은 PARP5b), CCCH 유형의 PARPs로는 PARP7, PARP12, PARP13 등이, macroPARPs 로는 PARP9/BAL1, PARP14/BAL2/collaborator of Stat6 (CoASt6), PARP15/BAL3 등이 있다 (Schreiber 등, 2006).

Poly (ADP-ribose) polymerase 1 (PARP1) 유전자는 염색체 1q41-q42에 위치해 있으며, 길이가 43 kb이고 23개의 exons로 분열된다. PARP1은 염색질과 관련이 있는 효소로서 DNA 손상에 따른 세포의 반응, 세포 주기의 조절, 전사, 종양의 형성 등에 관여한다 (Kim 등, 2005; Hassa 등, 2008). PARP1은 DNA base excision repair (BER)에서 중요한 역할을 하며, 손상 (nick) 감지기, DNA 복구 분자의 조절자 등으로서의 기능을 한다 (Burkle, 2001). PARP1이 활성화되면, 기질로서 NAD⁺를 이용하여 PAR를 합성하며, 공유 결합으로 PAR을 nucleosomal core histones, topoisomerase I/II (TOP1/2), high mobility group (HMG) 단백질, p53 등과 같은 핵 단백질로 전달한다 (Schreiber 등, 2006).

PARP 억제제는 세포 독성이 없으며, 생물 표지자 분석은 적절한 생물학적 용량을 선택하는 데 유용하다. Enzyme-linked immunosorbent assay (ELISA)를 이용한 PARP 분석에 의하면, PARP의 농도는 종양과 말초 혈액의 단핵구 표본에서 30~2,000 pg/mL이다 (Liu 등, 2008). PARP1과 PAR의 발현은 양성전립선비대 조직에 비해 전립선암에서 상당하게 증가된다 (Wu 등, 2014).

48.1. PARP의 기능 Functions of PARP

유전적, 약리학적 연구에 의하면, *PARP1*의 과다 발현은 계획된 괴사 세포사에서 중요한 매개체이다. 더욱이 *PARP1*은 apoptosis-inducing factor (AIF)가 미토콘드리아로부터 핵으로 전위하는 데 필요하며, AIF는 caspase-3에 의한 세포 자멸사의 시작 시점에서 단백질을 분해하는 작용에 의해 분절된다 (Ossovskaya 등, 2013). *PARP1*은 세포 자멸사 혹은 mac-roautophagocytotic cell death와 같은 계획된 세포사의 진행 과정에 관여한다 (Ossovskaya 등, 2013). *PARP1* 유전자의 발현을 분석한 연구는 *PARP1*이 전립선암 (Ossovskaya 등, 2013), 결장직장암 (Sulzyc 등, 2012), 췌장암 (Klauschen 등, 2012), 간세포암 (Shimizu 등, 2004), 피부 악성 흑색종 (Csete 등, 2009), 다형성 아교모세포종 (glioblastoma multiforme) (Galia 등, 2012) 등과 같은 여러 형태의 암에서 높게 발현된다고 하였다.

면역조직화학검사에 의하면, PARP1 단백질을 발현하는 세포의 수가 정상 전립선에 비해 전립선암 조직에서 유의하게 더 많았으며, 이는 전립선암에서 *PARP1* 유전자가 과다 발현된다는 연구와 일맥상통한다 (Trojan 등, 2005). 정상 전립선에 비해 전립선암에서 PARP1이 더 높게 발현되는 이유는 세포 자멸사를 유발하는 기전을 활성화하는 인자와 구조적 및 기능적으로 밀접한 관련이 있기 때문이며, 이는 세포 자멸사를 유발하는 기전이 이들 종양에서 활성화됨을 시사한다.

PARP1 유전자는 세포 자멸사에서 중요한 역할을 한다. 이는 일부 종양, 예를 들면 Hodgkin 림프종, 유방암, 난소암, 폐암, 자궁내막암, 피부암 등에서 PARP1 단백질이 존재하는 이유를 부분적으로 설명해 준다 (Eustermann 등, 2011). PARP1은 모든 진핵 생물의 핵에 풍부하게 존재하는 염색질 관련 효소이며, 유전체의 통합성을 유지하고 전사를 조절하는 데에서 중요한 역할을 한다 (Kannan 등, 2011). PARP1 억제제는 신경아교종, 두개 내 흑색종, 림프종, 혈액종양 (Tentori 등, 2003), 다형성 아교모세포종 (McEllin 등, 2010) 등에 대한 세포 독성 항암제 temozolomide의 항암 작용을 증대시킨다. 이러한 관찰은 PARP1 억제제가 전립선암의 치료에서 어떠한 역할을 할 것으로 추측하게 한다. DNA 손상에 반응하여 유발되는 *PARP1*의 활성화는 항상성을 유지하고 세포 자멸사를 일으키는 중요한 기전이다. PARP1의 기능은 normal human bronchial epithelial cells (NHBEC)로부터 배양된 폐 세포와 폐암 환자의 외식편 (explant)을 이용하여 12주에 걸쳐 배양된 peripheral lung cells (PLC)에서 연구되었다. PARP1은 기관지 상피 외식편으로부터 유래된 배양 세포 모두에서 발현되었다 (Salemi 등, 2010). 정상 전립선에 비해 전립선암 조직에서 *PARP1*이 과다 발현된다는 보고는 *PARP1*이 전립선암에서 어떠한 역할을 할 것으로 추측하게 한다 (Ahmad 등, 2011). 결론적으로, 정상 전립선 세포에 비해 전립선암 조직에서 *PARP1*이 과다 발현됨은 이들 종양에서 *PARP1*이 더 크게 작용함을 나타낸다. 또한, PARP1 단백질은 Gleason 점수가 높은 표본일수록 유의하게 더 많은 세포에서 발현된다. 이러한 결과를 종합하여 볼 때, 전립선암에서 관찰되는 PARP1의 과다 발현이 이러한 종류의 종양에서 세포 자멸사를 유발하려는 시도로 간주된다 (Salemi 등, 2013).

PARP1은 유전체의 통합성, 염색질의 구조 변경, 전사의 조절 등에서 중요한 역할을 한다 (Eustermann 등, 2011). 다른 연구에 의하면, 음전하를 띤 PARP는 세포의 생존과 세포사를 조절할 뿐만 아니라 전사의 조절, 세포가 분열하는 동안 유사분열 방추체의 형성 및 telomere의 응집, 세포 내부에서의 운반, 에너지 대사 등과 같은 다양한 기능을 가지고 있다 (Schreiber 등, 2006).

PARP1은 두 개의 zinc fingers, 즉 F1과 F2를 포함하고 있는 N-terminal 영역을 통해 DNA의 single-strand break (SSB) 혹은 double-strand break (DSB)와 결합하며, C-terminal 촉매 영역은 미확인 기전에 의해 활성화되어 PAR을 형성하거나 PARP1을 포함하는 수용 단백질에 PAR을 추가시킨다. F1과 F2 절편이 DNA SSB를 인지하는데, 그러한 인지력은 주로 F2에 의해서 이루어진다. F2는 F1에 비해 더 강하게 손상된 DNA ligand와 상호 작용한다. 이러한 관찰은 PARP1의 DNA 결합 영역이 DNA 병변을 인지하며, 이로써 PARP1이 DNA SSB와 DNA BER의 여러 단계에 영향을 주게 된다 (Eustermann 등, 2011).

PARP1은 PARP1으로 조절되는 유전자의 촉진체에서 일어나는 분자 과정에서 필요하며, 이로써 RNA Pol II 시스템을 작동시키는 염색질의 환경이 만들어진다. PARP1은 histone demethylase인 lysine (K)-specific demethylase 5B (KDM5B)의 PARylation, 억제, 차단 등을 통해 histone 3 lysine 4 trimethylation (H3K4me3)의 탈메틸화를 방지함으로써, 혹은 H1의 차단과 촉진체 염색질의 개방을 촉진함으로써 그러한 기능을 한다. PARP1이 고갈되면, 이러한 결과들이 효율적으로 일어나지 않는다. 따라서 PARP1은 염색질의 구조와 전사를 조절하는 분자 과정에 관여한다고 생각된다 (Krishnakumar와 Kraus, 2010).

핵 단백질인 PARP1은 촉진체와 결합하며, 유전자의 전사를 조절하는 다양한 단백질과 상호 작용하는데 (Krishnakumar와 Kraus, 2010), 이러한 조절의 대부분은 PARP1의 효소 작용, 즉 PARylation을 필요로 한다. PARP1은 androgen receptor (AR)를 발현하는 전립선암 세포에서 유전자 손상의 유무와 관계없이 종양의 형성을 유발하는 효과를 나타낸다. PARP1은 AR이 기능을 하는 부위로 집결하여 AR의 이용과 기능을 증대시킨다. PARP1은 AR의 전사 기능을 촉진하며, 진행된 전립선암에서는 PARP1의 효소 작용이 증대되고 이와 함께 AR의 기능이 증대됨으로 인해 질환이 진행하게 된다. 생체 실험에 의하면, PARP1의 작용은 이종 이식 암 종양에서 AR이 기능하는 데 필요할 뿐만 아니라 종양세포의 성장, 거세 저항성의 발생 및 유지 등에서도 요구된다. 이러한 자료는 PARP1이 전립선암의 진행을 촉진하는 기능을 가지고 있으며, 종양의 성장과 거세 저항성 질환으로의 진행을 억제하는 치료에서 PARP1이 표적이 될 수 있음을 보여 준다 (Schiewer 등, 2012).

상충되는 결과를 보고한 연구도 있다. 전립선암의 발생과 진행에서 PARP1의 역할을 평가한 연구는 다음과 같은 결과를 보고하였다 (Pu 등, 2014). 첫째, 유전자의 표적화로 유도된 결실로 인해 *PARP1*의 불활성화가 일어난 경우 전립선의 크기는 표준형 생쥐에 비해 *PARP1*$^{-/-}$ 생쥐에서 유의하게 더 작았다. 둘째, transgenic adenocarcinoma of the mouse prostate (TRAMP)를 이용한 병리학적 분석에서 *PARP1*$^{-/-}$ 생쥐는 *PARP1*$^{+/+}$ 생쥐에 비해 더 높은 Gleason 등급을 나타내었으며, *PARP1*$^{-/-}$ 생쥐의 전립선암 상피세포에서 증식 지수가 유의하게 증가하였고 세포 자멸사가 감소하였다. 셋째, *PARP1*이 소실된 종양에서는 핵 내의 AR이 하향 조절되었다. 넷째, *PARP1*의 기능을 약화시키면, transforming growth factor-β (TGFβ)와 mothers against decapentaplegic homolog 1 혹은 SMAD family member 1 (SMAD1)의 농도가 증가하였으며, 이는 E-cadherin 및 β-catenin의 상실과 N-cadherin 및 zinc finger E-box-binding homeobox 1 (ZEB1)의 상향 조절에 의해 일어나는 epithelial-mesenchymal transition (EMT)과 마찬가지의 EMT를 유도하였다. 이들 결과는 *PARP1*의 기능이 저하되면 TGFβ로 매개되는 EMT를 통해 전립선암의 형성

이 촉진되기 때문에, 거세 저항성 전이 전립선암의 치료에서 *PARP1*의 최적화가 중요함을 보여 준다.

Small ubiquitin-related modifier (SUMO)에 의한 PARP1의 변화는 저산소중에 반응하는 유전자의 전사 활성체로서의 기능에 영향을 주며, 열 충격에 의해 생성되는 *heat shock protein 70.1 (HSP70.1)* 촉진체의 유도를 촉진한다. PARP1의 SUMOylation은 DNA에 의해 크게 영향을 받는다. PARP1이 온전한 DNA와 결합한 경우에는 SUMOylation이 증대되지만, 손상된 DNA와 결합한 경우에는 그러하지 않다. 이러한 효과는 DNA와 결합한 후 SUMO와 결합하는 효소인 ubiquitin-conjugating enzyme 9 (UBC9 혹은 ubiquitin-conjugating enzyme E21, UBE21)에 대한 PARP1의 친화력이 증대되기 때문에 나타난다. 이와 같은 과정은 DNA의 손상이 PARP1의 촉매 작용을 자극하는 기전과는 완전하게 다르다. PARP1의 SUMOylation은 PARP1의 촉매 작용 혹은 DNA와 결합하는 성질에 영향을 주지 않는다 (Zilio 등, 2013).

48.2. 세포 분열의 조절에서 PAR의 역할
PAR and the control of cell division

PARPs가 세포 내에 분포해 있는 위치를 보면, 세포 분열의 조절에서 PARylation의 생리학적 역할을 짐작할 수 있다. 첫 번째로 중요한 관찰은 PARP1과 PARP2가 중심절 (centromere)에 위치해 있으며, 동원체 (kinetochore) 단백질인 centromere protein A (CENPA), CENPB, budding uninhibited by benzimidazoles 3 homolog (BUB3) 등과 상호 작용한다는 점이다. 생쥐에서 *PARP2*를 제거하면, DNA 손상에 의한 염색체 분리의 오류가 동원체의 결합과 관련되어 발생하였는데, 이는 PARP2가 중심절 주위에서 일어나는 이질적인 염색질의 통합을 유도하는 기능을 가지고 있음을 보여 준다 (Menissier de Murcia 등, 2003).

세포 분열에서 PARP의 또 다른 역할은 PARP1 및 PARP3와 중심체 (centrosome)와의 연관성과 관련이 있다 (Augustin 등, 2003). 이러한 관찰의 중요성은 분명하지 않지만, 이들 PARPs는 DNA 손상 감시망을 정확한 유사분열 확인점 (checkpoint)과 연결시킨다. 이러한 관계는 DNA 손상에 의해 PARylation이 일어나거나 (Monaco 등, 2005) 혹은 세포 주기의 M 기에 있는 확인점, 즉 방추체 확인점의 단백질 요소인 BUB1-related kinase (BUBR1)와 PARP1이 상호 작용할 경

우 (Fang 등, 2006)에는 염색체 일과성 단백질 (chromosomal passenger protein)로서 방추체를 중심절에 부착시키는 기능을 가진 Aurora-B가 억제된다는 관찰에 의해 짐작된다.

PARP가 방추 미세관 (spindle microtubule)의 조직화를 조절하는 데 관여한다는 증거는 Xenopus laevis에 관한 연구에서 PAR과 poly(ADP-ribose) glycohydrolase (PARG)가 유사 분열의 방추체 미세관, 방추체극 (spindle pole), 동원체 등에 많이 분포한다 (Chang 등, 2004)는 관찰에 의해 뒷받침된다. TANK1은 방추체와 관련이 있는 PAR의 중합 작용 (polymerization)에 필요한 효소이다 (Chang 등, 2005). TANK1의 PARylation은 방추체극 단백질인 nuclear mitotic apparatus protein (NuMA)을 변경함으로써 방추체의 양극화를 형성하고 유지하는 데 중요한 역할을 한다. 더욱이 TANK1의 PARP 작용은 세포 주기의 후기에 도달하기 전에 telomere가 정상적으로 분리되도록 한다. TANK1에 의한 NuMA의 PARylation은 유사분열이 진행함에 따라 일어나는 sister-telomere의 분해를 돕는다 (Dynek와 Smith, 2004). 이들 결과를 종합하여 보면, PAR과 PARP 효소는 염색체의 분리를 조절하는 데에서 중요한 역할을 한다 (Schreiber 등, 2006).

48.3. 거세 저항성 전립선암의 치료에서 활용
Treatment in castration resistant prostate cancer

진화하는 동안 포유동물의 세포는 자외선, 이온화 방사선, 활성 산소종 등과 같은 다양한 인자에 의해 유발된 DNA 손상을 올바르게 복구하는 기전을 발달시켰다. 정상 세포에서 DNA 복제가 일어나는 동안 올바르게 교정되지 않은 오류가 발생하는 비율은 약 1:106이다. Mismatch repair (MMR) 유전자의 결여로 인한 Lynch 증후군과 BRCA의 돌연변이로 인한 homologous recombination repair (HRR)의 결여로 유발되는 hereditary breast-ovarian cancer (HBOC) 증후군에서 조기에 발생하는 암은 DNA damage repair (DDR)의 경로가 저하됨으로 인해 유전체의 불안정화가 유도되고, 이로써 종양의 형성이 일어나는 좋은 예이다 (Lynch 등, 2009). 한편, DDR 경로가 보존되어 있는 경우에는 유전체가 과도한 손상을 받더라고 암의 발생을 피할 수 있다. BER, MMR, HRR, nonhomologous end joining (NHEJ), Fanconi anemia (FA) repair 등의 경로에 관한 이해가 축적됨에 따라 종양을 치료하기 위한 많은 소분자가 개발되고 시험 중에 있다 (Lord와 Ashworth,

2012). 이들 중 임상 시험에서 가장 광범위하게 연구 중인 분자가 PARP의 억제제이다 (Yap 등, 2011). 종양의 형성을 위해 필요한 저하된 DDR 경로를 표적화하는 요법은 치료 효과를 최대로 높이고 정상 조직에 대한 손상을 최소화할 수 있다.

전립선암은 유전 및 표현형 측면에서 이질적이지만, 대부분의 다른 암과 같이 유전자 돌연변이와 염색체의 변화를 통해 특징적인 암의 양상을 가진다 (Hanahan과 Weinberg, 2012). 표적화된 exon의 염기 순서, 전반적인 복사 수, 전사 양상 등을 분석한 연구에 의하면, DNA 복사 수의 변화는 원발 전립선암에 비해 전이 질환과 이종 이식 암 세포주에서 더 많았다 (Taylor 등, 2010). 말기 전립선암에서 증가된 유전자 복사 수의 획득 혹은 상실이 관찰되었다는 보고가 이를 뒷받침한다 (Grasso 등, 2012). 그러한 유전체의 불안정성은 후기 전립선암에서 DNA 복구력의 감소와 관련이 있으며, 이는 전립선암의 전이 병변에서 유래된 세포주에서 DNA의 복구가 저하되어 있음을 관찰한 연구에 의해 확인되었다 (Fan 등, 2004). 또한, DNA 손상에 대한 반응을 조절하는 유전자인 p53는 치료를 받은 적이 없는 전립선암뿐만 아니라 치료에 저항적인 치명적인 전립선암에서 흔히 돌연변이를 일으킨다 (Grasso 등, 2012; Barbieri 등, 2012). 전립선암에서 가장 흔한 유전적 변화인 v-ets avian erythroblastosis virus E26 oncogene homolog 혹은 E-twenty six (ETS) 유전자의 재배열 (Brenner 등, 2011)과 phosphatase and tensin homolog (PTEN)의 결실 (Mendes-Pereira 등, 2009)은 DNA 손상의 증대 혹은 DNA 복구의 결함과 관련이 있다.

2010~2013년에 거세 저항성 전이 전립선암의 치료제로 abiraterone acetate, sipuleucel-T, denosumab, cabazitaxel 등과 같은 여러 약제가 승인을 받았다 (Liu와 Zhang, 2013). 새롭게 개발된 안드로겐 박탈 요법 (Ryan 등, 2013), 면역 요법 (Kantoff 등, 2010), 화학 요법 (de Bono 등, 2010), 골격을 표적화한 방사성 의약품 (Parker 등, 2013) 등으로 인해 환자의 전반적인 생존이 개선되었지만, 거세 저항성 전이 전립선암은 불치 질환으로 남아 있다. 유전체의 불안정성이 큰 암세포는 치료에 대한 저항성이 조기에 나타나고 더 공격적인 임상 과정을 가진다 (Bristow와 Hill, 2008). 이는 BRCA2의 돌연변이에 의한 전립선암 환자의 경우 림프절 전이 위험의 증가, 원격 전이 위험의 증가, 낮은 생존율 등과 같이 예후가 나쁘다는 보고 (Castro 등, 2013)와 일맥상통한다. 또한, 원발 전립선암에서 DNA 복사 수의 변화는 생화학적 재발의 위험을 예

측하는 측면에서 Gleason 등급보다 더 나은 결과를 나타낸다 (Taylor 등, 2010). PARP의 억제제에 근거한 요법은 감소된 DDR을 차단함으로써 불안정한 유전체를 가진 치명적인 전립선암에서 높은 치료 지수를 나타낸다. PARP1은 BER에서 중요한 역할을 수행하는 것 외에도 AR의 전사 활성화와 ETS의 재배열을 매개하는 기능도 가지고 있기 때문에 (Schiewer 등, 2012), PARP의 억제제는 거세 저항성 전이 전립선암의 새로운 치료법으로 대두되고 있다.

ETS 융합의 흔한 예인 transmembrane protease, serine 2:ETS-related gene (TMPRSS2:ERG)는 DNA 비의존적 방식으로 PARP1 및 catalytic subunit of DNA protein kinase (DNA-PKcs)와 상호 작용한다. ETS 유전자에 의해 매개되는 전사 및 세포의 침습을 위해서는 PARP1과 DNA-PKcs의 발현 및 작용이 필요하다. PARP1을 약리학적으로 억제하면, ETS 양성 전립선암의 성장이 억제된다 (Brenner 등, 2011). 따라서 PARP 억제제는 DNA 복구력을 감소시키는 기능 외에도 ETS 융합 단백질과 AR에 의한 전사 조절을 차단한다고 생각된다.

안드로겐에 의해 조절되는 TMPRSS2와 ETS 전사 인자 유전자, 주로 ERG 사이의 반복적인 융합은 원발 전립선암의 약 50%에서 일어난다 (Tomlins 등, 2007). ERG는 PARP1과 상호 작용하며, PARP1의 작용은 ERG로 매개되는 전사, 세포의 침습, 전이 등에 필요하다 (Brenner 등, 2011). PARP1을 억제하면, ERG의 과다 발현에 의해 유도된 DNA DSB가 증대되며 ERG 양성 전립선암 세포의 성장이 지연된다 (Brenner 등, 2011). PARP 억제제의 작용이 증대되면, ERG 융합이 있는 전립선암에서 유전체의 불안정성 혹은 ERG로 매개되는 전사가 하향 조절된다. 전립선암 세포주에 관한 다른 연구에 의하면, PARP를 억제한 경우 염색질에서 AR의 양이 감소하고 세포주기의 진행을 조절하는 UBE2C와 같이 AR의 표적 유전자의 발현이 억제된다 (Schiewer 등, 2012). PARP1은 ERG와 상호 작용하는 것과는 별도로, AR과 복합체를 형성하지 않으면서 AR 표적 유전자의 촉진체에 위치한다 (Schiewer 등, 2012). 이들 저자들은 PARP1의 억제제로 치료하면, 전립선암 세포의 Ki-67 증식 지수를 감소시킬 수 있다고 하였다.

이와 같이 ETS 융합을 가진 전립선암에서 PARP 억제제를 이용한 표적 요법이 충분한 이론적 근거를 가지고 있지만, 거세 저항성 전립선암 환자 23명을 대상으로 niraparib (MK4827)을 이용한 임상 1상 시험은 질환의 진행까지 기간, PSA 반응 비율, 혈중 종양세포의 감소 등과 같은 항암 효과와

ETS 유전자의 재배열 사이에서 상관관계를 발견하지 못하였다 (Sandhu 등, 2013). 이는 말기의 거세 저항성 전립선암에서 ETS 유전자의 재배열 하나만으로 PARP의 억제로 인한 반응을 예측하기에는 충분하지 않음을 시사한다. 이 연구에 의하면, niraparib의 반감기는 32.8~46.0시간, 평균 36.4시간이었으며, 1일 80 mg 이상을 투여하였을 때 PARP가 50% 이상 억제되었다. BRCA1 혹은 BRCA2의 돌연변이를 가진 난소암 환자의 40% (8명/20명)와 이들 유전자의 돌연변이를 가진 유방암 환자의 50% (2명/4명)가 Response Evaluation Criteria in Solid Tumors (RECIST)에 따른 부분적 반응을 나타내었다. 임상 2상 시험에서는 1일 300 mg 용량의 niraparib이 권장되었다. 참고로 European Organisation for Research and Treatment of Cancer (EORTC)에 의한 RECIST는 암 환자를 치료하는 동안 종양이 개선되거나 ('반응'), 동일한 상태로 유지되거나 ('안정'), 악화될 때 ('진행') 이를 정의하는 공식적인 장치로서 모든 표적 병변이 제거된 경우를 완전 반응 (Complete Response, CR), 모든 표적 병변에서 측정된 가장 긴 직경의 합이 기준선에 비해 최소 30% 감소한 경우를 부분 반응 (Partial Response, PR), 치료 이후 가장 짧은 직경의 합을 참고로 하였을 때, 부분 반응에 해당하는 만큼 위축되거나 증가되지 않은 경우를 안정 (Stable Disease, SD), 치료를 시작한 이후 표적 병변의 가장 긴 직경의 합이 가장 짧은 직경의 합에 비해 최소 20% 증가하거나 1개 이상의 새로운 병변이 발생한 경우를 진행 (Progressive Disease, PD)으로 정의하였다.

1980년대에 PARP1의 억제제로 개발된 3-substituted benzamide가 증식성 세포뿐만 아니라 유전자 독성 제제로 치료받은 세포에서 세포 독성 효과를 나타냄이 보고되었으며, 이후 화학 요법과 방사선 요법에서 이러한 제제의 항암 작용에 대해 관심이 증대되었다 (Curtin, 2005). 배양된 사람의 암세포와 생쥐의 이종 이식 암에서 PARP 억제제는 DNA를 메틸화하는 제제인 temozolomide, 이온화 방사선, TOP1의 억제제인 topotecan과 irinotecan 등의 항증식 작용을 증대시켰다 (Calabrese 등, 2004).

이러한 연구 결과에 근거하여, 생쥐의 흑색종 세포주 B16F10을 대상으로 평가한 연구는 veliparib이 종양의 성장을 억제하는 temozolomide의 효과를 증대시키며, PARP의 작용은 적절한 용량의 veliparib에 의해 크게 저하된다고 하였다 (Liu 등, 2008). 이와 같이 전립선암 동물 모델 혹은 거세 저항성 전이 전립선암 환자를 대상으로 PARP 억제제를

이용한 병합 요법이 여러 연구를 통해 보고되고 있는데, 예를 들면, DNA에 손상을 주는 세포 독성 제제인 cisplatin, carboplatin, cyclophosphamide, irinotecan, temozolomide 등과 PARP 억제제인 veliparib (ABT-888)와의 병합 요법 (Donawho 등, 2007; Palma 등, 2009), abiraterone, enzalutamide 등과 같은 안드로겐 대항제와 PARP 억제제인 veliparib과의 병합 요법 (Brenner 등, 2011; Schiewer 등, 2012), 방사선 요법과 PARP 억제제인 rucaparib과의 병합 요법 (Chatterjee 등, 2013) 등이다.

종양이 가진 DNA 복구력은 종양세포가 DNA를 손상시키는 요법으로부터 생존하기 위한 기전으로 흔히 이용된다 (Liu 등, 2008). 산발성 전립선암에서 이용된 PARP 억제제 niraparib의 결과는 PARP 억제제를 거세 저항성 전이 전립선암 환자의 치료로 활용할 수 있는 이론적 근거를 제공한다. 보고된 바와 같이 *PTEN*의 결실 혹은 *ETS* 재배열의 존재 단독으로는 PARP 억제제에 근거한 치료에 따른 반응을 예측하기는 어렵다. PARP의 억제제는 DDR을 차단하는 작용 외에도 거세 저항성 전립선암의 임상 전 모델에서 AR과 ETS 융합 단백질을 통한 전사의 조절을 억제한다. 이러한 임상 전 결과에 근거하여 현재 abiraterone 단독 요법과 veliparib과의 병합 요법이 임상 2상 시험 중에 있다. *ETS* 융합 양성인 전립선암에서 이러한 병합 요법이 단독 요법에 비해 PSA 반응이 더 큰지는 아직 분명하지 않다. 앞으로 PARP 억제에 근거한 치료와 이와 관련이 있는 생물 지표를 계속 개발할 필요가 있다. 최근에 역형성 (anaplastic) 전립선암에서 platinum에 근거한 요법이 성공적인 결과를 나타내었다는 보고가 있기 때문에, PARP 억제제에 근거한 요법이 앞으로 새롭게 희망적인 결과를 나타낼 수도 있다고 생각된다 (Zhang, 2014).

49. Prostate And Breast Overexpressed Gene 1 (PBOV1)

전립선암에 대한 정확한 진단과 예후는 이 질환을 확실하게 관리하고 치료하는 데 대단히 중요하다. 전립선 내에 국한된 초기 종양으로 진단된 환자는 근치전립선절제술로 90~95% (Pound 등, 1999), 방사선 요법으로 85~95% (Shipley 등, 1999) 치유된다. 현재의 임상적 진단 과정에서 하나의 딜레마는 PSA 선별검사로 발견된 질환의 자연 경과가 실제로는 다를 수 있다는 점이다 (Polascik 등, 1999). 진단 당시에 PSA가 2.5

ng/mL 이상이고 직장수지검사로는 발견되지 않은 임상 병기 T1c인 질환을 가진 환자의 60~70%가 전립선 내에 여러 형태의 병적 양상을 가지고 있다 (Ghavamian 등, 1999). 이로써 환자의 질환 상태를 치료 전에 정확하게 평가하기 위한 진단적, 예후적 예측 인자를 발견하고자 많은 연구가 시도되었다 (Pound 등, 1999). 현재 널리 이용되고 있는 PSA 분석은 전립선암과 양성 전립선을 구별하고 전립선암이 진행할 것인지 예측함에 있어 신뢰도가 떨어진다는 문제점을 가지고 있다.

49.1. PBOV1 유전자의 발견 배경
Evolutional background of PBOV1 gene

다세포 생물의 진화에서 새로운 유전자의 형성은 어떠한 기본적인 역할을 통해 새로운 기능을 유발한다 (Kaessmann, 2010). 새로운 유전자가 형성되는 데는 여러 정립된 기전이 관여한다. 예를 들면 중복 (duplication) 및 분리 (divergence), 후방 전위 (retroposition), 유전자 융합 (gene fusion), exon 뒤섞기 (exon shuffling), 유전자 수평 이동 (horizontal gene transfer) 등이 있으며, 이들 기전은 모두 기존에 있는 유전 물질을 재이용한다 (Long 등, 2003). 또한, 단백질을 코드화하는 일부 유전자는 일련의 돌연변이 과정을 통해 비코드화 유전체 영역에서 새롭게 생겨나 단백질을 코드화하는 새로운 전사물로서 출현된다. 그러한 결과로 생긴 단백질은 유전적 부동 (genetic drift; 개체 수가 적은 집단에서 기회적으로 혹은 일정한 방향성 없이 무작위로 어느 한쪽의 유전자 변이로 고정되는 현상)의 결과에 의해 혹은 생물체에 적합한 조건으로 적응됨으로 인해 진화 과정에서 고정이 된다. 고정 후의 양성 선택 (positive selection)은 그러한 단백질의 기능성을 더욱 증대시킨다.

유전자가 새로이 형성되는 기전은 오랫동안 비현실적인 것으로 간주되어 왔으나, 다양한 종에 관한 많은 연구는 종의 기원을 나타내는 '생명의 나무 (tree of life)'의 모든 가지에서 새로운 유전자가 형성된다고 주장하였다 (Li 등, 2012). 그러나 새롭게 형성된 유전자를 고정시키는 힘이 무엇인지, 그것의 기능이 어떠한 기전을 통해 나타나고 어떠한 연관성을 가지고 생물체와 통합되는지 등 아직 새로운 유전자 형성에서 이해되지 않는 부분이 많이 있다. 종양의 형성이 새로운 유전자의 형성과 고정에서 중요한 역할을 한다는 가설을 내세운 연구가 있다 (Kozlov, 2010). 간략하게 설명하면, 여러 가지 종양의 특징적인 양상 중 하나가 특징화되지 않은 기능을 가진 다양한 전사물을 상향 조절한다는 것이다 (Kapronov 등, 2007). 하나의 예가 큰 계열에 속하는 cancer/testis antigen (CTA)이다. CTA는 정상적으로 고환과 난소의 영양막세포 (trophoblastic cell)에서 발현되지만 (Jungbluth 등, 2002), 다발골수종 (Atanackovic 등, 2010), 위장관기질종양 (gastrointestinal stromal tumor, GIST) (Perez 등, 2008) 등을 포함하는 다양한 종양에서 제한적으로 발현되며, 암 환자에서 체액성 및 세포성 면역 반응을 일으키는 종양 항원이다 (Atanackovic 등, 2007). 따라서 CTA는 인두암 (Pastorcic-Grgic 등, 2010) 과 비소세포 폐암 (Shigematsu 등, 2010)의 예후와 관련이 있다는 연구와 같이 진단에서 종양 표지자로서의 역할을 하며, 면역 요법의 표적이 된다. 지금까지 melanoma antigen (MAGE), New York-esophageal cancer 1 (NY-ESO-1), gastric cancer antigen (GAGE), B melanoma antigen (BAGE), lung cancer antigen (LAGE), synovial sarcoma, X breakpoint 2 (SSX2), New York-sarcoma 35 (NY-SAR-35)를 포함하여 100종 이상의 CTA가 동정되었으며, 이러한 CTA는 백신을 이용한 면역 요법에서 중요한 요소로 작용할 것으로 생각된다. CTA는 여러 방법들을 통해 확인할 수 있으며, 유전자는 X 염색체에 암호화 되어 있는 *CT-X* 유전자와 X 염색체에 암호화 되어 있지 않은 *non-X CT* 유전자로 나눌 수 있다. 이들 유전자는 CpG 섬의 촉진체에 의해 조절되며, 주로 정모세포 (spermatocytes) 및 다양한 종양에서 활성화되는데, 두 경우에서의 활성화는 CpG 메틸화의 상실과 관련이 있다 (Ortmann 등, 2008). 그러한 전사물의 대부분은 알려진 기능을 상실하고 대부분의 정상 조직에서 활동하지 않고 침묵하지만, 일부는 단백질을 코드화하는 기능을 가져 새로운 유전자로 분류되기도 한다.

한편, 다른 연구는 무작위로 생성된 단백질을 코드화하는 염기 서열의 도서관에 있는 일부 단백질이 영양 요구성 돌연변이체 (auxotrophic mutants; 세균, 곰팡이, 배양 세포 등이 돌연변이를 일으켜 생육을 위해 특수한 화학 물질을 필요하게 된 변이주)를 일으킨 E. coli를 구제할 수 있음을 보여 주었다 (Fisher 등, 2011). 이러한 예가 비코드화 및 비적정화 염기 서열이더라도 최소한으로 기능을 하는 단백질을 생성할 수 있음을 보여 주지만, 대부분의 경우에서 새로운 유전자는 처음에는 기능적인 면이 결여되지만 그러한 기능이 진화 과정에서 유전자의 고정을 촉진하기에는 충분할 수 있다. 사람

의 종양에서 발현되면서 진화와 관련이 있는 새로운 유전자를 찾으려는 시도에 의해 여러 전사물이 보고된 바 있지만, 그들 대부분은 단백질을 코드화하는 기능이 결여되어 있다 (Samusik 등, 2011). 생쥐와 개의 유전체 내 ortholog (서로 다른 두 종류의 종에 존재하는 유전자로서 두 종의 공통 조상의 동일한 유전자에서 유래한 것)의 존재, PFAM (protein family를 의미하며, 단백질 영역 및 가족에 관한 데이터베이스이다) 영역 표시, Ka/Ks 비율 등에 근거하여 비코드화 유전자로 잘못 분류된 유전자를 제외함으로써 단백질을 코드화하는 유전자를 확정짓고자 시도한 연구는 사람의 유전자 중 약 20%가 단백질을 코드화하는 유전자로 잘못 분류되었음을 발견하였으며, 단백질을 코드화하는 유전자로 잘못 분류되었다고 보고된 유전자 중 실제 실험에서 단백질을 코드화하는 10종의 유전자 목록을 만들었다 (Clamp 등, 2007). 이 목록에서 prostate and breast overexpressed gene 1 (*PBOV1* 혹은 *UROC28*, *UC28*)) 유전자가 발견되었는데, 이 유전자는 비영장류 유전체에서는 ortholog가 결여되어 있으며 그것의 mRNA 염기 서열은 전적으로 종양에서 기원하며 종양에 특이적이다 (Krukovskaia 등, 2010).

사람에서 단백질을 코드화하는 유전자 중 하나인 *PBOV1*은 2,501 bp의 단일 exon mRNA와 135-aa의 개방 해독틀 (open-reading frame; 단백질 유전자의 염기 배열을 3염기씩 구분하였을 때 3가지의 틀. 이들 중 특히 개시 코돈이 있고 도중에 종결 코돈이 출현하지 않으며, 일정한 길이를 가지고서 실제로 단백질을 코드화할 가능성이 있는 해독틀)을 가지고 있다. 이 유전자는 An 등 (2000)에 의해 전립선암, 유방암, 방광암 등에서 과다 발현되는 유전자로 처음 특징지어졌다. 이들 저자들은 생체 밖 실험에서 PBOV1 단백질을 발현시켜 항체를 생성하였으며, 이 단백질은 전립선암 환자의 혈액에서 발견되지만 건강한 대조군에서는 발견되지 않았다고 하였다. 저자들은 또한 전립선암 세포에서 *PBOV1*의 발현은 안드로겐에 의해 상향 조절된다고 하였다 (An 등, 2000). 다른 연구는 유방암 세포에서 *PBOV1*의 전사가 에스트라디올에 의해 정방향으로 조절된다고 하였다 (Kamagata 등, 2002).

49.2. PBOV1에 관한 초기의 연구
Early study for PBOV1

An 등 (2000)은 agarose 겔에 기초한 비교 해석법 (differential

display technique)을 이용하여 전립선암, 유방암, 방광암 등에서 증가되는 유전자 *PBOV1* (혹은 *UROC28*)을 발견하였으며, QRT-PCR을 통해 안드로겐 하의 전립선암 세포에서는 *PBOV1*의 발현이 증가함을 발견하였다. 이 유전자의 발현은 원발 및 전이 전립선암에서 증가하였으며, Gleason 점수가 높을수록 더 증가하였고 전이 암 조직에서 가장 크게 증가하였다. PBOV1 단백질은 Western blot 분석에 의해 혈청에서 발견되었으며 정상 전립선 혹은 양성전립선비대를 가진 남성에 비해 전립선암 환자의 혈청에서 PBOV1 단백질의 농도가 유의하게 더 높았다. Northern blot 분석은 정상 전립선 조직에서 cDNA가 2.1과 2.5 kb에서 두 mRNAs에 부착함을 보여 주었다. 핵산 서열 분석은 이들 두 mRNAs의 변형이 3′ untranslated region에서만 서로 다르다고 보고하였다. 생물정보기술 (bioinformation technology)에 의하면, 아미노산 aa34부터 aa50까지 경막 영역이 있고, aa62 (SQK), aa89 (TMK), aa94 (SMK)에 세 protein kinase C (PKC) 인산화 영역이 있으며, aa118 (GLECCL)에 1개의 myristylation 영역이 있다. 유전체 Southern 혼성법 및 염색체 지도 작성법은 염색체 6q23-q24에 있는 유전자의 단일 복사에 의해 코드화됨을 보여 주었다. 면역조직화학적 실험과 in situ hybridization (ISH)은 이 유전자가 전립선암과 유방암의 선조직 상피세포에 국한되어 증가함을 확인하였으며, 폐암과 결장암 조직에서는 그것의 발현이 증가되지 않았다. 전립선 세엽의 기저세포는 전립선 선조직의 전구세포로 간주된다. 전립선암 상피세포에서 *PBOV1* mRNA의 과다 발현과 기저세포 층의 상실이 일어난다는 관찰은 전립선암의 형성에서 *PBOV1*과 기저세포가 조절 인자의 역할을 함을 시사한다. 전립선암의 상피세포에서 PBOV1 단백질이 핵에 위치해 있음은 *PBOV1*이 조직에 특이한 조절 기전을 가지고 있음을 나타낸다.

PBOV1 유전자의 단일 복사는 염색체 6q23-q24에 위치한다. 이 염색체 자리에서 전립선암과 관련이 있는 유전자들이 여러 연구에서 보고되었다. 6q24-qter의 상실과 안드로겐 비의존성 및 종양 형성 가능성 사이에 연관성이 있다는 보고가 있고 (Hyytinen 등, 1997), 6q23-24의 상실이 일부 전립선암과 관련이 있다는 보고가 있으며 (Srikantan 등, 1999), 근위부 6q의 결실은 전립선암의 진행과 관련이 있다는 보고도 있다 (Cooney 등, 1996). 6q23-q24 자리는 다른 종양과도 관련이 있다는 보고 또한 있다. 예를 들면, 6q24에서 *v-myb avian myeloblastosis viral oncogene homolog* (*MYB*)의 증폭은 췌

장암의 진행과 관련이 있고 (Wallrapp 등, 1997), 이 자리에서 이형 접합성 상실 (loss of heterozygosity, LOH)은 유방암과 자궁경부암의 진행과 상호 관련이 있다 (Noviello 등, 1996). ISH, RT-PCR, 면역조직화학검사를 이용한 연구는 *PBOV1* mRNA와 단백질이 유방암과 방광암에서 과다 발현된다고 하였다 (An 등, 2000). *PBOV1*이 염색체 6q23-q24에 위치해 있고 여러 종류의 종양에서 과다 발현된다는 사실은 이 유전자가 이 큰 염색체 구역에 있는 또 다른 종양을 유발하는 유전자임을 시사한다. 그러나 LOH는 흔히 종양을 억제하는 유전자와 관련 있어 종양을 유발하는 유전자 *PBOV1*이 염색체 상실 구역에 있다는 점은 다소 의외의 사실이다.

전립선암과 유방암에서 *PBOV1* 유전자가 비슷하게 상향 조절됨은 전립선암과 유방암이 일부 공통점을 가지고 있기 때문에 당연하게 받아들일 수 있다. 유방암 세포와 전립선암 세포의 성장과 증식은 공통되는 안드로겐 수용체 (androgen receptor, AR)를 통해 조절된다고 알려져 있다 (Gregory 등, 1998). 또한, 이들 두 종양에서는 여러 유전자, 예를 들면 *AR* (Yeap 등, 1999), *human epidermal growth factor receptor 2 (HER2/neu* 혹은 *v-erb-b2 avian erythroblastic leukemia viral oncogene homolog 2, ERBB2)* (Robertson 등, 1996), *breast cancer 1, early onset (BRCA1)* (Fan 등, 1998), *prostate-specific antigen (PSA)* (Zarghami와 Diamandis, 1996), *epidermal growth factor receptor (EGFR)* (Grizzle 등, 1994), *kangai 1 (KAI1* 혹은 cluster of differentiation 82, *CD82*, 혹은 tetraspanin-27, TSPAN27) (Phillips 등, 1998), *fibroblast growth factor 1 (FGF1)* (Payson 등, 1998), *E-cadherin (CDH1)* (Graff 등, 1995) 등이 비슷한 방식으로 조절된다고 보고되었다. 더군다나 이들 유전자의 일부는 유방암과 전립선암에서 과다 메틸화와 같은 동일한 기전에 의해 조절된다 (Graff 등, 1995). 유방암과 전립선암에서 *PBOV1* mRNA와 단백질이 상향 조절되고 유전자가 dihydrotestosterone (DHT)에 의해 조절된다는 사실은 이들 두 종양의 성장과 진행에는 유사한 경로들이 관여함을 시사한다.

현재 널리 이용되고 있는 PSA 검사는 전립선암과 양성전립선비대를 구별하고 전립선암의 진행을 예측함에 있어 신뢰도가 떨어진다. 이러한 상황에서 혈청 PBOV1 단백질의 농도는 정상 전립선과 양성전립선비대를, 양성전립선비대와 전립선암을 유의하게 구별할 수 있다. ProteinChip과 surface-enhanced laser desorption/ionization (SELDI)에 항체를 접목시

키면 암 표본과 정상 혹은 양성전립선비대 표본을 정확하게 구별하는 고무적인 결과를 얻을 수 있다. An 등 (2000)의 예비 연구의 결과는 PBOV1 단독이든 다른 표지자와 병합하든 PBOV1이 전립선암을 정확하게 진단하기 위한 또 다른 혈청 표지자가 될 수 있음을 보여 주었다. 악성 암이 있다는 증거가 없는 환자의 혈청에서 어느 정도의 PBOV1이 검출되면 잠재된 암이 있을 수 있는데, 이는 첫 생검에서 전립선암의 평균 25%를 놓친다는 보고와 일맥상통한다. 이와 같은 결과를 근거로 저자들은 PBOV1 유전자가 전립선암의 진행에서 어떠한 역할을 하며 PBOV1 mRNA 및 단백질의 발현은 전립선암의 더 나은 추적 관찰을 위한 새로운 표지자가 될 수 있다고 보고하였다.

49.3. PBOV1 발현의 조절
Regulation of PBOV1 expression

PCR 실험은 분석된 34종의 종양 조직 표본 중 19종에서 PBOV1이 발현되는 데 비해, 정상 태아 및 성인의 모든 조직 유형에서는 발현되지 않음을 보여 주었다 (Krukovskaia 등, 2010). 앞에서 기술된 바와 같이 이전의 연구는 PBOV1이 유방암과 전립선암에서 발현되며, 성호르몬에 의해 상향 조절된다고 하였으며 (An 등, 2000), 이 후의 연구는 유방암, 난소암, 자궁암, 전립선암, 고환암 등과 같은 다수의 호르몬 의존성 암에서 발현된다고 하였다 (Samusik 등, 2013).

PBOV1이 종양에 특이하게 작용을 나타내는 기전은 분명하지 않다. 종양에서는 광범위한 전사 활성이 일어난다고 알려져 있으며, 이러한 현상은 최소한 일부는 DNA의 과소 메틸화 때문이다 (Wischnewski 등, 2006). 그러나 전형적으로 CpG 섬을 포함하고 있는 촉진체에 의해 조절되는 CTA와는 달리 PBOV1은 CpG 탈메틸화에 의해 영향을 받지 않고 고환에서 불활성적인 촉진체, 즉 GC가 부족하고 TATA를 가진 촉진체에서 발현되며, 간암 세포주 HepG2에서의 PBOV1 발현은 DNA의 메틸화를 억제하는 제제에 대해서는 반응하지 않지만 histone deacetylase를 억제하는 제제에 대해서는 반응한다. 이들 결과로 볼 때, CTA와는 다르게 PBOV1의 발현은 DNA의 과소 메틸화보다 특이한 전사 인자의 작용 때문에 일어난다고 생각된다. 따라서 PBOV1은 종양 특이 항원 (tumor-specific antigen, TSA)으로 분류될 수 있지만 (Schreiber 등, 1988), 이 분류에 속하는 특이한 구성원을 확인하려는 시

도는 alpha-fetoprotein (AFP)을 제외하고는 대부분 비생산적이라고 보고되고 있다 (Coggin 등, 2005).

종양에 특이적인 PBOV1의 활성을 조절하는 전사 인자를 확인하고자 시도한 연구에 의하면, 종양에서 PBOV1의 발현은 CCAAT-enhancer-binding protein (C/EBP) 전사 인자 외에도 배아의 발달에서 핵심 조절자로 알려진 Hedgehog (Hh) 신호 경로에 의해 양성적으로 조절된다. Hh 신호 경로는 성인의 조직에서는 비활동성을 나타내지만, 이 경로의 이소성 재활성화 (ectopic reactivation)는 종양의 발달에 관여한다 (Yauch 등, 2008). 많은 종양에서 Hh 경로가 중요한 역할을 담당하기 때문에, Hh 수용체인 Smoothened (SMO)를 억제하는 제제가 항암 효과를 얻을 수 있는지 연구 중에 있다 (Low 와 Sauvage, 2010). 췌장암의 이종 이식 암에 관한 연구는 PBOV1의 발현이 항암 효과를 나타내는 Hh 억제제인 HhAntag691 (Vismodegib)으로 치료한 경우 역으로 반응함을 보여 주었다 (Samusik 등, 2013). 이와 같은 결과로 볼 때, Hh 신호 경로는 PBOV1이 종양에 특이적으로 발현하도록 하는 중요한 인자라고 생각된다. 그러나 이를 확인하기 위한 추가 연구가 필요하다.

49.4. 추정되는 PBOV1 단백질의 기능적 역할
Possible functional role of PBOV1 protein

여러 연구 자료에 의하면, PBOV1 유전자의 발현 정도는 유방암의 경우 재발이 없는 생존과, 신경아교종 (glioma)의 경우 전반적인 생존율과 정상관관계를 나타낸다. 따라서 PBOV1 단백질은 PBOV1이 발현되는 종양에서 종양을 억제하는 역할을 한다는 가설이 성립된다 (Samusik 등, 2013). 이 가설은 PBOV1에서의 missense single nucleotide polymorphism (SNP)은 유방암 위험의 증가와 관련이 있다는 보고와 일맥상통한다 (Loizidou 등, 2010).

근래의 연구는 PBOV1 단백질의 기능적인 양상을 확인하지 못하여 이 단백질이 일부 세포 기전과 경로를 특이하게 방해하는 종양 억제 인자로서의 역할을 하지 않는 것으로 간주하였다. 이 연구는 대신에 종양을 억제하는 기능이 종양에 특이하게 나타나는 양상으로부터 유래한다고 추측하였다 (Samusik 등, 2013). 종양에서 특이하게 혹은 우세하게 발현되는 여러 단백질은 종양세포에 대해 면역 반응을 일으킨다는 보고가 많이 있으며, 예를 들면 CT-X, MAGE/BAGE/GAGE, *preferentially expressed antigen in melanoma (PRAME)* 등과 같은 유전자 가족으로부터 생성된 CTA이다 (Nuber 등, 2010). 종양의 항원에 의해 유발된 세포 독성의 면역 반응은 종양에 대항하는 방어 기전으로서 중요하며, 항암 백신의 제조에 이용되기도 한다 (Schlom, 2012). 종양세포에서 *PBOV1*의 발현 또한 동일한 방식으로 종양세포에 대해 면역 반응을 유발함으로써 생물체가 종양과 싸우는 데 도움을 준다고 생각된다 (Samusik 등, 2013).

종양의 항원과 PBOV1 단백질의 억제 기능 사이에서 직접적인 연관성이 발견되지는 않았으나, PBOV1 단백질이 종양을 억제한다는 가설은 원발 전신경 신경아교종 (proneural glioma)에 비해 재발된 전신경 신경아교종에서 *PBOV1*의 발현이 유의하게 낮다는 연구에 의해 지지를 받고 있다 (Samusik 등, 2013). 이는 *PBOV1*을 발현하는 세포의 경우 면역 편집 (immunoediting)이 있음을 시사하는데, 이 과정은 면역계가 종양의 항원을 높게 발현하는 종양세포를 도태시킴으로써 종양이 낮은 면역성을 나타내도록 하는 과정이라고 할 수 있다 (DuPage 등, 2012).

*PBOV1*이 면역학적으로 종양을 억제하는 인자로서의 기능을 한다는 가설이 적절하다면, 유전자의 이러한 기능이 사람이 진화하는 데 이점을 제공함으로써 PBOV1 단백질을 코드화하는 현재의 염기 서열 형태로 고정이 되었을 가능성이 있다. 유사한 기전은 *MAGE* CTA 가족에서 찾아 볼 수 있다. *MAGE* 유형 I 유전자는 영장류에서 많은 진화 과정을 거쳤으며, 분명하지 않은 기능을 가지고 진화한 단백질을 코드화한다 (Chomez 등, 2001). 그럼에도 불구하고 *MAGE-A* 가족 구성원의 일부는 사람의 유전체에 특이하게 포함되었는데, 이와 같이 고정된 이유는 *MAGE-A*가 종양의 항원으로서 유익한 역할을 담당하기 때문으로 생각된다 (Katsura와 Satta, 2011).

종양에 의해 매개되는 면역학적 되먹임 기전은 새로운 유전자가 형성되는 과정에서 일반적이라고 생각된다. 이는 종양에 특이한 항원으로 기능하기 위해 어떤 특이한 기능적 특성을 가질 필요가 없기 때문에 매력적인 가설이라고 간주된다. 단지 단백질은 거의 모든 염기 서열에 의해 가능한 major histocompatibility complex (MHC) Class I에 속한 펩티드로서의 역할을 수행할 필요는 있다. 그리고 종양에서 면역 되먹임은 명확하지 않은 시점 ('twilight zone')에서 새로운 유전자가 고정되도록 한다. 적응 면역 반응을 나타내며 종양도 발생한다고 알려진 칠성장어나 먹장어 같은 원시 척추동물은 물론 (Falkmer 등, 1976), 적응 면역 시스템을 가진 모든 동물에서 이러한 면역학적 되먹임 기전은 새로운 유전자의 고정을 돕는다 (Samusik 등, 2013).

50. Prostate Androgen Regulated Transcript 1 (PART1)

전립선암 세포에서 안드로겐에 의해 조절되는 전사물을 확인하기 위해 전립선과 관련이 있는 1,500종의 cDNA를 포함하는 cDNA microarrays를 분석한 연구는 LNCaP 전립선암 세포주에서 안드로겐에 노출된 경우에 발현이 증가되는 유전자를 발견하였으며, 이를 *prostate androgen-regulated transcript 1 (PART1)*으로 명명하였다 (Lin 등, 2000). Northern 분석에 의하면, *PART1*은 정상적인 다른 조직에 비해 전립선에서 높게 발현되었고 polyadenylation을 유도하는 신호에 따라 발현됨이 확인되었다. *PART1*의 촉진체 부위에 관한 분석은 homeobox 유전자인 *pre-B-cell leukemia transcription factor 1A (PBX1A)*의 결합 부위를 확인하였으나, androgen response element 혹은 sterol-regulatory element의 결합 부위는 확인되지 않았다고 하였다. *PART1*은 염색체 5q12에 위치해 있고 60개의 아미노산으로 구성된 단백질을 코드화하며, 전립선암을 억제하는 유전자로 추정된다 (Lin 등, 2000).

RT-PCR을 이용하여 *PART1*의 발현을 평가한 연구는 *PART1*이 전립선 외에도 태반, 흉선, 타액선 등에서 높게 발현되며, 기관, 신장, 뇌 등에서는 낮게 발현된다고 하였다. 이 연구는 비악성 전립선 조직에 비해 악성 전립선 조직에서 더 흔하게 *PART1*이 과다 발현된다고 하였다. 전립선암 세포에서 *PART1*은 주로 dihydrotestosterone (DHT)과 같은 안드로겐에 의해 조절되지만, estradiol, norgestrel (합성 progestin), aldosterone, dexamethasone 등과 같은 여러 호르몬에 의해서도 조절된다 (Sidiropoulos 등, 2001). 안드로겐 외의 호르몬에 의한 *PART1*의 상향 조절은 LNCaP 세포의 돌연변이가 안드로겐 수용체와 이들 호르몬 사이에 상호 교류가 있기 때문이다 (McDonald 등, 2000). 이러한 돌연변이가 안드로겐 수용체에는 안드로겐과의 특이적인 결합력이 상실되어 있다. *PART1*은 양성 조직에 비해 악성 조직에서 높게 발현되는데, 이는 *PART1*의 발현이 암이 형성되는 동안 달라지며, 양성 조직에서 높은 농도로 발견되는 PSA와는 다른 기전으로 *PART1*이 조절됨을 시사한다 (Sidiropoulos 등, 2001).

안드로겐이 고갈된 세포 배양 시스템을 이용한 연구는 DHT가 안드로겐에 민감한 LNCaP 세포에서는 *PART1* 전사물의 발현을 유도하였지만, 안드로겐 비의존성의 DU145 혹은 PC3 세포에서는 유도하지 못하였다고 하였다 (Yu 등, 2003). Soy isoflavones인 genistein과 daidzein은 DHT에 의해 유도된 *PART1* 전사물의 발현을 용량 의존적으로 억제하였다. 즉, 0.1과 1.0 nmol/L의 DHT로 유도된 *PART1* 전사물의 발현이 50 μmol/L의 genistein으로 완전하게 억제되었다. *PART1*의 발현을 억제하는 효과는 genistein에 비해 daidzein이 약하였으며, genistein 혹은 daidzein과 동일한 농도의 glycitein은 그러한 억제 효과를 나타내지 못하였다 (Yu 등, 2003).

51. Prostate Apoptosis Response Protein 4 (PAR4)

세포 자멸사를 유발하는 단백질인 prostate apoptosis response protein 4 (PAR4)는 PAWR, 즉 protein kinase C (PRKC), apoptosis, Wilms tumor 1 (WT1), regulator로도 알려져 있으며, 선택적으로 암에 대해 효과를 나타내어 암세포에서는 세포사를 유도하지만, 정상 세포에서는 그러하지 않다 (Shrestha-Bhattarai와 Rangnekar, 2010). 이 때문에 PAR4는 암 치료에서 유망한 표적으로 관심을 받고 있다.

51.1. PAR4의 기능 및 역할
Functions and roles of PAR4

염색체 12q21에 위치해 있고, 11개의 exons를 가진 *PAR4* 유전자는 쥐의 안드로겐 비의존성 전립선암에서 세포 자멸사를 유도하는 유전자로서 처음 발견되었다 (Sells 등, 1994). 세포 자멸사에서 PAR4의 작용은 세포의 특성에 의존적이며, 신경세포에 있는 세포 자멸사 유도체에 반응하여 일어나는 신경 변성을 매개하는 등 계획된 세포사에서 중요한 역할을 한다 (Guo 등, 1998). PAR4의 과다 발현은 일련의 세포주, 예를 들면 안드로겐 비의존성 전립선암 세포주 PC3 (Goswami 등, 2005), 비인두암 세포주 (Lee 등, 2007) 등에서는 단독으로 세포 자멸사를 충분하게 유도하지만, Jurkat T 림프구 (Boehrer 등, 2002), 안드로겐 의존성 전립선암 세포주 LNCaP (Goswami 등, 2005), 흑색종 세포주 (Sells 등, 1997), 신장암 세포 (Lee 등, 2008) 등과 같은 다른 종류의 세포에서는 PAR4

의 과다 발현 단독으로 세포 자멸사를 증가시키기에는 충분하지 않다. 한 예를 들면, 신장암 세포인 Caki 세포에서 PAR4는 X-linked inhibitor of apoptosis protein (XIAP)의 하향 조절 및 v-akt murine thymoma viral oncogene homolog protein 1 (AKT 혹은 protein kinase B, PKB)의 불활성화를 통해 세포질세망 스트레스를 자극하여 세포 자멸사를 유도하는 제제 thapsigargin (TG)의 효과를 증대시킨다 (Lee 등, 2008). 그러나 이들 세포에서 PAR4의 증가는 세포 자멸사의 자극에 대해 민감하도록 만든다. 췌장암을 대상으로 실시한 연구에서 화학예방 제제, 예를 들면 3,3-diindolylmethane의 유도체인 B-DIM, B-cell lymphoma 2 (BCL2)의 억제제인 apogossypolone 등으로 PAR4의 발현을 유도한 경우 암세포의 효과적인 세포사가 관찰되었다 (Azmi 등, 2010).

세포 자멸사를 유발하는 PAR4의 작용은 다수의 기전에 의해 조절된다. PAR4의 발현은 담관암종 (Franchitto 등, 2010), 신장암 (Cook 등, 1999), 전립선암 (Fernandez-Marcos 등, 2009) 등을 포함하는 많은 암에서 하향 조절된다. *PAR4*의 전사는 *PAR4* 촉진체의 과다 메틸화에 의해 억제되는 한편 (Moreno-Bueno 등, 2007), nuclear factor of kappa light polypeptide gene enhancer in B-cells 3 (NFKB3), v-rel avian reticuloendotheliosis viral oncogene homolog A (RELA) 등으로도 알려진 p65에 의해 활성화된다. *PAR4* 촉진체는 nuclear factor kappa B (NFκB)와 결합하는 3개의 공통 서열을 가지고 있으며, 여기에 p65이 결합할 수 있다. *PAR4*가 전사 후에 조절된다는 보고도 있다. 종양 단백질인 Epstein-Barr virus latent membrane protein 1 (LMP1)은 미확인 기전을 통해 *PAR4* mRNA의 단백질로의 번역을 억제한다 (Lee 등, 2009).

PAR4의 작용은 전사와 번역 기전 외에도 PAR4의 인산화에 의해 영향을 받는데, PAR4는 threonine 잔기에서 protein kinase A (PKA)에 의해 인산화된다. PAR4가 세포 자멸사를 일으키는 기능을 나타내기 위해서는 이러한 인산화가 필요하다. 정상 세포에 비해 암에서 PKA의 활성이 높다는 관찰은 암세포가 PAR4의 효과에 민감한 이유를 부분적으로 설명해 준다 (Gurumurthy 등, 2005). PAR4가 PKA에 의해 활성화되는 것과는 대조적으로, AKT1에 의한 serine 잔기의 인산화에 의해 PAR4의 활성화는 억제된다. 이러한 인산화는 PAR4가 kinase, phosphatase, transmembrane receptor 등과 같은 다양한 신호 단백질과 결합하는 세포 골격 단백질인 14-3-3 단백질과 상호 작용하도록 유도한다. 이러한 관계는 PAR4가 세포질 내에 위치하도록 촉진한다 (Goswami 등, 2005). PAR4의 세포 자멸사를 유도하는 작용은 PAR4가 핵 내에 위치한 경우에 일어나기 때문에, 세포질에 격리된 PAR4는 그러한 작용을 일으키지 못한다 (El-Guendy 등, 2003).

AKT는 PAR4의 leucine zipper 영역을 통해 PAR4와 결합하며, PAR4를 인산화하여 세포 자멸사를 억제한다. 암세포에서 phosphoinositide 3-kinase (PI3K) 억제 인자인 phosphatase and tensin homolog (PTEN) 혹은 LY294002를 이용하여 AKT의 활성화를 억제하거나 RNA interference (RNAi)를 이용하여 AKT의 발현을 억제하면, 세포 자멸사가 일어났는데, 이는 PI3K-AKT 경로를 억제할 경우 PAR4 의존성의 세포 자멸사가 일어남을 시사한다. 따라서 PAR4는 PTEN으로 유도되는 세포 자멸사에서 필수적이며, AKT에 의한 PAR4의 불활성화는 암세포의 생존을 촉진한다 (Goswami 등 2005). 다른 연구는 PAR4와 PTEN이 함께 불활성화되면, 협동하여 NFκB를 활성화하고 이로써 침습성 전립선암이 발달한다고 하였다 (Fernandez-Marcos 등, 2009).

Leucine zipper domain 단백질인 PAR4는 cluster of differentiation 95 (CD95), apoptosis antigen 1 (APO1) 등으로도 알려진 Fas cell surface death receptor (FAS)의 세포사 경로를 활성화하고 NFκB의 전사 작용을 억제함으로써 세포 자멸사를 유도한다 (El-Guendy 등, 2003). NFκB 활성화의 억제와 세포 자멸사는 nuclear localization sequence 2 (NLS2)에 의한 PAR4의 핵으로의 전위에 의존적이다. PAR4에 의해 유도되는 세포 자멸사에 저항적인 암세포는 세포질 내에 PAR4를 함유하고 있다. NSL2에 포함된 59개 아미노산의 중심 영역은 FAS 경로의 활성화, NFκB 활성화의 억제, 세포 자멸사 등에 필요하며, C-terminal leucine zipper 영역은 그러하지 않다. 이 중심 영역은 세포 자멸사를 유도하기 위해 암세포를 표적화하지만, 정상 세포에 대해서는 그러하지 않다 (El-Guendy 등, 2003).

SRC proto-oncogene, non-receptor tyrosine kinase (SRC) 가족에 속하는 원형 종양 유전자 (proto-oncogene) c-SRC는 결장암에 영향을 준다 (Kline 등, 2008). c-SRC 단백질의 농도와 kinase의 활성은 결장암이 진행함에 따라 증가한다 (Talamonti 등, 1993). c-SRC의 하위 효과기 중 하나인 AKT1은 전립선암 세포에서 세포 자멸사를 유발하는 PAR4의 작용을 억제한다. 결장암 세포주에 c-SRC 억제제인 4-amino-5-(4-chlorophenyl)-7-(dimethylethyl) pyrazolo [3, 4-d] pyrimidine

(PP2)과 화학 요법 제제인 5-fluorouracil (5-FU)을 병합 투여한 연구는 다음과 같은 결과를 보고하였다 (Kline과 Irby, 2011). 첫째, PAR4와 AKT1 혹은 14-3-3σ 단백질과의 상호 작용이 감소하였고 PAR4의 핵으로의 전위가 일어났다. 둘째, PAR4는 AKT1과 14-3-3σ 단백질뿐만 아니라 c-SRC와도 상호 작용하였다. 셋째, c-SRC의 과다 발현은 tyrosine 잔기에서 PAR4의 인산화를 유도하였다. 이와 같은 결과는 c-SRC 억제제와 5-FU의 투여로 일어나는 세포 자멸사는 PAR4가 활성화되기 때문임을 보여 준다.

Serine/threonine kinase인 casein kinase 2 (CK2)는 전립선암에서 세포 자멸사 제제 혹은 항암제에 대한 저항성에서 중요한 역할을 한다. 사람과 쥐에서 CK2가 암세포의 생존을 돕는 기전을 분석한 연구는 다음과 같은 결과를 보고하였다 (de Thonel 등, 2014). 첫째, PAR4는 생존 kinase인 CK2의 기질 역할을 하였다. 둘째, CK2에 의한 인산화는 PAR4가 가진 세포 자멸사의 기능을 억제하였다. 셋째, CK2에 의존적인 PAR4의 조절은 종에 따라 차이가 있었다. 쥐에서는 CK2에 의한 S124에서의 인산화가 caspase로 매개되는 PAR4의 분절을 방지하였으며, 이로써 세포 자멸사를 유도하는 PAR4의 기능이 차단되었다. 사람에서는 CK2가 caspase로 매개되는 PAR4의 분절과 관계없이 잔기 S231에서 인산화를 일으킴으로써 PAR4가 가진 세포 자멸사의 특성을 강하게 억제하였다. 넷째, 사람에서 PAR4의 잔기 S231은 정상 전립선에 비해 전립선암 세포에서 높게 인산화되었다. 다섯째, CK2를 삭제함으로 인한 전립선암 세포의 세포 자멸사에 대한 민감성은 PAR4를 삭제한 경우 반전되었다. 이들 결과는 PAR4가 CK2의 표적이며, 새로운 항암제의 개발에서 표적이 됨을 보여 준다.

전립선암의 골 전이에 관여하는 bone morphogenetic protein (BMP)에 관한 연구는 다음과 같은 결과를 보고하였다 (Ye 등, 2008). 첫째, growth differentiation factor 2 (GDF2)로도 불리는 BMP9의 발현은 전립선암에서, 특히 고등급 질환의 병소에서 감소되거나 소실되었다. 둘째, BMP9의 과다 발현은 전립선암 세포의 성장, 기질에의 부착, 침습, 이동 등을 억제하였다. 셋째, BMP9은 PC3 세포에서 PAR4의 상향 조절을 통해 세포 자멸사를 유도하였다. 넷째, BMP9의 신호 경로에 관여하는 수용체 중 BMP receptor (BMPR)-IB와 BMPR-II는 전립선의 발생과 진행에 관여하였다. 반면, hammerhead ribozyme transgene을 이용하여 BMPR-IB와 BMPR-II를 제거하면, 세포의 성장이 촉진되었다. 다섯째, PC3 세포에서 BMPR-II는 mothers against decapentaplegic homolog (SMAD) 의존성의 신호 경로에서 필수적인 역할을 하였으며, 이 경우 SMAD1은 인산화되었고 세포질에서 핵으로 전위를 일으켰다. 이들 결과를 종합하여 보면, BMP9은 세포 자멸사를 유도하여 전립선암 세포의 성장을 억제하는데, 이 과정은 SMAD 의존성 경로를 통한 PAR4의 상향 조절과 관련이 있다. BMP9은 전립선암 세포의 이동과 침습도 억제하기 때문에, 전립선암에서 종양을 억제하고 세포 자멸사를 조절하는 역할을 한다고 생각된다.

Androgen receptor (AR)는 ligand에 의해 활성화되는 전사 인자로서 안드로겐의 작용을 매개하고 전립선의 성장, 기능, 세포 분화 등에서 필수적인 역할을 한다. PAR4는 AR의 DNA 결합 영역과 상호 작용하여 AR과 DNA의 상호 작용을 증대시키고 AR 의존성 전사를 증가시킨다. PAR4는 안드로겐의 존재 하에서 *cellular FLICE-like inhibitory protein (c-FLIP)* 유전자로 집결하고 *c-FLIP* 촉진체의 작용을 증대시킨다. 여기서 FLICE는 FADD-like interleukin-1β-converting enzyme의 약어이고 FADD는 Fas-associated death-domain의 약어이다. 이들 결과는 PAR4가 AR의 공활성화 인자 (coactivator)로서 기능을 하며 *c-FLIP* 유전자의 발현을 표적화함을 보여 준다. 이 연구에 의하면, *c-FLIP* 발현의 소실은 거세로 인한 세포 자멸사에서 필수이며, *c-FLIP*의 발현 증대는 전립선암의 안드로겐 저항성 질환으로의 진행과 관련이 있고 전립선암 세포를 세포 자멸사로부터 보호한다 (Dutton 등, 2006; Gao 등, 2006).

51.2. 전립선암의 분자 요법에서 PAR4의 역할
PAR4 in molecular therapy for prostate cancer

일반적으로 분자 요법은 세포의 유전자형 혹은 표현형의 이상을 표적화함으로써 암세포의 기능에 대응하는 방법이며, 없거나 결함이 있는 분자를 치환하는 방법이 여기에 속한다. 분자 요법의 여러 프로토콜로는 첫째, 감수성 유전자의 도입, 예를 들면 herpes simplex thymidine kinase에 이은 glanciclovir 요법, 둘째, cytokines, co-stimulatory molecules, foreign histocompatibilty gene 등과 같이 면역 시스템을 표적화하여 암세포를 제거하는 유전자, 셋째, insulin-like growth factor I (IGF1)에 대한 antisense 구성물과 polynucleotide 백신, 넷째, *p53*과 같은 표준형 종양 억제 유전자의 치환, 다섯째, anti-

sense 구성물을 이용하여 *Kirsten rat sarcoma viral oncogene homolog (K-RAS)*와 같은 종양 유전자의 차단 등이 있다 (Lattime과 Gerson, 2002). 근래에는 생존 경로를 차단하기 위해 RNA에 근거한 접근법이 개발 중이며, 적절한 전달 방법 또한 연구 중에 있다 (Butler와 Rangnekar, 2003).

PAR4의 기능은 leucine zipper 영역이 특이 단백질과 상호 작용하여 그들 단백질의 세포 기능을 조절하는 기전에 의해 영향을 받는다 (Rangnekar, 1998). 예를 들면, Wilms' tumor protein 1 (WT1)은 PAR4와 결합할 뿐만 아니라 PAR4의 leucine zipper 영역과 상호 작용함으로써 기능적으로 달라지게 된다 (Sells 등, 1997). WT1은 촉진체의 상황에 의존적으로 혹은 내인성 p53의 상태에 따라 전사 억제자 혹은 활성체로서 기능을 한다. WT1과 PAR4의 상호 작용은 WT1의 zinc finger 영역과 PAR4의 leucine zipper 영역 사이에서 일어난다 (Johnstone 등, 1996). PAR4는 leucine zipper 영역을 통해 WT1으로 매개되는 전사 작용에 대해 전사를 억제하는 인자로 기능을 함으로써 WT1이 가지고 있는 세포 자멸사에 대항하는 효과를 약화시킨다. 흥미로운 점은 이러한 PAR4의 작용이 early growth response protein 1 (EGR1)과 같은 다른 zinc finger 영역 단백질에 대해서는 나타나지 않는다는 점이다 (Johnstone 등, 1996). 결론적으로, PAR4의 leucine zipper 영역이 신호를 전달하는 경로를 조절한다.

WT1 외에 PAR4와 상호 작용하는 상대자로는 비정형 PKC의 동형 단백질인 PKC zeta (PKCZ)와 PKC iota (PKCI)/1, p62, delta-like 1 homolog/Zrt-, Irt-like protein (혹은 solute carrier family 39 member 3, SLC39A1) (DLK/ZIP) kinase 등이 있다 (Diaz-Meco 등, 1996; Page 등, 1999; Chang 등, 2002). PAR4는 종양 유전자 *RAS*, *Raf-1 proto-oncogene, serine/threonine kinase (RAF)*, *SRC* 등에 의해 하향 조절되지만, PAR4가 복원되면 extracellular signal-regulated kinase 1/2 (ERK1/2)의 발현을 억제하여 종양 유전자에 의한 세포의 형질 전환을 방지한다 (Qiu 등, 1999; Barradas 등, 1999). PAR4는 또한 p38 kinase의 활성을 상향 조절한다. ERK 활성의 하향 조절과 p38 kinase 활성의 상향 조절이 동시에 일어나는 조건은 자외선과 같은 스트레스 인자에 반응하여 PAR4에 의해 유도되는 세포 자멸사에서 매우 중요하다 (Gurumurthy 등, 2001). PAR4는 NFκB와 activator protein 1 (AP1)의 전사 작용을 억제하며 (Nalca 등, 1999), 세포 자멸사에 대해 대항 효과를 나타내는 단백질인 BCL2를 하향 조절한다 (Qiu 등, 1999).

PAR4는 여러 신호 경로에 영향을 주며, 다수의 조절 기전에 관여하는 전사 인자와 상호 작용하여 세포를 세포 자멸사에 민감하도록 만든다. WT1이 zinc finger 영역을 통해 PAR4와 상호 작용하는 방식과 마찬가지의 방식으로 PKC의 비정형 동형 단백질인 PKCZ와 PKCI/1은 PAR4의 leucine zipper 영역과 상호 작용한다 (Johnstone 등, 1996). PKC의 동형 단백질은 정상 세포에서 분화를 통제함으로써 신호 경로에 관여하며, 암세포에서는 전이의 두 측면, 즉 종양의 성장과 종양세포의 부착 및 이동에 관여한다 (Sanz-Navares 등, 2001). PKCZ와 PKCI/1은 전형적인 PKC와 다르게 Ca^{2+}, diagcylg-lycerol, phorbol ester 등에 의해 조절되지 않는 대신 세포가 염증성 cytokine과 성장 인자에 의해 활성화된 후 생성되는 phosphatidylinositol, ceramide 등과 같은 기타 지질 보조 인자에 의해 조절된다 (Diaz-Meco 등, 1996). PAR4는 비정형 PKC의 zinc finger 영역과 결합하여 kinase 작용을 소멸시킨다. PAR4와 비정형 PKC와의 연관성은 이들의 영역에 특이적이며, 기타 kinase의 구조 혹은 기능에 특이적이지 않다. 따라서 PAR4는 세포의 생존에서 중요한 효소인 mitogen-activated protein kinase (MAPK)의 활성화를 억제함으로써 세포 자멸사를 촉진한다 (Barradas 등, 1999).

비정형 PKC는 inhibitor of NFκB (IκB)의 kinase 작용을 조절함으로써 NFκB의 기능을 통제한다 (Diaz-Meco 등, 1999). IκB를 조절하면, NFκB가 핵 내에 위치하지 않고 DNA 결합 영역이 숨겨져 NFκB 이합체가 세포질 내에 위치하게 되고 DNA와의 결합이 억제된다 (Baeuerle과 Baltimore, 1996; Gilmore, 1999). NFκB/v-rel avian reticuloendotheliosis viral oncogene homolog (REL) 단백질은 면역 및 염증 반응, 세포의 성장 및 분화, 세포 자멸사 등에 관여하는 유전자의 발현에 영향을 주는 전사 조절 인자이다 (Baeuerle과 Baltimore, 1996). NFκB는 또한 산화성 손상과 같은 치명적인 스트레스, tumor necrosis factor α (TNFα), 세포 내의 칼슘 농도를 증가시키는 제제 등에 의해 활성화된다 (Gilmore, 1999). NFκB/REL 단백질은 여러 암의 발생과 진행에서 중요한 역할을 한다 (Rayet와 Gelinas, 1999). 반면, PAR4는 세포 자멸사에 대항 효과를 나타내는 NFκB를 억제함으로써 세포 자멸사를 촉진한다 (Chakraborty 등, 2001). 다른 연구에 의하면, PAR4 자체가 RAS에 의해 형질 전환된 섬유모세포에서 세포 자멸사를 유도하였으며 (Nalca 등, 1999), NFκB의 높은 전사 작용을 동반한 안드로겐 비의존성 전립선암 세포에서 PAR4가 그러한

전사 작용을 억제하였다 (Chakraborty 등, 2001). 전립선암 세포에서는 아니지만 RAS로 형질 전환을 일으킨 섬유모세포에서는 NFκB의 전사 작용만을 억제하여도 세포 자멸사가 일어났으며, 전립선암 세포에서 세포 자멸사가 유도되기 위해서는 FAS 신호 경로를 소멸시키는 PAR4의 추가 기능이 필수적이었다 (Chakraborty 등, 2001).

FAS는 death domain을 가진 TNF receptor (TNFR) 가족에 속한다 (Wajant, 2002). FAS는 계획된 세포사의 생리학적 조절에서 중요한 역할을 하며, 다양한 암과 면역 시스템 질환의 발병 기전에 관여한다 (Wajant, 2002). 우성 음성 (dominant-negative, dn) FADD, dn-FLICE/caspase-8, dn-caspase-9, FAS의 우성 간섭 돌연변이체 등으로 유전자 전달 감염을 일으킨 연구에 의하면, NFκB 기능의 억제와 FAS 신호 경로의 활성화는 PAR4가 세포 자멸사를 유도하는 데 필수적이다. 다르게 표현하면, PAR4는 NFκB의 억제와 FAS의 활성화를 통해 세포 자멸사를 일으킨다 (Chakraborty 등, 2001). 또한, PAR4는 세포 내에서 FAS와 FAS ligand (FASL)를 세포막으로의 운반을 증대시킨다. FAS 경로의 활성화와 NFκB 활성의 억제는 종양을 억제하기 위해서는 필수적이다. PC3 세포를 누드마우스에 이식하여 형성된 종양 내에 PAR4를 주입한 연구는 PAR4 농도의 증가가 세포 자멸사를 직접 유도하고 종양의 퇴행을 유발함으로써 종양에 대한 분자 요법의 가능성을 보여 주었을 뿐만 아니라 세포 자멸사의 자극에 노출된 후 저항성 세포를 세포 자멸사에 민감하도록 만드는 신호 경로에 PAR4가 관여한다고 하였다 (Chakraborty 등, 2001).

BCL2 단백질의 일부, 예를 들면 BCL2, BCL-extra large (BCL-XL) 등은 세포 자멸사를 억제하는 데 비해, BCL2-associated death promotor (BAD), BCL2-associated X protein (BAX), BCL2 homologous antagonist/killer (BAK) 등은 세포 자멸사를 촉진한다 (Yin 등, 1994; Reed, 1997). BCL2 가족에 속하는 구성원들 사이에서 일어나는 상호 작용으로 이질 혹은 동질 이합체가 생성되는데, 이는 이들이 세포 자멸사를 유발하거나 대항하는 역할을 가지고 있음을 나타낸다 (Hanada 등, 1995). BCL2는 세포의 생존을 연장시키는 원형 종양 유전자의 특징을 가지고 있다. 종양세포에서 BCL2는 현재 이용되는 모든 화학 요법 제제에 의해 발생되는 세포 자멸사의 지연 혹은 억제를 유도하는 multi-drug resistance (MDR) 단백질로서 기능을 한다 (Thomas 등, 1996). PAR4와 BCL2는 미토콘드리아의 기능 장애가 일어나기 진 세포사 과정의 비교적 초

기 단계에서 각각 세포 자멸사를 유발하고 대항하는 작용을 나타낸다 (Mattson, 2000). BCL2를 코드화하는 유전자의 전사는 NFκB에 의해 유도되며, BCL2는 NFκB의 활성화를 증대시킨다. 한편으로, PAR4는 NFκB의 활성화와 BCL2의 발현을 포함하는 경로, 즉 세포 자멸사에 대항하는 신호 경로를 억제함으로써 세포 자멸사를 촉진한다 (El-Guendy와 Rangnekar, 2003). PAR4와 BCL2의 대항 작용은 BCL2의 과다 발현이 PAR4의 억제 효과를 억제함으로써 세포 자멸사에 대한 세포의 민감성을 약화시킨다는 보고에 의해 뒷받침된다 (Qiu 등, 1999). 반대로, PAR4의 과다 발현은 BCL2의 농도를 감소시키지만, BCL2에 대응하여 세포 자멸사를 유도하는 BAX의 농도는 변하지 않는다 (Qiu 등, 1999). 전립선암에서 BCL2는 과다 발현되며, 안드로겐 비의존성과 전이로의 진행을 증대시킨다 (Gurumurthy 등, 2001). 전립선암 세포에서 안드로겐을 제거하는 방법과 같이 세포 자멸사에 대한 외인성 자극은 BCL2의 농도를 감소시키는 데 비해, PAR4의 농도를 증가시킨다 (Qiu 등, 1999). 더욱이 PAR4는 섬유모세포와 전립선암 세포에서 내인성 BCL2의 농도를 하향 조절한다 (Qiu 등, 1999). 안드로겐을 차단한 후에는 PAR4가 상향 조절되고 BCL2는 하향 조절되기 때문에, PAR4는 BCL2의 하향 조절과 세포 자멸사를 일으키는 분자 경로에서 중요한 요소라고 생각된다.

RAS 유전자의 돌연변이는 종양을 유발하고, 사람의 암에서 흔히 발견된다. RAS 단백질은 세포의 상태에 의존적으로 서로 다른 신호를 일으키는 다수의 효과기 경로를 활성화한다 (Downward, 1998). RAS 단백질에 의해 조절되는 세포 자멸사 대항 경로 및 세포 생존 경로는 다음을 포함하고 있다 (Nalca 등, 1999; Qiu 등, 1999). 첫째, PI3K의 활성화. 이는 AKT를 활성화하고 BAD, caspase-9 등과 같이 세포 자멸사를 유발하는 단백질을 불활성화한다. 둘째, 세포 자멸사를 유발하는 단백질을 불활성화하는 RAF, MAPK kinase (MEK 혹은 MAP2K), MAP kinase인 ERK1/ERK2 등의 활성화. 또한, 종양 유전자 RAS는 NFκB의 전사 작용을 유도하여 세포가 생존하도록 한다. 따라서 cellular RAS (c-RAS) 단백질은 세포 표면에서 기원하여 세포의 표현형을 변화시키는 많은 신호 경로에서 대표적이라고 할 수 있다 (Downward, 1998). RAS 유전자의 돌연변이는 형질 전환을 일으키고 악성 암으로 진행하는 포유동물의 세포에서 높은 빈도로 나타나며, 사람에서 RAS는 암의 약 30%에서 나타나는 가장 흔한 종양 유전자라고 보고되었다 (Downward, 1998). RAS에 의해 유도되는 세포 생존 경로는 세포 자멸사를 일으키는 요인들, 예를 들면 성장 인자의 고갈, 이온화 방사선, 항암 화학 요법 등에 대한 저항성을 유발한다 (Nalca 등, 1999; Qiu 등, 1999). PAR4의 발현은 RAF-MEK-ERK 경로를 통해 RAS에 의해 하향 조절된다. MEK를 억제하는 제제인 PD98059을 이용하여 RAF-MEK-ERK 경로를 차단하거나 PAR4의 이소성 발현을 유도하여 ERK의 활성화를 억제함으로써 PAR4의 농도를 회복시키면, RAS에 의한 세포의 형질 전환이 억제된다 (Qiu 등, 1999). 이러한 결과는 RAS에 의해 유도되는 형질 전환의 신호로 일어나는 PAR4의 하향 조절이 세포의 형질 전환과 악성 암의 형성에서 필수 기전임을 보여 준다. 더욱이 세포가 형질 전환을 일으키기 위해서는 RAS가 형질 전환을 유도하는 경로를 활성화할 필요가 있고, PAR4에 의해 관찰되는 바와 같이 RAS의 기능을 역조절하는 경로, 즉 형질 전환에 대항하는 경로를 억제할 필요가 있다 (Qiu 등, 1999). 따라서 PAR4 농도의 감소는 세포의 형질 전환을 위해 중요한 초기 사건이라고 생각된다.

PAR4는 분명히 직접 세포 자멸사를 유도하고 종양의 퇴행을 일으킨다 (Chakraborty 등, 2001). PAR4는 내인성 NFκB, BCL2, BCL-XL 등의 증가와 같이 세포를 보호하는 기전이 존재하거나 표준형 p53나 PTEN의 기능이 소실된 경우에서조차 세포 자멸사를 유도하는 기능을 나타낸다. 정상 전립선 상피 세포에서는 그러하지 않지만 안드로겐 비의존성 전립선암 세포에서 PAR4의 이소성 발현은 세포 자멸사를 일으키기에 충분하다. PAR4는 생존을 유도하는 경로의 억제와 함께 세포사를 유발하는 경로의 활성화를 통해 세포 자멸사를 일으킨다. PAR4는 FAS와 FASL을 세포막으로 전위시킴으로써 세포사를 유도하는 FASL-FAS-FADD-caspase-8 경로를 활성화하며, 세포의 생존을 유도하는 NFκB의 전사 작용을 억제한다. PAR4는 NFκB가 DNA와 결합하는 기능을 억제하지 못하지만 NFκB의 전사 작용을 차단함으로써 세포 자멸사에 대항하는 유전자에 의해 조절되는 NFκB의 발현을 억제한다. IκB에 의한 NFκB의 억제 혹은 세포사를 유발하는 FAS 경로의 활성화만으로는 세포 자멸사를 일으키기에 충분하지 않으며, IκB와 FAS가 함께 도입될 경우에는 PAR4와 유사한 세포 자멸사를 일으킨다. 이러한 결과는 각각의 경로가 중요하지만, 전립선암 세포의 세포 자멸사를 유도하기에는 충분하지 않음을 보여 준다. PAR4는 PC3, DU145 등과 같이 NFκB의 활성이 증가된 전립선암 세포를 선택적으로 살해한다. NFκB의 활성이 낮은 안드로겐 의존성 전립선암 세포나 정상 전립선 상피세포는 PAR4에 의해 영향을 받지 않는다. PAR4는 이와 같은 특유의 기전을 이용하여 동물 모델에서 피하 종양 (Chakraborty 등, 2001) 및 동소 (orthotopic) 종양 (Gurumurthy 등, 2001)의 퇴행을 일으켰다. NFκB 활성의 증가는 여러 암에서 공격성의 증가와 관련이 있기 때문에 (Rayet와 Gelinas, 1999), 또한 PAR4는 형질 전환을 일으키지 않은 세포 혹은 정상 세포에 대해서는 세포 자멸사를 일으키지 않기 때문에 (Gurumurthy 등, 2001), PAR4는 치료적 중재에서 이상적인 분자라고 간주된다 (El-Guendy와 Rangnekar, 2003).

PAR4는 다면적인 기능을 가진 단백질로서 전신적 독성이 적고 분자적 작용 범위가 넓어 전립선암의 분자 요법으로 이상적이다. 앞으로의 연구는 핵과 세포질에서 결합하는 상대 단백질, 세포질의 PAR4와 핵의 PAR4에서 기능적 차이, 다양한 인산화 부위의 기능 등에 초점을 맞추어야 할 것이다. 또한, 바이러스 및 비바이러스 접근법을 이용하여 치료제로서 PAR4를 특별하게 연구할 필요도 있다. 각 접근법은 장단점을 가지고 있으며, 각각을 효율적으로 병합한 전략은 적절한 전달 체계와 원발 및 전이 종양의 세포 자멸사에서 효과적일 수 있다. PAR4는 비종양 세포를 살해하지 않기 때문에, 분자 요법에서 유망한 전략이 될 수 있을 것이다. 분자 요법에서 현재의 초점은 안전성과 전달 체계에 있는데, PAR4는 유전자 요법에서 안전한 방법으로 간주되고 있다. 더욱이 PAR4는 다수 기전을 통해 세포 자멸사를 유도하는 기능을 가지고 있기 때문에, 전립선암 외에도 많은 질환을 치료하는 데 폭넓은 작용 범위를 나타낸다. PAR4의 기능은 전립선 세포에서 가장 뚜렷하게 나타난다. PAR4를 전립선에 직접 주입하거나 전신적인 유전자 발현을 방지하기 위해 전립선에 특이하게 발현되는 벡터를 이용하는 방법이 개발 중이며, 전립선이 생명에 필수적인 기관이 아니라는 사실은 PAR4가 전립선암을 효과적으로 치료하는 데 유망한 대안이 되도록 만들어 준다 (Butler와 Rangnekar, 2003).

52. Prostate Cancer Antigen 3 (PCA3)

Bussemakers 등 (1999)은 Northern blot 분석법과 mRNA 감별법을 이용하여 근치전립선절제술 후 채집한 표본의 악성 조직과 비악성 조직에서 mRNA의 발현을 비교한 연구에서 염색체 9q21-q22 (9q21.2)에 위치해 있는 전립선 특이 유전자를 발견하였다. 동일한 환자에서 정상 조직에 비해 전립선암 조

직에서 differential display clone 3 (DD3)의 과다 발현이 발견되었다. 이것은 DD3, 혹은 non-coding RNA (NCRNA) transcript prostate cancer antigen의 의미로 DD3^{PCA3}, PCA3^{DD3} 등으로 표기되었다가 전립선암과 관련이 있음을 반영하기 위해 현재는 인간 유전체 명명법에 의거 prostate cancer antigen 3 (PCA3)로 표기된다. PCA3 단백질은 전립선 조직에만 국한하여 발현되며, 원발 전립선암 표본의 95%에서 발견되지만, 정상 전립선이나 양성전립선비대의 조직에서는 낮은 농도로 발견되거나 발견되지 않는다 (Bussemakers 등, 1999). Reverse transcription polymerase chain reaction (RT-PCR)을 이용한 연구는 PCA3가 전립선에 특이하여 기타 정상 인체 조직이나 유방, 자궁경부, 자궁내막, 난소, 고환 등에서 기원하는 종양에서는 발현되지 않을 뿐만 아니라, 방광암, 신장암, 난소암에서 기원하는 세포주에서도 발현되지 않는 대신 두 전립선암 세포주 LNCaP와 22Rv1에서만 발현되었다고 하였다 (Bussemakers 등, 1999).

신선한 소변을 원심 분리하여 세포와 불용해 물질을 제거한 표본을 고해상도의 2차원적 겔 전기영동법으로 분석한 연구는 전립선암 환자 17명 중 16명에서 PCA1 단백질이 발견된 데 비해, 대조군 8명, 양성전립선비대 환자 2명, 다른 비뇨생식기암 환자 7명, 비뇨생식기와 관련이 없는 암 환자 5명에서는 발견되지 않아 PCA1이 전립선암의 표지자로 유망하다고 하였다 (Edwards 등, 1982). 다른 연구는 양성전립선비대 환자에서 암 발생 위험이 있는 경우에는 PCA1이 4배 증가한다고 보고하였다 (Armenian 등, 1974).

52.1. PCA3 유전자 PCA3 gene

PCA3 단백질을 코드화하는 유전자는 염색체 9q21-q22 (혹은 9q21.2)에 위치해 있으며 (Bussemakers 등, 1999), 4개의 exon을 가지고 있으나 exon 2는 전사물 (transcript) 대부분에서 결손이 되어 전사물의 약 5%에서만 나타난다. PCA3 전사 장치는 특징적으로 exon 4 내의 3개의 다른 위치에서 아데닐산 중합 반응 (polyadenylation)이 교대로 일어남으로써 3개의 다른 크기의 전사물을 만든다. 분석된 전체 cDNA 클론의 약 60%로 가장 흔하게 발견되는 전사물은 exon 1, 3, 4a, 4b를 가지고 있다 (Bussemakers 등, 1999). PCA3 exon은 보통과 다른 수의 종결 코돈 (stop codon)을 가지고 있다. 단백질을 코드화하는 유전자는 전형적으로 1개의 종결 코돈에 의해 범

위가 결정되는 1개의 해독틀 (open reading frame)을 가진다. PCA3는 3개의 번역 영역에 걸쳐 다수의 종결 코돈을 가지면서 해독틀이 확장되지 않기 때문에 단백질을 코드화하지 못하는 non-coding RNA로 알려져 있다. 참고로 전사물이란 유전자 DNA에서 RNA 중합효소에 의해 합성되는 RNA를 의미하며, RNA 중합효소 Ⅰ과 Ⅲ에 의해 합성되는 RNA는 각각 리보솜 RNA (rRNA), 전이 RNA (tRNA)가 되는 데 비해, RNA 중합효소 Ⅱ에 의해 합성되는 mRNA는 단백질을 코드화하는 발현 부위와 코드화하지 않는 비발현 부위로 구성된다.

Real time-PCR (RT-PCR) (de Kok 등, 2002)과 quantitative RT-PCR (QRT-PCR) (Hessels 등, 2003)을 이용하여 분석한 연구에서, PCA3 mRNA의 발현은 전립선에 국한되었으며, 정상 전립선과 양성전립선비대 조직에서는 낮은 농도로 발현되었으나 다른 정상 조직, 혈액, 혹은 전립선 외의 다른 기관의 종양 표본에서는 발현되지 않았다. 전립선암에서 PCA3 mRNA의 중앙치는 정상 조직에 비해 66배 증가되었다. 두 측정법은 전립선암의 발견에 대한 높은 민감도와 특이도를 나타내었으며, AUC는 각각 0.94, 0.98이었다. 또한, 전체 표본에서 암 조직이 10% 미만으로만 포함되어도 PCA3 증가의 중앙치가 11배이었는데, 이는 정상 세포가 아무리 많이 있어도 이 검사로 암을 발견할 수 있음을 시사한다. 정상 전립선, 양성전립선비대, 전립선암 조직에서 PCA3의 진단력과 예후 예측력을 telomerase reverse transcriptase (TERT)의 수준과 비교해 본 결과, 비악성 전립선 조직에 비해 악성 조직에서 mRNA 증가의 중앙치는 TERT의 경우 6배, PCA3의 경우 34배 증가하여 PCA3에서 훨씬 더 컸다고 보고하였다 (de Kok 등, 2002). PCA3는 혈액, 소변, 전립선 마사지 후 배출액, 사정액 등에서 탈락되어 유입된 소수의 악성 세포를 발견하는 데 유익하다.

PCA3의 발현은 안드로겐으로 조절되며, 선택적으로 이어 맞춰진 (alternatively sliced) PCA3 mRNA 전사물은 원발 전립선암과 전이 암의 최고 95%에서 증가된다. PCA3 mRNA는 원발 전립선암과 전이 암 조직의 경우 정상 전립선 조직에서 발현되는 수치의 43배와 110배로 각각 발견되는 데 비해, 양성전립선비대의 경우 3배까지 증가된다 (Clarke 등, 2009). PCA3와 두 가지 다른 생물 지표, 즉 prostate-specific membrane antigen (PSMA), hepsin (HPN)을 병행하면 총 조직 표본 55점을 전립선암이나 양성전립선비대로 100% 완벽하게 분류할 수 있다는 보고가 있다 (Landers 등, 2008). Exons 2a와 2b를 가진 PCA3 전사물의 발견과 상호 보완적인 생물 지표의 발견은 비침습적인 분자적 접근을 통해 전립선암을 진단하고 특징화하는 방법을 더욱 개선하고자 하는 연구자에게 관심을 불러일으키고 있다 (Laxman 등, 2008).

52.2. 소변을 이용한 PCA3 검사
PCA3 test using urine

전립선의 세포가 전립선암 환자의 소변에서 확인되어 소변을 이용한 진단법이 전립선암 연구에서 관심을 끌게 되었다. 이 방법은 완전하게 비침습적이기 때문에 환자와 의사로부터 호응을 얻고 있다. Hessels 등 (2003)은 전립선 마사지와 생검을 받은 남성에서 채취한 소변으로 PCA3를 발견하는 검사를 개발하였다. 혈청 PSA 농도가 3 ng/mL 이상에서 생검을 받은 남성의 소변을 QRT-PCR로 분석한 검사는 생검 후 암으로 진단된 남성에 대해 67%의 민감도와 83%의 특이도를 나타내었다. 한편, 혈청 PSA 검사의 특이도는 22%이었다. 소변을 이용하여 PCA3 검사를 실시한 경우 약 90%의 음성 예측도를 보여 경직장초음파촬영술을 이용한 생검과 같은 침습적 진단 검사를 줄일 수 있다고 생각되지만, 임상에 적용하려면 추후 더 많은 연구가 필요하다.

PCA3 검사를 위해서는 직장수지검사 후 소변의 첫 20~30 cc를 채집할 필요가 있다. 직장수지검사를 실시하지 않으면 효율성이 약 80%에 불과하지만, 직장수지검사를 실시하면 98%로 증가한다. PCA3 검사의 과정은 다음과 같다. 약 2 cc의 소변 표본을 ribonuclease 억제제가 함유된 세포 용해 완충제 (lysis buffer)가 들어있는 운반 튜브에 담는다. 이 과정은 가장 중요한 단계인데, 분석으로 평가되는 mRNA는 억제제가 없으면 약 20분 내에 파괴되는 매우 불안정한 표본이기 때문이다. 표본은 동결 겔 팩에 담아 하룻밤 사이에 검사 센터로 보내진다. 충분한 표본이란 PSA mRNA 복사 수가 1 cc당 7,500개 이상인 경우로 규정된다. PCA3 유전자에 근거한 질적 분석, 즉 결과가 양성 혹은 음성으로 나타나는 분석인 1세대 검사 (uPM3TM, DiagnoCure, Quebec, Canada)와는 다르게, 현재의 2세대 검사 (Gen-Probe, San Diego, CA, USA; 유럽에서는 Progensa™)는 PSA mRNA 전사물을 가진 세포 내 상피세포의 수를 조정함으로써 PSA mRNA 전사물에 대한 PCA3 mRNA 전사물의 비율을 산출하는 양적 분석이다 (Marks와 Bostwick, 2008). PCA3를 분석함에 있어 uPM3™가 우수한 성과를 나타내었지만, APTIMA PCA3 분석법 (미국에서는 Gen-Probe, 유럽에서는 Progensa™)이 소개된 이후 도 태되었다. APTIMA *PCA3* 분석은 다음과 같은 여러 장점을 가지고 있다. 첫째, 소변 침전물을 이용하는 다른 방법과는 달리 소변 그대로를 사용하며, 임상적 표본 내에 있는 낮은 농도의 RNA도 발견할 수 있다. 둘째, 자분 (magnetic particles)을 이용한 표적 포획 기법 (target capture technology)은 RT-PCR에서 요구되는 RNA 추출법보다 더 정밀한 측정이 가능하고, 사용자가 더 친숙하게 이용할 수 있다. 셋째, 6시간 내에 작업을 완료할 수 있으며, 견실하고 재현성이 높아 임상 실험실에서 용이하게 활용될 수 있다 (Groskopf 등, 2006).

*PCA3*를 정량화하기 위한 Progensa™ *PCA3* 검사는 직장수지검사 동안 전립선에 반복적으로 압력을 가함으로써 전립선관을 거쳐 요도로 방출된 전립선의 상피세포를 소변을 이용하여 전사를 증폭시키는 기법인 RT-PCR 분석을 통해 *PCA3*와 *PSA* mRNA를 정량화하는 방법이다. 직장수지검사는 전립선 세포를 소변 내로 방출시키기 위해 필요하며, *PSA* mRNA는 표본 내에 있는 전체 mRNA를 표준화하는 데 필요하다. 소변으로 방출된 전립선 세포 내의 *PSA* mRNA의 수치는 혈중 PSA 단백질 농도와 완벽하게 관계있지는 않고, 전립선암에서 결코 변하지 않는다 (Hessels 등, 2003). 따라서 이 검사는 *PCA3* mRNA와 *PSA* mRNA 둘 다를 측정하여 결과를 두 mRNA의 비율로 나타내는데, 이를 '*PCA3* 점수' 라 한다. *PCA3* 점수는 직장수지검사를 실시한 후 채집된 소변의 침전물에서 측정된 *PCA3* mRNA/*PSA* mRNA의 비율에 1,000을 곱하여 산출된다. 다른 유전자 검사와 비슷하게 *PCA3*의 분석은 비용 측면이나 복잡성을 고려해 볼 때 활용할 만하며, 표본 채집과 검사물은 다른 인자의 영향을 받지 않아 안정성이 높기 때문에 정보 유용률 (informative rate; mRNA 분석에서 정확한 측정치의 생성이 가능한 소변 표본의 퍼센트)이 99% 이상이고 (Haese 등, 2008), 분석의 재현성이 좋기 때문에 분석 자체 내의 변동 계수와 분석과 분석 사이의 변동 계수는 각각 13% 미만, 12% 미만이며, *PCA3* 점수에 대한 전체 변동 계수는 20% 미만이다 (Sokoll 등, 2008).

PCA3 검사는 초기 전립선암을 발견하기 위한 임상 검사로서 전립선암 환자로부터 나온 전립선 세포를 내포하고 있는 소변을 이용하기 때문에 특이도가 높다. *PCA3* 검사는 PSA만으로 추후 검사를 결정하기 곤란한 상태, 예를 들면 1차 생검에서 전립선암이 발견되지 않았으나 PSA 농도가 증가된 남성, PSA 농도가 정상임에도 불구하고 전립선암이 발견된 남성,

도표 201 *PCA3* 점수의 다양한 절단치에 따른 PCA3 분석의 민감도 및 특이도

PCA3 점수 절단치	민감도, %	특이도, %
5	96	14
20	71	56
35	54	74
50	40	83
65	32	91
90	20	95

570명의 환자가 전립선 생검을 받았으며, 생검에서 양성 결과를 보인 경우는 36%이었다. 이 도표는 PCA3의 절단치가 35가 적절함을 보여 준다.
PCA3, prostate cancer antigen 3.
Deras 등 (2008)의 자료를 참고한 Marks와 Bostwick (2008)의 자료를 수정 인용.

다양한 정도의 전립선염과 함께 PSA 농도가 증가된 남성, 미세 병소의 질환으로 추정되어 '적극적인 감시 (active surveillance)' 를 받고 있는 남성 등에서 특히 도움을 준다 (Marks와 Bostwick, 2008).

여러 다른 임상적 진료 방향을 정하는 *PCA3* 점수의 절단치에 관해서는 논란 중에 있다. 재생검에서 양성 결과가 나올 확률이 높은 남성을 확인하기 위해 *PCA3* 점수의 절단치를 35로 설정하면, 여러 연구에서 민감도와 특이도 사이에 적절한 균형이 이루어진다고 보고되었다 (Deras 등, 2008) (도표 201). *PCA3* 점수가 낮으면 암이 발견될 확률은 낮지만, 생검에서 '임상적으로 중요한' 암을 배제하지는 못한다. 이러한 제한점은 Haese 등 (2008)의 연구에서 밝혀졌다. *PCA3* 점수를 35로 정하면 불필요한 생검의 67%를 피할 수 있었으나 임상적으로 중요한 암의 21%를 놓쳤다. *PCA3* 점수 20을 절단치로 이용하면, 불필요한 생검의 44%를 줄일 수 있었고 임상적으로 중요한 암의 9%만을 발견하지 못해 임상적으로 중요한 암을 놓칠 위험을 최소화할 수 있었다. Whitman 등 (2008)의 연구에서 근치전립선절제술 전 코호트의 *PCA3* 점수 중앙치는 26이었다. *PCA3* 점수 35를 절단치로 이용하면, 그들의 환자 코호트에서 전립선암의 1/2이 생검 전에 발견되지 않았다. 관찰 결과에서 이러한 차이의 원인이 그들 환자군에서 흑인이 차지하는 비중이 25%로 컸기 때문인지는 분명하지 않다. 흑인은 전립선암이 발생할 위험이 특별히 높다. 흑인에서는 전립선암의 발생 위험 위험을 나타내는 대립 유전자의 빈도가 유의하게 더 높은데, 이 점이 전립선암에 민감한 이유를 일부 설명해 준다. 그러나 이와 같은 관찰은 다른 임상적 자료나 병리학적 결과를 병용하면 *PCA3* 점수가 전립선암의 진단과 예후를

예측하는 데 유용하게 활용될 수 있음을 시사한다 (Ankerst 등, 2008).

52.3. 소변 PCA3 검사의 임상적 활용
Clinical utility of urine-based PCA3 test

PCA3 점수는 여러 임상 시나리오에서 유용할 수 있다. 첫째, 혈청 총 PSA 농도가 2.5~10 ng/mL로 분명하지 않은 결과를 보이는 경우에서 첫 생검을 결정할 때 확신감을 준다. 둘째, PCA3 검사는 재생검을 결정할 때, 특히 전립선의 만성 염증 혹은 감염으로 혈청 PSA가 만성으로 증가한 경우, 그리고 전립선암이 의심되지만 경직장초음파촬영 하에 실시한 생검이 음성 결과를 보인 경우에 확신감을 준다. 재생검의 경우 직장수지검사와 혈청 PSA의 결과는 큰 도움을 주지 못하며 가족력 및 기타 인자는 전립선암의 위험을 증가시킨다. 셋째, 생검 결과가 양성이지만 암의 공격성을 알지 못할 때와 근치전립선절제술의 위험과 유익성을 '적극적 감시' 전략과 비교할 때, PCA3가 유용하다. PCA3 검사는 근치적 치료 목적보다 적극적 감시에 따른 세심한 추적 관찰이 필요한 환자에서 반복적인 직장수지검사, 혈청 PSA 측정, 전립선 생검 등과 함께 보충 검사로 실시될 수 있다 (Clarke 등, 2010). 넷째, PCA3는 전립선암이 발달할 위험의 정도에 따라 남성을 분류하는 데 도움을 준다. 생검이 음성이고 PCA3 점수가 낮은 경우는 보존적 추적 관찰이 적절하다. PCA3의 예후 예측력에 관한 예비 연구의 자료에 근거하여 볼 때, 생검 결과가 음성이지만 PCA3 점수가 높은 경우에는 임상적으로 중요한 전립선암의 위치를 파악하기 위해 조영제 증강 자기공명영상과 같은 진일보된 영상 검사가 필요하다. 전립선암이 확인되었지만 PCA3 점수가 낮은 환자는 임상적으로 중요하지 않은 종양일 가능성이 있기 때문에, 적극적 감시가 요구된다. 생검의 결과가 암 양성이면서 PCA3 점수가 높은 경우에는 임상적으로 중요한 전립선암일 가능성이 높기 때문에, 비뇨기과 의사는 치료를 권해야 할 것이다. 따라서 PCA3 점수 단독 혹은 기존 방법과의 병용은 생검을 결정할 때 방향을 제시해 주며, 임상 병기 및 질환의 중대성에 대한 지표로도 활용될 수 있다. PCA3에 관한 여러 연구 결과에 따른 활용 방안이 도표 202에 요약되어 있다 (Laxman 등, 2008).

PCA3 표지자는 전립선암을 발견하기 위한 유용한 검사라고 할 수가 있다 (de Kok 등, 2002). 전립선 생검을 받은 443

도표 202 *PCA3와 관련된 다양한 연구의 결과*

- 혈청 PSA와는 달리 *PCA3*는 전립선암에 특이하며 전립선 용적이나 암 외의 전립선 질환에 의해 영향을 받지않는다.
- *PCA3* 점수는 뒤이은 생검 결과와 상호 관련이 있으며, *PCA3* 점수가 높으면 전립선 생검 결과가 암 양성일 가능성이 증가된다.
- 예비 연구는 *PCA3* 점수와 전립선암 예후 지표 사이에 연관성이 있음을 보여 주며, *PCA3*에 의해 임상적으로 중요하지 않은 암으로 확인되면 환자는 '적극적 감시' 전략에 의한 관리를 필요로 한다.
- *PCA3* 검사는 최초의 체액을 이용한 fully translated molecular assay로서, 생검 결과를 예측할 수 있는 가치가 있는 도구이다.
- *PCA3*와 임상적 혹은 병리학적 인자 혹은 생물 지표 (예; *TMPRSS2:ERG* 유전자 융합)의 병용은 전립선암의 진단 및 예후 추정을 더 정확하게 한다.

PCA3 점수는 직장수지검사 후 소변 침전물에서 측정된 PCA3 mRNA/PSA mRNA 비율에 1,000을 곱하여 계산됨.
ERG, E-twenty six (ETS)-related gene; PCA3, prostate cancer antigen 3; PSA, prostate-specific antigen; TMPRSS2, transmembrane protease, serine 2.
Laxman 등 (2008)의 자료를 수정 인용.

명에게서 이 표지자는 66%의 민감도와 89%의 특이도를 보였다. PSA가 4.0 ng/mL 미만인 94명에게서는 74%의 민감도와 91%의 특이도를 나타내었다 (Fradet 등, 2004). 전립선 생검이 음성이지만 PSA가 2.5 ng/mL 이상 계속 증가된 남성에 대해 PCA3를 분석한 연구는 PCA3의 수치가 혈청 PSA 농도보다 더 정확하게 초기의 전립선암을 반영한다고 하였다 (Marks 등, 2007). 소변을 이용하여 PCA3를 측정함으로써 생검 결과를 예측하고자 시도된 여러 연구의 결과는 도표 203에 정리되어 있다.

혈청 PSA 농도가 3~15 ng/mL인 583명의 남성을 대상으로 직장수지검사를 실시한 후 채집한 소변 침전물을 분석한 네덜란드의 다기관 연구에서 PCA3에 대한 AUC는 0.66 (95% CI 0.61~0.71)이었으며, 혈청 PSA에 대한 AUC는 0.57 (95% CI 0.52~0.63)이었다 (van Gils 등, 2007). 여기서 혈청 PSA의 민감도와 특이도는 각각 65%, 47%인 데 비해, PCA3 검사의 민감도와 특이도는 각각 65%, 66%를 보여 PCA3 검사가 전립선암의 진단에서 특이도를 높일 수 있다고 추측된다. PCA3 점수는 작은 크기의 저등급 암을 발견하는 데 유용하여 '임상적으로 중요하지 않은' 암에 대한 과잉 치료를 방지하는 데 도움이 될 것으로 생각된다 (van Gils 등, 2007). PCA3와 혈청 총 PSA를 비교한 여러 연구의 결과는 도표 204에 요약되어 있다.

전립선암의 유무와 관계없이 전립선 용적과 표지자와의 연관성은 낮은데, 이는 표지자의 특이도가 낮기 때문이다. Deras 등 (2008)의 첫 연구에서 혈청 PSA는 그러한 연관성을 나타낸 반면, PCA3는 그러한 연관성을 보여 주지 못하였다. 첫 생검 혹은 재생검이 계획된 570명을 대상으로 실시한 이 연구

도표 203 생검 결과를 예측하기 위해 여러 방법으로 실시된 PCA3 근거 소변검사의 결과들

관련 문헌	PCA3 근거 검사 방법	환자 수, 명	AUC	민감도, %	특이도, %	PPV, %	NPV, %
Hessels 등, 2003	qRT-PCR	108	0.72	67	83	53	90
van Gils 등, 2007	qRT-PCR	583	0.66	65	66	48	80
Marks 등, 2007	TMA	233	0.68	58	72	43	83
Deras 등, 2008	TMA	570	0.69	54	74	58	74
Haese 등, 2008	TMA	470	0.66	47	72	39	78

AUC, area under curve; NPV, negative predictive value; PCA3, prostate cancer antigen 3; PPV, positive predictive value; qRT-PCR, quantitative reverse-transcriptase polymerase chain reaction; TMA, transcription-mediated amplification.
Hessels와 Schalken (2009)의 자료를 수정 인용.

도표 204 소변 *PCA3*와 혈청 총 PSA를 비교한 연구들

관련 문헌	환자 수	비교 항목 유형	소변 PCA3	혈청 tPSA
Parekh 등, 2008	122명	첫 생검 (+) 예측	민감도 69%, 특이도 79%[†]	민감도 69%, 특이도 60%
van Gils 등, 2007	583명	첫 생검 (+) 예측	AUC 0.66 (95% CI 0.61~0.71)	AUC 0.57 (95% CI 0.52~0.63)
Deras 등, 2008	570명	첫 생검 (+) 예측	AUC 0.686	AUC 0.547
Marks 등, 2007[‡]	233명	재생검 (+) 예측	AUC 0.68 (95% CI 0.60~0.76)	AUC 0.52 (95% CI 0.44~0.61)
Deras 등, 2008	570명	전립선 용적과의 연관성	연관성 없음	연관성 있음
Haese 등, 2008	463명	전립선 용적과의 연관성	연관성 없음	연관성 있음

[†], *PCA3*에 대한 ROC-AUC는 0.746; [‡], 두 표지자 AUC의 차이는 유의하다 (p=0.008).
AUC, area under the curve; CI, confidence interval; PCA3, prostate cancer antigen 3; PSA, prostate-specific antigen; ROC, receiver operating characteristic; tPSA, total prostate-specific antigen.
Kirby 등 (2008)의 자료를 수정 인용.

에서 혈청 총 PSA 농도는 전립선의 용적이 증가할수록 유의하게 증가한 데 비해 (p<0.001), *PCA3*는 영향을 받지 않았다 (p=0.54).

반대로 표지자의 암 공격성과의 연관성은 분명히 가치가 있다. Nakanishi 등 (2008)은 생검으로 전립선암이 확인된 96명을 전립선절제술 전에 소변을 채집하여 분석함으로써 *PCA3*와 종양의 용적 및 공격성과의 연관성을 평가하였다. *PCA3* 점수는 종양의 용적이 증가함에 따라 유의하게 선형으로 증가하였으며 (r=0.27, p=0.008), 작은 용적과 저등급 분화도의 종양을 가진 남성과 용적이 크고 Gleason 점수가 높은 임상적으로 중요한 암을 가진 남성에서 *PCA3*를 비교하였을 때 유의한 차이가 관찰되었다 (p=0.007). 1회 이상의 생검에서 음성 결과를 보인 463명에서 재생검 전에 직장수지검사 후 채집한 소변을 분석한 Haese 등 (2008)의 다기관, 다국가 유럽 연구는 다음과 같은 결과를 보고하여 전술한 연구의 결과를 뒷받침하였다 (Hessels와 Schalken, 2009). 이 연구의 경우 재생검으로 28% (128명/463명)에서 암이 발견되었으며,

발견된 암이 병기 T1c, PSA 밀도 0.15 ng/mL/cc 미만, 생검 Gleason 점수 6 이하, 암 양성 cores가 33% 이하 (주변부에서 최소 10 cores를 채취하였음)인 경우에는 무증상의 암으로 분류하였다. 첫째, *PCA3* 점수의 중앙치는 무증상의 암에 비해 중대한 암에서 유의하게 더 높았다 (21.4 대 42.1, p=0.006). 둘째, *PCA3* 점수는 생검 Gleason 점수가 7 미만보다 7 이상에서 (p=0.040), 암 병기가 T1c보다 T2에서 (p=0.005) 더 높았다. 셋째, *PCA3* 점수는 연령, 이전 생검에서 음성 결과의 횟수, 전체 전립선의 용적 등에 의해 영향을 받지 않았다. 넷째, *PCA3* 점수는 재생검에서 암 양성 결과를 나타낼 가능성과 상호 연관성을 가졌다. *PCA3*와 암의 공격성 사이의 상호 관계를 보여 주는 결과는 아직 예비적인 것이다. *PCA3*와 종양의 병리학적 양상 사이의 결과가 일관성이 없는 이유는 연구 대상군의 차이 혹은 표본에 대한 병리학적인 평가의 차이 때문이라고 생각되며, *PCA3*가 진정한 예측 인자로서 인정을 받으려면 대규모 연구에 의한 타당성 조사가 추가로 필요하다.

*PCA3*가 종양의 용적 및 기타 임상적, 병리학적 양상과 관

련이 있는지를 평가한 연구는 62명에서 직장수지검사 후 소변 침전물의 *PCA3*와 전립선절제술로 채취된 표본에서 평가된 예후 지표 사이의 연관성을 조사하였으나, *PCA3* 점수와 Gleason 점수 (*p*=0.90), 병리학적인 종양의 병기 (*p*=0.59), 전체 종양의 용적 (*p*=0.96) 등과의 연관성을 발견하지 못하였다 (van Gils 등, 2008). 직장수지검사의 이상 여부와 관계없이 혈청 PSA가 2.5 ng/mL를 초과하여 생검이 계획된 59명과 전립선암으로 진단되어 근치전립선절제술이 계획된 83명을 대상으로 평가한 연구에 의하면, 생검 군에서는 *PCA3* 점수와 생검에 나타난 Gleason 점수 6 혹은 7 이상 종양과의 연관성이 발견되지 않았으나, 전립선절제 표본에서는 *PCA3* 점수가 종양의 용적 (*p*=0.008) 혹은 Gleason 점수 6 이상 (*p*=0.005)과 연관성을 나타내었다. 또한, 종양의 용적이 0.5 cc 미만, Gleason 점수 6 이하인 임상적으로 중요하지 않은 암의 *PCA3* 점수는 임상적으로 중요한 전립선암의 *PCA3* 점수보다 유의하게 더 낮았다 (Nakanishi 등, 2008). 이들 자료는 *PCA3* 점수가 전립선암을 '적극적 감시' 전략으로 치료할 것인지를 결정하는 데 도움을 줄 수 있음을 시사한다.

생검에서 1~2회 음성 결과를 나타낸 463명의 남성을 대상으로 실시한 유럽의 다기관 연구는 임상적으로 중요한 전립선암의 *PCA3* 점수는 임상적으로 중요하지 않은 전립선암에 비하여 더 높음을 확인하였다 (*p*=0.0059) (Haese 등, 2008). 이 코호트에서는 임상 병기 T2의 종양을 가진 남성의 *PCA3*는 임상 병기 T1c 종양을 가진 남성에 비해 유의하게 더 높았다 (*p*=0.005). 근치전립선절제술 표본의 병리학적 양상과 소변 *PCA3* 사이의 관계를 평가하기 위해 근치전립선절제술을 받기 전 전립선암 환자 72명으로부터 직장수지검사 후 채집한 소변에서 *PCA3* 점수를 산출한 연구는 다음과 같은 결과를 보고하였다 (Whitman 등, 2008). 첫째, *PCA3* 점수는 전립선피막 밖으로 확대되지 않은 환자에 비해 확대된 환자에서 유의하게 더 높았다 (18.7 대 48.8, *p*=0.02). 둘째, *PCA3* 점수는 전체 종양의 용적과 상호 관련이 있었다 (*r*=0.38, *p*<0.01). 셋째, 다변량 분석에서 절단치 35의 *PCA3* 점수는 전립선피막 외부로의 확대 (*p*=0.01) 및 종양의 전체 용적 0.5 cc 이상 (*p*=0.04)에 대한 독립적 예측 인자이었다. 넷째, *PCA3* 점수의 절단치 47은 전립선피막 외부로의 확대에 대해 57%의 민감도, 94%의 특이도, 80%의 양성 예측도를 나타내었다. 다섯째, 혈청 PSA와 생검 Gleason 점수를 병용한 경우 전립선피막 외부로의 확대를 예측하는 데 대한 receiver operating charac-teristic (ROC) AUC는 0.73에서 0.90으로 증가되었다. 이 연구의 결과를 종합하여 보면, 전립선암 환자에서 직장수지검사 후 소변으로 발견된 *PCA3*는 병리학적 결과와 상호 관련이 있기 때문에, 예후에 관한 정보를 제공해 준다 (Nakanishi 등, 2008). 이들 자료에 의하면, *PCA3*는 전립선암의 임상 병기 및 중요성의 수준을 가늠하는 인자로 이용될 수 있다.

혈청 총 PSA 농도의 전반적인 범위에서 어떠한 새로운 전립선암 표지자가 암 예측력을 높게 유지한다면 우수한 표지자라고 할 수 있을 것이다. 이러한 관점에서 *PCA3*의 수행력을 평가한 연구는 연구 코호트를 혈청 총 PSA에 따라 4 ng/mL 미만, 4~10 ng/mL, 10 ng/mL 초과의 환자군으로 세분한 후 각 범주에서 생검 시 암 양성에 대한 *PCA3*의 민감도와 특이도를 측정하였다. 모든 범주를 통해 민감도는 54%, 특이도는 74%이었으며, 혈청 총 PSA의 범주에 따른 변동은 10% 미만이었다 (Deras 등, 2008). 다른 연구도 비슷한 결과를 보고하였는데, 동일한 범주의 혈청 총 PSA에 따른 *PCA3* 점수의 변동은 유의하지 않았으며 (*p*=0.728), 모든 범주들이 47%의 민감도와 72%의 특이도를 나타내었다 (Haese 등, 2008).

전립선 생검을 실시하기 전에 소변을 채집한 3,073명을 대상으로 *PCA3* 점수의 전립선암 발견 예측도를 평가한 연구는 다음과 같은 결과를 보고하였다 (Chevli 등, 2014). 첫째, 평균 *PCA3* 점수는 전립선암을 가지지 않은 환자와 가진 환자에서 각각 27.2, 52.5이었다. 둘째, Gleason 점수 6과 7 이상에서 평균 *PCA3* 점수는 각각 47.5, 58.5이었다. 셋째, 다변량 분석에서 PSA, free PSA, 연령, 가족력, 직장수지검사 결과, 전립선 용적, 체질량 지수 등으로 보정한 후 *PCA3* 점수는 전립선암 및 고등급 분화도의 전립선암과 통계학적으로 유의하게 관련이 있었다. 넷째, ROC 분석을 이용하였을 때, 전립선암의 예측 측면에서는 *PCA3* 점수가 PSA보다 우수하였으나 (AUC 0.697 대 0.599; *p*<0.01), 고등급 분화도 전립선암의 예측에서는 그러하지 않았다 (AUC 0.679 대 0.682; *p*=0.702). 이와 같은 결과를 근거로 저자들은 *PCA3* 점수가 생검 전에 전립선암이 발견될 위험이 있는 환자를 미리 발견하는 데 유용한 도구라고 하였다.

Transmembrane protease, serine 2 (*TMPRSS2*) 유전자의 5' untranslated 영역과 전사 인자인 *E-twenty six* (*ETS*)-*related gene* (*ERG*), *ETS variant 1* (*ETV1*), *ETS variant 4* (*ETV4*)와의 융합이 전립선암에서 보고되었다 (Tomlins 등, 2006). Hessels 등 (2007)은 RT-PCR을 이용하여 직장수지검사 후 채

집한 소변 침전물에서 비침습적으로 *TMPRSS2:ERG* 융합 전사물을 확인하였으며, 이것은 특이도 (93%)가 높기 때문에, *PCA3* 단독일 경우에는 민감도가 62%이지만 *TMPRSS2:ERG* 융합 전사물과 *PCA3*를 병용하면 전립선암 발견에 대한 특이도에는 영향을 주지 않으면서 민감도가 73%로 증가된다고 보고하였다. Laxman 등 (2008)은 *TMPRSS2:ERG*, *serine protease inhibitor Kazal-type 1* (*SPINK1*), *Golgi membrane protein 1* (*GOLM1* 혹은 *Golgi phosphoprotein 2*, *GOLPH2*) 등이 *PCA3*와 마찬가지로 재생검에서 발견된 전립선암을 독립적으로 예측할 수 있으며, QRT-PCR을 이용하여 이들 지표와 *PCA3*를 함께 측정하면 ROC AUC 수치가 *PCA3* 단독일 경우의 0.66에서 0.76으로 증가한다고 하였다. 이와 같이 소변을 이용한 다중 분석은 재생검 때의 전립선암 발견에 대해 66%의 민감도와 76%의 특이도를 가진다.

Transcription-mediated amplification (TMA)에 근거한 *PCA3* 검사의 실용성을 입증하고 확대시키려는 노력은 계속되고 있다. 전립선 생검 전 검사, 근치전립선절제술 혹은 방사선 요법 후 국소적 재발의 발견, 5α-reductase 억제제와 같이 혈청 PSA 농도에 영향을 주는 약물로 치료받는 환자의 관리 등에서 *PCA3* 검사의 적용이 가능하다고 생각된다. 특이도에는 영향을 주지 않고 전립선암 발견에 대한 민감도를 높이기 위해서는 *TMPRSS2:ERG* 유전자 융합 등과 같은 다른 유전자 검사와 *PCA3*를 병용할 수 있으며, 진단의 정확도를 향상시키기 위해 혈청 PSA 농도, 직장수지검사, 전립선암의 가족력, 생검 병력, 연령, 흑인 등 다른 진단 인자들과 *PCA3*를 병용하면 도움이 된다고 생각된다 (Laxman 등, 2008).

전립선암에 대한 *PCA3* 점수의 진단 예측력을 평가하기 위해 PSA 농도가 증가되어 확대 생검을 받은 647명의 아시아인을 대상으로 Progensa™ *PCA3* 분석을 혈청 PSA, 전립선 용적, PSA 밀도, free/total PSA (f/t PSA) 비율 등과 비교한 연구는 다음과 같은 결과를 보고하였다 (Ochiai 등, 2013). 첫째, 633명의 소변 표본이 성공적으로 분석되어 98%의 정보 유용률을 나타내었으며, 혈청 PSA 농도의 중앙치는 7.6 ng/mL이었다. 둘째, 생검으로 41.7% (264명/633명)에서 전립선암이 발견되었다. *PCA3* 점수는 생검 음성인 남성에 비해 전립선암 환자에서 유의하게 더 높았으며, *PCA3* 점수의 중앙치는 각각 18, 49이었다 (*p* <0.001). 생검 양성률은 *PCA3* 점수 20 미만과 50 이상에서 각각 16.0%, 60.6%이었다. 셋째, *PCA3* 점수의 절단치를 35로 설정한 경우 민감도와 특이도는 각각 66.5%, 71.6%이었다 (도표 205). 넷째, 혈청 PSA 농도가 4~10 ng/mL인 남성에서 *PCA3* 점수의 AUC는 fPSA/tPSA에 비해 유의하게 더 높았으며, 각각 0.742, 0.647이었다 (*p* <0.05). 다섯째, PSA 밀도가 0.15 ng/mL/cc 미만이고 *PCA3* 점수가 20 미만인 남성의 경우 4.2% (3명/72명)에서만 전립선암이 발견되었다 (도표 206). 이들 결과를 종합해 보면, 혈청 PSA가 4~10 ng/mL인 아시아인에서 전립선 생검의 양성 결과를 예측하는 데는 *PCA3* 점수가 fPSA/tPSA 비율보다 더 우수하며, PSA 밀도와 *PCA3* 점수를 병용하면 불필요한 생검을 피할 수 있는 환자를 선정하는 데 유용하다.

2012년 미국 식품의약국은 혈청 PSA가 4~10 ng/mL이고 직장수지검사가 음성인 남성에서 첫 생검을 할 때 [-2]proPSA, 재생검을 할 때 *PCA3* 점수의 사용을 승인하였다. 두 편의 다기관 연구는 혈청 PSA가 2~10 ng/mL인 남성에서 전립선암을 발견하는 데는 다른 PSA 분자 형태를 분석하는 것보다 prostate health index (PHI)와 %p2PSA ([-2]proPSA/total PSA)가 더 나은 임상적 결과를 제공한다고 하였다 (Lazzeri 등, 2013). 수회 생검을 받은 코호트에서 *PCA3* 점수와 PHI의 결과를 비교한 연구는 재생검의 결과를 예측할 때 *PCA3* 점수가 PHI보다 더 정확하다고 하였다 (Stephan 등, 2013). 혈청 PSA가 2~10 ng/mL인 300명을 대상으로 첫 생검에서 전립선암의 발

도표 205 일본인을 대상으로 평가한 연구에서 *PCA3* 점수의 다양한 절단치에 따른 민감도, 특이도, 양성 예측도, 음성 예측도

PCA3 점수 절단치	민감도, %	특이도, %	양성 예측도 (PPV), %	음성 예측도 (NPV), %
10	94.9	29.2	44.3	90.6
20	82.3	54.8	51.9	84.0
35	66.5	71.6	58.1	78.3
50	49.3	81.0	60.6	73.0
100	18.6	94.8	67.8	66.3

NPV, negative predictive value; PCA3, prostate cancer antigen 3; PPV, positive predictive value.
Ochiai 등 (2013)의 자료를 수정 인용.

도표 206 생검에서 암 양성에 대한 단변량 및 다변량 LR 분석

가변 인자	단변량 분석		다변량 분석	
	OR (95% CI)	p	OR (95% CI)	p
재생검	0.626 (0.422~0.930)	〈0.05	0.521 (0.319~0.849)	〈0.01
전립선 용적	0.955 (0.942~0.968)	〈0.001	0.978 (0.963~0.992)	〈0.01
PSA	1.058 (1.022~1.096)	〈0.01		NS
PSAD	60.885 (18.671~198.536)	〈0.001	18.883 (4.805~74.208)	〈0.001
PCA3 점수	1.017 (1.013~1.022)	〈0.001	1.015 (1.010~1.020)	〈0.001

이 도표는 PSAD와 PCA3를 병용하면 생검 결과에 대한 예측력이 증가함을 보여 준다.
CI, confidence interval; LR, logistic regression; NS, not significant; OR, odds ratio; PCA3, prostate cancer antigen 3; PSA, prostate-specific antigen; PSAD, PSA density.
Ochiai 등 (2013)의 자료를 수정 인용.

도표 207 다양한 표지자에 대한 ROC 곡선 분석의 결과

표지자	AUC (95% CI)	90% 민감도	
		절단치	특이도 (95% CI)
tPSA	0.52 (0.45~0.59)	3.6	0.17 (0.07~0.24)
fPSA	0.60 (0.54~0.67)	0.6	0.15 (0.06~0.29)
%fPSA	0.62 (0.55~0.69)	0.1	0.20 (0.12~0.28)
p2PSA	0.63 (0.56~0.69)	9.5	0.18 (0.10~0.31)
%p2PSA	0.76 (0.71~0.82)	1.3	0.36 (0.17~0.52)
PHI	0.77 (0.72~0.83)	31.6	0.40 (0.27~0.52)
PCA3[†]	0.73 (0.68~0.79)	22.0	0.40 (0.28~0.48)

[†], PCA3 검사에 의한 PCA3 점수
AUC, under the curve; CI, confidence interval; fPSA, free prostate-specific antigen; PCA3, prostate cancer antigen 3; PHI, Prostate Health Index; p2PSA, [-2]proprostate-specific antigen; PSA, prostate-specific antigen; ROC, receiver operating characteristic, tPSA, total prostate-specific antigen.
Ferro 등 (2013)의 자료를 수정 인용.

견에 대한 *PCA3* 점수와 PHI의 예측도를 비교 평가한 연구는 다음과 같은 결과를 보고하였다 (Ferro 등, 2013). 이 연구는 전립선암을 정확하게 예측하는지를 평가하기 위해 ROC를 이용하였고, 두 생물 지표의 임상적 유익성을 비교하기 위해 decision curve analyses (DCA)를 이용하였다. 첫째, PHI, %p2PSA, *PCA3* 점수의 ROC AUC는 각각 0.77, 0.76, 0.73으로 비슷하였으며, 쌍별 비교에서도 유의한 차이를 나타내지 않았는데 %p2PSA 대 PHI, %p2PSA 대 *PCA3* 점수, PHI 대 *PCA3* 점수 등에서 p-value는 각각 0.673, 0.417, 0.247이었다. 이들 세 생물 지표는 AUC가 각각 0.60, 0.62, 0.63인 fPSA, %fPSA, [-2]proPSA를 능가하는 예측력을 나타내었다 (도표 207). 둘째, DCA의 경우 임계 추정치 25%까지는 PHI와 *PCA3* 점수가 매우 근접한 순편익 (net benefit)을 보였으나, 그 후에

는 PHI가 *PCA3* 점수보다 더 높은 순편익을 나타내었다. 셋째, 다변량 분석은 연령, PSA, %fPSA, 직장수지검사, 전립선 용적 등을 포함하는 기본 모델에 PHI와 *PCA3* 점수를 추가하면 예측 정확도가 증가함을 보여 주었다 (도표 208). 넷째, 위험도가 낮은 전립선암으로 '적극적 감시'를 받고 있는 환자에서는 PHI와 *PCA3* 점수가 유의하게 더 낮았으며, 각각의 p-value는 〈0.001, 0.01이었다. 이들 결과를 종합해 보면, PHI와 *PCA3* 점수 둘 모두는 혈청 PSA가 2~10 ng/mL인 환자의 첫 생검에서 전립선암의 존재를 예측하는 정확도가 비슷하며, 이는 현재 이용되고 있는 %fPSA를 능가한다.

52.4. 기타 체액 및 조직을 이용한 PCA3 검사
PCA3 test using with other body fluid and tissue

전립선암뿐만 아니라 전립선의 염증 질환을 가진 환자의 말초 혈액 내에 있는 다수 생물 지표에 관한 분자 분석은 주로 RT-PCR을 통해 이루어지지만, 상충되는 결과와 해석이 보고됨으로써 이를 이용하는 데 어려움이 있다. 이러한 일치되지 않는 결과를 일으키는 요인들에는 PCR 검사에 이용되는 합성 oligonucleotide로서 DNA 복제의 시작을 유도하는 핵산 가닥인 primers의 차이, 분자 상태를 고려하지 않고 형태학적인 변화에만 근거한 부적절한 환자 분류 및 질환 병기 결정, 경직장 초음파촬영 직후에 분자 분석을 실시함으로써 말초 혈액 내에 일시적으로 발견되는 혈중 전립선 세포, PSA 농도에 근거함으로 인해 혈액에서의 높은 위양성률, 비전립선 조직으로부터 유래된 부적합한 전사물, 전립선과 관련이 있는 전사물만 평가하거나 말초 혈액, 림프절, 전립선 생검, 골수 등과 같은 특유한 조직만 평가 등이 있다 (Kurek 등, 2004; Mitsiades 등,

도표 208 1차 생검에서 전립선암을 예측하는 병합 모델의 정확도

전립선암에 대한 예측 인자	기본 모델		기본 모델+PHI		기본 모델+PCA3		기본 모델+PHI+PCA3	
	OR (95% CI)	p	OR (95% CI)	p	OR (95% CI)	p	OR (95% CI)	p
연령	1.10 (1.05~1.14)	<0.001	1.09 (1.04~1.14)	<0.001	1.08 (1.03~1.13)	<0.001	1.08 (1.03~1.14)	<0.001
PSA	0.97 (0.85~1.09)	0.575	0.84 (0.73~0.98)	0.023	0.94 (0.83~1.08)	0.382	0.85 (0.73~0.98)	0.027
fPSA	0.02 (0.00~0.59)	0.024	0.08 (0.00~2.80)	0.167	0.04 (0.00~1.32)	0.071	0.10 (0.00~3.42)	0.198
DRE (+ 혹은 -)	3.47 (1.82~6.58)	<0.001	2.57 (1.26~5.24)	0.010	2.89 (1.48~5.67)	0.002	2.37 (1.14~4.93)	0.021
전립선 용적	0.99 (0.97~1.01)	0.215	0.99 (0.97~1.01)	0.507	0.99 (0.97~1.01)	0.279	0.99 (0.97~1.02)	0.547
PHI	–	–	1.05 (1.03~1.07)	<0.001	–	–	1.05 (1.03~1.07)	<0.001
PCA3 점수	–	–	–	–	1.02 (1.01~1.02)	<0.001	1.01 (1.00~1.02)	0.016
AUC	0.72 (0.67~0.79)		0.82 (0.77~0.87)		0.77 (0.72~0.83)		0.83 (0.78~0.87)	
p	–		<0.001		0.025		<0.001	

AUC, under the curve; CI, confidence interval; DRE, digital rectal examination; fPSA, free prostate-specific antigen; PCA3, prostate cancer antigen 3; PHI, Prostate Health Index; p2PSA, [-2]proprostate-specific antigen; PSA, prostate-specific antigen; OR, odds ratio.
Ferro 등 (2013)의 자료를 수정 인용.

2004). 그러나 *PCA3* 유전자의 noncoding RNA는 전립선에 특이적이고 분자적 진단의 생물 지표로 인정을 받고 있으며, 기본적으로는 강한 전립선 마사지 후 채취된 소변에 근거하여 검사가 이루어진다 (Hessels 등, 2003). 소변이 아닌 말초 혈액을 이용한 *PCA3* 분석을 전립선암의 진단에 처음 이용한 연구는 이러한 방법이 소변 분석과 비슷한 특이도를 보이며 검사의 침습성을 최소화한다고 하였다 (Oliveira 등, 2003). 즉, 혈액으로부터 얻어진 진단적 지표는 소변 분석으로 검증된 지표와 비슷한 타당성을 나타내지만, 소변 채집은 전립선 마사지를 필요로 하기 때문에 환자에게 큰 불편함을 주는 데 비해 (Fontenete 등, 2011), 혈액 분석의 경우 덜 침습적이고 관례적인 혈액 채집으로 가능하다는 장점이 있다.

PCA3 mRNA는 전립선암과 관련이 있으며, 전립선에 특이적이고 폐, 식도, 회장 (ileum), 결장, 췌장, 고환, 유방, 방광 등의 암에서는 발현되지 않는다 (Kok 등, 2002). 말초 혈액과 생검 표본에서 진단 지표로서 *PCA3*를 분석한 연구는 *PCA3* 전사물의 농도가 양성전립선비대에 비해 전립선암에서 더 높다고 하였다. 이 연구는 말초 혈액과 전립선 조직을 병용할 경우 말초 혈액만을 이용한 경우에 비해 진단 지표로서의 결과가 개선되었지만, 유의하지는 않았다고 하였다 (Neves 등, 2013). 이에 관한 설명으로는 전립선암의 비균질적 및 다병소 특성, 병리학적 분석과 분자적 분석으로 나누어지는 표본 추출에서의 문제 등이 있다. 뿐만 아니라, 분자적 변화는 형태학적 변화 이전에 일어나기 때문에 형태학적 평가가 분자 자

료와 상호 관련이 없을 수도 있다. 이를 근거로 말초 혈액에서만 *PCA3*를 분석한 연구는 생검과 같은 추가 검사를 결정하기 전에 보조 도구로서 이 방법을 관례적으로 이용할 수 있으며, 음성 결과가 암이 없음을 의미하지는 않으나, 94%의 특이도로 과잉 진단을 방지한다고 하였다. 말초 혈액을 이용한 *PCA3*의 분석은 민감도가 32%로 낮지만, PSA 농도가 10 ng/mL를 초과한 환자에서는 민감도가 60%로 증가된다 (Neves 등, 2013).

양성전립선비대 환자의 말초 혈액에서 *PCA3* 양성인 경우 생검 분석에서는 암이 없다고 오진할 수 있지만 잠재된 국소 암을 배제할 수 없는데, 이는 분자적 변화가 형태학적 변화를 동반하지 않을 수 있기 때문이다. 또한, 건강한 젊은 남성에서 *PCA3* 양성인 경우 환자에게는 심리적 스트레스를 줄 수 있겠지만, 장래에 전립선암이 발생할 수 있기 때문에 이에 관한 임상적 추적 관찰이 필요하다. 전립선암의 90% 이상은 산발 형태를 보이고 10% 미만이 유전적 요인에 의해 발생한다 (Ruijter 등, 1999). 따라서 그와 같은 건강인에서 관찰되는 5%의 *PCA3* 양성률은 가족성 전립선암으로부터 기원한다고 생각된다 (Neves 등, 2013).

다른 전략으로 자성 입자와 결합한 항 epithelial cell adhesion molecule (EpCAM)을 이용하여 혹은 PSMA 대항 항체와 병용하여 혈중 종양세포를 포획 분석하는 방법이 말초 혈액을 이용한 *PCA3* 검사와 함께 이용되지만, 호르몬 비의존성 전립선암에서는 *PCA3*의 발현이 발견되지 않는다 (Jost 등,

도표 209 말초 혈액에서 RT-PCR을 이용한 PCA3 발견의 진단적 지표

임상 지표	PCA3 RT-PCR			
	말초 혈액	전립선 조직	말초 혈액+전립선 조직	말초 혈액+PSA ≥10 ng/mL
민감도, %	31.6 (18명/57명)	70.2 (40명/57명)	77.2 (44명/57명)	59.6 (34명/57명)
특이도, %	94.3 (115명/122명)	83.3 (10명/12명)	84.4 (103명/122명)	93.4 (114명/122명)
정확도, %	74.3 (133명/179명)	72.5 (50명/69명)	82.1 (147명/179명)	82.7 (148명/179명)
AUC (95% CI)	0.63 (0.54~0.72)	0.78 (0.66~0.90)	0.85 (0.78~0.92)	0.80 (0.72~0.88)
p	0.005	0.002	〈0.0001	〈0.0001

전립선암 환자 57명과 양성전립선비대 환자 12명으로부터 채집한 조직 표본과 전립선암 환자 69명과 건강인 110명으로부터 채집한 말초 혈액 표본을 대상으로 RT-PCR을 이용하여 PCA3를 분석한 연구임.

AUC, area under the curve; CI, confidence interval; PCA3, prostate cancer antigen 3 gene; PSA, prostate-specific antigen; RT-PCR, reverse transcription polymerase chain reaction.

Neves 등 (2013)의 자료를 수정 인용.

2010). 다른 연구는 말초 혈액에서 실시간 QRT-PCR을 이용한 *PCA3* 검사는 민감도가 매우 낮고 전이 환자에서만 *PCA3*의 발현이 관찰되기 때문에 효과적이지 않다고 하였다 (Väänänen 등, 2008). 이러한 결과는 특이한 표적 부위, primer의 장치, 증폭 (enhancer) 시스템과 같은 특이한 완충제의 사용 등의 차이 때문으로 생각된다.

혈액을 이용한 PSA 및 *PCA3*의 병합 검사는 PSA 농도가 10 ng/mL 이상인 환자의 28% (16명/57명)에서 전립선암을 발견하였고, 수술 전 높은 혈청 PSA와 말초 혈액 및 전립선 조직 내 *PCA3*의 양성률 사이에는 정상관관계를 보이기 때문에, 이러한 병합 검사는 진단적 및 예후 예측 측면에서 가치가 있다고 생각된다 (Neves 등, 2013). 검사의 결과는 치료 혹은 수술 후 재발 가능성과 관련이 있는데, 이는 PSA 농도가 증가된 말초 혈액 내에는 종양세포가 많이 내포되어 있음을 시사한다. PSA 농도가 10 ng/mL 이상인 환자에서는 수술 후 생화학적 재발이 일어날 가능성이 높기 때문에 질환의 재발을 방지하기 위해 수술 후 보조 요법 혹은 수술 전 선행 보조 요법 및 전립선절제술로 치료를 하여야 한다 (Mitsiades 등, 2004). 따라서 높은 혈청 PSA 농도, 말초 혈액 및 전립선 조직에서 *PCA3* 발견 등의 삼중 발견은 예후를 예측하는 긍정적인 전략이라고 생각된다 (도표 209).

정리하면, 말초 혈액에서 *PCA3*의 측량은 전립선암의 진단에서 보조 도구로서 유효하며, PCA3 검사와 10 ng/mL 이상의 PSA를 병용하면 민감도 및 정확도 지표가 향상된다. 말초 혈액의 분석은 표본을 채집하는 현재의 방법을 변경하지 않으면서 과잉 진단을 방지하고 PSA에 근거한 선별검사와 관련이 있는 불필요한 시술을 줄이는 효과를 나타낸다 (Neves 등,

2013).

사정액에서 유래된 *PCA3*, *HPN*, *microRNA* (*miR*) 등이 전립선암의 발견에서 혈청 PSA의 보조 역할을 할 수 있는지를 평가하기 위해 전립선암 환자의 사정액 표본 66점에서 *PCA3*, *HPN* 등을 분석하고 20점의 표본에서 전립선암과 관련이 있는 *miR-125b*, *miR-200b*, *miR-200c*, *miR-375* 등을 분석한 후 D'Amico와 Prostate Cancer Research International: Active Surveillance (PRIAS)에 의한 전립선암 위험 분류와 비교한 연구는 다음과 같은 결과를 보고하였다 (Roberts 등, 2015). 첫째, *HPN* 단독으로는 예측 효과가 없었지만, 혈청 PSA와 함께 *HPN/PCA3* 비율을 병행하였을 때는 혈청 PSA 단독보다 전립선암의 상태, D'Amico 분류에 의한 위험도, PRIAS 분류에 의한 위험도 등에 대해 더 나은 예측력을 나타내었으며, 각각에서의 AUC는 0.724 대 0.676, 0.701 대 0.680, 0.679 대 0.659이었다. 둘째, *microRNAs* 중에는 *miR-200c*와 *miR-375*가 가장 우수한 단일 표지자로서의 역할을 하였으며, 각각의 AUC는 0.788, 0.758이었다. 혈청 PSA와 *miR-125b* 및 *miR-200c*를 병용하면, 혈청 PSA 단독인 경우에 비해 생검에서 D'Amico/PRIAS의 위험도와 근치전립선절제 표본에서의 조직학적 결과에 대해 더 나은 수준으로 전립선암의 상태를 예측하였으며, 각각에서의 AUC는 0.869 대 0.672, 0.809 대 0.690이었다. 생검에 의한 전립선암 상태에 대한 민감도를 90%로 고정하였을 때, 특이도는 PSA 단독일 경우 11%이었지만, 혈청 PSA, *miR-125b*, *miR-200c* 등을 병합한 경우에는 67%로 증가하였다. 이들 결과는 사정액에서 여러 종류의 유전자를 분석하고 이를 혈청 PSA와 병합하면 최소한 직장수지검사 후의 소변을 이용하여 보고된 결과만큼의 민감도를 얻을 수 있으

며, 더욱이 선정된 *microRNAs*와 혈청 PSA를 병행하면 전립선암의 상태를 더 나은 수준으로 예측할 수 있음을 보여 준다. 참고로 D'Amico 분류에 관하여서는 도표 67이 도움이 된다. PRIAS의 기준은 증상이 없고, 크기가 작은, 잘 분화된, 국소 전립선암 환자, 즉 적극적 감시의 대상이 되는 환자를 선정할 목적으로 마련되었으며, 조직학적으로 확인된 전립선암으로서 치료를 받은 적이 없고 치유가 가능한 상태이며, 임상 병기 T1C 혹은 T2, 혈청 PSA 농도 10.0 ng/mL 이하, PSA 밀도 0.2 ng/mL/cc 미만, Gleason 점수 3+3=6 이하이고, 암 양성 cores가 1개 혹은 2개인 경우이다 (van den Bergh 등, 2007).

138개의 전립선암 병소를 포함한 136점의 조직 표본에서 RNA in situ hybridization을 이용하여 *PCA3*의 발현을 분석한 후 조직에서 ERG의 발현, 수술 전 소변 내의 *PCA3*와 *TMPRSS2:ERG* 등과 비교한 연구는 다음과 같은 결과를 보고하였다 (Warrick 등, 2014). 첫째, 조직 *PCA3*는 고등급 전립선상피내암 병소의 71%, 전립선암 병소의 55%에서 발현되었다. 둘째, 고등급 전립선상피내암과 전립선암에 대한 조직 *PCA3*의 전반적인 특이도는 90% 이상이었다. 셋째, 암에서 조직 *PCA3*의 발현은 소변 *PCA3*와 유의한 연관성이 없었다. 넷째, 전립선암 병소에서 *PCA3*와 *ERG* 양성은 정상관관계를 나타내었다 ($p<0.01$). 이들 결과는 전립선암에서 조직 *PCA3*와 소변 *PCA3*의 연관성은 제한적임을 보여 준다.

53. Prostate Cancer Gene Expression Marker 1 (PCGEM1)

전립선암에서 상당한 비율로 발현되며, 안드로겐에 의해 조절되는 전립선 특이 유전자인 *prostate cancer gene expression marker 1 (PCGEM1)*이 염색체 2q32.3에서 발견되었으며, 이 유전자는 *PCGEM1, prostate-specific transcript (non-protein coding)*로도 알려져 있다 (Srikantan 등, 2000). *PCGEM1*은 전립선의 상피세포에 국한되어 발현된다 (Fu 등, 2006). 전립선 조직에 대한 *PCGEM1*의 특이도는 전립선암의 조기 진단, 질환의 진행에 관한 추적 관찰, 치료 후 잔존 질환의 발견 등에 활용되고 있는 PSA의 조직 특이도와 비슷하다. *NK3 homeobox 1 (NKX3.1)* (He 등, 1997), *kallikrein-related peptidase-like 1 (KLK-L1)* (Nelson 등, 1999), *prostate-specific membrane antigen (PSMA)* (Fair 등, 1997), *prostate stem-cell antigen (PSCA)* (Reiters 등, 1998), *prostate cancer antigen 3 (PCA3)* (Bussemakers 등, 1999), *PCGEM1* 등과 같이 전립선에 특이한 유전자는 PSA의 진단력 및 예후 예측력을 향상시킬 수 있다. 정상 전립선 조직에서 *PCGEM1*은 PSA, PSMA, NKX3.1 등에 비해 발현양이 적다. 정상 및 종양 표본을 비교 분석한 연구에서 RT-PCR을 이용한 경우 56%, in situ hybridization (ISH)을 이용한 경우 84%에서 종양과 관련하여 *PCGEM1*이 과다 발현되었는데, 검사 방법에 따라 발현 빈도에서 차이가 나는 이유는 정상 및 전립선암 조직에서 *PCGEM1*이 이질적으로 발현되기 때문이거나 RT-PCR의 경우 조직을 현미경 하에서 미세 절단함으로 인해 과소 평가되었기 때문으로 추측된다. 동일 환자에서 정상 전립선과 전립선암을 비교해 보면, 일부 표본의 전립선상피내암 병소에서 과다 발현이 관찰되었지만 일반적으로 *PCGEM1*의 발현이 정상 세포에서는 없거나 약하였으며, 암세포에서는 증가되었다. 이 연구의 경우 미분화 암세포에서 *PCGEM1*의 발현이 비교적 더 높았으나, 이를 확인하기 위해서는 더 큰 규모의 추가 연구가 필요하다 (Srikantan 등, 2000). 다른 연구도 전립선암 환자 중 사망률이 가장 높은 아프리카계 미국인의 전립선암 세포에서 *PCGEM1*이 과다 발현되었고 ($p=0.0002$) 전립선암의 가족력이 있는 전립선암 환자의 정상 전립선 상피세포에서 *PCGEM1*의 발현이 증가되었기 때문에 ($p=0.0400$), *PCGEM1*은 특히 상급 위험 환자군에서 전립선암의 시작과 진행에 관여한다고 보고하였다 (Petrovics 등, 2004).

*PCGEM1*은 특징적으로 단백질을 코드화하는 기능이 결여되어 있다 (Lanz 등, 1999). *PCGEM1*은 1,643개 뉴클레오티드의 noncoding poly A+ RNA로서 발현되는데, 발달, 분화, DNA 손상, 열 충격 (heatshock) 반응, 종양 형성 등에서 기능을 하는 그러한 RNA 분자를 'RNA riboregulator'라 한다 (Velleca 등, 1994; Takeda 등, 1998). 세포질의 noncoding poly A+ RNA로 전사되는 전사물로는 *X-inactive specific transcript (XIST)* (Brockdorff 등, 1992), *H19, imprinted maternally expressed transcript (H19)* (Ayesh 등, 2002), *growth arrested DNA-damage inducible gene 7/adaptive response 15 (GADD7/ADAPT15)* (Hollander 등, 1996), *hematopoietic insertion site 1 (HIS1)* (혹은 *viral integration site 1, VIS1*) (Li 등, 1997), *B-cell integration cluster (BIC)* (Haasch 등, 2002), *nucleotide transporter (NTT)* (Liu 등, 1997), *heat shock RNA-omega (HSR-omega)* (Lakhotia와 Sharma, 1996), *cytokinin repressed transcript 20 (CR20)* (Teramoto 등,

1996), *metastasis associated lung adenocarcinoma transcript 1* (*MALAT1*) (Ji 등, 2003) 등이 있다. 종양의 형성과 관련하여 *H19, HIS1, BIC* 등의 유전자는 기능을 하는 noncoding mRNAs를 코드화한다 (Askew와 Xu, 1999). 전립선암의 형성 및 진행과 관련이 있다고 알려져 있는 long noncoding RNA (lncRNA)로는 *prostate cancer associated transcript 1* (*PCAT1*) (Prensner 등, 2011), *second chromosome locus associated with prostate 1* (*SChLAP1*) (Prensner 등, 2013), *prostate cancer associated 3* (*PCA3*) (Bussemakers 등, 1999), *prostate cancer gene expression marker 1* (*PCGEM1* 혹은 *PCAT9*) (Srikantan 등, 2000), *prostate cancer associated non-coding RNA 1* (*PRNCR1* 혹은 *PCAT8*) (Chung 등, 2011) 등이 있다.

Noncoding RNA는 항존 (housekeeping) noncoding RNA와 조절 (regulatory) noncoding RNA로 구분된다 (Morey와 Avner, 2004). 항존 noncoding RNA에는 ribosomal RNA (rRNA), transfer RNA (tRNA), small nuclear RNA (snRNA), small nucleolar RNA (snoRNA) 등이 있으며, 조절 noncoding RNA에는 microRNA (miRNA)가 있는데 보통 길이가 21개의 뉴클레오티드로 되어 있다. 이 분류에 의하면, *PCGEM1*은 크기가 큰 조절 noncoding RNA에 속한다. 이들 lncRNA에 대해 구조적, 기능적 분석을 실시한 연구는 *XIST, H19* 등은 유전자 발현의 침묵에, *GADD7/ADAPT15, HSR-omega* 등은 스트레스에 대한 반응에, *H19, HIS1, BIC, MALAT-1* 등은 종양의 형성에 관여한다고 하였다 (Fu 등, 2006). 잘 알려진 noncoding poly A+ RNA인 *H19*은 종양 생물학에 관여하며, 배아 조직의 종양과 태반에서 높게 발현된다. *H19* RNA가 배아암종 (embryonic carcinoma) 세포에서 과다 발현되면 종양을 억제하는 작용이 나타난다 (Ayesh 등, 2002). *XIST* 및 *TSIX transcript, XIST antisense RNA* (*TSIX* 혹은 *X [inactive]-specific transcript* 혹은 *XIST antisense RNA*) RNA 분자는 X 염색체를 불활성화하는 데에서 중요한 역할을 한다 (Lee, 2000). 유방암과 난소암을 억제하는 핵 단백질인 breast cancer type 1 susceptibility protein (BRCA1)을 코드화하는 *BRCA1*은 *XIST* RNA와 협동하여 X 염색체에 *XIST*가 위치하는 데 영향을 준다 (Ganesan 등, 2004). *HIS1*과 *BIC*는 암을 유발하는 retroviruse에 의한 혈액 종양의 발병 과정에 관여하는 noncoding RNA이다 (Tam 등, 1997). 길이가 8,000개 이상의 뉴클레오티드로 구성된 noncoding RNA인 *MALAT1*은 초기 병기의 nonsmall-cell lung

cancer (NSCLC)에서 전이에 관여한다 (Ji 등, 2003). Nnoncoding RNA인 *taurine upregulated gene 1* (*TUG1*)은 설치류에서 망막이 발달하는 동안 광수용체의 형성을 위해 필요하다 (Young 등, 2005). 이들 noncoding RNA의 기능과 유전자 발현 양상은 RNA에 근거한 유전자 발현의 기전, 유전체의 각인 (imprinting), 세포의 분화, 스트레스에 대한 반응, 종양의 형성 등을 이해하는 데 도움을 준다 (Fu 등, 2006).

전립선암에서는 *PCGEM1*의 발현이 증가되어 종양세포의 증식과 생존이 촉진된다고 보고된 바 있다 (Srikantan 등, 2000). LNCaP 세포뿐만 아니라 NIH3T3 세포 (3-day transfer, inoculum 3×10^5 cells)에서 *PCGEM1*이 과다 발현되면, 세포의 증식이 촉진되고 세포의 군집 형성이 크게 증가하기 때문에, *PCGEM1*은 세포의 성장을 조절하는 생물학적 기능을 가지고 있다고 생각된다 (Petrovics 등, 2004). *PCGEM1*이 세포 주기에 미치는 영향은 세포 주기와 관련이 있는 단백질에 대항하여 증가되는 인산화 특이 항체를 이용한 분석에 의해 확인할 수 있다. NIH3T3 세포 및 LNCaP 세포에서 종양을 억제하는 단백질인 retinoblastoma protein (RB 혹은 pRB)이 인산화 (Ser807/811)가 이루어지는 동안 *PCGEM1*이 상당하게 증가되는데, 이는 *PCGEM1*의 과다 발현이 RB의 인산화를 통해 세포 주기를 조절함으로써 세포의 증식에 관여함을 시사한다 (Petrovics 등, 2004). 다른 연구는 또한 LNCaP 세포에서 cyclin-dependent kinase (CDK)를 억제하는 CDK interacting protein (CIP) 혹은 wild-type p53-activating fragment 1 (WAF1) (p21$^{\text{WAF1/CIP1}}$)이 *PCGEM1*의 과다 발현으로 인해 하향 조절됨을 보여 주었다 (Harper 등, 1993). 따라서 *PCGEM1*이 과다 발현하는 LNCaP 세포에서 p21$^{\text{WAF1/CIP1}}$의 발현이 감소되면, CDK 복합체의 억제를 통해 RB의 인산화가 일어난다고 생각된다 (Fu 등, 2006).

CIP1 혹은 WAF1으로도 불리는 p21$^{\text{WAF1/CIP1}}$의 농도는 p53 경로 및 non-p53 경로에 의해 조절된다 (Macleod 등, 1995). LNCaP 세포를 4시간 동안 doxorubicin으로 처리하였을 때 p53과 p21$^{\text{WAF1/CIP1}}$ 단백질의 농도는 LNCaP 세포에 비해 LNCaP-*PCGEM1* 세포에서 더 낮았다는 관찰은 p53의 안정성이 최소한 부분적으로는 *PCGEM1*의 과다 발현에 의해 억제되며, 이로써 LNCaP-*PCGEM1* 세포에서 p21$^{\text{WAF1/CIP1}}$이 하향 조절됨을 보여 준다 (Fu 등, 2006). p53는 세포 성장의 정지 및 세포 자멸사를 일으키기 때문에, *PCGEM1*이 p53와 p21$^{\text{WAF1/CIP1}}$의 감소를 통해 세포 자멸사를 유도하는지를 분석한 연구가 있다. 이 연구는 LNCaP 세포에서 화학 요법제 doxorubicin 에 의한 세포 자멸사가 *PCGEM1*의 과다 발현에 의해 억제됨을 보여 주었다. 또한, 다른 세 화학 요법제 staurosporine, sodium selenite, etoposide 등으로 처치된 LNCaP 세포에서는 *PCGEM1*의 과다 발현에 의해 poly ADP ribose polymerase (PARP)의 분절이 억제됨이 관찰되었다. 이 결과는 *PCGEM1*이 p53에 의존적인 세포 자멸사를 억제함을 나타낸다 (Fu 등, 2006).

LNCaP 세포주에서 *PCGEM1*의 발현은 안드로겐에 의해 조절된다 (Srikantan 등, 2000). 세포 자멸사에 대한 *PCGEM1*의 효과는 안드로겐 의존성의 LNCaP 세포주에서는 관찰되지만 안드로겐 비의존성의 C4-2와 C4-2b 전립선암 세포주에서는 관찰되지 않는데, 이는 *PCGEM1*의 기능이 안드로겐에 의존적이기 때문이라고 생각된다 (Fu 등, 2006). 안드로겐 의존성 전립선암 모델을 이용한 다른 연구도 *PCGEM1*이 세포의 핵과 세포질에 균일하게 분포함을 관찰하였으며, 거세 후에는 그것의 발현이 급격하게 하향 조절된 데 비해, androgen receptor (AR)가 활성화된 조건에서는 상향 조절되었다고 하였다. *PCGEM1*과 관련한 이러한 유전자 발현의 특징이 안드로겐을 차단하였을 때는 유의하게 감소되었고 호르몬 민감성 전립선암에 비해 호르몬 저항성 질환에서 유의하게 감소되었는데, 이는 *PCGEM1*이 전립선암의 초기에 관여함을 시사한다 (Parolia 등, 2015) (도표 210).

누드마우스를 이용하여 small interfering RNA (siRNA)로 *PCGEM1*을 침묵시키거나 microRNA (*miR*)-145로 유전자 전달 감염을 일으켜 RT-PCR로 분석한 연구에 의하면, LNCaP 세포에서 *PCGEM1*의 발현이 하향 조절되면 *miR-145*의 발현이 증가하였고, *miR-145*이 과다 발현되면 *PCGEM1*의 발현이 감소되었으며, 이러한 경우에는 종양세포의 증식, 이동, 침습이 억제되었고 세포 자멸사가 유도되었다. 이러한 관찰은 *PCGEM1*과 *miR-145*이 상호 음성적 조절을 함으로써 LNCaP 세포의 증식과 종양의 성장을 조절함을 보여 준다 (He 등, 2014).

54. 전립선암 위험 확률 계산기
Prostate Cancer Risk Calculator (PCRC)

임상적으로 치료 방법을 선택하고 결정을 내리는 과정에서 환자의 참여도를 높이고 의학적인 정보에 관하여 환자의 이

도표 210 여러 연구를 통해 보고된 전립선암 환자 표본에서 PCGEM1의 발현 특징

비교	연구 문헌 (상향/하향)[†]	OR	총 표본수
PCa 대 기타 암	1/0	30.9	1468
악성 대 정상 전립선	5/0	14.5~4.5	299
전이 대 원발 PCa	0/6	27.0~4.5	448
높은 GS 대 낮은 GS	0/5	16.8~5.0	676
HRPC 대 HNPC	0/1	9.6	20
임상 결과			
3~5년에 재발	0/2	8.4~5.1	168
3~5년에 사망	0/2	20.6~7.8	721

[†], 상향 조절 혹은 하향 조절된다고 보고된 연구 문헌 수.
GS, Gleason score; HNPC, hormone-native prostate cancer; HRPC, hormone-refractory prostate cancer; OR, odds ratio; PCa, prostate cancer; PCGEM1, prostate cancer gene expression marker 1.
Parolia 등 (2015)의 자료를 수정 인용.

해도를 증대시키기 위해서는 의사에게 다섯 단계가 권장되는데, 첫째, 환자의 경험과 기대치를 이해할 것, 둘째, 환자와 동반자 관계를 수립할 것, 셋째, 자료에 근거하여 증거를 제공할 것, 넷째, 권고안을 제시할 것, 다섯째, 이해되었음을 확인하고 동의를 얻을 것 등이다 (Epstein 등, 2004). 근래의 연구는 이와 같은 환자와의 상담에서 European Randomized Study of Screening for Prostate Cancer (ERSPC)가 개발한 도구인 ERSPC risk calculator (ERSPC-RC), 즉 앞으로 전립선암이 발생할 위험의 확률 (%)을 예측하는 계산기를 활용할 것을 권장하고 있다 (http://www.prostatecancer-riskcalculator.com). 이 계산기는 직장수지검사 (digital rectal examination, DRE), 혈청 PSA 농도 등과 같이 환자가 가지고 있는 검사 자료에 따라 맞춤식 활용이 가능하도록 ERSPC-RC 1~6으로 구별되어 있으며, 각각은 다음과 같다.

ERSPC-RC 1; 전신적 건강 상태에 근거하여 위험을 계산하는 방법으로써 가족력, 연령, 지난 1개월 동안 배뇨와 관련이 있는 의학적 문제 등을 기입하여 계산한다.

ERSPC-RC 2; 환자의 혈청 PSA 농도에 근거한 계산법으로써 추가 검사가 필요한지를 예측하는 데 도움이 된다.

ERSPC-RC 3; 경직장초음파촬영술의 결과 (정상 혹은 비정상), 직장수지검사의 결과 (정상 혹은 비정상), 전립선의 용적 (cc), 혈청 PSA 농도 등을 기입하여 위험 확률을 계산하는 방법으로써 선별검사를 받은 적이 없는 남성에서 생검 시 양성 결과를 예측함은 물론, 전립선암의 공격성 정도를 평가하는

데도 도움이 된다.

ERSPC-RC 3+DRE; 경직장초음파촬영술을 필요로 하지 않으며, 직장수지검사의 결과 (정상 혹은 비정상), 직장수지검사에서의 전립선 용적으로서 25, 40, 60 cc 중 선택, 혈청 PSA 농도 등을 기입하여 위험 확률을 계산하는 방법으로써 PSA 농도에만 근거한 ERSPC-RC 2에 비해 생검에서 양성 확률을 더 정확하게 예측함은 물론, 상급 위험도 혹은 진행 전립선암을 예측하는 데도 도움이 된다.

ERSPC-RC 4; 경직장초음파촬영술의 결과 (정상 혹은 비정상), 직장수지검사의 결과 (정상 혹은 비정상), 전립선의 용적 (cc), 혈청 PSA 농도, 이전 생검의 결과 (음성 혹은 양성) 등을 기입하여 위험 확률을 계산하는 방법으로써 PSA 선별검사를 받았으나 생검을 받지 않았거나 1회 생검에서 음성인 남성에서 이용되며, 생검에서 양성 확률과 전립선암의 공격성 정도를 예측한다.

ERSPC-RC 4+DRE; 직장수지검사의 결과 (정상 혹은 비정상), 직장수지검사에서의 전립선 용적으로서 25, 40, 60 cc 중 선택, 혈청 PSA 농도, 이전 생검의 결과 (음성 혹은 양성) 등을 기입하여 위험 확률을 계산하는 방법으로써 PSA 선별검사를 받았으나 경직장초음파촬영술을 받지 않은 남성에서 이용되며, 생검 양성 결과와 상급 위험도 혹은 진행 전립선암을 예측한다.

ERSPC-RC 5; Gleason 점수, 생검 시 종양의 크기 (mm), 생검 시 건강한 조직의 크기 (mm), 전립선의 용적 (cc), 혈청 PSA 농도 등을 기입하여 위험 확률을 계산하는 방법으로써 즉각적인 치료를 필요로 하지 않는 비활동성 전립선암의 확률을 예측한다.

ERSPC-RC 6; 연령, 혈청 PSA 농도, 직장수지검사의 결과 (정상 혹은 비정상), 가족력, 직장수지검사에서의 전립선 용적으로서 25, 40, 60 cc 중 선택, 이전 생검의 결과 (음성 혹은 양성) 등을 기입하여 위험 확률을 계산하는 방법으로써 향후 4년 동안의 위험을 예측한다.

생검을 받은 적이 없는 443명의 남성에서 혈청 PSA 농도, 직장수지검사의 결과, 직장초음파촬영술의 결과, 초음파촬영에서 평가된 전립선의 용적 등을 ERSPC-RC에 기입하여 산출된 위험 확률을 생검 결과와 비교한 연구는 다음과 같은 결과를 보고하였다 (van Vugt 등, 2011). 이 연구는 위험 확률이 20%를 초과한 경우에 생검을 실시하였다. 첫째, 비뇨기과 의사와 환자 모두가 ERSPC-RC 권고를 받아들인 경우는 83%

(368명/443명)이었다. 둘째, ERSPC-RC에 의해 위험 확률이 20% 이상으로 생검을 권고 받은 경우는 61% (269명/443명)이었으며, 이들 중 ERSPC-RC의 권고에 순응한 경우는 96% (257명/269명), 순응하지 않은 경우는 4% (12명/269명)이었다. 셋째, ERSPC-RC에 의해 위험 확률이 20% 미만이기 때문에 생검을 권고 받지 않은 경우는 39% (174명/443명)이었으며, 이들 중 ERSPC-RC의 권고에 순응한 경우는 64% (111명/174명), 순응하지 않은 경우는 36% (63명/174명)이었다. 넷째, ERSPC-RC의 권고에 순응한 환자에 비해 순응하지 않은 환자에서 위험 확률의 평균치가 더 높았으며, 각각 9%, 14%이었다 ($p < 0.001$). 비뇨기과 의사가 ERSPC-RC의 권고에 반하여 생검을 선택한 이유는 PSA 농도가 3 (3.1~10.6) ng/mL로 증가되었기 때문이며 (78%; 49명/63명), 환자가 ERSPC-RC의 권고에 반하여 생검을 선택한 이유는 확신을 얻기 위해서였다 (60%; 38명/63명). 이들 결과에 의하면, 대부분의 환자가 ERSPC-RC의 권고에 순응하였으며, 임상적으로 추가 검사에 관한 결정을 내릴 상황에서 ERSPC-RC가 유용한 도구가 될 수 있다.

ERSPC-RC에 근거한 치료 권고에 대해 비뇨기과 의사 및 환자의 순응과 만일 순응하지 않은 경우 그 이유를 평가하고 순응자와 비순응자 사이의 차이점을 평가하기 위해 전립선암 환자 240명을 대상으로 혈청 PSA, 전립선 용적, 생검에서의 병리학적 소견 등을 이용하여 ERSPC-RC 6로 비활동성 전립선암의 확률을 추정한 연구는 다음과 같은 결과를 보고하였다 (van Vugt 등, 2011). 이 연구에서 비활동성 전립선암의 기준은 혈청 PSA 농도 20 ng/mL 미만, 임상 병기 T1 혹은 T2a~T2c, 6부위 생검 cores에서 양성 비율 50% 미만, 종양 조직의 크기 20 mm 이하, 양성 조직의 크기 40 mm 이상, Gleason 점수 3+3 이하 등이었으며, 비활동성 질환의 확률이 70% 이하인 경우에는 적극적인 치료를, 70% 초과한 경우에는 적극적인 감시를 권하였다. 치료를 결정한 후 치료 선택, 이러한 과정에 대한 장점과 단점, 불안 등과 같은 기타 요소 등을 포함한 질문서를 환자가 작성하도록 하였다. 첫째, 확률이 70% 이하이기 때문에 적극적인 치료를 권고한 경우는 77% (185명/240명)이었으며, 이들 중 치료 권고안에 순응한 경우는 71% (131명/185명), 불응한 경우는 29% (54명/185명)이었다. 둘째, 확률이 70%를 초과하여 적극적인 감시를 권고한 경우는 23% (55명/240명)이었으며, 이들 중 권고안에 순응한 경우는 82% (45명/55명), 불응한 경우는 18% (10명/55명)이었다.

셋째, 적극적인 치료 권고안에 불응한 가장 흔한 이유는 적극적 감시에 대한 환자의 선호도이었으며 (56%; 30명/54명), 이들 환자는 주된 장점이 적극적 치료에 따른 신체적 부작용의 지연이라고 보고하였다. 넷째, 적극적 치료 권고안에 불응한 환자에 비해 순응한 환자에서는 평균 PSA 농도가 8 대 7 ng/mL로 더 높았고 (p=0.02), 종양 조직의 평균 크기가 7 대 3 mm로 더 컸으며 (p<0.001), 비활동성 암일 확률의 평균치가 36% 대 55%로 더 낮았고 (p<0.001), 전반적 불안 점수의 평균치가 42대 38로 더 높았다 (p=0.03). ERSPC-RC에 관한 이들 연구 결과에 의하면, 대부분의 환자가 적극적 감시의 권고안에 순응하였으며, 적극적 치료를 권고 받은 환자의 29%가 적극적 감시를 선택하였다. 그러나 임상적인 결정을 내릴 때 이 도구를 활용하기 위해서는 앞으로 유효한 ERSPC-RC의 한계치에 관한 연구가 이루어져야 할 것이다.

생검을 받은 320명을 대상으로 ERSPC-RC의 타당성을 검증하기 위해 혈청 PSA, 직장수지검사, 경직장초음파촬영으로 측정된 전립선 용적 등을 ERSPC-RC에 기입하여 생검 양성일 가능성을 산출한 연구는 다음과 같은 결과를 보고하였다 (van Vugt 등, 2012). 이 연구에서는 확률이 20% 이상일 경우 생검을 권하였다. 첫째, ERSPC-RC는 혈청 PSA와 직장수지검사를 연합한 모델에 비해 생검 양성을 더 우수하게 예측하였으며, 각각의 AUC는 0.77 (95% CI 0.72~9.83), 0.71 (95% CI 0.65~0.76)이었다 (p<0.01). 둘째, 한계치인 20% 미만인 경우 생검을 받은 남성의 17% (11명/63명)에서 전립선암이 발견되었다. 11명 중 2명은 Gleason 점수 3+4의 중대한 암을 가졌다. 이들 결과는 PSA 검사를 받은 남성 코호트에서 생검을 결정할 때 ERSPC-RC가 혈청 PSA와 직장수지검사에 근거한 접근에 비해 더 우수함을 보여 준다.

55. 전립선 건강 지수
Prostate Health Index (PHI)

전립선암의 발견은 PSA와 밀접한 관련이 있지만, 이 생물 지표의 특이도가 낮기 때문에 (Lilja 등, 2008), 불필요한 생검과 과잉 치료를 줄이기 위해서는 PSA로부터 얻는 정보를 보강하는 표지자가 필요하다. 다변량 모델에서 free PSA/total PSA (%fPSA), 기타 PSA 아형 등과 같은 생물 지표 혹은 전립선의 용적, 연령, 직장수지검사의 결과 등과 같은 임상 지표를 추가로 이용하면, 진단력이 증대될 수 있다 (Schröder과 Kattan,

2008). 그럼에도 불구하고 생물 지표는 공격적인 전립선암을 발견하기 위해 그리고 수회의 전립선 생검에서 음성 결과를 보이지만 지속적으로 혈청 PSA가 증가된 환자에서 추가적인 진단력을 얻기 위해 필요하다. 여러 연구는 이러한 필요성을 해결하고자 benign PSA (BPSA), intact, inactive PSA (PSA-I), proPSA (pPSA) 등과 같은 free PSA (fPSA) 아형에 주목하였다 (Mikolajczyk 등, 2002).

fPSA, complexed PSA (cPSA) 등과 같은 여러 형태의 PSA를 측정하는 방법이 total PSA (tPSA)의 특이도를 개선하기 위해 제시되었다. 2005년에 발표된 메타 분석은 %fPSA를 이용하면 전립선암의 발견율이 개선된다고 하였다 (Roddam 등, 2005). 앞에서 기술된 바와 같이 fPSA에는 BPSA, PSA-I, pPSA 등이 포함되며, 이들 중 BPSA와 PSA-I는 양성 전립선과 관련이 있고 pPSA는 악성 전립선과 관련이 있다 (Mikolajczyk 등, 2002). 혈청에서 발견되는 pPSA에는 세 종류의 절단형, 즉 [-2], [-4], [-5,-7] 아형이 있으며, [-2]pPSA가 가장 안정적이다. 여러 연구는 pPSA의 임상적 활용을 제시하였으며, 이를 위해 전체 절단형을 합산하는 방법 (Khan 등, 2004), [-5,-7]pPSA를 측정하는 방법 (Filella 등, 2007) 등이 이용되었다. 그러나 이들 검사법은 [-2]pPSA를 분석하는 방법보다 유용하지 않다. 이들 생물 지표 중 [-2]pPSA는 긍정적인 결과를 나타내었으며, 이에 대한 자동 분석은 2008년 이후부터 활용되고 있다 (Sokoll 등, 2008). 다른 연구는 전립선암을 발견하기 위해 네 가지의 kallikrein 표지자, 즉 tPSA, fPSA, PSA-I, human kallikrein 2 (hK2) 등의 분석을 제안하였다 (Vickers 등, 2011).

Prostate Health Index (PHI)는 [-2]pPSA, tPSA, fPSA 등을 연합하여 전산화함으로써 만들어진 공식, 즉 [-2]pPSA/fPSA ×√tPSA로 산출되며, 전립선암의 발견율은 %fPSA 혹은 [-2]pPSA를 단독으로 이용한 경우에 비해 PHI를 이용한 경우 증가된다 (Jansen 등, 2010). 이 공식에서 [-2]pPSA와 fPSA/tPSA의 단위는 각각 pg/mL, ng/mL이다. 2012년 미국 식품의약국은 직장수지검사가 음성이고 혈청 PSA가 4~10 ng/mL인 남성에서 첫 생검을 결정할 때 [-2]pPSA를 이용할 수 있도록 승인하였다. 근래의 연구는 PSA, fPSA, PHI 등의 병합 검사는 특히 첫 생검에서 조기 전립선암의 진단 (Catalona 등, 2011)과 병리학적 병기 (Guazzoni 등, 2012)에 대한 PSA 및 %fPSA의 진단 정확도를 증대시킨다고 하였다. 다른 연구는 재생검 양성을 예측하는 데는 %[-2]pPSA와 PHI가 PSA, %fPSA, 전립선 용적 등을 포함하는 모델에 비해 8~11% (p<0.034) 더 나은

도표 211 전립선암의 발견에서 PHI의 예측 정확도에 관한 연구

참고 문헌	환자 수	PSA 범위, ng/mL	결과
Le 등, 2010	2,034	2.5~10	전립선암과 양성 전립선을 구별하는 변별력은 PSA (AUC 0.50), %fPSA (AUC 0.68)보다 %[-2]pPSA (AUC 0.76)에서 더 우수하였으며, Beckman Coulter PHI (AUC 0.77)는 가장 좋은 결과를 보였다.
Jansen 등, 2010	756	2~10	전립선암에 대한 예측도는 tPSA (AUC 0.585), %fPSA (AUC 0.675)에 비해 PHI (AUC 0.750)에서 가장 높았으며, %[-2]pPSA는 tPSA, %fPSA에 비해 유의하게 더 높은 정확도를 나타내었다.
Catalona 등, 2011	892	1.5~11	2~10 ng/mL의 PSA 범위에서 PHI AUC는 PSA와 %fPSA를 능가하였으며, PHI가 증가한 경우 전립선암의 위험이 4.7배 증가하였고 생검에서 Gleason 점수 4+3 이상의 위험이 1.61배 증가하였다.
Guazzoni 등, 2011	268	2~10	PHI와 %[-2]pPSA의 AUC는 각각 0.756, 0.757로서 가장 우수한 전립선암 예측 인자이었으며, 그 다음이 PSA 밀도, %fPSA, tPSA 순이었다. 다변량 분석의 경우 생검에서 전립선암 발견에 대한 예측 인자의 정확도를 PHI와 %[-2]pPSA가 향상시켰는데, 각각 11%, 10% 포인트 증가율을 나타내었다.
Lughezzani 등, 2012	729	0.5~19.9	정확도 분석에서 tPSA (AUC 0.51), %fPSA (AUC 0.62) 등과 같은 기존의 예측 인자에 비해 PHI (AUC 0.70)가 전립선암에 관하여 가장 유익한 정보를 주는 예측 인자이었다. 연령, 전립선 용적, 직장수지검사, 생검 병력 등을 포함하는 다변량 기본 모델에 PHI를 추가할 경우 예측 정확도가 0.73에서 0.80으로 7% 포인트 증가하였다 ($p<0.001$).
Stephan 등, 2013	1,362	1.6~8.0	7 미만보다 7 이상의 Gleason 점수에서 PHI가 유의하게 더 높았으며, 각각의 PHI는 53, 60이었다 ($p=0.0018$). Gleason 점수 7 이상의 공격적인 전립선암의 비율은 PHI가 증가할수록 높았다.
Lazzeri 등, 2013	646	2~10	다변량 분석에서 [-2]pPSA, %[-2]pPSA, PHI 등은 기본 다변량 모델의 정확도를 각각 6.4%, 5.6%, 6.4% 포인트 유의하게 향상시켰으며, PHI의 절단치를 27.6으로 설정한 경우 15.5%의 생검을 줄일 수 있었다.
Lughezzani 등, 2013	833	0.5~19.9	정확도 분석에서 tPSA (AUC 0.51), %fPSA (AUC 0.64) 등과 같은 기존의 예측 인자에 비해 PHI (AUC 0.68)가 전립선암에 관하여 가장 유익한 정보를 주는 예측 인자이었다. PHI를 이용한 노모그램의 예측 정확도는 75.2%이었으며, 전립선암의 위험도가 낮거나 중등도인 환자군에서는 좋은 성과를 나타내었으나 위험도가 높은 군에서는 적합하지 않았고 전립선암의 존재를 과대평가하였다.

AUC, area under the receiver-operating characteristic cure; %fPSA, free PSA/total PSA; PHI, Prostate Health Index; [-2]pPSA, [-2]proPSA; %[-2]pPSA, [-2]proPSA/free PSA; PSA, prostate-specific antigen; tPSA, total PSA.
Abrate 등 (2014)의 자료를 수정 인용.

정확도를 나타낸다고 하였다 (Lazzeri 등, 2012). PHI에 관한 여러 연구의 결과는 도표 211에 요약되어 있다.

직장수지검사에서 의심 소견이 있거나 혈청 PSA가 증가되어 전립선 생검이 계획된 729명에서 tPSA, fPSA, %fPSA, [-2]pPSA, PHI 등과 같은 전립선암 예측 인자를 분석한 연구는 다음과 같은 결과를 보고하였다 (Lughezzani 등, 2012). 첫째, 확대 생검에 의해 38.4% (280명/729명)에서 전립선암이 발견되었다. 둘째, 전립선암을 예측함에 있어 PHI는 tPSA, %fPSA 등과 같은 다른 예측 인자에 비해 더 나은 정확도를 보였으며, 각각의 AUC는 0.70, 0.51, 0.62이었다. 셋째, 연령, PSA, 전립선의 용적, 직장수지검사, 생검 병력 등에 근거한 다변량 로지스틱 회귀 분석 모델에 PHI를 포함할 경우 전립선암의 예측 정확도가 AUC 0.73에서 0.80으로 7% 포인트 유의하게 증가되었다 ($p<0.001$). 이들 결과에 의하면, PHI는 전립선암에 대한 위험을 정확하게 예측함으로써 전립선 생검을 결정할 때 임상의에게 유익한 정보를 제공한다고 생각된다.

단위가 각각 pg/mL, ng/mL인 [-2]pPSA와 fPSA를 이용하여 [-2]pPSA÷(fPSA×1,000)×100의 공식으로 산출되는 %[-2]pPSA와 PHI의 임상적 효용성을 평가하기 위해 전립선암 환자 1,762명을 포함한 합계 3,928명을 대상으로 실시한 10편의 %[-2]pPSA에 관한 연구와 전립선암 환자 1,515명을 포함한 합계 2,919명을 대상으로 실시한 8편의 PHI에 관한 연구를 메타 분석한 연구는 다음과 같은 결과를 보고하였다 (Filella 등, 2013) (도표 212). 첫째, %[-2]pPSA와 PHI의 민감도는 90%로 비슷하였으며, 특이도는 각각 32.5% (95% CI 30.6~34.5), 31.6% (95% CI 29.2~34.0)이었다. 둘째, %[-2]pPSA 측정치는 특히 혈청 PSA가 2~10 ng/mL인 환자군에서 전립선암 발견의 정확도를 향상시켰으며, PHI 측정치도 유사한 결과를 나타내었다. 셋째, 높은 %[-2]pPSA와 PHI는 공격적인 전립선암과 관련이 있었다. 이들 결과는 %[-2]pPSA와 PHI를 분석하면, 전립선암의 발견율을 높게 유지하면서 불필요한 생검을 줄일 수 있음을 보여 준다.

소변 표지자 *prostate cancer antigen 3 (PCA3)*는 재생검 환자에서 PSA의 특이도를 증가시키기 때문에 (Haese 등, 2008),

도표 212 혈청 PSA가 2~10 ng/mL인 환자에서 %[−2]pPSA와 PHI의 전립선암 발견 정확도

%[-2]pPSA							PHI						
참고 문헌	TP	FP	FN	TN	Se	Sp	참고 문헌	TP	FP	FN	TN	Se	Sp
Miyakubo 등, 2011	48	139	5	47	90%	25%	Catalona 등, 2011	387	341	43	121	90%	26.2%
Jansen 등, 2010	204	122	22	57	90%	32%	Guazzoni 등, 2011	96	92	11	69	90%	43%
Sokoll 등, 2010	196	177	49	144	80%	44.9%	Houlgatte 등, 2011	219	149	24	59	90%	28.2%
Stephan 등, 2009	238	123	26	88	90%	41.7%	Miyakubo 등, 2011	48	125	5	61	90%	33%
Mikolajczyk 등, 2004	128	152	14	86	90%	36%	Jansen 등, 2010	204	117	22	62	90%	35%
Catalona 등, 2003	410	502	46	133	90%	21%	Jansen 등, 2010	157	122	17	55	90%	31%

참고 문헌의 대부분에서 절단치가 나타나 있지 않고 일부 문헌에서만 기술되어 있다. 예를 들면, 민감도 90%에서 %[-2]pPSA의 절단치는 Miyakubo 등 (2011)의 경우 1.06%, Mikolajczyk 등 (2004)의 경우 2.5%이었으며, 민감도 90%에서 PHI의 절단치는 Catalona 등 (2011)의 경우 21.1%, Miyakubo 등 (2011)의 경우 24.9%이었다.

FN, false negative; FP, false positive; PHI, Prostate Health Index; pPSA, proprostate-specific antigen; PSA, prostate-specific antigen; Se, sensitivity; Sp, specificity; TN, true negative; TP, true positive.
Filella 등 (2013)의 자료를 수정 인용.

2012년 미국 식품의약국은 재생검을 실시하기 전에 *PCA3*의 이용을 승인하였다. 다른 연구는 *PCA3*가 첫 생검에서도 유용한 표지자라고 하였다 (Goode 등, 2013). *PCA3*와 재생검 결과 사이의 상관관계가 입증되었지만 (de la Taille 등, 2011), 다변량 분석에 의하면 *PCA3*가 정확도를 크게 개선시키지는 않는다 (Chun 등, 2009). 한편, *transmembrane protease, serine 2 (TMPRSS2 혹은 T2)*와 *v-ets erythroblastosis virus E26 oncogene homolog (ETS)-related gene (ERG)* 유전자 융합이 전립선암 조직 내에서 발견되며 (Tomlins 등, 2005), *T2:ERG*의 융합은 전체 전립선암 환자의 약 50%에서 일어난다 (Esgueva 등, 2010). *T2:ERG* 융합을 발견하기 위한 소변 분석이 *PCA3*에 대한 소변 분석과 동일한 기법으로 개발 중에 있다 (Groskopf 등, 2009). *T2:ERG* 검사는 소규모 코호트 연구 (Hessels 등, 2007)와 다기관 연구 (Tomlins 등, 2011)에서 가치가 있다고 입증되었다. 생검 결과에 대한 예측도를 비교하기 위해 소변에서 *PCA3* 점수와 *T2:ERG* 융합을, 그리고 혈청에서 [-2]pPSA를 기초로 한 PHI를 분석한 연구는 다음과 같은 결과를 보고하였다 (Stephan 등, 2013) (도표 213). 첫째, 연구에 등록된 246명 중 45% (110명/246명)에서 전립선암이 발견되었으며, 비악성 환자는 55% (136명/246명)이었다. *PCA3* 점수는 (mRNA *PCA3*÷mRNA *PSA*)×10^3으로 산출되며, *T2:ERG* 점수는 (mRNA *T2:ERG*÷mRNA *PSA*)×10^5으로 산출된다 (Tomlins 등, 2011). 둘째, *PCA3* 점수, PHI, *T2:ERG* 점수 등은 전립선암 환자와 비악성 남성 사이에서 유의한 차이를 보였으며, 이들 표지자의 ROC AUC는 각각 0.74, 0.68, 0.63으로 다른 표지자보다 더 컸다. 셋째, 90%의 민감도에서

도표 213 비악성 전립선 환자와 전립선암 환자의 비교

특징	비악성 전립선	전립선암	*p*
환자 수	110	136	
연령	64.5 (58~69)	67 (61~71)	0.004
PSA, ng/mL	5.68 (3.81~7.78)	6.25 (4.35~8.45)	0.196
전립선 용적, cc	50 (35~67)	40 (30~56)	0.002
%fPSA	16.0 (11.6~19.3)	13.4 (9.55~18.3)	0.007
[-2]pPSA, ng/L	12.4 (9.15~19.7)	16.1 (10.4~27.4)	0.017
%[-2]pPSA×10^3	16.1 (12.2~22.7)	21.6 (16.4~27)	<0.0001
PHI	37.2 (28.2~49.1)	50.6 (36.9~69.5)	<0.0001
T2:ERG 점수	23.6 (6.3~54.8)	51.8 (14.3~229)	0.0003
PCA3 점수	22.5 (11~41.5)	51 (25~88)	<0.0001

( ) 안의 수는 interquartile range.

ERG, ETS-related gene; ETS, v-ets erythroblastosis virus E26 oncogene homolog; fPSA, free prostate-specific antigen; PCA3, prostate cancer antigen; PHI, Prostate Health Index; PSA, prostate-specific antigen; pPSA, proprostate-specific antigen; T2, transmembrane protease, serine 2 (TMPRSS2). Stephan 등 (2013)의 자료를 수정 인용.

PHI는 *PCA3* 점수보다 다소 낮은 특이도를 나타내었다. 넷째, *PCA3* 점수와 PHI를 병용하면 AUC가 0.01~0.04 증가되어 진단력이 약간 상승됨을 나타내었다. 다섯째, 재생검 코호트에서는 *PCA3* 점수가 가장 큰 AUC를 나타내었으나, 혈청 PSA가 2~10 ng/mL이고 직장수지검사가 음성인 환자군에서는 PHI의 AUC가 가장 컸다. 이들 결과를 종합해 보면, 평가된 지표들 중 *PCA3* 점수와 PHI가 첫 생검 혹은 재생검에서 전립선암 발견에 대한 우수한 진단 정확도를 나타내지만, 두 지표를 병합하여도 진단 정확도의 증가폭은 크지 않다.

도표 214 %[−2]pPSA와 PHI를 포함하는 여러 지표와 모델에 대한 단변량 및 다변량 분석

예측 인자	첫 생검에서 AUC (95% CI); p		재생검에서 AUC (95% CI); p	
	단변량 분석	다변량 분석	단변량 분석	다변량 분석
연령	0.60 (0.56~0.64); $p < 0.0001$		0.62 (0.55~0.68); $p = 0.00015$	
전립선 용적, cc	0.62 (0.58~0.67); $p < 0.0001$		0.60 (0.54~0.67); $p = 0.0019$	
직장수지검사	0.58 (0.55~0.62); $p < 0.0001$		0.56 (0.52~0.61); $p = 0.0008$	
tPSA, ng/mL	0.56 (0.51~0.61); $p < 0.0001$		0.54 (0.47~0.61); $p = 0.21$	
%fPSA	0.60 (0.56~0.64); $p < 0.0001$		0.59 (0.52~0.65); $p = 0.011$	
%[−2]pPSA	0.72 (0.69~0.76); $p < 0.0001$		0.74 (0.68~0.80); $p < 0.0001$	
PHI	0.73 (0.69~0.77); $p < 0.0001$		0.74 (0.68~0.80); $p < 0.0001$	
기본 모델[†]	0.69 (0.65~0.73)		0.74 (0.67~0.80)	
기본 모델+%[−2]pPSA	0.73 (0.69~0.77)		0.79 (0.74~0.84)	
기본 모델+PHI	0.73 (0.69~0.77)		0.80 (0.74~0.85)	
%[−2]pPSA 증가치[‡]	0.04		0.05	
PHI 증가치[¶]	0.04		0.06	

[†], 기본 모델에는 연령, 전립선 용적, 직장수지검사, tPSA, %fPSA 등이 포함된다; [‡], 기본 모델에 %[−2]pPSA를 추가함으로 생기는 예측 정확도의 증가, 즉 AUC의 증가치; [¶], 기본 모델에 PHI를 추가함으로 생기는 예측 정확도의 증가, 즉 AUC의 증가치.

AUC, area under the curve; CI, confidence interval; fPSA, free prostate-specific antigen; PHI, Prostate Health Index; pPSA, proprostate-specific antigen; PSA, prostate-specific antigen; tPSA, total prostate-specific antigen.

Stephan 등 (2013)의 자료를 수정 인용.

여러 연구는 특히 다변량 분석에서 [−2]pPSA와 %[−2]pPSA를 이용하면 전립선암에 대한 발견율이 증가됨을 보여 주었다 (Sokoll 등, 2008). 선별검사를 받은 남성군 (Le 등, 2010)과 임상 환자군 (Guazzoni 등, 2011)을 대상으로 실시한 연구에서 tPSA와 %[−2]pPSA를 병합한 경우에 비해 tPSA, %[−2]pPSA, PHI 등을 병합한 분석은 더 우수한 전립선암 발견율을 나타내었으며, 이들 병합 분석을 이용할 경우 불필요한 생검을 줄일 수 있다고 생각된다. 또한, %[−2]pPSA 혹은 PHI와 생검 혹은 Gleason 점수 사이에 연관성이 있음은 이들 생물 지표가 공격적인 전립선암을 정확하게 발견하는 데 도움이 됨을 시사한다 (Catalona 등, 2011). 혈청 tPSA가 1.6~8.0 ng/mL인 전립선암 환자 668명과 양성 전립선 환자 694명을 대상으로 평가한 연구는 다음과 같은 결과를 보고하였다 (Stephan 등, 2013) (도표 214). 첫째, %[−2]pPSA와 PHI는 전립선암이 없는 환자군에 비해 전립선암 환자군에서 유의하게 더 높았다 ($p < 0.0001$). 둘째, PHI의 ROC AUC는 0.74로 다른 지표에 비해 가장 큰 전립선암 예측력을 나타내었으며, %[−2]pPSA, [−2]pPSA, %fPSA, tPSA 등의 AUC는 각각 0.72 ($p = 0.018$), 0.63 ($p < 0.0001$), 0.61, 0.56이었다. 셋째, Gleason 점수가 높을수록 PHI가 유의하게 더 높았는데, 공격적인 전립선암으로

간주되는 Gleason 점수 7 이상인 경우의 PHI는 60, Gleason 점수가 7 미만인 경우의 PHI는 53이었다 ($p = 0.0018$). 이들 자료에 의하면, 평가된 여러 지표에 비해 PHI와 %[−2]pPSA가 가장 우수한 전립선암 예측력을 나타내며, PHI가 높을수록 전립선 생검 결과가 암 양성일 확률이 높고 공격적인 전립선암일 가능성이 높다.

전립선 생검을 통해 전립선암으로 확인된 264명 (40.1%)을 포함한 PSA 농도 2~10 ng/mL의 646명을 대상으로 여러 가변 인자에 의한 전립선암 예측력을 비교 평가한 연구는 다음과 같은 결과를 보고하였다 (Lazzeri 등, 2013). 첫째, 전립선암 환자군과 전립선암을 가지지 않은 환자군에서 tPSA와 [−2]pPSA의 중앙치는 각각 5.7 대 5.8 ng/mL ($p = 0.942$), 15.0 대 14.7 pg/mL로 두 군에서 차이가 없었다. 그러나 두 군에서 fPSA, %fPSA, %[−2]pPSA, PHI 등의 중앙치는 각각 0.7 대 1 ng/mL ($p < 0.001$), 0.14 대 0.17 ($p < 0.001$), 2.1 대 1.6 ($p < 0.001$), 48.2 대 38 ($p < 0.001$)로 유의한 차이를 보였다. 둘째, 다변량 로지스틱 모델에서 [−2]pPSA, %[−2]pPSA, PHI 등은 다변량 기본 모델의 정확도를 각각 6.4%, 5.6%, 6.4% 유의하게 증가시켰다 ($p < 0.001$). 셋째, PHI의 절단치를 27.6으로 설정한 경우 100회 (15.5%)의 생검을 줄일 수 있었다. 이들 결

도표 215 혈청 PSA 농도와 환자의 연령

연령	중앙치, ng/mL	IQR	참고치[†]
40~49	0.7	0.5~1.1	0~2.5
50~59	1.0	0.6~1.4	0~3.5
60~69	1.4	0.9~3.0	0~4.5
70~79	2.0	0.9~3.2	0~6.5

[†], 상한선은 95th percentile로 규정됨.

IQR, interquartile range (25th~75th percentile); PSA, prostate-specific antigen.

Oesterling 등 (1993)의 자료를 수정 인용.

도표 216 PMI, %fPSA, PSAD 등의 전립선암 발견에 대한 예측도 비교

지표	민감도, %	특이도, %	PPV	NPV	전반적 정확도
PMI					
절단치 2.2	80	52.0	NA	NA	NA
절단치 3.1	75	84.0	55.5	92.6	82.1
절단치 4.0	50	88.7	NA	NA	NA
%fPSA					
절단치 27	85	20.0	NA	NA	NA
절단치 18	80	57.3	33.3	91.4	62.1
절단치 17	75	60.0	NA	NA	NA
PSAD					
절단치 0.10	70	52.0	NA	NA	NA
절단치 0.12	60	74.6	38.7	87.5	71.5
절단치 0.15	50	93.3	NA	NA	NA

%fPSA, percent of free PSA/total PSA; NA, not assessed; NPV, negative predictive value; PMI, Prostate Malignancy Index; PSA, prostate-specific antigen; PSAD, PSA density; PPV, positive predictive value.

Dinçel 등 (1999)의 자료를 수정 인용.

과에 의하면, tPSA 2~10 ng/mL의 환자에서 %[-2]pPSA와 PHI는 첫 생검에서 전립선암 발견에 대한 강한 예측 인자이며, tPSA와 %fPSA보다 정확도가 유의하게 더 높다.

56. 전립선 악성 지수
Prostate Malignancy Index (PMI)

전립선암의 발견에 대한 민감도와 특이도를 개선하기 위해 Dinçel 등 (1999)은 PSA, PSA density (PSAD), free PSA/total PSA 비율 (fPSA/tPSA, %fPSA) 등을 이용하여 전립선 악성 지수 (Prostate Malignancy Index, PMI)를 개발하였으며, 공식은 다음과 같다.

PMI=초과분 PSA×PSAD/%fPSA

=(초과분 PSA×tPSA^2)/(전립선 용적×fPSA)

여기서 초과분 PSA는 Oesterling 등 (1993)의 연간 3.2% 증가한다는 연령 특이 참고치 (도표 215)를 근거로 하여 40세 PSA 농도를 초과한 PSA 농도이다. 68세 남성의 tPSA 농도가 7 ng/mL인 경우를 예로 들면, 40세의 참고치가 2.5 ng/mL이고 28년간 2.24 ng/mL 증가하여 68세에서 예상되는 tPSA 농도의 참고치는 2.9 (중앙치 0.7+2.2) ng/mL이기 때문에, 이 환자에서 초과분은 4.1 ng/mL이 된다. PSAD는 tPSA를 전립선 용적으로 나눈 값이다. 경직장초음파촬영술을 이용하여 전립선 용적을 구하는 공식은 (π/6)×가로 너비^2×전후 너비이다.

직장수지검사가 정상이고 혈청 PSA 농도가 4.0~10.0 ng/mL인 95명에 대해 생검 결과를 근거로 하여 PMI를 전향적으로 평가한 연구는 다음과 같은 결과를 보고하였다 (Dinçel 등, 1999). 첫째, 95명 중 21% (20명/95명)에서 전립선암이 발견되었다. 둘째, 생검에서 양성 질환과 악성 질환을 비교하였을 때, 환자의 평균 연령과 평균 PSA에 따른 차이는 없었으나, 평균 PSAD, 평균 %fPSA, 평균 PMI에서는 차이를 보였는데, 각

각 $p<0.01$, $p<0.05$, $p<0.01$이었다. 셋째, PMI는 28.4% (27명/95명)에서 3.1 이상이었으며, 이들 중에는 생검에서 암 음성 환자 75명 중 12명 (16%)과 생검에서 암 양성 환자 20명 중 15명 (75%)이 포함되었다. 넷째, AU-ROC (area under the receiver operating characteristic curve)는 PMI가 %fPSA, PSAD, tPSA 등의 지표보다 높았으며, 각각 0.82, 0.68, 0.68, 0.58이었다. 다섯째, 95%의 민감도에서 PMI 절단치 1.15는 양성 질환의 28%를 발견하였으며, PMI 절단치 0.86은 어떤 전립선암도 놓치지 않았고 양성 질환의 24%를 발견하였다. PMI 절단치 6.64는 전립선암의 발견에서 100%의 특이도를 나타내었다. 요약하면, PMI가 0.86, 1.15, 2.0, 3.1, 4.0, 6.64인 경우 민감도와 특이도는 각각 100%와 24%, 95%와 28%, 85%와 48%, 75%와 84%, 50%와 89%, 20%와 100%이었다. 여섯째, 전립선암의 발견에서 PMI, %fPSA, PSAD의 예측도를 비교한 결과는 도표 216에 나타나 있다. 이들 결과를 근거로 저자들은 직장수지검사가 정상이고 4.0~10.0 ng/mL의 중등도 PSA 농도를 가진 환자에서 양성 질환과 전립선암을 구별하는 데 활용할 수 있는 유용한 도구로서 PMI를 제시하였다.

57. Prostate Secretory Protein 94 (PSP94)

전술한 '3장 전립선 분비 단백질' 중 '8. 전립선 분비 단백질 94'에 기술되어 있다.

58. Prostate-Specific G-Protein Coupled Receptor (PSGR)

Prostate-specific G-protein coupled receptor (PSGR) 유전자는 G protein-coupled odorant (혹은 olfactory) receptor 혹은 gustatory-specific G protein-coupled receptor 유전자 가족과 약 30%의 염기 상동성을 가지는 전립선 조직에 특이한 유전자로서 G-protein coupled receptor (GPCR) 가족에 속하며, 7개의 경막 영역을 가진 단백질 PSGR을 코드화한다. PSGR은 GPCR 유전자가 모여 있는 부위 중 하나인 염색체 11p15에 위치해 있다 (Abe 등, 1993).

이질 삼합체인 GTP-binding protein (G-protein)과 결합하는 수용체인 GPCR은 필수적인 막 단백질로서 세포 외부 환경으로부터 세포질로 신호를 전달하는 역할을 수행한다. 호르몬, 신경 전달 물질, 인지질, 광자 (photon), 후각 자극제 (odorant), 미각 ligand, 성장 인자 등과 같은 여러 종류의 외부 자극은 GPCR을 활성화한다 (Xia 등, 2001). 따라서 GPCR과 이들의 신호 경로는 혈압, 알레르기 반응, 신장 기능, 호르몬 장애 등의 조절 외에도 신경학적 질환, 만성 통증 등과 같은 여러 분야의 치료적 접근에서 표적이 되고 있다 (Edwards 등, 2000). GPCR은 7개의 경막 영역을 가진 하나의 폴리펩티드 양상의 구조를 가지고 있다 (Wess, 1997). 특이 ligands가 수용체에 결합하면, G-protein과 G-protein과 관련된 신호 경로가 활성화된다. G-protein은 α, β, γ 등의 소단위로 구성되며, Gα 단백질은 Gα$_s$, Gα$_{i/o}$, Gα$_q$, Gα$_{12/13}$ 등의 네 소가족으로 구성되어 있다. 이들 소그룹의 각각은 다른 효과 인자를 활성화하는데, Gα$_s$와 Gα$_{i/o}$는 adenylyl cyclase를 각각 활성화하거나 억제함으로써 세포 내의 cAMP 농도를 조절하며, Gα$_q$ 소가족은 세포 내의 이차 전령, 예를 들면 phosphatidylinositol biphosphate (PIP2), inositol trisphosphate (IP3), Ca^{2+} 등의 조절 및 생성에서 필수 효소인 phospholipase C-β의 기능을 매개한다 (Simon 등, 1991; Rhee와 Choi, 1992). Gα$_{12/13}$ 소가족은 세포의 많은 기능, 예를 들면 Rho 의존성 세포 골격의 변화, c-Jun N-terminal kinase의 활성화, Na$^+$/H$^+$ 교환의 자극 등에 관여한다 (Lin 등, 1996; Collins 등, 1997; Gohla 등, 1999). 또한, Gα$_{12/13}$은 세포의 성장과 종양의 형성에 관여하는 신호 경로를 매개한다 (Dermott 등, 1999). Gα$_{12}$는 Rho guanine nucleotide exchange factor (RHOGEF 혹은 ARHGEF)인 p115 (Hart 등, 1998), GTPase-activating protein (GAP)인 RasGAP1 (Jiang 등, 1998) 등과 같은 조절 분자와 직접 관련이 있지만, 발생과 종양에서 Gα$_{12}$의 역할은 분명하게 밝혀져 있지 않다.

G-protein과 연합한 전통적인 신호 경로 외에도 GPCR은 여러 세포와 조직에서 mitogen-activated protein kinase (MAPK), Rho/cell division control protein 42/Ras-related C3 botulinum toxin substrate 1/p21 activated kinase 1 (Rho/CDC42/RAC1/PAK1) 등과 같은 신호 경로에 관여하는데 (Marinissen 등, 1999; Whitehead 등, 2001), 이는 GPCR이 세포의 성장과 증식 과정에 직접 영향을 줌을 시사한다. 다수의 연구는 많은 GPCR과 이들의 신호 경로가 종양을 유발하는 기능을 가지고 있기 때문에, 종양의 형성을 유도한다고 하였다. 예를 들면, GPCR로 추정되는 MAS1 proto-oncogene, G protein-coupled receptor (MAS)는 생쥐에서 종양의 형성을 유도한다 (Young 등, 1986). 그 외에도 GPCR인 serotonin 1C, muscarinic M1, M3, M5, adrenergic α$_1$ 등의 수용체는 설치류에서 지속적으로 활성화될 경우 섬유모세포의 형질 전환을 유발하는데 (Julius 등, 1989; Gutkind 등, 1991; Allen 등, 1991), 이는 GPCR이 ligands 의존성의 종양 유전자로서 기능을 함을 시사한다.

GPCR과 G-protein은 정상적 및 비정상적 성장을 조절하는 역할을 수행한다 (Dhanasekaran, 2001). 이 때문에 GPCR의 활성 돌연변이체는 갑상선종, 소세포 폐암, 결장 선종 및 결장암, 위의 과다 증식 및 위암 등에 영향을 준다 (Gutkind, 1998b). 또한, Gα 소단위의 활성 돌연변이체는 형질 전환을 일으키는 종양 유전자로서 발견되었는데, 예를 들면 G$_s$alpha protein (GSP) 종양 유전자로서 Gα$_s$ (Landis 등, 1989), G$_{i2}$alpha protein (GIP2) 종양 유전자로서 Gα$_i$ (Lyons 등, 1990), GDP/GTP exchange protein (GEP) 종양 유전자로서 Gα$_{12}$ (Chan 등, 1993) 등이다. 따라서 활성 GPCR과 활성 G-protein 돌연변이체가 많은 종양에서 발견되고 있으며, 이들은 세포의 증식 과정에 관여한다고 생각된다 (Radhika와 Dhanasekaran, 2001).

원발 전립선암 환자 52명으로부터 채집한 정상 및 종양 표본에서 QRT-PCR을 이용하여 PSGR의 발현을 분석한 연구는 다음과 같은 결과를 보고하였다 (Xu 등, 2000). 첫째, 정상 조직과 종양 조직에서 PSGR은 유의하게 다르게 발현되었으며 ($p < 0.001$), PSGR은 종양 표본의 62% (32점/52점)에서 과다 발현되었다. PSGR은 일반적으로 종양 표본에서는 높게 발현

되는 데 비해 정상 표본에서는 매우 낮게 발현되거나 발현되지 않았다. 둘째, in situ hybridization (ISH) 분석은 PSGR이 정상 및 종양 조직의 상피세포에 국한되어 발현됨을 보여 주었다. 이와 같은 관찰은 PSGR이 전립선 상피세포 내에 국한되어 발현되며, 전립선암 조직의 상당수에서 과다 발현됨을 보여 준다. 50종의 성인 및 태아 조직을 분석한 연구도 PSGR이 전립선 조직에서만 발현된다고 하였으나 (Xu 등, 2000), 뇌 조직을 분석한 연구는 olfactory zone과 medula oblongata에서도 PSGR이 발현된다고 하였다 (Vanti 등, 2003).

PSGR은 전립선상피내암과 전립선암에서 과다 발현되기 때문에, 전립선암의 발생 초기와 진행에서 중요한 역할을 할 것으로 추정된다. 전립선 세포에서는 2가지의 촉진체가 PSGR의 전사를 조절한다. 첫 번째 촉진체 영역의 경우 -31 위치에 exon 1과 TATA box가 있다. 촉진체의 기능을 하는 매우 적은 양의 DNA 염기 서열은 exon 1의 위쪽에 위치하며 길이가 123 bp 정도이다. Exon 1은 PSGR 유전자의 첫 번째 촉진체가 조직에 특이하게 조절 작용을 나타내도록 한다. 두 번째 촉진체는 TATA가 적고 non-GC가 풍부한 촉진체로서 exon 2의 위쪽에 위치해 있다. RNA protection assays (RPA)에 의하면, 두 번째 촉진체에 의한 전사는 intron과 exon 2의 결합 부위에서 시작한다. 유전자 전달 감염을 일으킨 세포에 대한 luciferase 분석에 의하면, 두 촉진체는 전립선 세포에 특이하다. PSGR 촉진체의 활성은 여러 성장 인자와 cytokine에 의해 조절되며, interleukin-6 (IL-6)는 전립선암 세포에서 촉진체의 작용을 활성화한다 (Weng 등, 2005).

PSGR 유전자를 삽입한 생쥐 모델을 이용하여 전립선암에서 PSGR의 역할을 평가한 연구는 다음과 같은 결과를 보고하였다 (Rodriguez 등, 2014). 첫째, PSGR의 과다 발현은 만성적인 염증 반응을 일으켰으며, 고령에서는 전암 병변인 전립선상피내암을 유발하였다. 둘째, 전립선의 이종 이식 암에서 PSGR의 발현이 정상인 LNCaP 암세포에 비해 PSGR이 과다 발현된 LNCaP 암세포는 더 큰 종양을 형성하였는데, 이는 PSGR이 종양의 발생을 촉진하는 역할을 가지고 있음을 시사한다. 셋째, nuclear factor kappaB (NFKB) p65 (혹은 v-rel avian reticuloendotheliosis viral oncogene homolog A, RELA)는 PSGR의 신호 경로에 의해 활성화되었다. 이러한 조절은 부분적으로는 phosphatidylinositol 3-kinase/v-akt murine thymoma viral oncogene homolog 1 (PI3K/AKT) 경로에 의해 매개되었다. 이는 전립선암의 초기에 종양에서 염증

이 진행하는 동안 PSGR의 하위 표적인 PI3K/AKT와 NFκB가 협동하여 작용함을 시사한다.

GPCR은 호르몬, 신경 전달 물질, 성장 및 발생 인자 등과 같은 다양한 세포 외부 분자와 빛, 냄새, 통증 등과 같은 여러 감각 신호를 인식한다 (Mombaerts, 1999). GPCR과 그들의 신호를 전달하는 경로는 다양한 질환에서 특이한 표적이 된다. Northern blot과 PCR을 이용하여 22점의 정상 조직과 10점의 전립선암 조직 표본을 분석한 바에 의하면, PSGR2의 발현은 대부분 전립선에 국한되어 있고, 전립선암에서 크게 과다 발현되며, QRT-PCR과 ISH를 이용하여 133점의 전립선 표본을 분석한 바에 의하면, PSGR2의 발현은 양성전립선비대 조직에 비해 고등급 전립선상피내암과 전립선암에서 약 10배 유의하게 증가된다 (p<0.001) (Weng 등, 2006). 이들 결과는 PSGR2가 전립선암의 조기 발견과 치료에서 조직 표지자 및 분자 표적의 역할을 함을 보여 준다.

다른 연구에 의하면, ISH 분석은 전립선암 환자의 60% (24명/40명)에서 PSGR2와 alpha-methylacyl-CoA racemase (AMACR)의 발현이 함께 증가되었지만 40% (16명/40명)에서는 두 표지자의 발현 정도가 차이를 나타냄을 보여 주었으며, QRT-PCR 분석은 AMACR, PSGR2, PSGR 등 세 표지자의 발현이 전립선암에서 각각 30배, 13배, 10배 증가함을 보여 주었다. 이 연구에서 AMACR은 전립선암에 대한 가장 우수한 단일 표지자이었으나, 전립선암 환자의 12% (7명/59명)에서는 AMACR이 유의하게 증가되지 않은 반면, PSGR 및/혹은 PSGR2는 상당하게 증가되었다. 이들 결과를 근거로 저자들은 AMACR, PSGR2, PSGR 등의 세 표지자가 전립선암에서 증가하지만, 그들의 발현이 완전하게 일치되게 증가하지 않기 때문에, AMACR과 함께 PSGR2 혹은 PSGR의 발현을 분석하면 진단에 도움이 된다고 하였다 (Wang 등, 2006).

QRT-PCR을 이용하여 110명의 전립선암 환자를 대상으로 PSGR의 발현을 분석한 연구는 다음과 같은 결과를 보고하였다 (Xu 등, 2006) (도표 217). 첫째, PSGR의 발현은 양성 전립선과 악성 전립선의 상피세포에서 통계적으로 유의한 차이를 나타내었다 (p<0.0001). 둘째, 양성 세포와 암세포에서 PSGR의 발현을 비교하였을 때, 악성 표본의 67.2% (74점/110점)에서는 과다 발현이, 악성 표본의 20.9% (23점/110점)에서는 감소가 관찰되었으며, 표본의 11.8% (13점/110점)에서는 정상 세포와 종양세포 사이에서 발현의 차이가 없었다. 셋째, PSGR의 과다 발현은 병리학적 병기가 pT3로 높거나 수술

도표 217 전립선 조직에서 PSGR의 발현과 전립선암의 임상병리학적 소견과의 비교

PSGR의 발현	병리학적 병기, 수 (%)		혈청 PSA 농도, 수 (%)			인종별, 수 (%)	
	T2	T3	≤4.0 ng/mL	4.1~10 ng/mL	>10 ng/mL	백인	아프리카계 미국인
T>N, 74명	29 (39.2)	45 (60.8)	11 (14.9)	42 (56.8)	21 (28.4)	53 (71.6)	21 (28.4)
T≤N, 36명	18 (50.0)	18 (50.0)	4 (11.4)	27 (77.1)	4 (11.4)	30 (83.3)	6 (16.7)
p-value	0.192		0.093			0.134	

환자는 T>N과 T≤N의 두 군으로 구분되었으며, T>N 환자군에서는 PSGR의 발현이 정상 세포에 비해 종양세포에서 1.5배 이상 증가하였으며, T≤N 환자군에서는 PSGR의 발현이 종양세포와 정상 세포에서 비슷하였거나 (13명) 감소하였다 (23명).

N, normal tissue; PSA, prostate-specific antigen; PSGR, prostate-specific G-protein coupled receptor; T, tumor tissue.

Xu 등 (2006)의 자료를 수정 인용.

전 혈청 PSA 농도가 증가된 경우에 더 흔하였다. 넷째, *PSGR*의 발현은 백인 미국인에 비해 아프리카계 미국인의 전립선암 세포에서 약 2배 증가되었다.

전립선 생검으로 전립선암이 확인된 환자로부터 채집한 전립선 마사지 후의 소변 침전물에서 QRT-PCR을 이용하여 *prostate cancer gene 3* (*PCA3*)와 *PSGR*의 발현을 분석한 연구는 다음과 같은 결과를 보고하였다 (Rigau 등, 2010). 첫째, 단변량 분석에서 *PCA3*와 *PSGR*은 전립선암에 대한 유의한 예측 인자이었다. 둘째, ROC 곡선 및 다변량 ROC 분석에서 혈청 PSA, *PSGR*, *PCA3*, *PSGR/PCA3* 등의 AUC는 각각 0.602, 0.681, 0.656, 0.729이었다. 셋째, 민감도를 95%에 고정하였을 때, *PSGR*, *PCA3*, *PSGR/PCA3* 등의 특이도는 각각 15%, 17%, 34%이었다. 이들 결과는 *PSGR*과 *PCA3*를 포함하는 복합적 모델은 특히 높은 민감도에서 특이도를 증대시키며, 생검이 필요한 환자를 선정하는 데 도움이 됨을 보여 준다.

59. Prostate-Specific Membrane Antigen (PSMA)

전술한 '3장 전립선 분비 단백질' 중 '5. 전립선 특이 막항원'에 기술되어 있다.

60. Prostate Stem Cell Antigen (PSCA)

전술한 '3장 전립선 분비 단백질' 중 '6. 전립선 줄기세포 항원'에 기술되어 있다.

61. Prostate Tumor Overexpressed Gene 1 Protein (PTOV1)

가장 흔한 형태의 전립선암은 암성 세포가 주변부의 양성 조직에서 과다 형성을 나타내는 다중 병소의 병변으로 발생하는 경우이다. 이들 다수의 암성 병변은 유전적 사건과 관계없이 독립적으로 생기거나 field effect와 연관성을 가지고 발생하며, 이로 인해 암을 유발하는 손상이 인접한 상피세포 구역에서 독립적인 형질 전환을 유도한다 (Bostwick 등, 1998). 하나의 악성적인 형질 전환 사건이 발생하고 하나의 암세포로부터 생긴 자세포가 전립선을 통해 전파되면, 해부학적 위치로는 다르지만 유전적으로는 관련이 있는 종양이 생겨난다. 또한, 생식세포 유전자의 변화로 인해 동일한 전립선 내에서 암 병변이 다발성으로 발생할 수 있다. 전립선암에서 악성 양상을 보이는 세포를 가진 가장 초기 병변이 전립선상피내암이며, 이는 완전하게 형질 전환이 이루어진 표현형이 유도되는 분자 과정 중 처음으로 나타나는 형태학적 양상으로 간주된다 (Bostwick, 1996). 전립선암의 진행에서 초기 사건의 분자 표지자는 전립선상피내암에서 일련의 변화가 일어난다고 생각된다. 예를 들면, 전립선상피내암에서는 초기 표지자인 cyclin-dependent kinase (CDK) inhibitor protein (CIP)인 p27의 발현은 소실되고 (Fernández 등, 1999), epidermal growth factor receptor (EGFR)는 과다 발현된다 (Harper 등, 1998).

유전적 및 후성적 접근법은 전립선암에서 종양의 진행에 영향을 주는 분자의 결정 인자를 확인하는 데 이용된다. 널리 이용되고 있는 접근법은 차이 표시법 (differential display)에 의해 발현 패턴을 분석하는 방법인데 (Liang과 Pardee, 1992), 이는 종양의 진행과 관련이 있는 유전자와 단백질, 예를 들면 *prostate tumor-inducing gene 1* (*PTI-1*) (Shen 등,

1995), *tropomyosin 1* (*TPM1*) (Wang 등, 1996), *fibronectin* (*FN*), *ubiquitin-conjugating enzyme E2 variant 1* (*UEV1* 혹은 *Kua-UEV*) (Stubbs 등, 1999), 미확인 유전자 (Lucas 등, 1998; Ronidelli와 Tricoll, 1999) 등의 확인을 가능하게 한다. cDNA microarrays에 대한 differential hybridization도 같은 목적으로 이용된다 (Lin 등, 1999). Benedit 등 (2001)은 differential display를 이용하여 전립선암에서 과다 발현되는 유전자 *prostate tumor overexpressed gene 1* (*PTOV1*)을 발견하였다. Activator interaction domain-containing protein 2 (ACID2)로도 알려진 사람의 PTOV1 단백질은 151개 아미노산과 147개 아미노산으로 구성된 두 반복 블록이 짧은 연결 펩티드에 의해 결합된 구조물이며 염색체 19q13.33에 위치한 12개 (미국 국립생물정보센터 [National Center for Biotechnology Information, NCBI]에 의하면 16개) exons의 *PTOV1* 유전자에 의해 코드화된다. Drosophila melanogaster PTOV1 동족체는 일렬로 나란히 배열된 두 개의 PTOV 블록을 가지고 있다. 사람과 Drosophila에서 확인된 *PTOV2*는 단일 PTOV 상동 블록 및 관련이 없는 아미노산 말단과 carboxyl을 가진 단백질을 코드화한다. 1.8 kb의 *PTOV1* 전사물은 사람의 정상 뇌, 심장, 골격근, 신장, 간 등에서 풍부하게 발견되고, 정상 전립선에서는 낮은 수치로 발견된다. 면역조직화학검사에 의하면, PTOV1은 핵 주위에 분포해 있으며, PTOV1은 정상 전립선 조직과 전립선 선종에서는 발견되지 않거나 낮은 농도로 발견되는 데 비해, 11점의 전립선암 표본 중 9점에서 강한 염색 반응이 관찰되었다. PTOV1은 전립선암과 전립선상피내암의 병소에 분포하며, *PTOV1*은 전립선암의 초기와 말기에 과다 발현된다. PTOV 상동 블록은 사람, 설치류, 파리 등에서 나타난다 (Benedit 등, 2001).

PTOV1의 유전자와 단백질은 형태학적으로 악성인 세포와 전립선상피내암으로부터 유래된 세포를 포함한 전립선 종양에서 과다 발현된다. 전립선 세포가 형질 전환을 일으켜 악성 표현형을 가짐에 따라 발현이 증가되는 많은 유전자와 단백질이 보고되고 있다. 이들 분자의 대부분은 정상 전립선의 기저상피세포에서도 발현되며 (Reiter 등, 1998; Montironi 등, 1999), 그러한 발현은 증식 세포의 군락이 확장됨을 반영하거나 정상적인 증식 과정에서 작동하는 경로가 종양세포에서 활성화됨을 반영한다. 한편, 전립선암에서 과다 발현되는 일부 유전자와 단백질이 정상 전립선에서는 발현되지 않거나 발견되지 않는다 (Magi Galluzzi 등, 1997). 면역조직화

학검사로는 PTOV1이 발현되는 기원 세포의 유형을 알 수 없지만, PTOV1은 정상 전립선에서 매우 낮은 농도로 발현되며 Western blotting에 의해 발견이 가능하다. PTOV1이 전립선상피내암뿐만 아니라 진행된 병기의 종양세포에서도 과다 발현된다는 사실은 그것의 비정상적인 전사 활동이 전립선암의 발생 초기에 나타남을 시사한다 (Benedit 등, 2001).

전립선암 세포와 전립선상피내암에서 PTOV1은 병소 발현의 패턴을 나타내는데, 이는 전립선암이 다중 병소에서 기원함을 시사한다 (Bostwick 등, 1998). 또한, 모든 전립선암에서 암성 표현형을 가진 세포뿐만 아니라 주변부의 양성 조직에 있는 형태학적으로 정상인 세포도 PTOV1에 대해 양성 반응을 나타낸다. 이러한 사실은 전립선암의 경우 어떠한 공통 요인이 모든 주변부 상피세포에서 PTOV1의 발현을 유도함을 추측하게 한다. 그러한 요인이 이들 세포의 악성적인 형질 전환을 일으키는 암 유발 사건과 관련이 있을 수도 있고 관련이 없을 수도 있다. 임상적 및 병리학적 관점에서 볼 때, PTOV1은 전립선암 표본에 있는 전립선상피내암과 같은 전암 세포에서 과다 발현되기 때문에, 전립선암을 진단하는 데 도움이 된다고 생각된다. 또한, PTOV1은 형태학적으로 악성 세포를 포함하지 않는 종양의 주변부에 있는 양성 구역에서도 과다 발현될 수 있기 때문에, 관례적인 조직병리학적 평가에서 악성 세포에 대해 음성 소견을 보이는 종양으로부터 채취된 일부 침 생검 표본에서 PTOV1의 과다 발현이 관찰되면 세심한 재평가가 신속하게 이루어져야 한다 (Bostwick 등, 2001).

PTOV1 유전자가 위치해 있는 염색체 19q13.3-q13.4에는 안드로겐에 의해 발현이 조절되는 많은 유전자가 자리하고 있다. *PTOV1*의 발현은 안드로겐에 의해 조절된다. 이들 다수 유전자와 그들에 의해 코드화되는 단백질은 전립선암과 그 외의 호르몬 의존성 종양과 관련이 있으며, 그들에는 세포 자멸사를 조절하는 인자 *BCL2-associated X protein* (*BAX*) (Johnson 등, 1998), 단백질분해효소 *PSA*, *kallikrein 1* (*KLK1*), *kallikrein 2* (*KLK2*) (Diamandis 등, 2000), *trypsin-like serine protease* (*TLSP*) (Yousef 등, 2000), *normal epithelial cell-specific 1* (*NES1*) 혹은 *KLK10* (Goyal 등, 1998), *zyme/neurosin* 혹은 *KLK6* (Yousef 등, 1999) 등이 있다. 전립선암에서 *PTOV1*의 과다 발현은 종양세포 내에서 안드로겐의 비정상적인 자극에 반응하여 종양세포의 증식력과 침습력에 영향을 준다고 생각된다 (Benedit 등, 2001).

근래의 연구는 PTOV1이 지질 뗏목 (lipid raft; 세포막에

서 지질이 뗏목 모양으로 떠다니는 구조) 단백질인 flotillin-1 (FLOT1)과 상호 작용하며, 형질막뿐만 아니라 핵에도 분포한 다고 하였다. 이 연구는 또한 기초 조건 하에서 PTOV1 혹은 FLOT1의 고갈이 세포의 증식을 크게 억제하였으며, 과다 발 현은 상호 관련이 있는 단백질의 도움을 받아 세포의 증식을 강하게 유발했고 하였다. 이러한 관찰은 PTOV1이 FLOT1의 존재 하에서 세포의 증식을 조절함을 시사한다 (Santamaría 등, 2005). 그 후의 연구는 PTOV1이 cyclic AMP responsive element-binding protein (CREB)-binding protein (CREBBP 혹은 CBP), E1A binding protein p300 (EP300 혹은 p300) 등 과 같은 p300/CBP 공동 활성체 가족과 결합함으로써 유전자 의 전사를 직접 활성화한다고 하였다 (Lee 등, 2007).

Hematological and neurological expressed 1 (HN1), translocation-associated notch protein (TAN1) 등으로도 알 려진 Notch homolog 1, translocation-associated (NOTCH) 는 세포의 분화, 증식, 성장 등을 조절하는 데 관여한다 (Arta-vanis-Tsakonas 등, 1999). NOTCH는 처음에는 T cell 급성 림 프모구성 백혈병 (Ellisen 등, 1991)과 피부 흑색종 (Balint 등, 2005)을 포함하는 기타 암에서 종양 유전자로서의 역할을 한 다고 알려졌으나, 후에는 골수성 백혈병 (Klinakis 등, 2011), 쥐의 피부 종양 (Nicolas 등, 2003), 경성 종양 (Ranganathan 등, 2011) 등 여러 암에서 세포 계열 혹은 조직에 의존적으 로 종양의 성장을 억제한다고 보고되었다. NOTCH는 ligand 와 결합한 후에는 세포 내의 γ-secretase에 의한 두 번의 단백 질 분해를 통해 NOTCH의 활성 세포 내부 영역이 분절되어 세포막으로부터 유리된다. NOTCH의 세포 내부 영역이 핵으 로 전위되면 C-promoter-binding factor 1 (CBF1 혹은 recom-bination signal binding protein for immunoglobulin kappa J region, RBP Jκ) 전사 인자와 상호 작용하여 *hairy and enhancer of split-1 (HES1), HES-related family bHLH tran-scription factor with YRPW motif 1 (HEY1)* 등과 같은 많은 하위 표적 유전자의 발현을 유도한다 (Brou 등, 2000; Iso 등, 2001). NOTCH의 세포 내부 영역이 없는 상태에서는 CBF1 이 silencing mediator of retinoic acid and thyroid hormone receptor (SMRT), nuclear receptor co-repressor (NCoR), his-tone deacetylase 1 (HDAC1) 등과 함께 복합체를 형성함으로 써 전사를 억제하는 인자로서 작용한다 (Lai, 2002).

PTOV1과 NOTCH와의 상호 관계를 분석한 연구는 다음과 같은 결과를 보고하였다 (Alaña 등, 2014). 첫째, 전립선 상피

세포와 HaCaT 피부 각질형성세포에서 PTOV1을 불활성화하 면 NOTCH의 표적 유전자인 *HES1*과 *HEY1*이 상향 조절되었 으며, PTOV1이 과다 발현되면 *HES1*과 *HEY1*이 하향 조절되 었는데, 이는 PTOV1과 NOTCH 경로가 서로 반대로 작용함 을 나타낸다. 둘째, NOTCH 경로가 불활성화된 조건에서는 PTOV1이 NOTCH 억제 복합체 요소와 함께 *HES1* 및 *HEY1* 촉진체에 영향을 준 데 비해, NOTCH1이 활성화된 조건에서 는 이들 촉진체로부터 PTOV1이 차단되었다. 즉, PTOV1은 NOTCH 경로에 대해 대항 작용을 나타낸다. 셋째, PTOV1은 PC3 세포의 침습 및 고정 비의존성 성장을 위해 필요하였으며, PTOV1의 NOTCH에 대항하는 작용은 충분한 성장과 전이를 위해 필요하였다. 전립선암에서 PTOV1의 과다 발현은 *HES1* 및 *HEY1*의 발현 감소와 관련이 있었다. 이러한 결과는 전립선 암에서 NOTCH의 신호 경로가 종양을 억제하는 역할을 가지 며, PTOV1이 전립선암을 유발하거나 전이를 일으키는 효과는 NOTCH 경로에 대한 억제 작용과 관련이 있음을 보여 준다.

고등급 전립선상피내암은 정상적인 구조의 샘들 내에 있 는 핵과 세포질이 조직학적으로 전립선암에서와 유사한 양상 을 나타내는 경우로 정의된다 (Haggman 등, 1997). PTOV1 이 발현되는 고등급 전립선상피내암은 전암 병변으로 간주되 는데, 암에 인접해 있는 고등급 전립선상피내암에서는 암에서 멀리 떨어진 병변에서보다 alpha-methylacyl-CoA racemase (AMACR)에 대한 양성 비율이 더 높다는 연구가 이를 뒷받침 한다 (Wu 등, 2004). 고등급 전립선상피내암의 빈도는 전립 선에서 실시된 침 생검의 1.5~31%로 보고되고 있다 (Epstein 과 Potter, 2001). 제한된 cores 수의 생검을 이용한 초기의 연 구는 고등급 전립선상피내암이 전립선암과 관련이 있을 확률 이 높기 때문에, 고등급 전립선상피내암이 발견된 경우에는 즉각적인 재생검을 권하였다 (Zlotta 등, 1996). 그러나 첫 생 검에서 채취된 cores의 수가 뒤이은 생검에서 전립선암이 발 견될 확률에 영향을 미치기 때문에, 확대 생검이 실시된 이후 에는 조기에 재생검을 실시하였을 경우 암 발견율이 상당히 낮아졌다 (Herawi 등, 2006). 이러한 이유 때문에 일부 연구 자는 고등급 전립선상피내암 환자의 경우 재생검이 필요하지 않으며, 주기적인 직장수지검사 및 PSA를 이용한 추적 관찰 로도 모니터링이 충분하다고 하였다 (Moore 등, 2005). 사실 고등급 전립선상피내암은 혈청 PSA 농도 및 free PSA 퍼센트 (%fPSA)에 영향을 주지 않기 때문에 (Morote 등, 2003), 이들 환자 중 전립선암이 있을 가능성이 높은 환자 그리고 재생검

이 필요한 환자를 확인하기 위해서는 PSA 증가 속도가 도움이 된다고 보고되기도 하였다 (Loeb 등, 2007).

침 생검에서 채취된 고등급 전립선상피내암의 임상적 중요성과 이들 환자에서 전립선암의 조기 진단을 위한 전략은 1986년 McNeal과 Bostwick가 기술한 이후 여러 연구에서 관심의 대상이 되어 왔다. 침 생검에서 고등급 전립선상피내암이 발견된 후 암이 발견되는 비율은 1990년대 초에 보고된 초기 자료에 비해 감소되고 있다. 이로써 고등급 전립선상피내암에 대한 양성 예측도의 신뢰성 그리고 채취된 표본에서 고등급 전립선상피내암이 진단된 후 즉시 혹은 단기간 내에 실시하는 재생검의 임상적 중요성이 논란거리가 되고 있다. 초기 연구에서는 생검으로 고등급 전립선상피내암이 진단된 후 암 발견의 평균 위험은 50%이었고 일부 연구는 100%까지 보고하기도 하였지만 (Zlotta 등, 1996), 근래 대부분의 연구는 6부위 생검에서 고등급 전립선상피내암이 발견된 후 재생검에서 암이 발견되는 확률을 20~30%로 보고하고 있다 (Bishara 등, 2004).

첫 생검에서 적절한 표본 채취법의 중요성 또한 연구되고 있다. 예를 들면, 첫 생검에서 고등급 전립선상피내암이 발견되어 1년 내에 재생검을 실시하였을 때 전립선암의 위험도는 처음에 6부위 생검을 받은 332명에서는 20.8%이었으나 처음에 최소 8부위의 확대 생검을 받은 323명에서는 13.3%이었다 (Herawi 등, 2006). 이 연구는 처음에 확대 생검으로 고등급 전립선상피내암이 진단된 환자에 대해서는 암을 의심하게 하는 다른 임상 지표가 없다면 1년 내에 재생검을 실시할 필요가 없다고 하였다. 처음에 6부위 생검으로 고등급 전립선상피내암으로 진단되어 최소 1번의 재생검을 받은 96명에 대한 연구는 후에 암으로 진단되는 환자를 예측하는 데는 PSA 증가 속도가 도움이 된다고 하였다. 이 연구는 후에 전립선암으로 진단된 고등급 전립선상피내암 환자에서는 PSA 증가 속도의 중앙치가 유의하게 더 높으며, PSA 증가 속도의 한계치를 0.75 ng/mL/year로 설정하면 양성 예측도와 음성 예측도는 각각 45%, 84%이었다고 하였다. 이 연구는 고등급 전립선상피내암을 가진 남성에서 1년 동안 추적 관찰을 한 후 재생검을 결정할 때 PSA 증가 속도가 도움이 된다고 하였다 (Loeb 등, 2007). 그러나 다른 연구는 추적 관찰하는 동안 암이 발견된 환자에서 PSA 증가 속도의 중앙치는 0.8 ng/mL/year이었고 후에 실시한 생검에서 암이 발견되지 않은 환자에서 PSA 증가 속도의 중앙치는 0.08 ng/mL/year이었지만, PSA 증가 속도가 암을 발견하는 유의한 예측 인자의 역할을 하지 못했

다고 하였다 (Morote 등, 2008). 재생검에서 나타나는 위음성 또한 중요한 문제이다. 이에 관한 연구는 12-core의 첫 생검에서 고등급 전립선상피내암으로 진단된 31명에 대해 추적 생검을 3년의 간격으로 실시한 경우 암 발견율이 25.8%인 데 비해, 재생검을 1년 내에 실시한 경우에는 2.3%이었다고 하였다 (Lefkowitz 등, 2002).

암을 동반하지 않은 경우보다 암을 동반한 고등급 전립선상피내암에서 PTOV1이 유의하게 과다 발현되기 때문에, 침 생검으로 발견된 고등급 전립선상피내암에서 PTOV1의 발현이 즉각적인 재생검의 적용 대상이 되는지를 평가한 자료에 의하면, 고등급 전립선상피내암 환자 140명을 대상으로 면역조직화학검사를 이용하여 PTOV1의 발현을 분석하였으며, 전립선암으로 근치전립선절제술을 받은 79명으로부터 채취된 표본에서 발견된 고등급 전립선상피내암과 전립선암 없이 방광암으로 방광전립선절제술을 받은 11명으로부터 채취된 표본에서 발견된 고등급 전립선상피내암을 각각 양성 및 음성 대조군으로 이용하였다. 첫 전립선 생검에서 암을 동반한 50명의 고등급 전립선상피내암 환자를 연구군으로 선정하였고, 평균 2.5회 (1~5회) 재생검을 실시하였으며, 평균 12.4개월 (1~39개월) 추적 관찰하였다. 근치전립선절제술에서 채취된 고등급 전립선상피내암의 경우 PTOV1 발현의 Histo-score (Hscore)는 162.6으로 방광전립선절제술에서 채취된 표본의 67.0에 비해 유의하게 더 높았다. 연구군에서 추적 관찰 동안 암이 발견된 경우가 11명 (22%)이었는데, 이 경우에서 PTOV1의 발현은 추적 관찰하는 동안 암이 발견되지 않은 경우에 비해 151.4 대 94.6으로 유의하게 더 높았다. 단변량 및 다변량 분석에서 PTOV1의 발현은 암 발견에 대한 독립적 예측 인자이었으며, AUC는 0.803 (95% CI 0.728~0.878)이었다 (도표 218). PTOV1 발현의 한계치를 100으로 설정하면, 민감도, 특이도, 양성 예측도, 음성 예측도가 각각 90.9%, 51.3%, 34.5%, 95.2%이었으며, 이로써 추가 생검의 약 40%를 감소시킬 수 있을 것으로 생각된다. 이들 결과를 근거로 저자들은 PTOV1이 암을 동반한 고등급 전립선상피내암에서 과다 발현되며, 전립선암의 형성과 진행에 대한 표지자의 역할을 함은 물론 고등급 전립선상피내암에서 PTOV1의 발현이 한계치 100을 상회할 경우 과소 진단된 암이 존재할 가능성이 있기 때문에 즉각적인 재생검이 필요하다고 하였다 (Morote 등, 2008).

면역조직화학검사를 이용한 연구는 38점의 전립선암 표본

도표 218 침 생검에서 고등급 전립선상피내암으로 진단된 후 추적 관찰 중 암 발견에 대한 단변량 분석

가변 인자	암을 가지지 않은 39명	암을 가진 11명	p
연령	69±6(47~71)	71±6 (61~71)	0.275
기저선 PSA, ng/mL	7.0±1.5 (4.1~27.7)	8.2±3.1 (5.0~56.5)	0.106
최종 PSA, ng/mL	7.4±2.5 (2.4~23.7)	9.1±5.6 (4.1~59.7)	0.140
PSA 증가 속도, ng/mL/year	0.08±1.8 (−14.4~9.2)	0.80±1.9 (−5.4~7.1)	0.574
생검 횟수	2±0.5 (2~4)	2±0.5 (2~4)	0.686
추적 관찰 기간, 개월	13±2 (1~24)	13±2 (1~23)	0.166
PTOV1 (Histo-Score)	100±40 (0~220)	150±52 (20~250)	0.001
다병소 고등급 전립선상피내암 (%)	18/39 (46.2)	8/11 (72.7)	0.175

Histo-Score (Hscore)는 염색된 세포의 퍼센트와 염색 강도에 근거하여 계산된다. 표본 내 PTOV1의 발현은 위상차 현미경 (phase contrast microscopy)을 이용한 두 병리학자에 의해 평가되었다. PTOV1의 발견에서 강도 점수의 경우 측정이 안 되는 염색을 0, 약한 염색을 1, 중등도 염색을 2, 강한 염색을 3으로 규정하였다. 분포 점수는 염색 양성 반응을 나타낸 세포의 비율에 근거하여 0~100%로 설정하였다. Hscore는 강도 점수와 분포 점수를 곱하여 0~300의 범위로 계산되며, 3 cores로부터 산출된 Hscore의 평균치가 연구에 이용되었다.

PSA, prostate-specific antigen; PTOV!, prostate tumor overexpressed gene 1 protein.

Morote 등 (2008)의 자료를 수정 인용.

의 71% 그리고 전립선상피내암 표본의 80%에서 PTOV1이 과다 발현되었으며, PTOV1의 높은 농도는 Ki67에 대한 면역 반응으로 평가되는 증식 지수 및 단백질의 핵 내 위치와 관련이 있다고 하였다. 이를 근거로 저자들은 PTOV1의 과다 발현, 증식 상태, 핵 내부 위치 등이 기능적으로 서로 연관성을 가진다고 하였다 (Santamaría 등, 2003). 배양된 무활동성 전립선암 세포에서는 PTOV1이 핵이 아닌 세포질에 위치해 있으며, 혈청 자극 후에는 PTOV1이 세포 주기 S 기의 시작 시점에서 부분적으로 핵 내로 전위를 일으키며, 유사분열의 종말부에서는 PTOV1이 핵 밖으로 나간다. PTOV1으로 유전자 전달 감염을 일으킨 세포는 세포 주기의 S 기로 진입하며, 이 경우 cyclin D1 단백질의 농도가 크게 증가한다. 이들 관찰은 PTOV1의 과다 발현이 전립선암 세포의 증식이나 생물학적 활동에 관여함을 시사한다 (Santamaría 등, 2003).

한편, 난소암 표본을 대상으로 qRT-PCR과 면역조직화학검사를 이용하여 PTOV1의 mRNA와 단백질을 분석한 연구는 다음과 같은 결과를 보고하였다 (Guo 등, 2015). 첫째, PTOV1 mRNA의 발현은 종양에 인접한 비악성 조직에 비해 암 조직에서 유의하게 더 높았다 (p<0.001). 둘째, PTOV1의 높은 농도는 57.2% (87점/152점)에서 관찰되었고, 병리학적 병기 및 임상 병기와 유의하게 관련이 있었으며, 각각의 p-value는 0.029, 0.001이었다. 셋째, PTOV1의 높은 농도는 나쁜 예후와 유의하게 관련이 있었으며, 다변량 분석에서 전반적 생존에 대한 독립적 예후 인자의 역할을 하였다 (p<0.001). 이들 결과는 난소암에서 PTOV1 단백질의 비정상적 발현이 아성 진행에 관여하며, 높은 농도의 발현은 나쁜 예후를 예측하는 인자임을 보여 준다.

62. Prostatic Acid Phosphatase (PAP or PACP)

전술한 '3장 전립선 분비 단백질' 가운데 '7. 전립선 산성 인산분해효소'에 기술되어 있다.

63. Protease-Activated Receptor (PAR)

Protease-activated receptor (PAR)는 G protein-coupled receptor (GPCR)의 한 가족이며, PAR1~PAR4의 네 구성원을 포함하고 있다. 용해성 ligand의 가역적인 결합에 의해 활성화되는 다른 GPCR과는 다르게 이들 수용체는 단백질분해효소, 거의 대개는 trypsin과 같은 serine protease에 의해 비가역적으로 활성화된다. 세포 외부에 있는 PAR의 아미노산 말단 영역 내에서 단백질 분해에 의한 분절이 일어나면, 새로운 아미노산 말단이 노출되고, 이 부위와 ligand가 분자 내부에서 결합하면 세포 내에서의 신호 경로가 만들어진다 (Ramachandran과 Hollenberg, 2008; Adams 등, 2011). *Coagulation factor II (thrombin) receptor (F2R)*로도 알려진 *PAR1*은 PAR1

을, *coagulation factor II (thrombin) receptor-like 1 (F2RL1)*, *G-protein coupled receptor 11 (GPR11)* 등으로도 알려진 *PAR2*는 PAR2를, *F2RL2*로도 알려진 *PAR3*는 PAR3를, *F2RL3*로도 알려진 *PAR4*는 PAR4를 각각 코드화하며, *PAR1~PAR3*는 염색체 5q13에, *PAR4*는 염색체 19p12에 위치하여 있다.

PAR1과 PAR2의 분포에 관한 면역조직화학적 연구는 다음과 같은 결과를 보고하였다 (Zhang 등, 2009). 첫째, PAR1은 원발 전립선암 조직의 대부분의 경우 종양 주위의 기질에서 발현되었다. PAR1을 발현하는 기질세포는 대부분이 활성 기질에 있는 주된 세포인 근섬유모세포이었다. 둘째, PAR1의 발현은 Gleason 등급이 높은 암의 주위에 있는 활성 기질에서 유의하게 증가되었다. 셋째, PAR2는 원발 암세포뿐만 아니라 평활근 세포에서 현저하게 발현되었으나, 활성 기질에서는 발현 정도가 낮았다. 넷째, 암세포에서 PAR1의 발현은 원발 부위에서보다 골 전이 부위에서 증가되었다. 다섯째, 골격의 활성 기질의 경우 PAR1은 혈관의 내피세포와 섬유모세포에서 발견된 데 비해, PAR1과 PAR2는 골모세포와 파골세포에서 발현되었다. 이들 결과에 의하면, 원발 전립선암과 골 전이에서 PAR1은 활성 기질에서 상향 조절되고 PAR2는 암세포에서 일정하게 과다 발현되는데, 이는 이들 두 수용체가 전립선암의 발생과 전이에서 각기 다른 역할을 수행함을 시사한다.

PARs 중 두 번째로 발견된 PAR2는 폭넓게 발현되면서 배아 발생, 통증 및 통각, 급성 및 만성 염증, 관절염, 암 등과 같이 다양한 정상 혹은 병적 과정에 관여한다 (Vergnolle, 2005; Versteeg 등, 2008). PAR2는 trypsin과 같은 다수의 serine protease, 예를 들면 trypsin, mast cell tryptase, tissue factor complexed with factor VIIa/Xa, human kallikrein (hK) 4, 5, 6, 14 등에 의해 활성화된다 (Camerer 등, 2000; Oikonomopoulou 등, 2006; Ramsay 등, 2008). PAR1이나 PAR4와 마찬가지로 PAR2는 agonist peptide (AP)로 불리는 hexapeptide에 의해 활성화될 수도 있다. 세포 표면에서 발현되는 PAR2는 G-protein의 이질 삼합체 소단위, 예를 들면 $G\alpha_q$, $G\alpha_i$, $G\alpha_{12/13}$ 등을 통해 신호 경로를 유도하여 mitogen-activated protein kinase (MAPK)의 신호 전달, 칼슘의 가동화, Ras homolog (Rho) 및 Ras-related C3 botulinum toxin substrate (RAC)의 활성화, nuclear factor kappa B (NFκB)의 자극 등을 유발함으로써 세포가 단백질분해효소에 대해 정상 혹은 비정상으로 반응하도록 한다 (Adams 등, 2011). PAR2는 또한 β-arrestin에 의해 매개되는 MAPK 경로의 활성화를 통해 G-protein과

는 독립적으로 신호를 전달한다. PAR2의 β-arrestin 의존성 세포 내 섭취 (endocytosis)는 세포 내에서 활성화된 extracellular signal-regulated kinase 1/2 (ERK1/2)를 표적화하는 데 필요하다 (DeFea 등, 2000).

재조합 hK2와 hK4를 이용한 연구도 다음과 같은 비슷한 결과를 보고하였다 (Mize 등, 2008). 첫째, hK2와 hK4는 PAR1과 PAR2를 발현하는 DU145, PC3, LNCaP 등의 전립선암 세포에서 ERK1/2의 신호 경로를 활성화하였다. 이들 kallikreins 또한 DU145 세포의 증식을 자극하였다. 둘째, serine protease 억제제인 aprotinin으로 hK2와 hK4를 전처치하면 DU145 세포에서 그러한 반응이 차단되었으며, PAR1과 PAR2에 대한 small interfering RNA (siRNA) 또한 ERK1/2의 신호 경로를 억제하였다. 셋째, hK4는 PAR1과 PAR4를 활성화한 데 비해, hK2는 PAR2를 활성화하였다. hK4는 hK2에 비해 인산화된 ERK1/2를 더 많이 생성하였다. 이들 결과는 거의 전적으로 전립선에서 생성되는 kallikreins인 hK2와 hK4가 PAR1과 PAR2를 통해 전립선암 세포의 증식을 자극하기 때문에, 이들 kallikreins는 전립선암에 대한 약물 치료에서 중요한 표적이 될 수 있음을 보여 준다. Tissue kallikrein (TK)에 관한 또 다른 연구는 다음과 같은 결과를 보고하였다 (Gao 등, 2010). 첫째, TK는 DU145 전립선암 세포의 이동 및 침습을 촉진하였는데, 이러한 효과는 bradykinin B_2 receptor (B2R) 억제제인 icatibant에 의해서는 거의 영향을 받지 않았으나 trypsin 억제제인 aprotinin에 의해서는 차단되었다. 둘째, TK에 의해 유도된 암세포의 이동과 침습은 PAR1을 억제한 경우 차단되었으며, protein kinase C (PKC), SRC proto-oncogene, non-receptor tyrosine kinase (SRC), matrix metalloproteinase (MMP), epidermal growth factor receptor (EGFR), ERK 등의 억제제에 의해서도 차단되었다. 셋째, TK는 ERK의 인산화를 자극하였으며, 이는 EGFR의 대항제에 의해 억제되었다. 넷째, TK는 PAR1 혹은 EGFR을 통하지 않고 B2R의 활성화를 통해 DU145 세포의 증식을 자극하였다. 이들 결과를 종합하여 보면, TK는 PAR1의 활성화를 통해 전립선암 세포의 이동과 침습을 촉진하며, B2R의 자극을 통해 암세포의 증식을 촉진한다.

PAR2의 활성화는 비가역적이기 때문에, 지속적이고 과도한 수용체의 신호 경로를 방지하기 위해서는 신속한 기전의 진행이 필요하다. 단백질의 분해가 일어난 후, β-arrestin과의 상호 작용으로 인해 수용체의 탈민감화 혹은 내재화가 일

어나기 전에 PAR2는 세포 내부의 lysine 잔기에서 유비퀴틴화 (ubiquitination)가 되고 carboxyl 말단 내에서 인산화된다 (Jacob 등, 2005; Ricks와 Trejo, 2009). PAR2는 endosome을 통해 교통하며, lysosome 내에서 분해된다 (Hasdemir 등, 2009). 비가역적인 활성화와 신속한 탈민감화 및 분해가 일어나기 때문에, 세포 표면에 새로운 수용체를 신속하게 채우기 위해 PAR2는 세포 내에 다량 저장될 필요가 있으며, 이로써 세포는 다시 단백질 분해에 대해 민감해진다. 이러한 과정을 조절하는 기전은 충분하게 이해되어 있지 않으나, GTPase 가족에 속하는 RAB 11A, member RAS oncogene family (RAB11A)는 PAR2가 Golgi 기관 내에서 형질막으로 운반되는 과정에 관여한다 (Roosterman 등, 2003).

번역 후 변경, 예를 들면 PAR2의 글리코실화, 인산화, 유비퀴틴화 등은 PAR2의 기능을 조절하는 중요한 인자이다 (Grimsey 등, 2011). 근래의 연구에 의하면, PAR2는 번역 후 cysteine 361 (C361)에 palmitate가 추가됨으로써 변경된다 (Botham 등, 2011). 이러한 팔미트화 (palmitoylation)는 역동적이고 가역적이며, 흔히 GPCR에서 일어난다 (Probst 등, 1992). 이와 같은 황화 에스테르 (thioester) 결합, 즉 S-palmitoylation 외에도, cysteine에 palmitate가 추가된 후 구조 변경이 발생함으로 인해 1개의 amide에서 palmitate의 변경, 즉 N-palmitoylation이 일어날 수 있다 (Magee와 Courtneidge, 1985). 팔미트화는 GPCR의 carboxyl 영역을 세포막의 내면에 고정시켜 세포의 내부에 8개의 α-helix (H8)를 형성하며, 세포 운반 기능의 조절 등을 포함하는 GPCR의 기능에 대해 다양한 효과를 나타낸다 (Escriba 등, 2007). 또한, GPCR의 carboxyl 말단에서 일어나는 구조 변경은 G-protein의 결합에 영향을 주며, 이로써 GPCR의 신호 경로가 조절될 수도 있다 (Delos 등, 2006; Swift 등, 2006). 다른 연구도 PAR2의 S-palmitoylation은 이 수용체의 효율적인 신호 전달, 세포 내 운반, 세포막에 위치, 분해 등에서 중요한 역할을 한다고 하였다 (Adams 등, 2011).

전립선암 환자 40명으로부터 채집한 근치전립선절제 표본에 대해 면역조직화학검사로 PAR의 발현을 평가하고, Boyden chamber 분석과 Western blot을 이용하여 전립선암 세포주 LNCaP의 이동성과 RAC1/cell division control protein 42 (CDC42) 신호 경로에서 PAR의 역할을 평가한 연구는 다음과 같은 결과를 보고하였다 (Black 등, 2007). 첫째, PAR의 mRNA와 단백질의 발현은 정상 조직에 비해 전립선암에서 더

증가되었으며, PAR 단백질의 증가 비율은 PAR1, PAR2, PAR4에서 각각 45%, 42%, 68%이었다. 둘째, 샘 주위 기질 (periglandular stroma)에서 PAR1의 증가는 중앙치 5년의 추적 관찰에서 생화학적 재발률의 증가와 관련이 있었다 (p=0.006). 셋째, PAR1과 PAR4로 자극을 받은 후에는 LNCaP 세포의 이동이 2배 증가하였으며, RAC1/CDC42의 신호 경로가 활성화되었다. 이들 결과에 의하면, PARs는 전립선암에서 과다 발현되며, 생화학적 재발에 대한 예측 인자의 역할을 한다. 또한, PARs는 전립선암의 자가 분비 및 주변 분비의 기전에서 어떠한 역할을 할 것으로 생각된다.

전립선에서 높게 발현되고 전립선암 상피세포에서 과다 발현되는 transmembrane protease, serine 2 (TMPRSS2)가 활성화되면, TMPRSS2의 serine protease 영역이 세포 표면으로부터 세포 외부 공간으로 유리된다. TMPRSS2에 대항하는 다클론 항체를 이용한 연구에 의하면, LNCaP 전립선암 세포에게 TMPRSS2를 투여하면, 일시적으로 세포 내부의 칼슘이 증가하는데, 이는 GPCR이 활성화됨을 시사한다. 이러한 칼슘의 가동화는 세포를 PAR2의 대항제로 전처치하면 억제되었지만, PAR1의 대항제에 의해서는 억제되지 않았다. 이와 같이 serine protease의 활성화가 억제될 경우에는 칼슘의 가동화가 이루어지지 않는데, 이는 TMPRSS2가 PAR2를 분절시키고 활성화할 수 있음을 시사한다. 칼슘의 가동화는 세포를 suramin 혹은 2-aminoethoxydiphenyl borate (2-APB)로 전처치한 경우에도 억제되는데, 이는 G-protein 경로가 주로 세포 내부에 저장된 칼슘을 유리하는 과정에 관여함을 시사한다. 이와 같은 자료는 TMPRSS2가 PAR2의 활성화를 통해 전립선암의 전이에 관여함을 보여 준다 (Wilson 등, 2005).

64. Protein Inhibitor Of Activated STAT 1 (PIAS1)

Gu-binding protein (GBP), zinc finger, MIZ-type containing 3 (ZMIZ3), DEAD/H box-binding protein 1 (DDXBP1) 등으로도 알려진 protein inhibitor of activated signal transducers and activators of transcription (STAT) 1 (PIAS1)은 염색체 15q (혹은 15q23)에 위치해 있는 PIAS1에 의해 코드화되며, cytokine의 신호 경로를 조절하고, 암의 형성이 진행되는 동안 세포 사건을 조절한다. 전립선암 표본의 정상 조직에 비해 악성 조직에서 PIAS1의 발현이 유의하게 더 높기 때

문에, PIAS1은 성장을 촉진하는 기능을 가지고 있다고 생각된다. PIAS1은 여러 전립선암 세포주에서 관찰된다. PIAS1이 하향 조절되는 경우에는 전립선암 세포주의 증식력 및 집락 형성력이 감소되는데, 이러한 감소는 cyclin-dependent kinase (CDK) interacting protein 1 (CIP1) 혹은 wild-type p53-activating fragment 1 (WAF1)으로도 불리는 $p21^{CIP1/WAF1}$에 의해 매개되는 세포 주기 G0/G1의 정지와 상호 관련이 있다. PIAS1의 과다 발현은 세포 주기의 진행에 양성적으로 영향을 줌으로써 증식을 자극하는데, 이러한 경우 세포 내 p21의 농도는 감소한다. 이와 같은 결과는 PIAS1이 전립선암에서 세포의 증식을 조절하는 역할을 수행함을 보여 준다 (Hoefer 등, 2012).

STAT에 관한 연구를 하던 중 PIAS는 PIAS1, PIAS3, PIASx α와 PIASxβ의 PIASx, PIASy 등의 네 구성원을 포함하고 있음이 발견되었다 (Shuai, 1999; 2000). 유사성은 제한적이지만, PIAS와 유사한 단백질인 human zinc finger-containing, Miz1, PIAS-like protein on chromosome 7 (hZIMP7)과 hZIMP10이 추가로 발견되었다 (Sharma 등, 2003; Huang 등, 2005). PIAS1은 651개의 아미노산 잔기를 가진 가장 긴 PIAS이며, PIASy는 약 500개의 잔기를 가진 가장 짧은 PIAS이다 (Aravind와 Koonin, 2000). PIAS1과 PIAS3는 각각 STAT1, STAT3와 상호 작용한다. PIAS는 DNA와 결합하는 STAT의 작용을 차단함으로써 STAT로 매개되는 유전자의 활성을 억제한다 (Chung 등, 1997; Liu 등, 1998). PIAS는 4종의 domains과 2종의 motifs를 가지고 있음이 확인되었는데, N-terminal scaffold attachment factor A/B (SAF-A/B), ACINUS, PIAS 등을 포함하는 SAP domain, really interesting new gene (RING) finger-like zinc-binding domain (RLD), highly acidic domain (AD), serine/threonine-rich C-terminal domain (S/T), Pro-Ile-Asn-Ile-Thr (PINIT) motif, small ubiquitin-like modifier (SUMO)-interacting motif (SIM) 등이다 (Palvimo, 2007; Rytinki 등, 2009). PIAS는 STAT 외에도 여러 단백질과 상호 작용하며, 이는 도표 219에 정리되어 있다.

PIAS1, PIAS3, PIASy 등은 전립선암 세포주에서 androgen receptor (AR)로 매개되는 유전자의 활성화에 대해 각기 다른 효과를 나타낸다. 즉, 전립선암 세포에서 PIAS1과 PIAS3는 AR의 전자 작용을 증대시키는 데 비해, PIASy는 AR을 강하게 억제한다. PIAS의 AR에 대한 효과는 경쟁적이다. PIASy는 AR과 결합하지만, DNA와 결합하는 AR의 기능에 영향을 주지 않는다. PIASy의 NH2-terminal LXXLL (L은 leucine, X는 어떤 아미노산 잔기를 의미) 영역은 PIASy와 AR의 상호 작용에 필요하지는 않지만, PIASy가 억제 효과를 나타내는 데 필수적이다. 이들 결과는 PIAS의 여러 구성원이 AR의 신호 경로에 대해 다른 효과를 나타내며, PIASy는 AR의 전사를 보조적으로 억제하는 인자의 역할을 함을 보여 준다 (Gross 등, 2001).

PIAS는 STAT의 활성을 억제함으로써 cytokine의 신호 경로를 조절하는 역할을 한다 (Sharrocks, 2006). PIAS1과 PIAS3는 특히 화학 요법에 대한 저항성에 영향을 준다고 알려져 있는 interleukin-6 (IL-6)에 의해 유도된다 (Codony-Servat 등, 2013). PIAS는 SAP 영역을 가지고 있어 DNA와 단백질의 결합을 유도하는 기능을 나타내며 (Aravind와 Koonin, 2000), 그 외에도 RLD와 SIM을 가지고 있어 SUMO-E3 ligase로서의 기능을 한다 (Galanty 등, 2009). PIAS1에 의해 매개되는 SUMOylation은 DNA의 복구에서 필수적이라는 보고가 있다 (Shima 등, 2013). 더욱이 PIAS1은 세포 주기를 조절하는 역할을 하는데, SUMOylation을 통해 p53 (Kahyo 등, 2001)와 p73 (Munarriz 등, 2004)를 억제함으로써 세포의 증식을 촉진한다. 세포 자멸사 자극에 대한 억제와 높은 증식 작용은 docetaxel에 대해 저항성을 가진 세포의 특징적 양상이기 때문에, PIAS1은 여러 연구에서 관심의 대상이 되고 있다.

단백질의 SUMOylation은 E1 SUMO-activating enzyme subunit 1/2 (SAE1/2)와 E2 SUMO conjugating enzyme인 ubiquitin-conjugating enzyme 9 (UBC9)으로 구성된 경로에 의해 매개된다 (Hay, 2001; Muller 등, 2001). 이들 효소가 기질의 SUMOylation을 일으킨다고 알려져 있었지만, 이후 ubiquitin 경로에서 발견된 E3 ligase와 유사한 방식으로 기질의 SUMOylation을 촉진하는 일련의 단백질이 발견되었는데, 이들에는 polycomb protein 2 (PC2) (Kagey 등, 2003), RAN binding protein 2 (RANBP2) (Kirsh 등, 2002), PIAS 가족의 구성원 (Schmidt와 Müller, 2003) 등이 포함된다.

PIAS는 PIAS가 가지고 있는 SAP 영역 혹은 SUMO-E3 ligase의 작용을 통해 표적 단백질의 활성과 안정성에 영향을 줌으로써 세포의 많은 경로를 조절하는 중요한 인자로 알려져 있다. 따라서 PIAS의 균형 잡힌 발현은 정상 세포의 항상성에서 매우 중요하며, PIAS의 조절 장애는 암의 시작 혹은 진행에서 하나의 원인이 될 수 있다. 그러나 PIAS에 관하여 상충되는 결과가 보고되고 있는데, PIAS3의 소실은 다형성 아교모세포종 (glioblastoma multiforme)에서 증식을 증대시킨다

CHAPTER 08

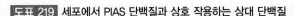

도표 219 세포에서 PIAS 단백질과 상호 작용하는 상대 단백질

상대 단백질	단백질의 기능	PIAS 아형	SUMOylation	PIAS의 기능적 역할	참고 문헌
AR, GR, PR	전사 인자	모든 PIAS	가능	TA의 활성화/억제	Gross 등, 2000; Li 등, 2002
C/EBPα	전사 인자	PIASy	가능	TA의 억제	Subramanian 등, 2003
CRP2	전사 보조 인자	PIAS1	미확인	미확인	Weiskirchen 등, 2001
Duplin	β-catenin 억제 인자	미확인	가능	미확인	Kobayashi 등, 2002
DJ-1/PARK7	미확인	PIASxα	가능	AR TA의 활성화	Takahashi 등, 2001
GRIP1/TIF2	전사 공활성 인자	PIAS1/3/x	가능	동시 활성화를 자극	Kotaja 등, 2002
GFI-1	전사 인자	PIAS3	미확인	STAT3 TA의 활성화	Rodel 등, 2000
GU	RNA helicase	PIAS1	미확인	미확인	Valdez 등, 1997
HMG1-C	전사 인자	PIAS3	미확인	GR TA의 억제	Zentner 등, 2001
IRF1	전사 보조 인자	PIAS3	가능	TA의 억제	Nakagawa와 Yokosawa, 2002
JUN	전사 인자	PIAS1/x	가능	미확인	Schmidt와 Müller, 2002
LEF1	전사 인자	PIASy	가능	TA의 억제	Sachdev 등, 2001
MITF	전사 인자	PIAS3	UBC9과 결합	TA의 억제	Levy 등, 2002
MDM2	E3 ubiquitin ligase for p53	PIAS1/xβ	가능	미확인	Miyauchi 등, 2002
MYB	전사 인자	PIASy	가능	TA의 억제	Dahle 등, 2003
MSX2	전사 인자	PIASxα	미확인	미확인	Wu 등, 1997
Mouse disabled 2	미확인	PIASxα	미확인	미확인	Cho 등, 2000
p53	전사 인자	모든 PIAS	가능	TA의 활성화/억제	Nelson 등, 2001
p73	전사 인자	PIASxα	가능	미확인	Minty 등, 2000
STAT1	전사 인자	PIAS1/y	미확인	TA의 억제	Liu 등, 1998; Liu 등, 2001
STAT3	전사 인자	PIAS3	미확인	TA의 억제	Cjung 등, 1997
STAT5	전사 인자	PIAS3	미확인	TA의 억제	Rycyzyn과 Clevenger, 202
SP3	전사 인자	PIAS1	가능	TA의 억제	Sapetschnig 등, 2002
TFⅡ-Ⅰ	전사 인자	PIASxα	미확인	전사 활성화	Tussie-Luna 등, 2002

AR, androgen receptor; CRP2, cysteine-rich protein 2; C/EBPα, CCAAT/enhancer binding protein α; DJ-1, protein deglycase DJ-1; GFI-1, growth factor independent protein 1 or zinc finger protein Gfi-1; GR, glucocorticoid receptor; GRIP1, glutamate receptor interacting protein 1; GU, GU protein; HMG1, high-mobility group 1; IRF1, interferon regulatory factor 1; JUN, v-jun avian sarcoma virus 17 oncogene homolog; LEF1, lymphoid enhancer factor 1; MDM2, mouse double minute 2 homolog; MITF, microphthalmia-associated transcription factor; MSX2, Msh homeobox 2; MYB, v-myb avian myeloblastosis viral oncogene homolog; PARK7, parkinson protein 7; PR, progesterone receptor; PIAS, protein inhibitor of activated STAT; SP3, specificity protein 3 or transcription factor Sp3; STAT, signal transducers and activators of transcription; TA, transactivation; TFⅡ-Ⅰ, transcription factor Ⅱ-Ⅰ; TIF2, TGF-β-induced factor 2; UBC9, ubiquitin-conjugating enzyme 9.
Schmidt와 Müller (2003)의 자료를 수정 인용.

는 보고 (Brantley 등, 2008)가 있는 한편, PIAS1의 발현 감소가 결장암의 발생과 관련이 있다는 보고 (Coppola 등, 2009)도 있다. 전립선암 조직에서는 PIAS1이 증식 표지자인 Ki-67 및 proliferating cell nuclear antigen (PCNA)과 함께 발현되는 것으로 보아 PIAS1은 전립선암에서 증식을 유발하는 기능을 가지고 있다고 보고되었다 (Hoefer 등, 2012).

PIAS1은 AR 및 SUMO와 상호 작용하는 단백질로서 전립선암에서 과다 발현되어 전사를 보조적으로 조절한다. 전립선암 세포주 VCaP에서 안드로겐으로 조절되는 전사체

(transcriptome)에 대한 PIAS1의 역할을 평가하기 위해 RNA interference (RNAi)를 이용하여 *PIAS1*의 발현을 침묵시킨 연구는 다음과 같은 결과를 보고하였다 (Toropainen 등, 2015). 첫째, 전사체 분석은 AR에 의해 조절되는 일련의 유전자가 *PIAS1*의 결실로 인해 상당한 영향을 받아 활성화되거나 억제됨을 보여 주었다. 둘째, *PIAS*의 결실은 AR로 조절되는 일련의 유전자를 노출시켰는데, 이는 PIAS1이 AR의 접근이 있는 경우 유전체 자리를 숨길 수 있음을 시사한다. 셋째, *PIAS1*의 침묵은 VCaP 세포의 증식을 억제하였다. 넷째, ChIP-seq

분석은 SUMO2/3를 포함하고 있고 histone (H) 3 dimethyl-ated lysine (K) 4 (H3K4me2)에 의해 감싸진 염색질 부위에서 PIAS1이 AR과 상호 작용함을 보여 주었다. 다섯째, PIAS1은 응집된 염색질과 직접 결합하는 전사 인자, 즉 pioneer factor 인 forkhead box protein A1 (FOXA1)과 상호 작용한다. 여섯째, PIAS1은 형태 형성에서 중요한 역할을 하는 전사 인자인 homeobox D13 (HOXD13)과 GATA 소단위가 풍부한 결합 부위에서 AR의 염색질 분포에 영향을 준다. 이들 결과는 PIAS1이 염색질과 결합한 AR을 조절하여 표적 유전자에 따라 전립선암 세포의 성장을 조절함을 보여 준다.

Docetaxel에 대한 저항성의 발달은 종양세포가 화학 요법 동안 종양의 미세 환경에 역동적으로 적응하기 때문이다. 이러한 적응에는 세포 자멸사를 유발하고 대항하는 단백질의 발현 변화, 약물을 운반하는 기전에서의 변화, 동형 단백질의 전환/조절 장애/돌연변이 등이 포함된다 (Mahon 등, 2011; Murray 등, 2012). 이러한 연구 결과와 맥락을 같이 하여 docetaxel에 대한 저항성은 docetaxel의 일차 표적인 β-tubulin 동형 단백질의 변화 (Ploussard 등, 2010), P-glycoprotein과 같은 약물 운반체의 발현 증가 (Sanchez 등, 2009) 혹은 glutathione S-transferase (GST)와 같은 약물 해독 단백질에 의해 유도되는 약물 대사의 증가 (Arai 등, 2008)를 포함하는 multi drug resistance mechanism (MDRM)과 관련이 있다고 알려져 있다. 다른 연구는 화학 요법에 대한 저항성은 세포 자멸사에 대항하는 단백질, 예를 들면 X-chromosome-linked IAP protein (XIAP), baculoviral IAP repeat containing 5 (BIRC5) 등과 같은 inhibitor of apoptosis (IAP) 가족 (Ling 등, 2012), B-cell lymphoma 2 (BCL2), B-cell lymphoma extra large (BCL-XL) 등과 같은 BCL2 가족 (Yoshino 등, 2006) 등의 역할과 관련이 있다고 하였다. 그러나 이들 단백질에 대한 억제제가 개발되었지만, 결과는 만족스럽지 않다.

원발 전립선암, 전이 병변, docetaxel의 화학 요법을 받은 환자의 조직, docetaxel에 저항적인 세포 등에서 PIAS1의 발현을 분석한 연구는 다음과 같은 결과를 보고하였다 (Puhr 등, 2014). 첫째, PIAS1은 국소 및 전이 전립선암에서 과다 발현되었으며, PIAS1의 발현은 docetaxel 요법 후의 종양뿐만 아니라 docetaxel에 저항성을 가진 세포에서 더욱 증가하였다. 둘째, PIAS1을 삭제한 실험은 종양을 억제하는 인자인 p21의 발현이 증가하고 세포 자멸사에 대항하는 단백질인 myeloid cell leukemia 1 (MCL1)이 감소함을 보여 주었는데,

이는 세포의 증식과 종양의 성장이 감소됨을 나타낸다. 이와 같은 결과는 PIAS1이 docetaxel에 대해 저항적인 전립선암 세포의 생존에서 중요한 역할을 수행하기 때문에 원발 혹은 전이 혹은 화학 요법 저항성 전립선암의 치료에서 유망한 표적이 될 수 있음을 보여 준다.

65. Proviral Integration Site For Moloney Murine Leukemia Virus Kinase 1 (PIM1)

원형 유전자 (proto-oncogene)의 serine/threonine-protein kinase인 proviral integration site for Moloney murine leukemia virus (PIM) kinase 1 (PIM1)을 코드화하는 유전자 *Pim-1 proto-oncogene, serine/threonine kinase (PIM1)*은 림프종의 발생에서 *v-myc myelocytomatosis viral oncogene homolog (c-MYC)*와 협동하는 종양 유전자로서 처음 발견되었다 (Van Lohuizen 등, 1989). PIM 가족은 PIM1, PIM2, PIM3로 구성되어 있으며, 백혈병, 림프종뿐만 아니라 췌장암, 간암, 구강암, 위암, 결장직장암, 전립선암 등과 같은 사람의 여러 악성 암과 관련이 있다고 알려져 있다 (Shah 등, 2008; Magnuson 등, 2010; Kim 등, 2010). *PIM1*은 non-immunoglobulin (IG)인 B-cell lymphoma 6 protein (BCL6)의 전위를 돕는 유전자이며, *PIM1*이 위치한 염색체 6p21.2는 B cell 림프종에서 증폭된다 (Sivertsen 등, 2006). *PIM1*은 non-Hodgkin 림프종과 같은 일부 림프종에서 비정상적인 체세포 과돌연변이 (somatic hypermutation)의 표적이라고 알려져 있다 (Libra 등, 2005). Eμ-*PIM1* 유전자를 삽입한 생쥐의 림프구에서 일어난 PIM1의 과다 발현은 T cell 림프종을 유발하며, 또 다른 원형 유전자 (proto-oncogene; 암을 유발하지 않고 세포 주기의 조절에 관여하는 유전자)인 *MYC*와 협동하여 질환의 진행을 촉진한다 (Moroy 등, 1991). PIM1은 구조적으로 활성적인 serine/threonine kinase이며, PIM1의 활성은 주로 안정도 및 발현 정도에 따라 조절된다 (Qian 등, 2005). PIM1은 cell division cycle 25 homolog A (CDC25A), CDC25C, p21 cyclin-dependent kinase (CDK)-interacting protein (p21^{CIP1}), p27 kinase inhibitor protein 1 (p27^{KIP1} 혹은 CDK inhibitor 1B), transforming growth factor-β-activated kinase 1 (TAK1) 등을 인산화함으로써 (Morishita 등, 2008) 혹은 유사분열에 필요한 단백질 복합체의 도움을 받아 (Bhattacharya 등, 2002) 세

포 주기의 진행을 증대시킨다. PIM1은 또한 BCL2-associated death promoter (BAD) (Aho 등, 2004), forkhead box O3a (FOXO3a) (Morishita 등, 2008), apoptosis signal-regulating kinase 1 (ASK1) (Gu 등, 2009) 등을 포함하는 세포 자멸사 단백질을 인산화함으로써 세포 자멸사를 억제한다. PIM1의 발현은 림프종, 위암, 결장직장암, 전립선암 등을 포함하는 사람의 여러 암에서 통제되지 않는 종양 유전자로서 기능을 한다 (Shah 등, 2008).

Tissue microarray 분석과 Northen blot을 이용한 연구는 다음과 같은 결과를 보고하였다 (Dhanasekaran 등, 2001). 첫째, PIM1은 대부분의 양성 전립선의 상피 (97%), 전립선 위축증 (73%), 고등급 전립선상피내암 (82%) 표본에서 약하게 발현되거나 발현되지 않는 데 비해, 전립선암의 경우 51%에서 중등도 내지 강하게 발현되었다. 둘째, Kaplan±Meier 분석에 의하면, 전립선 외부로의 확대, 정낭 침범, Gleason 점수 7점 초과, PIM1의 발현 감소 등은 높은 PSA 실패율과 관련이 있었다. 셋째, 단변량 분석에 의하면, PIM1의 발현은 PSA 재발에 대한 강한 예측 인자이었으며, hazard ratio (HR)는 2.1 (95% CI 1.2±3.8; p=0.01)이었다. 그 외에 PSA 재발에 대한 유의한 예측 인자로는 Gleason 점수 (HR 1.8, 95% CI 1.1±3.0; p=0.03), Gleason 패턴 4/5 (HR 3.9, 95% CI 1.8±8.3; p〈0.001), 전립선 외부 침습 (HR 2.6, 95% CI 1.6±4.2; p〈0.0001), 수술 절제면 침범 (HR 2.6, 95% CI 1.2±5.6; p=0.01), 정낭 침범 (HR 3.5, 95% CI 2.0±6.2; p〈,0.0001), 수술 전 PSA 농도의 log (HR 2.5, 95% CI 1.6±3.8; p〈0.001), 종양의 최대 직경 (HR 2.7, 95% CI 1.6±4.7; p〈0.0001) 등이 있었다. 넷째, 다변량 분석에 의하면, PSA 재발에 대한 예측 인자는 Gleason 등급 4/5 (HR 3.8, 95% CI 1.4±10.0; p〈0.01), 수술 전 PSA 농도의 log (HR 2.1, 95% CI 1.1±3.9; p=0.02), PIM1 발현의 감소 (HR 4.5, 95% CI 1.6±15.2; p=0.01) 등이었다. 이들 결과를 근거로 저자들은 전립선암에서 PIM1이 과다 발현되며, PIM1이 중등도 내지 강하게 발현되는 전립선암에 비해 발현되지 않거나 약하게 발현되는 경우는 수술 후 PSA 실패율이 더 높기 때문에, PIM1의 발현 감소는 환자의 나쁜 예후와 유의한 상관관계를 가진다고 하였다. 이에 관하여는 후에 기술되겠지만, 다수의 연구가 상반되는 결과를 보고하였다.

PIM1의 발현은 전립선암의 50%까지에서 증가된다고 알려져 있으며, MYC와 협동하여 작용한다고 보고되었다 (Dha-nasekaran 등, 2001). 전립선에 특이하게 과다 발현되는 종양 유전자 c-MYC에 의해 유도된 생쥐의 전립선암에서 PIM1 mRNA가 상향 조절되었는데, 이는 두 종양 유전자 사이에 상승 효과가 나타남을 추측하게 한다 (Ellwood-Yen 등, 2003). 사람의 PC3 전립선암 세포주를 이용한 다른 연구도 PIM1의 과다 발현이 c-MYC의 증가와 단백질 합성에 관여하는 단백질의 인산화를 통해 PC3 세포의 종양 형성력을 촉진한다고 하였다 (Chen 등, 2005).

진행된 전립선암에 관한 여러 연구에서 PIM1이 과다 발현됨이 발견되었으며, 체외 실험은 PIM1이 전립선암 세포주의 성장을 조절함을 보여 주었다 (Cibull 등, 2006). PIM1은 c-MYC 농도와 연관성을 가지면서 거세 저항성 전립선암에서 과다 발현된다 (Chen 등, 2005). 원발 전립선암에서 PIM1은 c-MYC 양성과 c-MYC 음성 전립선암 사이에서 가장 뚜렷하게 구별되게 발현되는 유전자로 보고된 바 있는데 (Ellwood-Yen 등, 2003), 이는 전립선암에서 PIM1이 세포가 형질 전환을 일으키는 데 c-MYC와 협동함을 시사한다. 다수의 생물 지표에 관한 연구는 PIM1의 발현 감소가 생화학적 PSA 재발이 없는 생존과 역상관관계를 가진다고 하였다 (Rhodes 등, 2003).

그럼에도 불구하고 전립선암에서 PIM1의 역할이 충분하게 밝혀져 있지 않다. PIM1이 종양을 유발하는 작용에 관한 하나의 설명은 c-MYC의 전사 작용에 대한 효과이다 (Zippo 등, 2007). 전립선암에서 PIM1이 증가되는 기전 또한 분명하지 않다. PIM1 유전자는 염색체의 전위에 관여하지도 않고 증폭되지도 않는다고 보고되었다. 그러나 PIM1은 interleukin-6 (IL-6)의 신호 경로에 의해 활성화되는 signal transducers and activators of transcription 3 (STAT3)의 표적이다 (Narimatsu 등, 2001). Glycoprotein 130 (gp130)으로도 알려진 IL-6 receptor (IL-6R)의 발현 증가는 흔히 전립선암에서 관찰되며 (Siegsmund 등, 1994), 전립선암 환자의 혈청에서 IL-6 농도의 증가는 나쁜 예후와 관련이 있다 (Shariat 등, 2004). 더욱이 IL-6는 androgen receptor (AR) 의존 방식으로 PSA의 발현을 상향 조절하며 (Hobisch 등, 1998), 혈청 IL-6 농도는 안드로겐을 차단하는 요법을 받은 환자에서 증가한다 (Bellido 등, 1995). 따라서 전립선암에서 IL-6에 의해 유도되는 PIM1의 발현은 안드로겐에 의존적이라고 생각된다 (van der Poel 등, 2010).

65.1. 원형 종양 유전자로서의 PIM1

PIM1 as proto-oncogene

근래의 여러 증거는 kinase 단백질인 PIM 가족이 전립선암의 발생과 진행에 관여함을 보여 주었다. cDNA 및 microarray 분석은 전립선암에서 원형 종양 유전자인 *PIM1*이 증가함을 보여 주었는데, 이는 serine/threonine kinase인 PIM의 가족이 전립선암의 진행과 관련이 있음을 시사한다 (Dhanasekaran 등, 2001). 유전자 전달 감염을 일으킨 동물 모델을 이용한 연구는 *c-MYC* 종양 유전자의 과다 발현에 의해 발생된 전립선암에서 *PIM1*의 발현이 증가됨을 보여 주었다 (Ellwood-Yen 등, 2003). 이러한 동물 모델에서에서 *PIM*이 종양 유전자라고 확인되었지만, 단독으로 형질 전환을 일으키는 기능은 약하다. 그러나 PIM kinase는 *c-MYC*의 작용을 크게 증대시켜 림프종을 유도한다 (van Lohuizen 등, 1991). 조혈세포에서 PIM kinase의 발현과 기능의 조절을 연구한 바에 의하면, 정상 조혈세포에 granulocyte-macrophage colony stimulating factor (GM-CSF), IL-3, IL-7 등을 추가한 경우 Janus-activated kinase (JAK)-STAT 경로의 활성을 통해 PIM1과 PIM2 농도의 조절이 일어났다 (Sakai와 Kraft, 1997). 또한, tumor necrosis factor (TNF)와 Toll-like receptor (TLR) ligand는 PIM1의 발현을 유도한다 (Xu 등, 2002). PIM1 혹은 PIM2가 과다 발현된 조혈세포는 IL-3를 제거함으로 일어난 세포 자멸사에 저항성을 나타내었지만 (Yan 등, 2003), *PIM1*이 삭제된 돌연변이에서는 세포 자멸사가 방지되지 않았다 (Lilly 등, 1999). 또한, BCL2 homology domain 3 (BH3) 단백질인 BAD는 PIM1과 PIM2에 의해 인산화되어 세포 자멸사에 대해 보호 효과를 나타낸다 (Aho 등, 2004). PIM1과 PIM2에 의한 인산화의 표적에는 heterochromatin protein 1 (HP-1) (Koike 등, 2000), CDC25A phosphatase (Mochizuki 등, 1999), suppressor of cytokine signaling 1 (SOCS-1) (Chen 등, 2002) 등도 포함된다. 근래의 연구는 PIM2가 ribosome 단백질인 eukaryotic translation initiation factor 4E (EIF4E) binding protein 1 (4E-BP1)을 인산화하여 EIF4E를 분리시키고 BAD를 인산화함으로써 단백질 합성에 영향을 주어 세포의 크기를 유지하고 세포 자멸사에 대한 저항성을 유도한다고 하였다 (Fox 등, 2003). 이들 자료는 PIM kinase가 phosphoinositide 3-kinase/v-akt murine thymoma viral oncogene homolog protein 1/target of rapamycin (PI3K/AKT/TOR) 경로와는 독립적으로 세포사를 억제하는데, 이는 종양의 형성을 조절하는 기능이 특이한 표적 단백질의 인산화에 의해 조절됨을 보여 준다.

4E-BP1의 인산화는 Thr37, Thr46, Thr70, Ser65, Ser83, Ser101, Ser112 등에서 일어난다. 인산화는 Thr37과 Thr46에서 먼저 일어나고 후에 Ser65와 Thr70에서 일어나는 두 단계로 일어난다 (Gingras 등, 1999). 후자의 두 인산화는 4E-BP1과 EIF-4E의 결합을 억제하기 위해서는 필수적이다 (Gingras 등, 2001). 상당수의 인산화는 Ser83에서의 인산화처럼 약하거나 Ser101과 Ser112에서처럼 구조적으로 일어난다 (Wang 등, 2003). 강하게 인산화된 4E-BP1은 유방 상피세포의 악성 표현형과 관련이 있다 (Avdulov 등, 2004). PIM1 혹은 PIM2는 4E-BP1의 인산화를 증대시킨다. PIM2를 가진 세포에서는 혈청 결핍 (serum starvation) 조건 혹은 rapamycin과의 병합 조건이 이러한 인산화를 감소시키지 않지만, PIM1을 가진 PC3 세포에서는 이러한 처치로 인해 인산화가 감소된다 (Chen 등, 2005). 따라서 PIM1의 기능은 PIM2와 같지 않다고 생각된다. 유전자 전달 감염에 이용된 PIM1은 대개 핵 내에 위치한 데 비해 (Ionov 등, 2003), PIM2는 세포질 내에 분포하였다 (Chen 등, 2005). PIM1은 핵 내에서 rictor, raptor 등과 같은 TOR 혹은 특이 인산분해효소의 기능을 변경하는 단백질의 전사에 관여한다. PIM2는 세포질에서 직접 4E-BP1을 인산화하고 특이 인산분해효소의 활성을 조절한다 (Chen 등, 2005).

PIM 단백질 kinase의 인산화는 추정되는 여러 기전으로 설명될 수 있다. 첫째, PIM kinase는 직접 Thr37과 Thr46를 인산화하며, 다른 단백질 kinase의 도움이 있는 경우 Ser65와 Thr70의 인산화가 가능하다. 그러나 PIM이 Ser65와 Thr70를 인산화할 수도 있다 (Chen 등, 2005). 둘째, PIM kinase는 단백질 rictor와 결합한 rapamycin 저항성 TOR 복합체의 조절 (Sarbassov 등, 2004) 혹은 효모의 TOR 경로에서 중요한 조절 단백질인 protein phosphatase 2A (PP2A)의 조절 (Di Como 와 Arndt, 1996)을 통해 작용한다. 셋째, protein kinase 가족에 속하는 S6 kinase에는 두 가지 동형 단백질인 p70와 p85가 있다. 4E-BP1과 마찬가지로, S6 kinase는 두 단계 기전에 의해 활성화되는데, TOR가 Ser411, Ser418, Ser424, Thr421 등 여러 부위를 인산화하며, 그 후 polycystin-1 혹은 polycystic kidney disease 1 (PKD1) 단백질 kinase가 Thr229을 인산화함으로써 S6 kinase가 활성화된다 (Schalm 등, 2005). Rapamycin을 이용한 치료 및 아미노산의 결핍은 p70와 p85 S6 kinase의 인산화를 현저하게 감소시키지만, PIM 단백질

kinase는 이들 두 kinase를 인산화된 활성 상태로 유지되도록 한다. 따라서 PIM kinase는 세 기전, 즉 첫째, p70와 p85 S6 kinase가 TOR 단백질 복합체를 인산화하고 활성화하는 기전, 둘째, 직접 S6 kinase를 인산화하는 기전, 셋째, S6 kinase의 탈인산화 혹은 PKD1의 활성을 조절하는 기전을 통해 기능을 한다고 생각된다 (Chen 등, 2005).

PIM2를 표적화한 RNA interference (iRNA)를 이용한 연구에서, PC3 세포에서 PIM2 단백질의 감소는 세포 내의 총 4E-BP1 농도에는 영향을 주지 않고 4E-BP1의 인산화를 크게 감소시킴으로써 PIM이 4E-BP1의 인산화를 조절한다고 생각된다. 대조적으로 이러한 iRNA 처치는 이들 PC3-PIM2 세포에서 glyceraldehyde-3-phosphate dehydrogenase (GAPDH)의 농도에 대해 영향을 주지 않았다. 이들 자료는 PIM2가 전립선암에서 단백질 합성을 조절하는 데 중요한 역할을 하는 단백질의 인산화를 조절함을 보여 준다 (Chen 등, 2005). 또한, PIM2에 비해 PIM1의 과다 발현은 동일하지 않지만 비슷한 방식으로 인산화를 조절한다. 이러한 단백질 합성의 조절은 PIM kinase가 종양의 성장을 증대시키는 기전이 된다 (Chen 등, 2005).

mRNA cap 의존성 번역은 PIM과 협동작용하는 단백질인 c-MYC를 포함하는 여러 가지 단백질의 농도를 조절한다 (De Benedetti와 Graff, 2004). 세포 내 c-MYC의 농도는 PC3/neo 대조군 세포에 비해 PIM1과 PIM2 유전자 전달 감염을 일으킨 세포에서 더 높았다. 성장인자가 결핍되거나 rapamycin/ wortmannin을 투여하면 대조군 세포에서 c-MYC의 농도가 감소된다. 또한, 이러한 처치는 PC 세포에서 증가되는 내인성 AKT의 인산화를 불활성화한다. 그러나 PIM을 가진 세포에서는 그러한 처치가 c-MYC의 농도에 거의 영향을 주지 않는다. Mitogen-activated protein kinase (MAPK)와 관련이 있는 extracellular signal regulated kinase (ERK) 경로에 의한 c-MYC Ser62의 인산화는 단백질의 안정화를 유도하는 데 비해 (Sears 등, 2000), glycogen synthase kinase 3β (GSK-3β)에 의한 Thr58의 인산화는 단백질을 분해시키는 단백질 ubiquitin을 표적으로 한다 (Welcker 등, 2004). PC3/neo 세포의 혈청 결핍 혹은 rapamycin과 wortmannin을 이용한 처치는 Thr58의 인산화를 증가시키고 Ser62의 인산화를 감소시킨다. PIM1과 PIM2로 유전자 전달 감염을 일으킨 세포에서는 이러한 처치를 하더라도 어떠한 효과를 나타내지 않았고 Ser62의 인산화는 유지되었다. Rapamycin과 wortmannin의 병용 처

치는 분명히 모든 세포주에서 AKT kinase의 활성을 억제하였다 (Chen 등, 2005). 이전의 연구에 의하면, Ser62의 인산화가 일어난 c-MYC는 telomerase reverse transcriptase (TERT)와 위치 12에서 glycine을 valine으로 대치를 유도하는 rat sarcoma viral oncogene homolog (RAS) 돌연변이체 (RASG12V)로 유전자 전달 감염을 일으킨 정상 섬유모세포의 형질 전환을 유도하였고 E2F 촉진체를 활성화하였으나, 인산화되지 않은 c-MYC는 그러한 기능을 가지지 않았다 (Yeh 등, 2004). 활성 c-MYC는 EIF-4E의 전사를 증가시키고 단백질의 합성을 증대시킨다 (Trumpp 등, 2001). 따라서 PIM에 의한 c-MYC의 인산화 및 농도의 조절은 PIM이 종양세포의 성장을 유도하고 조절하는 기전에서 중요한 과정이라 할 수 있다. PIM2에 비해 PIM1이 여러 세포주에서 c-MYC mRNA 농도를 증가시키는데, 그러한 차이는 PIM2는 세포질 내에서 기능을 하고 PIM1은 핵 내에 위치함으로써 다른 방식으로 c-MYC mRNA의 농도를 조절하기 때문으로 생각된다 (Ionov 등, 2003).

양성 전립선 세포주 RWPE1, 안드로겐 의존성 전립선암 세포주 LNCaP, 안드로겐 비의존성 전립선암 세포주 DU145 등을 이용한 연구는 다음과 같은 결과를 보고하였다 (Kim 등, 2010). 첫째, PIM1의 과다 발현은 체내 실험에서 이종 이식 암의 증식을 증대시켰지만, RWPE1 세포를 악성 세포로 전환시키기에는 충분하지 않았다. 둘째, PIM1의 발현은 체내 및 체외 실험에서 LNCaP 및 DU145 세포주의 종양 형성력을 증대시켰다. 셋째, PIM1을 발현하는 세포에서는 c-MYC의 전사 작용이 증가되었으며, c-MYC 표적 유전자의 상당수가 PIM1의 발현에 의해 조절되었다. 넷째, c-MYC를 억제하는 제제인 10058-F4는 PIM1을 발현하는 전립선암 세포의 종양 형성력을 억제하였다. 10058-F4에 의해 PIM1 단백질은 감소되었으나, PIM1 mRNA는 감소되지는 않았다. 다섯째, short hairpin RNA (shRNA)를 이용하여 c-MYC를 제거한 경우 PIM1/ c-MYC의 표적 유전자에서 PIM1의 효과가 반전되었다. 이들 결과는 PIM1이 전립선에서 종양의 형성을 촉진하지만, 세포주의 질환 단계에 따라 구별되는 종양 유발 효과를 나타내며, PIM1은 최소한 부분적으로는 c-MYC 전사 작용의 증대를 통해 종양의 형성을 촉진함을 보여 준다. 또한, 이 연구는 c-MYC의 억제제인 10058-F4로 세포를 치료할 경우 PIM1 단백질의 농도가 감소되어 전립선암에 대한 새로운 치료법을 제시하고 있다.

Serine PP2A의 인산화는 Ser62에서 c-MYC의 탈인산화를

유도함으로써 Thr58으로 유도되는 단백질 유비퀴화 (ubiqui-nation) 및 단백질 분해를 일으킨다 (Yeh 등, 2004). c-MYC 가 분해되면, c-MYC로 인한 세포 주기 및 성장 촉진 작용이 차단되고 전사 조절력이 억제된다. PP2A는 효모의 단백질 합성의 조절에서도 중요한 역할을 한다 (Duvel 등, 2003). PIM 은 PP2A의 촉매 소단위와 함께 면역 침강을 일으키는 것으로 보아 PIM이 이 인산분해효소의 활성을 조절한다고 생각된다 (Losman 등, 2003). 또한, PC3/*neo* 대조군 세포에 비해 *PIM1* 과 *PIM2*의 유전자 전달 감염을 일으킨 세포에서는 PP2A의 활성도가 유의하게 더 낮았다. 흥미로운 점은 PC3/*neo* 대조군 에 비해 PC3/*PIM2* K/D (kinase-dead mutation of *PIM2*) 세포 에서는 인산분해효소의 활성이 약간만 감소하였는데, 이는 이 단백질이 kinase의 불활성화 상태에서도 PP2A와 상호 작용할 수 있음을 시사한다. 근래의 연구는 polyoma small-T 항원이 PP2A의 촉매 소단위와 조절 소단위를 분리시킴으로써 PP2A 의 활성을 억제하며 (Chen 등, 2004), PIM1 및 PIM2의 과다 발현 또한 이들 두 소단위를 분리시킨다고 하였다 (Chen 등, 2005). 이러한 분리는 PP2A의 활성을 억제하며, c-MYC의 인 산화를 간접적으로 조절한다. 따라서 PIM kinase는 c-MYC의 인산화를 조절하고 c-MYC의 분해를 조절함으로써 c-MYC의 활성을 증대시키며 세포 주기의 순환을 촉진한다고 생각된다.

TOR 경로와 4E-BP1의 인산화는 종양의 성장에서 매우 중 요하다 (Thyrell 등, 2004). 종양세포에서 여러 효소의 비정상 적인 발현은 이러한 경로에 영향을 주는데, 예를 들면 AKT 활 성화의 증가 (Zhang 등, 2004), tuberous sclerosis complex 1 (TSC1) 및 TSC2의 돌연변이 (El-Hashemite 등, 2003) 등이다. 정상적으로 AKT kinase는 TOR 의존성 경로를 통해 4E-BP1 단백질과 p70S6 kinase (p70S6K)의 인산화를 자극한다 (Nave 등, 1999). p70S6K의 인산화는 S6 단백질을 인산화하고 단백 질의 합성을 자극한다. Thr37 및 Thr46에서 4E-BP1의 인산 화는 Ser70에서 4E-BP1의 인산화를 더욱 증대시켜 이 단백질 을 EIF-4E로부터 분리한다. 자유형인 EIF-4E는 c-MYC를 포 함하는 많은 단백질의 Cap 의존성 단백질 번역을 자극한다. Rapamycin은 AKT로 매개되는 TOR의 인산화를 차단하지만, PIM으로 매개되는 4E-BP1의 인산화는 차단하지 않는데, 이는 AKT와는 다른 기전으로 PIM이 경로에 영향을 줌을 시사한 다. 그러나 PP2A에 대한 PIM의 효과는 단백질 합성의 조절에 서 중요하다고 생각된다 (Chen 등, 2005).

Rapamycin은 *phosphatase and tensin homolog (PTEN)*의

결실이 있는 종양을 치료하는 제제로서 (Panwalkar 등, 2004) 혹은 다른 화학 요법제에 대한 종양의 민감성을 높이는 약물 로서 (Grunwald 등, 2002) 개발되었다. 분명히 PIM을 과다 발현하는 종양은 이러한 접근법에 대해 저항적이다. 종양에 서 PIM이 과다 발현되는 정도를 안다면 적절한 화학 요법을 계획하는 데 도움이 될 것이다. 또한, PIM kinase를 표적으로 하는 소분자 억제제는 전립선암의 치료에서 중요한 역할을 한다고 생각된다.

여러 연구는 PIM1 kinase가 JAK-STAT 경로를 통한 실행 유 전자의 생성물이라고 하였다. Glycoprotein 130 (GP130) 사 이토킨 수용체를 자극하면, STAT가 활성화되고, 이는 다시 *PIM1*의 발현을 유도한다 (Shirogane 등, 1999). 또한, PIM1 kinase의 활성화는 GP130로 매개되는 세포의 증식을 위해 필 요하다. PIM1만 발현된 경우는 GP130 신호 경로의 상실을 보 상할 수 없지만, PIM1과 c-MYC 둘 모두의 발현은 GP130 신 호 경로가 없는 상태에서 세포 주기를 촉진할 수 있다. Inter-feron (INF)-alpha, IL-2 또한 JAK-STAT 경로를 통해 PIM1 의 발현을 유도하며 (Matikainen 등, 1999), STAT3와 STAT5 는 *PIM1*의 촉진체 영역과 결합하여 *PIM1* 유전자의 발현을 상 향 조절한다 (Blanco-Aparicio와 Carnero, 2013). 다른 연구는 erythropoietin 수용체의 활성은 JAK2로 매개되는 신호 경로 를 통해 PIM1의 발현을 유도한다고 하였다 (Miura 등, 1994). PIM1 kinase의 발현이 JAK-STAT 경로의 활성화로 유도되 지만, PIM1은 SOCS를 안정화하여 음성적 피드백 억제를 일 으킴으로써 JAK-STAT의 신호 경로를 조절하는 데 관여한다 (Peltola 등, 2004).

전립선암에서 PIM1 농도의 증가가 JAK-STAT 경로의 활 성화 때문이라는 증거가 있다. STAT3는 원발 전립선암 조직 과 전립선암 세포주에서 매우 활성적이다. 이에 관한 연구는 DU145, PC3, LNCaP 등의 세포에서 STAT3가 활성적임을 확 인하였으며, 근치전립선절제술로 채취된 종양 표본 45점 중 82%에서 STAT3가 활성적이었고 활성 STAT3의 증가는 높은 Gleason 점수와 관련이 있다고 하였다. 또한, 전립선암 세포 주에서 STAT3를 억제한 경우 성장이 억제되었으며, 세포 자 멸사가 일어났다 (Mora 등, 2002). 전립선암에 관한 다른 연 구는 림프절 전이의 77%와 골 전이의 67%가 활성적인 STAT3 를 가지고 있다고 하였다 (Abdulghani 등, 2008).

사이토킨 IL-6는 STAT3 신호 경로를 활성화하며, 전립선 암 세포주에서 세포의 성장을 자극한다. IL-6는 TSU, PC3,

DU145 등과 같은 안드로겐 저항성 전립선암 세포주에서 발현되지만, 안드로겐에 민감한 LNCaP 세포주에서는 발현되지 않는다. 흥미로운 점은 IL-6 수용체는 연구된 모든 세포주에서 발견된다는 점이다 (Lou 등, 2000). 또한, IL-6는 ligand 비의존 방식으로, 그러나 STAT3 의존 방식으로 안드로겐 수용체 (androgen receptor, AR)를 활성화한다 (Chen 등, 2000). IL-6의 농도는 원격 부위의 정상 전립선 조직에 비해 암에 인접한 조직에서 더 높다는 결과와 혈청 IL-6의 농도는 전이 전립선암 환자에서 증가된다는 결과는 IL-6가 거세 저항성 전립선암의 진행에서 자가 분비 혹은 주변 분비의 방식으로 기능함을 시사한다 (Adler 등, 1999). IL-6와 STAT3로 매개되는 전립선암 세포의 자극에서 PIM1의 특이한 역할은 분명하지 않지만, PIM1은 JAK-STAT 경로의 실행 kinase로서 이러한 자극 기전에서 중요한 요소라고 생각된다.

65.2. 전립선암에서 안드로겐에 의한 PIM1의 조절
Androgen-dependent regulation of PIM1 in prostate cancer

거세 저항성 전립선암이 발생하는 데는 여러 기전이 관여할 것으로 추정된다. AR이 거세 저항성 전립선암에서 흔히 과다 발현된다는 관찰과 AR의 돌연변이는 거세 저항성 전립선암의 약 10%에서 보고된다는 사실은 안드로겐 박탈 요법에 의해 혈청 테스토스테론 농도가 감소되더라도 전립선암에서 AR이 종양의 진행에 관여함을 시사한다 (Hara 등, 2008). PIM1은 AR의 인산화 혹은 AR과의 직접적인 상호 작용 없이 AR의 반응을 증대시킨다 (Kim 등, 2004). 그러나 다른 연구는 PIM1의 발현에 의해 AR의 전사 작용이 억제된다고 하였다 (Thompson 등, 2003). AR의 전사 작용에 대한 PIM1의 조절은 IL-6에 의존적이기 때문에 (Kim 등, 2004), PIM1의 발현 정도와 IL-6의 농도가 다르면 그와 같은 상충된 결과가 나올 수 있다고 생각된다.

PIM1은 진행된 거세 저항성 전립선암에서 과다 발현되고 PIM1이 c-MYC 및 AR의 기능에 영향을 주기 때문에, 전립선암이 거세 저항성 전립선암으로 진행하는 데는 PIM1, AR, c-MYC 등의 발현이 어떠한 역할을 할 것으로 생각된다.

c-MYC와 PIM1은 안드로겐 박탈 요법을 받고 있는 모든 환자에서 흔히 함께 발현되는 데 비해, AR은 주로 거세 저항성 전립선암 환자에서 발현된다. PIM1은 c-MYC의 전사 작용을 조절하는 데 관여한다 (Zippo 등, 2007). 안드로겐 박탈 요법

을 받지 않은 전립선암에 비해 3개월의 단기간이더라도 안드로겐 박탈 요법을 받은 경우에는 PIM1과 c-MYC가 동시에 발현되는 빈도가 더 높다. 체외 실험은 호르몬에 민감한 LNCaP 세포주에서 안드로겐을 제거할 경우 3주 후 PIM1의 발현이 상향 조절된다고 하였다. 이와 같은 결과는 PIM1과 c-MYC의 동시 발현이 호르몬에 저항적인 종양과 관련이 있다는 이전의 보고를 뒷받침하며, 이와 같은 동시 발현은 안드로겐 박탈 요법을 시작한 후 초기에 일어남을 시사한다 (Ellwood-Yen 등, 2003). 그러나 PIM1과 c-MYC의 동시 발현만으로는 PSA와 같이 안드로겐에 의존적인 유전자의 발현을 유도하기에 충분하지 않다. PSA와 같이 안드로겐에 의존적인 유전자의 상향 조절은 AR을 통한 전사 작용을 필요로 한다. 전립선에 특이한 c-MYC를 과다 발현하도록 유전자를 삽입한 생쥐로부터 분리된 전립선암 세포에서 AR의 증폭이 관찰되었으며 (Watson 등, 2005), 이는 c-MYC와 AR의 증폭이 종양의 성장에 대해 유리하게 작용됨을 시사한다.

PIM1의 농도는 LNCaP 세포에 비해 거세 저항성 전립선암 세포주 PC3에서 더 높지만, 두 세포주에서 IL-6에 의해 유도되지는 않는다. LNCaP 및 일부 PC3 세포의 성장은 주변 분비 및 자가 분비의 성장인자로서 기능하는 IL-6에 의해 촉진된다 (Okamoto 등, 1997). 혈청 IL-6 농도는 거세 조건의 생쥐에서 증가되었다 (Bellido 등, 1995). IL-6는 tyrosine 705 (Tyr705)에서 STAT3를 인산화하고 PIM1을 활성화한다고 알려져 있다 (Kim 등, 2004). 1년 이상 안드로겐이 제거된 조건에서 성장한 LNCaP 세포는 안드로겐 비의존성 성장 및 STAT3의 상향 조절을 나타내었다 (Lee 등, 2007). PC3 세포에서 STAT3의 역할은 논란이 되고 있다. Comparative genomic hybridization (CGH)을 검색한 결과 PC3 세포에서 STAT3를 발견하지 못하였다는 보고가 있는 데 비해 (ClarK 등, 2003), 전립선암 세포주에서는 활성적인 phosphorylated STAT (pSTAT3)-Tyr705가 과다 발현된다는 보고가 있다 (Mora 등, 2002). STAT3의 인산화는 Gleason 등급이 높은 종양일수록 더 흔하게 일어나며, pSTAT3-Tyr705의 발현은 LNCaP 세포주에 비해 거세 저항성 전립선암 세포주인 PC3 및 DU145에서 더 높다 (Mora 등, 2002). 근래의 연구는 pSTAT3-Tyr705의 과다 발현이 거세 저항성 전립선암 환자에서 생존율의 감소와 관련이 있다고 하였다 (Tam 등, 2007). 다른 연구는 pSTAT3-Tyr705의 발현이 모든 조건에서 PIM1의 발현과 상당하게 상호 관련이 있는 데 비해, 전체 STAT3의 발현은 전립선암 표본에서 PIM1의 발현과

도 상호 관련이 없고 안드로겐이 제거된 상태와도 상호 관련이 없다고 하였다 (van der Poel 등, 2010). Tyr705에서 STAT3의 인산화, *c-MYC*의 전사 작용에 대한 PIM1의 상승효과 등으로 유추해 볼 때, PIM1은 IL-6/STAT3의 유도를 통해 안드로겐 비의존성 전립선암의 성장과 관련이 있다. PIM1의 과다 발현은 c-MYC의 농도를 증가시키지만 c-MYC의 과다 발현이 PIM1 농도를 증가시킨다는 보고도 있기 때문에, 동시 발현은 전립선암의 성장에서 유리하게 작용한다 (van der Poel 등, 2010).

IL-6는 JAK-STAT 경로로 매개되는 AR의 상향 조절을 통해 AR의 민감성을 유도한다 (Lin 등, 2001). AR은 전립선암이 거세 저항성 질환으로 진행하는 데 중요한 역할을 한다. 안드로겐이 장기간 제거된 상태에서 전립선암은 안드로겐에 비의존적으로 성장하기 때문에, 안드로겐과 AR의 신호 경로는 거세 저항성 전립선암에서는 큰 역할을 하지 않는다고 생각되었다. 그러나 여러 연구는 거세 저항성 전립선암에서 *AR*의 돌연변이 (Tilley 등, 1996)와 *AR*의 증폭 (Taplin 등, 1995)이 낮은 안드로겐 농도에 대한 보상으로 생긴다고 하였으며, 이는 혈청 테스토스테론 농도가 거세 수준인 거세 저항성 전립선암 환자에서 종양이 진행함에 따라 PSA의 발현이 증가하는 이유를 설명해 준다. IL-6/PIM1 축과 AR과의 상호 작용은 거세 저항성 전립선암에서 AR의 역할에 관한 또 다른 근거를 제시한다. 근래의 연구에 의하면, *PIM1* mRNA의 발현이 여러 농도의 dihydrotestosterone (DHT)에 의해 영향을 받지 않는 데 비해, *AR*의 전사 작용은 주로 낮은 농도의 DHT에서 증가된다 (van der Poel 등, 2010). 이와 같은 결과는 PIM1이 ligand 의존성으로 AR을 활성화함을 확인시켜 준다.

AR의 신호 전달에 의한 세포 내 신호 경로의 통합은 세포 내의 kinases에 의한 AR의 인산화를 통해 이루어진다. 그러나 많은 부위에서 AR을 인산화하는 kinases의 역할과 AR의 인산화로 인한 기능적 결과는 충분하게 이해되어 있지 않다. 생물 정보를 이용한 분석에 의하면, AR의 serine 213 (Ser213)가 PIM1의 기질이라고 추정된다. 따라서 PIM1에 의한 AR Ser213의 인산화는 인산화 부위에 특이한 항체를 이용하여 분석이 가능하며, 이를 이용한 연구는 다음과 같은 결과를 보고하였다 (Ha 등, 2013). 첫째, 촉매 반응을 일으키지 않는 불활성 PIM1이 아닌 표준형 PIM1은 특이하게 AR을 인산화하였지만, AR의 serine-to-alanine 돌연변이체 (Ser213Ala)를 인산화하지는 않았다. 둘째, 체외 실험에서 kinase 분석은 PIM1이 ligand 비의존성 방식으로 AR의 Ser213를 인산화함을 확

인하였으며, 전립선암 세포주에서 세포 종류에 특이한 인산화가 관찰되었다. 셋째, PIM1이 과다 발현된 경우 AR의 인산화는 안드로겐이 없는 상태에서 관찰되었으며, 안드로겐이 있는 조건 하의 LNCaP 세포, 안드로겐이 제거된 LNCaP-abl 세포, VCaP 세포 등에서는 더욱 증가하였다. 반면, PIM1 kinase의 억제제가 있는 경우에는 AR의 인산화가 감소하였다. 넷째, AR로 매개되는 전사에 관한 실험은 보고자 (reporter) 유전자의 활성이 PIM1과 표준형 *AR*이 있는 경우에는 감소하였지만, Ser213Ala 돌연변이가 일어난 *AR*이 있는 경우에는 그러한 효과가 나타나지 않는다. 다섯째, AR로 매개되는 내인성 *PSA*, *NK3 homeobox protein 1* (*NKX3.1*), *insulin-like growth factor-binding protein 5* (*IGFBP5*) 등의 전사 또한 PIM1이 존재하는 조건에서 감소된 데 비해, *IL6*, *cyclin A1* (*CCNA1*), *caveolin 2* (*CAV2*) 등은 증가하였다. 여섯째, 전립선암 조직 microarray를 이용한 면역조직화학검사는 Ser213에서 인산화된 AR의 발현 증가가 촉매 반응이 활성적인 PIM1을 가진 세포와 마찬가지로 거세 저항성 전립선암과 관련이 있음을 보여 주었다. 일곱째, Ser213에서 인산화된 AR의 발현이 증가된 전립선암은 생화학적 재발을 가질 확률이 2배 높았다. 이와 같은 결과는 PIM1에 의한 AR Ser213의 인산화는 유전자의 전사에 영향을 주며 공격적인 전립선암으로의 진행을 촉진시킴을 시사한다.

종합해 보면, 거세 저항성 전립선암으로 진행하는 동안 PIM1은 과다 발현되며, PIM1과 c-MYC의 동시 발현은 안드로겐 박탈 요법 후 조기에 일어난다. 세포주에서 PIM1의 과다 발현은 c-MYC의 발현을 증가시키며, 거세 수준의 낮은 DHT 농도에서 DHT로 유도되는 *AR* 유전자의 발현을 증대시킨다. AR의 발현은 안드로겐을 단기간 차단해서는 증가되지 않지만, 거세 저항성 전립선암에서는 상당하게 증가한다. 이러한 결과는 PIM1의 과다 발현이 안드로겐이 제거된 조건에서 전립선암의 조기 성장을 돕는다는 보고를 뒷받침하며, 거세 저항성 전립선암의 발생을 방지하기 위해 flavonol, quercetagetin 등과 같은 PIM1 억제제를 사용할 수 있는 근거를 제공한다 (Holder 등, 2007).

65.3. 전립선암 치료에서 PIM1의 활용
Usefulness of PIM1 in prostate cancer

일부 연구는 PIM1 농도의 증가와 전립선암 사이에 연관성이

있다고 하였으며 (Dhanasekaran 등, 2001), 이는 양성전립선비대 및 정상 전립선 조직에 비해 전립선암에서 PIM1의 농도가 증가된다는 다른 연구에 의해 지지를 받고 있다 (He 등, 2009). 흥미로운 점은 전립선암 환자에서 PIM1 농도의 감소가 생화학적 재발의 증가와 관련이 있다는 점이다 (Rhodes 등, 2003). 높은 농도의 PIM1을 가진 전립선암 환자는 낮은 농도의 환자에 비해 생화학적 실패율이 더 낮다는 결과는 서로 연관성이 있음을 보여 주지만, 필수적인 인과관계는 아니다. 그러한 결과가 PIM1이 반드시 생화학적 실패를 방지함을 의미하지는 않는다. PIM1은 특히 전립선암의 형성에서 종양을 유발하는 작용을 가지고 있으며, 높은 농도의 PIM1은 양성 전립선비대나 정상 전립선보다 전립선암과 상호 관련이 있다는 사실은 PIM1 농도의 증가가 보호 효과가 아닌 병적 효과를 나타냄을 시사한다. 이와 같이 상충된 결과가 보고되는 이유는 PIM1에 의해 유발된 전립선암과 PIM1이 아닌 다른 인자에 의해 유발된 전립선암이 다른 특성을 가지기 때문으로 설명될 수 있다. 근래의 연구는 PIM1에 의해 유발된 전립선암이 PIM1이 아닌 다른 인자에 의해 유발된 전립선암에 비해 덜 공격적이라는 가설을 지지한다. 다르게 설명하면, PIM1 농도가 증가되지 않은 전립선암 환자의 종양 내에서 일어나는 작동 기전은 PIM1 양성인 전립선암에서 보다 더 공격적인 표현형을 만든다 (Holder와 Abdulkadir, 2014). 예후와 관련된 비슷한 양상이 *epidermal growth factor receptor* (*EGFR*)가 돌연변이를 일으킨 비소세포 폐암 (non-small cell lung cancer, NSCLC)에서 관찰되었는데, 이 경우 *EGFR*의 돌연변이가 질환을 유발한 것으로 생각된다. 그러나 진행된 NSCLC를 가진 환자에서는 치료와 관계없이 *EGFR*의 돌연변이가 있는 경우가 *EGFR*의 돌연변이가 없는 경우에 비해 생존율이 증가되었다 (Eberhard 등, 2005).

종양과 관련이 있는 분자 기전은 복잡하기 때문에, 공격적인 질환의 생물 지표를 발견하기 위해 다수 유전자를 분석하면 단일 유전자를 이용한 분석에 비해 더 나은 결과를 얻을 수 있다. 이러한 다수 유전자에 대한 접근은 유방암 (Paik 등, 2006), 결장암 (Gray 등, 2011) 등에서 임상적으로 유익한 결과를 나타내었다. 현재 여러 회사에서 전립선암에 관한 다수 유전자의 분석법을 개발하고 있다 (Cuzick 등, 2012; Knezevic 등, 2013). 전립선암의 예후를 예측하기 위한 다수 유전자 분석법에 *PIM1*을 포함하면 도움이 될 것으로 생각된다.

JAK-STAT 경로는 전립선암에서 활성화된다고 알려져 있다. 임상 연구는 거세 저항성 전립선암에서 JAK1/2 억제제인 ruxolitinib의 효능을 평가하였다. Ruxolitinib은 골수섬유증 (myelofibrosis)의 치료제로 미국 식품의약국으로부터 승인을 받은 약물이다. 거세 저항성 전이 전립선암 환자에서 임상 3상 시험을 진행하였지만, 피험자로 등록된 22명 중 2명이 치료로 인한 PSA 반응이 심각하여 시험이 중단되었다. 효능이 부족한 근본 이유는 보고되지 않았지만, JAK-STAT 경로를 자극하는 추가 기전이 있기 때문에 JAK2의 억제만으로는 충분하게 경로를 차단하지 못한다는 가설이 있을 수 있다. JAK2를 표적화한 경우 효능이 부족하다는 결과는 JAK-STAT의 경로에 관여하는 다른 단백질을 표적화할 필요가 있음을 의미한다. PIM1은 JAK-STAT 경로의 하위 실행 kinase로 알려져 있기 때문에, PIM1에 대한 표적 치료는 JAK-STAT 경로가 활성화된 전립선암의 치료에서 효과적인 치료적 접근이 될 수 있을 것이다 (Holder와 Abdulkadir, 2014).

PIM1 kinase를 억제하는 많은 제제가 소개되고 있다 (Narlik-Grassow 등, 2013; Blanco-Aparicio 등, 2013). 이들 중 미국 식품의약국으로부터 승인된 제제는 없지만, 일부는 임상 시험으로 평가 중에 있다. SGI-1776는 전체 PIM을 억제하는 제제로서 PIM1, PIM2, PIM3 등을 표적화한다 (Mumenthaler 등, 2009). 이 제제는 임상 전 연구에서 유망한 약물로 평가를 받았으며, 근래 거세 저항성 전립선암과 재발 및 난치 림프종 환자에서 임상 1상 시험이 있었다 (Clinical trials gov., identifier #NCT00848601). 그러나 투여 제한 독성 (dose limiting toxicity)으로 심장의 QTc 연장이 나타남으로 인해 연구가 중단되었다. AZD1208 또한 전체 PIM을 억제하는 제제로서 급성 골수성 백혈병의 임상 전 연구에서 효능을 인정받았고 (Keeton 등, 2014), 현재 급성 골수성 백혈병 (Clinical trials gov., identifier #NCT01489722), 진행된 경성 종양, 악성 림프종 (Clinical trials gov., identifier #NCT01588548) 등의 환자를 대상으로 임상 1상 시험 중에 있으나, 아직 유익하다는 결과가 보고되지 않고 있다. 이종 이식 암에 관한 연구는 PIM1을 표적으로 하는 단클론 항체가 사람과 생쥐의 전립선암 세포주에서 AKT의 인산화를 감소시키고 세포 자멸사를 활성화함으로써 세포의 성장을 억제한다고 하였다 (Hu 등, 2009).

앞에서 기술된 바와 같이, PIM1은 세포 내의 다수 기질을 인산화하여 세포 자멸사를 억제하고 세포 주기의 진행을 촉진함은 물론, PIM1의 증가는 유전체의 불안정성을 유도하여 세포의 악성 진행을 촉진한다. PIM1 kinase는 정상 전립선이나 양성전립선비대에 비해 고등급 전립선상피내암과 전립선암에서 과다 발현된다. PIM1 농도의 증가는 종양 유발 유전자의 융합 단백질과 활성적인 신호 경로의 결과로 생각된다. 생쥐를 대상으로 평가한 체내 및 체외 실험에 의하면, PIM1의 종양 형성력은 약하지만 c-MYC와 동시에 발현될 때는 크게 상승 효과를 나타낸다고 하였다. PIM1 kinase는 또한 낮은 안드로겐의 환경에서 AR을 인산화함으로써 AR의 분해 및 기능을 조절한다. 이러한 결과는 PIM1이 거세 저항성 전립선암과 관련이 있음을 보여 준다. 더욱이 PIM1의 발현은 docetaxel에 노출된 후 전립선 조직에서 증가되며, docetaxel에 대한 저항성의 일부를 유발한다고 생각된다. 역으로 생각하면, PIM1 농도의 감소는 docetaxel을 이용한 치료에 대해 전립선암 세포의 민감성을 높인다. 따라서 PIM1은 docetaxel에 저항적인 질환에서 표적이라고 할 수 있다. 정리하면, PIM1은 전립선암의 형성, 거세 저항성, docetaxel 저항성 등에 관여한다. PIM1이 전립선암의 발생과 진행의 여러 과정에 관여하기 때문에, PIM1 kinase를 억제하는 제제는 전립선암의 유효한 치료제로 간주되어야 할 것이다 (Holder와 Abdulkadir, 2014).

PIM1은 생쥐에서 c-MYC로 유발되는 전립선암의 발생 (Wang 등, 2010)과 림프종 형성 (Verbeek 등, 1991)을 촉진한다는 보고처럼 PIM1이 종양을 유발하는 유전자가 가진 형질 전환의 기능을 증대시키기 때문에, 암에 대한 약물 요법에서 관심을 받고 있는 분자 표적이다. c-MYC의 동질 접합성 결핍 (homozygous deficiency)이 있는 생쥐는 광범위한 발육 결함 및 배아 사망을 나타내는 데 비해, 세 종류의 PIM에서 생긴 동질 접합성 결핍은 생존 및 생식이 가능하며 단지 경한 표현형의 이상을 나타낸다 (Mikkers 등, 2004). 이러한 관찰은 PIM의 활성을 억제하여도 순응적임을 보여 주며, PIM kinase를 표적화하는 약물은 c-MYC를 표적화하는 약물에 비해 더 순응적임을 시사한다.

전립선 재생 시스템을 이용한 연구는 PIM1만으로는 유의하게 발병을 유도하지 않지만, c-MYC와 상호 작용을 할 경우에는 전립선암의 진행을 촉진한다고 하였다 (Wang 등, 2010). 이 모델에서 c-MYC 및 PIM1의 발현은 분화에 의해 중간 수준의 침습성 암을 거쳐 신경내분비 전립선암을 유도하였다. 전립선암의 형성에서 PIM1과 c-MYC이 협동하는 기전은 분명하지 않다. 여러 연구는 PIM1이 c-MYC 단백질의 안정성 (Zhang 등, 2008) 및 전사 작용 (Zippo 등, 2007)을 증가시켜 c-MYC의 종양 형성력을 증대시킨다고 하였다.

전립선에서 PIM1과 c-MYC의 과다 발현으로 인한 분자적 결과를 확인하고 높은 농도의 c-MYC를 가진 전립선암 세포에서 PIM의 고갈이 나타내는 효과를 관찰한 연구는 다음과 같은 결과를 보고하였다 (Wang 등, 2012). 첫째, 생쥐의 전립선에서 PIM1의 과다 발현은 종양의 형성을 유도하는 여러 유전적 프로그램, 예를 들면 세포 주기 유전자, c-MYC로 조절되는 유전자 등을 분명한 질환이 발병하기 전에 먼저 유도한다. 둘째, 생쥐와 사람의 전립선암 세포에서 iRNA를 이용하여 PIM1을 고갈시키면, c-MYC의 유의한 변화가 없어도 세포의 증식 및 생존, ERK의 신호전달, 종양의 형성력 등이 감소된다. 이러한 결과는 PIM1이 종양의 형성력을 유지하는 데 필요하며, 전립선암의 치료에서 PIM1을 억제하는 제제가 유용할 수 있음을 시사한다.

PIM1의 발현에 의해 변화를 일으키는 129종의 MYC 표적 유전자가 발견되었으며, 이들 중 흔히 발견되는 53종의 유전자가 도표 220에 정리되어 있다 (Kim 등, 2010). 여러 연구는 PIM1을 표적화하는 치료적 접근을 소개하였다. 첫째, hepatocyte growth factor receptor (HGFR)로도 불리는 met proto-oncogene receptor tyrosine kinase (MET)는 종양세포의 이동과 침습에서 중요한 역할을 한다. PIM1는 종양 세포주와 종양 조직에서 MET 단백질의 농도와 정상관관계를 보이며, PIM1 kinase는 HGF로 유도되는 종양세포의 이동과 침습을 조절한다. 이러한 효과는 PIM1이 EIF-4B의 인산화를 조절함으로써 MET의 유전 암호 해독을 통제하기 때문으로 생각된다. 따라서 PIM1 억제제는 MET와 관련이 있는 종양의 치료에서 중요한 역할을 할 것으로 기대된다 (Cen 등, 2014). 둘째, chemokine (C-X-C motif) receptor 4 (CXCR4) 수용체는 chronic lymphocytic leukemia (CLL)에서 과다 발현되며, CLL 세포의 생존, 이동, 미세 환경과의 상호 작용 등에서 중요한 작용을 한다. CLL의 치료에서 PIM kinase 억제제는 PIM2/3로 매개되는 CLL 세포의 생존을 억제할 뿐만 아니라 CLL 세포의 PIM1/CXCR4로 매개되는 미세 환경과의 상호 작용을 억제함으로써 치료 효과를 나타낸다 (Decker 등, 2014). 셋째, 종양을 억제하는 기능을 가진 microRNAs (miRNAs) 중 miR-33a는 K562 림프종, LS174T 결장암, 기타 여러 암 세포주 등에서 낮은 농도로 발현된다고 알려져 있으며, miR-33a는 PIM1을 억제함으로써 종양을 억제하는 효과를 나타낸다. miR-33a 유사제는 miR-33a의 표적이면서 세포 주기를 조절하는 CDK6를 하향 조절하지 않지만 PIM1의 농도를 상당하게 감소시킨다

도표 220 RWPE1-MYC-ER 전립선 상피세포주에서 PIM1의 발현과 MYC의 유도에 의해 변화를 일으키는 유전자

유전자명	유전자 기호	조절	유전자명	유전자 기호	조절
Connective tissue growth factor	CTGF	상향	Ceroid-lipofuscinosis, neuronal 5	CLN5	하향
X-linked retinopathy protein-like	DXS542	상향	Carboxypeptidase E	CPE	하향
Immediate early response 3	IER3	상향	Cullin 3	CUL3	하향
Laminin, gamma 2	LAMC2	상향	DEAD (Asp-Glu-Ala-Asp) box polypeptide 60	DDX60	하향
Metallothionein 1F	MT1F	상향	Dihydropyrimidine dehydrogenase	DPYD	하향
Metallothionein 2A	MT2A	상향	Erythrocyte membrane protein band 4.1	EPB41	하향
Protease, serine, 3	PRSS3	상향	Intestinal cell (MAK-like) kinase	ICK	하향
Tissue factor pathway inhibitor 2	TFPI2	상향	Killer cell lectin-like receptor subfamily C, member1/2	KLRC1/2	하향
Uridine phosphorylase 1	UPP1	상향	Killer cell lectin-like receptor subfamily C, member 3	KLRC3	하향
Acyl-CoA synthetase long-chain family member 1	ACSL1	하향	Methyltransferase like 7A	METTL7A	하향
Aldo-keto reductase family 1, member C1	AKR1C1	하향	Matrix-remodelling associated 5	MXRA5	하향
Aldo-keto reductase family 1, member C2	AKR1C2	하향	Niacin receptor 2	NIACR2	하향
Aldehyde dehydrogenase 3 family, memberA1	ALDH3A1	하향	Olfactomedin-like 2A	OLFML2A	하향
Aldehyde dehydrogenase 3 family, member B2	ALDH3B2	하향	Phospholipase C, beta 4	PLCB4	하향
Amylase, alpha 1A/1B/1C/2A/2B	AMY1A/~2B	하향	S100 calcium binding protein A8	S100A8	하향
Apolipoprotein L, 1	APOL1	하향	Serum amyloid A1/A2	SAA1/2	하향
Aquaporin 3 (Gill blood group)	AQP3	하향	Spermidine/spermine N1-acetyltransferase 1	SAT1	하향
Butyrophilin, subfamily 3, member A2/A3	BTN3A2/3	하향	Serpin peptidase inhibitor, clade B, member 13	SERPINB13	하향
Complement component 1, r subcomponent	C1R	하향	Superoxide dismutase 2, mitochondrial	SOD2	하향
Complement component 1, r subcomponent-like	C1RL	하향	Single-stranded DNA binding protein 2	SSBP2	하향
Complement component 2/complement factor B	C2, CFB	하향	ST6 beta-galactosamide alpha-2,6-sialyltranferase 1	ST6GAL1	하향
Carbonic anhydrase XII	CA12	하향	Tumor necrosis factor, alpha-induced protein 3	TNFAIP3	하향
Carbonic anhydrase II	CA2	하향	Tumor necrosis factor (ligand) superfamily, member 10	TNFSF10	하향
CD24 molecule	CD24	하향	Tripartite motif-containing 22	TRIM22	하향
Cyclin-dependent kinase inhibitor 1C (p57, Kip2)	CDKN1C	하향	UDP glucuronosyltransferase 1 family, A1/A3-A10	UGT1A1-10	하향
Claudin 4	CLDN4	하향	Vav 3 guanine nucleotide exchange factor	VAV3	하향
Chloride intracellular channel 3	CLIC3	하향			

ER, estrogen receptor; MYC, v-myc avian myelocytomatosis viral oncogene homolog; PIM, proviral integration site for Moloney murine leukemia virus; PIM1, Pim-1 proto-oncogene, serine/threonine kinase.
Kim 등 (2010)의 자료를 수정 인용.

(Thomas 등, 2012).

근래의 연구는 화학 요법제인 mitoxantrone이 나노몰 농도에서 활성화되어 PIM1 kinase를 억제한다고 하였다 (Wan 등, 2013). Mitoxantrone은 DNA 삽입제 (intercalator)로서 그리고 topoisomerase II (TOP2) 억제제로서 알려져 있다 (Capranico 등, 1993). 과거에는 mitoxantrone이 거세 저항성 전립선암의 1차 항암제로 이용되었으며, 그 당시 corticosteroid와의 병용은 증상을 개선하지만 전반적 생존을 개선하지는 않는다고 보고되었다 (Berry 등, 2002). 임상에서 활용이 가능한 PIM1 kinase 억제제로서 미국 식품의약국으로 승인을 받은 약물은 현재까지는 없지만, PIM1 kinase 억제제인 mitoxantrone에 관한 연구는 PIM1의 억제가 임상에 효능을 나타낼 가능성이 충분히 있음을 보여 준다. AR의 조절에서 PIM1의 관여, c-MYC와의 협동 작용, docetaxel 저항성에서 PIM1의 관여 등의 자료를 종합해 볼 때, 전립선암을 대상으로 PIM1 억제제, 안드로겐 대항제, MYC 대항제 등의 병용에 관한 효과를 연구하면 흥미로운 결과가 나올 것으로 기대된다 (Holder와 Abdulkadir, 2014).

66. S100 Calcium Binding Protein A9 (S100A9)

중성구와 단핵구는 염증 혹은 손상 조직으로 가장 먼저 이동하는 세포이며, 면역 시스템에 대한 첫 반응을 유도한다. 골

수세포는 미생물을 포식할 수 있고 호흡 급증 (respiratory burst)을 유도하여 미생물을 죽일 수도 있기 때문에, 세균 감염을 잘 처리할 수 있는 요건을 갖추고 있다 (Witko-Sarsat 등, 2000). 골수세포는 또한 cytokines와 chemokines 외에도 면역 반응에 영향을 주는 많은 다른 인자를 합성하고 분비한다. 골수세포에 의해 가장 풍부하게 발현되는 단백질 중에는 migration inhibitory factor-related protein 8과 14 (MRP8/14), 혹은 myeloid-related protein 8과 14 (MRP8/14), 혹은 calgranulin A와 B (CAGA/CAGB)로도 알려진 두 단백질 S100 calcium binding protein A8 (S100A8)과 S100A9이 있다. S100A8과 S100A9은 Ca^{2+}과 결합하는 helix-loop-helix (EF-hand) 유형의 소단위를 가진 단백질로서 19종의 단백질로 구성된 S100 가족에 속하며 (Marenholz 등, 2004), 각각은 세포 종류에 특이하게 발현된다 (Donato, 2001). 이들은 중성구 세포질 단백질의 45%까지, 단핵구 세포질 단백질의 1%까지를 구성한다 (Hessian 등, 1993). S100A8과 S100A9은 분비성 상피세포에서 구조적으로도 발현되며, 각질형성세포 (keratinocyte)와 같은 여러 상피세포에서 감염과 관련하여 유도된다 (Gabrielsen 등, 1986). S100 단백질은 Ca^{2+}과 결합하는 기능을 가지고 있어 Ca^{2+} 완충제로서 작용한다고 추측되었으나, Ca^{2+}과의 결합이 S100 단백질의 입체 형태를 변화시키고 기능을 조절하기 때문에 이들 단백질은 Ca^{2+}을 감지하는 기능을 가지고 있다고 생각된다 (Heizmann과 Cox, 1998). S100A8과 S100A9을 코드화하는 유전자 *S100A8*과 *S100A9*은 종양을 형성하는 데 관여하는 유전자를 확인하는 과정에서 사람의 전립선에서 발견되었으며 (Gebhardt 등, 2002), 이들 두 유전자는 사람의 경우 종양이 발생하는 동안 일어나는 여러 재배열이 관찰되는 염색체 1q21에, 생쥐에서는 염색체 3에 위치해 있다 (Schute 등, 2001).

S100A8과 S100A9은 골수세포가 이동하는 염증 부위 혈관의 세포 밖에서 발견되기 때문에, 이들 단백질의 분비는 백혈구의 교통에 영향을 준다고 생각된다 (Hogg 등, 1989). S100 단백질에는 신호 펩티드가 부족하여 세포로부터 이들 단백질이 분비되는 기전은 분명하지 않으나, 한 연구는 tubulin 의존성 방식으로 활성화된 단핵구에서 분비된다고 보고하였다 (Rammes 등, 1997). 여러 계통의 S100A8 및 S100A9 수용체가 보고되었으며, 이들 모두는 혈관에서 발현된다. S100A8과 S100A9은 CD36 (Kerkhoff 등, 2001), carboxylated N-glycans (Srikrishna 등, 2001), heparin-like glycosaminoglycans

(Robinson 등, 2002) 등과 결합한다. MRP6 혹은 extracellular newly identified receptor for advanced glycation end product (EN-RAGE)로도 불리는 S100A12는 S100A9과 밀접한 관계를 가지며, 청소제 (scavenger) 수용체인 RAGE와 결합함으로써 염증 반응에서 중요한 역할을 한다 (Hofmann 등, 1999).

혈중 중성구는 염증성 자극을 받으면 단백질분해효소, 항균 펩티드, 활성 산소종 등을 통해 신속한 세균 사멸, 세균에 대한 포식 작용, 혈관내피에 부착, 감염 부위로의 이동 등과 같은 일련의 표현형 변화를 일으키는 양성 세포이다. 중성구에서 일어나는 다수의 반응, 예를 들면 화학주성, 과립의 세포 외 배출 (exocytosis), 호흡 급증, chemokines의 생성 등은 mitogen-activated protein kinase (MAPK) 경로에 의존적이다 (Mocsai 등, 2000; Ward 등, 2000; Coxon 등, 2003). MAPK 경로는 말단에 MAPK가 있는 세 가지의 kinases 단위로 구성되며, 이는 MAPK kinase (MAP2K)로 알려진 serine-threonine/tyrosine kinase에 의해 활성화되고, 이는 다시 MAPK kinase kinase (MAP3K)로 알려진 serine-threonine kinase에 의해 활성화된다 (Dong 등, 2002). MAPK kinase 3와 6는 MAP2Ks로서 기능을 하며, MAP3K2/3 (혹은 MEKK2/3), apoptosis signal-regulating kinase 1 (ASK1), tumor progression locus 2 (TPL2), transforming growth factor β-activated kinase 1 (TAK1) 등은 MAP3Ks로 확인되었다 (Kyriakis와 Avruch, 2001). p38 MAPK 경로는 chemoattractant, cytokine, chemokine, 세균 lipopolysaccharide (LPS), tumor necrosis factor (TNF)-α, granulocyte macrophage colony-stimulating factor (GM-CSF) 등과 같은 염증 매개체에 의해 중성구에서 활성화된다. p38 MAPK가 중성구에서 특이한 반응을 일으키기 위해서는 중성구 내에 기질이 필요하다. 여러 종류의 세포에서 p38 MAPK의 기질이 많이 발견되었는데, activating transcription factor 2 (ATF2), p38 regulated/activated kinase (PRAK), MAPK-activated protein kinase 2 (MAPKAPK-2), 세포 주기 조절자 cyclin D (CCND) 등이다 (McLeish 등, 1998; Casanovas 등, 2000; Waas 등, 2001). 사람의 중성구에서 발견된 p38 MAPK의 기질은 MAPKAPK-2와 p47 phagocyte oxidase ($p47^{phox}$) 뿐이다 (Krump 등, 1997; Brown 등, 2004). 사람의 중성구에 관한 근래의 연구는 S100A9이 세포 외 배출을 위해 필요한 세포 골격의 재조직화와 같이 p38 MAPK 의존성 반응을 매개하기 때문에, S100A9은 p38 MAPK의 기질로서 작용한

다고 하였다 (Lominadze 등, 2005).

S100A8과 S100A9은 포식세포가 활성화되는 동안 분비되며, S100A8/S100A9 복합체는 endotoxin으로 유발되는 포식세포의 염증 반응을 증대시킨다. S100A8은 myeloid differentiation primary response protein 88 (MyD88)의 세포 내 전위를 유도하고, interleukin-1 receptor-associated kinase 1 (IRAK1)과 nuclear factor kappa B (NFκB)를 활성화함으로써 TNF-α의 발현을 증대시키는 활성적인 분자이다. S100A8은 또한 Toll-like receptor 4 (TLR4)와 myeloid differentiation protein 2 (MD2)와의 복합체와 상호 작용하기 때문에 TLR4의 내인성 ligand로 간주된다.

S100A8과 S100A9 단백질은 주로 중성구와 대식세포에서 처음 기술되었으며, 골수세포의 성숙 (Zwadlo 등, 1988)과 염증 유발 (Roth 등, 2003)에 관여하는 등 골수세포의 많은 기능에 관여한다고 알려져 있다 (Hobbs 등, 2003). 이들 단백질은 이질 이합체 단백질 S100A8/S100A9을 형성한다 (Hunter과 Chazin, 1998). S100A8과 S100A9의 발현은 여러 염증성 피부 질환에서의 편평상피 (Gabrielsen 등, 1986)와 상처 회복 (Thorey 등, 2001)과 관련하여 처음 기술되었다. 근래에는 S100 단백질의 발현과 선암 (adenocarcinoma) 사이에 연관성이 있음이 발견되었는데, 예를 들면 면역조직화학검사를 통해 S100A9 단백질이 간세포암 (Arai 등, 2000), 폐암 (Arai 등, 2001), 유방의 침습성 관암 (ductal carcinoma) (Arai 등, 2004) 등에서 발현되었고, S100A9의 발현 증가는 미분화 암과 상호 관련이 있었다. 난소암 환자의 경우 낭액 (cystic fluid)과 혈청에서 S100A8과 S100A9이 다량 검출되었으며 (Ott 등, 2003), 위암에서는 *S100A2, S100A7, S100A8, S100A9, S100A10* 등을 포함하는 *S100* mRNA가 과다 발현됨이 보고되었다 (El-Rifai 등, 2002). 대조적으로 식도의 미분화 편평세포암에서는 S100A8과 S100A9이 흔히 하향 조절된다 (Kong 등, 2004). 전립선암에서는 종양의 분화도 등급에 따라 S100A2와 S100A4가 다르게 발현된다고 보고되었는데, S100A2는 등급이 증가함에 따라 점차 소실되었으며, S100A4는 높은 등급에서 발현이 증가되었다 (Gupta 등, 2003).

S100 단백질 가족에 속하는 여러 단백질은 세포 표면 분자인 RAGE에 대한 ligand로서 기능을 한다고 보고되고 있다 (Huttunen 등, 2000). RAGE는 advanced glycation end product (AGE) (Schmidt 등, 1994), amphoterin (Hori 등, 1995), β-amyloids (Yan 등, 1995), S100 단백질 (Hofmann 등, 1999)

등과 같은 다수의 ligands와 상호 작용하는 immunoglobulin 가족의 수용체이다. RAGE와 직접 상호 작용하는 S100 단백질로는 S100A12 (EN-RAGE), S100B, S100A1, S100P 등이 있는데, 이는 다른 S100 가족 단백질 또한 RAGE의 신호 경로를 조절할 수 있음을 시사한다 (Arumugam 등, 2004). Ligand에 의해 자극을 받은 RAGE는 MAPK, cell division control protein 42/Ras-related C3 botulinum toxin substrate (CDC42/RAC), NFκB 등과 같은 여러 중요한 세포 경로를 활성화함으로써 세포의 생존 및 운동성과 염증 반응에 영향을 준다 (Taguchi 등, 2000). 생쥐에서 RAGE의 신호 경로를 차단하면 종양의 성장과 전이가 억제되며 (Taguchi 등, 2000), 비전이 전립선암에 비해 전이 전립선암에서 RAGE의 발현이 증가된다 (Kuniyasu 등, 2003). S100 단백질은 다양한 생물학적 과정에 관여하며, 세포 종류 혹은 조직에 특이하게 발현된다고 알려져 있다. 그러나 S100A8, S100A9 등과 같은 S100 가족의 일부 단백질은 여러 병리학적 조건에서 하향 조절된다고 보고되었다 (Marenholz 등, 2004). S100A8과 S100A9, 그리고 기타 S100 가족 단백질의 발현은 염증성 피부 질환 (Gabrielsen 등, 1986) 외에도 류마티스관절염 (Odink 등, 1987), 건선 (Broome 등, 2003), 피부 상처의 회복 (Thorey 등, 2001), 사람의 다양한 신생물 (Arai 등, 2004) 등과 관련이 있다. 암, 특히 전립선암과 간암에서 이들의 유전자가 다르게 발현되는 양상은 상처가 회복되는 동안 이들 유전자가 다르게 발현되는 양상과 상호 관련이 있다고 간주된다 (Chang 등, 2004). 이들 관찰은 S100 단백질 가족이 신체 손상과 질환의 발병에서 추가적으로 어떠한 기능을 가지고 있음을 시사한다.

전립선암 환자의 전립선 조직 표본에 대한 면역조직화학 검사는 S100A8과 S100A9이 전립선암과 전립선상피내암에서 상향 조절됨을 보여 주었으며, 이는 이들 단백질이 전립선암 형성의 초기 단계에 관여하는 단백질임을 시사한다 (Hermani 등, 2005). 관강세포에서 유래된다고 간주되는 종양세포는 S100A8과 S100A9의 발현을 강하게 회복시키며, 양성 전립선에서는 그들의 발현이 기저세포층에서만 발견되고 상피와 기질의 접촉을 유도한다. 다른 연구는 결합조직의 세포 외부 기질과 기저판 (basement lamina)의 형성에 관여하는 여러 성분들이 S100 단백질과 관련이 있다고 하였다. S100A8과 S100A9은 glycosaminoglycans (Robinson 등, 2002) 및 carboxylated glycans (Srikrishna 등, 2001)와 상호 작용함으로써 내피를 가로지르는 중성구의 이동을 조절하며, 단핵구

도표 221 여러 형태의 전립선 조직에서 면역조직화학적 염색을 이용한 S100A8, S100A9, RAGE 등의 양성률

종류	S100A8 (혹은 CAGA)		S100A9 (혹은 CAGB)		RAGE	
	양성률, %	p	양성률, %	p	양성률, %	p
양성 전립선 조직	15 (7명/48명)	$\langle 0.0001$	10 (5명/48명)	$\langle 0.0001$	4 (2명/48명)	$\langle 0.0001$
전립선암	75 (56명/75명)	0.053	68 (51명/75명)	0.027		0.16
Gleason 점수 5~6	63 (15명/24명)		58 (14명/24명)		50 (12명/24명)	
Gleason 점수 7	68 (13명/19명)		47 (9명/19명)		68 (13명/19명)	
Gleason 점수 8~10	88 (28명/32명)		88 (28명/32명)		72 (23명/32명)	
전립선상피내암	44 (8명/18명)	0.053	44 (8명/18명)	0.016	33 (6명/18명)	0.013

전립선암 조직에서 S100A8과 S100A9의 양성률 (positivity)은 각각 75%, 68%이다.
CAGA, calgranulin A; CAGB, calgranulin B; RAGE, receptor for advanced glycation end product; S100A8, S100 calcium-binding protein A8.
Hermani 등 (2005)의 자료를 수정 인용.

의 fibronectin과의 부착을 증대시킨다 (Bouma 등, 2004). 이러한 맥락에서 볼 때, S100A8 및 S100A9 양성 기저세포와 기질과의 상호 관계, 한편으로 이들 단백질이 양성인 종양세포와 기질과의 상호 관계는 중요하다. S100A8, S100A9, RAGE 등의 발현은 침습이 일어난 결합조직에서 증가한다는 연구결과는 이들이 상피조직의 확대와 기능적으로 관련이 있음을 더욱 시사한다 (Hermani 등, 2005). 세포의 이동과 관련하여, S100B, S100A1, amphoterin 등과 결합한 RAGE는 신경돌기의 증식에 관여하며 (Hori 등, 1995), 생쥐에서 RAGE는 종양의 성장과 전이에서 중요한 역할을 한다 (Taguchi 등, 2000). RAGE는 여러 가지의 신호 경로를 유도한다고 알려져 있으며, 전사 인자인 NFκB를 활성화한다 (Huttunen 등, 1999). 흥미로운 점은 NFκB의 활성 소단위인 p65가 전립선상피내암과 전립선암 발생의 초기에 과다 발현된다는 점이다 (Sweeney 등, 2004). 더욱이 활성 NFκB는 신경 주위에 위치해 있는 전립선암에서 흔히 발견되는데, 이는 전립선 밖으로 전립선암이 전파되는 주된 기전인 신경 주위로의 침범을 NFκB가 촉진함을 시사한다 (Ayala 등, 2004). 전립선암에서는 RAGE와 S100A8/S100A9의 발현이 증대되고 (도표 221) 신경 주위의 암 조직에서 양성률이 높다는 결과를 종합해 보면, S100/RAGE의 신호 경로가 NFκB를 통해 암세포의 생존과 성장에 관여한다고 생각된다. 따라서 S100/RAGE의 신호 경로는 전립선암의 예방과 치료에서 적절한 표적이 된다 (Hermani 등, 2005).

S100A9의 혈청 농도는 건강인 혹은 양성전립선비대 환자에 비해 전립선암 환자에서 증가되며, PSA 농도가 10 ng/mL 미만으로 낮은 전립선암 환자와 양성전립선비대 환자를 PSA보다 더 높은 민감도로 구별할 수 있기 때문에 (각각 $p \langle 0.0001$, $p=0.02$), PSA 측정치가 가치를 나타내지 못하는 그룹에 속하는 전립선암과 양성전립선비대를 감별하는 유용한 혈청 표지자로 생각된다 (Hermani 등, 2005). 또한, 전립선암 환자에서 전립선 마사지 후의 소변을 이용하여 겔 전기영동법으로 S100A9을 발견한 연구를 근거로, 앞으로 S100A9이 체액을 이용하여 전립선암을 진단할 수 있는 표지자의 역할을 할 것으로 추정된다 (Rehman 등, 2004). 그러나 전립선암 환자 32명과 대조군 74명을 대상으로 전립선암의 조기 발견에 대한 표지자로서 S100A9을 평가한 연구는 상충되는 결과를 보고하였는데, 혈청 혹은 소변 S100A9이 PSA와는 대조적으로 전립선암 환자와 대조군을 구별하지 못하였으며, 4~10 ng/mL의 PSA 농도에서 위양성률을 감소시키지도 않았다고 하였다 (Müller 등, 2008).

*S100A8*과 *S100A9*은 전립선암의 상피세포에서 강하게 발현되지만, 그들의 발현을 조절하는 기전은 분명하지 않다. *S100A8*과 *S100A9*의 조절 기전을 분석한 연구는 다음과 같은 결과를 보고하였다 (Miao 등, 2012). 첫째, *S100A8* mRNA와 정도는 덜 하지만 *S100A9* mRNA의 발현은 PC3 전립선암 세포주뿐만 아니라 BPH-1 양성 전립선 상피세포에서 용량 및 시간 의존성 방식으로 prostaglandin E_2 (PGE_2)에 의해 유도되었다. 둘째, PGE_2 receptor (EP_2) 대항제 AH6809, EP_4 대항제 AH23848, protein kinase A (PKA) 억제제 H89 등은 PGE_2로 매개되는 *S100A8* mRNA의 발현 및 촉진체 활성의 증가를 억제하였다. 셋째, 염기 서열에 대한 분석을 통해 *S100A8* 촉진체 내에서 전사 인자 cytosine-cytosine-adenosine-adenosine-thymidine-enhancer-binding protein-beta (CCAAT-EBPβ 혹은 C/EBPβ)의 결합 부위가 발견되었다. C/EBPβ의 과다 발현은 *S100A8* mRNA의 단백질 발현 외에도 촉진체의 활성을 증

가시켰다. 이러한 양상은 S100A8의 촉진체 내에 있는 C/EBP β의 결합 부위에서 돌연변이가 생긴 경우에는 차단되었다. 넷째, 염색질 면역침강법은 PGE₂로 처리된 세포에서 C/EBPβ와 S100A8 촉진체와의 결합이 증대됨을 보여 주었다. 이들 결과에 의하면, 전립선암 세포에서 S100A8의 발현은 EP₂와 EP₄를 통해 PGE₂에 의해 자극을 받는데, 이는 PKA 경로의 활성과 그로 인한 C/EBPβ와 S100A8 촉진체와의 결합에 의해 매개된다.

이질 이합체 S100A8/A9은 세포 외부 공간으로 분비되면 염증을 유발하는 신호의 역할을 하며, 염증 과정, 암세포의 증식, 침습, 전이 등에 영향을 줌으로써 종양의 형성에서 중요한 역할을 한다. 그러나 S100A8/A9의 발현에 영향을 주는 환경 인자에 관하여 알려진 바는 별로 없다. 저산소증 및 저산소증과 관련이 있는 전사 조절자 hypoxia-inducible factor 1 (HIF1)이 S100A8/A9의 발현에 미치는 효과를 분석한 연구는 다음과 같은 결과를 보고하였다 (Grebhardt 등, 2012). 첫째, 저산소증은 양성 전립선 상피세포 BPH-1, 전립선암 세포주 PC3 및 DU145에서 S100A8/A9 단백질 및 mRNA의 발현을 유도하였다. 둘째, HIF1α의 과다 발현은 S100A8/A9 단백질 및 mRNA의 발현뿐만 아니라 분비를 증가시켰다. 셋째, 촉진체 luciferase reporter를 이용할 경우 S100A8과 S100A9에서 HIF1α의 과다 발현으로 hypoxia response element (HRE)로 매개되는 촉진체의 활성화가 관찰되었다. HIF1α와 S100A8 및 S100A9 촉진체와의 결합은 염색질 면역침강법으로 확인되었다. 전립선암 조직에 대한 면역조직화학검사는 S100A8과 S100A9이 HIF1α의 발현과 상호 관련이 있음을 보여 주었다. 넷째, 다변량 분석에서 S100A9의 높은 측정치는 전립선암이 재발될 때까지의 기간과 관련이 있었다. 이와 같은 결과를 근거로 저자들은 전립선암에서 저산소증과 HIF1α가 S100A8/A9의 발현을 조절하는 인자이며, 특히 S100A9은 근치전립선 절제술 후 전립선암의 재발에 대한 예후 인자로서 유용한 표지자라고 하였다.

전립선암으로 진단된 358명으로부터 채취된 조직을 이용하여 전립선암 조직과 인접한 비악성 조직에서 S100A9을 발현하는 염증세포의 밀도가 전립선암 환자의 예후 표지자로서 역할을 수행하는지를 평가한 연구는 다음과 같은 결과를 보고하였다 (Tidehag 등, 2014). 첫째, 전립선암 조직과 인접한 비악성 조직에서 S100A9을 발현하는 염증세포의 수가 증가된 경우는 암 특이 생존 기간이 유의하게 더 짧았다. 이러한 연관성은 Cox 회귀 분석 모델에서 Gleason 점수, 종양의 병기,

S100A9 등을 함께 분석하여도 유의한 결과를 나타내었다. 둘째, Gleason 점수 8~10인 전립선암 환자에서 비악성 기질 내의 S100A9 양성 세포의 수가 적으면 암 특이 생존 기간이 유의하게 더 길었다. 셋째, 종양 기질 내의 S100A9 양성 세포의 수는 종양 기질 내의 Gleason 점수, hyaluronan, platelet-derived growth factor receptor beta (PDGFR-β) 등과는 정상관 관계를, 안드로겐 수용체와는 역상관관계를 나타내었다. 넷째, 비악성 기질 내에 있는 S100A9 양성 세포의 수는 동일한 조직 내에 있는 안드로겐 수용체와 역상관관계를 가졌다. 이들 자료에 의하면, 종양 기질과 비악성 기질 내에서 S100A9 양성 염증세포의 수가 증가된 전립선암 환자의 경우 암 특이 생존 기간이 유의하게 더 짧다.

염증 유발 단백질인 S100A8/A9은 생리학적 조건 하의 골수세포에서 발현되며, 전립선암 상피세포에서 강하게 발현된다. 종양세포와 종양의 진행에서 이들 단백질의 역할은 분명하게 밝혀져 있지 않다. 생쥐의 피하 이종 이식 암에서 면역세포의 침윤과 종양의 성장에 대한 S100A8/A9의 역할을 평가하기 위해 doxycycline을 투여한 조건 하에서 S100A8과 S100A9을 동시에 발현하는 전립선암 상피세포주 PC3 TO-A8/A9를 분석한 연구는 다음과 같은 결과를 보고하였다 (Grebhardt 등, 2014). 첫째, doxycycline이 투여되지 않은 PC3 TO-A8/A9 세포와 피하 이종 이식 암에서는 S100A8/A9 단백질과 mRNA의 발현이 증가된 데 비해, doxycycline을 투여한 경우에는 S100A8/A9의 발현이 억제되었다. 둘째, S100A8/A9의 발현은 피하 종양의 성장 속도와 주위 조직으로의 침습을 유의하게 변경시키지 않았으나, 면역세포, 특히 중성구의 침윤을 증가시켰다. 셋째, 종양세포의 군집과 미세 전이는 doxycycline이 투여되지 않은 폐의 경우 64.3% (9마리/14마리), doxycycline이 투여된 폐의 경우 33.3% (5마리/15마리)에서 관찰되었다. 이들 자료는 상피세포암에서 S100A8/A9의 발현이 면역세포, 특히 중성구의 침윤을 증대시키며, 암세포의 폐로의 전이를 자극함을 보여 준다.

67. Septin 4 (SEPT4)

Septin은 다른 단백질을 동원하여 세포 골격으로서의 역할을 하여 섬모 형성, 신경 형성 등에 관여하며, 숙주와 미생물 사이의 상호 작용, 세포 분열 등과 같은 많은 생물학적 과정에서 세포 내부를 구획화하여 확산을 방지하는 장벽의 역할을

한다. Septin은 세균 주위에 새장 (cage)과 같은 구조물을 형성하여 유해한 세균을 고정시킴으로써 세균의 건강한 세포로의 침범을 방지한다. Septin 단백질은 4종의 소가족으로 분류되는데, 처음 발견된 단백질을 먼저 배열한 분류는 다음과 같다: (1) SEPT2 (SEPT1, SEPT4, SEPT5), (2) SEPT3 (SEPT9, SEPT12), (3) SEPT6 (SEPT8, SEPT10, SEPT11, SEPT14), (4) SEPT7. 세포 골격을 구성하는 단백질인 septins는 GTP와 결합하여 이질 육합체 혹은 이질 팔합체의 septin 단백질 복합체를 형성하며, 이들 소중합체는 다시 섬유나 고리 모양의 구조물을 형성한다 (Mostowy와 Cossart, 2012) (도표 222).

Bradeion (BRADEION)으로도 알려진 septin 4 (SEPT4)는 단클론 항체인 CE5에 의해 뇌의 cDNA 도서관으로부터 발견되었으며, 현재 13종이 보고되었다. Northern blot과 in situ hybridization 분석은 SEPT4에는 2.2 kb와 1.7kb 길이의 두 가지 전사물 SEPT4 alpha와 SEPT4 beta가 있음을 보여 주었다. SEPT4는 태아의 경우 심장에서 어느 정도 발현되지만 주로 뇌에서 발현되며, 다른 기관에서는 발현되지 않는다. 이 유전자는 염색체 17q23 (WIKIPEDIA에는 17q22)에 위치해 있다 (Tanaka 등, 2001). SEPT4 beta 전사물에는 소수성 (hydrophobic) 영역이 결여되어 있는데, 이는 이러한 형태가 특별한 RNA splicing을 통해 단일 SEPT4 유전자로부터 유래됨을 시사한다. 뇌에 특이한 SEPT4 유전자는 결장직장암과 악성 흑색종에서도 발현된다. 정상적인 SEPT4 alpha 및 beta 전사물의 이소성 발현이 환자의 종양 표본과 배양된 종양세포주에서 확인되었다. 따라서 SEPT4는 종양에 특이적인 표지자의 역할을 한다고 생각된다 (Tanaka 등, 2001).

SEPT4의 발현은 종양이 형성됨으로 인한 결과로서 일부 암에 제한되어 관찰되며, 바른 종양 유발 유전자의 돌연변이와 관계없이 암세포에 거의 국한된다 (Tanaka 등, 2001). Bradeion, apoptosis-related protein in the TGF-beta signaling pathway (ARTS), brain protein H5 (H5) 등으로도 알려진 단백질 septin-4 (SEPT4)는 SEPT4에 의해 코드화되며, 세포에 특이적인 방식으로 세포질 분열 (cytokinesis)과 세포 분리를 가속화하는 septin GTPase로서의 기능을 한다 (Tanaka 등, 2001). 결장직장암에서 antisense ribozyme을 이용하여 SEPT4 유전자의 발현을 억제하면, 세포 주기 중 G2 기가 정지되고 세포사가 일어난다 (Tanaka 등, 2002).

SEPT4가 발현하고 기능하기 위해서는 세포 내부에 소기관이 공존할 필요가 있는데, 예를 들면 결장직장암의 경우 유사분열 동안 미세 섬유가, 전립선암의 경우 형질막 구조물이 필요하다. 다른 septin 가족이 발현되는 여러 암과 정상 세포는 이들 소기관의 공존을 필요로 하지 않기 때문에, SEPT4를 발현하지 않는다. SEPT4는 neural precursor cell-expressed developmentally down-regulated protein 5 (NEDD5), Diff6 homolog (DIFF6) 등과 같은 다른 septin 가족 분자와 복합체를 형성할 수 있다 (Macara 등, 2002).

SEPT4는 septin 가족의 유전자로서 결장직장암과 비뇨기과적 암에서 종양에 특이하게 발현된다고 알려져 있다. SEPT4의 진단적 가치를 확인하기 위해 단클론 항체를 이용한 immuno-chromatography로 단백질을, RT-PCR로 SEPT4 유전자를 측정한 연구는 다음과 같은 결과를 보고하였다 (Tanaka 등, 2003). 첫째, 단클론 항체를 이용한 검사법과 SEPT4 시험지봉을 병용한 검사는 1 ng/mL의 SEPT4를 발견하는 데 효과적이었으며, 위양성 결과 없이 소변 표본에 대해 성공적으로 적용할 수 있었다. 둘째, 15~30분 내에 검사가 가능하였으며, 전립선암, 신장암, 방광암 등을 가진 환자의 소변 표본에서 양성 발견율은 70% 이상이었다. 셋째, RT-PCR 검사의 경우 비뇨기과적 암을 가진 환자의 조직 표본에서는 $0.4{\sim}3.0{\times}10^5/\mu$ g total RNA의 높은 복사 수를 보인 데 비해, 정상 조직 혹은 다른 암에서는 음성 결과를 보였다. 이들 결과는 질환 특이 분자 표지자를 이용한 진단법이 가치가 있으며, 안전성, 경제성, 신속성의 측면에서 유리한 선별검사임을 시사한다.

한편, septin 9 transcript variant 1 (SEPT9_v1)에 의해 코드화되는 단백질 septin 9 protein, isoform 1 (SEPT9_i1)과 저산소증 반응 경로에서 중요한 역할을 하는 전사 인자 hypoxia-inducible factor 1 (HIF1) 사이의 상호 작용을 분석한 연구는 SEPT9_i1이 HIF1alpha와 결합하여 이를 안정화하며, receptor for activated C kinase 1 (RACK1)으로도 알려져 있는 guanine nucleotide-binding protein subunit beta-2-like 1 (GNB2L1)으로 매개되는 HIF1alpha의 분해를 억제함으로써 HIF1alpha의 전사 활동을 자극한다고 하였다. SEPT9_i1/HIF1의 활성화는 종양의 성장과 혈관 형성을 촉진한다 (Amir 등, 2010). 특히 shRNA를 이용하여 전립선암 세포에서 SEPT9_v1의 기능을 침묵시킨 연구는 이로써 HIF1alpha 단백질의 발현이 감소되었으며, HIF1의 전사 작용이 억제되었다고 하였다. SEPT9_v1의 활동 정지는 세포 형태에 영향을 주었으며, 세포 주기의 역조절, 세포 이동의 감소 등을 일으켰다. shSEPT9_v1의 항증식 효과는 HIF1alpha가 제거된 결장

도표 222 사람에서 septins의 분류

Septins	염색체	발현	기능	관련 질환	생쥐에서 파손 시 표현형
SEPT1 (SEPT2)	16p11.1	림프구, CNS 세포	미확인	AD, 결장암, 구강암, 백혈병, 림프종	미확인
SEPT2 (SEPT2)	2q37.3	Ubiquitous	Actin 동력학, 세균 자가 포식 현상, 세포의 모양과 견고성, 염색체 분리, 섬유 형성, 세포질 분열, DNA 복구, 세포막의 교통, 미세관 조절, 신경전달물질 분비, 융모 기저부에서 확산 장벽으로서 작용, 세포 골격의 기초로서 작용	AD, 뇌종양, 감염, 신장암, 백혈병 등과 같은 암, 세균 및 바이러스 감염, SEL, VHL	미확인
SEPT3 (SEPT3)	22q13.2	CNS 세포	미확인	AD, 뇌종양, Down 증후군, MTLE	CNS의 이상이 발생하지 않음
SEPT4 (SEPT2)	17q23	안구, 고환, CNS 등의 세포, 림프구	세포 자멸사, annulus의 안정화, 정자 세포막의 교통, 미토콘드리아의 기능, 신경 독성, 정자에서 확산 장벽으로서 기능	AD, PD, 결장암, 피부암, 요로생식기의 암, 백혈병 등과 같은 암, 바이러스 감염, 남성 불임증, 정신분열병	정자무력증, 간 섬유증 증대, α-synuclein에 의한 신경 독성의 증대, 도파민 감소로 인한 이상 증상, 경도의 소뇌 기형, 미토콘드리아 분열 결함
SEPT5 (SEPT2)	22q11.2	Ubiquitous	신경세포 축삭의 성장, 혈소판의 분비 및 ATP의 유리, 소포 표적화 및 세포 외 배출	조울증, 췌장암, 백혈병, 림프종 등과 같은 암, PD, 정신분열병	혈소판 민감성 증가, CNS 이상은 발생 않음
SEPT6 (SEPT6)	Xq24	Ubiquitou	Actin 동력학, 세포의 모양, 미세관의 조절	조울증, 피부암, 백혈병, 림프종 등과 같은 암, Down 증후군, 세균 및 바이러스 감염, 정신분열병	SEPT6로 유도된 골수성 림프구 백혈병에 대한 추가 효과 없음, CNS 혹은 전신적 이상 없음
SEPT7 (SEPT7)	7p14.2	Ubiquitous	Actin 동력학, 신경세포 축삭의 싱장, 세포의 모양, 염색체 분리, 세포질 분열, 신경세포 수상돌기 형성, DNA 복구, 세포막의 교통, T-cell 운동성, 미세관의 조절; 세포 골격의 기초로서 작용	AD, 신경계 암, Down 증후군, 남성 불임증	배아 사망
SEPT8 (SEPT6)	5q31	안구, 장관, 췌장, CNS 등의 세포, 림프구	신경전달물질 분비	망막 변성	미확인
SEPT9 (SEPT3)	17q25	Ubiquitous	Actin 동력학, 혈관 형성, 세균의 자가 포식, 세포의 운동성, 세포의 증식, 세포의 모양, 세포질 분열, 미세관의 조절, 소포의 표적화 및 세포 외 배출	유방암, 결장암, 두경부암, 난소암, 백혈병, 림프종 등과 같은 암, Down 증후군, HNA, 세균 감염	배아 사망
SEPT10 (SEPT6)	2q13	Ubiquitous	미확인	미확인	미확인
SEPT11 (SEPT6)	4q21	Ubiquitous	Actin 동력학, 세포의 모양, 세포질 분열, 신경세포 수상돌기 형성, 세포막의 견고성, 세포막의 교통, synapse 작용	조울증, 신장암, 백혈병, 림프종 등과 같은 암, 정신분열병	배아 사망
SEPT12 (SEPT3)	16p13.3	림프구, 고환 세포	Annulus의 안정화	남성 불임증	미확인
SEPT14 (SEPT6)	7p11.2	CNS와 고환 세포	미확인	고환암	미확인

( ) 안의 septin은 네 소그룹 중 대표 septin, 즉 각 소그룹에서 처음 발견된 septin임.

AD, Alzheimer's disease; CNS, central nerve system; HNA, hereditary neuralgic amyotrophy; MTLE, mesial temporal lobe epilepsy; ND, not determined; PD, Parkinson's disease; SEPT, septin; SLE, systemic lupus erythematosus; VHL, Von Hippel-Landau disease.

Mostowy와 Cossart (2012)의 자료를 수정 인용.

암 세포에서는 소실되었다. SEPT9_i1의 고갈은 HIF1alpha의 발현, 세포의 증식, 종양의 성장, 혈관 형성 등의 감소를 일으켰다. 이러한 결과는 *SEPT9_v1*이 HIF1 경로를 차단하는 항암 치료의 유망한 표적이 됨을 보여 준다 (Amir 등, 2010). RT-PCR을 이용하여 전립선암 조직 표본을 분석한 연구는 전립선암에서 과다 발현되는 *E-twenty six (ETS)-related gene* (*ERG*)이 과다 발현하는 전립선암에서는 세포의 이동과 침습에 관여하는 유전자, 예를 들면 *matrix metalloproteinase 7* (*MMP7*), *osteopontin* (*OPN*), *SEPT9* 등이 증가한다고 하였다 (Hagen 등, 2014). 50점의 전립선암 표본에 대해 면역조직화학검사를 실시한 연구는 SEPT9_i1에 대한 염색 강도가 치료 전 혈청 PSA 농도 및 Gleason 점수와 정상관관계를 가지기 때문에, SEPT9_i1은 전립선암의 형성에서 중요한 기능을 하며 질환의 진행에 대한 분자 표지자로서의 역할을 한다고 하였다 (Gilad 등, 2015).

68. Serine Protease Inhibitor Kazal Type 1 (SPINK1)

Serine protease inhibitor Kazal type 1 (SPINK1)은 tumor-associated trypsin inhibitor (TATI) 혹은 pancreatic secretory trypsin inhibitor (PSTI)로도 알려져 있으며, 염색체 5q32에 위치해 있는 *SPINK1* 유전자에 의해 코드화되는 단백질이다. SPINK1은 전립선을 마사지한 후 배출된 소변에서 발견 가능한 전립선암의 생물 지표이다.

1936년에 췌장 내에서 단백질분해효소 억제제가 처음 발견되었으며, 이는 염기성 pancreatic trypsin inhibitor, Kunitz inhibitor, aprotinin 등으로 알려졌고, 바이엘제약회사에서 Trasylol®이라는 상품명으로 시판되었다. 이 억제제는 trypsin, chymotrypsin, plasmin, kallikrein 등을 강력하게 억제하며, 췌장의 비만세포와 일부 반추동물의 기타 기관에서 발견되지만, 췌장액 내로 분비되지는 않는다 (Fritz 등, 1979). 사람의 췌장은 aprotinin (Kunitz) 형태의 동족체를 가지고 있지 않다 (Marchbank 등, 1998). 1948년 Kazal 등이 소의 췌장에서 두 번째 trypsin 억제제인 PSTI를 정제하였으며, 소의 PSTI는 chymotrypsin, 췌장의 kallikrein 등을 억제하는 효과가 결여되어 있기 때문에 소의 Kunitz inhibitor와는 구별된다 (Laskowski와, Wu, 1953). 사람에서는 1977년 소의 PSTI와 상당한 상동성을 나타내는 56개 아미노산 잔기로 구성된 PSTI로서 발견되었다 (Bartelt 등, 1977). 다른 연구팀은 췌장 외에 부인과적 암을 가진 여성의 소변에서 높은 농도의 trypsin inhibitor를 발견하였으며, 이를 TATI로 명명하였고 (Huhtala 등, 1983), 후에 TATI는 PSTI와 동일함이 밝혀졌다. 이는 다시 SPINK1으로 재차 명명되었다.

SPINK1 유전자는 길이가 7.5 kb이며, 4개의 exons를 가지고 염색체 5에 위치해 있다 (Horii 등, 1987). 유전자 산물은 23개 아미노산의 신호 펩티드를 포함한 79개 아미노산 잔기로 구성되어 있다. 신호 펩티드가 분절된 성숙 펩티드는 분자량이 약 6,500인 56개 아미노산의 구조물이며, Cys9-Cys33, Cys16-Cys35, Cys24-Cys56 등에서 3개의 이황화 결합을 가지고 6개의 cysteine이 잘 보존된 분자이다 (Bartelt 등, 1977).

사람의 SPINK1에서 serine protease와 상호 작용하는 활성 부위는 Lys18이지만, 이 부위는 일부 종에서 염기성 측쇄 아미노산인 arginine으로 대치된다 (Marchbank 등, 1998).

처음에는 SPINK1이 췌장에서만 분포하고, 그것의 유일한 기능이 췌장의 단백질분해효소의 조기 활성화를 억제하는 역할이라고 생각되었다. 그러나 SPINK1은 위장관의 점액을 분비하는 세포 (Freeman 등, 1990)와 많은 다른 조직, 예를 들면 폐, 간, 신장, 난소, 신우의 집합세관 및 이행상피 등에서도 발견되었다 (Shibata 등, 1987; Marchbank 등, 1996). 정상 위장관에서 SPINK1의 점액 내 농도는 위의 유문방 (pyloric antrum)에서의 약 1,000 ng/mg protein으로부터 결장에서의 200 ng/mg protein까지 범위이다 (Freeman 등, 1990). SPINK1은 또한 정상 조건의 혈장에서 4~25 ng/mL의 농도로 분포하며 (Pezzilli 등, 1994), 혈중 반감기는 약 8분이고, 주로 신장을 통해 배설된다 (Marks와, Ohlsson, 1983). 췌장을 제거한 후에도 혈청 SPINK1의 농도는 정상인데, 이는 혈중 SPINK1의 주된 근원지가 췌장이 아님을 시사한다 (Halila 등, 1985). In situ hybridisation (ISH) 연구는 *SPINK1* mRNA가 신장의 집합세관에서는 발견되지 않았지만, SPINK1이 위에 기술된 조직에서 분포함을 확인하였다 (Marchbank 등, 1996). *SPINK1* mRNA가 신장의 집합세관에서 발견되지 않은 이유는 SPINK1이 신장에서 여과된 후 근위부 요세관에 의해 섭취되었다가 분해되기 때문으로 추측된다. 정상 유방에서 SPINK1 펩티드가 발견되는 것으로 보아 SPINK1은 측정되지는 않았지만 모유에도 분비될 것으로 추측된다. SPINK1은 또한 위액에도 분비되며, 장의 관강 내로 분비되는 유일한 단백질분해효소 억제제로 알려져 있다 (Playford 등, 1991).

SPINK1의 주된 기능은 췌장의 세엽 세포에서 분비되는 serine 단백질분해효소 trypsin을 억제하며 췌장과 췌장관에서 trypsin에 의해 촉매되는 효소원 (zymogen)의 조기 활성화를 방지하고 (Kazal 등, 1948; Paju와 Stenman, 2006), 위와 결장에 있는 내강의 단백질분해효소에 의한 점액 소화율을 감소시키는 역할이지만, 그 외에도 epidermal growth factor receptor (EGFR)의 매개를 통해 다양한 세포주의 증식을 증가시키고 세포의 이동을 자극한다. SPINK1은 이러한 기전을 통해 손상 후 치유 반응의 초기와 후기에 관여한다고 생각된다 (Marchbank 등, 1998). SPINK1은 염증과 췌장염에서 증가되며, 이 단백질의 유전자 돌연변이는 유전성 췌장염, 열대성 석회화 췌장염 (tropical calcific pancreatitis)과 관련이 있다

도표 223 Oncomine 데이터베이스에 있는 7종의 전립선암 발현 양상 자료집에 관한 메타 COPA 분석

COPA 순위	유전자명	유전자 기호	연구 편수	평균 COPA 순위
1	ETS-related gene	ERG	7	19.3
2	Serine protease inhibitor Kazal-type 1	SPINK1†	5	29.8
3	G-protein coupled receptor	GPR116‡	5	46
4	Orosomucoid 1	ORM1¶	4	10
5	ETS translocation variant 1	ETV1	4	23
6	Myosin light chain-2	MYL2¶	4	26.8
7	Nebulin	NEB¶	4	27
8	Transglutaminase 4	TGM4¶	4	30.8
9	NEL-like 2	NELL2¶	4	33.5
10	Keratin 13	KRT13¶	4	49
11	Solute carrier family 26, member 4	SLC26A4¶	4	63.3

7종의 자료집 중 최소 3종의 자료집에서 비정상적으로 발현된 유전자는 29종이었으며, 최소 4종의 자료집에서 비정상적 발현을 나타낸 11종의 유전자가 이 도표에 정리되었다.

†, 전립선암에서만 비정상적으로 발현되며, ETS 유전자의 비정상적인 발현과 상호 관련이 있다; ‡, ERG 혹은 ETV1의 비정상적인 발현과 상호 관련이 없는 유전자; ¶, 양성 전립선 조직에서 비정상적으로 발현되는 유전자.
COPA, Cancer Outlier Profile Analysis; ETS, E-twenty six transformation specific; NEL. neural EGFL, epidermal growth factor (EGF)-like domain.
Tomlins 등 (2008)의 자료를 수정 인용.

(Witt 등, 2000). 또한, SPINK1은 쥐의 췌장암 세포와 사람의 섬유모세포에서 DNA 합성을 자극한다고 보고되어 발암 기전에도 관여할 것으로 추측된다 (Freeman 등, 1990).

SPINK1은 또한 전립선암 등에서도 과다 발현되며, 혈청 농도의 증가는 많은 경우에서 독립적 예후 인자의 역할을 하였다 (Paju 등, 2007). SPINK1은 E26 transformation-specific (ETS)의 재배열이 없는 전립선암의 10% (Tomlins 등, 2008)와 ETS 음성인 전립선관 선암의 6%에서만 (Han 등, 2009) 발현된다고 보고되었다 (도표 223). 생검 혹은 근치전립선절제술이 계획된 234명의 소변 침전물에서 PCR을 이용하여 7종의 전립선암 생물 표지자, 즉 alpha-methylacyl-CoA racemase (AMACR), ETS-related gene (ERG), Golgi phosphoprotein 2 (GOLPH2 혹은 Golgi membrane protein 1, GOLM1), prostate cancer antigen 3 (PCA3), SPINK1, trefoil factor 3 (TFF3), transmembrane protease, serine 2 (TMPRSS2):ERG 등을 분석한 연구는 다음과 같은 결과를 보고하였다 (Laxman 등, 2008). 첫째, 단변량 분석에서 SPINK1, GOLPH2, PCA3 등의 전사물의 증가와 TMPRSS2:ERG 융합 상태는 전립선암에 대한 유의한 예측 인자이었으며, SPINK1, GOLPH2, PCA3 등의 AUC는 각각 0.642, 0.664, 0.661으로써 혈청 PSA의 AUC 0.508을 능가하였고 각각의 p-value는 0.0002, 0.0002, 0.001

이었다. 둘째, 다변량 분석에서 SPINK1, GOLPH2, PCA3, TMPRSS2:ERG 등은 전립선암의 발견에 대해 유의한 예측 인자의 역할을 하였으며, 각각의 p-value는 7.41E-5, 0.004, 0.003, 0.006이었다. 이들 생물 표지자를 포함하는 다중 모델은 전립선암의 발견에서 혈청 PSA 혹은 PCA3의 단독 분석을 능가하는 예측력을 보였으며, 다중 모델과 PCA3 단독의 area under the receiver-operating characteristic curve (AU-ROC)는 각각 0.758, 0.662이었다 (p=0.003). 셋째, 다중 분석의 민감도, 특이도, 양성 예측도, 음성 예측도는 각각 65.9%, 76.0%, 79.8%, 60.8%이었다. 이와 같은 결과는 소변을 이용한 다중 생물 표지자의 분석은 전립선암을 더욱 정확하게 발견할 수 있는 도구가 됨을 보여 준다.

Leinonen 등 (2010)은 호르몬 요법으로 일차 치료를 받은 전립선암 환자를 추적 관찰하는 동안 진단적 침 생검을 실시한 후 면역조직화학검사로 SPINK1 단백질의 발현을 평가하였으며, SPINK1 양성은 강도 3이상, 염색된 표면적이 10%를 초과한 경우로 규정하였다. 이 연구에서 SPINK1 양성 발현은 생검의 11% (21명/186명)에서 발견되었고, SPINK1 양성 환자는 SPINK1 음성 환자와 비교하였을 때 무병 생존 기간이 유의하게 더 짧았다 (p=0.001). SPINK의 발현은 연구된 기타 임상병리학적 변수들과 관련성이 없었다. 다변량 분석에서는

도표 224 여러 예후 표지자의 공격적인 전립선암에 대한 다변량 분석의 결과

변수	RR (95% CI)	p
SPINK1 (+)[†]	2.3 (1.1~4.6)	0.038
PSA ()20 대≤20 ng/mL)	2.5 (1.4~4.3)	0.000
Gleason 점수 ()7 대 7 대 ⟨7)	2.3 (1.4~3.0)	0.000
T 병기 (3+4 대 1+2)	의미 없음	
Ki-67 염색 ()10% 대 5~10% 대 ⟨5%)	의미 없음	

호르몬으로 치료를 받은 환자에 대한 178회의 생검 중 34%에서 TMPRSS2:ERG 융합이 관찰되었다. 융합 양성인 환자의 71%에서 두 유전자 사이 결실이 있었고 23%에서는 융합의 습득이 있었다. 융합은 Ki-67의 높은 염색 (p=0.001), 진단 당시의 연령 (p=0.024), 종양의 면적 (p=0.006) 등과 관련이 있었으나 Gleason 점수, T 병기, M 병기, PSA, 무진행 생존 등과는 관련이 없었다. SPINK1의 강한 양성 발현은 생검의 11% (21회/186회)에서 발견되었다. TMPRSS2:ERG 융합과 SPINK1의 발현 사이에는 연관성이 없었다.
[†], Power Vision+ Poly-HRP IHC kit (ImmunoVision Technologies Co.)를 이용한 면역조직화학검사에서 강도 3의 경우이며, 염색된 표면적 ⟩10%인 경우를 SPINK1(+)로 규정하였다.
CI, confidence interval; ERG, E-twenty six (ETS)-related gene; PSA, prostate-specific antigen; RR, relative risk; SPINK1, serine protease inhibitor Kazal-type 1; TMPRSS2, transmembrane protease, serine 2.
Leinonen 등 (2010)의 자료를 수정 인용.

SPINK1의 발현이 공격적인 질환의 상대적 위험도 2.3 (95% CI 1.1~4.6)을 나타내어 독립적 예후 인자로서의 가치가 있다고 생각된다 (도표 224). SPINK1의 발현과 TMPRSS2:ERG 유전자 융합 사이에는 연관성이 발견되지 않았다.

SPINK1을 발현하는 adenovirus를 만들어 불멸성을 나타내는 양성 전립선 상피세포인 RWPE 세포를 감염시켜 생겨난 RWPE-SPINK1 세포에 관한 연구는 SPINK1의 과다 발현이 RWPE 세포의 증식 혹은 침습에 대해 유의한 영향을 주지 않았으며 양성 전립선 세포에 대해서는 전혀 영향을 주지 않은 데 비해, 유전적 병변이 공존한 상태에서는 SPINK1의 과다 발현이 전립선암이 진행되고 난 후에 생기는 것으로 보아 SPINK1의 과다 발현은 공격적인 전립선암과 관련이 있다고 하였다. 또한, 공격성이 강한 22RV1 전립선암 세포주는 SPINK1을 발현하고 SPINK1이 없는 경우는 22RV1의 침습성이 약해지는 것으로 보아 SPINK1이 ETS 재배열이 없는 전립선암에서 어떠한 기능적인 역할을 한다고 추측된다 (Tomlins 등, 2008).

TMPRSS2:ERG 융합과 공격성 암과의 연관성에 관해 상충

되는 보고가 있지만, 근래 코호트 연구는 염색체 21에 있는 TMPRSS2와 ERG 자리 사이에 염색체 내부 결실이 있는 경우는 공격성과 관련이 있다고 하였다 (Attard 등, 2008). 거세 저항성 전이 전립선암으로 사망한 후 신속하게 부검한 환자 코호트를 대상으로 실시한 연구는 TMPRSS2:ERG 융합을 가진 모든 환자에서 결실이 있음을 발견하였다 (Mehra 등, 2007). 모든 전립선암의 25%까지에서 나타나는 '결실 (+)'의 TMPRSS2:ERG 융합인 경우는 TMPRSS2:ERG 융합과 공격성 사이에 연관성이 있음을 시사한다. 다른 연구는 공격성이 있지만 TMPRSS2:ERG 융합 음성인 전립선암 (모든 전립선암의 10% 이하)에서 SPINK1 양성인 표본이 있음을 발견하였다 (Tomlins 등, 2008). SPINK1의 발현과 침습적 표현형은 상호 관련이 있다고 보고되었지만 (Tomlins 등, 2008), SPINK1이 공격적인 표현형의 전립선암과 관련이 있는 이유는 분명하지 않다. SPINK1은 EGFR을 통해 췌장암 세포의 성장을 촉진한다 (Ozaki 등, 2009). 호르몬 요법을 받은 전립선암 환자에서 EGFR의 발현은 나쁜 예후와 관련이 있다 (Visakorpi 등, 1992). 간모세포종 (hepatoblastoma) 세포에서 SPINK1의 분비는 interleukin 6 (IL-6)에 의해 유도되며 (Yasuda 등, 1990), IL-6는 공격적인 전립선암의 전립선 주위 지방 조직에서 분비된다고 보고된 바 있다 (Finley 등, 2009). 따라서 공격적인 전립선암의 기질은 IL-6를 분비하고 이는 전립선암 세포에서 SPINK1의 발현을 유도하며, 이로써 EGFR의 신호 경로가 활성화된다고 추측된다. 그러나 이 가설을 확인하기 위해서는 앞으로 추가 연구를 통해 입증되어야 한다 (Leinonen 등, 2010).

ERG의 재배열은 국소 전립선암 중 임상적으로 중대한 질환의 40~70%, 적극적 감시의 대상이 되는 중대하지 않은 질환의 12~15%에서 관찰된다 (Demichelis 등, 2007). 이러한 재배열은 결실에 의해 혹은 삽입이나 전위에 의해 일어난다. 일부 연구는 상충되는 결과를 보고하였지만 (Saramaki 등, 2008; Hermans 등, 2009), 여러 연구는 전립선암에서 ERG의 재배열이 PSA 재발, 암 특이 사망, 공격성의 증가 등과 관련이 있다고 하였다 (Perner 등, 2007; Darnel 등, 2009). Phosphatase and tensin homolog (PTEN)는 전립선암을 포함하는 많은 암에서 종양을 억제하는 역할을 하며, PTEN의 불활성은 전립선암의 진행, 전이, 암 특이 사망과 관련이 있다 (Deocampo 등, 2003; Pourmand 등, 2007). 또한, 안드로겐을 차단하면 처음에는 전립선암이 효과적으로 퇴행을 일으키

지만, 후에는 androgen receptor (AR)가 발현되고 AR mRNA가 증가되면서 공격적이고 치명적인 질환으로 진행하게 된다 (Chmelar 등, 2007; Brooke와 Bevan, 2009). 한편, SPINK1의 과다 발현, ERG의 재배열, PTEN의 결실 등은 전립선암의 형태를 세분하는 분자적 표지자로 알려져 있다. 거세 저항성 전립선암 환자 59명을 대상으로 fluorescence in situ hybridization (FISH)을 이용하여 ERG의 재배열, PTEN의 결실, AR의 증폭 등을, 면역조직화학검사로 SPINK1의 과다 발현을 분석한 연구는 다음과 같은 결과를 보고하였다 (Bismar 등, 2012). 첫째, ERG의 재배열과 PTEN의 결실은 각각 41.5% (22명/53명), 63.6% (35명/55명)에서 발견되었으며, ERG 재배열을 가진 환자의 68.1% (15명/22명)에서는 PTEN의 결실이 함께 발견되었다. SPINK1의 과다 발현은 5.8% (3명/51명)에서 일어났고, ERG의 재배열이 없는 환자에서만 발견되었으며, AR의 증폭은 24.4% (12명/49명)에서 발견되었다. PTEN의 결실만이 25.7% (9명/35명)에서 병소 내 이질성을 나타내었다. 둘째, PTEN의 결실은 ERG의 재배열, AR의 증폭, SPINK1의 과다 발현 등과 유의한 연관성을 가졌으며, 각각의 p-value는 0.001, 0.002, 0.002이었다. SPINK1을 과다 발현하는 종양은 AR의 증폭을 나타내지 않았으며 (p=0.005), 모두는 PTEN이 결실된 병소에서 발생하였다 (p=0.002). 이들 결과는 거세 저항성 전립선암이 이질적인 질환이고, PTEN, ERG, AR, SPINK1 등은 서로 관련이 있음을 입증해 주며, 이들 표지자를 연합하면 거세 저항성 전립선암 환자의 예후에 따라 환자를 세분하는 데 도움이 됨을 보여 준다.

SPINK1의 과다 발현은 많은 암에서 나쁜 예후와 관련이 있다고 알려져 있다. SPINK1의 과다 발현과 전립선암 특이 생존 사이의 연관성을 평가하기 위해 미국의 Physicians' Health Study and Health Professionals Follow-Up Study에 등록된 전립선암 환자로서 근치전립선절제술을 받은 879명을 대상으로 종양 조직 microarray에 대해 면역조직화학검사를 이용하여 SPINK1의 발현을 평가한 연구는 다음과 같은 결과를 보고하였다 (Flavin 등, 2014). 첫째, SPINK1 양성은 전립선암의 8% (74명/879명)에서 나타났다. 둘째, SPINK1 음성 종양에 비해 SPINK1 양성 종양은 PTEN 및 stathmin 1 (STMN1)을 더 높게, AR을 더 낮게 발현하였다 (p<0.01). 둘째, SPINK1의 과다 발현은 ERG 음성 표본의 11% (47점/427점), ERG 양성 표본의 4% (19점/427점)에서 관찰되었다. 셋째, SPINK1의 상태는 Gleason 등급 혹은 종양의 병기와 관련이 없었으

며, SPINK1의 발현과 생화학적 재발 사이에 연관성도 없었다 (p=0.56). 더욱이 평균 13.5년 추적 관찰하는 동안 75명이 전립선암으로 사망하였는데, SPINK1의 발현과 전립선암 특이 사망 사이에는 연관성이 없었다 (HR 0.71, 95% CI 0.29~1.76). 이들 결과를 근거로 저자들은 SPINK1 단백질의 발현이 다른 연구 결과와는 다르게 근치전립선절제술을 받은 환자에서 전립선암의 재발 혹은 치명적인 전립선암을 예측할 수 없다고 하였다.

흔히 전립선암에서 농도가 증가되는 SPINK1, ERG, TFF3 등이 질환의 진행 위험에 따라 환자를 적절하게 분류하는 데 도움이 되는지를 평가하기 위해 근치전립선절제술을 받은 279명을 대상으로 면역조직화학검사를 실시한 연구는 다음과 같은 결과를 보고하였다 (Terry 등, 2015). 첫째, 예후 측면에서 ERG와 TFF3는 유의하지 않았지만, 이들은 독특한 발현 양상을 나타내었다. SPINK1의 발현은 전적으로 TFF3를 발현하는 암 표본에서 관찰되었다 (41점175점). 둘째, SPINK1 양성은 단변량 분석과 다변량 분석에서 생화학적 재발을 예측하였으며, 각각의 경우에서 p-value는 0.0009, 0.0003이었다. 이들 결과는 TFF3를 발현하는 전립선암 중 SPINK1을 발현하는 경우는 더 공격적인 질환을 가지기 때문에 이들 생물 표지자를 분석하면 예후를 예측하는 데 도움이 됨을 보여 준다.

69. Sex-Determining Region Y (SRY)-Related High-Mobility Group (HMG) Box (SOX)

Sex-determining region Y (SRY)-box 혹은 SRY-related high-mobility group (HMG)-box gene (SOX) 유전자 가족은 SRY 단백질의 high-mobility group (HMG) 영역을 공유하고 있는 일련의 전사 인자를 코드화한다 (Sasai, 2001). 염색체 3q26.3-q27에 위치해 있는 SOX2는 SOX 유전자 가족 중 B1 그룹에 속하며, cDNA의 전체 염기 서열의 길이는 2,418 bp이다 (Stevanovic 등, 1994). SOX2는 배아줄기세포 및 종양줄기세포에서 317개의 아미노산 잔기를 가진 중요한 전사 인자로서 (Yuan 등, 1995), 줄기세포와 종양세포의 자가 재생, 분화, 증식, 세포 자멸사 등에서 중요한 역할을 하며 (Wegner, 1999; Bylund 등, 2003), 뇌, 기관지 등을 포함하는 다수의 성인 조직에서 줄기세포를 유지하는 역할을 한다 (Liu 등, 2013). 이 유전자는 아교모세포종 (Gangemi 등, 2009)과 같

은 신경계 종양, 폐의 편평세포암 (Hussenet 등, 2010), 소세포 폐암 (Gure 등, 2000) 등과 같은 호흡기계 종양, 난소의 상피세포암 (Ye 등, 2010), 전립선암 (Jia 등, 2011) 등과 같은 생식기계 종양, 식도암 (Bass 등, 2009), 직장암 (Saigusa 등, 2009) 등과 같은 소화기계 종양 등 사람에서 발생하는 대부분의 종양에서 과다 발현된다. 또한, *SOX2*는 유방암 (Stolzenburg 등, 2012), 골육종 (Basu-Roy 등, 2012), 흑색종 (Girouard 등, 2012), 폐암 (Xiang 등, 2011) 등의 침습 혹은 전이와 관련이 있다는 보고도 있다. *SOX2*의 활동 정지는 증식의 중단, 종양 형성의 상실 등을 유발하며, *SOX2*의 과다 발현은 유방암에서 환자의 생존율 감소, 암의 공격성 증가 등과 관련이 있다. 면역화학검사는 SOX2 단백질의 발현양이 정상 전립선이나 양성전립선비대에 비해 전립선암 조직에서 유의하게 증가됨을 보여 주었다 (Bae 등, 2010). *SOX2* mRNA와 단백질은 대부분의 전립선암 세포에서 발현되며, 발현양이 안드로겐 의존성에 비해 안드로겐 비의존성 전립선암 세포에서 더 높기 때문에, *SOX2*는 전립선암의 진행에서 중요한 역할을 할 것으로 추측된다 (Lin 등, 2012). *SOX2*는 전립선암의 증식에 관여하지만, 다른 암에서와 마찬가지로 그와 관련된 기전은 충분하게 알려져 있지 않다. *SOX2*가 다면적인 기능을 가지는 이유는 microRNAs, kinases, 신호 전달 분자 등으로 구성된 복잡한 조절망을 가지고 있고, 전사, 복사, 전사 후 변경 등의 다양한 수준에서 조절되기 때문으로 생각된다 (Liu 등, 2013).

SOX 가족의 전사 인자는 다양한 발생 과정과 성 결정 세포의 운명에서 중요한 역할을 하며, 특히 다능성을 유지하고 신경을 유발하는 데 필수적이다 (Schepers 등, 2002). *SOX2*는 *octamer-binding transcription factor 4 (OCT4)*, *Kruppel-like factor 4 (KLF4)*, *v-myc avian myelocytomatosis viral oncogene homolog (c-MYC)* 등과 연합하여 체세포를 다능성 줄기세포가 되도록 유도하는데, 이는 *SOX2*가 줄기세포와 전구세포의 다능성을 조절하는 역할을 가지고 있음을 시사한다 (Takahashi와 Yamanaka, 2006). *SOX2*는 또한 폐의 발생 초기에 분지 형성과 상피세포의 분화에 관여하며, *SOX2*의 비정상적 발현은 폐의 정상적인 분지 형성을 방해함으로써 기관지의 수를 감소시킨다 (Tompkins 등, 2009). *SOX2*가 과다 발현된 생쥐에서는 호흡기 점막에 있는 신경내분비세포와 기저세포의 수가 증가되고 이들 생쥐의 약 1/2에서 폐암이 발생하는데, 이는 *SOX2*의 발현이 종양을 유발하는 인자임을 시사한다 (Lu 등, 2010). *SOX*의 과다 발현은 종양을 유발하는 역할

을 하며, 폐암 (Lu 등, 2010)과 유방암 (Chen 등, 2008)에서 세포군의 성장을 유도한다. 아교모세포종 (glioblastoma)의 종양 시작 세포에서 *SOX2*의 활동 정지는 종양세포의 증식을 억제하였고, 종양의 형성을 소멸시켰다 (Gusterson, 1992).

근래의 연구는 *SOX2*가 양성 및 악성 전립선 조직에서 발현되지만, 10% 미만의 일부 세포에서만 발현된다고 하였다 (Ugolkov 등, 2011). 다른 연구는 거세 저항성 전립선암의 전이 표본에서 *SOX2*를 발견하였다 (Kregel 등, 2013). 여러 연구는 *SOX2*가 기능적으로 종양의 형성과 관련이 있으며, *SOX2*의 농도가 감소되면 암세포의 증식 및 침습이 저하되는 동시에 암세포 분화의 증가가 감소된다고 하였다 (Chen 등, 2012). 전립선암에서 short hairpin RNA (shRNA)를 이용하여 *SOX2*의 활동을 정지시킨 연구는 세포의 증식력과 침습력이 감소된다고 하였으며 (Bae 등, 2010), *SOX2*의 이소성 발현은 전립선암 세포의 성장을 촉진시켰다 (Kregel 등, 2013). 일부 연구는 LNCaP, DU145, PC3 세포 등에서 *SOX2* mRNA의 발현을 관찰하지 못했다고 하였으나 (Jeter 등, 2009), RNA interference (RNAi)를 이용한 다른 연구는 *SOX2* mRNA와 단백질이 DU145 및 PC3 세포에서 높게 발현했다고 하였다 (Bae 등, 2010). Western blot 및 RT-PCR 분석을 이용한 연구는 다음과 같은 결과를 보고하였다 (Lin 등, 2012). 첫째, *SOX2*의 발현양이 안드로겐 의존성 LNCaP 세포에 비해 안드로겐 비의존성 DU145, PC3, PC3M, PC3M-1E8, PC3M-2B4 세포에서 더 높았다. 둘째, *SOX2* mRNA 및 단백질의 발현양은 비전이암 세포주 PC3M-2B4에 비해 전이암 세포주 DU145, PC3M-1E8에서 현저하게 더 높았다. 셋째, *SOX2*의 발현을 제거하면 G1 세포 주기가 정지되었고, *SOX2*가 과다 발현되면 G1~S 세포 주기의 촉진이 일어났다. 따라서 *SOX2*는 전립선암에서 G1/S기의 세포 주기 확인점 (checkpoint)을 조절한다고 생각된다. 넷째, cyclin-dependent kinase 2 (CDK2)와 cyclin E (CCNE)의 복합체는 DNA 복제 및 G1/S 이행에서 필수라는 보고 (Sherr, 1994)를 근거로 이들 단백질과 *SOX2*를 분석한 바에 의하면, *SOX*를 제거한 경우에는 CCNE 단백질의 발현이 현저하게 감소되었고 *SOX2*가 과다 발현된 경우에는 증가한 데 비해, CCNE/CDK2 복합체의 기질이면서 억제 인자인 p27 (Besson 등, 2008)은 *SOX2*가 제거된 후 크게 증가하였고 *SOX2*가 과다 발현된 후에는 감소하였다. CCN/CDK 복합체와 결합하여 종양을 억제하는 단백질인 p21 (Mani 등, 2000)은 변화가 없었다. 따라서 *SOX2*는 p27과 CCNE 단백질을 표적으로 하

여 세포의 증식과 세포 주기의 진행을 촉진한다고 생각된다. 다섯째, DU145 세포에서 *SOX2*를 제거하면 survivin의 발현이 억제됨으로 인해 세포 자멸사가 일어났다.

Epidermal growth factor receptor (EGFR)와 그것의 하위 신호 경로는 여러 종양에서 종양세포의 증식을 조절하는 중요한 인자이다 (Gusterson, 1992). EGFR은 전립선암의 발생과 진행에서 중요한 역할을 하며, 과다 발현은 생존율 감소와 관련이 있다. 전립선암 세포주에서 EGF와 transforming growth factor alpha (TGF-α)는 *EGFR* mRNA와 단백질을 상향 조절하며, TGF-α에 의한 분자 기전은 주로 자가 분비 방식으로 이루어진다 (Seth 등, 1999). EGFR은 전립선암의 약 30%에서 과다 발현되며 (Shah 등, 2006), TGF-α, EGF, amphiregulin (AR), heparin-binding EGF-like growth factor (HB-EGF), betacellulin (BTC), epiregulin (EPR), epithelial mitogen으로도 알려진 epigen (EPGN) 등을 포함하는 7가지 ligands 중 하나에 의해 활성화된다 (Harris 등, 2003). 높은 병기로 질환이 진행하는 경우에는 EGFR에 대한 우세한 ligand가 TGF-α이다 (DeHaan 등, 2009). TGF-α/EGFR의 자가 분비성 회로는 전립선암의 침습과 진행에서 나타나는 특징적인 현상이며 (Formento 등, 2005), EGFR은 신경 전구 세포에서 SOX2의 발현을 상향 조절한다 (Hu 등, 2010). 다른 연구에 의하면, DU145와 PC3 세포에서 TGF-α는 phosphatidylinositol 3-kinase/v-akt murine thymoma viral oncogene homolog 1 (PI3K/AKT)를 활성화하며, SOX2 및 survivin 단백질의 발현을 상향 조절한다. LY294002를 이용하여 AKT의 인산화를 차단하면, SOX2 및 survivin 단백질의 발현이 현저하게 감소되지만, 완전하게 제거되지는 않는다. 따라서 EGFR/PI3K/AKT 경로는 SOX2의 상위 신호 경로이며, 전립선암 세포에서 TGF-α는 이 경로를 활성화하여 SOX2의 발현을 상향 조절한다 (Lin 등, 2012). 이러한 결과는 SOX2가 전립선암의 진행에서 TGF-α의 기능과 관련이 있고 전립선암의 치료에서 표적이될 수 있음을 시사한다.

전립선암 세포주에서 SOX2의 역할을 평가한 연구는 다음과 같은 결과를 보고하였다 (Jia 등, 2011). 첫째, 면역조직화학검사에서 전립선 조직 내의 SOX2의 발현은 종양의 형성에 관여하였으며, 조직학적 등급 및 Gleason 점수와 상호 관련이 있었다. 둘째, SOX2의 과다 발현 혹은 하향 조절을 보이는 DU145 전립선암 세포주를 대상으로 평가한 세포 주기 분석은 SOX2가 세포의 성장을 촉진하고 S 기에 있는 세포의 비율을 증가시

킴을 보여 주었다. 셋째, non-obese diabetic/severe combined immunodeficiency (NOD/SCID) 생쥐의 이종 이식 암에 관한 실험은 SOX2가 DU145 세포에서 store-operated Ca^{2+} 통로의 기능을 저하시키고 mRNA 및 단백질 수준에서 Orai calcium release-activated calcium modulator 1 (ORAI1)의 발현을 감소시킴으로써 세포 자멸사에 대한 저항성을 증가시킴을 보여 주었다. 이들 결과는 SOX2가 전립선암의 진행을 평가하는 표지자로 이용될 수 있으며, 전립선암 치료의 표적이 될 수 있음을 시사한다.

신경내분비 (neuroendocrine) 전립선암 혹은 소세포 (small cell) 전립선암은 드문 편이며, 공격성이 큰 표현형이다. 신경내분비 전립선암에는 안드로겐 수용체가 없기 때문에, 안드로겐 비의존성 성장을 한다. 원발 전립선암의 대부분은 선암이지만, 면역조직화학검사에 의하면 전립선암에서 신경내분비 분화가 흔히 발견되며 신경내분비 분화를 나타내는 전립선암의 예후는 좋지 않다 (Yao 등, 2006). 거세 저항성의 전이 전립선암 환자를 부검한 연구는 대부분의 경우에서 신경내분비 분화가 있음을 보여 주었고, 안드로겐 박탈 요법에 실패한 환자에서는 신경내분비 전립선암 혹은 신경내분비 분화를 동반한 전립선암이 발생할 수 있다 (Mosquera 등, 2013). 신경내분비 전립선암을 포함하고 있는 쥐와 사람의 전립선 표본에서 SOX2의 발현을 western blotting을 이용하여 분석한 연구는 전술한 여러 SOX2에 관한 연구와는 다른 결과를 보고하였다 (Yu 등, 2014). 첫째, SOX2는 쥐의 전립선에서 형태 형성이 진행되는 동안 그리고 쥐의 신경내분비 전립선암 모델에서 발현되었다. 둘째, SOX2는 양성전립선비대 표본 30점 중 26점에서 발현되었다. 이들 양성전립선비대 표본에서 SOX2의 발현은 기저상피세포에 국한되었다. 대조적으로 원발 전립선암 표본 25점 중 24점에서 SOX2의 발현이 음성 결과를 나타내었다. 원발 전립선암 중 양성 결과를 보인 경우는 신경내분비 전립선암이 유일하였으며, 이 경우 major synaptic vesicle protein p38로도 알려진 synaptophysin (SYP)이 함께 발현되었다. 셋째, 전이 전립선암 환자 24명 중 15명에서는 최소 하나의 전이 부위에서 SOX2의 발현이 발견되었으며, SOX2의 발현은 SYP와 상호 관련이 있었다 (도표 225). 이들 결과는 SOX2가 발달 중인 전립선, 양성전립선비대의 기저세포, 신경내분비 전립선암에서 발현됨을 보여 준다.

도표 225 여러 전립선 표본에서 SOX2의 발현

코호트	조직학적 양상	환자 수	SOX2 양성	SOX2 음성
양성전립선비대	양성전립선비대	30	26	4
원발 전립선암	선암	24	2	22
	신경내분비암	1	1	0
UWTMA22[†]	Synaptophysin+	10	8	2
	Synaptophysin−	14	7	7
UWTMA46[‡]	선암	16	2	14
	신경내분비암	3	3	0

[†], tissue microarray 표본으로서 거세 저항성 전이 전립선암의 조직임; [‡], tissue microarray 표본으로서 LuCaP 이종 이식 종양과 전립선의 신경내분비 종양의 조직임.

SOX2, sex-determining region Y (SRY)-related high mobility group (HMG) box 2. Yu 등 (2014)의 자료를 수정 인용.

70. Six-Transmembrane Protein Of Prostate 1 (STAMP1)

6개의 경막 영역을 가진 단백질은 이온 통로 (Catterall, 1999), 통증 자극에 대한 신호 전달체 (Caterina 등, 1997), 수분 통로 (aquaporins) (Echevarria와 Ilundain, 1998), lipid phosphate phosphatase (LPP) (Waggoner 등, 1999), ATP-binding cassette (ABC) 전달체 및 multidrug resistance (MDR) 단백질 (Tusnady 등, 1997) 등으로서의 기능을 한다. 이들 단백질은 이와 같은 중요한 기능을 가지고 있기 때문에, 이들 단백질의 일부에서 통제 불능 혹은 돌연변이가 일어나면 Alzheimer 질환 (Haass, 1996), Tangier 질환 (Ordovas, 2000) 등과 같은 주요 질환이 발병한다고 보고되고 있다.

Prostate cancer associated protein 1, protein up-regulated in metastatic prostate cancer (PUMPCn), six-transmembrane epithelial antigen of the prostate 2 (STEAP2) 등으로도 알려진 490개 아미노산의 six-transmembrane protein of prostate 1 (STAMP1)을 코드화하는 *STAMP1*은 전립선에 특이한 유전자 중 하나로서 전립선암에서 상향 조절되며, 염색체 7q21.13에 위치해 있다. 단백질 STAMP1은 흥미롭게도 안드로겐 수용체가 음성인 전립선암 세포주 PC3와 DU145에서는 발현되지 않고 안드로겐 수용체가 양성인 전립선암 세포주 LNCaP에서는 높게 발현된다. STAMP1은 또한 안드로겐 수용체가 양성인 이종 이식 암 세포주 CWR22와 CWR22R에서도 발현된다. 그러므로 STAMP1의 발현은 세포 내에 있는 기능성 안드로겐 수용체의 존재와 상호 관련이 있다고 생각된다. 한편, STAMP1의 발현은 재발 유형의 CWR22R에 비해 안드로겐 의존성의 CWR22에서 유의하게 낮기 때문에, STAMP1은 전립선 암이 진행하는 동안 조절 장애가 일어난다고 추측된다 (Korkmaz 등, 2002). 이와 같이 STAMP1은 안드로겐에 비의존적으로 발현되지만, 주로 안드로겐 수용체가 양성인 세포에서 발현되는데, 이는 안드로겐 수용체의 신호 경로가 STAMP1의 발현에서 어떠한 역할을 함을 시사한다 (Wang 등, 2010).

STAMP1은 trans-Golgi network (TGN)에 우세하게 분포해 있지만 Golgi, 형질막 등에도 분포해 있다. STAMP1은 세포질 내에 있는 소포의 관 구조물에도 있고 early endosome antigen 1 (EEA1)과 공존해 있어 식작용 (endocytosis) 및 분비성 운반 경로에서 어떠한 역할을 할 것으로 추측된다 (Korkmaz 등, 2002). Golgi에 있는 대부분의 단백질은 경막 단백질이며, 하나의 type II transmembrane domain을 공통으로 가지고 있다 (Natsuka 등, 1994). 한편, TGN의 형성을 억제하는 제제인 brefeldin A를 투여하면 TGN에 위치해 있는 STAMP1이 가역적으로 억제된다 (Reaves와 Banting, 1992). Golgi 복합체는 분비 과정에서 중심 역할을 하며, 단백질과 지질을 최종 목표물인 세포 표면, 분비성 과립, endosome 등으로 변천시키고 선별하기도 하고 재공정을 위해 세포질세망 (endoplasmic reticulum)으로 돌려보내기도 한다 (Mellman, 2000). 전립선은 주요 분비성 장기이기 때문에, 전립선 세포에서는 Golgi를 통한 운반 과정이 중요하고 긴밀한 조절이 필요할 것으로 생각된다 (Cunha 등, 1987). 그러나 췌장과 같은 다른 장기와는 대조적으로 전립선에서 Golgi의 기능은 잘 알려져 있지 않다. 예를 들면, PSA와 같이 전립선에서 분비된 분자는 Golgi 복합체에서 조절 과정을 거쳐 수정되고 선별된다 (sorting; 세포질세망에서 합성된 여러 종류의 단백질을 각 단백질이 기능을 수행해야 할 세포 부위로 선발하는 과정). STAMP1과 같이 전립선의 Golgi 내에 있는 효소는 이러한 형태의 조절에서 중요한 역할을 할 뿐만 아니라, 분비 경로 혹은 식작용 경로를 통해 세포 내의 다른 부위로 전달되어 세포 과정에 관여하는 내인성 혹은 외인성 ligand의 수용체 역할을 한다고 추측된다. 추후 연구를 통해 그러한 가능성이 평가될 필요가 있다 (Korkmaz 등, 2002).

*STAMP1*은 *tumor necrosis factor-α (TNFα)-induced adipose-related protein (TIARP), pHyde, STEAP* 등의 세 유전자와 매우 흡사하다. STAMP1은 TIARP 혹은 pHyde와 전반적인

염기 서열에서 상당한 상동성을 나타내지만, STEAP와의 상동성은 C-terminus에 있는 경막 영역에 국한된다. STEAP는 더 작은 단백질로서 STAMP1이나 TIARP와 달리 N-terminus 부위를 가지고 있지 않다. pHyde는 전립선암 세포주에서 세포의 성장 정지 및 세포 자멸사를 유도하고 (Steiner 등, 2000), STEAP는 전립선에서 풍부하게 발현된다 (Hubert 등, 1999)고 보고되어 이들 두 단백질은 전립선과 관련이 있음이 확인되었다. TIARP에 관한 자료는 많지 않지만, TIARP cDNA는 신체에서 폭넓게 발현되며 pHyde와 유사하다고 알려져 있다 (Huggins 등, 1941).

STAMP1은 six-transmembrane protein (STAMP) 가족에 속한다. STEAP4 혹은 TIARP로도 알려진 STAMP2는 STAMP 가족에 속하는 또 다른 구성원으로서 대사성 질환에서 어떠한 역할을 하며 (Wellen 등, 2007), 정상 전립선 상피세포에 비해 전립선암에서 발현이 증가된다 (Korkmaz 등, 2002). STAMP 가족에 속하는 다른 구성원으로는 pHyde에 의해 코드화되고 전립선암 세포의 세포 자멸사에 관여하는 쥐 단백질 pHyde (Steiner 등, 2000)와 STEAP3로도 알려져 있고 전립선암 세포와 자궁경부암 세포인 HeLa 세포의 세포 자멸사 및 세포 주기에 관여하고 p53을 유도하는 유전자인 TSAP6에 의해 코드화되는 tumor suppressor activated pathway-6 (TSAP6) (Passer 등, 2003)가 있다. STAMP 가족은 human embryonic kidney (HEK)-293T 세포에서 ferrireductase 및 cupric reductase의 작용을 가지고 있다는 보고가 있으며, 이들 효소의 활성은 철과 구리의 세포 내 섭취와 관련이 있다 (Ohgami 등, 2006).

조직 표본을 이용한 연구는 STAMP1 mRNA의 발현이 양성 전립선에 비해 전립선암에서, 안드로겐 의존성 전립선암에 비해 안드로겐 비의존성에서 증가된다고 하였으며, 면역조직화학검사는 STAMP1이 전립선암 세포의 세포막과 세포질에 위치해 있으며, 정상 전립선에 비해 전립선암 세포에서 STAMP1의 발현이 증가되는데, 특히 형질막에 위치한 분획이 그러하다고 하였다. 이들 자료는 STAMP1이 전립선암 세포의 성장과 증식에 관여함을 시사하며 (Korkmaz 등, 2002; Porkka 등, 2002), 459개의 아미노산으로 구성된 STAMP 단백질을 코드화하고 STAMP1과 염기 서열이 비슷한 STAMP2가 전립선암 세포에서 이소성 발현을 일으키면 세포의 성장과 집락 형성이 유의하게 증가된다는 연구는 이러한 가설을 뒷받침한다 (Korkmaz 등, 2005). STAMP1이 어떠한 기전으로 전립선암 세포의 성장에 영향을 주는가? 세포 주기에 특이한 oligo-

nucleotide 집합체에 관한 분석에 의하면, cyclin-dependent kinase inhibitor (CDKI)와 같이 세포 주기를 억제하는 일부 인자들은 STAMP1의 발현이 감소된 LNCaP 세포에서 상향 조절된다 (Naz와 Herness, 2001). 예를 들면, CDKI 중 하나인 p21은 STAMP1이 하향 조절된 세포에서 상향 조절된다 (Malumbres와 Barbacid, 2001). 마찬가지로 세포 주기의 역조절에 관여하는 전사 인자인 E2F5의 발현도 증가되지만, 대조적으로, 세포 증식의 표지자로 흔히 이용되는 Ki-67은 유의하게 하향 조절된다 (Malumbres와 Barbacid, 2001). 이는 LNCaP 세포에서 STAMP1을 제거한 경우 세포 주기의 G0~G1기가 부분적으로 정지된다는 연구 자료와 일맥상통하며, 이들 모든 연구 결과는 STAMP1이 세포의 증식을 일으키는 효과를 나타냄을 시사한다. 그러나 STAMP1은 전사 인자가 아니기 때문에, 어떻게 세포 주기를 조절하는 유전자의 발현에 영향을 주는지 현재로서는 충분하게 밝혀져 있지 않다 (Wang 등, 2010).

또한, STAMP1이 세포를 증식시키는 기능을 가진 것 외에도, STAMP1의 하향 조절은 세포 자멸사를 크게 증대시킨다. STAMP1이 세포 자멸사의 어느 경로를 통해 억제 효과를 나타내는지는 분명하지 않지만, 몇 가지 가설은 있다 (Wang 등, 2010). 첫째, STAMP1은 세포막에 위치해 있기 때문에 외재성 세포 자멸사 경로에 영향을 준다고 생각되는데, 이러한 경로에서 세포 외부의 신호가 세포 표면 수용체를 활성화하고 이로써 death-inducing signaling complex (DISC)를 형성하여 세포사를 일으킨다 (Hengartner, 2000). STAMP1은 이러한 DISC의 안정성을 감소시킨다. 둘째, STAMP1이 제거된 세포에서는 세포 자멸사를 유발하는 외인성 인자가 없어도 세포 자멸사가 일어나기 때문에, STAMP1은 세포 자멸사의 내인성 경로에도 영향을 줄 수 있다. 셋째, STAMP1과 유사한 단백질로서 골지체 (Golgi body)에 위치해 있는 Golgi anti-apoptotic protein (GAAP)은 세포 내의 칼슘 흐름을 조절함으로써 세포 자멸사를 억제하는데 (de Mattia 등, 2009), STAMP1은 세포 자멸사를 억제하는 이러한 단백질에 영향을 주고 상호 작용할 수 있다. 넷째, STAMP1은 세포 표면 수용체의 식작용에 의한 운반 작용에 관여하며, 세포의 성장이나 세포 자멸사를 매개하는 수용체의 신호 전달에 영향을 줄 수 있다. 다섯째, STAMP1의 발현을 제거하면 LNCaP 세포가 TNF-related apoptosis-inducing ligand (TRAIL)로 인한 세포 자멸사에 대해 민감성이 증가되는데, 이는 STAMP1이 전립선암 세포에서 생존에 영향을 주는 인자임을 시사하며, 다른 치료법과 이를 병합하여 임상에 이용할 경우 유용할 수 있다고 생각된다.

전립선암의 진행에 관여하는 STAMP1이 가진 세포 증식 작용 및 세포 자멸사에 대한 대항 작용은 extracellular signal-regulated kinase (ERK) 혹은 mitogen-activated protein kinase (MAPK)의 신호 전달에 의해 매개되며, ERK의 신호 경로와 관련이 있다는 근거 자료는 다음과 같다 (Wang 등, 2010). 첫째, ERK는 세포의 증식, 세포의 형질 전환, 세포 자멸사에 대한 방어 등을 포함하는 세포의 생리학적 과정과 상당한 부분이 관련이 있다 (Ramos, 2008). 둘째, 상피세포 내의 활성 ERK는 정상 전립선에 비해 양성전립선비대에서, 양성전립선비대에 비해 전립선암에서 증가된다 (Royuela 등, 2002). 셋째, 고등급 분화도와 진행된 병기의 전립선암에서 활성 ERK의 증가는 나쁜 예후와 직접 관련이 있는 세포 증식의 증가와 관련이 있다 (Uzgare 등, 2003). 넷째, 말기 전립선암 세포를 ERK 억제제로 치료하면 ERK의 활성이 감소되고, 이로써 세포 증식의 감소와 세포 자멸사의 증가가 일어난다 (Mojzis 등, 2008). 다섯째, ERK는 여러 전립선암 세포주에서 지속적으로 DNA를 합성하는 데 필요하다 (Carey 등, 2007). 여섯째, MAPK kinase (MAPKK 혹은 MAP2K 혹은 MEK) 1을 특이하게 억제하는 PD98059을 이용하여 LNCaP 세포를 치료한 경우 epidermal growth factor (EGF)로 인한 세포 증식의 60%가 억제되었기 때문에, 이러한 과정에 ERK가 관여함을 알 수 있다 (Price 등, 1999). EGF는 전립선암 세포에서 안드로겐 수용체에 대한 공동 활성 인자 (coactivator)의 활성 혹은 발현을 증가시킴으로써 전립선암이 성장하는 데 중요한 역할을 하는 안드로겐 수용체의 전사 작용을 활성화하며 (Kaarbo 등, 2007), 이러한 기전으로 진행된 전립선암의 악성 진행 및 전이를 촉진한다고 생각된다 (Reddy 등, 2006). EGF 수용체 가족 중 human epidermal growth factor receptor (HER) tyrosine kinase 1~4 (HER1~HER4) 또한 전립선암 세포주에서 발현되는데, 이들이 EGF와 heregulin에 의해 자극을 받으면 MAPK 및 phosphatidylinositol 3-kinase/v-akt murine thymoma viral oncogene homolog protein 1 (PI3K/AKT) 경로가 활성화된다 (Gregory 등, 2005). HER2와 HER3는 heregulin의 결합에 반응하여 보고 유전자 (reporter gene)에 의한 안드로겐 수용체의 전사를 촉진한다 (Gregory 등, 2005).

여러 연구의 결과를 종합해 볼 때, STAMP1은 세포 주기의 진행과 세포 자멸사의 억제와 관련이 있는 신호 경로에 관

여하고 STAMP1의 발현은 전립선암에서 증가되기 때문에, STAMP1은 전립선암의 발생과 진행에서 중요한 역할을 한다고 생각된다. 이를 뒷받침하는 연구의 결과는 다음과 같다 (Wang 등, 2010). 첫째, 생체 밖 실험에서 STAMP1의 이소성 발현이 DU145 전립선암 세포주뿐만 아니라 COS-7 포유동물 세포주의 증식을 유의하게 증가시켰으며, LNCaP 세포에서 small interfering RNA (siRNA)를 이용하여 STAMP1의 발현을 제거하면 세포의 성장이 억제되었는데, 이는 최소한 부분적으로는 세포 주기를 조절하는 유전자 발현의 변경 등으로 인해 세포 주기가 정지되었기 때문이다. 둘째, LNCaP 세포에서 STAMP1의 발현을 제거하면 기본 조건 하에서 뿐만 아니라 TRAIL 단독 혹은 TRAIL+AKT 억제제 LY294002에 반응하여 세포 자멸사가 유의하게 증가되었다. 셋째, 누드마우스에서 short hairpin RNA (shRNA)를 이용하여 STAMP1의 발현을 제거하면 이종 이식 암의 성장이 획기적으로 감소하였다. 넷째, 전립선암의 진행에 관여한다고 알려진 ERK의 활성은 DU145 세포에서 STAMP1의 이소성 발현이 있는 경우 유의하게 증가하였으며, 반대로 LNCaP 세포에서 STAMP1이 제거된 경우 크게 하향 조절되었다.

71. Solute Carrier Family 45 Member 3 (SLC45A3)

P501S, PRST 등으로도 알려진 유전자 solute carrier family 45 member 3 (SLC45A3) cDNA는 553개의 아미노산으로 구성된 단백질 prostein (P501S)을 코드화한다. Prostein (PRST), prostate cancer-associated protein 6 (PCANAP6), PCANAP2, PCANAP8 등으로도 알려진 단백질 SLC45A3는 분절이 가능한 1개의 신호 펩티드와 11개의 경막 영역을 가진 type IIIa 형 질막 단백질로 간주된다 (Kalos 등, 2004). SLC45A3는 다른 정상 혹은 악성 조직에서는 발견되지 않고 양성 및 악성 전립선 세포의 세포질에서 발현되는 전립선에 특이한 표지자이다 (Friedman 등, 2004). SLC45A3 유전자는 염색체 1의 q32와 q42 사이에 있는 WI-9641 자리 (1q32.1)에 위치해 있다 (Xu 등, 2001).

mRNA 수준에서 SLC45A3는 전립선에 대해 특이하게 발현되는 분자이다. SLC45A3는 양성 및 악성 전립선 상피세포의 세포질에서 발현된다 (Yin 등, 2007). 쥐의 단클론 항체를 이용한 면역조직화학적 분석에 의하면, SLC45A3 단백질은 분

화도 등급이나 전이 상태와 관계없이 대부분의 정상 및 악성 전립선 조직에서 발현되지만, 다른 조직에서는 발현되지 않는다 (Kalos 등, 2004). LNCaP 세포주에 안드로겐을 투여하면 SLC45A3의 mRNA와 단백질이 상향 조절되는 것으로 보아 SLC45A3는 안드로겐에 반응한다고 여겨진다 (Xu 등, 2001).

SLC45A3는 전립선에 특이하기 때문에, 전립선암의 진단뿐만 아니라 SLC45A3 특이 항체 및 T-cell에 근거하는 치료의 개발에서 유망한 후보 분자로 관심을 받고 있다 (Kiessling 등, 2004). SLC45A3에 대한 염색은 상피세포 세포질의 첨단부에서 과립형으로 변색한 양상을 나타내며, 이러한 양상은 이 단백질이 분포해 있는 Golgi 복합체에서 관찰된다 (Kalos 등, 2004). 따라서 SLC45A3는 조직에 대한 특이성 외에도 특징적인 염색 양상을 나타내기 때문에, 원발 전립선암의 전이를 확인하는 데 SLC45A3가 유용한 면역 표지자의 역할을 할 수 있다. 그러나 일부에서는 SLC45A3에 의해 염색된 과립이 다소 희미하거나 간간이 끊어지는 양상을 나타내기 때문에, 고강도의 검사를 통해 국소적인 염색을 배제할 필요가 있다.

전이 전립선암의 병변에서는 SLC45A3의 염색 강도가 감소되며, 전이 병변의 일부에서는 SLC45A3의 발현이 소실된다. 이와 같은 현상은 PSA에 대한 염색에서도 나타난다 (Roudier 등, 2003). PSA에 대한 면역 반응은 양성 상피로부터 전립선 상피내암과 전립선암으로 이행하면서 감소되는데, 이는 PSA가 악성으로 형질 전환을 일으키는 경우 조절 측면에서 변화가 일어나 발현이 감소되기 때문이다 (Bostwick 등, 1998). 전이 전립선암에서 SLC45A3의 발현이 감소되는 기전은 알려져 있지 않지만, PSA의 경우와 유사하다고 생각된다. 흥미로운 점은 정상 전립선, 양성전립선비대, 전립선상피내암 등의 조직에 비해 원발 전립선암과 암과 인접한 부위의 비악성 조직에서 SLC45A3의 발현이 감소된다는 점이다 (Yin 등, 2007). 전이 병변의 일부에서는 SLC45A3의 발현이 소실되기 때문에, PSA를 단독으로 분석하는 방법과 비교하였을 때, SLC45A3를 단독으로 측정한 경우는 전이 암을 발견하는 데 유의한 이점을 주지 못한다. 그러나 PSA와 SLC45A3를 함께 염색하면, 대부분의 전이 암을 발견할 수 있고, 전이 암의 발견율이 증가된다. 전이 혹은 국소적으로 진행된 병변의 기원이 전립선인지를 확인하고자 할 때, SLC45A3와 PSA를 병용한 경우가 각각의 경우에 비해 더 나은 결과를 나타낸다. 이를 확인하기 위해 전립선암 환자 10명과 결장직장암 환자 5명을 대상으로 면역조직화검사를 실시한 연구는 다음과 같은 결과를 보고

하였다 (Owens 등, 2007). 첫째, 결장직장암과 전립선암 환자에서 PSA, caudal type homeobox 2 (CDX2), cytokeratin 20 (CK20), beta-catenin (CTNNB) 등의 발현이 차이를 나타내었는데, 결장직장암의 경우 PSA 양성 0%, CDX2 양성 60%, CK20 양성 80%, CTNNB 양성 100%, 전립선암의 경우 PSA 양성 80%, CDX2 양성 0%, CK20 양성 10%, CTNNB 양성 0%이었다. 둘째, SLC45A3는 전립선암을 발견하는 데 PSA와 비슷한 80%의 민감도를 보였다. 전립선암 환자 중 20% (2명/10명)는 PSA와 SLC45A3의 두 표지자 중 하나에 대해서만 양성을 나타내었기 때문에, 두 표지자의 병합 분석이 민감도를 높일 수 있다고 생각된다. 결장직장암 환자 5명 모두는 SLC45A3에 대해 음성 반응을 나타내었다. 이와 같은 결과를 근거로 저자들은 PSA와 SLC45A3를 병합 분석하면 전립선암의 발견에서 민감도를 증가시킬 수 있다고 하였다.

전이 전립선암 표본 78점, 원발 전립선암 표본 20점, 양성 전립선, 뇌, 췌장, 신장, 갑상선, 고환, 골격근, 섬유결합조직 등의 표본 20점 등을 대상으로 SLC45A3 항체를 이용하여 면역조직화학검사를 실시한 연구는 다음과 같은 결과를 보고하였다 (Sheridan 등, 2007). 첫째, 전이 암의 68% (53점/78점), 원발 전립선암의 100% (20점/20점), 양성 전립선 및 전립선 외 양성 조직의 100% (20점/20점)는 염색 강도 및 염색 범위의 측면에서 PSA와 SLC45A3에 대해 비슷한 염색 양상을 나타내었다. 둘째, SLC45A3의 염색 반응은 핵 주위에 있는 세포질 내의 Golgi 복합체에서 나타났다. 셋째, 전이 전립선암의 97% (67점/69점)는 PSA에 대해 양성 반응을 보였으며, 99% (68점/69점)는 SLC45A3에 대해 최소한 약한 양성 반응을 나타내었다. 어떠한 종양도 두 표지자 모두에 대해 음성 반응을 나타낸 경우는 없었다. 이들 결과에 의하면, PSA와 SLC45A3에 대한 염색의 강도와 범위가 비슷하기 때문에, 이들 두 표지자에 대한 병합 분석은 종양의 기원이 전립선인지를 확인하는 데 대한 민감도를 증가시킨다.

항 SLC45A3 항체를 이용하여 tissue microarray (TMA)에 대해 면역조직화학적 분석을 실시한 연구는 다음과 같은 결과를 보고하였다 (Yin 등, 2007) (도표 226). 이 연구에서 염색 강도는 0~3점으로 분류되었으며, 염색이 안 된 경우는 0점, 약한 염색은 1점, 중등도 염색은 2점, 강한 염색은 3점을 부과하였다. 염색 양성 점수는 해당 병변에서 염색 양성의 퍼센트와 염색 강도를 곱하여 산출하였다. 예를 들면, 종양세포의 50%가 염색 강도 1, 25%가 염색 강도 2, 나머지 25%가 염색

도표 226 양성 및 악성 전립선 상피에서 산출된 prostein (혹은 SLC45A3) 염색 점수

병변	염색 평균 점수±표준 편차
양성 전립선 상피	
정상 피험자 전립선	1.95±0.15
종양에 인접한 비악성 조직	1.77±0.13
양성전립선비대	2.10±0.08
악성 전립선 상피	
고등급 전립선상피내암	2.09±0.10
전립선암	1.52±0.06
전이 전립선암	
림프절로 전이	1.0±0.10
기타 부위로 전이	0.64±0.11

SLC45A3, solute carrier family 45 member 3.
Yin 등 (2007)의 자료를 수정 인용.

강도 3인 경우 염색 점수는 50%×1+25%×2+25%×3=1.75이다. 첫째, SLC45A3의 과립 염색 양상은 모든 양성 전립선과 악성 전립선의 세포질 첨단부에서 각각의 염색 점수가 1.77~2.1점, 1.52점으로 관찰되었으며, 핵에 인접한 부위에서 현저하였다. 고환, 결장, 부신, 신장 등을 포함하는 기타 대조군 조직에서는 염색이 관찰되지 않았다. 둘째, 림프절로 전이된 전립선암에서 염색 점수는 1.0점이었고, 이들 중 10%는 SLC45A3에 대해 음성 반응을 나타내었다. 림프절 외의 부위로 전이된 전립선암에서 염색 점수는 0.64점이었으며, 이들 중 16.7%에서는 SLC45A3의 발현이 관찰되지 않았다. 셋째, 전이 병변은 PSA 항체에 대한 음성 비율과 비슷한 양상을 보였지만, 림프절 외의 부위로 전이된 전립선암 환자의 3.3%에서는 SLC45A3와 PSA 둘 모두에 대해 염색 음성 소견을 나타내었다. 이들 결과는 SLC45A3가 발현 강도가 약하지만 전이 전립선암을 발견하는 데 면역 표지자로서의 역할을 하며, 면역조직화학검사로 PSA와 SLC45A3 둘 모두를 대상으로 염색하게 되면 전이 전립선암을 발견할 확률이 증가됨을 보여 준다.

전립선암 환자의 상당수에서 ETS-related gene (ERG), ETS translocation variant 1 (ETV1), ETV4 등을 포함하는 종양 유전자 E26 transformation-specific (ETS) 유전자의 융합이 발견된다. 가장 흔한 형태의 융합은 transmembrane protease, serine 2 (TMPRSS2)의 5' untranslated region (5'-UTR)과 ERG의 융합이다. 이와 관련한 연구는 ETV1과 융합을 이루는 5종의 유전자, 즉 SLC45A3, TMPRSS2, human endogenous retrovirus K (HERV-K), chromosome 15 open reading frame 21 (C15ORF21), heterogeneous nuclear ribonucleoprotein

A2/B1 (HNRNPA2/B1)을 발견하였다. 이 연구는 또한 전립선암에서 반복적인 유전자 재배열에 관여하는 4번째 ETS 가족 멤버로서 ETV5를 발견하였으며, 이로 인한 유전자 융합 TMPRSS2:ETV5와 SLC45A3:ETV5의 융합을 확인하였다. 이와 같이 ETS 가족에 속하는 여러 구성원들은 다른 유전자와 융합을 일으킬 수 있다 (Helgeson 등, 2008). 근치전립선절제술을 받은 614명의 코호트 중 평가가 가능한 540명의 전립선암 표본을 대상으로 fluorescence in situ hybridization (FISH)을 이용하여 TMPRSS2, SLC45A3, N-MYC downstream regulated 1 (NDRG1) 등 세 유전자의 5'-UTR과 ERG 사이의 융합을 평가한 연구는 다음과 같은 결과를 보고하였다 (Esgueva 등, 2010). 첫째, ERG의 재배열은 53%에서 일어났다. 이들 ERG의 재배열을 가진 환자 중 TMPRSS2 및 SLC45A3와 융합을 일으킨 경우는 각각 78%, 6%이었다. 흥미로운 점은 ERG의 재배열이 일어난 경우의 11%에서는 TMPRSS2와 SLC45A3의 재배열이 함께 발견되었다는 점이다. ERG 재배열이 관찰된 환자의 5%에서는 TMPRSS2 혹은 SLC45A3의 재배열이 발견되지 않았으며, 이들 중 한 명에서는 NDRG1의 재배열이 관찰되었다. 둘째, 이들 재배열과 병리학적 지표 혹은 임상 결과 사이에서 연관성은 발견되지 않았다. 이들 결과는 전립선암에서 ERG의 재배열 형태 모두가 TMPRSS2:ERG 융합이라는 이전의 보고와 달리 SLC45A3:ERG 융합도 발견되며, TMPRSS2와 SLC45A3의 재배열이 동시에 발견될 수도 있음을 보여 준다. 전립선암 환자 640명의 tissue microarray를 면역조직화학검사를 이용하여 ERG, TMPRSS2, SLC45A3 등의 세 단백질을 분석한 연구는 다음과 같은 결과를 보고하였다 (Perner 등, 2013). 첫째, ERG 단백질은 양성 전립선에서는 발현되지 않았으며, 암 조직에서는 ERG 재배열과 마찬가지로 ERG가 91.5%의 높은 빈도로 발현되었다. 둘째, SLC45A3는 양성 조직과 비교하였을 때 암 조직에서 약한 발현을 보였으나, SLC45A3:ERG 융합을 가진 환자에서는 발현이 뚜렷하였다. 중요한 점은 SLC45A3의 하향 조절이 있는 환자에서 PSA 재발이 없는 생존 기간이 더 짧다는 점이다. 셋째, TMPRSS2의 경우 단백질의 발현과 재배열 상태 사이에 연관성이 없었으며, 양성 전립선과 악성 전립선 사이에 발현의 차이도 없었다. 이들 결과는 전립선암에서 SLC45A3 단백질이 SLC45A3:ERG 융합에 의해 하향 조절되며, 이러한 경우에는 예후가 나쁨을 보여 준다.

72. Stabilin-2 (STAB2)

청소 (scavenger 혹은 clearance) 수용체는 정상 및 병적 조건에서 생성된 대사 산물뿐만 아니라 장에서 흡수된 세균의 잔해와 같은 유해한 이물질의 세포 내 섭취를 매개한다. 간은 혈중에 있는 그러한 분자를 제거하는 여과 기능을 가지고 있다. 간에 특이한 모세혈관인 굴모양혈관 (sinusoid)은 이러한 기능에서 필수적이며, 혈중 hyaluronan 혹은 hyaluronic acid (HA)의 90% 이상이 간의 굴모양혈관을 통해 제거된다 (Fraser 등, 1985). 굴모양혈관의 벽은 hepatic sinusoid endothelial cell (HSEC), 별세포 (stellate cell), 간에 상주하는 Kupffer 세포로도 알려진 대식세포 등으로 구성되어 있다. HSEC와 Kupffer 세포는 여과 기능을 수행하는 여러 유형의 청소 수용체를 발현한다. 이들 청소 수용체 중 fasciclin EGF-like, laminin-type EGF-like, and link domain-containing scavenger receptor 1 (FEEL1) 혹은 common lymphatic endothelial and vascular endothelial receptor 1 (CLEVER1)으로도 알려진 stabilin-1 (STAB1)과 FEEL2 혹은 hyaluronan receptor for endocytosis (HARE)로도 알려진 stabilin-2 (STAB2)는 구조적으로 상호 관련이 있으며, 단백질 수준에서 55%의 상동성을 나타내고, HSEC에서 발현된다 (Schledzewski 등, 2011).

혈관은 비균질적이기 때문에, 장기의 종류에 따라 그리고 혈관이 형성되는 동안 혈관의 각기 다른 부분에 의해 다양한 기능이 나타나게 된다. 내피세포에서 다르게 발현된다고 알려진 소수의 분자들 중 mouse STAB1 (mSTAB1)은 건강한 성숙 유기체 내에서 발견되는 고분자량의 단백질로서 간, 비장, 림프절 등에 있는 굴모양혈관의 내피세포와 같이 비연속적인 내피에 의해 발현되며, 연속적인 내피에 의해서는 발현되지 않는다 (Goerdt 등, 1991). 초미세 구조 수준에서 mSTAB1 항원은 세포와 세포 사이가 밀착된 비장의 굴모양혈관 내피세포의 형질막 일부에서 발견된다. 내피세포에서 mSTAB1 항원의 발현은 상처 치유 동안, 만성 염증, 악성 종양 등에서처럼 혈관 형성이 이루어지는 연속적인 내피세포에서도 발견된다 (Djemadji-Oudjiel 등, 1996).

STAB1과 STAB2는 type Ⅰ의 경막 당단백질로서 다수의 epidermal growth factor (EGF)-like domains, 7개의 fasciclin-1 (FAS1) domains, 1개의 X-link domain 등 다수의 영역을 가지고 있다. 이들 영역 중 X-link domain이 가장 기능적으로 특징적인 영영이며, 단백질이 HA와 결합하도록 한다

(Politz 등, 2002). STAB의 여러 영역 중 FAS domains는 특별나며, 조류 (algae)인 Volvox (Huber와 Sumper, 1994), 성게류인 Paracentrotus lividus (Romancino 등, 1992)와 Anthocidaris crassispina (Hirate 등, 1999), 초파리인 Drosophila melanogaster (Elkins 등, 1990), 포유동물인 사람 (LeBaron 등, 1995)과 생쥐 (Horiuchi 등, 1999) 등과 같이 먼 친척 사이인 여러 유기체에서 세포의 부착과 세포 분류에 관여한다. FAS domain을 가진 가족의 원형 (prototype) 분자는 초파리의 fasciclin I neural-cell adhesion molecule (NCAM)이며, 축삭 안내, 배아에서 축삭 연결부의 형성, 시냅스 가소성 (plasticity) 등과 같은 다양한 기능에 관여한다 (Elkins 등, 1990). Fasciclin I 단백질은 거의 대부분이 4개의 FAS domains로 구성되어 있기 때문에, 세포의 부착을 매개하는 단백질에서 기능을 나타내는 단위는 FAS domain이라고 간주된다. FAS domain으로 인한 세포 부착의 기전은 세포 외부 기질에 있는 단백질 transforming growth factor (TGF)-β-inducible gene product-H3 (βIG-H3 혹은 BigH3)를 통해 나타난다. 네 FAS domains 중 두 영역은 사람의 각막 상피세포에서 발현되는 integrin과 상호 작용한다 (Kim 등, 2000). 그러나 세균의 mycobacterial protein bovis 70 (MPB70) 단백질에는 1개의 FAS domain이 있고 STAB1과 STAB2에는 7개가 있으며, 여러 비보존 절편들에 의해 잘 보존된 하나의 단위가 구성되기 때문에, 구조적 다양성, FAS domain의 수, 단백질의 기능 사이의 관계는 분명하지 않다 (Hu 등, 1997). 두 STAB은 세포의 부착 기능을 가진 FAS domain 외에도 세포의 부착을 매개하는 다수의 EGF-like domain을 가지고 있다 (Hamann 등, 1996). 세포 외부 기질과의 상호 작용과 세포의 부착과 관련이 있는 여러 다른 영역을 가지고 있음은 세포 내의 신호 경로와 함께 세포 외부의 사건을 조절하는 다수의 단백질과 상호 작용함을 시사한다. 이와 같은 양상은 immunoglobulin과 cadherin 가족을 포함하는 다른 세포 부착 단백질에 관한 연구로부터 잘 알려져 있다.

내피세포의 분화와 혈관 형성에 관여하는 mSTAB1 항원은 type 2 T-helper cell (Th2) cytokine에 의해 유도되고 극성을 나타내는 항원을 가진 세포, 즉 활성 대식세포에 의해 다르게 발현된다 (Goerdt와 Orfanos, 1999). mSTAB1[+] 활성 대식세포는 태반과 같이 면역학적으로 보호를 받고 있는 정상 조직에서 발견되며, 급성 염증 질환의 치유 단계 동안, 류마티스관절염, 건선 등과 같은 만성 염증 질환, 상처 치유 조

직 등에서도 발견된다 (Goerdt 등, 1993; Szekanecz 등, 1994; Djemadji-Oudjiel 등, 1996). mSTAB1$^+$ 활성 대식세포는 말초 혈액 내의 림프구와 cluster of differentiation (CD)$^+$ T 세포의 증식을 억제하는 인자로서 기능을 하며, 고도의 혈관 형성과 관련이 있다 (Schebesch 등, 1997). mSTAB1$^+$ 활성 대식세포가 혈관 형성을 일으키는 작용은 interleukin (IL)-4로 인한 fibronectin의 발현뿐만 아니라 FAS domain을 가진 부착 단백질인 βIG-H3의 발현과 관련이 있다 (Gratchev 등, 2001). 미세 구조 수준에서 mSTAB1은 세포질의 소포 내에 있는 활성 대식세포에서 발견되며, 국소적으로는 세포 내에 있는 actin 섬유와 세포 밖에 있는 fibronectin의 구조적 통합을 돕는 플라크 모양의 fibronexus (Singer, 1979)와 유사한 형질막 플라크에서 발견된다 (Walsh 등, 1991).

생화학적으로 mSTAB1에는 300 kDa와 220 kDa의 두 가지 큰 유형과 120 kDa의 작은 유형이 있으며, 280 kDa의 전구체도 발견되는데, 전구체는 글리코실화에 의해 300 kDa의 유형으로 완성된다. 220 kDa와 120 kDa 형태는 300 kDa 유형이 단백질 분해 작용으로 분절됨으로써 형성된다 (Goerdt 등, 1991). mSTAB1 항원과 마찬가지로 간의 HA 청소 수용체는 간의 굴모양혈관 내피세포에서 발현되며, 정상 상태의 조직이 구조 변경을 하는 동안 말초 혈액 내로 분비된 다량의 HA를 제거하고 혈액의 과도한 점성을 방지한다. HA affinity chromatography에 의하면, 고분자량의 단백질인 간의 HA 청소 수용체는 270 kDa의 큰 유형과 180 kDa의 작은 유형이 있으며, 이들의 양상과 mSTAB1 항원은 일치하지 않는다. 이 단백질에 대항하는 다클론 항체를 이용한 연구는 이 단백질이 간의 굴모양혈관 내피세포의 세포 표면에 위치해 있으며, 세포 내 섭취 수용체의 재작동이 monensin에 의해 차단되면 endosome 내에 위치함을 보여 주었다. HA 뿐만 아니라 간의 HA 청소 수용체도 1형 전아교질 (procollagen)과 친화력을 가지는데, 이는 광범위한 청소 기능을 가지고 있음을 시사한다 (McCourt 등, 1999). mSTAB1, mSTAB2, human stabilin-1 (hSTAB1), hSTAB2를 정제한 연구에 의하면, hSTAB1은 활성 대식세포에서 선택적으로 발현되며, 활성화되지 않은 대식세포에서는 발현되지 않는다. 활성 대식세포에서 hSTAB1의 발현은 IL-4와 같은 Th2 cytokine과 glucocorticoid와 같은 항염 증제에 의해 유도되며, interferon-gamma (IFNγ)와 같은 Th1 cytokine에 의해 억제된다. hSTAB1과 rat STAB2는 생화학 및 조직 분포 측면에서 유사하며, 둘 모두 HA affinity chroma-

tography에 의해 정제된다 (Politz 등, 2002).

STAB1과 STAB2의 두 당단백질의 구조는 유사하지만, 그들 ligands의 특징은 상당히 다르다. STAB1은 림프관, 대식세포, HSEC 등에서 발현되며, acetylated low-density lipoprotein (ac-LDL), secreted protein acidic and rich in cysteine (SPARC), 태반의 lactogen, growth/differentiation factor 15 (GDF15), Gram 양성/음성 세균 등과 결합하지만, HA와는 결합하지 않는다 (Schledzewski 등, 2002). STAB1은 또한 혈관 및 림프관의 내피를 통한 백혈구의 이동을 매개한다 (Salmi 등, 2004). STAB2는 간, 비장, 림프절 등에 있는 굴모양혈관의 내피에서 발현되며, HSEC의 특이 표지자로 이용된다 (Nonaka 등, 2007). STAB2는 HA, advanced glycation end products-modified protein, heparin, ac-LDL, GDF15, 세균 등과 결합하여 이들의 세포 내 섭취를 매개한다 (Schledzewski 등, 2002). STAB2는 또한 세포 자멸사가 진행 중인 세포의 막에 있는 phosphatidylserine을 인식한다 (Park 등, 2008). 다른 연구는 chondroitin sulfate가 ^{125}I-HA의 섭취를 억제하며 (Gustafson과 Björkman, 1997), STAB2와 결합하는 ac-LDL은 부분적으로 heparin 및 dextran sulfate와 경쟁하지만 HA와는 경쟁하지 않는다고 하였다 (Harris와 Weigel, 2008). 이들 결과는 HA와 결합하는 부위가 chondroitin sulfate와 결합하는 부위와 같지만, ac-LDL, heparin, dextran sulfate 등과 결합하는 부위와는 다름을 보여 준다.

HA는 세포 외부 기질의 glycosaminoglycan으로서 N-acetyl-D-glucosamine과 D-glucuronic acid의 tandem repeats로 구성되어 있다. HA는 탯줄, 관절, 연골, 유리체액 (vitreous humor) 등에 풍부하다 (Kogan 등, 2007). HA는 윤활, 수분 항상성, 여과 효과, 혈장 내 단백질 분포의 조절, 혈관 형성, 상처 치유, 연골 형성 등과 같은 다양한 생리학적 기능과 관련이 있다 (Fraser 등, 1997). HA의 신호 전달 및 기능은 분자의 크기에 따라 다른데, 예를 들면 고분자량의 HA는 혈관 형성을 억제하는 데 비해, HA 절편은 혈관 형성을 자극한다 (Stern 등, 2006).

HA는 CD44, lymphatic vessel endothelial hyaluronan receptor 1 (LYVE1), Toll-like receptor (TLR), receptor for hyaluronan-mediated motility (RHAMM), STAB2 등과 같은 세포 표면의 수용체와 상호 작용한다 (Almond, 2007). CD44는 대부분의 면역세포에서 다양한 정도로 발현되며, 내피세포에 있는 HA를 통해 면역세포, 즉 활성화된 T 세포를 혈관 외부로

유출시켜 감염 부위로 집결하게 한다 (DeGrendele 등, 1997). CD44는 또한 종양 형성에 관여하며, 암줄기세포에 대한 표지자의 역할을 한다 (Zöller, 2011). LYVE1은 구조적으로 CD44와 관련이 있으며, 림프관과 HSEC에서 발현된다 (Banerji 등, 1999). TLR2와 TLR4는 HA와 HA 결합 단백질의 복합체 혹은 HA와 결합한다 (Kim 등, 2009). 그러나 CD44, LYVE1, TLR 등이 부족한 생쥐에서는 혈중 HA 농도의 변화가 관찰되지 않는다. STAB1과 STAB2는 HA와 결합하는 영역을 가진 청소제 수용체와 구조적으로 관련이 있지만, STAB2만이 HA와 결합하기 때문에 STAB2가 HA의 주된 청소제 수용체로 간주된다 (Hansen 등, 2005).

종양의 형성은 면역 시스템에 의해 조절되는데, 이러한 면역 시스템에서 HA의 역할이 광범위하게 연구되어 왔다. 종양이 형성되기 위해서는 HA가 중요하다고 간주되지만, 체내로 투여된 HA는 혈중에서 신속하게 제거되기 때문에 종양의 진행에서 혈중 HA를 평가하기란 쉽지 않다 (Fraser 등, 1985). HA, HA synthase (HAS), hyaluronidase, HA 수용체 등은 상피세포암, 림프종, 멜라닌 세포종, 신경세포암 등과 같은 여러 종양과 관련이 있다고 보고되었다 (Sironen 등, 2011). HAS와 hyaluronidase의 과다 발현 및 삭제에 관한 많은 생체 내외 실험은 HA가 여러 종양 세포주에서 증식, 침습, 세포 이동, 다약제 저항성 등에 대해 양성적인 조절 인자로서 기능을 함을 보여 주었다 (Sironen 등, 2011). 더욱이 HAS 억제제인 4-methylubelliferon은 종양세포의 증식과 전이를 감소시킨다고 보고되고 있다 (Twarock 등, 2011). 다른 연구에 의하면, HAS가 강하게 발현된 경우 종양세포의 증식과 전이가 증가하였고, HAS를 억제한 경우 증식과 전이가 방지되었다 (Yoshihara 등, 2005). 이러한 결과는 HA가 종양의 증식과 전이를 촉진함을 시사한다. 그러나 근래의 연구는 다른 결과를 보고하였다. 어떤 현성 표현형 없이 혈장 HA 농도가 상당하게 증가된 mSTAB2 KO 생쥐를 이용한 연구는 이들 생쥐에서 종양의 형성이 현저하게 억제되었음을 발견하였다. 이 연구는 또한 항 STAB2 항체를 투여한 경우 WT 생쥐에서 혈중 HA가 증가하였고 생쥐의 흑색종 세포 및 사람의 유방암 세포의 전이가 방지되었으며, 고용량의 HA를 투여한 경우 흑색종 세포의 폐 내에 부착이 방지되어 STAB2의 기능을 억제하는 방법이 종양의 전이를 억제하는 새로운 전략이 될 수 있다고 하였다 (Hirose 등, 2012). 이와 같이 상충된 결과가 나타난 이유는 HA에 대한 연구의 초점이 상이하기 때문이다. 즉, 전자의 여러 연구는

세포 외부 기질 및 세포 주위에 분포한 HA에 초점을 맞춘 데 비해. 후자의 연구는 혈중 HA에 초점을 맞추었다. 따라서 HA의 기능은 분포된 위치에 따라 다르다고 생각된다.

STAB1은 SPARC와 결합함으로써 종양의 성장을 억제한다. SPARC는 종양의 미세 환경에서 상향 조절되며, 세포 외부 기질의 구조 변경, 세포의 증식 및 이동 등에 관여한다. siRNA를 이용하여 SPARC의 발현을 감소시키면, 종양의 침습과 생존이 감소된다. 다형성 아교모세포종 (glioblastoma multiforme) 동물 모델을 이용한 연구는 STAB1을 발현하는 대식세포가 종양의 환경에서 일시적으로 군집을 형성하며, 종양이 진행함에 따라 이러한 군집은 소실된다고 하였다 (David 등, 2012).

전립선암과 관련한 연구로는 STAB2가 전립선암 환자의 정액장액에서 증가된다는 보고 (Neuhaus 등, 2013)가 있지만 이를 추가적으로 확인한 연구 자료를 찾지 못하였다. 생쥐의 전립선암 모델을 대상으로 실시한 연구에 의하면, STAB2에 대한 단클론 항체를 투여한 경우 특이하게 HA의 결합과 내재화가 차단됨으로써 림프절 내의 전이 암의 형성이 차단되었다. 이러한 치료의 효과는 원발 종양의 성장에 대해서는 나타나지 않았으며, 항체가 다른 조직에 대해 독성 효과를 나타내지도 않았다. 이러한 결과는 STAB2가 종양의 전이와 관련이 있으며, 종양세포와 관련이 있는 HA가 조직 특이적인 전파를 촉진함을 시사한다 (Simpson 등, 2012).

73. Survivin

Baculoviral inhibitor of apoptosis repeat-containing 5 (BIRC5)로도 알려진 survivin은 염색체 17q25.3에 위치해 있는 *apoptosis inhibitor 4 (API4)*, *effector cell protease receptor 1 (EPR1)*, *survivin* 등으로도 알려진 유전자 *BIRC5*에 의해 코드화되며, 세포 주기 및 계획된 세포사를 조절하는 단백질이다. *Survivin*에는 최소한 5가지의 이어맞추기 변형 (alternative splice variants)이 있는데, 3개의 introns와 4개의 exons을 가진 전장의 표준형 *survivin*, 선택적으로 exon 2가 삽입되는 *survivin-2B*, exon 3가 제거된 *survivin-deltaEx3*, 선택적으로 exon 3가 삽입되는 *survivin-3B* (Nakano 등, 2008), exon 1과 exon 2의 두 exons와 intron 2를 가진 *survivin-2α* 등이다 (Caldas 등, 2005). 선택적 전사물 비율의 불균형은 세포의 세포 자멸사에 대한 저항성 혹은 민감성에 영향을 준다 (O'Connor 등, 2000). *Survivin* 전사물의 비율은 화학 요법

에 대한 반응을 예측하는 데 도움을 준다. 여러 보고에 의하면, *survivin-deltaEx3*와 *survivin-3B*는 세포를 보호하는 기능을, *survivin-2B*는 세포 자멸사를 유발하는 기능을, *survivin-2α*는 *survivin*과 상호 작용하여 세포 자멸사에 대한 *survivin*의 대항 작용을 약화시키는 기능을 가지고 있다 (Caldas 등, 2005; Waligórska-Stachura 등, 2012). *Survivin-deltaEx3*는 종양의 높은 병기, 공격성의 증가, 나쁜 예후 등과 관련이 있다 (Nakano 등, 2008). *Survivin*의 변형 전사물의 위치는 서로 다른데, 예를 들면 *survivin-deltaEx3*는 핵에서만 발견되는 데 비해 (Mahotka 등, 2000), *survivin-2B*는 핵과 세포질 둘 모두에 위치해 있다 (Cadas 등, 2005).

세포 자멸사는 배아가 발생하는 동안 그리고 조직의 항상성을 유지하는 데에서 중요한 생리학적 역할을 한다. 세포 자멸사가 통제되지 않는 경우는 세포 생존의 비정상적인 연장, 빈번한 형질 전환 돌연변이, 면역 감시에 대한 저항성 등으로 인한 종양의 형성과 관련이 있다. 세포 자멸사의 장애는 암의 화학 요법 혹은 방사선 요법에 대한 저항성과 관련이 있다 (Rudin과 Thompson. 1997). 세포 자멸사를 일으키는 분자 기전은 진화 과정에서도 잘 보존되어 왔으며, 이는 세포 자멸사를 촉진하거나 반대 작용을 유발하는 단백질에 의해 조절된다. 세포 자멸사에 대한 우세한 조절 인자로는 B-cell lymphoma 2 (BCL2) 가족과 inhibitor of apoptosis protein (IAP) 가족의 단백질이 있다. Baculovirus의 유전자에서 처음 발견된 여러 cellular IAP (c-IAP)가 진핵 생물 (eukaryote)에서 확인되었으며, 이들 모두는 두세 개의 baculovirus IAP-repeats (BIRs), 한 개의 COOH-terminal RING finger domain, 한 개의 caspase recruitment domain (CRD)을 가지고 있다 (LaCasse 등, 1998). 모든 포유동물의 IAPs는 세포 자멸사를 억제하지만, 기전은 충분하게 알려져 있지 않다. 일부 연구에 의하면, 일부 IAP는 세포 자멸사에서 활성화되는 세포 내 cysteine protease, 즉 caspase와 직접 결합하여 억제시키며, c-IAP1과 c-IAP2는 tumor necrosis factor (TNF) receptor-associated factor 1 (TRAF1) 및 TRAF2와 결합한다 (Rothe 등, 1995). 이러한 포유동물의 IAP 중 독특한 구조를 가진 survivin은 한 개의 BIR을 가지고 있고 COOH-terminal RING finger domain이 결여되어 있다. Survivin은 c-IAP1이나 c-IAP2와는 다르게 TRAF와 결합하는 데 필요한 CRD를 가지고 있지 않다 (Mahotka 등, 1999).

Survivin은 1997년 Ambrosini 등에 의해 발견된 16.5 kDa

의 단백질로서 70개 아미노산으로 구성된 하나의 BIR 영역과 확장된 α-helical coiled-coil C-terminus를 가지고 있다 (Altieri, 2008). IAP 가족 중 가장 작은 구성원인 survivin은 염색체의 응축, 유사분열 방추 (spindle)의 형성, 미세관 (microtubule)의 동역학 등을 조절한다. 분자 수준에서 survivin은 세포의 분열에서 핵심 역할을 할 뿐만 아니라 세포 자멸사를 억제하고 혈관 형성을 증대시키는 역할을 한다 (Tamm 등, 1998).

전립선암의 발달뿐만 아니라 안드로겐 박탈 요법 후 세포 자멸사에 대항하는 유전자의 상향 조절이 일부 원인이 되어 발생되는 안드로겐 비의존성 질환으로의 진행에서 세포 자멸사의 조절은 중요한 역할을 한다 (Li 등, 2004). 증거에 근거한 여러 연구는 치료가 실패된 후 진행과 관련이 있는 주된 사건 중 하나가 세포 자멸사에 대한 저항성의 증가이며, 이는 주로 세포 자멸사에 대해 대항 작용을 하는 유전자 *BCL2*, *B-cell lymphoma-extra large (BCL-XL)*, *myeloid cell leukemia 1 (MCL1)* (Krajewska 등, 1996), *survivin* (Altieri, 2003) 등의 상향 조절 때문이라고 하였다.

73.1. Survivin의 기능 Function of survivin

Survivin은 procaspase-3와 procaspase-7의 변천 과정을 억제하며, 특별히 두 활성 caspases와 결합한다 (Tamm 등, 1998). Survivin은 또한 caspase-9도 억제한다 (O'Connor 등, 2000). 이들 중 caspase-3는 세포 자멸사의 신호를 촉진하는 과정에서 중요한 역할을 한다. Caspase-3는 poly(ADPribose) polymerase (PARP), p21 protein (CDC42/RAC)-activated kinase 2 (PAK2), lamin, gelsolin, fodrin 등의 분절을 유발함으로써 DNA 복구의 억제, 세포 자멸사체 (apoptotic body)의 형성, 핵막의 파괴, 세포질의 위축 등을 일으키는데, 이들 모두는 세포 자멸사의 특징이다 (Cohen, 1997).

Survivin의 기본 역할 중 하나는 세포 자멸사의 억제이다. 이 단백질은 IAP 가족에 속해 있는 다른 단백질과 동일한 작용을 하며, caspase-3 및 -7과 직접 혹은 간접으로 상호 작용함으로써 외인성 및 내인성 세포 자멸사 경로를 차단한다 (Altieri, 2003). Survivin이 세포 자멸사를 억제하는 또 다른 기전으로는 미토콘드리아로부터 Diablo homolog 단백질로도 불리는 second mitochondria-derived activator of caspase (SMAC)의 분비 억제 (Mila 등, 2009), IAP3로도 불리는

X-chromosome-linked IAP (XIAP)와 직접적인 결합 (Ceballos-Cancino 등, 2007) 등이 있다.

Survivin은 유사분열이 일어나는 동안 tubulin과 상호 작용하여 유사분열 방추에 위치하게 되고, 유사분열을 조절하는 역할을 한다. Survivin은 또한 염색체의 분리, 세포질의 분열 (cytokinesis) 등을 통해 유사분열 방추를 형성하는 기능을 포함한 세포 분열의 모든 단계에서 작용한다. Chromosomal passenger complex (CPC)의 구성원인 이 단백질은 세포 분열의 전기에는 동원체 (kinetochore)와 중심절 (centromere)에, 중기에는 방추의 미세관에 위치해 있으나, 후기 혹은 말기로 이행하는 동안 방추의 중간 내지 중심 부위에 위치하게 된다 (O'Connor 등, 2000; Altieri, 2001). 면역조직화학검사에 의하면, survivin은 사람의 암세포의 핵과 세포질 내에 존재하며, 종양세포의 핵에서 survivin이 발현하는 경우 임상적으로 나쁜 결과를 나타낸다 (Shinohara 등, 2005).

Survivin은 유사분열 동안에만 발현된다. Survivin의 발현은 G2/M 기에서 가장 높게 증가하고 G1 기에서는 신속하게 감소하며 (Altieri, 2006), E2F transcription factor (E2F), Sp1 transcription factor 혹은 specificity protein 1 (SP1), ternary complex factor (TCF), heat shock protein 90 (HSP90) 등과 같은 다수 인자에 의해 조절된다 (Yamamoto 등, 2008). Survivin은 또한 tumor protein 53 (TP53), transformation-related protein 53 (TRP53) 등으로도 알려진 p53에 의해서도 조절된다. 표준형 p53은 survivin의 발현을 mRNA 수준에서 억제하며, p53에 의한 survivin의 하향 조절은 세포 자멸사를 유도하는 중요한 기전이다. 또한, 전사 후의 인산화는 survivin의 활성화에서 중요한 조절 역할을 한다 (Mirza 등, 2003).

73.2. 전암 병변에서 survivin의 발현
Survivin expression in premalignant lesion

정상적인 생리학적 조건에서 survivin은 배아 형성, 조혈, 상피, 생식선 세포주 등에 한해서 제한적으로 발현된다 (Fukuda와 Pelus, 2006). 이 단백질은 또한 증식력이 강한 성숙한 조직, 예를 들면 태반, 흉선, 내피, cluster of differentiation 34 (CD34)[+] 조혈전구세포 등에서도 발견된다 (Deguchi 등, 2002). 그러나 성인의 정상 조직에서 survivin의 발현양은 종양 조직에서보다 훨씬 낮다 (Ambrosini 등, 1997). Survivin 전사물은 흔히 유방 선종, Bowen 질환, 결장 용종 등과 같은

전암 병변에서 발견되며, 유방관의 상피내암종 (carcinoma in situ, CIS) (Singh 등, 2004), 자궁경부의 상피내암 (cervical intraepithelial neoplasia, CIN) (Kim 등, 2002) 등에서도 발견된다. Survivin 단백질은 사람에서 발견되는 대부분의 종양과 태아의 조직에서 높게 발현되지만, 분화가 종결된 세포에서는 전혀 발현되지 않으며 예외로 흉선, 고환, 혈관 형성 내피, 장움세포 (intestinal crypt cell) 등에서는 발현된다 (Altieri, 2001; Sah 등, 2006). 이는 survivin이 형질 전환을 일으킨 세포와 정상 세포를 구분하여 실시되는 유전자 요법에서 표적이 될 수 있음을 시사한다.

전암 병변에서 관찰되는 survivin의 발현 증가뿐만 아니라 세포 내의 분포 위치도 중요한 예후 인자이다. Survivin이 발현되는 위치는 악성적인 형질 전환이 진행되는 동안 달라지는데, 면역염색법에 의하면 survivin에 대한 염색이 비악성 간세포에서는 세포질에서, 간세포암에서는 핵에서 관찰된다 (Moon과 Tarnawski, 2003). 마찬가지로, 악성 흑색종 세포에서 survivin의 염색은 세포의 핵 내에서만 관찰된다 (Ding 등, 2006). 악성 암으로 진행할 소인이 높은 많은 침습 전 병변에서 survivin의 발현이 증가되기 때문에, survivin은 종양의 표지자로 간주된다.

73.3. 여러 암에서 survivin의 발현
Survivin expression in a variety of cancers

Survivin의 과다 발현은 다양한 암에서 관찰되며, 나쁜 임상 결과를 동반한다. Survivin의 과다 발현은 폐암의 96%, 결장암의 100%, 전립선암의 71%, 아교모세포종 (glioblastoma)의 80%, 후두암의 100%에서 관찰된다 (Kawasaki 등, 1998; Karczmarek-Borowska 등, 2005). Survivin 유전자의 활성화는 급성 백혈병, 림프종 등과 같은 혈액종양 환자에서 높다 (Cong과 Han, 2004). 그 외에도 survivin 단백질은 흑색종, 유방암, 췌장암, 위암 등에서도 발현된다 (Ambrosini 등, 1997; Lu 등, 1998; Aoyama 등, 2013).

Survivin의 발현 증가는 임상병리학적으로 공격적인 질환과 관련이 있으며, 짧은 생존 기간과 상호 관련이 있다. 유방암 환자 275명에 관한 연구는 환자의 연령, 종양의 크기, 조직학적 등급 등과 함께 survivin이 독립적으로 결과를 예측하는 유의한 예후 인자라고 하였다 (Nowak-Markwitz 등, 2010). 난소암의 경우에도 survivin의 발현은 종양의 조직학적 등급

과 상호 관련이 있으며, 핵 내에 위치한 survivin은 조직학적으로 높은 등급, P53의 돌연변이, 조직학적으로 나쁜 유형 등과 같은 나쁜 예후 인자와 관련이 있다 (Cohen 등, 2003). 다른 연구는 survivin과 caspase-3의 발현이 유방암 환자에서 높은 조직학적 등급, 높은 증식 등과 같은 나쁜 예후 인자와 관련이 있지만, 무병 생존과 같은 결과 혹은 종양의 크기, 조직학적 종류, 혈관 형성 등과 같은 임상병리학적 지표와는 관련이 없다고 하였다 (Nassar 등, 2008).

다수의 연구는 survivin이 핵 혹은 세포질 내에 다르게 위치함으로 인해 상이한 기능이 나타난다고 하였다. 핵에 위치한 survivin은 세포 분열을 조절하는 데 비해, 세포질의 survivin은 세포를 보호하는 인자로서 작용을 한다. 핵 내의 survivin은 식도암, 간세포암, 소세포 폐암, 난소암, 림프종, 자궁내막암 등에서 나쁜 예후 인자로서의 역할을 한다 (Fields 등, 2004, Shinohara 등, 2005). 144명의 폐암 환자를 대상으로 평가한 면역조직화학적 연구는 survivin의 핵 염색이 질환의 재발과 사망의 위험 증가와 유의하게 관련이 있다고 하였으며, 각각의 hazard ratio (HR)는 2.95 ($p=0.0046$), 2.74 ($p=0.0086$)이었다 (Shinohara 등, 2005). 대조적으로 다른 면역조직화학검사에 의하면, 세포질 내의 survivin은 세포 자멸사에 대한 대항 효과를 나타내었으며, 예후와 유의한 연관성은 없었다. 다양한 암에 대한 자료를 검토해 볼 때, survivin의 역할은 모순적이며, 이러한 차이를 분명하게 설명하는 자료 또한 없다. 그러나 가장 단순하게는 survivin의 존재와 기능을 연구하는 데 이용되는 기법에서의 차이라고 추측할 수 있다. 따라서 단백질의 발현, 작용 기전, 임상 지표와의 상관관계 등을 이해하기 위해서는 새로운 연구 방법의 개발이 필요하다 (Waligórska-Stachura 등, 2012).

근래에는 survivin의 여러 이어맞추기 변형에 관심을 가지게 되었다. Survivin-deltaEx3에는 세포 자멸사에 대한 대항 작용이 보존되어 있으나, survivin-2B에는 그러한 대항 작용이 상당하게 감소되어 있다 (Mahotka 등, 1999). Survivin-2B 발현의 소실은 암 발달의 후기에서 발견되는 데 비해, survivin과 survivin-deltaEx3의 소실은 관찰되지 않는데, 이는 이들 변형이 암의 발달에서 다른 역할을 함을 시사한다. Survivin-deltaEx3는 핵에서 관찰되고 survivin-2B는 세포질에서 발견되는데, 이 또한 이들 변형이 서로 다른 역할을 가지고 있음을 시사한다. 이들 관찰은 survivin-deltaEx3와 survivin-2B가 종양의 발생과 진행에서 중요한 역할을 함으로 보여 준

다 (Li 등, 2013). 위암 환자에 관한 연구는 mRNA 수준에서 survivin-deltaEx3와 survivin-2B의 측정치가 중요한 예후 인자의 역할을 함을 보여 주었다. 이들 두 변형은 다른 특성을 가지고 있었는데, survivin-deltaEx3는 세포 자멸사에 대한 대항 기능을 가지고 있는 데 비해, survivin-2B는 세포 자멸사에 대한 대항 기능을 소실하였고 survivin에 대한 대항제 역할을 하였다 (Krieg 등, 2002).

양성 뇌하수체 (Wasko 등, 2009)와 뇌하수체 종양 (Jankowska 등, 2008)에 초점을 맞춘 연구는 이들 조직에는 survivin이 존재하며, 특히 침습성 종양에서는 proliferating cell nuclear antigen (PCNA)과 함께 발현함을 보여 주었다. Survivin의 과다 발현은 신경계의 원발 종양, 수막종 (meningioma), 양성 말초신경 종양 등에서 발견된다 (Sasaki 등, 2002). qRT-PCR을 이용한 연구에 의하면, survivin의 과다 발현은 정상 뇌하수체 조직에서도 존재하지만 뇌하수체 종양의 특징적 양상으로 간주되며, 종양에서 유전자의 발현양은 정상 조직에 비해 6배 더 높다 (Jankowska 등, 2008). 이들 모든 결과는 survivin 발현의 증가가 뇌하수체 종양의 형질 전환에 관여하는 하나의 인자임을 시사한다. 여러 연구는 survivin의 발현이 높은 증식 지수 (Wasko 등, 2009), 낮은 세포 자멸사의 비율 (Tanaka 등, 2000), 화학 요법 및 방사선 요법에 대한 저항성 (Zaffaroni와 Daidone, 2002), 암 재발률 (Swana 등, 1999)의 증가 등과 밀접한 관련이 있다고 하였다.

138명의 전립선암 환자를 대상으로 실시한 연구는 survivin이 전립선암의 대부분에서 발현되지만 예후와 관련이 있는 표지자는 아니고 세포 자멸사에 근거한 치료의 표적 역할을 하는 데 비해, BCL2는 전립선암을 예측할 수 있고 여러 예후 인자와 상호 관련이 있기 때문에, survivin과 BCL2는 서로 다른 기전을 통해 세포의 증식과 세포사를 조절한다고 하였다 (Kaur 등, 2004). 그러나 이 연구 결과와는 다른 결과를 보고한 연구가 다수 있다.

근치전립선절제술을 받은 114명으로부터 채집한 표본에 대해 면역조직화학검사로 survivin과 transforming growth factor beta1 ($TGF\beta_1$) 및 1형, 2형 TGFβ receptor (TGFBR1)/TGFBR2를 측정하고 중앙치 64.8개월 동안 추적 관찰한 연구는 다음과 같은 결과를 보고하였다 (Shariat 등, 2004). 첫째, survivin은 암을 가진 전립선의 정상 전립선 표본의 36% (41명/114명), 원발 전립선암 표본의 71% (81명/114명), 정상 림프절 표본의 38% (3명/8명), 림프절 침범 표본의 88% (7

명/8명)에서 발현되었다. 둘째, survivin의 발현은 높은 Gleason 점수 (p=0.001), TGFBR1과 TGFBR2 발현의 소실 (각각 p=0.041, 0.008), 생화학적 진행의 높은 위험 (p=0.044) 등과 관련이 있었다. 셋째, 질환이 진행된 환자 중 공격적인 전립선암을 가진 환자에서 survivin의 발현이 더 흔하였다. 이 연구에 의하면, survivin의 발현은 정상 전립선, 저등급 전립선암, 고등급 전립선암, 림프절 전이 등으로 이행하는 단계에서 점차 증가하며, TGFβ 경로의 변화와 근치전립선절제술 후 전반적 진행 혹은 공격적인 생화학적 진행과 관련이 있다.

전립선암이 의심되어 경직장초음파촬영 유도 하 생검을 실시한 170명을 대상으로 양성과 악성 전립선, 그리고 상급 위험과 저급 위험 전립선암을 구별하기 위해 QRT-PCR로 조직에서 alpha-methylacyl-CoA racemase (AMACR)와 survivin의 mRNA를 측정한 연구는 다음과 같은 결과를 보고하였다 (Al-Maghrebi 등, 2012). 첫째, 조직검사에서 53% (90명/170명)가 양성 전립선을, 47% (80명/170명)가 전립선암을 가졌다. 둘째, 조직 내 AMACR과 survivin의 mRNA는 양성과 악성 생검 표본을 구별할 수 있었으며 (p<0.0001), 상급 위험과 저급 위험 전립선암을 구별할 수 있었다 (각각 p<0.02, p<0.05). 셋째, 혈청 PSA에 비해 조직 AMACR과 survivin의 mRNA의 병용은 더 높은 발견 특이도를 나타내었는데, 각각 22%, 84%이었다. 이와 같은 결과를 근거로 저자들은 AMACR과 survivin 둘 모두의 민감도와 특이도가 높기 때문에, 이들 mRNA 표지자는 전립선암의 유무를 구별하고, 전립선암 환자에서 상급 위험과 저급 위험을 구별하는 데 보조 도구로 이용할 만한 가치가 있다고 하였다.

Survivin은 전통적으로 세포질이나 핵에 존재하는 단백질로 알려져 왔으나, 근래에는 작은 막을 가진 세포 외부의 소포 (vesicle), 즉 exosome에서도 존재한다고 보고되었다 (Khan 등, 2011). Exosome은 혈청과 소변 내에 존재하며, 많은 단백질과 RNAs를 포함하고 있고, 전립선암의 표지자로 관심을 받고 있다 (Duijvesz 등, 2011). Survivin이 임상병리학적으로 나쁜 지표와 관련이 있다는 보고와 마찬가지로, 종양의 미세 환경을 통해 세포 외부로 운반된 survivin은 종양의 공격성을 증대시키며, 치료 효과를 차단하거나 약화시킨다. Exosome과 결합한 survivin이 종양세포에 의해 분비될 수 있으며, 주위 세포에 의해 포획될 경우 스트레스-생존 표현형을 나타내는 'field effect (정상으로 보이는 조직 내에서 나타나는 분자 혹은 세포의 변화로서 암이 발생할 경향이 있다)'를 만든다

도표 227 여러 조건의 전립선을 가진 남성에서 혈장 혹은 혈청 survivin과 PSA 농도의 비교

	Survivin, pg/mL	환자 수 (%)	PSA, ng/mL	환자 수 (%)
정상	<100	10/10 (100)	<4	10/10 (100)
	>100	0/0 (0)	>4	0/0 (0)
BPH	<100	20/20 (100)	<4	20/20 (100)
	>100	0/0 (0)	>4	0/0 (0)
전립선암	<100	0/0 (0)	<4	3/19 (16)
	>100	19/19 (100)	>4	16/19 (84)
Gleason 6점	<100	0/0 (0)	<4	4/10 (40)
	>100	10/10 (100)	>4	6/10 (60)
Gleason 9점	<100	0/0 (0)	<4	2/10 (20)
	>100	10/10 (100)	>4	8/10 (80)
재발	<100	0/0 (0)	<4	0/0 (0)
	>100	8/8 (100)	>4	10/10 (100)

BPH, benign prostatic hyperplasia; PSA, prostate-specific antigen
Khan 등 (2012)의 자료를 수정 인용.

(Khan 등, 2012). 여러 표현형의 전립선암 환자에서 혈장 내 exosome의 survivin을 평가한 연구는 다음과 같은 결과를 보고하였다 (Khan 등, 2012) (도표 227). 첫째, 세포 외부에 분포한 survivin은 Gleason 점수가 6점으로 낮거나 9점으로 높은 전립선암 환자와 화학 요법에 저항성을 보인 전립선암 환자의 혈장 exosome에서 높게 발현되었다. 둘째, survivin의 농도는 Gleason 점수가 낮은 환자와 높은 환자 사이에서 차이가 없었다. 셋째, exosome에 포함되어 있는 survivin은 양성전립선비대 환자의 혈청에서도 평균치 52.9 pg/mL로 발견되었지만 전립선암 환자의 혈장 농도 평균치 149 pg/mL에 비해서는 유의하게 낮았다. 이들 결과를 근거로 저자들은 혈장 exosome의 survivin은 전립선암을 조기에 쉽게 발견할 수 있도록 하는 진단 표지자이며, 진행 전립선암을 가진 환자의 모니터링에 도움을 줄 수 있다고 하였다.

73.4. 전립선암에서 survivin의 조절
Regulation of survivin in prostate cancer

Survivin의 상당량은 핵 내에 있으며, 염색체 배열, 염색질과 관련한 방추체 조합 (spindle assembly), Aurora B, Borealin, inner centromere protein (INCENP) 등과의 결합을 통한 세포질의 분열 등을 조절한다 (Jeyaprakash 등, 2007). Survivin

은 또한 중합된 미세관과 결합함으로써 유사분열 방추를 안정화시키고 핵 형성 (nucleation)을 조절한다 (Rosa 등, 2006). 핵 내의 survivin은 p53 의존성 기전을 통해 wild-type p53-activating fragment 1 (WAF1), cyclin-dependent kinase (CDK) interacting protein 1 (CIP1) 등으로도 알려진 p21 혹은 p21$^{WAF1/CIP1}$의 촉진체와 결합하여 이를 억제시키는 전사 인자 혹은 보조 인자로서 기능을 한다 (Tang 등, 2012). p21은 cyclin D (CCND)/CDK4 혹은 CCNE/CDK2 복합체와 결합하여 이 인산화 효소의 활성을 억제하는 단백질, 즉 CIPl, 사람의 노화세포에서 유래되어 S 기로의 이행을 저해함으로써 증식을 억제하는 인자, 즉 senescent cell-derived inhibitor 1 (SDI1), 종양을 억제하는 유전자 산물인 p53에 의해 발현이 유도되어 세포의 증식을 억제하는 단백질, 즉 WAF1의 3가지 방법으로 독립적으로 동정되었는데, 이들은 동일한 분자로 판명되었다. Survivin의 탈아세틸화 (deacetylation)를 일으키는 histone deacetylase 6 (HDAC6)는 survivin의 핵 밖으로의 운반을 촉진함으로써 survivin의 전사 및 유사분열 기능을 억제한다 (Riolo 등, 2012).

여러 암에서 survivin이 과다 발현되는 분자 기전은 분명하게 밝혀져 있지 않다. Survivin을 조절하는 인자인 insulin like growth factor-I (IGF-I)은 다양한 암의 병인에서 중요한 역할을 하는 생존 인자로 알려져 있다 (Pollak, 2008). 혈장 IGF-I 농도의 증가는 전립선암의 발견 및 병기에 대한 예측 인자의 역할을 한다 (Chan 등, 1998). 유전자 삽입이 시도된 생쥐에 관한 연구에 의하면, IGF-I의 과다 발현은 전립선암을 일으켰으며 (DiGiovanni 등, 2000), IGF-I 수용체를 중화시키는 항체는 이종 이식 전립선암의 성장을 억제하였다 (Plymate 등, 2007).

Survivin에 대한 중요한 음조절 인자인 TGFβ는 자가 분비, 주변 분비, 내분비 등의 방식으로 기능을 하는 25 kDa의 이합체 다기능 단백질로서 세포 과정 및 생리학적 과정, 예를 들면 분화, 성장 억제, 세포 자멸사, 세포의 이동, 세포의 생존, 상피세포의 중간엽세포로의 이행 등을 조절한다 (Shi와 Massague, 2003). TGFβ는 TGFBR1과 TGFBR2로 알려진 두 경막 serine/threonine kinase 수용체의 ectodomain과 결합함으로써 신호를 전달하며, TGFβ ligand와 수용체가 결합하여 사합체를 형성한다. Activin-like receptor kinase 5 (ALK5)로도 알려진 TGFBR1은 TGFBR2 kinase에 의한 인산화를 통해 활성화되며, mothers against decapentaplegic homolog (SMAD)

2와 3의 두 C-terminal serines를 인산화한다. 그러한 인산화는 SMAD2/3를 핵 내에 위치하도록 하며, 이로써 여러 표적의 전사를 조절한다 (Massague 등, 2005).

TGFβ는 전립선암을 억제하는 인자로서 기능을 하며 (Ding 등, 2011), 그러한 기능은 세포 성장의 정지, 정상 혹은 전암 전립선 상피세포의 세포 자멸사 유도 등과 관련이 있다 (Hsing 등, 1996). TGFβ에 관한 연구는 TGFβ의 신호 경로가 SMAD2/3 그리고 survivin의 촉진체 영역 내에 있는 세포 주기를 억제하는 두 인자, 즉 cell cycle-dependent element (CDE)과 cell cycle genes homology region (CHR) 의존성 기전을 통해 전사적으로 survivin의 발현을 하향 조절한다 (Lucibello 등, 1997). TGFβ는 주로 SMAD3 의존성 기전을 통해 retinoblastoma protein (RB)의 인산화를 저해하며, 이로써 RB/E2F4의 억제 복합체를 survivin 촉진체의 CDE/CHR로 집결시킨다. 종양 단백질에 의한 Rb 가족 단백질의 비활성화는 선택적으로 TGFβ에 의한 survivin 촉진체의 하향 조절을 차단한다. 실험 연구는 survivin의 침묵 및 과다 발현이 이러한 TGFβ 반응의 핵심 기능과 관련이 있고, 종양이 진행하는 동안 TGFβ의 기능이 차단됨을 보여 주었다 (Song 등, 2013). 이 연구는 또한 주로 phosphatidylinositol 3-kinase/v-akt murine thymoma viral oncogene homolog protein 1/mammalian target of rapamycin complex 1 (PI3K/AKT/mTORC1) 경로를 통해 기능을 하는 IGF-I이 survivin 전사에 대한 TGFβ의 억제를 반전시킴으로써 전암 전립선 상피세포의 성장을 촉진한다고 하였다.

쥐의 전암 전립선 세포주인 NRP-152를 이용한 연구는 다음과 같은 결과를 보고하였다 (Song 등, 2013) (도표 228). IGF-I은 survivin의 발현을 유도하였고, small hairpin RNA (shRNA)에 의한 survivin의 침묵은 IGF-I의 자극으로 인한 세포의 성장을 억제하였는데, 이는 survivin이 이러한 성장 반응을 매개하는 인자임을 시사한다. IGF-I에 의한 survivin의 유도는 부분적으로는 PI3K/AKT/mTORC1 경로에 의해 매개되었다. 발광효소 (luciferase)를 부착시킨 survivin 촉진체를 이용한 실험에서 survivin 촉진체의 근위부에 있는 CDE 및 CHR 반응 인자가 이러한 IGF-I의 반응에 관여하였다. TGFβ의 신호 경로에 대항하는 인자도 마찬가지로 survivin의 촉진체를 활성화하였으며, IGF-I에 의해 촉진체가 더욱 활성화됨으로써 난치성 세포가 형성되었다. IGF-I은 survivin을 유도하는 기전과 유사한 방식으로 phospho-SMAD2/3의 농도를 억제하였

도표 228 자가 분비 TGF-β에 의한 RB의 활성화와 survivin 억제의 조절에서 mTORC1과 mTORC2의 역할

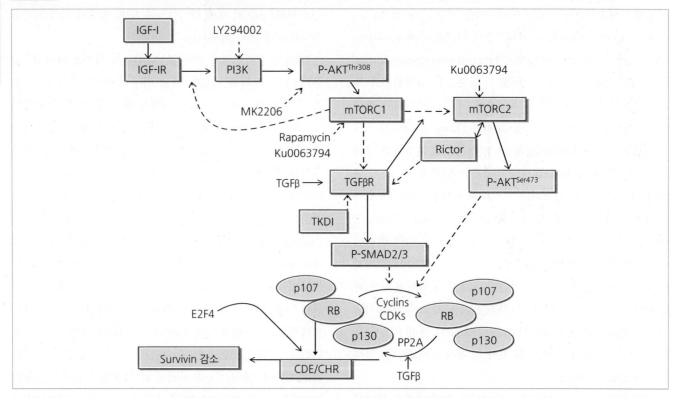

이 연구는 PI3K, AKT, mTOR에 대한 억제 화합물로 LY294002, perifosine 혹은 MK2206, rapamycin 혹은 Ku0063794를 각각 이용하였다. E2F4와 결합한 p107, p130 등의 pocket 단백질 혹은 RB는 survivin의 촉진체에 있는 CDE 및 CHR 반응 요소와 결합함으로써 촉진체의 활성을 억제하며 (Jiang 등, 2004), TGF-β는 pocket 단백질의 활성을 통해 survivin 촉진체를 하향 조절한다 (Yang 등, 2008). CDE 및 CHR 부위에서의 돌연변이는 survivin 촉진체의 활성을 촉진하고 LR3-IGF-I에 대한 반응을 둔화시키는데, 이는 IGF-I에 의한 survivin의 유도는 대부분 CDE 및 CHR을 필요로 하며, TGF-β에 의한 survivin 촉진체의 억제에도 동일한 성분이 요구됨을 시사한다. 또한, LR3-IGF-I은 최소한 부분적으로 TGF-β에 의한 survivin mRNA 발현의 억제를 반전시키며, rapamycin은 LR3-IGF-I에 의한 보호 효과를 반전시켜 LR3-IGF-I에 의한 survivin의 유도를 억제한다. 자가 분비 TGF-β 신호 경로의 억제는 PI3K, AKT, MEK, mTOR 등에 대한 대항제에 의해 억제된 survivin의 발현을 반전시킨다. TKDI는 sh-mTOR 및 sh-Rictor 세포에서 P-RB Ser807/811의 농도를 증가시키지만, P-RB Ser807/811의 강도가 상당하게 감소된 sh-Raptor 세포에서는 그러하지 않다. 이는 mTORC1의 억제 혹은 mTORC2의 활성화가 TGF-β 의존성 RB 활성화를 통해 survivin의 발현을 억제하며, Rictor의 침묵은 TβRI에 비의존적인 RB를 억제함으로써 survivin의 발현을 증대시킴을 시사한다. 세포 성장의 변화는 대체로 P-SMAD2/3에 의한 성장 억제를 중단시키는 sh-Rictor에 의한 성장 자극과 함께 survivin 발현의 증가와 P-SMAD2/3의 억제로 인해 일어난다. 점선 화살표는 억제를 나타낸다.

AKT, v-akt murine thymoma viral oncogene homolog protein 1 or protein kinase B (PKB); CDE, cell cycle-dependent element; CDK, cyclin-dependent kinase; CHR, cell cycle genes homology region; E2F4, E2F transcription factor 4; IGF-IR, insulin-like growth factor-I receptor; LR3, long R3; MEK, mitogen-activated protein kinase (MAPK) kinase; mTOR, mammalian target of rapamycin; mTORC, mTOR complex; sh, small hairpin; P, phosphorylated; PI3K, phosphatidylinositol 3-kinase; PP2A, protein phosphatase 1A; RB, retinoblastoma protein; Ser, serine; SMAD2/3; mothers against decapentaplegic homolog 2/3; TβRI, TGF-β receptor type I; TGF, transforming growth factor; TKDI, TβRI kinase domain inhibitor (2-[3-[6-methylpyridin-2-yl]-1H-pyrazol-4-yl]-1 ,5-naphthyridine).

Song 등 (2013)의 자료를 수정 인용.

다. TGFBR kinase 억제제 혹은 *SMAD2/3*의 침묵에 의한 TGFβ 신호 경로의 억제는 *survivin*의 발현을 유도하였으며, IGF-I에 의한 기전과 유사하게 세포의 성장을 촉진하였다. TGFBR 대항제는 또한 *survivin*의 발현이 하향 조절되었거나 PI3K, AKT, mitogen-activated protein kinase (MAPK) kinase (MEK 혹은 MAPKK), mTOR 등을 억제하는 약물에 의해 성장이 억제된 세포를 회복시켰다. shRNA를 이용하여 유전자의 활동

을 정지시킨 연구는 IGF-I에 의한 *survivin*의 발현을 mTORC1은 유도한 반면, mTORC2는 억제함을 보여 주었다. 이들 결과를 정리하면, PI3K/AKT/mTORC1 기전을 통한 IGF-I의 신호 경로는 *survivin*의 발현을 증대시키고, *SMAD* 의존성으로 자가 분비되는 TGFβ의 신호 경로를 억제함으로써 전립선 상피 세포의 성장을 촉진한다.

Nuclear factor kappa B (NFκB) 신호 경로는 종양의 진행

과 관련이 있으며, SH3 and multiple ankyrin repeat domain protein (SHANK)-associated RH domain interacting protein (SHARPIN)은 NFκB 경로의 활성화에서 중요한 역할을 한다. SHARPIN은 상피세포 (Tokunaga와 Iwai, 2012), 간세포 (Sieber 등, 2012), 골육종세포 (Tomonaga 등, 2012) 등에서 핵 내의 NFκB를 활성화함으로써 세포의 생존을 촉진한다. SHARPIN은 inhibitor of NFκB (IKB) kinase (IKK) 복합체의 활성화와 IKB kinase α (IKBKA)의 인산화에 필요한 ligase로서 heme-oxidized iron regulatory protein 2 (IRP2) ubiquitin ligase 1 (HOIL1) 및 HOIL1L-interacting protein (HOIP)과 함께 작용한다 (Tomonaga 등, 2012). SHARPIN의 발현을 차단하면 단백질 수준에서 NFκB 경로가 비활성화된다 (Wang 등, 2012). NFκB 경로의 과다 활성은 전립선암에서 세포 자멸사를 억제하고, 세포의 증식 및 암의 전이를 촉진하다 (Ban 등, 2011).

Western blotting, quantitative real-time polymerase chain reaction (qRT-PCR), 면역조직화학검사 등을 이용하여 전립선암 세포주와 조직에서 SHARPIN의 발현을, 전립선암 세포에서 *SHARPIN*을 침묵시킨 후 western blots를 이용하여 SHARPIN과 NFκB 경로의 요소 및 survivin, livin 등과 같은 하위 표적 분자 사이의 연관성을, 5-(3-carboxymethoxyphenyl)-2-(4, 5-dimenthylthiazoly)-3-(4-sulfophenyl) tetrazolium, inner salt (MTS), Transwell 침습 분석 등을 각각 이용하여 세포의 증식, 이동, 침습 등에서 SHARPIN의 기능을 평가한 연구는 다음과 같은 결과를 보고하였다 (Zhang 등, 2014). 첫째, SHARPIN의 발현은 전립선암 세포주에서 상향 조절되었다. 둘째, *SHARPIN*을 불활성화하거나 NFκB의 억제제인 Bay 11-7082를 투여하여 배양한 경우 대조군에 비해 인산화된 IKBKA 및 인산화된 p65의 농도가 급격하게 감소되었다. 셋째, *SHARPIN*을 억제하여 survivin과 livin이 하향 조절되면, 전사가 억제되었다. 넷째, *SHARPIN*을 침묵시킨 경우 전립선암 세포의 docetaxel에 대한 민감도가 증가됨과 함께 세포의 생존, 이동, 침습이 감소되었고 종양의 형성이 억제되었는데, 이는 NFκB 경로와 그것의 하위 표적인 survivin 및 livin이 억제되었기 때문이다. 이들 결과를 근거로 저자들은 SHARPIN의 과다 발현이 NFκB 경로와 하위 표적 survivin 및 livin의 활성화를 촉진함으로써 전립선암의 발달을 유도한다고 하였다.

73.5. 항암 요법의 표적으로서 survivin
Survivin as a target of anticancer therapy

여러 실험 연구는 survivin 펩티드에 대항하여 T 세포가 세포 용해 반응을 매개함을 보여 주었다 (Andersen과 Straten, 2002). 이와 같이 survivin에 대한 T 림프구의 세포 독성 반응은 유방암, 흑색종, 백혈병 등의 환자에서 확인되었다 (Andersen 등, 2001). 따라서 survivin 펩티드에 특이한 세포 용해성 T 세포를 이용한 면역 요법은 항암 요법의 또 다른 대안이 될 수 있다 (Andersen 등, 2006).

세포 자멸사, 유사분열, 혈관 형성 등에 관여하는 survivin은 사람의 다수 암에서 생물학적 요법의 표적으로 간주되고 있으며, 전사 억제제, antisense oligonucleotide (ASO), hammerhead ribozyme, small interfering RNA (siRNA), 소분자 억제제 (small molecular inhibitor), CDK 억제제, 우성 음성 돌연변이, 면역 요법 등과 같이 survivin을 표적화하는 항암 요법이 현재 개발 중에 있다 (Waligórska-Stachura 등, 2012). 보편적으로 이용되는 약제로는 HDAC 억제제, MAPK, CDK 억제제 등이 있다 (Shapiro 등, 2006). 이미 ASO를 이용하여 survivin의 발현을 억제함으로써 종양세포의 세포 자멸사를 유도한 보고가 있다 (Allieri, 2003). Survivin ASO는 악성 흑색종 세포주에 대하여 처음 이용되었다. ASO로 유전자 전달 감염을 일으킨 경우 내인성 survivin의 발현이 감소되었고, 세포 자멸사가 일어났다. Survivin의 발현을 차단하는 plasmid를 종양 내에 주사한 연구에서는 종양에 특이한 cytotoxic T lymphocyte (CTL)의 생성이 유도되었으며, 이 방법은 큰 림프종의 치료에 유익하다고 생각된다 (Jagat 등, 2001). Survivin에 근거한 여러 백신이 임상 시험 중에 있으며, 결장직장암, 유방암 등의 치료를 위해 펩티드 백신이 이용된 바 있다 (Waligórska-Stachura 등, 2012). 자궁경부암 세포주 HeLa, 방광암 세포주 T24, 결장암 세포주 HCT-116, 전립선암 세포주 PC3 등을 포함한 다수의 암 세포주에서 ASO의 일종인 LY2181308을 이용한 연구에 의하면, LY2181308은 다양한 암 세포주에서 survivin의 mRNA 및 단백질의 발현을 억제함으로써 caspase-3의 활성화를 유도하였고, 세포 주기의 정지, 세포 분열의 차단 등을 일으켰으며, 특히 이종 이식 암 모델에게 정맥으로 주사한 경우 종양의 gemcitabine, paclitaxel, docetaxel 등에 대한 민감성이 증대되었다 (Carrasco 등, 2011). 그러나 거세 저항성 전이 전립선암 환자 154명을 대조군과 실험군에 무

CHAPTER 08

작위로 배정하여 두 군에 대해 각각 docetaxel/prednisone에 의한 치료, docetaxel/prednisone과 LY2181308을 병용한 치료를 실시한 연구는 다음과 같은 상충되는 결과를 보고하였다 (Wiechno 등, 2014). 첫째, 진행이 없는 생존 기간의 중앙치는 대조군과 실험군에서 각각 9.00 (90% CI 7.00~10.09)개월, 8.64 (90% CI 7.39~10.45)개월이었다 (p=0.755). 둘째, 50% 포인트 이상의 PSA 감소, Brief Pain Inventory (BPI) 및 Functional Assessment of Cancer Therapy-Prostate (FACT-P) 점수 등은 양 군에서 비슷하였다. 셋째, 대조군에 비해 실험군에서 등급 3~4 중성구감소증, 빈혈, 혈소판감소증, 감각신경병증 등의 빈도가 더 높았다. 이들 결과를 근거로 저자들은 실험군과 대조군에서 LY2181308에 의한 이점이 관찰되지 않았다고 하였다.

Polypurine reverse-Hoogsteen hairpin (PPRH)는 pentathymidine loop를 통해 연결된 두 개의 polypurine stretches에 의해 형성된 이중 가닥의 DNA 분자로서 분자 내에는 hairpin 구조를 만드는 reverse-Hoogsteen 결합체를 가지고 있다. PPRH는 분자 내에 있는 Hoogsteen 결합체에 의해 hairpin 구조를 유지하면서 Watson-Crick 결합체를 통해 표적 분자의 polypyrimidine과 결합한다. Template-PPRH는 DNA의 주형 가닥을 표적으로 하여 전사 과정을 억제함으로써 mRNA의 농도를 감소시킨다 (de Almagro 등, 2011). 이들 분자를 methotrexate에 대해 저항성이 생긴 유방암에 이용한 연구는 상당한 세포 독성 효과를 얻었다고 하였다 (de Almagro 등, 2011). 새로운 유전자 요법으로 PPRH 분자를 개발한 연구는 survivin을 발현하는 암에서 PPRH의 효과를 평가하기 위해 survivin 유전자에 대한 4종류의 PPRHs를 고안하였는데, 이들 PPRHs 중 한 가지는 DNA의 주형 가닥 (template strand)을, 세 가지는 암호 가닥 (coding strand)을 표적으로 하였다. PC3 전립선암 세포를 대상으로 이들을 이용한 연구는 다음과 같은 결과를 보고하였다 (Rodríguez 등, 2013). 첫째, 촉진체의 염기 서열에 대한 PPRHs가 가장 효과적이었으며, survivin의 mRNA와 단백질을 감소시켰다. 둘째, PPRHs와 *survivin* 유전자 내의 표적 염기 사이에 결합이 이루어짐이 관찰되었다. 셋째, survivin 촉진체를 표적화하는 Template-PPRH와 Coding-PPRH는 각각 전사 인자 SP1과 trans-acting T-cell-specific transcription factor로 알려진 GATA binding protein 3 (GATA3)의 결합을 차단하였다. 넷째, PC3 전립선암 세포의 피하 이종 이식 암 모델을 대상으로

Coding-PPRH를 종양 내로 혹은 정맥으로 주입한 결과, survivin 단백질의 농도, 종양의 용적, 혈관 형성 등이 감소하였다. 이들 결과는 PPRHs가 새로운 유전자 요법으로 유망함을 보여 준다.

Ca²⁺과 결합하는 helix E-loop-helix F (EF) 단백질 그룹 중 가장 큰 소그룹인 S100 단백질 가족은 약 25종의 구성원을 가지고 있다 (Marenholz 등, 2004). Myeloid-related protein 8 (MRP8), calgranulin A (CAGA) 등으로도 알려진 작은 소단위 S100A8과 MRP14, calgranulin B (CAGB) 등으로도 알려진 큰 소단위 S100A9과의 이질적 이합체인 S100A8/A9 복합체는 중성구의 세포질 내에 풍부하게 분포하고 있다 (Johne, 1997). 이들 복합체 단백질은 주로 2가 양이온, 특히 Zn²⁺, Ca²⁺, Cu²⁺ 등에 의해 조절된다 (Sohnle 등, 2000). 복합체는 다양하게 명명되어 혼란을 일으키기 쉬워 calprotectin (CP)으로 칭하기도 한다. CP는 세포 내외에서 여러 기능을 나타내는데, 예를 들면 세포 성장의 조절 (Li 등, 2012), NADPH oxidase의 활성화 (Kerkhoff 등, 2005), 항균 및 항진균 작용 (Sohnle 등, 1996), matrix metalloproteinase (MMP)의 조절, 화학주성 (Isaksen과 Fagerhol, 2001), 종양세포주의 세포 자멸사 (Cross 등, 2005) 등이다. CP가 여러 종양세포에서 세포 자멸사를 유발하는 정확한 기전은 알려져 있지 않으나, CP가 Zn²⁺, Mn²⁺ 등과 같은 2가 금속이온과 결합하기 때문으로 생각된다. 그러나 CP가 세포 표면 수용체로 매개되는 신호 경로에 관여한다는 보고도 있다 (Yui 등, 2003). CP로 인한 세포 자멸사를 매개하는 수용체에 관하여 충분하게 알려져 있지 않지만, 여러 연구는 다수 ligands의 수용체인 receptor for advanced glycation end product (RAGE)가 그러한 역할을 한다고 하였다 (Gebhardt 등, 2008). NADPH oxidase는 세포막과 결합한 다수의 소단위로 구성된 효소 복합체로서 포식세포가 포식작용으로 세균과 진균을 사멸시키는 동안 활성 유리기인 초과산화물 음이온 (superoxide, O₂⁻)을 생성한다 (IJdo와 Mueller, 2004). 초과산화물은 과산화수소 (hydrogen peroxide)를 형성하며, 이는 세균을 사멸시킬 수 있는 활성산소종 (reactive oxygen species, ROS)을 생성한다 (Gabig, 1983). CP는 arachidonic acid를 NADPH oxidase 복합체로 이동시키고 활성화된 효소의 구조를 안정화함으로써 NADPH oxidase의 활성화에 관여한다 (Kerkhoff 등, 2005). 많은 연구들이 결장암 세포주 HT29/219, SW742 (Ghavami 등, 2004), 생쥐의 유방암 세포 MM46 (Mikami 등, 1998) 등과 같은 여

러 종양세포 내에서 생성된 ROS가 CP로 매개되는 세포 자멸사를 유도함을 보여 주었다 (Ghavami 등, 2004). 다른 연구는 여러 종류의 세포에서 inducible nitric oxide synthase (iNOS)에 의해 생성되는 염증 반응 매개체인 nitric oxide (NO)가 세포 자멸사의 강한 유도체라고 하였다 (Brune, 2003). CP가 inducible NO synthase (INOS 혹은 NOS2) 유전자의 발현을 상향 조절한다는 보고는 CP가 NO를 생성하는 강력한 유도체임을 추측하게 한다 (Pouliot 등, 2008). 사람의 전립선암 세포주 LNCaP에 관한 연구는 NO의 합성이 하향 조절되면, 세포 자멸사가 억제된다고 하였다 (Huh 등, 2006).

안드로겐 대항 요법에 저항적인 LNCaP 전립선암 세포주를 대상으로 CP가 세포 자멸사를 유도하는 기능을 확인하고자 비색법 (colorimetry)인 MTT (tetrazolium dye; 3-[4, 5-dimethylthiazol-2-yll-2, 5-diphenyltetrazolium bromide) 분석과 annexin V 분석을 이용하여 세포의 생존력과 세포 자멸사를 각각 분석한 연구는 다음과 같은 결과를 보고하였다 (Sattari 등, 2014). 이 연구는 Yousefi 등 (2007)이 기술한 방법으로 정제한 CP를 이용하였다. 첫째, LNCaP 세포의 세포사를 촉진하는 효율적인 CP 농도는 200 µg/mL이었다. 둘째, 50 및 100 µg/mL의 CP를 투여한 경우 ROS와 NO의 농도가 각각 현저하게 증대되었다. 셋째, 종양세포에게 CP를 투여한 경우 세포 자멸사에 대항하는 단백질인 survivin이 유의하게 감소하였다. 이들 결과는 CP가 survivin으로 매개되는 경로와 ROS 및 NO를 증대하는 과정에 관여함으로써 LNCaP 세포의 생존력을 조절함을 시사한다. 따라서 CP에 의한 survivin의 발현 억제와 ROS 및 NO의 증대는 전립선암 세포의 악성 증식을 약화시키는 데 도움이 된다고 생각된다.

약칭 sepantronium으로 불리는 sepantronium bromide 혹은 YM155, 즉 1-(2-methoxyethyl)-2-methyl-4,9-dioxo-3-(pyrazin-2-ylmethyl)-4,9-dihydro-1 Hnapphtho[2,3-d]imidazolium bromide는 survivin에 대한 소분자 억제제로서 survivin을 선택적으로 억제하여 거세 저항성 전립선암에서 caspases를 활성화하고 세포 자멸사를 유도하는 등 광범위한 항암 작용을 나타내며, 여러 이종 이식 암 모델에서 종양의 퇴행을 유도한다 (Nakahara 등, 2011). 췌장암 세포에 관한 연구에 의하면, sepantronium은 XIAP와 survivin의 ubiquitination (특정 단백질과 결합하여 그 단백질의 분해를 촉진하는 현상)을 촉진할 뿐만 아니라 epidermal growth factor receptor (EGFR)와 survivin의 발현을 하향 조절함으로써 종양세포

의 생존을 감소시킨다 (Na 등, 2012). 전립선암 세포를 이용한 연구는 sepantronium이 survivin을 억제함으로써 자가 포식 현상 (autophagy) 의존성의 세포 자멸사를 일으킨다고 하였다 (Wang 등, 2011). Sepantronium을 연속으로 주입할 경우 경과 시간에 의존적으로 항암 작용이 증대된다 (Nakahara 등, 2011). Sepantronium의 안전성, 순응도, 효능, 약동학 등을 평가한 임상 1상 시험에서, sepantronium의 순응도는 높았으며, 최대 내량 (maximum tolerance dose, MTD)은 3주 간격으로 7일 동안 연속으로 정맥 주사한 경우 4.8 mg/m²/day이었다. 투여 제한 독성 (dose limiting toxicity, DLT)으로는 혈청 creatinine의 가역적 증가가 있었다. 단기간 높은 혈장 농도에 노출될 경우 신독성이 발생할 수 있다 (Satoh 등, 2009). 4.8 mg/m²/day 용량의 sepantronium에서 반감기, 전신 청소율 (total body clearance), 분포량은 각각 26.3시간, 47.7 L/h, 1,763 L이며, 소변 배출률은 18.3~28.6%이다 (Tolcher 등, 2008). 소세포 폐암 (Giaccone 등, 2009), 거세 저항성 전립선암 (Karavasilis 등, 2007), 병기 3 혹은 4의 흑색종 (Lewis 등, 2009) 등의 경성 종양을 가진 환자에서 sepantronium의 단일 요법에 대한 임상 2상 시험이 시행된 바 있다. 청소율에 영향을 주는 공변량 (covariate)으로는 creatinine clearance (CL$_{CR}$), 종양의 종류, alanine aminotransferase (ALT) 등이 있으며, 이들 중 CL$_{CR}$가 sepantronium의 노출에서 가장 큰 영향을 주었는데, 정상 CL$_{CR}$ 보다 CL$_{CR}$가 40 mL/min인 중등도 신기능장애 환자에서 청소율이 25% 감소하였다 (Aoyama 등, 2013).

전립선암 세포의 증식에 대한 survivin 유전자 발현의 효과와 1α,25-dihydroxyvitamin D3 (1α,25[OH]₂D3)를 이용한 전립선암 세포 치료에서 survivin의 역할을 평가한 연구는 다음과 같은 결과를 보고하였다 (Koike 등, 2011). 첫째, 대조 유전자에 대한 siRNA에 비해 survivin에 대한 siRNA는 종양세포 및 종양의 성장을 유의하게 억제하였다. 둘째, LNCaP 및 PC3 세포에서 1α,25(OH)₂D3는 survivin 유전자의 발현과 종양세포의 증식을 억제하였다. 셋째, DU145 세포에서는 1α,25(OH)₂D3에 의해 survivin 유전자의 발현과 종양세포의 증식이 억제되지 않았으나, survivin에 대한 siRNA로 유전자 전달 감염을 시도한 경우에는 DU145 세포의 증식이 억제되었다. 이들 결과를 근거로 저자들은 survivin이 1α,25(OH)₂D3로 유도되는 전립선암 세포의 성장 억제에서 중요한 역할을 하며, 거세 저항성 전립선암 환자에서 1α,25(OH)₂D3를 이용

한 치료와 병행하여 survivin을 제거하는 방법은 유익한 효과를 나타낼 수 있다고 하였다.

74. Talin1 (TLN1)

암의 전이는 근원이 되는 기관으로부터 암세포의 분리, 세포 외부 기질 (extracellular matrix, ECM)의 분해, 세포 이동, 부착 (anchorage) 비의존성 성장, 세포 자멸사 장애, 혈관 신생, 주위 조직으로의 침윤, 세포 접착, 신체 원격 부위에 정착 등 복잡한 다단계 과정을 거친다 (Fomaro 등, 2001). 전립선암이 진행되어 전이 암으로 발달하는 과정에서 안드로겐이 제거됨으로 인해 세포 자멸사 과정에 장애가 발생한 안드로겐 비의존성 전립선암 세포는 호르몬에 저항성을 가지게 되고, 종양의 미세 환경과 상호 작용하여 침윤성 및 전이성을 가지게 된다 (McKenzie와 Kyprianou, 2006). 종양의 상피세포와 내피세포 둘 다는 생존을 위해 ECM과의 접착이 필요하며, 부착 의존성 세포가 접착이 상실됨으로 인해 분리되면 세포 자멸사가 일어나는데, 이러한 현상을 아노이키스 (anoikis)라 한다. 세포와 ECM 사이의 상호 작용이 부족함으로 인해 발생하는 세포 자멸사 현상인 아노이키스는 종양의 혈관 신생과 전이에서 큰 역할을 한다 (Rennebeck 등, 2005). 전이가 진행되는 동안 세포는 역동적이 되고, ECM에 대한 부착력이 감소되며, 아노이키스에 민감해진다. 그러므로 아노이키스를 통한 세포사에 대해 저항성이 있음은 종양세포의 생존을 의미하며 전이 암세포에 대한 분자적 치료의 표적이 된다.

1983년 Burridge 등에 의해 발견된 talin은 세포와 기층 (substratum)과의 접촉 부위에, 림프구에서는 세포와 세포와의 접촉 부위에 밀집하여 있고 세포 골격을 형성하는 고분자량의 단백질로서, 병소점 접착 (focal adhesion)이 이루어질 때 고농도로 발견되는 세포질 단백질이며 (Burridge와 Connell, 1983), 사람에게는 talin 1과 2가 있고, 각각은 염색체 9p23-p21과 15q22.2에 위치해 있는 *TLN1*과 *TLN2*에 의해 코드화된다. Talin은 focal adhesion kinase (FAK) 외에도 α-actinin, vinculin 등과 상호 작용하여 직접 혹은 간접으로 integrin과 actin의 세포 골격을 연결시키는 기능을 가지고 있다 (Michelson, 2006). Integrin 수용체는 부착세포가 ECM에 붙도록 하고, 림프구가 다른 세포에 붙도록 하는데, 이러한 상황에서 talin은 형질막에 있는 integrin을 집결시키는 데 보조적 역할을 한다 (Chen 등, 1985). Integrin은 낮은 친화도로 talin과 결합한다. Talin은 또한 세포의 접착 부위에 밀집해 있는 또 다른 세포 골격 단백질인 vinculin과 높은 친화도로 결합하며 (Geiger, 1979), 세포와 기층의 접촉 부위에 밀집해 있으면서 Ca^{2+}에 의해 활성화되는 단백질분해효소 calpain II의 기질로서 작용한다 (Beckerle 등, 1987). Talin은 alpha helices 다발을 가진 큰 C-terminal 영역, F1, F2, F3의 소영역들을 포함한 N-terminal four-point-one (4.1) ezrin radixin moesin (FERM) 영역, 5개의 alpha helices와 vinculin binding site (VBS)를 포함하고 있는 중간 영역 등으로 구성된다 (Calderwood 등 2002). VBS가 활성화되면, vinculin과 talin이 집결하여 integrin과 복합체를 형성하며, 이로써 세포의 접착이 안정화된다 (Papagrigoriou 등, 2004).

Cell adhesion receptor로 알려진 integrin은 α와 β 소단위로 구성된 이질 이합체의 경막 수용체로서 ECM 단백질과 결합하며 세포와 세포의 접촉을 매개한다 (Hemler 등, 1995; Hynes, 2002). Integrin은 성장과 분화를 포함하는 여러 세포 과정을 조절하는 인자이며, growth factor receptors (GFRs)와 협동하여 세포 외부 환경에서 기원하는 자극에 대한 세포의 특이 반응을 조절한다. Integrin 가족의 구성원과 ligands가 도표 229에 요약되어 있다 (Alam 등, 2007). 세포 표면 수용체인 integrin은 세포의 생존, 증식, 이동과 유전자의 발현에서 중요한 역할을 한다 (Goel 등, 2009). 전립선암에서 종양세포는 정상 세포와는 다른 세포 주위 기질을 가지며, integrin 양상에서의 변화는 세포 내부의 비정상적인 신호 경로를 일으킨다 (Knudsen과 Miranti, 2006). 여러 연구는 전립선암이 진행된 병기로 진행함에 따라 integrin에 대한 조절 장애가 일어나고 (도표 230), 이로써 비정상적인 integrin 의존성 경로가 발생함을 보여 주었다 (Goel 등, 2009) (도표 231).

Talin1은 구조적인 역할 외에도 integrin의 활성화에서 필수적인 역할을 한다 (Giancotti와 Ruoslahti, 1999). Integrin의 활성화는 세포와 ECM 사이의 기능적인 상호 작용을 증가시켜 세포 안과 세포 밖의 신호를 양방향으로 전달함으로써 결국은 세포의 부착, 증식, 생존, 이동 그리고 종양의 진행 등을 조절하게 된다 (Alam 등, 2007). 따라서 talin1의 매개로 integrin이 병소의 접착 복합체에 있는 액틴 세포 골격 (actin cytoskeleton)과 결합하는 과정은 역동적이고 형질막과 관련한 다수 성분의 조합으로 이루어지며, 세포의 접착과 운동을 위해 필수적인 과정이다 (Tanentzapf와 Brown, 2006). Talin1이 결여된 생쥐에서는 integrin이 결여된 표현형과 마찬가지

도표 229 Integrins의 소단위와 그들의 ligands

Integrin의 소단위		Ligands
β_{1A}, β_{1B}, β_{1C}, β_{1C-2}, β_{1D}	α_1	Laminin, collagen
	α_2	Laminin, collagen, thrombospondin, E-cadherin, tenascin
	α_{3A}, α_{3B}	Laminin, collagen, fibronectin, entactin, thrombospondin, uPAR
	α_4	Fibronectin, VCAM1, osteopontin, ADAM, ICAM, MAdCAM-1, thrombospondin, Lu/BCAM, CD14, JAM2, uPAR
	α_5	Fibronectin, L1/L1CAM, osteopontin, fibrillin, thrombospondin, ADAM, NOV
	α_{6A}, α_{6B}, α_{6X1}, α_{6X2}	Laminin, thrombospondin, Cyr61, ADAM, uPAR
	α_{7A}, α_{7B}	Laminin
	α_8	Fibronectin, tenascin, nephronectin, vitronectin, osteopontin, TGFβ-LAP
	α_9	Tenascin, VCAM1, osteopontin, uPAR, plasmin, angiostatin, ADAM, VEGF-C, VEGF-D
	α_{10}	Collagen, laminin
	α_{11}	Collagen
	α_V	Fibronectin, osteopontin, TGFβ-LAP, L1/L1CAM
β_2	α_L	ICAM
	α_M	iC3b, fibrinogen, factor X, ICAM, heparin
	α_X	iC3b, fibrinogen, collagen, ICAM, heparin
	α_D	ICAM, VCAM1, fibrinogen, fibronectin, vitronectin, Cyr61, plasminogen
β_{3A}, β_{3B}, β_{3C}	α_{IIb}, α_{IIbalt}	Fibrinogen, fibronectin, von Willebrand factor, vitronectin, thrombospondin, disintegrin, osteopontin, Cyr61, ICAM, L1/L1CAM
	α_V	Vitronectin, fibrinogen, fibronectin, von Willebrand factor, thrombospondin, fibrillin, tenascin, PECAM-1, BSP, ADAM, ICAM, FGF-2, uPA, angiostatin, TGFβ-LAP, DEL1, L1/L1CAM, MMP, osteopontin, cardiotoxin, uPAR, plasmin, Cyr61, tumstatin, NOV
β_{4A}, β_{4B}, β_{4C}, β_{4D}	α_{6A}, α_{6B}	Laminin
β_{5A}, β_{5B}	α_V	Vitronectin, osteopontin, fibronectin, TGFβ-LAP, NOV, BSP, MFG-E8
β_6	α_V	Fibronectin, tenascin, vitronectin, TGFβ-LAP, osteopontin, ADAM
β_7	α_4, α_{IEL}	Fibronectin, VCAM, MAdCAM-1, osteopontin
	α_E	E-cadherin
β_8	α_V	Vitronectin, laminin, TGFβ-LAP

여러 연구에서 integrin과 ligand의 상호 작용이 보고되었으며 (Goel과 Languino, 2004; Takada 등, 2007), integrin/ligand의 상호 작용에서 예외인 경우로는 α4β1과 Lu/BCAM (El Nemer 등, 2007), CD14 (Humphries와 Humphries, 2007), JAM2 (Cunningham 등, 2002), uPAR (Tarui 등, 2001), α5β1과 NOV (Lin 등, 2003), α6β1과 uPAR (Tarui 등, 2001), α5β1과 NOV (Lin 등, 2003), αVβ5와 MFG-E8 (Akakura 등, 2004) 등이 있다.

ADAM, a disintegrin and metalloproteinase domain-containing protein; BSP, bone sialic protein; CD14, cluster of differentiation 14; Cyr61, cysteine-rich protein 61; DEL1, developmentally regulated endothelial locus-1; EGF, epidermal growth factor; FGF-2, fibroblast growth factor 2; iC3b, inactivated complement component 3b; ICAM, intercellular adhesion molecule; JAM2, junctional adhesion molecule 2; L1, L1 cell adhesion molecule (L1CAM); Lu/BCAM, Lutheran blood group and basal cell adhesion molecule; MAdCAM-1, mucosal addressin cell adhesion molecule-1; MFG-E8, milk fat globule-EGF8; MMP, matrix metalloproteinase; NOV, nephroblastoma overexpressed gene; PECAM-1, platelet and endothelial cell adhesion molecule-1; TGFβ-LAP, transforming growth factor β latency associated peptide; uPA, urokinase-type plasminogen activator; uPAR urokinase-type plasminogen activator receptor; VCAM, vascular cell adhesion molecule; VEGF, vascular endothelial growth factor.

Alam 등 (2007)의 자료를 수정 인용.

로 integrin이 응집하여 무리를 만들거나 세포 골격과 결합하는 현상이 일어나지 않는데, 이는 integrin의 기능이 talin1에 의존적임을 추측하게 한다 (Brown 등, 2002). Talin1은 세포와 세포를 접착시키는 효과기 (effector)로서 암의 진행과 역

상관관계를 가지는 E-cadherin을 억제하며, 이는 integrin과는 무관하다 (Becam 등, 2005). 이 결과는 talin1의 역할이 integrin 의존성 기전과는 다름을 나타내지만, 암의 발달에서 talin1의 역할은 완전하게 밝혀져 있지 않다. 다른 연구는 talin1

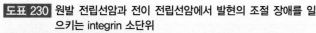

도표 230 원발 전립선암과 전이 전립선암에서 발현의 조절 장애를 일으키는 integrin 소단위

소단위	원발 암	전이 암	참고 문헌
α6	미확인	상향 조절	Nagle 등, 1995
αIIb[†]	상향 조절	미확인	Trikha 등, 1998
β1	상향 조절	미확인	Goel 등, 2007
β3	상향 조절	상향 조절	Zheng 등, 1999
β6	상향 조절	상향 조절	Li와 Languino, 2007
α2	하향 조절	상향 조절	Nagle 등, 1994
α3, α4, α5	하향 조절	미확인	Nagle 등, 1994
α7	하향 조절	미확인	Ren 등, 2007
β1C	하향 조절	미확인	Perlino 등, 2000
β4	하향 조절	미확인	Davis 등, 2001

[†], 절단형 (truncated)
Goel 등 (2009)의 자료를 수정 인용.

이 v-akt murine thymoma viral oncogene homolog protein 1 (AKT 혹은 protein kinase B, PKB)의 신호 전달로 인한 병소 접착의 상호 작용에 개입하며, 세포 내의 생존 기전이 아노이키스에 저항성을 가지도록 한다고 하였다 (Sakamoto 등, 2010). 이를 뒷받침하는 연구에 의하면, talin에 의해 매개되는 integrin의 활성화는 integrin에 의해 매개되는 신호 경로에서 중요한 역할을 하며, 하위 생존 경로를 유도하여 아노이키스로부터 보호함으로써 암이 전이 질환으로 진행하게 할 뿐만 아니라 분자 수준에서 talin은 AKT 생존 경로의 활성화를 통해 원발 종양세포의 전이 및 아노이키스에 대한 저항성을 일으키고 증식 및 생존 경로를 활성화한다 (Desiniotis와 Kyprianou, 2011). 사람의 전립선암 표본에서 talin1에 관한 자료는 양성 전립선 및 원발 전립선암에 비해 전이 암에서 talin1의

발현이 유의하게 증가함을 보여 주었다 (Sakamoto 등, 2010) (도표 232).

암세포에서 아노이키스에 저항하는 기전이 발달하면, 암세포가 근원 조직으로부터 떨어져 나오더라도 생존하여 림프 및 혈행 시스템을 통해 원격지로 이동이 가능하게 된다 (Rennebeck 등, 2005). Talin1은 ECM과 integrin과의 상호 작용으로 매개되는 신호 경로의 활성화, 아노이키스에 저항하는 작용의 촉진 등과 같은 암세포의 생존 신호를 전달함으로써 전립선암 세포의 침습력과 전이력을 조절한다. Talin1의 과다 발현은 AKT 의존성 방식으로 전립선암 세포의 이동과 침습을 유의하게 증대시킨다. 대조적으로 talin1의 소실은 생체 실험에서 전립선암 세포의 침습력과 전이력을 감소시켰다. 이들 결과는 전이성이 낮은 세포에 비해 전이성이 높은 세포에서 talin1의 수치가 16배 이상 더 높다는 이전의 보고 (Everley 등, 2004)와 일맥상통한다. 흥미롭게도 *TLN1* mRNA는 원발 전립선암 세포에서 안드로겐을 투여한 경우 감소하였다 (Betts 등, 1998). 전립선암이 발생한 transgenic adenocarcinoma of the mouse prostate (TRAMP) 생쥐 모델을 대상으로 실시한 연구는 talin1의 면역 반응성과 전립선암의 전이 사이에 정상관관계가 있음을 보여 주었다 (Sakamoto 등, 2010). 즉, 원발 암에 비해 전이된 조직에서는 세포질 내의 talin1의 농도가 유의하게 더 높았다 ($p=0.0001$). 이들 결과는 talin1과 전립선암의 전이 및 안드로겐 비의존성 발생 사이에는 연관성이 있음을 간접적으로 뒷받침한다. 또한 이들 결과는 전이 전립선암에서 talin1의 신호 전달 및 병소 접착 작용을 차단하면 치료에 도움이 되며, talin1의 수치가 종양이 전이로 진행하는 데 대한 예측 지표가 될 수 있음을 보여 준다.

도표 231 전립선암에서 관찰되는 비정상적인 integrin 의존성 경로

하위 효과기	발현 및 작용	전립선암 병기	참고 문헌
FAK	상향 조절	침습성 암, 전이 암	Rovin 등, 2002; Tremblay 등, 1996
MAPK	Kinase 작용 증가	안드로겐 비의존성 암	Bakin 등, 2003
PTEN	하향 조절	침습성 암과 전이 암	Schmitz 등, 2007
AKT	Kinase 작용 증가	높은 Gleason 점수의 암	Sun 등 2001; Malik 등, 2002
Survivin	상향 조절	PIN, 원발 암, 전이	Krajewska 등, 2003; Shariat 등, 2004; Kishi 등, 2004
BCL2	상향 조절	PIN, 원발 암, 전이 암, 재발	Colombel 등, 1993; Krajewska 등, 1996; Zellweger 등, 2005

이 도표에는 integrin에 의해 조절되는 신호 전달 단백질과 세포 자멸사 억제 인자가 정리되어 있으며, 이들은 전립선암의 진행에 관여한다.

AKT, v-akt murine thymoma viral oncogene homolog 1 or protein kinase B (PKB); BCL2, B-cell lymphoma 2; FAK, focal adhesion kinase; PTEN, phosphatase and tensin homolog; MAPK, mitogen-activated protein kinase; PIN, prostatic intraepithelial neoplasia.
Goel 등 (2009)의 자료를 수정 인용.

도표 232 사람의 전립선암에서 talin1의 발현

전립선 조직에서 talin1 발현의 양적 분석			
표본	표본 수	염색 반응 강도	p
정상	42	155.4±5.3	
NTA	101	150.2±0.3	0.017[†]
BPH	56	155.2±6.3	0.319
원발 암	34	162.2±7.8	0.00028[‡]
전이 암	74	167.3±7.9	0.0000009[‡]

원발 전립선암의 분화도에 따른 talin1의 발현			
Gleason 점수	표본 수	염색 반응 강도	p
Gleason 6/7	15	154.2±8.7	
Gleason 8	9	163.0±10.3	0.0327[¶]
Gleason 9	10	167.1±4.5	0.0005[◑]
Gleason 8/9	19	164.9±8.2	0.0009[◑]

Talin1 단백질의 발현은 컴퓨터에 기초한 영상화로 평가되었다. [†]와 [‡]는 정상 전립선과 비교하였을 때 각각 $p < 0.05$, $p < 0.01$로 통계적으로 유의한 차이가 있음을 보여 주며, [¶]와 [◑]는 중등도 분화도 (Gleason 점수 6/7)와 비교하였을 때 $p < 0.05$, $p < 0.01$로 통계적으로 유의한 차이가 있음을 보여 준다.

BPH, benign prostatic hyperplasia; NTA, normal tissue adjacent to tumor foci.
Sakamoto 등 (2010)의 자료를 수정 인용.

Talin은 integrin과 직접 결합하며, integrin의 활성화에서 필수적이다. β_1 integrin은 전이 전립선암 세포에서 활성화되며, 전립선암의 림프절 전이 및 골 전이를 증가시킨다고 알려져 있다. β_1 integrin이 전립선암 세포에서 활성화되는 기전을 분석한 연구는 다음과 같은 결과를 보고하였다 (Jin 등, 2015). 첫째, talin1은 β_1 integrin의 활성화에서 중요한 역할을 하였으며, talin2는 그러하지 않았다. 둘째, talin1 S425의 인산화는 전립선암 세포의 전이력과 상호 관련이 있었으며, 전체적인 talin1의 발현은 그러하지 않았다. 셋째, *TLN1*이 침묵을 일으킨 PC3-MM2와 C4-2B4 전립선암 세포에서 인산화를 일으키지 않는 돌연변이체 *TLN1(S425A)*의 발현은 β_1 integrin의 활성화, integrin에 의해 매개되는 부착 등을 감소시키고 아노이키스에 대한 세포의 민감성을 증가시킨 데 비해, 인산화를 일으키는 돌연변이체 *TLN1(S425D)*의 연이은 발현은 β_1 integrin의 활성화를 증가시켰고 *TLN1(S425A)*의 발현에서 나타난 양상과 반대되는 생물학적 효과를 일으켰다. 셋째, 전이력이 강한 PC3-MM2 세포에서 *TLN1*을 침묵시킨 경우 *TLN1(S425A)*의 발현은 골격 내에서 암세포의 집락 형성을 억제한 데 비해, *TLN1(S425D)*의 연이은 발현은 골격으로의 전이력을 회복시켰다. 넷째, 면역조직화학검사에 의하면,

talin1 S425의 인산화는 정상 조직, 원발 암, 림프절 전이 등에 비해 골 전이에서 유의하게 증대되었다. 다섯째, p35의 발현, cyclin-dependent kinase 5 (CDK5)의 활성체, CDK5의 활성 등은 전이 전립선암 세포에서 증가되었으며, CDK5의 활성화는 talin1의 인산화, 그로 인한 β_1 integrin의 활성화를 유도하였다. 이들 결과를 종합하여 보면, CDK5로 매개되는 talin1의 인산화가 β_1 integrin을 활성화한다는 기전은 전립선암 세포에서 전이력의 증가가 일어나는 하나의 원인이 될 수 있다.

양성전립선비대의 치료에 이용되고 있는 약물, 예를 들면 α_1 아드레날린 수용체 대항제인 quinazoline은 death receptor의 활성화, caspase-8의 분절, AKT 생존 신호 경로의 억제 등과 같은 외인성 세포 자멸사 과정을 유도함으로써 항암 작용을 나타낸다고 보고되었다 (Garrison 등, 2006). 이들 약물을 구조적으로 최적화하면, 아노이키스의 유도, 혈관 형성의 억제 등이 가능한 새로운 화합물이 개발될 수 있을 것이다 (Shaw 등, 2004). 앞에서 기술된 바와 같이 세포와 ECM 사이의 상호 작용이 결여되어 일어나는 계획된 세포사, 즉 아노이키스는 혈관 형성과 전이에서 중요한 요소이다 (Frisch와 Screaton, 2001). 공격적인 암은 이러한 기전에 저항적이며, 원격 기관으로의 전파와 파종을 통해 생존을 유지한다 (Horbinski 등, 2010). 이와 같이 아노이키스에 대한 저항성은 전립선암 (Sakamoto 등, 2010), 신세포암 (Sakamoto 등, 2011), 유방암 (Park 등, 2013), 중간엽에서 기원하는 암 (Mirroszewska 등, 2013) 등과 같은 다수의 암에서 전이력을 증가시킨다.

전이를 위해서는 세포와 종양의 미세 환경 사이에서 일어나는 상호 작용의 차단, 종양세포의 이동력과 침습력의 증가, 세포와 세포 사이 혹은 세포와 ECM 사이 상호 작용의 결여로 인해 유발되는 세포 자멸사 신호의 극복 등이 필요하다 (Sakamoto와 Kyprianou, 2010). ECM은 효소의 분해 및 구조 변경을 통해 세포의 성장, 이동, 혈관 형성 등에 영향을 주는 다양한 cytokines를 가지고 있다 (Roy와 Marchetti, 2009). 경막 integrin은 특징적으로 양방향으로 신호를 전달한다. ECM 기질의 주위에서 일어나는 integrin의 소중합체 형성 (oligomerization)은 구조적 변화가 일어남으로 인해 형질막을 통과하여 세포 내부로 전달되어 세포질 내의 integrin 영역에 위치해 있는 신호 전달 효과기의 친화력을 조절한다 (Goel 등, 2008). 단백질은 응집하여 focal adhesion complex (FAC)를 형성하는데, 여기에는 actin과 결합하는 단백질, 예를 들

면 talin1, vinculin, vimentin, paxillin, filamin 등이 포함되며, FAK, integrin-linked kinase (ILK), SRC proto-oncogene non-receptor tyrosine kinase (SRC) 등과 같은 여러 kinases와 세포 골격을 안정화함으로써 세포 내부의 핵으로 신호를 전달하도록 만든다. 이와 같이 integrin으로 매개되는 '세포 외부에서 내부'로의 신호 경로는 세포 주기의 진행 및 분화와 같은 세포의 성장과 세포의 기능을 조절하는 중요한 요소이다 (Barkan 등, 2010). Actin으로 구성된 세포 골격망이 역동적인 구조 변경과 조직화를 일으킴에 따라, integrin 집합체는 '세포 내부에서 외부'로 신호 경로를 유도함으로써 ECM에 대한 integrin의 친화력을 증가시켜 효율적인 국소적 부착을 가능하게 한다 (Desiniotis와 Kyprianou, 2011). 세포와 ECM 사이의 상호 작용이 결여되면, 세포는 세포 자멸사에 대해 대항하는 기능을 가진 B-cell lymphoma 2 (BCL2) 가족을 하향 조절하고 Fas cell surface death receptor (FAS) ligand (FASL)를 상향 조절하여 외인성 세포 자멸사 경로를 통해 아노이키스를 유도한다 (Hensley 등, 2013). Talin1은 기능적으로 국소적인 부착과 AKT의 생존 신호를 증대시켜 아노이키스 저항성과 전립선암의 전이를 유발한다.

α_1 아드레날린 수용체 대항제인 doxazosin®을 약리학적으로 이용하는 과정에서 quinazoline 유도체인 DZ-50가 암세포에 대해 아노이키스를 강력하게 유도하는 효과를 가지고 있음이 발견되었다 (Shaw 등, 2004). 또한, DZ-50는 국소 부착을 유도하는 신호 전달 축을 표적화하여 (Sakamoto 등, 2011) 전립선암의 이종 이식 암의 성장을 억제하고 종양세포의 이동 및 침습과 혈관 형성을 억제한다고 보고되었다 (Garrison 등, 2007). 다른 연구는 DZ-50가 PC3와 DU145 전립선암 세포에서 항암 요법의 표적이 되는 유전자, 예를 들면 *integrin-α 6 (IL-α6)*, *fibronectin (FN)*, *TLN* 등과 같이 epithelial-mesenchymal transition (EMT) 및 완전한 국소적 부착과 관련이 있는 유전자, *thrombospondin 1 (TSP1)*과 같이 혈관 형성과 관련이 있는 유전자, *claudin-11/14 (CLDN11/14)*과 같이 세포 내의 tight junction (TJ)의 형성과 관련이 있는 유전자 등 외에도, *serine threonine kinase 31 (TSK31)*, *insulin growth factor binding protein 3 (IGFBP3)* 등을 하향 조절하며, 이로써 세포의 생존, 이동, ECM 성분과의 부착 등을 감소시킨다고 하였다 (Hensley 등, 2014). 공초점 (confocal) 현미경 분석 연구도 DZ-50가 TJ의 형성 및 국소적 부착에 관여하는 단백질을 표적화하며, 세포 외부에서의 상호 작용, actin 세포 골격

의 통합, 생존을 유도하는 신호 경로 등을 차단함을 확인하였다 (Hensley 등, 2014). Talin1의 과다 발현 혹은 fibronectin이 풍부한 환경에 노출됨으로 인해 세포와 ECM 사이의 상호 작용이 안정화되면, DZ-50의 효과가 경감된다. 세포 내에서 국소적 부착 신호를 전달하는 효과기인 talin1과 ILK의 발현이 소실되면, 전립선암이 아노이키스에 대해 민감해진다. 이와 같은 결과는 DZ-50가 세포와 세포 사이의 상호 작용, 국소적 부착, TJ의 형성 등을 표적화함으로써 항암 효과를 나타내며, 이러한 제제가 진행 전립선암에서 유망한 치료제가 될 수 있음을 보여 준다 (Hensley 등, 2014).

75. Telomerase Reverse Transcriptase (TERT)

Telomere terminal transferase로도 알려진 telomerase의 활성을 나타내는 세포에서 발현되는 human telomerase reverse transcriptase (hTERT)는 염색체의 양쪽 끝을 capping하는 필수적인 유전 요소인 종말 분절 (telomere)을 보호하고 안정화하며, 이를 유지시킨다 (Blackbum, 1991; Iczkowski 등, 2002). Telomere는 telomerase의 발현에 의해 불멸화 성격의 암세포와 종자세포 (germ cell)에서 유지된다 (Wright 등, 1996). Telomerase의 활성화는 암세포가 세포 주기의 정지 및 복제 노쇠 (replicative senescence) 혹은 Hayflick 한계, 즉 정상 사람의 체세포가 50~60회 분열하면 더 이상 분열하지 못하는 한계의 단계를 피할 수 있도록 한다. 사람 telomerase는 TERT, telomerase RNA component (TR 혹은 TERC), H/ACA ribonucleoprotein complex subunit 4로도 알려진 dyskerin (dyskeratosis congenita 1, dyskerin, DKC1) 혹은 telomerase-associated proteins (hTEP1) 등으로 구성되어 있다 (Harley 등, 1994; Cohen 등, 2007). hTR과 hTERT는 telomerase가 작용하는 데 필수적인 요소이다. hTR은 짧은 sequence repeats가 염색체 3'-end에 추가되도록 도와주는 역할을 한다. hTERT는 telomerase 복합체에서 가장 중요한 요소이며, telomerase의 촉매 작용에 관여한다 (Yokoyama 등, 2001). hTR과 hTEP1은 telomerase의 활성화 유무와 관계없이 암세포와 정상 세포에서 발현된다. 그러나 *hTERT* mRNA의 발현과 telomerase의 활성 사이에는 강한 상호 관계가 있다 (Kim 등, 1994).

사람에서 telomerase는 태아의 발생 초기에 활성적이며,

출생 전에 모든 체세포에서 근본적으로 억제된다 (Ulaner와 Giudice, 1997). 출생 후의 체세포에서는 telomerase가 억제되거나 일시적으로 혹은 매우 낮은 농도로 존재하며, telomere는 시간이 경과함에 따라 그리고 세포 분열이 일어남에 따라 점차 침식되어 약해진다 (Vaziri 등, 1994). 1개 혹은 소수의 염색체에서 telomere의 기능이 상실되면, DNA 손상과 관련이 있는 복잡한 반응이 일어나며, 정상적인 세포의 기능, 세포의 분열능, 혹은 세포사가 소실된다 (Zou 등, 2004). 이러한 복제 노쇠의 과정은 심혈관 질환, 뇌졸중, 황반 변성 (macular degeneration), 골다공증, 관절 질환 등과 같은 연령 관련 질환과 후천성 면역결핍증후군, 간 질환, 피부 궤양 등과 같은 바이러스 감염이나 만성 스트레스 질환에서 중요한 역할을 한다 (Fossel, 2004; Benetos 등, 2004). 정상적인 노화, 태아가 발달하는 동안의 모든 조직 혹은 증식 조직에서 일어나는 telomerase에서의 돌연변이와 telomere의 복제 혹은 구조에 영향을 주는 유전자의 결함, 만성 감염, 산화 스트레스, 세포 회전율을 증가시키는 유전자 등은 telomere의 소실을 촉진하여 연령 관련 질환 혹은 퇴행성 질환을 유발한다. 반대로 telomerase의 활성체에 의해 telomerase가 활성화되면, telomere의 길이가 증가하거나 telomere가 소실되는 속도가 지연되며, 질환의 시작이 방지되거나 지연된다 (Harley 등, 2005).

75.1. Telomerase의 역할 Role of telomerase

Telomerase는 지금까지 연구된 모든 종류의 암에서 실시된 생검의 대부분에서 상당히 활성적이라고 보고되었다. 그러나 telomerase는 암을 일으키지는 않는데 (Harley, 2002), telomerase의 과다 발현이 정상 세포에서 악성 변화를 일으키지 않았다는 실험 (Morales 등, 1999)과 배아줄기세포 및 발달 중인 종자세포가 활성적인 telomerase를 가지지만 정상 세포를 유지한다는 사실 (Xu 등, 2001)이 이를 뒷받침한다. 암은 주로 종양 유전자의 활성화 혹은 세포의 성장과 분열을 조절하는 종양 억제자의 소실에 의한 비정상적인 세포의 성장으로 특징화된다. 돌연변이를 일으킨 세포가 조기에 성장하고 확장하는 동안 telomerase는 전형적으로 불활성화되며, telomere는 1회 이상의 추가 돌연변이를 통해 telomerase가 활성화될 때까지는 계속 짧아져 암이 불멸하게 만든다. Telomerase의 활성화가 암세포의 생존에서 중요하고 장기간 성장함에 따라 telomerase에 의해 불멸화된 세포가 형질 전환을 일으키는 돌

연변이를 가질 수 있지만, 정상 세포에서 telomerase의 활성화는 암성 변화를 일으키지 않고 세포의 기능을 향상시킨다 (Hahn 등, 2002). Telomerase의 활성화로 인해 노화 세포 시스템이 정상 기능을 회복하는 유익한 효과가 전암 세포의 수명을 연장시키는 위험을 능가한다면, 이러한 활성화는 암의 발생 빈도를 감소시키는 역설적인 효과를 나타낸다고 할 수 있다 (Hahn 등, 2002).

종양세포는 telomerase의 활성화 외에도 telomerase와는 독립적인 alternative lengthening of telomere (ALT)로 불리는 기전을 이용하기도 한다. ALT 기전은 육종 및 성상세포종 (astrocytoma)에서 다소 흔하지만, 전립선암에서는 보고된 바 없다. Heaphy 등 (2011)은 선암 및 소세포암을 포함한 전립선암 조직 표본 1,176점을 평가한 후 ALT 양성인 종양을 발견하지 못하여 전립선암은 telomeres를 유지하기 위해 ALT 기전을 이용하지 않는다고 하였다.

한편, 짧은 telomere는 염색체의 불안정성을 증가시켜 암을 유발한다는 보고에 근거하여 유전성 전립선암 가족에서 전립선 세포의 telomere을 대신한 leukocyte telomere length (LTL)와 전립선암 위험 사이의 연관성을 qPCR로 평가한 연구는 다음과 같은 결과를 보고하였다 (Hurwitz 등, 2014). 첫째, telomere의 길이가 가장 짧은 사분위수에 속한 남성은 다른 세 사분위수에 속한 남성에 비해 전립선암의 위험이 더 커지 않았다 (OR 0.84, 95% CI 0.32~2.20; p=0.73). 둘째, 진단 전 혹은 1년 내에 채혈한 전립선암 환자와 전립선암을 가지지 않은 남성으로 평가의 대상을 제한한 경우에는 짧은 길이의 telomere와 전립선암 위험의 증가 사이에 중등도의 연관성이 발견되었다 (OR 3.55, 95% CI 0.82~15.43; p=0.09). 이들 결과로 볼 때, 진단 전 표본으로 측정된 LTL의 길이는 전립선암 위험의 증가와 관련이 없다. 전립선암 환자 922명과 대조군 935명을 대상으로 상대적 LTL, 즉 single gene (36B4) 복사 수에 대한 telomere repeat 복사 수의 비율 (T/S)과 전립선암 위험 사이의 연관성을 평가한 연구는 다음과 같은 결과를 보고하였다 (Julin 등, 2015). 첫째, LTL의 증가는 모든 전립선암, 저등급 전립선암, 국소 전립선암과 양성적인 연관성을 가졌으며, 각각에서 OR은 1.11 (95% CI 1.01~1.22), 1.13 (95% CI 1.01~1.27), 1.12 (95% CI 1.01~1.24)이었다. 다른 소부류와의 연관성도 비슷하였으나 통계적으로 유의하지는 않았다. 둘째, 질환의 가족력이 없는 환자군에 비해 가족력을 가진 환자군에서 고등급 및 진행 병기와 치명적인 질환에 대한 연관

성이 더 강하였으며, 각각의 OR은 2.04 (95% CI 1.00~4.17; p=0.06), 2.37 (95% CI 1.19~4.72; p=0.01)이었다. 이들 결과에 의하면, 길이가 긴 LTL은 전립선암 위험의 증가와 약한 연관성을 가지며, 가족력이 있는 남성에서는 공격적인 암과 강한 연관성을 나타낸다. 그러나 이들 결과를 확인하는 추가 연구가 필요하다고 생각된다.

Telomerase는 유망한 종양 표지자로 연구 중에 있으며, telomerase의 활성은 정상 체세포에서는 낮거나 발견되지 않지만 암 환자의 85~100%에서 증가된다고 보고되고 있다 (Tricoli 등, 2004). 여러 연구는 전립선암을 포함한 다수 암 환자의 혈장 및 혈청에서 $hTERT$ mRNA를 발견하였다 (Miura 등, 2010). 난소암 환자를 대상으로 분석한 연구는 혈청 $hTERT$ mRNA가 임상 병기, cancer antigen 125 (CA125), 조직학적 지표 등과 상호 관련이 있다고 하였으며 (Schwarzenbach 등, 2011), 다른 연구는 혈장 $hTERT$ mRNA가 결장직장암의 발견과 관리에서 유용한 표지자라고 하였다 (Terrin 등, 2008). 또 다른 연구는 혈장 $hTERT$ mRNA가 대조군에 비해 전립선암 환자에서 더 높고 종양의 병기와 상호 관련이 있기 때문에, 전립선암의 조기 진단과 관리에서 유망한 생물 지표라고 하였다 (Altimari 등, 2008).

전립선의 생검 표본을 이용한 연구에 의하면, 전립선암 환자의 98%, 고등급 전립선상피내암 환자의 33%, 저등급 전립선상피내암 환자의 20%에서 활성 telomerase가 발견되었으며, 첫 생검 표본에서 활성 telomerase와 함께 전립선상피내암이 발견된 경우에는 0.5~4.0년의 관찰 기간 동안 50~56%에서 전립선암이 발생하였으나 활성 telomerase 없이 전립선상피내암이 있는 경우에는 추적 기간 동안 전립선암이 발견되지 않았다. 또한, telomerase 음성인 환자에 비해 전립선 조직 내에 telomerase를 가진 환자에서 혈청 PSA가 유의하게 더 높았다. 이러한 결과를 근거로 저자들은 전립선상피내암 환자의 전립선 조직에서 활성 telomerase가 발견되면 전립선암이 발생할 위험이 높지만 발견되지 않으면 전립선암의 발생률이 낮기 때문에, 활성 telomerase의 유무에 따라 재생검에 대한 계획을 세운다면 필요가 없는 생검의 횟수를 줄일 수 있다고 하였다 (Glybochko 등 2014).

Vascular endothelial growth factor (VEGF)는 종양의 성장과 전이에 필요한 혈관 형성에서 중요한 역할을 한다. VEGF의 과다 발현은 혈관 내피세포의 증식을 일으키고, 혈관의 투과성을 증대시킨다. Telomerase의 활성은 세포가 분열하는 동안 염색체의 말단, 즉 telomeres의 유지를 위해 필요하다 (Orlando와 Gelmini, 2001). 그러나 telomerase의 활성이 과다해지면 종양세포가 과다하게 성장하고, 많은 양의 산소가 필요하게 된다. 이로써 저산소증의 미세 환경이 조성되고 이는 VEGF의 발현을 유도한다 (Li 등, 2004). 따라서 telomerase는 VEGF와 협동하여 암세포의 증식과 암의 성장을 촉진한다고 생각된다 (Kirkpatrick 등, 2004). 한편, VEGF는 hTERT를 통해 기능을 나타낸다. 즉, VEGF는 nitric oxide (NO) 경로를 통해 hTERT의 발현을 상향 조절하며, hTERT는 혈관을 형성하는 인자 및 VEGF 신호 경로의 하위 효과기로서 작용을 한다 (Zaccagnini 등, 2005). 토끼의 골수에서 VEGF의 영향을 받아 telomerase의 활성이 상향 조절되면 mesenchymal stem cell (MSC)의 분화가 증대되었다 (He 등, 2003). VEGF의 수용체인 fms-related tyrosine kinase 1 (FLT1)과 kinase insert domain receptor (KDR 혹은 fetal liver kinase 1, FLK1)는 전립선암 세포에서 발현되는데, 이는 VEGF가 종양세포의 증식과 같은 자가 분비의 기능을 가지고 있음을 시사한다 (Ferrer 등, 1999). 따라서 hTERT는 VEGF가 전립선암 세포의 증식을 촉진하는 과정에서 중요한 효과기로 작용한다고 생각된다.

VEGF와 hTERT와의 연관성에 관한 연구는 상충된 결과를 보였다. Zaccagnini 등 (2005)은 VEGF가 골격근과 내피세포에서 혈관 형성을 유도하고 hTERT의 발현과 telomerase의 활성을 증대시킨다고 보고한 반면, Kurz 등 (2003)은 VEGF가 사람의 내피세포에서 telomerase의 활성을 증대시키지 않는다고 하였다. 전립선암 환자 60명과 양성전립선비대 환자 60명의 생검 조직 표본을 대상으로 면역조직화학적 분석을 이용하여 hTERT 및 VEGF의 발현을 평가한 연구는 다음과 같은 결과를 보고하였다 (Tang 등, 2008). 첫째, hTERT의 발현은 전립선암 환자의 63% (38명/60명), 양성전립선비대 환자의 17% (10명/60명)에서, VEGF의 발현은 전립선암 환자의 77% (46명/60명), 양성전립선비대 환자의 47% (28명/60명)에서 발견되었다. 둘째, 양성전립선비대에 비해 전립선암에서 hTERT와 VEGF의 발현이 유의하게 더 높았으며 (p<0.05), 전립선암에서는 VEGF가 증가함에 따라 hTERT가 증가하였다. hTERT와 VEGF의 상호 관계는 양성전립선비대 (r=0.316, p>0.05)에 비해 전립선암 (r=0.833, p<0.05)에서 관찰되었다. 이들 결과를 근거로 저자들은 hTERT가 전립선암의 종양세포에 대한 VEGF의 증식 촉진 효과에 영향을 주는 중요한 단백질의 하나라고 하였다.

도표 233 술 전 혈청 PSA와 비교한 혈장 hTERT mRNA의 진단 정확도

진단 검사	절단치	민감도, % (95% CI)	특이도, % (95% CI)	PPV, %	NPV, %	LR+	LR-
hTERT mRNA	0.45	91.3 (79.2~97.5)	84.7 (73.0~92.8)	83.0	92.2	5.99	0.10
PSA, ng/mL	7.2	82.6 (68.6~92.2)	47.5 (34.3~60.9)	56.3	77.0	1.57	0.37
hTERT/PSA	0.45/7.2	97.8 (86.4~99.9)	42.4 (35.2~65.0)	57.0	96.2	1.69	0.05
PSA, ng/mL	4.0	100 (92.2~100.0)	8.47 (2.8~18.7)	47.5	100	1.09	0.00
PSA, ng/mL	2.5	100 (92.2~100)	5.08 (1.1~14.2)	46.6	100	1.05	0.00

전립선암의 진단에서 혈장 hTERT mRNA와 혈청 PSA의 민감도를 98%로 설정하였을 때 특이도와 LR은 각각 78% 대 10%, 4.44 대 1.10으로 혈장 hTERT mRNA가 혈청 PSA에 비해 더 높은 정확도를 나타내었다. hTERT mRNA의 가장 우수한 절단치 0.45와 PSA의 가장 우수한 절단치 7.2를 이용하였을 때 각각의 AUC는 0.932±0.027, 0.651±0.054이었다.

AUC, area under the curve; CI, confidence interval; hTERT, human telomerase reverse transcriptase; LR, likelihood ratio NPV, negative predictive value; OR, odds ratio; PPV, positive predictive value; PSA, prostate-specific antigen.

March-Villalba 등 (2012)의 자료를 수정 인용.

Meid 등 (2001), Vicentini 등 (2004), Botchkina 등 (2005)은 PCR을 이용하여 telomerase의 활성을 측정하는 염색체 말단 반복 증폭 분석법 (telomeric repeat amplification protocol, TRAP)으로 평가한 결과, telomerase의 활성은 전립선암에 대해 각각 58, 90, 100%의 민감도와 100, 87, 89%의 특이도를 나타낸다고 보고하였다. Meid 등 (2001)은 Gleason 점수와 telomerase의 활성 사이에서 유의한 연관성을 발견하였다. Crocitto 등 (2004)은 RT-PCR을 이용하여 *hTERT* mRNA의 발현을 측정하였으며 36%의 민감도와 66%의 특이도를 얻었다고 하였다. 4편의 연구 모두는 전립선 마사지 후에 채집된 소변을 대상으로 평가되었다.

PSA가 증가한 전립선암 환자 105명과 건강한 대조군 68명의 혈장 표본을 대상으로 qRT-PCR을 이용하여 *hTERT* mRNA을 분석한 연구는 혈청 PSA에 비해 혈장 *hTERT* mRNA가 더 높은 민감도 (83% 대 85%), 특이도 (47% 대 90%), 양성 예측도 (56% 대 83%), 음성 예측도 (77% 대 92%)를 나타내어 전립선암 진단에 대한 비침습적 생물 지표로 유망하다고 보고하였다. 그 외에도 혈장 *hTERT* mRNA는 Gleason 점수 7 이상, 생검 양성 cores의 50% 이상, 신경 주위 침범, 림프관 침범, 침윤성 및 전이 병기 등과 같이 임상병리학적으로 나쁜 예후 지표와 관련이 있었으며 (*p*<0.0001), 혈장 *hTERT* mRNA 절단치 3.2는 단변량 (*p*=0.004) 및 다변량 (*p*=0.04) 분석에서 생화학적 재발과 관련이 있었다. 이들 결과를 근거로 저자들은 혈장 *hTERT* mRNA가 나쁜 예후의 종양과 관련이 있으며, 재발에 대한 예측 인자로서의 역할을 수행하기 때문에 잔여암의 발견 및 추적 관찰에서 유용하다고 하였다 (March-Villalba 등, 2011) (도표 233, 234, 235).

도표 234 로지스틱 회귀 분석을 이용한 혈장 hTERT mRNA의 전립선암 진단 예측도

가변 인자	OR (95% CI)	*p*-value
연령	0.89 (0.80~0.99)	0.04
경직장초음파촬영술	0.78 (0.06~9.44)	0.85
직장수지검사	3.34 (0.16~68.28)	0.43
혈청 PSA	0.99 (0.87~1.14)	0.94
혈장 hTERT mRNA	11.07 (3.37~36.37)	0.0001

로지스틱 회귀 분석에서 0.05 미만의 p-value는 통계학적으로 유의하다.

CI, confidence interval; hTERT, human telomerase reverse transcriptase; OR, odds ratio; PSA, prostate-specific antigen.

March-Villalba 등 (2012)의 자료를 수정 인용.

도표 235 여러 예후 인자의 생화학적 재발에 대한 odds ratio

가변 인자	OR (95% CI)	*p*-value
혈청 PSA	0.97 (0.88~1.07)	0.59
Gleason 점수	0.52 (0.20~1.33)	0.17
연령	0.96 (0.82~1.12)	0.59
생검 core 양성 >50%	1.06 (0.99~1.14)	0.11
림프관 침범	6.26 (0.21~185.15)	0.29
신경 주위 침범	0.81 (0.02~28.79)	0.91
치료	0.15 (0.002~13.99)	0.41
병기	0.13 (0.01~1.30)	0.08
혈장 hTERT mRNA	1.55 (0.99~2.43)	0.04

Non-parametric Mann-Whitney U and Kruskal-Wallis 검사를 이용한 혈청 PSA의 절단치는 14.5 ng/mL, 혈장 *hTERT* mRNA의 절단치는 3.2로 설정하였으며, 로지스틱 회귀 분석에서 0.05 미만의 *p*-value는 통계학적으로 유의하다.

CI, confidence interval; hTERT, human telomerase reverse transcriptase; OR, odds ratio; PSA, prostate-specific antigen.

March-Villalba 등 (2012)의 자료를 수정 인용.

75.2. 항암 요법의 표적으로서 telomerase
Telomerase as target for anticancer therapy

올바른 세포 주기를 가진 사람의 세포에서 발생하는 telomere 길이에 의존적인 사망의 기전에는 세 가지의 요소, 즉 출생 전 대부분의 정상 체세포에서 일어나는 telomerase의 억제 (Ulaner 등, 1998), 출생부터 일생 동안 일어나는 telomere 길 이의 단축 (Steinert 등, 2002), 활동적인 기원 세포 (progeni-tor cell)에서 일어나는 telomerase에 대한 철저한 발현 조절 (Bodnar 등, 1996) 등이 영향을 준다. 이들 요소는 telomere가 복제 노쇠화를 유도하는 세포분열 시계의 역할을 함으로써 정상 세포가 더 이상 분열하지 못하도록 제한하며, 궁극적으로는 유전적 시한폭탄을 유도하는 도화선의 역할을 함으로써 telomerase의 활성화에 의한 위기 상황이 발생하면 비정상적인 염색체를 폭발시켜 종양의 성장을 제한할 수 있다 (Khoo 등, 2007).

이와 같은 개념을 근거하여 telomerase를 표적화하는 항암 요법이 개발되었거나 개발 중에 있으며, 그들 접근법에는 GRN163L을 이용한 telomerase의 억제, GRNVAC1, GV1001, p540-548, Vx01, TLI 등을 이용한 강력한 면역 요법, telomere 파괴 제제, 자살 유전자 요법, telomerase의 발현 혹은 생성을 차단하는 제제 등이 있고 각각 다른 장단점을 가지고 있다 (Harley 등, 2008).

Telomerase에 근거한 항암 요법의 진행 상황을 개략적으로 요약하면 다음과 같다 (Harley, 2008). 첫째, telomerase는 항암 약물의 중요한 표적이다. Telomerase는 거의 모든 종류의 암에서 발현되고 오랫동안 telomere를 유지하는 데 필요하기 때문에, 종양세포가 장기간 생존하기 위해서는 이를 필요로 한다. 둘째, 신체의 정상 세포는 대부분 수명 동안 telomerase를 거의 혹은 전혀 발현하지 않고 일반적으로 종양세포에 비해 더 긴 telomere를 가지기 때문에, telomerase는 비교적 암에 특이한 표적이라고 간주된다. 셋째, telomerase 양성 종양 세포를 사망하게 하는 주된 두 접근법이 임상 시험 중에 있다. 직접 telomerase를 억제하는 GRN163L은 만성 림프구성 백혈병, 다발 골수종, 경성 종양, 비소세포 폐암 등에서 연구 중에 있다. telomerase를 구성하는 중요한 단백질은 TERT를 표적화하는 치료용 백신은 백혈병, 신장암, 전립선암, 폐암, 피부암, 췌장암, 유방암 등에서 시험 중이거나 시험이 완료되었다. 넷째, telomerase 억제제는 짧은 telomere를 가지고 전환율이

빠른 암에서 효과가 빠른 단일 제제로 이용되지만, 대부분의 환자에서 기대치 이하의 반응을 보인다. 다섯째, 암줄기세포는 telomerase를 발현하기 때문에, telomerase 억제제와 크기를 축소시키는 제제를 병용하면 치료 반응을 지속시키는 등의 이점을 가질 수 있다. 여섯째, telomerase 백신은 telomer-ase에 특이하게 세포 독성을 나타내는 cluster of differentia-tion 8 (CD8)[+] 혹은 helper CD4[+] T-cell의 작용을 증대시켜 종양세포의 신속한 사망을 유도한다. 정상 조직에 대한 독성은 지금까지의 동물 실험이나 임상 연구에서 관찰되지 않았다. 일곱째, telomerase에 근거한 항암 요법을 임상적으로 활용하기 위해서는 적절한 환자군의 선정, 치료 반응을 조기에 평가할 수 있는 약력학적 혹은 생물학적 표지자의 발견, 병용 요법을 위한 최적의 용량 및 스케줄 등의 문제가 해결되어야 한다.

안드로겐 박탈 요법은 진행된 전립선암의 주된 치료 방법으로서 안드로겐 수용체의 작용을 표적으로 삼는데, 이를 위해 안드로겐 농도를 감소시키거나 안드로겐 수용체와 결합하여 안드로겐과 경쟁하는 안드로겐 대항제를 사용하는 방법을 이용한다 (Harris 등, 2009). 안드로겐 박탈 요법은 생존을 연장시키는 효과가 있지만, 용량에 따른 독성, 장기간 사용으로 인한 거세 저항성 전립선암의 발달 등과 같은 부정적인 효과를 동반하기도 한다. 거세 저항성 전립선암은 치명적이고 치유가 어렵기 때문에, 안드로겐 박탈 요법의 효과를 증대시키고 안드로겐 저항성을 피할 수 있는 방법의 개발이 시급한 실정이다. 지속적인 안드로겐 수용체의 신호 경로는 거세 저항성 전립선암이 발생하는 하나의 주된 기전이다. 전립선암은 안드로겐 수용체의 돌연변이, 안드로겐 수용체의 과다 발현, 안드로겐 수용체의 안드로겐 비의존성 활성화 (Culig 등, 1998), 스테로이드 신합성을 통한 종양 내 안드로겐의 증가 (Locke 등, 2008) 등의 기전으로 안드로겐 박탈 요법에 적용할 수 있다. 이종 이식 종양에 관한 연구는 small hairpin RNA (shRNA)를 이용하여 안드로겐 수용체의 발현을 제거하면 전립선암이 거세 저항성 전립선암으로 진행하는 속도가 지연되고 이미 거세 저항성을 나타낸 전립선암의 성장이 억제된다고 하였다 (Snoek 등, 2009). 따라서 안드로겐 수용체의 효용성을 감소시키는 요법은 안드로겐 박탈 요법의 효능을 증대시키고 거세 저항성 전립선암의 발생을 억제한다고 생각된다.

hTERT의 발현과 telomerase의 활성은 안드로겐 수용체의 신호 경로에 의해 조절된다. 돌연변이이지만 기능을 가진 안드로겐 수용체를 발현하는 LNCaP 전립선암 세포에서 안드

로겐은 안드로겐 수용체와 *hTERT* 촉진체를 모집하고 그것의 전사를 증대시켜 telomerase의 활성화를 유도한다 (Guo 등, 2003). 그러나 외인성으로 발현된 표준형의 안드로겐 수용체는 안드로겐 수용체가 없는 전립선암 세포주에서 *hTERT*의 전사를 억제한다는 보고가 있지만 (Moehren 등, 2008) 표준형 안드로겐 수용체가 *hTERT*의 발현을 억제한다고 일반화할 수는 없다. 활성 안드로겐 수용체는 안드로겐 수용체가 없는 세포의 성장을 억제한다고 알려져 있는데, 이는 내인성 안드로겐 수용체를 발현하는 전립선암 세포에서는 성장이 촉진된다는 연구 결과와 반대된다 (Yuan 등, 1993). 사실 이종 이식 암 및 사람의 전립선암에 관한 연구는 내인성으로 발현된 표준형 안드로겐 수용체는 *hTERT*의 발현을 정상관관계로 조절함을 보여 주었다 (Iczkowski 등, 2004). 거세는 표준형 안드로겐 수용체를 발현하는 이종 이식 CWR22 전립선암 세포주에서 *hTERT*의 발현과 telomerase의 활성을 감소시키며, 이는 안드로겐의 투여로 반전된다고 보고된 바 있다 (Guo 등, 2003). 전립선절제술 전에 안드로겐 박탈 요법을 받은 30명의 전립선암 환자를 대상으로 분석한 연구는 hTERT의 발현이 안드로겐 박탈 요법의 효과로 인해 치료 전보다 36% 감소했다고 하였다 (Iczkowski 등, 2004). 전립선암에서 안드로겐 수용체의 돌연변이는 낮은 수치에서 일어나기 때문에 대부분의 전립선암 세포주는 표준형 안드로겐 수용체를 발현한다고 생각된다 (Steinkamp 등, 2009). 따라서 전립선암에서 내인성으로 발현된 안드로겐 수용체가 *hTERT*/telomerase를 정상관관계로 조절한다는 연구 결과는 전립선암에서 telomerase의 활성을 차단하는 접근법이 유망함을 시사한다.

일부 연구는 메틸화된 셀레늄이 안드로겐 수용체 및 PSA의 발현을 감소시키고 이로 인해 안드로겐 수용체의 전사를 촉진하는 데 효과적이라고 하였다 (Lee 등, 2006). 셀레늄은 전립선암을 포함한 여러 종류의 암에서 항암 효과를 나타낸다고 알려져 있다 (Meuillet 등, 2004). 비록 체계적으로 분석한 Selenium and Vitamin E Chemoprevention Trial (SELECT)이 건강인에게 영양 공급 용량으로 셀레늄을 보충한 경우 전립선암의 위험이 낮아지지 않았다고 보고하였지만 (Lippman 등, 2009), 이는 완전하게 예상 밖의 결과가 아니다. 셀레늄의 항암 효과는 복용한 셀레늄의 형태 및 용량 그리고 암의 병기에 의존적이다 (Wang 등, 2009). 이종 이식 암 모델을 이용한 동물 연구에 의하면, SELECT에서 이용한 셀레늄의 한 형태인 selenomethionine은 전립선암의 성장에 대해 영향을 주지 않

았지만, methylseleninic acid (MSA)를 포함한 2세대 셀레늄 제제는 암의 성장을 억제하는 데 매우 효과적이었다 (Li 등, 2008). 이 결과는 selenomethionine이 새로운 강력한 셀레늄 제제보다 효과가 훨씬 떨어지는 활성 대사물질인 methylselenol로 전환된다는 사실과 일맥상통한다 (Ohta 등, 2009). 또한, 셀레늄의 투여와 종양의 억제 사이의 정상관관계를 보인 대부분의 임상 전 연구는 SELECT에서 사용된 영양 공급 용량이 아닌 약리학적 용량을 이용하였다. 이러한 SELECT의 부정적인 결과는 전립선암의 치료에서 새로운 셀레늄 제제의 효능, 특히 약리학적 용량에서의 효능에 관한 연구에 박차를 가하게 만든 계기가 되었다. 셀레늄은 독성이 약하다. 성인에서 셀레늄의 식이 권장 용량과 상한 허용치는 각각 55, 400 μg/day이지만 (Institute of Medicine FaNB, 2000), 생검을 통해 전립선암으로 진단된 환자에게 1년간 평균 3,200 μg/day의 셀레늄을 보충하여도 셀레늄과 관계되는 심각한 부작용이 발생하지 않았다 (Reid 등, 2004). 따라서 환자들이 약리학적 용량의 셀레늄에 잘 순응한다고 생각된다. 다른 연구는 전립선암 세포를 2.5~10 μmol/L 농도의 MSA로 치료한 경우 안드로겐 수용체의 mRNA 및 단백질이 현저하게 감소했다고 하였다 (Dong 등, 2005). 생쥐에게 비독성 용량의 MSA를 투여한 경우 셀레늄의 혈청 농도가 1시간에 최고치인 12.5 μmol/L에 도달하였고 24시간에 걸쳐 기저선으로 점차 감소하였다 (Hu 등, 2008). 따라서 안드로겐 수용체의 발현을 억제하는 MSA의 농도는 생리학적 범위의 농도라고 할 수 있다. 한편, 존재하고 있는 안드로겐 수용체의 양이 감소되면 안드로겐 수용체의 전사 촉진이 하향 조절된다고 보고된 바 있다. 안드로겐 수용체의 이소성 발현은 안드로겐 수용체의 전사 촉진 및 세포 성장에 대한 MSA의 억제 효과를 반전시키는데, 이는 안드로겐 수용체의 신호 경로가 MSA의 효과를 매개함을 시사한다 (Dong 등, 2005). 여러 연구의 결과는 MSA가 안드로겐으로 유발된 *hTERT*의 발현 및 telomerase의 활성을 억제하는 데 효과적임을 보여 주었다. 또한, MSA와 안드로겐 대항제 수용체의 효용성 감소, ligand와의 결합 차단과 같이 각각 다른 방법으로 안드로겐 수용체의 신호 경로를 표적으로 삼기 때문에, 두 제제를 병합하면 안드로겐 수용체의 전사 촉진 및 그로 인한 *hTERT*와 telomerase의 활성화를 더욱 억제할 수 있으며, 이로써 전립선암 세포의 성장과 생존을 억제할 수 있을 것이다 (Liu 등, 2010).

안드로겐 수용체의 농도를 감소시키는 MSA가 안드로겐 비

의존성 세포 및 거세 저항성 전립선암 세포에서 안드로겐 대항제인 bicalutamide의 암 사멸 효과를 증대시키는지를 평가한 연구에 의하면, 두 제제를 병합한 경우가 단일 요법에 비해 PSA와 *hTERT*를 더 강하게 억제하였다. 또한, 두 제제에 의해 유발된 세포 자멸사는 *hTERT*를 회복시키면 반전되었는데, 이는 두 제제가 효과를 나타내는 데는 *hTERT*의 하향 조절이 중요한 기전임을 시사한다. *hTERT*의 하향 조절은 주로 전사 단계에서 일어나며, *hTERT* 촉진체에 대한 안드로겐 수용체의 영향이 감소하면 *hTERT*의 전사가 감소한다 (Liu 등, 2010). Telomerase는 telomere의 길이를 유지하는 기능 외에도 세포의 성장 및 생존을 조절함으로써 종양의 형성에도 관여한다고 보고되고 있다 (Blasco, 2002). Telomere의 DNA repeats는 염색체를 보호하는 cap을 형성할 때 telomere 특이 단백질을 동반한다 (Blasco, 2002). 기능을 가진 telomere는 분열이 진행되는 동안 물리적 성질이 보존된 상태 (capped telomere)와 보존되지 않은 상태 (uncapped telomere)가 교대로 나타난다 (Blackburn, 2000). Telomerase는 telomere의 리캐핑 (recapping)에서 중요한 역할을 한다. Uncapped telomere가 장시간 교정되지 않은 상태로 방치되면 파손된 DNA로 인식되어 DNA 손상에 따른 반응이 일어나고, 이로써 세포 주기의 정지 혹은 세포 자멸사가 유발된다 (Blackburn, 2000). 또한, 비정상적인 telomere의 비상동적 말단 결합 (nonhomologous end joining 혹은 nonhomologous recombination)은 telomere와 telomere의 결합을 유발하고 유전체의 불안정성을 일으킨다. Bicalutamide와 MSA를 병합 투여하면 48시간 내에 뚜렷한 세포 자멸사가 일어난다. 이들 두 제제는 telomere의 단축과는 무관한 기전을 통해 telomerase를 억제함으로써 telomere uncapping을 일으키며, 이로써 DNA 손상과 관련된 반응이 신속하게 일어나 세포 주기의 정지 및 세포 자멸사가 일어난다 (Liu 등, 2010). 이들 결과를 근거로 저자들은 안드로겐 수용체의 신호 경로를 억제하는 기전을 통해 telomerase의 활성을 차단하는 안드로겐 대항제와 MSA의 병합 요법은 전립선암 세포를 표적화하는 효과적이고도 선택적인 치료 모델이 될 수 있으며, *hTERT*와 telomerase는 혈액과 소변에서 측정할 수 있기 때문에 치료의 효과를 비침습적으로 평가할 수 있는 장점도 있다고 하였다 (Liu 등, 2010).

PC3 전립선암 세포에서 tumor necrosis factor-α (TNFα)로 유발된 세포 자멸사에 대한 *hTERT* antisense (AS)의 telomerase 억제 효과를 평가한 연구는 다음과 같은 결과를 보고하였다 (Gao와 Chen, 2007). 첫째, telomerase의 활성화는 *hTERT* AS phosphorothioate oligodeoxynucleotide (AS PS-ODN)로 치료한 후 시간이 경과함에 따라 감소하였다. 둘째, *hTERT* mRNA의 수치는 *hTERT* AS PS-ODN으로 치료한 후 점차 감소하였으며, 이러한 효과는 telomerase의 활성이 감소되기 전에 나타났다. 셋째, hTERT 단백질을 발현하는 세포의 퍼센트는 *hTERT* AS PS-ODN으로 치료한 후 점차 감소하였으며, 이러한 효과는 *hTERT* mRNA의 감소가 일어난 후 나타났다. 넷째, *hTERT* sense PS-ODN으로 치료한 군과 대조군 사이에서 telomerase의 활성, *hTERT* mRNA 수치, hTERT 단백질 농도 등의 차이는 없었다. *hTERT* AS PS-ODN과 TNFα의 치료를 병용한 경우 암세포의 생존력은 점차 감소하였다. 다섯째, *hTERT* AS PS-ODN과 TNFα 치료를 병용한 경우 세포 자멸사의 퍼센트는 점차 증가하였다. 여섯째, *hTERT* sense PS-ODN으로 치료한 군과 대조군 사이에서 세포의 생존력 및 세포 자멸사의 퍼센트의 차이는 관찰되지 않았다. 이들 결과를 근거로 저자들은 *hTERT* AS PS-ODN이 *hTERT* mRNA 및 hTERT 단백질의 발현을 하향 조절함으로써 telomerase의 활성을 유의하게 억제하며, *hTERT* AS로 인한 telomerase의 억제는 PC3 세포에서 TNFα로 유도된 세포 자멸사를 증대시킨다고 하였다.

76. Thymosin Beta (TMSB)

Thymosin (TMS)은 건강한 조직과 병든 조직의 여러 세포 기능에서 중요한 역할을 하는 작은 단백질의 무리이며, 림프 면역 기관인 흉선 (thymus)에서 처음으로 분리되었으나, 여러 조직과 기관에 폭넓게 분포되어 있다 (Goldstein, 2007). 그들은 등전점 (isoelectric point, Ip)의 pH에 따라 pH 5.0 미만의 thymosin alpha, pH 5.0~7.0의 thymosin beta, pH 7.0을 초과하는 thymosin gamma 등의 세 그룹으로 분류된다. 이들 그룹 중 β-thymosin은 40~44개 아미노산 잔기로 구성된 산성의 4.9 kDa 펩티드이며, 이들 아미노산 잔기의 50%는 전하를 띠고 있다 (Hannappel, 2007). 원핵생물과 효모에서는 발견되지 않지만, 지금까지 척추동물과 무척추동물에서 최소한 15종류의 β-thymosin이 발견되었으며 (Hannappel과 Huff, 2003), 이들은 핵이나 세포질에 위치해 있고 (Huff 등, 2004), 단량체 G-actins와 상호 작용한다 (Sun과 Yin, 2007). β-Thymosins는 해리 상수 (a dissociation constant, *Kd*) 0.5~2.5로 G-actin

과 1:1 복합체를 형성하여 G-actin을 분리하는 작용을 나타낸다. 특히 thymosin β_4는 낮은 농도에서는 G-actin을 분리하는 단백질로서 작용하지만, 농도가 증가함에 따라 F-actin과 상호작용함으로써 F-actin을 단량체로 분해하는 기능 (depolymerization)이 약해진다. 이와 같은 thymosin β_4-actin 복합체와 actin의 혼성 중합으로 유리형 G-actin과 thymosin β_4-G-actin 복합체를 합산한 임계 농도 (critical concentration, Cc)가 안정적으로 유지되며, thymosin β_4-G-actin 복합체의 형성이 증가하면 G-actin의 임계 농도는 낮아진다 (Carlier 등, 1996). 이러한 β-thymosins의 특성은 세포 주기, 형태 형성, 세포의 구조, 이동 등과 같은 다양한 세포의 기능에 영향을 미친다 (Sribenja 등, 2013).

분리된 첫 thymosin β는 thymosin β_1이다 (Low 등, 1979). 대부분의 포유동물 세포는 thymosin β_4와 thymosin β_{10}을 발현지만, 더욱 관심을 불러일으키는 것은 생물학적으로 활성적인 thymosin β_4이며, 이것은 전체 thymosin β 양의 70~80%를 차지하고 대부분 종류의 세포에서 발현된다 (Yu 등, 1993; Huff 등, 2002). 세포질 내에 높은 농도로 분포해 있는 이들 두 β-thymosins는 G-actin 단량체에 대해 높은 친화도를 나타내며, 세포의 운동성과 관련이 있는 actin filament를 조절한다 (Dedova 등, 2006). β-Thymosins는 actin 및 profilin과 삼중 복합체를 형성한다 (Yarmola 등, 2007). Thymosin β_4는 염색체 Xq21.3-q22와 Yq11.221에 각각 위치해 있고 각각 3개와 2개의 exons를 가진 *TMSB4X*와 *TMSB4Y*에 의해, thymosin β_{10}은 염색체 2p11.2에 위치해 있고 3개의 exons와 2개의 introns를 가진 *TMSB10*에 의해, thymosin β_{15}은 염색체 Xq21.33-q22.3와 Xq22.2에 각각 위치해 있고 각각 3개의 exons를 가진 *TMSB15A*와 *TMSB15B*에 의해 코드화된다.

여러 종에서 20가지 이상의 동형 thymosin β가 확인되었으며 (Huff 등, 2001), 종과 세포에 특이하게 발현된다 (Sribenja 등, 2013). 사람에서는 세 가지의 동형, 즉 thymosin β_4, thymosin β_{10}, thymosin β_{15}의 증가가 악성 종양과 관련이 있다고 보고되었다. Thymosin β_{15}은 Bao 등 (1996)에 의해 전이 전립선암 환자에서 처음 발견되었으며, PSA와는 다르게 암이 없는 전립선 조직에서 채취한 표본이나 전이 암이 없는 환자로부터 채취한 조직에서는 발현되지 않기 때문에 전립선암의 전이 위험을 확인하는 데는 PSA보다 더 유용한 표지자라고 생각된다 (Bao 등, 1998). Thymosin β_4, thymosin β_{10}, thymosin β_{15} 등의 증가는 피부 흑색종, 유방암, 갑상선암, 섬유육종 등

을 포함하는 상당수의 다른 종양에서도 나타난다 (Hall, 1991; Bao 등, 1998; Kobayashi 등, 2002).

혈관 형성에 관여하는 β-thymosins의 역할에 관하여 별도로 기술하고자 한다. β-Thymosins는 내피세포의 이동성에 관여한다. Thymosin β_4와 thymosin β_{10}은 actin과 결합하는 동일한 부위를 가지고 있지만, 어떠한 조건 하에서는 다른 세포 작용을 나타낸다. Thymosin β_4는 umbilical vein endothelial cell (HUVEC)이 관 모양의 구조물로 형태학적 분화를 일으키는 데 관여한다. Matrigel 배양에서 HUVEC의 thymosin β_4 발현은 5배 증가하며, antisense oligonucleotide를 이용하여 thymosin β_4를 차단하면 HUVECs의 관 형성이 억제된다 (Grant 등, 1999). Thymosin β_4는 화학주성 작용을 나타내어 내피세포의 이동을 자극한다 (Malinda 등, 1997). Poly-ethylene glycol (PEG)-hydrogels 내에 투여된 thymosin β_4는 HUVEC의 내피 유전자 *cadherin 5 type 2* (*CDH5* 혹은 *vascular endothelial cadherin, VE-cadherin*), *angiopoietin 2* (*ANGPT2*) 등을 상향 조절하였으며, matrix metalloproteinase 2/9 (MMP2/9)의 분비를 증가시켰다 (Kraehenbuehl 등, 2009). 또한, collagen-chitosan hydrogel 내에 투여된 thymosin β_4는 생체 밖 실험에서 생쥐의 심외막 이식편으로부터 cluster of differentiation 31 (CD31)[+] 모세혈관의 성장과 세포의 이동을 유의하게 증가시켰으며 피하로 투여된 생체 실험에서 혈관 형성을 촉진하였다 (Chiu와 Radisic, 2011). 혈관 형성 인자인 hepatocyte growth factor (HGF)는 thymosin β_4의 발현을 증가시키며, HGF 및 thymosin β_4는 MMP2의 생성을 증가시킨다 (Chiu와 Radisic, 2011). Thymosin β_4에서 actin과 결합하는 7개 아미노산의 17LKKTETQ23는 thymosin β_4의 혈관 형성 작용에서 필수적이다 (Philp 등, 2003). 세포 외부로 투여된 thymosin β_4는 plasminogen activator inhibitor 1 (PAI-1)과 MMPs의 발현을 유도하여 혈관 형성을 촉진한다 (Cierniewski 등, 2007). Thymosin β_4가 MMPs의 발현을 자극하는 기전은 분명하지 않으나 integrin-linked kinase (ILK)에 의해 매개된다고 생각된다 (Bock-Marquette 등, 2004). Thymosin β_4와 ILK의 상호 작용은 v-akt murine thymoma viral oncogene homolog protein 1 (AKT 혹은 protein kinase B, PKB)를 활성화한다. 이는 thymosin β_4가 세포의 이동 과정에서 기질을 분해하는 기전이 된다. 근래의 연구에 의하면, 혈관 형성에 대해 대항 작용을 나타내는 angiostatin의 표적으로 알려진 F1 및 F0 ATP synthase는 thymosin β_4의 표적이며, ATP synthase는 thymosin β₄로 유도되는 HUVEC의 이동에 필요한 단백질이다 (Selmi 등, 2012). Thymosin β₄는 phosphatidylinositol 3-kinase (PI3K)/AKT/endothelial nitric oxide synthase (eNOS)의 경로를 통해 혈중 endothelial progenitor cell (EPC)의 이동을 자극하며 (Qiu 등, 2009), embryonic EPC (eEPC)로 매개되는 심장 보호에 관여한다 (Hinkel 등, 2008). Thymosin β₄는 또한 protein kinase C (PKC)의 기질인 myristoylated alanine rich C-kinase substrate (MARCKS)의 발현과 인산화를 증대시킨다 (Bock-Marquett, 등, 2009). 그러나 thymosin β₁₀은 혈관 형성에서 다른 효과를 나타낸다. Thymosin β₄가 rat sarcoma viral oncogene homolog (RAS)와 결합하지 않고 혈관 형성에 대해 양성적인 효과를 나타내는 것과는 대조적으로 thymosin β₁₀의 과다 발현은 RAS 경로를 억제함으로써 vascular endothelial growth factor (VEGF)로 유도되는 내피세포의 증식, 이동, 침습, HUVEC의 관 형성 등을 억제하는데 (Lee 등, 2005), 외인성 thymosin β₁₀이 human coronary artery endothelial cell (HCAEC)의 이동 및 모세혈관과 유사한 관의 형성을 억제한다는 생체 밖 실험이 이를 뒷받침한다 (Mu 등, 2006). Thymosin β₁₀은 또한 저산소증의 조건에서 원숭이의 망막 및 맥락막 내피세포에서 관 형성 및 VEGF의 발현을 억제한다 (Zhang 등, 2009).

Thymosin β₄는 진핵세포에서 actin과 결합하고 actin의 중합 작용 (polymerization)을 차단함으로써 actin을 격리하는 중요한 분자로 알려져 있다 (Safer와 Nachmias, 1994). Thymosin β₄는 포유동물의 세포에서 세포 내부의 G-actin을 격리하는 인자로서 기능을 하며 (Safer 등, 1991), 세포의 외부에서는 내피세포의 부착 및 전파 속도를 증가시키고 HUVEC의 이동을 자극하고 (Huff 등, 2002), 상처 치유 (Malinda 등, 1999), 세포 분화 (Cha 등, 2003), 종양 전이 (Kobayashi 등, 2002), 혈관 형성 (Philp 등, 2003) 등에 관여하는 생리학적 기능도 가지고 있다. Matrigel을 이용한 연구에 의하면, 세포의 이동과 관 형성이 진행하는 동안 *TMSB4* mRNA의 농도가 5~7배 증가한다고 하였다 (Philp 등, 2003). 종양세포에서 thymosin β₄ 발현의 증가는 *VEGF, E-cadherin (CDH1), survivin* (혹은 *baculoviral IAP repeat containing 5, BIRC5*) 등과 같이 암과 관련이 있는 다양한 유전자의 발현 증가와 관련이 있다 (Cha 등, 2003; Hsiao 등, 2006). 임상적으로 thymosin β₄의 발현은 혀의 편평상피세포암 (Vigneswaran 등, 2005), 전이 결장 직장암 (Yamamoto 등, 1993) 등 여러 전이 암세포에서 증가

한다. 따라서 thymosin β₄는 항암 치료에서 분자적 표적이 될 수 있다고 생각된다 (Goldstein, 2003). 한편, thymosin β₄는 내피세포에 대해 강한 화학주성을 가지며, 많은 염증성 chemokines와 cytokines의 발현을 감소시킨다 (Sosne 등, 2001). Thymosin β₄는 상처 부위에서 VEGF의 발현을 증가시키며 (Cha 등, 2003), 콜라겐의 침착 및 상처 수축을 증가시킨다 (Philp 등, 2003). 설치류 모델에게 thymosin β₄를 국소적으로 혹은 전신으로 투여하면 상처 치유가 촉진되고 혈관 형성이 자극되는데, 혈관 형성과 관련이 있는 펩티드의 활성 부위는 thymosin β₄ 펩티드의 actin 결합 부위인 7개의 아미노산 잔기 LKKTETQ에 위치해 있다 (Philp 등, 2003).

악성 세포가 thymosin β₄를 이용하여 혈관 형성 및 전이를 일으킨다는 연구 결과는 임상적으로 중요한 의미를 가진다 (Cha 등, 2003). 이 연구는 thymosin β₄의 과다 발현이 없는 흑색종 B16-F10 세포주에 비해 과다 발현이 있는 경우에 경성 종양 내로 성장하는 혈관의 수가 증가하였고 더 큰 종양을 형성하였으며 폐로 더 많은 전이를 일으켰다고 하였다. 그러나 thymosin β₄의 과다 발현이 세포의 성장, 침습, 증식 혹은 MMP의 활성 등에 대해서는 효과를 나타내지 않는다 (Cha 등, 2003). 이러한 결과는 thymosin β₄의 증가가 정상 세포를 종양세포로 전환시킬 수 없다는 이전의 연구 결과 (Grant 등, 1995)와 일맥상통한다. 정상 세포에서 필요한 세포의 이동, 운동성, 부착, 신호 전달 등에 관여하는 단백질인 VEGF의 발현 증가로 인해 생긴 기능은 악성 표현형을 가진 세포에 의해 변경되며, VEGF는 혈관 형성, 세포 이동 등과 같이 악성 진행 및 성장과 관련이 있는 특별한 기전에서 더 효과적으로 관여한다. Thymosin β₄에 의한 혈관 형성이 독자적인 기능에 의한 것인지, 아니면 실제로는 VEGF에 의해 매개되는지는 분명하게 밝혀져 있지 않다.

염색질의 재형성을 돕는 복합체로서 세포의 성장과 유전체의 안정화에 관여하는 Switch/sucrose nonfermentable (SWI/SNF) 혹은 SWI/SNF related matrix associated actin dependent regulator of chromatin subfamily a member 4 (SMARCA4)는 brahma-related gene 1 (BRG1)-associated factor (BAF) 혹은 brahma (BRM)-associated factor (BAF)로도 알려져 있다 (Winston과 Carlson, 1992; Kadam과 Emerson, 2003). Actin과 actin-related protein (ARP)은 BAF (Wang 등, 1996), poly-bromo-associated BRG1-associated factor (PBAF) (Nie 등, 2000), p400 (Fuchs 등, 2001), Tat-interactive protein, 60 kDa (TIP60) (Ikura 등, 2000), nucleosome remodeling and deacetylase (NuRD) (Zhang 등, 1999), re-modeling and spacing factor (RSF) (Xue 등, 1998) 등과 같이 핵 내에서 염색질의 변화를 일으키는 많은 복합체의 주요 요소의 하나로 기능을 하며, mRNA의 프로세싱 및 이송에서 중요한 역할을 한다 (Olave 등, 2002). 예를 들면, β-actin은 효모에서 처음 발견된 SWI/SNF 복합체와 비슷하게 염색질의 재형성에 관여하는 복합체로서 세포의 증식 및 분화, 유전체의 안정성 등에서 중요한 역할을 하는 BAF의 주요 요소이다. 포유동물의 BAF 복합체는 retinoblastoma protein (RB)이 작용하기 위해 필요한 억제성 복합체로서 기능한다는 관찰 결과는 actin과 actin 격리 분자가 혈관 형성 및 종양 형성에서 필요 불가결한 전사 인자로서의 중요한 생리학적 기능을 가짐을 추측하게 한다 (Olave 등, 2002). 근래 흥미로운 한 연구는 thymosin β₄의 과다 발현이 사람의 SW480 결장암세포에서 E-cadherin/β-catenin 복합체의 활성화를 유도하여 핵 내에서 β-catenin의 축적을 일으키고 T-cell factor/lymphoid enhancer factor 분자를 v-myc avian myelocytomatosis viral oncogene homolog (c-MYC)와 cyclin D1 (CCND1) 촉진체에 결합하도록 만든다고 하였다 (Wang 등, 2003).

세포 내에서 actin을 격리시키는 펩티드인 thymosin β₄의 특성은 Safer 등 (1991)에 의해 처음 확인되었다. Huff 등 (2002)은 사람의 혈소판이 thrombin에 의해 활성화되면 많은 thymosin β₄ 외에도 섬유소 응혈을 일으키는 transglutamin-ase factor XIIIa를 분비하며, 이는 thymosin β₄를 actin, col-lagen, fibrin, fibrinogen 등과 같은 단백질과 교차 결합하도록 한다 (Huff 등, 2002). 그러나 thymosin β₄는 plasmin, alcohol dehydrogenase, hexokinase, pyruvate kinase, lactate dehy-drogenase 등과 같은 기타 분자와는 교차 결합을 하지 않는다 (Philp 등, 2003). 혈관 형성의 측면에서 볼 때 이러한 thymo-sin β₄의 교차 결합은 중요한데, 그 이유는 이 작은 용해성 펩티드의 축적이 내피세포의 이동을 유발하여 혈관 형성을 촉진하기 때문이다 (Huff 등, 2001). 상처 치유는 지혈 및 혈관 수축과 같은 염증 반응, 혈관 형성에 의한 증식, 섬유모세포 및 각질형성세포의 이동, 콜라겐 침착으로 인한 구조 변경 등의 여러 단계로 완성되는데, thymosin β₄와 여러 단백질과의 교차 결합은 응고혈 혹은 조직 손상 부위 가까이에 thymosin β₄의 농도를 국소적으로 증가시켜 상처 치유가 유도된다는 연구가 이를 뒷받침한다 (Philp 등, 2003).

안드로겐을 제거하는 요법은 진행된 전립선암에서 효과적인 치료로 알려져 있으나, 암은 흔히 더욱 공격적인 표현형으로 진행한다. 안드로겐이 결핍된 배지에서 자란 안드로겐 민감성 LNCaP 세포주가 악성으로 진행할 때 유전자의 변화가 발생하는지 그리고 전이가 일어날 경우에 thymosin β₄가 증가하는지를 평가한 연구에 의하면, LNCaP 세포주에서 *TMSB4* mRNA의 발현은 안드로겐이 결핍된 조건에서는 증가하였고 dihydrotestosterone (DHT)을 투여한 경우에는 감소하였다. 안드로겐 수용체 대항제인 bicalutamide는 용량 의존적으로 *TMSB4*의 발현을 억제하였으나, 안드로겐 수용체가 없는 PC3 세포주에서는 *TMSB4*의 발현에 대한 유의한 효과가 관찰되지 않았다. 안드로겐에 의한 *TMSB4* mRNA 발현의 조절은 전사의 활성 때문이며, 이러한 전사 활성화의 조절은 *TMSB4* 유전자의 -83 bp와 -46 bp 사이 구역에서 일어난다고 생각된다. 이들 연구자는 전립선암 세포에서 *TMSB4*의 발현이 전사 수준에서 안드로겐에 의해 역조절된다고 보고하였다 (Iguchi 등, 2008).

Thymosin β₄의 발현은 여러 내인성 및 외인성 인자에 의해 조절되기도 한다. 예를 들면, thymosin β₄의 발현은 쥐의 심장에서 성장 인자에 의해 정조절되며 (Yoshioka 등, 2006), 항암제는 전립선과 유방암 세포에서 세포 내의 thymosin β₄ 농도에 영향을 주는데, tamoxifen은 유방암 세포의 성장을 약 80% 억제시키며 thymosin β₄와 thymosin β₁₀의 농도를 약 40%, *TMSB4* mRNA와 *TMSB10* mRNA의 농도를 약 60% 감소시켰고 (Otto 등, 2002), 비스테로이드 소염제는 결장암세포에서 thymosin β₄의 발현을 유도한다 (Jain 등, 2004)는 보고가 있다. 안드로겐에 의한 *TMSB4* 유전자 발현의 조절은 LNCaP 세포주에서 DHT에 의해 인산화되고 안드로겐에 의해 하향 조절되는 안드로겐 수용체 보조 활성제인 cyclic AMP response element binding protein (CREB)이 안드로겐에 의해 활성화됨으로써 일어난다고 추측된다 (Unni 등, 2004; Iguchi 등, 2008).

LNCaP 전립선암 세포주에서 thymosin β₄의 발현은 actin을 기초로 위족 (pseudopodia)을 형성함으로써 확장을 촉진하고 세포의 이동을 증가시킨다. Thymosin β₄를 과다 발현하는 LNCaP 세포주를 PI3K의 억제제인 wortmannin 혹은 cell division control protein 42/Ras-related C3 botulinum toxin substrate 1/Ras homolog gene family, member A (CDC42/RAC1/RhoA) 억제제인 Clostridium difficile toxin B로 처치하

면 위족 형성이 상당하게 감소되었는데, 이는 thymosin β_4에 의한 위족 형성이 PI3K와 Rho 가족의 경로와 관련이 있음을 시사한다 (Ito 등, 2009).

이들 연구 결과를 종합하여 볼 때, thymosin β_4의 발현은 종양의 진행과 관련이 있으며, LNCaP 전립선암 세포주에서 안드로겐을 중단하면 이 단백질의 발현이 증가한다. 전립선암 세포에서 안드로겐이 결핍되면 thymosin β_4의 발현이 증가되며, thymosin β_4의 증가는 안드로겐 박탈 요법 후 전립선암이 진행되는 원인들 중의 하나로 간주될 수 있다 (Iguchi 등, 2008). 이 때문에 혈관 형성이 반드시 필요한 전이가 발생할 가능성이 높은 암을 가진 환자를 위해 thymosin β_4 동형 단백질을 표적화하는 항체의 발견, small interfering RNA (siRNA)를 이용한 antisense 기법 등과 같은 새로운 항암 요법들이 지속적인 연구를 통해 개발되도록 노력해야 할 것이다 (Goldstein, 2003).

Thymosin β_{10}은 high-performance liquid chromatography (HPLC) 분석에 의해 포유동물의 조직에서 새로운 thymosin β 4의 유사체라고 보고된 바 있는 thymosin β 가족의 일원이다 (Erickson-Viitanen 등, 1983). 이 단백질은 두 개의 나선 구조를 가진 43개 아미노산으로 구성되어 있으며, α 나선 구조물을 형성하는 경향이 있다. Thymosin β_{10}은 주로 세포질 내에 위치하여 있고 G-actin과 결합할 때 중요한 [17]LKKTET[22]라는 결합 부위를 가지고 있으며, 세포의 형태화, 증식, 운동성 등과 같은 생물 발생과 세포 골격의 형성에 관여한다. 사람의 thymosin β_{10}은 thymosin β_4와 약 23%인 10개의 아미노산이 다르다.

Thymosin β_{10}의 발현에서 일어나는 변화는 여러 암에서 확인되었다 (도표 236). TMSB10 유전자는 면역조직화학 분석으로 정상 갑상선이 아닌 갑상선의 과다 증식 및 암 조직, 선종 등에서 확인되기 때문에, 갑상선암에서 진단적 가치가 높다 (Chiappetta 등, 2004). 유방암에서 thymosin β_{10}의 염색 강도는 병변의 분화도 등급과 정상관관계를 가졌다 (Verghese-Nikolakaki 등, 1996). 갑상선암 (Takano 등, 2002)과 전이 흑색종 (Liu 등, 2004) 세포에서 thymosin β_{10}의 발현 증가는 전이 표현형으로의 진행과 관련이 있다. Thymosin β_{10}의 발현 정도는 폐암의 병기, 원격 전이, 림프절 전이, 분화도 등급 등과 유의하게 관련이 있어 thymosin β_{10}의 발현 증가는 수술 후의 나쁜 예후를 예측하게 한다 (Gu 등, 2009). Thymosin β_{10}의 과다 발현은 결장암 (Santelli 등, 1999), 식도암 (Oien

등, 2003), 췌장암 (Li 등, 2009), 신장암 (Hall, 1994), 신경모세포종 (Sardi 등, 2002), 담관암 (Wang 등, 2006) 등의 인접한 정상 조직에 비해 암 조직에서 발견된다. Thymosin β_{10} 재조합 단백질은 폐암 세포주에서 AKT의 인산화를 활성화하여 VEGF-C mRNA의 발현을 촉진한다 (Li 등, 2014). Thymosin β_{10}은 폐암 세포주에서 p53를 하향 조절하고 세포를 세포 주기의 S 기 및 G2/M 기로 유도함으로써 세포 자멸사를 억제하며, cyclin A (CCNA) 및 cyclin E (CCNE)의 발현을 증가시켜 세포의 증식을 촉진한다 (Li 등, 2014). Thymosin β_{10}의 과다 발현은 간절제술을 받은 간세포암 환자에서 전반적 생존과 무병 생존의 감소와 관련이 있었으며, 각각에 대한 HR은 4.135 (95% CI 2.603~6.569; p=0.001), 2.021 (95% CI 1.442~2.832; p=0.001)이었다 (Wang 등, 2014). TMSB10의 높은 발현은 유두상 갑상선암 및 림프절 전이와 유의한 연관성을 나타내었다 (p<0.0001) (Zhang 등, 2014). 이와 같이 여러 증거는 thymosin β_{10}의 발현 정도가 암의 진행 및 전이, 나쁜 예후와 상호 관련이 있음을 보여 주기 때문에, 암의 예후 표지자로 활용될 수 있다고 생각된다. 그러나 thymosin β_{10}이 암의 전이와 관련이 있는 다른 thymosin β와 기능적으로 혹은 기계론적으로 차이가 있는지는 분명하게 밝혀져 있지 않다.

Thymosin β_4와는 다르게 thymosin β_{10}의 상향 조절은 RAS의 하위 경로인 mitogen-activated protein kinase/extracellular signal-regulated kinase (MAPK/ERK) 신호 경로를 억제하여 VEGF의 발현을 감소시킴으로써 VEGF에 의해 유도되는 내피세포의 증식, 이동, 침습을 억제하여 혈관 형성을 억제시킨다 (Lee 등, 2005). Thymosin β_{10}은 G-actin을 격리하는 기전과 DNase I 과의 상호 작용을 통해 세포 자멸사를 증가시킨다는 보고 (Hall, 1994)가 있는 한편, 세포의 분열을 증가시켜 종양 형성에서 세포를 성장시키는 기능을 한다는 보고 (van Kesteren 등, 2006)도 있다. 그러나 난소암에서 thymosin β_{10}의 발현은 하향 조절되며, 난소암 세포주에서 thymosin β_{10}의 과다 발현은 세포의 성장을 억제하였고, 세포 자멸사를 증가시켰다 (Hall, 2005). 이와 같이 thymosin β_{10}이 종양을 억제하는지 아니면 촉진하는지 아직 분명하지 않다.

세포의 운동성이 전이 표현형과 밀접하게 관련이 있음을 보여 주는 모델 시스템인 Dunning 쥐의 전립선암에 관한 연구는 운동성이 높은 전이 전립선암 세포주에서 상향 조절되는 새로운 유전자, 즉 TMSB15을 발견하였다. Antisense TMSB15을 쥐의 전립선암 세포 내로 유전자 전달 감염을 일으키면,

도표 236 다양한 암에서 thymosin β_{10}의 발현과 미치는 영향

참고 문헌	암 종류	발현 정도	세포의 특징 및 반응
Weterman 등, 1993	피부 흑색종	과다 발현	TMSB10 mRNA의 발현은 털 없는 생쥐에서 자란 사람 흑색종 세포주의 전이 활동과 관련이 있었다.
Hall 등, 1994 Hall 등, 1991	신세포암	과다 발현	TMSB10 mRNA가 정상 조직에서는 낮은 농도로 발견되었으나 악성 신장암에서는 현저하게 더 높은 수치로 발견되었다.
Verghese-Nikolakaki 등, 1996	유방암	과다 발현	Tβ10은 주로 악성 조직, 특히 암세포에서 발견되었으며, 병변에 인접한 정상 세포는 매우 약한 염색 강도를 나타내었다.
Santelli 등, 1999	결장암, 생식세포종, 유방암, 난소암, 자궁암	과다 발현	Tβ10 단백질은 모든 신생물 조직에서 확인되었으나 정상 조직에서는 발견되지 않았다.
Lee 등, 2001	난소암	하향 조절	Northern blotting에서 TMSB10은 암 표본의 4/5에서 감소되었다.
Sardi 등, 2002	신경모세포종	상향 조절	TMSB10 발현은 널리 파급된 신경모세포종에서 확인되었다.
Califano 등, 1998 Takano 등, 2002	갑상선암	과다 발현	생체 및 생체 밖 실험에서 TMSB10의 과다 발현은 형질 전환을 일으킨 갑상선 세포의 악성 표현형과 상호 관련이 있었다.
Oien 등, 2003	위암	상향 조절	TMSB10은 위암과 위암 세포주에서 분명히 상향 조절되었다.
Liu 등, 2004	폐암, 거대세포 폐암, 흑색종, 다양한 전이력가진 유방암	높은 전이력을 가진 종양에서 상향 조절	F-actin의 소실, F-actin 응집체의 존재, 배열 상태가 나쁜 actin 세포 골격 등은 Tβ_{10}과 관련하여 높은 전이력을 가진 종양세포에서 관찰되었다.
Wang 등, 2006	담관암	상향 조절	SAGE (http://cgap.nci.nih.gov/SAGE) 및 ESTs 자료는 정상 간 조직에 비해 담관암 조직과 세포주에서 TMSB10이 유의하게 과다 발현됨을 보여 주었다.
Alldinger 등, 2005; Li 등, 2009	췌장암	과다 발현	TMSB10은 췌장암에서 발현되었으나 신생물이 아닌 조직에서는 발현되지 않았다. 췌장암 조직과 세포는 주위 정상 조직이나 HPDE 세포보다 더 많은 양의 TMSB10을 발현하였다.
McDoniels-Silvers 등, 2002; Gu 등, 2009	폐선암, 비소세포 폐암	과다 발현, 과소 발현	TMSB10의 과소 발현은 동일 환자의 정상 폐 조직에 비해 폐의 선암에서 발견되었다. 비소세포 폐암에서 TMSB10 발현의 변화는 진행된 임상 병기와 관련이 있었다.

ESTs, Expressed Sequence Tags; HPDE, human pancreatic ductal epithelial; SAGE, Serial Analysis of Gene Expression; Tβ10, thymosin β10; TMSB10, thymosin β10 gene.
Sribenja 등 (2009)의 자료를 수정 인용.

이 분자는 전이 경로에서 중요한 요소인 세포의 운동성에 대해 정조절인자로서 기능을 하였다. 이 연구는 thymosin β_{15}의 농도는 전립선암에서 증가되고 Gleason 분화도 등급과 정상관관계를 나타내기 때문에, thymosin β_{15}은 전립선암의 진행에 대한 생화학적 표지자로 간주된다고 하였다 (Bao 등, 1996). TMSB15 mRNA의 발현은 전립선암 (Yu 등, 2004), 폐암 (Bhattacharjee 등, 2001), 흑색종 (Bao 등, 1998), 신경아교종 (Wang 등, 2005), 두경부의 암 (Ginos 등, 2004), 유방암 (Sotiriou 등, 2006) 등의 전이와 관련이 있으며, thymosin β_{15} 단백질의 발현은 사람의 전립선암 (Bao 등, 1998), 유방암 (Gold 등, 1997) 등과 관련이 있다고 보고되었다. 전립선암 외의 종양에 관한 면역조직화학검사는 전이가 없는 질환에 비해 전이를 일으킨 생쥐의 폐암과 사람의 유방암에서 thymosin β_{15}이 상향 조절되어 사람에서 어떠한 종양의 전이를 예측할 수 있는 유용한 표지자임을 보여 주었다 (Bao 등, 1998).

중등도로 분화된 Gleason 점수 6~10의 임상적 국소 전립선암으로 체외 방사선 요법을 받은 32명으로부터 생검을 통해 채집된 표본을 대상으로 thymosin β_{15}에 대해 면역조직화학검사를 실시하였고 중앙치 6년 동안 추적 관찰한 연구는 다음과 같은 결과를 보고하였다 (Chakravatri 등, 2000). 첫째, 치료 전 염색 강도가 1+로 약하게 염색된 표본을 가진 환자에 비해 3+로 강하게 염색된 표본을 가진 환자에서 더 높은 빈도로 골 전이가 발생하였으며, 각각의 빈도는 13%, 62%이었다 (p=0.01). 둘째, 5년 동안 PSA 실패가 없는 경우는 염색 강도 3+ 환자에서는 불과 25%이었지만, 염색 강도 1+ 환자에서는 83%이었다 (p=0.02). 이들 결과는 thymosin β_{15}의 염색 강도가 중등도 분화도의 임상적 국소 전립선암 환자에서 상급 위험군을 발견하는 데 유용한 표지자임을 보여 준다.

치료를 받지 않은 61명, 근치전립선절제술을 받은 46명, 안드로겐 박탈 요법을 받은 14명을 포함하는 전립선암 환자

도표 237 전립선암 환자군과 동일 연령대의 대조군에서 thymosin β15 농도의 분포

평가 그룹	환자 수	소변 thymosin β15, (ng/dL)/(μg/mg)							
		중앙치	75th centile	95th centile	0~20	20~40	40~60	60~80	>80
정상 대조군	52	14.1	27.4	38.8	64	29	4	3	0
전립선암 군									
치료 않은 환자군	61	26.8	56.8	109.6	39	20	17	5	19
근치전립선절제술 군	46	12.8	35.9	59.4	63	22	7	6	2

Thymosin β15의 농도는 대조군에 비해 환자군에서 유의하게 증가되었으며, 전립선암으로 근치전립선절제술을 받은 경우에는 대조군과 유사한 농도 분포를 나타내었다.
Hutchinson 등 (2005)의 자료를 수정 인용.

도표 238 전립선암 환자군과 여러 대조군에서 소변 thymosin β15 농도 (ng/dL)/(μg/mg)의 비교

그룹	환자 수	Thymosin β15 중앙치	% >Thymosin β15 40[†]	OR (95% CI)[‡]	p value
정상 대조군	52	14.1	7.7	1.0	
전립선암 환자군	121				
치료 않은 환자군	61	26.8	41.0	8.3 (2.7~26.1)	<0.001
근치전립선절제술 군	46	12.8	15.2	2.2 (0.6~7.9)	0.247
안드로겐 대항 요법 군	14	42.5	50.0	12.0 (2.8~51.8)	0.001
비뇨생식기 질환	23	15.0	8.7	1.1 (0.2~6.7)	0.883
전립선염	8	17.6	12.5		
신장암	8	7.6	0.0		
방광암	7	14.3	14.3		

[†], thymosin β15의 농도가 절단치 40 (ng/dL)/(μg/mg)을 초과한 환자군의 비율; [‡], thymosin β15 농도가 40 (ng/dL)/(μg/mg)를 초과한 환자군의 odds를 thymosin β15 농도가 40 (ng/dL)/(μg/mg)을 초과한 대조군의 odds로 나눈 비율.
CI, confidence interval; OR, odds ratio.
Hutchinson 등 (2005)의 자료를 수정 인용.

군 121명과 정상 전립선 52명, 비뇨생식기암 15명, 비악성 전립선 질환 81명, 기타 비뇨기계 질환 73명을 포함하는 대조군 221명을 대상으로 전립선암의 진단에서 소변 thymosin β15 단독 혹은 PSA와의 병용의 유용성과 전립선암의 진행과의 연관성을 평가한 연구는 정상 한계치를 40 (ng/dL)/(μg_protein/mg_creatinine)로 설정하였으며, 다음과 같은 결과를 보고하였다 (Hutchinson 등, 2005) (도표 237, 238). 첫째, 소변 내 thymosin β15이 한계치 이상인 경우는 정상 및 비뇨생식기 질환을 가진 대조군에 비해 치료를 받지 않은 전립선암 환자군에서 유의하게 더 높았다 (p<0.001). 둘째, 근치전립선절제술 후에는 소변 내 thymosin β15이 유의하게 감소하였다 (p=0.005). 셋째, 수술 전 thymosin β15이 정상 한계치 이상인 경우에는 전립선암이 재발될 위험이 더 컸다. 넷째, 정상 대조군에 비해 공격적인 전립선암으로 안드로겐 박탈 요법을 받은 환자에서 소변 내 thymosin β15이 12배 (95% CI 2.8~51.8; p=0.001) 더 증가되었다. 다섯째, PSA와 소변 thymosin β15을 병용한 경우, 즉 PSA 4 ng/mL 초과, PSA 2.5 ng/mL 초과 및 thymosin β15 40 (ng/dL)/(μg/mg) 초과, PSA 2.5 ng/mL 및 thymosin β15 90 (ng/dL)/(μg/mg) 초과 등과 같은 경우에서 각각의 민감도는 PSA의 절단치를 2.5 ng/mL로 설정한 경우와 비슷하였으나, 진단적 특이도는 크게 향상되었다. 이들 결과는 소변 thymosin β15이 전립선암의 생물 지표이며, PSA와 병용할 경우 전립선암의 진단에 대한 민감도와 특이도를 개선할 수 있음을 보여 준다. 소변 내의 thymosin β15을 enzyme-linked immunosorbent assay (ELISA)로 분석한 연구는 소변 thymosin β15의 절단치를 40 (ng/dL)/(μg/mg)로 설정하면 전립선암의 진단에 대한 민감도는 58%, 특이도는 94%이었으며, thymosin β15의 농도는 전립선암 환자의 상당수에서 이 절단치를 초과했다고 하였다 (Hutchinson 등, 2005).

TMSB15 plasmid를 전이력이 낮은 거대세포 폐암 PG-LH 세포주에 형질 주입을 시도한 연구는 세포의 운동성과 이동성이 증가함을 관찰하여 thymosin β15이 암의 전이에서 중요한 역할을 한다고 보고하였다 (Gu 등, 2008). 전립선암에서 흔히 이상을 일으키는 phosphatase and tensin homolog

(PTEN)와 TMSB15 유전자의 이상이 세포의 운동성에 미치는 영향을 평가한 연구에 의하면, 이들 인자들이 전립선 줄기세포의 운동성을 변경함은 물론, 상피세포 항상성의 조절 장애를 유발하여 세포의 과도한 성장을 일으킨다고 하였다 (Lao와 Kamei, 2008).

77. Toll-Like Receptor (TLR)

여러 연구는 만성적인 염증의 결과로 전립선암이 발생한다는 가설을 지지하였다 (Sakr 등, 1994). 전립선암의 전구 병변으로 제시된 proliferative inflammatory atrophy (PIA)는 전립선암이 흔하게 발생하는 전립선의 주변부에서 흔히 관찰된다 (De Marzo 등, 2007). PIA는 여러 조건, 예를 들면 감염, 만성 비감염성 염증 질환, 식이 발암 물질, 신체 외상, 성 호르몬의 불균형, 소변 역류 등의 결과로 생긴다고 추측된다 (Balistreri 등, 2014). 만성적인 감염은 PIA를 일으키며, 전립선암의 시작을 유도한다 (Taylor 등, 2005, Das 등, 2008). 이러한 여러 과정에서 toll-like receptor 4 (TLR4 혹은 TOLL) 경로는 중요한 역할을 한다 (DeFranco 등, 2007). TLR4는 세균의 LPS에 대한 수용체이고, TLR3와 TLR9은 세균의 RNA와 DNA에 대한 수용체이다 (Akira와 Hemmi, 2003).

세균과 바이러스의 성분은 전립선암을 가진 남성의 병변 표본에서 발견된다. 요로 시스템 내의 병원체가 TLRs의 활성화를 통해 전립선 상피세포를 악성으로 형질 전환을 일으킨다고 보고된 바 있다 (Nickel과 Moon, 2005; Kundu 등, 2008). 다른 연구는 전립선암 환자에서 소변 감염이나 만성 전립선의 증상이 없었고 전립선 표본에서 감염원을 발견하지 못했다고 보고하였지만 (González-Reyes 등, 2011), 염증성 침윤과 PIA 사이에는 연관성이 있다고 보고된 이래 많은 조직 병리학적, 분자학적, 역학적 연구는 염증이 암을 형성하는 과정을 촉진하는 역할을 한다는 증거를 제시하였다 (Nelson 등, 2004; Balkwill 등, 2005). 이러한 맥락에서 TLRs의 전립선암에 대한 역할이 관심을 받고 있다.

TLR4는 lipopolysaccharide (LPS)와 같이 병원체와 관련이 있는 분자를 인지하는 수용체이며 (Cavallaro 등, 1997), 손상과 관련이 있는 분자, 예를 들면 죽상동맥경화증 (Holvoet 등, 2001)과 인슐린 저항성 (Shashkin 등, 2006)과 관련이 있는 죽종 형성 지질단백질 중 하나인 산화된 low-density lipoprotein (LDL)과 상호 작용한다 (Miller 등, 2003). Cluster of dif-

ferentiation 284 (CD284)로도 불리는 TLR4 유전자는 염색체 9q33.1에 위치해 있으며, TLR4 단백질을 코드화한다. TLR4는 nuclear factor kappa B (NFκB)를 통해 염증을 유발하는 cytokine, 예를 들면 interleukin (IL)-1, IL-6, tumor necrosis factor alpha (TNFα) 등의 생성을 유도함으로써 전립선암의 발생을 촉진한다 (Ferwerda 등, 2008). TLR4는 또한 여러 종류의 암에서 종양세포의 침습, 생존, 전이 등과 관련이 있는 신호 경로를 매개한다 (El-Omar 등, 2008; Hua 등, 2009). TLR4가 결여되었거나 돌연변이가 발생한 생쥐는 바이러스 혹은 세균 감염 (Kurt-Jones 등, 2000)과 원생동물 (protozoa) 감염 (Kropf 등, 2004)에 대해 표준형 생쥐보다 약한 염증성 면역 반응을 나타낸다. 따라서 TLR4 유전자에서의 변형은 면역 반응과 관련이 있는 신호 경로를 변경시키며, 이는 전립선암의 발병 기전에 영향을 미친다.

TLR4 단백질의 활성화 및 기능은 유전적 변형, 주로 single nucleotide polymorphisms (SNPs)에 의해 조절된다고 보고되었다 (Sun 등, 2005; Shui 등, 2012). 그러나 공격적인 전립선암을 가진 환자 3,937명과 대조군 7,382명을 포함하는 9편의 연구를 메타 분석한 연구는 최소 4편의 연구에서 보고된 10종의 TLR4 SNPs, 즉 rs2737191, rs1927914, rs10759932, rs1927911, rs11536879, rs2149356, rs4986790, rs11536889, rs7873784, rs1554973 등과 3편의 연구에서 보고된 또 다른 10종의 TLR4 SNPs, 즉 rs10759930, rs10116253, rs11536869, rs5030717, rs4986791, rs11536897, rs1927906, rs913930, rs1927905, rs7045953 등이 공격적인 전립선암과 유의한 연관성이 없음을 관찰하였으며, 이를 근거로 TLR4의 다형성은 공격적인 전립선암과 유의한 연관성이 없다고 하였다 (Weng 등, 2014).

TLR은 선천성, 즉 비특이 면역과 적응성, 즉 특이 면역 사이의 연결 고리로 간주되며, 면역 시스템을 가동하여 병원체에 대해 효율적으로 대항한다 (Kawai와 Akira, 2006). 분자 감지 단백질인 TLR은 병원체로부터 생성된 분자를 발견하며, IL-1 receptor-associated kinase (IRAK) 가족, TANK-binding kinase 1 (TBK1) 등과 같이 특이 신호 경로를 유도하는 여러 어댑터 (adaptor) 단백질과 결합한다. 여기서 TANK는 TRAF family member-associated NFKB activator의 약어이고, TRAF는 TNF receptor-associated factor 3, NFKB는 nuclear factor kappa B의 약어이다. 이들 어댑터 단백질은 그들 각각의 전사 인자, NFκB, interferon regulatory factor 3 (IRF3) 등을 활

성화하는 경로를 자극한다. NFκB와 IRF3는 염증 질환에서 우수한 표적으로 간주되는 TNF, IL-6 등과 같은 여러 면역 및 염증 cytokine의 분비를 유도한다 (O'Neill 등, 2009). 광범위로 큰 B 세포 림프종 (diffuse large B-cell lymphoma, DLBCL 혹은 DLBL)에서 IL-4가 human germinal center-associated lymphoma (HGAL)를 활성화하는 것처럼 일부 ILs는 생존과 관련이 있는 유전자를 활성화한다 (Lossos 등, 2003). 감염에 대항하는 분자가 지속적으로 존재함은 복잡하고 효율적인 한편, 유해할 수 있다 (Gohji 등, 1998). 예를 들면, 그들 분자는 DNA와 반응하는 돌연변이 물질을 생성함으로써 증식성 상피세포와 기질세포에서 돌연변이를 일으킬 수 있다 (Maeda 등, 1998). 따라서 이와 같은 질환을 가진 환자에서 TLRs는 표적이 될 수 있다. TLRs 가족 중 TLR3, TLR4, TLR9 등은 전립선암의 발병 기전과 관련이 있다고 보고되었다. TLR3는 종양의 형성을 조절하는 데 관여하며, TLR3 작용제를 사용하여 전립선암에서 면역 근거 요법으로 성공적인 결과를 보고한 예가 있다 (Paone 등, 2008; Nicodemus 등, 2010). TLR4와 TLR9의 유전적 변형은 전립선암의 발생과 관련이 있다 (Zheng 등, 2004). TLR9은 가장 미분화된 형태의 전립선암에서 증가되며, NFκB의 활성화를 통해 IL-8과 transforming growth factor β_1 (TGFβ_1)의 생성을 촉진한다 (Di 등, 2009; Vaisanen 등, 2010). TLR9 작용제는 또한 전립선암의 침습을 자극한다 (Ilvesaro 등, 2007).

TLRs는 많은 염증 및 감염 질환과 암 형성에서 증가됨이 관찰되었다. TLR4는 패혈증, 류마티스관절염, 허혈/재관류 손상, 알레르기 등에 관여하며, TLR2는 비슷한 질환 외에도 systemic lupus erythematosus (SLE), 종양의 전이 등에 관여하고, TLR5는 방사선에 대해 보호 효과를 나타내며, TLR7은 SLE에서 중요한 역할을 한다 (O'Neill 등, 2009). TLR3의 발현은 유방암 (Salaun 등, 2006)에서, TLR4의 발현은 결장직장암 (Fukata 등, 2007), 전립선암 (Zheng 등, 2004) 등에서 증가된다는 보고와 같이 TLRs 발현의 증가는 여러 종양에서 보고되었다. 실험 모델에서 그러한 수용체가 부족한 생쥐에서는 종양의 발생이 방지되었거나 약하게 발생하였다 (Swann 등, 2008). TLR의 신호에 의해 활성화된 암세포는 cytokines와 chemokines를 분비하며, 이는 면역세포를 모집하여 이들로 하여금 cytokines와 chemokines를 분비하도록 자극한다. Cytokines는 이러한 과정을 통해 면역 내성, 암의 진행, 종양의 미세 환경의 전파 등과 관련이 있는 특징적인 양상을 나타내게 된다 (Sato 등, 2009). 또한, 특정 장기에서의 만성 염증 질환은 암 발생 위험을 증가시킨다 (Hoebe 등, 2004; de Visser 등, 2006). 일부 cytokines는 metalloproteases와 그들 분자를 억제하는 단백질을 조절하며 (Denhardt 등, 1993), 그들 중 일부는 extracellular matrix (ECM)를 분해함으로써 전립선암의 진행에 관여한다 (Escaff 등, 2010).

생화학적 재발을 가진 전립선암 환자의 종양 표본은 높은 농도의 TLR3와 TLR9을 발현하며, 이들 종양에서는 IL-1, IL-10, IL-17, IL-18, TNFα 등과 같은 cytokines, IFNα, IFNβ, IRF3 등과 같은 inerferons (INFs), myeloid differentiation primary response 88 (MYD88), IRAK4 등과 같은 면역 반응의 매개체, NFκB와 같은 전사 인자 등의 농도가 증가된다고 보고되었다 (González-Reyes 등, 2011). 이들 인자는 전립선암과 관련이 있으며, 암세포의 생존 및 증식, 혈관 형성 등에서 중요한 역할을 한다 (Ricote 등, 2004; Zabaleta 등, 2009). TLR에 의해 활성화된 종양세포로부터 자극을 받은 생물학적 신호는 분자 기전을 통해 염증과 암 사이를 연결한다.

TLR3, TLR4, TLR9 등은 전립선암 세포에서는 높게 발현되지만, 양성 전립선 조직에서는 그러하지 않다 (Ilvesaro 등, 2007). TLR3는 전립선암 세포주 LNCaP와 PC3에서 발현된다고 보고되었다. 그러나 TLR3는 세포 주기를 억제하여 세포 자멸사를 유도한다고 추측되며 (González-Reyes 등, 2011), 이는 TLR3 작용제가 전립선암에서 면역 근거 요법에 이용되어 성공적인 결과를 나타내었다는 보고 (Chin 등, 2010)에 의해 뒷받침된다. TLR3가 반응성 분자인지 원인 분자인지는 분명하지 않으나, 종양에서 TLR3의 발현과 종양의 공격성 지표 사이에는 연관성이 있으며, 많은 치료에서 TLRs를 표적으로 이용하는 전략은 정당한 가치가 있다고 생각된다 (González-Reyes 등, 2011). 133명의 전립선암 환자의 조직 표본을 real time-PCR을 이용하여 분석한 연구는 재발된 환자의 조직 표본에서 *TLR3, TLR4, TLR9* mRNA가 증가됨을 발견하였으며, *TLR3* 혹은 *TLR9*의 발현이 높은 종양은 생화학적 재발을 일으킬 가능성이 높다고 하였다 (González-Reyes 등, 2011).

전립선암 세포 PC3를 이용한 연구는 다음과 같은 결과를 보고하였다 (Pei 등, 2008). 첫째, PC3 세포는 기본적으로 mRNA 및 단백질 수준에서 TLR4를 발현하며, LPS는 PC3 세포에서 면역을 억제하는 cytokine인 TGFβ$_1$과 혈관 형성을 유도하는 인자인 vascular endothelial growth factor (VEGF)의 발현과 분비를 촉진한다. 둘째, TLR4의 활성은 세포에서 *VEGF*

와 *TGFβ₁* mRNA의 증가를 위해 필수적이다. 셋째, LPS의 자극이 있는 경우에는 PC3 세포에서 NFκB p65 subunit, p65 등으로도 알려진 v-rel avian reticuloendotheliosis viral oncogene homolog A (RELA) 단백질의 발현이 증가되었다. 이들 결과는 PC3 세포에서 TLR4의 발현은 기능적으로 활성적이며, 면역 억제 및 혈관 형성 cytokines를 유도하여 전립선암 세포의 면역 탈출, 생존, 진행, 전이를 촉진함을 보여 준다. 전립선암 표본 35점에 대해 면역조직화학검사를 실시한 연구는 다음과 같은 결과를 보고하였다 (Gatti 등, 2009). 첫째, TLR4는 정상 전립선의 기질과 상피 모두에서 발현되었다. 둘째, TLR4의 발현은 Gleason 등급이 증가함에 따라 기질과 상피 모두에서 감소되었다. 셋째, DU145 세포는 TLR4를 발현하였으며, TLR4 작용제에 반응하여 전사 인자인 NFκB를 활성화하였고 염증을 유발하는 매개체의 발현을 증가시켰다. 넷째, 우성 음성 돌연변이에 의해 어댑터 단백질 MYD88과 myelin and lymphocyte protein 혹은 mal, T-cell differentiation protein (MAL)이 억제되면 LPS로 유도되는 NFκB의 활성화가 감소되었는데, 이는 DU145 세포가 MYD88 의존성 신호 경로를 통해 NFκB를 활성화함을 시사한다. 이와 같은 결과는 전립선 세포에서 TLR4가 선천성 면역 세포와 협동작용을 하여 염증 반응을 유도하며, 유전 요소가 가미될 경우 암 형성을 촉진함을 보여 준다.

근래 발표된 연구에 의하면, TLR9은 다양한 정상 상피세포 (Platz 등, 2004)와 유방암 (Ilvesaro 등, 2008), 뇌종양 (Herrmann 등, 2014), 위암 (Schmausser 등, 2005), 폐암 (Droemann 등, 2005), 전립선암 (Merrell 등, 2006) 등과 같은 다양한 암세포에서 높게 발현된다. 다른 연구는 TLR4의 발현과 전립선암 환자의 예후 사이에서 연관성을 찾지 못하였으나, TLR3의 발현과 공격성을 나타내는 지표 사이에는 연관성이 있으며, TLR3와 TLR9의 발현은 생화학적 재발의 나쁜 예후를 가진 전립선암 환자를 발견하는 데 도움을 준다고 하였으며 각각의 HR은 1.95 (95% CI 1.03~3.6; *p*=0.039), 2.04 (95% CI 1.03~4.02; *p*=0.039) (González-Reyes 등, 2011).

78. Transient Receptor Potential Melastatin Subfamily Member 8 (TRPM8)

근래 들어 전립선암의 시작과 진행에서 transient recep-

tor potential (TRP)의 비선택적 투과성, 양이온 통로인 TRP melastatin subfamily member 8 (TRPM8)이 관심을 받고 있다 (Zhang과 Barritt, 2006). 규모가 큰 TRP 통로 가족의 구성원들은 다양한 세포에서 Ca^2 의존성의 신호 경로에 관여한다. TRP 가족은 크게 두 군으로 분류되며, 1군에는 TRP-canonical (TRPC), TRP-vanilloid (TRPV), TRP-melastatin (TRPM), TRP-NOMPC (TRPN), TRP-ankyrin (TRPA) 등이, 2군에는 TRP-polycystin (TRPP), TRP-mucolipin (TRPML) 등이 포함된다 (Venkatachalam과 Montell, 2007). TRPC는 TRPC1~TRPC7을, TRPV는 TRPV1~TRPV6를, TRPM은 TRPM1~TRPM8을, TRPN은 TRPN1을, TRPA는 TRPA1을, TRPP는 TRPP1~TRPP3를, TRPML은 TRPML1~TRPML3를 각각 구성원으로 포함하고 있다 (Hu 등, 2012). 일반적으로 TRPM4는 T-cell의 활성화 후 칼슘 파동을 조절하며, TRPM5는 미각세포에서 감각을 전달하고, TRPM6는 장에서 흡수를, 그리고 신장에서 마그네슘의 재흡수를 조절하며, TRPM7은 세포의 부착을 조절하고, TRPM8은 냉각을 전달한다 (Schlingmann 등, 2002; Launay 등, 2004; Su 등, 2006).

TRP 가족은 공통적으로 3~4개의 ankyrin repeats를 가지고, 750개 이상의 아미노산에 걸쳐 30% 이상의 상동성을 나타내며, phospholipase C (PLC)를 통해 작동하는 개폐 기전을 가지고 있다. 일부 TRP는 store-operated channel (SOC)의 양상을 나타내는데, 이들은 내부 저장소로부터 분비되는 Ca^2에 의해 활성화된다. 포유동물의 TRPC 단백질은 중추신경계에서도 발현되고 일부는 뇌에 풍부하게 분포되어 있으며, 한 종류는 pheromone 반응에 관여한다. 전형적인 TRP인 Drosophila TRP는 시각 시스템에 현저하게 분포되어 있으며, 빛을 전달하는 데 관여한다. vanilloid receptor 1 (VR1 혹은 TRPV1), osmotic avoidance abnormal family member 9 (OSM-9) 등과 같은 TRPV의 일부 구성원은 감각 생리에 관여하며, 열, 삼투질 농도, 후각 자극제, 기계적 자극 등에 반응한다. TRPN은 다수의 ankyrin repeats를 가진 단백질을 포함하고 있는데, 그들 중 하나인 no mechanoreceptor potential C (NOMPC 혹은 TRPN1)는 세포의 역학적 신호 변환 (mechanotransduction)에 관여한다. TRPM은 melastatin으로 불리는 종양을 억제하는 단백질로서 기능을 하며 TRPM 통로와 하나의 protein kinase가 결합함으로써 TRP-PLC-interacting kinase (TRP-PLIK)를 구성하는 두 기능을 가진 단백질이다. Polycystic kidney disease 2 (PKD2 혹은 TRPP2 혹은 polycystin-2)와 mucolipin은 각각 TRPP, TRPML 소가족의 구성원이며, PKD2와 mucolipin에서 돌연변이가 일어나면, 각각 다낭신장, 신경 변성 질환이 발생한다. SOC와 TRP 통로의 활성화에 변화가 일어나면, 또 다른 여러 신경 변성 질환이 발생할 수 있다 (Montell, 2001).

78.1. TRPM8 단백질 TRPM8 protein

TRPM 그룹의 최초 구성원인 melastatin은 흑색종 세포에서 상향 조절된다고 보고되었다 (Tsavaler 등, 2001). TRPM 통로는 세포 내에 amino 및 carboxyl 기의 말단을 동반한 6개 혹은 7개로 추정되는 경막 영역으로 구성되어 있다. 전압 의존성의 K^+ 통로와 마찬가지로 공영역 (pore-loop)은 경막 나선 S5와 S6 사이에 위치해 있다 (Latorre 등, 2007). TRPM 단백질에는 ankyrin repeats가 결여되어 있고, 전형적으로 세포 내에 긴 영역을 가지고 있다. TRPM은 기능적으로 chanzymes 뿐만 아니라 감각 전달체로서 기능을 하는 이온 통로이며, 그러한 통로 중 하나인 TRPM8은 전립선 조직에서 다르게 발현되는 전사체를 찾는 과정에서 처음 발견되었다 (Tsavaler 등, 2001).

처음에는 TRP-p8으로 표기되었던 TRPM8의 상동 유전자 (ortholog)는 배근신경절 (dorsal root ganglion) (Hayashi 등, 2009)과 삼차신경절 (trigeminal ganglion) (Nealen 등, 2003)의 신경세포, 전립선 세포 (Zhang과 Barritt, 2006), 고환 (Stein 등, 2004), 방광 요로상피 (Tsavaler 등, 2001), 전립선암 세포를 포함한 신생물 조직 (Tsavaler 등, 2001) 등에서 발현된다. 길이가 1,104개 아미노산으로 구성된 TRPM8은 전형적으로 6개의 경막 영역을 가진 TRP 구조를 나타내며, 가장 가까운 paralog인 TRPM2와는 아미노산이 42% 동일하다. TRPM8은 25℃ 이하 (Peier 등, 2002)나 26~28℃ (McKemy 등, 2002)의 심하지 않은 찬 온도 혹은 menthol, icilin 등과 같이 찬 온도에 대한 정신물리학적 감각과 유사한 생체 이물 (xenobiotic) 화합물에 의해 활성화되며, 이는 capsaicin과 camphor에 의해 각각 활성화되는 TRPV1 및 TRPV3와 유사하다. TRPM8은 동질 사합체의 비선택적 양이온 통로로서 Ca^{2+}의 투과가 가능하고 외부로의 정류 (outward rectification)를 나타낸다 (Peier 등, 2002). 찬 온도에 의해 활성화된 TRPM8 통로로부터의 정류는 전압 의존성 개폐 과정에서 일어난다 (Voets 등, 2004). 또한, 세포 내의 산성 pH는 활성을 유발하는 한계치 온도를 낮추며 찬 온도 및 icilin (menthol은 아님)에 의한 TRPM8의 활성화를 억제한다 (Andersson 등, 2004).

TRPM8의 활성화는 내인성 막지질에 의해서도 영향을 받는다. 기계론적으로 TRPM8의 활성화는 1, 2-dioctanoyl-sn-glycero-3-phospho-(1′-myo-inositol-4′, 5′-bisphosphate (PI[4, 5]P2)에 의존적이다 (Liu 등, 2005). PI(4,5)P2는 TRPM8의 활성화에 필요하기도 하지만, 높은 농도일 경우에는 32~37℃의 높은 온도에서도 통로가 개통되도록 한다 (Rohács 등, 2005). 비슷한 방식으로 lysophosphatidyl-choline, -inositol, -serine 등과 같은 lysophospholipids가 통로의 개통에 영향을 준다고 생각되지만, arachidonic acid와 같은 다가 불포화 지방산은 TRPM8을 억제한다 (Andersson 등, 2007). 따라서 전립선과 같이 온도의 변동에 노출되지 않는 조직에서 발현된 TRPM8 통로일지라도 그러한 지질이 내인성 매개 ligand의 역할을 하여 통로를 활성화한다고 추측된다 (De Falco 등, 2011).

한 연구는 PNT1A, LNCaP, DU145, PC3 등의 여러 세포주 중 안드로겐 의존성인 LNCaP 세포주에서만 TRPM8 전사물이 확인되었다고 보고하였으며 (Tsavaler 등, 2001), 다른 연구는 PC3 세포주에서도 낮은 농도로 발견된다고 하였다 (Zhang과 Barritt, 2004). 전립선 조직과 LNCaP에서 TRPM8의 발현은 안드로겐에 의존적이기 때문에, 안드로겐 요법을 실시할 때는 증가하고 안드로겐 대항 요법의 경우에는 감소한다 (Bidaux 등, 2005). TRPM8의 발현은 초기 병기의 전립선암에서는 상향 조절되지만 (Tsavaler 등, 2001), 말기의 침습성, 거세 저항성 병기로 진행함에 따라 감소한다 (Henshall 등, 2003).

정상 및 악성 전립선 조직에서 TRPM8의 정확한 생리 기능은 충분하게 밝혀져 있지 않다. 전립선암에서는 TRPM8의 발현이 현저하게 증가되는데, 이는 종양의 형성에서 중요한 역할을 함을 시사한다 (Schmidt 등, 2006). 이러한 상향 조절은 종양이 안드로겐 비의존성으로 전환되면 소실된다. TRPM8 통로는 칼슘에 대해 투과성을 나타내고 칼슘 운반의 변화는 암과 관련이 있는데, 이는 Ca^{2+} 농도의 변화와 전립선암의 진행 사이에는 연관성이 있음을 시사한다 (Monteith 등, 2007). 실제로 TRPM8의 작용제에 의한 세포 내부 Ca^{2+} 농도의 증가는 전립선암 세포의 증식을 유도하지만 세포 자멸사 또한 유발하기 때문에, 이러한 과정에서 TRPM8의 기능은 분명하지 않다 (Prevarskaya 등, 2007). 다른 연구는 인위적으로 TRPM8을 과다 발현시킨 PC3 세포에서 이동성이 감소됨을 관찰하였는데, 이는 TRPM8의 활성과 전이력의 감소 사이에 연관성이 있음을 보여 준다 (Gkika 등, 2010).

'탈민감 (desensitization)' 혹은 '적응' 현상에 해당하는 세포 외부 Ca^{2+}의 존재 하에서는 TRPM8 통로의 활성이 시간이 경과함에 따라 감소한다. 찬 온도 혹은 menthol에 의한 TRPM8의 활성화는 세포의 PI(4,5)P2 농도를 감소시킨다. PI(4,5)P2의 감소는 inositol 1,4,5 trisphosphate (IP3)의 생성을 증가시키며, Ca^{2+} 킬레이트 화합물 (chelator)인 1,2-bis(o-aminophenoxy)ethane-N,N,N′,N′-tetraacetic acid-tetraacetoxymethyl (BAPTA-AM)을 세포에 주입하였을 경우에는 억제되는데, 이는 세포 내의 Ca^{2+} 농도가 증가하면 PLC의 활성화가 일어나기 때문이다. PI(4,5)P2를 가수 분해하면 TRPM8 전류의 탈민감이 일어나고 세포 내로 PI(4,5)P2를 투입하면 본래의 신경 TRPM8 및 재조합 TRPM8에서 탈민감이 억제되지만, PI(4,5)P2의 전구체인 PI(4)P2는 탈민감을 억제하지 못한다. 세포 내의 용액에서 magnesium adenosine triphosphate (MgATP)를 제거하면 탈민감이 증가하고, MgATP는 phosphatidylinositol 4-kinase (PI4K) 의존성 방식으로 TRPM8 통로를 재활성화한다. 전압에 민감한 인산을 이용하여 PLC 비의존적으로 PI(4,5)P2를 고갈시키면 TRPM8의 전류가 억제되었고 세포 내의 용액에서 ATP를 제거하면 이러한 억제로부터의 회복이 억제된다. Protein kinase C (PKC)의 억제제는 탈민감의 기전에 영향을 주지 않는다. 이들 결과를 근거로 저자들은 TRPM8을 통한 Ca^{2+}의 유입이 Ca^{2+}에 민감한 PLC 아형을 활성화하며, 이로 인한 PI(4,5)P2의 고갈은 찬 온도 및 menthol에 대한 탈민감에서 중요한 역할을 한다고 보고하였다 (Yudin 등, 2011).

전립선 조직에서 TRPM8 통로의 세포 내 분포에 대해서는 논란이 많지만, 감각신경세포에서 찬 온도를 전달하는 TRPM8과 같이 전형적으로 막에 분포하는 전도성 이온 통로와는 분명 다르다. LNCaP 세포에 대한 연구는 TRPM8이 거의 세포질세망에만 분포하며, 찬 온도 혹은 menthol로 세포질세망의 통로를 활성화하면 TRPM8에 비의존적으로 저장된 Ca^{2+}이 유리되어 고갈되고 LNCaP 세포에서는 Ca^{2+}의 흐름을 저장이 되도록 활성화한다고 하였다 (Thebault 등, 2005). 다른 연구는 TRPM8이 거의 비슷한 정도로 형질막과 세포질세망에 분포한다고 하였다 (Zhang과 Barritt, 2004). 또 다른 연구는 TRPM8이 주로 형질막에 위치해 있지만, 연구에 따라 분포가 차이를 보이는 것은 상품화된 항체의 비특이적 라벨링 때

문이거나 (Mahieu 등, 2007), 상피세포의 분화 상태, 즉 탈분화가 일어나는 동안 형질막에 분포한 TRPM8이 점차 감소하기 때문으로 (Bidaux 등, 2007) 추측하였다. 전립선암 세포에는 두 종류의 TRPM8, 즉 TRPM8a와 TRPM8b가 있다는 보고가 있다 (Lis 등, 2005). 다른 연구에 의하면, 분절 형태이지만 기능성 형태인 TRPM8은 PC3 세포의 경우 주로 세포질세망에서 발현되지만 (Bidaux 등, 2007), 다른 전립선암 세포에서 이들 아형의 발현에 대해서는 알려진 바가 거의 없다.

근래의 연구는 TRPM8으로 매개되는 반응의 약리학적 및 기능적 특성이 신경 조직과 전립선 조직에서 상당하게 다르며, 특히 TRPM8의 차단제를 이용할 경우 통로 활성화의 억제가 전립선 조직에서 크게 감소된다고 하였다. 이들 결과는 전립선에서 TRPM8 통로를 표적화하는 치료제 개발에서 중요한 의미를 가진다. 전립선암 상피세포에서 일어나는 TRPM8으로 매개되는 Ca^{2+} 반응, 즉 역동성, 약물에 대한 민감성 등은 유전자 전달 감염을 일으킨 세포 혹은 감각신경세포에서 관찰되는 전형적인 TRPM8의 반응과는 다르다. 전립선 세포에서 과다 발현되는 human TRPM8 (hTRPM8) 통로의 반응 또한 동일 세포에 본래부터 있는 기존의 통로와는 다르다. 이들 반응의 차이는 기능성 통로일 경우 분자 성분과 분포가 다르기 때문으로 추측되며, 이는 TRPM8을 표적으로 하는 치료 전략을 수립하는 데 중요한 영향을 미친다 (Valero 등, 2011).

78.2. TRPM8과 전립선 특이 항원
Relation of TRPM8 with prostate-specific antigen

전립선액에 포함되어 있는 화합물은 TRPM8 통로의 활성화를 조절하는데, 그들 중의 하나가 PSA이다 (Gkika 등, 2010). 전립선암에서 PSA의 역할은 분명하지 않지만, PSA의 단백질을 분해하는 작용이 transforming growth factor (TGF)의 신호 경로에 영향을 주며, 이는 전립선암의 시작과 진행에서 중요한 기전이라고 생각된다 (Robertson, 2005). 즉, PSA가 전립선암 세포에서 TGF의 신호 경로를 활성화함으로써 혈관 형성 및 다양한 염증 과정을 자극한다고 추측된다. PSA는 insulin-like growth factor (IGF) binding protein (IGFBP)과 같은 사이토킨 결합 단백질을 직접 분절시켜 성장 촉진 및 염증 과정에 관여하는 IGF-1과 같은 사이토킨을 유리시킨다 (Cohen 등, 1992; Platz 등, 2005). 또한, PSA는 골모세포 전이에서 중요한 역할을 한다는 증거도 제시되고 있다 (Shah 등, 2004). Gkika

등 (2010)은 PSA가 bradykinin 2 수용체의 신호 경로 및 PKC 의 경로를 통해 TRPM8의 활성화를 증대시킴으로써 전립선암 세포의 이동성을 억제한다고 보고하였다. 세포 표면의 비오 틴화 (biotinylation) 분석은 PSA에 의한 TRPM8 전류의 증가 는 형질막에 있는 기능적인 TRPM8의 수가 증가하기 때문임 을 보여 주었다 (Gkika 등, 2010). 상처 치유 및 이동성에 관 한 연구는 PSA에 의한 TRPM8의 활성화는 PC3 전립선암 세포 주의 이동성을 감소시켰는데, 이는 형질막에 있는 TRPM8이 전립선암의 진행에서 보호 역할을 하며, PSA는 전립선에서 자 연 발생적인 TRPM8의 작용제로서 기능한다고 하였다 (Gkika 등, 2010).

78.3. TRPM8과 정자의 첨단체 반응
Effect of TRPM8 to acrosomal reaction

세포 내의 Ca^2 농도는 수정 동안 정자의 주된 기능, 즉 운동성, 수정 능력의 획득, 첨단체 반응 등을 유발하거나 조절한다. TRP 통로 가족의 구성원들은 Ca^2 의존성으로 세포의 다양한 신호 경로에 관여한다. RT-PCR을 이용한 연구는 생쥐의 정자 형성세포에서 TRPM2, 4, 7, 8이 존재함을 발견하였다. TRPM8 의 전사는 출생부터 고환의 체세포 및 정조세포 (spermato-gonia)에서 관찰되며, 출생 후 30일부터 정세포 (spermatid) 가 길어짐과 함께 상향 조절된다.

정자와 난자 사이의 교통, 세포 내부 Ca^{2+} 농도의 변화 등을 필요로 하는 복합적인 사건인 수정은 새로운 개체를 형성하도 록 유도하는 다양한 신호 과정을 포함한다. 정자의 운동성, 수 정 능력의 획득, 첨단체 반응 등과 같은 중요한 정자의 기능은 Ca^{2+}에 의해 조절된다 (Darszon 등, 2006). TRP 가족 중 정자 에서 연구된 유일한 그룹이 TRPC이었으며, TRPC 구성원 중 일부가 정자에서 관찰되었다 (Castellano 등, 2003). 예를 들 면, TRPC2는 생쥐 정자의 두부에 분포하여 있으며, 첨단체 반 응에 관여한다고 보고되었다 (Jungnickel 등, 2001). 정자는 여성의 생식기를 통과하여 난자로 향하는 동안 여러 신호를 해독해야 되는데, 이 과정에서 TRP의 기타 구성원도 어떠한 역할을 할 것으로 추측된다. TRPM 통로가 온도, 삼투압, 전압, pH 등을 감지할 수 있기 때문에 (Venkatachalam과 Montell, 2007), TRPM의 구성원이 정자에서 발견되는지를 연구한 결과 TRPM8이 사람의 정자에서 확인되었다 (De Blas 등, 2009).

전술한 바와 같이 본래의 조직과 이종 조직에서 발현된

TRPM8으로부터 생긴 찬 온도 및 menthol 민감성 전류는 세 포 외부의 Ca^{2+}에 따라 탈민감을 일으킨다 (Liu 등, 2006). 근 래의 연구에 따르면, PI(4,5)P2는 TRPM8의 활성화에 필요함 은 물론, Ca^{2+}에 민감하면서 PI(4,5)P2를 고갈시키는 PLC를 활 성화함으로써 Ca^{2+}에 의존적으로 TRPM8을 불활성화하는 데 도 중요하다 (Rohacs 등, 2005).

생쥐에서 면역조직검사 및 세포화학검사와 western blot-ting을 병행한 연구는 TRPM8 통로가 고환과 정자에 분포해 있음을 관찰하였으며, 고환의 정자에 대한 patch clamp 분 석은 menthol, icilin 등과 같은 TRPM8의 작용제, 온도 등에 의해 활성화된 전류는 N-(4-t-butylphenyl)-4-(3-chloropyr-idin-2-yl) tetrahydropyrazine-1(2H)-carboxamide (BCTC), capsazepine 등과 같은 TRPM8 억제제에 민감하다고 하였 다. 이러한 전류는 Ca^{2+}에 의존적으로 민감성이 소실되는데, 이는 PI(4,5)P2에 의해 조절된다. 이들 결과를 종합해 볼 때, TRPM8 통로는 생쥐의 정자에 분포하여 기능을 하며, men-thol에 의해 유발된 세포 내 Ca^{2+} 농도의 증가 및 첨단체 반 응은 TRPM8의 대항제인 20 µM의 capsazepine과 1.6 µM의 BCTC에 의해 억제된다. 흥미롭게도 이러한 대항제는 프로게 스테론과 난자의 투명대로 인해 초래되는 정자의 첨단체 반 응을 40% 이상 억제하였는데, 이는 TRPM8 통로가 첨단체 반 응에 관여함을 시사한다. 또한, 정자에 있는 TRPM 가족의 구 성원은 정자와 관련이 있는 기타 신호 전달 사건, 예를 들면 주열성 (thermotaxis), 주화성 (chemotaxis), 기계적 감각 전 달 (mechanosensory transduction) 등에도 관여할 것으로 추 측된다 (Martínez-López 등, 2011).

78.4. 전립선 세포에서 TRPM8의 발현
Expression of TRPM8 in different prostate cells

Valero 등 (2011)은 각기 다른 네 가지의 전립선 상피세포주, 즉 PNT1A, LNCaP, DU145, PC3에서 TRPM8의 발현을 관찰 하였다. 네 세포주에서 가장 큰 차이, 특히 기능적인 측면에서 의 차이는 전립선암 세포주에 비해 암이 아닌 세포주 PNT1A 에서 TRPM8의 활성이 감소되어 있다는 점이다. 이러한 결과 는 전립선암 세포에서 TRPM8이 과다 발현한다는 연구 결과 (Tsavaler 등, 2001)와 일맥상통한다. TRPM8의 작용제를 이 용하였을 경우 전립선암 세포주 중 LNCaP 세포주에서 반응이 가장 활발하였다. LNCaP 세포주에서 TRPM8의 기능성 발현이 더 높은 이유는 다음의 사실과 관련이 있다. TRPM8의 발현은 안드로겐에 의해 조절되며, LNCaP 세포주는 세 전립선암 세포주 중 유일하게 안드로겐 수용체를 발현한다 (Bidaux 등, 2005). 안드로겐은 형질막에 있는 전형적인 TRPM8의 발현을 촉진한다. DU145와 PC3 세포주에서도 TRPM8이 작기는 하지만 분명히 기능적인 반응을 나타낸다. 대조적으로 암이 아닌 세포주 PNT1A에서는 TRPM8 단백질이 낮은 농도로 발견되지만 기능적인 반응은 매우 드물다.

Valero 등 (2011)은 Mahieu 등 (2007)이 이용한 바 있는 TRPM8에 대한 항체로 면역형광검사를 실시한 후 염색은 대부분 세포질 과립 내에서 관찰되었다고 하였다. 그러나 염색 강도의 양상과 기능적인 반응은 TRPM8이 형질막에 있음을 보여 주었다. 또한, 세 전립선암 세포주에서 menthol, icilin 등과 같은 화학 작용제 및 찬 온도에 대한 기능적인 반응이 전형적인 TRPM8 차단제에 의해 억제되어 반전됨이 관찰되었는데, 이는 이들 세포주에 TRPM8의 기능적인 발현이 있다는 증거가 된다. PNT1A 세포주에서는 기능적인 반응이 제한적이었는데, 이는 QRT-PCR에 의한 분석에서 TRPM8 단백질의 발현양이 매우 낮다는 연구 결과와 일맥상통한다. 세 전립선암 세포주에서 기능적인 Ca^{2+}의 반응은 전적으로는 아니지만 주로 형질막을 통해 유입이 증가되기 때문이며, 이는 다른 연구에 의해 LNCaP 세포주에서 이미 관찰된 바 있다 (Zhang과 Barritt, 2004).

Valero 등 (2011)의 연구에서 또 다른 분명한 결과는 찬 온도, 화학물질과 같은 작용제에 대한 TRPM8의 반응이 각 전립선 세포주마다 다르다는 사실이다. 알려진 바와 같이 전립선 세포주는 다양한 표현형을 나타내는데, 이러한 다양성이 발생하는 기전으로는 유전적인 불안정성, DNA의 과다 메틸화에 따른 후성적 불활성화, 전사 후 변경 등이 있다. 관찰된 TRPM8의 반응에서 나타나는 차이가 단백질 농도에서의 차이 때문인지, 아니면 장기간에 따른 변동 때문인지 분명하지 않다. 배양된 전립선 상피세포에서 탈분화가 일어나면, TRPM8의 기능에 상당한 변화가 생긴다는 관찰은 중요한 의미를 갖는다.

78.5. 전립선암 세포에서 생긴 TRPM8 반응의 특징
Characteristics of TRPM8-evoked responses in prostate cancer cells

Human embryonic kidney 293 (HEK293) 세포 등의 재조합

시스템과 찬 온도에 민감한 포유동물의 신경세포에서 TRPM8으로 매개되는 전형적인 반응과 비교해 볼 때, 전립선암 세포에서의 찬 온도에 따른 Ca^{2+}의 반응 신호는 빈도, 역동학, 반응 크기, 약리학적 양상 등의 측면에서 큰 차이를 나타낸다 (Voets 등, 2004). LNCaP 세포에서의 막전류는 전형적으로 TRPM8에 의해 매개되는 전류에 비해 매우 다른 생물물리학적 특성을 나타낸다 (Thebault 등, 2005). TRPM8에 대한 물리적 활성제, 예를 들면 찬 온도와 화학적 활성제, 예를 들면 menthol과 icilin은 신경 조직에 비해 전립선 세포에서 덜 효과적이다. 또한, TRPM8의 기능을 억제하는 약물은 전립선 세포에서 정도가 약하긴 하여도 찬 온도에 따른 반응을 억제한다. 세포질세망 내에 위치한 통로로 인해 외부 Ca^{2+}이 없는 상태에서 일어나는 반응은 TRPM8 차단제인 BCTC에 대해 거의 민감하지 않다. 이와 같이 전립선암 세포에서는 차단제에 대한 민감도가 낮다는 관찰은 약물이 세포 내에 위치해 있는 일부 통로에 접근하기 어렵기 때문이거나, 다른 분자 성분을 가진 통로가 세포 내에 있기 때문으로 추측된다. 전립선의 TRPM8 통로에 대한 약리학적 반응이 다른 이유를 설명해 주는 이들 두 가설은 각각일 수 있지만 동시에 공존할 수도 있다. 전립선암 세포에서 전형적인 TRPM8 대 TRPM8b 아형의 비율은 외부 Ca^{2+}이 있거나 없는 상태에서 나타나는 반응 크기의 비율과 거의 비슷하다는 사실은 흥미롭다. 근래의 연구는 세포질세망에 있는 TRPM8의 기능적 및 분자적 특성이 형질막에 있는 TRPM8과는 다르다고 하였다 (Bidaux 등, 2007).

78.6. 전립선 세포에서 TRPM8 통로의 역할
Role of TRPM8 channels in prostate cells

전립선의 생리와 전립선암의 병태생리에서 TRPM8의 역할은 아직 분명하게 밝혀져 있지 않다. TRPM8의 가장 큰 발현은 상피세포의 정점 부위에서 일어나는데, 이는 이 부위에 분비 기능이 있음을 시사한다 (Bidaux 등, 2005). 다른 실험 연구는 안드로겐에 민감한 LNCaP 세포가 생존하기 위해서는 TRPM8의 기저 활성화가 필요하다고 하였다 (Zhang과 Barritt, 2006). 그러나 menthol에 의한 TRPM8의 활성화가 동일한 세포를 사망하게 할 수 있는데, 이는 생체에서 TRPM8의 활성화에 대한 조절은 복합적으로 일어남을 시사한다 (Zhang과 Barritt, 2004). 이러한 측면에서 볼 때, TRPM8에 비의존적인 전립선암 세포의 생존력에 대한 TRPM8의 작용제, 예를

들면 menthol 등의 효과는 중요하다고 할 수 있다 (Kim 등, 2009).

TRPM8은 Na^+, K^+, Ca^{2+} 등의 투과가 가능한 이온 통로이다 (McKemy 등, 2002). 전립선암에서 TRPM8의 역할은 세포 내에서 일어나는 Ca^{2+}의 항상성에 대한 효과와 관련이 있다. Ca^{2+} 신호의 진폭과 일시적 재분포는 세포의 증식과 사망 사이에서 중요한 역할을 한다 (Lang 등, 2005). 또한, 전립선암 세포주에서 이온 통로의 성분과 Ca^{2+} 유입 경로의 활성화는 전이력의 정도에 따라 다르다 (Ding 등, 2006). 전립선암 세포에는 TRPM8 외에도 TRPC1, TRPC4, TRPC6, TRPV6 등과 같은 여러 TRP 통로가 발견되었다 (Fixemer 등, 2003).

TRPM8은 형질막과 세포질세망에 이중으로 분포하기 때문에, 이 통로가 활성화되면 Ca^{2+}을 유입하거나 저장소로부터 유리하여 세포 내의 Ca^{2+} 양을 조절한다. 이러한 Ca^{2+}의 항상성은 유전자 전사, 세포의 분화, 증식, 세포 자멸사 등을 포함하는 많은 세포 과정에서 중요한 역할을 한다 (Vanden 등, 2003). 수용체에 의해 작동되어 저장을 유발하는 Ca^{2+} 유입 경로가 활성화되어 세포 내의 Ca^{2+}이 지속적으로 증가하면, LNCaP 세포를 포함하는 많은 세포에서 세포 자멸사의 반응이 일어난다 (Wertz와 Dixit, 2000). 특히, 사람의 전립선암에서는 Ca^{2+} 투과성 통로인 TRPV6 mRNA의 발현과 암의 병기 사이에 상호 연관성이 있음이 보고되었다 (Wissenbach 등, 2001). 대조적으로 전립선 세포에서 세포 내부 Ca^{2+}의 진동 형태가 중등도로 증가하면, 세포의 증식이 일어날 수 있다 (Vande 등, 2003). 전립선 세포를 thapsigargin으로 처치하여 저장된 Ca^{2+}이 고갈되면, Ca^{2+}의 유입 경로가 활성화된다. 이러한 활성화는 종양이 아닌 세포주에 비해 LNCaP 세포주를 포함한 모든 암 세포주에서 현저하다 (Vanden 등, 2004).

저산소증의 미세 환경에서 종양세포의 성장 적응은 hypoxia-induced transcription factor 1 (HIF1)에 의해 조절된다. HIF1의 전사 활성화는 HIF1α 단백질의 농도에 의해 조절되며, 이 소단위 단백질은 산소 농도에 의존적인 ubiquitin ligase에 의한 proteasome의 분해 경로에 의해 조절된다. 찬 온도에 민감한 Ca^{2+} 통로 단백질인 TRPM8은 진행된 전립선암에서 발현이 증가된다. 전립선암의 성장 조절에서 TRPM8의 기능적 역할을 평가한 연구는 다음과 같은 결과를 보고하였다 (Yu 등, 2014). 첫째, TRPM8은 HIF1α의 증가와 협동하여 저산소증에서 종양세포의 성장력, 약물 저항성, 종양 형성력 등을 촉진하였다. 이러한 효과는 TRPM8의 작용제에 의

해 증대된 반면, TRPM8 유전자를 삭제하거나 TRPM8의 항체 혹은 대항제를 투여한 경우에는 억제되었다. 둘째, TRPM8에 의한 HIF1α ubiquitination의 억제 및 HIF1의 전사 활성화는 receptor for activated C kinase 1 (RACK1) 혹은 guanine nucleotide-binding protein subunit beta-2-like 1 (GNB2L1)의 발현에 의해 약화되었으며, TRPM8의 과다 발현은 인산화된 RACK1의 농도를 감소시켜 RACK1의 HIF1α 및 calcineurin과의 결합을 촉진하였다. 이들 자료는 저산소증 혹은 정상 산소 증에 노출된 전립선암 세포에서 TRPM8에 의해 유도된 HIF1α 단백질 농도의 증가가 RACK1에 의한 HIF1α의 ubiquitination, RACK1의 HIF1α와의 결합 등에 관여하는 Ca^{2+} 의존성, 산소 비의존성 기전에 의해 매개됨을 보여 준다. 종합해 보면, TRPM8이 저산소증 환경에서 종양세포의 성장을 촉진하는 기전의 최소한 일부는 TRPM8이 RACK1으로 매개되는 HIF1α의 안정화를 촉진하기 때문이라고 생각된다.

78.7. 전립선암에서 TRPM8 발현의 치료적 의미
Therapeutical implications of TRPM8 expression in PC cells

새로운 전립선암 치료제의 개발에 대한 관심이 매우 높아지고 있는 가운데, 진행된 전립선암의 치료에 이용될 200종 이상의 화합물이 연구되어 왔다 (Armstrong과 CarducCI 2006). 전립선암 세포에서 TRPM8이 선택적으로 과다 발현된다는 사실은 이 통로가 새로운 표적이 될 수 있음을 시사한다 (Tsavaler 등, 2001). 그러나 전술한 바와 같이 TRPM8의 기능이 증가되거나 감소되는 경우가 전립선암 세포의 성장을 억제하는 전략으로 적절한지는 아직 분명하지 않다. TRPM8의 발현을 억제하면 전립선암 세포의 증식이 감소된다는 보고가 있고 (Zhang과 Barritt, 2006), LNCaP 세포에서 Ca^{2+}의 유입 경로를 활성화하면 세포 자멸사가 일어난다는 보고가 있다 (Gutierrez 등, 1999). 따라서 TRPM8의 활성제는 임상적으로 활용할 가치가 있다고 생각된다 (Bezzerides 등, 2004).

빈 벡터 혹은 TRPM8을 코드화하는 cDNA를 이용하여 안드로겐 비의존성의 PC3 전립선암 세포를 완전하게 유전자 전달 감염 일으킨 연구는 TRPM8이 G0/G1 단계에서 세포 주기를 중지시키고 세포 자멸사를 촉진하며 ($p < 0.05$), focal-adhesion kinase (FAK)를 불활성화하여 PC3 세포의 이동을 억제한다고 하였다 ($p < 0.05$). 이 연구는 TRPM8이 PC3 세포의 생

존에 필수적이지는 않지만, TRPM8의 과다 발현은 PC3 세포의 증식과 이동을 억제한다고 보고하였다 (Yang 등, 2009).

TRPM8을 표적화하는 치료법을 개발함에 있어 Valero 등 (2011)의 연구는 큰 의미 있는 몇 가지의 결과를 보고하였다. 첫째, 인간화 항체 (humanized antibody; 자연적으로 생성된 사람의 항체와 단백질 서열이 비슷하도록 비인간 종에서 만든 항체)와 같이 TRPM8에 대해 투과성이 없는 약물은 통로의 활성을 차단하는 데 효과적이지 않다. 전립선 조직에 자연적으로 있는 TRPM8 통로의 일부는 세포 내에 분포해 있기 때문에, 전형적인 TRPM8의 기능에 대한 작용제 혹은 대항제의 접근성이 떨어진다 (Malkia 등, 2007). 대조적으로 antisense 혹은 특이 siRNA로 내인성 TRPM8을 불활성화하면 전립선암 세포의 증식을 중지시키는 데 효과적이다 (Zhang과 Barritt, 2004). 둘째, TRPM8의 과다 발현은 내인성 TRPM8이 세포 내부 구역에서부터 형질막으로의 전위를 촉진하여, 통로가 약물에 접근하기가 용이하도록 만든다. 따라서 치료제를 개발할 때 약리학적인 중재를 통해 형질막으로의 이동을 활성화하는 전략이 필요하다. 예를 들어 epidermal growth factor (EGF)를 이용하면 형질막으로 TRPC5의 신속한 전위가 일어난다. 또한, PKC를 활성화하면 기능적인 TRPM8 통로가 형질막으로 신속하게 전달된다 (Morenilla-Palao 등, 2004). 셋째, 기능적인 TRPM8의 활성화를 변경시키는 기전의 하나로 비기능적인 통로의 소단위를 이용하는 것도 치료의 대안으로 고려해 볼 만하다.

79. Transmembrane Protease Serine 2:ETS-Related Gene (TMPRSS2:ERG)

V-ets avian erythroblastosis virus E26 oncogene homolog 혹은 E-twenty-six 혹은 erythroblast transformation-specific (ETS) 유전자의 융합은 전립선암의 발견과 예후에 대해 높은 특이도를 나타내는 생물 지표이다. 2005년 microarray 분석은 전립선암의 중요한 생물 지표인 ETS 가족의 전사 인자로서 v-ets avian erythroblastosis virus E26 oncogene homolog, p55, ERG-3 등으로도 알려진 ETS-related gene (ERG)과 ETS translocation variant gene 1 (ETV1)을 확인하였다 (Tomlins 등, 2005). 이들 ETS 유전자 가족의 비정상적 발현은 안드로겐으로 조절되는 transmembrane protease, serine type 2

(TMPRSS2) 유전자의 5′-untranslated region (UTR)과 ETS 유전자 ERG (염색체 21q22.2; WIKIPEDIA에서는 21q22.3), ETV1 (염색체 7p21.2; WIKIPEDIA에서는 7p21.3), ETV4 (염색체 17q21.31), ETV5 (염색체 3q28) 혹은 20가지의 다른 유전자 융합 변종 중 하나 사이에서 일어나는 유전자 융합과 함께 발견된다 (Mehra 등, 2007).

염색체 21q22.3에 위치해 있는 TMPRSS2는 정상 전립선 상피세포에서 발현되며, 많은 생리적, 병적 과정에 관여한다고 보고되지만, 분명한 생물학적 기능은 알려져 있지 않다. 안드로겐에 의한 조절은 종양 유전자의 촉진체 (promoter) 혹은 증폭자 (enhancer) 영역인 5′-UTR 에 있는 안드로겐 반응 요소 (androgen response element, ARE)를 통해 일어난다.

TMPRSS2 유전자는 ERG 외에도 ETS 전사 인자의 가족 중 다른 구성원, 예를 들면 ETV4, ETV5 등과도 융합할 수 있다 (Helgeson 등, 2008). ETV1, ETV4, ETV5 등과의 융합은 PSA 선별검사에 의해 발견된 전립선암의 약 5~10%에서 관찰된다 (Han 등, 2008; Attard 등, 2008). 마찬가지로 다른 유전자, 예를 들면 solute carrier family 45, member 3 (SLC45A3) (Helgeson 등, 2008), N-MYC downstream regulated 1 (NDRG1) (Pflueger 등, 2009), homocysteine-inducible, endoplasmatic reticulum stress-inducible, ubiquitin-like domain member 1 (HERPUD1) (Maher 등, 2009), DEAD (Asp-Glu-Ala-Asp) box helicase 5 (DDX5) (Han 등, 2008) 등도 ETS 가족 구성원의 3′-UTR과 융합을 이룰 수 있다. 그러나 전립선암에서는 TMPRSS2:ERG 융합이 40~70%로 가장 흔하게 보고되고 있다 (Shah 등, 2009). ETS 전사 인자의 가족에 속하는 다른 멤버들도 TMPRSS2로 전위를 일으키지만 ERG나 ETV1보다는 흔하지 않으며, ERG, ETV1, ETV4, ETV5의 순으로 전위가 흔하다고 알려져 있다. 지금까지 전립선암에서 보고된 유전자 융합은 도표 239에 정리되어 있다 (Jamaspishvili 등, 2010). TMPRSS2는 막에 위치해 있는 serine protease로서 안드로겐에 의해 조절된다. 염색체의 위치가 바뀌는 재배열이 발생하면 안드로겐에 의한 ETS 전사 인자가 발현되어 종양의 증식이 일어난다.

79.1. 전립선암에서 TMPRSS2:ERG 융합의 빈도
Incidence of TMPRSS2:ERG fusion in prostate cancer

혈액 종양과는 달리 경성 종양에서는 염색체의 전위가 드물다. 흔하게 발생하는 암에서 염색체의 재배열이 반복적으로 일어난다고 규명된 적은 거의 없다. 전립선암에서 유전자의 융합은 *TMPRSS2*와 *ERG/ETV1* 사이에서 처음 발견되었다 (Tomlins 등, 2005). 암과 관련이 있는 염색체의 이상을 발견하기 위해 생물 정보학 (bioinformatics)을 이용한 cancer outlier profile analysis (COPA) 연구는 유전자 융합 (전위)이 전립선암 조직 표본 29점 중 23점 (80%)에서 확인되었으며, 양성 전립선 조직에서는 발견되지 않았다고 보고하였다 (Tomlins 등, 2005). 이들 유전자의 융합으로 인한 생성물은 전립선암 환자의 42%, 전립선상피내암 환자의 20%에서 관찰되며, 양성전립선비대 환자에서는 거의 관찰되지 않는다 (Laxman 등, 2006). 전립선암에서 *ETS* 유전자 융합의 발견율은 미국에서 42~60%로 가장 높고, 우리나라에서 21%, 일본에서 28% 등 아시아에서 가장 낮다 (Miyagi 등, 2010; Wang 등, 2012). 미국인의 전립선 생검 표본 100점을 분석한 연구는 *TMPRSS2:ERG* 융합의 양성률이 백인에 비해 백인이 아닌 환자에서 더 낮았다고 하였다 (Mosquera 등, 2009). 이러한 유전적 차이는 지역별 혹은 민족적 차이로 인해 특이한 환경 혹은 유전적 위험 요소가 다르기 때문에 일어난다고 생각된다 (Mao 등, 2010). 다른 연구는 *TMPRSS2:ERG*의 융합이 암 형성에서 초기 사건이기 때문에 양성전립선비대나 증식성 염증성 위축 (proliferative inflammatory atrophy, PIA)에서는 발견되지 않으며, 고등급 전립선상피내암과 국소 전립선암의 병변에서 각각 20%, 50%의 빈도로 발견된다고 하였다 (Cerveira 등, 2006; Mosquera 등, 2008). PSA 선별검사의 피검자를 대상으로 실시한 다른 연구는 전립선암 표본에서 유전자의 융합이 78% (Soller 등, 2006) 혹은 40% (Yoshimoto 등, 2006)의 빈도로 관찰되었다고 하였다. 병기 T1a/b의 전립선암 환자 252명을 9년 동안 추적 관찰한 전향 연구에 의하면, *TMPRSS2:ETV1* 융합에 비해 *TMPRSS2:ERG* 융합이 Gleason 점수 7 초과, 전이, 전립선암으로 인한 사망과 더 관련이 있었다 (Demichelis 등, 2007). *TMPRSS2:ERG* 융합의 동형은 fluorescence in situ hybridization (FISH) 분석에 의해 전립선암 조직의 80~95%에서 관찰되었으며, 이러한 동형은 전립선암 치료의 유망한 표적이 될 수 있다. 한편, *ERG*와 *ETV1*의 재배열이 없는 환자에서 종양의 침습을 촉진하는 *serine protease inhibitor Kazal-type 1 (SPINK1)*의 과다 발현은 나쁜 예후와 관련이 있다 (Tomlins 등, 2008).

*ERG*와 *ETV1*의 재배열 및 과다 발현은 전립선암의 50~60%

도표 239 전립선암에서 확인된 유전자 융합 유형

유전자 융합 유형	안드로겐 반응도	관련 문헌
ACSL3:ETV1	⇧	Attard 등, 2008
C15ORF21:ETV1	⇩	Tomlins 등, 2007
CANT1:ETV1	⇧	Han 등, 2008
CANT1:ETV4	⇧	Hermans 등, 2008
DDX5:ETV4	⇔	Han 등, 2008
EST14:ETV1	⇧	Hermans 등, 2008
FLJ35294:ETV1	⇧	Kumar-Sinha 등, 2008
FLJ35294:ETV4	⇧	Han 등, 2008
FOXP1:ETV1	⇧	Hermans 등, 2008
HERVK17:ETV1	⇧	Hermans 등, 2008
HNRNPA2B1:ETV1	⇔	Tomlins 등, 2007
KLK2:ETV4	⇧	Hermans 등, 2008
SLC45A3:ELK4	⇧	Rickman 등, 2009
SLC45A3:ERG	⇧	Han 등, 2008
SLC45A3:ETV1	⇧	Tomlins 등, 2007
SLC45A3:ETV5	⇧	Helgeson 등, 2008
TMPRSS2:ELF1	⇧	Gavrilov 등, 2001
TMPRSS2:ERG	⇧	Lapointe 등, 2007
TMPRSS2:ETS1	⇧	Alipov 등, 2005
TMPRSS2:ETS2	⇧	Gavrilov 등, 2001
TMPRSS2:ETV1	⇧	Tomlins 등, 2005
TMPRSS2:ETV4	⇧, ⇔	Tomlins 등, 2006
TMPRSS2:ETV5	⇧	Tomlins 등, 2008
TMPRSS2:FLI-1	⇧, ⇔	Gavrilov 등, 2001
TMPRSS2:PDEF	⇧	Gu 등, 2007

화살표는 안드로겐에 대한 반응 정도를 나타낸다 (⇧, 증가; ⇩, 감소; ⇔ 무반응).
ACSL3, acyl-CoA synthetase long-chain family member 3; CANT1, calcium activated nucleotidase 1; C15ORF21, chromosome 15 open reading frame 21; DDX5, DEAD (Asp-Glu-Ala-Asp) box helicase 5; ELF1, E74-like factor 1; ELK4, ELK4, ETS-domain protein; ERG, ETS-related gene; ETS, E-twenty six or v-ets avian erythroblastosis virus E26 oncogene homolog; ETV, E26 translocation variant; FLI1, friend leukemia integration 1; FLJ35294, Gene Bank Name; FOXP1, forkhead box P1; HERVK17, human endogenous retrovirus group K, member 17; HNRNPA2B1, heterogeneous ribonucleoprotein A2/B1; KLK2, kallikrein-related peptidase 2; PDEF, prostate-derived ETS transcription factor; SLC45A3, solute carrier family 45, member 3; TMPRSS2, transmembrane protease serine 2.
Jamaspishvili 등 (2010)의 자료를 수정 인용.

에서 일어나며, 가장 흔한 형태는 *TMPRSS2*의 exon 1과 *ERG*의 exon 4 사이의 융합 (*T1/E4*로 표기됨)인데 (Hofer 등, 2009), 이 형태는 보고된 모든 융합의 85%까지에서 관찰된다 (Wang 등, 2006). 전립선암 환자를 전립선 마사지 후 채집한 소변에서 RT-PCR을 이용하여 확인된 *ETS* 융합은 37%의 민감

도, 93%의 특이도, 36%의 음성 예측도, 94%의 양성 예측도를 나타낸다 (Tomlins 등, 2009).

79.2. TMPRSS2/ERG 융합 전사물의 동형 변형
Isoform variant of TMPRSS2:ERG fusion transcripts

*TMPRSS2*로 전위를 일으키는 가장 흔한 종양 유전자는 *ERG* 이며, 전립선암에서 발견되는 유전자 융합의 80~90%가 *TMPRSS2:ERG* 융합이다 (Soller 등, 2006). *ERG*는 다양한 mitogen activated protein kinases (MAPKs)에 의해 유도되는 유사분열 촉진물질 혹은 스트레스에 대해 반응하며 종양을 형성하는 표적 유전자의 전사를 조절한다. *ERG*를 포함하는 염색체의 전위는 Ewing 육종, 골수성 백혈병, 자궁경부암 등에서 발견된다 (Oikawa와 Yamada, 2003). 전립선암에서 가장 흔하게 관찰되는 유전자 융합의 변종은 *ERG* exons 2, 3, 4, 5 (exon 4가 더 빈발)에 융합된 *TMPRSS2* exon 1 혹은 2의 형태이다 (Wang 등, 2006). 그 다음 순의 흔한 조합으로는 *ERG* exon 4 혹은 5에 융합된 *TMPRSS2* exon 4 혹은 5 (Soller 등, 2006), 뒤집힌 *ERG* exons 6-4에 융합된 *TMPRSS2* exon 2 (Iljin 등, 2006) 등이 있다.

여러 연구에 의하면, 중간 결실 (interstitial deletion), 삽입 (insertion), 전위 (translocation) 등과 같은 재조합 기전 혹은 alternative splicing의 결과로 *TMPRSS2:ERG* 전사물의 변종이 20종 이상 발견되었다 (Hessels와, Schalken, 2013). 앞에서도 기술되었지만, 가장 흔한 *TMPRSS2:ERG* 동형은 *TMPRSS2*의 exon 1과 *ERG*의 exon 4와의 융합, 즉 *T1/E4*이다. 융합 전사물에서 관찰되는 *ERG*의 exons와 *TMPRSS2:ERG* 결합 부위는 이질적임이 확인되었다 (Tomlins 등, 2009). *TMPRSS2:ERG* 융합의 어떠한 동형 분자가 존재하거나 그러한 동형 분자의 발현 정도는 전립선암의 진행에 영향을 준다는 보고가 있다 (Wang 등, 2006). 예를 들면, *T1/E4* 혹은 *T2/E4*는 공격적인 전립선암과 관련이 있다. 전장의 ERG 단백질이 과다 발현되면 종양 유전자의 전사가 활성화되고 암의 진행이 촉진되지만, *TMPRSS2:ERG* 융합 유전자에 의해 코드화되는 일부 N-terminus 절단형 ERG 단백질은 *ETS*의 결합 영역에 경쟁적으로 결합함으로써 종양 유전자의 전사 활성화를 억제한다. 이와 같이 절단형 ERG 단백질을 발현하는 전립선암은 낮은 공격성을 나타낸다 (Wu 등, 2013).

79.3. 융합 형성의 기전
Mechanism of fusion formation

전립선암에서 비교적 높은 빈도로 *TMPRSS2:ERG* 유전자 융합이 일어나는 이유는 *TMPRSS2*와 *ERG*가 염색체 21q22.2-q22.3에 함께 위치해 있기 때문이다. 두 유전자의 융합은 가장 흔하게는 21q22.2 자리에서 약 2.8 Mb의 길이로 중간 결실 (이를 Edel 계열이라 함)이 일어남으로써 형성되며, 또 다른 염색체 내로 개재 영역의 삽입 (이를 Esplit 계열이라 함)이 일어나 형성되기도 한다 (Hermans 등, 2006; Iljin 등, 2006). 개재 영역의 결실은 *TMPRSS2:ERG* 양성 환자의 39~60%에서 관찰되며, 전립선암의 경우 흔히 결실이 일어나는 염색체 부위에 위치해 있는 약 13종의 유전자가 하향 조절된다 (Perner 등, 2006; Mehra 등, 2008). 한편, 안드로겐 비의존성 전립선암으로 사망한 30명의 환자에서 채집한 97점의 전이 조직 표본을 분석한 연구에 의하면, *TMPRSS2:ERG* 융합이 일어난 부위 모두가 Edel과 관련이 있었다 (Mehra 등, 2008). 또한, *TMPRSS2:ERG* 융합 생성물이 종양의 발생과 관련이 있지만, 이들 유전자 중 최소한 2종, 즉 *ETS2*와 non-histone chromosomal protein HMG-14 (HMG14)으로도 알려진 *high mobility group nucleosome binding domain 1 (HMGN1)*의 상실은 암의 진행과 관련이 있다 (Yoshimoto 등, 2006).

안드로겐의 신호 경로는 *TMPRSS2* 자리와 *ERG* 자리 사이에서 염색체의 근접을 유도하며, DNA double-strand break (DSB)를 일으키는 topoisomerase (DNA) II beta 180 kDa (TOP2B)의 영향을 받으면 *TMPRSS2:ERG* 융합의 형성이 촉진된다 (Mani 등, 2009). 이와 같이 안드로겐의 신호 전달 하에서 전사가 조절되는 동안 일어나는 TOP2B로 인한 DNA DSB는 암의 발생에서 유전자 재배열을 일으킨다 (Haffner 등, 2010; Bartek 등, 2010). 유전체연관분석 (genome-wide linkage analysis)에 근거한 연구에 의하면, *TMPRSS2:ERG* 양성 전립선암은 *polymerase (DNA direct) Iota (POLI)*의 드문 변형인 variant F532S, *establishment of sister chromatid cohesion N-acetyltransferase 1 (ESCO1)*의 드문 변형인 variant N191S 등과 관련이 있다 (Luedeke 등, 2009). 두 유전자는 DNA DSB를 복구하는 데 관여하며, 염색체를 안정화함으로써 *TMPRSS2:ERG* 융합과 같은 전위 사건을 방지한다.

79.4. 여러 신호 경로와 TMPRSS2:ERG의 상호 작용
Interplay of TMPRSS2:ERG with signaling pathways

쥐를 이용한 연구에 의하면, 전립선 상피세포에서 ETS 단백질의 발현 증가가 상피세포의 과다 증식과 국소적 전립선상피내암 병변을 일으키기에는 충분하지만, 암의 진행을 유도하지는 못한다 (Zong 등, 2009). ERG는 phosphatidylinositide 3-kinase (PI3K) 신호 경로에서의 변화, 예를 들면 phosphatase and tensin homolog (PTEN)의 억제 혹은 v-akt murine thymoma viral oncogene homolog 1 (AKT1)의 상향 조절 등과 상호 작용하여 잘 분화된 전립선암을 발생시킨다. *PTEN*의 상실 (Carver 등, 2009)과 *TMPRSS2:ERG*의 존재 (King 등, 2009)는 전립선암과 유의하게 관련이 있는 사건이다. 전립선암의 형성은 먼저 *PTEN* 유전체의 반접합체 (hemizygous) 상실로 인해 고등급 전립선상피내암이 발생함으로 시작한다 (Bismar 등, 2011). 단일 대립 유전자를 가진 *PTEN*이 불활성화되면, 유전체의 안정화가 저하됨으로써 염색체의 재배열이 일어나 유전자의 융합이 형성되고 암이 진행하게 된다. 두 대립 유전자를 가진 *PTEN*의 불활성화는 거세 저항성 전이 전립선암의 특징으로 알려져 있다 (Krohn 등, 2012).

전립선암에서 ERG의 과다 발현은 암세포의 운동성과 침습성을 촉진하며, histone deacetylase 1 (HDAC1) 농도의 증가와 그로 인한 HDAC1 표적 유전자의 하향 조절, wingless-type MMTV integration site family, member 1 (WNT)/β-catenin (CTNNB1) 신호 경로의 활성화, 세포 자멸사를 유도하는 신호 경로의 억제 등과 관련이 있다. HDAC1의 상향 조절은 전립선암에서 흔하지만, *ERG*의 재배열이 있는 종양에서 일정하게 증가된다 (Williams 등, 2011). WNT/CTNNB1의 신호 전달에 의한 androgen receptor (AR)의 활성화는 *AR*의 전사와 발현을 증가시키고, *TMPRSS2:ERG*의 전사를 증대시키며, *ERG*의 농도를 증가시킨다 (Schweizer 등, 2008). *AR*의 과다 발현 단독으로는 과다 증식을 자극하지 못하지만, *ERG*의 농도가 증가된 경우에는 고등급 분화도의 침습성 전립선암의 발생을 촉진한다 (Zong 등, 2009). *TMPRSS2:ERG* 융합으로 인한 ERG 단백질의 증가는 종양 유전자 v-myc avian myelocytomatosis viral oncogene homolog (*MYC*)를 상향 조절하고 전립선 상피의 분화를 억제함으로써 전립선암 세포의 성장을 조절한다. 원발 전립선암에서 *MYC* 발현의 증가는 생화학적 재발에 대한 예측 인자로 알려져 있다 (Sun 등, 2008). ERG

는 AR의 발현을 차단함으로써 안드로겐의 신호 경로를 정지시킬 수 있으며, 이로써 전립선 세포의 정상적인 발달을 방해한다. 더욱이 ERG는 polycomb group (PcG) 가족의 한 구성원으로서 histone H3 lysine 27 (H3K27) methyltransferase인 enhancer of zeste homolog 2 (EZH2)를 활성화하여 억제성 후성적 과정을 유도한다. 이러한 모델에서 *TMPRSS2:ERG*는 세포 계통에 특이한 분화를 붕괴시키고 EZH2로 매개되는 탈분화를 증대시킴으로써 암을 진행시키는 데 중요한 역할을 한다 (Yu 등, 2010).

*ERG*의 발현은 세포의 부착, 기질의 구조 재편성, 신호 경로 등에 관여하는 세포 외부 및 경막 단백질 혹은 대사성 효소를 코드화하는 여러 유전자의 발현과 관련이 있다 (Riberio 등, 2011). 예를 들면, *cysteine-rich secretory protein 3 (CRISP3)*는 비악성 조직 혹은 융합 음성 전립선암에 비해 융합 양성 전립선암에서 유의하게 과다 발현되며, *ERG* mRNA와 *CRISP3* mRNA 사이에는 강한 상관관계가 있다. *ERG*의 재배열과 *ERG* 및 *CRISP3* mRNA의 과다 발현은 국소로 진행된 pT3 종양과 관련이 있다. 이와 같은 결과는 CRISP3 단백질이 과다 발현된 *ERG*의 직접적인 표적이며, CRISP3가 *TMPRSS2:ERG*의 재배열에 의해 유도된 종양의 진행을 매개함을 보여 준다.

79.5. 임상적인 역할 및 영향
Clinical role and implication

25점의 전립선암 표본을 대상으로 전사체 분석을 실시한 연구는 7가지의 암 특이 유전자 융합을 발견하였는데, *ETV1*, *ERG* 등과 같은 *ETS* 유전자, *cyclin-dependent kinase inhibitor 1A (CDKN1A 혹은 CIP 혹은 p21)*, *cluster of differentiation 9 (CD9 혹은 motility related protein 1, MRP1)*, *inhibitor of nuclear factor kappa B kinase subunit beta (IKBKB 혹은 IKK2)* 등과 같이 *ETS* 가족에 속하지 않는 유전자로서 세포의 항성성과 종양의 형성에서 중요한 역할을 하는 유전자, 종양 유전자 *phosphatidylinositol glycan anchor biosynthesis class U (PIGU)*, 종양을 억제하는 유전자 *arginine/serine-rich coiled-coil 2 (RSRC2)* 등이다 (Pflueger 등, 2011). 국소 전립선암 환자 88명을 대상으로 FISH를 이용하여 동일 병소 내에서 뿐만 아니라 다른 병소 사이에서 유전자 재배열의 빈도를 분석한 연구는 다음과 같은 결과를 보고하였다 (Svensson 등, 2011). 첫째, *ERG*, *ETV1*, *ETV5*의 재배열이 각각 51% (44

명/86명), 6% (5명/85명), 1% (1명/86명)에서 발견되었으나, *ETV4*의 재배열은 어느 경우에서도 발견되지 않았다. 둘째, 대부분의 경우에서 단일 형태의 *ETS* 재배열이 관찰되었지만, 6명에서는 동일한 종양 병소 내에서 다수의 *ETS* 혹은 융합 상대 유전자의 재배열이 관찰되었다. 이들 결과는 다수의 유전자 재배열이 공존할 수 있음을 보여 주며, 이는 전립선암의 이질성을 설명하는 데 도움이 된다. 국소 전립선암 환자 200명에게서 *ETS* 재배열을 분석한 다른 연구는 *ERG*, *ETV1*, *ETV4*, *ETV5*, *Fli-1 proto-oncogene ETS transcription factor* (혹은 *friend leukemia integration 1*, *FLI1* 등의 재배열이 각각 52%, 7%, 1.5%, 0.5%, 0.5%에서 발견되었다고 하였다 (Paulo 등, 2012).

여러 연구에서 보고된 *TMPRSS2:ERG* 재배열의 예후 표지자로서의 가치는 도표 240에 요약되어 있다. *ETS* 유전자의 융합은 전립선암의 발달과 예후에서 중요한 역할을 한다고 보고된다. *ERG*와 *ETV1*은 전립선암 조직에서 둘 다가 여분의 기능으로 특별히 과다 발현을 일으키며, 이로써 다른 유전자와 융합을 일으킨다고 추측된다. 또한, *ERG*와 *ETV1* 유전자의 융합은 양성전립선비대 및 고등급 전립선상피내암의 일

부 제한된 경우에서 *ETS*의 증가 없이도 발견된다 (Perner 등, 2007). 한 코호트에서는 *ERG*의 증가를 동반한 *TMPRSS2:ERG* T1/E4의 융합이 분화도, 병기, PSA 등과 관계없이 질환의 재발을 높은 확률로 예측하였다 (Furusato 등, 2008). *ETS*의 융합이 *PTEN*의 소실과 동반될 때는 생존율과 강한 연관성을 보였으며 ($p < 0.001$), 거세에 대해 저항성을 가진 질환으로 사망한 남성의 48%에서 확인되었다 (Mehra 등, 2008). *ERG* 융합의 상향 조절은 에스트로겐에 의해 증가되며, 이들 유전자 융합의 빈도와 예후 추정력은 인종 혹은 민족 코호트의 차이, 발견 기법의 종류 등에 따라 달라질 수 있다 (Reid 등, 2010).

현재로서는 유전자 전위의 임상적 의미가 분명하지 않으며, 여러 연구들이 유전자의 융합과 예후 사이의 상호 관계에 대하여 다른 결과를 보고하고 있다. 다수의 연구들은 *TMPRSS2:ERG* 융합을 가진 전립선암은 더 공격적인 표현형을 나타내며 예후가 더 나쁘다고 하였다. 결손을 통한 *TMPRSS2:ERG*의 재배열은 높은 병기, PSA 재발, 골반 림프절로의 전이 등과 관련이 있었다 (Mehra 등, 2007). 높은 Gleason 패턴과 *TMPRSS2:ERG* 유전자 융합 사이에서 연관성을 발견한 연구도 있지만 (Rajput 등, 2007), 다른 연구에서

도표 240 예후 측면에서 *TMPRSS2:ERG* 재배열의 가치

생물학적 특징	임상적 특징 (환자 수)	예후와의 연관성	참고 문헌
결실을 통한 *TMPRSS2:ERG*[†]	임상적 국소/진행 전립선암 (118)	전이, 병기, PSA 재발 증가	Perner 등, 2006
TMPRSS2 (E2):*ERG* (E4)[‡]	임상적 국소 전립선암 (59)	공격적인 전립선암	Wang 등, 2006
TMPRSS2:ERG, 모든 형태의 재배열[†,‡]	국소 전립선암 (기대 요법) (111)	전이, 암 특이 사망	Demichelis 등, 2007
TMPRSS2:ERG, *PTEN* 결실동반[†]	원발 전립선암으로 RP (125)	조기 PSA 재발	Yoshimoto 등, 2008
결실 통한 *TMPRSS2:ERG*[†]	보존적 요법 받은 전립선암 (445)	암 특이 생존 기간 감소	Attard 등, 2008
TMPRSS2:ERG, 모든 형태의 재배열[†]	국소 전립선암 (214)	유의한 연관성 없음	FitzGerald 등, 2008
TMPRSS2:ERG, 모든 형태의 재배열[†,‡]	원발 전립선암으로 RP (150)	무진행 생존 기간 증가	Saramäki 등, 2008
TMPRSS2 (E1):*ERG* (E4 혹은 E5)[‡]	원발 전립선암으로 RP (45)	상관관계 없음	Furusato 등, 2008
TMPRSS2 (E0):*ERG*[‡]	원발 전립선암으로 RP (67)	낮은 생물학적 공격성	Hermans 등, 2009
TMPRSS2:ERG, 모든 형태의 재배열[†]	원발 전립선암으로 RP (521)	전립선암의 결과와 관련이 없음 공격성은 aneuploid와 관련	Gopalan 등, 2009
TMPRSS2 (E0 혹은 E1):*ERG*[‡]	원발 전립선암으로 RP (112)	무진행 생존 기간 증가	Boormans 등, 2011
TMPRSS2:ERG, 모든 형태의 재배열[†]	원발 전립선암으로 RP (2,805)	전립선암 표현형과 관련이 없음	Minner 등, 2011
TMPRSS2:ERG, 모든 형태의 재배열[†]	원발 전립선암으로 RP (344)	예후에서 유의성 없고 *ERG*의 CNI는 재발 예측 인자임	Toubaji 등, 2011

[†], 발견 기법으로 FISH를 이용; [‡], 발견 기법으로 qRT-PCR을 이용.

CNI, copy number increase; E, exon; ERG, E26-related gene; FISH, fluorescent in situ hybridization; PSA, prostate-specific antigen; PTEN, phosphatase and tensin homolog; qRT-PCR, quantitative reverse transcription-polymerase chain reaction; RP, radical prostatectomy; TMPRSS2, transmembrane protease, serine 2.

Burdova 등 (2014)의 자료를 수정 인용.

는 Gleason 점수와의 연관성이 발견되지 않았으나, 융합이 있는 경우는 종양이 전립선관 내로 전파되는 것처럼 더 공격적인 전립선암을 일으키는 조직학적 유형과 연관성이 있었다 (Mosquera 등, 2007). TMPRSS2:ERG 융합을 가진 환자는 융합이 없는 환자에 비해 재발률이 더 높다고 보고되었다 (Nam 등, 2007). 스웨덴의 전립선암 환자들을 대상으로 치료 없이 최장 22년 동안 대기 요법으로 추적 관찰한 연구는 전립선암 특이 사망과 TMPRSS2:ERG 융합 사이에 연관성이 있음을 발견하였다 (Demichelis 등, 2007). 대조적으로 다른 연구는 재발이 없는 장기간 생존율, 저등급 및 중등급 분화도, 낮은 병리학적 병기, 수술 절제면 침범 음성 등과 같은 여러 긍정적인 예후 인자와 TMPRSS2:ERG 융합 사이에서 연관성을 발견하였으며 (Petrovics 등, 2005), 융합이 있는 종양은 융합이 없는 종양에 비하여 더 낮은 Gleason 등급과 더 높은 생존율을 나타냈다고 보고하였다 (Winnes 등, 2007). 다른 연구에 의하면, 전립선암 환자의 전립선절제 표본 중 33% (50점/150점)와 호르몬 저항성 전립선암 조직 표본 중 37% (28점/76점)에서 TMPRSS2:ERG 재배열이 발견되었으며, 이는 전립선절제술로 치료를 받은 환자에서 무진행 생존 기간의 연장과 관련이 있었고 (p=0.019), 다변량 분석에서 긍정적인 결과에 대한 독립적 예측 인자이었다 (RR 0.54, 95% CI 0.30~0.98) (Saramäki 등, 2008). 한편, TMPRSS2:ERG 융합이 종양의 병기, Gleason 등급, 재발이 없는 생존율 등과 관련이 없다는 보고도 있다 (Lapointe 등, 2007). 이와 같이 일관되지 않은 결과가 나오는 이유는 대부분의 연구에서 표본의 크기가 작았고, 추적 관찰이 충분하지 않았으며, 표본 선택에서 오류가 있었기 때문으로 추측된다. 앞으로의 연구 결과에 따라 소변을 이용한 비침습적인 선별검사로 이러한 유전자의 융합이 이용될 수 있으며, ETS 가족에 속하는 종양 유전자가 새로운 치료법에서 분자 표적이 될 수 있을 것이다 (Reed와 Parekh, 2010).

전립선상피내암이 암으로 형질 전환을 일으키는 과정은 NK3 homeobox 1 (NKX3-1), PTEN의 상실 등과 같은 이차성 분자 병변이 없다면 TMPRSS2:ERG 융합만으로는 충분하지 않으며, 반대되는 입장이라도 마찬가지이다 (Tomlins 등, 2008). 또한, 융합 없이 ERG 자체만의 과다 발현은 세포의 침습을 현저하게 증가시키기는 하지만, 형질 전환을 일으키지는 못한다. 그렇지만 전립선상피내암이 암으로 전환하는 과정에는 TMPRSS2:ERG의 융합이 필요하다. 흥미롭게도 TMPRSS2의 융합이 있는 전립선암에서 estrogen receptor (ER) 의존성의 조절 경로가 발견되었는데, 이러한 기전은 처음에는 안드로겐 의존성이었던 전립선암이 안드로겐 비의존성으로 발달하는 기전 중 하나로 추측된다 (Setlur 등, 2008). 즉, 거세에 대해 저항성을 나타내는 전립선암에서 TMPRSS2의 촉진체가 ERα를 자극하면 전립선암이 진행, 전이를 일으키는 더 공격적인 표현형으로 변한다. 대조적으로, ERβ 작용제를 이용한 실험에서 ERβ는 TMPRSS2:ERG의 발현을 역조절함으로써 종양을 억제하는 기능을 나타내었다.

국소 전립선암으로 기대 요법을 실시한 연구는 다음과 같은 결과를 보고하였다 (Demichelis 등, 2007). 첫째, 환자 코호트의 15% (17명/111명)가 TMPRSS2:ERG 융합을 가졌다. 둘째, TMPRSS2:ERG 융합과 전립선암 특이 사망 사이에는 유의한 연관성이 있었으며, 누적 발생률이 2.7 (95% CI 1.3~5.8; p〈0.01)이었다. 셋째, QRT-PCR 분석에 의하면, ERG의 발현 증가는 TMPRSS2:ERG 융합과 관련이 있었다 (p〈0.005). 이들 결과를 종합하여 보면, TMPRSS2:ERG 융합을 가진 전립선암은 ERG 발현의 증가를 매개로 더 공격적인 표현형을 나타내며, 암 특이 사망과 관련이 있다.

생검 전 및 근치전립선절제술 전의 코호트를 대상으로 분석한 연구는 소변을 이용하여 TMPRSS2:ERG 융합 전사물을 발견해낼 수 있다고 하였다 (Laxman 등, 2006). 소변 내의 RNA는 전치 증폭기 (preamplifier)를 이용하여 전체 전사체를 증폭시킨 후 QRT-PCR을 통해 측정되며, 전립선암 조직의 TMPRSS2:ERG 유전자 재배열의 유무는 FISH 검사를 별도로 실시하여 확인한다. 소변에서 ERG의 수치가 높으면서 TMPRSS2:ERG 융합이 발견된 환자는 ERG 재배열에 대해 양성 결과를 나타내었다. 유전자의 융합과 환자의 예후 사이에는 연관성이 있다고 생각되며, FISH를 이용한 소변검사는 비활동성 전립선암과 공격적인 전립선암을 구별하는 데 도움을 준다고 생각된다 (Jamaspishvili 등, 2010).

소변 내의 여러 생물 지표를 병합하여 분석하면, 전립선암의 발견율을 높이는 데 도움이 된다. 근래의 연구는 다발 병소의 전립선암에서 TMPRSS2:ERG의 이질성과 클론 형성 능력을 확인하고 특징화하였다 (Barry 등, 2007). 근치전립선절제술로 얻은 다발 병소의 전립선암 표본을 분석한 결과, 병소와 병소 사이에서는 TMPRSS2:ERG 융합이 이질적이었지만 하나의 병소 안에서는 동질적임이 입증되었다. 현재의 생검 전략으로는 이질적인 종양 병소를 놓칠 수 있는데, 소변을 이용하여 분석하게 되면 전체 전립선의 다수 암 병소로부터 유실된 세포가 소변으로 방출되고 채집되기 때문에 유익한 결과를 얻을 수 있다 (Laxman 등, 2006).

Laxman 등 (2008)은 전립선암을 발견하기 위해서는 소변 내에 있는 여러 전사물을 분석하는 방법이 prostate cancer antigen 3 (PCA3) 전사물이나 혈청 PSA를 단독으로 검사하는 방법보다 우수하다고 보고하였다. 소변 표본에서 PCA3, PSA, SPINK1, Golgi phosphoprotein 2 (GOLPH2 혹은 Golgi membrane protein 1, GOLM1), alpha-methylacyl-CoA race-mase (AMACR), TMPRSS2:ERG, trefoil factor 3 (TFF3) 등 7종의 전립선암 생물 지표가 QRT-PCR로 측정되었다. GOLPH2, SPINK1 등의 발현 증가, PCA3 전사물의 발현, TMPRSS2:ERG 융합 등은 전립선암에 대해 66%의 민감도와 76%의 특이도를 나타내어 유의한 예측 인자의 역할을 하였다 (Laxman 등, 2008). 혈청 PSA가 3 ng/mL 이상이고 직장수지검사 결과가 음성인 환자의 소변에서 TMPRSS2:ERG 융합과 PCA3 전사물이 함께 발견되면, 전립선암에 대한 민감도가 증가한다고 보고되었다 (Hessels 등, 2007). 소변 표본에서 PCA3 전사물과 TMPRSS2:ERG 융합의 민감도는 각각의 경우 62%, 37%이었으나, 두 표지자를 병행하면 민감도가 73%로 증가하였다.

Sarcosine (N-methyl derivative of the amino acid glycine)은 전립선암이 전이로 진행함에 따라 다르게 발현되는 대사물질이라고 확인되었으며, 비침습적 방법으로 소변에서 발견이 가능하다 (Sreekumar 등, 2009). 또한, sarcosine의 경로, 안드로겐의 신호 경로, ETS 가족 유전자의 융합 사이에는 상호 연관성이 있다고 보고되었다. ERG 양성의 VCaP 세포주 그리고 ETV1 양성의 LNCaP 세포주에서 안드로겐은 sarcosine의 농도를 증가시키는데, 이는 sarcosine 경로의 구성 요소가 안드로겐 수용체와 ETS 유전자 융합에 따른 전립선암의 진행에 대한 생물 지표가 될 수 있음을 시사하며, 이를 완전하게 이해하면 새로운 치료 표적이 개발될 수도 있을 것이다.

TMPRSS2:ERG 융합으로 인한 생성물을 제거하면 원발 전립선암의 성장이 억제된다는 보고 (Wang 등, 2008)에 근거하여 liposomal nanovector를 통해 융합 유전자에 특이한 siRNA를 전달한 연구는 어떠한 독성을 나타내지 않았고 ERG 단백질의 하향 조절 없이 종양의 성장이 억제되었다고 하였다 (Shao 등, 2012). 그 외에 ERG의 작용을 차단하기 위해 ERG 단백질의 하위 표적, 상위 신호 전달 kinases 등과 같이 ETS의 전사를 억제하는 조절제를 이용하는 접근법도 있다. 또한, ETS 유전자의 융합이 효과를 나타내는 기전을 분석

한 연구는 TMPRSS2:ERG 융합의생성물이 poly (ADP-ribose) polymerase 1 (PARP1)과 상호 작용함을 발견하였으며, 이러한 ETS와 PARP1의 상호 작용 축은 치료적 중재의 표적이 될 수 있다 (Brenner 등, 2011).

80. Trefoil Factor 3 (TFF3)

Trefoil factor (TFF) 가족은 흔히 3-loop trefoil 영역을 가진 세 가지 분비 단백질, 즉 TFF1, TFF2, TFF3 등으로 구성되어 있다. TFF1은 gastrointestinal trefoil protein pS2, protein pS2 (pS2), breast cancer estrogen-inducible protein (BCEI) 등으로, TFF2는 spasmolytic polypeptide (SP), spasmolytic protein 1 (SML1) 등으로, TFF3는 intestinal trefoil factor (ITF), polypeptide P1.B (P1B) 등으로도 알려져 있다. TFF1, TFF2, TFF3는 염색체 21q22.3에 위치해 있는 TFF1, TFF2, TFF3에 의해 각각 코드화되며, 이들 trefoil 펩티드는 단백질분해효소에 저항성을 가지는 7~10 kDa의 작은 크기의 단백질이다 (Farrell 등, 2002). 이들 단백질은 주로 위장관에 배열되어 있고, 점액소 (mucin)를 분비하는 상피세포에 의해 분비되며, 점막의 방어 및 복구 기전에서 중요한 역할을 한다 (Wright 등, 1997). TFF1, TFF2, TFF3는 각각 위오목세포 (gastric pit cell) (Jeffrey 등, 1994), 위점막의 점액경세포 (mucous neck cell) (Jeffrey 등, 1994), 장관의 술잔세포 (goblet cell) (Mashi-mo 등, 1995)에서 주로 발현되고 분비된다. 세균, 바이러스, 약물 등에 의한 점막 공격, 염증 질환, 궤양 질환 등이 있는 경우에는 TFFs가 상피세포의 복구 및 재생에 관여한다 (Farrell 등, 2002).

전립선암 세포에서 TFF의 발현은 촉진체의 메틸화로 인해 조절된다는 가설을 확인하기 위해 전립선암 세포주를 분석한 연구는 다음과 같은 결과를 보고하였다 (Vestergaard 등, 2010). 첫째, TFF1과 TFF3의 촉진체 영역에서 일어나는 과소 메틸화는 양성 전립선 세포주 혹은 TFF를 발현하지 않는 전립선암 세포주에 비해 TFF를 상당하게 발현하는 전립선암 세포주에서 관찰되었다. 둘째, TFF2는 평가된 모든 전립선암 세포주에서 과다 메틸화되어 매우 낮은 농도로 발현되었거나 발현되지 않았다. 셋째, 메틸화된 세포주에 5-aza-2'-deoxycyt-idine을 투여하면, TFF를 발현하지 않는 세포주에서는 TFF의 발현이 회복되었고 TFF를 낮게 발현하는 세포주에서는 TFF의 발현이 증가되었다. 넷째, TFF1과 TFF3의 촉진체 및 증폭

영역에서 일어나는 메틸화는 양성전립선비대 표본에 비해 전립선암 표본에서 유의하게 더 낮았다. 이들 결과는 촉진체의 메틸화와 TFF의 발현 사이에는 역상관관계가 있으며, 이러한 조절 기전에 의해 전립선암에서 TFF1과 TFF3의 농도가 증가됨을 보여 준다.

다른 TFFs에 비해 위소와 (gastric foveola) trefoil 펩티드인 TFF1은 특별한 기능을 가지고 있으며, 특히 위암에서 종양을 억제하는 유전자와 같은 기능을 한다. TFF1의 과다 발현은 유방암, 위장관암, 전립선암, 췌장암, 갑상선암, 폐암, 피부암 등에서 관찰되며 (Leung 등, 2002; Mathelin 등, 2005), 유방암에서 TFF1의 과다 발현은 긍정적인 예후와 관련이 있어 호르몬 요법의 반응을 예측하는 인자로 이용되고 있다 (Mathelin 등, 2005). 전립선암을 포함한 전립선의 침 생검 표본에서 TFF1의 과다 발현을 평가한 연구는 전립선암 표본의 대부분이 TFF1을 발현하였으나 양성전립선비대 표본의 대부분은 음성 결과를 나타내었다고 하였다 (Colombel 등, 1992). *TFF1* 유전자의 결실은 위점막의 과다 증식 및 선종 (adenoma)을 일으킨다 (Lefebvre 등, 1996). TFF1은 *E-cadherin (CDH1)*의 전사를 억제하여 전립선암 세포의 이동과 침습을 증대시키기 때문에, TFF1을 표적화하여 억제하면 전립선암의 전이를 방지하는 데 도움이 된다고 생각된다 (Bougen 등, 2013).

Jorgensen 등 (1982)이 돼지의 췌장에서 연축을 억제하는 폴리펩티드를 처음 발견한 후 pancreatic SP (PSP)라고 불렀으며, 이 단백질은 췌장의 외분비샘의 분비물 내에 다량으로 포함되어 있다. 돼지의 SP와 74%의 상동성을 나타내는 사람의 SP는 돼지와는 달리 위에 우세하게 분포해 있고 십이지장과 담관에는 낮은 농도로 존재하지만, 사람의 정상 췌장에서는 발견되지 않는다. 이러한 SP의 발현 양상은 쥐에서도 비슷하게 나타나며 (Tomasetto 등, 1990), 후에 이 단백질은 TFF2로 명명되었다. TFF2는 위장관의 다양한 병적 조건에서 상향 조절된다. 예를 들면, 다른 trefoil 펩티드와 마찬가지로, TFF2는 위장관의 손상, 위궤양, 십이지장궤양, 소장의 Crohn 질환 등의 병변에서 증가된다. TFF2는 *Helicobacter pylori* 및 nonsteroidal anti-inflammatory drug (NSAID)로 인한 이차성 궤양에서 증가된다. TFF2는 상충되는 결과를 보고한 연구도 있지만 종양과는 관계없이 점막 손상에 대하여 신속하게 반응하여 상피세포의 증식을 촉진하는 기능을 가지고 있으며 (Wong 등, 1999), 그 외에도 점액소 겔 층의 복구 및 안정화 (Tanaka 등, 1997), 위산 분비의 억제 (Konturek 등, 1997), 위

세포의 보호 (McKenzie 등, 2000) 등과 같은 기능을 가지고 있다.

Protease-activated receptor (PAR)는 7개의 경막 영역을 가진 G protein-coupled receptor (GPCR)로서 4종의 구성원, 즉 PAR1~PAR4를 포함하고 있다 (Macfarlane 등, 2001). Extracellular matrix (ECM) 단백질을 분해하는 기능을 가진 PARs는 종양세포의 이동, 침습, 전이 등에 관여하는 신호 분자로서의 역할을 한다 (Goerge 등, 2006). PAR1은 암에서 폭넓게 발현되며, 유방암 세포 (Boire 등, 2005)와 결장직장암 세포 (Darmoul 등, 2003)의 침습과 종양의 형성을 촉진한다. PAR2는 전립선암에서 과다 발현되며, 전립선암 세포의 이동을 촉진한다 (Black 등, 2007). 반대로, 피부에 종양이 형성될 때는 PAR2가 종양을 보호하는 역할을 한다 (Rattenholl 등, 2007). PAR3는 신장암 (Kaufmann 등, 2002)과 간암 (Kaufmann 등, 2007)에서 발견된다. *PAR4*의 발현은 Northern blot에 의해 폐, 갑상선, 췌장, 소장, 고환 등에서 강하게 발견되지만, 종양이 형성되는 과정에서의 역할은 분명하지 않다 (Xu 등, 1998). *PAR4*의 발현은 정상적인 결장 점막에서는 관찰되지 않지만, 형성 이상의 양상을 나타내는 결장직장의 점막에서는 분명하게 발견된다. *PAR4* mRNA는 결장직장암 세포주 표본의 71% (10점/14점)에서 발견되었으며, Src proto-oncogene, non-receptor tyrosine kinase (SRC)와 human epidermal growth factor receptor 2 (HER2 혹은 erb-b2 receptor tyrosine kinase 2, ERBB2)를 포함하는 신호 경로를 통해 암세포의 증식을 촉진하였다 (Gratio 등, 2009). TFF2는 2개의 trefoil 영역을 가지고 있으며, 세포를 보호하는 형태의 trefoil 요소는 위에 분포하여 있고, TFF2의 발현은 위궤양과 암 조직에서 조절 장애를 일으킨다 (Wong 등, 1999). TFF2는 PAR4를 활성화하여 extracellular signal-regulated kinase 1/2 (ERK1/2)를 인산화함으로써 상피세포의 이동과 상처 치유를 촉진한다 (Zhang 등, 2011). 다른 연구에 의하면, 비악성 점막에 비해 결장직장암 조직에서 TFF2와 PAR4의 발현이 증가되는데, 결장직장암에서 PAR4의 발현이 상향 조절되는 이유는 촉진체의 과소 메틸화 때문으로 생각되며, TFF2는 PAR4를 활성화하여 결장직장암 세포의 침습을 촉진한다 (Yu 등, 2015).

TFF3는 TFF2와 유사하게 유사분열을 강력하게 촉진하는 물질로서 위장관 내에서 상피세포를 손상된 부위로 이동시킨다 (Wright 등, 1997). *TFF3* 유전자는 또한 위암, 결장암, 피부암을 포함하는 다양한 암에서 과다 발현된다 (Uchino 등,

1999). 장의 항상성에 관여하는 TFF3의 역할은 *TFF3* 유전자의 결실이 발생한 모델에서 분명하게 확인된다. *TFF3*가 결여된 생쥐의 결장 점막은 정상적인 양상을 보이지만, dextran sodium sulphate로 결장 점막에 손상을 가한 경우에는 회복되지 않는다 (Mashimoto 등, 1996). 이러한 주된 결함은 손상된 점막을 덮기 위한 기존 상피세포의 신속한 이동이 일어나지 않음으로 인해 상피의 복구가 상실되기 때문이며, 이러한 결함은 TFF3를 국소적으로 적용함으로써 회복된다 (Dieck-graefe 등, 1997). TFF2와 TFF3는 직접 세포의 이동을 유도하며 (Dignass 등, 1994), 이러한 작용을 위해서는 serine/threonine의 인산화와 mitogen-activated protein kinase (MAPK)의 활성화가 필요하다 (Kinoshita 등, 2000).

근치전립선절제술을 받은 젊은 남성에 관한 연구는 이들에게서 TFF3가 발현되지 않아 TFF3와 전립선암이 시작하는 연령 사이에는 연관성이 없다고 하였다. 이와 같이 전립선암 환자에서 TFF3의 발현이 발견되지 않는 이유가 조직에 대한 분자생물학적 검사의 차이에서 비롯될 수 있다. 또 다른 가설로는 감염 및 염증에 반응하여 TFF3가 증가하지만, 유전적인 결함이 있으면 TFF3가 발현되지 않을 수 있다는 것이다. 예를 들면, 바이러스 감염에 대한 조기 반응 유전자인 *ribonuclease L (RNASEL)*에 유전적 돌연변이가 일어나면 조기에, 즉 젊은 나이에 유전성 전립선암이 발생한다고 생각된다 (Chen 등, 2003).

TFF3의 발현과 전립선암의 형성 혹은 진행과의 연관성은 밝혀져 있지 않다. TFF3는 정상 위장관과 호흡기의 점막에 국한되어 있으면서 점막을 온전하게 보호하는 역할을 담당한다 (Wong 등, 1999). 종양학에서 TFF의 역할 중 흥미로운 점은 상당수 암에서 과다 발현되며, 전이 결장암의 대부분에서 가장 뚜렷하게 발현된다는 점이다 (Yamachika 등, 2002). 내피세포에 관한 연구로 유추되는 TFF3의 역할은 종양의 혈관 신생을 유도하는 것이며, 이로써 종양은 침윤성 및 혈관 형성의 표현형으로 변경된다고 추측된다 (Rodrigues 등, 2003). TFF3는 또한 세포 사이의 부착 성질을 변화시키고 세포의 이동력을 증대시켜 침범과 전이를 촉진하며, 세포 자멸사에 대한 대항 작용으로 세포의 생존을 증대시킨다 (Yamachika 등, 2002). TFF3의 발현은 염증성 장 질환에서 증가되는데, 이는 TFF3가 조직의 복구와 재생에 관여함을 시사한다. 전립선암이 전립선 내의 만성 염증 부위에서 발생한다고 보고된 바 있는데 (DeMarzo 등, 2003), TFF3가 전립선의 국소적인 조직 손

상에 반응하여 상향 조절되고, 이러한 증가가 전립선암의 원인이 될 수도 있을 것이다 (Garraway 등, 2004).

거세 저항성 전립선암에서 *v-ets erythroblastosis virus E26 transformation-specific sequence* (*ETS*) 유전자 융합의 역할을 평가하기 위해 국소 진행성 혹은 전이 질환을 가진 환자로부터 채집한 거세 저항성 전립선암 표본 54점의 전사체 (transcriptome)를 분석한 연구는 다음과 같은 결과를 보고하였다 (Rickman 등, 2010). 첫째, *TFF3*는 *ETS-related gene* (*ERG*)의 재배열 및 호르몬 박탈 요법에 대한 저항성에서 가장 선택적으로 조절되는 유전자이다. 둘째, 통상적인 chromatin immunoprecipitation-polymerase chain reaction (ChIP-PCR)과 ChIP followed by DNA sequencing (ChIP-seq)을 이용한 검사는 *ERG*의 재배열이 일어난 전립선암 세포주의 *TFF3* 촉진체에서 *ERG*가 *ETS*의 결합 부위와 직접 결합함을 보여 주었다. 셋째, 기능성 연구에서 *ERG*가 호르몬 반응성 전립선암에서는 *TFF3*의 발현에 대해 억제 효과를 나타내었지만, 거세 저항성 전립선암에서는 그러한 효과가 나타나지 않았다. 안드로겐 수용체는 *ERG*가 *TFF3*의 발현을 조절하는 과정에 관여한다. 넷째, *TFF3*의 과다 발현은 거세 저항성 전립선암 세포에서 *ERG*로 매개되는 세포의 침범을 증대시켰다. 이들 결과는 거세 저항성 전립선암에서 *ERG*의 재배열로 인한 종양세포의 공격성이 *TFF3* 유전자의 발현을 통해 일어난다는 새로운 기전을 제시한다.

원발 전립선암에서 채집된 조직 표본 294점과 전이 병변에서 채집된 조직 표본 61점을 이용하여 TFF3에 대해 면역화학 검사를 실시한 연구는 다음과 같은 결과를 보고하였다 (Faith 등, 2004). 첫째, 양성 절단치를 세포의 20% 이상이 염색된 경우로 설정하였을 때, 염색 양성 빈도는 정상에서는 18.8% (51점/272점), 원발 전립선암에서는 47.0% (126점/268점)이었다 ($p < 0.0001$). 둘째, 전이 전립선암에서 TFF3의 발현은 원발 전립선암에서와 비슷하였다. 셋째, TFF3의 발현은 생화학적 재발까지의 기간, 원격 전이의 발생, 전립선암으로 인한 사망 등과 관련이 없었다. 이 연구는 단백질 수준의 TFF3가 원발 및 전이 전립선암에서 과다 발현됨을 보여 준다.

cDNA microarray의 분자생물학적 검사는 전립선암 세포에서 TFF가 과다 발현됨을 보여 주었으며, TFF3가 전립선암에 특이한 표지자이며 종양의 형성에서 어떠한 역할을 한다고 제시하였다 (Luo 등, 2001). TFF3에 대한 단일 클론 항체를 이용한 분자생물학적 연구는 원발 및 전이 전립선암의 47%에서

TFF3가 과다 발현되었으나, TFF3의 발현과 종양의 임상병리학적 양상 사이에는 상호 관련성이 없다고 하였다 (Faith 등, 2004). TFF3에 특이한 항체를 이용한 면역조직화학적 연구도 전립선암 표본 236점의 42%, 정상 조직 표본 145점의 10%, 양성전립선비대 표본 91점의 18%가 TFF3에 대한 염색에서 양성 반응을 나타내었으며, TFF3는 원발 및 전이 전립선암에서는 과다 발현되어 유의한 상호 연관성을 보였지만 Gleason 등급, 종양의 병기, 재발률 등과는 연관성이 없다고 보고하였다 (Garraway 등, 2004).

전립선암 환자 79명, 양성전립선비대 환자 23명, 건강인 44명을 대상으로 enzyme-linked immunosorbent assay (ELISA)를 이용하여 혈장 TFF를, 면역조직화학검사를 이용하여 조직 TFF를 분석한 연구는 다음과 같은 결과를 보고하였다 (Vestergaard 등, 2006). 첫째, 국소 전립선암 환자에 비해 진행된 전립선암을 가진 환자에서 TFF1, TFF2, TFF3의 혈장 농도가 유의하게 더 높았다 ($p < 0.01$). 둘째, 국소 질환과 진행 질환을 구별하기 위해 절단치를 200 pmol/L로 설정한 경우 민감도는 74% (59~85%), 특이도는 81% (66~91%)이었다. 셋째, 혈장 TFF3의 농도는 골 전이 환자에서 가장 높았다 ($p = 0.008$). 넷째, 혈장 TFF의 농도는 혈청 PSA가 10 ng/mL 미만인 환자에 비해 10 ng/mL 이상인 환자에서 유의하게 더 높았으며 ($p = 0.03$), Gleason 점수 7 미만 환자에 비해 7 이상 환자에서 유의하게 더 높았다 ($p = 0.02$). 다섯째, 면역조직화학검사로 측정된 조직의 TFF1과 TFF3는 전립선암 환자에서 증가되었지만, 혈장 TFF 농도와 상호 관련이 없었다. 이 연구는 진행된 전립선암을 가진 환자에서 혈장 TFFs가 증가함을 보여 준다.

ERG, TFF3, 고분자량의 cytokeratin 등에 대한 삼중 염색법을 개발하여 전립선암 조직 표본 96점과 양성 전립선 조직 표본 52점을 대상으로 호르몬 반응성 전립선암에서 ERG가 TFF3를 하향 조절하는 역상관관계를 평가한 연구는 다음과 같은 결과를 보고하였다 (Park 등, 2013). 첫째, 전립선암에서 ERG와 TFF3 단백질의 발현은 각각 45% (43점/96점), 36% (35점/96점)이었다. 전립선암에서 ERG와 TFF3가 함께 발현된 경우는 5% (5점/96점)이었으며, ERG 혹은 TFF3가 발현되지 않은 경우는 24% (23점/96점)이었다. 둘째, ERG의 발현과 TFF3의 발현 사이에서 관찰되는 역상관관계는 통계적으로 유의하였으며 ($p < 0.0001$), ERG 음성 종양의 57% (30점/53점)가 TFF3를 발현하였다. 셋째, ERG 및 TFF3의 발현을 병행한 경

우 전립선암 발견에 대한 민감도와 특이도는 각각 76%, 96%이었다. 넷째, 삼중 면역염색법의 적절성은 76회의 침 생검으로 입증되었다. 이들 결과는 전립선암의 분자적 특징을 확인하기 위해서는 다수의 생물 지표를 적용함이 타당하며, 이러한 다중 생물 지표의 분석은 전립선 침 생검에서 진단적 및 예후적 보충 수단으로 유용함을 보여 준다.

전립선암에서 흔히 증가되는 세 표지자, 즉 ERG, TFF3, serine peptidase inhibitor, Kazal type 1 (SPINK1) 등이 전립선암 환자를 임상적으로 분류하는 데 도움이 되는지를 평가하기 위해 근치전립선절제술을 받은 279명으로부터 채집한 조직 표본을 면역조직화학적으로 분석한 연구는 다음과 같은 결과를 보고하였다 (Terry 등, 2015). 첫째, ERG 혹은 TFF3는 예후 측면에서 유의하지 않았지만, TFF3와 ERG의 발현 양상은 독특하였다. SPINK1의 발현은 TFF3를 발현하는 종양 (41점/175점)에서만 관찰되었다. 둘째, 단변량 및 다변량 분석에서 SPINK1 양성은 생화학적 재발에 대한 예측 인자이었으며, 각각에서 p-value는 0.0009, 0.0003이었다. 이들 결과는 TFF3가 전립선암을 소그룹으로 분류하는 데 도움이 됨을 보여 주며, 공격적인 표현형의 소그룹에서는 종양이 SPINK1과 함께 TFF3를 발현한다.

전립선암 세포주 DU145와 PC3에 TFF3 cDNA를 포함하는 벡터를 이용하여 유전자 전달 감염을 일으킴으로써 TFF3를 강하게 발현시킨 모델에 관한 연구는 다음과 같은 결과를 보고하였다 (Perera 등, 2015). 첫째, TFF3의 강한 발현은 전체 세포의 수와 세포의 생존력, 증식, 생존 기간을 증대시켰다. 둘째, TFF3는 대조군에 비해 부착 비의존성 성장, 3차원적 집락 형성, 상처 치유, 세포의 이동 등을 증대시켰다. 셋째, 유전자 전달 감염을 일으킨 세포주에서는 이온화 방사선에 대한 민감성이 감소하였다. 대조군에 비해 TFF3를 강하게 발현하는 PC3 세포에서는 이온화 방사선을 조사한 후 재성장이 증대되었다. 이들 결과는 전립선암의 치료에서 TFF3를 표적화하는 요법이 유망함을 보여 준다.

여러 연구 결과로 볼 때, TFF3가 전립선암을 진단하고 치료하는 데 있어 하나의 표지자가 될 수 있다. Trefoil 단백질은 분비 단백질이고 기존의 혈청 표지자의 특이도를 더욱 증가시킬 수 있다. TFF3 수용체를 표적으로 하는 중화 항체 (neutralizing antibody)는 TFF3가 양성인 암을 임상적으로 발견하는 데 활용이 가능하다. 앞으로 TFF3의 발현이 호르몬에 민감한지, 안드로겐을 박탈한 후에 증가되는지 등에 관한 추가 연

구가 필요하다.

81. Tumor Necrosis Factor (TNF)

Coley (1894)는 암 환자를 치료하기 위해 세균을 전달하여 감염시키는 개념을 처음 도입하였으며, 후에는 Coley's mixed toxin으로 불리는 죽은 세균을 만들어 사용하였다. Old 등 (1975)은 Bacillus Calmette-Guérin (BCG)과 함께 lipoglycans, endotoxin으로도 알려진 lipopolysaccharide (LPS)를 투여한 생쥐의 혈청이 LPS의 효과와 비슷하게 피하로 이식된 육종에서 출혈성 괴사를 유도함을 관찰하였다. 대식세포에서 생성되고 endotoxin을 유도하여 괴사를 매개하는 혈청 인자를 tumor necrosis factor (TNF)라고 명명하였다 (Carswell 등, 1975). 10년 후 E. coli에서 TNF의 유전자가 복제되었고 일부 종양 세포주에 대한 TNF의 작용과 세포 독성이 관찰되었으며, 종양을 가진 생쥐에게 재조합 TNF를 1회 주사하여 뚜렷한 항암 효과를 관찰하기도 하였다 (Pennica 등, 1984; Aggarwal 등, 1985; Wang 등, 1985). TNF는 대식세포에서 주로 생성되지만, 림프구, 비만세포, 내피세포, 심근세포, 지방세포, 섬유모세포, 신경세포 등과 같은 다양한 형태의 세포에서도 생성된다 (Olszewski 등, 2007). LPS, 기타 세균 생성물, interleukin 1 (IL-1) 등에 의해 자극을 받으면 다량의 TNF가 분비된다. 고열과 쇠약을 일으키는 단백질인 cachectin이 발견되었는데, 이 단백질은 TNF와 동일하다고 보고되었다 (Beutler 와 Cerami, 1986). Tumor necrosis factor alpha (TNFα 혹은 TNFA), cachexin, cachectin 등으로도 알려진 TNF는 염색체 6p21.3에 위치해 있는 *TNF* (혹은 *TNFA*) 유전자에 의해 코드화되며, 전신성 염증 및 급성기 반응에 관여하는 cytokines 중 하나로서 TNF의 신호 경로는 동맥경화증, 골다공증, 자가 면역 질환, 동종 이식 거부, 암 등 많은 질환의 치료에서 표적이 되고 있다 (Locksley 등, 2001).

Lymphotoxin (LT)은 Granger 등에 의해 소개되었으며 (Kolb와 Granger, 1968), 림프구에 의해 생성되어 세포 독성 작용을 가진다고 기술되었다 (Ruddle과 Waksman, 1967). LT는 1984년 분자가 복제되기 전까지 거의 이해되지 않은 상태로 있었으며, 이후 항암 효과와 같이 TNF와 비슷한 작용을 가진 TNF 유사 분자라고 알려졌다 (Gray 등, 1984). 이들 두 cytokines는 TNF 유사 가족의 구성원 15~20종 중 첫 번째이며, LTα를 제외한 대부분의 구성원은 2형 경막 단백질이다. TNF

receptor (TNFR) 또한 발견되었는데, 재조합 TNF와 LTα는 서로 다른 친화력으로 동일한 TNFR I 및 TNFR II와 상호 작용한다.

TNF superfamily/TNFR superfamily (TNFSF/TNFRSF)가 계획된 세포사를 일으키는 기전에 관하여 상당히 많이 알려져 있지만, 새로운 개념이 제시되고 있다. 세포 사망은 주된 두 형태, 즉 세포 자멸사 혹은 계획된 세포사와 괴사 혹은 외상성 세포사로 구분된다 (Raff, 1998). 이들 두 형태의 세포사는 형태학적으로 차이를 나타내는데, 세포 자멸사는 세포가 수축, 압축, 파괴를 일으켜 쉽게 포식이 가능한 조각으로 변천하는 과정인 데 비해, 괴사는 세포 소기관의 퇴행 및 형질막 통합성의 소실과 함께 세포의 종창 혹은 파열이 일어나는 과정이다. 분자 측면에서 세포 자멸사는 caspase 활성화의 경로가 진화론적으로 보존되어 있는 데 비해 괴사에서는 명확하지 않다 (Raff, 1998). TNFRSF 내에 있는 death receptor (DR)는 caspase의 활성화 및 세포 자멸사를 유도하는 분자로 잘 알려져 있다. 이 때문에 괴사를 의미하는 tumor 'necrosis' factor라는 명칭은 역설적인 것 같다. 그러나 세포 자멸사는 DR로 인한 세포사의 기전만으로는 설명되지 않는다. Caspase의 활성화와 관계없는 DR에 의한 세포사와 세포 자멸사의 기타 원인이 조심스럽게 소개되고 있다 (Vercammen 등, 1998; Villunger 등, 2000). 한 예가 예방 접종에 이용되고 있는 바이러스이다. 바이러스가 caspase 억제 인자를 코드화하지만, 감염 세포는 분자적으로 혹은 형태학적으로 세포 자멸사와는 다른 방식으로 TNF에 의해 사망에 이른다 (Li와 Beg, 2000). 이러한 예는 괴사로 불리며, 염증과 관련이 있을 수 있다. 염증은 전형적으로 세포 자멸사에서는 발견되지 않지만, TNF로 인한 괴사가 병원체에 대한 반응의 일부일 때는 염증이 면역 시스템을 활성화하는 데 매우 중요한 역할을 한다. 반대로 기술하면, 순수한 세포 자멸사는 개체가 발달하는 동안 조직의 리모델링 혹은 재형성에 관여하며, 이런 경우에서는 염증이 유해하다고 할 수 있다. TNFR에 의해 유도되는 세포 자멸사와 괴사의 경로를 더욱 이해하게 되면, 개체의 발달 및 숙주의 방어와 관련이 있는 이들 ligands와 수용체의 기본 경로가 밝혀질 것이다.

TNFSF는 구조적으로 관계있는 19종의 단백질, 즉 ligands로 구성되어 있으며, 이들은 구조적으로 유사한 29종의 수용체로 구성된 TNFRSF 중 1가지 이상의 분자와 결합한다 (Bodmer 등, 2002). 이들 가족의 구성원은 다양한 생리학적 기능을 유발하며, 면역 시스템, 신경 시스템, 골격 및 외배엽 기관 등의 발생과 항상성을 조절하는 신호 경로에 관여한다 (Lock-sley 등, 2001). Ligands는 세포막에 부착되거나 용해성 삼합체를 형성하며, 신호를 전달하기 위해 세포 표면의 수용체와 결합한다. 일반적으로 TNFSF 분자는 TNF, LT, nerve growth factor (NGF), cluster of differentiation 40 ligand (CD40L), OX40 ligand (OX40L)로도 알려진 TNFSF4, B cell activating factor (BAFF) 등과 같은 생존 혹은 염증 신호 경로를 촉진하거나 Fas cell surface death ligand (FASL)와 TNF-related apoptosis-inducing ligand (TRAIL)를 통해 세포의 사망을 유도한다. TNF는 T 및 B 림프구와 같은 면역 세포뿐만 아니라 섬유모세포와 상피세포와 같이 조직에 상주하는 비면역 세포에서 염증 작용을 유도한다. NGF는 신경세포의 성장 및 유지와 통각의 인지를 조절한다. 세포막에서 발현되는 형태의 LT, 즉 LTαβ 복합체는 림프절 구조의 발생과 유지에서 필수적이다. Ectodysplasin A (EDA)로도 알려진 TNFSF19은 모발, 치아, 한선 등의 정상적인 발달을 위해 필요하다. Receptor activator of NFκB ligand (RANKL)로도 알려진 TNFSF11은 골 대사를 촉진하는 기능을 가지고 있다. 또한, LIGHT, herpesvirus entry mediator (HVEM) 등으로도 알려진 TNFSF14 외에도, TNFSF4, CD40L/TNFSF5, BAFF/TNFSF13B 등은 T 및 B 림프구를 포함하는 면역 시스템 내에서 많은 세포의 반응을 조절하며, FASL과 TRAIL은 여러 종류의 세포에서 세포 자멸사를 촉진하여 과도한 성장을 억제한다 (Croft 등, 2013). 참고로 LIGHT는 'homologous to **l**ymphotoxin, exhibits **i**nducible expression and competes with HSV **g**lycoprotein D for binding to **h**erpesvirus entry mediator, a receptor expressed on **T** lymphocytes'를 의미한다.

TNF와 TNFR의 신호 경로는 세포질의 두 어댑터 (adaptor) 단백질, 즉 TNFR-associated factor (TRAF)와 'death domain (DD)' 분자를 통해 일어난다 (Fesik, 2000; Inoue 등, 2000). 포유동물에서는 최소한 6종의 TRAF 분자와 다수의 DD 분자가 있다 (Wajant 등, 1999). 신호 경로는 대단히 신속하고 특이하다. DD를 가진 수용체 DR에 관해서는, ligand가 전형적으로 FAS-associated DD protein (FADD), TNFR-associated DD protein (TRADD) 등과 같은 어댑터 단백질과 연합하여 caspase를 활성화함으로써 세포 사망을 유도한다. Fas cell surface death receptor (FAS)와 관련하여서는, FADD와 FAS DD의 동형 결합이 FADD 내에 있는 death effector domain과

두 caspases, 즉 caspase-8과 -10의 전구 영역 사이에서 일어나는 상호 작용에 의해 이들 두 caspases를 집결시킨다 (Scaffidi 등, 1999).

세포 사망을 유도하는 능력은 TNFSF와 TNFRSF가 가진 독특한 특성 중 하나이다. TNFRSF에 속한 8종의 DRs, 즉 DR3~6, TNFR1, NGF receptor (NGFR), EDA receptor (EDAR), FAS 중 최소한 6종은 casapses를 활성화하여 세포 자멸사를 자극한다 (Raff, 1998; Screaton과 Xu, 2000). DD가 결여된 기타 TNFSF/TNFRSF는 DRs에 대한 반응을 조절하거나 세포의 생존에 직접 영향을 준다. 예를 들면, TNFR2는 TNFR1에 의해 유도되는 T cell의 세포사를 크게 증대시키며, CD40는 FAS로 유도되는 B cell의 세포사를 증대시킨다 (Garrone 등, 1995; Chan 등, 2000b). DR에 의해 유도되는 세포사의 주된 기능 중 하나는 감염균에 반응하여 일어나는 세포 매개성 세포 독성이다. FAS로 매개되는 세포 독성은 CD8+ T cell의 칼슘 비의존성 살해 기전이다 (Nagata와 Golstein, 1995). DR로 매개되는 세포사의 또 다른 중요한 기능은 면역의 항상성인데, 림프 기관의 제한된 공간 내에서 항원에 반응하여 일어나는 반복되는 림프구의 확장을 조절하여 균형을 이루게 한다. 활성화된 세포는 파괴된다. 활성화된 T cell에 대한 강하거나 반복되는 자극은 일부 세포에서 세포 자멸사를 일으킨다. 이와 같은 음성적 되먹임 기전, 즉 'propriocidal regulation'은 과도한 림프구의 확장에 따른 독성 효과를 방지한다. 사람의 autoimmune lymphoproliferative syndrome (ALPS) 혹은 생쥐의 림프 증식 (lymphoproliferation, LPR)과 전신성 림프 증식 질환 (generalized lymphoproliferative disease, GLD)에서 나타나는 FAS에 의한 세포 자멸사의 유전적 장애는 자가 면역과 림프구 항상성의 급격한 소실을 일으킨다 (Lenardo 등, 1999).

TNF와 용해성 LT인 LTα는 공통되는 수용체인 TNFR1 및 TNFR2와 결합하며, 이들은 가장 잘 알려진 TNFSF와 TNFRSF의 구성원이다. 수년 전부터 염증 질환에서 이들 분자를 표적화하는 요법이 연구되어 왔으며, 항체에 근거하거나 수용체에 근거하여 TNF 혹은 TNF/LTα를 차단하는 다섯 가지의 약물이 2013년 현재 자가 면역 및 염증성 질환, 예를 들면 류마티스관절염, 건선 관절염, 소아 특발성 관절염, 건선, 강직척추염, Crohn 질환, 궤양성 대장염 등의 치료제로 승인을 받았는데, etanercept (Enbrel®), infliximab (Remicade®), adalimumab (Humira®), certolizumab pegol (Cimzia®), golimumab (Simponi®) 등이다. 염증 질환에서 이들 분자를 표적화한 요법이 성공적인 결과를 나타냄에 따라 이들 분자와 관련이 있는 다른 분자에 대한 연구도 활발해지고 있으며, 예를 들면 다음과 같다 (Croft 등, 2013). (1) 류마티스관절염, Sjögren 증후군 등의 치료제로서 TNFSF3로도 알려진 LTβ와 TNFRSF3로도 알려진 LTβR을 표적화하는 baminercept, (2) 천식, 경성 종양, 전립선암 등의 치료제로서 TNFSF4로도 알려진 OX40L과 TNFRSF4로도 알려진 OX40를 표적화하는 oxelumab, (3) 신장암, non-Hodgkin 림프종 등의 치료제로서 TNFSF7으로도 알려진 CD27L과 TNFRSF7으로도 알려진 CD27을 표적화하는 SGN-75와 MDX-1203, (4) 항암 요법제제로서 TNFSF6로도 알려진 FASL과 TNFRSF6로도 알려진 FAS를 표적화하는 APO010, (5) Hodgkin 림프종, anaplastic large-cell lymphoma (ALCL) 등의 치료제로서 TNFSF8으로도 알려진 CD30L과 TNFRSF8으로도 알려진 CD30를 표적화하는 brentuximab vedotin (Adcetris□)과 SGN-30, (6) 흑색종, 경성 종양 등의 치료제로서 TNFSF9으로도 알려진 4-1BBL과 TNFRSF9으로도 알려진 4-1BB를 표적화하는 BMS-663513, (7) 다양한 암의 치료제로서 TNFSF10으로도 알려진 TRAIL과 TNFRSF10A로도 알려진 TRAILR1을 표적화하는 dulaner-min/AMG 951, (8) TNFRSF10B로도 알려진 TRAILR2를 표적화하는 conatumumab/AMG 655, (9) TNFRSF10C로도 알려진 TRAILR3를 표적화하는 drozitumab/PRO95780, (10) TN-FRSF10D로도 알려진 TRAILR4를 표적화하는 lexatumumab/HGS-ETR2, (11) 골 전이 암의 치료제로서 TNFSF11으로도 알려진 RANKL과 TNFRSF11B로도 알려진 RANK를 표적화하는 AMG-0007, (12) 경성 종양의 치료제로서 TNFSF12로도 알려진 TNF-related weak inducer of apoptosis (TWEAK)와 TNFRSF12 혹은 fibroblast growth factor (FGF)-inducible 14 (FN14)으로도 알려진 TWEAKR을 표적화하는 enavatu-zumab/PDL192와 RO5458640, (13) non-Hodgkin 림프종, 다발성 골수종 등의 치료제로서 TNFSF13으로도 알려진 a pro-liferation-inducing ligand (APRIL)와 TNFRSF13B로도 알려진 transmembrane activator and CAML interactor (TACI) 및 TNFRSF17으로도 알려진 B cell maturation antigen (BCMA)를 표적화하는 atacicept, (14) 다발성 골수종, 다발성 경화증, systemic lupus erythematosus (SLE) 등의 치료제로서 TNFS-F13B로도 알려진 BAFF와 TNFRSF13C로도 알려진 BAFFR을 표적화하는 tabalumab/LY2127399, (15) 염증성 장 질환의 치료제로서 TNFSF14으로도 알려진 LIGHT와 TNFRSF14으로도 알려진 HVEM을 표적화하는 SAR252067, (16) 흑색종의 치료제로서 TNFSF18으로도 알려진 GITR ligand (GITRL)와 TN-FRSF18으로도 알려진 glucocorticoid-induced TNFR-related protein (GITR)을 표적화하는 TRX518, (17) 골관절염과 골종양 통증의 치료제로서 TNFSF의 명칭이 지정되지 않은 NGF와 TNFRSF16으로도 알려진 NGFR을 표적화하는 tanezumab/RN624.

TRAIL은 형질 전환이 일어난 세포에서 세포 자멸사를 유도하는 단백질로 알려져 있으며, TRAIL이 결여된 생쥐에서는 종양 형성 및 전이가 증대되기 때문에 TRAIL은 암에 대해 방어 역할을 한다고 생각된다 (Huang과 Sheikh, 2007). 또한, TRAIL receptor (TRAILR)는 다수의 암에서 발현된다 (Fox 등, 2010; Gerspach 등, 2011). TRAIL은 DR4로도 알려진 TRAILR1과 DR5로도 알려진 TRAILR2 외에도 DD가 결여된 두 종류의 decoy receptor (DCR), 즉 DCR1으로도 알려진 TRAILR3와 DCR2로도 알려진 TRAILR4와 결합하기 때문에, TRAIL의 신호 경로는 복잡하다. TRAIL은 TRAIL에 의해 매개되는 세포 자멸사를 억제하는 용해성 ligand인 osteoprote-gerin (OPG)과도 결합한다 (Huang과 Sheikh, 2007). 이들 단백질을 표적화하는 여러 요법이 개발 중에 있다. 예를 들면, mapatumumab은 non-Hodgkin 림프종 (Younes 등, 2010), 결장직장암 (Trarbach 등, 2010), 소세포 폐암 (Soria 등, 2011), 간세포암 (Zhang 등, 2009) 등의 치료제로서, tigatu-zumab은 췌장암의 치료제로서 시험 중이며, 그 외에도 cona-tumumab citabine, drozitumab, lexatumumab, HGSTR2J 등이 다양한 암에서 세포 자멸사를 증대시킬 목적으로 시험 중에 있다 (Croft 등, 2013).

TNFα의 농도는 전립선암 환자의 혈청과 전구 암 혹은 암 조직에서 증가된다고 보고되었다 (Michalaki 등, 2004). TNFα 농도의 증가는 악성 세포의 증식 및 생존의 자극과 화학 요법제에 대한 저항성의 증가를 유도함으로써 종양의 진행과 상호 연관성을 가진다 (Srinivasan 등, 2010). 또한, TNF 가족의 DR은 caspase-8, caspase-10 등과 같은 caspase 가족의 단백질분해효소를 세포질 영역으로 집결시켜 death-inducing signalling complex (DISC)를 형성함으로써 세포 자멸사를 유도한다. DISC에서 caspases는 활성화된 후 세포질 내에서 분절되고, 하위 효과기 caspases를 활성화하여 세포 자멸사를 일으킨다. FADD-like anti-apoptotic molecule 1 (FLAME1),

FLICE-like inhibitory protein (FLIP), CASP8 and FADD-like apoptosis regulator (CFLAR), FADD-like IL-1beta-converting enzyme (FLICE) 등으로도 알려진 cellular FLIP (c-FLIP)는 TNF에 의해 유도되는 세포 자멸사에 대한 저항성을 조절하고 세포 자멸사를 일으키는 신호 경로와 생존을 유발하는 신호 경로 사이의 균형을 중재한다 (Ekert 등, 1999; Nastiuk 와 Krolewski, 2008). *FLIP* 유전자는 많은 조직에서 다수의 splice 변형으로 나타나지만, 단백질 수준에서 c-FLIP는 두 가지의 주된 동형 단백질을 가지는데, 55 kDa의 long c-FLIP (c-FLIP$_L$)와 26 kDa의 short c-FLIP (c-FLIP$_S$)이다. c-FLIP는 mediator of receptor induced toxicity 1 (MORT1)으로도 알려진 FADD 혹은 caspase-8 혹은 caspase-10과 결합함으로써 TNFα, FASL, TRAIL 등에 의해 유도되는 세포 자멸사를 지연시키며, DISC의 형성을 방지하여 caspase 과정을 억제한다 (Safa 등, 2008). c-FLIP의 발현 증가는 치료에 대해 반응하지 않는 종양에서 관찰되며, 화학 요법에 대한 민감성을 증가시키는 전략으로 c-FLIP를 하향 조절하는 방법을 이용하기도 한다 (Safa 등, 2008). c-FLIP는 반감기가 짧아 전환 주기가 빠르며, ubiquitin-proteasome 기전에 의해 조절된다 (Kim 등, 2002). 일부 항암 제제는 이러한 과정을 통해 c-FLIP의 발현을 하향 조절한다 (Poukkula 등, 2005). 그러나 이와 같은 기전을 더욱 분명하게 밝힐 필요가 있다. Reactive oxygen species (ROS)와 관련한 p38의 활성화는 c-FLIP의 ubiquitination 및 분해를 위해 필요하지만, c-FLIP$_L$의 발현은 전사 단계에서 조절될 수 있다 (Zhang 등, 2007). 즉, 전사 인자 forkhead box O3a (FOXO3a)는 c-FLIP$_L$ 촉진체를 억제한다고 보고된 반면 (Cornforth 등, 2008), androgen receptor (AR)는 촉진체를 활성화한다고 보고되었다 (Raclaw 등, 2008).

전립선암 세포에서 TNFα 의존성 세포 자멸사를 증가시키는 방법으로 자가 포식 (autophagy)이 관심을 받고 있다. 자가 포식은 세포 성분의 분해를 조절하며 장기간 생존한 단백질과 소기관의 전환 주기를 조절함으로써 세포의 항상성을 유지한다 (Mortimore 등, 1983). 세포 자멸사와 자가 포식은 오랫동안 형태는 서로 다르나 계획된 세포사로 분류되어 왔지만, 여러 증거에 의하면 세포 자멸사는 비가역적인 세포사이고 자가 포식은 에너지를 생성하여 심각한 스트레스에 대해 생존을 유지시키기 때문에 자가 포식 세포는 흔히 생존한 상태이다 (Kroemer 등, 2010). 자가 포식의 생존 기능은 일반적으로 적응 반응이라고 생각되지만, 암에서는 암세포가 대사성 스트레스 혹은 치료로 인한 스트레스에 대해 저항 기전을 나타내기 때문에 부적응 반응이라고 간주된다 (Mizushima 등, 2008). 이와 같은 개념에 근거하여 암세포의 사망을 촉진하기 위해 자가 포식을 차단하는 방법이 이용될 수 있다. 종양 형성에서 자가 포식은 상황에 따라 암을 진행시키고 암을 억제하는 역할을 한다. 이들 효과를 나타내는 분자 기전은 분명하지 않지만, 최소한 일부 경우에서는 괴사 혹은 유전체의 불안정을 방지한다고 알려져 있다 (Degenhardt 등, 2006; Mathew 등, 2007).

LNCaP 세포에서 자가 포식은 TRAIL 둔감성 암세포에서는 세포를 보호하는 효과를 나타내며, 그러한 세포 보호성 자가 포식을 억제하면 종양의 TRAIL 저항성이 반전될 수 있다 (Han 등, 2008). 또한 TRAIL로 인한 세포 자멸사는 c-FLIP에 의해 차단되며, c-FLIP를 과다 발현하는 세포에서 TRAIL에 의해 매개되는 자가 포식은 세포를 보호하는 기전의 하나가 된다. 이러한 기전을 억제하면 c-FLIP의 과다 발현에도 불구하고 세포 자멸사가 일어난다. TNFα 의존성 세포 자멸사에 대한 LNCaP 세포의 민감성은 자가 포식을 억제하는 제제가 존재하면 증가한다. 즉, 자가 포식을 억제하는 3-MA는 세포 자멸사를 유도하는 TNFα의 작용을 증대시킨다 (Giampietri 등, 2006).

TNFα에 대해 민감하지 않은 PC3 전립선암 세포에서는 TNFα 의존성 세포 자멸사에 대한 저항성이 3-MA에 의해 반전되지 않지만 자가 포식을 유도하는 제제인 rapamycin에 의해서는 반전된다. Mammalian target of rapamycin (mTOR) kinase의 억제제인 rapamycin은 TNFα로 처치된 PC3 세포를 사멸시킨다. mTOR kinase는 전립선암에서 흔히 제어되지 않는 phosphatase and tensin homolog/phosphatidylinositol 3-kinase/v-akt murine thymoma viral oncogene homolog protein 1 (PTEN/PI3K/AKT) 신호 경로의 중요한 성분이다 (Giampietri 등, 2012). PTEN/PI3K/AKT와 mTOR 신호 경로의 표적화는 호르몬 저항성 전립선암의 치료에서 효과적이라는 보고가 있었다 (Suh 등, 2010). 다른 연구는 c-FLIP가 안드로겐 의존성과 비의존성 전립선암 세포 모두의 세포 자멸사에서 중요한 역할을 한다고 하였다 (Giampietri 등, 2012). 사실 rapamycin은 PC3 세포를 TNFα 의존성 세포 자멸사의 과정을 가지도록 전환시킨다. 그러한 효과는 rapamycin 치료에 의한 ROS 생성의 증가와 전사 단계에서 c-FLIP 발현의 감소와 상호 관련이 있다. AKT의 하위 표적인 FOXO3a는 forkhead

전사 인자 가족에 속하며, AKT에 의해 인산화된다 (Brunet 등, 1999). PC3 세포에서 rapamycin은 용량 의존적 방식으로 c-FLIP 단백질의 감소, AKT 활성의 감소, FOXO3a의 탈인산화 등을 일으킨다. Rapamycin은 전립선암 세포에서 두 종류의 mTOR complexes, 즉 mTORC1과 mTORC2를 억제하며, mTORC2가 억제되면 AKT의 인산화가 감소된다 (Wang 등, 2008). LNCaP 세포에서 FOXO3a는 AR과 협동하여 c-FLIP의 발현을 조절한다 (Cornforth 등, 2008). AR을 발현하지 않는 PC3 세포에서 FOXO3a에 의한 c-FLIP 발현의 조절은 완전하게 AR의 존재에 의존적이지 않다. PC3 세포에서 c-FLIP 단백질의 감소로 인한 FOXO3a의 활성화는 TNFα 의존성 세포 자멸사와 관련이 있다. 이러한 결과는 FOXO3a의 활성화와 세포 자멸사에 대한 민감성 사이에 연관성이 있다는 연구에 의해 뒷받침된다.

LNCaP 전립선암 세포주의 경우 안드로겐이 제거된 상태에서 자가 포식이 증가되면 세포의 생존력이 증가한다는 보고 (Chhipa 등, 2011)는 전립선암의 치료에서 자가 포식을 억제하면 이점이 있음을 추측하게 한다 (Fleming 등, 2011). 반대로 호르몬 저항성 전립선암 세포주에서 자가 포식을 유도하면 결국 세포 자멸사가 일어난다 (Bhutia 등, 2011). 따라서 자가 포식에 의한 세포사를 유도하는 일부 약물은 호르몬 저항성 전립선암 세포인 PC3 세포의 치료에서 유용한 화학 요법 제제가 될 수 있다 (Parikh 등, 2010). 자가 포식을 자극하여 TNFα 의존성 세포 자멸사를 증대시키는데, 그러한 효과는 c-FLIP에 의존적이며, FOXO3a 전사 인자의 활성화와 함께 c-FLIP 촉진체의 활성 감소를 통해 일어난다 (Giampietri 등, 2012).

신장암 환자 122명에 관한 연구는 혈청 TNFα의 농도가 진행된 병기와 상호 관련이 있기 때문에 질환의 조기 진단에 도움이 된다고 하였다 (Yoshida 등, 2002). 다른 연구는 혈청 TNF의 활성이 재발된 질환의 76%에 양성 반응을 나타낸 데 비해, 치료를 받지 않은 환자와 호르몬 치료로 질환의 차도를 보인 환자에서는 각각 11%, 0%의 양성 반응을 나타내었다고 하였다. 이 연구에 의하면, 혈청 TNF의 농도가 증가된 환자는 혈청 TNF의 농도가 측정되지 않는 환자에 비해 사망률이 유의하게 더 높았다 ($p \langle 0.05$). 이와 같은 결과는 TNF가 전립선 암 환자에서 복합적인 cachexia 증후군을 일으키는 인자 중 하나임을 시사한다 (Nakashima 등, 1998). 전립선암 환자 80명과 대조군 38명을 대상으로 혈청 IL-6와 TNFα의 농도를 측정하고 환자군을 크기가 작은 국소 암을 1군, 크기가 큰 국소 암을 2군, 전이 암을 3군으로 구분하여 평가한 연구는 다음과 같은 결과를 보고하였다 (Michalaki 등, 2004). 첫째, 혈청 IL-6와 TNFα의 농도는 임상병리학적 가변 인자와 상호 관련이 있었으며, 재발 환자 40명에서는 질환의 진행과 관련이 있었다. 둘째, 전체 전립선암 환자의 혈청 IL-6와 TNFα의 평균 농도는 각각 5.6 ± 6.7 pg/mL, 4.3 ± 3.6 pg/mL로써 대조군의 1.1 ± 0.6 pg/mL, 1.2 ± 0.4 pg/mL에 비해 유의하게 더 높았다. 셋째, 혈청 IL-6 농도의 평균치는 1.3 ± 0.8 pg/mL의 1군, 3.5 ± 2.9 pg/mL의 2군에 비해 9.3 ± 7.8 pg/mL의 3군에서 더 높았다. 넷째, 혈청 TNFα 농도의 평균치는 1.4 ± 0.7 pg/mL의 1군, 3.9 ± 3.4 pg/mL의 2군에 비해 6.3 ± 3.7 pg/mL의 3군에서 더 높았다. 다섯째, 재발 환자 40명에 대해 연속으로 분석한 바에 의하면, 기저선, 생화학적 재발 시점, 증상을 가지고 진행하는 동안 혈청 IL-6 농도의 평균치는 각각 1.1 ± 0.7, 3.1 ± 1.5, 9.3 ± 7.0 pg/mL이었으며, 혈청 TNFα 농도의 평균치는 각각 1.3 ± 0.6, 4.5 ± 3.4, 6.2 ± 3.6 pg/mL이었다. 여섯째, 단변량 분석에서 IL-6, TNFα, PSA 등의 절단치를 각각 2.1 pg/mL, 1.9 pg/mL, 100 ng/mL로 설정한 후 기저선 PSA, IL-6, TNFα, Gleason 점수 등과 비교하였을 때, 생화학적 재발에 대한 각각의 hazard ratio (HR)는 5.2 ($p \langle 0.01$), 3.6 ($p=0.031$), 1.9 ($p=0.042$), 10.53 ($p \langle 0.0001$)이었다. 이들 결과는 IL-6와 TNFα가 전립선암 환자에서 질환의 확대와 관련이 있으며, 전립선암 환자를 관리할 때 다른 표지자와 병용하면 도움이 될 수 있음을 보여 준다.

IL-6의 농도는 일반적으로 진행된 전립선암에서 증가되며, 종양의 크기와 비례하여 증가하고 치료에 반응함에 따라 감소한다 (George 등, 2005; Woods 등, 2009). TNFα를 억제하면 IL-6의 생성이 차단된다는 보고에 근거하여 골 전이로 인해 통증을 가진 거세 저항성 전립선암 환자 6명에게 TNFα의 단클론 항체인 infliximab 5 mg/kg을 0, 2, 6, 12주에 정맥 주사한 연구는 다음과 같은 결과를 보고하였다 (Diaz 등, 2011). 첫째, 6명 중 2명은 통증 측면에서 일시적이지만 완전한 반응을 나타내었으며, 그러한 효과는 2~5일 지속되었다. 생화학적으로 IL-6의 농도는 통증이 해소됨과 함께 감소되었다. TNFα의 차단으로 인한 임상적 혹은 생화학적 효과는 치료 3~4주 후에는 재현되지 않았고 이후 IL-6의 농도는 증가하였다. 둘째, 나머지 4명은 infliximab으로 임상적 이점을 얻지 못하였으며, 치료 기간 동안 IL-6의 농도가 증가하였다. 셋째, 방사선학적으로 질환이 진행되는 소견을 보인 경우 모든 환자에서 치료를 중단하였으며, 치료와 관련된 부작용은 관찰되지 않았다. 이와 같은 결과를 종합하여 보면, 통증을 가진 거세 저항성 전립선암 환자에서 IL-6의 발현은 TNFα에 의존적이지 않으며, infliximab을 이용한 TNFα의 차단이 안전은 하지만 통증은 IL-6 농도의 변동과 관련이 있기 때문에, 이들 환자에서는 TNFα의 차단보다 IL-6를 직접 표적화하는 요법이 필요하다고 생각된다.

82. Wingless-Type Mouse Mammary Tumor Virus (MMTV) Integration Site (WNT)

Wingless-type mouse mammary tumor virus (MMTV) integration site (WNT) 유전자는 신체 내 많은 기관의 발생 및 치유와 관련이 있는 신호 경로의 분비성 단백질을 코드화하며, WNT 신호 경로의 비정상적 활성화는 종양 형성과 관련이 있다 (Klaus와 Birkmeier, 2008).

면역조직화학검사를 이용하여 proto-oncogene Int-1 homolog (INT1)으로도 알려진 WNT family member 1 (WNT1)과 β-catenin (CTNNB)을 분석한 연구는 다음과 같은 결과를 보고하였다 (Chen 등, 2004). 첫째, WNT1과 CTNNB의 농도는 정상 전립선 세포에서는 낮은 반면 전립선암 세포주에서는 높았다. 둘째, WNT1과 세포질/핵 CTNNB의 발현은 각각 원발 전립선암 표본의 52%, 34%에서 관찰되었다. 셋째, WNT1과 CTNNB의 높은 발현은 림프절 전이의 77%, 골 전이의 85%에서 관찰되었다. 넷째, WNT1과 CTNNB의 발현 증가는 Gleason 점수 및 혈청 PSA와 관련이 있었다. 다섯째, WNT1과 CTNNB의 최대 생성 농도는 골 전이에서 관찰된 데 비해, 정상 전립선 조직의 경우 핵에서 CTNNB에 대한 염색 반응이 발견되지 않았다. 이와 같은 결과는 WNT1과 CTNNB의 발현 증가가 진행, 전이, 호르몬 저항성 전립선암과 관련이 있기 때문에 질환의 진행에 대한 표지자의 역할을 할 수 있음을 보여 준다. 한편, 지방 형성에 관여하는 대사성 효소인 fatty acid synthase (FASN)는 여러 암에서 높게 발현되며, 세포 자멸사에 대한 저항성, 세포 증식의 유도 등과 같은 종양 형성의 특성을 나타내는데, 그러한 기전은 분명하지 않으나 WNT1의 palmitoylation을 통해 CTNNB을 안정화하여 이 단백질의 경로를 활성화함으로써 종양의 형성을 유도한다고 보

고되었다 (Fiorentino 등, 2008).

*WNT11*은 염색체 11q13.5에 위치해 있고 9개의 exons를 가지고 있으며, *WNT11* mRNA의 발현이 안드로겐 비의존성 전립선암에서 증가된다고 보고된 바 있다 (Zhu 등, 2004). 발생기 동안 WNT11의 역할은 잘 알려져 있는데, 예를 들면 WNT11은 배엽 형성 (gastrulation) 동안 배아의 조직이 세포의 운동에 의해 내외 축 (mediolateral axis)을 따라 좁아지고 수직 축 (perpendicular 혹은 anteroposterior axis)을 따라 길어지는 재건 과정, 즉 수렴 신장 운동 (convergent extension movement) (Tada 등, 2002)과 신장의 형태 형성 (Majumdar 등, 2003)에 필요하다. 세포를 기초로 분석한 연구는 WNT11이 심장의 분화를 촉진하고 (Eisenberg와 Eisenberg, 1999), 장 상피세포의 증식, 이동, 형질 전환 등을 증가시키며 (Ouko 등, 2004), 유방암 세포에서 세포 자멸사를 감소시키고 (Lin 등, 2007), 중국산 햄스터 난소 (chinese hamster ovary, CHO) 세포의 생존 능력을 증가시킨다 (Railo 등, 2008)고 하였다. WNT11의 하위 신호는 충분하게 특징화되어 있지 않지만, WNT11은 CTNNB로 매개되는 WNT 신호 경로뿐만 아니라 c-Jun N-terminal kinase/activator protein 1 (JNK/AP1) 및 nuclear factor kappa B (NFκB)의 신호 경로를 억제한다거나 (Railo 등, 2008), protein kinase C (PKC) 및 JNK를 활성화한다거나 (Flaherty 등, 2008), 혹은 cAMP response element binding protein (CREB)의 가족 구성원을 활성화한다 (Zhou 등, 2007)는 등의 보고가 있다. WNT11은 CTNNB를 안정화하지 못하며, '표준이 되는' WNT/CTNNB의 신호 경로를 억제한다 (Maye 등, 2004).

82.1. WNT11의 전립선암에 대한 효과
Effects of WNT11 on prostate cancer

대부분의 전립선암은 처음에는 안드로겐에 의존적이며, 안드로겐을 제거하는 요법은 종양의 퇴행을 유도한다. 그러나 전립선암은 재발하고, 안드로겐의 박탈이 더 이상 효과가 없게 되면 현재로서는 생존을 연장시킬 분명한 치료법이 없다 (Feldman과 Feldman, 2001). 안드로겐 비의존성 종양의 대부분은 androgen receptor (AR)를 지속적으로 발현하며, 혈중 안드로겐이 낮은 상태에서 AR 경로의 비정상적인 활성은 그러한 종양이 성장하게 되는 원인이라고 생각된다. AR의 전사 작용을 증대시키는 단백질이 다수 있는데, 그러한 단백질

중의 하나가 CTNNB이며, 이 단백질은 ligand 의존적으로 AR의 활성을 증대시키고 에스트라디올과 부신 안드로겐인 an-drostenedione에 의한 AR의 활성화를 촉진한다 (Cheshire와 Isaacs, 2003). 따라서 CTNNB는 전립선암의 안드로겐 비의존성 질환으로의 진행을 조절하는 단백질이라고 할 수 있다.

WNT 신호 경로의 활성을 위해서는 특징적으로 CTNNB의 안정화가 필요한데, 이는 초파리 (Drosophila)에서의 CTNNB와 동족체인 armadillo에서 처음 관찰되었다 (Miller와 Moon, 1996). WNT 신호 경로는 여러 종류의 종양에서 비정상적으로 활성화되고, 결장암에서 가장 흔하다. 이러한 경우 선종성 결장폴립증 (adenomatous polyposis coli) 혹은 CTNNB를 코드화하는 유전자 catenin beta 1 (CTNNB1)에서 돌연변이가 흔하다 (Polakis, 2000). 전립선암의 5%에서 CTNNB는 돌연변이에 의해 활성화된다 (Chesire 등, 2000). 돌연변이가 일어난 경우 CTNNB는 세포질에 축적되고, 핵 내로 들어가 transcription factor (TCF)/lymphoid enhancer-binding factor 1 (LEF1) 가족의 전사 인자와 연합하여 세포의 증식에 관여하는 유전자를 활성화한다. 근래의 연구는 안드로겐 비의존성 전이 전립선암의 25~38%가 세포질 혹은 핵 내에 CTNNB를 가진 종양세포를 포함하고 있다고 하였다 (De La Taille 등, 2003). 현재로서는 핵의 CTNNB가 AR 혹은 TCF/LEF1 가족의 전사 인자와 상호 작용하여 전립선암의 진행을 촉진하는지는 분명하지 않다 (Chesire 등, 2002). WNT의 신호 경로는 전립선암을 포함한 여러 종류의 종양에서 비정상적으로 활성화되며, 이러한 경우 CTNNB는 세포의 핵 내에 축적되고 AR의 전사를 조절하는 보조 인자로서 작용한다.

Relaxin은 전립선에서 정상적으로 생성되고 분비되는 in-sulin과 같은 가족에 속하는 펩티드 호르몬으로서 거세 저항성 전립선암으로 진행될 때 상향 조절된다. Relaxin은 다양한 조직에서 vascular endothelial growth factor (VEGF), matrix metalloprotease (MMP), nitric oxide (NO) 등을 통해 혈관 형성 및 세포의 이동을 증대시키기 때문에, 항암 요법에서 표적으로 관심을 받고 있다. 면역조직화학검사를 이용하여 전립선암 조직 표본을 분석한 연구는 다음과 같은 결과를 보고하였다 (Thompson 등, 2010). 첫째, 발현 분석에 의해 relaxin으로 조절되는 새로운 경로, 즉 protocadherin Y (PCDHY)/WNT 경로가 발견되었다. WNT11을 상향 조절하는 PCDHY는 CTNNB를 안정화함으로써 CTNNB를 세포질에서 핵으로의 전위를 유도하며 TCF로 매개되는 신호 경로를 유발한다고

보고된 바 있다. 둘째, LNCaP 이종 이식 암에서는 PCDHY의 발현이 증가되었고 CTNNB의 세포질 내 분포가 증가되었는데, 이는 relaxin이 PCDHY의 상향 조절을 통해 WNT11의 과다 발현을 유도함을 시사한다. 마찬가지로 안드로겐 박탈 요법을 받은 환자의 전립선암 표본에서는 WNT11의 발현이 증가되며, 거세 저항성 조직에서는 더욱 상향 조절된다. 이들 결과는 relaxin으로 인한 전립선암 세포의 이동은 부분적으로는 WNT11에 의해 매개됨을 보여 준다.

배양된 전립선암 세포와 전립선암 세포주에서 WNT11 유전자의 발현을 분석한 연구에 의하면, WNT11의 발현은 호르몬 비의존성 전립선암 세포주 및 이종 이식 암 그리고 고등급 전립선암에서 증가하였다. 호르몬이 고갈된 배지에서 호르몬 의존성 LNCaP 세포가 성장할 경우 WNT11의 발현이 증가하였으며, 이는 합성 안드로겐인 R1881에 의해 억제되었다. 이러한 억제는 안드로겐 대항제인 bicalutamide에 의해 억제되었는데, 이는 안드로겐이 AR을 통해 WNT11의 발현을 역으로 조절함을 시사한다. WNT11의 발현은 안드로겐 의존성 세포에서 AR의 전사 활성과 세포의 성장을 억제하였지만, 안드로겐 비의존성 세포에서는 그러한 효과를 나타내지 않았다. WNT11은 human embryonic kidney 293 (HEK293) 세포에서 WNT3A를 통해 전형적인 WNT 경로의 활성화를 억제하였으며, LNCaP 세포에서 CTNNB/TCF의 전사 활성화를 억제하였다. 그러나 안정화된 CTNNB의 발현은 WNT11을 통한 AR 전사 활성화의 억제를 방지하지 못하였다. 이러한 관찰은 안드로겐의 고갈이 안드로겐 비의존성이 아닌 안드로겐 의존성 세포의 성장을 억제하는 WNT11 의존성 신호를 활성화함을 시사한다 (Zhu 등, 2004).

안드로겐 비의존성 전립선암에서는 WNT11이 높게 발현되지만, WNT11의 이소성 발현은 안드로겐 의존성 LNCaP 세포의 성장을 억제한다 (Zhu 등, 2004). WNT11으로 형질 전환을 일으킨 LNCaP 세포의 형태는 내인성 WNT11을 발현한다고 보고된 바 있는 신경내분비 분화가 일어남으로 인해 안드로겐이 결핍된 LNCaP 세포의 형태와 유사하다 (Zhu 등, 2004; Cindolo 등, 2007). 이는 WNT11이 신경내분비 분화를 촉진함을 시사한다. 신경내분비세포는 정상 전립선에서 작은 세포군을 형성하여 전립선의 성장과 분화를 조절한다고 생각된다. 그러나 전립선암에서는 신경내분비세포의 수가 종양의 진행, 나쁜 예후, 안드로겐 비의존성 질환 등과 연관성을 가진다 (Yuan 등, 2007). 이들 관찰은 전립선암 세포가 전환 분화

도표 241 WNT11 단백질의 발현과 종양의 조건에 따른 비교

비교 (WNT11 음성 대 WNT11 양성)	p-value
PSA 10 ng/mL 미만 대 PSA 10 ng/mL 이상	0.0001
Gleason 등급 4 대 Gleason 등급 3	0.005
Gleason 등급 5 대 Gleason 등급 4	0.3
Gleason 점수 7 대 Gleason 점수 6	0.01
Gleason 점수 8 이상 대 Gleason 8 미만	0.02
신경 주위 침범 양성 대 신경 주위 침범 음성	0.6

전립선암 환자 117명으로부터 채집된 종양 표본을 면역조직화학검사로
분석하였다. 전립선암의 66% (77명/117명)가 WNT11 양성 상피세포를 가졌다.
전립선암의 24% (28명/117명)는 WNT11에 대해 강한 양성 반응을 나타내었으며,
골 전이 환자 모두 (4명/4명)가 WNT11에 대해 양성 반응을 보였다. WNT11의
발현은 혈청 PSA의 증가 그리고 낮은 Gleason 점수와 상호 관련이 있었다. 통계의
유의성은 chi-squared test를 이용하였으며, $p < 0.05$를 유의하다고 간주하였다.

MMTV, mouse mammary tumor virus; PSA, prostate-specific antigen; WNT,
wingless-type MMTV integration site.

Uysal-Onganer 등 (2010)의 자료를 수정 인용.

(transdifferentiation)를 일으켜 신경내분비세포와 유사하게
변모할 수 있음을 시사한다. 신경내분비 분화를 유도하는 제
제는 세포 내의 cAMP 농도를 증가시키기 때문에, cAMP로 매
개되는 신호 경로는 신경내분비 분화의 주된 경로라고 생각
된다 (Deeble 등, 2007).

전립선암 조직에서 면역조직화학검사로 WNT11 단백질
의 농도를 분석한 연구는 다음과 같은 결과를 보고하였다
(Uysal-Onganer 등, 2010) (도표 241). 첫째, WNT11의 발현
은 27점의 양성전립선비대 표본에서는 음성이었거나 약하였
지만, 전립선암의 경우 66% (77점/117점)에서 증가되었고 전
이 암의 경우 100% (4점/4점)에서 발견되었다. 둘째, WNT11
의 발현과 10 ng/mL 이상의 PSA 사이에서 정상관관계가 관
찰되었다. 셋째, 안드로겐이 고갈된 LNCaP 전립선 세포는
신경돌기 (neurite)를 형성하였으며, 나쁜 예후를 가진 전립
선암에서 나타나는 신경내분비 분화와 관련이 있는 유전자
를 발현하였다. 넷째, 안드로겐의 고갈은 WNT11의 발현을 증
가시킨다는 보고에 근거하여 신경내분비 분화에서 WNT11
의 역할을 분석한 바에 의하면, WNT11의 이소성 발현은 신
경내분비 분화의 표지자인 neuron-specific enolase (NSE)와
achaete-ascute complex homolog 1 (ASCL1)의 발현을 유도
하였으며, 이는 cAMP 의존성 protein kinase (PKA)의 억제
제에 의해 억제되었다. 대조적으로, 양성 전립선에서 유래된
RWPE-1 세포에서는 WNT11이 NSE의 발현을 유도하지 못하
였는데, 이는 신경내분비 분화에서 WNT11의 역할은 전립선

암에 특이함을 시사한다. 다섯째, 안드로겐이 고갈된 LNCaP
세포에서 WNT11 유전자의 발현을 침묵시키면, 신경내분비
분화가 방지되었고 세포 자멸사가 일어났다. 안드로겐 비의
존성의 PC3세포에서 WNT11의 발현을 침묵시킨 경우에도
NSE의 발현이 감소되었으며, 세포 자멸사가 증가되었다. 여
섯째, WNT11의 발현을 침묵시키면 PC3 세포의 이동이 감소
되었으며, WNT11의 이소성 발현은 LNCaP 세포의 침범을 촉
진하였다. 이들 결과를 근거로 저자들은 WNT11 단백질이 전
립선암에서 상당한 비율로 증가하며, 전립선암 세포가 PKA의
활성화를 통해 신경내분비 분화를 일으키는 데 요구된다고
하였다. 저자들은 또한 WNT11이 전립선암 세포의 생존을 위
해 필요하고 전립선암 세포의 침습을 촉진하기 때문에, 전립
선암의 치료에서 유망한 표적이 된다고 하였다.

이들 자료는 WNT11이 전립선암의 진행에서 중요한 세 가
지 특성, 즉 세포 자멸사에 대한 저항성 증가, 신경내분비 분
화, 운동성 증가 등을 나타냄을 보여 준다. 세포 자멸사에 대
한 저항성의 증가는 호르몬이 고갈된 상태에서 뿐만 아니라
거세 저항성 전립선암에서 전립선암 세포가 생존하는 기전
이다. WNT11은 이전 연구에서 보고된 바와 같이 Michigan
Cance Foundation (MCF)-7 유방암 세포 (Lin 등, 2007)와
CHO 세포 (Railo 등, 2008)의 생존 혹은 생존 능력에서 중요
한 인자이다. 전립선암 세포의 생존에서 WNT11의 기능이 신
경내분비 분화를 직접 일으키기 때문인지 혹은 신경내분비 분
화에 대한 효과로부터 생기는 것인지는 분명하지 않다. PC3
세포에서 WNT11 small interfering RNA (siRNA)는 caspase의
활성이 상당하게 증가되는 시점인 48시간 이전, 즉 24시간 후
NSE의 발현을 감소시켰는데, 이는 WNT11의 주된 역할이 신
경내분비 분화를 유지하는 것이며, 이러한 과정이 일어나지
않으면 세포 자멸사가 발생함을 시사한다 (Uysal-Onganer 등,
2010). 이러한 결과는 세포 자멸사에 대한 저항성과 신경내분
비 분화 사이에는 연관성이 있다는 보고 (Vanoverberghe 등,
2004)와 일맥상통한다. WNT11은 여러 조직의 분화에서 중요
한 역할을 한다고 알려져 있는데, 예를 들면 골수의 단핵세포
(Flaherty 등, 2008), 혈중 내피세포의 전구세포 (Koyanagi 등,
2005), 생쥐의 배아줄기세포 (Terami 등, 2004), 중배엽세포
(Eisenberg 등, 1997)의 심근 분화를 촉진하며, 이들 중 앞의
두 경우는 증식 혹은 생존에 대한 효과가 없이도 일어났다. 그
렇지만 WNT11은 전립선암 세포의 생존과 신경내분비 분화에
서 독자적인 역할을 할 수 있다 (Uysal-Onganer 등, 2010).

WNT11은 LNCaP 세포에서 AR의 유전자 *AR*의 전사 작용을 억제하며, 신경내분비 분화는 *AR* 발현의 상실과 관련이 있다 (Yuan 등, 2007). LNCaP 세포에서 *WNT11*의 이소성 발현은 *AR*의 수치를 감소시키기 때문에, WNT11은 AR의 발현을 감소시킴으로써 간접적으로 신경내분비 분화를 유도한다고 생각된다 (Uysal-Onganer 등, 2010). 그러나 LNCaP에서 유래된 신경내분비 세포주에서 AR의 발현이 소실된다는 관찰 (Yuan 등, 2007)과는 다르게, WNT11이 발현되더라도 AR이 완전하게 소실되지는 않는다. 더욱이 WNT11과 AR은 다른 전립선암 세포주와 전립선암에서는 함께 발현된다 (Zhu 등, 2004). 한편, 신경내분비 분화로 인해 유도된 WNT11의 발현은 네 가지의 PKA 억제제, 즉 H89, KT5720, Rp-cAMPS, PKI 등에 의해 억제되었는데, 이는 WNT11의 활성이 PKA의 활성을 통해 신경내분비 분화를 유도함을 시사한다 (Uysal-Onganer 등, 2010). 신경내분비 분화가 일어나는 동안 관찰되는 WNT11의 하위 시스템에서의 신호 경로에 관해서는 잘 알려져 있지 않으나, 활성화된 CREB가 신경내분비 분화를 유도할 수 있다고 생각된다 (Deng 등, 2008).

WNT11의 이소성 발현은 *WNT11* 유전자를 발현하는 기능을 가졌더라도 종양이 아닌 경우, 예를 들면 양성 전립선의 RWPE-1 세포에서는 NSE의 발현을 증가시키지 않기 때문에, 신경내분비 분화에서 WNT11의 역할은 전립선암 세포에 국한된다고 생각된다 (Litvinov 등, 2006). 사람의 전립선에서 신경내분비세포는 기저세포 및 분비성 상피세포의 기원이 되는 기원세포 (progenitor cell) 및 줄기세포로부터 생긴다 (Komiya 등, 2009). 이들 세포는 종말 시점에서 분화되고 AR과 같은 관강 상피세포 표지자를 함께 발현하지 않기 때문에, 전립선암에서 유래된 신경내분비세포와는 구별된다 (Yuan 등, 2007). 다른 연구는 전립선암을 일으키는 세포는 형질 전환을 일으킨 정상 전립선 줄기세포보다는 줄기세포와 유사한 작용을 가지고 악성 형질 전환을 일으키는 '중간세포 (intermediate cell)'에서 유래한다고 하였다 (Griend 등, 2008). 만일 이러한 추론이 사실이라면, WNT11은 정상 기원세포가 아닌 전립선암 세포의 신경내분비 분화를 특이하게 촉진한다고 간주되기 때문에, WNT11은 전립선암의 표적이 될 수 있다고 생각된다 (Uysal-Onganer 등, 2010).

세포의 이동에서 WNT11의 역할은 손톱개구리 (Tada 등, 2000)와 제브라피쉬 (zebrafish) (Heisenberg 등, 2000)에 관한 연구에서 처음 보고되었는데, 이들 연구에서 WNT11은 배엽이 형성되는 동안 수렴신장운동을 촉진하였다. 다른 연구는 WNT11이 장 상피세포의 이동을 촉진함을 보여 주었다 (Ouko 등, 2004). WNT11이 PC3 세포의 이동에 필요하며 LNCaP 세포의 침습을 촉진함으로써 전립선암의 전이를 촉진한다는 보고 또한 있다. 이러한 결과와 마찬가지로 WNT11이 신경집 (neural sheath)을 침범하는 과정에 있는 전립선암 세포와 골 전이를 일으킨 전립선암 세포에서 발견되었다 (Uysal-Onganer 등, 2010).

근래의 연구는 WNT의 발현이 양성 전립선에 비해 악성 전립선에서 더 높지만, Gleason 등급과 역상관관계를 가진다고 하였다 (Uysal-Onganer 등, 2010). 이러한 결과는 일부 고등급 분화도의 전립선암과 모든 골 전이 전립선암에서 WNT11의 발현이 높다는 보고와 비교해 볼 때 예상 밖의 결과이다. WNT11은 분화 상태와는 무관하게 전이에서 어떤 한 역할을 하며, 저등급 전립선암과 고등급 전립선암에서 다른 기능을 가진다고 생각된다. 예를 들면, 저등급 전립선암에서 WNT11은 세포 자멸사를 억제하는 데 비해, 고등급 전립선암에서는 WNT11의 신경내분비 분화에 대한 효과를 통해 침습을 촉진하고 안드로겐 비의존성 질환으로의 진행을 촉진한다. 종양의 병기 혹은 환자에 따라 WNT11의 역할이 다른 이유는 종양 내에 있는 다른 돌연변이 때문이라고 생각된다 (Uysal-Onganer 등, 2010). 흥미로운 점은 WNT11의 발현과 10 ng/mL 이상의 PSA 사이에 정상관관계가 있다는 점이다 (Uysal-Onganer 등, 2010). 이러한 결과는 WNT11이 LNCaP 세포에서 AR의 활성을 감소시킨다는 보고와 상충된다. 그러나 안드로겐 비의존성의 AR 양성 전립선암 세포주에서는 WNT11이 AR의 활성화를 억제하지 않는다는 보고 또한 있었다 (Zhu 등, 2004). 따라서 PSA 농도가 증가된 환자에서 발견된 WNT11 양성 전립선암은 안드로겐 비의존성 종양세포를 함유해 있을 가능성이 높다. 그러나 이러한 가능성을 확인하기 위해서는 대규모 코호트에 대한 정밀 분석이 추가로 필요하다 (Uysal-Onganer 등, 2010).

82.2. Estrogen-related receptor α (ERRα)와 β-catenin에 의한 WNT11의 발현

WNT11 induced by estrogen-related receptor α (ERRα) and β-catenin

Nuclear receptor subfamily 3, group B, member 1 (NR3B1)

으로도 알려진 estrogen-related receptor α (ERRα)는 유방암과 난소암에서 부정적인 결과를 일으키는 전사 인자 중 핵 수용체 상과에 속하는 희귀한 구성원이다 (Fujimoto 등, 2007). 발현된 이 수용체가 작은 분자의 ligand를 필요로 하는지는 분명하지 않으나, 굶주림, 운동, 한랭 등과 같은 대사성 스트레스의 조건은 심장, 근육, 간 등과 같은 조직에서 신속하게 ERRα의 발현을 유도한다 (Cartoni 등, 2005). 이들 조직에서 ERRα는 미토콘드리아의 수를 증가시키고, tricarboxylic acid (TCA) 회로와 지방산의 β-산화에 필요한 중요한 효소의 발현을 증가시키는 유전자의 발현을 유도한다 (Gaillard 등, 2006). 따라서 정상 생리에서 ERRα는 높은 에너지를 필요로 하는 조건에서 주로 대사 기능을 조절하는 인자로서 기능을 한다 (Giguere, 2008). 대사성 조절 인자로서 기능을 하는 ERRα가 종양의 병태생리에 대해 어느 정도로 관여하는지는 분명하지 않다 (Suzuki 등, 2004).

ERRα는 산화 대사에서 중요한 역할을 담당하는 것 외에도 일부 표적 유전자에서 estrogen receptor (ER)의 활성을 조절한다 (Bonnelye와 Aubin, 2005). ERα 혹은 ERβ와 같은 전형적인 ERs와 ERRα 사이의 아미노산 상동성은 특히 DNA와 결합하는 영역에서 나타나는데, 이는 호르몬 의존성 종양에서 ERRα의 주된 효과가 세포 내에서 에스트로겐의 신호 경로를 조절하고 영향을 미치는 것임을 시사한다. 그러나 근래의 연구는 ER 표적 유전자의 일부만이 ER과 ERRα 둘 모두에 의해 조절됨을 보여 주었다 (Deblois 등, 2009). 교차 조절의 중요성은 잘 알려져 있지만, ERRα가 삭제된 경우 ER 음성인 유방암 세포주 MDA-MB231의 성장과 이동이 크게 영향을 받았다는 관찰은 유방암에서 ERRα가 독립적으로 기능을 함을 시사한다 (Stein 등, 2008).

보조 인자의 유효성 및 활성은 ERRα의 활성을 조절하는 주된 기전이다 (Huss 등, 2004). 예를 들면, 세포 내에서 일반적으로 ERRα의 낮은 기초 활성도는 peroxisome proliferator-activated receptor-γ coactivator 1 (PGC1)의 아형인 PGC1α 혹은 PGC1β의 발현이 증가되면 급격하게 상향 조절된다. 이들 보조 인자의 발현양과 활성은 ERRα의 전사 작용을 활성화하는 생리학적 스트레스에 의해 조절된다 (Lin 등, 2005).

이전의 연구는 ERRα와 CTNNB가 세포의 이동을 조절하는 과정에 영향을 주는 유전자인 *WNT11*, *Msh homeobox 1* (*MSX1*), *cadherin-2* (*CDH2* 혹은 *neural cadherin*, *NCAD*) 등의 발현을 조절하는 데 관여한다는 증거를 제시하였다 (Wit-

zel 등, 2006). ERRα가 여러 질환에 영향을 주는 기전과 ERRα의 활성을 조절하는 기전을 이해하기 위해 생화학적 접근을 실시한 연구는 WNT의 신호 경로를 억제하는 제제가 ERRα의 전사 작용도 억제한다고 하였다. 이러한 연관성은 다음의 결과를 보고한 생화학적 및 유전적 실험에 의해 뒷받침된다 (Dwyer 등, 2010). 첫째, ERRα, CTNNB, LEF1 등은 세포 내에서 고분자량의 복합체를 형성한다. 둘째, ERRα의 전사 작용과 CTNNB의 발현은 서로를 증대시키는 효과를 가지고 있다. 셋째, ERRα 혹은 CTNNB에 의해 조절되는 유전자 중에는 중복되는 경우가 많이 있다. 넷째, 생체 밖의 실험에서 ERRα의 발현과 CTNNB의 발현이 개별적으로 혹은 함께 침묵할 경우 유방암, 전립선암, 결장암 등에서 세포의 이동력이 급격하게 감소하였다. 종양세포의 이동력 증가는 ERRα/CTNNB에 의한 WNT11의 발현 때문으로 생각된다. 재조합 WNT11을 과다 발현하는 세포를 포함한 배지와 WNT11의 중화 항체를 이용한 연구는 종양세포의 이동력을 증가시키는 ERRα/CTNNB 작용에서 WNT11 단백질이 중요한 매개체임을 보여 주었다.

WNT11은 비전형적인 WNT/Ca^{2+} 경로를 활성화하여 G 단백질 의존적으로 세포 내의 칼슘을 증가시키며, 이로써 calcium/calmodulin-dependent protein kinase II (CAMKII)와 PKC의 활성화를 유도한다 (Ouko 등, 2004). 이러한 작용을 통해 장 상피세포의 이동이 증가한다고 생각된다 (Ulrich 등, 2003). CAMKII와 PKC는 actin 세포 골격의 재배열을 촉진한다고 보고된 바 있으며, 이는 세포의 이동에서 매우 중요하다 (Szalay 등, 2001). 손톱개구리의 축 (axis) 형성에 관한 연구에서 WNT11은 또한 전형적인 WNT 경로를 활성화하였다 (Tao 등, 2005). PKC로 인한 비전형적인 경로의 활성화가 E-cadherin의 기능을 감소시킨다는 사실은 전형적인 WNT 경로와 비전형적인 경로 사이의 교차 조절이 중요함을 강조하며, 이 과정에서 ERRα/CTNNB 복합체가 중요한 역할을 한다 (Dwyer 등, 2010).

이들 자료는 ERRα와 CTNNB에 의해 WNT11의 전사가 상향 조절되도록 하는 자가 분비의 조절 회로가 있으며, 이로써 종양세포의 이동력이 증가함을 보여 준다. 이들 자료는 또한 ERRα 혹은 ERRα/CTNNB 복합체의 활성을 억제하는 제제가 암을 치료하는 약물로 개발될 수 있음을 시사한다 (Dwyer 등, 2010).

83. Zinc Alpha 2-Glycoprotein (ZAG)

Alpha 2-glycoprotein 1, zinc-binding (AZGP1)으로도 알려진 zinc alpha 2-glycoprotein (ZAG 혹은 ZA2G)은 다양한 정상 상피세포에서 분비되는 상대적 분자량 (relative molecular mass, M_r) 41 kDa의 용해성 당단백질로서 염색체 7q22.1에 위치해 있는 *ZAG* 혹은 *AZGP1*에 의해 코드화되며, ZAG를 생성하는 종양을 가진 동물의 지방세포에서 지질의 분해를 자극하여 악액질 (cachexia)을 일으킨다고 알려져 있다 (Hale 등, 2001).

ZAG는 1961년 초에 사람의 혈장으로부터 분리되고 정제되었다 (Burgi와 Schmid, 1961). ZAG는 구강과 표피 종양을 포함하는 여러 상피세포암에서 분화와 관련이 있다. ZAG는 구강의 편평세포암 세포주 Tu138에서 기질 단백질로서 기능을 한다. ZAG가 세포에 부착하는 양상은 fibronectin과 유사하며, 합성 Arg-Gly-Asp (RGD) 펩티드, 예를 들면 RGD, Arg-Gly-Asp-Ser (RGDS), Arg-Gly-Asp-Val (RGDV) 등에 의해 억제된다. 세포와의 부착은 fibronectin 수용체 integrin alpha-5/beta-1에 대한 항체에 의해 억제되지만, integrin alpha-v/beta-3, alpha-3/beta-1, alpha-2/beta-1 등에 대한 항체에 의해서는 억제되지 않는다. Tu138 세포의 증식은 fibronectin, vitronectin, laminin, collagens I/IV 등과 같은 다른 단백질에 비해 ZAG 기질에서 억제되었는데, 이는 ZAG가 증식을 억제하는 역할을 함을 시사한다 (Lei 등, 1999).

ZAG와 종양 형성 사이의 연관성은 전립선암 (Descazeaud 등, 2006)과 유방암 (Dubois 등, 2010) 조직에서 처음 연구되었으며, 근래에는 결장암 환자의 혈청에서 높게 발현되어 진단적 가치가 높다고 보고되었다 (AUC 0.742, 95% CI 0.656~0.827; $p<0.001$). ZAG는 유방암 (Dubois 등, 2010), 전립선암 (Henshall 등, 2006), 폐암 (Falvella 등, 2008) 등 여러 암에서 발견되었다. 고속 liquid chromatography-tandem mass spectrometry (LC-MS)를 이용하여 혈청 ZAG 농도를 분석하고 발견 한계치를 0.08 mg/L, 정량 한계치를 0.32 mg/L로 설정한 연구는 6명의 건강한 남성과 20명의 비악성 전립선 질환 환자에 비해 25명의 전립선암 환자에서 유의하게 더 높아 전립선암에 대한 생물 표지자로서 활용이 가능하다고 하였는데, 각각에서 농도는 3.65±0.71 mg/L, 6.21±2.65 mg/L, 7.59±2.45 mg/L이었다 (Bondar 등, 2007).

ZAG는 정상 및 악성 전립선 상피세포에서 분비되며, 자연

적으로 혈액, 땀, 정액, 유방낭액, 뇌척수액, 소변 등 대부분의 체액 내에 존재하고 있다 (Bondar 등, 2007). 전립선암에서 ZAG의 기능은 분명하지 않음에도 불구하고 근래의 연구는 근치전립선절제 표본에서 ZAG의 발현이 없거나 약한 경우와 수술 후 임상적 재발 사이에 연관성이 있음을 보고하고 있다 (Henshall 등, 2006). ZAG 발현의 소실은 공격적인 안드로겐 비의존성 전립선암으로의 진행과 관련이 있다고 추측되어 왔다.

그러나 ZAG의 조직 내 발현과 소변 내 발현을 비교함은 논쟁거리가 되고 있다 (Garbis 등, 2008). 조직 표본을 대상으로 단백질체학을 이용한 연구는 표본 크기가 작은 제한점이 있지만 전립선암에서 ZAG가 0.43배 하향 조절된다고 하였다 (O'Hurley 등, 2010). 면역조직화학검사를 이용한 다른 연구도 ZAG의 발현이 양성 상피세포에서 가장 강하고 전립선암에서는 약해지는데, Gleason 패턴 4의 전립선에서는 거의 발현되지 않는다고 하였다 (Hale 등, 2001). 그러나 소변 표본에서는 조직학적으로 전립선암이 진단된 환자의 경우 ZAG의 농도가 유의하게 증가됨이 관찰되었다. 즉, 경직장초음파촬영을 겸한 생검을 실시하기 전의 127명의 환자를 대상으로 전립선을 강하게 마사지한 후 채집한 소변을 Western blotting 및 면역조직화학검사로 ZAG를 측정한 연구는 ZAG의 절단치를 1.13으로 설정한 경우 전립선암의 예측에 대한 민감도는 78.3%, 특이도는 60%이었으며, 1.13 이상인 경우의 odds ratio (OR)는 6.88 (95% CI 2.5~18.89; $p<0.001$)이었고, ZAG와 PSA를 병용하면 PSA의 예측도가 유의하게 향상되었다 (AUC 0.75, 95% CI 0.66~0.85; $p=0.010$)고 하였다 (Katafigiotis 등, 2012) (도표 242). 이 연구에서는 혈청 ZAG의 농도가 측정되지 않은 제한점이 있지만, 전립선암 환자의 소변 표본에서 ZAG의 증가는 다른 연구에서 보고된 혈청 ZAG 농도와 부합되는 결과라고 생각된다 (Byrne 등, 2009).

ZAG가 소변에서 발견되는 이론적 경로로는 전신 순환계를 통한 경로와 전립선을 강하게 마사지한 후 소변으로 직접 유출되는 경로가 있다. 소변과 조직 표본에서 상충되는 결과가 나타나는 첫 번째 이유는 ZAG의 화학적 성질 때문으로 생각된다. ZAG는 α2-globulin과 전기영동 (electrophoresis) 운동성이 비슷하여 서로 융합할 수 있으며, 이러한 경우 ZAG의 정제 및 발견이 더 어려워진다. 복합체가 형성된 경우에는 여과되지 않아 소변에서 발견되지 않는다 (Hale 등, 2001). 둘째, ZAG는 전립선의 상피세포와 결합할 수 있으며, PSA 자체와

도표 242 Kruskal-Wallis 방법을 이용한 소변 ZAG와 혈청 PSA, Gleason 점수, 조직학적 결과 등과의 연관성

	ZAG 중앙치 (IQR)	p
PSA (ng/mL)		0.005
0~4	0 (0.0~0.1)	
4~10	1.1 (0.5~1.9)	
〉10	1.4 (0.8~2.9)	
Gleason 점수		0.291
4~6	1.2 (1.0~2.9)	
7	1.4 (1.3~2.8)	
8~10	1.9 (1.5~3.2)	
조직학적 결과		0.004
음성	1 (0.3~1.8)	
HGPIN	0.8 (0.4~1.4)	
전립선암	1.4 (1.2~3.0)	

HGPIN, high grade prostatic intraepithelial neoplasia; IQR, interquartile range; PSA, prostate-specific antigen; ZAG, zinc alpha 2-glycoprotein.
Katafigiotis 등 (2012)의 자료를 수정 인용.

융합할 수 있다. 이러한 경우는 혈청에서 하향 조절되어 위음성을 나타낼 수 있다 (Hale 등, 2001). 셋째, 종양세포에서 생성된 ZAG 단백질이 기질 내로 침윤된 후 림프관과 혈관으로 유입되는 '과잉 (spillover)' 현상이 일어날 수 있다. 이러한 현상은 조직과 소변 표본에서 ZAG 발현의 결과가 반대로 나타나는 이유를 설명해 줄 수 있다 (Hale 등, 2001).

여러 연구는 ZAG가 악액질을 일으키는 발병 경로에 영향을 주고 조직과 혈액에서의 농도가 전립선암 환자와 건강인 사이에서 차이를 보이기 때문에, ZAG는 전립선암의 생물 지표로 간주된다고 하였다 (Descazeaud 등, 2006). Sarcosine (Sreekumar 등, 2009), annexin A3 (Schostak 등, 2009), TMPRSS2:ERG 융합 유전자 (Hessels 등, 2007) 등과 같은 다른 표지자가 소변 내의 생물 지표로서 유용함이 입증된 것처럼, 환자에게 비침습적이고 채집하기가 용이한 체액인 소변을 이용한 ZAG의 분석은 전립선암의 표지자로 활용도가 높다고 생각된다. 그러나 Gleason 점수가 높은 전립선암의 경우 조직에서 ZAG의 발현은 없거나 약하기 때문에, 이러한 경우에는 소변을 이용한 ZAG 측정으로 전립선암 환자를 놓칠 우려가 있다 (Katafigiotis 등, 2012).

ZAG는 사람의 정액장액 내에 고농도로 있으며, major histocompatibility complex class I (MHC-I)에 소속된 가용성의 동족체 (soluble homologue)라고 간주된다 (Hassan 등, 2008). ZAG1에 대항하는 단일 클론의 항체가 전립선이나 정낭의 다른 성분과는 반응하지 않지만 정상 전립선 상피세포

와는 강하게 반응하며, 전립선암 표본 48점 중 35점이 ZAG의 항체와 반응했다는 보고가 있다. 그러나 ZAG의 발현은 중등급 분화도의 종양에 비해 고등급 분화도의 종양에서 유의하게 낮다는 관찰은 주목할 만하다. 또한, ZAG를 생성하는 전립선암을 가진 남성에서는 연령과 인종이 동일한 대조군에 비해 혈청 ZAG의 농도가 증가되어 있다 ($p<0.02$) (Hale 등, 2001). 근래 들어 ZAG에 대한 생물학적 분석법이 개발되었다 (Bondar 등, 2007).

근치전립선절제술 표본을 대상으로 평가한 연구에서 ZAG가 발현된 경우는 높은 예후 예측력을 가졌다 (Henshall 등, 2006). 근치전립선절제술 후 얻은 조직 표본 225점을 대상으로 평가한 연구는 ZAG에 대한 면역조직학적 분석과 human chromosome-associated polypeptide subunit D3 (hCAP-D3)에 대한 in situ hybridization (ISH)을 병행하면 종양이 재발할 환자와 그렇지 않을 환자를 훨씬 더 분명하게 구별할 수 있다고 하였다 ($p=0.0002$) (Lapointe 등, 2008). hCAP-D3와 ZAG의 발현 모두가 상실된 경우는 나쁜 예후와 관련이 있지만 두 생물 지표의 발현은 낮은 재발률을 시사하기 때문에, 이들 두 생물 지표는 치유 목적의 적극적인 치료보다 '적극적 감시' 전략에 적합한 환자를 확인하는 데 도움을 준다고 생각된다.

국소 전립선암 환자 330명 중 수술 절제면의 침범이 있는 186명에서 국소 전립선암의 결과에 대한 분자 표지자로 알려진 핵 β-catenin (CTNNB), 세포막 secreted frizzled-related protein 4 (sFRP4), ZAG, macrophage inhibitory cytokine 1 (MIC1) 등을 분석한 연구는 다음과 같은 결과를 보고하였다 (Yip 등, 2011). 첫째, 수술 전 PSA 10 ng/mL 초과, 전립선 외부 확대, 정낭 침범, Gleason 점수 7 이상 등인 경우가 각각 53%, 72%, 24%, 57%이었다. 둘째, ZAG, 세포막 sFRP4, MIC1 등의 발현은 단변량 분석에서 생화학적 재발을 예측하였으며, 각각의 p-value는 0.009, 0.03, 0.04이었다. 셋째, 수술 전 PSA ($p=0.2$), 전립선 외부 확대 ($p=0.2$), 정낭 침범 ($p=0.4$), Gleason 점수 ($p=0.5$) 등과 연합한 모델에서 네 표지자 중 ZAG의 낮은 발현 혹은 음성만이 수술 절제면 침범이 있는 국소 전립선암의 재발에 대한 독립적 예측 인자이었다 ($p=0.01$). 이들 결과를 근거로 저자들은 ZAG가 수술 절제면 침범이 있는 국소 전립선암 환자에서 생화학적 재발을 예측할 수 있는 분자 표지자이라고 하였다.

근치전립선절제술을 받은 400명의 조직 표본에서 면역조직화학적 표지자 ZAG, hCAP-D3, mucin 1 (MUC1), vimentin

(VIM), E-cadherin (CDH1), E26 (ETS)-related gene (ERG) 등을 분석한 연구는 중앙치 55개월 동안 추적 관찰한 후 다음과 같은 결과를 보고하였다 (Jung 등, 2014). 추적 관찰 동안 17.5% (70명/400명)에서 생화학적 재발이 관찰되었다. 첫째, ZAG의 낮은 발현은 19.0% (76명/400명)에서, hCAP-D3, MUC1, VIM, ERG 등의 높은 발현은 각각 51.3% (205명/400명), 20.3% (81명/400명), 8.3% (33명/400명), 14.5% (58명/400명)에서 관찰되었다. CDH1의 비정상적 발현은 7.3% (29명/400명)에서 관찰되었다. 둘째, 단변량 분석에서 ZAG의 낮은 발현, hCAP-D3의 높은 발현, E-cadherin의 비정상적 발현 등은 생화학적 재발과 관련이 있었다. 셋째, 다변량 분석에서 연령, 수술 전 혈청 PSA, Gleason 점수, 종양의 병기, 수술 절제면 상태 등과 연합하였을 때, ZAG 만이 독립적인 면역조직화학적 예후 표지자의 역할을 하였다. 이들 결과에 의하면, ZAG, hCAP-D3, CDH1 등이 생화학적 재발을 예측하는 면역조직화학적 표지자의 역할을 하며, ZAG는 공격적 전립선암에 대한 독립적 예후 표지자로 임상적 활용이 가능하다.

84. 기타 Others

임상적 국소 전립선암으로 근치전립선절제술을 받은 423명의 남성을 대상으로 통상적인 효소 면역 분석 장치를 이용하여 수술 전의 혈장에서 endoglin, interleukin-6 (IL-6), IL-6 soluble receptor (IL-6sR), transforming growth factor-β1 (TGF-β_1), urokinase plasminogen activator (uPA), plasminogen activator inhibitor 1 (PAI-1), urokinase plasminogen activator receptor (uPAR), vascular cell adhesion molecule 1 (VCAM1), vascular endothelial growth factor (VEGF) 등을 분석한 연구는 수술 후 발생하는 일반적인 결과로 인한 효과로 보정한 경우 혈장의 IL-6 ($p=0.03$), IL-6sR ($p<0.001$), TGF-β_1 ($p=0.005$), VCAM1 ($p=0.01$) 등이 독립적인 예측 인자의 역할을 하였으며, 단계적 후진 변수 제거법 (stepwise backward variable elimination)을 실행한 경우에는 uPA, IL-6sR, TGF-β_1, VCAM1 등이 수술 후 표준 노모그램에 대한 예측 정확도를 최소 4%까지 향상시켰다고 보고하였다 (Svatek 등, 2009).

세포 자멸사체 (apoptotic body)는 정상 전립선 상피와 모든 전립선 세엽의 내강에서 발견된다. 세포 자멸사체는 대체로 세포와 세포 사이 공간에서 관찰되지만, 상피세포의 세포질에서도 나타나는데, 후자의 경우는 양성 상피보다 전립선상

피내암 및 전립선암에서 더 흔하게 관찰된다 (Montironi 등, 1995). 양성전립선비대에서 전립선상피내암을 거쳐 선암으로 진행함에 따라 세포 자멸사체의 수는 점차 증가하며, 가장 빈번한 부위는 기저세포층, 특히 기질에 인접한 악성 샘의 주변부이다. 세포 자멸사체의 퍼센트는 양성전립선비대에 비해 저등급 전립선상피내암, 고등급 전립선상피내암, 선암에서 점차 더 높으며, 비율은 각각 0.26%, 0.68%, 0.75%, 0.92~2.10%이다 (Montironi 등, 1995). 양성전립선비대 환자 40명과 전립선암 환자 40명에서 세포 자멸사체의 빈도를 측정한 연구는 다음과 같은 결과를 보고하였다 (Choi 등, 1999). 이 연구에서 세포 자멸사체의 빈도는 10군데 이상의 시야에서 고배율 시야 당 200개의 세포로부터 산출된 평균 퍼센트로 평가되었으며, 40명의 전립선암 환자를 Gleason 점수 2~4, 5~7, 8~10을 각각 1군 (12명), 2군 (14명), 3군 (14명) 전립선암으로 구분하였다. 첫째, 세포 자멸사체의 평균 수는 양성전립선비대와 1군 전립선암 사이에서 유의한 차이가 발견되지 않았지만, 양성전립선비대에 비해 2군과 3군 전립선암에서 유의하게 더 많았다. 또한, 세포 자멸사체의 수는 1군 전립선암에 비해 3군 전립선암에서 유의하게 더 많았다. 둘째, 1군 전립선암의 핵은 3군에 비해 크기가 더 작고 더 둥근 모양을 가졌다. 이들 결과에 의하면, 양성전립선비대와 전립선암에서 세포 자멸사가 관찰되지만, 악성 표현형을 가질수록 세포 자멸사체의 수가 증가하며 핵의 모양이 더 불규칙하고 더 크다. 세포 자멸사체의 표지자로 cathepsin D 양성인 과립이 거론되고 있다. 전립선암의 침습과 전이에 관여하는 효소인 cathepsin D를 면역조직화학적으로 분석한 연구는 다음과 같은 결과를 보고하였다 (Islam 등, 2002). 첫째, cathepsin D 양성인 과립, 즉 세포 자멸사체는 정상 전립선뿐만 아니라 안드로겐 대항제로 치료를 받은 전립선암 표본 내의 정상 조직에서도 관찰되었다. 둘째, 세포 자멸사체는 정상 성인 전립선의 근위부 관에서는 밀집된 양상을 나타낸 데 비해, 안드로겐 대항제로 치료를 받은 전립선의 정상 주변부 세엽에서는 더 풍부하게 분포하였다. 셋째, 세포 자멸사체는 선종 조직에서는 드물었지만, 호르몬 요법을 받은 암 조직에서는 다수가 발견되었다. 이들 결과에 의하면, cathepsin D 과립의 분포 양상 및 밀도는 연령, 호르몬 환경, 증식성 혹은 암성 변화 등과 관련이 있는 전립선 세포의 상태를 반영한다.

Anterior gradient homolog 2 (AGR2)는 발톱개구리 (*Xenopus laevis*)에서 처음 발견된 단백질이며, 동일 명칭의 유전

자 AGR2에 의해 코드화되는데, 유전자는 염색체 7p21.3에 위치해 있다 (Petek 등, 2000). 발톱개구리에서는 AGR2가 시멘트 샘 (cement gland)의 분화에 관여하지만 (Aberger 등, 1998), 사람의 암 세포주에서는 AGR2의 높은 농도와 DNA 손상에 대한 p53의 전사 반응의 감소는 상호 관련이 있으며 전구 암 조직인 Barrett 식도에서 AGR2의 농도가 증가된다 (Pohler 등, 2004). 거세 민감성 전립선암 환자 5명, 거세 저항성 전립선암 환자 36명, 광범위한 전이 질환의 조건에서 1 ng/mL 이하인 PSA 농도에 의해 규정되는 신경내분비성 거세 저항성 전립선암 환자 3명 등 세 군의 전이 전립선암 환자로부터 혈액을 채집하여 전립선암 세포주의 전이성 진행과 관련이 있다고 보고된 바 있는 AGR2의 발현을 분석한 연구는 다음과 같은 결과를 보고하였다 (Kani 등, 2013). AGR2 mRNA는 RT-PCR을, 혈장 AGR2는 ELISA 분석을 이용하여 측정되었다. 첫째, AGR2 mRNA는 혈중 종양세포 내에서 증가되었으며, 혈중 종양세포 수와 강한 상관관계를 가졌다. 둘째, 혈장 AGR2의 농도는 세 군 모두에서 증가되었고, 신경내분비성 거세 저항성 전립선암 환자군에서 가장 높았다. 전립선암 세포주에서는 AGR2, chromogranin A (CHGA 혹은 CGA), 및 neuron-specific enolase (NSE 혹은 enolase 2)의 발현 사이에서 상호 관계가 관찰되었다. 이들 결과를 근거로 저자들은 AGR2 mRNA와 AGR2 단백질의 발현이 전이 전립선암 환자에서 증가되며, 특히 혈중 PSA의 증가 없이 공격적 임상 표현형을 나타내는 신경내분비성 혹은 역형성 (anaplastic) 전립선암과는 일관된 연관성을 보인다고 하였다.

세포 자멸사의 장애는 전립선암의 발병 과정에서 중요한 역할을 한다 (Colombel 등, 1996). 정상 조직에 비해 국소 전립선암에서 세포 자멸사의 비율이 하향 조절되고 증식 지수가 상향 조절된다 (Tu 등, 1996). 세포 자멸사를 억제하는 세포 내의 인자인 B-cell lymphoma 2 (BCL2)는 국소 전립선암에서 크게 증가되는데, 이는 세포 자멸사의 억제가 형질 전환의 초기 단계에서 일어남을 추측하게 한다. BCL2의 발현은 원발 암에 비해 전이 암에서 유의하게 더 높으며, 동시에 증식 지수도 현저하게 더 높다. 국소 및 전이 암에서는 세포의 증식 비율이 세포 자멸사의 비율보다 더 높아 세포 수가 증가한다. 전립선암에서 세포 자멸사의 비율은 증식 비율에 비해 예후와 관련된 정보를 더 많이 제공한다. 100개 세포 당 세포 자멸사체의 수로 산출되는 세포 자멸사 지수는 전립선암과 전립선상피내암에서 차이가 없다 (Wheeler 등, 1994). 다른 연구는 세포 자멸사체의 수와 Gleason 등급의 증가 사이에는 정상 관관계가 관찰되기 때문에, 계획된 세포사의 증가는 악성도가 높은 전립선암의 특징 중 하나라고 하였다 (Aihara 등, 1994). 근치전립선절제 표본 28점에서 세포 자멸사 지수를 산출한 연구에 의하면, 세포 자멸사 지수는 0.12~3.91, 평균 0.87이었으며, 5년 시점에서 질환의 진행률은 0.87 미만으로 낮은 지수에 비해 높은 지수를 가진 환자에서 더 높았는데, 각각 7±14%, 50±26%이었다 ($p < 0.007$) (Aihara 등, 1995).

BCL2는 세포 자멸사를 억제하는 유전자로 알려져 있다. 암 세포에서 이 유전자의 단백질이 과다 발현되면, 장기간 생존 가능한 세포가 선택되어 유지되고 세포가 세포 주기의 G0 단계에 머물게 됨으로써 세포 자멸사의 시작이 차단되거나 지연된다 (Reed, 1996). BCL2의 강한 발현은 tumor necrosis factor (TNF)의 매개로 인한 세포 독성, IL-1 전환효소, peroxide 및 reactive oxygen species (ROS), p53, v-myc avian myelocytomatosis viral oncogene homolog (c-MYC), doxorubicin, anti-cluster of differentiation 3 (anti-CD3) 수용체의 군집화, 성장 인자 혹은 호르몬의 중단, 자외선, 칼슘 등으로 인한 세포사를 방해한다 (Reed 등, 1994). 또한, BCL2는 신호 경로를 조절하고 ROS 형성을 방지하여 다양한 세포 사망 신호를 차단한다 (Chung 등, 2003). BCL2는 세포 자멸사의 과정에 관여하는 지질의 이차 전령 시스템인 ceramide의 신호 경로와 arachidonate/hydroxyeicosatetraenoic acid (HETE) 신호 경로를 조절하는 중요한 역할을 하며, 인산화를 통해 유전체를 안정화시키고 미세소관 (microtubule)을 온전하게 보전한다 (Hermann 등, 1997).

BCL2는 정상 및 증식성 전립선 상피의 기저세포층에 국한되어 발현되지만 (Hockenbery 등, 1991), BCL2의 과다 발현은 전립선상피내암 (Tu 등, 1996)과 전립선염 (Gerstenbluth 등, 2002)에서 나타난다. 암에서 BCL2 발현의 비율 및 양상에 관해서는 논란이 되고 있다. 한 연구는 국소 전립선암에서 BCL2의 중등도, 이질적 발현을 관찰하였으며, BCL2의 발현은 Gleason 분화도의 등급과 역상관계를 가진다고 보고하였다 (Hockenbery 등, 1991). 다른 연구는 원발 전립선암의 45%에서 BCL2가 유의하게 증가하였지만, 분화도 등급과는 관련이 없다고 하였다. 암 조직 중 BCL2가 높게 발현되는 부위에서는 세포 자멸사의 세포가 전혀 발견되지 않았으며 림프절 전이 암에서는 BCL2의 발현이 음성 소견을 나타내었다 (Tu 등, 1996). 또 다른 연구는 전립선암의 70% 이상에서 BCL2가 음성 결과를 나타내었고, 18%에서는 약한 발현을, 11%에서는 강한 발현을 보였다고 보고하였다 (Lipponen과 Vesalainen, 1997). BCL2의 발현은 높은 병기, 전이, 고등급 분화도 등과 상호 관련이 있으며 호르몬 박탈 요법은 BCL2의 발현을 감소시키는데, 이는 세포에서 세포 자멸사의 신호에 대한 저항성이 발달하기 때문으로 생각된다 (Colombel 등, 1996). 정리하면, 국소 전립선암에서 BCL2의 발현은 다양한 결과를 나타내기 때문에 임상적 활용이 제한적이라고 생각되지만, 안드로겐 박탈 요법 후의 암세포와 거세 저항성 종양에서는 일정하게 발현되는데, 이는 BCL2가 전립선암 세포에서 세포 자멸사에 대한 저항성과 관련이 있다는 개념을 뒷받침한다. 또한, 근접방사선 요법 후 BCL2 음성 환자에서는 전반적 생존율이 양호하였지만 (Szostak 등, 1998), 근치전립선절제술 후 BCL2의 발현은 예후를 예측하지 못하였다 (Oxley 등, 2002)는 보고가 있다.

콜라겐 (collagen)은 포유동물에서 가장 풍부한 단백질이며, extracellular matrix (ECM)와 기저막을 구성하는 주성분이다 (Royce와 Steinmann, 1993). 콜라겐은 만성적 손상에 대한 신체의 반응에서 중요한 역할을 한다. 그러한 회복 과정에서 주된 특징은 섬유성 콜라겐으로 대부분 구성된 흉터 조직의 축적이다. 암의 침습은 만성적이고 흔히 진행하는 조건이기 때문에, 이로 인한 숙주 반응으로 일어나는 치유 과정은 콜라겐의 축적을 동반한다 (Burns-Cox 등, 2001). ECM은 암세포의 이동을 촉진하고, laminin, fibronectin, 콜라겐 유형 IV 등으로 구성되어 있다 (Aznavoorian 등, 1990). ECM의 주요 성분인 콜라겐은 19종류 이상이 발견되었으며, 33종의 유전자에 의해 코드화된다. 콜라겐 유형 I, II, III, V, XI 등은 원섬유성 콜라겐을 구성하는 데 비해, 유형 IV, VI~X, XII~XIX 등은 구조적으로 다양하며 원섬유를 포함하지 않은 콜라겐에 속한다. 콜라겐은 기저막과 기질 사이의 상호 작용에 관여하는 역할 외에도 유형 XIX 등과 같이 혈관과 관련이 있는 콜라겐은 혈관 형성 및 암과 관련이 있다고 추측된다 (Myers 등, 1997). 기저막의 주성분인 유형 IV 콜라겐은 기계적 저항성을 나타내고 상피세포가 기저막에 접착하는 데에서 중요한 역할을 한다. 양성 전립선, 전립선상피내암, 악성 기저막에서 유형 IV 콜라겐 α-chains의 분포는 특이한 양상을 보이는데, 정상 전립선의 기저막에는 α1 (IV)과 α2 (IV) chains와 함께 α5 (IV)와 α6 (IV) chains가 존재하며, α3 (IV) chain은 어떠한 형태의 전립선에서도 발견되지 않는다. 전립선암의 기저막에는 α

5 (IV)와 α6 (IV) chains가 상실되는 데 비해, α1 (IV)과 α2 (IV) chains는 일정하게 남아 있다. 또한, 유형 VII 콜라겐은 α5 (IV) chain 콜라겐과 공존하는데, 이들 두 단백질은 정상 전립선과 전립선상피내암의 기저막에서 항상 관찰되지만 침습성 전립선암의 기저막에서는 소실된다 (Dehan 등, 1997). 암의 분화도 등급이 증가함에 따라 콜라겐 섬유는 증가하고 평활근 세포는 감소한다. 암의 Gleason 등급이 증가함에 따라 병소에서의 콜라겐 함량은 감소하는 데 비해, 동일 전립선에서 병소 주위의 질환이 없는 조직에서는 암이 없는 대조군에 비해 콜라겐 함량이 유의하게 증가한다. 전립선암이 있는 경우 생검 물질 내에는 콜라겐 합성을 나타내는 표지자가 증가되어 있다. 즉, 암에 의한 손상을 복구하기 위한 혹은 암의 침습을 차단하기 위한 숙주 반응으로 콜라겐의 합성이 크게 증가되지만, 이러한 콜라겐의 증가가 생존율을 개선시키지는 않으며, Gleason 점수가 증가함에 따라 콜라겐의 합성이 증가하기 때문에 콜라겐의 증가는 생존에 대한 예측 인자의 역할을 한다고 생각된다 (Burns-Cox 등, 2001).

유방암과 전립선암에서는 유전자 변화로 염색체 8q의 습득이 흔하게 일어나며, 염색체 8q 내의 두 구역, 즉 8q21과 8q23-q24가 comparative genomic hybridization (CGH)에 의해 증폭됨이 발견되었다. 한편, 염색체 8q23에 위치해 있는 *eukaryotic translation initiation factor 3, subunit 3 (gamma, 40kD) (eIF3-p40* 혹은 *EIF3S3)*는 fluorescence in situ hybridization (FISH)에 의해 유방암과 전립선암에서 증폭되고 과다 발현됨이 발견되었다 (Nupponen 등, 2000). *EIF3S3*는 여러 병기의 전립선암에서 흔히 증폭되며, 종양 유전자 *MYC*와 함께 증폭되는 경우가 흔하다. FISH와 tissue microarray 기법을 이용하여 *EIF3S3*를 분석한 연구는 다음과 같은 결과를 보고하였다 (Saramäki 등, 2001). 첫째, *EIF3S3*의 증폭은 pT1/pT2 종양의 9% (11명/125명), pT3/pT4 종양의 27% (12명/44명), 림프절 전이의 22% (8명/37명), 거세 저항성 국소 재발 종양의 33% (26명/78명), 거세 저항성 전이 종양의 50% (15명/30명)에서 각각 발견되었다. 둘째, 증폭은 높은 Gleason 점수와 관련이 있었다 ($p < 0.001$). 셋째, *EIF3S3*가 증폭된 종양 표본 79점 중 1점에서 *MYC*가 증폭된 데 비해, *MYC*가 증폭된 종양 모두에서 *EIF3S3*의 증폭이 있었다. 넷째, *EIF3S3*의 습득은 우연히 발견된 전립선암 환자에서 낮은 암 특이 생존과 관련이 있었다 ($p = 0.023$). 다섯째, 전립선절제술로 치료를 받은 환자를 분석한 결과, 그러한 증폭은 질환의 무진행 기간과 통

계적으로 유의한 관련이 없었다. 이들 결과를 종합하여 보면, *EIF3S3*의 증폭은 후기 전립선암에서 흔하며, 이는 *EIF3S3*가 질환의 진행에 관여함을 시사한다.

NOTCH는 많은 조직에서 세포 운명의 특정화, 줄기세포의 유지, 분화의 유발 등을 조절하는 세포 신호 전달 시스템이다 (Zhang 등, 2006). NOTCH 신호 경로는 또한 상피세포의 중간엽세포로의 이행을 촉진하며 상피세포, 특히 전립선암에서 중요한 성장 및 생존 경로인 v-akt murine thymoma viral oncogene homolog 1 (AKT) 신호 경로를 증대시킨다고 알려져 있다 (Santagata 등, 2004). 154명의 남성으로부터 채집한 종양 표본에서 면역조직화학검사를 이용하여 NOTCH 수용체의 ligand인 jagged 1 (JAG1)의 발현을 분석한 연구는 이 단백질이 국소 전립선암 혹은 양성 전립선 조직에 비해 전이 전립선암에서 유의하게 높게 발현되고 국소 전립선암에서 JAG1의 높은 발현은 재발과 관련이 있음을 발견하였다 (Santagata 등, 2004). 이러한 결과는 JAG1 단백질 농도의 조절 장애가 전립선암의 진행 및 전이에서 어떠한 역할을 수행하기 때문에, JAG1은 비활동성 질환과 공격적인 질환을 구별하는 표지자로 활용이 가능함을 보여 준다. 전립선암 세포의 성장과 세포 주기의 진행에서 JAG1의 역할을 평가한 연구는 JAG1의 하향 조절이 cyclin-dependent kinase 2 (CDK2) 작용의 감소, p27 발현의 증가 등과 함께 세포 주기의 S 기를 정지시킴으로써 세포의 성장을 억제하기 때문에 전립선암의 치료에서 치료적 표적으로 이용이 가능하다고 하였다 (Zhang 등, 2006). 실시간 RT-PCR 및 Western blotting을 이용하여 전립선암 세포에서 NOTCH1과 JAG1을 분석한 연구는 다음과 같은 결과를 보고하였다 (Wang 등, 2010). 첫째, NOTCH1 혹은 JAG1의 하향 조절은 세포의 성장, 이동, 침습 등의 억제 및 세포 자멸사의 유도와 관련이 있었으며, 이는 AKT, mammalian target of rapamycin (mTOR), nuclear factor kappa B (NFκB) 등과 같은 신호 경로의 불활성화에 의해 매개되었다. 둘째, NOTCH1 혹은 JAG1의 하향 조절은 *matrix metallopeptidase 9* (*MMP9*), *vascular endothelial growth factor* (*VEGF*), *urokinase-type plasminogen activator* (*uPA*) 등과 같은 NFκB의 하위 유전자의 활성을 감소시켜 세포의 이동과 침습을 억제하였다. 이들 결과를 근거로 저자들은 NOTCH1과 JAG1의 하향 조절이 세포의 성장, 이동, 침습 등의 억제와 세포 자멸사의 유도를 매개하였으며, 이는 부분적으로 AKT, mTOR, NFκB 등과 같은 신호 경로의 불활성화 때문이라고 하였다.

Laminin은 각 한 개씩의 α, β, γ chain으로 구성된 이질 삼합체 분자이며, 현재까지 α, β, γ chain은 각각 5종, 3종, 3종이 보고되었다. 이들 chains는 연합하여 최소 14종의 laminins를 형성하였다. 이들 laminins는 조직에 따라 다양하게 분포하지만, 대부분의 기저막에는 1종 이상의 laminin이 존재한다 (Patarroyo 등, 2002). Laminin은 세포의 분화, 세포의 모양 및 운동, 조직 표현형의 유지, 조직 생존의 촉진 등과 같은 다양한 생물학적 작용과 관련이 있다 (Colognato와 Yurchenco, 2000). Laminin은 기질 단백질로서 정상 전립선, 양성전립선비대, 분화도가 높은 전립선암의 세엽, 혈관, 평활근, 신경섬유 등의 기저막에서 강하고 균일하게 분포되어 있다. Laminin 5는 정상 기저세포를 아래쪽 기저판에 부착시키는 hemidesmosome의 형성에서 중요한 ECM 단백질이다. 이들 hemidesmosome 복합체는 암에서 소실되는데, 이로써 상피와 기질 사이에 있는 결합 부위의 안정성이 약해지며, 악성 세포는 부착 구조물에서 떨어져 인접 조직으로 침습 및 이동을 하게 된다 (Hao 등, 1996). 분화도가 낮은 암의 기저막에는 laminin의 반응성이 상실되어 있지만, 세포질, 세포 표면, 분비 물질 내에는 어느 정도 남아 있을 수 있다 (Fuchs 등, 1989). 67 kDa의 laminin 수용체는 근치전립선절제술 후 예후를 예측할 수 있는 중요한 인자가 아니라고 보고되었다 (Waltregny 등, 2001).

정상 기저세포는 hemidesmosome과 결합하는 단백질인 bullous pemphigoid antigen 180 혹은 collagen XVII (BP180), BP230, hemidesmosomal 500 kDa protein (HD1 혹은 plectin, PLEC), laminin-γ-2, collagen type VII, integrin-laminin 수용체 alpha-6/beta-1 및 alpha-6/beta-4 등의 분포를 보이며, 이러한 양상은 전립선상피내암에서도 보인다. 대조적으로 암에서는 alpha-6/beta-4 integrin, BP180, laminin-γ-2, hemidesmosome 구조물, collagen type VII 등이 대체로 결여되어 있는 데 비해, BP230, HD1/plectin, integrin-laminin 수용체 alpha-3/beta-1 및 alpha-6/beta-1 등은 발현된다 (Schmelz 등, 2002). 이와 같은 결과는 암에서 기저막이 확인되더라도 그것의 성분과 세포의 부착 양상은 다름을 시사한다. 암에서는 beta-4 integrin이 상실되는데, 이는 matrilysin에 의한 선택적 분절 때문으로 생각된다 (von Bredow 등, 1997). Alpha-4 integrin은 비악성 세포에서만 발현되지만, 혈소판, human erythroleukemia (HEL) 등과 같은 거대핵세포에서만 발현된다고 보고된 alpha-IIb/beta-3 integrin이 PC3, DU145

등과 같은 전립선암 세포에서도 발현되며, 이러한 발현은 protein kinase C (PKC)에 의해 조절되고, 이 수용체의 단클론 항체는 기저막을 재건하여 전립선암 세포의 침습을 억제한다 (Trikha 등, 1996). 다른 연구는 alpha-IIb/beta-3 integrin이 전립선암의 전이에 관여한다고 하였다 (Trikha 등, 1998). 성장을 억제하는 특성을 가진 beta-1C integrin은 양성 전립선에서 발현되지만 암에서는 발견되지 않기 때문에, beta-1C integrin의 하향 조절은 악성 표현형과 관련이 있다 (Fornaro 등, 1996). 골 전이 전립선암에서 alpha-v/beta-3 integrin을 억제하면 혈관 형성, 골 교체율, 종양세포의 증식 등이 감소되는 것으로 보아 alpha-v/beta-3 integrin은 골 대사와 혈관 형성에 관여하며, 이로써 골격 내에 있는 전이 전립선암 세포의 성장을 조절한다고 생각된다 (Nemeth 등, 2003).

Mitogen-activated protein kinase (MAPK)는 세포 외부의 신호로 인해 세포가 반응하도록 신호를 전달하는 시스템에서 중요한 요소이다. 최소한 두 가지의 MAPK 경로가 발견되었는데, 첫째는 혈청 및 성장 인자에 의해 자극을 받아 tyrosine 및 threonine의 인산화를 통해 extracellular signal-regulated protein kinase (ERK)를 활성화함으로써 세포의 증식 혹은 분화를 유도하는 경로이고, 둘째는 여러 세포 스트레스에 의해 자극을 받아 c-Jun N-terminal kinase (JNK)와 reactivating kinase (p38/RK)를 활성화함으로써 성장 정지 및 세포 자멸사를 유도하는 경로이다. Mitogen-activated protein kinase phosphatase (MKP)는 MAPK 경로를 조절하는데, 탈인산화를 통해 MAPK를 불활성화하며, 세포 자멸사를 억제한다 (Magi-Galluzzi 등, 1998). 고등급 전립선상피내암 환자 50명의 조직 표본을 면역조직화학검사와 in situ hybridisation (ISH)을 이용하여 세 가지의 MAPK, 즉 JNK1, ERK1, p38/RK 등과 MKP1을 분석한 연구는 다음과 같은 결과를 보고하였다 (Magi-Galluzzi 등, 1998). 첫째, 정상 전립선에 비해 모든 고등급 전립선상피내암에서 3종의 MAPK와 MKP1 mRNA의 과다 발현이 발견되었다. 둘째, MKP1 단백질에 대한 면역 반응성의 강도는 고등급 전립선상피내암의 30%에서는 정상 전립선과 비슷하였고 56%에서는 더 약하였으며, 14%에서는 염색 반응이 나타나지 않았다. 셋째, 세포 자멸사의 비율은 MKP1을 발현하는 병변보다 발현하지 않는 전립선상피내암 병변에서 유의하게 더 높았다 ($p < 0.008$). 이들 결과는 MKP1이 세포 자멸사와 관련이 있는 kinase를 억제하며, 고등급 전립선상피내암에서도 세포의 증식과 세포사 사이의 균형을 변화시

킴을 보여 준다. 다른 연구도 MKP1과 BCL2는 세포 자멸사 지수와 역상관관계를 가지며, 안드로겐이 완전하게 제거된 경우 MKP1과 BCL2는 하향 조절되는 데 비해 JNK1은 상향 조절되었는데, 이는 MKP1이 전립선암에서 세포 자멸사를 억제한다는 가설을 뒷받침하는 결과라고 하였다 (Magi-Galluzzi 등, 1997). 또 다른 연구에 의하면, MKP1은 전립선암, 결장암, 방광암 형성의 초기 단계에서 과다 발현되며, 조직학적 등급이 증가하고 전이로 진행함에 따라 점차 소실되는 데 비해, 유방암의 경우에는 미분화 혹은 후기 질환일지라도 MKP1이 높게 발현된다. 또한, MKP1이 과다 발현되더라도 ERK1의 효소 작용은 증가한다. 이러한 결과는 MKP1이 여러 상피세포암의 조기 표지자로서의 역할을 하며, 상피세포암에서는 종양을 억제하는 인자로서의 기능을 하지 않음을 보여 준다 (Loda 등, 1996).

Mucins는 고분자량의 당단백질로서 위장관, 호흡기, 요로, 생식기 등과 같은 많은 분비 상피의 첨단부에서 거의 발견된다 (Lagow 등, 1999; Taylor-Papadimitriou 등, 1999). 1형 경막 당단백질인 mucin 1, cell surface associated (MUC1)은 polymorphic epithelial mucin (PEM), episialin 등으로도 알려져 있으며, 20~25개의 아미노산으로 구성된 일렬 반복 (tandem repeats)을 가진 1,000~2,000개 아미노산의 큰 세포 외부 영역, 31개 아미노산으로 구성된 경막 영역, 72개 아미노산으로 구성된 짧은 세포질 영역 등으로 형성되어 있다. 염색체 1q22에 위치한 MUC1에 의해 코드화되는 이질 이합체의 종양 단백질 MUC1의 주된 기능은 상피의 윤활 및 수분 공급과 세균으로부터의 보호이다. 그러나 MUC1의 세포 외부 영역은 부착 기능과 부착 대항 기능 모두를 가지고 있으며, 면역 반응을 감소시키는 역할을 한다. 또한, MUC1에는 신호를 전달하는 여러 분자, 예를 들면 glycogen synthase kinase 3 beta (GSK3B) (Li 등, 1998), β-catenin (Yamamoto 등, 1997), son of sevenless homolog (SOS)/RAS exchange protein (Pandey 등, 1995) 등과 상호 작용하는 세포질 영역이 잘 보존되어 있기 때문에, MUC1은 신호를 전달하는 데도 관여할 것으로 생각된다. MUC1은 정상적인 생리 기능 외에도 유방암, 결장암, 폐암, 위암, 췌장암 등을 포함하는 많은 종양의 진행에 관여한다 (Ho 등, 1993; Taylor-Papadimitriou 등, 1999). 종양에서 MUC1의 발현은 glycosylation의 변화와 함께 크게 증가되며, 정상적으로는 첨단부에 국한되어 발현되지만 종양에서는 다소 확산된 비정상적인 양상을 나타낸다 (Burdick 등, 1997).

MUC1은 또한 면역 반응을 약화시켜 종양세포가 숙주 방어를 피할 수 있게 하며, 세포와 세포 사이 그리고 세포와 세포 외부 기질 사이의 접촉을 차단하여 종양세포의 전이를 촉진한다 (Taylor-Papadimitriou 등, 1999). MUC1이 여러 흔한 암의 진행과 전이에 관여함이 잘 알려져 있지만, 전립선암에서 MUC1의 역할은 충분하게 연구되어 있지 않다. 정상 전립선 상피에서 MUC1의 발현은 상당한 변동을 나타내는데, 강한 면역 반응 (Ho 등, 1993)으로부터 약한 면역 반응 혹은 면역 반응 음성 (Zotter 등, 1988; Zhang 등, 1998)까지 다양하게 보고되었다. 그러나 이들 반응은 다른 비악성 상피에서와 마찬가지로 상피의 첨단부에 국한되어 나타났다. 일부 연구는 MUC1이 전립선암의 진행과 전이에서 어떠한 역할을 하며, glycosylation의 변화, 높은 면역 반응성, 세포 표면에서 발현 양상의 변화, 즉 첨단부에 국한된 발현 내지 확산된 양상 등을 나타낸다고 하였다 (Papadopoulos 등, 2001; Schut, 2003). 그러나 이들 보고의 대부분은 표본 크기가 작다는 제한점을 가지고 있으며, 조직 표본의 제작 과정, 이용된 항체 등과 같은 방법론에서의 차이, 질환 자체의 복잡성 등으로 인해 혼돈을 가져다준다 (O'Connor 등, 2005). 110명의 환자로부터 채집한 278점의 조직 표본을 평가한 연구는 다음과 같은 결과를 보고하였다 (O'Connor 등, 2005). 첫째, 정상 전립선 상피세포와 전립선암 세포주에서 dihydrotestosterone (DHT), interferon-gamma (IFNγ), tumor necrosis factor-alpha (TNFα) 등에 반응하여 발현되는 MUC1을 분석하였을 때, 정상 전립선 상피세포와 PC3 세포의 경우에는 사이토킨으로 처치한 후 MUC1 핵심 (core) 단백질의 발현이 자극을 받은 데 비해, DU145 세포에서는 MUC1이 본래 높게 발현되었다. MUC1은 어떠한 조건이더라도 LNCaP, C4-2, C4-2B 등과 같은 세포에서는 발현되지 않았다. DHT 단독 혹은 사이토킨과의 병용은 평가된 세포주 중 어느 세포주에서도 MUC1의 발현에 영향을 주지 않았다. 둘째, 항체를 이용한 분석에서 MUC1은 종양 조직에서는 불가 17%에서만 발현되었으며, 비종양 조직의 경우 41%가 MUC1에 대해 염색 반응을 나타내었다. 종양 조직에서 염색 양상은 첨단부에 국소적 염색으로부터 세포질 내 확산된 양상까지 다양하였다. 셋째, MUC1 핵심 단백질의 유무와 MUC1의 세포 내 분포 양상 둘 모두는 Gleason 등급과 상호 관련이 없었다. 이들 결과는 MUC1이 전립선암의 진행에 대한 표지자로서 적합하지 않으며, 더군다나 IFNγ와 TNFα가 정상 전립선 상피와 일부 전립선암 세포주에서 MUC1의 발현을 강하게 유도하

고 MUC1 양성 전립선암에서 동반된 질병 상태를 악화시킬 수 있음을 보여 준다. 2,760명의 환자와 1,722명의 대조군에서 유전자 변동을 비교 분석한 스웨덴의 연구도 *MUC1*의 변동과 전립선암 특이 사망 사이, *MUC1*의 변형과 전립선암의 위험 혹은 진행 사이에서 연관성을 발견하지 못했다고 하였다 (Strawbridge 등, 2008). 한편, MUC1은 공격적인 전립선암에서 과다 발현된다는 연구에 근거하여 안드로겐 의존성의 LN-CaP 및 LAPC4 전립선암 세포에서 MUC1-C 소단위를 평가한 연구는 다음과 같은 결과를 보고하였다 (Rajabi 등, 2012). 첫째, MUC1-C는 androgen receptor (AR)의 발현을 억제하였다. 둘째, MUC1-C는 *miR-135b*에 의해 매개되는 *AR* mRNA의 하향 조절을 활성화하였다. 셋째, MUC1-C의 세포질 영역과 AR의 DNA-binding domain (DBD)이 직접 상호 작용함으로써 MUC1-C는 AR과 복합체를 형성하였다. 넷째, MUC1-C와 AR 사이의 상호 작용은 epithelial-mesenchymal transition (EMT)를 유도하였으며 침습을 증가시켰다. 다섯째, MUC1-C는 안드로겐이 고갈된 배지에서의 성장과 bicalutamide에 대한 저항성을 유도하였다. 여섯째, MUC1-C의 발현은 MUC1-C를 억제하는 제제인 GO-203에 대해 민감하여 성장을 억제하였다. 이들 결과는 MUC1-C가 전립선암 세포에서 AR의 발현을 억제하며, MUC1-C의 억제에 민감한 안드로겐 비의존성의 공격적인 표현형을 유도함을 보여 준다. T1a~b Nx M0의 국소 전립선암 환자 195명으로부터 채집한 종양 조직에서 부착에 대해 대항 작용을 나타내는 *MUC1* 유전자의 발현을 분석한 연구는 다음과 같은 결과를 보고하였다 (Andrén 등, 2007). 첫째, 정상 조직에 비해 강도가 낮은 혹은 높은 *MUC1*을 가진 전립선암 환자는 종양의 확대 혹은 Gleason 점수와 관계없이 전립선암으로 인한 사망의 위험이 높았으며, HR은 각각 5.1, 4.5이었다. Gleason 등급과 종양의 병기로 보정하여도 결과는 변하지 않았다. 둘째, Gleason 점수 7 이상과 정상 범위에서 벗어난 강도의 *MUC1*을 가진 환자는 Gleason 점수 7 미만과 정상 강도의 *MUC1*을 가진 환자에 비해 전립선암으로 인한 사망 위험이 17배 증가하였으며, RR은 17.1 (95% CI 2.3~128)이었다. 이들 결과는 *MUC1*이 전립선암으로 인한 사망에 대한 독립적 예후 표지자임을 보여 준다.

Ornithine decarboxylase (ODC)는 polyamine의 생합성에서 rate-limiting step을 촉매하며 (Betts 등, 1997), 녹차는 ODC를 억제하는 물질을 함유하고 있어 암의 예방과 치료에 이용되기도 한다 (Gupta 등, 1999). 면역 분석을 이용한

연구에 의하면, ODC 단백질의 발현은 양성 조직에 비해 전립선암 조직에서 더 크다. 이 연구는 또한 ODC의 활성이 상응하는 양성 전립선 조직에 비해 전립선암 조직에서 유의하게 더 증가되었으며, 각각 427 ± 51, $1,142$돌이었다고 하였다 ($p<0.001$). 전립선 마사지 후 채집한 전립선액에서 ODC의 활성도 상응하는 정상 전립선, 양성전립선비대 환자에 비해 전립선암 환자에서 유의하게 더 높았으며, 각각 $1,244\pm67$, $2,742\pm167$, $3,847\pm162$이었다 (Mohan 등, 1999).

전립선암의 발생 위험은 산화 스트레스와 정상관관계를 가지며, paraoxonase 1 (PON1)과 glutathione S-transferase pi 1 (GSTP1)은 자유기를 해독하는 기능을 가지고 있고 cytochrome P450c17 (CYP17)은 유리기의 생성에서 기질의 역할을 담당하는 단백질을 감소시킨다. PON1은 high-density cholesterol (HDC)과 관련이 있는 효소이며, 이를 코드화하는 유전자 PON1의 두 single nucleotide polymorphism (SNP) Q192R과 L55M은 공격적인 전립선암의 위험 증가와 관련이 있다 (OR 2.18, 95% CI 1.31~3.64) (Stevens 등, 2008). 전립선암 환자 384명과 대조군 360명을 대상으로 PON1, GSTP1, CYP17 등과 같은 3종의 생체 이물 유전자 (xenobiotic gene)의 다형성을 평가한 연구는 PON192/QR 및 PON55/LM-MM 유전형, GSTP1/IleVal 유전형, CYP17/A1A1-A1A2 유전형 등이 전립선암 위험의 증가와 유의하게 관련이 있다고 하였다 (Antognelli 등, 2005).

정상 전립선과 국소 전립선암에서는 전형적으로 상피세포의 증식률이 낮다. 성장에 특이한 핵 단백질인 proliferating cell nuclear antigen (PCNA)은 DNA polymerase-α의 보조 단백질로서 세포 주기의 S 단계에서 최대로 발현된다. 그러므로 PCNA는 암의 증식 활동에 대한 지표로 널리 이용되어 왔다. PCNA 표지 지수는 양성 상피세포에서 가장 낮으며, 분화도가 좋은 전립선암보다 분화도가 나쁠수록 점차 증가하는데, 연구에 따라 결과의 변동이 큰 편이다 (Limas와 Frizelle, 1994). 상당수의 연구들이 PCNA 지수가 암의 병기와 관련이 있다고 보고하였으나 (Cher 등, 1995), 반론 또한 있다. 근치전립선 절제 표본에서 Ki-67과 PCNA의 발현을 분석한 연구는 다음과 같은 결과를 보고하였다 (Sulik와 Guzinska-Ustymowicz, 2002). 첫째, Ki-67과 PCNA의 발현은 수술 전 PSA, 림프절 전이, 전립선피막 침범, 정낭 침범, 수술 절제면 상태 등과 통계적으로 유의한 상관관계를 가지지 않았다. 둘째, Ki-67과 T 병기 사이에는 유의한 상관관계가 발견이 되었다. 셋째, 전립선

암에서는 Gleason 점수 7 이상과 Ki-67 및 PCNA의 높은 발현 사이에 연관성이 발견되었다 (각각 $p<0.004$, $p<0.02$). 이들 결과는 Ki-67과 PCNA이 전립선암에서 종양 표지자의 역할을 할 수 있으나, PCNA는 T 병기와 관련이 없음을 보여 준다. 최소 400개의 종양세포를 포함하는 침 생검 표본 40점에서 PCNA에 대해 immunoperoxidase 염색을 실시하고 최소 425개의 핵을 영상 분석하여 증식 지수 (proliferative index, PI)를 산출한 연구는 다음과 같은 결과를 보고하였다 (Spires 등, 1994). 첫째, PI는 2.4~31.3%의 범위이었다. 둘째, PI는 우세한 Gleason 등급에 따라 다른 결과를 보였는데, 등급 3, 4, 5의 평균 PI는 각각 9.3%, 13.7%, 18.8%이었다. 셋째, 우세한 Gleason 등급이 2/3인 경우와 4/5인 경우에서 PI는 유의한 차이를 나타내었으며 ($p=0.0065$), 우세한 Gleason 등급이 3인 경우와 5인 경우 사이에서도 PI의 유의한 차이가 발견되었다 ($p=0.0017$). Gleason 점수 5~7과 8~10 사이에서 PI의 유의한 차이가 관찰되었다 ($p=0.014$). 넷째, PI는 PSA, 임상 병기, 절제 당시 종양의 퍼센트 등과는 관련이 없었다. 이러한 결과는 PCNA를 이용하여 산출된 PI가 전립선암의 진행을 예측하는 보조 도구가 될 수 있음을 보여 준다. 다른 연구는 PCNA/cyclin 지수가 전립선암 혹은 우연히 발견된 미세 전립선암의 생존율 ($p\leq0.05$) 및 악성 진행 ($p\leq0.01$)을 예측하는 독립적 예후 지표라고 하였다 (Botticelli 등, 1993). 한편, College of American Pathologists and the American Joint Committee on Cancer는 이 인자의 관습적인 이용을 권장하지 않았다 (Grignon과 Hammond, 1995).

전립선암 조직에 대해 유전자 분석을 실시한 바에 의하면, 과다 메틸화에 의해 PDZ and LIM domain 4 (PDLIM4)가 과소 발현됨이 관찰되었다 (Vanaja 등, 2006). 여기서 PDZ는 post synaptic density protein (PSD95), Drosophila disc large tumor suppressor (DLG1), zonula occludens 1 (ZO1) 등의 두문자이며, LIM은 lines 11 (LIN11), ISL LIM homeobox 1 혹은 insulin gene enhancer protein ISL-1 (ISL1), mitosis entry checkpoint 3 (MEC3)의 두문자이다. Gleason 점수 6의 중간 등급, Gleason 점수 9의 고등급, 전이 질환 등에 대한 실시간 RT-PCR 검사에서 PDLIM4의 전사 정도는 양성 상피 조직에 비해 각각 평균 2.8배, 4.0배, 10.6배 감소되었다 (Vanaja 등, 2006). 전립선암에서 PDLIM4의 하향 조절은 여러 연구에서 보고되었으며 (Yu 등, 2004; Varambally 등, 2005), 급성 골수성 백혈병, 결장암 등에서는 과다 메틸화에 의해 PDLIM4가

불활성화됨이 관찰되었다 (Boumber 등, 2007). 육종 (Baird 등, 2005), 중간엽 종양 (Henderson 등, 2005) 등과 같은 여러 종양 조직에서 *PDLIM4*의 전사적 침묵이 관찰됨은 PDLIM4가 전립선암의 발생과 진행에 관여할 수 있음을 추측하게 한다. *PDZ/LIM* 유전자는 생물학적으로 중요한 여러 역할을 수행하는 PDZ/LIM 단백질을 코드화한다 (Webber 등, 1997). 여러 PDZ/LIM 단백질은 세포 골격의 조직화, 신경 신호의 전달, 세포 계통의 특정화, 장기의 발생 등과 같은 많은 기본적인 생물학적 과정뿐만 아니라 종양의 형성과 같은 병리학적 과정에도 관여한다 (Hunter와 Rhodes, 2005). 1개의 PDZ domain과 1개 이상의 LIM domains를 코드화하는 10가지의 유전자가 발견되었는데, *actinin-associated LIM protein (ALP), Elfin (혹은 C-terminal LIM domain, CLIM), Mystique, PDLIM4* 등과 같은 *ALP* 소가족, *Enigma, Enigma Homolog (ENH), Z-band alternatively spliced PDZ-motif protein (ZASP)* 등과 같은 *Enigma* 소가족, *LIM kinase 1 (LIMK1), LIMK2* 등과 같은 *LIM kinase, LIM only protein 7 (LMO7)* 등이다 (te Velthuis 등, 2007). 모든 PDZ 및 LIM domain의 단백질은 세포 골격 actin과 연관성을 가지고 영향을 준다. PDZ/LIM 단백질은 세포 골격 actin으로 신호 분자를 모집하는 어댑터 (adapter) 단백질로서 기능을 하며 (Guy 등, 1999), PDZ 영역을 통해 세포 골격과 결합하고 (Vallenius 등, 2000) LIM 영역을 통해 kinase와 결합한다 (Vallenius와 Makela, 2002). 전립선의 상피세포뿐만 아니라 암세포에서도 발견되는 LIM-domain 단백질로는 transforming growth factor beta 1 induced transcript 1/androgen receptor associated protein 55/hydrogen peroxide-inducible clone-5 (TGFB1I1/ARA55/HIC5), four and a half LIM domains 2 (FHL2), pancreatic cancer derived 1 (PCD1), testin LIM domain protein (TES), LIM and senescent cell antigen-like domains 1 (LIMS1 혹은 particularly interesting new Cys-His protein 1, PINCH) 등이 있다 (Muller 등, 2000; Tobias 등, 2001; Gao 등, 2004). 종양을 억제한다고 보고된 LIM-domain의 유전자로는 *TES* (Chene 등, 2004), *LIM domains-containing protein 1 (LIMD1)* (Sharp 등, 2004), *actin binding LIM protein 1 (ABLIM1 혹은 LIMATIN)* (Kim 등, 1997), *epithelial protein lost in neoplasm (EPLIN)* (Song 등, 2002) 등이 있다. TES와 EPLIN은 actin과 연합하여 형질 전환을 일으킨 세포의 고정 (anchorage) 비의존성 성장 혹은 세포의 운동성을 억제한다. PDLIM4 LIM domain은 protein

tyrosine phosphatase non-receptor type 13 (PTPN13 혹은 PTP-BL)에 있는 PDZ domain과 혹은 PDLIM4 자체 내에 있는 PDZ domain과 상호 작용한다 (van den Berk 등, 2004). 또한, PDLIM4의 PDZ domain은 세 개의 C-terminal LIM domains를 가진 단백질인 thyroid receptor-interacting protein 6 (TRIP6)의 두 번째 LIM domain과 상호 작용한다 (Cuppen 등, 2000). 전립선암에서 PDLIM4의 역할은 분명하지 않으나, DU145, LAPC4, LNCaP, CWR22, PC3 등과 같은 전립선암 세포주에 대해 면역조직화학검사를 실시한 연구는 다음과 같은 결과를 보고하였다 (Vanaja 등, 2009). 첫째, PDLIM4 단백질의 발현은 분비성 상피세포에 국한되었으며, 전립선암에서 크게 감소되었다. 둘째, PDLIM4는 F-actin과 직접 상호 작용하였다. 셋째, 이종 이식 암에서 PDLIM4의 발현을 회복시키면, 종양의 성장이 감소되었다. 이들 결과는 PDLIM4가 전립선암 세포에서 actin과 결합하여 세포의 증식을 조절함으로써 종양을 억제하는 인자로 작용함을 보여 준다. 한편, 75점의 전립선 표본에서 luciferase reporter assay와 면역조직화학검사를 이용하여 F-actin과 결합하는 단백질로서 B-cell의 형질 전환에 관여하는 SWAP switching B-cell complex 70 kDa subunit (SWAP70)를 분석한 연구는 전립선암 세포주에서 SWAP70를 침묵시키면 세포의 이동 및 침습이 유의하게 감소되었고, 종양을 억제하는 인자로서 전립선암에서 흔히 하향 조절되는 microRNA *miR-145*의 표적인 SWAP70는 종양 유전자로서의 기능을 한다고 하였다 (Chiyomaru 등, 2011).

면역형광염색법을 이용한 연구에 의하면, 94개의 아미노산으로 구성된 prostatic inhibin-like peptide (PIP)는 PC3 세포에서는 발견되지 않고 LNCaP 세포에서 발견되며, LNCaP 세포에서 분리된 PIP는 사람의 정액장액에서 분리된 PIP와 유사하고, PIP의 세포 내부 농도는 안드로겐에 비의존적이다 (Hurkadli 등, 1994). 면역 반응성을 나타내는 PIP는 follicle-stimulating hormone (FSH)을 억제하는 기능을 가지고 있다. 양성전립선비대와 전립선암을 가진 환자의 혈청과 소변 표본에서 측정된 PIP 농도를 동일한 연령대의 대조군과 비교한 연구는 다음과 같은 결과를 보고하였다 (Teni 등, 1988). 첫째, 혈청 PIP 농도는 대조군에 비해 양성전립선비대와 전립선암 환자에서 유의하게 더 높았으며, 각각 10.2 ± 1, 107.8 ± 19, 88.7 ± 9ng/mL이었다. 둘째, 소변 PIP 농도는 대조군에 비해 양성전립선비대 환자에서는 높았으며, 전립선암 환자에서는 극히 낮았는데, 각각 137.6 ± 10, 294 ± 49, 23.6 ± 5 μg/24 hr이었다. 소변 PIP 농도는 양성전립선비대와 전립선암 환자에서 뚜렷한 차이를 나타내었다. 이들 결과는 소변 PIP가 전립선암에 대한 생물 표지자로 활용이 가능함을 보여 준다. 전립선암 환자와 동일한 연령대의 대조군으로부터 채집한 소변에서 enzyme-linked immunosorbent assay (ELISA)를 이용하여 PIP를 분석한 연구는 소변 PIP 농도의 평균치가 대조군에 비해 전립선암 환자에서 유의하게 더 낮았으며, 각각 127.1±9, 36.1±5 μg/24 hr이었다 ($p \langle 0.001$). 이러한 결과를 근거로 저자들은 ELISA를 이용하여 측정된 소변 PIP 농도는 정상인과 전립선암 환자를 감별하는 데 이용이 가능하다고 하였다 (Teni 등, 1989).

바이러스 감염이 있는 경우 interferon (IFN)에 의해 매개되는 면역 반응에 관여하는 단백질 ribonuclease L (RNASEL)은 염색체 1q25에 위치해 있는 유전자 RNASEL에 의해 코드화된다. 유전성 전립선암과 관련이 있는 여러 유전자 중 hereditary prostate cancer 1 (HPC1)은 염색체 1q24-25에 위치해 있으며, RNASEL과 같다고 보고되었다 (Downing 등, 2003). 전립선암 환자 1,286명과 대조군 1,264명을 대상으로 RNASEL의 변형과 전립선암의 발생 위험 및 진행 사이의 연관성을 평가한 연구는 다음과 같은 결과를 보고하였다 (Meyer 등, 2010). 첫째, rs12757998의 변형 allele을 가진 환자에서는 전립선암의 발생 위험이 증가하였으며, OR은 1.63 (95% CI 1.18~2.25)이었다. 특히 높은 등급의 종양에 대해 특이하였는데, 이 경우 OR은 1.90 (95% CI 1.25~2.89)이었다. 둘째, 이 유전형은 염증과 관련이 있는 혈청 표지자 IL-6 (p=0.05), C-reactive protein (CRP) (p=0.02) 등의 증가와 관련이 있었다. 이들 결과를 근거로 저자들은 RNASEL이 전립선암과 관련이 있으며, 그러한 연관성은 염증을 통해 매개된다고 하였다. 다른 연구도 RNASEL 유전자 중 D541E 내 GG, R462Q 내 AA, I97L 내 AG 등을 가진 환자는 전립선암의 위험이 높으며, RNASEL 유전자형은 높은 위험도의 전립선암 환자를 70% 이상의 정확도로 진단할 수 있다고 하였다 (Alvarez-Cubero 등, 2013). 전립선암으로 치료를 받은 환자를 대상으로 RNASEL의 SNP를 분석한 연구는 일차 종말점을 치명적인 전립선암의 발생 혹은 생화학적 재발까지의 기간으로 설정하였으며, 다음과 같은 결과를 보고하였다 (Schoenfeld 등, 2013). 첫째, 방사선 요법을 받은 전립선암 환자 434명에 대한 다변량 분석에서 rs12757998의 변형 allele은 생화학적 재발의 감소 (HR 0.60, 95% CI 0.40~0.89; p=0.01) 및 복합 종말점의 감소 (HR 0.65,

95% CI 0.45~0.94; p=0.02)와 관련이 있었다. 둘째, 근치전립선절제술을 받은 516명에서는 이 유전자 변형과 종말점 사이에서 연관성이 관찰되지 않았다. 이들 결과를 근거로 저자들은 RNASEL SNP rs12757998이 전립선암 환자에서 방사선 요법 후의 결과와 관련이 있다고 하였다.

Tenascin (TN)은 크기가 큰 180~300 kDa의 육합체 (hexamer) 부착성 당단백질이며 배아가 발달하는 과정과 거의 모든 장기에서 종양이 형성되는 동안 발견된다 (Xue 등, 1998). Tenascin은 ECM에서 발현되는데, 주로 샘의 주변부, 종양의 병소, 혈관 등에서 발현된다 (Xue 등, 1998). 다른 연구도 tenascin이 출생 후 발달하는 동안 특히 전립선의 주변부에 많이 분포한다고 하였다 (Shiraish 등, 1994). TN-C는 힘줄, 골격, 연골 등에서, TN-R은 신경계에서, TN-X는 성긴 결합조직에서, TN-W는 신장과 발육 중인 골격에서 주로 발견된다 (Erickson, 1993). TN-C는 배아의 형성, 상처 치유, 염증, 종양의 형성 등이 진행하는 동안 조직의 상호 작용에 관여한다 (Erickson, 1993). TN-C의 가장 중요한 기능으로는 부착에 대항하는 효과, 세포의 운동성 증대, 성장 촉진 등이 있다. 제시된 이러한 기능은 TN-C가 종양세포의 증식, 침습, 전이 등의 조절에서 어떠한 역할을 할 수 있음을 추측하게 한다 (Orend, 2005). 289개의 전립선에서 채취된 2,378점의 전립선 생검 cores에서 tenascin과 E-cadherin을 분석한 연구는 다음과 같은 결과를 보고하였다 (Slater 등, 2003). 첫째, E-cadherin은 Gleason 점수가 가장 높은 전립선암을 제외한 모든 병변에서 발현되기 때문에 표지자로서의 가치가 낮은 데 비해 tenascin은 정상 및 전립선상피내암 조직에 있는 ECM과 세엽의 기적막에서 최대로 발현되었다. 전립선암 조직에서 tenascin의 발현은 Gleason 점수와 상호 관련이 없었지만, 퓨린 수용체 및 telomerase와 관련이 있는 단백질의 발현이 증가함에 따라 tenascin의 발현은 유의하게 소실되었다. 둘째, tenascin, telomerase 관련 단백질, 퓨린 수용체 등의 비정상적 발현은 조직학적인 이상이 발생하기 전에 나타나기 때문에, 조기 전립선암에 대한 표지자의 역할을 한다. 여러 종류의 전립선 조직에 대해 면역형광법을 실시한 연구는 다음과 같은 결과를 보고하였다 (Xue 등, 1998). 첫째, 정상 전립선, 증식성 병변 등과 같이 기저막이 온전한 경우에는 tenascin의 발현이 약하였다. 둘째, 저등급 및 중등급 분화도의 전립선암에서는 tenascin의 발현이 강한 데 비해, laminin의 발현은 약하였는데, 이는 기저막의 붕괴가 있음을 시사한다. 셋째, 고등급 분화도의 전립선

도표 243 여러 전립선 조직에서 기질 표지자, tenascin-C, laminin 등의 면역조직화학적 발현

조직 (수)	등급[†]	Vimentin	SMA	Desmin	TN-C	Laminin
전립선암 (52)	0/1	14 (26.9%)	2 (3.8%)	22 (42.3%)	18 (34.6%)	51 (98.1%)
	2/3	38 (73.1%)	50 (96.2%)	30 (57.7%)	34 (65.4%)	1 (1.9%)
종양 주위 조직 (52)	0/1	38 (73.1%)	4 (7.7%)	3 (5.8%)	47 (90.4%)	8 (15.4%)
	2/3	14 (26.9%)	48 (92.3%)	49 (94.2%)	5 (9.6%)	44 (84.6%)
양성전립선비대 (21)	0/1	18 (85.7%)	0 (0%)	2 (9.5%)	18 (85.7%)	4 (19.0%)
	2/3	3 (14.3%)	21(100%)	19 (90.5%)	3 (14.3%)	17 (81.0%)

종양에 인접한 조직이나 양성전립선비대에 비해 전립선암의 기질에서 vimentin의 발현이 증가하였고 desmin의 발현은 감소하였는데 비해, α-SMA는 분석된 세 군에서 유의한 차이를 나타내지 않았다. Vimentin과 desmin의 발현은 종양에 인접한 조직과 양성전립선비대 사이에서 유의한 차이를 보이지 않았다. 종양에 인접한 조직에 비해 전립선암에서 TN-C는 유의하게 증가된 반면, laminin은 유의하게 감소되었다.

[†], 등급 0은 염색 양성 기질세포가 0%, 등급 1은 염색 양성 기질세포가 33%까지, 등급 2는 염색 양성 기질세포가 33~66%, 등급 3은 염색 양성 기질세포가 66%를 초과한 경우로 염색 강도의 등급을 분류하였다.

SMA, smooth muscle actin; TN-C, tenascin-C.

Tomas 등 (2006)의 자료를 수정 인용.

암에서는 tenascin의 염색이 약하였고 laminin의 면역 반응은 크게 소실되었다. 이들 결과에 의하면, 샘 주위에서 tenascin의 발현은 전립선 기저막의 완전함과 관련이 있으며, tenascin은 기질과 상피의 상호 작용에 영향을 줌으로써 전립선 조직의 항상성을 유지하는 데에서 어떠한 역할을 한다. 전립선암 조직 표본에 대해 면역염색법을 실시한 연구는 다음과 같은 결과를 보고하였다 (Tomas 등, 2006) (도표 243). 첫째, 종양 주위 조직 및 양성전립선비대에 비해 전립선암에서 TN-C는 증가하였고 laminin은 감소하였다 ($p < 0.05$). 둘째, Gleason 패턴 4에 비해 패턴 3의 전립선암에서 기질 반응 및 TN-C의 발현이 더 우세하였다 ($p < 0.05$).

TGF-β_1은 양성 상피세포에 비해 암세포에서 과다 발현된다 (Tu 등, 1996). 그러나 동물 연구에서는 TGF-β_1이 반대되는 작용을 한다고 보고되었는데, 이 경우 세포 자멸사를 매개하거나 종양의 형성 및 전이를 증대시키는 인자로 작용하였다. 따라서 암이 진행하는 동안 TGF-β_1이 세포 자멸사에 영향을 줄 수도 있고 주지 않을 수도 있다고 생각된다 (Kikuchi 등, 2003). 이에 관해서는 '9장 종양 관련 성장 인자와 수용체'에 더 상세하게 기술되어 있다.

85. 다수 표지자에 대한 다중 분석
Multiplexed Assay For Several Markers

PSA 농도의 증가 혹은 직장수지검사의 비정상 소견을 가진 남성은 전립선암의 위험도가 높고 전립선 생검을 받을 대상이 된다. 그러나 PSA의 특이도가 낮기 때문에, 전립선암에 대한 선별검사를 근거로 생검을 받을 환자를 선정할 때는 PSA 검사와 함께 더 높은 특이도를 가진 확인 검사와 병합하여 검사할 필요가 있다 (Thompson 등, 2005).

여러 연구는 확인 검사의 일환으로 전립선암 환자의 소변에서 DNA 메틸화 표지자를 분석하였다. Cairns 등 (2001)은 종양에서 glutathione-S-transferase pi 1 (GSTP1)의 메틸화가 발견된 환자들 중 소변 표본에서 DNA 메틸화 양성인 경우는 27%라 하였으며, Jeronimo 등 (2002)은 소변에서 23%의 민감도를 나타내었다고 하였다. Gonzalgo 등 (2003)은 전립선암 환자 중 생검 후 소변 표본에서 GSTP1의 메틸화가 발견된 경우는 39%이었다고 보고하였다. Rogers 등 (2006)은 GSTP1, endothelin receptor type B (ERB), adenomatous polyposis coli (APC) 등을 분석한 결과, 생검 후 소변 표본과 직장수지검사 후 소변 표본 사이에서 일치도가 높음을 발견하였다. Goessl 등 (2001)은 전립선 마사지 후 채집된 소변 침전물의 경우 민감도가 73%, 특이도가 98%라고 하였다. 다른 표지자를 추가로 분석하면 민감도가 증가할 수 있다. 예를 들면, Hoque 등 (2005)은 cyclin-dependent kinase inhibitor 2A (CDKN2A; 과거에는 p16으로 알려졌음), pleckstrin homology, Sec7 and coiled-coil domains 2 (PSCD2; 혹은 cytohesin 2, CYTH2), O-6-methylguanine-DNA methyltransferase (MGMT) 등을 함께 분석하면 이론적으로 전립선암의 발견에 대한 민감도가 87%이고 특이도는 100%라고 보고하였다. 이 연구에서 GSTP1 단독 검사의 경우 민감도가 48%, 특이도가 100%이었다. GSTP1, retinoic acid receptor beta (RARB), Ras association (RalGDS/AF-6) domain family member 1

(*RASSF1*), *APC* 등을 병합하여 분석한 Roupret 등 (2007)은 86%의 민감도와 89%의 특이도를 보고하였으나, 1분 동안의 전립선 마사지와 방광 도뇨관 설치가 필요하여 널리 활용되기가 곤란하다는 단점이 있다.

전립선암 환자 80명과 양성전립선비대 환자 26명의 조직 표본을 대상으로 methylation-specific polymerase chain reaction (MSPCR)을 이용하여 annexin A2 (*ANXA2*), endothelin receptor B (*EDNRB*), prostaglandin G/H synthase 2 (*PTGS2* 혹은 *cyclooxygenase-1*, *COX-1*), multidrug resistance 1 (*MDR1*), Reprimo, tazarotene-induced gene 1 (*T1G1*), *RARB*, *APC*, *GSTP1* 등 9종의 유전자 자리에서 과다 메틸화를 분석한 연구는 다음과 같은 결과를 보고하였다 (Ellinger 등, 2008). 첫째, *EDNRB*는 88% 대 100%, *TIG1*은 12% 대 96%, *RARB*는 35% 대 95%, *GSTP1*은 15% 대 93%, *APC*는 50% 대 80%, *MDR1*은 31% 대 80%, *PTGS2*는 15% 대 68%, *Reprimo*는 19% 대 59%, *ANXA2*는 0% 대 4%의 비율로 과다 메틸화가 양성전립선 조직에 비해 전립선암 조직에서 더 흔하였다. 둘째, *TIG1*과 *GSTP1*의 과다 메틸화는 85%의 민감도와 93%의 특이도로 전립선암과 양성전립선비대를 감별하였다. 셋째, 단일 유전자에서의 과다 메틸화는 어떠한 임상병리학적 가변 인자와 상호 관련이 없었지만, 2종의 유전자, 예를 들면 *APC*와 *TIG1*, *APC*와 *GSTP1*, *APC*와 *PTGS2*, *APC*와 *MDR1*, *GSTP1*과 *PTGS2* 등에서 관찰된 과다 메틸화는 병리학적 병기 혹은 Gleason 점수와 유의한 상관관계를 나타내었다 (p=0.033~0.045). 넷째, *APC*와 *Reprimo*의 과다 메틸화뿐만 아니라 5종 이상의 유전자에서 관찰된 DNA 메틸화는 근치전립선절제술 후 생화학적 재발과 유의하게 상호 관련이 있었다 (각각 p=0.0078, p=0.0074). 이들 결과는 유전자의 과다 메틸화가 전립선암의 진단과 예후를 예측하는 데 도움이 됨을 확인하였으며, 다수 유전자의 CpG 섬에서 과다 메틸화의 증가는 전립선암이 진행하는 동안 증가되고, 이는 근치전립선절제술 후 생화학적 재발을 조기에 예측할 수 있는 표지자의 역할을 함을 보여 준다.

Fujita 등 (2009)은 전립선암 환자 27명과 암이 없는 23명으로부터 직장수지검사 후 채집한 소변의 침전물을 대상으로 전립선암을 발견하기 위해 다중 세포검사, 즉, 전립선암 세포의 표지자로서 alpha-methylacyl-CoA racemase (AMACR)의 항체를, 전립선 상피세포의 표지자로서 NK3 homeobox 1 (NKX3.1)의 항체를, 핵소체의 표지자로서 nucleolin (NCL)의

항체를, 핵을 강조하기 위해 4'-6-diamidino-2-phenylindole을 이용하였으며, 소변 표본에서 전립선암 발견에 대한 다중 면역형광세포학검사의 민감도는 36% (9명/25명), 특이도는 100%이었고, 민감도를 높이기 위해서는 표지자의 보강이 필요하다고 하였다.

Vener 등 (2008)은 혈청 PSA가 2.5 ng/mL 이상인 234명으로부터 직장수지검사 후 채집한 소변 표본으로 메틸화의 표지자, 즉 *GSTP1*, *RARB*, *APC*에 대해 다중, 양적 MSPCR 분석을 실시하였다. 이 연구에서 121명의 순수한 소변 표본을 코호트 1, 113명의 소변 침전물 표본을 코호트 2로 규정하였다. 코호트 1은 민감도 55%, 특이도 80%, AUC 0.69를, 코호트 2는 민감도 53%, 특이도 76%, AUC 0.65를 나타내었다 (도표 244). 각 코호트에서 MSPCR 분석과 총 PSA, 직장수지검사, 연령 등을 병행하면 통계적으로 유의하지는 않으나 AUC가 향상되었다. 중요한 점은 *GSTP1*의 cycle threshold (Ct) 수가 전립선암 혹은 전구 암을 가진 생검 cores의 수와 우수한 상호 관계를 나타내었다는 점이다. 즉, 비교적 메틸화가 높은 범위인 *GSTP1*의 절단치 28 미만은 생검 cores 중 암 양성의 수와 상호 관련이 있었다 (r=0.84; p=0.008). 참고로, 증폭 초기에는 형광의 증가가 감지되지 않으나 일정 주기가 지나면 축적된 형광량이 기기에 감지되는데, 감지되는 시점을 한계점, 즉 'threshold'라고 하며, 그때까지의 주기 수를 'threshold cycle'이라고 한다. *GSTP1*이나 *RARB*의 메틸화를 나타낸 표본은 메틸화를 나타내지 않은 표본보다 전형적으로 근치전립선절제술 때 더 큰 크기의 종양을 가졌다. 이들 결과를 근거로 저자들은 임상적 원형 (prototype) 분석이 생검을 받아야 할 환자를 선정하는 데 도움을 준다고 하였다.

이들 자료에서 선택된 표지자들은 이전의 보고들과 비슷한 결과를 나타내었다. 저자들은 소변 침전물에서 *GSTP1*과 *APC*의 민감도가 각각 43%, 52%라고 하였는데, Hoque 등 (2005)은 두 표지자의 민감도가 모두 48%라고 보고한 바 있다. 저자들은 또한 소변 침전물에서 *APC*와 *RARB*의 민감도가 각각 52%, 56%라고 하였는데, Roupret 등 (2007)은 두 표지자의 민감도가 각각 51%, 62%라고 보고한 바 있다. 소변 표본을 다른 방식으로 채집한 두 코호트에서 비슷한 결과를 나타내는 것으로 보아 DNA 메틸화는 소변 표본에서 다른 인자에 의해 영향을 받지 않는 상당히 안정적인 표지자라고 생각된다 (Vener 등, 2008).

Vener 등 (2008)은 그들의 연구에서 두 가지 점을 강조하였

도표 244 소변 표본에서 GSTP1, RARB, APC 및 표지자 병합의 전립선암에 대한 민감도 및 특이도

유전자	민감도 평균 %			특이도 평균 %			AUC		
	코호트 1[†]	코호트 2[‡]	대조군[¶]	코호트 1[†]	코호트 2[‡]	대조군[¶]	코호트 1[†]	코호트 2[‡]	대조군[¶]
GSTP1	33 (20~48)	36 (24~49)	27 (10~44)	95 (90~100)	91 (83~98)	100	0.65	0.64	0.66
RARB	40 (26~56)	29 (17~42)	31 (13~49)	84 (75~93)	91 (83~98)	93 (85~101)	0.59	0.64	0.58
APC	36 (22~50)	51 (38~64)	35 (16~53)	91 (82~98)	83 (73~93)	98 (93~102)	0.59	0.62	0.64
GSTP1/ APC	51 (37~65)	53 (40~66)	50 (31~69)	89 (81~97)	80 (69~90)	98 (93~102)	0.68	0.67	0.73
3가지 병합	55 (41~70)	53 (40~66)	50 (31~69)	80 (70~90)	76 (65~87)	90 (81~99)	0.69	0.65	0.76

[†], 전립선 마사지 후 소변을 채집하여 5일 이내에 종양세포 검출 기기인 Veridex로 옮겨 Veridex에서 침전 처리한 121점의 소변 표본 코호트로서 생검 (+)인 경우가 54점, 생검 (-)인 경우가 67점이었다; [‡], 전립선 마사지 후 채집한 소변을 4시간 이내에 진료실에서 침전시킨 후 24시간 내에 Veridex로 옮긴 113점의 소변 표본 코호트로서 생검 (+)인 경우가 57점, 생검 (-)인 경우가 56점이었다; [¶], 코호트 1의 표본 중 73점의 소변 표본을 채집 후 3일 이내에 Veridex로 옮긴 코호트로서 생검 (+)인 경우가 30점, 생검 (-)인 경우가 43점이었는데, 이는 4℃에서 3일 동안 보관된 소변은 안정된 결과를 나타냄을 보여 준다.

APC, adenomatous polyposis coli; AUC, area under the curve; GSTP1, glutathione-S-transferase pi 1; RARB, retinoic acid receptor beta.

Vener 등 (2008)의 자료를 수정 인용.

다. 첫째, 그들의 연구 결과는 발현에 근거한 표지자 *prostate cancer antigen 3* (PCA3)보다 특이도가 높다는 점이다. Van Gils 등 (2007)은 생검에서 암이 발견된 174명(33%)을 포함한 PSA 4 ng/mL 이상의 534명에 대한 *PCA3* 분석에서 민감도는 65%, 특이도는 66% (AUC 0.66)이었다고 하였다. Marks 등 (2007)은 재생검으로 27%에서 암이 발견된 PSA 2.5 ng/mL 이상의 233명에 대한 평가에서 *PCA3*가 58%의 민감도와 72%의 특이도 (AUC 0.68)를 보였다고 하였다. 둘째, 원형 MSPCR 분석은 융합에 근거한 표지자 *transmembrane protease, serine 2:ETS-related gene* (TMPRSS2:ERG)을 이용한 분석에 비해 민감도가 높다는 점이다. Hessels 등 (2007)은 생검으로 암이 발견된 78명(72%)을 포함한 108명을 대상으로 분석한 연구에서 *TMPRSS2:ERG* 융합의 민감도는 37%이었다고 하였다. 소변을 이용한 분석의 가치는 일반적으로 생검을 실시하지 않은 낮은 PSA 농도의 환자들에서 더욱 크다 (Bozeman 등, 2005).

생검에서 암 양성 cores의 수, 전립선절제술 때의 종양 크기, 연령 사이에 상호 연관성이 있음이 예비 연구에서 보고되었으며, 여기에 원형 MSPCR 분석을 추가하면 진단을 용이하게 하고 암의 위험도를 확인하는 데 도움이 된다고 생각된다. *GSTP1*의 메틸화가 생검에서 암 양성 cores의 수 및 종양 크기와 상호 관련이 있음은 암 양성 cores의 수 혹은 퍼센트가 종양의 크기에 대한 강한 예측 인자라는 이전의 연구

결과 (Sebo 등, 2000; Ochiai 등, 2005)와 일맥상통한다. 또한, Zhou 등 (2004)도 *GSTP1*의 메틸화 정도가 종양의 크기와 상호 관련이 있다고 하였다. *GSTP1*과 *RARB*의 메틸화 정도는 고령의 전립선암에서 더 크다는 사실은 여러 연구에서도 보고되었다. Bozeman 등 (2005)은 고령의 남성에서 전립선암의 유병률이 높아 연령이 통계적으로 유의한 암의 예측 인자라고 하였고, Gonzalgo 등 (2004)은 전립선 분비물 내에서 *GSTP1* 메틸화의 정도는 연령과 관련이 있다고 하였으며, Kwabi-Addo 등 (2007)은 정상 전립선 조직에서 *RARB*의 비정상적 과다 메틸화가 연령과 관련이 있음을 확인하였다. 이 연구에서 중요한 점은 혈청 PSA가 4 ng/mL 이상이고 *GSTP1* 메틸화가 양성인 환자 집단에서 전립선암의 유병률이 67%로 높다는 점이다. 이 자료는 *GSTP1*의 메틸화와 조직검사를 병행하면, 생검 조직에서 암의 발견율을 증대시킬 수 있음을 시사한다 (Harden 등, 2003). 따라서 다중, 원형 MSPCR 분석을 현재 이용되고 있는 선별검사와 병행하면, 전립선암의 위험에 관한 평가의 결과를 개선시킬 수 있을 것이다.

혈청 PSA가 3.0 ng/mL 초과 혹은 적극적 감시 전략 (active surveillance)의 적용 대상인 291명에 대한 연구에 의하면, 생검으로 173명은 전립선암으로, 118명은 음성 결과를 나타내었으며, *PCA3* 점수, PSA 밀도, 소변 내 *TMPRSS2/ERG* 전사물 수치 등은 전립선암의 존재와 상호 관련이 있었고 (각각 $p<0.0001$, $p=0.046$, $p<0.0001$) 이는 다변량 분석에서도 높은

상관관계를 나타내었다 (AUC 0.743). 이 연구의 결과는 소변 내 *TMPRSS2/ERG* 전사물 수치, *PCA3* 점수, 혈청 PSA, 안드로겐 상태 등을 종합할 경우 상급 위험 국소 전립선암의 발견율을 유의하게 증가시킬 수 있음을 시사한다 (Cornu 등, 2013).

Jamaspishvili 등 (2011)은 비뇨기과적 문제로 침 생검, 근치적전립선절제술, 혹은 기타 검사가 예정된 314명으로부터 소변 표본을 채집하였으며, RNA의 농도 혹은 질이 낮은 표본을 제외한 176점의 표본을 분석하였다. 즉, PSA 농도가 0.1~587 ng/mL로 한계를 정하지 않은 176명의 1군과 PSA 농도가 3~15 ng/mL로 한계를 정한 104명의 2군으로부터 직장 수지검사 후 얻은 소변의 침전물에서 7가지의 생물 지표, 즉 *PCA3, AMACR, enhancer of zeste homolog 2 (EZH2), golgi membrane protein 1 (GOLM1), microseminoprotein beta (MSMB), serine peptidase inhibitor Kazal type 1 (SPINK1), transient receptor potential cation channel, subfamily M, member 8 (TRPM8)* 등이 QRT-PCR에 의해 분석되었다. *PCA3*는 혈청 PSA 농도가 제한이 없는 1군에서 전립선암에 대한 독립적 예측 인자로서의 역할을 하였으나, *AMACR*은 혈청 PSA 농도에 제한을 둔 2군에서만 전립선암과 비전립선암을 구별하는 표지자의 역할을 하였다. 이 유전자에 대한 AUC는 0.645이었으며, 민감도와 특이도 모두 65%이었다. 그러나 초기 전립선암의 발견에 대한 AUC는 *TRPM8*과 *MSMB*의 이중 모델인 경우에는 0.665, *TRPM8, MSMB, AMACR* 등의 삼중 모델인 경우에는 0.726, *TRPM8, MSMB, AMACR, PCA3* 등의 사중 모델인 경우에는 0.741이었다. 이들 결과를 근거로 저자들은 사중 모델이 혈청 PSA 혹은 소변 *PCA3*의 보조 검사로 가치가 있으며, 특히 'PSA 딜레마'로 알려진 PSA 4~10 ng/mL의 환자에서 진단을 결정하는 데 도움을 준다고 하였다.

86. 골 대사 표지자
Markers Of Bone Metabolism

진행된 병기의 전립선암에서는 골 전이 문제로 인해 주로 임상 증상이 나타나며, 환자의 약 85%에서 발생한다. 그들 환자에서는 골 전이가 이환의 가장 중요한 원인이며, 전이로 인한 통증은 상당히 강한 진통제를 필요로 하고, 병적 골절 및 척추 압박골절을 일으킨다. 골 전이의 발생은 진행 전립선암 환자에서 연 8%까지의 비율로 일어나며, 5년을 경과한 경우에는 그 비율이 약 40%에 이른다. 전립선암에서는 골경화성 (os-teosclerotic) 골 전이가 우세하지만, 조직학적 및 생화학적 연구는 골 파괴성 (osteoclastic) 작용과 연관이 있음을 보여 주었다. 골 전이에 대한 조기 인지는 이들 환자의 임상적 관리에서 매우 중요하다. 국소 질환을 가진 환자의 상당수에서는 혈중 전립선암 세포가 잠복해 있어 전통적인 방법으로는 발견되지 않으며, 전이력에서 이들 세포의 유의성은 분명하지 않다. 더욱이 안드로겐을 억제하면 상당수 남성에서 골밀도가 낮아지고 골다공증 (osteoporosis)이 발생한다고 알려져 있다. 이들 변화의 대부분은 호르몬 요법의 첫 12개월 내에 일어나며, 뼈를 보호하기 위해 bisphosphonate 제제와 같이 입증된 약물을 이용하는 방법이 개발 중에 있다. 골격 내에서 일어나는 그러한 변화의 모니터링은 치료와 관련이 있는 이환과 합병증의 발생을 감소시키는 데 매우 중요하다 (Stenman 등, 2005).

현재 혈청 PSA 측정치와 골섬광조영술 (bone scintigraphy)은 골 전이의 발견에서 가장 민감하다고 알려진 골스캔과 함께 질환의 상태를 모니터링하고 병기를 확인하는 데 이용되고 있다. 그러나 골스캔은 시간이 많이 소요되고 고비용의 단점이 있으며, 특이도가 낮아 일부에서는 다른 결과를 나타낸다. 진단 당시 전립선암의 전이력과 치료 후 전이의 진행을 예측할 수 있는 새로운 방법의 개발이 절실한 실정이다 (Stenman 등, 2005).

86.1. 골 교체 표지자 Marker of bone turnover

뼈의 구조를 형성하고 있는 주된 단백질은 골모세포 (osteo-blast)에서 합성되는 1형 콜라겐이며, 이는 유기 기질 (organic matrix)의 90%까지를 차지한다. 1형 콜라겐은 처음에는 전구 콜라겐 (pro-collagen)으로 합성되며, 세포 외부 공간에서 번역 후 변경 동안 pro-collagen type I N-terminal pro-peptide (PINP)와 pro-collagen type I C-terminal propeptide (PICP)가 특이 peptidase에 의해 제거된다. 콜라겐은 골 흡수 동안 파괴되는데, 그물망과 같은 콜라겐의 교차 결합물 (crosslinks)은 분해되지 않고 배설되며, 신장에서 여과된다. 50~60%는 1형 콜라겐의 조각과 cross-linked C-terminal (CTX) 혹은 cross-linked N-terminal (NTX) telopeptides, 즉 amino-terminal collagen crosslink (NTX)와 결합한 형태로 배설되며, 근래 개발된 분석법으로 혈청 내에서 이들 CTX를 발견할 수 있다. 1형 콜라겐이 파손됨으로 인해 생성된 다양한 분자, 예를 들면 소변 내에서 발견되는 N-telopeptide, α/βC-telopeptides, deoxypyridinoline 등은 골 흡수에 대한 표지자의 역할을 한다. 대조적으로 혈청에서 측정되는 total alkaline phosphatase (tALP), bone-specific ALP (bALP), osteocalcin (OC 혹은 bone gamma-carboxyglutamic acid-containing protein, BGLAP), 1형 콜라겐의 carboxy-terminal propeptide 등은 골 형성에 대한 표지자의 역할을 한다 (Bok 와 Small, 2002).

골 교체에 대한 표지자는 골 형성이 진행되는 동안 골모세포의 활성과 골 흡수가 진행되는 동안 파골세포 (osteoclast)의 활성을 반영한다. 이들 표지자의 농도는 전이 골 질환을 가진 환자에서 증가한다. 전립선암은 골수로 전이하는 경향을 가지고 있기 때문에, 수년 전부터 전립선암의 골 형성 인자와 골 흡수 인자에 관해 연구되어 왔다. 예를 들면, 전립선암으로 인해 발생한 골모세포 전이 부위에서 일반적인 phosphatase의 활성 증가를 보고한 연구가 있으며 (Gutman 등, 1936), 전립선암에서 골 전이와 혈청 총 ALP 농도 사이의 상호관계를 보고한 연구도 있다 (Huggins와 Hodges, 1941).

두 범주의 표지자는 골 병변의 여러 성질로 인해 전립선암의 전이에서 증가된다. 이들 병변의 치유에 관여하는 복구 과정 또한 특이도가 낮지만 이들 인자가 증가하는 이유를 설명해 준다. 골격 내의 1형 콜라겐은 견고성을 제공하는 특이 분자의 교차 결합에 의해 강화된다. 골격 내에 있는 1형 콜라겐의 교차 결합물로는 pyridinium 교차 결합물인 pyridinoline (PYD)과 deoxypyridinoline (DPD)가 있다. DPD는 아미노산 lysine에 대한 lysyl oxidase의 효소 작용에 의해 형성된다. 골 흡수가 진행되는 동안 이 교차 결합물은 혈중으로 분비되었다가 소변으로 배설된다. 이 분해 산물은 배설되기 전에 더 이상 대사되지 않기 때문에, 골 흡수의 양상을 직접 반영한다고 생각된다 (Wymenga 등, 2001). 소변 내의 DPD는 ALP 혹은 PSA보다 더 높은 양성 예측도를 나타낸다 (Wymenga 등, 2001).

골 형성에 대한 표지자 PINP (Koizumi 등, 2001)와 골 흡수에 대한 표지자 CTX (Garnero 등, 2000)의 농도는 골 전이 환자에서 상당한 변화를 나타내며, 이들은 골 침범의 정도와 상호 관련이 있다. Carboxy-terminal pyridinoline cross-linked telopeptide of type I collagen (ICTP)은 1형 콜라겐의 또 다른 분해 산물이며, 골 전이 환자에서 질환의 침범 정도와 호르몬 요법에 대한 반응을 나타낸다 (Kylmala 등, 1995). ICTP

와 PICP의 혈청 농도는 골 전이의 존재와 상호 관련이 있으며, 안드로겐을 억제하는 동안 치료에 대한 반응을 반영한다 (Noguchi 등, 2001). 혈청 ALP 농도와 소변 DPD 농도는 전립선암으로 인해 발생한 골 질환의 이차적 사건을 나타낸다. 소변 내의 DPD 농도는 골격과 관련된 사건 (skeletal-related event, SRE)을 독립적으로 예측한다 (Berutti 등, 2000).

소변 내의 non-isomerized CTX (alpha CTX)와 β-isomerized CTX (beta CTX) 그리고 혈청 CTX는 전립선암으로 인해 골 전이를 일으킨 환자에서 bisphosphonate로 치료한 후 골 흡수를 평가하는 데 이용된다. 즉, 골 전이를 가진 전립선암 환자 14명에게 120 mg의 bisphosphonate pamidronate를 1회 주사한 후 15일에 평가한 연구는 다음과 같은 결과를 보고하였다 (Garnero 등, 2000). 첫째, 모든 골 형성 및 골 흡수 표지자는 양성전립선비대 환자, 골 전이가 없는 전립선암 환자, 건강한 대조군 등에 비해 골 전이를 가진 전립선암 환자에서 유의하게 더 높았다 ($p < 0.006$~0.0001). 둘째, 골 전이를 가진 환자에서 중앙치는 혈청 osteocalcin의 경우 67%, 혈청 tALP의 경우 128%, 혈청 bALP의 경우 138%, 혈청 PICP의 경우 79%, 소변 alpha CTX의 경우 220%, 소변 beta CTX의 경우 149%, 혈청 CTX의 경우 214% 증가하였다. 셋째, bisphosphonate로 치료한 후에는 3가지의 골 흡수 표지자가 유의하게 감소하였는데, 평균 감소율은 소변 alpha CTX, 소변 beta CTX, 혈청 CTX의 경우 각각 65% ($p = 0.001$), 71% ($p = 0.001$), 61% ($p = 0.0015$)이었다. 그러나 골 형성 표지자에서의 변화는 관찰되지 않았다. 따라서 골 형성 표지자가 아닌 골 흡수 표지자의 유의한 감소가 관찰되기 때문에, 이들 표지자는 골 전이 전립선암 환자에서 bisphosphonate 요법의 효과를 모니터링하는 데 이용이 가능하다고 생각된다. 새로운 제제인 bisphosphonate zoledronic acid가 전이 전립선암 환자에서 SRE를 지연시키기 때문에 (Saad 등, 2004), bisphosphonate 요법의 표적으로서 중요한 가치가 있다고 생각된다 (Stenman 등, 2005).

86.2. Osteoprotegerin

파골세포의 분화는 receptor activator of nuclear factor-κB (RANK), 즉 osteoprotegerin (OPG)과 RANK ligand (RANKL)를 포함 하는 복잡한 신호 전달 시스템에 의해 조절된다. 건강한 골격에서는 RANKL과 RANK의 결합이 파골세포의 형성과 활성화를 자극한다. 과도한 골 흡수는 혈청 내에 있는 용해성 지질 단백질인 OPG에 의해 조절되는데, OPG는 RANKL을 유인하는 수용체로 작용하여 RANK와 RANKL의 상호 작용을 방해함으로써 파골세포의 형성을 억제한다. OPG 농도의 증가는 골 교체가 진행하는 동안 관찰되며 (Jung 등, 2004), 초기 병기의 전립선암에 비해 진행 전립선암 환자에서 혈청 OPG 농도가 더 높다 (Eaton 등, 2004). 이들 자료는 OPG 발현의 증가가 전립선암의 골 전이와 연관성이 있음을 시사한다. 병리학적 병기 pN0 M0 39명, pN1 M0 34명, pM1 44명을 포함한 전립선암 환자 117명, 양성전립선비대 환자 35명, 건강한 남성 35명 등을 대상으로 골 전이의 조기 발견과 암 특이 사망의 예측에서 골 표지자의 활용 가능성을 평가하기 위해 혈청에서 10종의 골 표지자, 즉 골 형성 표지자인 tALP, bALP, PINP, OC, 골 흡수 표지자인 bone sialic protein (BSP), CTX 및 NTX telopeptides of type I collagen, tartrate-resistant acid phosphatase 5b (TRAP5b), 골 파괴 표지자인 OPG, RANKL 등을 분석한 연구는 다음과 같은 결과를 보고하였다 (Jung 등, 2004). 첫째, tALP, bALP, BSP, P1NP, TRAP, NTX, OPG 등은 전이가 없는 환자에 비해 골 전이가 있는 환자에게서 유의하게 증가하였다. OPG는 이들 환자군을 구별하는 변별력이 가장 컸다. 둘째, 골 전이를 예측하는 가변 인자로 OPG와 TRAP를 포함한 모델은 93%의 정확도로 환자를 분류하였다. 셋째, 생존 기간은 OPG, PINP, tALP, bALP, BSP, NTX, TRAP, CTX 등의 농도가 절단치 이하인 환자에 비해 초과한 환자에서 유의하게 더 짧았다. 넷째, 다변량 분석에서는 OPG와 BSP만이 암 특이 사망에 대한 독립적 예후 인자의 역할을 하였다. 이들 결과는 OPG 단독 혹은 다른 골 표지자와 병합한 분석은 전립선암 환자에서 골 전이를 발견하고 생존에 관한 정보를 얻는 데 도움이 됨을 보여 준다.

86.3. Alkaline phosphatase (ALP)

ALP는 골모세포의 성숙 및 활성과 관련이 있다. 정확한 역할은 알지 못하지만, ALP는 골 무기질의 침착 (mineralization)에서 중요한 역할을 한다 (Bellows 등, 1991). 골 기질에서 구조 변경의 비율은 전이 전립선암 환자에서 더 높으며, 이러한 비율은 전이 질환에 대한 간접적 표지자의 역할을 한다. 그러한 비율은 골형성세포나 파골세포의 효소 활성도를 측정함으로써 혹은 골 형성이나 골 흡수가 진행되는 동안 혈중으로 분비되는 골 기질의 성분을 측정함으로써 평가될 수 있다

(Fontana와 Delmas, 2000). 거세 후 혈청 ALP가 갑자기 증가하는 환자의 경우 estramustine phosphate와 같은 제제로 조기에 화학 요법을 실시하면 도움이 된다 (Pelger 등, 2002). 골격 ALP는 골 교체의 신뢰성 있는 지표이고 전이 전립선암의 독립적 예후 인자라고 생각되지만, 많은 자료들은 ALP의 독립적인 가치에 관해 상충되는 결과를 보고하고 있다. 생존 기간은 bALP의 농도가 절단치 이하인 환자에 비해 초과한 환자에서 유의하게 더 짧다는 보고가 있다 (Jung 등, 2004). 반면, 화학 요법으로 치료를 받은 호르몬 저항성의 골 전이 전립선암 환자 141명을 대상으로 일부 골 표지자의 생존에 대한 예후 예측도를 평가하기 위해 bALP, 1형 collagen propeptide, CTX telopeptide, 소변 calcium/creatinine 비율, 환자 연령, Karnofsky performance state (KPS), 병리학적 병기, 일차 호르몬 요법에서 반응 기간, PSA, 헤모글로빈, lactate dehydrogenase (LDH), 골 질환의 범위 등을 이용한 연구는 다변량 분석에서 KPS ($p \langle 0.005$)와 일차 호르몬 요법에 의한 반응 기간 ($p \langle 0.0001$)만이 통계적으로 유의하였으며, bALP, 1형 collagen propeptide, CTX telopeptide, 소변 calcium/creatinine 비율 등은 이들 환자 코호트에서 생존에 대한 예후 표지자로서의 역할을 하지 못했다고 하였다 (Petrioli 등, 2004).

전립선암의 관리에서 골 교체 표지자의 활용은 노화, 호르몬 요법, Paget 질환과 같은 골격의 양성 질환 등 골 교체에 영향을 주는 많은 인자들로 인해 어려움이 있다. 여러 연구는 안드로겐 박탈 요법 후 골량 (bone mass)이 감소하고 골 교체율이 증가함을 보여 준다 (Stoch 등, 2001). 호르몬 요법, 화학 요법, 방사선 요법 등에 반응하여 일어나는 골모세포에 의한 골 형성 병변은 골 형성 및 골 흡수 표지자의 가치를 떨어뜨린다 (Meijer 등, 1998).

Bisphosphonate는 골 기질을 안정화하는 제제로서 다수의 암에서 골격 침범의 진행과 SRE를 감소시킨다 (Saad 등, 2004). 일부 연구는 치료 후 골 흡수 표지자의 농도가 증가한 환자에서 bisphosphonates에 대한 저항성이 발생함을 관찰하였다 (Delmas, 2000). 따라서 bisphosphonate 요법으로 유익한 효과를 얻기 위해서는 표적 요법이 필요할 수 있다.

골 대사의 표지자와 관련이 있는 자료는 도표 245에 정리되어 있다.

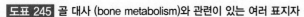

도표 245 골 대사 (bone metabolism)와 관련이 있는 여러 표지자

표지자 종류	표본 유형	검사 방법	비고 (참고 문헌)
골 흡수 표지자; CTX, NTX, TRAP	혈청/소변	상업적 면역 분석	농도의 증가는 골 전이의 존재와 관련이 있으며, PSA에 비해 민감도가 높다. 호르몬 혹은 bisphosphonate에 의한 치료 후 농도의 증가는 요법에 대한 저항성 및 진행을 시사한다 (Koizumi 등, 2001; Noguchi 등, 2001).
골 교체/골 형성 표지자; 골 특이 ALP, OC, PICP	혈청/소변	상업적 면역 분석	농도의 증가는 골 전이의 존재와 관련이 있으며, 전이의 발생을 예측한다. 농도는 bisphosphonate에 의해 영향을 받지 않는다 (Diaz-Martin 등, 1999; Garnero 등, 2000).
골격 활성화의 기타 인자; OPG	혈청	상업적 면역 분석	농도의 증가는 골 전이, 질환의 진행, 거세 저항성 질환 등과 관련이 있다 (Jung 등, 2004; Eaton 등, 2004).

ALP, alkaline phosphatase; CTX, carboxy-terminal collagen crosslink; NTX, amino-terminal collagen crosslink; OC, osteocalcin; OPG, osteoprotegerin; PICP, pro-collagen type I C-terminal propeptide; PSA, prostate-specific antigen; TRAP, tartrate-resistant acid phosphatase.

Stenman 등 (2005)의 자료를 수정 인용.

87. 전립선암의 진행 및 전이와 관련 있는 유전자와 종양 유전자 요법
Genetic Basis For Cancer Progression And Metastasis And Gene Oncotherapy

종양의 형성은 다윈의 진화 과정과 매우 흡사하며, 원인이 되는 유전자의 변화는 자연적인 선택에 의해 원발 종양을 발생시키는 종양세포와 같은 다양한 세포를 생성한다 (Nguyen과 Massague, 2007). 거세 저항성 전립선암 환자 37명을 대상으로 종양의 진행과 유전자의 관계를 평가하기 위해 comparative genomic hybridization (CGH)과 fluorescence in situ hybridization (FISH)을 이용한 연구는 다음과 같은 결과를 보고하였다 (Nupponen 등, 1998). 첫째, 재발된 모든 종양은 유전자의 이상을 나타내었으며, 종양 당 변화를 일으킨 개수는 3~23, 평균 11.4이었다. 둘째, 가장 흔한 유전자의 이상은 8p (72.5%), 13q (50%), 1p (50%), 22 (45%), 19 (45%), 10q (42.5%), 16q (42.5%) 등의 결실과 8q (72.5%), 7q (40%), Xq (32.5%), 18q (32.5%) 등의 습득이었다. 고등급 전립선상피내암과 산발적 (sporadic) 원발 전립선암은 드물게 염색체 8q 종양 유전자의 습득과 관련이 있지만, 주로 종양을 억제하는 유전자인 염색체 6q, 8p, 10q, 13q, 16q, 18q 등의 상실과 관련이 있다. 특히 phosphatidylinositol-3-kinase/v-akt murine thymoma viral homolog 혹은 RAC-serine/threonine protein kinase (PI3K/AKT) 경로를 역조절하는 phosphatase and tensin homologue (PTEN)의 상실은 고등급 전립선상피내암의 23%, 원발 전립선암의 69%에서 보고되고 있다 (Schmitz 등, 2007). 전립선암이 진행하는 동안 완전한 동질 접합성 (ho-mozygous) PTEN의 결실이 일어나고, 이로 인해 전립선암 형성의 초기에 발생하는 PTEN의 기능적 활성 부족은 더욱 공격적인 세포 표현형을 가지게 되는 중요한 분자 경로로 간주된다 (Schmitz 등, 2007). 다윈의 종양 진화론의 개념으로 볼 때, 원발 종양의 암세포 중에서 추가적인 유전적 이상으로 인해 이점이 발생하면 더욱 공격적인 소세포군이 형성되며, 이러한 세포군은 전이력을 가지게 된다 (Crespi와 Summers, 2005). 원발 종양의 발생은 종양 억제 유전자의 결실과 관련이 있는데 비해, 진행과 전이는 염색체 8q, 예를 들면 prostate stem cell antigen (PSCA), initiation factor subunit p40 (IF3-p40), v-myc myelocytomatosis viral oncogene homolog (MYC), 염색체 7, 예를 들면 caveolin (CAV), 염색체 Xq11-q13, 예를 들면 androgen receptor (AR) 등과 같은 여러 종양 유전자의 활성화 혹은 증폭과 관련이 있다 (Woodson 등, 2004; Tahir 등, 2008). 그러나 암의 진행과 전이를 유도하는 암세포의 유전적 및 후성적 관련성의 일부는 다양한 종양의 환경 인자에서 기인한다 (Kaplan 등, 2006). 전립선암의 발생과 진행을 조절하는 유전자는 도표 246에 요약되어 있다.

여러 유전자의 변화, 전사 프로그램 등을 포함하는 복잡한 다단계 과정은 암세포가 원래 부위에서 떨어져 나와 혈관을 침투하여 혈관 내 유입을 일으킨 후 표적 장기에 도달하고, 이후 혈관 외 유출을 일으켜 표적 장기에서 집락을 형성한다. 전이 유전자는 전이 경로의 어느 단계에 관여하는지에 따라 세 군으로 분류된다 (Minn 등, 2007). 첫째는 전이 시작 유전자 (metastasis initiation gene)로서 원발 종양에서 종양세포의 분리, 이동, 침습을 유도하여 악성 세포가 순환계 내로 유입되도록 하며, 신생물의 혈관 형성을 촉진한다. 둘째는 전이

도표 246 전립선암의 발생과 진행을 조절하는 유전자

유전자 염색체 자리	유전자 산물	생쥐 및 사람에서 표현형	참고 문헌
정상적인 발생			
AR Xq12	핵 호르몬 수용체	중간엽에서는 전립선 싹의 발생을 위해 필요하며, 이후 상피에서는 분비 단백질의 생성을 위해 필요하다.	Cunha 등, 1987
NKX3.1 8p21.2	Homeodomain 전사 인자	비뇨생식동의 전립선 부위와 새로 형성된 전립선 싹에서 발현되며, 정상적인 관 형성과 분비 단백질의 생성을 위해 필요하다.	Bhatia-Gaur 등, 1999
SHH 7q36	분비 신호 경로 인자	비뇨생식동에서 발현되며, SHH의 항체는 전립선의 형태 형성을 억제한다.	Podlasek 등, 1999
BMP4 14q22-q23	TGFβ 가족의 분비 단백질	*BMP4* 이형 접합체 (heterozygosity) 생쥐 전립선에서는 형태 형성의 장애가 발생한다.	Dunn 등, 1997
FGF7 15q21.2	성장 인자	배양액에서 전립선의 성장을 자극하였으며, *FGF7*의 돌연변이 생쥐는 전립선의 결함을 나타내지 않는다.	Cunha 등, in press
FGF10 5p13-p12	성장 인자	전립선에서의 발현은 안드로겐에 의해 조절되며, 전립선 상피세포의 성장을 자극한다.	Cunha 등, in press
TGFβ1 12q13.1	성장 인자	안드로겐의 신호 경로를 조절하는 데 관여하며, *TGFβ1*의 돌연변이 생쥐는 전립선 관 형성의 장애를 나타낸다.	Cunha 등, in press
HOXD13 2q31.1	Homeodomain 전사 인자	발생 중인 전립선과 성인 전립선에서 발현되며, *HOXD13*의 돌연변이 생쥐의 경우 전립선의 형태 형성에서 경한 장애를 나타낸다.	Podlasek 등, 1997
전립선암으로의 시작과 진행			
NKX3.1 8p21.2	Homeodomain 전사 인자	이형 접합 및 동형 접합 돌연변이를 일으킨 고령의 생쥐에서는 전립선 상피의 증식 및 형성 이상이 일어나고 뒤이어 전립선상피내암이 발생하며, 성인 및 성숙 생쥐 조직의 경우 전립선에 특이한 발현 양상을 나타냄. 유전자의 경미한 결실이 있으나 돌연변이는 관찰되지 않는다.	He 등, 1997; Voeller 등, 1997; Bhatia-Gaur 등, 1999
PTEN 10q23	Lipid phosphatase	이형 접합 돌연변이 생쥐에서는 전립선을 포함하는 다수 조직의 증식 및 형성 이상이 발생하며, 돌연변이의 상태는 완전하게 밝혀져 있지 않다.	Feilotter 등, 1998; Vlietstra 등 1998; Podsypanina 등, 1999
MXI1 10q24-q25	전사 인자	동형 접합 돌연변이 생쥐에서 다소 경한 전립선 상피세포의 증식 및 형성 이상이 관찰되며, 돌연변이는 드물다.	Kuczyk 등, 1998; Prochownik 등, 1998;
RB 13q14.2	세포 주기 조절 인자	동형 접합 생쥐는 전립선 구조 (rescue)와 호르몬 유도를 병용한 모델에서 증식, 형성 이상, 암 등을 일으키는 경향이 있다. 드물게 돌연변이를 일으킨다.	Cooney 등, 1996b; Melamed 등, 1997; Li 등, 1998;
p27[KIP1] 12p13.1-12	세포 주기 조절 인자	동형 접합 생쥐는 전립선을 포함하는 다수 조직의 증식과 형성 이상을 유발하며, 사람의 종양에서 p27 (CDKN1B) 발현의 소실은 종양의 분화도 등급과 관련이 있다.	De Marzo 등, 1998a; Tsihlias 등, 1998; Yang 등,. 1998
p16[INK4a] 9p21	세포 주기 조절 인자	p16[INKa/ARF] (CDKN2A) 단백질의 발현은 암에서 상향 조절되지만, 돌연변이는 드물다. 현재로서는 돌연변이 생쥐에서 전립선 표현형과 기타 INK 가족 구성원의 상태에 관한 정보가 제한적이다.	Gaddipati 등, 1997; Mangold 등, 1997; Gu 등, 1998
TERT 5p15.33	Ribonucleoprotein	전립선상피내암과 암에서는 telomere의 길이가 감소하고 telomerase의 활성이 증가한다.	Sommerfeld 등, 1996; Zhang 등, 1998
MYC 8q24	전사 인자	일부 암에서 증폭되며, RAS와 협동하여 조직 재조합체에서 증식을 일으킨다.	Van Den Berg 등, 1995; Bubendorf 등, 1999
FGF7/10 15q21.2/ 5p13-p12	성장 인자	FGF7, FGF10 등과 같은 FGF 가족의 여러 구성원은 전립선 성장의 조절에 관여하며, TRAMP 생쥐에서 FGF 기능의 변화는 질환의 진행과 관련이 있다.	Foster 등, 1998; Djakiew, 2000
CDH1 16q22.1	세포 부착	전립선상피내암과 암에서 발현이 감소되며, 발현의 소실은 나쁜 예후와 관련이 있다.	Morton 등, 1993; Umbas 등, 1994
EPCAM 2p21	세포 부착	종양을 억제하는 인자이며 발현은 양성전립선비대 및 고등급 전립선상피내암에서 감소되며, 암에서는 소실된다.	Kleinerman 등, 1995

| ITGA6
2q31.1 | 세포 상호 작용 | 종양세포에서 alpha 6 beta 1 및 alpha 3 beta integrin의 증가는 침습성 질환과 관련이 있으며, 전자가 더 연관성이 높다. | Cress 등, 1995 |
| MET
7q31 | TKR | 전립선상피내암, 암, 전이 등에서 과다 발현된다. | Pisters 등, 1995 |

진행된 전립선암 및 전이

AR Xq12	핵 호르몬 수용체	흔히 증폭되거나 돌연변이를 일으키지만, 안드로겐 비의존성 암에서도 발현이 유지된다.	Culig 등, 1998; Koivisto 등, 1998
TP53 17p13.1	전사 및 세포 자멸사 조절 인자	돌연변이의 비율은 원발 암에서는 낮고 전이에서는 흔하다. p53의 과다 발현은 나쁜 예후와 상호 관련이 있다.	Theodorescu 등, 1997; Brewster 등, 1999
BCL2 18q21.3	세포 자멸사 조절 인자	과다 발현은 안드로겐 비의존성 질환에서 세포 자멸사에 대한 저항성을 유도하며, 임상적 중재에서 중요한 표적이 된다.	Apakama 등, 1996; Furuya 등, 1996; McDonnell 등, 1997
IGF1 12q23.2	성장 인자	전립선 상피의 성장을 촉진하며, 혈청 농도의 증가는 암 발생 위험과 관련이 있다. TRAMP 생쥐에서 IGF1의 과다 발현은 암의 진행과 관련이 있다.	Chan 등, 1998; Kaplan 등, 1999; Djakiew, 2000
TGFB1 19q13.1	성장 인자	전립선 성장에 대한 역조절 인자이며, 자가 분비 조절로의 이동은 전이와 관련이 있다.	Djakiew, 2000
EGF/TGFA 4q25/2p13	성장 인자	전립선 상피세포의 성장과 침습을 자극하며, 안드로겐 의존성을 극복하는 기전에 관여한다.	Djakiew, 2000
KAI1 11p11.2	막 내재성 단백질	전이를 억제하며, 암이 진행하는 동안 단백질의 발현이 하향 조절되지만, 돌연변이를 일으키지 않는다.	Dong 등, 1995; Dong 등, 1996

AR, androgen receptor; ARF, alternate reading frame; BCL2, B-cell lymphoma 2; BMP4, bone-morphogenic protein; CDH1, epithelial cadherin (E-cadherin); CDKN2A, cyclin-dependent kinase inhibitor 2A; EGF, epidermal growth factor; EPCAM, epithelial cell adhesion molecule; FGF, fibroblast growth factor; HOXD13, homeobox D13; IGF1, insulin-like growth factor; INK, inhibitor of cyclin D-dependent kinase; ITGA6, integrin, alpha 6; KAI1, Kang ai 1; KIP1, kinase inhibitor protein 1; MET, MET proto-oncogene, receptor tyrosine kinase; MXI1, MYC associated factor X (MAX) interactor 1, dimerization protein; MYC, v-myelocytomatosis viral oncogene homolog; NKX3.1, NK3 homeobox 1; p27, protein 27; PTEN, phosphatase and tensin homolog; RAS, rat sarcoma viral oncogene homolog; RB, retinoblastoma; SHH, sonic hedgehog; TERT, telomerase reverse transcriptase; TGFA, transforming growth factor, alpha; TGFB1, transforming growth factor, beta 1; TKR, tyrosine kinase receptor; TP53, tumor protein 53; TRAMP, transgenic adenocarcinoma of mouse prostate.
Abate-Shen과 Shen (2000)의 자료를 수정 인용.

진행 유전자 (metastasis progression gene)로서 위에서 기술된 전이 시작과 전이 암세포의 집락 형성을 매개하는 이중 기능을 가지고 있으며, 원발 종양의 성장을 유도하는 일부 기능도 수행한다. 셋째는 전이 발병 유전자 (metastasis virulence gene)로서 원발 종양이 아닌 전이 부위의 성장을 선택적으로 촉진하여 표적 장기에서의 집락 형성에만 전적으로 관여한다. 예를 들면, 유방암의 경우 epidermal growth factor (EGF) ligand인 epiregulin을 코드화하는 유전자 *EREG*, cyclooxygenase 2 (COX2)를 코드화하는 유전자 *COX2*, matrix metalloproteinase-1 (MMP1)과 -2 (MMP2)를 코드화하는 유전자 *MMP1*과 *MMP2* 등의 '4인방'은 종양의 혈관 형성, 혈관 내 유입, 폐 혈관 외 유출 등을 촉진하며 암세포에 의한 혈관 구조의 변경 프로그램을 통해 폐 전이를 촉진하는 유전자들이다 (Gupta 등, 2007). MMP는 생리학적 조건에서는 tissue inhibitors of metalloproteinase (TIMP)를 코드화하는 *TIMP*에 의해 조절되지만, MMP 스스로 extracellular matrix (ECM)와 기저

막을 분해할 수 있다 (Blansfield 등, 2008).

전립선암의 전이 부위에서는 원발 부위에 비해 *metastasis-associated protein 1 (MTA1)*, *v-myb myeloblastosis viral oncogene homolog-like 2 (MYBL2)* 등과 같은 일부 유전자가 상향 조절되는 데 비해, *insulin-like growth factor-binding protein 5 (IGFBP5)*, *Dan 1p (DAN1)*, *FAT atypical cadherin 1 (FAT1)*, *RAB5A, member RAS oncogene family* 혹은 *Ras-related protein Rab-5A (RAB5)* 등은 하향 조절되는데, 이는 전이의 발생이 다수 유전자의 발현 변화와 관련이 있으며, 전이 전립선암은 분자 수준에서 원발 종양과 다르기 때문에 임상적 접근 또한 달라져야 함을 시사한다 (Gerald, 2003). 호르몬 민감성 전립선암이 호르몬 저항성 질환으로 진행하는 데는 *c-MYC*, *clusterin/testosterone-repressed prostate message 2 (CLU/TRPM2)*, *B-cell lymphoma 2 (BCL2)*, *AR*, *Fas cell surface death receptor/tumor necrosis factor receptor superfamily member 6 (FAS/TNFRSF6)*, *enhancer of zeste* homolog 2 (*EZH2*) 등과 같은 종양 유전자의 상향 조절 및/혹은 *p53*, *p27*, *retinoblastoma 1 protein* (*pRB*), *PTEN*, *cadherin 1* 혹은 *E-cadherin* (*CDH1*) 등과 같이 종양을 억제하는 유전자의 하향 조절 등 많은 유전적 변화를 필요로 한다. *AR* 유전자의 돌연변이는 일부 성장인자, 예를 들면 epidermal growth factor (EGF), EGF-like domain, multiple 1 1 (EGFL1), keratinocyte growth factor (KGF) 등과 같은 분자에 의한 AR 의 활성화 혹은 전형적인 신호 경로를 통해 안드로겐 저항성을 유발한다. Histone의 탈아세틸화 (deacetylation), DNA 과다 메틸화 등과 같은 후성적 변화 또한 전이를 촉진하는 데 관여한다. 전립선의 경우 DNA의 메틸화는 종양을 억제하는 여러 유전자의 발현을 침묵시켜 전이 표현형의 발생을 유도한다 (Baylin과 Ohm, 2006). 실제로 상피세포에서 전형적인 epithelial cadherin (E-cadherin, CDH1)의 발현이 후성적인 원인에 의해 중간엽세포와 관련이 있는 neuronal cadherin (N-cadherin, CDH2)의 발현으로 전환되면, 상피세포가 중간엽세포로 전환 분화 (epithelial-to-mesenchymal transdifferentiation, EMT)가 일어나는데, 이는 침습성 암세포의 특징이다 (Wheelock 등, 2008).

한편, 전립선암 세포는 종양이 발생하고 진행하는 동안 유전자의 발현 양상이 전환됨으로 인해 탈분화 과정을 거치면서 osteomimicry, EMT, 근섬유모세포의 전환 분화 등과 같이 다능성 줄기세포와 같은 특성을 가지게 되거나, 전립선암 스스로 원형 종양 유전자인 *wingless-type MMTV integration site family, member 1* (*WNT1*)의 비정상적 신호 경로의 활성화 때문에, 특히 자가 재생과 다방면의 분화에 관여하는 악성 줄기세포 클론이 될 수 있다 (Hall 등, 2006; Vela 등, 2006; Reya 와 Clevers, 2005). 참고로 osteomimicry는 암세포가 골격 내에 있는 세포에 국한하여 정상적으로 유전자를 발현하는 현상으로서 이와 관련이 있는 유전자로는 *osteocalcin* (*OC*), *osteopontin* (*OPN*), *bone sialoprotein* (*BSP*), *receptor activator of nuclear factor-κB ligand* (*RANKL*), *parathyroid hormone related peptide* (*PTHrP*) 등이 있다 (Chung, 2007). 사실 다능성 종양줄기세포가 분화함으로 인해 전립선암 세포는 비균질적인 특성을 가지게 된다 (Collins와 Maitland, 2006). 흥미롭게도 전립선암 줄기세포는 안드로겐에 민감하지 않기 때문에, 안드로겐 박탈 요법에 반응하지 않는다 (Alberti, 2008).

전립선암이 가진 공격성과 전이성은 암세포 클론 내에 있는 기존의 유전자 이상 때문이라기보다 암세포와 숙주의 미세 환경 사이에서 상호 작용을 일으키는 기전으로 인해 새로 얻어진 변형이라 할 수 있다 (Chung 등, 2006). 종양을 둘러싸고 있는 미세 환경은 숙주의 기질세포에서 생성되는 다양한 cytokines와 성장 인자를 통해 전이성 종양 유전자의 발현 및/혹은 억제성 종양 유전자의 소실을 유도함으로써 암세포의 핵에 영향을 줄 수 있다. 악성 세포가 가진 줄기세포의 특성도 주위의 미세 환경에 의해 계속 유지된다. 면역 반응과 관련이 있는 경로에 영향을 주어 지속적으로 전립선의 염증을 일으키는 선천성 혹은 적응성 면역 유전자, 예를 들며 *vascular endothelial growth factor* (*VEGF*), *interleukin 8* (*IL-8*), *IL-10*, *macrophage scavenger receptor 1* (*MSR1*), *macrophage inhibitory cytokine 1* (*MIC1*), *ribonuclease L* (*RNASEL*) 등의 다형성은 전립선암의 발생 위험과 관련이 있다 (Sun 등, 2007). 또한, G allele- 혹은 GG- α_1-antichymotrypsin (α_1ACT) 유전자형도 그러한 위험과 관련이 있다 (Licastro 등, 2008). 종양의 혈관 형성은 전립선암뿐만 아니라 모든 경성 종양의 진행에서 중요한 역할을 한다고 잘 알려져 있다. Transforming growth factor β_1 ($TGF\beta_1$)과 $TGF\beta_3$ 수용체 복합체의 일부를 형성하고 혈관내피세포의 표면에 위치해 있는 당단백질 endoglin의 발현 증가는 종양의 진행과 림프절 및 골 전이를 일으키기 때문에 표지자로서 활용이 가능한 한편, endoglin 에 대한 단클론 항체는 종양의 성장 및 혈관 형성을 억제할 수 있다 (Tsuji 등, 2008). 근래에는 TGFβ가 angiopoietin-like 4 (ANGPTL4) 인자를 통해 유방암의 폐 전이를 유도할 뿐만 아니라 전립선암 세포의 골 전이를 유도하는 데 중요한 역할을 한다고 보고되었다 (Padua 등, 2008).

따라서 염증 및 종양의 미세 환경을 조절하는 인자를 표적화하는 방법은 전립선암의 치료에서 흥미로운 전략이라고 할 수 있다 (Yi 등, 2008; Kumar 등, 2008). Bevacizumab과 같은 VEGF의 단클론 항체, sunitinib, sorafenib 등과 같은 다표적 tyrosine kinase 억제제 등과 같이 잘 알려진 다양한 혈관 형성 대항제뿐만 아니라 *Gamboge hanburyi* 나무에서 추출된 polyprenylated xanthone 화합물인 gambogic acid 등은 VEGF receptor 2 (VEGFR2) 및 VEGF의 신호 경로를 억제하여 전립선암의 성장과 혈관 형성을 억제한다 (Yi 등, 2008). 전립선암 세포에서 산화 스트레스와 관련하여 특이하게 환원형 nicotinamide adenine dinucleotide phosphate (NADPH) oxidase (NOX)를 억제하고 reactive oxygen species (ROS) 의 생성을 차단하는 diphenyliodonium은 미토콘드리아의 전

도표 247 현재 연구 중에 있는 전립선암에 대한 종양 유전자 요법

방법	기전
Gene delivery vehicle	Replacement of mutated gene using DNA that encodes a functional, therapeutic gene or DNA that encodes a therapeutic protein drug (rather than a natural human gene)
Suicide gene therapy	Transduction of gene encoding a nontoxic prodrug-activating enzyme to obtain a toxic metabolite
Antisense gene therapy	Inactivation of oncogenes through antisense oligonucleotides
Immunotherapeutic gene technique	Delivery of genes encoding for cytokines
Corrective replacement of tumor suppressor gene	Increase of tumor suppressor gene expression
PSA promoter-driven gene therapy	Translational control of prostate-specific promoter using replication-competent vectors

DNA, deoxyribonucleic acid; PSA, prostate-specific antigen.
Alberti (2008)와 Bangma 등 (2005)의 자료를 정리 인용.

도표 248 전립선암에서 antisense에 의한 접근법

표적 유전자	약물	생화학적 효과	연구 진행 상태	참고 문헌
BCL2	G3139	세포 자멸사	임상 2/3상 시험	Gleave 등, 2003; Miyake 등, 2003
PKCα	ISIS 3521	신호 전달	임상 2/3상 시험	Tolcher 등, 2002
c-RAF	LErafAON	신호 전달	임상 1/2상 시험	Kasid와 Dritschilo, 2003
CLU	OGX-O11	세포 자멸사	임상 1상 시험	Miyake, 2005
MYC	AVI 4126	세포 주기 조절	임상 1상 시험	Iversen 등, 2003
PKA	GEM 231	신호 전달	임상 전 연구	Neary 등, 2001
AR	ODN	신호 전달	임상 전 연구	Hamy 등, 2003
Ki-67	ODN	세포 주기 조절	임상 전 연구	Kausch 등, 2003
IGFR	ODN	신호 전달	생체 밖 연구	Eder 등, 2002
FASN	siRNA	지방산 대사	생체 밖 연구	De Schrijver 등, 2003

AR, androgen receptor; BCL2, B-cell lymphoma 2; CLU, clusterin; FASN, fatty acid synthase; IGFR, insulin-like growth factor receptor; MYC, v-myc avian myelocytomatosis viral oncogene homolog; ODN, oligodeoxynucleotide; PKA, protein kinase A; PKCα, protein kinase C alpha; RAF, Raf-1 proto-oncogene serine/threonine protein kinase; siRNA, small interfering ribonucleic acid.
Eder 등 (2005)의 자료를 수정 인용.

위 (potential)와 MMP의 활성을 제거함으로써 전립선암 세포의 침습 표현형을 감소시키고 세포 자멸사를 증대시킨다 (Kumar 등, 2008).

유전자 응집 및 분리 모델 분석 (familial aggregation studies and segregation analyses)에 의하면, 전립선암의 멘델 유전 (Mendelian inheritance)은 전립선암 환자의 약 5%에서 나타나며, 암세포 스스로 악성 줄기세포가 된다는 줄기세포 생물학 개념에 근거하여 small interfering RNA (siRNA)에 의한 전사 후 유전자의 불활성화 혹은 DNA methyltransferase/histone deacetylase (DNA MTase/HDAC) 억제제에 의한 후성적 조정은 비정상적인 유전자의 발현을 직접 억제한다. 현재는 전립선암에 대한 유전자 요법으로 흥미로운 연구가 진행되고 있다. 종양 유전자 요법에는 바이러스 벡터 혹은 liposomes,

polymers, nanoparticles-nanospiders, quantum dots 등과 같은 비바이러스 벡터를 이용한 유전자 전달체 요법 외에도 다양한 요법이 있는데, 이들은 도표 247과 248에 정리되어 있다 (Lerner 등, 2008; McCabe 등, 2008). 다원의 진화 과정에 의해 면역에 저항성을 가진 악성 세포가 선택되지 않은 경우에는, 또한 현재의 종양 면역 요법에서 '아킬레스 건'으로 알려진 myeloid-derived suppressor cell (MDSC)을 통해 면역 내성이 생기지 않은 경우에는 PSA, prostate specific membrane antigen (PSMA), prostatic acid phosphatase (PAP), prostate stem cell antigen (PSCA) 등에 대한 백신을 이용한 면역 요법이 종양의 진행과 전이를 억제하는 적절한 전략이라고 할 수 있다 (Armstrong 등, 2007; Marigo 등, 2008).

Androgen receptor (AR)는 안드로겐의 작용을 매개하여 전

도표 249 전립선암과 관련이 있다고 추정되는 분자의 변화

분자의 변화	추정되는 표적	참고 문헌
특이 alleles의 습득 혹은 결실	습득; 8q, 7q, Xq, 18q 결실; 8p, 13q, 1p, 22, 19, 10q, 16q	Nupponen 등, 1998; Nupponen 등 2000
종양의 성장을 촉진하는 유전자의 발현 변화	RAS, HER2, IGF signaling molecules	Harrington 등, 2001; Magnusson 등, 2012; Djakiew 등, 2000
종양을 억제하는 유전자의 불활성화	p53, RB, PTEN	Shi 등, 2002; Lara 등, 1999; Tanaka 등, 2005
세포 자멸사에 대항 작용을 나타내는 유전자의 상향 조절	BCL2, TRPM2	Miyake 등, 1999; Miyake 등, 2000
GSTP1의 과다 메틸화	GSTP1	Brooks 등, 1998
AR 활성 및/혹은 발현의 증가	AR	Palmberg 등, 1997
세포 주기를 조절하는 분자	p21, Ki-67, c-MYC	Roy 등, 2009; Kausch 등, 2003; Iversen 등, 2003
ECM의 조직화에서의 변화	Collagen, laminin CAM; integrin, cadherin, selectin Protease; MMP	Stewart 등, 2004 Lin 등, 1999 Deng 등, 2008
면역 감시로부터의 회피	IL-2, IL-12	Belldegrun 등, 2001; Nasu 등, 1999

AR, androgen receptor; BCL2, B-cell lymphoma 2; CAM, cell adhesion molecule; c-MYC, v-myc avian myelocytomatosis viral oncogene homolog; ECM, extracellular matrix; GSTP1, glutathione S-transferase pi 1; HER2, human epidermal growth factor receptor 2; IGF, insulin-like growth factor; IL, interleukin; Ki-67, antigen Ki-67; MMP, matrix metalloproteinase; PTEN, phosphatase and tensin homolog; RAS, rat sarcoma viral oncogene homolog; RB, retinoblastoma; TRPM2, testosterone-repressed prostatic message 2.
Eder 등 (2005)의 자료를 수정 인용.

립선 세포의 성장과 분화를 조절한다. 치료를 받지 않은 전립선암의 대부분은 안드로겐에 의존적이기 때문에, 안드로겐을 차단하면 세포 자멸사가 일어나고 종양의 성장이 억제된다. 그러나 전립선암 세포는 안드로겐이 제거된 환경에 적응하게 된다. 이로써 안드로겐이 없는 상태에서 AR과 AR의 활성화는 큰 역할을 수행한다고 생각된다. EGF, insulin-like growth factor (IGF) 등과 같은 성장 인자, 비안드로겐성 스테로이드, 심지어 안드로겐 대항제조차도 AR을 활성화할 수 있다. Ligand 비의존성의 AR 활성화 또한 세포 내의 기타 신호 경로와의 교차 간섭을 통해 일어날 수 있다. 더욱이 *AR*에서 돌연변이가 발생하면, ligand와 결합하는 작용이 광범위하게 일어난다. AR이 종양세포의 생존과 증식에서 중요함은 *AR* 유전자가 진행된 전립선암에서 증폭된다는 사실에 의해 뒷받침된다 (Eder 등, 2005).

안드로겐의 제거가 진행된 전립선암을 가진 환자에서 최적 요법으로 간주되고 있다. 치료를 받지 않은 전립선암은 대부분 안드로겐에 의존적이지만, 호르몬 차단은 단지 완화 효과만 나타낼 뿐이다. 전립선암의 치료에서 큰 문제점 중 하나는 치료 동안 안드로겐 비의존성 질환으로 진행한다는 점이며, 현재의 치료법으로는 효율적이지 못하다. 따라서 치료에 저항적인 전립선암에 대처하는 새로운 치료법의 개발이 시급

하다. 집중적인 연구를 통해 전립선암이 형성되고 안드로겐 비의존성 질환으로 진행하는 동안 일어난다고 간주되는 분자 변화에 대한 이해도가 한층 높아졌다 (도표 249). 이로써 활용이 가능하다고 관심을 일으키는 여러 유전자가 발견되었으며, 이들은 전립선암에 대한 유전자 요법에서 표적이 된다. 사실 저립선암의 치료에서 광범위한 유전자 요법이 시험 중에 있고, 이들 중 일부는 이미 환자에게서 임상적 평가가 이루어지고 있다. 현재로서는 희망적인 결과와 최상의 이점이 방사선 요법이나 화학 요법과 유전자 요법을 병합하였을 때 나타난다 (Eder 등, 2005).

아데노바이러스 벡터를 기초로 하는 유전자 요법은 전립선암에 대항하는 유망한 접근법으로 간주되고 있으며, 이 분야는 현재 임상 전 연구 단계에서 임상 진료에 활용하는 단계로 전환되고 있다. 이와 같은 시점에서 유망한 전략으로는 전립선을 표적화하는 유전자의 발현, 종양세포를 파괴하는 벡터의 이용, 정보 제공 유전자 (reporter gene)와 연합한 요법, 여러 병합 요법 모델 등이 있다 (Figueiredo 등, 2007) (도표 250). 현재로서는 공격적인 전립선암과 거세 저항성 전이 전립선암에 대해 만족스러운 결과를 보이는 치료가 없지만, 근래 들어 여러 유전자 요법이 임상 시험의 초기 단계에서 가능성이 있는 결과를 나타내어 이러한 질환에서의 활용이 기대되고 있

도표 250 아데노바이러스 벡터에 의해 매개되는 중재 기법에서 적용되는 전립선에 특이한 조절성 촉진체 및 증강 인자

조절 인자	유전자 요법; 결과	참고 문헌
본래의 촉진체		
PSA	HSV-tk (치료); 생체 밖 실험에서 세포 살해가 관찰되었으며, 종양 모델에서 성장을 억제함.	Huang 등, 1999
hK2	E1 protein (종양세포 파괴); PSA (+)에서 발현됨. 전립선암에 선택적으로 복제.	Yu 등, 1999
OC; 전립선 전이 및 골세포 특이	HSV-tk (치료); 임상 1상 시험	Koeneman 등, 2000
	E1a 및 E1b (종양세포 파괴); OC 발현 세포에서 조건 복제. 종양 모델에서 성장을 억제함	Hsieh 등, 2002
개선된 촉진체		
PSE	Luciferase (전이의 발견); PSE-BC의 발현은 안드로게 의존성에 비해 안드로겐 비의존성 종양에서 더 높았으며, 간에서는 발현되지 않았다. 비침습성 생물 발광 영상 (bioluminescence imaging)은 아데노바이러스가 폐 및 척추 전이 부위에 대한 정보를 제공함을 보여 주었다. 저용량의 AdPSE-BC-luc를 전신적으로 주사하면 폐 전이를 확인할 수 있다.	Adams 등, 2002
	Nitroreductase (치료); 안드로겐에 의해 유도되는 PSA (+) 세포에서 PSE를 발현. 이는 CMV 벡터를 이용한 경우와 비슷함.	Latham 등, 2000
ARR2PB; rat probasin	E1a (종양세포 파괴); PSA (+) 세포에서 선택적 복제.	Yu 등, 1999
	BAD (세포 자멸사); 생체 밖 실험에서 세포 특이 발현 및 세포사가 관찰되었으며, 종양 모델에서 종양의 크기를 감소시킴.	Zhang 등, 2002
	HSV-tk (치료); retinoid를 유도하며, 안드로겐 비의존성 종양 모델에서 성장을 억제.	Furuhata 등, 2003
Chimera 인자		
PSMA/PSES	E1a (종양세포 파괴); 안드로겐 비의존성 전립선암 세포에서만 복제가 가능한 바이러스이며, 생체 밖 실험 및 종양 모델에서 PSMA (+) 세포를 효과적으로 살해.	Lee 등, 2004
	E1a and E4 (종양세포 파괴); 전립선암 세포주 및 종양 모델에서 바이러스 벡터 복제 및 특이한 세포 살해.	Li 등, 2005
PPT	Luciferase (정보 제공 유전자); 생체 실험에서 테스토스테론 유무와 관계없이 발현되었으며 전립선에 대한 특이도가 높았다. 바이러스를 정맥으로 준사한 경우 CMV 촉진체에 비해 활성과 특이도가 더 높았다.	Cheng 등, 2004

Ad, adenovirus; AD tumors, androgen-dependent tumors; AI tumors, androgen-independent tumors; ARR, androgen response region; BAD, BCL2-associated death promoter; BC, duplication of core; CMV, cytomegalovirus; hK2, human kallikreine 2; HSV-tk, herpes simplex virus thymidine kinase; luc, luciferase; OC, osteocalcin; PB, probasin; PPT, (regulatory sequence comprising) PSAe, PSMAe, TARP; PSA, prostate-specific antigen; PSAe, PSA enhancer; PSE, PSA promoter/enhancer; PSES, prostate-specific enhancing sequence (a chimeric enhancer containing enhancer elements from PSA and PSMA genes); PSMA, prostate-specific membrane antigen; PSMAe, PSMA enhancer; TARP, T-cell receptor gamma-chain alternate reading frame protein.

Figueiredo 등 (2007)의 자료를 수정 인용.

다. 국소 및 전이 전립선암 환자를 대상으로 실시한 유전자 요법의 임상 시험에서 초기 단계의 결과가 도표 251과 252에 정리되어 있다 (Freytag 등, 2007). 앞으로도 임상의와 과학자는 환자의 치료 결과를 개선시키기 위해 부단한 노력을 이어가야 할 것이다.

유전자 요법과 면역 요법을 병행한 전략도 개발 중에 있다. 5-(aziridin-1-yl)-2,4-dinitrobenzamide의 nitroreductase (NR)/CB1954 prodrug 시스템은 임상 전 연구에서 희망적인 결과를 보였으며, 현재 전립선암에서 임상 1상 및 2상 시험 중에 있다. 췌장암과 결장직장암 모델에서 아데노바이러스 벡터를 이용하여 NR과 함께 murine granulocyte macrophage colony-stimulating factor (mGM-CSF)를 동시에 발현시킨 경우에는 면역 기전에 의한 세포 살해가 증대되었다. Transgenic adenocarcinoma of the mouse prostate (TRAMP) 모델을 이용한 연구는 mGM-CSF를 이용한 cytokine의 자극과 NR/CR1954를 이용한 자살 유전자 요법을 병행한 경우는 단일 요법에 비해 종양세포의 살해가 증대되었다고 하였다 (Young 등, 2008).

Cancer terminator virus (CTV)인 conditionally replication-competent adenovirus (CRCA)는 전립선암을 치료하는 데 이용되는 시약이다. CTV는 Coxsackie-adenovirus receptor (CAR)에 의존적으로 감염력을 나타내는 혈청형 5 (Ad.5-CTV)에 기초하여 생성되었다. CAR은 흔히 전립선암을 포함하는 다수의 종양에서 감소되기 때문에, 아데노바이러스

도표 251 국소 전립선암 환자를 대상으로 실시한 유전자 요법의 임상 시험

시험 약물/치료	약물에 대한 설명	적용/환자 수/RoA	결과	참고 문헌
ADV/HSV-TK + GCV	Replication-defective (E1/E3-deleted) adenovirus containing wt HSV-1 TK gene in E1 region under control of RSV promoter	국소적 재발 전립선암/ 18명/ 전립선 내 주사	단기간 낮은 독성, DLT 없음, 2×10^{12} vp까지 MTD 없음; PSA 반응 양호, 3명 (17%)은 객관적 반응을 보였고 이들 중 1명은 1년 이상 반응 유지	Herman 등, 1999
		위 시험의 연장/ 36명	추적 관찰 1년 시점에서 평균 PSADT 증가	Miles 등, 2001
ADV/HSV-TK + vGCV + RT		새로 진단된 전립선암/ 30명/ 전립선 내 주사	단기간 낮은 독성, DLT 없음; 모든 환자가 AST를 받아 환자 분류가 애매하지만 중급 및 상급 위험군에서 PSA 반응.	The 등, 2001
		위 시험의 연장/ 59명	추적 관찰 2년 시점에서 2개의 생검 cores에 근거하였을 때 종양이 100% 없음.	The 등, 2004
CV706	Replication-competent, PSA-selective adenovirus lacking therapeutic gene, E1A gene driven by PSA promoter, no E3 region genes	국소적 재발 전립선암/ 20명/ 전립선 내 주사	단기간 낮은 독성, DLT 없음, 1×10^{13}까지 MTD 없음; PSA 반응 양호, 5명 (25%)이 객관적 반응을 보였고 이들 중 1명은 11개월 지속. 용량 효과일 가능성 있음.	DeWeese 등, 2001
Ad5-CD/TKrep + 5-FC + GCV	Replication-competent, 55-kd E1B-attenuated adenovirus containing bacterial CD and wt HSV-1 TK genes in E1 region under control of CMV promoter, no E3 region genes	국소적 재발 전립선암/ 16명/ 전립선 내 주사	단기간 낮은 독성, DLT 없음, 1×10^{12} vp까지 MTD 없음; PSA 반응 양호, 3명 (19%)이 객관적 반응을 보였고 모두 6개월 미만 지속.	Freytag 등, 2002
			추적 관찰 동안 후기 독성 없음; 5년 시점에서 평균 PSADT 증가 및 구제 AST의 2년 연기. 용량 효과일 가능성 있음.	Freytag 등, 2007
Ad5-CD/TKrep + 5-FC + vGCV + RT		새로 진단된 전립선암/ 15명/ 전립선 내 주사	단기간 낮은 독성, DLT 없음; 2주 이상 prodrug therapy를 실시한 경우 PSA의 감소가 기대 이상으로 빠름.	Freytag 등, 2003
			추적 관찰 2년 시점에서 평균 9개의 생검 cores에 근거하였을 때 중급 위험군은 기대 이상의 생검 결과를 보였다. 4년 시점에서 중급 위험군 중 질환의 양상을 보인 경우는 없었음.	Freytag 등, 2007
Ad5-yCD/mutTK$_{SR39}$ rep-ADP + 5-FC + vGCV + RT	Replication-competent, 55-kd E1B attenuated adenovirus containing yeast CD and mutant HSV-1 TK$_{SR39}$ genes in E1 region under control of CMV promoter, ADP gene in E3 region under control of CMV promoter	새로 진단된 전립선암/ 9명/ 전립선 내 주사	1×10^{12} vp까지 MTD 없음; 추적 관찰 1년 시점에서 평균 9개의 생검 cores에 근거하였을 때 중급 위험군은 기대 이상의 생검 결과를 보였음.	Freytag 등, 2007
IL-2	Liposome-containing plasmid expressing IL-2 under control of CMV promoter	국소적 진행 전립선암/ 24명/ 전립선 내 주사	단기간 낮은 독성, DLT 없음, 1,500 µg 2회 주사까지 MTD 없음; 짧은 PSA 반응; 치료 후 생검에서 CD8/CD4 비율의 증가.	Belldegrun 등, 2001

Ad, adenovirus; ADP, adenovirus death protein; ADV, adenovirus; AST, androgen suppression therapy; CD, cytosine deaminase; CD8, cluster of differentiation 8; CMV, cytomegalovirus; DLT, dose-limiting toxicity; 5-FC, 5-fluorocytosine; GCV, ganciclovir; HSV-1 TK, herpes simplex virus type 1 thymidine kinase; HSV-1 TKSR39, SR39 herpes simplex virus thymidine kinase; IL-2, interleukin 2; MTD, maximum tolerated dose; mutTKSR39, mutant SR39 herpes simplex virus thymidine kinase; PSA, prostate-specific antigen; PSADT, PSA doubling time; rep, replication-competent; RoA, route of administration; RSV, Rous sarcoma virus; RT, radiation therapy; TK, thymidine kinase; vGCV, valganciclovir; vp, viral particles; wt, wild type; yCD, yeast cytosine deaminase.
Freytag 등 (2007)의 자료를 수정 인용.

를 매개로 하는 요법에서 효과가 제한적이다. 근래 들어 혈청형 chimerism을 이용하여 Ad.5 섬유 혹 (fiber knob)을 Ad.3 섬유 혹으로 치환하여 CAR 비의존성으로 감염을 촉진하는 새로운 CTV (Ad.5/3-CTV)가 생성되었다. CAR이 낮은 전립선암 세포에서 Ad.5/3-CTV와 Ad.5-CTV를 비교한 생체 밖 실험은 Ad.5/3-CTV가 세포의 생존력을 더 크게 억제함을 발견하였다. 더욱이 Ad.5/3-CTV는 Hi-MYC 유전자를 삽입한 생쥐에서 자연 발생한 전립선암과 이종 이식 암 누드마우스 모델에서 종양의 성장을 강하게 억제하였기 때문에, 임상에서 치료의 효과를 증대시킬 수 있다고 생각된다 (Azab 등, 2014).

도표 252 전이 전립선암 환자를 대상으로 실시한 유전자 요법의 임상 시험

시험 약물/치료	약물 설명	적용/환자 수/투여 경로	결과	참고 문헌
Ad-OC-HSV-TK + vACV	Replication-defective (E1/E3-deleted) adenovirus containing wt HSV-1 TK gene in E1 region under control of osteocalcin promoter	호르몬 불응성 전립선암/ 11명/ 전립선와, 대동맥 주위 림프절, 골 전이 부위에 직접 주사	단기간 독성 낮음, DLT 없음, 5×10^{11} vp 2회 주사까지 MTD 없음; 1명 (9%)이 2주 미만 지속된 PSA 반응을 보였음. 7명 (63.6%)에서 국소적인 세포사가 관찰되었음.	Kubo 등, 2003
CG7870	Replication-competent PSA-selective adenovirus lacking therapeutic gene, E1A and E1B genes driven by PSA or probasin promoter, E3 genes	호르몬 불응성 전립선암/ 23명/ 정맥 주사	단기간에서 3×10^{12} vp까지는 독성 낮음, 6×10^{12} vp를 간헐적으로 추가 투여 시 부작용 발생; 22%에서 양호한 PSA 반응.	Small 등, 2006
GM-CSF 백신	Autologous tumor cells transduced with replication-defective retrovirus expressing GM-CSF	전이 전립선암/ 8명/ 진피 내 주사	단기간 독성 낮음, DLT 없음, 5×10^7 세포를 6회 투여까지 MTD 없음; 25%에서 DTH 반응, T-cell의 활성화가 관찰, 객관적 PSA 반응 없음.	Simons 등, 1999
GVAX (GM-CSF) 백신	Allogeneic tumor cells transduced with replication-defective retrovirus expressing GM-CSF	호르몬 불응성 전립선암/ 34명/ 진피 내 주사	단기간 독성 낮음, DLT 없음, 3×10^8 세포를 12회 투여까지 MTD 없음; 고용량 코호트의 경우 2년 시점에서 질환의 진행까지의 기간 및 생존 기간이 증가되는 경향 있음. 용량 효과일 가능성 있음.	Simons 등, 2002
GVAX (GM-CSF) 백신	Allogeneic tumor cells transduced with replication-defective retrovirus expressing high levels of GM-CSF	호르몬 불응성 전립선암/ 80명/ 진피 내 주사	단기간 독성 낮음, DLT 없음, 3×10^8 세포를 12회 투여까지 MTD 없음; 고용량 코호트의 32%에서 PSA 감소; 62%에서 골 파괴 작용이 안정적이거나 감소됨.	Small 등, 2004
GM-CSF와 병용 혹은 단독 PSA 백신	Vaccinia virus expressing PSA	재발 및 호르몬 불응성 전립선암/ 3회 시험에서 85명/ 진피 내 혹은 피하 주사	단기간 독성 낮음, GM-CSF을 병합하거나 않은 경우 $10^6 \sim 10^9$ pfu를 이차 백신으로 DLT 없음, 객관적 PSA 반응 없음, 33aud 중 9명은 2년까지 PSA 농도가 안정적이었고 이들 중 6명은 무진행을 나타냈다. 일부에서 PSA 특이 T-cell이 증가.	Eder 등, 2000 Gulley 등, 2002
	Combination of vaccinia virus (rV-PSA) and fowlpox virus (rF-PSA) expressing PSA	재발 전립선암/ 64명/ 진피 내 주사	단기간 낮은 독성, 108~109 pfu의 rV-PSA와 rF-PSA의 병합 백신을 4회 실시 시 DLT 없음; 19개월 시점에서 PSA 무진행 45%, 임상적 무진행 78%; 46%에서 PSA 특이 T-cell이 증가함.	Kaufman 등, 2004
PROSTVAC-VF + TRICOM	Vaccinia virus expressing PSA (PROSTVAC-VF) and fowlpox virus expressing co-stimulatory molecules B7-1, ICAM, and LFA3 (TRICOM)	호르몬 불응성 전립선암/ 10명/ 진피 내 주사	단기간 독성 낮음, 2×108 pfu의 PROSTVAC-VF와 1×109 pfu의 TRICOM 병용 시 DLT 없음; 4명 (40%)의 질환은 8주간 안정적이었고 vaccinia에 대한 항체는 모두에게서 발생.	DiPaola 등, 2006

B7-1, B7 homolog 1; CD58, cluster of differentiation 58; DLT, dose-limiting toxicity; DTH, delayed-type hypersensitivity; GM-CSF, granulocyte-macrophage colony stimulating factor; HSV-1 TK, herpes simplex virus type 1 thymidine kinase; ICAM, intercellular adhesion molecule; LFA3, lymphocyte function-associated antigen 3 혹은 CD58; MTD, maximum tolerated dose; PC, prostate cancer; pfu, plaque-forming unit; PSA, prostate-specific antigen; rf-PSA, recombinant fowlpox-PSA; rv-PSA, recombinant vaccinia-PSA; vACV, valacyclovir; vp, viral particle.
Freytag 등 (2007)의 자료를 수정 인용.

그러나 이러한 여러 방법들이 임상에서 활용되기 위해서는 상당한 기간과 노력이 필요할 것으로 생각된다.

88. 소변 내의 생물 지표 Biomarkers In Urine

소변의 구성물 안에는 많은 생물 지표가 있으며, 이들은 크게 DNA, RNA, 단백질, 대사물질 등에 근거한 생물 지표로 구분된다. 이들 소변 표지자 중 다수는 전립선암 환자로부터 채집된 전립선 분비물 혹은 전립선 조직에서 이미 연구되었고 타

당성이 입증되었다 (도표 253, 254).

88.1. DNA 표지자 DNA markers

유전자의 증폭 혹은 loss of heterozygosity (LOH)와 같이 복사 수의 변화가 전립선암에서 일어난다 (Thuret 등, 2005). 전립선암에서 LOH가 흔히 일어나는 자리는 7q, 8p, 10q, 12p, 13p, 16p, 17p, 18q 등이다. 동일 환자에서 PCR 분석으로 소변 내의 LOH 검사가 종양 내의 LOH와 비교하여 타당한지를

도표 253 전립선 마사지 후 채집한 소변으로 연구한 전립선암의 생물 지표

생물 지표 (Symbol)	생물 지표 (Description)	상관 계수	p	AUC†
단변량 로지스틱 회귀 분석				
AMACR	α-Methylacyl coenzyme A racemase	0.049	0.45	
ERG	ETS transcription factor-related gene	0.043	0.166	
GOLM1	Golgi membrane protein 1	0.4444	0.0002	0.664
PCA3	Prostate cancer antigen 3	0.187	0.001	0.661
PSA (혈청)	Prostate-specific antigen	0.0151	0.376	0.508
SPINK1	Serine protease inhibitor, Kazal type 1	0.25	0.0002	0.642
TFF3	Trefoil factor family 3	0.11	0.189	
TMPRSS-ERG	Transmembrane protease, serine-ERG	0.609	0.034	
다변량 로지스틱 회귀 분석				
GOLM1	Golgi membrane protein 1	0.372	0.004	
PCA3	Prostate cancer antigen 3	0.191	0.003	
SPINK1	Serine protease inhibitor, Kazal type 1	0.308	7.41E-05	
TMPRSS:ERG	Transmembrane protease, serine:ERG	0.924	0.006	

GOLPH2 (혹은 GOLM1), SPINK1, PCA3 등과 같은 전사물의 발현과 TMPRSS2:ERG를 포함하는 복합 모델은 전립선암의 발견에서 혈청 PSA 혹은 PCA3를 능가하는 정확도를 나타내었는데, PCA3 단독일 경우 AUC가 0.662인 데 비해 복합 모델의 경우에는 AUC가 0.758이었다 (p=0.003). 복합 모델에서 민감도, 특이도, PPV, NPV는 각각 65.9%, 76.0%, 79.8%, 60.8%이었다.

†, receiver operating characteristic (ROC) 곡선에 기초하여 전립선암 발견의 정확도를 나타냄.

AUC, area under the curve; ETS, E-twenty six transformation-specific; GOLPH2, Golgi phosphoprotein 2; NPV, negative predictive value; PPV, positive predictive value; PSA, prostate-specific antigen.

Laxman 등 (2008)의 자료를 정리.

평가한 연구는 소변에서 LOH를 분석한 결과 87%의 높은 민감도로 전립선암을 발견할 수 있었다고 하였다 (Thuret 등, 2005). 저자들은 또한 종양에 인접해 있는 조직학적으로 '정상적인' 전립선 세포에서 유전자 상태를 분석하였으며, 종양 세포의 DNA에서 관찰되는 대립 유전자 결실 (allelic deletion)의 53%가 종양에 인접한 조직학적으로 정상인 전립선 세포에서 발견되었다고 하였다. 소변을 근거로 하는 LOH 검사는 이와 같은 상피세포에서의 'field defect'를 활용할 수 있으며, 이 때문에 소변을 이용하여 진단할 때는 암세포의 존재가 항상 요구되지는 않는다. 홀배수체 (aneuploidy)와 LOH가 Urovysion™ 검사로 방광암을 발견하는 데 관례적으로 이용되고 있지만, 전립선암에서는 널리 이용되고 있지 않으며, DNA 증폭 또한 소변에서 전립선암을 발견하는 데 아직 이용되고 있지 않다 (Truong 등, 2013).

CpG dinucleotides에서의 cytosine 메틸화는 전립선암 조직에서 특징적으로 나타나는 후성적 변화이며, 이는 소변 내의 생물 지표를 개발하는 데 유망한 분야이기도 하다. DNA 손상을 복구하는 유전자, 종양을 억제하는 유전자, 세포 주기를 조절하는 유전자, 세포 부착 분자의 유전자, 신호 경로와 관련이 있는 유전자 등의 변화로 인한 비정상적인 유전자의 발현이 전립선암의 발병 기전으로 제시되고 있다. 이들 유전자는 유전자 발현의 소실을 일으키는 유전자 촉진체의 DNA 과다 메틸화에 의해 조절될 수 있다. 소변뿐만 아니라 조직 표본에서도 비정상적인 DNA 메틸화가 methylation-specific polymerase chain reaction (MSP), bisulfite sequencing, methylation-sensitive single-nucleotide primer extension (MS-SNuPE), combined bisulfite restriction analysis (COBRA) 등과 같은 여러 방법을 통해 발견된다 (Brena 등, 2006). 임상 표본의 고속 대량 분석 (high-throughput analysis)을 위해 이용되는 실시간 MSP, probe에 근거한 MethyLight™ 등은 소변 표본에서 높은 민감도로 신속하게 DNA의 메틸화를 발견할 수 있다 (Brena 등, 2006).

잘 알려진 DNA 메틸화의 표적 중 하나인 glutathione-S-transferase pi 1 (GSTP1)은 친전자체 (electrophile)와 기타 손상을 유발하는 성분을 해독하는 작용에 관여하는 유전자이다. 많은 연구는 전립선암 환자의 소변 표본에서 GSTP1의

도표 254 전립선암의 추적 관찰에 이용 가능한 소변 내 생물 지표

참고 문헌	심벌 (Symbol)	기술 명칭 (Description)	체액	생물 지표의 형태			
				DNA	RNA	단백질	Met
Chiou 등, 2003	8-OhdG[†]	8-Hydroxydeoxyguanosine	VU	+			+
Zielie 등, 2004	AMACR	a-Methylacyl coenzyme A racemase	PU		+	+	
Schostak 등, 2009	ANXA3	Annexin A3	DU			+	
Matsuda 등, 1996	BHUAE[†]	Basic human urinary arginine amidase	VU			+	
Lwaleed 등, 2000	F3	Coagulation factor III	VU			+	
Chopin 등 1993	FGF1	Fibroblast growth factor 1 (acidic)	VU			+	
Varambally 등, 2008	GOLM1	Golgi membrane protein 1 (alias GOLPH2)	DU		+		
Goessl 등, 2001	GSTP1	Glutathione S-transferase P1	PU	+			
Thuret 등, 2005 Cussenot 등, 2001	LOH[†]	Loss of heterozygosity (예; loss of PTEN)	PU	+			
Stoeber 등, 2002	MCM5	Minichromosome maintenance complex component 5	VU			+	
Roy 등, 2008	MMP9	Matrix metalloproteinase 9	VU			+	
Edwards 등, 1982	PCA1[†]	Prostate cancer antigen 1	VU			+	
Hessels 등, 2003	PCA3	Prostate cancer antigen 3	PU		+		
Teni 등, 1989	PIP[†]	Prostatic inhibin-like peptide	VU			+	
Irani 등, 2005	PSA	Prostate-specific antigen	VU			+	
Rehman 등, 2004	S100A9	S100 calcium binding protein A9 (혹은 calgranulin B, CAGB)	PU			+	
Sreekumar 등, 2009	SAR[†]	Sarcosine	DU				+
Tomlins 등, 2008	SPINK1	Serine peptidase inhibitor, Kazal type 1	PU		+		
Lombardo 등, 1997	SRD5A2	Steroid 5-alpha reductase type 2	VU			+	
Botchkina 등, 2005	TERT	Telomerase reverse transcriptase	PU		+		
Garraway 등, 2004	TFF3	Trefoil factor 3	PU		+		
Hutchinson 등, 2005	TMSB15A	Thymosin beta 15a	VU			+	
Miyake 등, 2005	VEGF	Vascular endothelial growth factor	VU			+	

[†], 사람유전체기구 (Human Genome Organization)의 유전자 명명 위원회 (Gene Nomenclature Committee)에 의해 승인된 약칭이 아님.

DNA, deoxyribonucleic acid; DU, post-digital rectal examination urine; GOLPH2, Golgi phosphoprotein 2; Met, metabolite; PU, post-prostate massage urine; PTEN, phosphatase and tensin homolog; RNA, ribonucleic acid; VU, voided urine.

Jamaspishvili 등 (2010)과 Clarke 등 (2010)의 자료를 수정 인용.

과다 메틸화를 확인하였다. 이들 결과를 정리한 자료에 의하면, 소변에서 *GSTP1* 메틸화의 민감도는 21.4~38.9%로 낮으나 전립선 마사지를 실시한 후의 표본에서는 민감도가 75%까지 향상되며, 특이도는 93~100%에 이른다 (Ploussard와 de la Taille, 2010). 이들 저자는 혈청 PSA가 증가된 환자에서 생검을 결정하기 전에 보조로 *GSTP1*의 메틸화를 분석할 것을 권하였다.

단일 유전자 분석으로 인한 낮은 민감도를 개선하기 위해 다수 유전자를 포함하는 모델이 개발되었으며, 성공률은 다양하게 보고되고 있다 (도표 255). 그러나 다수 유전자를 이

용함에도 불구하고 민감도는 낮은데, 이는 DNA 메틸화를 기초로 하는 소변검사의 큰 걸림돌이다. 이와 같이 민감도가 낮은 이유는 전립선암 세포가 존재해야 하기 때문이다. 그렇지만 큰 장점은 표적 DNA의 이상이 대조군에서는 거의 존재하지 않기 때문에 특이도가 100%에 이를 만큼 높다는 점이다 (Goessl 등, 2002). 전립선 생검을 실시하기 전에 DNA 표지자에 대해 검사하면 위양성의 위험을 최소화할 수 있을 것이다. DNA의 안정성 및 PCR을 기초로 하는 방법의 용이성은 생물 지표의 개발에서 가장 유리한 장점 중 하나이다. 2013년 현재까지 상품화된 DNA 표지자 검사법은 없다.

도표 255 전립선암을 예측하기 위한 소변 내의 DNA 및 RNA 표지자 모델

참고 문헌/환자 수	모델	민감도/특이도	제한점
DNA 표지자			
Hoque 등, 2005/73	*p16, ARF, MGMT, GSTP1*	87/100	대조군의 27%가 여성
Roupret 등, 2007/133	*GSTP1, APC, RASSF1, RARB2*	87/89	소변 채집 위해 방광 카데터 필요
Payne 등, 2009/192	*GSTP1, RASSF2, HIST1H4K, TFAP2E*	94/27	개별 표지자의 민감도 혹은 특이도보다 개선되지 않았음
Costa 등, 2011/318	*PCDH17, TCF21*	26/100	민감도가 낮음
RNA 표지자			
Hessels 등, 2007/108	*PCA3, TMPRSS2:ERG*	73/52	특이도가 낮음
Laxman 등, 2008/234	*GOLPH2, TMPRSS2:ERG, PCA3, SPINK2*	66/76	고비용 및 RNA 표지자가 4가지로 인한 불편
Ouyang 등, 2011/92	*AMACR, PCA3*	81/84	Laxman 등 (2007)은 AMACR이 강한 예측 인자가 아니라고 함
Jamaspishvili 등, 2011/104	*AMACR, PCA3, TRPM8, MSMB*	72/71	단독으로는 전립선암을 예측하지 못하는 표지자를 연구에 포함함
Nguyen 등, 2011/101	*TMPRSS2:ERG*	35/100	민감도가 낮음
Salami 등, 2011/48	*PCA3, TMPRSS2:ERG, PSA*	80/90	표본 수가 작고 PSA가 필요함

ADP, adenosine diphosphate; AMACR, alpha-methylacyl-CoA racemase; APC, activated protein C; ARF, ADP-ribosylation factor; ERG, EST-related gene; EST, E twenty-six; GOLPH2, Golgi phosphoprotein 2 or Golgi membrane protein 1 (GOLM1); GSTP1, glutathione S-transferase Pi 1; HIST1H4K, histone cluster 1, H4K; MGMT, O6-methylguanine-DNA methyltransferase; MSMB, beta-microseminoprotein; p16, tumor protein 16; PCA3, prostate cancer antigen 3; PCDH17, protocadherin-17; PSA, prostate-specific antigen; RARB2, retinoic acid receptor beta 2; RAS, rat sarcoma viral oncogene homolog; RASSF1, ras association (RalGDS/AF-6) domain family number 1; SPINK2, serine protease inhibitor Kazal-type 2; TCF21, transcription factor 21; TFAP2E, transcription factor AP-2 epsilon (activating enhancer binding protein 2 epsilon); TMPRSS2, transmembrane protease serine 2; TRPM8, transient receptor potential cation channel subfamily M member 8.

Truong 등 (2013)의 자료를 수정 인용.

88.2. RNA 표지자 RNA markers

소변 내의 RNA 표지자는 임상적으로 가장 널리 개발되어 왔다. 특히 Bussemakers와 Issacs (1999)에 의해 발견된 전립선암 특이 유전자 *prostate cancer antigen 3 (PCA3)*는 폭넓게 연구되어 왔으며, 널리 활용되고 있다. *PCA3*는 원발 전립선암 표본의 95%에서 과다 발현되며, 발현이 34배 증가된다 (de Kok 등, 2002). 소변 내의 *PCA3* mRNA를 이용한 PCA3 검사는 민감도와 특이도가 높으며, 이에 관해서는 '52 Prostate Cancer Antigen 3'에 기술되어 있다.

유전자 재배열, 즉 이어맞추기 변형 (splice variant)은 혈액 종양에서 보고되어 왔으며, 현재는 전립선암에서도 나타난다고 보고되고 있다 (Pflueger 등, 2011). 이러한 유전자 융합으로 인한 융합 전사물은 활성화되거나 억제된다. 2005년 Chinnaiyan은 *transmembrane protease serine 2 (TMPRSS2)*와 *E twenty-six (ETS)*의 전사 인자들, 예를 들면 *ETS-related gene (ERG), ETS translocation variant 1 (ETV1), ETV4, ETV5, ELK4 ETS-domain protein/serum response factor accessory protein 1 (ELK4/SAP1)* 등 사이에서 일어나는 전립선암과 관련된 유전자 융합을 처음 발견하였다. 생검에서 전

립선암이 발견된 78명과 발견되지 않은 30명에서 직장수지검사 후 채집한 소변을 분석한 연구는 전립선암 발견에 대한 *TMPRSS2:ERG* 융합 전사물의 민감도는 37%, *PCA3* 분석의 민감도는 62%, 이 둘을 병합한 경우는 73%이었다고 하였다. 특히, 이 연구에서 생검 결과가 음성이지만 지속적으로 혈청 PSA가 증가된 환자에서 *TMPRSS2:ERG* 융합 전사물의 양성 예측도는 94%이었다 (Hessels 등, 2007). 전립선암의 선별검사에 *TMPRSS2:ERG* 융합을 이용하는 것은 공감대가 형성되어 있으나, 예후 예측에 관해서는 상충되는 결과가 보고되고 있다. *TMPRSS2:ERG* 융합 전사물의 증가는 높은 PSA 농도, 병리학적 병기, Gleason 점수 등과 상호 관련이 있다는 보고가 있으나 (Rostad 등, 2009), *TMPRSS2:ERG* 융합 음성에 비해 양성인 전립선암 환자에서 Gleason 등급이 더 낮고 생존율이 더 높다는 보고도 있다 (Winnes 등, 2007). *TMPRSS2*와 관련이 있는 문제점으로는 일부 환자군에서 융합의 빈도가 낮아 선별검사의 민감도가 떨어진다는 점 (Demichelis 등, 2007)과 모든 환자군에 적용할 수 있는 절단치가 필요하다는 점 (Truong 등, 2013)이다.

TMPRSS2:ERG 분석과 *PCA3* 검사를 병합한 모델이 평가 중에 있다. 471명을 대상으로 실시한 연구는 이러한 병합 분석

과 Prostate Cancer Prevention Trial-risk calculator (PCPT-RC) 위험도 계산기를 병용하면 AUC가 0.66에서 0.75로 증가한다고 하였다 (Tomlins 등, 2011). *TMPRSS2:ERG*와 *PCA3*의 병합 분석은 소변검사로 전립선암을 예측하는 데 유망한 방법이라고 생각된다 (Salami 등, 2011). *TMPRSS2:ERG*에 관한 상세한 정보는 '79. Transmembrane Protease Serine 2:ETS-Related Gene (TMPRSS2:ERG)'를 참고하면 도움이 된다.

충분하게 연구되지 않은 전립선암의 RNA 표지자로는 *human telomerase reverse transcriptase* (*hTERT*), *alpha-methylacyl coenzyme A racemase* (*AMACR*), *Golgi membrane protein 1/Golgi phosphoprotein 2* (*GOLM1/GOLPH2*) 등이 있다. Telomerase의 작용은 대부분의 암에서 관찰된다. Telomerase의 활성은 전립선암의 93%까지에서 나타나며, PCR telomeric repeat amplification protocol (TRAP)을 이용할 경우 소변에서 전립선암을 발견하는 데 대한 민감도는 100%이고 특이도는 88.6%라고 보고되었다 (Botchkina 등, 2005). *hTERT* mRNA는 유방암, 폐암, 결장암, 신장암, 전립선암, 방광암, 자궁암, 난소암, 췌장암, 간암 등 거의 모든 암에서 발견되지만, 폭넓게 연구되어 있지 않다. 전립선암에서 특히 과다 발현되는 유망한 표지자는 *AMACR*이다. 92명의 환자로부터 채집한 소변에서 *PCA3*와 *AMACR* 전사물을 병합하여 분석한 연구에 의하면, 81%의 민감도와 84%의 특이도로 전립선암을 예측하였다 (Ouyang 등, 2009). 앞으로 대규모 코호트 연구를 통해 선별검사의 도구로서 *AMACR*의 이용이 타당한지를 검증할 필요가 있다.

DNA 메틸화 표지자에서와 마찬가지로 분석의 민감도를 극대화하기 위해 여러 유전자 RNA를 포함하는 모델을 개발하였다 (도표 255). 다수의 RNA를 이용하기 때문에 효과는 있지만, 다수의 RNA를 동시에 분석함으로 인한 고비용은 임상에서 널리 이용하는 데 장애가 되고 있다. 첫 선별검사에서 PSA 검사와 함께 실시하는 RNA 표지자 분석은 DNA 표지자에 비해 민감도가 높기 때문에 유망한 도구라고 생각된다. 소변을 이용한 *TMPRSS2:ERG*와 *PCA3*의 병합 분석은 PSA 검사와 결부시켜 상품화되어 이용되고 있다 (Truong 등, 2013).

88.3. 단백질 표지자 Protein markers

DNA 혹은 RNA와는 다르게 단백질은 흔히 체액 내로 분비되며, 이를 발견하기 위해 암세포가 반드시 필요하지 않다. 또한, enzyme-linked immunosorbent assay (ELISA)와 같이 단백질을 양적으로 분석하는 면역 분석은 저렴하면서도 민감도가 높고 사용하기 편하도록 고안되어 있다. 이를 이용하여 많은 연구들이 소변에서 단백질 표지자를 발견하고 분석하여 왔으며, 그들 단백질 표지자로는 anterior gradient protein 2 (AGR2), acidic fibroblast growth factor (aFGF), α-methylacyl coenzyme A racemase (AMACR), annexin A3 (ANXA3), 5-alpha-reductase type 2/steroid-5-alpha-reductase, alpha polypeptide 2 (5αR2/SRD5A2), basic human urinary arginine amidase (or esterase) (BHUAE), bladder tumor fibronectin, engrailed-2 (EN2), endoglin/cluster of differentiation 105 (ENG/CD105), human kallikrein 2 (hK2), immunoglobulin G (IgG)+IgA+IgM, minichromosome maintenance 5 protein (MCM5), matrix metalloproteinase 2/9 (MMP2/9), myeloid related protein 14 (MRP14), homeobox protein Nkx-3.1 (NKX3.1), nucleolin, prostate cancer antigen 3 (PCA3), prostatic inhibin-like peptide (PIP), prostate-specific antigen (PSA), S100 calcium-binding protein A9/calgranulin B (S100A9/CAGB), septin 4/bradeion (SEPT4/BRADEION), survivin, telomerase, thymosin beta-15 (TMSB15), tissue factor (TF), transferrin, ratio of scatter factor to creatinine, ratio of serum PSA to urinary PSA, ratio of urinary PSA to serum PSA, ratio of transferrin to creatinine 등이 있다 (Truong 등, 2012).

165명의 환자를 대상으로 실시한 다기관 연구는 소변 PSA 대 혈청 PSA 비율의 효용성을 평가하였으며, 다음과 같은 결과를 보고하였다 (Irani 등, 2005). 첫째, 83명에서 전립선암이 발견되었으며, 전립선암을 가진 환자와 가지지 않은 환자에서 total PSA 중앙치는 각각 10.2 ng/mL, 6.6 ng/mL, 혈청 free PSA/total PSA의 비율은 각각 0.11, 0.18, 소변 PSA/혈청 PSA 비율은 각각 1.2, 4.2로 통계학적으로 유의한 차이를 보였다 ($p < 0.001$). 둘째, PSA 농도가 4~10 ng/mL인 79명에 대한 receiver operating characteristic (ROC) 곡선의 AUC는 total PSA, 혈청 free PSA/total PSA 비율, 소변 PSA/혈청 PSA 비율의 경우 각각 0.55 (95% CI 0.43~0.66), 0.60 (95% CI 0.49~0.71), 0.63 (95% CI 0.51~0.73)으로 소변 PSA/혈청 PSA 비율에서 가장 높았다. 이들 결과를 근거로 저자들은 소변 PSA/혈청 PSA 비율의 경우 혈청 PSA로만 분석한 경우에 비해 ROC 곡선이 개선되었으며, total PSA가 4~10 ng/mL인

환자에서 전립선암을 발견하는 유용한 도구가 될 수 있다고 하였다. 그러나 이러한 결과는 소규모의 연구이기 때문에 제한점이 있으며, PSA 선별검사의 활용을 능가하는 효능을 보이지 않을 것으로 생각된다.

Matrix metalloproteinase (MMP)는 세포 외부 단백질을 분해하는 효소로서의 기능을 하는 효소 가족이며, 종양에서 분비되고 전립선암에 대한 생물 표지자의 역할을 한다. 148명의 환자에서 gelatin zymography를 이용하여 종양에 특이한 소변 MMP fingerprint를 발견한 연구는 MMP9 및 MMP9 이합체가 74%의 민감도와 82%의 특이도로 전립선암을 독립적으로 예측하는 인자라고 하였다 (Roy 등, 2008). Zymography를 이용한 소규모 연구도 전립선암 환자의 소변에서 MMP2와 MMP9을 확인하였다 (Di Carlo 등, 2010). 다른 대규모 연구는 난소암 (Coticchia 등, 2011)과 방광암 (Eissa 등, 2013)을 발견하는 데 이들 MMP 동형 효소가 유용함을 보고하였다.

칼슘과 결합하는 단백질인 annexin A3 (ANXA3)는 암과 역상관관계를 가지며, 591명을 대상으로 실시한 다기관 연구에 의하면, 소변 ANXA3와 % free PSA (%fPSA)의 ROC-AUC는 혈청 PSA가 2~6 ng/mL인 환자군에서 각각 0.82, 0.72, 혈청 PSA가 4~10 ng/mL인 환자군에서는 각각 0.83, 0.73으로 ANXA3의 예측 정확도가 더 높았다. 따라서 혈청 PSA가 2~10 ng/mL로 낮은 환자군에서 PSA와 소변 ANXA3를 병합할 경우 불필요한 생검을 줄일 수 있다고 생각된다 (Schostak 등, 2009).

Endoglin (ENG 혹은 CD105)은 전립선 환자의 소변에서 증가된다고 보고되지만, 소변 내의 총 단백질 혹은 소변 creatinine으로 표준화할 필요가 있다 (Fujita 등, 2009). ELISA를 이용한 연구는 소변에서 EN2를 분석할 경우 66%의 민감도와 88%의 특이도로 전립선암을 발견할 수 있다고 하였다 (Morgan 등, 2011).

현재의 단백질체학 (proteomics)은 생물 지표를 발견하는 데 유용하며, 수천 가지의 펩티드를 동시에 분석할 수 있다는 이점이 있다. 407명의 소변을 matrix assisted laser desorption-time of flight mass spectrometry (MALDI-TOF-MS)를 이용하여 분석한 연구는 전립선암과 관련이 있는 두 표지자, 즉 Tamm-Horsfall 단백질, 즉 uromodulin과 semenogelin을 발견하였으며, 407명을 대상으로 MALDI-TOF를 이용하여 소변 단백질체학 분석을 실시하였을 때 전립선암과 양성 전립선비대를 감별하는 데의 민감도와 특이도는 각각 67.4%, 71.2%, 양성전립선비대와 고등급 전립선상피내암을 감별하는 데의 민감도와 특이도는 각각 69.2%, 73.6%, 전립선암과 고등급 전립선상피내암을 감별하는 데의 민감도와 특이도는 각각 81.0%, 80.8%이었다. (M'Koma 등, 2007). Capillary electrophoresis-mass spectrometry (CE-MS)를 이용하여 소변 내의 12가지 생물 지표 (폴리펩티드 ID 10054, 10442, 11645, 12064, 12202, 14707, 19070, 27863, 30451, 30566, 32748, 43009)를 분석한 연구는 소변의 중간 부분은 정보 가치가 낮고 전립선액이 포함된 소변의 처음 부분이 이용할 가치가 높으며, 이 경우 89%의 민감도와 51%의 특이도로 전립선암을 발견할 수 있다고 하였다. 이 연구에서 특징적인 단백질체학 외에 환자의 연령과 %fPSA를 추가한 경우에는 민감도가 91%, 특이도가 69%로 증가하였다. 이 연구에서 이용된 12가지 생물 지표는 전립선암 특이 폴리펩티드로서 진단군에서 70% 이상의 빈도로 나타나고 AUC가 0.60 이상인 폴리펩티드로 제한되었다 (Theodorescu 등, 2008).

세포막 소포인 exosome은 세포질의 RNAs 및 단백질을 포함하고 있으며, 소변 내로 분비될 수 있다. 이를 분석하는 방법은 전립선암 세포를 필요로 하지 않기 때문에 전립선암을 발견하는 데 유리하다. Exosome은 TMPRSS2:ERG 융합 및 PCA3 mRNA의 운반체로 알려져 있다 (Nilsson 등, 2009). Exosome에 대한 단백질체학 분석은 RNA의 발견 외에도 전립선암과 같은 여러 질환에서 새로운 생물 지표를 개발하는 데도 이용된다 (Pisitkun 등, 2004). 오늘날 질량 분석법 (mass spectrometry, MS), microarray 등과 같은 고속 대량 분석법은 정상 남성과 전립선암 환자에서 exosome의 차이를 평가하는 데 이용되고 있다.

88.4. 대사물질 표지자 Metabolite markers

대사체학 (metabolomics)은 정상 세포와 차이를 나타내는 전립선암 세포의 대사물질을 찾는 데 이용된다. 암 대사체학은 종양세포의 생리 및 생화학적 작용을 정확하게 반영하기 때문에 생물 지표를 개발함에 있어 매력적인 방법이라 할 수 있다. 조직, 소변, 혈장 등의 형태로 구성된 262점의 임상 표본에서 고효율의 liquid 및 gas chromatography MS (LC-MS/GC-MS)를 이용하여 1,126가지의 대사물질을 분석한 연구는 세 형태의 표본 모두에서 공통적인 176종의 대사물질을 발견하였다. 이들 중 87종의 대사물질은 정상 전립선과 전립선암에서 차이를 나타내었다. 그들 중 특히 sarcosine (N-methyl-glycine)은 전립선암의 전이와 관련이 있었으며, 소변 표본에서 alanine 혹은 creatinine에 대해 표준화한 경우 전립선암 발견에 대한 유의한 예측 인자의 역할을 하였다 (Sreekumar 등, 2009). 그러나 106명의 환자를 추적 관찰한 연구에 의하면, creatinine으로 표준화된 소변 내의 sarcosine 농도가 건강한 대조군에 비해 전립선암 환자군에서 더 높았지만 전립선암 발견에 대한 예측도는 유의하게 높지 않았다 (Jentzmik 등, 2010). 이러한 상충되는 결과는 표본 선정, 소변 처리 과정, 표준화 (creatinine보다 alanine이 더 나은 접근법이라고 보고됨), 분석 방법 등에서의 차이 때문으로 생각된다 (Truong 등, 2013). 한편, 전립선절제술 당시에 채집한 소변 표본 54점과 혈청 표본 58점을 2년 내에 생화학적 재발이 일어난 환자군과 5년 후 무재발 환자군으로 구별하여 GC-MS로 다수의 methionine 대사물질을 분석한 연구에 의하면, 소변 내에서는 sarcosine과 cysteine의 농도가 재발한 환자에서 유의하게 더 높았으며 (각각 $p=0.03$, $p=0.007$), 혈청에서는 homocysteine ($p=0.003$), cystathionine ($p=0.007$), cysteine ($p<0.001$) 등이 재발한 환자군에서 더 높았다. 저자들은 이들 대사물질의 증가가 전립선암의 공격성과 생화학적 재발을 조기에 예측할 수 있는 독립적 예후 인자라고 하였다 (Stabler 등, 2011). 소변 생물 지표로서 sarcosine의 역할은 아직 분명하지 않지만, 공격적인 전립선암과 관련한 연구 결과로 볼 때, 임상적으로 중대한 전립선암의 표지자로 개발될 가능성은 있다 (Truong 등 2013).

89. 적극적 감시와 관련 있는 표지자
Marker For Active Surveillance (AS)

적극적 감시 (active surveillance, AS)는 위험도가 낮은 전립선암의 치료에서 근치적 치료의 대안이 되는 접근법이다 (Heidenreich 등, 2014). AS에 적합한 저급 위험도의 전립선암을 가졌다고 추정되는 환자를 선정하는 현재의 프로토콜에는 임상 T 병기, PSA, PSA 밀도, Gleason 점수, 전립선 생검 횟수, 생검 core 당 악성 조직의 양 등이 포함된다 (도표 29, 38, 39). AS로 관찰 중인 환자에 대해서는 반복적인 생검을 실시하며, 불필요한 생검을 줄이고 질환의 진행을 발견하기 위해 PSA를 이용하여 추적 관찰한다 (Cary 등, 2013). 만일 위험도가 높은 전립선암으로 추정되는 증거가 나타나면, 치유 목

적의 치료를 실시한다. 근치적 치료를 연기하거나 배제할 목적으로 AS를 실시하며, 이는 이환율을 감소시키고 삶의 질을 개선하는 장점을 가지고 있다 (van den Bergh 등, 2014).

선별검사가 아닌 경로로 발견된 전립선암을 가진 65세 이상의 남성이 기대 요법을 받을 경우 15년 동안의 생존율이 수술한 경우와 비슷하다는 보고가 있다 (Bill-Axelson 등, 2008). PSA 10 ng/mL 미만, 임상 병기 T2a 이하, Gleason 점수 6 이하의 저급 위험 국소 전립선암 환자를 대상으로 평가한 연구에 의하면, 암 특이 사망률이 AS에 비해 근치전립선절제술의 경우 0.6으로 낮았지만 AS, 근접 요법, intensity-modulated radiation therapy (IMRT), 근치전립선절제술 등에서 quality adjusted life years (QALYs)는 각각 11.07, 10.57, 10.51, 10.23으로 quality adjusted life expectancy (QALE)는 AS에서 가장 높았다 (Hayes 등, 2010). 평균 기대수명의 50%, 100%, 150%에 각각 해당하는 불량한, 평균, 우수한 건강 상태에 있는 50~75세의 저급 위험 전립선암 환자 20만 명에 대해 모의 실험을 실시한 바에 의하면, 평균적인 건강 상태에 있는 65세의 남성이 근치전립선절제술을 받을 경우 AS에 비해 기대수명은 0.3년 늘어났고, 발기부전 혹은 요실금의 기간이 1.6년 증가하였으며, 전립선암 특이 사망률은 4.9% 감소하였고, QALYs에서는 0.05 미만의 차이를 보였다 (Liu 등, 2012). 고령이고 기저선 건강 상태가 불량한 환자군은 더 젊고 건강 상태가 더 나은 환자군에 비해 수술로 전립선암 특이 사망과 기대 수명에서 이점을 얻는 확률은 낮았으며, 시간이 경과할수록 치료로 인한 부작용이 증가한 데 비해, AS의 경우 수술에 비해 더 높은 QALE를 가졌다. 그러나 70세이면서도 우수한 건강 상태를 가진 환자에게 수술이 권해질 수 있으며, 55세의 환자일지라도 건강 상태가 불량하면 AS의 기대 요법이 권해질 수 있다. 모의실험에 이용된 다양한 지수의 95% 이상에서 수술보다 AS로 더 높은 QALE를 가지는 한계치 연령은 불량한, 평균, 우수한 건강 상태에서 각각 54세, 67세, 74세이었다 (Liu 등, 2012). 이러한 자료에 의하면, 고령과 불량한 건강 상태에 있는 남성은 AS에 의한 기대 요법으로 더 나은 QALE를 가진다고 생각된다. 그러나 저급 위험 전립선암으로 진단된 후 적절한 치료법을 선택하기 위해서는 여러 인자, 예를 들면 철저한 관리 하의 삶, 수술로 인한 발기부전 등의 부작용, PSA 재발과 같은 생화학적 변화에 관한 우려, 지연 치료에 따른 질환의 진행 혹은 전이 등에 관하여 환자와 충분하게 상담이 이루어져야 하며, 이로써 치료법의 결정은 개인의 선호가 주가

도표 256 적극적 감시 (active surveillance) 상황에서 연구된 새로운 도구의 주된 장점과 단점

도구 종류	장점	단점
MRI	질환의 병기 및 분화도 등급과의 연관성 정도는 임상 기준을 능가한다. 다수 지표의 분석과 ADC는 가치가 있는 추가 정보를 제공한다. 저급 위험도의 전립선암에 대해 높은 특이도를 나타낸다.	상급 위험도의 전립선암에 대한 민감도는 다소 낮다. 관찰자 사이의 변동성, 재현성, 선택 편견, 비용 등은 해결해야 할 문제이다. 맹검법을 이용한 전향 연구가 필요하다.
혈청 표지자	재생검에서의 부정적인 결과 혹은 적극적 치료로의 전환과 관련이 있다.	긍정적인 결과와 부정적인 결과 사이가 중복되기 때문에, 단일 한계치로 이용하기에는 제한적이다.
소변 표지자	재생검에서의 나쁜 결과, 근치전립선절제술 결과 등과 관련이 있다. 주로 종양의 용적과 관련이 있다. 표본을 얻기가 용이하다.	높은 예측 정확도를 나타내는 낮은 PCA3 점수의 퍼센트가 작다. 질환의 병기 및 Gleason 점수와의 연관성은 제한 적이다.
조직병리학적 표지자	재생검에서의 나쁜 결과와 관련이 있다. 항상 이용이 가능한 물질로부터 추가 정보를 얻을 수 있다.	생검으로 표본을 추출하는 과정에서 오차가 생길 수 있다. 소규모의 후향 연구이고, 최종 종말점이 아닌 중간 종말점을 이용하였다.
생식계 유전자 표지자	근치전립선절제술에서의 나쁜 결과와 관련 있다. 진단 전에 위험을 평가할 수 있다.	자료가 부족하다. 전향 분석이 부족하다.

ADC, apparent diffusion coefficient; MRI, magnetic resonance imaging; PCA3, prostate cancer antigen 3.
van den Bergh 등 (2014)의 자료를 수정 인용.

되어야 한다.

대부분의 엄중한 선정 기준을 이용할 경우 현재 이용되고 있는 생검 프로토콜이 정확하지 않음으로 인해 저급 위험도의 질환으로 추정된 일부 환자가 실제로는 예후가 나쁜 질환을 가지는 경우가 있다 (Bul 등, 2012). 대조적으로, 현재의 AS 기준이 너무 엄격함으로 인해 기대 요법이 적절하고 안전하다고 간주되는 일부 환자를 제외하는 오류를 범할 수 있다 (Stattin 등, 2010). 따라서 AS에 적합한 환자를 선정하고 이들에 대해 적절한 모니터링을 가능하게 하는 생물 지표, 영상, 표적 생검 등을 포함하는 더 나은 도구의 개발이 절실하다.

Magnetic resonance imaging (MRI)과 관련이 있는 14편, 혈청 지표와 관련이 있는 5편, 소변 표지자와 관련이 있는 5편, 조직병리학적 표지자와 관련이 있는 4편, 생식계열 유전자 표지자와 관련이 있는 2편 등 AS와 관련이 있는 총 30편의 논문을 검토한 연구는 다양한 새로운 표지자를 정리하였다. 도표 256은 특이한 AS 상태에서 연구된 새로운 도구의 장점과 단점을 보여 준다 (van den Bergh 등, 2014). 새로운 표지자에는 현재의 프로토콜에서 이용되는 여러 인자와 이들을 포함한 노모그램이 제외되었다.

89.1. Magnetic resonance imaging (MRI)

네 편의 연구는 AS에 적합한 환자를 대상으로 MRI 소견과 근치전립선절제술의 결과를 비교하였다.

Lee 등 (2013)은 188명을 대상으로 3-T diffusion weighted (DW) MRI에 나타난 최대 병변과 근치전립선절제술의 결과를 후향적으로 비교하였다. 진단 때 생검 cores 수의 중앙치는 12이었다. MRI로 72명에서는 종양이 발견되지 않았으며, 43명은 1 cm 이하, 73명은 1 cm 초과한 병변을 가졌다. 병변의 직경이 1 cm 초과 대 1 cm 이하는 Gleason 점수 6 초과 및 종양의 용적과 연관성을 가졌으며, 각각 39% 대 20% ($p=0.007$), 평균 용적 1.09 대 0.73 cc ($p=0.018$)이었다. 이들 저자는 또한 PSA 10 ng/mL 이하이고 Gleason 점수 6인 질환을 가진 환자와 DW 3-T MRI에서 종양이 관찰되지 않는 환자는 Prostate Cancer Research International Active Surveillance (PRIAS)의 AS 기준, 즉 병기 T1~T2, PSA 10.0 ng/mL 이하, PSA 밀도 0.2 ng/mL/cc 미만, 1~2개의 양성 cores 등에 부합하는 조건과는 관계없이 비슷한 비율, 즉 63.9% 대 59.3% ($p=0.549$)의 비율로 Gleason 점수 6의 국소 전립선암을 가졌다고 하였다.

그러나 수술을 받은 AS 환자 172명에 대한 Guzzo 등 (2012)의 후향적 연구는 T2-weighted MRI에 나타난 종양과 높은 Gleason 등급, 피막 외부 침범, 수술 절제면 침범 등과는 연관성이 없다고 하였다. 이 연구의 제한점은 MRI 기법이 크게 발전하기 전인 1991년도의 환자를 대상으로 하였다는 점이다.

Turkbey 등 (2013)은 133명을 대상으로 수술 전에 multiparametric MRI (mpMRI)를 실시하였다. 95% (126명/133명)에서 병변이 발견되었다. MRI는 종양의 용적 0.5 cc 미만,

Gleason 패턴 4 음성, 피막 외부 침범 음성, 정낭 침범 음성 등으로 규정되는 병리학적으로 중요하지 않은 질환을 예측하는 데 대하여 93%의 민감도, 57%의 양성 예측도 (positive predictive value, PPV), 92%의 전반적 정확도를 나타내었다. 11명에서는 분류가 잘못되었지만, 이 연구의 결과는 Epstein 기준, d' Amico 기준, Cancer of the Prostate Risk Assessment (CAPRA) 기준 등을 능가하는 것이었다. Epstein 생검 기준을 적용하였을 때는 AS에 적합한 환자 5명과 AS에 부적합한 환자 11명에서 분류가 잘못되었으나, MRI를 병용하면 이들 중 12명의 분류가 교정되었다.

Ploussard 등 (2011)은 21-core의 확대 생검을 통해 전립선암으로 진단된 환자 중 PSA 10 ng/mL 이하, 병기 T2a 이하, 두 번 이하의 양성 생검, core 당 종양의 길이 3 mm 미만 등과 같은 AS 기준에 적합한 96명에서 병기를 T1~2 혹은 T3~4로 분류함에 있어 생검 후 6주 이상 경과하여 실시된 1.5-T MRI의 역할을 평가하였다. 근치전립선절제 표본에서 Gleason 등급의 증가, 피막 외부 침범, 수술 절제면 침범, 기타 나쁜 예후 질환 등과 MRI 병기 사이에는 연관성이 없었다. 이 연구의 제한점은 MRI를 실시한 대상의 기준이 언급되어 있지 않고, 대조군 64명에 대하여 MRI를 실시하지 않았으며, DW 영상을 이용하지 않았다는 점이다.

6편의 연구는 MRI의 소견을 재생검의 결과와 같은 AS의 결과와 비교하여 연관성을 평가하였다. Vargas 등 (2012)은 확인 목적의 12-core 생검을 실시하기 전 AS 환자 388명에 대하여 1.5- 혹은 3-T MRI를 실시하였다. 세 방사선과 의사가 종양과 관련한 영상에 대해 1~5점을 부과하였다. 1~2점으로 의심도가 낮은 점수는 생검에서 Gleason 등급의 증가에 대해 96~100%의 높은 음성 예측도 (negative predictive value, NPV)와 95~100%의 특이도를 나타내었는데, 이는 이들 환자에서는 생검을 실시하지 않음이 적절함을 시사한다. 생검에서 등급의 증가에 대한 양성 예측도와 민감도는 각각 21~26%, 6~32%로 낮았다. MRI에서 5점으로 의심도가 높은 점수는 생검에서 등급의 증가에 대해 87~98%의 높은 민감도를 보였으나, 특이도는 22~37%로 낮았다. 세 관찰자에서 저급 위험도의 전립선암을 예측하는 데 대한 ROC-AUC는 각각 0.69, 0.76, 0.79이었다. 숙련된 판독자라고 할지라도 관찰자 사이의 일치도는 단지 중등도 정도이다 (κ 점수 0.41~0.61).

Fradet 등 (2010)은 총 114명을 포함하는 1.5-T MRI와 MRI spectroscopy (MRS)의 두 보고서를 이용하여 정상과 비정상으로 분류하였다. MRI를 적용한 대상의 기준에 대한 언급은 없었다. AS 환자에서 비정상적인 결과는 재생검에서 Gleason 등급의 증가와 관련이 있었으며, hazard ratio (HR)는 4.0 (95% CI 1.1~14.9)이었다. 114명 중 69%에서 병변이 발견되었다. 재생검을 받은 환자에서 MRI가 정상인 18명 중 11% (2명/18명)에서 Gleason 등급이 상향되었다.

Stamatakis 등 (2013)은 85명을 대상으로 Johns Hopkins의 기준에 따라 선정된 AS 환자에서 나타난 3-T mpMRI의 소견을 보고하였다. MRI에서 병변의 수, 양성 sequences의 수로 산출되는 의심 병변의 비율, 병변 용적/전립선 용적으로 산출되는 병변 밀도 등은 MRI 혹은 경직장초음파 안내 하의 생검과 같은 확인 생검에서의 경과와 관련이 있었다. 이들 세 MRI 변수를 포함하는 모델은 재생검 결과에 의한 AS 적합 결정에 대해 ROC-AUC 0.72를 나타내었다. AS에 적합한 환자에서 MRI 의심 정도가 낮은 경우는 40%, 중간 경우는 53%, 높은 경우는 7%이었으며, AS에 적합하지 않은 환자에서 MRI 의심 정도가 낮은 경우는 12%, 중간 경우는 68%, 높은 경우는 20%이었다.

Vasarainen 등 (2013)은 PRIAS 연구 중 핀란드 부분에 속한 80명을 대상으로 1년 후 재생검과 함께 3-T DW-MRI를 실시하였다. 의심 병변은 환자 중 50%에서 발견되었으며, 이들 중 75%는 apparent diffusion coefficient (ADC) 영상에서 악성으로 나타났다. 종양의 양상은 어떠한 임상 지표, 재생검 결과, AS 중단 등과 상호 관련이 없었다.

Margel 등 (2012)은 12-core의 확인 생검을 실시할 계획을 가진 56명의 AS 환자에서 악성 종양을 나타내는 1.5-T MRI 소견을 연구하였다. 연구의 종말점은 더 이상 AS에 적합하지 않다고 간주되는, 즉 Gleason 점수 7 이상, 두 번 이상의 암 양성 생검, 혹은 1개의 core에서 50% 이상의 종양인 질환으로의 재분류이었다. 확인 생검을 통한 재분류의 비율은 MRI에서 암이 발견되지 않은 환자 (38%)에서는 3.5%, 첫 생검과 MRI가 일치되는 소견을 보인 환자 (40%)에서는 10.7%, MRI에서 1 cm를 초과하는 중대한 병변을 보인 환자 (22%)에서는 17.9%이었다.

Mullins 등 (2013)은 Johns Hopkins 기준에 따른 AS 환자 50명을 대상으로 동일한 6부위 생검으로 2회 양성을 나타내는 병리학적 지수 병변과 MRI에서 의심 병변이 10 mm를 초과하거나 의심 병변이 3개 이상인 MRI 지수 병변 사이의 연관성을 연구하였다. 3T-mpMRI는 병리학적 지수 병변을 발견하는 데 대하여 95%의 높은 특이도와 90%의 높은 음성 예측도를 나타내었으나, 민감도와 양성 예측도는 각각 19%, 46%로 낮았다. Gleason 패턴이 3 초과, 암 양성 cores가 두 개 초과, 혹은 1개 core 당 종양의 분포가 50% 초과 등과 같은 생검 결과에 의한 재분류 비율은 정상 MRI와 비정상 MRI에서 각각 12.5%, 40%이었다.

세 연구는 MRI에서 나타난 ADC 정도를 평가하였다. van As 등 (2009)은 86명을 대상으로 동일한 전립선 부위에서의 생검 양성에 부합하는 1.5-T MRI 병변의 ADC를 연구하였다. ADC는 재생검에서 부정적인 병리학 소견과 유의하게 관련이 있었으며, ROC-AUC는 ADC의 경우 0.83인 데 비해 PSA의 경우 0.77이었다. 좋은 수준의 ADC를 가진 환자 중 재생검으로 부정적인 결과를 가진 환자는 없었는데, 이는 양호한 MRI 소견을 가진 환자에서는 재생검이 필요하지 않음을 시사한다.

Somford 등 (2013)은 AS 프로토콜을 진행 중인 54명을 대상으로 T2-weighted 및 DW 영상을 포함하는 3-T mpMRI를 실시하였다. 대부분의 환자가 두 개의 의심 병변을 가졌지만, 환자의 98%에서 최소한 한 개의 의심 병변이 발견되었으며, 이들에 대해 생검이 실시되었다. 의심되는 부위에 대한 MRI 안내 하의 생검으로 55% (29명/53명)에서 전립선암이 발견되었으며, 이들 중 21% (6명/29명)에서는 등급이 상향되었다. 병변의 평균 ADC는 암이 없는 경우, 저등급의 전립선암, 고등급의 전립선암에서 서로 차이를 나타내었으며, 각각 1.26±0.25, 1.09±0.25, 0.84±0.35이었다. 중대한 전립선암을 예측하는 데 대한 AUC는 나타나 있지 않지만, 어떠한 전립선암을 예측하는 데 있어 이 예측 인자의 ROC-AUC는 0.73이었다.

Morgan 등 (2011)은 1.5-T DW-MRI를 실시한 50명의 AS 환자를 분석하였다. 종양 부위와 전체 전립선에 대한 ADC는 질환이 진행된 환자의 경우 추적 관찰한 기간 동안 감소하였다. ADC의 10% 감소는 PSA 속도 1 ng/mL/year 초과, 혹은 Gleason 점수 3+4 초과, 혹은 재생검 cores의 50%를 초과한 종양 분포 등으로 규정된 질환의 진행에 대해 93%의 높은 민감도를 보였으나, 특이도는 40%로 낮았다.

정리하면, 많은 연구들이 치료의 대상을 찾는 데 MRI를 이용하지는 않지만, AS 환자에서 MRI의 가치를 인정하고 있다. mpMRI는 일반적으로 질환의 등급 상승에 대해 매우 높은 음성 예측도를 나타낸다. mpMRI에서 양호한 MRI 소견은 AS 환자를 선정하고 AS 동안 환자를 추적 관찰하는 데 이용될 수 있으며, 불필요한 생검을 줄일 수 있도록 한다. MRI는 확대

생검 후에는 유용성이 떨어진다. 상급 위험 질환에 대한 MRI의 양성 예측도는 낮은 위험도 전립선암을 가진 환자군에서는 상당히 낮은데, 이는 전립선암을 가지고 있다고 알려진 AS 코호트에서는 보고자 편견에 의해 위양성 비율이 더 높기 때문이다. AS 후보자에게서 발견되는 종양의 비율은 50~98%로 다양하며, 더욱이 MRI 병변은 생검 혹은 근치전립선절제 표본에서의 결과와 항상 일치하지는 않는다. 때문에 MRI로 발견된 병변은 근치적 치료의 대상이라기보다 생검으로 확인되어야 할 대상이다. ADC의 ROC-AUC는 0.83으로써, ADC는 추가로 중요한 예측 정보를 제공한다. Rosenkrantz 등 (2013)은 diffusional kurtosis imaging (DKI)이 AS 환자에서 부정적인 병리학적 결과에 대한 표지자로서 가치가 있다고 하였다. 여러 MRI 연구에 의한 결과가 차이를 보이는 것은 MRI의 종류, 등급 기준, 1개 혹은 다수 지표에 의한 등급 매김, 환자의 선정, 생검과 관련한 MRI의 타이밍 등에서 차이가 있기 때문이다 (Dickinson 등, 2013). 일부 연구에서는 관찰자 사이에서 상당한 변동이 발견되었으며, 이로 인한 결과는 임상에서 이용될 수 없다. 이들 연구에서 영상의 결과를 검증하는 참고검사로서 경직장초음파촬영술을 이용한 점은 중요한 제한점이 되고 있다 (van den Bergh 등, 2014).

89.2. 혈청 표지자 Serum markers

Tosoian 등 (2012)은 AS 환자 167명을 대상으로 매년 실시한 생검에서 나타난 부정적인 결과, 즉 7 이상의 Gleason 점수, 3개 이상의 암 양성 cores, 50%를 초과한 종양 분포 등과 PSA 아형과의 관계를 평가하였다. 유리형 및 결합형 PSA 뿐만 아니라 여러 PSA 아형이 혈청에서 발견되었다. 생검 결과에 따른 재분류는 기저선 및 추적 관찰 동안 측정된 total PSA (tPSA)에 대한 free PSA (fPSA)의 비율 (%fPSA), fPSA에 대한 [-2]proPSA의 비율 (%[-2]proPSA), %fPSA에 대한 [-2]proPSA의 비율 ([-2]proPSA/%fPSA), [-2]proPSA/fPSA × √tPSA (Prostate Health Index, PHI) 등과 관련이 있었으며, %[-2]proPSA와 PHI는 고등급 분화도의 질환에 대해 가장 높은 예측도를 나타내었다. 생검 결과에 의해 재분류된 환자와 그러하지 않은 환자에서 기저선 PHI는 각각 37.45±18.21, 27.99±10.07이었다 (p=0.0002).

Makarov 등 (2009)은 71명을 대상으로 면역조직화학검사를 이용하여 혈청뿐만 아니라 전립선암과 인접한 조직에

서 PSA 아형을 분석하였으며, AS 동안 7 이상의 Gleason 점수, 3개 이상의 암 양성 cores, 50%를 초과한 종양 분포 등과 같은 부정적인 재생검 결과에 대해 평가하였다. 재생검에서 부정적인 결과가 나타난 환자에서는 진단 당시 혈청 %fPSA에 대한 [-2]proPSA의 비율이 더 높았으며, [-5/-7]proPSA가 더 큰 범위로 더 강하게 염색되었다. 재생검에서 유리한 결과를 보인 환자와 부정적인 결과를 보인 환자의 %fPSA에 대한 [-2]proPSA의 비율은 각각 0.65±0.36, 0.87±0.44이었다 (p=0.02).

두 편의 연구는 AS 환자에서 fPSA의 가치에 초점을 맞추었다. van As 등 (2008)은 326명의 AS 환자를 대상으로 실시한 다변량 분석에서 T 병기와 %fPSA가 AS 동안 근치적 치료로의 전환에 대한 유의한 예측 인자임을 발견하였다. 중앙치를 한계치로 이용하여 환자를 그룹별로 분류한 바에 의하면, PSA와 %fPSA 둘 모두 긍정적인 농도인 경우, 한 가지만 긍정적인 농도인 경우, 둘 모두 부정적인 농도인 경우 3년 시점에서 적극적 치료를 받는 확률은 각각 0%, 27%, 55%이었으며, 조직학적으로 진행한 비율은 각각 0%, 28%, 35%이었다. 2년 내에 근치적 치료를 받는 데 대한 예측 인자로서 %fPSA의 ROC는 0.83이었다. Khan 등 (2003)도 67명을 대상으로 실시한 연구에서 진단 당시의 tPSA와 전립선의 용적 외에도 %fPSA가 재생검에서의 부정적인 결과를 예측할 수 있다고 하였다. 여러 변수와 병합한 경우의 진단 예측도는 75~84%이었으며, ROC-AUC는 0.83이었다.

질환의 진행을 PSA 증가 속도 1 ng/mL/year 초과로 인해 근치적 치료를 실시한 경우 혹은 Gleason 등급 4 이상, 50%를 초과한 암 양성 cores 등과 같은 부정적인 재생검 결과로 규정한 후 104명의 AS 환자를 평가한 연구는 13명에서 생화학적 진행이, 25명에서 조직학적 진행이 있었으며, 질환의 진행까지의 기간은 α/γ-tocopherol, α/β-carotene, retinol, lycopene, selenium 등과 같은 미량 영양소 혹은 항산화제의 기저선 혈청 농도와 관련이 없었다고 하였다 (Venkitaraman 등, 2010).

여러 연구는 AS의 중간 종말점을 예측함에 있어 fPSA와 PSA 아형이 전통적으로 이용해 온 지표 이상의 부가적인 정보를 제공하지만, 결과가 긍정적인 그룹과 부정적인 그룹 사이에서 측정치가 중복됨으로 인해 AS 환자의 선정 및 추적 관찰에서 표준이 되는 단일 인자로 이들을 이용하기에는 아직 어려움이 있다고 결론지었다.

89.3. 소변 표지자 Urinary markers

Lin 등 (2013)은 Canary Foundation Prostate Active Surveillance Study에 참여한 387명을 대상으로 직장수지검사 후의 소변에서 prostate cancer antigen 3 (PCA3)와 transmembrane protease, serine 2:ETS-related gene (TMPRSS2:ERG) 유전자 융합을 분석하였다. PCA3와 TMPRSS2:ERG의 중앙치는 암 양성 cores의 수와 Gleason 점수가 증가함에 따라 증가하였다. 이들 두 생물 지표를 병합한 경우 Gleason 점수 7 이상인 질환에 대한 AUC는 0.66으로 0.68인 PSA에 비해 작았으며, 이들 두 지표와 PSA를 병합한 경우의 AUC는 0.70이었다.

Tosoian 등 (2010)은 John Hopkins AS 프로그램에 참여한 294명으로부터 채집한 소변을 대상으로 PCA3 점수를 평가하였다. PCA3 점수의 평균치는 질환이 안정적인 환자와 생검에서 등급 및 병기가 상향된 환자 사이에서 차이를 보이지 않았으며, 각각의 평균치는 60.0, 50.8이었다 (p=0.131). 생검에서 질환의 진행을 예측함에 있어 PCA3 점수의 AUC는 0.59이었다.

Whelan 등 (2014)은 National Comprehensive Cancer Network (NCCN) 지침에 따라 AS에 적합하다고 간주되는 216명으로부터 수술 전에 expressed prostatic secretion (EPS)을 채집하였다. 분비물의 특성에 대한 생물 지표로 total RNA와 EPS 양을 측정하였으며, RNA를 발현하는 생물 지표로 thioredoxin reductase 1 (TXNRD1) mRNA, PSA mRNA, TMPRSS2:ERG mRNA, PCA3 mRNA 등을 측정하였다. 두 가지의 고성능 모델이 확인되었는데 (도표 257), 하나는 type III와 type IV TMPRSS2:ERG의 두 변형으로 구성된 모델이고, 하나는 분비물의 특성을 나타내는 두 생물 지표로 구성된 모델이다. 이들 두 고성능 모델 중 후자가 병기의 상향 혹은 병기 및 분화도 등급의 상향을 발견하는 데 더 효과적이었다. 이 검사에서 음성 결과를 보인 환자에서는 병기의 상향 위험이 6.9%에서 0.9%로 7.8배, 병기 및 분화도 등급의 상향 위험이 4.6%에서 0.9%로 5.2배 감소하였으며, 양성 결과를 보인 환자에서는 병기 증가의 유병률이 두 배가 되었다.

Nakanishi 등 (2008)은 생검 전의 59명과 근치전립선절제술 전의 83명으로부터 채집한 소변을 대상으로 평가한 연구에서 PCA3 점수와 종양의 용적 사이에서 연관성을 발견하였으며, 이는 PSA와 생검의 특징을 능가하는 결과를 나타내었다. PCA3 점수의 한계치 25는 0.5 cc 미만인 종양의 용적을

도표 257 AS 환자에서 병기의 상향 재분류에 대한 소변 내 예측 인자

	AS 환자 선정 모델; AUC (95% CI)	
	NCCN+TMPRSS2:ERG	NCCN+EPS 분비물 특성
민감도	66.67 (38.41~88.05)	93.33 (67.98~98.89
특이도	84.08 (78.27~88.85	55.72 (48.56~62.71)
예측도 양성 음성	23.81 (12.07~37.45) 97.13 (93.42~99.05	13.59 (7.64~21.76 99.12 (95.15~99.85

NCCN은 AS에 적합한 환자의 기준을 T1~T2a, Gleason 점수 6 이하, PSA 10 ng/mL 미만의 저급 위험도의 환자와 기대 여명이 10년 미만이고 T2b~T2c 혹은 Gleason 점수 7 혹은 PSA 10~20 ng/mL의 중급 위험도의 환자로 규정하였으며, 최저급 위험도에 속한 환자도 저급 위험도에 포함하여 AS를 권하였다. qPCR을 이용하여 EPS에서 분석된 생물 지표는 PSA mRNA, PCA3 mRNA, *TMPRSS2:ERG* mRNA, *TXNRD1* mRNA 등이다.

AS, active surveillance; AUC, area under the curve; CI, confidence interval; EPS, expressed prostatic secretion; ERG, ETS-related gene; ETS, E-twenty six; NCCN, National Comprehensive Cancer Network; PCA3, prostate cancer antigen 3; PSA, prostate-specific antigen; TMPRSS2, transmembrane protease, serine type 2; TXNRD1, thioredoxin reductase 1.

Whelan 등 (2014)의 자료를 수정 인용.

예측하는 데 대해 가장 높은 정확도를 보였으며, 민감도, 특이도, 양성 예측도, 음성 예측도, 정확도는 각각 63.0%, 81.2%, 56.7%, 84.3%, 76.0%이었다. *PCA3* 점수의 중앙치는 36.2이었다. *PCA3* 점수는 Gleason 점수 6과 7 이상의 전립선암 사이에서 차이를 보였으나, 다변량 분석을 실시하지 않았다는 점이 이연구의 제한점이다.

Ploussard 등 (2011)은 근치전립선절제술을 받은 저급 위험 전립선암 환자 106명에서 *PCA3* 점수의 활용도를 후향적으로 분석하였다. *PCA3* 점수의 한계치 25는 생검 기준의 예측도를 증대시켰으며, 종양의 용적과 유의하게 관련이 있었는데, 0.5 cc를 초과하는 종양의 용적에 대한 odds ratio (OR)는 3.19이었다. 환자의 28%만이 *PCA3* 점수가 25 미만이었다. *PCA3* 점수와 질환의 병기 사이에는 상호 관련이 없었다.

새로운 EPS 생물 지표는 특히 종양의 용적에 관하여 예측 정보를 추가로 제공한다. *PCA3*는 질환의 병기 혹은 Gleason 점수와 일정한 연관성을 보이지 않는다는 제한점을 가지고 있다. 소수의 환자만이 가장 좋은 예측 정확도를 나타내는 낮은 *PCA3* 점수를 가진다는 점 또한 제한점이다. 만일 적극적 감시를 그렇게 낮은 *PCA3* 점수를 가진 환자에게만 국한한다면, 실제로는 AS에 적합한 많은 환자들이 AS로부터 제외될 것이다.

89.4. 조직병리학적 표지자 Histopathology markers

Makarov 등 (2008)은 전립선암으로 인해 기대 요법 프로그램에 참여한 75명에게서 핵의 모양, 크기와 같은 12가지의 nuclear morphometric descriptor (NMD)를 분석하였다. 이들 중 30명이 추적 관찰한 기간의 중앙치인 2.7년 동안 Gleason 점수가 6 초과, 암 양성 cores가 2개 초과, core 당 종양의 분포가 50% 초과 혹은 직장수지검사 양성 등과 같이 치료를 필요로 하는 부정적인 생검 결과를 보였다. 12가지의 NMD를 이용한 quantitative nuclear grade (QNG) 특징은 치료를 필요로 하는, 즉 재생검에서 불리한 결과를 예측하는 데 대하여 87%의 ROC-AUC, 82%의 민감도, 70%의 특이도, 75%의 정확도를 나타내었으며, 전립선 용적, PSA 밀도, 진단 전 생검 횟수 등을 이용한 임상 변수 모델의 경우 68%의 ROC-AUC, 85%의 민감도, 37%의 특이도, 56%의 정확도를 보였고, 임상 및 병리학적 변수와 QNG를 병합한 모델의 경우 88%의 ROC-AUC, 81%의 민감도, 78%의 특이도, 79%의 정확도를 나타내었다.

Isharwal 등 (2010)은 전립선암 환자 71명의 생검 조직에서 DNA의 양과 흡광도 (optical density)를 분석하였다. 암에 인접한 양성 조직 및 암 조직에 대한 다변량 분석에서 비정상적인 흡광도는 매년 생검을 실시하는 동안 부정적인 생검 결과, 즉 Gleason 점수 7 이상, Gleason 패턴 4/5, 암 양성 cores 수 3개 이상, core 당 종양의 분포 50% 초과 등에 대한 유의한 예측 인자이었다. 다변량 분석에서 DNA 함량 측정치, 즉 양성 조직에서 25를 초과한 흡광도와 암 조직에서 흡광도의 표준편차 4를 초과한 경우는 부정적인 생검 결과로의 전환을 예측하는 데 대한 HR이 각각 3.12 (95% CI 1.4~6.95; *p*=0.005), 5.88 (95% CI 2.06~16.82; *p*=0.001)이었다. 동일한 그룹에 대한 단변량 분석에서 혈청 PHI (*p*=0.003), 혈청 [-2] proPSA/%fPSA (*p*=0.004), 생검 조직에서 DNA의 양, 즉 양성 조직에서의 과도한 흡광도 (*p*=0.019), 암 조직에서의 표준편차 (*p*=0.002) 등은 부정적인 생검 결과로의 전환을 예측하는 데 대한 유의한 예측 인자이었으며, 다변량 분석에서 PHI와 [-2]proPSA/%fPSA의 모델과 생검 조직의 DNA 함량을 병합한 경우에는 예측 정확도가 증가하였는데, concordance index (c-index)가 각각 0.6908, 0.6884이었다 (Isharwal 등, 2011).

Jhavar 등 (2009)은 60명의 AS 환자에서 면역조직화학적 표지자를 평가하기 위해 전립선 생검의 tissue microarray를 이

용하였다. 이 연구에 의하면, 세포의 증식과 관련이 있는 핵단백질인 Ki-67 지수가 치료를 필요로 하는 질환, 즉 재생검에서 Gleason 점수 4+4 이상 혹은 core 당 50% 초과한 암 함량을 가진 질환으로의 진행을 예측하는 데 대한 유의한 예측 인자이었다 (p=0.03).

형태계측학적 생검 특징과 DNA 양에 관하여 기술한 여러 연구는 흥미로운 자료를 보여 주고 있지만, 소규모의 표본 크기, 최종 종말점이 아닌 중간 종말점의 이용, 전향적 검증의 부족, 생검으로부터 표본 추출의 오류 등으로 인한 제한점을 가지고 있다.

89.5. 생식 계통 유전자 표지자
Germline genetic markers

AS 환자에서 유전자에 관해 평가한 자료는 소수에 불과하다. Goh 등 (2013)은 471명의 AS 환자에서 암과 관련이 있는 29가지의 single nucleotide polymorphism (SNP)과 가족력의 예측도를 평가하였는데, 이 후향 연구는 중간 종말점, 재생검에서의 불리한 결과, 치료까지의 기간 등과 연관성을 발견하지 못하였다.

McGuire 등 (2012)은 AS의 기준, 즉 T1c, PSA 10 ng/mL 미만, 생검 Gleason 점수 6 이하, 암 양성 cores의 수 3개 이하, core 당 종양 함량 50% 이하 등에 적합하였지만 조기에 근치전립선절제술을 받은 263명에서 35가지의 위험 alleles의 보유 상태를 평가하였다. 염색체 8q24에 위치한 rs1447295 (p=0.004), 염색체 9q33.2에 위치한 rs1571801 (p=0.03), 염색체 11q13에 위치한 rs11228565 (p=0.02) 등 세 가지의 특이 위험 alleles 중 1개와 2개를 보유한 환자는 근치전립선절제술에서 Gleason 점수 7 이상 및/혹은 병기 pT2b 이상의 부정적인 특징을 가질 위험이 각각 2배 (95% CI 1.2~5.3; p=0.03), 7배 (95% CI 2.7~19.4; p=0.001) 더 높았다. 보유한 SNP의 수는 근치전립선절제술에서의 긍정적인 결과와 부정적인 결과를 0.66의 ROC-AUC로 예측할 수 있었다. 대규모의 전향 연구가 필요하지만, 반복 연구에서 유의한 연관성이 확인되었다.

현재로는 AS 환자의 선정과 AS 동안의 모니터링에서 생식계 유전자 표지자가 임상적으로 유용하다는 증거는 없다 (van den Bergh 등, 2014).

89.6. 기타 Others

표지자로서의 성격이 위에서 열거한 것들과는 다르지만, AS 프로그램에서 가치가 있어 주목을 받고 있는 두 가지에 관한 연구가 있다.

Ontotype DX Genomic Prostate Score (GPS; Genomic Health, Inc., Redwood City, CA, USA)가 근래 보고되었다 (Klein, 2013). GPS는 전립선암 조직에서 암과 관련이 있는 17종의 유전자에서 유래되었으며, 5종의 참고 유전자를 통해 표준화되었다. GPS는 441명의 전립선절제 표본 조직을 이용하여 근치전립선절제술 후 임상적 재발을 예측하기 위해 처음 개발되었지만, 병리학적으로 불리한 결과와의 강한 상관관계는 저급 위험도 내지 중급 위험도의 질환을 가진 167명에게서 관찰되었다. GPS는 AS에 적합한 환자 395명의 생검에서 효능이 입증되었으며, 치료 전의 인자로 보정한 후 고등급 분화도 및/혹은 pT3 질환을 강하게 예측하였다 (p=0.005). GPS가 mpMRI와 PSA 아형과는 독립적으로 추가 정보를 제공하는지는 분명하지 않다. GPS는 '25. Genomic Prostate Score'를 참고하면 도움이 된다.

전립선암 생검 조직에서 31종 유전자의 RNA 발현양으로부터 산출된 cell cycle progression score (CCP-S)는 349명에 관한 연구에서 전립선암의 결과에 대한 예측 인자로 제시되었다 (Cuzick 등, 2012). 다변량 분석에서 CCP-S는 전립선암 특이 사망에 대한 강한 예측 인자이었으며, 1점 증가에 대한 HR은 1.65 (95% CI 1.31~2.09; p<0.001)이었다. Gleason 점수와 PSA 또한 예측 인자의 역할을 하였다. 3 초과, 2~3, 1~2, 0~1, 0 미만의 CCP-S는 각각 16명, 50명, 114명, 133명, 36명의 환자에서 관찰되었다. 이들 자료는 유망하다고 여겨지지만, CCP-S가 AS에서 저급 위험 질환과 관련하여 연구되지는 않았다. CCP-S는 '13. Cell Cycle Progression Score (CCP-S)'를 참고하면 도움이 된다.

90. 전립선암 환자에서 면역조직화학검사의 활용
Immunohistochemistry In Prostate Cancer

전립선암은 대개 형태학적 양상으로 진단이 가능하지만, 형태학적 양상이 불확실한 경우에는 조직병리학자들이 감별 진단을 위해 면역조직화학검사를 실시한다. 면역조직화학검사는 세 가지의 임상 상황에서 흔히 이용되는데, 첫째는 침 생검 표본에서 전립선암과 상당히 유사한 양성 질환과 저등급의 전립선암을 감별할 때, 둘째는 전립선암과 비전립선암을 구별할 때, 셋째는 경요도절제 표본 혹은 전이암 표본에서 미분화 암의 근원이 전립선인지를 확인할 때이다. 첫째의 경우는 '8장 전립선암 종양 표지자' 단원의 다수 부위에서 기술되어 있으며, 둘째와 셋째 경우의 예는 여기서 간략하게 기술하고자 한다.

경요도절제 표본에서 미분화 전립선암과 고등급 요로상피세포암의 구별은 쉽지 않을 수 있는데, 요로상피세포암은 비교적 흔하게 선성 분화를 일으키고 전립선으로 확대될 경우 혈청 PSA가 증가될 수 있기 때문이다. 저등급의 유두상 요로상피암이나 요로상피내암을 동반하면 고등급의 요로상피세포암으로 발달할 가능성이 높으며, 이 경우 고령의 남성에서는 전립선암과 공존할 수 있기 때문에 이 두 유형의 암을 감별할 필요가 있다. 형태학적으로 모호한 경우 종양이 전립선으로부터 기원했는지를 확인하기 위해 흔히 prostate-specific antigen (PSA)과 prostatic acid phosphatase (PAP; prostatic alkaline phosphatase와 구별하기 위해 PACP와 혼용하기도 함)에 대한 면역조직화학검사가 이용된다. PSA와 PAP는 미분화 전립선암의 각각 27%, 19%에서 음성을 나타내기 때문에, 이들 표지자는 요로상피의 분화에 대해 민감한 표지자와 병합하여 이용된다. 현재 제시되고 있는 상피세포 분화의 표지자로는 carcinoembryonic antigen (CEA), cytokeratin 7 (CK7), CK20, thrombomodulin (TM 혹은 THBD), uroplakin III (UP), 34βE12 등과 같은 고분자량의 항체, p63 등이 있다 (Varma와 Jasani, 2005).

미분화 전립선암 환자 40명과 고등급 방광암 환자 45명으로부터 채집된 경요도절제 표본으로 PSA, PAP, CK7/20, UP, TM 등에 대한 항체를 이용하여 면역조직화학검사를 실시한 연구는 다음과 같은 결과를 보고하였다 (Mhawech 등, 2002). 첫째, PSA와 PAP는 전립선암 환자의 85% (34명/40명), 95% (38명/40명)에서 각각 발현되었으며, PAS나 PAP 중 최소한 1개의 표지자가 발현한 경우에는 전립섬암에 대한 민감도와 특이도가 각각 95%, 100%이었다. 모든 방광암 환자는 PAS와 PAP의 두 표지자에 대해 음성 결과를 나타내었다. 둘째, UP와 TM은 방광암 환자의 60% (27명/45명), 49% (22명/45명)에서 각각 발현되었으며, UP와 TM 중 최소한 1개의 표지자가 발현한 경우 방광암에 대한 민감도와 특이도는 각각 80%,

100%이었다. 모든 전립선암 환자는 UP와 TM의 두 표지자에 대해 음성 결과를 나타내었다. 셋째, CK7과 CK20의 둘 모두에 대한 양성 반응은 전립선암 환자의 10% (4명/40명)와 방광암 환자의 62% (28명/45명)에서, 둘 모두에 대한 음성 반응은 전립선암 환자의 73% (29명/40명)와 방광암 환자의 9% (4명/45명)에서 관찰되었다. PSA, PAP, UP, TM 등의 네 표지자에 대해 음성인 경우에는 CK7과 CK20의 감별력이 떨어졌다. 이들 결과를 근거로 저자들은 미분화 전립선암과 방광암을 감별하는 데는 PSA, PAP, UP, TM 등의 표지자가 매우 유용하다고 하였다.

CEA는 전립선암으로부터 요로상피암을 구별하는 데 이용되는 표지자이다. CEA의 다클론 항체는 전립선암의 75%까지에서 반응을 하여 비특이적이라고 보고되는 데 비해, CEA의 단클론 항체는 요로상피암에 특이적이지만 민감도가 낮다고 알려져 있다 (Varma 등, 2003).

CK7과 CK20는 전립선암에서는 발현되지 않지만, 요로상피세포암에서는 흔하게 발현된다 (Parker 등, 2003). 전립선암에서 CK7과 CK20의 양성 반응은 거의 항상 미세한 형태로 나타나며, 대개 종양세포의 5% 미만에서 나타난다 (Mhawech 등, 2002). CK7과 CK20를 발현하는 전립선암 세포의 비율은 Gleason 점수가 증가할수록 증가하지만, 어떠한 경우도 각 표지자에 대해 양성 반응을 나타내는 종양세포가 전체의 50%를 넘지 않는다 (Goldstein, 2002). 요로상피세포암에서 CK7과 CK20에 대한 양성률은 각각에 대해 82~100%와 22~100%라고 보고되었다 (Chu 등, 2000; Bassily 등, 2000). 보고된 양성률이 다양한 이유는 첫째, 양성 반응을 나타내는 종양세포가 5%를 초과하는 경우를 양성 반응으로 규정하는데 이러한 양성 반응에 이용되는 절단치가 다양하고, 둘째, 비침습성 혹은 침습성, 저등급 혹은 고등급 전립선암과 같이 환자를 선정하는 기준 또한 다양하며, 셋째, 항원 복구 (antigen retrieval; 단백질을 한 번 갈아엎는다는 개념으로 항원 복구라고 일컫는데, 이는 포르말린에 의한 응고로 인해 형성된 단백질의 교차 결합을 파괴하여 숨겨진 항원을 복구하는 과정이다)를 실행하는 방법이 다양하기 때문이다 (Yaziji 등, 2001). CK7과 CK20에 대한 면역 반응성은 비침습성에 비해 침습성 요로상피암에서, 그리고 저등급에 비해 고등급 요로상피세포암에서 더 낮다 (Parker 등, 2003). CK7과 CK20의 양성률은 저등급 요로상피세포암에서는 각각 100%와 83%이지만, 고등급 요로상피세포암에서는 각각 71%와 53%로 떨어진다는 보고가 이를 뒷받침한다 (Bassily 등, 2000). 따라서 CK7과 CK20에 대한 면역 염색은 저등급 요로상피세포암과 저등급 전립선암을 구별하는 데 매우 유용하며, 일반적으로 이 두 질환의 감별 진단은 형태학적 양상과 전립선 표지자에 대한 면역조직화학검사에 의해 쉽게 이루어진다. 대조적으로 요로상피세포암과 유사하고 PSA 및 PAP에 대한 양성률이 낮은 미분화 전립선암과 고등급 요로상피세포암을 구별하는 경우에는 CK7과 CK20의 민감도와 특이도가 떨어진다. 일부 연구는 CK7과 CK20의 공동 발현은 요로상피세포암에 특이적이다고 하였지만 (Bassily 등, 2000), 다른 연구는 이러한 면역 반응을 상당수의 전립선암에서도 발견했다고 하였다 (Goldstein, 2002).

Thrombomodulin (TM)은 세포 표면의 경막 당단백질로서 지혈 기능을 매개하는 항응고 인자이며 (Kao 등, 2010), 염증과 종양을 촉진하는 다수의 기능을 조절한다 (Koutsi 등, 2008). 종양에서 TM의 효과가 매개하는 기전으로는 항응고, 항염증, 부착, 증식 등이 있으며, 종양 조직에서 TM의 발현은 진단 당시의 낮은 병기, 다수 암의 유리한 예후 등과 관련이 있다고 보고되었다 (Hanly 등, 2005). TM은 요로상피세포암, 혈관육종, 편평상피세포암, 중피종 (mesothelioma), 폐암, 유방암 등 여러 암에서 흔하게 발현된다 (Appleton 등, 1996; Ordonez, 1997). 그러나 TM은 전립선암이나 신세포암에서는 드물게 발현되기 때문에, 이들 종양과 요로상피세포암을 구별하는 데 민감성과 특이도가 매우 높은 표지자로 제시되고 있다 (Ordonez, 1998). 그러나 TM에 관한 연구는 다양한 결과를 보고하고 있다. 비침습성 및 침습성 종양과 다양한 등급의 종양을 포함한 106점의 원발 요로상피세포암 표본에서 91%의 양성률을, 23점의 전이 요로상피세포암 표본에서도 91%의 양성률을 보고한 연구가 있지만 (Ordonez, 1998), 40점의 고등급 전립선암 표본 모두에서는 음성 반응을, 45점의 고등급 요로상피세포암 표본에서는 불과 49%의 양성률을 보였다는 연구가 있으며 (Mhawech 등, 2002), 36점의 침습성 요로상피세포암 표본에서는 61%, 25점의 전이 요로상피세포암 표본에서는 60%의 양성률을 나타내었다는 연구도 있다 (Parker 등, 2003). 여러 연구의 결과에서 차이를 보이는 이유는 부분적으로는 양성 반응을 규정하는 기준이 달랐기 때문으로 생각된다. 예를 들면, 전자의 연구는 어떠한 면역 반응도 양성으로 간주하였고, 후자의 두 연구는 양성 반응을 보인 종양세포가 최소 5%인 경우를 양성으로 규정하였다. 방광암을 이용한 근래의 연구는 TM의 면역 반응성이 임상 병기 및 DNA

methyltransferase 1 (DNMT1)의 면역 반응성과 역상관관계를 가진다고 하였으며, 염증, nuclear factor kappa B (NFκB)의 활성화, TM 발현의 억제, epithelial-mesenchymal transition (EMT)/혈관 형성/세포 증식, 공격성의 증대 등으로 이어지는 과정에서 TM의 역할을 제시하였다 (Wu 등, 2014).

요로상피세포 분화의 특징 중 하나는 표면에 있는 우산세포 (umbrella cell)에서 요로상피의 플라크 (uroplaque)의 형성이다 (Wu 등, 2009). 요로상피 플라크는 전자현미경에서 견고하고 오목한 모양의 막 구조물 양상을 보이며, 세포막 외측 첨판 (leaflet)이 내측에 비해 두 배 더 두껍기 때문에 이를 비대칭 단위 막 (asymmetric unit membrane)이라 부른다 (Koss, 1969). 요로상피세포에서 첨단부 표면의 90%는 요로상피 플라크로 덮여 있다. 요로상피 플라크는 소변 내의 용질 (solute)에 대한 생물학적 장벽으로서의 기능을 할 뿐만 아니라 방광의 기능을 조절하고 비뇨생식기의 발달을 조절한다. 플라크의 대부분은 우산세포의 첨단부 표면에서 발견되지만, 일부는 세포질 내에서 방추형 소포로 존재한다. 이들 소포는 첨단부 표면과 세포질 사이를 가역적으로 왕래하며, 요로상피가 수축과 신장을 반복하는 동안 첨단부 표면이 이에 적응하도록 만든다 (Lewis와 de Moura, 1982). 요로상피 플라크는 경막 단백질 가족에 속하는 uroplakins (UPs)로 구성되며, 27 kDa의 UPIa, 28 kDa의 UPIb, 15 kDa의 UPII, 47 kDa의 UPIIIa 등을 포함하고 있다 (Wu 등, 2009). UPs는 정상 요로상피에서만 발현되고 요로상피 외의 조직에서는 발견되지 않는다 (Lobban 등, 1998). UPs는 대개 우산세포의 첨단부 표면과 세포질에 존재하며, 중간세포와 기저세포에서는 발견되지 않는다. UPs는 요로상피가 분화하는 과정에서 생성되는 산물이지만, 요로상피가 악성으로 형질 전환을 일으키는 동안에도 크게 하향 조절되지 않는다. 면역조직화학적 염색에 의하면, 침습 및 전이 방광암의 50% 이상이 지속적으로 UPs를 발현하였다 (Moll 등, 1995). Uroplakin III (UP)는 요로상피세포암 외의 종양 표본 총 765점을 대상으로 실시한 두 편의 대규모 연구에서 어떠한 면역 반응도 나타나지 않아 요로상피세포의 분화에 대해 특이한 면역조직화학적 표지자라고 보고되었다 (Moll 등, 1993; Parker 등, 2003). 다른 연구는 UPs가 방광암에서만 발현된다고 하였다 (Huang 등, 2007). 그러나 UP는 비침습성 요로상피세포암의 80~88%에서 발현되지만, 침습성 요로상피세포암의 경우에는 단지 39~57%에서만 발현된다 (Kaufmann 등, 2000). 따라서 UP는 침습성 요로상피세포암에 대해서는 적절한 민감성을 나타내지 않는다. 다른 연구도 UPIII에 대한 단클론 항체를 이용한 면역조직화학검사를 실시한 경우 방광암의 표지자로서의 특이도는 우수하였지만 민감도는 10~60%로 낮아 임상에서 활용하는 데는 제한적이라고 보고되었다 (Kaufmann 등, 2000). 근래의 연구는 UPII의 발현이 UPIII에 비해 방광암에서는 44% 대 17% ($p<0.001$), 상부 요로 암에서는 67% 대 46% ($p=0.045$)로 높기 때문에, 요로상피세포에서 기원한 암을 확인하는 면역조직화학적 분석에서는 UPIII보다 UPII가 더 가치가 있는 표지자라고 하였다 (Li 등, 2014).

정리하면, CEA, CK7, CK20, TM, UP 등에 대한 면역 반응 양성은 전립선에서 기원한 종양보다 요로상피세포암을 의심하도록 하지만, 이들 표지자는 고등급, 침습성 요로상피세포암에서는 민감도가 낮아 임상에서 활용하기에는 제한적이다 (Varma와 Jasani, 2005).

CEA, CK7, CK20, TM, UP 등과는 대조적으로 고분자량의 CK 항체 클론 34βE12는 민감도가 높은 요로상피세포 표지자로서 침습성 요로상피세포암의 65~100%에서 양성 반응을 나타낸다 (Genega 등, 2000; Oliai 등, 2001). 항원 복구 방법에 따라 민감도가 달라질 수 있다. 예를 들면, 극초단파 열을 매개로 한 복구 (microwave heat retrieval) 후에는 34βE12가 모든 고등급 침습성 요로상피세포암에서 종양세포의 75% 이상의 광범위한 양성 반응을 보였으며, protease 24를 이용한 효소 전처치 (enzyme predigestion) 후에는 면역 반응이 흔히 부분적으로 나타났고 65%에서만 광범위한 양성 반응이 관찰되었다 (Varama 등, 2003). 65%의 낮은 민감도를 보인 두 연구는 각각 침 생검에 의한 제한된 가검물 (Genega 등, 2000)과 3 mm 직경의 펀치 생검에 의한 조직 multiblocks (Oliai 등, 2001)에서 효소 전처치 후 34βE12를 이용하였다. 다른 연구는 34βE12에 대한 양성률이 비침습성 요로상피세포암에서는 74%, 침습성 요로상피세포암에서는 92%로 관찰되어 고분자량의 CK에 대한 면역 반응은 비침습성에 비해 침습성 요로상피세포암에서 더 크게 나타난다고 하였다 (Parker 등, 2003).

고분자량의 CK에 대한 면역 염색은 경요도절제 표본에서 미분화 전립선암과 고등급 요로상피세포암을 구별하는 데 유용하지만, 편평상피세포암, 유방암, 결장직장암 등에서도 흔하게 발현되기 때문에 전이암의 기원이 요로상피인지를 확인하는 데는 가치가 제한적이다. 또한, 편평상피세포의 분화를 나타내는 방광경부에서 고분자량의 CK에 대해 면역 반응을 보이는 미분화 암이 발견된 경우에는 신중한 해석이 필요한데, 호르몬 요법 혹은 방사선 요법 후에 흔히 동반되는 편평상피 전립선암과 선편평상피 (adenosquamous) 전립선암이 편평상피 부위에서 고분자량의 CK를 발현하기 때문이다 (Parwani 등, 2004; Varam 등, 2004).

전이 전립선암은 흔히 호르몬 요법에 반응하며 다른 전이암보다 유의하게 생존 기간이 더 길기 때문에, 전이암의 기원이 전립선인지를 확인하는 것은 중요하다. 방광경부에서 요로상피세포암과 미분화 전립선암의 정확한 감별은 훨씬 더 중요하다. 예를 들면, 첫째, 방광전립선절제술은 방광암에 대한 표준 치료법이지만 전립선암에 대해서는 적절한 치료법이 아니기 때문에, 둘째, 방광암이 전립선으로 확대되는 경우나 전립선암이 방광으로 확대되는 경우 모두 pT4 질환이므로 종양의 병기에 따른 예후를 예측하기 위해서는 정확한 진단이 필요하기 때문에 두 질환의 감별은 중요하다.

임상병리학적 감별 진단에 따라 전립선암과 비전립선암을 구별하는 데 이용되는 면역조직화학적 표지자의 선택이 다르다. 폐암, 방광암, 위장관암 등과 같은 전립선 외의 여러 암과의 감별 진단이 필요한 전이 부위에서는 PSA 및 PAP와 기타 표지자, 예를 들면 결장직장암에서 일반적으로 양성 반응을 나타내는 CEA, 갑상선과 폐에서 기원하는 대부분의 암에서 양성 반응을 보이는 thyroid transcription factor 1 (TTF-1) 등이 함께 이용된다. 대조적으로 방광경부와 전립선에 국한된 종양인 경우 감별 진단은 흔히 방광과 전립선에서 기원하는 종양으로 한정된다. 이러한 조건에서는 PSA 및 PAP와 함께 요로상피 표지자가 이용된다. 전립선암과 요로상피세포암을 구별하는 데 도움이 되는 전립선과 요로상피의 면역조직화학적 표지자는 다음과 같다 (Varma와 Jasani, 2005).

90.1. PSA와 PAP

PSA와 PAP는 극히 소수의 종양에 대해 특이적인 면역조직화학적 표지자이며, 미분화 종양이 전립선에서 기원하였는지를 파악하는 데 널리 이용되고 있다. 한 질문서 조사에 의하면, 영국의 모든 실험실이 전립선에 대한 면역조직화학적 표지자로 PSA를 이용한 데 비해 PAP는 이들 센터 중 57%에서만 이용되었다. 이 조사는 또한 PSA와 PAP에 대한 면역조직화학검사에서 항체 유형, 즉 단클론과 다클론을 선택함에 있어 실험

도표 258 Prostate-specific antigen (PSA)이 발현되는 전립선 외의 조직 및 종양

비전립선 조직	참고 문헌
낭포성 방광염[†]과 선성 방광염[‡]의 방광	Nowels 등, 1988
요도 주위, 항문 주위 샘	Kamoshida와 Tsutsumi, 1990
요막관 잔류물[¶]	Golz와 Schubert, 1989
Cowper 선	Cina 등, 1997
정낭	Varma 등, 2004

비전립선 종양	참고 문헌
유방 선암	Alanen 등, 1999
타액선 신생물	Fan 등, 2000
방광 선암	Grignon 등, 1991
Skene 부요도선[●]의 선암	Zaviacic 등, 1993
결장 선암	Wilbur 등, 1987
악성 흑색종	Bodey 등, 1997
췌장 세엽세포암[◐]	Kuopio 등, 1995

[†], cystitis cystica; [‡], cystitis glandularis; [¶], urachal remnant; [●], Skene's paraurethral gland; [◐], acinar cell carcinoma of pancreas.
Varma와 Jasini (2005)의 자료를 수정 인용.

실마다 차이가 있음을 발견하였다 (Varma 등, 2004).

PSA와 PAP의 발현은 양성 전립선 조직 혹은 저등급 전립선암에 비해 미분화 전립선암에서 흔히 더 낮다 (Goldstein, 2002). PSA와 PAP에 대한 단클론 항체를 이용한 연구는 Gleason 점수 6의 전립선암 환자 25명에서 종양세포의 50% 이상이 양성 반응을 보이는 경우가 각각 96%, 100%인 데 비해, Gleason 점수 10의 전립선암 환자 38명에서 양성 반응을 보인 경우는 각각 24%, 23%, 전혀 반응을 보이지 않은 경우는 각각 13%, 5%이었다고 하였다 (Goldstein, 2000). 단클론 항체를 이용한 다른 연구도 미분화 전립선암에서 PSA와 PAP에 대한 면역 반응이 결여된 경우가 각각 15%, 5%이었다고 하였다 (Mhawech 등, 2002). PSA에 대한 단클론 항체를 이용한 연구는 전립선암 중 Gleason 패턴 3의 100%, Gleason 패턴 5에서는 35%만이 종양세포의 50% 이상에서 양성 반응을 보였다고 하였다. 이 연구는 또한 Gleason 패턴 5의 전립선암에 대해 다클론 PSA 항체를 이용하면 종양세포의 50% 이상에서 양성 반응을 보이는 경우가 95%이기 때문에, PSA에 대한 다클론 항체가 단클론 항체보다 유의하게 더 민감하다고 하였다 (Varma 등, 2002). 310점의 비전립선암 표본 중 어느 것도 면역 반응을 나타내지 않았기 때문에, 종양을 진단할 때 이러한 높은 민감도는 특이도와는 상관없이 가치가 있다고 생각된다. 이들 관찰은 PSA에 대한 다클론 항체가 미분화 전립선암에서 PSA의 발현을 입증하는 중요한 표지자임을 시사한다 (Varma 등, 2002).

여러 연구는 PSA와 PAP가 전립선 분화에 대해 매우 특이적인 표지자이라고 보고하였다 (Varma 등, 2002). 그러나 PSA (도표 258) 혹은 PAP (도표 86)의 면역조직화학적 발현은 비전립선 조직과 종양에서도 보고되고 있으며, 그 중에서도 유방암 (Bodey 등, 1997)과 타액선 신생물 (James 등, 1996)에서 가장 흔하다. 그 외 여러 비전립선 조직과 종양에서 PSA와 PAP에 대한 양성 반응이 간혹 보고되지만, 입증 혹은 확인되지 않은 경우가 많고 면역 반응도 약하거나 부분적인 경우가 대부분이다. 따라서 PSA와 PAP는 매우 특이적인 표지자로 간주되지만, 모든 면역조직화학적 표지자와 마찬가지로 임상병리학적 상태와 적절하게 연관을 지어 면역 반응을 해석할 필요가 있으며, 특히 염색이 약하거나 한정적일 때는 신중한 해석이 필요하다 (Varma와 Jasani, 2005).

PSA와 PAP에 대한 면역 염색의 질을 높이는 하나의 방안으로 조직을 선택하는 방법에 관심이 모아지고 있다 (Varma 등, 2004). 일반적으로 PSA와 PAP의 발현 정도는 고등급 전립선암에 비해 양성 전립선과 저등급 전립선암에서 더 크다고 알려져 있지만, 영국의 대다수 센터는 아직도 항체 염색의 적정 지표를 측정하기 위해 그리고 양성 반응을 대조하기 위해 양성 전립선 조직만 이용함으로써 미분화 전립선암이 위음성 면역 반응을 나타낼 위험이 있다 (Varma 등, 2004). 일부 연구는 PSA와 PAP에 대한 면역조직화학검사의 질적 향상을 위해 양성 전립선, 분화가 잘 되어 있거나 중등도로 분화된 전립선암, 미분화 전립선암 등을 포함하는 다중 블록 (mutiblocks)을 이용한다 (Varma 등, 2004). 시험 조직과 동일한 슬라이드에서 면역 염색이 가능한 다중 블록 절편을 위해 단일 블록 내에 포함된 여러 조직의 작은 다수 cores를 가지고 있는 tissue microarrays를 이용할 수도 있다. 다중 블록을 사용하기가 적절하지 않으면, 양성 전립선이나 분화가 잘 되어 있거나 중등도로 분화된 전립선암보다는 미분화 전립선암의 절편을 이용하여야 한다 (Varma와 Jasani, 2005).

90.2. Alpha-methylacyl coenzyme A racemase (AMACR)

전립선암 표지자인 AMACR은 '2. Alpha-Methylacyl Coenzyme A Racemase'에서 기술된 바와 같이 전립선암과 양성 전립선을 구별하는 데 이용된다. 그러나 종양의 기원이 전립선인지를 확인하는 데는 이용되지 않는데, 그 이유는 결장직장암, 난소암, 유방암, 방광암, 폐암, 신세포암, 림프종, 흑색종 등 여러 비전립선암도 AMACR을 과다 발현하기 때문이다 (Zhou 등, 2002).

종양 관련 성장 인자와 수용체

GROWTH FACTORS AND RECEPTORS RELATED TUMOR

SECTION 09

1. Epidermal Growth Factor (EGF) Family Of Peptides And Receptor 748
2. Transforming Growth Factor (TGF) Family Of Peptide And Receptor 750
3. Fibroblast Growth Factor (FGF) Family Of Peptide And Receptor 753
4. Insulin-Like Growth Factor (IGF) Family Of Peptide And Receptor 758
5. Nerve Growth Factor (NGF) Family Of Peptide And Receptor 762
6. Vascular Endothelial Growth Factor (VEGF) And Receptor 765
7. Platelet-Derived Growth Factor (PDGF) And Receptor 768
8. Other Growth Factors 771

종양 관련 성장 인자와 수용체
GROWTH FACTORS AND RECEPTORS RELATED TUMOR

성장 인자는 세포의 증식을 조절하는 가장 흔한 펩티드 호르몬이다. 성장 인자의 합성, 번역 후 변경 (post-translational modification), 운반, 발현, 표적 세포의 수용체와 결합 등은 다 단계로 이루어지며, 이러한 과정은 성장 인자의 종류에 따라 다르다. 각각의 성장 인자에서 모든 단계가 나타나는 것은 아니고 일반적인 과정 및 경로가 서로 다른 경우가 흔하지만, 대개는 합성, 분비, 표적 세포와의 상호 작용, 세포의 신호 경로로 매개되는 세포 효과 등의 네 단계를 포함한다. 세포는 세포와 세포 사이 및 세포와 세포 외부 기질 (extracellular matrix, ECM) 사이의 교통, 호르몬 농도 등을 포함하는 환경 신호에 의해 성장 인자를 합성하라는 신호를 받는다. 성장 인자의 유전자가 활성화되면 여러 형태로 진행될 수 있는 mRNA가 형성되고, 이것이 번역되어 보통 비활성 혹은 전구 성장 인자가 만들어진다. 단백질의 가수 분해는 성장 인자를 활성화하는데, 이것은 세포 안에 있는 수용체 중 주로 핵 수용체와 결합하거나 (내부 분비; intracrine), 세포 밖으로 분비되었다가 자신의 세포 표면에 있는 수용체와 결합하거나 (자가 분비; autocrine), 인접한 세포의 수용체에 결합하거나 (주변 분비; paracrine), 혈중으로 운반되어 멀리 떨어져 있는 세포의 수용체와 결합하여 (내분비; endocrine) 기능을 하게 된다. 성장 인자는 분비된 후 ECM과 결합하여 격리될 수 있지만, 대개는 방출되어 표적 세포의 형질막에 위치해 있는 성장 인자의 특이 수용체와 결합한다.

성장 인자들은 효소 작용을 나타내는 경막 단백질인 특이 수용체의 세포 내부 영역과 결합하여 활성화된다. 이들 성장 인자는 결합 후 즉시 이합체 (dimer) 혹은 소중합체 (oligo-mer)를 형성하거나, 세포 내 섭취 작용 (endocytosis)에 의해 세포 내로 받아들여지는 내재화 (internalization)를 자극하는 방식 혹은 하위 효과기 (downstream effector)의 단계별 진행을 유발하는 이차 전령의 신호를 통해 그들의 위상이 변한다. 그러한 신호 경로에는 protein kinase (type A와 C)의 활성, 지질을 신호로 전환시키는 membrane phospholipase type A, B, C의 활성, Ras-related C3 botulinum toxin substrate (RAC), rat sarcoma viral oncogene homolog (RAS), Ras homologous protein (Rho) 등과 같은 G protein 경로의 활성 등이 포함된다.

수용체와 결합하면 초기에 단백질을 인산화하는 효소, 즉 kinase의 여러 유형 중 하나가 활성화된다. 이처럼 우세한 kinase는 어떠한 표적 tyrosine 혹은 serine/threonine을 인산화한다. 수용체 kinase는 스스로 다른 kinase, 예를 들면 cAMP 의존 protein kinase A (PKA), protein kinase C (PKC), mitogen-activated protein (MAP), 혹은 MAP kinase (MAPK)를 인산화하는 kinase (MAPKK 혹은 MAPKKK)의 진행 단계를 활성화시킬 수 있다. 이들 kinase의 상당수는 성장 인자와 수용체 복합체의 일부로 존재하거나 형질막 수용체와 인접해 있는 위치에 존재한다. 성장 인자로 유도된 이들 kinase와 이차 전령의 활성은 특이 표적의 조절 단백질을 인산화하며, 미토콘드리아와 세포질세망 (endoplasmic reticulum, ER)에 축적된 칼슘을 방출한다. 이 과정은 결국 핵에 신호를 보내어 특이 성장 인자로 활성화되는 유전자를 발현시키거나, 핵 내에 있는 Jun activation domain binding protein 혹은 transcription factor AP1 (JUN), v-myc avian myelocytomatosis viral oncogene

도표 259 전립선과 관련 있는 성장 인자들의 특성

성장 인자의 명칭 (약칭)	크기	비고
Basic fibroblast growth factor (bFGF) ; Prostate growth factor, endothelial growth factor, tumor angiogenesis factor, osteoblastic factor ; INT2 (혹은 FGF3) 종양 유전자와 관련	155 아미노산 17.6 kDa 27 kDa	정상 전립선에서 발견되고 양성전립선비대에서 증가됨. 중배엽 조직에서는 기질세포 성분임. 과다 발현은 전립선 상피세포의 증식을 유발.
Epidermal growth factor (EGF) ; Urogastrone (URG)로도 알려짐	67 kDa 단일사슬	사람의 정상 전립선에서는 분명하지 않지만, 암에서 증가한다. 쥐의 전립선 전엽에서 높게 발현된다.
Transforming growth factor α (TGF-α) ; TGF-β와는 무관, EGF와 30% 유사	5.6 kDa	사람의 전립선에서는 농도가 낮다. 형질 전환이 일어난 생쥐에서 과다 발현은 상피세포 증식을 유발한다.
Transforming growth factor β (TGF-β) ; 동형 단백질 TGF-β1, TGF-β2, TGF-β3는 각각 TGB1, TGB2, TGB3에 의해 코드화됨	25 kDa	상피세포 성장을 억제하고, 섬유모세포 성장을 자극한다. 양성전립선비대 경우 TGF-β2가 증가한다. MIS 및 activin/inhibin과 관련이 있다.
Müllerian-inhibiting substance (MIS)	동일 70 kDa 2개가 합친 140 kDa의 이합체	Müllerian duct의 퇴화를 유발한다.
Insulin-like growth factor (IGF) 1과 2 ; Somatomedin 가족	7.5 kDa 단일 사슬	Proinsulin과 관련이 있다.
Platelet-derived growth factor (PDGF)	30 kDa 이합체	결합조직세포의 유사분열을 촉진한다.

INT2, v-int-2 murine mammary tumor virus integration site oncogene homolog; kDa, kilodalton.
Campbell-Walsh Urology 9판의 자료를 수정 인용.

homolog (MYC), FBJ murine osteosarcoma viral oncogene homolog (FOS), activator protein 1 (AP1) 등을 유도 혹은 활성화하여 DNA를 합성하거나 세포를 복제하게 된다. 전체적으로 볼 때, 성장은 세포의 복제 속도와 세포의 사망 속도 사이의 순 균형 (net balance)에 의한다. 성장 인자들은 이러한 균형의 영향을 받아 성장을 자극하거나 억제한다. 전립선과 관계있는 성장 인자들의 특성은 도표 259에 정리되어 있다.

전립선암은 여러 성장 인자들과 그들 수용체의 발현에 변화가 일어남으로써 진행하게 된다 (도표 260). 형질 전환이 진행 중인 암세포에서는 특징적으로 성장 인자, 수용체, 종양 유발 유전자, 종양 억제 유전자 등의 발현 변화가 다발적으로 혹은 동시에 일어난다. 그러므로 암세포에서 발생하는 많은 변화들은 상호 의존적이거나 한 개 이상의 흔한 형질 전환에 의해 일어난다. 성장 인자 수용체의 신호 전달 등과 같은 안드로겐 수용체 (androgen receptor, AR)의 많은 작용 기전이 전립선암 모델에서 확인되었으며, 많은 자가 분비성 및 주변 분비성 성장 인자 ligand 수용체, 예를 들면 epidermal growth factor (EGF), fibroblast growth factor (FGF), insulin-like growth factor (IGF) 등의 수용체 사이에서 일어나는 상호 작용은 세포의 증식과 생존을 촉진함으로써 안드로겐에 비의존적인 표현형을 만든다고 추측된다 (Hudes, 2002).

도표 260 전립선암의 위험 인자로 추정되는 여러 종류의 성장 인자, 수용체, 결합 단백질

자가 분비성 성장 인자의 습득/증가
　증식; EGF, TGFα, FGF-2, FGF-8, NGF, BDNF, NT-4, PDGF-A
　면역 억제; TGFβ1, TGFβ2
　혈관 신생; FGF-2, VEGF
　전이; EGF, FGF-2, BMP-6

성장 인자와 결합하는 단백질의 증가
　FST (actin-binding protein, ABP)

성장 인자 수용체의 원형 종양 유전자 (GFRP)의 증가
　EGFR, p185ERBB2, PDGF, c-MET

종양을 억제하는 원형 종양 유전자 (TSP)의 감소
　p75NTR, TGFβ-R I, TGFβ-R II

BDNF, brain-derived neurotrophic factor; BMP, bone morphogenic protein; EGF, epidermal growth factor; EGFR, epidermal growth factor receptor; ERBB2, erb-b2 receptor tyrosine kinase 2; FGF, fibroblast growth factor; FST, follistatin; GFRP, growth factor receptor proto-oncogene; MET, MET proto-oncogene, receptor tyrosine kinase; NGF, nerve growth factor; NT, neurotrophin; NTR, neurotrophin receptor; PDGF, platelet-derived growth factor; TGF, transforming growth factor; TGFβ-R, transforming growth factor β receptor; TSP, tumor suppressor proto-oncogene; VEGF, vascular endothelial growth factor.
Bostwick 등 (2004)의 자료를 수정 인용.

1. 표피세포성장인자 가족 펩티드와 수용체
Epidermal Growth Factor (EGF) Family Of Peptides And Receptor

전립선의 정상 상피세포는 상피세포에서 유래된 성장 인자들

에 대해서는 자가 분비 의존성을, 기질세포에서 유래된 성장 인자들에 대해서는 주변 분비 의존성을 나타낸다. 악성 세포는 자가 분비 의존성 성장 인자의 발현을 증대시키는 기능을 가지며, 일부 경우에서는 기질세포에서 유래된 성장 인자에 대한 의존성을 차단한다.

이러한 개념은 epidermal growth factor (EGF)와 관련이 있는 가족 일원인 transforming growth factor alpha (TGF-α)에도 적용되며, 이들 둘은 종양의 성장과 전이에서 중요한 역할을 한다 (Chokkalingam 등, 2001). EGF는 상피세포와 기질세포에서 분비된다 (Koliakos 등, 2000). 또한, 동일한 EGF 수용체 (EGF receptor, EGFR)를 통해 신호를 전달하는 EGF와 TGF-α는 악성으로 전환하는 동안 다양하게 발현된다 (Chan 등, 2002). EGFR을 통한 EGF의 신호 경로가 전립선암 세포의 증식에서 중요하다는 증거는 다음과 같다. 첫째, 전립선암 세포는 EGF를 생산한다 (Koliakos 등, 2000). 둘째, 전립선암 세포는 생체 내 혹은 생체 외 실험에서 EGFR을 발현하였다 (O' Brien 등, 2001). 셋째, 전립선암 세포 배양액에 EGF를 추가하면 성장이 촉진되었다 (Perk 등, 2001). 넷째, EGFR에 대한 항체를 전립선암 세포 배양액에 추가하면 전립선암 세포의 증식이 억제되었다 (Fong 등, 1992). 다섯째, EGFR을 차단하는 신호 경로를 억제한 경우에는 전립선암의 성장이 촉진되었다 (Blackledge 등, 2003). 여섯째, EGFR의 농도는 양성 전립선보다 악성 전립선에서 더 높았다 (Davies와 Eaton, 1989). 따라서 EGFR을 통해 신호를 전달하는 EGF와 TGF-α의 자가 분비 형식의 발현은 전립선암이 스스로 성장하도록 한다 (Hofer 등, 1991). EGF는 vascular endothelial growth factor (VEGF) 유전자의 발현을 자극함으로써 혈관 형성과 혈관 투과성을 증대시킨다 (Ravindranath 등, 2001).

EGF의 두 번째 주 기능은 전립선암의 침습을 자극한다는 것이다 (Rajan 등, 1996). 이것은 세포의 침윤과 이동을 분석하는 'Boyden chamber 분석'에 의하여 입증되었으며, 결과는 다음과 같다. 첫째, EGF는 전립선암 세포의 화학적 이동 (chemomigration)을 촉진하였다 (Jarrard 등, 1994). 둘째, EGFR의 기능에 대한 대항 작용은 EGF에 의해 자극을 받은 암세포의 화학적 이동을 억제하였다 (Zolfaghari 등, 1996). 셋째, EGFR이 높은 농도로 발현되도록 유전자를 이입한 DU145 전립선암 세포의 클론은 amniotic basement membrane matrix (Amgel)를 통한 침습력이 원래의 세포보다 더 컸다 (Xie 등, 1995). 이들 관찰을 종합해 보면, EGF와 TGF-α는 암세포

의 자연적인 성장을 돕고, EGF는 전립선암 세포의 성장과 침습을 촉진하는 부가적 효과를 나타낸다. 안드로겐 수용체의 발현은 α6 β4-EGFR 신호 경로와의 상호 작용을 방해하여 공격성이 낮은 표현형이 되도록 한다 (Bonaccorsi 등, 2003).

종양 유전자 human epidermal growth factor receptor 2 (HER2/neu 혹은 v-erb-b2 avian erythroblastic leukemia viral oncogene homolog 2, ERBB2), HER3 (혹은 ERBB3), HER4 (혹은 ERBB4) 등과 관련이 있는 EGFR 가족 구성원 또한 전립선에서 발현된다. HER2/neu의 유전자 산물인 p185^{ERBB2}는 정상적인 분비 상피세포에서는 발현되지 않으며, 양성전립선비대의 경우 관강세포에서는 발현되지 않지만 기저세포에서는 발현된다 (Myers 등, 1994). 그러나 p185^{ERBB2}는 전립선상피내암과 전립선암의 대부분 상피세포에서 발현된다 (Bostwick, 1994). 또한, HER2/neu 유전자의 증폭과 p185^{ERBB2} 단백질의 발현은 암 분화도의 등급 증가 (Ross 등, 1997) 및 안드로겐 비의존성 (Shi 등, 2001)과 상호 관련이 있다. 실험으로 정상 상피세포에서 p185^{ERBB2}를 과다 발현시키면 증식 속도가 증가하고 전이력이 증가하는 표현형이 형성된다 (Marengo 등, 1997). 이와 유사한 발현은 양성전립선비대, 전립선상피내암, 전립선암 등에서 HER3 유전자의 산물인 p160^{ERBB3}에 대해서도 관찰된다 (Myers 등, 1994). 반대로 HER4 수용체 단백질은 전립선암에서는 발현되지 않으며 정상 상피세포에서 강하게 발현된다. HER3 및 HER4 유전자 산물과 우선적으로 결합하는 heregulin (HRG) ligand는 정상 및 양성전립선비대 조직의 관강 상피세포의 50%까지와 모든 기질세포 및 기저세포에서 발현되지만 대개 전립선암에서는 발현되지 않는다. 따라서 heregulin은 성장을 주변 분비의 형식으로 촉진하는 인자라고 생각된다. 참고로, heregulin은 neu differentiation factor (NDF)로도 불리며 신경계의 발달에 관여하고, 배아의 심장과 신경세포의 발달에서 중요한 역할을 한다. p185^{ERBB2}와 p160^{ERBB3}의 발현은 질환이 진행함에 따라 증가하며, 이들 유전자는 EGFR과 그것의 ligand인 EGF, TGF-α에 의해 관찰되는 바와 비슷하게 증식 및 전이 기능이 증가된 표현형을 만든다. EGFR의 발현은 근치전립선절제술 후 암의 진행과 거세 저항성 질환과 관련이 있다 (Di Lorenzo 등, 2002).

2. 전환성장인자 가족 펩티드와 수용체
Transforming Growth Factor (TGF) Family Of Peptide And Receptor

TGF 가족은 TGF-α/β의 아형 및 관련성이 약간 덜한 bone morphogenic protein (BMP), 성인의 전립선에서 다양하게 발현되는 activin과 inhibin, 발생기에서 발현되는 müllerian inhibitory substance (MIS) 등으로 구성되어 있다. 포유동물의 TGF-α의 아형 1~3은 정상 상피세포와 암세포의 증식을 억제함이 생체 밖 실험에서 (Story 등, 1996), TGF-β$_1$이 암의 성장과 전이를 증대시킴은 생체 내 실험에서 (Barrack, 1997) 각각 확인되었다. 암의 성장을 조절함에 있어 TGF-β의 역할이 다르게 나타나는데, 그 이유는 TGF-β에 대한 인체의 반응과 TGF-β 수용체의 발현에서 차이가 있기 때문으로 생각된다. TGF-β$_1$, TGF-β$_2$, TGF-β$_3$는 전립선의 정상 상피세포에서는 다양한 정도로 발현되고, 암에서는 과다 발현된다. 그 결과로 소변 TGF-β$_1$의 농도와 혈장 TGF-β$_2$의 농도가 암에서 증가된다 (Perry 등, 1997).

정상적인 전립선에서 TGF-β는 상피세포의 증식을 억제하고 세포 자멸사를 자극하기 때문에 종양을 억제하는 인자로서 작용한다고 생각된다 (Bello-DeOcampo와 Tindall, 2003). TGF-β 신호 경로의 전달은 TGF-β ligand가 세포 표면 수용체인 TGF-β type I receptor (TGFβRI) 혹은 TGFβRII와 결합함으로써 시작되며, 이들 두 수용체는 serine/threonine kinase domains를 가지고 있다 (Feng과 Derynck, 2005). 처음에는 섬유모세포의 성장을 자극한다고 이름이 붙여진 TGF-β는 상피세포의 증식과 세포 자멸사를 유도하는 작용 때문에 전립선 세포의 성장을 조절하는 중요한 인자로 인식되고 있다 (Zhu와 Kyprianou, 2005).

TGF-β는 전립선의 기질세포에서 분비되며, 주변 분비의 방식으로 전립선 상피세포의 성장을 억제하고 세포 자멸사를 유도한다 (Bhowmick 등, 2004). TGFβRII는 TGF-β의 주된 표적 수용체이며, 결합한 후에는 TGFβRI과 이질 이합체를 형성하여 세포 내에서 신호 전달 과정을 시작한다 (Guo와 Kyprianou, 1999). TGF-β는 다면적인 발현 (pleiotropy)을 나타내며, TGF-β의 신호 경로는 다수의 하위 표적을 자극하는데, 그들 모두는 항증식 혹은 세포 자멸사의 효과를 나타낸다. TGFβRI/TGFβRII의 이합체가 형성되면 수용체가 가지고 있는 serine/threonine kinase 작용이 활성화되고, 세포 내에서

TGF-β 신호 경로의 주된 효과기인 mothers against decapentaplegic homolog (SMAD) 단백질을 표적화한다. SMAD 단백질, 즉 SMAD2와 SMAD3의 인산화로 인해 TGF-β의 신호가 세포막으로부터 핵으로 전달된다 (Motyl과 Gajewska, 2004). 핵으로 전위된 후에는 인산화된 SMAD가 세포의 증식 및/혹은 세포 자멸사를 일으키는 일련의 전사 인자를 활성화한다 (Bello-DeOcampo와 Tindall, 2003). 또한, 세포 자멸사에 대해 대항 작용을 나타내는 B-cell lymphoma 2 (BCL2)의 활성을 억제하여 세포 자멸사를 유도하는 BCL2-associated X protein (BAX)의 전사가 상향 조절되며, SMAD로 활성화된 전사 인자는 세포 생존을 유도하는 BCL2를 하향 조절한다 (Guo와 Kyprianou, 1999). 또한, cyclin dependent kinase inhibitor (p27^{KIP1})의 발현이 증가됨으로써 세포 주기가 효과적으로 정지하게 된다 (Guo와 Kyprianou, 1999). TGF-β/SMAD 신호 경로에 의해 활성화된 전사는 성장과 관련이 있는 insulin-like growth factor 1 (IGF1)을 차단하는 IGF-binding protein 3 (IGFBP3)의 발현을 증가시킨다 (Motyl과 Gajewska, 2004). 활성화된 SMAD는 또한 세포질에서 세포 자멸사를 유도하는 인자인 caspase-1을 활성화한다 (Guo와 Kyprianou, 1999).

정상적인 양성 전립선 세포는 정상 범위의 TGF-β 농도를 나타내는 데 비해, 전립선암 세포는 TGF-β를 높은 농도로 발현한다 (Zhu와 Kyprianou, 2005). 대부분의 전립선암에서 TGF-β가 과다 발현되지만, 중요한 점은 TGFβR 발현의 감소와 전립선암의 진행이 상호 관련이 있다는 점이다 (Wikstrom 등, 1999). 수용체, 주로 TGFβRII의 하향 조절과 TGF-β의 상향 조절은 전형적으로 침습성, 호르몬 저항성 전립선암과 관련이 있다 (Shariat 등, 2004). 그러나 악성 세포라고 하더라도 TGF-β의 세포 자멸사 기능은 그대로 남아 있다. 여러 연구는 전립선암 세포에서 TGFβRII의 과다 발현이 정상 전립선에서 관찰되는 바와 비슷하게 세포 자멸사 반응을 유발함을 보여 주었다 (Hsing 등, 1996; Tu 등, 1996).

TGF-β로 매개되는 신호 경로는 세포 자멸사를 조절하는 많은 인자와 협력하여 기능을 한다. 세포 생존 인자인 BCL2는 전형적으로 정상 전립선 상피세포에서 TGF-β에 의해 유도된 세포 자멸사를 억제한다 (Bruckheimer와 Kyprianou, 2002). 전립선암의 발생에서 하나의 특징인 prostate-specific antigen (PSA)의 상향 조절 또한 세포 자멸사를 유도하는 TGF-β의 기능을 억제한다 (Kang 등, 2001). 흥미로운 점은 안드로겐이 TGF-β와 TGF-β의 수용체를 역조절한다는 점이며, 이로써 안

드로겐을 차단한 경우 TGF-β로 매개되는 전립선 상피세포의 세포 자멸사가 증대된다 (Zhu와 Kyprianou, 2005). TGF-β의 신호 경로와 안드로겐의 신호 축 사이에서 활발한 교통이 이루어지며, TGF-β 기능의 저하는 종양 형성의 원인이 될 수 있다 (Gerdes 등, 2004).

전립선암의 형성에서 관찰되는 TGF-β 기능의 이상은 새로운 치료 표적으로 관심을 받고 있다. TGFβRII 발현의 소실은 전립선암의 진행에 대한 표지자의 역할을 한다. 호르몬 저항성 전립선암에서 TGFβRII의 발현을 회복시키거나 과다 발현을 일으키면, 종양의 형성이 효과적으로 감소되며 caspase-1에 의해 매개되는 세포 자멸사가 유도된다 (Guo와 Kyprianou, 1999). 2형 5α-reductase를 억제하는 epristeride는 IGF1 mRNA의 발현을 억제하고 TGFβRII의 발현을 증가시킨다 (Wu 등, 2001). Doxazosin, terazosin 등과 같이 quinazoline에 기초한 alpha1-adrenoreceptor 차단제 또한 TGF-β의 신호 경로를 활성화한다 (Partin 등, 2003). 분명히 TGF-β와 TGF-β 신호 경로는 생화학적으로 종양을 억제할 수 있는 매력적인 표적이다 (Reynolds와 Kyprianou, 2006).

안드로겐은 LNCaP 세포주에서 TGF-β$_1$을 포함한 TGF-β 및 TGF-β 수용체, FBJ murine osteosarcoma viral oncogene homolog (c-FOS), early growth response 1 (EGR1)의 발현을 억제한다. Ligand와 결합한 안드로겐 수용체는 SMAD3 (SMAD2나 SMAD4는 아님)의 결합 요소와의 결합을 선택적으로 방해하여 TGF-β를 억제한다 (Chipuk 등, 2002). TGF-β에 대한 안드로겐의 대항 효과로 인해 유발된 세포 자멸사는 세포 주기를 조절하는 인자인 p21과 세포 자멸사의 집행 인자인 procaspase-1의 증가와 관련이 있으며, 세포 자멸사의 대항 단백질인 BCL2의 감소와 상호 관련이 있다 (Bruckheimer와 Kyprianou, 2001).

TGF-β의 TGFβRII와의 결합은 TGFβRI의 발현을 유발하여 이질 사합체 (heterotetramer)를 형성하고 RII로부터 RI로 인산기의 전이 (transphosphorylation)를 일으킨다. 인산화된 TGFβRI은 신호를 전달하는 단계에 관여하는 접착 분자 (adaptor)와 결합한다. 이러한 신호 경로는 전립선암에서는 감소된다. 이와 같은 맥락으로 전립선의 정상 상피세포에서 풍부하게 발현되는 TGFβRI과 TGFβRII 단백질은 원발 암과 림프절 전이에서는 발현이 점차 감소된다 (Guo 등, 1997). 따라서 암세포에서 TGF-β$_1$과 TGF-β$_2$의 발현이 증가하지만, TGFβRI과 TGFβRII 발현의 감소가 자가 분비 방식으로 성장

을 억제하는 TGF-βs의 효과를 상쇄시킨다고 생각된다 (Guo 등, 1997). TGF-βs의 증가와 그들 수용체의 감소를 나타내는 암세포는 성장을 촉진하는 host effect를 나타낸다. Caspase-1의 활성은 TGF-β로 유발되는 세포 자멸사에 필요하며, 이는 대부분의 암에서는 관찰되지 않는다 (Winter 등, 2001). 암세포는 혈관 형성, 세포 외부 기질의 침적, 전이 등을 촉진하며 (Stravodimos 등, 2000), 림프구의 작용에 대해 면역을 억제하는 효과를 나타낸다 (Wilding, 1991).

수술 전 혈장 TGF-β$_1$의 농도는 Gleason 점수, 수술 절제면 상태 등과 함께 근치전립선절제술 당시 남은 잠재된 전이 질환으로 인해 일어나는 수술 후 생화학적 실패를 강하게 예측할 수 있는 인자이다 (Shariat 등, 2001). 전립선에서 유래되는 인자는 전립선 상피세포의 분화에 관여하는 TGF-β 상과 (superfamily) 단백질의 일원이다. Furin과 같은 전구 단백질 전환효소 (proprotein convertase, PPC)는 TGF-β의 변천 과정을 매개한다고 생각된다 (Uchida 등, 2003). 참고로 furin은 염색체 15q26.1에 위치해 있는 종양 유전자 *FES proto-oncogene, tyrosine kinase* 혹은 feline sarcoma oncogene (*FES*)의 상위, 즉 *FES* upstream region (FUR)에 있다고 하여 *FUR*로도 명명되는 *FURIN* 유전자에 의하여 코드화되며, paired basic amino acid cleaving enzyme (PACE)로도 불린다. 이 단백질은 전구 단백질을 활성적인 물질로 전환시키는 subtilisin과 같은 전구 단백질 전환효소에 속한다. Furin의 기질로는 proalbumin, pro-β-secretase, von Willebrand factor, proparathyroid hormone, TGF-β1 precursor, beta subunit of pro-nerve growth factor, membrane type-1 matrix metalloproteinase 등이 있다 (Kiefer 등, 1992).

TGF-β$_1$은 세포의 분화 및 증식, 면역 반응, 혈관 형성 등과 같은 다양한 분자 과정에 관여한다. 전립선암 모델에 관한 연구는 TGF-β$_1$이 전립선암의 진행에 관여함을 보여 주었다. 즉, 전립선암 조직에서 TGF-β$_1$ 농도의 증가는 종양의 분화도 등급 및 병기, 림프절 전이 등과 관련이 있었다 (Shariat 등, 2004). ELISA를 이용하여 수술 전 혈장 TGF-β$_1$의 농도를 분석한 연구는 TGF-β$_1$이 전립선암 환자에서 증가하며 (Ivanovic 등, 1995), 혈장 농도의 증가는 전립선피막 외부로의 침범, 정낭 침범, 전이, 생화학적 재발과 상호 관련이 있다고 하였다 (Shariat 등, 2008). 따라서 TGF-β$_1$은 전립선암의 예후 표지자로 활용이 가능하다고 생각된다 (Sardana 등, 2008).

TGF-β 가족의 일부와 결합하는 수용체 단백질인 endoglin

(ENG)은 증식으로 인해 새로 형성된 내피세포에 의해 발현되며, 전립선에서 세포의 부착, 이동, 침윤 등을 조절한다 (Liu 등, 2003). 면역조직화학적으로 나타나는 ENG의 발현은 암의 분화도 등급, 병기, 전이, 증식 지표, 질환 특이 생존 등과 상호 관련이 있다. 전립선암 환자 72명을 대상으로 전립선암의 진행에 대한 예후 표지자로 알려진 ENG와 일반적인 내피세포 표지자인 von Willebrand factor (vWf)를 면역조직화학적 염색법으로 분석하여 예후 예측도를 평가하고 혈관의 성숙을 평가하기 위해 평활근 actin과 ENG 혹은 vWf에 대한 항체로 이중 염색을 실시한 연구는 다음과 같이 보고하였다 (Wikström 등, 2002). 첫째, ENG 염색에 양성 반응을 나타낸 종양 혈관은 일반적으로 작았으며, actin의 항체로 염색된 경우는 불과 19%이었다. 둘째, ENG는 vWf에 비해 더 나은 예후 표지자이었다. 생존 기간의 중앙치는 종양 혈관의 수가 중앙치 이하인 환자에 비해 중앙치를 초과한 환자에서 더 짧았는데, ENG 양성과 vWf 양성의 경우에서 각각 12년 대 4년 ($p=0.0007$), 10년 대 5년 ($p=0.018$)이었다. 셋째, ENG 양성인 종양 혈관의 수는 Gleason 점수 ($p=0.001$), 국소 종양의 병기 ($p=0.0006$), 전이 ($p=0.01$), TGF-β에 대한 종양세포의 면역성 ($p=0.0003$), 종양세포의 증식 지수 ($p=0.02$) 등과 관련이 있었다. 넷째, Gleason 점수 5, 6, 7인 소그룹에서 ENG는 vWf보다 생존에 대한 더 나은 예후 인자의 역할을 하였다. 이들 결과를 근거로 저자들은 ENG가 vWf에 비해 전립선에서 새로 형성된 작은 종양 혈관에서 더 흔하게 발현되며, 전립선암 환자에서 예후 표지자로서의 역할을 한다고 하였다.

BMPs 가족의 구성원은 생체 연구에서 뼈의 형태 형성을 유도하고 진행된 전립선암의 골 전이에 관여한다 (Cooper 등, 2003). BMP2, BMP3, BMP4는 생체 밖 실험으로 정상 상피세포와 암에서 확인되었다 (Harris 등, 1994). 그러나 생체 연구에서 BMP6의 발현은 인접한 정상 혹은 양성 상피세포보다 국소 전립선암에서 더 높았다 (Barnes 등, 1995). BMP6의 발현은 Gleason 점수, 병리학적 질환의 병기 등과 상호 관련이 있으며 (Hamdy 등, 1997), 골모세포성 (osteoblastic) 전이에서 매개체의 역할을 한다 (Thomas 등, 2000). BMP receptor (BMPR)인 BMPR-IA, BMPR-IB, BMPR-II는 전립선 상피세포에서 확인된다 (Ide 등, 1997). BMPR-IB는 LNCaP 세포주에서 안드로겐에 의해 상향 조절되지만, BMPR-IA와 BMPR-II는 그러하지 않다. 또한, BMPR-IA는 성장을 자극하는 반면, BMPR-IB는 BMP2에 대한 반응으로 성장을 억제한다 (Ide

등, 1997). Bone sialoprotein (BSP), BMP6, thymidine phosphorylase (TPase) 등의 면역조직화학적 발현은 근치전립선절제술을 받은 환자의 결과를 예측하는 데 도움을 준다. 골격과 관련이 있는 단백질이 전립선암의 진행을 예측할 수 있는지를 평가하기 위해 국소 전립선암으로 근치전립선절제술을 받은 43명에서 면역조직화학검사로 이들 단백질을 분석한 연구는 다음과 같은 결과를 보고하였다 (De Pinieux 등, 2001). 첫째, 40% (17명/43명)에서는 질환이 진행하지 않았으며, 60% (26명/43명)에서는 재발과 전이가 각각 중앙치 6.5년, 6.9년에 발생하였다. 둘째, BSP와 BMP6는 각각 65% (28명/43명), 67% (29명/43명)에서 발견되었으며, 유의한 연관성을 나타내었다 ($p=0.0001$). TPase는 60% (26명/43명)에서 발견되었으나, BSP 양성 혹은 BMP6 양성과는 관련이 없었다. 셋째, BSP 혹은 BMP6의 발현은 골 전이와 상호 관련이 있는 데 비해 TPase의 발현은 국소 재발과 관련이 있었으며, p-value는 각각 0.002, 0.007, 0.00007이었다. 다변량 분석에서는 TPase 만이 재발과 유의한 연관성을 가졌다 ($p=0.002$). 넷째, 세 표지자가 함께 관찰된 경우는 골 전이를 가진 환자에서는 90% (10명/11명), 질환이 진행하지 않은 환자에서는 29% (5명/17명)이었다. 이들 결과를 종합하여 보면, 임상적으로 초기 병기의 전립선암에서 측정된 BSP, BMP6, TPase 등은 골 전이 혹은 재발의 위험이 있는 환자를 분류하는 데 도움을 주며, Gleason 점수 혹은 병기가 낮거나 중간인 환자에서 예후에 관한 추가 정보를 제공할 수 있다.

Activin β$_A$와 activin β$_B$ 아형은 정상 상피세포와 암에서 발현되는 반면, inhibin α 아형은 나타나지 않는다 (Thomas 등, 1998). Inhibin α 아형은 종양을 억제하는 인자로서 기능하기 때문에, 이것이 없으면 activin이 inhibin에 의한 제제를 받지 않음으로 인해 전립선암이 발달하게 된다 (Dowling과 Risbridger, 2000). 그러나 activin은 전립선암에서 발현되고 세포자멸사를 유도하여 성장을 억제하며, activin과 결합하는 단백질인 follistatin은 activin을 억제한다고 보고되었다 (Wang 등, 1996). Follistatin은 정상 전립선의 기질세포와 기저세포에서 발현되지만, 암에서도 follistatin의 발현이 필요하다 (Dalkin 등, 1996). 따라서 암에서 이들이 공존해 있음은 성장을 억제하는 activin의 효과에 대한 저항 현상이 follistatin에 의해 일어남을 추측하게 한다 (Thomas 등, 1997).

도표 261 FGF의 소가족 및 수용체와의 친화성

FGF 소가족	Ligand	FGFR 아형과의 친화성						
		R1Ⅲb	R1Ⅲc	R2Ⅲb	R2Ⅲc	R3Ⅲb	R3Ⅲc	R4
FGF1	FGF1	+	+	+	+	+	+	+
	FGF2	+	+	−	+	−	+	+
FGF4	FGF4	−	+	−	+	−	+	+
	FGF5	−	+	−	+	−	−	−
	FGF6	−	+	−	+	−	−	+
FGF7	FGF3	+	+	−	−	−	−	−
	FGF7	−	−	+	−	−	−	−
	FGF10	+	+	−	−	−	−	−
	FGF22	−	+	−	−	−	−	−
FGF8	FGF8	−	−	−	+	−	+	+
	FGF17	−	−	−	+	−	+	+
	FGF18	−	−	−	+	−	+	+
FGF9	FGF9	−	−	−	+	+	+	+
	FGF16	−	+	+	−	−	−	+
	FGF20	−	+	+	−	−	+	−
FGF11	FGF11	−	−	−	−	−	−	−
	FGF12	−	−	−	−	−	−	−
	FGF13	−	−	−	−	−	−	−
	FGF14	−	−	−	−	−	−	−
FGF19	FGF19	+	−	+	−	−	+	+
	FGF21	+	−	−	−	−	+	−
	FGF23	+	−	−	−	−	+	+

FGF11 소가족의 구성원은 세포 내에 분포해 있는 FGFs이며, FGFRs와 결합하지 않는다. FGFRs와 FGF1, 4, 7, 8, 9 소가족이 상호 작용하기 위해서는 HSPGs가 필요하다 (Ornitz, 2000; Harmer, 2006). FGFR과 FGF19 소가족이 상호 작용하기 위해서는 Klotho 가족 구성원과의 결합이 필요하다 (Jones, 2008; Suzuki 등, 2008).

FGF, fibroblast growth factor; FGFR, FGF receptor; HSPG, heparan sulfate proteogycan

Schwertfeger (2009)의 자료를 수정 인용.

3. 섬유모세포성장인자 가족 펩티드와 수용체
Fibroblast Growth Factor (FGF) Family Of Peptide And Receptor

첫 fibroblast growth factor (FGF)인 acidic FGF1 (aFGF1)과 basic FGF2 (bFGF2)는 소의 뇌하수체 (Gospodarowicz, 1975)와 뇌 (Gospodarowicz 등, 1978)에서 발견되었으며, 섬유모세포에서 DNA의 합성을 촉진한다고 보고되었다. 이후 FGF 유전자 가족이 포함하는 ligands로 22종의 FGF ligand, 즉 FGF1~FGF23이 발견되었으며, FGF15은 사람의 FGF19와 상동성을 가진 생쥐의 FGF이다. FGF ligands는 FGF1, FGF4, FGF7, FGF8, FGF9, FGF11, FGF19의 소그룹으로 분류되며, 나머지 ligands는 염기 서열의 상동성에 기초하여 이들 범주에 소속된다 (Itoh와 Ornitz, 2008) (도표 261). 기본적인 FGFs인 FGF1, FGF4, FGF7, FGF8, FGF9 등의 소가족에 속하는 ligands는 FGF receptors (FGFRs)와 결합하여 활성화하며, 하위 신호 경로의 활성화를 유도한다. 이들 ligands는 어떤 한 세포에서 분비되어 다른 세포에 있는 FGFRs를 활성화하기 때문에, 주변 분비의 방식으로 작용한다고 생각된다. FGF19 소가족의 ligands 또한 FGFRs와 결합하지만, 내분비 방식으로 작용하며, 호르몬성 혹은 내분비 FGFs로 알려져 있다 (Kuro-o, 2008). 기본이 되는 FGFs와는 달리 FGF11 소가족에 속해 있는 FGFs는 FGFR 비의존적 기전을 통해 작용하며, 아직 충분하게 이해되어 있지 않다. 여러 FGF ligands의 차이점

은 합성 후 세포로부터 분비되는 기전의 차이이다 (Itoh와 Ornitz, 2008). 대부분의 FGFs는 분절이 가능한 아미노산 말단 신호 펩티드가 존재함으로 인해 세포로부터 분비된다. FGF9, FGF16, FGF20 등도 분비되지만, 이들 ligands는 분절할 수 없는 신호 펩티드를 가지고 있다. FGF1 (혹은 heparin-binding growth factor 1, HBGF1)과 FGF2에는 아미노산 말단 신호 펩티드가 없지만, 이들 ligands는 세포 바깥의 공간에서 발견된다. FGF1과 FGF2의 분비에 관해서는 손상 세포로부터의 분비, chaperone 단백질에 의한 운반 등과 같은 다양한 기전이 제시되었지만, 이들 ligands가 세포로부터 분비되는 기전은 아직 분명하게 밝혀져 있지 않다 (Powers 등, 2000). 세포 내에서 FGF2의 역할이 보고되고 있지만, FGF2가 세포 내에서 작용하는 기전과 이로 인한 작용의 생리학적 중요성이 충분하게 이해되어 있지 않다 (Bossard 등, 2003).

FGFR 가족은 FGF ligands와 결합하는 tyrosine kinase 수용체로 구성되어 있으며, 4종의 FGFRs, 즉 FGFR1~FGFR4가 생쥐와 사람에서 발견되었다. 이들 수용체 모두는 immunoglobulin (Ig)과 같은 3개의 세포 외부 영역 I, II, III과 세포 내부에 있는 1개의 tyrosine kinase 영역으로 구성된 구조물을 가지고 있다 (Eswarakumar 등, 2005). FGFR1~FGFR3 유전자는 Ig와 같은 영역 III에서 일어나는 alternative splicing에 의해 2종의 아형 IIIb와 IIIc를 생성한다. 이와 같은 alternative splicing으로 인해 FGF ligands에 대한 수용체의 특이도가 달라진다. 또한, 이들 아형은 세포 형태에 특이적으로 발현되는데, IIIb 아형은 전형적으로 상피세포에서 발현되며, IIIc 아형은 전형적으로 중간엽에서 발현된다 (Ornitz와 Itoh, 2001). 이와 같은 발현 양상의 차이는 FGF ligands의 주변 분비 방식의 신호 전달에서 중요한 의미를 가진다. 예를 들면, FGFR2IIIb는 상피세포에서 발현되고, 중간엽 세포에서 분비되는 FGF7 및 FGF10과 주로 결합하기 때문에, FGFs는 이들 종류의 세포에서 상호 작용을 매개한다고 생각된다 (Ornitz와 Itoh, 2001). 이와 같은 아형과 마찬가지로, FGFRs의 alternative splicing으로 인한 전사물이 여러 정상 및 질환 조직에서 발견되고 있으며 (Tannheimer 등, 2000; Kuslak 등, 2007), FGFRs가 가진 이와 같은 복잡한 기능은 추후 연구에서 밝혀져야 할 것이다.

FGFs가 FGFRs와 결합하고 활성화하기 위해서는 heparin 혹은 heparan sulfate proteoglycans (HSPGs)가 필요하다 (Harmer, 2006). Heparin 혹은 HSPGs는 FGFs 및 FGFRs와 결합함으로써 FGF와 FGFR의 상호 작용을 안정화하는 데 필요한 삼합체의 복합체를 형성한다. 흥미로운 점은 여러 FGF/FGFR 복합체가 HSPGs의 길이와 황산화 (sulfation) 패턴에 따라 친화도가 달라진다는 점이다 (Luo 등, 2006). 이러한 관찰은 HSPGs가 FGF의 작용과 특이도를 조절하는 중요한 인자임을 보여 준다. 기본이 되는 FGFs와는 대조적으로 FGF19 소가족에 속하는 FGFs는 heparin 및 HSPGs와 낮은 친화도로 결합한다. 대신에 이들 ligands는 FGFRs와 결합하기 위해 공동 수용체인 Klotho 유전자 가족의 구성원과 결합한다 (Kuro-o, 2008). Klotho 단백질은 조직에 특이하게 발현되며, 이는 FGF가 조직에 특이하게 활성화되는 데 필요한 기전이라고 생각된다. 종합해 보면, FGFs의 작용은 정상적인 발생과 항상성이 진행하는 동안 복잡한 기전에 의해 조절되며, HSPGs와 Klothos는 이러한 기전에 필요한 단백질이다.

FGFs가 FGFRs와 결합하여 이합체가 형성되면, 수용체가 가진 tyrosine kinase의 기능이 활성화되고 여러 하위 신호 경로가 활성화된다 (Eswarakumar 등, 2005). Tyrosine 잔기에서 자가 인산화가 일어나면, SH2 영역을 가진 phospholipase Cγ (PLCγ)가 집결되고 하위 경로인 protein kinase C (PKC가의 활성화된다 (Mohammadi 등, 1991). 또한, phosphotyrosine과 결합하는 영역을 가진 FGF receptor substrate 2 (FRS2)α와 FRS2β가 수용체로 집결되고 rat sarcoma viral oncogene homolog/Raf-1 proto-oncogene serine/threonine-protein kinase/extracellular signal-regulated kinase (RAS/RAF/ERK) 경로, phosphatidylinositol 3-kinase/v-akt murine thymoma viral oncogene homolog protein 1 (PI3K/AKT) 경로 등을 포함하는 다수의 하위 경로가 활성화된다 (Ong 등, 2000; Eswarakumar 등, 2005). 또한, 수용체와 신호 경로 둘 모두를 하향 조절하고 음성적 되먹임을 일으키는 FGFRs의 표적과 신호 경로가 몇 가지 있다. 예를 들면, FRS2의 인산화는 ubiquitin ligase인 Cbl proto-oncogene E3 ubiquitin protein ligase (CBL)를 모집하여 FGFRs의 분해와 유비퀴틴화 (ubiquitination)를 일으킨다 (Wong 등, 2002). FGFR의 활성화 또한 Sprouty 단백질의 발현을 유도하는데, 이 단백질은 FGFR로 유도되는 신호 경로를 억제한다 (Hanafusa 등, 2002; Lao 등, 2006). 종합해 보면, FGFR로 유도되는 하위 신호 경로와 음성적 되먹임 경로의 활성화는 FGF가 적절하게 기능하는 데 매우 중요하다.

3.1. 전립선암에서 FGF의 역할
FGF in prostate cancer

성인의 전립선에서는 산성의 FGF1이 저농도로 발현되거나 발견되지 않는 데 비해, 염기성의 FGF2는 크게 발현된다. 양성 전립선 상피세포에서 FGFR1은 PLCγ-interactive phosphotyrosine 766를 통해 연령에 의존적으로 protein kinase의 신호 경로를 활성화한다 (Wang 등, 2002). Syndecan-1은 FGFR1과 결합하는 heparan sulfate 구조를 가지고 있다 (Wu 등, 2001). 세포 밖에서 조절되는 mitogen-activated protein kinase (MAPK)와 signal transducer and activator of transcription 3 (STAT3) 전사 인자는 배양 세포에서 promatrilysin의 발현을 유도하는 FGF1 매개 신호 경로의 주요 요소이다 (Udayakumar 등, 2002).

FGF2는 기질세포에 의해 생성되며, 정상 상피세포에 대해 유사분열 촉진물질로서 작용한다 (Stort 등, 1994). 암세포는 암세포의 증식을 자극하는 FGF2의 자가 분비 형태의 발현을 필요로 하며, 이로써 전립선암 환자의 혈청에는 FGF2의 농도가 증가한다 (Cronauer 등, 1997). FGF-binding protein (FGF-BP)은 세포 외부 기질 (extracellular matrix, ECM)로부터 FGF2를 동원하여 활성화하는 단백질이다 (Aigner 등, 2001). FGF2는 암세포에 대한 유사분열을 촉진하는 작용과 세포 운동성을 증대시키는 작용을 가지고 있는데 (Pienta 등, 1991), 이는 FGF2가 전이와 관련이 있음을 시사한다. FGF2는 단백질분해효소의 발현을 조절하고 콜라겐, proteoglycans, fibronectin 등의 합성을 촉진하여 ECM의 전환을 조절함으로써 암이 침범 및 전이를 일으키는 능력을 가지도록 한다고 생각된다. 또한, 전립선상피내암과 전립선암에서 발현된 FGF2는 원발 암과 전이 암에서 혈관 형성에 관여하며 (Doll 등, 2001), 이로써 혈관이 형성되면 쓸모없는 최종 산물이 제거되고 영양이 공급되어 성장의 제한을 극복할 수 있게 된다. FGF2는 B-cell lymphoma 2 (BCL2)를 증가시키고 안드로겐 수용체 단백질의 발현을 감소시켜 선택된 클론이 안드로겐의 통제로부터 벗어나게 하여 안드로겐에 민감한 암세포의 생존을 유지시킨다 (Rosini 등, 2002).

FGF3 (혹은 heparin-binding growth factor 3, HBGF3), FGF4, FGF5, FGF6는 종양을 유발하는 유전자의 산물이다. int-2유전자 산물인 FGF3는 국소 전립선암에는 관여하지 않는다 (Latil 등, 1994). 대조적으로 FGF3와 FGF5의 발현은

Dunning 쥐에서 암으로의 진행과 연관성이 있었고, 이들은 사람의 여러 암에서 과다 발현된다 (Hanada 등, 2001). 사람의 전립선암에서 이들 암유전자 산물의 역할은 아직 분명하지 않다.

각질세포 (keratinocyte) 성장 인자로 알려진 FGF7은 설치류 모델에서 폭넓게 연구가 이루어졌으나 사람 전립선에서는 자료가 제한적이다. FGF7은 안드로겐으로 조절되는 펩티드이며, 쥐와 사람 전립선의 기질세포에서 우세하게 발현되며 (Leung 등, 1997), 사람 태아의 전립선, 정상 성인의 전립선, 전립선암 등의 상피세포에서도 확인된다 (McGarvey 등, 1995). FGF7은 LNCaP 전립선암 세포주에서는 확인되지 않았으나, 전립선 상피세포의 증식을 촉진한다 (Yan 등, 1992). 그러나 Dunning 쥐의 암세포는 FGFR 아형들에서 exon이 전환되어 FGF7에 대해 낮은 반응을 나타낸다. 이러한 맥락에서 Dunning 쥐 모델의 상피세포는 정상적으로 FGFR2IIIb 아형을 발현하며, 이 아형은 FGF7과 결합하여 유사분열 촉진물질로서 기능을 한다 (Yan 등, 1993). 그렇지만 암세포는 alternative splicing (DNA가 전사되어 전령 RNA가 되는 과정에서 intron이 제거되고 exon이 연결되는 것을 splicing이라 한다)에 의해 FGFR2IIIc 아형을 발현하며, 이것은 FGF7보다 FGF2와 우선 결합한다. FGFR2의 두 아형은 사람의 전립선암에서 발견된다 (Leung 등, 1997). FGFR2IIIc를 나타내는 암세포에서는 주변 분비의 FGF7 대신 자가 분비의 FGF2가 작용함으로써 암의 성장이 촉진된다.

안드로겐에 의해 영향을 받는 성장 인자인 FGF8은 상피세포, 전립선상피내암, 전립선암에서 여러 아형으로 발견된다. FGF8은 LNCaP, DU145, PC3 등의 세포주에서 발현되며, LNCaP 세포주의 성장을 촉진한다 (Tanaka 등, 1995). FGF8b 단백질 발현은 전립선암 조직에서 안드로겐 수용체, vascular endothelial growth factor (VEGF) 등과 관련이 있다 (West 등, 2001). FGF8의 과다 발현은 암에서 일어나며, 발현의 정도는 질환의 진행과 관련이 있다.

전립선암은 처음에는 안드로겐 의존성 질환이지만, 안드로겐의 박탈로 종양의 퇴행이 일어나면 종양은 재발을 일으키고 안드로겐 박탈 요법에 대해 저항을 나타내게 된다 (Chen 등, 2004). 따라서 많은 연구들이 치료적 표적의 대안으로 전립선암을 촉진하는 데 관여하는 성장 인자의 발견에 관심을 집중하고 있다. 전립선암 표본에서는 여러 FGFs, 예를 들면 FGF1, FGF2, FGF6, FGF8, FGF9, FGF17 등의 발현이 증가됨

이 관찰되었다 (Kwabi-Addo 등, 2004). 초기의 연구는 FGF8의 특이 아형인 FGF8b가 국소 전립선암의 50%, 진행된 전립선암의 80%에서 발견된다고 하였다 (Gnanapragasam 등, 2003). 근래의 연구는 FGF8과 FGF9이 전립선암 환자에서 흔한 골 전이와 관련이 있다고 하였다. 예를 들면, 골 전이 표본의 76%에서 FGF8b가 발현되었다 (Valta 등, 2008). 골격 내에서 전립선암의 성장을 유도한 생체 실험은 PC3 전립선암 세포에서 FGF8b 발현의 증가가 종양의 성장을 증대시킴을 보여 주었다 (Valta 등, 2008). 전립선암 환자의 골 전이로부터 유래된 세포를 이용한 이종 이식 암 모델은 이들 세포가 골모세포 병변을 동반한 종양을 형성함을 보여 주었다 (Li 등, 2008). 이 연구는 또한 이들 세포에서 FGF9이 높은 농도로 발현되며, 이 생쥐 모델을 FGF9에 대한 중화 항체로 치료하면 종양의 성장이 억제되고 골격 내의 골모세포 병변이 감소된다고 하였다. 이들 자료는 FGFs가 골 전이에 관여함을 시사한다. 전립선암의 성장과 전이에서 FGF8, FGF9, 및 기타 FGF ligands의 기능을 밝히는 추가 연구가 필요하다.

FGF10과 전립선의 발생은 상당한 연관성이 있음에도 불구하고 FGF10의 발현과 전립선암에 관하여 알려진 바는 거의 없다. FGF10을 분비하는 중간엽 세포와 전립선 상피세포를 연합하여 신장의 피막 아래에 이식한 모델을 이용하여 FGF10이 전립선암의 형성을 촉진하는지를 평가한 연구가 있다 (Memarzadeh 등, 2007). 대조 이식편과 비교하였을 때, FGF10을 발현하는 중간엽 세포를 가진 이식편의 100%가 선암의 특징을 나타내었으며, 우성 음성 *FGFR1*을 이용하여 전립선 상피세포에서 FGFR1을 차단한 경우에는 종양의 표현형이 유의하게 억제되었다. 이와 같은 자료는 FGF로 매개되는 기질세포와 상피세포의 상호 작용이 전립선암의 형성에 관여함을 보여 주지만, 전립선암에서 FGF10의 중요성은 추후 연구에 의해 밝혀져야 할 것이다.

FGF19, FGF21, FGF23 등과 같이 내분비 방식으로 작용하는 FGFs는 FGFR과 함께 공동 수용체로 작용하는 α-Klotho (αKL) 혹은 β-Klotho (βKL)를 통해 생물학적 작용을 나타낸다. FGF19에 관한 연구는 다음과 같은 결과를 보고하였다 (Feng 등, 2013). 첫째, FGF19은 원발 및 전이 전립선암에서 발현되며, 자가 분비 방식으로 작용하는 성장 인자이다. 둘째, 외인성 FGF19은 낮은 농도에서도 전립선암 세포의 성장, 침습, 부착, 집락 형성 등을 촉진하였다. 셋째, 자가 분비성 FGF19을 발현하는 전립선암 세포에서 *FGF19*을 침묵시키면, 생체 밖

실험에서 암세포의 증식 및 침습이 감소되었으며, 생체 내 실험에서 종양의 성장이 억제되었다. 넷째, 전립선암 세포에서 αKL 혹은 βKL의 발현이 관찰되었는데, 이는 내분비성 FGFs가 전립선암에서 생물학적 효과를 나타냄을 시사한다. 이들 결과는 FGF19이 내분비성 FGF이며, FGFR을 표적화하는 요법이 전립선암에서 효과가 있을 수 있음을 보여 준다.

거세 저항성 전립선암 환자에서 FGF23의 역할을 평가한 연구는 다음과 같은 결과를 보고하였다 (Lee 등, 2014). 첫째, 골 전이로 인해 zoledronic acid 요법을 받고 있는 거세 저항성 전립선암 환자에서 발생하는 중증 지속성 저인산혈증은 경도의 일과성 저인산혈증에 비해 나쁜 예후와 관련이 있었다. 둘째, 중증 저인산혈증은 전형적인 tumor-induced hypophosphatemic osteomalacia (TIO)의 소견이며, 대부분이 FGF23의 과다 발현에 의해 매개된다. 셋째, 분명하지는 않으나 FGF23는 내분비 작용을 통해 중증 저인산혈증을 매개하며, 자가 분비성 및 주변 분비성 작용을 통해 공격적인 거세 저항성을 나타낸다. 따라서 FGF23를 표적화하는 요법은 거세 저항성 전립선암의 치료에서 새로운 방법이 될 수 있다.

3.2. 전립선암과 FGFR1 FGFR1 in Prostate Cancer

Ligands 외에도 FGFRs의 발현이 전립선암의 진행과 관련이 있다고 보고되었다.

FGFR1은 정상 전립선의 상피세포에서는 발현되지 않지만, 중급 분화 전립선암의 18%, 미분화 전립선암의 40%에서 FGFR1의 발현이 증가된다 (Giri 등, 1999). 전립선 상피세포에서 FGFR1 활성화의 효과를 평가하기 위해 유전자를 삽입한 생쥐 모델을 이용한 연구에서 유도성 FGFR1은 특히 전립선에서 발현되어 안드로겐에 의해 조절되는 probasin 촉진체를 이용하여 전립선 상피세포를 표적화함으로써 *juxtaposition of chemical inducers of dimerization and kinase 1 (JOCK1)* 유전자 삽입 모델을 만들었다 (Freeman 등, 2003). 전립선 상피세포에서 유도성 FGFR1이 활성화되면, 12~24주 내에 가역적인 세포의 증식으로 인해 전립선상피내암이 발생하였으며 (Freeman 등, 2003), 42주에는 침습성 전립선암이 형성되었다 (Acevedo 등, 2007). 유도성 FGFR1의 활성을 감소시키는 dimerizer를 중단한 경우 전립선상피내암이 퇴행을 일으켰는데, 전립선암의 퇴행은 일어나지 않았다 (Acevedo 등, 2007). 이러한 결과는 *JOCK1* 생쥐에서 유도성 FGFR이 초기 병기의

병변을 형성하는 데는 중요하지만 후기의 종양은 FGFR1의 활성에 의존적이 아님을 보여 준다. 따라서 전립선암의 치료에서 FGF 경로를 표적화할 경우 초기 병기의 병변에 효과적이라고 생각된다.

JOCK1 유전자 삽입 모델은 전립선암이 형성되는 동안 FGFR1의 작용 기전을 연구하는 데 이용된다. FGFs는 종양의 혈관 형성과 관련이 있으며 (Presta 등, 2005), 전립선에서 유도성 FGFR1의 활성화는 초기 병기의 병변에서 혈관 형성을 증대시킨다 (Winter 등, 2007). 또한, 전립선 상피세포에서 *FGFR1* allele의 활성화가 일어난 *JOCK1* 생쥐 모델에서는 혈관 형성을 매개하는 분자 중 hypoxia-inducible factor 1 alpha (HIF1α), VEGF, angiopoietin 2 (ANG2) 등은 증가하고 ANG1은 소실됨으로써 혈관 형성이 신속하게 일어남이 관찰되었다 (Winter 등, 2007). 흥미로운 점은 신생 혈관의 경우 더 이상 FGFR1의 자극을 필요로 하지 않는다는 점인데, 이는 FGFR1의 활성이 내피의 안정적인 변화를 유도함을 시사한다. 이러한 관찰은 FGFs를 표적화하여 혈관 형성에 대항하는 요법이 혈관이 형성 중일 때만 효과적이며 종양과 관련되어 완성된 혈관의 퇴행을 촉진하는 데는 충분하지 않음을 나타내기 때문에 치료적 측면에서 중요한 의미를 가진다. 유도성 FGFR1은 혈관 형성에서의 변화 외에도 전립선암에서 EMT를 촉진한다고 보고되었다 (Acevedo 등, 2007). 장기간 FGFR1을 활성화한 생쥐에서 형성된 종양을 분석한 바에 의하면, EMT의 특징, 예를 들면 E-cadherin 및 cytokeratin 발현의 소실, 중간엽 표지자인 vimentin의 습득 등의 양상을 가진 방추 (spindle) 모양의 세포가 관찰되었다. 더욱이 이러한 형태의 종양을 가진 생쥐에서는 간과 림프절 전이가 흔히 발생하였다. 전립선암에서 FGFR1의 활성화가 유전자 발현의 변화와 관련이 있음은 사람의 전립선암에서도 발견이 되었다 (Acevedo 등, 2007). 예를 들면, 전립선암 및 EMT와 관련이 있는 sex determining region Y (SRY)-related high-mobility group box 9 (SOX9)의 발현은 FGFR1이 활성화된 후에 유도되었다. 이와 같은 연구의 결과는 FGFR1의 활성화가 많은 자가 분비 및 주변 분비 기전을 통해 전립선암에 영향을 미침을 보여 준다.

3.3. 전립선암과 FGFR2 FGFR2 in prostate cancer

전립선암 표본에서는 FGFR1의 변화 외에도 여러 FGFR2 아형의 발현 변화가 발견되었다. 예를 들면, *FGFR2IIIb* 유전자 발현의 하향 조절은 전립선암의 60%에서 관찰되었으며 (p<0.0001), 이러한 하향 조절은 안드로겐 비의존성 전립선암의 90%에서 관찰되었고 안드로겐 의존성에 비해 유의하게 더 감소되었다 (p=0.02). *FGFR2IIIc*의 하향 조절은 전립선암의 80%에서 관찰되었으며 (p=0.001), 이러한 하향 조절은 *FGFR2IIIb*의 경우와는 다르게 안드로겐 비의존성과는 관련이 없었다 (p=0.09). 이 연구에서 분석된 다른 유전자, 즉 *FGFR1 IIIc*, *FGF2*, *FGF7* 등의 발현은 정상 표본과 암 표본 사이에서 차이가 없었다 (Naimi 등, 2002). 그러나 다른 연구는 전립선암에서 상피세포의 *FGFR2* 아형이 중간엽 세포 *FGFR2* 아형으로 전환되거나 전립선암이 진행하는 동안 *FGFR2b*가 *FGFR2c*로 전환됨을 관찰하였다 (Katoh 등, 2009). 일부 전립선암에서는 *FGFR2IIIc*의 발현이 증가된다는 보고가 있으며 (Kwabi-Addo 등, 2001), 양성 전립선과 악성 전립선에서는 *FGFR2* 아형의 전환이 있는데, 양성 전립선 표본에서는 *FGFR2IIIb* 아형이, 전립선암 표본에서는 *FGFR2IIIc* 아형이 우세하다는 보고가 있다 (Sahadevan 등, 2007). 여러 FGFR2 아형에 대한 항체의 특이도가 낮기 때문에, 보고된 모든 연구는 RT-PCR을 이용하여 종양 조직을 분석하였다. 전립선암이 진행하는 동안 특이한 *FGFR2* 아형의 활성과 단백질의 발현을 알게 되면, 전립선암에서 이들 아형의 서로 다른 역할에 관한 중요한 정보를 제공받을 수 있을 것이다. *FGFR2*의 상피세포 아형으로부터 중간엽 세포 아형으로의 전환은 주변 분비의 신호 경로로부터 자가 분비의 신호 경로로 전환이 있음을 시사하며, 이로써 상피세포에서 유래된 FGF ligands가 종양세포에서 FGFR2 IIIc를 활성화한다.

전립선암이 진행하는 동안 FGFR2 아형의 전환은 생쥐 모델에서도 관찰되었다. 사람의 전립선암을 연구하는 데는 transgenic adenocarcinoma of the mouse prostate (TRAMP) 생쥐 모델이 널리 이용되고 있으며, 이 모델에서는 probasin 촉진체에 의해 SV40 T 항원이 발현된다 (Kaplan-Lefko 등, 2003). 이들 모델을 이용한 연구에 의하면, 연령이 3개월이 되기 전에 전립선상피내암이 발생하였고, 연령이 약 6개월이 되기 전에 전립선암으로 진행하였다. 사람의 전립선암에서 관찰된 바와 마찬가지로, 이들 생쥐 모델에서 발생한 전립선상피내암 병변의 상피세포에서도 *FGFR2IIIb* mRNA의 발현이 감소되었으며 *FGFR2IIIc* mRNA의 발현은 증가되었다 (Foster 등, 1999; Huss 등, 2003). 따라서 *FGFR2IIIb*의 소실이 일어나는 기전과 그로 인한 기능적 결과를 더욱 이해하게 되면,

*FGFR2IIIb*가 소실된 전립선암에서 새로운 치료 방법이 개발될 수 있을 것이다.

3.4. 전립선암에서 FGFs 표적화에 관한 전망
Prospects for targeting FGFs in prostate cancer

양성전립선비대 환자 26명과 전립선암 환자 57명을 대상으로 FGFRs의 발현과 임상 지표 사이의 연관성을 면역 염색법을 이용하여 평가한 연구는 다음과 같은 결과를 보고하였다 (Gowardhan 등, 2005). 첫째, 전립선암에서 FGFR1과 FGFR2의 발현은 임상 지표와 관련이 없었다. 둘째, FGFR3의 면역 반응성은 양성전립선비대와 전립선암 환자에서 비슷한 강도와 패턴을 나타내었으며, FGFR4의 발현은 양성전립선비대에 비해 전립선암에서 유의하게 상향 조절되었다. 셋째, FGFR4의 발현과 Gleason 점수는 유의한 정상관관계를 나타내었으며, FGFR4의 과다 발현은 불리한 예후 및 질병 특이 생존의 감소와 관련이 있었다 ($p<0.04$). 이들 결과는 전립선암의 치료에서 FGF 시스템이 표적이 될 수 있음을 보여 준다.

FGFs와 FGFRs를 전립선암과 연관시킨 많은 연구에 근거하여 볼 때, 이 가족은 전립선암 환자에서 치료적 표적으로 간주된다. ERK 경로와 같이 FGFR에 의해 활성화되는 하위 신호 분자는 FGFR 경로를 억제한다 (Kuslak와 Marker, 2007). 또한, FRS2α를 제거한 연구는 FGFR의 신호 경로를 위해서는 이러한 연결 분자 (adapter molecule)가 필요하며, 이는 치료에서 또 다른 하위 표적이 된다고 하였다 (Zhang 등, 2008). 유방암에서 연구되고 있는 FGFR 억제제, 예를 들면 PD173074 (Koziczak 등, 2004), SU5402 (Reis-Filho 등, 2006) 등이 전립선암에서도 효과가 있는지를 평가하는 연구도 필요하다고 생각된다.

전립선암의 형성을 억제하기 위해 FGFR의 활성을 약리학적으로 억제한 임상 전 연구가 있다. 예를 들면, FGFR1을 약리학적으로 억제하는 SU5402는 이종 이식 암 모델에서 전립선암의 성장을 억제하는 효과가 있는지에 대해 평가되었다 (Udayakumar 등, 2003). LNCaP 전립선암 세포와 SU5402를 함유한 구조물을 피하로 주입한 생쥐 모델을 이용한 이 연구에 의하면, 암 세포만을 주입한 생쥐에 비해 종양의 성장이 억제되었고 matrix metalloproteinase (MMP)인 promatrilysin과 PSA의 발현이 감소되었다. 전립선암의 치료에서 FGFR에 대한 약리학적 억제제 외에도, FGFs를 표적화하는 다른 기전도

연구 중에 있다. 예를 들면, FGF8b에서 유래된 사람의 전립선암에 대항하는 FGF8의 항체가 이종 이식 암 모델에서 항암 효과가 있음을 관찰한 보고가 있다 (Maruyama-Takahashi 등, 2008). 생쥐에게 항체를 전신적으로 투여한 경우 LNCaP 세포에서 유래된 안드로겐 의존성 전립선암의 크기가 감소되었다. 흥미로운 점은 생쥐를 거세한 후에 FGF8의 항체를 투여하여도 종양의 크기가 감소한다는 점인데, 이는 이러한 항체가 안드로겐 저항성 질환에서 효과가 있을 수 있음을 시사한다.

전립선암 세포에서 세포 외부에 결합 영역을 가지고 있고 FGFR을 강하게 억제하는 용해성 FGFR을 이용하여 FGFR에 대한 표적화의 효능을 평가하기 위해 DU145 전립선암 세포를 대상으로 벡터를 통해 용해성 FGFR의 발현을 유도하고 paclitaxel을 투여한 연구에서 이러한 병합 요법이 암세포의 증식 및 집락 형성의 감소와 관련이 있음을 관찰하였으며, 감마 방사선 조사와 용해성 FGFR을 병용한 경우에도 유사한 결과가 관찰되었다고 하였다 (Gowardhan 등, 2005). 전립선암에서 FGFR을 억제함으로 인한 효과를 입증하기 위해서는 추가 연구가 필요하지만, 병합 요법을 이용한 FGFR 억제제는 FGFs와 FGFRs의 농도가 높은 환자에서 선택이 가능한 치료 방법이라고 생각된다.

4. 인슐린유사성장인자 가족 펩티드와 수용체
Insulin-Like Growth Factor (IGF) Family Of Peptide And Receptor

IGF 시스템은 세포의 증식, 생존, 성장, 에너지 공급, 대사 등과 같은 많은 생리학적, 종양학적 과정에 관여한다 (Heidegger 등, 2011; Vottero 등, 2013). Insulin-like growth factor (IGF) 시스템은 IGF1, IGF2, insulin (INS) 등과 같은 ligands, IGF receptor 1 (IGFR1), IGFR2, insulin receptor (INSR) 등과 같은 수용체, IGF binding protein 1~6 (IGFBP1~6) 등이 상호 작용하는 시스템이다 (Foulstone 등, 2005). IGFR1과 INSR은 아미노산 서열과 구조적 측면에서 높은 유사성을 가지며, IGFR1/INSR의 혼성 수용체를 형성한다 (Pandini 등, 2002). 염색체 19p13.3-13.2에 위치해 있는 *INSR* 유전자에 의해 코드화되는 단백질 INSR에는 두 아형, 즉 INSRA와 INSRB가 있으며, 12개 아미노산에서 차이를 나타낸다. Alternative splicing이 일어나면, 이들 아미노산은 INSRB의 insulin-binding beta subunit 중 C 말단에 존재하며, INSRA의 C 말단에는 존재하지

않는다 (Belfiore, 2007). IGFR1, INSR, IGFR1/INSR 혼성 수용체 등은 여러 수용체와 서로 다른 친화도를 나타내는 IGFs와 INS ligands에 의해 활성화된다. 수용체의 활성화는 rat sarcoma viral oncogene homolog/Raf-1 proto-oncogene serine/threonine-protein kinase/extracellular signal-regulated kinase (RAS/RAF/ERK), phosphatidylinositol 3-kinase/v-akt murine thymoma viral oncogene homolog protein 1/mammalian target of rapamycin (PI3K/AKT/mTOR) 등과 신호 경로의 하위 신호를 자극한다 (Pollak, 2007; Duan 등, 2010).

4.1. 전립선암에서 IGF 시스템의 역할
Role of IGF system in prostate cancer

양성 전립선, 양성전립선비대, 전립선암 등으로부터 배양된 상피세포는 유의한 정도의 IGF1혹은 IGF2를 분비하지 않는다 (Cohen 등, 1991). 여러 전이 전립선암 세포주에 관한 연구는 이들 세포주가 IGF1을 분비하지 않는다 (Iwamura 등, 1993), 혹은 IGF1 (Pietrzkowski 등, 1993)과 IGF2 (Kimura 등, 1996)를 발현시킬 수 있다는 상반되는 결과들을 보고하였다. 반대로, 기질세포는 IGF2를 분비하며 IGF1의 발현도 가능하다 (Cohen 등, 1994). 기원이 자가 분비든 주변 분비든 관계없이 IGF1과 IGF2는 세포 자멸사의 신호를 방해하거나 sex hormone binding globulin (SHBG)의 합성을 저하시키는 작용 기전을 매개로 전립선 상피세포의 일차 배양액 (Cohen 등, 1991)과 전립선암 세포주 (Iwamura 등, 1993)로부터 채집된 상피세포의 성장을 자극한다. 또한, IGFs는 epidermal growth factor (EGF)의 자가 분비 회로와 상호 작용한다 (Connolly 등, 1994). 혈장 IGF1은 연령이 증가함에 따라 감소하며, 혈청 IGF1의 증가는 양성전립선비대 (Chokkalingam 등, 2002)와 전립선암 (Bubley 등, 2002), 특히 진행된 병기의 전립선암 (Chan 등, 2002)이 발달할 위험 인자이다. 전립선액에서 측정된 유리형 IGF1의 농도는 전립선암을 예측하지 못한다 (Perk 등, 2001). IGF-1 농도의 증가와 IGFBP2 농도의 감소는 전립선암 위험의 증가와 상호 관련이 있다 (Chan 등, 1998). 다른 전향 연구는 IGF1의 농도가 전립선암의 위험에 따라 약간 증가하지만, 표지자로서의 역할이 PSA를 능가하지 않는다고 하였으나 (Harman 등, 2000), 다른 연구는 이들 결과의 재현에 실패하였고 전립선암의 진행과 관련이 있음을 발견하지 못하였다 (Shariat, 2002).

IGF1은 세포의 증식을 자극하며, 혈청 IGF1 농도의 증가는 여러 암과 관련이 있다 (Yu와 Rohan, 2000). 혈청 은행을 이용한 전향 연구는 IGF1의 높은 혈청 농도는 전립선암이 발생할 가능성과 관련이 있다고 하였지만 (Stattin 등, 2004), 선별 검사 연구에서는 전립선암의 발견과 연관성이 없었다 (Finne 등, 2000). 이러한 차이는 과거 20년에 걸쳐 발달해 온 전립선암의 진단법에서 기인한다고 할 수 있다. PSA 시대 전에는 전립선암의 상당수가 방광출구증상을 가짐으로 인해 양성전립선비대가 의심되어 전립선을 경요도전립선절제술을 실시하였으며, 이러한 과정에서 우연히 진단되었다 (Endrizzi 등, 2001). 흥미로운 점은 성장호르몬 농도가 높아 IGF1 농도가 높은 말단비대증 (acromegaly) 환자에서는 양성전립선비대가 상당히 젊은 연령에서 발생한다는 점이다 (Colao 등, 1999). 따라서 과거에 제시된 IGF1과 전립선암 사이의 연관성은 양성전립선비대 환자에서 우연하게 전립선암이 발견됨으로써 제시되었다. 그러나 다른 연구에서는 고농도의 IGF1이 60세 미만의 남성에서 발생하는 전립선암과 관련이 있음이 발견되었는데, 이는 고농도의 혈청 IGF1이 전립선암의 발생 초기에서 중요함을 시사한다 (Stattin 등, 2004). IGF1이 양성전립선비대 및 전립선암과 관련이 있다는 증거는 충분하지만, 선별검사의 하나로 측정된 IGF1은 free PSA와 총 PSA에 의한 진단 정확도를 더 이상 개선시키지 못하였다 (Oliver 등, 2004).

Type I IGF receptor (IGFR1)는 IGF1과 우선 결합하며, 양성 전립선, 양성전립선비대, 전립선암 등의 상피세포에서뿐만 아니라 (Hellawell 등, 2002), 전이된 부위에서 채집된 전립선암 세포주 (Connolly 등, 1994)와 기질세포 (Hellawell 등, 2002)에서도 발현된다. IGFR1에 대한 대항 작용으로 종양 세포에서 수용체의 기능을 억제하고 수용체를 분해시키는 중화 항체 (neutralizing antibody) (Hailey 등, 2002)와 마찬가지로 IGF1 유사체와 IGFR1의 기능에 대한 대항 작용은 전립선암 세포주의 성장을 억제한다 (Pietrzkowski 등, 1993). IGFR1은 자체가 가지고 있는 내재성 tyrosine kinase 작용을 통해 IGF1 혹은 IGF2와의 결합을 유도하는 신호를 매개한다 (Kornfeld, 1992). IGFR2는 내재성 kinase의 기능을 가지고 있지 않기 때문에 IGFR2의 역할은 다를 것으로 추측된다. IGFR2는 IGF2 결합 부위와 달리 암세포의 성장에 대해 반대 효과를 가지는 mannose 6 phosphate와 결합하는 부위를 가지고 있다 (Schaffer 등, 2003). 따라서 IGFR2는 유방암에서 추측되는 것처럼 성장을 억제하는 분자로서 기능을 한다고 생각된다.

수용체를 통해서 성장을 매개하는 IGFs의 기능은 다양한 IGFBP와의 상호 작용에 의해 달라진다. 일부 IGFBPs의 수용체가 보고되었지만 전립선에서 그들의 역할은 잘 알려져 있지 않다. 정상 전립선, 양성전립선비대, 전립선암 등에서 배양된 상피세포는 IGFB-2, IGFBP3 (추측), IGFBP4 등을 발현하지만, IGFBP1은 발현하지 않는다 (Cohen 등, 1991; Birnbaum 등, 1994). IGFBP1은 전립선암에서 신경내분비의 분화에 관여한다 (Wilson 등, 2001). 전립선에서 생성되는 주된 IGFBP인 IGFBP2 또한 전립선암에서 증가하지만, 국소 전립선암에서의 농도는 종양의 크기 및 전립선암의 진행과 역상관관계를 가졌다. 이 연구는 혈청 IGFBP3 농도가 골격으로의 전이와 역상관관계를 나타내지만, 국소 전립선암 환자와 건강한 대조군 사이에서 차이가 발견되지 않는다고 하였다 (Shariat 등, 2002). 전립선암을 예측하는 측면에서 상반되는 견해들이 보고되었지만, 전립선암 환자의 혈청에서 IGFBP2의 증가와 IGFBP3의 감소가 관찰되었다 (Shariat 등, 2003). 또한, IGFBP2는 혈청 PSA 및 암 존재량과 상호 관련이 있다 (Cohen 등, 1993). IGFBP3는 세포 자멸사를 자극하고 분명히 암을 억제하는 효과를 가지고 있다 (Devi 등, 2002). 전립선암에서 거세로 인해 증가된 IGFBP5는 안드로겐 비의존성 질환으로의 진행을 더욱 신속하게 하고 IGF-1의 효능을 증대시킨다 (Gleave 등, 2000).

혈장에서 IGF1의 대부분은 여러 결합 단백질과 결합하며, 그들 중 주된 결합체가 IGFBP3이다. IGF1이 결합된 IGFBP3는 생물학적으로 불활성 상태이기 때문에, IGF1 대 IGFBP3의 비율은 중요하다고 생각된다. IGF1과 IGFBP3의 발현은 둘 모두 성장호르몬에 의해 조절되며, 둘 사이의 비율은 다양하게 나타난다. 그러나 IGFBP3의 변화가 전립선암의 위험과 관련이 있는 IGF1에 영향을 주지는 않는다 (Stattin 등, 2004).

IGFBPs가 단백질을 분해하는 작용에 의해 분절되면 IGFs에 대한 친화성이 떨어져 IGF와 그것의 수용체 사이의 상호 작용이 증대되고 유사분열 촉진작용이 증가한다 (Cohick 등, 1993). PSA는 serine protease이며, IGFBP3와 IGFBP5를 우선 분절시켜 전립선 상피세포의 성장을 자극하고 (Rajah 등, 1996), 혈청 IGFBP3의 농도를 감소시킨다 (Kateny 등, 1993). 신경성장인자 (nerve growth factor gamma, NGFγ)는 PSA와 높은 상동성을 가지며, PSA에 비해 3배 낮은 농도에서 IGFBP3를 분절시킬 뿐만 아니라, IGFBP4와 IGFBP6에 대해서도 강한 단백질 분해 작용을 일으킨다 (Rajah 등, 1996). PSA 및 NGFγ와 관련이 있는 기전을 통해 IGFBP3, IGFBP4, IGFBP6가 분절되면, 혈청에서 IGF1의 생체 이용률이 증가하는데, 이로써 전립선암에서 혈청 IGF1의 농도가 증가한다 (Chan 등, 1998).

아연과 IGF와의 관계는 '2장 사정액의 비펩티드 성분' 중 '7. 아연'에 기술되어 있다.

국소 전립선암으로 적극적 감시 요법을 받고 있는 909명의 환자에서 IGF1, IGF2, 종양 성장의 생물 표지자인 IGFBP2, 예후에 대한 생물 표지자인 IGFBP3 등의 혈청 농도가 질환의 진행에 대한 대리 지표인 PSA의 연간 변화, PSA doubling time (PSADT) 등과 관련이 있는지를 분석한 연구는 다음과 같은 결과를 보고하였다 (Rowlands 등, 2013). 첫째, IGF1, IGF2, IGFBP2, IGFBP3 등은 기저선 PSA와 관련이 없었다. 둘째, 진단 당시의 IGF1은 진단 후 빠른 PSADT와 약한 상관관계를 보였는데, 4년 이하와 4년 초과의 PSADT에 대한 OR은 IGF1의 표준편차 증가 당 1.34 (95% CI 0.98~1.81)이었다 ($p=0.06$). 둘째, IGFBP2를 반복 측정한 50~70세의 514명에서 혈중 IGFBP2는 연간 2.1% (95% CI 1.4~2.8) 증가하였으며, 진단 후 PSA의 변화와 관련이 없었다 ($p=0.66$). 셋째, 혈청 IGF2, IGFBP2 혹은 IGFBP3, 진단 후 IGFBP2 등은 PSA의 역동학과 관련이 없었다. 이들 결과를 종합하여 볼 때, IGF1은 PSADT와 약한 연관성을 보이기 때문에 적극적 감시 요법을 받고 있는 대규모 코호트를 대상으로 장기간 평가하는 추가 연구를 통해 이를 검증할 필요가 있다.

전립선암 환자 46명과 양성전립선비대 환자 42명의 혈청에서 항체 microarrays를 이용하여 여러 cytokines를 분석한 연구는 다음과 같은 결과를 보고하였다 (Xu 등, 2014). 첫째, macrophage colony-stimulating factor (M-CSF)와 chemokine (C-C motif) ligand 18 (CCL18)의 혈청 농도는 양성전립선비대 환자에 비해 전립선암 환자에서 상당하게 더 높았으며, IGFBP6, tumor necrosis factor receptor superfamily member 6 (TNFRSF6)로도 불리는 Fas cell surface death receptor (FAS) 등의 혈청 농도는 유의하게 더 낮았다. M-CSF와 FAS/TNFRSF6는 전립선암의 발병 기전과 관련이 있다고 보고된 바 있으며, CCL18은 적응 면역 시스템에 관여하는 cytokine으로 알려져 있고, IGFBP6는 전립선암 세포의 증식을 억제한다고 보고되었다. 이들 네 cytokines의 혈청 농도는 높은 민감도 및 특이도로 전립선암과 양성전립선비대를 감별할 수 있다. 둘째, CCL18과 IGFBP6는 높은 진단 정확도를 나타내었는데, ROC-AUC가 각각 0.925, 0.835이었다. 이들 결과를 근거로 저자들은 IGFBP6와 CCL18이 전립선암에 대한 혈청 생물 표지자의 역할을 수행한다고 하였다.

혈장 IGF1과 공복 IGFBP 농도를 측정하여 전립선암의 위험과 연관성이 있는지를 평가한 연구는 다음과 같은 결과를 보고하였다 (Cao 등, 2015). 첫째, 진단 전 IGFBP1의 높은 공복 농도는 전립선암 발생 위험의 감소와 관련이 있었으며, 가장 높은 사분위수 대 가장 낮은 사분위수의 OR은 0.67 (95% CI 0.52~0.86; p=0.003).이었다. 둘째, IGFBP1이 낮고 IGF1이 높은 경우는 전립선암의 위험에 대해 추가적인 정보를 제공하지 못하였다 (p=0.42). 이들 결과에 의하면, 진단 전 공복 IGFBP1은 전립선암의 형성에 영향을 주지만, IGFBP1이 낮거나 IGF1이 높은 경우는 전립선암 위험의 증가를 충분하게 반영하지 못한다.

4.2. 전립선암에서 IGF 시스템 표적화 요법
Targeting therapy to IGF system in prostate cancer

종양학에서 관심을 끌고 있는 치료적 표적 및 조절망이 IGF 축이다. IGFR1을 표적화하는 여러 종류의 중화 항체 혹은 작은 분자인 수용체 kinase의 억제제가 개발되고 있으며, 다양한 암에서 시험 중에 있다. IGF 시스템에 대한 자극의 증대는 전립선암을 포함하는 여러 형태의 암에서 종양의 형성 및 진행과 관련이 있다 (Pollak, 2008). 다수의 연구는 IGF1과 IGFBP3의 혈청 농도가 전립선암의 위험도와 관련이 있는지를 평가하였는데, 결과가 서로 다르지만 메타 분석 자료에 의하면 전립선암의 위험도는 IGF1의 혈청 농도와 정상관 관계를 가진다 (Renehan 등, 2004; Price 등, 2012).전립선암 세포를 배양한 모델에서 IGF 혹은 insulin (INS)을 자극하거나 수용체를 과다 발현시키면, 암세포의 증식이 일어났고 양성 세포에서는 분화가 증대되었다 (Zu 등, 2013). Physicians' Health and the Health Professionals Follow-up에 참여한 805명의 전립선암 환자로부터 채집한 종양 조직을 분석한 연구는 phosphatase and tensin homolog (PTEN)의 낮은 발현이 치명적인 전립선암의 위험 증가와 관련이 있었으며 (HR 1.7, 95% CI 0.98~3.2; p=0.04), PTEN과 IGFR1은 역상관관계를 가졌고, PTEN의 감소 혹은 IGFR1의 증가는 나쁜 예후와 관련이 있었다고 하였다 (Zu 등, 2013). IGF 시스템 내에서 IGFR1

과 INS receptor (INSR)는 종양을 촉진하는 기능을 가지고 있다. 이러한 효과는 총 INS와 INSR의 농도 외에도 INSR의 아형 INSRA와 INSRB의 비율에 의해 생겨난다 (Heni 등, 2012; Heidegger 등, 2012).

IGFR1과 결합하는 ligand를 차단하는 항체 혹은 수용체의 kinase 작용을 억제하는 소분자를 이용한 IGF 표적화 요법의 임상 전 결과는 희망적인 결과를 나타내어 이들 제제를 이용한 임상 시험이 계속되고 있다. 또한, IGFBP4의 분절을 통해 IGFs의 생체 이용을 증가시키는 단백질분해효소인 pregnancy-associated plasma protein A (PAPP-A)의 억제 (Pollak, 2007), IGF 시스템에 관여하는 유전자를 자극하는 RNA 조절 단백질인 lin-28 homolog B (LIN28B)의 표적화 (Alajez 등, 2012), INSR 및 IGFR1을 억제하는 소분자의 수용체 kinase 억제제 OSI-906 (linsitinib)와 small interfering RNA (siRNA)를 이용한 IGFR1 제거의 병합 (Janku 등, 2013) 등과 같은 간접인 표적 요법도 제시되고 있다. 현재 여러 형태의 암에서 IGFR1에 대항하는 제제가 100편 이상의 임상 연구에서 시험 중에 있다. 그러나 non-small cell lung cancer (NSCLC) 환자에서 IGFR1을 표적화한 항체 figitumumab과 화학 요법의 병합 요법을 이용하여 최초이면서 유일한 임상 3상 시험을 시행하였지만, 효능이 부족하고 고혈당증, 출혈, 객혈, 심혈관 및 심폐 기능 상실 등과 같은 안전성의 문제로 중단되었다 (Pfizer 출판물, 2010). 실망스러운 임상 결과가 나온 이유는 IGF 시스템의 복잡성이 고려되지 않았기 때문으로 생각된다. IGF 시스템은 복잡하고 여러 기능이 중첩되어 있기 때문에 치료를 회피하는 기전이 활성화될 수 있고, 세포의 대사를 조절하는 IGFR1의 중요한 생리학적 기능이 IGFR1 표적화 요법에서 부작용을 유발할 수 있다.

Ligands인 IGF 혹은 INS로 IGFR1과 INSRA 둘 모두를 자극하면 전립선암 세포에서 성장을 촉진하는 효과가 관찰된다는 보고가 있다 (Heidegger 등, 2012). 유방암에서 kinome을 분석한 연구는 estrogen receptor (ER) 양성인 유방암 세포에서 INS 및 IGFR1 경로가 호르몬 의존성으로부터 탈출하는 기전으로서의 역할을 한다고 하였다 (Fox 등, 2011). 이러한 결과는 공동 표적화의 개념을 뒷받침한다. 생체 밖 실험 및 생체 내 실험 모델을 이용하여 전립선암에서 INSR과 IGFR1을 분석한 연구는 다음과 같은 결과를 보고하였다 (Heidegger 등, 2014). 첫째, 생체 밖 실험에서 INSRA와 IGFR1의 과다 발현은 DU145, LNCaP, PC3 등과 같은 전립선암 세포에서 세포의 증식, 집락 형성, 이동, 침습, 세포 자멸사에 대한 저항성 등을 증가시킨 데 비해, INSRB는 그러하지 않았다. 총 INSR과 IGFR1의 하향 조절은 반대 효과를 나타내었으나, INSRB는 그러하지 않았다. 악성 세포와는 대조적으로 EP156T, RWPE-1 등과 같은 전립선의 비악성 상피세포는 수용체의 과다 발현에 의해 억제되었고 수용체의 제거에 의해 자극을 받았다. 둘째, 닭의 요막 (allantoic membrane)을 이용한 생체 내 실험은 INSR과 IGFR1이 종양을 형성하는 기능을 가지고 있음을 확인하였다. INSR과 IGFR1이 과다 발현된 경우에는 종양의 성장이 촉진되었을 뿐만 아니라 혈관 형성이 증대되었는데, 이는 혈관 밀도의 증가, desmin에 대해 면역 반응을 나타내는 혈관 주위 세포 (pericyte) 수의 증가 등으로 확인되었다. 이들 결과는 IGFR1이 종양의 성장, 세포의 이동, 세포 자멸사 및 화학 요법 제제에 대한 민감성, 혈관 형성 등에 영향을 주어 종양 형성에서 중요한 역할을 하며, INSR, 특히 INSRA가 전립선암에서 암을 촉진하는 또 다른 수용체의 기능을 가지고 있음을 보여 준다. 따라서 종양 형성의 기능을 가진 이들 두 수용체는 전립선암의 치료에서 공동 표적이 될 수 있다.

5. 신경성장인자 가족 펩티드와 수용체
Nerve Growth Factor (NGF) Family Of Peptide And Receptor

Nerve growth factor (NGF)는 성장 인자 중 neurotrophin (NT) 가족에 속하며, NT 가족에는 NGF 외에도 전립선에서 높게 발현되는 brain-derived neurotrophic factor (BDNF), NT3, NT4 등이 포함되어 있다 (MacGrogan 등, 1992). NTs의 생물학적 효과는 neurotrophic tyrosine kinase receptor type 1 (NTRK1)으로도 알려진 tyrosine kinase receptor A 혹은 tropomyosin receptor kinase A (TRKA), TRKB, TRKC 등과 같은 TRK 수용체와 p75 neurotrphin receptor (p75[NTR])에 의해 매개되며, TRK 수용체는 염색체 1q21-22에 위치해 있는 TRK 유전자에 의해 코드화된다 (Lewin과 Barde, 1996). TRK는 종양을 유발하는 유전자로서 결장암에서 처음 분리되었지만 (Martin-Zamca 등, 1986). NTs는 75 kDa의 경막 당 단백질 p75[NGFR]과 낮은 친화도로 결합한다 (Carter와 Lewin, 1997). NTs는 신경세포 군집에 대해 작용하는 기능적으로, 구조적으로 관련이 있는 성장 인자의 가족이며 (Lewin과 Barde, 1996), 신경세포 외의 일부 조직에서도 어떠한 역할을 한다

도표 262 Neurotrophic factors와 그들 수용체가 높게 발현되는 사람의 말초 신경계와 신경 외의 조직

NT 및 NTR	발현 부위
NT	
NGF	심장, 비장, DRG, 척수
BDNF	
NT3	간, 비장
GDNF	근육, 척수
NTR	
p75[NGFR]	말초 신경계 조직, 비장
TRKA	DRG, 교감신경절, 비장
TRKB[†]	DRG, 척수, 뇌
TRKC[†]	

연구 결과는 RT-PCR에 의한 mRNA 수준에서 분석된 자료임.
[†], 세포 외부 영역을 가진 경우에 비해 tyrosine kinase 영역을 가진 TrkB와 TrkC mRNA는 DRG에서 높은 발현을, 척수와 뇌에서는 낮은 발현을 나타낸다.
BDNF, brain-derived neurotrophic factor; DRG, dorsal root ganglia; GDNF, glial cell line-derived neurotrophic factor; NGF, nerve growth factor; NGFR, NGF receptor; NT, neurotrophin; NTR, NT receptor; RT-PCR, reverse transcription-polymerase chain reaction; TRK, tyrosine kinase receptor 혹은 tropomyosin receptor kinase.
Yamamoto 등 (1996)의 자료를 수정 인용.

(Yamamoto 등, 1996) (도표 262). 전립선을 포함하는 남성의 비뇨생식기는 NTs의 표적으로 간주된다. 전립선 조직은 NT 수용체를 발현하며 (Paul과 Habib, 1998), 남성과 기타 포유동물에서 전립선은 NTs의 근원지로 알려져 있다 (Paul 등, 1996). 전립선은 신경계 외에 NGF가 가장 많이 분포하는 기관 중 하나이다.

전립선의 성장과 분화를 조절하는 주변 분비 및 자가 분비 인자 중 하나가 NGF이다 (Sigala 등, 2002). 양성 전립선, 양성전립선비대, 전립선암 등의 기질에서 면역 반응성을 나타낸다고 보고되었으나 (Graham 등, 1992) 반론도 있다. 근치전립선절제술 후 채집한 표본에 대한 면역조직화학 연구에 의하면, NGF, BDNF, NT3, NT4/5 등을 포함하는 NTs와 TRKA TRKB, TRKC, p75[NTR] 등을 포함하는 여러 수용체들이 양성 및 악성 상피세포에서 발현되었으며, 기질세포에서는 발현되지 않았다 (Satoh 등, 2003). 평활근의 기질세포는 NGF와 BDNF의 유전자를 발현한다 (Dalal 등, 1997). 생체 밖 실험에 의하면, 기질세포로부터 생성된 NGF 면역 반응성 단백질이 주변 분비의 방식으로 TSU-pr1 전립선암 세포주의 성장을 자극하였다 (Djakiew 등, 1991). 외인성 NGFβ는 LNCaP 세포주의 접착 (anchorage) 비의존성 성장을 자극한다 (Chung

등, 1992). 전이된 암에서 채집한 안드로겐 불응성 세포주인 TSU-pr1, DU145, PC3 등은 자가 분비의 방식으로 NGF를 발현하는 데 비해, 안드로겐에 반응을 보이는 LNCaP 세포주는 NGF를 코드화하는 유전자를 발현하지 않는다. 또한, 일부 안드로겐 저항성 세포주는 BDNF와 NT4에 대한 유전자를 발현하지만, NT3 유전자를 발현하지는 않는다 (Dalal 등, 1997). 따라서 정상 전립선은 기질세포에서 NGF와 BDNF를 생성하여 주변 분비의 방식으로 상피세포의 성장을 조절하며, 전립선암이 형성된 후에는 안드로겐 저항성의 암세포가 자가 분비의 방식으로 NGF, BDNF, NT4 등을 발현한다. 따라서 암세포는 자가 분비 방식으로 NGF, BDNF, NT4 등을 발현하기 때문에, 기질세포에서 생성되는 주변 분비성의 NGF와 BDNF에 의존하지 않아도 된다. 전립선 내에서 암세포의 이동은 흔히 전립선에 있는 신경 주위로 직접적 파급되어 이루어지기 때문에, 암에서 NT가 자가 분비의 방식으로 증가함은 신경 주위 공간을 따라 암이 침범하였거나 전이가 있음을 암시한다 (Dalal 등, 1997). 정상 전립선에서는 NGF의 대부분이 기질세포에 분포해 있지만, 전립선암에서는 NGF가 상피세포에서 합성되고 분비된다 (Delsite와 Djakiew, 1999). 따라서 NGF의 자가 분비성 발현은 전립선 상피세포의 악성 형질 전환을 일으킨다고 생각된다. 생체 밖 실험은 NTs와 이들의 수용체는 전립선암 세포의 침습과 관련이 있음을 보여 주었다 (Krygier와 Djakiew, 2002; Festuccia 등, 2007).

전립선암에서 분화 인자인 NGF의 역할을 평가하기 위해 안드로겐 비의존성, androgen receptor (AR) 음성의 DU145 전립선암 세포를 NGF에 노출시킨 연구는 다음과 같은 결과를 보고하였다 (Sigala 등, 2002). 첫째, NGF에 노출된 DU145 세포에서는 AR과 NGF receptor인 $p75^{NGFR}$의 재발현이 관찰되었으며, 이는 DU145 세포가 낮은 악성도의 표현형으로 전환되도록 NGF가 유도함을 나타낸다. 둘째, dihydrotestosterone (DHT)은 NGF에 노출된 DU145 세포의 성장을 자극하였으며, 이는 AR의 재발현으로 인해 안드로겐에 대한 민감성이 회복되었음을 나타낸다. 이러한 효과는 hydroxyflutamide, cyproterone acetate 등과 같은 안드로겐 대항제에 의해 차단되었으며, 이로 인해 NGF에 노출된 DU145 세포에서 세포 자멸사가 일어났다. 셋째, NGF에 노출된 DU145 세포에서는 human telomerase reverse transcriptase (hTERT)의 전사가 감소되어 telomerase의 활성이 낮았는데, 이는 DU145 세포에서 외인성 NGF가 분화 경로를 활성화한다는 가설을 뒷받침한다.

근치전립선절제술이 계획되어 있는 115명으로부터 채집된 수술 전 소변에서 NGF와 creatinine을 분석한 연구는 다음과 같은 결과를 보고하였다 (Liss 등, 2014). 첫째, Gleason 점수를 6 이하, 7, 8 이상으로 분류하였을 때, 신경 주위로의 침습은 Gleason 등급이 높을수록 더 흔하게 관찰되었다 ($p < 0.001$). 둘째, NGF의 농도는 0.16~270.5 pg/mL, 중앙치 24.1 pg/mL이었다. 총 방광 용적, 소변 creatinine 농도, PSA, 당뇨 등은 Log NGF와 상호 관련이 있었다. 방광 용적과 소변 creatinine으로 보정한 경우에는 Log10 NGF의 증가는 Gleason 점수의 증가와 관련이 있었다 ($p = 0.003$). 이들 결과를 근거로 저자들은 확인을 위한 추가 연구가 필요하지만, 소변 내의 NGF가 분화도 등급이 높은 전립선암에 대한 생물 표지자의 역할을 한다고 하였다.

Tumor necrosis factor receptor (TNFR) 가족에 속하는 $p75^{NTR}$은 상피세포에서 다양한 정도로 발현되며, 암이 진행함에 따라 점차 소실된다 (Krygier 등, 2001). 면역조직화학적 연구는 $p75^{NTR}$단백질의 발현이 전립선암에서 감소된다고 보고하였다 (Pflug 등, 1992). $p75^{NTR}$ 발현의 상실은 암 분화도의 등급과 관련이 있다 (Perez 등, 1997). $p75^{NTR}$은 양성 전립선 상피세포와 전립선상피내암에서는 크게 발현되는 데 비해, 잘 분화된 암에서는 훨씬 약하게, 중등도 분화 내지 미분화된 전립선암에서는 극히 약하게 발현된다. 또한, 이 단백질은 전이 암으로부터 채집된 네 가지의 암 세포주에서는 발견되지 않았다 (Pflug 등, 1992). 전립선암에서 $p75^{NTR}$이 소실됨은 $p75^{NTR}$이 세포 자멸사와 관련이 있기 때문으로 추측된다. 이러한 추정은 $p75^{NTR}$ 단백질이 소실된 TSU-pr1 전립선암 세포주에 $p75^{NTR}$을 발현하는 벡터를 영구적으로 이입한 연구에 의해 지지를 받았다 (Pflug 등, 1998). 본래의 TSU-pr1 세포주에서는 NGF로 매개되는 성장이 자극을 받았지만, 영구적으로 $p75^{NTR}$을 발현하는 벡터를 이입한 TSU-pr1 세포주에서는 $p75^{NTR}$ 단백질의 발현 정도에 비례하여 NGF로 매개되는 성장이 저하되었다. 즉, $p75^{NTR}$은 유전자 전달 감염을 일으킨 TSU-pr1 전립선암 상피세포의 성장을 억제한다고 생각된다. 일시적인 유전자 전달 감염을 일으킨 TSU-pr1 세포에 관한 연구는 $p75^{NTR}$ 단백질의 발현이 세포 자멸사가 진행 중인 쥐에서 4배 증가한다고 하였다 (Pflug 등, 1998). 이는 $p75^{NTR}$이 전립선 상피세포의 성장을 억제하는 기전이 부분적으로는 세포의 자멸사를 유도하기 때문이라고 생각된다. 따라서 전립선암 세포에서 $p75^{NTR}$ 발현의 소실로 세포 자멸사의 경로가 차단되면, 암이 형성되는 동안 이들 상피세포의 사망이 억제된다 (Perez 등, 1997). 즉, *p75*^{NTR}은 세포 주기 중 정지기의 증대, 증식의 감소, 세포 자멸사의 증가 등을 통해 사람의 전립선암에서 종양을 억제하는 유전자의 역할을 한다고 생각된다 (Krygier와 Djakiew, 2002). 이러한 가설은 종양을 억제하는 유전자의 활성화가 *p75*^{NTR}이 위치해 있는 염색체 17q에서 관찰된다는 연구에 의해 설득력을 얻고 있다 (Gao 등, 1995). 또한, 사람의 전립선에서 암을 억제하는 작용은 역시 염색체 17q에 위치한 *breast cancer 1, early onset* (*BRCA1*)와 *non-metastatic protein 23* (*NM23*)와 같은 억제 유전자만으로는 충분하게 설명되지 않는다 (Rinker-Schaeffer 등, 1994). NGF를 투여하면 안드로겐 수용체와 p75^{NTR}의 발현이 다시 재개되며, 이러한 효과는 안드로겐 대항제에 의해 차단된다 (Sigala 등, 2002).

종양 혹은 전이를 억제하는 유전자의 기능이 상실되면, 전립선의 상피세포가 악성 세포로 형질 전환을 일으킨다. 종양을 억제하거나 전이를 억제하는 유전자는 염색체 17q21에 위치해 있는데, 이 자리는 NTR 수용체 p75^{NTR}을 코드화하는 유전자 자리와 인접해 있다. p75^{NTR}은 정상 전립선의 상피세포에서 발현되며, p75^{NTR}의 발현은 전립선암으로의 진행과 역상관관계를 가지기 때문에 p75^{NTR}은 종양 및 전이를 억제하는 기능을 가지고 있다고 생각된다. p75^{NTR} 단백질의 발현이 증가되도록 유전자 전달 감염을 일으킨 TSU-pr1과 PC3 전립선암 세포를 이용하여 p75^{NTR}과 NTR이 종양세포의 성장에 미치는 효과를 평가한 연구는 다음과 같은 결과를 보고하였다 (Krygier과 Djakiew, 2002). 첫째, severe combined immuno-deficient (SCID) 생쥐에서 p75^{NTR} 발현의 증가는 종양의 성장을 억제하였다. 둘째, 이들 종양을 NGF로 치료하면, 세포의 증식과 세포 자멸사가 증가되었는데, 이는 proliferating cell nuclear antigen (PCNA)의 발현과 terminal deoxynucleotidyl transferase dUTP nick end labeling (TUNEL) 분석에 의해 각각 확인되었다. 이로 인한 실제적 결과를 평가해 보면, 종양의 전반적인 성장에서 변화는 없었다. 둘째, NGF는 위성 종양 (satellite tumor)의 성장을 증가시켰으며, 이는 NGF가 용량 의존적으로 전이를 유도함을 시사한다. 위성 종양의 형성은 p75^{NTR}의 발현에 의해 억제되었다. 이러한 결과들을 근거로 저자들은 p75^{NTR}이 NGF에 의해 세포의 이동이 증가된 전립선암 세포에서 종양의 성장을 억제하고 전이를 억제하는 기능을 가지고 있다고 하였다.

p75^{NTR}의 발현은 암에서 감소되거나 상실되기 때문에, NT로 매개되는 암의 성장은 다른 세포 표면 수용체에 의해 매개되어야 할 것이다. 수용체 중 TRK 가족은 높은 친화도로 NT와 결합함으로써 이러한 역할을 수행한다 (Pflug 등, 1995). TRK 수용체는 전립선상피내암, 전립선암, 전이로부터 채집된 암 세포주 등에서 발현된다 (Pflug 등, 1995). TRKA의 면역 반응은 세엽 일부 (30%)의 기저상피세포에 제한되며, 양성전립선비대에서는 변화가 없거나 전체 세엽으로 확장된 양상을 보이고, 전립선암에서는 다양한 양상으로 나타난다. 정상조직과 양성전립선비대에서 TRKC의 면역 반응은 기질에서만 발견되는 데 비해, 전립선암의 경우에는 분화도의 등급이 높을수록 상피세포에서 점차 증가되고 기질세포에서는 큰 변화가 없다. 모든 표본에서 TRKB의 면역 반응은 발견되지 않는다 (Guate 등, 1999). TRK 수용체는 암에서 NT로 매개되는 성장을 위한 주된 신호를 전달하는 것 같다. NGF의 자극을 받아 암이 성장하는 반응을 TRK가 매개하기 때문에, TRK에 대한 대항 작용은 암의 성장을 억제한다 (Weeraratna 등, 2000). 이러한 맥락으로 kinase를 억제하는 K252 가족인 indolocar-bazole (ICZ)은 nmol 농도에서 TRK의 작용을 선택적으로 억제하며 (Berg 등, 1992), TSU-pr1 암 세포주에서는 NGF로 인한 TRK의 인산화를 억제한다. 생체 밖 실험은 K252a가 암세포의 성장을 억제하였고, NT로 매개되는 전립선암의 성장에서 TRK의 역할을 보여 주었다 (Delsite와 Djakiew, 1996).

NGF에 대한 항체는 PC12와 같은 NGF 의존성 세포주의 성장과 분화를 억제함이 관찰되었으며 (Warrington과 Lewis, 2007), 전립선암 세포주가 NGF에 노출된 경우 이들 세포는 NT에 반응하여 Matrigel 배양액에서 높은 이동력을 나타내었다 (Halvorson 등, 2005). 생쥐를 이용한 생체 내 실험은 NGF에 대항하는 단클론 항체가 전립선암 모델에서 전이와 골 통증을 감소시킴을 보여 주었다 (Halvorson 등, 2005). 다른 연구는 정맥 주사용 immune gammaglobulin (Ig)이 충분하게 이해되어 있지 않지만, 보체 (complement)와 cytokine 시스템을 방해하고, fragment crystallizable (Fc) 수용체와 개별 특이형 조절망 (idiotype network)을 조절하며, T cell, B cell, natural killer (NK) cell 및 항원을 나타내는 세포의 기능에 영향을 준다고 하였다 (Galeotti 등, 2009). 정맥 주사용 Ig은 췌장암 (Miknyoczki 등, 2002), 흑색종 (Schachter 등, 2007), 결장암 (Damianovich 등, 2007) 등과 같은 여러 암의 전이에 대해 유익한 효과를 나타내었다. 이러한 효과가 일어나는 기전으로는 정맥 주사용 Ig로 치료받은 세포에서 세포 자멸사의 증가, *p53*, *retinoblastoma protein (pRB)*, *p21* 등과 같은 유전자와 Fas cell surface death receptor (FAS)의 발현 증가, NK cell을 활성화하는 interleukin 12 (IL-12)의 분비 증가 등이 제시되고 있다 (Muir 등, 1993). 전립선암 세포주에서도 정맥 주사용 Ig로 NGF에 특이한 항체가 활성화되면 암세포의 이동이 억제되었다 (Warrington 등, 2011).

6. 혈관내피성장인자와 수용체
Vascular Endothelial Growth Factor (VEGF) And Receptor

내피세포의 유사분열을 강력하게 자극하는 vascular endo-thelial growth factor (VEGF)는 vascular permeability factor (VPF)로도 알려져 있으며 (Senger 등, 1983), 헤파린과 결합하는 이합체 당단백질로서 정상 조직부터 암 조직까지 폭넓은 범위에서 혈관 형성을 촉진한다 (Connolly 등, 1989). VEGF는 주로 내피세포에서 발현된다고 알려진 최소한 두 가지의 특이한 tyrosine kinase 수용체, 즉 fms-like tyrosine kinase 1 (FLT1), fetal liver kinase 1 (FLK1)과 결합함으로써 작용한다 (Terman 등, 1992). 근래의 연구에 의하면, VEGF 가족은 VEGF-A, VEGF-B, VEGF-C, VEGF-D, placenta growth factor (PGF) 등과 같은 5종의 구성원을 포함하고 있으며, 다른 구성원이 발견되기 전에는 VEGF-A가 VEGF로 알려졌었다. VEGF와 관련이 있는 여러 단백질도 발견되었는데, 바이러스에 의해 코드화되는 VEGF-E, 뱀의 독소에 있는 VEGF-F 등이 그 예이다. VEGF ligands는 세포 표면에 있는 여러 VEGF receptor (VEGFR)와 결합함으로써 세포의 반응을 자극한다. VEGF-A와 VEGF-B는 VEGFR-1 (혹은 FLT1)과, VEGF-A, VEGF-C, VEGF-D, VEGF-E 등은 VEGFR-2 (혹은 FLK1/KDR)와, VEGF-C와 VEGF-D는 VEGFR-3 (혹은 FLT4)와 결합한다 (Karkkainen과 Petrova, 2000; Holmes 등, 2007). 일반적으로 VEGF-A는 내피세포의 유사분열 및 이동의 증가, matrix metalloproteinase (MMP)의 활성 증가, $\alpha_v\beta_3$ integrin의 활성 증가, 내피세포에서 분자 교환을 위한 구멍 형성, 혈관의 내강 형성 등을 통한 혈관 형성, 대식세포와 과립구의 화학주성, nitric oxide (NO)의 분비를 통한 간접적 혈관 확장 등에 관여하며, VEGF-B는 배아의 심근 조직을 포함한 혈관 형성, VEGF-C는 림프관 형성, VEGF-D는 폐의 세

기관지 주위에서 림프관의 발생, PGF는 허혈, 상처 치유, 염증, 암 등이 진행하는 동안 혈관 형성에 관여한다 (Soker 등, 1998; Claesson-Welsh, 2008; Shin 등, 2010).

6.1. VEGF에 의한 BCL2 발현의 기전
Mechanism associated with expression of BCL2 mediated by VEGF

VEGF는 여러 신호 경로에 관여하는 분자, 예를 들면 protein kinase C (PKC) (Harhaj 등, 2006), mitogen-activated protein kinase/extracellular signal-regulated kinase 1/2 (MAPK/ERK1/2), phosphotidyl inositol 3-kinase (PI3K) (Trisciuoglio 등, 2005), stress-activated protein kinase 2/c-Jun N-terminal kinase (SAPK2/JNK) (Kuno 등, 2009), p38 MAPK 혹은 p42/p44 MAPK (Liu 등, 2002) 등을 활성화함으로써 B-cell lymphoma 2 (BCL2)의 발현을 유도한다. Human microvascular endothelial cell (HMVEC)에서 이들 특이 경로가 VEGF에 의한 BCL2의 발현에 관여하는지를 평가하기 위해 중요한 다섯 생물학적 경로, 예를 들면 mammalian target of rapamycin (mTOR), PKC, PI3K, ERK, p38 등에 대한 억제제 중 하나와 VEGF의 투여로 자극을 받은 세포에서 RT-PCR로 분석한 바에 의하면, VEGF로 자극을 받은 HMVEC 세포에서는 BCL2가 상향 조절되었다. PI3K의 억제제인 LY294002와 PKC의 억제제인 RO31-8220는 VEGF에 의한 BCL2의 발현을 90%까지 감소시켰다. 특히, mTOR의 억제제인 rapamycin은 HMVEC 세포에서 VEGF에 의한 BCL2의 상향 조절을 완전하게 차단하였다. 이러한 결과는 VEGF로 매개되는 세포의 효과 중 내피세포의 BCL2 발현에서 mTOR이 중심적인 역할을 함을 보여준다. ERK의 억제제인 PD98059은 BCL2의 발현을 약 40%까지 억제한 데 비해, p38의 억제제인 SB203580는 VEGF에 의한 BCL2의 발현에 대해 어떠한 효과도 나타내지 못하였다 (Sakai 등, 2009). 따라서 HMVEC 세포는 BCL2의 발현을 조절하기 위해 mTOR, PKC, PI3K, ERK 등과 같은 다수의 분자 경로를 이용한다고 생각된다. 이와 같이 여러 경로를 중첩하여 이용함은 종양의 내피세포의 성장과 생존에서 BCL2의 발현이 그만큼 중요함을 시사한다.

내피세포가 생존하기 위해 필요한 신호 경로의 중첩성은 치료의 측면에서 대단히 중요한 의미를 가진다. 이러한 중첩성은 방사선에 저항적이거나 안드로겐에 비의존적인 전립선암

에서 중요한 역할을 한다. 이러한 맥락에서 종양의 성장 및 진행과 혈관 형성을 억제하기 위해 30종 이상의 protein kinase에 대한 억제제를 개발하여 임상 시험 중에 있다. 표적이 되는 분자로는 epidermal growth factor receptor (EGFR), human epidermal growth factor receptor (HER-2/neu), platelet-derived growth factor receptor/mast/stem cell growth factor receptor Kit/breakpoint cluster region-Abelson (PDGFR/c-KIT/BCR-ABL) 등과 같은 성장 인자의 수용체, rat sarcoma viral oncogene homolog (RAS), Raf-1 proto-oncogene serine/threonine-protein kinase (RAF), MAPK kinase (MEK), mTOR, cyclin-dependent kinase (CDK), 기타 PKC, PKCβ, 3-phosphoinositide-dependent protein kinase 1 (PDK1) 등이 있다 (Dancey와 Sausville, 2003). 특히, imatinib mesylate (Wilhelm 등, 2008), sorafenib (Ryan 등, 2007), sunitinib malate (Motzer 등, 2006), temsirolimus (Hudes 등, 2007) 등은 신세포암을 포함하는 경성 종양에서 효능이 있다고 보고되었다.

종양세포가 세포 부착 분자 (cell-adhesion molecule, CAM)를 통해 내피에 부착하는 과정은 종양의 성장과 전이에서 매우 중요하다. Intercellular adhesion molecule 1 (ICAM-1)은 종양세포와 결합한다고 알려진 내피 단백질이다. ICAM-1과 결합한 세포는 종양의 초기에 내피세포의 ICAM-1 발현을 상향 조절하며 지속적으로 종양의 성장을 유도하는 화학 유인 물질 (chemoattractant)을 분비한다 (Finzel 등, 2004). 그러한 화학 유인 물질 중 하나가 chemokine (C-C motif) ligand 2 (CCL2)인데, 이 분자는 전립선암의 성장과 전이를 조절한다고 보고되었다 (Loberg 등, 2007). 종양 내로 CCL2를 주사하면, ICAM-1의 상향 조절과 함께 종양의 주변에 있는 내피세포와 단핵구의 상호 작용이 일어난다 (Okudaira 등, 2007).

Interleukin 8 (IL-8)으로도 알려진 chemokine (C-X-C motif) ligand 8 (CXCL8)은 chemokines 가족에 속하며 염증을 유발하는 여러 효과를 나타낸다. CXCL8은 종양세포 외에도 대식세포, 상피세포 내피세포, 기관지 평활근세포 등 많은 세포에서 생성된다 (Kitadai 등, 1998; Hedges 등, 2000). CXCL8의 발현은 종양의 미세 환경에서 혈관 형성, 침습, extracellular matrix (ECM)의 재형성 등을 조절하며, 세포의 CXCL8 농도는 VEGF 농도와 상호 관련이 있다 (Kitaya 등, 2007). CXCL8은 ICAM-1이 상호 작용하는 유전자와 동일한 다수의 유전자와 직접 상호 작용하는데, 이는 CXCL8과 ICAM-1이 생물학적으로 중복되는 기능을 가지고 있음을 시사한다 (Sakai 등,

2009). 소분자의 억제제로 내피세포의 BCL2를 표적화한 생체 내 실험은 CXCL1, CXCL8 등과 같이 혈관 형성을 유도하는 분자의 생성이 억제되어 혈관 형성이 크게 감소됨을 보여 주었다 (Zeitlin 등, 2006).

다른 중요한 경로로는 자극을 받은 HMVEC 세포에서 하향 조절되는 *signal transducers and activators of transcription 1 (STAT1)* 유전자가 있다. *STAT1*은 interferon gamma (IFNγ)에 의해 유도되는 경우에는 혈관 형성을 억제하며, 세포의 성장을 억제하는 인자 및 세포 자멸사를 촉진하는 인자로서 기능을 한다 (Kitaya 등, 2007). STAT1은 BCL2에 의해 자극을 받은 내피세포에서 상향 조절된다고 알려진 Janus kinase 3 (JAK3)에 의해 역조절된다 (Takemoto 등, 1997). 혈관 형성에서 STAT1의 역할은 분명하게 밝혀져 있지 않지만, small interfering RNA (siRNA)를 이용하여 STAT1을 표적화한 경우에는 IFNγ에 의한 HUVEC 세포의 성장 억제가 소실되었으며, VEGF로 매개된 혈관 형성이 증가되었다. 이 연구에 의하면, STAT1은 혈관 형성을 억제하는 데 중요한 역할을 하며, IFNγ는 VEGF의 반응에 필요한 유전자, 예를 들면 *angiopoietin 2 (ANGPT2)*, *urokinase plasminogen activator (uPA)*, *tissue inhibitor of matrix metalloproteinase 1 (TIMP1)*, *cyclooxygenase 2 (COX2)*, *VEGFR2* 등의 억제를 통해 VEGF의 생물학적 작용을 차단한다 (Battle 등, 2006).

PC3-BCL2에 의해 분비된 VEGF의 증가는 내피세포의 증식을 자극하고 혈관 형성을 억제하는 제제인 bevacizumab (Avastin®)이 이러한 자극을 차단한다고 보고되었지만, basic fibroblast growth factor (bFGF), CXCL8 등과 같은 여러 다른 인자도 VEGF에 의한 혈관 형성을 매개할 수 있음을 배제할 수 없기 때문에, 이에 관한 추후 연구가 필요하며, 그러한 연구 결과에 따라 종양의 진행에 필수적인 내피세포와 종양세포를 표적화하는 새로운 치료 방법이 제시될 수도 있을 것이다.

6.2. 전립선암에서 VEGF 관련 임상 연구
Clinical trials for VEGF in prostate cancer

생체 연구에 따라 양성전립선비대의 상피세포에는 VEGF가 완전하게 없다거나 (Ferrer 등, 1997), 혹은 반대로 양성전립선비대의 기질세포에는 두 아형, 즉 $VEGF_{165}$와 $VEGF_{189}$이 없다는 보고가 있다 (Jackson 등, 1997). VEGF는 면역조직화학 연구를 통해 양성전립선비대, 전립선상피내암, 전립선암 등의

상피세포 (Latil 등, 2000)와 기질세포 (Walsh 등, 2002)에서 확인되었으며, 거세 혹은 안드로겐 박탈 요법 후에는 상당하게 감소한다 (Stewart 등, 2001). 많은 연구가 전립선에 국한된 암 (Ferrer 등, 1997), 전이 암에서 채집된 암 세포주, 전립선암의 이종 이식 암 (Joseph 등, 1997) 등에서 VEGF가 발현된다고 보고하였다. 외인성 VEGF는 이종 이식 종양의 성장을 촉진하였으며 (Gridley 등, 1997), 안드로겐을 박탈하면 VEGF의 발현이 억제되었다 (Joseph 등, 1997). VEGF에 대한 항체는 내피세포의 자멸사를 유도하여 안드로겐 비의존성의 이종 이식 전립선암의 성장을 억제하였다 (Sweeney 등, 2002). 종양을 억제하는 유전자인 *phosphatase and tensin homolog* (*PTEN*)는 VEGF의 발현을 조절함으로써 혈관 형성을 조절한다 (Koul 등, 2002). ANGPT1, ANGPT2 등과 같은 여러 다른 혈관 형성 cytokines, FLT1, kinase insert domain receptor (KDR), tyrosine kinase with immunoglobulin and epidermal growth factor homology domain 1 (TIE1) 등과 같은 내피세포 tyrosine kinases 수용체, vascular endothelial cadherin (VE-cadherin), platelet endothelial cell adhesion molecule (PECAM) 등과 같은 내피세포 세포부착분자 (cellular adhesion molecules, CAM) 등을 코드화하는 mRNA의 발현과 VEGF의 발현은 상호 관련이 있다 (Shih 등, 2002). 이들 연구들은 암세포가 암이 발달하는 과정에서 VEGF를 발현하여 혈관신생을 일으키며, 전립선암이 성장하는 데 필요한 산소가 부족한 저산소증 환경에서 성장 속도가 제한되는 단계를 혈관 형성을 통해 극복한다고 설명하고 있다. 저산소증과 VEGF의 발현은 강한 정상관관계를 나타낸다 (Cvetkovic 등, 2001).

혈장 VEGF 농도는 국소 전립선암 환자보다 거세 저항성 전립선암을 가진 환자에서 유의하게 증가되며, VEGF의 농도는 생존율과 반비례 관계를 나타낸다 (George 등, 2001). VEGF-A의 수용체인 VEGFR-1 혹은 FLT1은 전립선의 내피세포와 양성전립선비대의 대부분 상피세포에서 발견되며, 전립선상피내암과 전립선암에서 발현이 증가되거나 (Jackson 등, 2002) 혹은 감소된다 (Chevalier 등, 2002). 호르몬 비의존성 전립선암 환자의 혈청에서 VEGF 농도가 증가한다는 보고 (Jones 등, 2000)와 함께 VEGF와 VEGFR-1이 양성 전립선에서는 세포의 증식 구역인 기저세포층에서만 거의 발현되는 데 비해, 고등급 전립선상피내암 및 전립선암에서는 기저세포층 외에도 모든 암성 분비세포에서 발현되고 세포의 분화도가 낮을수록 발현의 강도가 증가된다는 보고가 있어

VEGF-VEGFR-1 시스템은 혈관의 형성뿐만 아니라 종양세포의 자가 자극 (autostimulation)을 통해 종양의 성장을 촉진한다고 생각된다 (Kllermann과 Helpap, 2001).

전립선암의 진행에서 VEGF와 VEGFR의 발현과 조직학적 결과 사이의 연관성을 평가하기 위해 71점의 원발 전립선암 표본 내에 있는 종양 조직과 종양에 인접한 양성 조직을 면역조직화학적으로 분석한 연구는 다음과 같은 결과를 보고하였다 (Yang 등, 2006). 첫째, VEGF-A, VEGF-C, VEGFR-3 등의 발현은 양성 상피에 비해 악성 상피 및 종양세포에서 유의하게 상향 조절되었다 ($p < 0.001$). 둘째, 종양 조직을 비교하였을 때, VEGF-C와 VEGFR-3의 발현은 병기 A, B, C 등에 비해 병기 D에서 더 높았으며, 각각의 p-value는 $< 0.001, 0.002$이었다. 셋째, 임상 병기와 VEGF-C 사이 ($p < 0.001$), 임상 병기와 VEGFR-3 사이 ($p < 0.001$), microvascular density (MVD)와 임상 병기 사이 ($p < 0.001$), VEGF-C와 Gleason 점수 사이 ($p = 0.001$), VEGFR-3와 Gleason 점수 사이 ($p < 0.001$), MVD와 Gleason 점수 사이 ($p < 0.001$), MVD와 VEGF-A 사이 ($p < 0.001$) 등에서 유의한 상관관계가 관찰되었다. 이들 결과를 종합하여 보면, VEGF-A와 VEGF-C의 발현 증가는 전립선암의 진행과 밀접한 연관성이 있으며, 전립선암의 진행에서 VEGF-A 발현의 증가는 미세 혈관의 밀도를 상향 조절하여 종양 조직의 성장을 촉진하고, VEGF-C와 VEGFR-3 발현의 증가는 림프관 형성을 증대시켜 암세포의 전이를 촉진한다.

VEGF ligand와 VEGFR은 혈관과 림프관의 활성화를 통해 전립선암의 성장을 유도하고 전파시킨다. 전립선암의 상피, 기질, 림프관, 혈관 등에서 VEGF와 VEGFR의 발현 양상을 확인하기 위해 전립선암 환자 52명으로부터 채집한 종양 조직과 인접 양성 조직에서 VEGF와 VEGFR의 여러 아형을 분석한 연구는 다음과 같은 결과를 보고하였다 (Woollard 등, 2013). 첫째, VEGFR-2를 제외한 모든 ligands와 수용체가 전립선 표본에서 관찰되었다. 둘째, 상피세포에서는 VEGF-A와 VEGFR-1의 발현이 양성 조직에 비해 종양 조직에서 더 높았다. 셋째, VEGF-D와 VEGFR-3의 발현은 기질과 림프관 및 혈관의 내피에서 종양 조직에 비해 양성 조직에서 더 높았다. 넷째, 림프관의 빈도는 양성 조직에 비해 종양 조직에서 더 낮았으나, 혈관은 그러지 않았다. 이들 결과를 종합하여 보면, 종양 조직에서 일어나는 VEGF-A에 의한 VEGFR-1의 활성화와 종양에 인접한 양성 기질에서 일어나는 VEGF-D에 의한 림프관 내피세포 VEGFR-3의 활성화는 전립선암의 진행과 전이

에 관여하는 중요한 신호 전달 기전이라고 생각된다.

VEGF에 관해서는 이 단원의 '10장 응혈 및 섬유소 용해 시스템' 중 '6. 전립선암의 혈관 형성에서 응혈과 섬유소 용해 시스템 활성의 역할'에서도 일부 기술되어 있다.

7. 혈소판유래성장인자와 수용체
Platelet-Derived Growth Factor (PDGF) And Receptor

Platelet-derived growth factor (PDGF)의 동형 단백질에는 PDGF-A~PDGF-D가 있으며, 이들은 이황화 결합에 의한 동질 이합체로 분비되는데, PDGF-A와 PDGF-B는 이질 이합체를 형성할 수 있다. 따라서 PDGF 가족은 5종의 이합체, 즉 PDGF-AA, -AB, -BB, -CC, -DD 등으로 구성되어 있으며, 이들은 PDGF receptor인 PDGFRα와 PDGFRβ를 통해 작용한다 (Heldin 등, 2002). PDGF는 세포의 성장과 분열을 조절하는 당단백질로서 혈관 형성과 기존 혈관의 성장에서 중요한 역할을 한다. PDGF는 섬유모세포, 평활근세포, 신경아교세포 등과 같은 중간엽 세포에 대해 강력한 유사분열 촉진 인자의 역할을 한다. PDGF는 혈소판이 활성화되면 혈소판의 알파 과립에서 합성되고 저장된 후 분비되지만, 평활근세포, 대식세포, 내피세포 등과 같은 많은 세포에서도 생성된다 (Minarcik 와 John, 1992; Kumar와 Vinay, 2010).

생체 외 실험에서 수용체를 통한 PDGF의 신호는 생체 외 실험에서 세포의 증식, 생존, 변형, 화학주성 (chemotaxis), 혈관 형성 등 다양한 세포 반응을 일으켰다 (Kim 등, 1997). 생체 연구는 상반되는 결과를 나타내는데, 양성전립선비대에서는 ligand 혹은 수용체 중 하나가 없거나 (Fudge 등, 1994) 혹은 PDGFRβ 수용체의 발현이 제한적이다 (Vlahos 등, 1993)는 보고가 있으며, 전립선상피내암과 전립선암의 상피세포 및 기질세포에서는 PDGF-A와 PDGFRα 수용체가 발현되지만 PDGF-B와 PDGFRβ 수용체는 발현되지 않거나 약하게 발현된다는 보고 또한 있다 (Fudge 등, 1996). 따라서 PDGF-A ligand와 수용체는 전립선상피내암과 전립선암에서 자가 분비 방식으로 성장을 조절함으로써 악성 암으로 변형시키는 기능을 가지고 있다고 생각된다 (Fudge 등, 1994). 이 연구는 PDGF-A와 PDGFRα에 대한 면역 반응이 Gleason 점수 6 이하에서는 비교적 높고, 7 이상에서는 낮다고 하였다.

혈소판에서 유래된 epidermal growth factor (EGF)는 강력한 혈관 형성 인자이며, 양성 세엽과 기질세포에서 발현되지만 암 세포주에서는 발현되지 않는다. 혈소판에서 유래된 EGF는 미세혈관의 밀도와 양의 상관관계를 나타낸다 (Okada 등, 2001).

PDGF ligand와 PDGFR이 결합하면, 이합체가 형성되고 수용체 kinase의 자가 인산화 (autophosphorylation)가 일어나며, 이로써 SRC proto-oncogene, non-receptor tyrosine kinase (SRC), growth factor receptor-bound protein 2 (GRB2), src homology 2 domain-containing (SHC) transforming protein (SHC) 등과 같이 Src homology 2 (SH2) 영역을 가진 adaptor 단백질이 인산화된 tyrosine 잔기로 집합하게 된다. PDGF의 기능을 매개하는 하위 경로로는 rat sarcoma viral oncogene homolog (RAS), mitogen-activated protein kinase (MAPK), phospholipase C (PLC), phosphatidylinositol 3-kinase/v-akt murine thymoma viral oncogene homolog protein 1 (PI3K/AKT) 등이 있다 (Andrae 등, 2008). 일부 세포에서는 다른 adaptor 분자, 예를 들면 tyrosine-protein kinase Fer, tyrosine kinase 3 (TYK3) 등으로 알려진 Fer (fps/fes related) tyrosine kinase (FER) 및 feline sarcoma oncogene, tyrosine-protein kinase Fes/Fps 등으로도 알려진 FES proto-oncogene tyrosine kinase (FES) tyrosine kinase 가족과 β-catenin 또한 PDGF의 신호 경로에 관여한다 (Kim과 Wong, 1995; Andrae 등, 2008).

PDGF의 비정상적 발현은 흔히 종양의 암 성분과 관련이 있으며, PDGFRs는 주로 섬유모세포 및 혈관 종양의 기질에서 발견된다 (Ko 등, 2001; Mathew 등, 2004; Hofer 등, 2004). 이러한 관찰은 종양에서 유래된 PDGF가 경성 종양에서 주변 분비성 신호를 전달하는 분자로서 작용함을 시사한다. PDGF는 혈관 형성을 유도하는 인자로서 기질의 섬유모세포, 혈관 주위세포, 내피세포 등의 집합과 성장을 촉진하여 종양의 성장, 전이, 약물 저항성 등에 간접적으로 관여한다는 연구 결과가 이를 뒷받침한다 (Pietras 등, 2003; Andrae 등, 2008). 흥미로운 점은 PDGF의 자가 분비성 신호 또한 종양의 진행에서 중요한 역할을 한다는 점이다. PDGF ligands와 수용체의 공동 발현 혹은 돌연변이는 상피세포 종양이 아닌 여러 종양, 예를 들면 아교모세포종, 골육종 등에서 종양세포의 성장과 증식을 촉진한다 (Ostman, 2004). PDGF의 자가 분비성 신호는 유방암, 결장암, 전립선암, 간암 등에서 epithelial-to-mesenchymal transition (EMT)과 관련이 있다는 보고는 PDGF의 자가 분비성 신호 경로가 전이에서 원인이 되는 역할을 함을 보여 준다 (Jechlinger 등, 2006; Kong 등, 2008). PDGF의 주변 분비성 신호 경로가 종양의 진행과 상호 관련이 있다고 보고되었지만, 종양의 상피세포에서 PDGF의 자가 분비성 신호가 가진 기능과 관련 기전은 분명하게 밝혀져 있지 않다 (Andrae 등, 2008).

EMT는 암줄기세포와 유사한 세포가 전형적으로 가지고 있는 특징, 즉 상피세포 표지자의 상실 및 중간엽 표지자의 습득을 나타내며, 세포의 침습 및 전이를 증대시킨다. 따라서 암의 진행을 이해하고 확인하는 데는 EMT를 유도하는 인자의 역할을 발견하는 것이 중요하다. PDGF의 신호는 EMT의 원인이 되며, PDGF-DD가 암세포의 침습과 혈관 형성을 조절한다고 보고된 바 있다. PDGF-DD가 암세포의 침습 및 전이를 촉진하고 EMT의 표현형을 유도하는 기전을 이해하기 위해 PC3 세포가 PDGF-DD를 높게 발현하도록 유전자 전달 감염을 일으킨 연구는 다음과 같은 결과를 보고하였다 (Kong 등, 2008). 첫째, PDGF-DD를 높게 발현하는 세포에서는 tight junction protein 1 (TJP1)으로도 알려진 zonula occludens-1 (ZO1) 및 E-cadherin (CDH1)의 상실과 vimentin (VIM)의 습득이 관찰되었으며, mammalian target of rapamycin (mTOR), nuclear factor-kappa B (NFκB), B-cell lymphoma 2 (BCL2) 등이 활성화됨과 함께 EMT가 유도되었다. 둘째, PC3 세포에 비해 PDGF-DD를 과다 발현하는 PC3 세포는 severe combined immunodeficiency (SCID) 생쥐에서 더 신속하게 종양의 성장을 유도하였다. 이들 결과는 PDGF-DD가 EMT를 촉진하고 종양의 성장을 증대시키는 기전을 보여 주며, PDGF-DD가 전립선암의 예방 및 치료에서 표적이 될 수 있음을 시사한다.

PDGFR 신호 경로의 활성화는 세포의 성장, 증식, 이동, 생존 등을 조절하는 다수의 하위 경로와 관련이 있다 (Andrae 등, 2008). 종양 조직에 있는 기질세포, 즉 내피세포와 섬유모세포에서 PDGF는 AKT 및 MAPK 의존성 생존 기전을 활성화한다 (Kitadai 등, 2006; Kodama 등, 2010). PDGF가 상피세포암에서 기능을 나타내는 기전은 분명하지 않지만, PDGF의 자가 분비성 신호 경로가 β-catenin의 경로를 활성화한다는 보고가 있다. 예를 들면, PDGF-AB가 PI3K 의존성 기전을 통해 핵 내에 β-catenin의 축적을 유도함으로써 간세포암의 전이가 진행되는 동안 anoikis로부터 암세포를 보호한다는 보고가 있으며 (Fischer 등, 2007), 결장암에서 PDGF-BB가 β-catenin 의존성 유전자의 발현을 활성화함으로써 cyclin

D1 (CCND1)과 v-myelocytomatosis viral oncogene homolog (c-MYC)를 상향 조절하고 (Yang 등, 2007), EMT를 유도한다는 보고가 있다 (Yang 등, 2006). 두 경우에서 PDGF-BB는 Abelson murine leukemia viral oncogene homolog 1으로도 알려진 ABL proto-oncogene 1, non-receptor tyrosine kinase (ABL1)의 인산화를 유도하여 ATPase에 의해 활성화되는 RNA helicase인 p68을 동원하며, p68의 인산화를 활성화한다. 인산화된 p68은 β-catenin과 결합하여 핵 내로의 전위를 일으키고 β-catenin과 전사 인자인 T-cell factor/lymphoid enhancer factor (TCF/LEF)와의 상호 작용을 촉진한다 (Yang 등, 2006). PDGF가 β-catenin의 신호 경로를 활성화하는 데는 다른 경로도 관여한다. 예를 들면, PDGF-BB는 AKT와 glycogen synthase kinase 3β (GSK3β)의 인산화를 유도하여 β-catenin의 세포 내 농도와 핵 내 축적을 증가시킨다 (Doble 와 Woodgett, 2003).

세포 자멸사에 대한 저항성은 전이 암세포의 특징이며, 암세포가 침습, 전이, 집락 형성 등을 진행하는 동안 생존하는 이점을 가지게 된다 (Mehlen과 Puisieux, 2006). BCL2 가족에 속해 있는 myeloid cell leukemia 1 (MCL1)이 전립선암의 골 전이로의 진행과 관련이 있다는 보고가 있다 (Zhang 등, 2010). 이 연구는 PDGF-BB가 전사 인자인 β-catenin과 hypoxia-inducible factor 1α (HIF1α)에 의해 매개되는 신호 전달 기전을 통해 MCL1의 발현을 상향 조절함으로써 전이 전립선암 세포의 생존을 촉진하는 인자의 역할을 한다고 하였다. 전립선암 세포에서 PDGF와 MCL1의 신호 경로가 중요한 생존 기전임을 재확인한 다른 연구는 다음과 같은 결과를 보고하였다 (Iqbal 등, 2012). 첫째, PDGF-BB는 MCL1의 발현을 조절하는 인자이다. 둘째, PDGFR의 자가 분비성 신호를 통한 PDGF-BB의 활성화는 ABL1과 p68 의존성 기전을 통해 β-catenin과 HIF1α의 상호 작용을 촉진한다. 셋째, PDGF-BB가 MCL1을 활성화하는 데는 hormone response element (HRE)가 필요하다. 넷째, 소분자 억제제인 AG-17을 이용하여 PDGFR과 MCL1의 경로를 억제하면, 전이 전립선암 세포에서 세포 자멸사가 촉진된다. 이들 결과는 PDGF와 MCL1의 경로가 전이 전립선암의 치료에서 표적이 될 수 있음을 보여 준다.

전립선암과 골격의 미세 환경 사이의 상호 작용으로 인해 골 전이가 흔하게 일어나며, 전립선암을 가지고 사망한 환자를 부검한 결과 90%에서 골 전이가 발견되었다 (Rana 등, 1993). 종양으로 인한 골 흡수는 PDGF와 같이 골 기질에 분포되어 있는 다수의 성장인자를 분비시키고 활성화한다. 종양으로 인한 PDGF의 국소 발현은 기질세포, 내피세포, 혈관 주위세포 등을 포함하는 기질 주위에서 PDGFR의 신호 경로를 활성화하며, 혈관 형성을 촉진한다. PDGF는 또한 골모세포에 대해 유사분열을 촉진하는 인자의 역할을 하며, 골 전이 전립선암이 골모세포 표현형을 가지도록 한다 (Roodman, 2004). 이러한 효과들은 골 전이 전립선암이 성장하는 데 좋은 미세 환경을 제공한다. 이들 자료는 PDGFR 억제제가 골 전이 전립선암의 치료에 도움이 될 수 있음을 보여 준다. 초기의 연구는 실험 모델에서 imatinib이 골수의 기질세포와 내피세포의 paclitaxel에 대한 민감성을 증가시켜 전립선암의 골 전이를 유의하게 억제한다고 하였다 (Kim 등, 2004). 그러나 imatinib을 이용한 이후의 연구는 심각한 부작용 때문에 성공적인 결과는 제한적이라고 하였다 (Mathew 등, 2007). 다른 연구는 전이 암세포에서는 PDGF와 MCL1의 경로가 활성화됨으로 인해 전립선암 세포가 전파되고 집락을 형성하는 동안 세포 자멸사를 피할 수 있다고 하였다 (Iqbal 등, 2012). 이들 자료를 근거로 PDGF-BB는 종양과 골격의 미세 환경 사이에서 '악순환'을 매개하는 중요한 역할을 하며, 주위의 기질 내에서 혈관 형성을 촉진할 뿐만 아니라 전립선암 세포의 생존을 지속시킨다는 가설이 제시되었다. 이러한 가설은 PDGF-BB가 생쥐의 골 피질 (bone cortex)에 이식된 PC3-MM2 세포에서 증가되며, 활성화된 PDGFRβ는 골격에 인접하여 자라는 종양 병변과 종양 조직 내의 내피에서만 발견된다는 관찰에 의해 뒷받침된다 (Uehara 등, 2003; Langley 와 Fidler, 2007). 전립선암의 골 전이에서 PDGF와 MCL1은 임상적으로 중요하기 때문에, 전립선암 세포에서 자가 분비성 신호 경로인 PDGF와 MCL1의 생존 경로를 표적화하고 주변 분비성 신호 경로인 미세 환경을 함께 표적화하는 전략은 악순환을 붕괴시키고 전이 전립선암을 효과적으로 치료할 수 있는 방법이 될 수 있다 (Iqbal 등, 2012).

면역 결핍 생쥐에서 PDGF-DD의 역할을 평가한 연구는 다음과 같은 결과를 보고하였다 (Huang 등, 2012). 첫째, LN-CaP 전립선암 세포에서 PDGF-DD의 발현은 골 종양의 성장과 골 반응을 증대시켰다. 둘째, PDGF-DD를 발현하는 LN-CaP 세포에 의해 형성된 골 종양을 분석한 결과 골 전이 전립선암에서 관찰되는 소견과 비슷하게 골 용해성 반응과 골모세포 반응이 관찰되었다. 셋째, 파골세포 (osteoclast)의 분화를 조절하는 PDGF-DD의 기능은 receptor activator of nucle-

ar factor kappa-B/RANK ligand (RANK/RANKL) 신호 경로와는 독립적이었다. 넷째, PDGF-BB와 PDGF-DD 둘 모두가 PDGFRβ를 활성화할 수 있었지만, PDGF-DD 만이 파골세포의 분화를 유도하였으며, 파골세포의 형성 (osteoclastogenesis)에서 중요한 전사 인자인 nuclear factor of activated T cell 1 (NFAT1) 혹은 NFAT, cytoplasmic 2 (NFATC2)의 발현과 핵으로의 전위를 상향 조절하였다. 이들 결과는 PDGF-DD가 전립선암의 골 전이에서 중요한 작용인 파골세포의 분화를 조절하는 기능을 가지고 있음을 보여 준다.

Matriptase로도 알려진 suppressor of tumorigenicity 14 (ST14)은 PDGF-DD를 활성화하는데, 이는 hemidimer의 생성, growth factor domain dimer (GFD-D)의 생성 등과 같은 두 단계를 거쳐 complement C1r/C1s, Uegf, Bmp1 (CUB) domain을 제거함으로써 이루어진다. ST14은 GFD 내에서 단백질을 분해하는 작용으로 분절을 일으킴으로써 PDGF-DD를 불활성화할 수도 있기 때문에, ST14은 이상성 (biphasic) 조절 양상을 나타낸다. 전립선암 조직에서 PDGF-DD와 ST14이 함께 위치하면, PDGFRβ의 인산화가 일어난다. 즉, 전립선암에는 ST14/PDGF-DD/PDGFRβ의 신호 전달 축이 존재한다 (Ustach 등, 2010).

형질 전환과 관련이 있는 PDGFRβ의 ligands인 PDGF-BB와 PDGF-DD가 종양 형성의 기능을 가지고 있는지를 평가하기 위해 비악성 전립선 상피세포가 이들 ligands를 과다 발현하도록 조작한 연구는 다음과 같은 결과를 보고하였다 (Najy 등, 2012). 첫째, 생체 밖 실험에서 PDGF-DD는 PDGF-BB에 비해 더 효과적으로 세포의 이동 및 침습을 유도하였다. PDGF-DD는 종양 형성에 관여하였으며, PDGF-BB에 비해 종양의 혈관 형성을 증대시켰다. 둘째, MAPK 및 PI3K 신호 경로의 자가 분비성 신호를 분석한 결과, PDGF-DD는 c-Jun N-terminal kinase (JNK)의 신호 단계를 특이하게 활성화하였다. 셋째, short hairpin RNA (shRNA)와 억제 약물을 이용한 분석은 PDGF-DD에 의한 표현형의 전환이 PDGFRβ와 JNK에 의존적임을 보여 주었다. 넷째, PDGF-DD는 전립선 상피세포에서 matriptase로도 알려진 ST14이 활성화되는 경우 증가하였다. 이 연구는 ST14가 PDGF-DD에 대한 단백질 분해 활성체의 역할을 하며, 암이 진행하는 동안 단백질 분해의 신호와 PDGF의 신호 경로가 증폭됨을 보여 준다.

면역조직화학적 분석에 의하면, 국소 전립선암의 5%, 전이 전립선암의 16%에서 PDGFRβ의 중등도 혹은 강한 발현이 관찰되었다. 또한, reverse transcription-polymerase chain reaction (RT-PCR) 분석으로 PDGFRβ의 발현과 관련하여 상향 혹은 하향 조절되는 유전자가 발견되었는데, 이들은 도표 263과 264에 정리되어 있다. 이들 자료를 종합하여 볼 때, PDGFR이 경성 종양에서 과다 발현되는 tyrosine kinase 수용체이기 때문에 이러한 기능을 억제하는 제제, 예를 들면 imatinib mesylate (Gleevec)가 치료에 효과적일 것으로 추측되지만, 국소 전립선암의 일부만이 PDGFR에 특이한 tyrosine kinase 억제제에 반응한다 (Hofer 등, 2004).

일부 형태의 종양에서 PDGFRs는 유전적으로 활성화되어 악성 세포의 성장을 직접 자극한다. 또한, 기질세포에서 PDGFRβ 발현의 증가 혹은 활성화는 유방암, 전립선암, 위장관암 등에서 나쁜 예후와 관련이 있다. 상피세포암의 예후에서 PDGFRα와 PDGFRβ의 중요성이 밝혀진다면, 이들은 임상 연구에서 유망한 표지자의 역할을 할 것이며, 항암 요법의 표적이 될 수 있을 것이다 (Paulsson 등, 2014).

8. 기타 성장 인자 Other Growth Factors

'살포 인자 (scatter factor)'로도 불리는 hepatocyte growth factor (HGF)는 사람의 경우 전립선 기질세포에서만 발현되며, 암세포의 증식과 운동성을 자극한다 (Gmyrek 등, 2001). HGF는 matrilysin으로 하여금 E-cadherin의 세포 밖 영역을 분할하도록 유도하여 cadherin-catenin 복합체를 해리시킴으로써 다수 기관의 세포의 이동력을 증가시키고 세포가 널리 분산되게 한다 (Davies 등, 2001). HGF 및 met proto-oncogene tyrosine kinase (MET) 의 발현과 암세포의 악성 진행 사이의 상호 관계는 전이에서 어떠한 역할을 할 것으로 짐작하게 한다.

HGF는 전립선상피내암 (Myers와 Grizzle, 1996), 양성전립선비대 (Pisters 등, 1995), 전립선암 (van Leenders 등, 2002) 의 상피세포에만 있는 MET 원형 종양 유전자 (proto-oncogene)의 산물과 결합한다. 조직 표본에서 MET를 발현하는 비율은 양성전립선비대로부터 (Pisters 등, 1995) 전립선상피내암 (Myers와 Grizzle, 1996), 원발 전립선암 (Pisters 등, 1995), 전이 전립선암 (Pisters 등, 1995)으로 진행할수록 점차 증가한다. 혈청 HGF 농도는 혈청 PSA 농도 혹은 환자 연령과 관계없이 전이 전립선암을 가지고 있는 환자에서 증가한다 (Naughton 등, 2001).

도표 263 PDGFRβ의 과다 발현과 관련하여 상향 조절되는 유전자

유전자 기호	유전자 ID	증가율, 배	q-value
EGR1	840944	3.8	0.15
CTGF	898092	3.1	0.1
ATF3	51448	3.0	0.1
ALCAM	26617	2.7	0.1
RPL15	837904	2.4	0.1
SPARCL1	823871	2.2	0.05
AMACR	133130	2.1	0.1
ZFP36	23804	2.1	0.17
LUM	813823	1.8	0.24

ALCAM, activated leukocyte cell adhesion molecule; AMACR, alpha-methylacyl-CoA racemase; ATF, activating transcription factor 3; CTGF, connective tissue growth factor; EGR1, early growth response 1; ID, identification; LUM, lumican; PDGFRβ, platelet-derived growth factor receptor beta; RPL15, ribosomal protein L15; SPARC, secreted protein, acidic and rich in cysteine; SPARCL1, SPARC-like 1 or hevin (HV) or MAST9; ZFP36, zinc finger protein 36, C3H type, homolog (mouse).
Hofer 등 (2004)의 자료를 수정 인용.

도표 264 PDGFRβ의 과다 발현과 관련하여 하향 조절되는 유전자

유전자 기호	유전자 ID	감소율, 배	q-value
DSCR1L2	132828	−2.9	0.1
MYL2	300051	−2.8	0.1
NBL1	898305	−2.8	0.1
CA3	838856	−2.5	0.1
MAF	487793	−2.4	0.1
SLC2	190732	−2.3	0.1
AZGP1	1456160	−2.3	0.1
GAS1	365826	−2.2	0.1
SCD	810711	−2.1	0.1
SYT1	971399	−1.9	0.4
GAL3	811000	−1.9	0.4
DRG1	842980	−1.8	0.2

AZGP1, alpha-2-glycoprotein 1, zinc-binding or zinc-alpha-2-glycoproteinc; CA3, carbonic anhydrase III; DRG1, developmentally regulated GTP binding protein 1; DSCR1L2, Down syndrome critical region gene 1-like 2; GAL3, galectin-3; GAS1, growth arrest-specific 1; ID, identification; MAF, v-maf avian musculoaponeurotic fibrosarcoma oncogene homolog; MYL2, myosin light polypeptide 2, regulatory, cardiac, slow; NBL1, neuroblastoma, suppression of tumorigenicity 1; PDGFRβ, platelet-derived growth factor receptor beta; SLC2, solute carrier family 2; SCD, stearoyl-CoA desaturase; SYT1, synaptotagmin I.
Hofer 등 (2004)의 자료를 수정 인용.

HGF는 세포 표면 수용체인 MET와 결합함으로써 상피세포의 증식, 분화, 이동, 침습 등을 촉진한다. 전립선에서 MET는 상피세포에서 우세하게 발현되는 데 비해, HGF는 기질세

포에 의해 합성된다. MET는 또한 국소 및 전이 전립선암에서 발현된다. 생체 밖 실험은 전립선의 상피세포가 DU145 전립선암 세포의 발현양과 비슷한 정도로 MET의 발현을 유지함을 보여 주었다. 전립선의 기질세포에서 분비된 HGF는 MET 수용체의 인산화를 자극한다. 전립선의 정상 상피세포에서 HGF는 성장 억제, mitogen-activated protein kinase (MAPK)의 지속적인 인산화, cytokeratin 18 (CK18)의 발현 증가 등을 일으킨 데 비해, DU145 암 세포주에서는 HGF가 유의하게 세포의 증식을 자극하였다. 전립선 기질세포의 조건화 배지에서 HGF는 특이하게 MatriGel을 통한 정상 및 악성 전립선 상피세포의 이동을 유도하였으며, HGF가 고갈된 경우에는 세포의 이동이 약 50% 감소하였다. 이와 같은 결과는 전립선암의 발생과 전이에서 전립선의 기질과 기질에서 유래된 인자인 HGF가 중요한 역할을 함을 보여 준다 (Gmyrek 등, 2001).

HGF는 1개의 사슬을 가진 불활성적인 pro-HGF로 분비되며, coagulation factor XII와 같은 serine proteinase인 HGF activator (HGFA)와 suppressor of tumorigenicity 14 (ST14 혹은 matriptase)에 의해 2개의 사슬을 가진 활성적인 형태로 전환된다. 활성 HGF가 전립선암에 대한 표지자의 역할을 하는지를 평가하기 위해 양성 전립선 질환 환자 38명과 전립선암 환자 160명의 혈청에서 ELISA를 이용하여 활성 HGF와 함께 총 HGF, 즉 pro-HGF와 활성 HGF를 합산한 농도를 분석한 연구는 다음과 같은 결과를 보고하였다 (Yasuda 등, 2009). 첫째, 활성 HGF의 혈청 농도는 양성 전립선 질환을 가진 환자에 비해 치료를 받지 않은 전립선암 환자에서 유의하게 더 높았으며, 각각 0.28 ± 0.08 ng/mL, 0.37 ± 0.12 ng/mL이었다 ($p=0.0001$). 둘째, 활성 HGF의 혈청 농도는 병기 B에 비해 병기 D 혹은 D3를 가진 환자에서 증가되었다. 셋째, 분화가 잘 된 전립선암과 미분화 전립선암을 가진 환자는 활성 HGF의 혈청 농도에서 유의한 차이를 나타내었다. 넷째, 혈청 활성 HGF/총 HGF 비율의 평균치는 병기 B에 비해 병기 D3 환자에서 유의하게 더 높았다. 이러한 결과는 활성 HGF가 전립선암에 대한 종양 표지자의 역할을 함을 보여 준다.

전립선의 cancer stem-like cell/cancer-initiating cell (CSC/CIC)은 HGF를 발현하며, HGF/MET 신호는 자가 분비성 방식으로 전립선의 CSC/CIC를 유지하는 데 어떠한 역할을 한다. 따라서 HGF는 전립선의 CSC/CIC에 대한 표지자라고 할 수 있다. 전립선 조직에서 HGF의 발현과 근치전립선절제술 후의 생화학적 재발 사이의 연관성을 평가하기 위해 근치전립선절제술 후 PSA로 추적 관찰을 받은 101명의 전립선 조직 표본에 대해 면역조직화학검사를 실시한 연구는 다음과 같은 결과를 보고하였다 (Nashida 등, 2015). 첫째, HGF 양성률이 5% 미만인 종양을 가진 환자에 비해 5% 이상을 가진 환자에서 생화학적 재발이 없는 기간이 유의하게 더 짧았다 ($p=0.001$). 둘째, 다변량 회귀 분석에서 수술 전 PSA 농도와 HGF 양성률은 수술 후 생화학적 재발에 대한 독립적 예측 인자이었다. 이러한 결과는 전립선 CSC/CIC의 표지자인 HGF의 발현이 전립선암으로 근치전립선절제술을 받은 환자에서 생화학적 재발과 관련이 있음을 보여 준다.

HGF는 hepatocyte growth factor receptor (HGFR), scatter factor receptor (SFR) 등으로도 알려진 MET 수용체의 유일한 ligand이다 (Bottaro 등, 1991). Receptor tyrosine kinase (RTK)인 MET는 정상적으로 상피세포에서 발현되지만, 내피세포, 신경세포, 간세포, 조혈세포, 멜라닌세포 등에서도 발견된다 (Gentile 등, 2008). 그러나 MET의 발현은 중간엽 세포에서는 제한적이다 (Boccaccio와 Comoglio, 2006). MET는 HGF외에도 여러 성장 인자에 의해 활성화되며, 침습성 성장과 관련이 있는 유전자를 조절하는 전사 인자인 E-twenty six transformation-specific 1 (ETS1) (Gambarotta 등, 1996), 세포 내의 낮은 산소 농도에 의해 활성화되는 전사 인자 activator protein 1 (AP1) 및 hypoxia-inducible factor 1 (HIF1)에 의해 활성화된다 (Boccaccio와 Comoglio, 2006). MET는 신장암, 위암, 간암, 유방암, 뇌종양 등 다수의 암에서 조절 장애를 일으키는데, MET의 비정상적인 활성화는 종양 형성, 혈관 형성, 전이 등을 촉진하는 등 부정적인 예후와 관련이 있다 (Gentile 등, 2008). MET는 HGF로 유도되는 세포의 전파 및 증식을 매개하고 MAPK의 활성을 지속시키는 rat sarcoma viral oncogene homolog (RAS) 신호 경로 (Marshall, 1995; O'Brien 등, 2004), v-akt murine thymoma viral oncogene homolog protein 1 (AKT 혹은 protein kinase B, PKB)를 활성화하여 세포의 이동 및 생존을 유도하는 phosphatidylinositol 3-kinase (PI3K) 경로 (Gentile 등, 2008), MAPK의 활성을 지속시키고 HGF로 유도되는 형태 형성에 필요한 signal transducer and activator of transcription (STAT) 신호 경로 (Boccaccio 등, 1998), Wingless-type MMTV integration site (WNT) 신호 경로의 중요한 요소이고 핵 내로 전위된 후에는 MET를 활성화하는 β-catenin 경로 (Monga 등, 2002) 등을 활성화하여 종양 형성 및 혈관 형성을 촉진하며, metalloproteinase를 생성하여 살포 인자의 역할을 함으로써 전이를 유도한다 (Birchmeier 등, 2003).

Cytokines는 암세포의 성장 억제 및 면역 조절 효과를 나타내며, cytokine 유전자의 다형성은 종양에 대항하는 면역 반응 및 혈관 형성의 조절을 통해 전립선암의 발생에 영향을 준다 (McCarron 등, 2002).

세포 자멸사에 대한 대항 작용 등을 포함하는 다면적인 기능을 가진 interleukin 6 (IL-6)는 자궁경부암에서 myeloid cell leukemia 1 (MCL1)과 함께 발현되며, IL-6에 의한 MCL1의 상향 조절은 STAT 혹은 MAPK 경로와는 관계없이 PI3K/AKT 경로에 의존적이고, 이로써 세포 자멸사에 대한 대항 작용 및 종양 형성을 유도한다고 보고되었다 (Wei 등, 2001). 상반되는 연구 결과도 있다. 식도암 세포주 CE48T/VGH를 이용한 연구는 STAT 및 MAPK 경로가 IL-6로 유도되는 생존 신호에 관여하며, PI3K는 세포 자멸사에 대한 IL-6의 대항 작용에서 어떠한 효과도 나타내지 않는다고 하였다. 이 연구는 IL-6가 세포 자멸사에 대항하는 분자인 B-cell lymphoma 2 (BCL2), BCL-extra large (BCL-xL), BCL2-associated X protein (BAX) 등과 같은 BCL2 가족의 생성에는 영향을 주지 않지만, MCL1의 발현을 유도하여 식도암의 진행을 촉진한다고 하였다 (Leu 등, 2003). 골수암 세포주 XG-7을 이용한 연구는 IL-6가 RAS/MAPK 혹은 PI3K/AKT 경로보다 Janus kinase (JAK)/STAT 경로를 활성화하고 MCL1의 상향 조절함으로써 XG-7 세포의 세포 자멸사를 억제한다고 하였다 (Song 등, 2002).

증거 자료가 미흡하지만, IL-1, -2, 혹은 interferon (IFN)-α, -β, -γ는 전립선암이 형성되는 동안 발현된다. IL-6는 기질세포에서 주변 분비의 방식으로, 전립선암 세포에서는 자가 분비의 방식으로 분비된다 (Giri 등, 2001). 전이 전립선암 환자의 혈장에서 증가한다고 알려진 IL-6는 soluble IL-6 receptor (IL-6sR) 혹은 막 IL-6R와 결합하여 동질 이합체인 glycoprotein 130 (gp130)를 형성함으로써 하위 신호 경로를 활성화한다. 수술 전 혈장 IL-6 및 IL-6sR의 농도가 근치전립선절제술 후의 예후와 관련이 있는지를 평가하기 위해 120명의 국소 전립선 환자를 대조군과 비교한 연구는 IL-6와 IL-6sR의 혈장 농도는 골 전이 전립선암에서 급격하게 증가하기 때문에, 수술 전 혈장에서 이들 농도가 증가한 경우는 전이 질환이 잠복하여 있을 가능성이 높으며, 이러한 경우는 생화학적 재발에 대해 독립적인 예측 인자의 역할을 한다고 하였다 (Shariat 등, 2001). 다른 연구는 수술 전 transforming growth factor-beta$_1$ (TGFβ$_1$)과 IL-6sR의 혈장 농도의 증가는 림프절 전이와 관련이 있으며, 전립선절제술 후 TGFβ$_1$의 혈장 농도가 수술 전보다 증가하면 질환의 진행을 예측할 수 있다고 하였다 (Shariat 등, 2004). 거세 저항성 전립선암의 tyrosine kinase inhibitor (TKI)에 대한 민감성은 일정하지 않다. TKI를 이용한 실험에서 IL-6는 TKI에 민감한 DU145 세포에 비해 저항적인 PC3 세포에서 상당하게 증가하기 때문에, IL-6가 거세 저항성 전립선암 환자에서 TKI 저항성에 대한 표지자의 역할을 한다고 생각된다 (Kutikov 등, 2011). 염증을 유발하는 cytokines인 IL-6, IL-1, tumor necrosis factor alpha (TNF-α) 등은 nuclear factor kappa B (NFκB)를 활성화함으로써 세포의 증식을 유도한다는 연구에 근거하여 전립선암에서 이들 cytokines를 분석한 연구는 다음과 같은 결과를 보고하였다 (Rodríguez-Berriguete 등, 2010). 첫째, 전립선암과 고등급 전립선상피내암에서 NFκB의 핵으로의 전위는 IL-6/extracellular signal-regulated kinase (ERK) 신호 경로에 의해 촉진되었지만, TNF-α/NFκB-inducing kinase (NIK), TNF/p38, IL-1/NIK, IL-1/p38 등과 같은 다른 경로에 의해서는 자극을 받지 않았다. 둘째, 전립선암에서 NFκB의 활성화는 IL-6의 발현을 조절하였다. 셋째, 이러한 신호 경로는 세포의 증식과 생존에 관여하는 v-myc avian myelocytomatosis viral oncogene homolog (c-MYC), 혹은 activating transcription factor 2 (ATF2), ELK1, member of ETS oncogene family (ELK1) 등과 관련이 있었다. 이들 결과는 세포 자멸사와 증식의 균형을 변경하는 다수의 신호 경로로 인해 이질적인 질환으로 발달한 전립선암을 치료하기 위해서는 종양세포의 성장을 억제하는 방법 외에 염증을 유발하는 cytokines를 불활성화하는 방법과 병합한 요법이 치료의 효과를 높일 수 있음을 보여 준다. IL-6에 관하여서는 '8장 전립선암 종양 표지자' 중 '31. Interleukin-6 (IL-6) And Interleukin-17 (IL-17)'을 참고하면 도움이 된다.

저등급 전립선암의 원발 상피세포에서는 *tissue inhibitor of metalloproteinase 1 (TIMP1)* mRNA가 발현되는데, Northern blot 분석에 의하면, IL-10은 *TIMP1*의 발현을 강하게 자극하고 IL-6는 약하게 자극한다 (Stearns 등, 1995). IL-6는 안드로겐이 없는 상태에서 안드로겐 수용체를 활성화하며, 안드로겐 의존성 암이 안드로겐 비의존성 암으로 전환하는 데 영향을 준다 (Smith 등, 2001). 전립선암 세포주에서 IL-6의 합성은 NFκB로 매개되며, 이는 IL-1β가 promatrilysin을 발현하는 데 필요하다 (Maliner-Stratton 등, 2001). IL-6와 IL-6 수용체의 혈청 농도는 전립선암의 진행 및 전이와 관련이 있어 근치전립선절제술 후 PSA 실패를 예측할 수 있는 독립적 인자로 간주된다 (Shariat 등, 2001).

IL-11 및 IL-11 수용체, 활성 형태의 STAT3는 양성전립선비대에서 발견되며, 전립선암에서는 증가된다 (Campbell 등, 2001). 염증 유발성 cytokine인 IL-15은 T 세포의 성장을 촉진하고 그것의 생성은 T 세포의 생성물인 IFN-γ에 의해 이루어져 주변분비 형태를 나타낸다. IL-15과 수용체는 모든 유형의 전립선 세포에서 발견된다 (Handisurya 등, 2001). IL-17 단백질도 양성과 악성 전립선에서 발현된다 (Haudenschild 등, 2002).

양성 전립선 조직에 비해 전립선암에서 더 강하게 발현되는 또 다른 cytokine인 TNF는 종양 세포주의 증식 및 주화성을 억제한다 (Ritchie 등, 1997). TNF-α의 -308과 -488 구역에서 관찰되는 유전자형의 변화는 전립선암의 강한 위험 인자이다 (Oh 등, 2000). 또한, TNF-α는 BCL2로 매개되는 세포 자멸사의 유도 (Kramer 등, 2001), NFκB의 활성화 (Gunawardena 등, 2002), Ras-related protein Rab-27A (RAB27A) 및 phosphatidylinositol-3,4,5-triphosphate (PIP$_3$)와 결합하는 단백질로서 JFC1으로도 알려진 synaptotagmin-like protein 1 (SLP1/SYTL1)의 발현을 자극 (Catz 등, 2002; Johnson 등, 2005), cyclooxygenase 2 (COX2)의 발현을 유도 (Subbarayan 등, 2001) 등과 같은 다수의 기전을 통해 종양 세포주에 대하여 세포 독성을 나타낸다. TNF-α의 효과는 TNF-R I (55 kD)과 TNF-R II (75 kD)에 의해 매개되며, 이들 둘은 전립선암 세포주에서 발현된다 (Nakajima 등, 1996).

IL-1과 TNF-α는 염증을 유발하는 cytokines로서 여러 암의 시작과 진행에 관여한다. 이들 두 cytokines는 전립선암의 생물학적 작용과 환자의 예후에 영향을 준다. 종양과 기질 내에 분포해 있는 IL-1, TNF-α 등과 관련 신호 경로의 요소가 근치전립선절제술 후 생화학적 재발, 임상병리학적 결과 등과 같은 예후를 예측할 수 있는지를 평가하기 위해 전립선암 환자 93명을 대상으로 면역조직화학검사를 통해 IL-1α, IL-1β, IL-1Ra, IL-1RI, IL-1RII, interleukin-1 receptor-associated kinase 1 (IRAK1), TNF receptor-associated factor 2 (TRAF2), TRAF6, TNF-α, TNFRI 등을 분석한 연구는 다음과 같은 결과를 보고하였다 (Rodríguez-Berriguete 등, 2013). 첫째, TNF-α, TNFRI, TRAF2, TRAF6, IL-RI, IRAK1 등의 발현은 임상 T 병기, 병리학적 T 병기, 혈청 PSA 농도, Gleason 점수 등의 임상

병리학적 소견 중 최소 1가지와 관련이 있었다. 둘째, 종양 조직에서 TNF-α, TNFRI, IL-1RI 등의 발현 증가와 IRAK1의 발현 감소는 단변량 분석에서 부정적인 예후와 유의하게 상호 관련이 있었다. 셋째, 기질에서 IL-1β 및 IL-1RII의 발현 감소와 IRAK1의 발현 증가는 단변량 분석에서 불리한 예후와 관련이 있었다. 넷째, 종양 조직에서의 IL-1β와 기질에서의 IL-1RII 및 IRAK1은 수술 전 혈청 PSA, 병리학적 병기, Gleason 점수 등으로 보정한 다변량 분석에서 독립적 예후 인자의 역할을 하였다. 이들 결과는 전립선에서 TNF-α, IL-1β, 그리고 이들과 관련이 있는 신호 단백질, 예를 들면 TNFRI, IL-1RI, IL-1RII, IRAK1 등의 발현이 전립선암의 임상적 결과를 예측하며, TNF-α와 IL-1β가 전립선암의 진행에 관여함을 보여 준다.

양성 전립선과 악성 전립선, 국소 전립선암과 전이 전립선암을 감별하는 민감도와 특이도가 PSA보다 높은 생물 표지자를 발견하기 위해 여러 혈중 cytokines를 분석한 연구는 다음과 같은 결과를 보고하였다 (Chadha 등, 2014). 첫째, TNF-α와 soluble tumor necrosis factor-α receptors 1 (sTNFR1)은 전립선암 대비 양성 전립선을 강하게 예측하였으며, 각각의 area under the receiver operating characteristic curve (ROC-AUC)는 0.93, 0.97이었다. 둘째, 전립선암 대비 양성 전립선에 대한 가장 우수한 예측 인자는 sTNFR1과 IL-8을 연합한 경우이었으며, AUC는 0.997이었다. 셋째, 전이 전립선암 대비 국소 전립선암에 대한 가장 강한 예측 인자는 TNF-α와 PSA이었으며, 각각의 AUC는 0.992, 0963이었다. 이들 결과에 의하면, PSA에 근거한 전립선암의 진단에서 민감도와 특이도는 IL-8, TNF-α, sTNFR1 등의 혈청 농도를 함께 측정하면 증대된다고 생각된다.

Apoptosis-inducing ligand 2 (APO2L), tumor necrosis factor (ligand) superfamily, member 10 (TNFSF10) 등으로도 알려진 TNF-related, apoptosis-inducing ligand (TRAIL)는 cluster of differentiation 95 ligand (CD95L), apoptosis antigen 1 ligand (APO1L) 등으로도 알려진 Fas ligand (FasL)와 TNF를 포함하는 TNF 가족에 소속되어 세포 자멸사와 관련이 있는 단백질 ligands에 속하며, death (domain-containing) receptor 4 (DR4 혹은 TRAIL-R1) 및 DR5 (TRAIL-RI2)와 결합한다 (Song과 Lee, 2008). 의 소집단에 속한다. TRAIL로 매개되는 세포 자멸사는 정상 세포가 아닌 암세포에서 관찰된다 (Pan 등, 1997). TRAIL의 DR4는 정상 조직과 형질 전환을 일으킨 세포주 둘 모두에서 발현되지만, TRAIL은 형질 전환이 일어

난 세포의 세포 자멸사를 유도하며 정상 세포에 대해서는 세포 독성 효과를 나타내지 않는다. 정상 조직이 저항적인 표현형을 나타내는 이유는 대항제 유인 수용체인 TRAIL receptor without an intracellular domain (TRID)이 발견됨으로써 설명이 가능해졌다. TRID는 1개의 경막 영역 그리고 TRAIL과 결합하는 1개의 세포 외부 영역을 가지고 있지만 세포 내부 영역은 없다. TRID 전사물은 다수의 정상 조직에서 발견되지만, 대부분의 암 세포주에서는 발견되지 않는다. TRID의 이소성 발현은 TRAIL로 인해 일어나는 세포 자멸사로부터 세포를 보호하는 역할을 나타낸다. TRAIL의 DR5는 FADD-like interleukin 1β-converting enzyme (FLICE 혹은 caspase-8)에 의한 세포사를 유도한다 (Pan 등, 1997).

TRAIL receptor (TRAIL-R)는 5종이 발견되었다. TRAIL-R1과 TRAIL-R2는 경막에 위치한 신호 전달 death receptor (DR)로서 세포질 내에 death domains (DD)을 가지고 있으며, ligand와 결합한 후에는 특이한 연결 단백질인 FAS-associated DD (FADD)와 세포 자멸사를 유발하는 실행 단백질인 caspase-8 및 caspase-10 사이의 상호 작용을 촉진함으로써 외인성의 세포사 경로를 활성화한다 (Griffith와 Lynch, 1998). 그 외의 막 수용체로 TRAIL-R3와 TRAIL-R4가 있는데, 이들은 TRAIL과 결합하지만 DD가 결여되어 있어 세포사를 유도할 수 없기 때문에 '유인 수용체 (decoy receptor)'라고 불린다. 파골세포의 형성 (osteoclastogenesis)을 조절하는 인자인 osteoprotegerin은 soluble TRAIL-R (sTRAIL-R)이라고 보고되었다 (Emery 등, 1998). TRAIL-R3, TRAIL-R4 등과 같은 유인 수용체와 TRAIL-R1, TRAIL-R2 등과 같은 사망 수용체의 발현 정도에서의 차이는 TRAIL로 유도되는 세포 자멸사에 대한 종양세포의 민감도를 결정한다 (Sheridan 등, 1997).

안드로겐에 반응하는 LNCaP 전립선암 세포주는 TRAIL에 대해 저항적이며, LNCaP 세포에서 TRAIL로 매개되는 세포 자멸사는 PI3K/AKT에 의존적이다 (Chen 등, 2001; Sanlioglu 등, 2007). 안드로겐을 제거하게 되면 LNCaP 세포는 PI3K/AKT 경로를 억제하는 wortmannin이 존재하더라도 TRAIL에 대해 저항을 나타낸다 (Rokhlin 등, 2005). 이러한 저항성이 일어나는 이유는 안드로겐이 제거된 후에는 TRAIL-R1과 TRAIL-R2의 농도가 감소되고 TRAIL이 death-inducing signaling complex (DISC)를 형성하지 못하기 때문이다. 반면, dihydrotestosterone (DHT)이 존재하면, TRAIL이 DISC를 형성하는 기능이 완전하게 회복된다. 이러한 자료는 LNCaP 세포

에서 TRAIL의 DISC 형성과 TRAIL에 대한 민감성이 안드로겐에 의존적임을 시사한다 (Rokhlin 등, 2002). 또한, TNF와 관련이 있는 가족의 ligand로 인한 세포 자멸사는 용량 의존적으로 DHT에 의해 조절된다 (Rokhlin 등, 2005). 쥐 모델에서 세포 자멸사와 관련이 있는 안드로겐 제거는 복측 전립선에서 TRAIL-R4의 mRNA 및 단백질의 발현을 감소시켰으며, 거세된 쥐에게 투여된 테스토스테론은 복측 전립선에서 일어나는 TRAIL-R4의 mRNA 및 단백질의 발현 감소를 방지하였다. 그러나 거세 전립선에서 TRAIL-R1~R3와 TRAIL의 mRNA 및 단백질의 농도는 변화가 없었다. 이들 결과는 쥐의 복측 전립선에서 테스토스테론이 특이하게 TRAIL-R4의 발현을 조절함을 보여 준다 (Vindrieux 등, 2006). 안드로겐 박탈 요법을 받은 20명과 받지 않은 26명의 진행된 전립선암을 가진 환자를 대상으로 평가한 연구도 TRAIL의 사망 ligand와 TRAIL-R2의 사망 수용체가 안드로겐 박탈 요법을 받은 전립선암 환자에서 상향 조절되며, 호르몬에 민감한 전립선암 환자에 비해 호르몬 저항성 전립선암 환자에서 TRAIL-R1, TRAIL-R2 등과 같은 사망 수용체의 발현이 더 낮다고 하였다 (Koksal 등, 2010).

TRAIL은 양성 전립선 상피세포와 전립선암에서 세포 자멸사를 유의하게 증가시키며 (van Ophoven 등, 1999), 이를 위해선 caspase-8이 필요하다 (Rokhlin 등, 2002). TRAIL의 감소는 종양을 억제하는 유전자인 PTEN이 없는 경우 forkhead homolog in rhabdomyosarcoma (FKHR 혹은 FKH1)로도 알려진 fork-head transcription factor, 즉 forkhead box O1 (FOXO1)의 활성이 감소하기 때문이다 (Modur 등, 2002). 참고로, 인산화되지 않은 상태의 FOXO1은 핵에 위치해 있으며, glucose 6-phosphatase (G6Pase)의 촉진체 내에 있는 insulin response sequence (IRS)와 결합함으로써 G6Pase의 전사를 촉진한다. FOXO1은 G6Pase 전사의 증가를 통해 간에서 포도당의 생성을 간접적으로 증가시킨다. FOXO1이 AKT에 의해 인산화되면, 핵에서 나와 확산되고 분해된다. AKT에 의한 FOXO1의 인산화는 결국 G6Pase 전사의 감소를 통해 간에서 포도당의 생성을 감소시킨다 (Nakae 등, 2001). FOXO1 유전자는 염색체 13q14.1에, paired box 3 (PAX) 유전자는 염색체 2q35에 위치해 있는데, 염색체 2와 3 사이에서 전위가 일어나면 FOXO1:PAX3의 유전자 융합이 발생하고 이는 횡문근육종 (rhabdomyosarcoma)와 관련이 있다 (Begum 등, 2005).

전립선암 세포에서 TRAIL에 의해 매개되는 신호 경로에 관여하는 분자의 특징에 관심을 가진 연구가 많이 있으며, 실

험 자료는 PC3 및 DU145 세포에서 TRAIL이 세포 자멸사를 매개함을 보여 주었다 (Yu 등, 2000). 암세포에서는 death receptor (DR)가 과소 발현되어 TRAIL에 의해 유도되는 세포 자멸사가 소실된다. 많은 과학자들이 저항적인 암세포에서 TRAIL로 매개되는 세포 자멸사를 복구하는 다양한 기전을 발견하고자 노력하고 있다. 이들은 저항을 나타내는 암세포가 paclitaxel로 치료한 후에는 DRs의 발현이 증가됨으로 인해 TRAIL에 대한 민감성이 회복됨을 발견하였다 (Nimmanapalli 등, 2001). TRAIL로 유도되는 세포의 신호는 DR4와 DR5를 통해 전달된다. 특이 수용체와 ligand가 결합하면 삼합체의 수용체가 형성되며, Fas-associated death domain (FADD)을 가진 단백질이 집결하게 된다. 연결 단백질 (adaptor protein)이 DR의 세포질 영역과 결합하면, 세포 자멸사의 개시 인자인 caspase-8과 caspase-10이 집합한다. Procaspase-8이 활성화되면 하위 실행 인자인 caspase-3에 작용하는데, caspase-3는 caspase 8으로 매개되는 외인성 활성화 경로 혹은 cytochrome C의 분비로 인해 활성화되는 내인성 경로의 하위 실행 인자이다. 분비된 cytochrome C는 procaspase-9과 결합하여 활성적인 caspase-9을 형성한다. 내인성 신호 경로는 세포 자멸사를 유도하는 단백질인 BH3 interacting-domain death agonist (BID)가 미토콘드리아로 전위됨으로써 시작된다. BID는 BAX와 BCL2 homologous antagonist/killer (BAK)를 응집시키며, 이는 미토콘드리아에 구멍을 형성함으로써 cytochrome C와 second mitochondria-derived activator of caspases/Diablo, IAP-binding mitochondrial protein (SMAC/DIABLO)이 통과하도록 만든다 (Schneider 등, 1997; Sheridan 등, 1997; Walczak 등, 1997; Pan 등, 1997).

아연은 세포를 TNF-α에 민감하도록 하여, NFκB로 조절되고 세포 자멸사에 대항하는 단백질인 inhibitor of apoptosis protein 2 (c-IAP2)의 발현을 감소시키며 c-Jun N-terminal kinase (JNK)를 활성화한다 (Uzzo 등, 2002). 안드로겐 비의존성 전립선암의 이종 이식 암은 안드로겐 의존성 전립선암의 이종 이식 암에 비해 NFκB와 더 높은 결합력을 가진다 (Chen 등, 2002). 콩 단백질 보충제의 투여는 NFκB를 억제하고 DNA 부가물 (adduct)을 감소시켜 산화 스트레스로부터 세포를 보호한다 (Davis 등, 2001).

응혈 및 섬유소 용해 시스템
COAGULATION AND FIBRINOLYTIC SYSTEM

SECTION

10

1. Coagulation System Activation In Prostate Cancer 779
2. Coagulation Factors And Progression Of Prostate Cancer 781
3. Plasma Tissue Factor (TF) Antigen 782
4. Role Of The Fibrinolysis System In Prostate Cancer 784
5. Other Hematological Parameters In Prostate Cancer 786
6. Role Of The Coagulation And Fibrinolytic System In Prostate
   Cancer Angiogenesis 786
7. Conclusion 788

응혈 및 섬유소 용해 시스템
COAGULATION AND FIBRINOLYTIC SYSTEM

결장암, 유방암, 난소암, 전립선암 등과 같은 암 환자에서는 과잉 응혈 및 혈전 합병증의 빈도가 높으며 (Lindahl 등, 1990), 응혈 및 섬유소 용해 시스템의 인자가 암의 발병 기전에 관여한다는 많은 증거가 있다 (Francis 등, 1998). 종양세포로 인한 응혈이 일어나기 전에 prothrombinase의 생성을 자극하는 작용, factor X (FX)의 작용, tissue factor (TF)의 작용 등 다양한 작용들이 활성화된다 (Dvorak 등, 1981). 암 환자에서 지혈 시스템 인자의 발현은 흔히 어떠한 암의 특성 및 질환의 예후와 관련이 있을 수 있다. 예를 들면, urokinase-type plasminogen activator (uPA)의 발현은 암세포의 침윤과 관련이 있고 전립선암과 같은 여러 암에서 부정적인 예후와 관련이 있으며 (Bhatti 등, 1997), 반면에 plasminogen activation inhibitor (PAI-1)는 전립선암의 성장 억제 및 전이 발생의 감소와 관련이 있어 긍정적인 예후와 상관관계를 가진다 (Soff 등, 1995). 그러나 위암, 유방암 등과 같은 다른 암에서는 PAI-1이 부정적인 예후와 관련이 있다 (Foekens 등, 1994). 여러 응혈 인자들은 모세혈관을 발생시켜 새로운 혈관을 만드는 혈관 신생에 관여하며, 지혈 시스템의 인자들이 종양의 혈관 신생에서 중요한 역할을 한다고 보고되고 있다 (Browder 등, 2000).

전립선암 환자 19명과 양성전립선비대 환자 6명에게서 종양의 섬유소 용해 작용, 종양의 악성도, 종양의 병기, 전이 등의 연관성을 평가한 연구는 다음과 같은 결과를 보고하였다 (Köller 등, 1984). 첫째, tPA는 전이가 없는 전립선암이나 양성전립선비대에 비해 전이 암에서 유의하게 더 높았다 ($p < 0.001$). 둘째, urokinase에 대한 항체는 전립선암 혹은 양성전립선비대에서 생성된 PA와 urokinase의 작용을 억제하였다. 셋째, 항체를 이용한 분석은 전립선암과 양성전립선비대에서 생성된 PA의 물리화학적 특성이 urokinase와 동일하거나 비슷함을 보여 주었다.

전립선암 환자는 역설적으로 과잉 응혈과 출혈 경향 둘 다를 가지고 있다. 여러 연구들이 전립선암 환자에서 과잉 응혈로 인한 정맥 및 동맥의 혈전을 보고하였으며, 이들은 또한 수술 후 출혈의 위험이 높다고 하였다. 범발성 혈관 내 응고 병증 (disseminated intravascular coagulopathy, DIC; 어떤 병적인 상태에 속발하여 전신의 혈관 내에 혈전이 다발성으로 발생하고 그 때문에 혈전 중에 혈소판, 섬유소원 등이 흡수되어 그 수가 감소하거나 활성적인 응혈 인자가 활성을 상실함으로써 소모성 응고 병증이 초래된 상태이며, 각종 출혈 및 혈전에 의한 증상을 일으킨다) 또한 전립선암의 여러 병기에서 흔히 보고된다. 따라서 전립선암의 성장, 진행, 혈관 신생 등의 과정에서 응혈과 관련이 있는 여러 요소와 plasminogen 경로의 이상을 이해하기 위해 문헌을 검토해 볼 필요가 있으며, 이들의 역할을 면밀하게 연구해 볼 필요가 있다고 생각된다.

1. 전립선암에서 응혈 시스템의 활성화
Coagulation System Activation In Prostate Cancer

지혈 시스템의 요소들이 암의 발병 기전과 진행에 관여한다는 증거가 많이 있다 (Dvorak, 1986). 지혈 시스템의 인자는 기저막 파괴, 혈관 신생 등 종양의 성장을 돕는 여러 생리 과정을 매개한다. 종양이 성장하기 위해서는 혈관을 증가시켜 산소와 영양을 충분하게 공급받는 것이 무엇보다 중요하다. 따라서 종양은 혈관망을 구축하기 위해 혈관 형성을 유발한다. 정상 모세혈관과는 다르게 종양에서의 혈관은 누출되기 쉬워 혈장이 종양의 기질 내로 빠져나간다. 응고 인자를 가진 혈장의 혈관 밖 유출 (extravasation)은 지혈 시스템과 종양 세포 사이의 상호 작용을 유도한다. 암 병변, 특히 침윤 직전의 암 병변은 섬유소로 덮여 있다는 점은 매우 흥미롭다 (O' Meara, 1958). 실제 종양세포를 지지하는 구조물은 섬유소로 짜진 구조물이며, 섬유소는 새로운 혈관의 성장을 유도한다 (Olander 등, 1985). 이로써 종양세포와 지혈 시스템은 밀접한 상호 관계를 유지하면서 종양의 성장을 촉진한다. 또한, 전이 종양세포는 혈류를 따라 이동하는 과정에서 혈소판과 이질적으로 응집을 일으키는데 (Gasic, 1984), 혈중 종양세포와 혈소판의 상호 작용으로 인해 어떠한 결과가 일어나는지는 분명하게 밝혀져 있지 않다.

호르몬 요법 혹은 경구 화학 요법 혹은 둘 모두는 전립선 암을 조절하는 데 효과적이라고 알려져 있지만 혈전색전증이 동반됨으로 인해 호르몬 요법이 중단되는 경우가 많았다. European Organization for Research on Treatment of Cancer (EORTC) (De Voogt 등, 1986)의 연구와 1967년도 Veterans Administration Cooperative Urological Research Group (VA-CURG)의 연구는 초기 및 진행된 전립선암을 가진 환자에서 다양한 호르몬 요법 및 화학 요법을 평가하였으며, 혈전증의 빈도가 3.5~16%이었다고 보고하였다. 이들 연구에 속한 거의 모든 환자들이 화학 요법 제제 혹은 호르몬 제제를 복용하였으며, 특히 경구용 에스트로겐을 사용한 경우에는 혈전증의 빈도가 높았다.

혈전이 생성되는 범위에는 정맥 혈전증 외에도 이동성 혈전정맥염, 동맥 색전, 비세균성 심내막염, 낮은 등급의 DIC 등이 포함된다. 경구용 에스트로겐의 효과는 그것이 간을 일차 통과함으로써 발생하는 응혈 유발 효과 때문인데, 전립선 암 환자에서는 특징적으로 간에서 단백질의 합성 증가, 지질 대사의 변화, factor VII (FVII) 및 기타 응혈 인자의 생성 증가, antithrombin (AT) 농도의 감소 등이 일어난다. 혈전을 생성하는 경구용 에스트로겐의 효과는 용량 의존적이지만, 다른 화학 요법 제제의 효과는 용량과 관련이 없다 (Blombck 등, 1988). 약물의 혈전 효과 외에도 전립선암 환자는 과잉 응혈을 일으키는 경향을 가지고 있다. 임상적인 혈전증이 없더라도 여러 병기의 전립선암 환자에서는 혈장 prothrombin fragment 1+2 (F1+2), thrombin-antithrombin (TAT) 복합체, fibrin degradation product (FDP)인 D-dimer (DD) 등이 증가된다 (Kohli 등, 2003). 증상이 없는 상태에서 이러한 인자들의 활성화는 고령, 운동 부족 등과 같이 혈전 생성과 관련이 있는 여러 위험 인자와 무관하게 발생한다.

절제된 전립선암 조직을 병리학적으로 분석하여 보면, 이러한 응혈 활성화의 상태를 확인할 수 있다. 예를 들면, 혈관 내피에는 섬유소가 많이 침착되어 있다. 그러나 섬유소의 침착은 양성전립선비대 조직에서도 관찰되기 때문에, 악성에 특이한 소견은 아니다 (Wojtukiewicz 등, 1991). 또한, 전립선암의 상피세포에서 FVII, FX, protein C 및 S, tissue-type plasminogen activator (tPA) 등의 발현도 차이가 없음이 확인되었다. 전립선암의 상피세포에서 TF가 발현됨이 관찰되어 TF가 응혈을 활성화하는 주요 인자로 간주된다 (Abdlkadir 등, 2000). 전립선암이 없는 환자에 비해 전립선암을 가진 환자의 소변에서 TF의 배출이 더 증가된다 (Adamson 등, 1992).

경막 당단백질인 TF는 가장 광범위하게 발현되고 잘 특징지어진 종양세포 응혈원 (procoagulant)이며, FVII을 활성화하여 응혈 경로를 자극하는 FVII의 수용체로서 작용을 한다 (Bromberg와 Capello, 1999). TF는 체액 내로 분비되었다가 주위로 방출된다. 가용성 TF는 혈중에서 높은 친화도로 FVII과 결합하여 TF/FVIIa 복합체를 형성하며, 이는 FX의 작용을 통해 응혈 시스템을 활성화한다. 경구용 에스트로겐으로 인하여 FVII이 증가되면 종양세포로 매개되는 TF의 응혈 작용이 증대된다 (De Voogt 등, 1986).

TF의 활성은 FXa, FVIIa, TF 등과 4중 복합체를 형성하는 tissue factor pathway inhibitor (TFPI)에 의해 균형을 이룬다 (Rao와 Rapaport, 1987). 결장암, 신장암, 악성 흑색종, 폐암 등과 같은 일부 암에서 TF와 TFPI의 발현은 역상관관계를 나타낸다 (Werling 등, 1993). 이와 같은 TF와 TFPI의 발현 양상은 암으로 인한 응혈이 특별한 경로로 조절됨을 나타내는데, TF 경로의 부적절한 발현으로 인하여 TF가 과다하게 증가하면 과잉 응혈이 일어나고, 반면에 TFPI의 발현이 증가하면 응혈의 효과가 약해진다. Matrix-associated serine protease inhibitor (MSPI), placental protein 5 (PP5) 등으로 알려진 제2형 TFPI (TFPI2)는 TF/FVIIa 복합체, plasmin, trypsin 등과 같은 단백질분해효소를 억제하는 32 kDa의 serine protease 억제제이며, 암의 응혈과 전이를 조절하는 데서 어떠한 역할을 한다고 추측된다 (Petersen 등, 1996).

TF는 응혈을 활성화하는 FVII의 비효소 보조 인자의 역할을 한다 (Camerer 등, 1996). TF는 또한 세포의 면역 반응과 일부 감염 질환의 발병 기전에 관여한다 (Ohta 등, 2002). 따라서 단핵구 계열의 세포에 의한 TF의 발현은 염증 반응 및 세포의 면역 반응과 관련이 있으며, 단핵구에서의 TF는 cytokines 혹은 세포와 세포의 상호 작용에 의해 유도된다 (Ohta 등, 2002). TF와 FVII은 정액에서도 관찰되었으며 (Van Wersch 등, 1993), 정액의 TF는 전립선에서 유래되고 전립선의 세엽 세포에 의해 분비되는 소포 생성물인 prostasome과 관련이 있다 (Fernandez 등, 1997). 중성구 및 단핵구와 prostasome의 상호 작용은 latex 입자를 포식하는 세포의 기능을 억제한다. 따라서 prostasome은 여성 생식기에서 prostaglandin과 연합하여 정자를 세포의 면역 공격으로부터 방어하는 기능을 가진다. TF는 출혈을 방지함으로써 성교로 인해 조직의 손상이 일어나는 동안 정액 내 약물의 혈관 접근을 방지한다 (Fernandez 등, 1997). 정액장액 내의 TF와 interleukin 6 (IL-6)를 분석한 연구는 다음과 같은 결과를 보고하였다 (Ohta 등, 2002). 첫째, 가임 남성에서 TF와 IL-6의 농도는 각각 53.2 ± 45.5 ng/mL, 17.2 ± 10.3 pg/mL이었다. 둘째, 농정자증 (leukocytospermia)이 없는 불임 남성에서 TF와 IL-6의 농도는 각각 78.9 ± 33.5 ng/mL, 26.3 ± 23.9 pg/mL이었으며, 농정자증을 가진 불임 남성에서 TF와 IL-6의 농도는 각각 208 ± 189 ng/mL, 67.2 ± 60.1 pg/mL이었다. 셋째, 비폐쇄성 무정자증 환자에서 TF와 IL-6의 농도는 각각 112 ± 128 ng/mL, 32.1 ± 15.8 pg/mL이었으며, 폐쇄성 무정자증 환자에서 TF와 IL-6의 농도는 각각 278 ± 113 ng/mL, 83.1 ± 45.2 pg/mL이었다. 넷째, 무정자증이 없는 환자군에서 TF 농도는 정자 운동성 및 정자 농도와 유의하게 관련이 있었다. 이와 같은 결과는 TF가 남성이 수정 능력을 가지는 데에서 어떠한 역할을 함을 보여 준다.

*TFPI2*를 발현하지 않는 침윤성 LNCaP 전립선암 세포주에 *TFPI2*를 가진 벡터를 주입하면 침윤성이 감소된다 (Konduri 등, 2001). 이러한 감소는 TFPI2가 plasmin을 억제하거나 TFPI2가 TF/FVIIa 복합체를 억제하기 때문이라고 생각된다. 이와 같은 결과는 응혈과 plasminogen 경로뿐만 아니라 암의 진행과 전이의 일부 과정이 암 조직 내의 TF, TF의 억제제, plasmin의 상호 작용에 의해 조절됨을 보여 준다.

2. 응혈 관련 인자와 전립선암의 진행
Coagulation Factors And Progression Of Prostate Cancer

전립선암 환자에서는 응혈 시스템의 여러 이상이 보고되고 있다 (Dobbs 등, 1980). DIC를 가진 환자들의 25%까지는 그 원인이 전립선암이다 (Smith 등, 1999). 전립선 조직의 악성 조직으로의 전환은 factor X activating procoagulant activity (FXAA)의 감소와 관련이 있으며, 이는 전립선암이 성장하고 전파되는 데서 중요한 역할을 한다 (Adamson 등, 1994). 전립선암을 가진 쥐에 관한 연구는 FXI과 FXII, 혈소판의 수가 상당하게 감소하고 혈소판의 응집 작용이 증가함을 관찰하였다 (Bhatti 등, 1996).

만성 DIC로 인한 응혈 인자의 감소와 혈전색전 합병증뿐만 아니라 출혈 합병증은 전립선암에서 잘 알려진 문제점이다 (Adamson 등, 1994). DIC는 섬유소 생성을 유발하여 종양의 성장과 진행을 자극한다. 종양세포가 직접 섬유소원을 섬유소로 전환시킬 수 있다고 보고된 바 있다 (Laki와 Yancey, 1968). 응혈과 관련이 있는 인자들 중 antithrombin (AT)과 heparin cofactor II (HC-II)는 응혈 시스템을 억제하는 중요한 인자이며, 응혈 단계가 활성화된 경우에 이들이 감소하면 섬유소가 과도하게 생성된다. PAI-1은 plasminogen을 섬유소분해효소인 plasmin으로 전환시키는 tPA와 uPA를 억제하는 중요한 인자이다. uPA는 전립선암을 포함하는 다수의 종양에서 부정적인 예후를 나타내는 지표이다 (Heinert 등, 1988). uPA 효소는 세포 외부 기질 (extracellular matrix, ECM)을 분해시키고, 세포의 이동 및 종양의 침범을 증대시키며, 혈관 형성을 자극함으로써 종양의 성장을 돕는다. 전립선암 세포에 의한 PAI-1의 발현은 원발 종양의 성장, 종양과 관련된 혈관 형성, 전이 등을 억제한다 (Soff 등, 1995), 이수체 (aneuploid) 전립선암에서는 PAI-1의 발현이 감소되는데 이로써 uPA의 이용률이 더 높아지면서 침윤과 전이의 빈도가 증가한다 (Plas 등, 1998). 따라서 전립선암 환자에서 혈장 PAI-1이 감소하게 되면 종양이 성장하고 진행한다는 가설이 지지를 받는다. Plasminogen은 tPA와 uPA의 기질이며, 이들 효소에 의하여 plasmin으로 전환된다 (도표 265). Plasmin은 matrix metalloproteinase 2/9 (MMP2/9)의 기질인데, 이 효소는 plasmin을 혈관 형성을 억제하는 내인성 인자인 angiostatin으로 전환시킨다. 전립선암 세포에서 plasminogen의

도표 265 섬유소 용해 기전

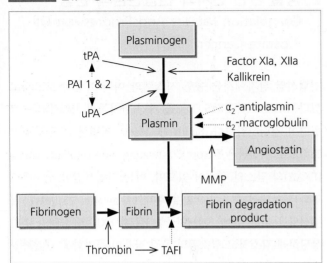

tPA와 uPA는 plasminogen을 plasmin으로 전환시켜 섬유소 용해를 촉진하며, PAI는 tPA와 uPA를 억제함으로써 섬유소 용해를 방지한다. Thrombin은 촉매 작용을 통해 fibrinogen을 fibrin으로 전환시켜 섬유소 응괴를 만드는 한편, TAFI를 활성화하여 섬유소 응괴가 용해되지 않도록 하여 응괴를 안정화시킨다. →는 촉진 작용을, ┈는 억제 작용을 나타낸다.

MMP, matrix metalloproteinase; PAI, plasminogen activator inhibitor; TAFI, thrombin-activatable fibrinolysis inhibitor; tPA, tissue-type plasminogen activator; uPA, urokinase-type plasminogen activator.

감소는 내인성 angiostatin의 감소로 이어져 혈관 형성이 자극됨으로써 종양의 성장이 촉진된다 (O'Reilly 등, 1999). PAI-1과 AT는 혈관 형성에 대해 대항 작용을 나타낸다고 보고되는데 (Swiercz 등, 2001), 이들 인자가 감소하면 혈관 형성에 대한 내인성 억제력이 감소되어 혈관 형성이 증대된다. 조직학적으로 확인된 전립선암 환자 40명을 대상으로 근치전립선절제술을 실시하기 전후에 채집한 혈장을 분석한 연구는 수술 전 감소되었던 AT, HC-II, PAI-1이 수술 후 2주 이내에 회복되는 것으로 보아 이들 응혈 인자들의 감소가 종양이 성장함에 따라 이차적인 부작용으로 나타났다기보다 전립선암의 발병 기전 및 진행에 직접 관여한다고 하였으며, 이들 응혈 인자들이 감소하면 혈관 형성에 대한 억제력이 상실되어 혈관 형성이 자극된다고 하였다 (Beecken 등, 2002).

3. 혈장 내의 조직 인자 항원
Plasma Tissue Factor (TF) Antigen

내피 아래 조직과 백혈구에 위치해 있는 효소원 prothrombin으로부터 thrombin을 생성하는 데 필요한 TF (혹은 CD142)

에 관해서는 앞에서 어느 정도로 기술되어 있으나 보충이 필요하다고 생각된다. TF는 47 kDa의 경막 당단백질로서 FVII/FVIIa에 대한 세포 수용체로서 기능을 하며, 응혈을 생리적으로 유발하는 작용을 한다 (Mackman, 2004). TF는 혈전 형성과 지혈에 관여하는 것 외에도 염증, 혈관 형성, 암 등과도 관련이 있다. 예를 들면, TF는 종양의 성장 및 전파, 즉 유착, 이동, 증식, 혈관 형성, 혈류를 통한 전이 등과 직접 관련이 있는 세포 과정과 연관성이 있다는 증거가 많이 있다 (Belting 등, 2005).

TF의 발현은 전립선암을 포함하는 여러 유형의 암에서 나타나며, 그 발현 정도는 조직병리학적 및 임상적 지표, 예를 들면 미세 혈관의 밀도, 조직학적 분화도, 환자 상태 등과 상호 관련이 있다 (Ohta 등, 2002). 전립선암 표본 66점에 대해 면역조직화학검사를 실시한 연구는 다음과 같은 결과를 보고하였다 (Ohta 등, 2002). 첫째, TF 항원은 표본의 62% (41점/66점)에서 양성 반응을 나타내었다. 둘째, 수술 전 PSA 농도와 골 전이에 따라 TF의 발현은 유의하게 차이를 나타내었으며, 각각에서 p-value는 0.0193, 0.0029이었다. 셋째, 미세 혈관의 밀도는 골 전이와 유의한 상관관계를 나타내었다 (p=0.0175). 넷째, TF 음성 암에 비해 TF 양성 암에서 미세 혈관의 높은 밀도가 더 흔하게 관찰되었다. 이와 같은 결과는 TF의 발현으로 인한 혈관 형성의 증가가 전립선암의 진행 및 전이를 유도함을 보여 준다. 암 환자에서 응혈이 전신적으로 활성화되면 결국 합병증으로 혈전색전증이 발생한다. 혈전으로 인한 혈관 염증 소견과 함께 시간이 경과함에 따라 여러 부위에서 혈전이 일어나는 thrombophlebitis migrans를 'Trousseau 증후군'이라 하며, 흔히 환자에게 부정적으로 영향을 미친다. 이러한 과정은 지혈 시스템이 암의 진행을 촉진한다는 개념을 뒷받침한다 (Lind 등, 2003).

암 환자에서는 TF의 기능이 과도하게 나타나기 때문에, TF는 예후와 관련이 있으며 종양 지표로서의 역할도 할 것으로 추측된다. 그러나 진단 목적으로는 특이도가 낮아 종양 지표로서 이용되지 않지만, 그것의 측정치는 위험도에 따른 환자의 분류, 치료 효과의 평가, 추적 관찰하는 동안의 점검 등에는 도움을 줄 수 있다. TF는 세포막에서 발현되기도 하지만, 미립자로 구성된 변형물 혹은 가용성 변형물로 혈장 내로 방출되기 때문에 발견이 용이하다 (Bogdanov 등, 2003). TF의 절대적 농도는 연구에 따라 다르지만, 전형적으로 건강인에서는 낮거나 검출되지 않는 데 비해, 당뇨병, 감염, 염증성 질환,

겸상적혈구질환, 심혈관 질환, 암 등에서는 상당히 증가한다 (Mohan 등, 2005). 또한, 난소암 여성에서 혈청 TF 항원의 수치가 증가하면 부정적인 임상 결과가 예측된다고 보고되었다 (Han 등, 2006).

TF로 매개되는 응혈이 활성화되면 thrombin이 생성되고 혈소판이 작동하는데, 이러한 기전으로 암이 다양한 정도로 파급된다. (Ruf와 Mueller, 2006). 한편, TF-FVIIa와 TF-FVIIa-FXa 복합체의 형성이 증가하면 '응혈과 상관이 없는' 방식으로 protease-activated receptor 1/2 (PAR1/2)의 신호 경로를 통해 종양 형성과 혈관 형성을 촉진한다. 또한, TF의 세포질 영역이 결여된 생쥐에서는 platelet-derived growth factor BB (PDGF-BB)와 협동하여 PAR2가 혈관 형성을 증대시켰는데, 이는 TF의 세포질 영역의 인산화는 PAR2의 신호 경로를 역조절함을 나타낸다 (Belting 등, 2004). TF의 세포질 영역이 제거된 대동맥에서는 TF-PAR2 신호 경로가 선택적으로 PDGF-BB와 협동작용을 일으키지만, vascular endothelial growth factor (VEGF), basic fibroblast growth factor (bFGF), PDGF-AA 등과는 그러하지 않다. PDGF-BB는 국소 응혈과 관련하여 활성화된 혈소판으로부터 분비되거나 발생 중인 내피세포에서 합성됨으로써 이용이 가능하다. 혈관 형성을 억제하기 위해 VEGF를 표적화하는 요법은 일부 질환에서 효과적이지만, 다른 협동 경로를 표적화하는 분자를 이용하여 병합 요법을 실시하면 추가적인 이점을 얻을 수 있다. 예를 들면, PDGF 수용체를 억제하는 방법과 VEGF를 표적화하는 접근법을 병행하면 상승 효과를 얻을 수 있다 (Bergers 등, 2003). PDGF-BB는 혈관주위세포를 동원하고 혈관 구조를 완성하는 데 중요한 역할을 담당하기 때문에, PDGF를 전반적으로 차단하게 되면 유해 효과가 발생한다. 예를 들면, 생쥐 모델에서 내피세포에 특이한 PDGF-BB를 제거하면, 혈관에서 혈관주위세포의 밀도가 감소함으로 인해 미세 혈관의 혈관병증이 발생한다 (Enge 등, 2002). PDGF의 혈관에 대한 생리학적 기능을 방해하지 않고 PAR2 및 PDGF로 매개되는 병적인 혈관 형성을 억제하기 위해 조절 장애를 일으킨 TF의 세포질 영역을 표적화하는 접근법이 가능할 수 있다.

Monoclonal antibody (Mab)-5G9을 이용하여 응혈을 억제하거나 Mab-10H10을 이용하여 TF-FVIIa 신호 경로를 직접 억제함으로써 TF가 종양의 성장에 관여하는 기전을 평가한 연구는 다음과 같은 결과를 보고하였다 (Versteeg 등, 2008). 첫째, TF-FVIIa 신호 경로를 표적화하는 억제성 항체는 TF-FVIIa로 매개되는 PAR2의 활성화를 차단하였을 뿐만 아니라 TF와 integrins의 상호 작용을 차단하였다. 둘째, TF를 발현하는 내피세포와 상피세포에서 TF와 β1 integrin의 연합은 PAR2의 신호 경로 혹은 FVIIa의 활성화와는 관계없이 TF의 세포 외부 영역의 결합에 의해 조절되었다. 대조적으로 유방암 세포에서 기본적으로 존재하는 분자인 TF와 α3β1 integrin의 연합은 Mab-10H10에 의해 차단되었지만, Mab-5G9에 의해서는 차단되지 않았다. 셋째, Mab-5G9은 생체 실험에서 항암 작용을 내었으며, Mab-10H10은 최소한 이종 이식 종양을 억제하는 효과를 나타내었다. PAR2의 신호 경로를 차단할 경우 유방암의 성장이 저하되었다. 이와 같은 결과는 TF-PAR2 신호 경로가 종양의 성장에서 중요하며, TF 의존성 지혈 경로를 약하게 차단하는 방법이 항암 요법으로 적용이 가능함을 보여 준다.

진행된 병기의 전립선암 환자는 DIC로 특징되는 응혈 장애와 과다한 섬유소 용해를 동반한다 (Kohli 등, 2003). 국소 병기에서는 확실한 치유를 위해 수술이 시행되는 데 비해, 전이질환에서는 증상을 완화시키기 위해 호르몬 치료와 세포 독성 항암제 요법이 이용된다. 국소 전립선암 환자의 15~20%는 수술 후 10년 이내에 국소 혹은 전이 질환으로 재발되기 때문에, 개별 환자의 위험을 예측할 수 있고 보조 요법을 실시하도록 근거를 제공해 주는 검사 방법이 필요하다 (Bill-Axelson 등, 2005). 예를 들면, 저분자량의 헤파린을 이용한 지혈 대항 요법은 제한적이지만 전립선암 환자의 생존율이나 예후에서 더 나은 결과를 나타내었다 (Lee 등, 2005). 국소 전립선암 환자를 대상으로 수술 전에 혈장 TF 항원을 측정하고, 이를 예후 지표로 활용이 가능한지를 평가하기 위해 응혈 및 혈소판 활성 지표, PSA, 조직병리학적 소견 등을 비교 분석한 연구는 다음과 같은 결과를 보고하였다 (Langer 등, 2007). 첫째, 국소 전립선암 환자 140명 중 19%와 23%가 정상 남성보다 높은 혈장 TF 항원 농도인 40 pg/mL 미만 ('낮은 TF')과 200 pg/mL 초과 ('높은 TF')를 각각 보였으며, 나머지 58%의 환자는 40~200 pg/mL를 나타내었다. 정상 남성의 혈장 TF 항원 농도는 42명 가운데 44 pg/mL의 1명을 제외한 98%에서 40 pg/mL 미만이었다. 둘째, 국소 전립선암 환자에서는 D-dimer (DD), prothrombin fragment 1+2, plasmin-α_2-antiplasmin (PAP) 복합체 등의 혈장 농도가 낮기 때문에, 전신적 응혈 활성도가 낮다고 생각된다. 셋째, 유동 세포 분석법 (flow cytometry)을 이용하여 혈소판에서 유래된 미립자의 수를 혈장에서 분석한 바에 의하면, 용해성 P-selectin (SELP), 용해성 cluster of differentiation 40 ligand (CD40L) 항원과 마찬가지로 '낮은 TF' 를 가진 환자나 대조군에 비해 '높은 TF'의 환자에서 유의하게 수가 증가하였다. DD의 증가는 크고 미분화된 종양과 관련이 있는 데 비해, 수술 전 혈장 TF 항원 농도의 중앙치와 inter-quartile range (IQR)는 전립선암이 재발하지 않은 환자에서보다 재발된 환자에서 더 증가되었으며, 각각 105 (52~182) pg/mL, 161 (100~236) pg/mL이었다. 161 pg/mL는 생화학적 재발을 나타내는 혈청 PSA 0.1 ng/mL를 초과한 경우와 상응한다고 할 수 있다. 이들 결과에 의하면, 국소 전립선암을 가진 환자에서 수술 전 혈장 TF 항원의 농도가 증가되면 질환이 재발할 위험이 크다고 할 수 있다.

4. 전립선암에서 섬유소 용해 시스템의 역할
Role Of The Fibrinolysis System In Prostate Cancer

섬유소 용해와 암 조직과의 연관성은 1911년에 처음 보고되었으며 (Carrel과 Burrows, 1911), 그 후 여러 악성 종양이 실험용 성장 배지로 이용된 혈장 응괴를 액화시킴이 관찰되었다 (Goldhaber 등, 1947). 전립선암, 특히 전이 암 환자는 출혈 경향을 보이는데, 이는 아스피린을 복용한 경우 더욱 악화된다 (Tagnon 등, 1953). 출혈 경향은 섬유소 용해가 증가됨으로 인하여 혈관의 내피가 치유되지 않기 때문이라고 생각된다 (Carroll과 Binder, 1999).

Plasminogen의 활성 경로는 응괴를 용해시킬 뿐만 아니라 혈관 형성, 종양의 침윤과 전이 등에서 중요한 역할을 수행한다. Plasminogen activator (PA)의 가수 분해 작용을 통해 plasminogen으로부터 생성되는 plasmin은 proteoglycans, fibronectin, type IV collagen, laminin 등과 같은 세포 외부 기질의 여러 성분을 분해하며 (Plow 등, 1991), 이로써 종양세포는 미세 침윤과 전이에 해당하는 병기로 진행하게 된다. Plasmin은 세포 외부 기질 내의 특이 부위에서 단백질을 분해하는 효과를 나타내는 종양세포의 plasminogen 수용체에 위치하며, 이 때문에 미세 환경 내의 특이 부위로 전이가 일어난다 (Carroll과 Binder, 1999). uPA는 난소암 환자에서 중요하다고 간주된 최초의 PA이며 (Astedt와 Holmberg, 1976), 그 후 다른 암에서도 연구되었다. 그러나 종양에서 발현되는 uPA의 대부분은 변형된 구조와 기능을 가짐이 밝혀졌다. uPA의 비정상적인 발현은 여러 암에서 관찰되는데, 전립선암 (Kirch-

heimer 등, 1985), 결장암 (De Bruin 등, 1987), 자궁내막암 (Soszka와 Olszewski, 1986), 유방암 (Duffy 등, 1988), 자궁경부암 (Camiolo 등, 1987), 폐암 (Sappino 등, 1987), 위암 (Nekarda 등, 1994), 백혈병 (Duffy 등, 1988), 신장암 (Hofmann 등, 1996), 방광암 (Hasui 등, 1989) 등이다. 한편, 종양세포의 침윤에서 tPA의 역할은 아직 분명하지 않다 (Duffy 등, 1988).

80명의 전립선암 환자에서 혈장 uPA 농도를 분석한 연구는 다음과 같은 결과를 보고하였다 (Hienert 등, 1988). 첫째, uPA의 농도는 전이 전립선암 환자에서 유의하게 증가되었으나, 전이가 없는 전립선암 환자에서는 uPA의 농도가 건강한 대조군과 차이가 없었다. 둘째, 전립선암 환자에서 uPA 농도의 증가는 전이 질환에 대해 80%의 민감도를 나타내었다. 이와 같은 결과는 혈장 uPA의 농도가 전립선암에서 전이 형성에 대한 표지자로 활용이 가능함을 보여 준다. 전립선암 환자에서 PA를 분석한 연구는 다음과 같은 결과를 보고하였다 (Kirchheimer 등, 1985). 첫째, 골 전이 병변의 추출물에서 PA의 함량은 원발 종양에 비해 평균 1.5배 더 높았다. 둘째, 특이 항체를 이용한 분석에 의하면, urokinase에 대해 대항 작용을 나타내는 IgG는 원발 종양에서는 PA의 활성을 약 70% 억제한 데 비해, 골 전이의 경우에는 PA의 활성을 거의 완전하게 억제하였다. 셋째, tPA에 대한 항체를 이용한 경우 원발 종양에서는 PA 활성의 약 30%가 소멸된 데 비해 골 전이에서는 10% 미만이 소멸되었다. 따라서 전립선암 추출물 내의 PA 농도는 전이 병변에 대한 표지자의 역할을 한다.

uPA는 암의 침윤에서 중요한데, 이는 침윤이 없는 전립선암 세포주보다 침윤이 있는 세포주에서 uPA의 농도가 더 높으며 uPA가 침윤 세포의 가장 앞 부위에 위치해 있는 것으로 보아 알 수 있다 (Keer 등, 1991). 동물 실험에서도 uPA cDNA로 유전자 전달 감염을 일으키면, 전이 가능성이 증대되었다 (Achbaron 등, 1994). 전립선암을 가진 동물 모델에게 합성 제제로 제조된 uPA 억제제를 투여한 경우에는 전이가 방지되었다 (Rabbani 등, 1995). uPA가 세포의 증식에 관여한다고 보고되었는데, 골모세포 전이가 일어나는 동안 uPA가 분열을 촉진하는 작용을 나타내었다 (Goltzman 등, 1992). uPA는 다양한 세포에서 발현되는 glycosylphosphatidylinositol (GPI)로 인해 형성된 수용체 uPAR과 결합하며, 이는 plasmin의 효소 작용을 증대시키고 세포 외부 기질의 단백질 분해를 유발한다. 전립선암 세포주는 uPA와 uPAR을 발현한다 (Hollas

등, 1992). uPAR은 혈중에서 순환하며 여러 체액에서 발견된다. uPA와 uPAR의 혈청 농도는 건강한 대조군이나 양성전립선비대 환자에 비해 전립선암 환자에서 더 증가된다 (Miyake 등, 1999). uPA와 uPAR의 혈청 농도를 전립선 용적으로 나눈 값인 uPA 밀도와 uPAR 밀도를 분석한 연구는 다음과 같은 결과를 보고하였다 (Miyake 등, 1999). 첫째, uPA 밀도와 uPAR 밀도의 평균치는 건강한 대조군과 양성전립선비대 환자에 비해 전립선암 환자에서 유의하게 더 높았다. 둘째, uPA 밀도와 uPAR 밀도는 골모세포 전이가 없는 전립선암 환자에 비해 전이를 가진 환자에서 유의하게 증가되었다. 셋째, uPA 밀도와 uPAR 밀도는 근치전립선절제술을 받은 환자 중 진행된 질환을 가진 환자에 비해 국소 질환을 가진 환자에서 유의하게 더 낮았다. 넷째, 전립선암 환자의 전반적 생존율은 uPA 밀도 혹은 uPAR 밀도가 정상인 환자에 비해 높은 환자에서 유의하게 더 낮았다. 다변량 분석에서도 uPA 밀도 혹은 uPAR 밀도는 전립선암 환자의 전반적 생존과 강하게 관련이 있었다. 이들 결과는 uPA 밀도 혹은 uPAR 밀도가 전립선암 환자에서 진행과 예후를 예측할 수 있는 표지자임을 보여 준다. 다른 연구도 골 전이를 가진 전립선암 환자에서 혈청 uPA 및 uPAR 농도가 증가됨을 관찰하였다 (Shariat 등, 2007).

Soluble uPAR (suPAR)의 전장형 (full-length form 혹은 intact form)과 절단형 (cleaved form) 둘 모두는 혈액 내에 존재한다. 혈중 uPAR의 증가는 여러 암에서 부정적인 예후와 상호 관련이 있다고 보고되었지만, 전립선암을 진단하는 데는 유용하지 않다는 보고가 다수 있다. 전립선암을 가진 224명과 가지지 않은 166명의 혈청에서 suPAR의 전장형과 절단형을 분석한 연구는 다음과 같은 결과를 보고하였다 (Piironen 등, 2006). 첫째, 전장형 suPAR과 절단형 suPAR이 양성 질환에 비해 전립선암 환자에서 유의하게 더 높았다. 둘째, tPSA 2~10 ng/mL의 남성에서 %fPSA와 전장형 suPAR/절단형 suPAR의 비율을 연합하면 ROC-AUC가 %fPSA 단독에 비해 더 증가되었는데, 각각 0.73, 0.68이었다. 이러한 결과는 suPAR의 두 형태를 측정하면 전립선암의 발견에서 특이도가 증가되며, suPAR의 두 형태는 전립선암을 발견하는 데 PSA의 보조 역할을 하는데, 특히 PSA 농도가 중등도로 증가된 남성에서 중요한 역할을 할 것으로 보인다. 전립선 생검이 계획된 355명의 남성을 대상으로 치료 전 혈청에서 total PSA (tPSA), free PSA (fPSA), fPSA의 동형 단백질인 intact fPSA (fPSA-I)와 nicked fPSA (fPSA-N), human glandular kallikrein

2 (hK2), soluble uPAR (suPAR)의 전장형과 절단형 등을 분석한 연구는 생검 결과를 예측하는 '기본' 모델을 연령과 tPSA를 연합한 모델로 설정하였으며, 다음과 같은 결과를 보고하였다 (Steuber 등, 2007). 전립선암에 대한 예측도는 fPSA의 동형 단백질과 suPAR를 추가한 모델에 의해 증대되었다. 이들 표지자의 추가로 인해 AUC가 증가되었으며, 기본 모델과 전체 표지자를 이용한 모델에서 각각 0.706, 0.754이었다 (p=0.005). 이러한 진단 정확도의 증가는 PSA 2~9.99 ng/mL, 직장수지검사 정상인 소집단에서도 나타났는데, 기본 모델과 전체 표지자를 이용한 모델에서 AUC가 각각 0.652, 0.715이었다 (p=0.039). 이 연구의 모델에서 hK2는 추가적인 진단 정보를 제공하지 못하였다. 이와 같은 결과는 suPAR의 두 유형과 fPSA의 동형 단백질을 측정할 경우 비악성 질환과 전립선암을 감별하는 데 유의한 이점이 있음을 보여 준다. 다른 연구에 의하면, 수술 전 혈장 uPA의 증가는 생화학적 재발 및 전이 질환의 예측 인자이며, 이러한 경우에는 국소 요법 당시에 이미 원격 질환이 있을 가능성이 있다고 생각된다 (Sardana 등, 2008).

PA의 활성은 자연 발생적인 plasminogen activator inhibitors (PAI) 가족에 의해 균형이 이루어진다. 혈장과 내피에 있는 주된 억제 인자 PAI-1은 세포 외부 기질에 축적되며, transforming growth factor (TGF)-β와 같은 성장인자와 cytokines는 PAI-1의 생성을 촉진한다 (Laiho 등, 1986). PAI-1은 uPA/uPAR 복합체와 결합하여 plasminogen 수용체의 내재화 (internalization)를 일으켜 암의 침윤을 억제한다 (Cubellis 등, 1990). 호르몬에 반응하지 않는 세포주 PC3를 이용한 동물 연구에서 PAI-1의 발현은 원발 종양의 성장을 억제하였으며 종양으로 인한 혈관 형성과 침윤을 감소시켰다 (Soff 등, 1995). 호르몬에 민감한 전립선암 세포주인 LNCaP를 이식한 중증 복합형 면역결핍 질환 (severe combined immunodeficiency disease, SCID)의 생쥐 모델에서 PAI-1은 uPA로 인한 혈관 형성을 방해하여 종양의 크기를 감소시켰다 (Swiercz 등, 2001). PAI-1은 plasmin으로 인한 단백질 분해를 억제하며, 혈관 형성 및 전이를 제한함으로써 항암 효과를 나타낸다. 낮은 농도에서의 PAI-1은 uPA, uPAR, vitronectin (VTN), integrin (ITG) 등과 상호 작용하여 암세포의 운동성을 유도하기도 한다 (Jankun 등, 2007).

Translationally controlled tumour protein (TCTP)로도 알려진 fortilin은 heat shock protein (HSP), chaperone 단백

질 등으로 인한 세포의 스트레스를 감소시키고 세포사와 관련이 있는 칼슘과 결합함으로써 세포사를 방지한다. Fortilin 의 N-terminus 영역은 세포 자멸사 인자와 결합하거나 p53 의존성 세포 자멸사를 억제함으로써 세포 자멸사를 억제한다 (Nagano-Ito와 Ichikawa, 2012). Nucleolar phosphoprotein B23 (B23)으로도 알려진 nucleophosmin (NPM)은 핵소체 (nucleolus)에 위치해 있을 때는 세포 자멸사를 억제하는데, 종양을 억제하는 ADP-ribosylation factor (ARF)-p53 신호 경로를 억제하며 caspase에 의해 활성화되는 DNase를 억제한다 (Lindström, 2011). PAI-1은 세포 성장, 세포 주기, 악성 형질 전환 등과 같은 세포 과정에 관여하는 이들 두 단백질을 하향 조절함으로써 항암 효과를 나타낸다 (Jankun 등, 2007).

그러나 전립선암 세포주 PC3와 골수성 백혈병 세포주 HL60를 이용한 연구는 PAI-1의 발현이 세포 자멸사를 억제하여 종양의 성장을 촉진한다는 상충되는 결과를 보고하였다 (Kwaan 등, 2000). 따라서 유방암, 폐암, 위암, 신장암 등에서는 종양으로 인한 PAI-1의 증가가 부정적인 예후와 관련이 있는 것으로 보이지만, 전립선암에서는 PAI-1의 발현과 예후와의 상관관계는 아직 분명하지 않다 (Kohli 등, 2003).

uPA/PAI-1 비율이 전립선암에 대한 표지자의 역할을 하는지를 ELISA를 이용하여 평가한 연구는 다음과 같다 (Böhm 등, 2013). 첫째, 조직 추출물에서 uPA의 농도는 양성전립선비대 표본과 전립선암 표본에서 각각 0.03~0.78 (평균 0.15±0.02), 0.05~0.72 (평균 0.19±0.04) ng/mg이었다. 조직 추출물에서 PAI-1의 농도는 양성전립선비대 표본과 전립선암 표본에서 각각 0.2~25.0 (평균 5.87±0.70), 1.10~11.80 (평균 4.93±0.90) ng/mg이었다. 양성전립선비대 표본에서는 PAI-1이 uPA의 함량에 따라 증가하는 경향이 있었지만, 전립선암 표본에서는 일정하였다. 둘째, uPA/PAI-1 비율의 평균치는 양성전립선비대 표본에 비해 전립선암 표본에서 유의하게 높았으며, 각각 0.03±0.003, 0.06±0.01 이었다 (p=0.0028). 이러한 결과는 종양 조직의 추출물에서 uPA와 PAI-1의 분명한 농도를 보여 주며, uPA/PAI-1 비율은 양성전립선비대와 전립선암을 감별할 수 있는 표지자임을 시사한다.

양성전립선비대 환자 70명과 전립선암 환자 30명을 대상으로 ELISA를 이용하여 uPA/PAI-1 비율을 분석한 또 다른 연구는 다음과 같은 결과를 보고하였다 (Akudugu 등, 2015). 첫째, uPA의 농도는 양성전립선비대 표본과 전립선암 표본에서 각각 0.0040~0.7800 (평균 0.1092±0.0130), 0.0070~0.7200

(평균 0.1177±0.0266) ng/mg이었다. PAI-1의 농도는 양성전립선비대 표본과 전립선암 표본에서 각각 0.20~25.00 (평균 4.975±0.501), 1.10~15.19 (평균 5.236±0.688) ng/mg이었다. 둘째, uPA/PAI-1 비율의 평균치는 양성전립선비대 표본에 비해 전립선암 표본에서 유의하게 더 높았으며, 각각 0.0040~0.0860 (평균 0.0332±0.0023), 0.0043~0.1200 (평균 0.0479±0.0060)이었다 (p=0.0064). 셋째, 전립선암에서 uPA/PAI-1 비율은 나이가 많아짐에 따라 증가하는 경향이 있었으며, 68세와 73세에서 각각 0.050, 0.100이었다. 이러한 결과는 uPA/PAI-1 비율이 양성전립선비대에 비해 전립선암 환자에서 유의하게 증가되며, 나이에 따라 증가하는 경향이 있음을 보여 준다.

5. 전립선암에서 기타 혈액학적 지표
Other Hematological Parameters In Prostate Cancer

일반적으로 초기 전립선암을 가진 환자에서는 혈구수가 정상이다. 초기 혹은 후기 병기의 전립선암 환자의 경우 혈소판과 백혈구의 수는 정상이었으나, 전이 암의 경우 치료와 관계없이 적혈구의 수가 감소됨이 관찰되었다 (Gecenen 등, 1996).

6. 전립선암의 혈관 형성에서 응혈과 섬유소 용해 시스템의 역할
Role Of The Coagulation And Fibrinolytic System In Prostate Cancer Angiogenesis

전립선암이 성장하기 위해서는 혈관 형성이 필요하고, 혈관 형성에서 가장 중요한 자극제는 혈관내피성장인자 (vascular endothelial growth factor, VEGF)이다. VEGF는 초기 및 후기 병기 암의 성장과 관련이 있다고 여겨진다. 근치전립선절제술 표본에서 채취된 사람의 전립선암 세포에서 VEGF의 발현이 확인되었다 (Ferrer 등, 1997). 또한, VEGF에 상응하는 수용체 1과 2 (VEGFR-1과 VEGFR-2)가 초기 병기 전립선암의 기저부 내피에서 확인된 바 있으며, 그것의 발현이 종양세포에 대해 자극제로 작용하였는지는 확인되지 않았다 (Huss 등, 2001). 진행된 병기 암의 혈관 형성에서 VEGF가 중심 역할을 한다고 주장한 연구자는 대부분의 환자에서 VEGF의 혈중 농도가 증가되어 있음을 발견하였다 (Duque 등, 1999; Jones

등, 2000). 거세 저항성 전립선암을 가진 동물 모델에 대한 연구도 혈관 형성과 전이는 VEGF에 의해 조절된다고 보고하였다 (Haggstrom 등, 2000). 임상 연구들이 진행된 전립선암을 가진 환자에서는 혈청 VEGF 농도가 증가된다고 보고하였으나, 혈청 농도가 종양으로 인한 혈관 형성만을 순수하게 반영하지는 않는다. 그 이유는 혈청을 처리하는 과정 동안 방출된 혈소판의 알파 과립 안에는 생리적으로 VEGF가 저장되어 있기 때문이다. 따라서 이와 같은 생리학적 저장 현상에 의한 영향을 받지 않고 종양에 의한 혈중 VEGF 농도를 올바르게 연구하기 위해서는 혈소판이 없는 혈장을 이용해야 한다. 이것의 유효성은 다른 유형의 종양에 관한 임상 시험에서도 입증되었다 (Wynendacle 등, 1999). 진행된 전립선암을 가진 환자의 혈장을 혈소판의 수가 적도록 만들어 혈소판의 활동을 낮춘 후 혈중 VEGF와 basic fibroblast growth factor (bFGF)를 분석한 연구는 대부분 환자의 혈장이나 소변에서 bFGF가 검출되지 않은 데 비해, 대부분의 환자에서 혈중 VEGF가 증가됨이 관찰되기 때문에, VEGF는 혈관 형성을 억제하는 요법으로 진행된 전립선암을 치료하는 동안 반응을 추적하는 혈중 지표로 활용될 수 있다고 보고하였다 (Kohli 등, 2003).

Coagulation factor II (FII)로도 알려진 thrombin은 촉매 작용을 통해 fibrinogen을 fibrin으로 전환시켜 섬유소 응괴를 만드는 한편, thrombin activatable fibrinolysis inhibitor (TAFI)를 활성화함으로써 섬유소 응괴가 용해되지 않도록 하여 응괴를 안정화시킨다. 전립선 조직에서 PCR과 면역조직화학검사로 thrombin의 발현을 분석한 연구는 다음과 같은 결과를 보고하였다 (Kohli 등, 2011). 첫째, PCR 분석에 의하면, 국소 전립선암과 진행된 전립선암에서 thrombin을 코드화하는 유전자 F2의 발현이 관찰되었으며, 국소 전립선에 비해 진행된 질환에서 증가되었지만 유의할 정도는 아니었다 (p=0.09). 둘째, 기질세포에서 염색 양성 반응을 나타낸 cores의 %는 양성 조직, 전립선상피내암, 전립선암 등에서 각각 72%, 93%, 79%, 상피세포에서 염색 양성 반응을 나타낸 cores의 %는 양성 조직, 전립선상피내암, 전립선암 등에서 각각 35%, 50%, 42%이었다. 이를 정리하면, thrombin 단백질의 발현은 양성 전립선, 전립선상피내암, 악성 전립선에서 관찰되었으며, 기질 세포의 염색은 양성 및 악성 전립선에 비해 전립선상피내암에서 더 강하였다, 양성 전립선과 전립선상피내암의 상피세포에서는 thrombin에 대한 염색이 약하였지만 악성 전립선의 상피세포에서는 강하였다. Thrombin은 전립

혈과의 내피세포에서도 관찰되었다.

Thrombin은 여러 유형의 세포에 대해 VEGF의 발현을 유도하는 등 많은 효소적, 비효소적 기능을 가지고 있다. Thrombin의 신호 경로는 부분적으로 G 단백질과 결합한 protease activated receptors (PARs) 가족에 의해 매개된다 (Coughlin, 2000). PAR1, 3, 4는 혈소판, 내피세포, 근육세포, 별아교세포 (astrocyte)에서 발현되고 thrombin에 의해 활성화되는 데 비해, PAR2는 장의 상피에서 발현되고 trypsin과 tryptase에 의해 활성화된다 (Ossovskaya와 Bunnett, 2004). Thrombin은 혈소판의 표면에 위치한 PAR1과 4를 분절시키는데, 이 때문에 혈소판이 응집하고 유착하며 혈관 형성과 관련이 있는 성장인자 (예; VEGF, TGF, angiopoietin)를 분비하게 한다. Thrombin은 내피세포에 있는 PAR1의 활성을 통해 혈관을 발달시키는 내피세포의 기능을 조절하며, 이 때문에 혈관이 발달하게 된다 (Griffin 등, 2001). 실험 모델에서 혈관 형성을 자극하는 thrombin의 기전을 연구한 바에 의하면, thrombin은 PAR1을 통해 종양세포가 내피세포, 혈소판, von Willebrand 인자, fibronectin 등에 부착되도록 한다 (Nierodzik 등, 1996). Thrombin이 가지고 있는 기타 기능으로는 내피세포의 정렬 촉진 (Harlabopolous 등 1997), 내피세포의 성장 촉진 (Herbert 등, 1994), VEGF 수용체의 상향 조절 (Maragoudakis 등, 2000) 등이 있다.

Thrombin의 존재 하에서는 DU145 전립선암 세포주의 *VEGF* mRNA가 안정되며 VEGF의 합성과 분비가 증가한다. 전립선암의 유전자를 이식 받은 생쥐에서는 VEGF가 자극받을 뿐만 아니라 암세포에 의한 *VEGF* mRNA의 발현과 함께 'angiogenic switch'가 유발되고 질환의 초기에 VEGFR-1이 발현된다. 그러나 암이 진행되면서 VEGFR-1은 소멸되고 VEGFR-2로 대치된다 (Huss 등, 2001). 이들 분자 사건의 각각은 혈관 형성인자의 발현과 기능에서 변화가 생겨 발생한다고 생각되지만 추가 연구가 필요하다.

전립선암에서 혈관 형성은 응혈 시스템에 의해 조절되지만 plasminogen 시스템과 상호 작용한다고 생각된다. 혈관 형성의 대항제인 angiostatin은 plasminogen에 내재된 분자로 확인되었으며, 실험 모델을 이용한 연구에서 기전은 분명하지 않았으나 새로운 혈관의 형성을 우수하게 억제함이 관찰되었다 (Gately 등, 1996).

VEGF에 관해서는 이 단원의 '9장 종양 관련 성장 인자와 수용체' 중 '6. 혈관내피성장인자와 수용체'에서도 일부 기술

되어 있다.

Thrombin/PAR1 시스템은 전립선암에서 IL-8과 VEGF의 발현에 관여하는 extracellular signal-regulating kinase (ERK), phosphatidylinositol 3-kinase (PI3K) 등과 같은 신호 경로의 cytokines를 상향 조절함으로써 전립선암의 진행을 촉진한다 (Liu 등, 2006).

G0 기가 정지된 LNCaP 세포에게 thrombin 혹은 혈청을 투여하면 8시간 후 S 기의 세포가 각각 48배, 29배 증가하였으며, 유전자 전달 감염을 일으킨 TRAMP 생쥐에게 thrombin을 반복하여 투여하면 전립선암의 종양 용적이 6~8배 증가한 데 비해 ($p<0.04$), 강력한 thrombin 대항제를 반복하여 투여하면 종양의 용적이 13~24배 감소하였다고 보고하였다 ($p<0.04$). 이 연구는 또한 thrombin이 p27^{KIP1}을 하향 조절함으로써 종양세포의 성장을 자극한다고 하였다 (Hu 등, 2009). Thrombin은 응혈에서 최종 단계의 효소이며, 종양세포의 혈소판과 내피로의 부착, 종양세포의 착상, 성장, 전이 등을 촉진한다. PAR 가족에 속하는 thrombin 수용체는 많은 종양 세포주와 유방암과 같은 생검 암 표본에서 발현된다. Thrombin은 섬유모세포, 평활근세포, 내피세포 등에 대해 유사분열을 촉진하는 효과는 나타내며, 한편으로는 p27^{KIP1}의 하향 조절과 S-phase kinase-associated protein 2 (SKP2), cyclin D (CCND), CCNA 등의 유도를 통해 세포 주기를 활성화함으로써 암세포에 대해 직접 영향을 미친다. p27^{KIP1}을 억제하는 microRNA 222 (miR-222)는 thrombin에 의해 상향 조절된다. 이러한 결과는 항응고제에 의해 종양의 성장과 전이를 억제할 수 있음을 보여 준다 (Green과 Karpatkin, 2010).

7. 결론 Conclusion

전립선암 환자의 치료에서 응혈, 섬유소 용해, 혈관 형성 등의 경로를 표적화하는 방법은 매력적인 방법이라 할 수 있다. 전립선암의 유전자를 이입한 생쥐에서 혈관 형성에 대항 작용을 나타내는 저분자량 헤파린의 효과를 평가한 연구는 대조군에 비해 치료군에서 암의 성장이 감소됨을 관찰하였다 (Kohli 등, 2003). 혈관 형성에 대한 대항 작용은 thrombin이 차단되기 때문으로 추측된다. 혈관 형성을 억제하는 치료의 표적으로 VEGFR, TF, thrombin 등도 가능하다.

전립선 조직에서 thrombin의 발현이 발견되었으며, 전립선암에서는 PAR의 활성화를 통해 thrombin이 풍부하게 저장되는데, 이는 종양의 형성을 촉진하며 진행된 병기에서 화학 요법의 효과를 약화시킬 수 있다. Thrombin의 발현은 특히 진행된 전립선암에서 docetaxel을 이용한 화학 요법의 민감성을 증대시키기 위해 치료적 표적으로 활용이 가능하다. 만일 앞으로의 연구를 통해 이러한 표적 요법이 성공적인 결과를 나타낸다면, 전립선암 환자에서 정맥 혈전증의 이환을 방지하고 docetaxel을 이용한 항암 요법의 효과를 증대시켜 생존을 연장하는 이중 목적을 달성할 수 있을 것이다 (Kohli 등, 2011).

응혈과 plasminogen 시스템의 활성은 여러 병기의 전립선암에서 일어난다. 이들 경로의 활성은 종양의 성장, 진행, 전이에 영향을 미친다. 이들 분자 경로를 더욱 이해하게 되면 전립선암의 치료와 예방에 관한 연구가 새로운 국면을 맞이할 수도 있을 것이다.

테스토스테론 결핍증
TESTOSTERONE DEFICIENCY

1. Physiology Of Androgens And The Prostate 791

2. Historical Basis For Concerns Regarding Testosterone And
   Prostate Cancer And Saturation Model 795

3. Serum Testosterone And Prostate Cancer 796

4. Relation Of Testosterone Deficiency With Prostate Cancer Risk ... 798

5. Testosterone Therapy In Men With Prostate Cancer 803

6. New Clinical Concepts About Testosterone 805

테스토스테론 결핍증
TESTOSTERONE DEFICIENCY

우리는 한 세기의 2/3 동안 반대되는 많은 증거가 있음에도 불구하고 테스토스테론 농도가 높으면 전립선암이 발생할 위험이 있다는 하나의 고정 관념에 사로잡혀 왔다. 테스토스테론의 증가가 전립선암의 위험 인자로 거론된 근원은 "테스토스테론을 거세 수준으로 낮추면 전립선암이 퇴화된다. 즉, 전립선암은 안드로겐에 의존적이다."라는 Huggins와 Hodges (1941)의 보고에서 비롯되었다. 만일 테스토스테론의 감소가 전립선암을 위축시킨다면, 이론적으로 테스토스테론의 증가는 전립선암을 성장시킬 것이다. Huggins는 그의 주장이 단한 명의 환자에 근거하였음에도 불구하고 그의 주장을 굽히지 않았다. 최장 36개월까지 관찰한 많은 테스토스테론 관련 연구들이 전립선암을 가진 환자에서 테스토스테론이 급격하게 증가함을 입증하지 못하였으며, 수십만 명을 포함하는 최소 16편의 추적 연구들도 내인성 테스토스테론이 높으면 전립선암이 발생할 위험이 증가한다는 증거를 보여 주지 못하였다 (Morgentaler, 2006).

테스토스테론은 전립선의 발달에서 필수적이며 (Wu와 Gu, 1991), 고자증이 있는 경우에는 전립선암이 발생하지 않는다 (Lipsett, 1977). 혈청 테스토스테론 농도는 전립선암의 예후 인자로 간주되지만, 역학 연구는 상충되는 결과를 보고하고 있다. 혈청 은행을 이용한 대규모 연구는 테스토스테론 농도의 가장 낮은 5분위수와 가장 높은 5분위수가 전립선암 발생 위험의 감소와 관련이 있다고 하였다 (p=0.05). 그러나 sex hormone binding globulin (SHBG)으로 보정한 후에는 이러한 상관관계가 유의하지 않았다. 따라서 혈청 테스토스테론의 변동이 전립선암의 위험에 영향을 주지 않는다고 생각된다 (Stattin 등, 2004).

전립선암의 발생 원인으로 테스토스테론의 증가를 강조하는 주장의 결정적인 결점은 나이가 많아 테스토스테론이 감소하는 연령에서 전립선암의 유병률이 높다는 사실과 일생동안 테스토스테론이 가장 높은 젊은 연령에서는 전립선암이 발생하지 않는다는 사실을 설명하지 못한다는 점이다. 테스토스테론과 전립선암 사이의 관계를 밝히기 위해서는 우선 테스토스테론의 감소가 전립선암에 미치는 영향을 확인해야할 것이다. 많은 연구에서 보듯이, 테스토스테론의 감소와 전립선암 사이의 연관성을 이제는 더 이상 묵과해서는 안 될 것이다 (Morgentaler, 2006).

1. 테스토스테론의 생리학적 역할과 전립선
Physiology Of Androgens And The Prostate

전립선 조직의 성장에 관여하는 대표적 안드로겐은 dihydrotestosterone (DHT)이며, 전립선 내에서는 테스토스테론의 약 90%가 DHT로 전환된다. 테스토스테론은 부신에서도 10% 정도 분비되지만, 약 90%가 고환의 Leydig 세포에서 합성되고 분비되는 일차 안드로겐이며, 전립선에서는 호르몬의 전구 물질로 기능을 하며, 3-oxo-5α-steroid 4-dehydrogenases로도 알려진 steroid 5α-reductase (5αR)에 의해 DHT로 비가역적인 대사를 일으킨다 (Veltri와 Rodriguez, 2006). DHT는 다시 3α- 혹은 3β- hydroxysteroid oxidoreductase에 의해 5α-androstane-3α,17β-diol (3α-diol) 혹은 5α-androstane-3β,17β-diol (3β-diol)로 가역적 대사 반응을 일으킨다. DHT의 대사에 관여하는 효소는 보조 인자로 nicotinamide adenine dinucleotide phosphate (NADPH)를 이용하는 5αR과는 다르게 nicotinamide adenine dinucleotide (NAD)도 함께 이용한다 (Veltri와 Rodriguez, 2006). 전립선 내의 DHT 농도는 테스토스테론의 5배인 조직 g당 5 ng으로 일정하게 유지되며, 양성전립선비대라 하여 증가되지는 않는다. 양성전립선비대가 없는 남성에서 외과적으로 얻은 표본을 대조군과 비교한 Walsh 등 (1983)의 연구는 전립선의 정상 조직과 증식 조직에서의 DHT 농도는 동일하다고 분명하게 밝혔다 (Roehrborn과 McConnell, 2006).

혈중 테스토스테론 농도는 혈중 DHT 농도보다 11배 정도 더 높으며, 각각 611±186 ng/dL, 56±20 ng/dL이다 (Veltri와 Rodriguez, 2006). 혈장에서는 테스토스테론의 대부분이 testosterone-binding globulin (TeBG), albumin 등과 같은 결합 단백질과 결합한 상태로 존재하며, 총 혈청 테스토스테론의 2%, 즉 1 nM 혹은 15 ng/dL 미만이 결합하지 않은 유리형 테스토스테론으로 존재한다. 이 유리형이 전립선에 수동적 확산 형식으로 섭취되어 5αR에 의해 DHT로 전환되거나 간과 장에서 섭취되어 17-ketosteroids를 형성한다 (Veltri와 Rodriguez, 2006). 혈중의 테스토스테론과 DHT는 동일하게 전립선 내로 잘 유입되며, 둘 다는 전립선 내의 DHT에 대해 전구체로서의 역할을 한다. DHT는 테스토스테론에 비해 1.5~2.5배 강한 안드로겐이지만, 혈장에서는 농도가 낮고 혈장 단백질과 단단하게 결합하기 때문에 혈중 안드로겐으로서의 역할 혹은 전립선 내의 DHT에 대한 전구체로서의 역할은 크지 않아 혈중 DHT는 전립선과 정낭의 성장에 큰 영향을 주지 못한다. 이는 2형 5αR 결핍 증후군을 가진 환자의 경우 혈중 DHT의 농도가 감소되더라도 정상에 가깝지만 전립선의 크기는 평생 작음을 보아도 알 수 있다 (Imperato-McGinley 등, 1992). 뇌, 골격근, 정세관 등에서는 테스토스테론이 안드로겐 의존성 과정을 직접 자극하지만, 전립선에서는 성장, 분화, 기능 등과 관련이 있는 세포 활동을 조절하는 데 DHT가 더 중요한 역할을 한다 (Veltri와 Rodriguez, 2006).

근래의 관점에서 볼 때, 테스토스테론이 주된 혈중 안드로겐이라는 이유는 그것이 본질적으로 강한 효능을 가져서라기보다 남녀에서 정상적인 뼈의 성장에 중요한 에스트로겐과 강력한 안드로겐 효과를 나타내는 DHT의 전구체로서 기능하기 때문이다. 안드로겐이 전립선 세포의 분화 및 증식 과정과 세포사를 억제하는 과정에서 최소한 어느 정도의 역할을

한다는 데는 의심의 여지가 없다 (Roehrborn과 McConnell, 2006).

관 (duct)과 세엽 (acinus)으로 구성된 분비성 샘 조직인 전립선의 발생과 성장은 태생기에 시작하여 성적 성숙기에 완성된다. 전립선의 발생은 태아의 10주에 내배엽으로부터 유래된 비뇨생식동 (urogenital sinus)에서 전립선의 싹이 생기면서 시작된다. 비뇨생식동은 구요도선 (bulbourethral gland)과 요도의 전립선 부위 및 막 부위를 형성한다. 전립선이 정상으로 성장하기 위해서는 많은 조화로운 세포 과정이 필요하며 다수의 유전자 외에도 DHT와 같은 호르몬의 관여가 필수적이다. 사람의 태아에 관한 연구는 전립선과 외생식기가 분화하기 전에 비뇨생식동과 외생식기 원기 (anlage)에서 5αR의 활성이 나타난다고 하였다. 부고환, 정관, 정낭이 분화하는 시점에서는 5αR의 활성이 Wolffian duct에 나타나지 않는다. 따라서 테스토스테론과 DHT는 발생 과정 동안 남성의 성 분화에서 선택적으로 작용하는데, 테스토스테론은 Wolffian duct의 분화를 중재하고 DHT는 남성의 외생식기와 전립선의 분화를 중재한다. 이러한 가설은 2형 5αR 결핍 증후군에 관한 연구에 의해 확인되었다 (Zhu와 Sun, 2005).

2형 5αR 결핍 증후군을 가진 환자에서는 5αR의 활성이 감소되어 혈중 및 전립선의 DHT 농도가 감소되어 있다. 이 증후군을 가진 환자가 성인이 되더라도 전립선이 직장수지검사로는 만져지지 않고 경직장초음파촬영 및 자기공명영상에서는 흔적 정도로 발견된다. 전립선의 용적은 동일 연령의 정상인에 비해 1/10 정도이다. 조직학적 검사에서는 섬유성 결합조직과 평활근이 보이고 상피조직은 발견되지 않는데, 이는 상피조직이 위축되거나 상피세포의 분화가 결여되기 때문으로 추측된다. 이들 환자에서는 혈장 PSA가 낮거나 확인되지 않으며, DHT를 투여하면 전립선이 커지고 혈장 PSA가 증가한다. 이러한 소견은 전립선의 분화와 성장뿐만 아니라 혈중 PSA 농도는 주로 DHT에 의해 매개됨을 시사한다. 그러나 이들 환자에서 전립선의 일부나마 존재함은 전립선이 형성되는 과정에는 다른 성장 인자도 관여함을 추측하게 한다 (Zhu와 Sun, 2005). 2형 5αR 억제제를 이용하거나 5αR 유전자를 삭제한 동물에 관한 연구는 추가로 이들 견해를 뒷받침하는 증거들을 보여 준다. 쥐 (Spencer 등, 1991)와 원숭이 (Prahalada 등, 1997)에게 2형 5αR 억제제인 finasteride를 투여하면, 수컷의 성 분화와 전립선의 발생에서 장애가 일어난다. 2형 5αR의 유전자 *steroid-5-alpha-reductase, alpha polypep-*

tide 1 (SRD5A1) 혹은 1형 5αR과 2형 5αR의 유전자 SRD5A1/SRD5A2를 파괴한 생쥐의 전립선은 작지만, 유전자에 결손이 있는 이들 동물의 수컷 자손은 놀랍게도 정상 생식기를 가졌다 (Zhu와 Sun, 2005).

테스토스테론과 DHT는 다른 호르몬과 마찬가지로 전립선과 같은 여러 기관의 기능을 조절하는 화학물질을 전달하는 기능을 가지고 있다. 그들의 생물학적 반응은 상이하지만 동일한 androgen receptor (AR)와 결합한다. 호르몬-AR 복합체는 안드로겐 반응 요소 (androgen response element, ARE)로 불리는 핵 DNA 염기 서열과 결합한 후 안드로겐 의존성 유전자의 전사를 증가시켜 호르몬 의존성의 세포 효과, 즉 단백질의 합성을 자극한다 (Tindal 등, 2008). 예를 들면, 전립선에서 DHT-AR 복합체가 특이 ARE와 결합하면, 세포의 기능과 성장을 조절하는 조절 단백질, PSA 등이 생성된다 (Andriole 등, 2004). 한편, 안드로겐에 민감한 조직에서 안드로겐의 공급을 중단하면 단백질의 합성이 감소되고 조직의 퇴행이 일어난다. 안드로겐의 제거는 PSA와 같은 중요한 안드로겐 의존성 유전자의 불활성 외에도 세포 자멸사와 관련이 있는 특이 유전자의 활성화를 유도한다 (Roehrborn과 McConnell, 2006). 테스토스테론과 DHT는 수용체와의 결합과 DNA와의 상호작용에서 차이를 나타내지만, 분자 기전이 상이한 이유는 분명하지 않다 (Veltri와 Rodriguez, 2006).

테스토스테론과 DHT는 전립선에서 비슷한 속도로 동일한 AR과 결합하지만, 전립선에서는 DHT-AR 복합체가 테스토스테론-AR 복합체보다 더 안정적이어서 해리되는 비율이 낮기 때문에, 전립선 내에 있는 대부분의 AR은 테스토스테론보다 DHT와 결합한 상태로 존재한다. 연령이 증가하여 혈중 테스토스테론 농도가 낮아지더라도, 전립선에 있는 AR은 높은 농도를 유지하고 DHT가 축적되어 '정상' 농도를 나타냄으로써 안드로겐에 의존적인 세포의 성장은 계속된다 (Wright 등, 1999). 따라서 5αR의 주된 역할은 테스토스테론을 친화도가 높아서 AR과 더욱 단단하게 결합하는 DHT로 전환시켜 안드로겐의 효과를 증대시키는 것이다 (Andriole 등, 2004).

전립선의 정상 발달과 분비 생리에서 안드로겐이 중요하다지만, 테스토스테론과 DHT 중 어느 호르몬이 고령 남성의 전립선에 대해 분열 촉진 물질로 작용하는지는 분명하지 않다. 1984년 McKeehan 등의 실험에서 둘 중 어느 것도 배양된 전립선의 상피세포에 대해 분열 촉진 물질로 작용하지 않았으며, 1997년 쥐의 전립선을 대상으로 평가한 Wang 등의 유전자 발현 실험도 분열 촉진 경로를 직접 활성화함을 보여 주지 못하였다 (Roehrborn과 McConnell, 2006). 그러나 많은 성장인자와 그들의 수용체는 안드로겐으로 조절되므로, 전립선에서 테스토스테론과 DHT의 작용은 자가 분비 및 주변 분비의 경로를 통해 간접으로 매개된다고 할 수 있다.

방광출구폐색 증상을 가진 111명의 남성을 거세한 후 87%에서 전립선이 급속하게 위축되었고 58%에서 증상이 해소되었다는 보고가 있으며 (White, 1895), 거세된 개에게 테스토스테론이나 DHT를 투여하면 전립선 내의 DHT가 증가하고 양성전립선비대가 발생하였다는 보고가 있다 (Moore 등, 1979). 테스토스테론과 5αR 억제제를 병용하면 DHT의 생성이 감소하고 양성전립선비대가 방지된다. 2형 5αR 억제제인 finasteride를 투여하면 혈중 및 전립선 내의 DHT의 감소로 인해 전립선 세포의 자멸사가 일어나 전립선의 크기가 상당하게 감소되며 양성전립선비대의 임상 증상이 개선되는데, 전립선에서 분비 조직의 위축은 원위부 세엽관 (acinar duct)으로부터 근위부 세엽관으로 진행하며, 형태학적 용적의 감소는 전립선의 이행부와 주변부에서 비슷하게 일어난다 (Park과 Paick, 2008). 그러나 전립선의 축소가 이행부에서 우세하게 나타난다는 보고 또한 있다 (Montironi 등, 1996). Finasteride는 쥐 전립선의 전엽과 후엽에서 혈류를 감소시켜 전립선의 성장에 간접으로 영향을 주는데, 이는 전립선의 기질 내에서 vascular endothelial growth factor (VEGF)의 유전자 발현이 감소되기 때문으로 추측된다 (Levine 등, 1998). 거세 쥐의 전립선에서는 nitric oxide synthase (NOS) 활성의 감소와 보조 인자인 cGMP의 감소로 인하여 혈관이 급성으로 강하게 수축한다는 연구 결과와 같이 안드로겐을 차단하면 부분적으로 혈관 효과를 통해 전립선의 성장이 영향을 받는다 (Hayek 등, 1999). 쥐를 대상으로 면역조직화학검사를 이용하여 finasteride의 효과를 평가한 연구는 finasteride가 vascular surface density (VSD), 미세 혈관의 수, VEGF의 발현 등을 감소시키는 효과를 관찰하지 못하였으며, 양성전립선비대에서 발생하는 출혈을 감소시키는 finasteride의 효과는 전반적인 혈관 분포의 감소 때문이라기보다 전립선이 수축함으로 인해 혈관 벽의 안정성이 증대되기 때문이라는 상충되는 결과를 보고한 연구도 있지만 (Canda 등, 2006), finasteride가 전립선 조직 내에서 VEGF의 발현을 감소시킨다는 보고가 있으며 (Häggström 등, 2002), finasteride는 상피세포의 부착을 억제하여 조직 내의 혈관 분포를 감소시키고 세포 자멸사를 유도함으로써 양성 전립선과 악성 전립선에 대해 세포 자멸사의 효과와 혈관 형성을 억제하는 효과를 가진다는 보고 또한 있다 (Sutton 등, 2006). 이러한 효과는 VEGF로만 매개되지 않고 혈관을 조절하는 다른 인자도 관여할 것으로 생각된다.

쥐를 이용하여 finasteride의 효과를 평가한 연구는 다음과 같은 결과를 보고하였다 (Huynh 등, 2002). 첫째, finasteride 100 mg/kg의 용량에서 mitogen-activated protein kinase (MAPK) 및 v-akt murine thymoma viral oncogene homolog protein 1 (AKT)의 발현이 억제되었으며, phosphatase and tensin homolog (PTEN)의 발현은 유의하게 증가되었다. 둘째, finasteride를 투여한 경우 MAPK, MAPK kinase 1/2 (MEK1/2), Raf-1 proto-oncogene serine/threonine-protein kinase (c-RAF), ELK1, member of ETS oncogene family (ELK1) 등의 인산화가 유의하게 감소되었다. 셋째, finasteride를 kg 당 1, 10, 100 mg의 용량을 투여한 경우 대조군에 비해 B-cell lymphoma (BCL)-2-associated death promotor (BAD)는 2.5, 4.0, 4.0배, BCL-extra short (BCL-XS)는 9.8, 10, 12배 증가한 데 반해 BCL2-associated X protein (BAX)는 약간 감소하였다. BCL-extra large (BCL-XL)의 발현은 각 용량에서 대조군의 약 30, 30, 26%이었으며, BCL2의 발현은 100 mg/kg의 용량에서만 유의하게 감소되었다. 이러한 결과는 finasteride가 MAPK 및 AKT의 발현, BCL-XL, BCL-XS, BCL2, BAD 등의 단백질을 조절함으로써 항증식 효과와 세포 자멸사 효과를 나타냄을 보여 준다.

자가 포식 (macroautophagy 혹은 autophagy)은 영양소 고갈, 감염, 세포 자멸사 등과 같은 세포 스트레스와 관련하여 큰 분자 혹은 작은 기관이 분해되는 세포 과정이다 (Toepfer 등, 2011). 자가 포식에 의한 세포사는 제2 유형의 계획된 세포사로 간주된다. 여러 스트레스 환경에서 자가 포식이 세포의 생존을 돕지만, 자가 포식 자체가 세포사의 원인인지 혹은 세포사와 함께 일어나는지는 분명하지 않다 (Botti 등, 2006). 자가 포식은 암 혹은 일부 다른 질환과 밀접한 관계가 있다 (Dong 등, 2011). 안드로겐이 고갈된 조건에서 자가 포식은 LNCaP 전립선암 세포주에 대해 보호 역할을 한다 (Li 등, 2008). 다른 연구에 의하면, 5αR 억제제가 양성전립선비대 조직에서 자가 포식의 표지자인 light chain 3 (LC3) 단백질의 발현을 유의하게 증가시켰으며, 3-methyladenine으로 자가 포식을 차단하면 세포 자멸사가 촉진되었다. 이와 같은 결과는 5αR가 자가 포식을 증가시킴을 나타낸다 (Li 등, 2014).

자가 포식은 자가 포식 소체 (autophagosome) 내에 격리된 세포 내의 물질에 대한 lysosome의 분해를 촉진하는 과정으로서 세포의 항상성과 스트레스에 대한 적응에 필수적인 과정이다 (Kroemer, 2015). 자가 포식의 현상은 노화 생물체에서는 충분하게 일어나지 않기 때문에, 생물체의 기능과 생존이 위협을 받을 수 있다 (Rubinsztein 등, 2011). 자가 포식은 또한 감염, 종양, 신경퇴행성 질환 등과 같은 다수의 만성 질환에서는 세포의 기능을 유지시키는 데 충분하지 않다. 따라서 자가 포식 유전자의 다형성은 유방암 등과 같은 악성 종양, 염증성 장 질환, 근육 세균 감염, 천식, 만성 폐쇄성 폐 질환, systemic lupus erythematosus (SLE), 유전성 신경 질환 등과 관련이 있다 (Levine 등, 2015). 자가 포식의 여러 질환의 치료제의 발견과 개발에서 표적이 되고 있다.

암의 발생에서 자가 포식의 결함이 관련이 있음은 아직 논란 중에 있다. 생쥐에서 autophagy-related gene 7 (ATG7)의 삭제 혹은 beclin 1 (BECN1)을 코드화하는 ATG인 BECN1의 반수체 기능 부전 (haploinsufficiency) 등과 같은 자가 포식의 유전적 결함이 암의 유병률을 증가시킨다는 보고가 있다 (Jiang 등, 2015). 마찬가지로 ATG5 혹은 ATG7의 삭제는 Kirsten rat sarcoma viral oncogene homolog (KRAS)로 유도되는 췌장암의 유병률을 증가시키며 (Rosenfeldt 등, 2013), ATG5의 삭제는 KRAS로 유도되는 폐암의 형성을 촉진한다 (Rao 등, 2014). 그러나 유방암에 관한 연구는 beclin 1의 기능적인 상실이 종양의 형성과 관련이 없다고 하였다 (White, 2015). 이러한 자료에 의하면, 자가 포식의 기능적 혹은 유전적 억제는 초기의 종양 형성을 촉진하는 한편, 자가 포식은 종양의 진행에서 흔히 필수적이기 때문에, 자가 포식은 암에서 두 가지의 다른 역할을 한다고 생각된다 (Jiang 등, 2015).

자가 포식을 유도하는 유전자 요법이 여러 연구에서 다양한 질환 모델에서 대해 긍정적인 효과를 나타내었는데, 예를 들면, 노화를 가진 모든 생물체에서 ATG5의 과다 발현, 비만의 경우 간세포에서 자가 포식을 유발하는 transcription factor EB (TFEB) 혹은 ATG7의 과다 발현, KRAS로 유도되는 폐암과 같은 여러 암에서 BECN1의 발현, β-amyloid 혹은 α-synuclein 혹은 독성에 의한 신경퇴행의 경우 뇌에서 TFEB 혹은 BECN1의 과다 발현 혹은 lysosome의 cysteine 단백질 분해효소 억제 인자인 cystatin B (CSTB)의 삭제, 근육 퇴행성 질환의 경우 골격근에서 TFEB와 BECN1의 표적화, 낭성 섬유증으로 인한 만성 폐 염증의 경우 폐에서 BECN1의 발현 등이다 (Levine 등, 2015). 반대로, 자가 포식을 억제하는 유전자 요법이 여러 질환의 생쥐 모델에서 긍정적인 효과를 나타내었다. 예를 들면, *ATG5*, *ATG7* 등과 같이 종양세포 내에서 자가 포식을 위한 필수 유전자를 삭제하여 자가 포식의 경로를 불활성화하면, *KRAS*^G12D 혹은 *B-Raf proto-oncogene, serine/threonine kinase (BRAF*^V600E)로 유도되는 폐 선종의 폐암으로의 진행이 방지되며 (White, 2015), *KRAS*^G12D으로 인해 발생한 췌장암이 나타내는 전반적 소견이 방지된다 (Rosenfeldt 등, 2013).

5αR 억제제는 양성전립선비대 조직에서 자가 포식의 표지자인 light chain 3 (LC3) 단백질의 발현을 유의하게 증가시켰으며, 3-methyladenine으로 자가 포식을 차단하면 세포 자멸사가 촉진되었다 (Li 등, 2014).

이와 같이 전립선의 성장과 PSA의 생성에서 DHT가 중요한 역할을 하지만, 테스토스테론 또한 DHT와는 독립적으로 전립선의 기능에 영향을 주는데, 이는 luteinizing hormone-releasing hormone (LHRH) 작용제가 혈청 테스토스테론의 감소 없이 DHT를 거세 수준으로 낮추는 5αR 억제제에 비해 전립선의 용적과 PSA 농도를 더 크게 감소시킨다는 결과로 알 수 있다 (Peters와 Walsh, 1987). 테스토스테론과 DHT의 역할은 조직에 특이적이어서 테스토스테론은 주로 정자 형성, 근육, 골격 등에서, DHT는 주로 전립선, 두피, 생식기, 음경해면체 등에서 역할을 수행한다 (Khera 등, 2014).

2. 테스토스테론과 전립선암의 연관성에 관한 역사적 고찰 및 포화 모델
Historical Basis For Concerns Regarding Testosterone And Prostate Cancer And Saturation Model

테스토스테론과 전립선암과의 연관성은 여러 관찰에 근거한다 (Khera 등, 2014). 첫째, 전립선의 정상적인 발생과 기능은 안드로겐에 의존적이다. 둘째, 전립선암 표본에서는 AR이 거의 대부분에서 존재한다. 셋째, 진행 혹은 전이 전립선암 환자에서 안드로겐 박탈 요법은 유익한 반응을 나타낸다. 넷째, 과거의 연구는 테스토스테론을 투여한 환자에서 전립선암의 진행이 빠르다고 보고하였다. 다섯째, 안드로겐 박탈 요법을 받은 환자에서 PSA는 급격하게 감소한다. 여섯째, 5αR 억제제로 치료를 받은 양성전립선비대 환자에서는 전립선 용적 및

PSA가 감소한다. 일곱째, LHRH 작용제를 이용한 치료를 중단하면 혈청 PSA와 테스토스테론이 함께 증가한다.

이와 같은 관찰은 양성이든 악성이든 전립선이 안드로겐에 의존적인 기관이라는 견해와 일맥상통한다. 1941년 Huggins와 Hodges는 테스토스테론이 전립선암을 '활성화하며' '성장 속도를 증대시킨다'고 주장하였다. 이러한 개념은 혈청 테스토스테론 농도의 증가가 전립선암의 위험을 유도한다는 우려를 일으켰다. 전립선암에서 안드로겐 박탈 요법의 극적인 효과를 부인할 수 없지만, 현재의 많은 증거는 혈청 테스토스테론 혹은 DHT의 점진적인 증가가 양성 혹은 악성 전립선 조직을 항상 증대시킨다는 개념을 뒷받침하지 않는다. 예를 들면, 다수의 연구는 내인성 테스토스테론과 PSA 혹은 전립선 용적 사이에 상관관계가 있음을 보여 주지 못하였다 (Cooper 등, 1998). 건강한 지원자에게 초생리적 용량의 테스토스테론을 투여하여도 PSA 혹은 전립선 용적이 증가하지 않았으며 (Bhasin 등, 1996), 대규모 전향 연구는 대부분이 내인성 혈청 안드로겐 농도와 전립선암 위험 사이에서 연관성을 발견하지 못하였다. 이들 결과는 중등도로 낮거나 초생리적 범위의 혈청 테스토스테론과 전립선의 생물학적 작용은 서로 거의 혹은 전혀 관계가 없음을 시사한다 (Khera 등, 2014).

대조적으로 '포화 (saturation)' 모델은 혈청 안드로겐 농도의 변화에 의해 영향을 받는 양성 혹은 악성 전립선 조직에서 관찰되는 모든 결과를 설명해 준다. 안드로겐에 관한 가설은 AR 혹은 PSA가 발견되기 전에, 그리고 신뢰성이 있는 혈청 테스토스테론 분석법이 개발되기 전에 받아들여졌음을 알아야 한다. 따라서 안드로겐에 관한 가설의 일부가 과학적인 연구에 의해 잘못되었다고 판명되었음은 그렇게 놀랄 일이 아니다 (Khera 등, 2014). 포화 모델에 의하면, 전립선 조직은 혈청 테스토스테론 농도가 낮은 경우에서는 테스토스테론의 변화에 대해 민감하지만, 테스토스테론의 농도가 높은 경우에는 테스토스테론의 변화에 대해 민감하지 않다. 전립선 조직의 성장이 안드로겐에 의해 더 이상 변화하지 않는 안드로겐 농도의 한계치, 즉 포화점에 도달하면 한계치 효과 (threshold effect)가 나타난다 (Morgentaler와 Traish, 2009) (도표 266). 이러한 개념은 혈청 테스토스테론이 거세 수준으로 조절될 때는 급격한 PSA의 변화가 관찰되지만, 정상 남성에게 초생리적인 테스토스테론을 투여한 경우에는 PSA의 변화가 경미하거나 없는 이유를 설명해 준다.

포화 모델을 성립시키는 중요한 기전 중 하나는 안드로겐

CHAPTER 11

도표 266 포화 모델

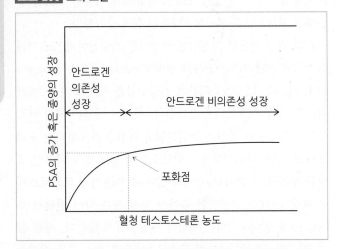

안드로겐 농도의 증가는 더 이상 안드로겐에 따른 변화가 일어나지 않는 한계점, 즉 포화점에 도달할 때까지 PSA 농도에 의해 반영되는 전립선 조직의 성장 및 기능을 증가시킨다. 전립선암은 안드로겐의 농도가 낮은 경우에는 안드로겐의 변화에 대해 민감한 반응을 보이지만, 안드로겐의 농도가 포화점 이상으로 높은 경우에는 안드로겐의 변화에 따른 반응을 나타내지 않는다. 현재의 증거로는 사람의 전립선 조직에서 포화점은 250 ng/dL 혹은 8 nmol/L이다. 포화점은 개인에 따라 다르며, 조직에 따라 상당하게 차이를 나타낸다.

PSA, prostate-specific antigen.

Morgentaler와 Traish (2009) 및 Khera 등 (2014)의 자료를 수정 인용.

이 AR과 결합하는 기능은 한정적이라는 점이다. 쥐와 사람의 전립선 조직에서 안드로겐과 AR의 최대 결합, 즉 포화는 분명히 안드로겐 농도가 낮은 경우에서 일어나며, 사람의 전립선에 대한 생체 밖 실험에서 보고되는 포화점은 약 4 nmol/L 혹은 125 ng/dL이다. 임상 시험에서 포화점은 개인에 따라 변동이 있지만 약 8 nmol/L 혹은 250 ng/dL이다. 이러한 차이는 체내에서 일어나는 SHBG와 같은 다른 분자와의 상호 작용으로 설명될 수 있다 (Khera 등, 2014). 또 다른 생리학적 기전이 포화 모델에 관여할 수 있다. 예를 들면, 테스토스테론을 근육 주사한 후 6개월 시점에서 혈청 테스토스테론의 농도는 큰 변화를 보였지만, 전립선 내의 테스토스테론과 DHT 농도는 변하지 않았는데, 이는 국소적인 조절 기전이 존재함을 시사한다 (Marks 등, 2006). 조직에 따라 포화점도 다르다 (Khera 등, 2014). 여러 관찰 결과도 포화 모델을 뒷받침한다. 동물 실험은 거세 수컷에서 테스토스테론 혹은 DHT를 대치하면 전립선 덩이를 거세 전 수준으로 회복시키지만 더 이상 커지지 않음을 보여 주었다. 안드로겐에 민감한 전립선암 세포주를 이용한 실험 연구는 안드로겐의 농도가 증가함에 따라 세포의 수와 성장이 증가하는 용량반응 곡선을 보여 주었지만, 최대점에 도달하면 안드로겐의 농도가 상대적으로 증

도표 267 혈청 테스토스테론 농도의 증감에 따른 혈청 PSA의 반응

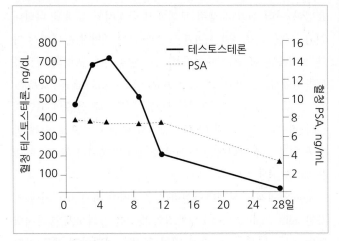

병기 D의 전립선암 환자 25명을 대상으로 실시한 Tomera 등 (2001)의 연구에 의하면, 테스토스테론의 농도는 luteinizing hormone-releasing hormone (LHRH) 작용제로 치료를 받은 전이 전립선암 환자에서 약 50%까지 증가하였다. 혈청 PSA는 혈청 테스토스테론이 단기간 증가하는 동안에는 변화를 보이지 않았으나, 혈청 테스토스테론이 거세 수준으로 감소하였을 때는 급격하게 낮아졌다. 안드로겐의 농도가 안드로겐과는 무관하게 전립선이 성장하는 범위에서는 혈청 PSA의 변화가 관찰되지 않으나, 안드로겐의 농도가 안드로겐에 의존적인 범위로 낮아진 경우에는 혈청 PSA가 급격한 변화를 나타낸다는 이 연구 자료는 포화 모델의 개념을 뒷받침한다.

PSA, prostate-specific antigen.

Morgentaler와 Traish (2009) 및 Khera 등 (2014)의 자료를 수정 인용.

가함에 불구하고 더 이상의 성장이 관찰되지 않는다고 하였다 (Morgentaler와 Traish, 2009). LHRH 작용제로 치료를 받은 전이 전립선암 환자에 관한 일부 연구는 테스토스테론이 증가한 기간 동안 PSA의 증가를 관찰하지 못하였다는 보고는 주목할 만하다 (Tomera 등, 2001) (도표 267).

3. 혈청 테스토스테론과 전립선암의 위험
Serum Testosterone And Prostate Cancer

20편 이상의 추적 연구는 혈청 테스토스테론 혹은 기타 안드로겐과 전립선암 사이에는 연관성이 없음을 보여 주었다 (Morgentaler, 2006). 이들 연구 중 18편의 자료를 분석한 바에 의하면, 전립선암 환자 3,886명과 대조군 6,438명을 포함하는 피험자에서 혈청 테스토스테론, DHT, 유리형 테스토스테론 등과 전립선 위험과의 연관성이 발견되지 않았다 (Roddam 등, 2008). Reduction by Dutasteride of Prostate Cancer Events (REDUCE) 시험의 위약군 3,255명을 대상으로 2년과 4년 시점에서 생검을 실시한 연구도 전립선암의 위험과 기저선 혈청 테스토스테론 혹은 DHT 사이에서 연관성

을 발견하지 못하였다 (Muller 등, 2012). 이들 연구를 종합하여 보면, 전립선암의 위험은 내인성 혈청 안드로겐의 농도와는 관련이 없으며, 특히 내인성 혈청 테스토스테론이 낮은 남성에 비해 높은 남성에서 전립선암의 위험이 더 크지 않다.

테스토스테론 요법에 따른 전립선암의 위험을 분명하게 평가하기 위해 적절한 피험자 규모와 기간으로 실시된 전향적, 대조 연구는 테스토스테론 요법이 현재까지의 증거로는 전립선암의 위험을 증가시킴을 보여 주지 못하였다. 테스토스테론 요법과 관련하여 위약군과 대조한 19편의 연구를 메타 분석한 연구는 위약군에 비해 테스토스테론 요법을 받은 군에서 4 ng/mL 초과한 PSA 혹은 전립선암의 유의한 증가는 없었다고 하였다 (Calof 등, 2005). 11편의 위약 대조 연구를 검토한 다른 연구도 테스토스테론을 투여 받은 남성에서 전립선암의 위험이 증가하지도 않았고 전립선암이 발생한 남성에서 Gleason 등급이 더 높지도 않았다고 하였다 (Shabsigh 등, 2009). 다른 비대조 연구도 비슷한 결과를 보고하였다. 20년까지 테스토스테론 요법을 받은 28~87세, 평균 55세의 1,365명을 대상으로 6개월마다 PSA 측정과 직장수지검사를 실시한 UK Androgen Study에 의하면, 1~12년 시점에 14명에게서 새로운 전립선암이 발견되었으며, 이들 모두는 국소 질환이었다. 이 연구에서 212년 치료 당 1명 (2,966 man-years of treatment/14명)의 전립선 유병률은 일반 모집단에 비해 크지 않았다. 또한, 테스토스테론 요법이 총 PSA, 유리형 PSA 등에 영향을 주지도 않아 저자들은 전립선에 대한 정기적인 모니터링과 함께 실시되는 테스토스테론 요법은 안전하다고 하였다 (Feneley와 Carruthers, 2012). 경피 테스토스테론 부착포로 치료를 받은 200명 중 1년 동안의 치료를 완료한 161명과 5년 동안의 연장 치료를 완료한 51명을 대상으로 실시한 연구는 PSA의 농도가 3개월 시점에서 0.47로부터 0.60 ng/mL로 그 후 5년 동안은 0.03 ng/mL/year의 매우 경미한 증가를 나타내었으며, 이 연구에서는 전립선암이 발견되지 않았다고 하였다 (Raynaud 등, 2013). 테스토스테론으로 보충 요법을 받은 고등급 전립선상피내암 환자 20명을 포함한 75명을 후향적으로 분석한 연구는 고등급 전립선상피내암을 가졌던 20명 중 1명만이 추적 관찰한 1년 후 전립선암을 가져 전립선암 형성과 테스토스테론과는 연관성이 없다고 하였다 (Rhoden과 Morgentaler, 2003).

다수의 연구는 낮은 혈청 테스토스테론 농도와 높은 분화도 등급 및 높은 병기의 전립선암과의 연관성을 보고하였

다 (Xylinas 등, 2011). 근치전립선절제술을 받기 전의 724명을 대상으로 호르몬 지표에 대한 단변량 분석을 실시한 연구는 다음과 같은 결과를 보고하였다 (Salonia 등, 2012). 첫째, 저급 위험, 중급 위험, 상급 위험 전립선암은 251명 (34.7%), 318명 (43.9%), 155명 (21.4%)에서 각각 발견되었다. 둘째, 상급 위험 군에 속한 환자는 가장 낮은 총 테스토스테론, 가장 낮은 estradiol (E$_2$), 가장 낮은 테스토스테론 대 E2의 비율을 가졌다 ($p \leq 0.02$). 셋째, 단변량 분석에서 총 테스토스테론, E$_2$, 테스토스테론 대 E$_2$의 비율 등은 상급 위험 전립선암과 유의하게 관련이 있었다 ($p \leq 0.006$). 넷째, 다변량 분석에서는 연령, 총 테스토스테론, E$_2$ 등이 상급 위험 전립선암과 관련이 있었으며, 테스토스테론 대 E$_2$의 비율만이 상급 위험 전립선암에 대한 독립적 예측 인자이었다. 다섯째, 혈청 성호르몬과 전립선암의 공격성 사이의 연관성은 비선형의 U 모양을 나타내었는데, 총 테스토스테론 농도, E$_2$ 농도, 테스토스테론 대 E$_2$의 비율 등이 가장 낮은 군과 가장 높은 군이 상급 위험 전립선암과 관련이 있었다. 이와 같은 결과는 수술 전의 성호르몬 농도가 비선형 U 형태로 상급 위험 전립선암과 관련이 있음을 보여 준다. 국소 전립선암으로 근치전립선절제술을 받은 64명을 대상으로 실시한 후향 연구는 혈청 총 테스토스테론의 한계치를 270 ng/dL로 설정한 경우 PSA, Gleason 점수, 병리학적 병기, 전립선피막 침범, 정낭 침범 등에서는 유의한 차이를 나타내지 않았으나 수술 절제면 침범은 총 테스토스테론이 낮은 환자에서 증가했다고 하였다 (Teloken 등, 2005). 국소 전립선암으로 근치전립선절제술을 받은 227명을 대상으로 실시한 후향 연구에 의하면, 11 nmol/L를 초과한 수술 전 혈청 테스토스테론 농도는 연령, PSA, 생검 Gleason 점수 등과 함께 생화학적 실패 위험의 감소에 대한 독립적 예측 인자이었으며, 높은 테스토스테론 농도의 생화학적 실패에 대한 HR은 0.53 (95% CI 0.31~0.90)이었다. 이 연구 결과는 치료 전 낮은 혈청 테스토스테론 농도는 생화학적 실패의 높은 위험과 상호 관련이 있음을 보여 준다 (Røder 등, 2012).

708명의 전립선암 환자를 대상으로 실시한 Nordic Biological Specimen Biobank Working Group on Cancer 연구는 총 테스토스테론 농도가 높을수록 전립선암의 위험이 감소되었으며, 가장 낮은 사분위수에 대한 가장 높은 사분위수의 OR은 0.80 (95% CI 0.59~1.06; $p=0.05$)이었다고 하였다 (Stattin 등, 2004). 65명의 전립선암 환자를 대상으로 실시한 전향 연구는 총 테스토스테론 농도가 높으면 전립선암의 위험이 더 낮았

고, 이 경우 OR은 0.147 (95% CI 0.03~0.68; p=0.014)이었다고 하였으며 (Mearini 등, 2008), 194명의 전립선암 환자를 대상으로 실시한 전향 연구는 높은 성 활동과 높은 총 테스토스테론 및 유리형 테스토스테론 농도는 전립선암에 대해 보호 역할을 한다고 하였다 (Ahmadi 등, 2011).

전술한 연구와는 대조적으로 높은 농도의 총 테스토스테론이 전립선암의 위험을 증가시킨다는 연구도 다수 있다. 612명을 대상으로 실시한 후향 연구인 Physicians' Health Study (PHS)는 여러 호르몬과 SHBG로 보정한 경우 총 테스토스테론의 증가가 전립선암의 위험과 강하게 관련이 있었으며, 가장 낮은 사분위수에 대한 가장 높은 사분위수의 OR은 2.60 (95% CI 1.34~5.02; p=0.004)이었다고 하였다 (Gann 등, 1996). PSA 농도가 10 ng/mL 미만이고 생검을 받은 420명을 대상으로 실시한 연구는 치료 전 총 테스토스테론 농도가 전립선암을 가지지 않은 환자에 비해 가진 환자에서 유의하게 더 높았다고 하였다 (p=0.007) (Yano 등, 2007). 여러 혈청 호르몬, 환자 연령, 체질량 지수 등으로 보정한 메타 분석은 가장 높은 사분위수의 총 테스토스테론 농도를 가진 환자에서 2.34 (95% CI 1.30~4.20)배 더 흔하게 전립선암이 발생한다고 하였다 (Shaneyfelt 등, 2000).

Baltimore Longitudinal Study of Aging에 참여한 781명을 대상으로 전립선암이 진단되기 전에 성호르몬을 측정한 연구는 다음과 같은 결과를 보고하였다 (Pierorazio 등, 2010). 65세를 초과한 남성에서는 free testosterone index (FTI; 총 테스토스테론 몰×100/면역 분석에 의한 SHBG 몰)가 0.1 단위 증가함에 따라 상급 위험 전립선암일 확률이 2배 증가하였으며 (hazard ratio [HR] 2.07, 95% CI 1.01~4.23; p=0.047), 65세 이하의 남성에서는 상급 위험 전립선암의 확률과 FTI는 역상관관계를 나타내었다 (HR 0.96, 95% CI 0.35~2.6; p=0.9). 이러한 결과는 고령의 남성에서 높은 농도의 혈청 유리형 테스토스테론이 공격적인 전립선암의 위험 증가와 관련이 있음을 보여 준다. 그러나 이와 같은 결과는 총 혈청 테스토스테론에 근거하지 않고 FTI에 근거하였으며 기저선 혈청 테스토스테론이 상급 위험 전립선암에서 더 낮았기 때문에, 결과를 해석할 때 신중을 기해야 할 것이다.

전립선암 환자 605명을 대상으로 근치전립선절제술 전날 성호르몬을 분석한 연구는 중앙치 24개월 추적 관찰한 후 다음과 같은 결과를 보고하였다 (Salonia 등, 2013). 첫째, 생화학적 실패를 가진 환자와 가지지 않은 환자에서 총 테스토

스테론 농도는 각각 0.05~8.4 (평균치 4.9, 중앙치 4.8) ng/mL, 0.25~9.8 (평균치 4.4, 중앙치 4.3) ng/mL (p=0.08), E₂ 농도는 각각 11.5~64.0 (평균치 35.1, 중앙치 33.8) pg/mL, 4.0~74.0 (평균치 32.4, 중앙치 32.0) pg/mL (p=0.13), SHBG 농도는 각각 8.0~69.0 (평균치 33.1, 중앙치 31.5) nmol/L, 6.0~115.0 (평균치 36.5, 중앙치 34.0) nmol/L (p=0.19), Gleason 점수 6 이하는 각각 35.3%, 69.0% (p=0.0001)이었다. 즉, 생식선저하증과 생화학적 실패 사이에는 유의한 연관성이 발견되지 않았다. 둘째, 단변량 분석에서 총 테스토스테론, 3 ng/mL 미만의 테스토스테론, E₂, SHBG 등은 조기의 생화학적 실패와 유의한 연관성이 없었다. 셋째, 다변량 분석에서 생화학적 실패에 대한 HR은 총 테스토스테론의 경우 1.43 (p=0.03), E₂의 경우 1.05 (p=0.04), SHBG의 경우 1.29 (p=0.02), 생검 Gleason 점수 4+3의 경우 3.37 (p=0.04), 생검 Gleason 점수 8 이상인 경우 20.06 (p<0.001)이었으며, 생식선저하증에 해당하는 3 ng/mL 미만의 총 테스토스테론에서 HR은 0.88 (p=0.84)이었다. 이 연구 결과는 근치전립선절제술을 받은 환자에서 수술 전에 측정된 혈청 성호르몬 농도가 생화학적 재발에 대한 독립적 예측 인자임을 보여 준다.

이와 같이 총 테스토스테론의 낮은 농도 혹은 높은 농도와 전립선암 사이의 관계를 보고한 연구가 다수 있으며, 이들은 도표 268과 269에 요약되어 있다. 또한, 총 테스토스테론 농도와 전립선암 사이에는 연관성이 없다고 보고한 연구도 있으며, 이는 도표 270에 요약되어 있다.

4. 테스토스테론 결핍증과 전립선암 발생 위험
Relation Of Testosterone Deficiency With Prostate Cancer Risk

호르몬의 양상과 전립선암과의 연관성을 분석한 연구는 테스토스테론 농도가 낮은 남성 코호트에서는 테스토스테론이 낮을수록 전립선암의 위험이 더 크며, 테스토스테론 농도가 낮은 남성이 전립선 생검을 받을 경우 전립선암이 발견될 확률이 높기 때문에, 테스토스테론이 전립선암의 선별검사에 도움이 된다고 하였다 (Sofikerim 등, 2007). 다른 연구는 낮은 농도의 테스토스테론은 Gleason 점수 7 이상의 고등급 분화도 전립선암과 관련이 있으며, 테스토스테론 농도는 양성전립선비대와 저농도의 PSA를 가진 남성에 비해 전립선암 환자에서 더 낮다고 하였다 (Yano 등, 2007). 전립선 생검을 받은

도표 268 낮은 농도의 총 테스토스테론과 전립선암과의 관계

참고 문헌/환자 수	채혈 시간	TT 한계치	전립선암과의 관계 (95% CI)				
			유병률	GS	PSA 재발	전립선 밖 침범	수술 절제면
Isom-Batz 등, 2005/326	모름	CV	–	7 대 ≤6, OR 2.3 (1.1~5)	NS	–	–
Morgentaler와 Rhoden, 2006/345	08~17	〈2.5	21.1% 대 12.3%	–	–	–	–
Lane 등, 2008/455	09~15	〈2.2	–	GG 4~5, OR 2.4 (1.0~5.7)	NS	–	–
Shin 등, 2010/568	아침	〈3.8	OR 1.99 (1.2~3.2)	–	–	–	–
Salonia 등, 2011/673	08~10	〈1	–	–	–	정낭 침범 OR 3.11	–
Botto 등, 2011/431	모름	〈3	–	GG 4 우세, 47% 대 28%	–	–	–
Kratzik 등, 2011/217	08~24	CV	–	NS	–	–	–
Xylinas 등, 2011/107	07~10	〈3	–	GS 7 이상, 83% 대 69%	NS	43% 대 25%	NS
Dai 등, 2012/110	07~22	〈2.5	–	GS 8 이상, 44.4% 대 15.2%	–	–	NS
Cabral 등, 2013/164	아침	평균	–	NS	–	pT3 대 pT2, 3.79 대 4.21 ng/mL	NS

테스토스테론 농도의 단위는 ng/mL.

CI, confidence interval; CV, continuous variable; GG, Gleason grade; GS, Gleason score; NS, not significant; OR, odds ratio; PSA, prostate-specific antigen; TT, total testosterone.

Klap 등 (2015)의 자료를 수정 인용.

도표 269 높은 농도의 총 테스토스테론과 전립선암과의 관계

참고 문헌/환자 수	채혈 시간	TT 한계치, ng/mL	전립선암과의 관계 (95% CI)		
			유병률	Gleason 점수	PSA 재발
Gann 등, 1996/612	제한 없음	HQ 대 LQ	OR 2.60 (1.34~5.0)	–	–
Stattin 등, 2004/708	제한 없음	HQ 대 LQ	OR 0.80 (0.59~1.06)	–	–
Platz 등, 2005/460	–	HQ 대 LQ	NS	7 미만, HR 1.91 (0.89~4.07)	–
Yano 등, 2007/420	아침	〉5.5	p=0.007[†]	–	–
Yamamoto 등, 2007/272	아침	〉3	–	–	HR 0.364 (0.17~0.85)
Mearini 등, 2008/65	08	〉2.4	OR 0.147 (0.03~0.68)	–	–
Røder 등, 2012/227	09~15	〉11	–	–	HR 0.52 (0.31~0.89)
Salonia 등, 2013/605	07~11	CV	–	–	HR 1.43
Porcaro 등, 2014/220	08~08:30	〉4.37	–	≥8, OR 5.53 (4.81~6.30)	–

[†], 치료 전 혈청 테스토스테론의 농도는 양성 전립선에 비해 전립선암에서 더 높았으며, 각각 3.6±1.4 ng/mL, 4.2±2.6 ng/mL이었다 (p=0.007). 치료 전 혈청 테스토스테론의 농도는 생검에서 암 발견에 대한 독립적 예측 인자이었으며 (p=0.020), Gleason 점수 7 미만에 비해 7 이상에서 유의하게 낮았는데, 각각 4.2±1.7 ng/mL, 3.7±2.1 ng/mL이었고 (p=0.030), 미분화 혹은 중등도 분화 질환에 비해 잘 분화된 질환에서 유의하게 더 높았는데, 각각 3.7±1.4 ng/mL, 3.8±1.3 ng/mL, 4.8±2.1 ng/mL이었다 (p〈0.01).

CI, confidence interval; CV, continuous variable; HQ, highest quartile; HR, hazard ratio; LQ, lowest quartile; NS, not significant; OR, odds ratio; PSA, prostate-specific antigen; TT, total testosterone.

Klap 등 (2015)의 자료를 수정 인용.

211명을 대상으로 실시한 연구도 생검 결과가 음성인 환자에 비해 전립선암을 가진 환자에서 테스토스테론 농도가 더 낮다는 비슷한 결과를 보고하였다 (Sofikerim 등, 2007). 또 다른 연구는 전립선 생검을 받는 남성이 생체 이용이 가능한 테스토스테론 농도가 낮으면 전립선암으로 진단될 확률이 높다고 하였다 (García-Cruz 등, 2011). 다른 연구에 의하면, 전립선암의 유병률은 테스토스테론 농도가 정상인 남성에서는 28%인 데 비해 테스토스테론 농도가 300 ng/dL 미만의 남성에서는 47%로 더 높았으며 (Hoffman 등, 2000), 테스토스테론에 대한 PSA 비율의 증가는 3~10 ng/mL로 PSA가 중등도로 증가된 남성과 PSA 농도가 4.0 ng/mL 미만이지만 테스토스테론이 결핍된 남성에서 전립선암 위험의 증가와 관련이

도표 270 총 테스토스테론 농도와 전립선암 사이에 연관성이 없음을 보여 주는 전향 연구

참고 문헌 (환자 수)	연구 형태	채혈 시간	추적 관찰	TT 한계치	전립선암과의 관계	
					유병률	D'Amico grade
Eaton 등, 1999 (1,692)	PCa/대조군	모름	8편 연구에 대한 메타 분석	평균 농도	NS	–
Mohr 등, 2001 (70/1,506)	PCa/대조군	기상 후 4시간 이내	8년	Quartiles	NS	–
Roddam 등, 2008 (3,886/6,438)	PCa/대조군	제한 없음	NA, 18편 연구 분석	Quartiles	NS	–
Morote 등, 2009 (478)[†]	전립선 생검	08~10	NA	평균 농도	NS	NS
Koo와 Shim, 2010 (120)[‡]	전립선 생검	08~10	NA	–	NS	NS
Sawada 등, 2010 (201/402)	PCa/대조군	제한 없음	NA	최고 대 최저 농도	NS	–
Salonia 등, 2011 (655)	RRP	08~10	NA	평균 농도	–	GS 4+3 이상 암에 대해 NS
Botelho 등, 2012 (1,570)[¶]	전립선 생검	09~10:30	NA	평균 농도	NS	–
Muller 등, 2012 (3,255)[*]	저농도 TT/정상 TT	제한 없음	2년과 4년에 전립선 생검	〈2.88 ng/mL	NS	–
Gershman 등, 2013 (963)	전립선암	제한 없음	12.0±4.9년	Quartiles	NS	–

[†], 비정상 직장수지검사 결과 및/혹은 PSA 농도 4 ng/mL 초과 환자; [‡], PSA 농도가 10 ng/mL를 초과한 환자; [¶], 비정상 직장수지검사 결과 및/혹은 PSA 농도 2.5 ng/mL 초과 환자; [*], PSA 농도 2.5~10 ng/mL 및 전립선 생검 1회 음성 결과를 가진 환자.

GS, Gleason score; NA, not applicable; NS, not significant; PCa, prostate cancer; PSA, prostate-specific antigen; RRP, radical retropubic prostatectomy; TT, total testosterone.

Klap 등 (2015)의 자료를 수정 인용.

있었다 (Rhoden 등, 2008). 이와 같은 결과는 어떤 PSA 농도에서 테스토스테론의 농도가 감소되면 전립선암의 위험이 증가됨을 시사한다. PSA 농도가 2.5~4.0 ng/mL인 40명을 대상으로 생검 전 1개월에 testosterone cypionate 400 mg 1회 근육주사에 대한 PSA 반응으로 전립선암을 예측할 수 있는지를 평가한 연구는 전립선암을 가지지 않은 남성에 비해 가진 남성에서 PSA 농도가 더 높게 증가했다고 하였지만 (Svatek 등, 2008), 이 연구의 결과는 혈청 테스토스테론에 대한 PSA의 반응은 매우 경미하다는 많은 문헌과 상반되기 때문에 신중한 해석이 필요하다.

전립선암의 형성과 테스토스테론 사이의 관계에 대하여 다양한 결과가 보고되고 있는데, 예를 들면 테스토스테론의 결핍은 전립선암의 나쁜 예후와 관련이 있다는 연구가 있는 반면, 고등급 전립선상피내암으로 전립선암의 위험도가 높은 남성에게 테스토스테론을 보충하여도 전립선암의 위험이 증가되지 않는다는 연구도 있다 (Rhoden과 Morgentaler, 2003). 첫 생검에서 고등급 전립선상피내암으로 진단을 받은 남성 82명 중 재생검을 받은 45명을 대상으로 테스토스테론 농도가 전립선암의 위험 인자인지를 분석한 연구는 다음과 같은 결과를 보고하였다 (García-Cruz 등, 2012) (도표 271). 첫째, 유리형 테스토스테론 (p=0.04), 생체 이용이 가능한 테스토스테론 (p=0.04), SHBG (p=0.02) 등은 재생검 양성과 유의한

도표 271 재생검 결과가 양성인 환자와 음성인 환자에서 여러 위험 인자 평균치의 비교 분석

위험 인자	재생검 (+), 10명	재생검 (–), 35명	p
연령	68±8	76±7	0.192
PSA, ng/mL	10.9±7.0	9.5±7.1	0.630
PSAD, ng/mL/cc	0.37±0.23	0.39±0.43)	0.950
전립선 용적, cc	50±22	54±24	0.690
정상 직장수지검사, %	100 (10/10)	90 (27/30)	0.298
다병소, %	62.5 (5/8)	65.5 (19/29)	0.874
T 농도, ng/dL	490±150	488±176	0.981
fT 농도, ng/dL	6.9±1.2	9.3±3.2	0.041
bT 농도, ng/dL	162±28	217±74	0.04
SHBG 농도, mmol/L	58±19	39±16	0.020

bT, bioavailable testosterone; fT, free testosterone; PSA, prostate-specific antigen; PSAD, PSA density; SHBG, sex hormone-binding globulin; T, testosterone.

García-Cruz 등 (2012)의 자료를 수정 인용.

상관관계를 가졌다. 둘째, 연령, PSA 농도, PSA 밀도, 테스토스테론, 전립선상피내암의 다병소 등은 재생검에서 전립선암의 존재와 관련이 없었다. 이들 결과에 의하면, 고등급 전립선상피내암으로 진단을 받은 후 전립선암을 가진 환자는 재생검 음성인 환자에 비해 SHBG 농도가 더 높고 유리형 테스토스테론 농도가 더 낮기 때문에, 테스토스테론 농도는 고등급

전립선상피내암 환자 중 재생검이 필요한 환자를 선정할 때 유용하다고 생각된다.

Yamamoto 등 (2007)은 근치전립선절제술을 받을 예정인 272명을 대상으로 근치전립선절제술 후의 생화학적 실패와 낮은 테스토스테론 농도 사이의 연관성을 평가하였다. 49명에서 테스토스테론 농도가 흔히 테스토스테론 결핍을 시사하는 300 ng/dL 미만이었다. 일차 결과로 볼 때, PSA 실패가 없는 5년 생존율은 테스토스테론이 낮은 남성에서 67.8%로 테스토스테론이 정상인 남성의 84.9%보다 유의하게 더 낮았다. 다른 예후 인자로 보정한 후에는 수술 전 혈청 테스토스테론이 낮은 남성에서 PSA 실패 위험이 2.7배 증가하였다. 다변량 분석은 높은 Gleason 점수 (p=0.006), 수술 절제면 상태 (p=0.0001), 수술 전 PSA (p=0.0001) 등과 함께 수술 전 낮은 혈청 테스토스테론 농도 (p=0.021)가 근치전립선절제술 후 생화학적 실패를 예측할 수 있는 중요한 인자임을 확인하였다. 전립선암으로 진단된 137명에 대한 전향 연구도 치료 전 테스토스테론의 낮은 농도가 D'Amico 분류에 의한 높은 위험도의 암, 생검에서 종양의 높은 분포 등과 관련이 있어 부정적인 예후와 상관관계를 가진다고 하였다 (García-Cruz 등, 2012).

낮은 테스토스테론과 전립선암 사이의 연관성을 설명해 주는 하나의 가설은 전립선암이 시상하부-뇌하수체-고환 축을 통해 테스토스테론을 억제한다는 것이다. 이전 연구는 테스토스테론, luteinizing hormone (LH), follicle-stimulating hormone (FSH) 농도가 근치전립선절제술 후에 증가하였지만 경요도전립선절제술 후에는 그렇지 않았다고 하였다. Yamamoto 등 (2007)은 또한 근치전립선절제술 후 테스토스테론의 증가 정도는 수술 전 테스토스테론이 정상이었던 군보다 테스토스테론이 낮았던 군에서 더 컸다고 보고하였다. 이 연구의 결과는 과거 수년에 걸쳐 테스토스테론의 감소와 전립선암 가능성 사이의 연관성을 제시한 많은 연구와 공감대를 형성한다. 전립선암의 종양 관련 효과 (paraneoplastic effect)는 앞으로의 연구가 관심을 가져야 할 영역이다. Yamamoto 등에 의해 잘 검토된 바와 같이 낮은 테스토스테론 농도는 진행된 병기, 수술 절제면 침범, 낮은 생존율 등과 관련이 있다. 모두는 아니지만 여러 연구들이 낮은 테스토스테론 농도와 높은 Gleason 점수 사이에는 연관성이 있다고 보고하고 있다 (Platz 등, 2005).

전립선 검사에서 정상 소견을 나타내고 PSA가 4.0 ng/mL 미만인 77명의 생식선저하증 남성에 대해 테스토스테론 요법을 실시하기 전 생검을 실시한 연구는 11명 (14%)에서 전립선암을 발견하였고 그들 평균 연령은 단지 58세였다고 하였다 (Morgentaler 등, 1996). 이 전립선암 발견율은 그 당시의 다른 유사 연구에 비해 수배 더 높은 비율이었다. 이들 결과는 높은 테스토스테론은 전립선암의 원인이 되고 낮은 테스토스테론은 전립선암의 발생을 방지하는 역할을 한다는 일반적인 견해에 반대되는 것이었다.

PSA가 4.0 ng/mL 미만인 생식선저하증 남성 345명에 대해 전립선 생검을 실시한 연구는 전반적 암 발견율이 15%이었으며 생검 양성 비율은 테스토스테론 결핍이 심할수록 증가되었다고 하였다 (Morgentaler와 Rhoden, 2006). 즉, 암 발견율은 테스토스테론이 250 ng/dL 이상인 남성에서는 12%인 데 비해 250 ng/dL 미만인 남성에서는 21%이었다. 또한, 암일 가능성은 총 테스토스테론 및 유리 테스토스테론이 가장 낮은 삼분위수 (tertile)인 경우 가장 높은 삼분위수에 비해 2배 이상이었다. 특히, PSA 2.0~4.0 ng/mL와 낮은 테스토스테론 농도를 함께 가변 인자로 이용하면 암 발견율이 30%나 되었다. Prostate Cancer Prevention Trial (PCPT)의 위약군 중 PSA가 4.0 ng/mL 미만 남성의 15%에서 전립선암이 발견되었지만 위의 연구는 10년 젊은 연령이었다. 따라서 낮은 테스토스테론 농도에서의 전립선암 위험은 10세 더 높은 연령의 남성과 같은 수준임을 알 수 있다.

여러 연구들은 테스토스테론이 결핍된 남성에서 전립선암 유병률이 높으며, 전립선암으로 진단된 남성에서 테스토스테론이 낮은 경우에는 Gleason 점수가 높고 예후가 나쁠 가능성이 크다고 하였다. Nishiyama 등 (2006)은 Gleason 점수가 6점 이하인 남성보다 7~10점인 남성에서 전립선 내의 dihydrotestosterone (DHT)이 유의하게 더 감소되어 있다고 하였다. 이 보고는 PCPT의 finasteride 복용 군, 즉 DHT를 억제하는 제제를 복용한 군에서 Gleason 점수가 높은 암이 증가된다는 연구 결과 (Thompson 등, 2003)를 가장 잘 설명해 준다고 할 수 있다. 이와 유사한 연구가 보고된 바 있다. 220 ng/dL 미만으로 규정된 저농도의 테스토스테론, 병리학적 결과, 생화학적 재발 사이의 연관성을 평가하기 위해 임상적 국소 전립선암으로 근치전립선절제술을 받은 455명을 대상으로 실시한 전향 연구는 저농도의 테스토스테론이 생화학적 재발 (p=0.159) 및 질환의 진행 (p=0.9)과는 관련이 없었으나, Gleason 패턴 4/5와 유의한 상관관계를 보였다고 하였다 (odds ratio [OR] 2.4, 95% CI 1.01~5.7; p=0.048) (Lane 등,

2008).

그럼 테스토스테론이 어느 정도 낮으면 전립선암의 위험이 증가될까? PSA가 3~10 ng/mL로 전립선 생검이 계획된 718명의 남성을 대상으로 혈청 테스토스테론이 PSA와 함께 예후에 관한 정보를 주는지를 평가한 연구는 다음과 같은 결과를 보고하였다 (Karamanolakis 등, 2006). 첫째, 전립선암이 없는 남성에 비해 전립선암을 가진 남성에서 테스토스테론 농도가 더 낮았다. 둘째는 전립선암을 가진 남성에서 testosterone/PSA (T/PSA)의 비율이 유의하게 더 낮았다. 혈청 테스토스테론의 단위로 흔하게 사용되고 있는 ng/dL 대신 ng/mL로 전환하여 T/PSA 비율을 산출한 후 절단치를 0.95로 설정하면 예후를 우수하게 예측할 수 있었는데, 전립선암 환자의 29명 중 28명이 이 절단치 아래의 비율을 보여 민감도가 96.5%이었고 특이도는 81%를 나타내었다.

Rhoden 등 (2008)은 테스토스테론으로 치료하기 전에 생검을 받은 PSA 4.0 ng/mL 이하의 남성으로서 생식선저하증의 증상을 가진 184명을 대상으로 전립선암의 위험을 평가하였다. 남성 모두 테스토스테론이 3 ng/mL (T/PSA 비율을 산출하고자 ng/dL 단위를 ng/mL로 전환함) 이하이었다. 이 연구는 Karamanolakis 등의 연구와 달리 전립선암을 가진 남성이든 가지지 않은 남성이든 테스토스테론의 농도에서 차이가 없도록 대조군을 설정한 후 T/PSA 비율을 계산하였다. T/PSA 비율의 절단치를 1.8로 하면, 절단치 아래인 경우 전립선암 진단의 OR이 3배 증가하였으며 (OR 3.17, 95% CI 1.17~8.59), 80%의 민감도와 60%의 특이도를 나타내었다. 절단치를 Karamanolakis 등이 제시한 0.95로 설정하면, 특이도는 84%로 증가하였지만 민감도는 43%로 떨어졌다. 이 연구에서는 고등급 분화도의 암을 가진 5명 중 4명 (80%)에서 T/PSA 비율이 0.95 미만이었다.

Rhoden 등 (2008)은 T/PSA 비율이 PSA나 연령과는 독립적으로 전립선암의 위험을 예측한다고 하였으며, 이 비율을 임상에서 이용하는 방법을 다음과 같이 설명하였다. 한 남성의 PSA가 1.4 ng/mL이고 총 테스토스테론이 280 ng/dL (2.8 ng/mL)이면 T/PSA 비율이 2.0이기 때문에, 절단치 1.8보다 높아 전립선암의 위험이 높지 않다고 예측된다. 만일 PSA가 1.4 ng/mL이고 테스토스테론이 220 ng/dL (2.2 ng/mL)이면 T/PSA 비율이 1.6이기 때문에, 절단치 1.8보다 낮아 PSA가 정상이더라도 전립선암의 위험이 크다고 예측된다. PSA가 1.1 ng/mL이고 테스토스테론이 190 ng/dL인 50세 남성의 T/PSA 비율은 1.7이며, PSA가 1.5 ng/mL이고 테스토스테론이 290 ng/dL인 70세 남성의 T/PSA 비율은 1.9이기 때문에, 이러한 경우에서 전립선암의 위험은 70세 남성보다 50세 남성에서 더 크다고 할 수 있다.

이들 연구의 결과를 종합해 보면, 전립선암은 테스토스테론이 결핍된 환경에서 탈분화 (dedifferentiation)의 자극을 받아, 더 공격적인 암이 발생할 수 있다. 이 탈분화의 결과로 Gleason 점수가 증가하지만, 탈분화가 일어나더라도 조직학적으로 분명하지 않고 PSA가 증가하지 않는 경우도 있다 (Morgentaler, 2007).

테스토스테론을 화학적 혹은 외과적 거세 수준으로 감소시키면 전립선암이 퇴화한다는 논란의 여지가 없는 명제와 위의 결과들을 어떻게 접목시킬 수 있을까? 또한 테스토스테론을 낮추면 어떻게 전립선암의 퇴화가 가능할까? 아니면 테스토스테론을 증가시키면 어떻게 전립선암의 성장이 가능할까? 이러한 질문은 앞에서 기술된 바와 같이 '포화'라는 한 단어로 해결될 수 있다. 모든 생물학적 시스템은 기질 (substrate)이 어떠한 농도에 도달하면 반드시 포화 상태가 되는데, 이는 더 이상 기질을 추가해도 그 이상의 효과를 나타내지 않는 화학물질 (여기서는 테스토스테론)의 농도가 있음을 의미한다. 분명히 테스토스테론이 극히 낮아지면 전립선암이 퇴화한다. 또한, 이미 거세 수준으로 테스토스테론이 낮아진 전이 암 환자에게 테스토스테론을 증가시키면 전립선암이 성장하게 된다. 그러나 테스토스테론을 더욱 증가시켜도 거의 거세 수준 범위 때의 크기 이상으로 전립선암이 점진적으로 계속 성장하지는 않는다. 이와 같은 포화 효과의 증거는 생식선저하증 남성에게 6개월간 테스토스테론을 투여하여 혈청 테스토스테론이나 DHT가 증가하였음에도 불구하고 전립선 내의 테스토스테론, DHT 혹은 세포의 성장 지표는 증가하지 않는다는 연구 결과에서 찾을 수 있다 (Marks 등, 2006). 또한, Nishiyama 등 (2006)은 혈청 DHT 및 테스토스테론 농도와 전립선 내의 DHT 농도 사이에서 상호관계를 발견할 수 없었다고 하였다.

위의 결과에 공감하는 연구자는 테스토스테론을 더 증가시켜도 전립선암이 더 크게 성장하지 않기 때문에 "테스토스테론이 배고픈 종양에게 영양을 공급하는 역할을 한다."는 낡은 유추를 이제는 거부해야 한다고 주장한다. 대신에 과잉으로 추가되는 만큼 더 이상 '갈증'을 일으키지 않기 때문에 "테스토스테론은 목마른 종양에게 물과 같다."는 말로 대체할 수 있을 것이다. 만일 이러한 개념이 사실이라면, 전립선암의 병력이 있는 남성에게 테스토스테론을 투여하면 안 된다는 고정 관념은 버려도 된다고 생각한다. 전립선암으로 근접방사선 요법을 받은 후 생식선저하증으로 인해 중앙치 4.5년 동안 테스토스테론으로 치료한 31명을 대상으로 실시한 연구는 암이 재발된 경우는 없었으며, 74%가 PSA 0.1 ng/mL 미만을 유지하였고 모두가 PSA 1.0 ng/mL 미만이었다고 보고하였다 (Sarosdy, 2007). 근접방사선 요법을 받은 전립선암 환자 중 테스토스테론 결핍 증상을 가진 20명을 대상으로 지속형 주사제 testosterone undecanoate (Nebido®)로 치료한 연구는 12~48개월, 중앙치 31개월 동안 추적 관찰한 후 다음과 같은 비슷한 결과를 보고하였다 (Balbontin 등, 2014). 첫째, Sexual Health Inventory for Men (SHIM) 질문서 점수는 16.1에서 22.1로 증가하였다 (p=0.002). 둘째, PSA 농도는 테스토스테론으로 치료하기 전에는 0.7 ng/mL이었으며, 최종 추적 검사에서는 0.1 ng/mL이었고 (p<0.001), 전립선암이 진행된 경우는 없었다. 이러한 결과는 근접방사선 요법으로 치료를 받은 전립선암 환자에게 지속형 테스토스테론 주사제를 투여하여도 PSA의 증가, 질환의 재발, 진행 등과 관계없이 임상적으로 유익한 효과를 얻을 수 있음을 보여 준다.

그러므로 테스토스테론과 전립선암의 관계를 보는 태도가 달라져야 한다. 테스토스테론이 낮으면서 증상을 가진 남성에 대해 전립선 생검을 권하는 것이 바람직한데, 이는 뒤이은 테스토스테론 요법으로 잠재된 암에 자극을 줄 수 있다는 우려 때문이 아니고, 이들 다소 젊은 남성 7명 중 1명은 전립선암을 가질 가능성이 있기 때문이다. 테스토스테론이 낮은 남성에서 전립선암이 확인되면 예후가 나쁠 가능성이 크다고 가정하면, 이러한 남성을 임상 과정에서 조기에 발견함으로써 치유되는 기회를 제공하는 것이 최선의 방법이라 할 수 있을 것이다 (Morgentaler, 2007).

그러나 상반되는 결과를 보고한 연구도 있다 (Morote 등, 2009). 이 연구는 직장수지검사 혹은 혈청 PSA의 이상으로 경직장초음파촬영과 함께 생검을 받은 478명을 대상으로 평가하였으며, 이들에는 생식선저하증 남성 80명과 생식선 기능이 정상인 398명이 포함되었다. 연구의 결과는 다음과 같다. 첫째, 전립선암을 가지지 않은 남성과 가진 남성에서 혈청 총 테스토스테론은 각각 466.0, 466.5 ng/dL이었으며 (p>0.05), 혈청 유리형 테스토스테론의 중앙치는 각각 9.9, 10.0 pg/mL이었다 (p>0.05). 둘째, 암 발견율은 생식선저하증 남성과 생식선 기능이 정상인 남성에서 각각 41.3% (33명/80명), 46.0% (183명/398명)이었다. 셋째, 저급 위험, 중급 위험, 상급 위험 전립선암 환자에서 총 테스토스테론 농도의 중앙치는 각각 433, 467, 468 ng/dL이었으며 (p>0.05), 유리형 테스토스테론의 중앙치는 각각 9.4, 9.8, 10.3 ng/dL이었다 (p>0.05). 이와 같이 전립선암의 위험과 혈청 총 및 유리 테스토스테론 농도 사이에는 연관성이 없다는 보고도 있기 때문에, 낮은 테스토스테론 농도에서 전립선암의 위험이 증가한다는 가설에 대한 분명한 답을 얻기 위해서는 대규모, 전향적, 장기간의 비교 연구가 필요하다.

5. 전립선암 환자에서 테스토스테론 요법
Testosterone Therapy In Men With Prostate Cancer

테스토스테론 요법이 전립선암의 병력을 가진 남성에서 유해하지 않다는 증거에 근거하여 많은 연구가 치유 목적의 치료를 받은 전립선암 남성에게 테스토스테론 요법을 실시하고 있으며, 그러한 요법에서 적용 대상자의 기준은 도표 272에, 그러한 요법을 이용한 결과는 도표 273에 정리되어 있다.

도표 272 전립선암으로 치료를 받은 병력이 있는 남성에서 테스토스테론 요법의 대상 기준

- 환자의 임상 증상이 테스토스테론 결핍증과 일치하여야 한다.
- 환자는 안정성과 관련된 자료가 제한적이며, 전립선암의 진행 혹은 재발의 정도는 분명하지 않음을 이해하여야 한다.
- 환자는 관련 정보에 관하여 충분하게 설명을 들은 후 분명한 동의를 하여야 한다.
- 환자는 적혈구증가증과 같은 테스토스테론 요법의 의학적 금기 요소를 가지고 있지 않아야 한다.
- 환자의 PSA 농도는 발견되지 않을 정도이거나 안정적이어야 한다.
- 테스토스테론 요법과 무관하게 일부 남성에서 전립선암이 진행하거나 재발될 수 있으며, 이 경우에도 환자, 가족, 다른 임상의 등에 의해 테스토스테론 요법이 이용될 수 있기 때문에, 임상의는 이에 대한 대비를 하여야 한다.
- 전립선암이 진행하거나 재발될 위험이 큰 남성에서는 최대한 신중하게 테스토스테론 요법을 실시하여야 한다.
- 어떠한 형태로든 안드로겐 박탈 요법을 받고 있는 남성에게는 테스토스테론 요법을 권하여서는 안 된다.

PSA, prostate-specific antigen.
Khera 등 (2014)의 자료를 수정 인용.

도표 273 전립선암의 병력을 가진 환자에서 테스토스테론 치환 요법의 결과

참고 문헌/환자 수	추적 관찰	병력	치료 전 특징	결과
Agarwal과 Oefelein, 2005/10	19 Mo	RP, 수술 전 평균 PSA 7.0	PSA 〈0.001	PSA 재발이 없었음.
Sarosdy 등, 2007/31	5 Yr	BT	가장 흔한 GS는 6 (61.3%), 가장 흔한 병기는 T1c (64.5%), PSA 평균치 5.3	암 재발이 없었음. 1명에서 일시적 PSA 증가.
Khera 등, 2009/57	7~17.2 Mo	RP, 수술 전 평균 GS 6.57	수술 절제면 (-), 림프절 침범 (-), 병기 〈T2, PSA 〈0.001	PSA 재발이 없었음.
Leibowitz 등, 2010/96	36.7 Mo	AD (61%), RP, ET, RT, EBRT, 전이 (12%)	PSA 중앙치 0.1	PSA 진행 (43%), 방사선학적 진행 (7%), PSA 증가 (58%).
Pastuszak 등, 2013/103	27.5 Mo	RP	PSA 중앙치 0.004	PSA 증가는 참고군에서는 없었으나 치료군에서 유의한 증가. 암 재발은 치료군에서 4명, 참고군에서 8명.
Pastuszak 등, 2013/13	29.7 Mo	BT 및/혹은 EBRT	PSA 중앙치 0.3	PSA 재발이 없었음, 유의한 PSA 증가 없었음.
Morgentaler 등, 2013/13	2.5 Yr	적극적 감시, 13명 중 12명이 GS 6, PSA 평균치 5.5	PSA 평균치 5.1	유의한 PSA 변화 없었음. 생검에서 질환의 진행이 없었음. 전이가 없었음.
Kaplan 등, 2014/1,181	8 Yr	전립선암 진단 후 치료를 받았거나 받지 않았음	-	전반적 혹은 암 특이 사망률의 증가가 없었음. 구제 호르몬 요법의 증가가 없었음.

PSA의 단위는 ng/mL.

AD, androgen therapy; BT, brachytherapy; EBRT, external beam radiation therapy; GS, Gleason score; Mo, months; PSA, prostate-specific antigen; RP, radical prostatectomy; RT, radiation therapy; Yr, years.

Klap 등 (2015)의 자료를 수정 인용.

Kaufman과 Graydon (2004)은 근치전립선절제술 후 테스토스테론 요법을 받은 7명을 12년 동안 추적 관찰한 결과 재발이 없었다고 하였다. Agarwal 등 (2005)은 국소 전립선암으로 근치전립선절제술을 받은 후 테스토스테론 결핍증을 호소한 10명에게 테스토스테론 요법을 실시하였으나 재발이 없었다고 하였다. Khera 등 (2009)은 근치전립선절제술 후 13개월 동안 테스토스테론 요법을 받은 57명에게서 전립선암의 재발이 관찰되지 않았다고 하였다. 저급 위험도 및 중급 위험도 (77명) 혹은 상급 위험도 (26명)의 전립선암으로 근치전립선절제술을 받은 후 생식선저하증으로 테스토스테론 요법을 받은 치료군 103명과 전립선암으로 근치전립선절제술을 받았으나 정상 생식선 기능을 가진 대조군 49명을 대상으로 평가한 연구는 다음과 같은 결과를 보고하였다 (Pastuszak 등, 2013). 첫째, 치료군에 대한 첫 검사실 결과는 테스토스테론 261.0 (213.0~302.0) ng/dL, PSA 0.004 (0.002~0.007) ng/mL, 헤모글로빈 14.7 (13.3~15.5) g/dL, hematocrit 45.2 (40.4~46.1)% 등이었다. 둘째, 추적 관찰한 기간의 중앙치 27.5 개월에서 치료군의 경우 테스토스테론 농도가 유의하게 증가되었다. PSA가 치료군에서는 유의하게 증가되었으나, 대조군에서는 증가하지 않았다. 셋째, 전립선암의 재발은 치료

군과 대조군에서 각각 4명 (4%), 8명 (16%)이었다. 이들 결과를 근거로 저자들은 테스토스테론 요법이 PSA를 증가시키지만, 상급 위험도의 전립선암 환자에서조차 재발률을 증가시키지 않았다고 하였다.

Sarosdy 등 (2007)은 전립선암으로 근접치료를 받은 남성에게 중앙치 4.5년 동안 테스토스테론 요법을 실시하였으나 생화학적 재발이 관찰되지 않았다고 하였다. 전립선암으로 체외 방사선 요법을 실시한 후 테스토스테론 요법의 결과를 보고한 두 편의 연구가 있다. Morales 등 (2009)은 27개월 동안 추적 관찰한 5명에서 생화학적 재발이 없었다고 보고하였으며, 13명을 대상으로 실시한 Pastuszak 등 (2013)의 연구는 29.7개월 추적 관찰하는 동안 재발이 발견되지 않았다고 하였다.

여러 연구에서 전립선암의 재발이 낮은 이유 중 하나는 이들 남성에서는 안드로겐에 의해 자극을 받는 잔여 전립선암 세포가 없었을 것이라는 점이다. 따라서 더욱 분명한 답을 얻기 위해서는 치료를 받지 않은 전립선암 환자에서 테스토스테론 요법에 대한 반응을 평가하는 연구가 필요하다. Morgentaler 등 (2011)은 1.0~8.1년, 중앙치 2.5년 동안 적극적 감시의 기대 요법을 받고 있는 13명에게 테스토스테론 요법을 실시하였다. 모든 환자는 평균 2회의 생검을 받았는데, 첫 생

검에서 12명이 Gleason 점수 6을, 1명은 3+4를 나타내었다. 테스토스테론 요법 후 테스토스테론 농도의 평균치가 238에서 664 ng/dL로 증가하였으나, PSA와 전립선 용적의 변화는 관찰되지 않았다. 어떠한 환자에서도 전립선암이 진행하지 않았으며, 이차 생검의 54%에서는 전립선암이 발견되지 않았다. 이들 결과는 치료되지 않은 전립선암을 가진 남성에서 테스토스테론 증가의 효과를 평가한 첫 연구 결과이다.

치료되지 않은 전립선암을 가진 남성에서 이러한 결과는 고무적이기는 하지만, 매우 제한적인 경험이고 적극적 감시 중인 소수의 남성을 대상으로 실시한 다른 연구는 테스토스테론 요법에 대한 PSA 반응이 일정하지 않다고 보고한 바 있기 때문에 (Morales 등, 2009), 이를 해석하는 데는 신중한 접근이 필요하다. 후자의 연구는 국소 전립선암으로 체외 방사선 요법을 받은 후 테스토스테론 결핍증을 보인 5명에게 PSA가 최저점에 도달한 직후 테스토스테론으로 보충 요법을 실시하였다. 보충 요법 전 테스토스테론 농도의 평균치는 5.2 (1.1~9.2) nmol/L이었으며, 보충 요법과 함께 추적 관찰한 기간은 6~27개월, 중앙치는 14.5개월이었고, 마지막 방문 시의 테스토스테론 농도는 17.6 (8.5~32.4) nmol/L이었다. 5명 중 1명에서 PSA가 일시적으로 증가하였으나, 1.5 ng/mL를 초과한 경우는 없었다. 모든 환자에서 홍조, 피로감, 성욕, 발기기능장애 등과 같은 테스토스테론 결핍으로 인한 증상이 개선되었다.

이들 대다수의 연구가 소규모이고 연구 기간이 제한적이기 때문에 전립선암을 치료한 후 실시되는 테스토스테론 요법의 전반적인 안전성을 평가하기는 어렵지만, 이들 결과는 테스토스테론에 대한 임상의의 우려를 덜어 준다. 테스토스테론 요법의 안전에 관한 신뢰성이 있는 정보를 얻기 위해서는 대규모, 무작위 배정의 전향 연구가 필요하다.

6. 테스토스테론에 관한 새로운 임상적 개념
New Clinical Concepts About Testosterone

총 테스토스테론과 전립선암 사이의 관계에 관하여 상반되는 결과가 보고되고 있는데, 이는 연구 디자인, 정의, 방법론 등에서의 차이 때문이라고 생각되며, 대규모의 전향 연구도 부족하여 그들의 연관성을 단정하기가 현재로는 어려운 실정이다. 안드로겐에 관한 가설을 인정하지 않더라도 임상에서 고려해야 할 문제가 두 가지 있다. 첫째는 낮은 테스토스테론 농도가 상급 위험도의 전립선암 혹은 공격적인 전립선암을 예측한다는 증거와 관련하여 전립선암을 가지고 있거나 전립선암을 가질 위험이 있는 남성에서 혈청 테스토스테론을 검사하는 것이 합리적인가 하는 점이다. 또한, 낮은 테스토스테론 농도는 근치전립선절제술 후 전립선암의 재발을 예측하기 때문에, 이들 환자에서 혈청 테스토스테론을 검사하는 것이 정당한가 하는 점이다. 둘째는 테스토스테론 요법이 전립선암의 발생 혹은 재발을 실제로 방지할 수 있는가 하는 점이다. 이 두 번째 문제는 전립선암을 치료한 후 비교적 재발할 위험이 낮은 환자에서 테스토스테론 요법을 실시한 경우 테스토스테론 농도가 높을수록 전립선암의 성장과 진행이 낮다는 자료에서 근거하였다. 안드로겐이 공격성이 낮은 표현형을 촉진하고 일부 전립선암 세포주에서 탈분화을 억제한다는 실험 자료가 이 개념을 뒷받침한다. 이와 관련이 있는 자료로는 생체 및 생체 밖 실험에서 세포막에 위치한 AR의 활성이 세포 자멸사를 통해 전립선암 세포의 퇴행을 유도하였다 (Hatzoglou 등, 2005), 고농도의 안드로겐은 LNCaP 전립선 세포에서 세포의 증식을 억제하였다 (Sonnenschein 등, 1989), 안드로겐은 전립선암의 성장을 억제하였고 안드로겐 비의존성 종양의 안드로겐 의존성 표현형으로의 전환을 유도하였다 (Chuu 등, 2005)는 등의 연구 결과가 있다. 이러한 연구 결과는 전립선암을 가지고 있거나 전립선암을 가질 위험이 있는 남성에서 혈청 테스토스테론이 임상적으로 예후를 예측하는 인자로 활용이 가능함을 시사한다. 현재로는 테스토스테론을 이용한 전립선암 발생 위험도 계산법이 개발되어 있지 않으나, 전립선암 발생 위험도를 산출할 때 테스토스테론을 위험 인자로 포함시키는 것이 가치가 있다고 생각된다 (Khera 등, 2014).

대사체학
METABOLOMICS

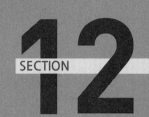

1. Metabolomics As A Biomarker In Oncology 811

2. Prostate Physiology In Health And Disease 814

3. Metabolic Characteristics Of Prostate Cancer 816

4. In Vitro Metabolomics For Prostate Cancer 821

5. Single Metabolites As Biomarker Candidates In Prostate Cancer ... 821

6. In Vitro Metabolomic Analysis Of Biofluids 824

7. In Vivo Metabolomic Analysis Of Prostate Cancer 826

8. Current Clinical Indications Of MRI & MRSI 828

9. Validation Of Putative Biomarkers 829

PSA는 전립선암을 찾아내기 위해 가장 먼저 시도되는 표준 검사이지만 민감도와 특이도가 낮으며, 더군다나 예후에 관한 정보를 충분하게 제공해 주지 못한다. PSA는 연령 및 양성전립선비대와 같은 다른 질환과 강한 정상관관계를 나타내기 때문에, 위양성 결과를 낳는 경우가 많다. 전립선암의 존재를 배제하기 위한 신뢰성 있는 PSA의 절단치가 설정되어 있지 않아 위음성의 결과 또한 흔하여 현재의 진단법 내지 생검법으로는 전립선암을 흔하게 놓치고 있다. 따라서 전립선암의 존재, 그것의 특성, 전립선 밖으로의 진행 등을 알기 위한 신뢰성이 있는 그리고 연령과 관계없는 지표가 필요하며, 이로써 개개인에 맞는 적절한 치료가 이루어질 수 있을 것이다. 이와 관련하여 유망하다고 생각되는 학문이 대사체학이다. 대사체학 중 동물에 관한 것을 metabonomics, 식물과 동물 전체에 관한 것을 metabolomics라고 하며, 체내 대사물질의 총합을 대사체 (metabolome)라고 한다. 대사체학은 도표 274와 같이 여러 형태의 분석을 포함하는 용어이다. 대사체학을 통해 유전적 조절, 효소의 운동역학적 변화, 대사 반응의 변화 등을 알게 되면, 그 당시 환경에서의 전반적인 세포 상태를 평가할 수 있을 것이다 (Mendes 등, 1996). 살아있는 세포에서의 대사물질은 활성 유전자 (유전체)로 시작하여 유전자 전사 (전사체)와 단백질 (단백질체)로 이어지는 생물 체계 (biological hierarchy)의 종말 산물이며, 이러한 과정은 도표 275에 요약되어 있다.

사람의 대사물질의 가지 수가 어느 정도인지 정확하게 알려져 있지 않으나, 수천 내지 수만 개로 추정된다. 대사체학을 이용하면 살아있는 세포에 의해 생산된 저분자량의 대사

도표 274 대사체학에 포함되는 여러 형태의 분석

① Metabolic fingerprinting (Ryan과 Robards, 2006),
which measures a subset of the whole profile with little differentiation or quantitation of metabolites
② Metabolic profiling (Dunn 등, 2006),
the quantitative study of a group of metabolites, known or unknown, within or associated with a particular metabolic pathway
③ Target isotope-based analysis (Boros 등, 2005),
which focuses on a particular segment of the metabolome by analyzing only a few selected metabolites that comprise a specific biochemical pathway

도표 275 대사체학에 관한 개념

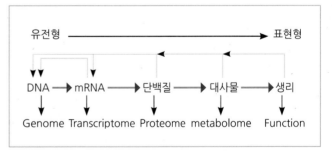

유전형에서부터 표현형까지의 진행 과정에 관여하는 계층별 세포 조직화를 보여준다. 점선 화살표와 같이 세포 표현형의 발현은 되먹임 기전에 의해 강하게 조절된다. 이러한 과정을 통해 아래쪽과 같이 다양한 표적들이 분석과 조작에 활용될 수 있다.
Roberts 등 (2011)의 자료를 수정 인용.

물질을 확인하고 측량할 수 있다. 대사체학은 '생체 시스템에서 일어나는 병태생리적 자극 혹은 유전적 변형으로 일어나는 역동적인 여러 지표의 대사 반응을 측량하는 방법 내지 학문' (Nicholson 등, 1999), 즉 '생체 시스템의 대사 장애에 대

하여 다변량 분석을 실시하는 행위'라고 기술되며 (Nicholson 등, 2004), 이로써 생체액 혹은 조직의 변화에 관한 생생한 정보를 얻게 된다. 이를 위해서는 계량화학적 (chemometric) 자료 분석과 함께 nuclear magnetic resonance (NMR), liquid chromatography mass spectrometry (LC-MS), gas chromatography mass spectrometry (GC-MS), tandem mass spectroscopy (MS/MS), electrospray, electron ionization (EI), collision-induced dissociation tandem mass spectroscopy (CID-MS/MS), fast atom bombardment mass spectroscopy (FAB-MS) 등이 필요하다 (Dell, 1990; Perreult와 Costello, 1994; Costello 등, 1999; Wang과 Griffiths, 2007). 그렇지만 '패턴 인식 방법'인 NMR과 자기공명분광영상법 (magnetic resonance spectroscopic imaging, MRSI)이 가장 흔하게 이용된다고 보고되고 있다. 과거에는 이러한 대사체 분석을 위해 특별하게 고안된 endo-rectal coil을 이용한 체내 MRSI로 전립선을 평가하였지만, 근래에는 주로 전립선액 자체 혹은 생검 조직에 대한 MRSI로 평가한다 (Sitter 등, 2009).

신생물로 변형되는 과정에서 악성 종양은 생물 에너지와 합성에 필요한 요구량을 충당하기 위해 대사의 변화가 필요하다. 즉, 생체액 혹은 조직 내에서 대사의 변화는 표현형 및 기능의 변화를 반영하며, 이는 정상 조직으로부터 종양이 분화하는 데 중요한 역할을 한다 (Spratlin 등, 2009). 더군다나 대사성 변화는 신생물이 증식하기 전에 일어난다. 따라서 암이 발생하기 전에 그러한 대사성 변화를 미리 확인하여 조기에 치료가 이루어진다면, 암의 발생을 예방하거나 신생물의 증식과 국소 기관 혹은 원거리 기관으로의 침습을 최소화할 수 있을 것이다. 그러므로 대사체학은 여러 생물 표본의 화학적 분석을 통해, 혹은 자기공명영상, 양전자방출단층촬영술 등과 같은 분자 영상 기술을 통해 덜 침습적으로 선별검사를 할 수 있는 유망한 도구라 할 수 있다 (Serkova 등, 2007).

대사체의 평가는 세포, 생체액, 조직 등을 이용하여 생체 및 생체 밖 실험으로 이루어진다. 표본을 얻고 표본을 제작하는 측면에서 볼 때, 작업하기 가장 용이한 표본은 혈청, 혈장, 소변, 복수, 타액, 기관지 세척액, 전립선 분비액, 분변액 (fecal water) 등과 같은 생체액이다. 오늘날 종양 생화학의 대리 시스템으로 가장 많이 이용되는 표본은 혈청과 소변이다. 종양 조직을 직접 이용하는 대사체학에 관해 관심이 커지고 있지만, 조직의 이질성 때문에 조직 표본을 제작하는 과정이 어렵고 신중함을 필요로 한다. 암 조직 주위의 기질세포와 상피

세포가 대사 양상을 오염시켜 순수한 암 조직에서 나온 결과와 다른 결과를 유발할 수 있다. 미세 해부 (microdissection)가 표본의 순수성을 높이는 데 필요하지만, 고도의 장비와 전문성이 요구된다. 대사체 분석을 위한 표본 제작 과정을 간단하게 기술하면, 대사체 분석을 위해 채집되는 모든 생체 표본은 표본을 채취하기 전 식이, 신체 활동, 기타 환자의 적합성 등을 고려하여 제한하는 등 세심한 표본 제작 과정이 필요하다. 대사 경로는 외부 환경에 민감하기 때문에, 낮은 온도를 유지하고 일관되게 표본을 추출하는 것이 필수다. 생체액의 경우 표본의 표준 용적은 0.1~0.5 mL가 적절하다. 소변과 기타 저분자량의 대사물질을 포함하는 체액에 대해서는 최소한의 표본 제작 과정만 필요한 데 비해, 혈액, 혈장, 혈청 등의 경우에는 acid, acetonitrile, 혹은 2단계 methanol/chloroform 프로토콜을 이용한 화학적 과정을 거친 추출이 필요하며 극성 (polar) 대사물질과 지방 친화성 대사물질을 구분하기 위하여 핵자기공명 (NMR)을 이용한 기술이 필요하다. 생검 혹은 세침 흡인 등으로 채집된 조직은 high resolution magic angle spinning (HR-MAS)을 이용하여 분석한다. 또한, 고체 상태의 NMR을 위한 HR-MAS probe 뿐만 아니라 액체 상태의 NMR을 위한 cryoprobe 및 microprobe는 신호 대 잡음 비율 (signal-to-noise ratio)의 개선 및 용매 억제를 통해 3 μL만큼 작은 표본에 대해서도 대사체의 양적 분석을 가능하게 한다 (Dunn 등, 2005). 질량분광분석법 (mass spectroscopy, MS)은 NMR에 비해 더 많은 작업량과 더 세심한 표본 제작 과정을 필요로 하지만, 대사물질을 발견하는 데는 더 큰 민감성을 나타낸다 (Dunn 등, 2005). 생체액으로 표본을 제작할 때 필요한 사항들이 도표 276에 정리되어 있다.

대사체학은 근래 들어 종양 탐구학 분야에 성공적으로 적용되고 있다. 예를 들면, 대사체의 분석은 난소암 (Odunsi 등, 2005), 구강암 (Tiziani 등, 2009), 전립선암 (Cheng 등, 2005), 유방암 (Sitter 등, 2006) 등의 진단 및 병기 결정, 유방암에서 치료에 대한 반응 (Keun 등, 2009), 특이 대사 억제제에 대한 종양세포의 반응 (McFate 등, 2008), 세포주에서 종양의 대사적인 표현형의 특징 (DeBerardinis 등, 2007), 사람 종양의 동물 모델 (Backshall 등, 2009) 등에 관한 연구에 활용되고 있다.

도표 276 생체액을 이용한 표본 제작 시 필요한 조치들

생체액	표본 제작 시 필요한 조작들
소변	0.2~0.4 mL의 소변에 DPB 첨가
혈액/혈장/혈청	헤파린 처리한 혈액 생성물 0.5 mL에 • D2O 첨가 (고정시키기 위해) • Acetonitrile 첨가 (단백질 침전 위해) • Methanol/chloroform 첨가 (지질을 추출하기 위해)
뇌척수액	0.5 mL의 뇌척수액에 D2O 첨가
EPS	0.03~0.10 mL의 전립선액에 D2O 첨가
담즙	0.5 mL의 담즙에 DM 첨가
BALF	0.5 mL의 BALF에 D2O 첨가
조직	• MAS rotor 경우 3~10 g 조직에 D2O 0.01 mL 첨가 • 20~200 g의 동결 조직에 $HClO_4$ 첨가 • 20~200 g의 동결 조직에 methanol/chloroform 첨가

BALF, bronchoalveolar lavage fluid; D2O, deuterium oxide; DM, deuterium methanol; DPB, deuterated phosphate buffer; EPS, expressed prostatic secretion; $HClO_4$, perchloric acid; MAS, magic angle spinning.

Serkova 등 (2006)의 자료를 수정 인용.

1. 종양학에서 생물 지표로서의 대사체학
Metabolomics As A Biomarker In Oncology

생물 지표는 질환의 상태를 예측하고 예후를 추정할 목적으로 임상에서 널리 사용되고 있다. 종양을 예로 들면, 유방암에서 에스트로겐 수용체와 human epidermal growth factor receptor 2 (HER2/neu) 혹은 Erb-b2 receptor tyrosine kinase 2 (ERBB2), 전립선암에서 PSA 등이 그러하다. 일반적으로 암을 발견하고 치료 효과를 평가하기 위한 대사체 생물 지표의 측량은 임상에 도입되기 전에 동물과 사람의 세포 배양, 나아가서는 생체액이나 종양 조직을 이용하여 연구되고 있다.

종양의 대사체학 특징이 차츰 밝혀지고 있다. 표준 대사체 분석 방법을 이용한 경우 종양은 일반적으로 인지질 (phospholipid)의 증가 (특징적으로 choline을 함유한 화합물의 총량과 phosphocholine의 증가), 포도당 분해력의 증가, glutamine 분해 기능의 증대, 포도당 분해 동종 효소인 pyruvate kinase type M2 (M2-PK)의 과다 발현 등을 나타낸다 (Ackerstaff 등, 2003). 특별히 M2-PK는 종양에서 불활성 이합체를 형성하기 때문에 '종양의 M2-PK'로 불린다. 흥미롭게도 혈액 표본을 대상으로 NMR에 기초한 대사체학을 이용해 파악된 지질 대사의 양상은 종양 환자와 대조군을 83%의 정확도로 구별할 수 있다 (Bathen 등, 2000). 체내에서 MRSI로 측정된 choline 함유 화합물의 총량은 유방암, 전립선암, 뇌종양의

발견을 가능하게 하고, 역동적인 조영제 증강 자기공명영상의 결과와 상당한 연관성을 가진다 (Stanwell 등, 2005).

이러한 이점에도 불구하고 종양의 대사체를 이해하는 데는 몇 가지의 제한점이 있다. 종양의 종류에 따라서 alanine, citrate, glycine, lactate, nucleotide, lipids 등과 같은 많은 대사물질이 다양한 분포로 나타나므로, 종양의 그룹별로 양상을 일반화하기가 어렵다. 또한, 대사체를 분석하는 동안 접하게 되는 기술적인 문제가 종양 대사체의 특징화를 방해할 수 있으며, 특히 추출물에 의존적인 질량분광분석법 (MS)의 경우 민감성 문제, 표본 대 표본의 변동 문제 등이 그러한 제한점을 유발할 수 있다 (Spratlin 등, 2009).

모든 오믹스 (omics)에서의 패턴 인식 기법은 다양한 실험 장치를 통해 여러 형태의 종양을 진단하는 데 이용된다. 대사체학은 암의 진단 중 유방암에서 가장 우수하게 활용되고 있다. 여러 NMR 연구는 유방 생검 표본을 분석하였으며, 유방 조직에서 30종 이상의 내인성 대사물질을 확인하였다. 유방암은 양성 종양이나 건강한 조직에 비해 phosphocholine의 증가로 인한 choline 함유 화합물의 총량 증가, glycerophosphocholine의 감소, 포도당의 감소 등을 나타낸다 (Bathen 등, 2007). 외과적 절제술 후 채집된 유방암 표본 91점과 종양에 인접한 정상 조직 표본 48점을 HR-MAS ^{1}H-NMR 대사체 분석을 이용하여 분석한 연구에 의하면, 종양의 크기, 림프절 침범, 호르몬 상태, 조직의 양상 등에 의해 규정되는 악성 표현형이 83~100%의 민감도 및 특이도로 정상 조직과 구별되었다 (Bathen 등, 2007). 생검 전의 유방을 대상으로 MRSI를 이용하여 choline을 분석한 연구는 암 조직과 양성 조직을 100%의 민감도로 구별하였으며, 만일 choline에 양성 반응을 보인 조직에 대해서만 생검을 한다면 생검의 68%를 줄일 수 있었다고 하였다 (Bartella 등, 2007).

유방암과 유사하게 전립선암도 choline 함유 화합물의 총량 및 phosphocholine의 증가, 포도당의 분해 산물인 lactate와 alanine의 증가 등과 같은 특징적인 대사 양상을 나타낸다 (Swanson 등, 2006). 전립선암을 가진 남성의 전립선액은 암이 없는 남성에 비해 citrate의 감소와 spermine의 증가를 나타낸다. 28명의 전립선암 환자와 33명의 정상 대조군의 정액 혹은 전립선액을 ^{1}H-NMR을 이용하여 citrate와 spermine을 분석한 결과, citrate의 농도는 Gleason 접수와 상호 관련이 있었으며, 암 발견율이 PSA를 능가하였다 (Kline 등, 2006). 또한, 전립선암에 대한 일차 요법 전에 MRSI를 이용한 citrate의

분석은 해부학적 MRI에 의한 단일 검사에 비해 피막 밖으로의 침범을 발견함에 있어 관찰자 사이의 변동을 줄이고 정확도를 높인다 (Scheidler 등, 1999).

뇌종양 표본은 특징적인 ^{1}H-NMR의 양상을 나타내기 때문에, 뇌종양에 대한 분명한 대사체 생물 지표가 정립되어 있다 (Maxwell 등, 1998). 생체 밖 실험에서 뇌수막종 (meningioma), 신경모세포종 (neuroblastoma), 아교모세포종 (glioblastoma) 등으로부터 유래된 세포주는 조직학적인 유형에 따라 alanine, glutamate, creatine, phosphorylcholine, threonine 등에서 차이를 나타내는 대사 패턴을 보여주었다. 29명의 원발성 신경교종 (glioma) 환자를 대상으로 수술 전 MRSI 분석에 의한 대사물질 농도와 생검 표본의 조직학적 결과를 비교한 연구에서, 조직학적으로 확인된 암은 MRSI에 의한 choline 함유 화합물 총량의 비정상적인 증가 및 N-acetyl aspartate의 감소와 상호 연관성을 나타내었다 (Dowling 등, 2001). 만일 MRSI의 효용성을 더욱 높여 최대로 비정상적인 대사를 나타내는 부위를 표적으로 삼아 생검을 한다면 진단적 정확도를 높일 수 있을 것이다. 이러한 접근으로 '대사물질의 지도 (metabolic map)' 를 작성하면, 국소 절제술을 실시할 때 도움을 받을 수 있다고 생각된다.

수술 전 난소 상피세포암 38명, 양성 난소 낭종 12명, 정상 여성 53명 등으로부터 채집한 혈청을 ^{1}H-NMR 분광법을 이용하여 대사체 양상을 분석한 연구에서, 혈청 대사 분포는 폐경 전 정상 여성과 양성 난소 질환을 가진 여성을 암 환자와 100%의 정확도로 구별하였으며, 폐경 후 정상 여성과 암 환자를 97.4%의 확률로 구분하였다 (Odunsi 등, 2005). MS를 이용하여 난소암의 대사 양상을 분석한 다른 연구는 침윤성 난소암과 경계선상의 종양이 51종의 대사물질에서 통계적으로 유의한 차이를 나타내었다고 하였다 ($p < 0.01$) (Denkert 등, 2006). 이들 대사물질에서 관찰된 차이는 난소암의 예후와 관련이 있었으며, 그 차이는 pyrimidine 대사를 조절하는 경로의 변화 때문에 발생한다고 추측된다 (Fujiwaki 등, 2000).

이와 같은 결과는 암을 진단하는 데 대사체 분석이 유용함을 보여 주며, 이로써 외국의 경우 유방암과 전립선암의 진단에서 MRSI의 이용에 따른 비용이 보험 청구가 가능하게 되었다 (Scheidler 등, 1999; Bartella 등, 2007).

전통적인 화학 요법과 호르몬 요법에 관한 실험 연구는 치료 효과의 평가에 이용된 대사체의 분석이 효능을 예측하는 인자로서 그리고 약물역동적 표지자로서 유용함을 보

여 준다. 신경교종세포의 배양액에 대한 ^{1}H-NMR 분석은 1-(2-chloroethyl)-3-cyclohexyl-1-nitrosourea로 치료하기 전에 약물에 민감한 군과 저항성을 나타내는 군을 성공적으로 구분하였다. 호르몬에 반응하는 Ishikawa 자궁내막암 세포주를 tamoxifen에 노출시키면 용량에 의존적으로 nucleotides에서 변화가 일어나는데, 이는 tamoxifen이 RNA의 번역을 변경시킴을 시사한다 (Griffin 등, 2003).

HR-MAS를 포함하는 ^{1}H-NMR은 C57BL6/6J 생쥐의 피하에서 자란 3LL 폐암과 B16 흑색종을 nitrosurea로 치료할 경우에 일어나는 대사의 변화를 평가하는 데 이용된다 (Morvan과 Demidem, 2007). 성장 억제의 단계에 있는 종양 표본은 glucose, glutamine, aspartate, serine 유래 대사물질 등의 상당한 축적과 succinate의 감소를 나타내는데, 이는 nucleotide 합성의 감소 및 DNA 복구 경로의 유발을 시사한다. 성장이 회복되거나 증대됨은 에너지 생산의 활성과 nucleotide 합성의 증가를 포함하는 '대사 적응'이 이루어졌음을 시사한다.

상급 위험도의 전립선암 환자 16명을 화학 요법, 호르몬 요법, 근치전립선절제술, 방사선 요법 등으로 치료한 이후 PSA, MRI, MRSI로 추적 관찰한 예비 연구에서 citrate는 치료 반응의 표지자 역할을 하였다 (Pucar 등, 2004). 종양의 용적 및 대사의 이상에 근거한 MRSI 점수가 개발되었으며, MRSI 점수와 MRI에 의한 종양/림프절 병기는 PSA 재발을 추정하는 데 이용되어 16명 중 15명에서 예측할 수 있었다 (도표 277).

National Cancer Institute, 연구자, 임상의, 산업계 등은 대

도표 277 MRSI 위험 점수

스펙트럼 패턴	(Cho+Cr)/Citrate 비율	Citrate	인수 (factor)
H	< 0.5	정상	0
LG 전립선암	0.5~0.6	감소	1
IG 전립선암	$\geq 0.7, < 3$	감소	2
HG 전립선암	≥ 3	발견 안 됨	3

0~3점 범위의 MRSI 위험 점수는 1H 스펙트럼의 퍼센트를 전립선 주변부에서 산출한 후 다음의 공식으로 계산되며, 전립선암의 조직병리학적 패턴인 Gleason 등급 1~5를 반영하기 위해 저등급에는 1, 중등급에는 2, 고등급에는 3의 인수를 각각 곱하였다: $(3 \times \%HG + 2 \times \%IG + 1 \times \%LG)/(100-\%ND)$. 전립선암 환자 16명에 대해 1H-MRSI를 실시하고 19~43개월 동안 추적 관찰한 연구는 통계적으로 유의하지는 않았지만, MRSI 위험 점수가 0.9 미만인 6명의 환자에서는 PSA 재발이 없었으며, 0.9 이상인 10명 중 7명에서 PSA 재발이 관찰되었다고 하였다 ($p = 0.13$) (Pucar 등, 2004).

Cho, choline; Cr, creatine; H, healthy; HG, high-grade cancer; IG, intermediate-grade cancer; LG, low-grade cancer; MRSI, magnetic resonance spectroscopic imaging; ND, non-diagnostic; PSA, prostate-specific antigen.

Pucar 등 (2004)의 자료를 수정 인용.

사체학의 이용을 확대시키고자 부단히 노력하고 있으며, 특히 치료 반응을 평가하기 위한 MRSI에 대해 관심을 쏟고 있다 (Evelhoch 등, 2005). Choline, 즉 phospholipid 대사의 중간 산물은 다양한 암에서 치료의 효능을 추적 관찰하는 데 표지자로 활용될 수 있다 (Glunde와 Serkova, 2006). 유방암, 전립선암, 뇌종양, non-Hodgkin's lymphoma 등에서 일반적으로 ^{1}H-NMR에 의해 확인된 choline 함유 화합물의 총량 신호의 감소는 화학 요법 혹은 방사선 요법에 반응함을 의미하며, 이는 관례적인 영상화로 치료 반응의 변화를 알기 전에 관찰되기 때문에 효과를 조기에 파악할 수 있는 표지자가 될 수 있다.

종양학은 성장, 증식, 전이에 관여하는 비정상 경로를 특별하게 표적으로 하는 약물을 치료에 이용하고자 노력하고 있다. 생물 지표는 치료 표적과 치료제를 발견하고 유효성을 입증하여 최적화함은 물론, 약물의 작용 기전을 알아내고 입증하는 데 이용되어 약물의 임상적 개발이 조기에 실현되도록 하며, 치료에 대한 반응, 독성, 저항성 등을 예측하고 평가하는 데도 이용된다 (Park 등, 2004). 대사체학을 이용한 치료제 개발의 예로는 heat shock protein (HSP) 억제제 (Chung 등, 2003), tyrosine kinase 억제제 (Serkova 등, 2005), 세포 자멸사 유발제 (Lyng 등, 2007) 등이 있다. 이들 중에 HSP는 스트레스를 받지 않은 세포에서는 총 단백질의 1~2%를 차지하지만 열이 가해지면 4~6%로 증가한다. HSP90는 HSP 가족에 속하며, 그것의 어원은 분자량이 대충 90 kDa이고 온도 상승으로 인한 스트레스를 받으면 세포를 보호하는 기능을 가지는 데서 나왔다. 세포질에 있는 분자 chaperone인 HSP90는 단백질 접힘 (folding)을 도우며, 스테로이드 수용체 등과 같은 많은 단백질, 특히 종양의 성장에 관여하는 단백질을 안정화시키는 기능을 가지고 있다 (Prodromou 등, 2000). HSP90는 세포 표면에 있는 수용체 cluster of differentiation 91 (CD91)과의 상호 작용을 통해 세포의 이동을 자극한다. 또한, HSP90는 HER2의 세포 외부 영역과 결합하며, 세포 외부의 HSP90에 대항하는 중화 항체는 heregulin으로 유도되는 HER2의 인산화, 하위 kinase 경로, actin 세포 골격의 재배열 등을 약화시킴으로써 세포의 이동을 억제한다 (Sidera 등, 2008). 세포 내부에 있는 HSP90의 기능은 세포의 이동을 조절하는 데만 국한되지 않는 데 비해 (Annamalai 등, 2009), 세포 외부의 HSP90의 기능은 암세포의 증식에는 영향을 주지 않고 세포의 이동 및 전이의 조절에 국한된다 (Trepel 등, 2010). HSP90와 마찬가지로 미토콘드리아 내에 있는 HSP90의 상동체 (paralog)

인 tumor necrosis factor (TNF) receptor-associated protein 1 (TRAP1)은 산화 스트레스로부터 세포를 보호하는데, TRAP1이 산화 스트레스로 인한 세포 자멸사를 방지하기 위해서는 phosphatase and tensin homolog (PTEN)-induced kinase 1 (PINK1)에 의한 인산화가 필요하다 (Pridgeon 등, 2007).

대사체학의 흥미로운 활용 중의 하나는 HSP90 억제제의 이용이다. 이들 억제제의 작용 기전은 완전하게 이해되어 있지 않지만, HSP90/TRAP1의 억제제는 종양세포에 특이한 세포 자멸사를 신속하게 일으킨다 (Neckers 등, 2007). 결장암 이종 이식 암을 HSP90 억제제로 치료한 연구에서는 이들 결장암의 추출물을 ^{31}P-NMR로 분석한 결과 phosphocholine, phosphoethanolamine, valine, phosphomonoester/phosphodiester 비율 등의 상당한 증가가 있어 phospholipid 대사의 변화를 확인할 수 있었다 (Chung 등, 2003). 비록 예비 연구이지만, 이들 결과는 전통적인 항암 효과를 나타내지 않는 약물인 HSP90 억제제의 약물역동학적 생물 지표로서 대사성 변화가 이용될 수 있음을 시사한다.

하나의 가설은 신호 경로를 억제하는 제제와 마찬가지로 표적 요법에 의한 치료는 민감성 세포와 저항성 세포 사이에 뚜렷하게 구별되는 대사 양상을 유발시킨다는 것이다. 종양 유전자 break-point cluster region-Abelson (BCR-ABL)에 의해 코드화되는 tyrosine kinase인 BCR-ABL 융합 단백질을 억제하는 제제 imatinib은 만성 골수성 백혈병에서 세포의 증식을 감소시키고 세포 자멸사를 일으킨다 (Fang 등, 2000). 대사적으로 imatinib은 핵심 기질을 제거하여 세포의 생존에 필요한 거대 분자 (macromolecules)의 합성을 차단한다 (Serkova 등, 2005). 백혈병 남성의 BCR-ABL 양성 세포주를 imatinib으로 치료한 경우 NMR에서 포도당 대사의 변화, 즉 포도당 분해로 인한 포도당 섭취의 감소가 관찰되었으나, 전통적인 치료제와는 다르게 미토콘드리아의 대사가 자극되어 세포의 분화가 유도되었다 (Gottschalk 등, 2004).

Imatinib은 또한 imatinib에 민감한 세포에서 phosphocholine을 상당하게 감소시키는데, 이는 세포 증식률의 감소와 관련이 있다 (Gottschalk 등, 2004). 대사체 분석으로 imatinib 요법에 대한 저항성을 발견할 수 있으며, 미토콘드리아의 포도당 산화 및 포도당으로부터 비산화성 ribose 합성의 감소, phosphocholine의 상당한 증가 등은 약물 저항성 및 질환의 진행을 추측하게 한다 (Serkova 등, 2005). 이들 자료는 NMR 대사체 분석법으로 세포 대사의 변화를 추적 관찰하게 되면,

표적 요법에 대한 저항성을 조기에 발견할 수 있음을 시사한다. 이는 조직 표본을 자주 채집할 수 있는 혈액종양에서 특히 유용하며, 저항성의 조기 발견을 가능하게 하는 대사체 표지자는 현재 가지고 있는 표현형의 진행을 방지하고 적절한 치료가 이루어지도록 도와준다 (Spratlin 등, 2009).

화학 요법 및 방사선 요법에 따른 세포사에서 세포 자멸사는 이미 알려진 역할을 수행하며, 세포 자멸사가 없음은 치료에 대한 저항성 혹은 생존을 유도하는 경로의 활성과 상호 관련이 있다 (Hockel 등, 1999). 세포 자멸사를 표적으로 하는 많은 신약들이 현재 개발 중에 있으며, 그 예로는 TNF와 관련이 있는 세포 자멸사 유도 ligand, 사망 수용체 (death receptor, DR) 항원 작용제, 세포 자멸사에 대항 작용을 나타내는 단백질의 억제제 등이 있다. 신약 FK866는 nicotinamide phosphoribosyltransferase (NAMPT)에 대한 비경쟁적 특이 억제제로서 nicotinamide adenine dinucleotide (NAD)의 농도를 낮추어 anti-DNA 효과와는 관계없이 세포 자멸사를 유발한다 (Hasmann과 Schemainda, 2003). ^{1}H-NMR을 이용하여 생쥐 유방암에 대한 FK866의 대사 효과를 분석한 결과, 불완전한 포도당 분해 회로로 인하여 fructose biphosphate (FBPase2) 혹은 phosphofructokinase 2 (PFK2)가 유의하게 증가하였으며, 뒤이어 pH 및 NAD가 감소하였다. 그 외에도 guanylate의 합성, pyridine nucleotide의 수치, phospholipid의 대사 등에서 변화가 관찰되었는데, 이는 다수의 비정상 세포 경를 통해 세포 자멸사가 일어남을 시사한다 (Muruga-nandham 등, 2005). HR-MAS NMR을 이용하면, 체외 방사선 요법, 근접방사선 요법, 화학 요법 등으로 치료하기 전과 치료 중에 자궁경부암 표본에서 나타나는 특징적인 세포 자멸사의 활성을 알 수 있다. 44점의 자궁경부암 생검 표본을 이 방법으로 연구한 바에 의하면, 생검 조직 당 종양세포의 백분율, 즉 종양세포의 분획과 종양 조직 mm^2 당 종양세포 핵의 수, 즉 종양세포의 밀도에 따라 지질의 대사가 달랐다. 지방산 methylene 대 methyl, 즉 CH$_2$/CH$_3$의 비율의 증가는 지방산-CH$_2$ chain의 길이 연장 및/혹은 세포 자멸사에 따른 지방산 포화도의 증가와 관련이 있었다 (Lyng 등, 2007). 이는 급성 림프구성 백혈병 세포의 배양액을 doxorubicin으로 처치한 연구에서도 입증된 결과이다 (Blankenberg 등, 1997). 후자의 연구는 치료로 세포 자멸사가 일어나면 CH$_3$ 공명 신호의 강도는 변하지 않으나 CH$_2$ 공명 신호의 강도는 CH$_3$에 비해 최대 5~6배 증가하며, ^{1}H HR-MAS에 의해 측정된 CH$_2$/CH$_3$ 비율은

세포 자멸사를 일으킨 세포 분획과 상호 관련이 있다고 하였다. 이 연구는 CH$_2$/CH$_3$ 신호 강도 비율의 증가는 annexin V 양성 세포, DNA 분열, 형태학적으로 나타나는 세포 자멸사의 세포 수 등의 증가와 함께 나타난다고 보고하였다. 이들 여러 연구는 대사체 분석 결과가 세포 자멸사를 유발하는 약물을 개발하고 유효성을 입증하는 데 유용한 생물 지표가 될 수 있음을 시사한다.

2. 건강한 전립선과 병적인 전립선의 생리
Prostate Physiology In Health And Disease

전립선에서는 주변부가 전체 샘 조직의 70%를 차지하며, 전립선 기능의 대부분 그리고 암 발생의 85%가 주변부에서 일어난다 (Costello와 Franklin, 2009). 전립선 주변부의 상피세포는 myoinositol, spermine 등과 같은 polyamines, citrate, PSA 등을 포함하고 있는 전립선액의 생성, 저장, 분비의 기능을 수행한다. 전립선 주변부 내의 citrate 농도는 혈장보다 20~70배 더 높으며, 전립선액 내의 citrate 농도는 혈장보다 400~1,500배 더 높다. 이들 대사물질은 사람의 세포 중 독특하게 주변부 상피에서 생성되며 세포 내의 대사는 citrate의 이용보다는 citrate의 합성이 훨씬 크다. 정상 세포에서는 citrate가 Krebs 회로의 일부로 m-aconitase에 의해 가역적 이성체인 isocitrate로 된다. 그러나 전립선 세포 내에 특별하게 많은 아연이 m-aconitase의 활성을 억제하며, 이로써 주변부에서 대사적으로 효율적인 citrate 복합체가 형성되고, 이것은 나중에 전립선액으로 분비된다. 또한, Krebs 회로가 완성되지 않아 전형적인 ATP의 생성이 이루어지지 않는 대신, ATP를 생산하기 위해 주변부의 세포에서 glucose와 aspartate에 대한 수요가 증가한다 (Costello와 Franklin, 2009). 이러한 과정은 도표 278에 요약되어 있다.

일반적으로 악성 변형이 일어나면 정상이던 미토콘드리아의 기능이 떨어지면서 세포질 내 포도당의 분해와 lactic acid의 발효가 증가하고 lactate 및 alanine의 생성이 증가한다. 이로 인해 악성 세포의 포도당 요구량 및 섭취가 증가하는데, 이러한 현상을 'Warburg 효과'라 부른다 (Warburg, 1956). 대조적으로 전립선암의 주변부 상피세포는 특이하게 아연을 축적하지 못한다. 이 때문에 아연 농도가 낮아져 m-aconitase의 활성이 일어나면서 citrate가 이성화되고 Krebs 회로가 완료되어 포도당 산화 및 산화성 인산화를 통해 생성되는 ATP 외에

도표 278 건강 상태 (좌 그림)와 병적 상태 (우 그림)의 전립선 생리

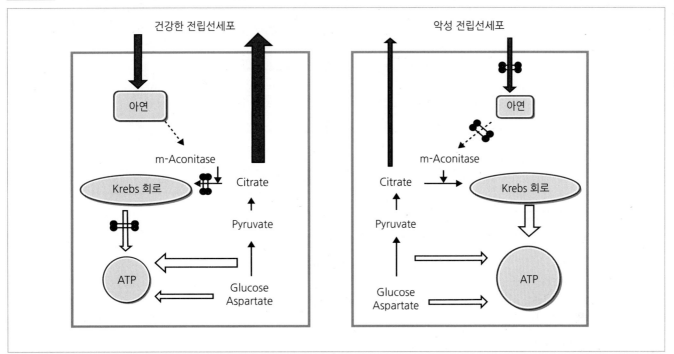

건강한 전립선의 주변부 세포에서는 아연 (Zn) 의존적으로 m-aconitase의 억제가 일어나 citrate가 축적됨으로써 Krebs 회로를 통한 ATP 생성은 감소하고 glucose와 aspartate를 통한 ATP의 생성이 더 커진다. 전립선암의 주변부 세포에서는 아연을 축적시키는 능력이 상실되어 m-aconitase를 통해 citrate가 이성질화 (한 화합물이 자신의 이성질 즉, 원래 화합물과 화학적 조성은 같지만 구조나 분자 안에 있는 원자들의 공간 배열이 달라 물리적, 화학적 성질이 다른 화합물로 변환되는 화학 과정)로 Krebs 회로 내에서 대사됨으로써 citrate의 축적과 생성이 감소한다. 점선 화살표는 억제 작용을, 아령 모양은 차단 효과를 나타냄.
ATP, adenosine triphosphate.
Roberts 등 (2011)의 자료를 수정 인용.

추가로 ATP가 생산된다. 그 결과 산화성 인산화가 증가됨으로써 전자 (electron) 전달이 증가하여 유리기가 증가하고 신생물로의 변형에 가속이 붙게 된다 (Dakubo 등, 2006). 요약하면, 대부분의 다른 악성 과정과는 달리 악성 전립선암 세포 내에서의 대사는 생물 에너지를 생산하는 측면에서 볼 때 정상적인 주변부 상피세포보다 더 효율적이다. 전립선암을 예방하고 치료하는 데 있어 전통적인 방법은 효과적이지 못하고 복잡하기까지 함으로 이러한 연구 결과는 새로운 치료 전략에 대한 연구가 필요함을 강조한다.

전립선암 세포에서는 citrate 대사가 증가함으로 인해 citrate가 축적되지 못하고 전립선액의 citrate 농도가 감소한다 (도표 278). 이러한 현상은 종양이 관내강을 침범하면 더욱 두드러진다. 세포의 증식이 증가하면 막신생 (membraneogenesis)과 choline 대사물질이 증가하여 전립선암 조직 내에는 choline과 creatine의 농도가 증가하게 된다 (Noworolski 등, 2008). 전립선액 내 citrate, choline, creatine 등의 농도 변화가 전립선암에 특이하다고 할 수 있지만, 그들의 관계를 임

상적으로 암의 진행에 적절하게 활용하려면 아직 추가적인 연구가 필요한 실정이다.

전립선암에서 미토콘드리아 DNA의 돌연변이와 대사성 변화의 연관성을 보고한 연구도 있다 (Dakubo 등, 2006). 미토콘드리아 DNA에서의 돌연변이는 암에서 흔하며, 이로 인한 미토콘드리아의 기능 장애와 중간 대사의 변화는 종양의 발병 기전에 관여한다. 악성으로 형질 전환을 일으킨 전립선의 상피세포에서는 대사성 전환이 조기에 일어나 아연의 축적이 감소되고 citrate의 산화가 증가하여 효율적인 에너지 생성이 이루어지며, 이로써 정상 상피세포에 비해 전자의 전달이 증가하고 산소의 소모가 증가하며 reactive oxygen species (ROS)가 과도하게 생성된다. ROS는 DNA, 단백질, 지질 등에 대해 유해한 효과를 나타내기 때문에, 전립선암에서 중간 대사의 변화는 ROS의 생성, 미토콘드리아 DNA 돌연변이의 촉진 등과 관련이 있다고 생각된다 (도표 279).

도표 279 전립선암에서 미토콘드리아 DNA의 돌연변이와 관련한 대사성 변화

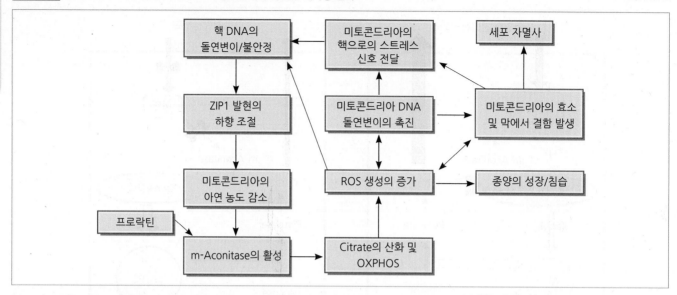

DNA, deoxyribonucleic acid; IRT, iron-regulated transporter; OXPHOS, oxidative phosphorylation; ROS, reactive oxygen species; ZIP1, ZRT- and IRT-like protein 1 or zinc transporter ZIP1; ZRT, zinc-regulated transporter.
Dakubo 등 (2006)의 자료를 수정 인용.

3. 전립선암에서의 대사 특징
Metabolic Characteristics Of Prostate Cancer

전술된 바와 같이 전립선 세포가 악성으로 형질 전환을 일으키는 동안 많은 대사성 변화가 일어난다. 세포는 Zn^{2+}을 축적하는 기능이 소실되어 m-aconitase의 활성화와 citrate의 산화가 복구됨으로써 citrate가 축적되지 않고 ATP의 생성이 증가된다. 따라서 악성 전립선 세포는 citrate 산화의 복구로 인해 생물 에너지 측면에서 큰 힘을 얻게 된다. 악성 형질 전환과 관련한 또 다른 대사성 변화는 세포의 증식, 막 형성, 세포 내의 신호 전달 등에 필요한 지질 생합성의 증가이다. 이를 위해서는 세포질에서 citrate의 acetyl-coA로의 전환이 필요하며, 이 분자는 지방 형성 및 콜레스테롤 형성의 전구체가 된다. 그러나 이러한 전환이 완료되기 위해서는 다른 대사성 변화, 즉 ATP citrate lyase (ACLY)의 활성화의 증가가 필요하며, 이는 acetyl-coA의 형성을 촉진한다 (Costello와 Franklin, 1991). 다른 보고에서와 마찬가지로 지방산과 콜레스테롤의 합성에 관여하는 다수의 주요 효소들은 안드로겐에 의해 조절되며, 전립선암 세포에서 활성이 증가된다 (Swinnen등, 2004).

전립선암 세포에서는 그 외에도 많은 다른 대사성 변화가 관찰된다. 수술 전 MRI/3D-MRSI 영상으로 전립선절제 표본에서 높은 농도의 citrate와 polyamines, 낮은 농도의 choline을 나타내어 건강한 조직으로 추정되는 부위 혹은 낮은 농도의 citrate와 높은 농도의 choline을 나타내어 암으로 추정되는 부위를 각각 채취한 후 이를 HR-MAS로 평가한 연구는 건강한 상피 혹은 기질 조직에 비해 전립선암이 20% 이상 포함된 표본에서는 총 choline과 그것의 대사물질, 예를 들면 free choline, phosphocholine, glycerophosphocholine 등이 증가되었지만, 전립선암이 20% 미만인 표본에서는 건강한 조직과 차이가 없었으며, 한편으로 전립선암 표본은 건강한 상피 조직에 비해 citrate와 polyamines의 농도가 더 낮았지만, 건강한 기질과는 차이가 없었다고 하였다 (Swanson 등, 2003). 동일한 연구팀에 의한 다른 연구는 전립선암에서는 choline의 농도가 더 높음을 재확인하였으며, 상피조직의 경우에는 양성 전립선에 비해 전립선암에서 phosphoethanolamine이 증가되고 ethanolamine이 감소되며, 기질조직의 경우에는 choline을 함유하는 화합물의 농도가 더 낮음을 보여 주었다. 이들 변화는 인지질 막의 합성과 분해의 증대 그리고 세포 증식의 증가를 나타낸다 (Swanson 등, 2008). 전립선암을 가지지 않은 남성에 비해 가진 남성의 생검 조직 표본에서는 choline:citrate, choline:creatine, (glycerophosphocholine+phosphocholine):creatine 등의 비율이 증가되며, citrate:creatine의 비율이 감소된다 (van Asten 등, 2008). Choline을 함유하는 대사물질의 농도는 원발 전립선암에 비

해 전이 조직에서 더 높다 (Roberts 등, 2011). 26명의 대조군과 비해 52명의 전립선암 환자로부터 채집한 전립선 마사지 후의 전립선 분비액에 대해 ^{1}H-NMR 분광법을 이용하여 단변량 분석을 실시한 연구는 대조군에 비해 전립선암 환자에서 citrate, myo-inositol, spermine, valine-leucine, hydroxy-butyrate, glutamine 등의 농도가 유의하게 더 낮았다고 하였다 (Serkova 등, 2008). 이 연구에서는 Swanson 등 (2008)의 연구와는 다르게 phosphocholine이 전립선암 환자로부터 채집된 표본에서 더 낮았는데, 이유는 조직과 전립선의 표본 형태의 차이 때문으로 생각된다. 다변량 분석에서 citrate, myo-inositol, spermine 등만이 전립선암의 위험과 독립적으로 관련이 있으며, area under the receiver operating characteristic curve (AUROC)에 근거하였을 때, 이들 세 대사물질은 PSA보다 더 우수한 성과를 나타내었다. 그러나 이 연구 자료에는 대조군에서 PSA가 이용되지 않았고, 연령 외에는 피험자의 어떠한 다른 특징도 기술되어 있지 않다. 전립선 분비물 내의 citrate는 또한 전립선암의 발견에서 PSA보다 더 나은 예측도를 나타낸다고 보고되기도 하였다 (Kline 등, 2006). 전립선절제 표본을 분석한 연구는 양성 전립선 조직에 비해 전립선암에서 lactate 및 alanine의 농도가 증가되며 (Swanson 등, 2006), 종양이 5% 미만으로 포함되었더라도 전립선암에서는 양성 생검 조직에 비해 이들 대사물질이 더 증가된다 (Tessem 등, 2008)고 하였다. 이러한 결과는 포도당을 분해하는 작용의 증대 혹은 Warburg 효과가 있음을 나타낸다. 전립선암을 가진 남성과 가지지 않은 남성에서 양성으로 보이는 생검 조직을 비교해 보면 이들 두 대사물질의 차이가 없었는데, 이는 field effect가 결여되어 있음을 시사한다 (Tessem 등, 2008). 그러나 lactate 및 alanine의 측정치는 수술 동안 혈관을 절제함으로 인해 포도당의 무산소 고갈이 발생하여 과대평가될 수 있기 때문에, 이러한 경우 허혈 시간이 비슷한 조직과 비교하거나 급속 냉동하여 비교할 필요가 있다 (Swanson 등, 2006). Lactate 대 alanine의 비율 또한 전립선암에서 증가하는데, 이 경우에는 두 대사물질을 단독으로 이용하는 경우보다 변동성이 적다 (van Asten 등, 2008).

표본의 크기가 작더라도 전립선암에서 대사물질의 패턴은 질환의 공격성 정도와 상호 관련이 있다. 전립선암 환자 18명으로부터 채집된 급속 동결 생검 조직에 대한 HR-MAS 분석은 free 혹은 total choline 대 creatine 비율이 Gleason 점수에 따라 증가하며, citrate 대 creatine 비율은 Gleason 점수에 따

라 감소함을 보여 주었다 (van Asten 등, 2008). 온전한 전립선 절제 조직을 연구하는 데 HR-MAS 분광법의 이점은 표본의 구조물이 보존됨으로 인해 분광법을 실시한 후에도 조직학적 평가가 가능하다는 점이다. 전립선 절제로 얻은 조직 표본 54점에 대한 분석에서 polyamines의 감소는 7 이상의 Gleason 점수와 상호 관련이 있었다 (Swanson 등, 2003). 전립선절제술을 받은 82명으로부터 채집된 악성 표본 20점과 양성 표본 179점을 대상으로 실시한 주성분 분석 (principal component analysis, PCA)은 polyamines와 citrate로 이루어진 주성분은 PSA 농도와 유의하게 관련이 있었으며, T2a/T2b, T2c, T3 종양을 그리고 Gleason 점수 6과 7을 구별할 수 있음을 보여 주었다. 주성분 중 다른 하나는 병기 및 Gleason 점수와 상호 관련이 있었다고 하였으나, 불행하게도 관련된 대사물질이 기술되어 있지 않다 (Cheng 등, 2005). 다른 연구는 생화학적 재발을 예측하기 위해 생검 조직을 대상으로 HR-MAS 분광법을 실시하였다 (Maxeiner 등, 2010). 이 연구는 생화학적 재발을 가진 16명의 A 군을 임상 병기가 동일하지만 재발하지 않은 16명의 B 군 그리고 병리학적 병기가 동일하지만 재발하지 않은 16명의 C 군과 비교하였다. 9가지의 주성분은 A 군과 B 군을, A 군과 C 군을 유의하게 구별하였으며, 재발에 대한 예측력의 대부분은 9가지 주성분 중 4가지에서 나왔으며, A 군과 C 군의 감별에서 9가지 주성분과 4가지 주성분의 재발 예측 정확도는 각각 78%, 71%이었다. 관련 주성분 중 가장 큰 기여도를 나타낸 대사물질은 spermine, glutamine, myo-inositol, phosphoryl choline, scylloinositol, glutamate 등이었다. 그러나 전립선암의 공격성과 재발을 예측하기 위해 전립선 조직에서 MS를 이용한 이들 주성분 분석 연구는 양성 조직 표본에 비해 전립선암 표본의 수가 상당히 적고 대사물질 혹은 대사 과정의 적절한 병합에 관하여 기술되어 있지 않다는 제한점을 가지고 있다.

GC-MS를 이용하여 소변의 대사체를 분석한 연구는 전립선암 악성 지수 (malignancy index of prostate cancer, MIp)를 개발하였으며, 산출된 악성 지수는 병변의 크기와 상호 관련이 있고 ($p < 0.013$) 전립선암 병변의 존재에 대해 93~97%의 정확도를 나타낸다고 하였다 (Wu 등, 2010). MIp는 도표 280에 나타난 공식으로 산출된다. LC-MS에 근거한 대사체학 기법을 이용한 연구는 전립선암의 진행 및 치료 효과를 반영하는 7가지의 혈청 생물 지표를 발견하였는데, deoxycholic acid, glycochenodeoxycholate, ʟ-tryptophan, docosapen-

도표 280 전립선암 악성 지수

$$MI_p = \sum_{\substack{PV>M+SD \\ i=1}}^{n} PV_i \times VS_i$$

M+SD, value of the median plus one standard deviation; MIp, malignancy index of prostate cancer; PV, (metabolomic) profile value (i.e. calculated canonical score 1); VS, voxel size.

Wu 등 (2010)의 자료를 수정 인용.

taenoic acid, arachidonic acid, deoxycytidine triphosphate, pyridinoline 등이다 (Huang 등, 2014).

전립선암과 관련이 있는 각각 42점, 110점, 110점의 조직, 소변, 혈장 표본을 대상으로 LC- 및 GC-MS를 이용하여 대사체를 분석한 연구는 양성 전립선, 국소 전립선암, 전이 전립선암을 구별할 수 있는 1,126가지의 대사물질을 발견하였다 (Sreekumar 등, 2009). 이들 중 sarcosine은 전립선암이 전이 질환으로 진행하는 동안 크게 증가되는 감별 대사물질이었으며, 안드로겐 수용체와 E-twenty-six (ETS)-related gene (ERG) 유전자의 융합 산물은 sarcosine 경로의 화합물을 조절한다 (Sreekumar 등, 2009). Glycine의 N-methyl 유도체인 sarcosine은 DNA, RNA, 단백질 등의 메틸화에서 중요한 역할을 하는 경로인 methionine 대사의 부산물로서 glycine-N-methyl transferase (GNMT)에 의해 합성된다 (Wagner와 Luka, 2011). 이 경로에 관한 연구에 의하면, DU145 전립선암 세포에서 RNA interference (RNAi)를 이용하여 GNMT를 삭제할 경우 세포 내의 sarcosine 농도가 감소되고 암세포의 침습이 저하되었으며, 외인성 sarcosine을 추가하거나 sarcosine을 분해하는 효소인 sarcosine dehydrogenase를 제거하면 양성 전립선 상피세포가 침습성 표현형을 나타낸다 (Sreekumar 등, 2009). 다른 연구도 비슷한 결과를 보고하였는데, small interfering RNA (siRNA)를 이용하여 GNMT를 삭제한 경우 LNCaP 및 PC3 전립선암 세포주에서는 증식이 감소되고 세포 자멸사가 증가되었지만, RWPE-1 정상 전립선 상피세포주에서는 그러한 효과가 나타나지 않았다. 이 연구는 종양에 인접한 양성 조직에 비해 종양 조직의 세포질에서 GNMT의 강한 염색을 관찰하였으며, 이는 Gleason 점수, 병리학적 병기, 생화학적 재발 등과 유의한 상관관계를 가진다고 하였다 (Song 등, 2011). 대조적으로 다른 연구는 암

이 없는 대조군 혹은 양성전립선비대 환자의 조직에 비해 전립선암에서 GNMT에 대한 세포질 내 면역 염색의 강도가 더 낮으며, GNMT 염색의 강도는 낮은 병기와 관련이 있다고 하였다 (Huang 등, 2007). 이러한 두 연구 결과의 차이는 대조군 형태, 양성 염색의 정의, 환자의 임상적 특징 등의 차이 때문이라고 생각된다 (Trock, 2011).

여러 연구가 소변 sarcosine이 전립선암을 예측하는 수준이 크지 않다고 보고하였음에도 불구하고 소변 sarcosine이 전립선암의 조기 진단 및 예후의 생물 지표로 유망하다는 연구가 계속 이어지고 있다. 전립선암 환자 106명과 생검이 음성인 대조군 33명으로부터 채집한 직장수지검사 후의 소변을 대상으로 GC-MS를 이용하여 sarcosine을 평가한 연구는 sarcosine:creatinine 비율이 대조군에 비해 전립선암 환자에서 더 낮았으며, sarcosine 농도는 연령, PSA, 전립선 용적 등과 관련이 없을 뿐만 아니라 생검 혹은 전립선 절제 표본의 Gleason 점수, 병리학적 병기 등과도 관련이 없었고, 직장수지검사 전 표본과 후 표본에서도 차이가 없었다고 하였다 (Jentzmik 등, 2010). 이 연구에 의하면, 혈청 총 PSA가 20 ng/mL 미만인 환자에서 sarcosine의 AUROC는 0.63으로써 0.64인 PSA와 비슷하였지만 0.81의 percent free PSA (%fPSA)보다 낮았으며, PSA가 10 ng/mL 미만인 환자군에서도 비슷한 연관성이 관찰되었다. 이 연구는 또한 전립선 조직 내의 sarcosine 농도가 비악성 조직보다 악성 조직에서 7% 높았지만 종양의 병기나 분화도와는 관련이 없었다고 하였다. 직장수지검사 후 소변의 상청액을 이용한 다른 연구도 비슷한 결과를 보고하였다 (García-Segura 등, 2010). 그러나 Sreekumar 등 (2010)은 소변 침전물 내에서의 sarcosine/alanine 비율은 생검 상태와 상호 관련성이 있다고 재확인하였다. 따라서 소변 침전물과 조직 내에서의 sarcosine 농도는 생물 지표로 활용이 가능하지만, 소변 상청액과 혈청에서의 농도는 그렇지 않은 것 같다. 아직 소변 침전물과 상청액의 결과가 다른 이유는 밝혀져 있지 않다.

체액에서 sarcosine을 분석한 많은 연구는 위의 연구 결과와 상충되는 결과를 보고하였다. 40명의 환자를 대상으로 전립선 조직, 혈청, 직장수지검사 후 채집한 소변 등의 표본을 LC-MS와 GC-MS로 분석한 Sreekumar 등 (2009)은 조직 내의 sarcosine 농도는 전립선의 악성 및 전이 가능성과 상당하게 관련이 있으며, sarcosine을 전립선 상피세포 배양액에 주입하면 악성 변화가 일어나고, 소변 침전물의 sarcosine:alanine

비율과 소변 상청액의 sarcosine:creatinine 비율을 이용하면 생검에서 전립선암이 양성일 환자와 음성일 환자를 구별할 수 있다고 하였다. 소변 상청액을 대상으로 동위원소 희석 GC-MS를 이용한 Wu 등 (2011)은 sarcosine의 농도가 양성전립선비대 환자 8명 혹은 건강한 대조군 20명에 비해 전립선암 환자 20명에서 유의하지는 않지만 더 높다고 하였다. 그러나 이들 저자들은 전립선암 환자에서 dihydroxybutanoic acid, xylonic acid 등의 농도가 유의하게 더 높은 데 비해, pyrimidine, ribofuranoside, xylopyranose 등의 농도가 유의하게 더 낮음을 관찰하였다. 소변의 상청액과 침전물에서의 sarcosine을 creatinine과 alanine으로 각각 표준화한 Cao 등 (2011)에 의하면, 소변 표본에서 sarcosine 알고리듬, 즉 상청액 및 침전물 sarcosine/creatinine과 상청액 및 침전물 log2 (sarcosine/alanine)는 표본의 형태나 표준화 물질과 관계없이 PSA 농도가 증가하거나 직장수지검사에 이상이 있지만 암이 없는 31명, 건강한 남성 20명, 여성 20명 등에 비해 전립선암 환자 71명에서 유의하게 더 높았다 ($p < 0.05$). Creatinine 농도는 암이 있는 군과 없는 군에서 유의한 차이가 없었다. 소변의 상청액과 침전물에서 sarcosine 농도의 차이는 없었으며, 어떤 종류의 sarcosine 알고리듬도 Gleason 점수나 임상 병기와 상호 관련이 없었다 ($p > 0.05$). Sarcosine 알고리듬은 0.647~0.698의 AUROCs를 나타내었는데, 이 수치는 혈청 및 소변 PSA의 0.537보다는 높았고 prostate cancer antigen 3 (PCA3)의 0.703 혹은 %fPSA의 0.712보다 낮았지만, 통계적으로 유의하지는 않았다. 그러나 PCA3 혹은 %fPSA를 포함하는 회귀 분석 모델에 sarcosine 알고리듬을 추가하면 AUROC는 0.720~0.775로 증가하였다. 그러나 전립선암 환자 106명과 암이 없는 대조군 33명으로부터 채집한 직장수지검사 후의 소변을 GC-MS를 이용하여 sarcosine을 분석한 연구는 sarcosine/creatinine 비율의 중앙치가 대조군에 비해 전립선암 환자에서 13% 포인트 더 낮고, sarcosine 농도는 종양의 병기 혹은 Gleason 점수와 관련이 없으며, 악성 전립선과 양성 전립선의 감별을 위한 ROC-AUC가 PSA보다 높지 않고 %fPSA보다 유의하게 낮다는 결과를 근거로 직장수지검사 후의 소변에서 측정된 sarcosine은 악성 전립선과 양성 전립선을 구별하는 적절한 표지자가 아니라고 하였다 (Jentzmik 등, 2010). 혈청 sarcosine에 관한 연구도 비악성 대조군, 국소 전립선암, 전이 전립선암 환자에서 차이를 발견하지 못했다고 하였다 (Struys 등, 2010).

92회의 전립선절제술을 통해 채집한 전립선암 조직과 양성으로 보이는 조직을 GC-MS를 이용하여 후향적으로 분석함으로써 조직의 sarcosine과 전립선암의 조직병리학적 지표 사이의 연관성을 평가한 연구는 다음과 같은 결과를 보고하였다 (Jentzmik 등, 2011). 첫째, 73%의 환자가 Gleason 점수 7 이상이었으며, 전립선암의 41%는 병리학적 병기 T3이었고, PSA 농도의 중앙치는 7.5 ng/mL이었다. 둘째, sarcosine 함량의 중앙치는 양성 조직에 비해 전립선암에서 약 7% 포인트 더 높았으며, 이는 통계적으로 유의한 차이이다. 셋째, 전립선암 조직 내의 sarcosine 농도는 Gleason 점수, 종양의 병기 등과 관련이 없었으며, 연령, PSA, %fPSA, 전립선 용적, 생화학적 재발 등과도 상호 관련이 없었다. 이들 결과는 조직의 sarcosine이 전립선암의 공격성에 대한 독립적인 생물 지표라는 연구에 반한다. 이 연구의 제한점은 조직의 저장 시간이 서로 다르며, 병기 T3와 Gleason 점수 8~10을 가진 재발 환자의 수가 적다는 점이다.

종양 조직이 많이 함유된 전립선 조직을 이용한 연구는 대사 양상을 이용하면 저등급과 고등급 전립선암을 구별할 수 있다고 하였다 (Giskeødegård 등, 2013). 이 연구는 또한 citrate와 spermine 농도의 감소는 전립선암의 공격성을 나타내는 가치 있는 조직 내의 MR 생물 지표이며, 공격적인 암은 진행이 느린 암에 비해 대사의 변화가 크게 일어나기 때문에 대사 양상은 Gleason 점수와 유의한 상관관계를 가진다고 하였다. 그러나 choline을 함유한 성분은 Gleason 점수에 따라 증가하지 않는데, 이는 Gleason 점수에 따라 증가하는 (total choline+creatine+polyamines)/citrate 비율을 주동하는 인자가 polyamines 중 citrate와 spermine임을 시사한다. 이 연구는 HR-MAS에 의해 관찰된 대사 양상으로 종양 조직과 정상 조직을 86.9%의 민감도와 85.2%의 특이도로 구별할 수 있음을 보여 주었다.

전립선절제술을 통해 채집된 전립선암 조직 331점과 암이 없는 전립선 조직 178점을 대상으로 GC-MS와 ultrahigh performance liquid chromatography (UPLC)-MS/MS를 이용하여 대사체를 분석한 연구는 다음과 같은 결론을 보고하였다 (McDunn 등, 2013). 첫째, 암이 없는 전립선 조직에 비해 전립선암에서는 세포의 성장, 에너지, 스트레스 등과 관련이 있는 생화학 물질의 변화, 전립선에 특이한 생화학 물질의 소실 등과 같이 대사물질의 유의한 변화가 관찰되었다. 많은 대사물질이 공격적인 전립선암의 임상 양상과 관련이 있었으며, 공격성과 관련이 있는 대사물질은 citrate, polyamines 등과 같이 정상 전립선의 기능과 관련이 있는 화합물이 풍부한 전립선암 조직과 임상적으로 진행된 전립선암과의 구별을 가능하게 하였다. 이들 공격적인 전립선암은 nicotinamide adenine dinucleotide (NAD⁺), kynurenine 등을 포함하는 대사물질의 분포 양상에 따라 세분된다. 지질, nucleotide, 보조 인자, 탄수화물, 유기산, 대부분의 아미노산, 펩티드 등에 속하는 대부분의 생화학 물질은 암이 없는 전립선에 비해 전립선암에서 증가하였으며, 진행이 안 된 전립선암에 비해 진행된 전립선암에서 더욱 증가하였지만, 두 가지의 예외가 있었다. 하나는 전립선에서 생성되어 정상 기능에 관여하는 대사물질, 예를 들면 단순당 (simple sugars), polyamines, citrate 등이 크게 감소되었으며, 다른 하나는 에너지학과 관련이 있는 대사물질과 특이한 신호를 전달하는 분자, 예를 들면 adenosine 5′-diphosphate (ADP)-ribose와 15-hydroxyeicosatetraenoic acid (15-HETE)가 유의하게 감소되었다. 이들 두 물질을 생성하는 효소, 즉 ADP-ribose 경우의 cluster of differentiation 38 (CD38) (Kramer 등, 1995)와 15-HETE 경우의 15-lipoxygenase-2 (15-LOX-2) (Shappell 등, 1999)의 발현은 전립선이 형질 전환을 일으키는 동안 변경된다고 보고된 바 있다. 둘째, Gleason 패턴이 6에서 3+4, 3+4에서 4+3, 7에서 8 등으로의 진행과 통계학적으로 유의한 상관관계를 가진 대사물질이 발견되었는데 ($p < 0.05$), 증가하는 대사물질은 histidine (0.964), glycine (0.855), alanine (0.844), kynurenine (0.812), glutamate (0.806), glycerol 3-phosphate (G3P) (0.778), betaine (0.768), pipecolate (0.763), 2-methylbutyrylcarnitine (0.717), isobar: 15-methylpalmitate, 2-methylpalmitate (0.659), threonine (0.635), cytidine 5′-diphosphocholine (0.631), valine (0.630), myristoleate (14:1n5) (0.626), S-adenosylhomocysteine (SAH) (0.621), phosphate (0.613), choline (0.610), 2-aminobutyrate (0.596), 2-hydroxypalmitate (0.590), glycerol (0.590), adenine (0.567), 2-hydroxystearate (0.557), deoxycarnitine (0.548), fumarate (0.547), docosadienoate (22:2n6) (0.506) 등이었으며, 감소하는 대사물질은 ADP (-0.967), citrate (-0.816), palmitoyl-sphingomyelin (-0.611) 등이었다. 괄호 안의 수는 Pearson's r이다. 셋째, 국소 전립선암에 비해 피막 밖으로 확대된 전립선암에서 증감되는 대사물질도 발견되었는데, Ac-Ser-Asp-Lys-Pro, docosadienoate, uracil, adrenate, ribitol, 10-nonadecenoate, 2-hydroxystearate, N-acetylaspar-

tate, hypoxanthine, cysteine, 5,6-dihydrouracil, glycerol, uridine, pipecolate, prolpionylcarnitine, butyrylcarnitine, nonadecanoate, proline, docosapentaenoate (22:5n6), malate, succinylcarnitine, glycerol-2-phosphate, 3-(4-hydroxyphenyl) lactate (HPLA), glycine, urea, 10-heptadeceoate, choline 등은 증가되었으며, laurate, mannose, ADP 등은 감소되었다. 넷째, 피막 밖으로 확대된 국소 전립선암에 비해 정낭이나 림프절을 침범한 경우에 증감되는 대사물질도 발견되었는데, NAD⁺, choline phosphate, G3P, ascorbate, 2-hydroxystearate 등은 증가되었으며, N-acetylglucosamine (GlcNAc), 15-HETE, eicosenoate, 1-oleoyl-glycerophosphorylcholine (GPC), citrate, mannose, glucose, methyl-alpha-glucopyranoside, fructose, 6-sialyl-N-acetyllactosamine, ADP-ribose, spermine, putrescine 등은 감소되었다. 이들 대사물질의 나열은 증감이 큰 순서대로이다. 다섯째, 다수 지표를 이용한 노모그램에 대사물질의 분석을 추가할 경우 국소 전립선암에 대한 예측력 ROC-AUC는 0.53에서 0.62로 증가하였으며, 5년 재발률에 대한 예측력 ROC-AUC는 0.53에서 0.64로 증가하였다. 이들 자료는 대사물질의 분석이 전립선암에 대한 임상적 진단검사에서 가치가 있음을 시사한다.

전립선암의 공격성을 나타내는 생물 지표를 발견하기 위해 골 전이에서 대사물질을 평가하는 포괄적인 대사체학 연구가 근래 실시되었다. 호르몬 민감성 전립선암 환자 7명과 거세 저항성 전립선암 환자 7명의 골 전이로부터 채집한 생검 표본을 GC/time of flight MS (GC/TOFMS)를 이용하여 동일한 환자 각각 4명과 6명에서 채집한 정상으로 보이는 골 표본과 비교 분석한 연구는 다음과 같은 결과를 보고하였다 (Thysell 등, 2010). 첫째, 골 전이 표본을 구별할 수 있는 71가지의 대사물질 중 34가지가 확인이 가능하였다. 둘째, 대조군과 비교한 결과 아미노산 대사가 전이 표본을 구별하는 가장 중요한 경로이었지만, 가장 큰 변별력을 가진 단일 대사물질은 콜레스테롤이었으며, 콜레스테롤은 전이 표본에서 유의하게 증가되었다. 셋째, 전립선암 환자의 골 전이에서 콜레스테롤은 유방암, 폐암, 신장암, 식도암 환자의 골 전이에서보다 유의하게 더 높았다. 넷째, 전립선암의 골 전이 표본에서 뚜렷하게 증가하는 다른 대사물질로는 myo-inositol-1-phosphate, citric acid, fumarate, glycerol-3-phosphate, fatty acid 등이 있었는데, 이는 골 전이에서 세포의 증식이 일어나기 위해서는 큰 생물 에너지가 필요함을 시사한다. 다섯째, 골 전이를 가진 7명과 가지지 않은 6명의 원발 전립선암을 비교한 결과, 변별력을 가진 8가지의 대사물질이 발견되었으며, 이들 중 aspargine, threonine, fumaric acid, linoleic acid 등이 골 전이를 흔하게 구별할 수 있는 유의한 대사물질이었다. 여섯째, 골 전이를 가진 15명과 가지지 않은 13명을 비교한 결과, 골 전이의 표지자로 흔히 glutamic acid, taurine, phenylalanine 등이 증가하였으며, stearic acid는 감소하였다. 일곱째, 전립선암에 관한 많은 연구에서 변화가 입증된 대사물질 중 citrate 대사의 변화는 관찰되지 않았고 choline은 발견되지 않았는데, 이는 흥미로운 결과이다. 여덟째, sarcosine의 농도는 전립선암으로 인한 골 전이에서는 유의하게 증가하였으나, 다른 암에 의한 골 전이에서는 증가하지 않았다. 그러나 양성 조직과 원발 종양 조직을 구별하는 sarcosine의 특징적인 양상은 없었다. 그러나 이 연구는 표본 채집 방법 및 처리 과정, 환자 등에 관한 정보가 없고, 표본의 크기가 작다는 제한점을 가지고 있다.

2011년 현재까지 대사체학 연구에서 확인된 전립선암과의 임상적 연관성은 도표 281에 정리되어 있다.

4. 전립선암에서 대사체 분석 위한 생체 밖 실험
In Vitro Metabolomics For Prostate Cancer

대사체학의 목적은 악성 변형에 따른 대사물질의 변화를 확인하고 변형된 암 세포주의 대사 양상을 통해 공격 성향을 가진 암을 시사하는 생물 지표를 발견하는 것이다. RWPE-1 세포주는 정상 성인 남성의 전립선 주변부에서 분리해 내어 복사된 HPV-18을 포함한 plasmid로 세포 감염을 일으켜 불멸되도록 만든 정상 전립선 상피세포주이다 (Rhim 등, 1994). 이 모세포주는 안드로겐 수용체의 발현과 같은 정상 전립선 상피세포가 가진 특징들과 PSA 반응과 같은 안드로겐 자극에 대한 유전체의 반응을 나타낸다 (Webber 등, 2001). 발암 물질인 *N*-methyl-*N*-nitrosourea (MNU)를 이용하여 RWPE-1에 돌연변이를 일으키면 악성 잠재력이 증가된 세포주가 생성되며, 이는 전립선암의 진행과 공격성을 연구하는 모델로 대용된다 (Webber 등, 2001). WPE1-NB11과 WPE1-NB14 세포주는 RWPE-1과 마찬가지로 PSA와 안드로겐 수용체를 발현하지만, 누드마우스에게 주입되면 RWPE-1 세포주와는 달리 MNU에 의해 변형된 세포가 종양을 형성한다. 또한, RWPE-1 세포주는 배양액에서 증식을 일으키지 않으면서 체내의 정상 샘과 마찬가지로 스스로가 샘의 세엽 내로 배열하는 데 비해, WPE1-NB11 세포주는 분화도가 나쁜 침습성 암을 형성하고 WPE1-NB14 세포주는 잘 분화된 비침습적인 종양, 즉 양성 RWPE-1과 악성 WPE1-NB11의 중간 표현형을 형성한다. 이들 세포들은 공통되는 유전적 배경을 가지며 정상 전립선이 침습적인 암으로 진행하는 동안 분자의 변화를 추적할 수 있는 이상적인 모델로서의 역할을 한다.

이들 세포를 이용한 생체 밖 실험에서 양성 전립선 질환과 악성 전립선 질환을 감별할 수 있는, 즉 악성 변형과 관련이 있는 여러 대사 경로 및 대사물질들이 발견되었다. 특히 magnetic resonance spectroscopy (MRS)/NMR 연구는 전립선암 조직에서 총 choline/phosphocholine (Kurhanewicz 등, 1996) 및 lactate와 alanine (Tessem 등, 2008)의 증가를 보고하였으며, TRAMP 생쥐 모델에서 과분극된 ^{13}C-pyruvate에 의한 lactate의 증가가 관찰되었다 (Albers 등, 2008). 비근치적 요법, 방사선 요법, 호르몬 요법 후의 전립선 조직에서 phosphocholine이 증가된 공명 모양이 나타나면, 이는 종양의 재발을 암시한다 (Schilling 등, 2008). MS에 기초한 대사체학을 이용하여 발견된 glycine의 대사, 특히 대사물질 sarcosine은 전립선암의 공격성을 나타낸다고 보고되었다 (Sreekumar 등, 2009). 포도당 소모 및 lactate 생성의 증가는 종양세포의 대사적 특징이라고 알려져 있다 (Griffin과 Shockcor, 2004). Lactate의 증가는 자궁경부암 (Walenta 등, 2000), 두경부의 편평상피세포암 (Wallace, 2007) 등을 포함하는 다양한 전이암에서 관찰된다. 종양세포에서는 포도당의 분해가 증가하고 에너지 비효율 방식으로 포도당이 lactate로 전환되며, tricarboxylic acid (TCA) 회로에 장애가 일어나지만 기능은 유지된다 (McFate 등, 2008). Pyruvate dehydrogenase kinase (PDK)의 억제제로 인해 PDK가 억제되면, TCA 회로가 복구되고 종양세포는 ^{1}H-NMR에서 lactate의 농도가 낮은 정상 대사 표현형을 나타낸다.

5. 전립선암에서 생물 지표로 유망한 단일 대사물
Single Metabolites As Biomarker Candidates In Prostate Cancer

전립선의 생리와 측량의 결과로 미루어 볼 때, 대사체 분석으로 질환의 정도를 알 수 있는 몇 가지 유망한 대사물질들이 발

도표 281 각 대사물질과 전립선암과의 연관성

전립선암과 연관성	관련 대사물질	표본 형태	분석 방법	문헌
양성 조직에 비해 전립선암에서 증가	총 choline, phosphocholine, phosphoethanolamine, glycerophosphocholine, lactate, alanine, kynurenine, sarcosine, uracil, glycerol-3-phosphate, leucine, proline	전립선절제술, 생검	HR-MAS, LC/GC-MS, GC-MS	1, 2, 3, 4, 5, 6
비악성 표본에 비해 전립선암에서 증가	총 choline, free choline, glycerophosphocholine과 phosphocholine의 합, lactate:alanine 비율, sarcosine, xylonic acid, dihydroxybutanoic acid	생검, 소변의 상청액 혹은 침전물	HR-MAS, ID GC-MS LC-MS/MS	1, 7, 8, 9, 10
원발 종양에 비해 전이 암에서 증가	sarcosine, uracil, kynurenine, glycerol-3-phosphate, leucine, proline	전이 부위 생검, 전립선절제술	LC/GC-MS	1
정상 골격에 비해 골격 전이에서 증가	sarcosine, cholesterol, myo-inositol-1-phosphate, citric acid, fumarate, glycerol-3-phosphate	골격 생검	GC-TOFMS, LC-MS	11
비전이 질환에 비해 전이 질환의 원발 종양에서 증가	asparagine, threonine, fumaric acid, linoleic acid	생검	GC-TOFMS	11
비전이 질환에 비해 전이 질환에서 혈장 농도와의 연관성	glutamic acid, taurine, phenylalanine 등의 증가, stearic acid의 감소	혈장	GC-TOFMS	11
양성 조직에 비해 전립선암에서 감소	ethanolamine, citrate, spermine, spermidine, putrescine	전립선절제술, 생검	HR-MAS	2, 3, 4, 5
비악성 표본에 비해 전립선암에서 감소	citrate, myo-inositol, spermine, valine/leucine, hydroxybutyrate, glutamine, pyrimidine, ribofuranoside, xylopyranose	생검, 전립선 배출액, 소변 상청액	HR-MAS, 1H-NMR, ID GC-MS	7, 9, 12, 13
비악성과 전립선암 환자 표본에서 연관성 없음	sarcosine	소변 상청액, 혈청	ID GC-MS LC-MS/MS	9, 14, 15, 16
전이 암과 원발 암에서 연관성 없음	sarcosine	혈청	LC-MS/MS	16
PSA 증가와 연관성	citrate, polyamines 등의 감소, choline, phosphocholine 등의 증가	전립선절제술	HR-MAS	17
Gleason 점수 증가와 연관성	총 choline, free choline, phosphocholine, glycerophosphocholine과 phosphocholine의 합 등의 증가, citrate, polyamines 등의 감소	전립선절제술, 생검	HR-MAS	2, 7, 17
병기 증가와 연관성	citrate, polyamines 등의 감소, choline, phosphocholine 등의 증가	전립선절제술	HR-MAS	17
생화학적 재발 위험 증가와 연관성	spermine, glutamine, glutamate, myo-inositol. phosphoryl choline, scylloinositol	생검	HR-MAS	18
PSA, Gleason 점수, 병기 등과 연관성 없음	sarcosine	소변의 상청액과 침전물, 혈청, 전립선절제술	ID GC-MS, LC-MS/MS, GC-MS	6, 10, 14, 15, 16

%fPSA, percent free PSA; GC, gas chromatography; 1H-NMR, proton nuclear magnetic resonance spectroscopy; HR-MAS, high resolution magic angle spinning magnetic resonance spectroscopy; ID, isotope dilution; LC, liquid chromatography; MS, mass spectroscopy; MS/MS, tandem mass spectroscopy; PSA, prostate-specific antigen; TOFMS, time of flight mass spectroscopy.

1, Sreekumar 등 (2009); 2, Swanson 등 (2003); 3, Swanson 등 (2008); 4, Swanson 등 (2006); 5, Tessem 등 (2008); 6, Jentzmik 등 (2011); 7, van Asten 등 (2008); 8, Barry (2009); 9, Wu 등 (2011); 10, Cao 등 (2011); 11, Thysell 등 (2010); 12, Serkova 등 (2008); 13, Kline 등 (2006); 14, Jentzmik 등 (2010); 15, Colleselli 등 (2010); 16, Struys 등 (2010); 17, Cheng 등 (2006); 18, Maxeiner 등 (2010).

Trock (2011)의 자료를 수정 인용.

견되었다. 전립선암의 진단 및 예후를 확인하는 데 유용한 대사물질과 대사율은 도표 282와 도표 283에 요약되어 있다.

건강한 전립선과 양성전립선비대의 전립선 특이 생체액과 비교해 볼 때, 전립선암의 경우는 특징적으로 citrate와 spermine, myo-inositol 등과 같은 polyamine의 농도는 낮고, lactate, choline, creatine 등의 농도는 높다 (Serkova 등, 2008). 전립선

암은 아연의 대사를 변경시켜 전립선 조직과 전립선액 내 아연의 농도를 감소시키며, 그 결과로 citrate의 농도가 감소한다. Citrate의 농도는 전립선암, 양성전립선비대, 건강한 주변부 조직 사이에서 다양한 정도로 나타난다. 아연의 농도는 건강한 전립선, 양성전립선비대, 전립선염 등의 조직에서는 비교적 일정하지만, 전립선암에서는 90% 이상까지 감소한다. 더욱이 ci-

도표 282 전립선암에서 시험관 실험으로 확인된 대사물질의 변화

대사물질	특징	전립선암에서의 변화	검사물	참고 문헌
Citrate	전립선 조직과 액체 내 정상으로 고농도 분포	↓ ; 전이〈전립선암〈BPH〈정상	전립선액	Serkova 등, 2008
		↓ ; 전이〈전립선암〈BPH〈정상	전립선 조직	Swanson 등, 2006
Choline을 함유한 화합물	막 인지질의 전구물 및 산물	↑ ; 전이〉전립선암〉BPH〉정상	전립선 조직	DeFeo와 Cheng, 2010 Swanson 등, 2008
Spermine	내인성 전립선암 성장 억제물질	↓ ; 전이〈전립선암〈BPH〈정상	전립선액	Serkova 등, 2008
		↓ ; 전이〈전립선암〈BPH〈정상	전립선 조직	Cheng 등, 2001
Myo-inositol	삼투압 조절	↓	전립선액	Serkova 등, 2008
		↑	전립선 조직	Swanson 등, 2003
Lactate	포도당 분해 증가 (Warburg effect)	↑ ; 전립선암〉BPH〉정상	전립선 조직	Tessem 등, 2008 DeFeo와 Cheng, 2010
Alanine	포도당 분해 증가 (Warburg effect)	↑ ; 전립선암〉BPH〉정상	전립선 조직	Tessem 등, 2008 DeFeo와 Cheng, 2010
Omega-6 지방산	전립선암 발달 촉진	↑	전립선 조직	Stenman 등, 2009
Sarcosine	전립선암 세포 활성	↑ ; 침윤 정도와 연관	소변 및 전립선 조직	Sreekumar 등, 2009
Choline+creatine/ citrate	특징적 대사산물 비율	↑ ; 전립선암〉BPH〉정상 ; Gleason 점수와 상관	전립선 조직	van Asten 등, 2008 Kurhanewicz 등, 1995
Citrate/spermine	특징적 대사산물 비율	↓	전립선액	Lynch 등, 1997
		↓	전립선 조직	Kurhanewicz 등, 1995
총 choline/citrate	특징적 대사산물 비율	↑ ; 전립선암〉BPH〉정상 ; Gleason 점수와 상관	전립선 조직	van Asten 등, 2008
Choline/creatine	특징적 대사산물 비율	↑ ; 전립선암〉BPH〉정상 ; Gleason 점수와 상관	전립선 조직	van Asten 등, 2008
Citrate/creatine	특징적 대사산물 비율	↓ ; Gleason 점수와 상관	전립선 조직	van Asten 등, 2008

BPH, benign prostatic hyperplasia.
Roberts 등 (2011)의 자료를 수정 인용.

도표 283 양성과 악성 전립선 조직을 구별하기 위해 실시된 여러 MRSI 연구에서 대사물질의 비율

방법	대사물질의 비율	주변부에 대한 대사물질 비율의 평균 (표준 편차)			참고 문헌
		정상 전립선	양성전립선비대	전립선암	
SVS	citrate/(choline+creatinine)	1.28 (0.14)	1.21 (0.29)	0.67 (0.17)	Kurhanewicz 등, 1995
MRSI	(choline+creatinine)/citrate	0.54 (0.11)	–	2.1 (1.3)	Kurhanewicz 등, 1996
MRSI	(choline+creatinine)/citrate	–	–	2.1 (1.3)	Parivar 등, 1996
MRSI	(choline+creatinine)/citrate	0.22 (0.13)	–	2.08 (1.62)	Males 등, 2000
MRSI	citrate/(choline+creatinine)	2.16 (0.56)	1.43 (0.58)	0.31 (0.25)	Kumar 등, 2004
MRSI	(choline+creatinine)/citrate	–	–	〉0.68	van Dorsten 등, 2004

MRSI, magnetic resonance spectroscopic imaging; SVS, single-voxel spectroscopy.
Nayyar 등 (2009)의 자료를 수정 인용.

trate와 아연의 농도는 전립선 조직과 전립선액에서 동일한데, 이는 전립선액이 주변부의 대사 상태를 반영함을 가리킨다. 그러한 citrate와 아연의 농도에서 변화가 발생하면, 이는 신생물 세포의 악성 활동으로 인해 대사의 변화가 일어났음을 의미한다. 따라서 citrate와 아연의 감소는 전립선암으로의 악성 변형에서 조기에 일어나는 현상이라고 생각되며, 이는 생체 밖 실

험에서도 관찰되었다. Citrate의 감소는 조직병리학적으로 암세포가 발견되기 전에 일어나는데, 이유는 조직학적으로 뚜렷하지 않은 전암 세포 때문이라고 생각된다. 그러나 이들 암이 아닌 세포들은 조직학적 구조에는 변화 없이 유전적, 대사적으로 변화를 일으키는데, 이것을 암 생물학에서는 'field effect' 라 부른다 (Costello와 Franklin, 2009). 암의 진행 측면에서 볼 때, 아연과 citrate는 분화도가 낮은 전립선암에서는 측량되지 않는 것으로 보아 아연과 citrate는 암이 진행함에 따라 고갈된다 (Kurhanewicz 등, 1993).

Citrate는 악성 세포가 증식함에 따라 증가하는 막 형성에 이용되기 때문에 점차 감소한다. 또한, 이 과정은 choline의 요구량을 증가시키고 choline의 대사를 변화시켜 choline을 함유한 대사물질이 증가하게 된다 (Cornel 등 1993). 이러한 점에서 choline 대사물질의 하나인 식별용 방사성 동위원소 ethanolamine이 활용 가능한 물질로 인식되고 있다 (Mintz 등, 2008). Lactate와 alanine의 농도는 Warburg effect 뿐만 아니라 표본을 채취하는 과정 동안 조직의 저산소증으로 인해 증가하며, 그것이 증가하는 정도는 종양의 공격성과 전이에 비례한다 (van Asten 등, 2008). 이는 전립선암이 진행하면서 일어나는 결과라고 생각되지만, lactate는 저산소증으로 인한 분자 경로의 활성, 특히 성장인자들의 증가, *vascular endothelial growth factor (VEGF)* 유전자 등 혈관 형성을 유발하는 유전자에 의한 혈관 형성 등을 통해 전이를 촉진하는 데도 이용된다 (Mori 등, 2010). 암은 다중적인 특성을 가지고 있다는 근거 하에 polyunsaturated fatty acids (PUFA)와 같은 식이 요소에 관한 연구가 시도되었으며, omega-6 PUFA는 전립선암 조직 표본의 15%에서 발견된 데 비해 암이 아닌 표본에서는 발견되지 않았다. 따라서 PUFA가 적절한 생물 지표라고 생각되지만, 종양 주위의 가장자리에는 축적이 부족하여 PUFA의 축적은 암의 전 단계 때문이 아니고 종양의 성장 때문이라고 추측된다 (Stenman 등, 2009). Citrate, choline, spermine 등의 농도는 Gleason 점수와 관련이 있고 (Swanson 등, 2006), polyamine과 sarcosine의 농도는 전립선암의 진행 및 종양의 공격성과 관련이 있다 (Sreekumar 등, 2009). Sarcosine은 LC-MS, GC-MS를 이용하여 소변 내에서 발견되며, 전립선암, 특히 전이의 유무를 확인하는 방법으로 제시되고 있다. 전립선암의 전이 여부는 ^{11}C-choline을 이용한 positron emission tomography (PET)/computerized tomography (CT)에서 나타나는 악성적인 대사 변화를 통해 추측 가능하며, 이는 근치

전립선절제술과 체외 방사선 요법을 실시한 후 림프절 생검으로 확인할 수 있다 (Schilling 등, 2008). Choline 대 creatine의 비율도 MRSI를 이용한 생체 실험에서 상당히 유용한 결과를 나타낸다고 평가된다 (Mazaheri 등, 2008).

단일 대사물질 및 대사율이 악성 표본과 양성 표본을 감별할 수 있다고는 하지만 민감도가 낮은 편이다. 현재로서는 전체 대사물질들의 측정치 분포 양상이 전립선암을 확인하고 특징짓는 데 더 민감도가 높다는 견해에 공감하고 있다 (Wu 등, 2010). 이는 전립선암을 HR-MAS NMR을 이용하여 전립선 조직 내의 악성 부위를 성공적으로 확인함으로써 지지를 받고 있다. 전체 대사체 상태가 주성분 분석으로 평가된다면, 전립선의 암 조직과 양성 조직을 감별하는 정확도가 95% 이상으로 ($p < 0.0001$) 매우 높아질 것이다. 일부 주요 성분들은 국소 전립선암 (T2)과 침습적 전립선암 (T3)을 구별하는 상당한 예측력을 가지고 있다. 대사체 분석은 생화학적 재발을 78%의 정확도로 예측할 수 있으며, 예후를 보다 더욱 구체화할 수 있다 (Maxeiner 등, 2010).

수술 후 전립선 조직 표본을 HR-MRS로 분석한 Swanson 등 (2003)은 건강한 상피 및 기질 조직과 전립선암 조직에서의 대사물질의 양상은 서로 다름을 관찰하였으며, 이들 결과는 도표 284와 같다. 정상 상피 조직에서는 전립선암 조직에 비해 citrate와 polyamine의 농도가 더 높았으며, choline을 함유한 화합물의 전체 농도는 더 낮았다. 건강한 기질 조직에서는 전립선암 조직에 비하여 choline을 함유한 화합물의 전체 농도는 더 낮았지만, citrate와 polyamine의 농도는 전립선암 조직과 비슷하게 낮았다 (Swanson 등, 2006). 또한, taurine, myo-inositol, scyllo-inositol 등의 농도는 건강한 상피 혹은 기질 조직에 비해 전립선암 조직에서 더 높았다 (Swanson 등, 2003). Lactate와 alanine의 농도는 정상 상피 조직이나 기질 조직에 비해 전립선암에서 증가되었다. 주목할 만한 점은 choline의 농도가 높을수록 그리고 citrate와 polyamine의 농도가 낮을수록 더 공격적인 종양과 관련이 있었다 ($p=0.05$)는 점이다 (Swanson 등, 2003).

6. 생체 밖 실험에서 생물 체액의 대사체 분석
In Vitro Metabolomic Analysis Of Biofluids

다양한 세포학적, 생화학적 이상을 파악하기 위해 체액을 분석해 보면 당시의 항상성을 알 수 있다. 이러한 맥락에서 전립선암을 발견하기 위해 곧바로 채집한 소변, 혈액, 배출된 전립

도표 284 건강한 전립선 조직과 전립선암 조직에서 HR-MAS MRS에 따른 대사물질 함량의 차이

	건강한 샘 조직, mmol/kg	건강한 기질 조직, mmol/kg	암 조직, mmol/kg	p
Citrate	43.1±21.2	16.1±5.6	19.6±12.7	<0.01
Polyamines	18.5±15.6	3.15±1.81	5.28±5.44	<0.01
Total choline[†]	7.06±2.36	7.04±3.10	13.8±7.4	<0.01
Lactate	46.5±17.4	45.1±18.6	69.8±27.1	<0.01
Alanine	8.63±4.91	6.80±2.95	12.6±6.8	<0.01

†, Total choline은 choline (정상 샘 조직에서는 3.52±1.44 mmol/kg)과 choline을 포함한 다른 화합물, 즉 phosphocholine, glycerophosphochoine 등을 합산한 농도를 가리킨다.

HR-MAS, high resonance magic angle spinning; MRS, magnetic resonance spectroscopy.

Swanson 등 (2003)의 자료를 수정 인용.

선액 (expressed prostatic secretion, EPS) 등을 활용할 수 있는데, 생검보다 이들을 우선적으로 선택하는 이유는 표본의 추출이 덜 침습적이고 감염, 출혈, 불쾌감 등의 위험을 최소화하면서 자주 실행할 수 있기 때문이다. 처음에는 전립선 배출액에 대한 ¹H-NMR의 임상적 이용이 표본 크기가 작음으로 인해 제한적이었지만, 분석의 정확도를 향상시키기 위해 더 작은 탐촉자를 사용하는 등 근래에는 방법이 개선되어 보다 더 효율적으로 활용하게 되었다.

양성전립선비대 환자 10명, 전립선암 환자 4명, 대조군 12명을 대상으로 전립선 마사지 후 채집한 전립선액과 11명의 정관 무형성증 남성에서 채집한 사정액을 MRS를 이용하여 연구한 Lynch와 Nicholson (1997)은 전립선암에서 citrate 대 spermine의 비율이 유의하게 더 낮았으며 (p<0.02), 사정액으로부터 나온 결과는 전립선 마사지 후의 전립선액에서 나온 결과와 동일하다고 하였다. 전립선암이 없는 군에 비해 전립선암을 가진 군에서 citrate 농도가 낮음은 전립선암을 가진 21명과 전립선암이 없는 16명으로부터 채집한 정액장액, 전립선암을 가진 7명과 전립선암이 없는 17명으로부터 채집한 전립선 배출액을 대상으로 평가한 Averna 등 (2005)의 연구에서도 확인되었다. 정액 내 citrate의 평균 농도는 대조군에 비해 전립선암 환자에서 2.7배 더 낮았다 (132±30.1 mM 대 48.0±7.9 mM, p<0.05). Serkova 등 (2008)도 사람의 전립선 배출액에서 myo-inositol, citrate, spermine 등의 농도는 연령과 관계없이 전립선암의 표지자 역할을 한다고 보고하였다. 세 대사물질의 농도 중앙치는 건강한 대조군 (26명)에 비해 전립선암 환자 (52명)에서 유의하게 더 낮았는데, myo-inositol의 경우 21 mM 대 7 mM (p<0.0001), citrate의 경우는 349 mM 대 114 mM (p<0.0001), spermine의 경우는 57 mM 대

27 mM (p<0.002)이었다. Myo-inositol, citrate, spermine에 대한 AUROC 값은 각각 0.87, 0.89, 0.79를 나타내어 세 대사물질은 전립선암에 대한 높은 예측력을 가지고 있었다. 또한, pyroglutamate, uracil 등과 같은 다른 대사물질도 전립선암의 존재 및 예후에 관한 유망한 생물 지표라고 제시되고 있다 (Cheng 등, 2001).

그러나 전립선액을 이용한 대사체 분석은 여러 제한점을 가지고 있다. 첫째, 전립선염에서도 citrate의 수치가 낮아질 수 있기 때문에 위양성의 결과가 나올 수 있다 (Kavanagh 등, 1982). 그것의 결정적인 원인 요소가 아연 농도이긴 하지만, 전립선염의 경우 그 원인이 분명하지 않고 여러 형태로 분류되기 때문에 전립선염에서의 타당성에 관한 추가 연구가 필요하다. 둘째, 위양성은 전암 형태의 변형에서도 가능하다. 위험군에 속한 환자에서는 고등급 전립선상피내암과 비정형 병변이 악성으로 변형될 수 있지만 전암 병변은 흔히 정상적인 조직 소견을 보인다 (Costello와 Franklin, 2009). 셋째, citrate의 생성은 방사선 요법과 안드로겐 박탈 요법 후에는 중단되기 때문에 (Menard 등, 2001) 철저한 병력 청취가 중요하다. 그러나 한편으로는 이를 치료에 대한 반응을 평가하는 데 이용할 수도 있다. 넷째, 위음성 결과는 citrate와 아연의 농도가 증가하는 양성전립선비대에서 생길 수 있는데, 양성전립선비대의 경우 전립선암을 흔히 동반하기 때문에 주의를 필요로 한다. 다섯째, 전립선액은 주변부의 상태를 반영하므로 전립선액을 이용한 검사로는 이행부에서 발생한 암을 놓칠 수 있어 이와 관련된 지표에 관한 추가 연구가 필요하다.

도표 285 전립선암의 단일 생물 지표로 유망한 체내 대사 산물

대사 산물	전립선암 상태	분석 방법	관련 문헌
Citrate	↓; 전이〈전립선암〈양성전립선비대〈정상	1H-MRSI	Kurhanewicz 등, 1995
Choline	↑	1H-MRSI	Kumar 등, 2008
Lactate	↑; 전립선암〉정상〉양성전립선비대	1H-MRSI, 13C-MRSI	Tessem 등, 2008
Choline+creatine/citrate	↑; 전이〉전립선암〉양성전립선비대〉정상	1H-MRSI, JPRESS (EC)	Scheenen 등, 2007
Citrate:choline	↓; 전립선암〈양성전립선비대〈정상	1H-MRSI	Heerschap 등, 1997
Choline+creatine/spermine	↑; Gleason 점수와 상관	JPRESS (EC)	Cheng 등, 2001
Choline/creatine	↑; 전립선암〉양성전립선비대†	1H-MRSI	Umbehr 등, 2009

†, Choline/creatine의 경우 전립선암과 양성전립선비대를 감별하는 데 민감도 98.6%, 특이도 85.7%.
EC, endorectal coil; JPRESS, J-point-resolved spectroscopy; MRSI, magnetic resonance spectroscopic imaging.
Roberts 등 (2011)의 자료를 수정 인용.

7. 생체 실험에서 전립선암의 대사체 분석
In Vivo Metabolomic Analysis Of Prostate Cancer

정확하고 비침습적인 체내 대사체 분석법을 개발하여 조기에 전립선암을 발견하기 위해, 표준 생리를 적용하고 전체 대사체의 측정 자료를 수집하여 개개의 주요 대사물질을 확인하는 연구가 진행 중에 있다. 많은 다른 방법과 접근법이 연구되어 왔으며, 그들 중 일부는 도표 285에 요약되어 있다.

MRSI는 체내 구조물 내의 대사물질의 정량화와 조직 구조의 영상화를 동시에 실시하여 건강한 조직과 악성 조직을 감별하는 방법이며, 현재 가장 널리 이용되고 있다 (Fass, 2008). 과거에는 rectal coil이 사용되었지만 현재는 대부분의 생체 내 MRI가 'whole body'이다. 체액에 대한 생체 밖 실험 연구와 마찬가지로 MRSI의 분석은 citrate와 choline을 우선적인 목표로 삼는다 (도표 286). 전립선액에서처럼 전립선의 조직에서 MRSI 분석을 통한 citrate와 spermine의 감소 및 choline의 증가는 Gleason 점수와 상호 관련이 있다고 보고되었다 (Kurhanewicz 등, 2002). 이러한 연관성은 작은 병소의 종양, 조직의 비균질, Gleason 점수 해석의 상이 등과 같이 생검 침에 의한 표본 채집으로 생기는 여러 문제점 때문에 일정하지 않지만 (van Asten 등, 2008), MRSI 분석은 다음과 같은 장점을 가지고 있다. 첫째, citrate는 치료의 반응과 재발률을 예측할 수 있다 (Spratlin 등 2009). 둘째, MRSI를 이용한 citrate의 정량화는 피막 밖으로의 침범을 확인하고 관찰자 사이의 변동성을 감소시키는 측면에서 해부학적인 MRI보다 우수하다 (Scheidler 등, 1999). 셋째, 채집된 전립선 조직에 대한 MRSI

도표 286 전립선에 대한 MRI와 MRSI를 병용한 검사의 예

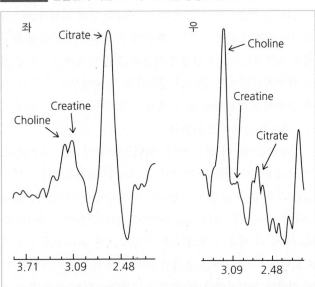

좌측 그래프는 전립선 주변부 대사물질의 정상 분포를 나타내는데, citrate의 농도는 높고 choline과 creatine의 농도는 낮다. 우측 그래프는 전립선암 조직의 대사물질 분포를 나타내는데, choline의 농도는 증가되고 citrate의 농도는 감소되어 있다.
MRI, magnetic resonance imaging; MRSI, magnetic resonance spectroscopic imaging.

의 대사체 분석은 90% 이상의 정확도로 관심이 있는 부분을 조명할 수 있다 (Wu 등, 2010).

인체 내의 대사체를 분석하기 위한 근래의 PET는 악성 세포를 확인하기 위해 choline 대사의 증가를 이용하는데, 민감도가 높다. 방사성 PET 지표 물질인 ^{11}C-choline은 공격적인 전립선암에서 대사된다고 알려져 있으며, 골 전이의 확인 (Hara 등, 1999), 전립선암의 위치 확인 및 병기 분류 (Teahan 등, 2010)에 이용된다. PET를 이용한 방법은 PSA 농도가 3

ng/mL 이상인 환자에서 73%의 정확도를 나타낸다 (Krause 등, 2008). ^{18}F-choline 유사체도 전립선암을 발견하고 병기를 분류하는 데 도움을 주며 (Price 등, 2002), 반면에 ^{11}C-leucine과 ^{11}C-valine은 전립선암 세포에 의해 대사된다고 보고되고 있다 (Ishiwata 등, 1993). 생물 지표로 이용되고 있는 choline 함유 화합물에 대해 더욱 광범위하게 검토하려면 Glunde와 Serkova (2006)의 연구 결과가 도움이 된다.

혈청 PSA의 농도는 호르몬에 의존적이다. 전립선암 환자에서 호르몬을 제거하는 요법의 기간이 길수록 PSA의 농도가 0.20 ng/mL를 초과하는 환자의 비율은 줄어든다 (Gleave 등, 1996). 마찬가지로 전립선에서 citrate의 생성, 저장, 분비 등도 호르몬에 의존적이다 (Costello와 Franklin, 1991). 때문에, 호르몬을 제거하는 요법을 실시하는 기간이 증가하면 전립선에 대한 MRS로 확인이 가능한 농도의 citrate를 가진 환자의 비율이 감소하며, 호르몬을 제거하는 요법을 받고 있는 환자의 일부에서는 '대사성 위축 (metabolic atrophy)', 즉 전립선 MRS로 확인이 가능한 citrate, choline, creatine 등의 대사물질이 관찰되지 않는 현상이 일어난다 (MuellerLisse 등, 2001). 또한, 호르몬 박탈 요법을 받고 있는 환자의 전립선, 특히 전립선암 부위에서는 citrate가 관찰되지 않더라도 choline은 확인된다 (Mueller-Lisse 등, 2001).

선행 보조 요법 (neoadjuvant therapy)을 실시하면 근치전립선절제술 때 수술 절제면 침범의 비율이 감소되고 (Witjes 등, 1997) 3차원적 입체 조형 방사선 요법 후 이환율이 감소한다 (Zelefsky와 Harrison, 1997)는 보고가 있은 후 국소 전립선암에 대한 호르몬 박탈 요법에 임상적 관심이 모아지고 있다. 그러나 결정적인 치료를 실시하기 전 얼마 동안 선행 호르몬 박탈 요법을 실시할 것인지는 분명하지 않다. 국소 전립선암에 대한 치료 프로토콜에서 호르몬 박탈 요법의 기간은 6주~8개월 (van Poppel 등, 1995; Klotz 등, 2000) 범위이다. 여러 프로토콜은 선행 호르몬 박탈 요법의 기간을 3개월 (13주)로 정하였다 (Solomon 등, 1993). 그러나 3개월에 비해 8개월의 선행 호르몬 박탈 요법은 근치전립선절제술 때 절제면 양성인 환자 비율의 감소 (Gleave 등, 1996)와 체외 방사선 요법 (Klotz 등, 2000) 혹은 근치전립선절제술 (Gleave 등, 2000) 후 생화학적 실패를 가지는 환자 비율의 감소와 더 관련이 있었다. 임상적으로 전이가 없는 전립선암 환자에게 LHRH 유사제 단독 요법 혹은 안드로겐 대항제와의 병용 요법을 이용하여 간헐적으로 호르몬 박탈 요법을 실시하면, 4~9개월, 평

균 6개월 시점에서 혈청 PSA 농도의 최저치의 중앙값이 0.01 ng/mL로 감소하였다 (Grossfeld 등, 2001). 그러나 선행 호르몬 박탈 요법을 시작한 후 호르몬 의존성 생물 지표인 PSA와 MRS citrate가 감소하는 속도는 개인에 따라 다르다.

이에 Mueller-Lisse 등 (2007)은 MRS에서 전립선 citrate의 고갈 혹은 대사성 위축과 호르몬 박탈 요법의 실행 기간, 혈청 PSA, 생검의 Gleason 점수 등과의 연관성을 확인하기 위하여 3D-MRS (endorectal coil, PRESS, TR 1,000 ms, TE 130 ms)를 이용하여 27±19주 동안 4명에게는 LHRH 유사제 leuprolide acetate를 이용한 단일 요법을, 3명에게는 bicalutamide를 이용한 안드로겐 대항 요법을, 29명에게는 LHRH 유사제와 안드로겐 대항제를 병용한 호르몬 박탈 요법을 각각 실시하였다. 연구 결과, citrate는 호르몬 박탈 요법을 13주 이하로 실행한 경우 12명 중 10명에서 발견되었고 2명에서는 발견되지 않은 데 비해, 14주 이상 실행한 경우는 24명 중 6명에서만 발견되었고 18명에서는 발견되지 않았다 (p=0.002). 혈청 PSA가 0.20 ng/mL를 초과한 18명 환자 모두에서 대사물질이 발견되었지만 (citrate가 발견된 경우는 18명 중 12명, citrate 없이 choline이 발견된 경우는 18명 중 6명이었으며, 18명 중 대사성 위축이 일어난 경우는 없었다), 혈청 PSA가 0.20 ng/mL 이하인 경우에는 18명 중 6명에서 대사성 위축이 발생하였다 (p=0.001). 대사성 위축, citrate 농도, 치료 전 혈청 PSA, 생검 시 Gleason 점수 사이에는 연관성이 없었다. 이들 결과는 국소 전립선암 환자에게 호르몬 박탈 요법을 실시하더라도 13주 전까지는 호르몬이 완전하게 제거되지 않으며 호르몬 박탈 요법 후 혈청 PSA가 0.20 ng/mL을 초과한 환자에서는 MRS로 전립선의 대사물질을 발견할 수 있음을 보여 준다.

그러나 생체 내 MRI와 PET가 단점이 없지는 않다. MRI는 스펙트럼의 해상능력에서 한계가 있기 때문에 개개의 대사물질을 측정할 수 없다. 이러한 제한점은 diffusion-weighted imaging/dynamic contrast enhancement의 도입으로 개선되었다 (DeFeo와 Cheng, 2010). 또한, 과거에는 표본의 크기가 커야 분석이 가능하였지만, 근래에는 point-resolved spectroscopy (PRESS)를 이용하여 1 μL의 소량 표본에서도 분석이 가능해졌다 (Serkova 등, 2007). PET의 단점은 주로 사용된 지표와 이들이 표적 조직에 축적되는 비율로 인해 생긴다. 계속 연구하면 전립선암의 위치를 정확하게 확인하고 병기를 분류하는 데 도움이 되는 지표를 발견할 수 있을 것이다.

8. MRI와 MRSI의 임상적 활용
Current Clinical Indications Of MRI & MRSI

앞에서 어느 정도 기술하였지만 정리하는 의미로 MRSI와 그것의 전립선암에 대한 효용성을 다시 기술한다. MRSI는 형태학적 정보를 넘어 choline, citrate 등과 같은 세포의 대사물질을 측량함으로써 전립선암의 진단적 평가도 가능하게 하는 비침습적 기법이다. 치료 전후에 해부학적 정보를 제공하는 MRI에 MRSI를 추가하면, 전립선 안에 있는 암의 위치 및 범위, 피막 밖으로의 확대, 암의 공격성 등에 관한 평가가 가능하여 전립선암 치료의 전후에서 암의 발견 및 위치 파악, 병기 결정, 치료 후의 환자 관리 등에서 많은 이점을 얻을 수 있다.

전립선암의 진단 및 위치 선정 전립선 주변부의 T2 신호 강도는 정상에서는 높으나 전립선암에서는 낮음이 MRI의 특징이지만, 일부 종양은 정상 조직과 같은 강도를 나타내기 때문에, 이러한 특징은 전립선암에 대해 민감도가 제한적이다 (Vilanova 등, 2001). MRSI를 추가하면 종양의 위치를 파악하는 데 도움이 된다. 또한, MRI로 관찰된 주변부의 낮은 신호 강도는 여러 양성적인 조건, 예를 들면 출혈, 전립선염, 증식, 방사선 요법 혹은 호르몬 요법 후의 조직 등에서도 가능하기 때문에, 낮은 신호 강도의 특이도는 낮은 편이다 (Cruz 등, 2002). 그러나 MRS를 추가하면 전립선암의 발견에 대한 특이도가 상당하게 증가된다 (Claus 등, 2004).

침 생검은 PSA 농도가 4 ng/mL를 초과한 환자에서 전립선암을 조직학적으로 진단하는 데 가장 흔히 사용되는 방법이다. MRI와 MRSI는 전립선암을 진단하는 과정에서 1차적 접근법은 아니지만, 표적 생검, 특히 1차 생검에서 음성 결과를 나타내었으나 PSA가 점차 증가하여 암이 의심되는 환자에서는 활용이 가능하다 (Perrotti 등, 1999). 동시에 MR의 음성 예측도, 즉 검사가 음성이면 실제도 음성일 확률이 높기 때문에, 이전의 생검이 음성인 환자에서 PSA가 증가하더라도 MRI/MRSI가 음성이면 더 이상 생검을 안 해도 된다 (Comet-Batlle 등, 2003). 전립선암의 진단에서 암이 전방 주변부 혹은 이행부에 있을 때는 MRSI가 유익하다. 그들 전립선암은 직장수지검사에서 촉진되지 않으며 흔히 통상적인 생검 혹은 표적 생검으로 채취되지도 않는다. MRI/MRSI의 병용은 주변부 및 이행부 내의 종양을 발견할 가능성을 높인다 (Vilanova 등, 2004). 그러나 이행부 전립선암에서 대사물질의 분포 양상은 양성 전립선 조직의 경우와 중복된다 (Zakian 등, 2003).

이 때문에 이행부에서 악성 조직과 양성 조직을 구별하기 위해 단일 대사물질을 분석하게 되면 정확도가 떨어진다. 근래의 연구는 대사성 정보와 Gleason 등급이 상호 관련이 있기 때문에, MRSI로 전립선암의 공격성을 비침습적으로 알 수 있다고 하였다 (Zakian 등, 2005). 따라서 Gleason 등급이 환자의 예후에 대한 중요한 예측 인자인 것처럼 MRS로 측정된 (choline+creatinine)/citrate의 비율과 종양의 용적은 전립선암의 공격성을 치료 전에 평가하는 과정에서 중요한 역할을 한다. 또한, MRI/MRSI는 방사선 요법을 실시할 경우 기술적인 성공률을 높이며, 이로써 임상적인 결과를 개선시킨다 (Claus 등, 2004).

전립선암의 병기 결정 전립선 밖으로 암이 전파되었는지를 인지하는 것은 적절한 치료를 선택하는 데 매우 중요하다. 전립선에 국한되어 있거나 피막 외부로 경미한 확대가 있는 전립선암의 경우는 국소적 치료로 치유가 가능한 데 비해, 피막 외부로 크게 확대된 경우는 전신적 요법이나 전신적 요법과 국소적 요법을 병행하는 요법이 필요하다. MRI와 MRSI의 병용은 피막 밖으로의 확장에 대한 평가를 개선시키고 관찰자 사이에서 발생하는 판정의 변동 정도를 감소시킨다 (Yu 등, 1999). 직장 내 coil 삽입 MRI에서 피막 밖으로의 침범을 진단하는 기준으로는 신경혈관 다발의 비대칭 혹은 침범, 직장과 전립선이 이루는 각도의 상실, 피막의 국소적 및 불규칙적 돌출, 정낭 침범 등이 있다 (Claus 등, 2004). 생검 후 MRI에서 불규칙한 피막 양상을 보이는 것은 출혈 때문일 가능성이 높기 때문에, 생검 후의 평가에서 불규칙한 피막을 해석할 경우에는 주의를 필요로 한다 (Qayyum 등, 2004). 직장수지검사, 초음파촬영술, 전산화단층촬영술 등에 비해 MRI는 단엽 혹은 양엽 (bilobar) 질환 (T2 병기), 피막 외부로의 침범 (T3 병기), 인접 기관으로의 침범 (T4 병기) 등의 평가에서 더 높은 정확도를 나타낸다 (Wefer 등, 2000). 국소 병기의 전립선암에 대한 MRI의 관례적 사용은 아직 논란 중에 있다 (Engelbrecht 등, 2002). MRI로 국소 병기를 결정할 경우 비용 측면에서 가장 효과적인 환자군은 PSA가 4~20 ng/mL이고 Gleason 점수가 5~7로 저급 위험군 혹은 중급 위험군에 속한 환자가 T3 병기를 가지고 있다고 간주되는 경우이다 (Cornoud 등, 2002). 이러한 환자에서는 MRI의 결과에 따라 근치전립선절제술, 방사선 요법, 증상 완화를 위한 고식적 방사선 요법 등의 치료 방법을 선택할 수 있어 MRI는 유용한 검사 방법이라고 할 수 있다. 임상 노모그램에 MRI와 MRSI를 포함시키면 국소 요법에 해당하는 환자를 선정하는 데 유익하다 (Wang 등, 2004).

전립선암 치료의 평가 혈청 PSA 농도는 수술, 호르몬 요법, 방사선 요법 후 치료의 실패를 예측하는 데 흔히 이용된다 (Partin 등, 2002). 그러나 PSA는 암에 특이적이지 않아 잔존 양성전립선비대 혹은 정상 전립선 조직 때문에 증가할 수 있다. 잔존 암이나 재발성 암을 발견하는 데는 초음파촬영술, CT, MRI 등의 전통적인 방사선 기법은 효과적이지 않다 (Rajesh와 Coakley, 2004). 방사선 요법이나 호르몬 요법 후에는 전립선 크기가 줄어들면서 T2 신호 강도가 폭넓게 감소되고 부위별 구조가 불분명해져 MRI로 국소적 재발을 발견하기가 어렵다. MRSI는 치료 후 재발성 암 혹은 잔존 암을 발견하거나 배제하는 데 도움이 된다 (Coakley 등, 2004). 완전한 '대사성 위축'은 국소 재발의 배제에 대하여 100%의 음성 예측도를 나타낸다 (Rajesh와 Coakley, 2004). 치료 후 초기 병기의 잔존 종양을 발견하고 치료 반응의 경과를 추적하는 데 효율적인 MRSI는 보충 요법을 조기에 실행할 수 있도록 만들고 치료의 효과를 양적으로 평가할 수 있게 한다 (Vilanova와 Barceló, 2005).

이들 자료에 따라 MRI와 MRSI의 병용은 다음의 경우에 적용 가능하다고 생각된다. 첫째, 피막 외부로 확장된 위험이 있어 수술을 할지 방사선 요법을 할지 결정하기 어려운 일부 환자에서 병기의 결정. 둘째, 초음파촬영술 유도 하의 생검이 음성 결과를 나타내었지만 PSA의 증가가 있거나 계속 증가 중인 환자. 셋째, 다양한 치료 후 국소 재발이 의심되는 환자에 대한 평가 (Vilanova와 Barceló, 2007; Dwivedi 등, 2012).

9. 추정 생물 지표들의 타당성 검증
Validation Of Putative Biomarkers

대사체에 근거한 연구로부터 얻은 양적인 자료는 전립선암의 특징을 쉽게 발견할 수 있도록 하는 대사물질의 변화에 근거하여 진단 및 예후의 생물 지표 혹은 도구의 개발을 가능하게 한다 (Zhang 등, 2014). 임상적 필요성 및 과학적 전망에도 불구하고 확인된 모든 생물 지표들은 임상에 직접 이용되기 전에 광범위하게 타당성을 조사해 보아야 한다. 즉, 대사체에 관한 연구를 위해서는 연구 셋업 및 디자인, 표본 분석, 대사물질의 표준화, 자료의 처리, 통계적 분석 등 전체 연구 과정에 대한 세심한 주의가 필요한데, 그 이유는 이들 중 한 가지 때문에도 결과가 달라질 수 있기 때문이다 (Roberts 등, 2011). 추정되는 생물 지표가 실험으로 유망하다고 추정되더라도 전립선암에 대한 선별검사로 활용하기 전에 철저한 평가와 시험이 반드시 필요하다. 추정되는 생물 지표의 분석과 보고에 관한 표준화의 정립은 전립선암 환자와 진료하는 임상의 사이에 일어날 수 있는 불필요한 잘못을 줄일 수 있다 (Schalken, 2010).

GLEASON 등급

GLEASON GRADE

1. Gleason Grading System 833
2. Modification Of Gleason System 836
3. Comparison Of Gleason Score In Needle Biopsy And Radical
   Prostatectomy Sample 838
4. Significance Of Gleason Grade 841

GLEASON 등급

GLEASON GRADE

Gleason 등급 부과 시스템은 전립선 생검 혹은 전립선 절제 표본을 이용하여 전립선암 환자의 예후를 예측하는 데 도움을 주는 도구로서 Gleason 점수가 높을수록 암은 더 공격적이며 예후가 더 나쁘다.

1. Gleason 등급 부과 시스템
Gleason Grading System

전립선암을 평가하기 위해 등급을 매기는 도구가 여러 가지 있지만 Gleason 등급 부과 시스템이 가장 널리 이용되고 있다 (Gleason, 1966). 1960~1965년의 기간에서 4,000례 이상의 전립선암 환자들을 연구한 Veterans Administration Cooperative Urological Research Group (VACURG)의 결과를 토대로 만든 Gleason 등급 부과 방식은 저배율로 확인된 종양 내 분비 샘의 형태에 근거를 두며, 종양의 생물학적인 활동은 '가장 나쁜' 등급이 아니라 '평균' 등급에 따라 결정된다는 개념에 의해 개발되었다 (Gleason과 Mellinger, 1974) (도표 287). 이 등급 부과 방식은 전적으로 암세포의 분화 및 배열에 관한 조직학적 패턴과 hematoxylin and eosin (H&E) 염색에서 보이는 세포 그룹에 기초를 두며, 세포학적 양상은 종양의 등급과는 상관없다. 구조적으로 가장 많이 분포하는, 즉 전체 암 조직 패턴의 50% 이상을 차지하는 조직 패턴과 두 번째로 많이 분포하는, 즉 관찰되는 전체 암 조직 패턴의 50% 미만, 최소 5% 이상 차지하는 조직 패턴을 확인한 후 각각을 등급 1~5에 배정하며, 가장 분화가 잘 된 조직은 1등급, 가장 분화가 안 된 미분화 조직은 5등급으로 부과한다. 첫 번째로 많이 분포하는

패턴과 두 번째로 많이 분포하는 패턴은 예후를 예측하는 데 영향을 주기 때문에, 이 두 가지 패턴의 등급을 합산한 Gleason 점수를 전립선암을 평가하는 데 이용한다. 만일 종양이 한 가지 패턴으로 한결같은 양상을 나타내면, 가장 많이 분포하는 패턴과 두 번째로 많이 분포하는 패턴을 동일한 등급으로 매기게 된다. Gleason 점수는 Gleason 패턴 1의 조직만으로 구성된 종양인 2점 (1+1=2)으로부터 완전하게 Gleason 패턴 5의 미분화된 조직으로만 구성된 종양인 10점 (5+5=10)까지 있다. 연구자들은 혼동을 피하기 위해 암이 작더라도 가장 많이 나타나는 부위와 두 번째로 많이 나타나는 부위에 대해 각각의 패턴으로 기록하는 것을 선호하였다. 왜냐 하면, 병리학자가 'Gleason 등급 4'로만 기록할 경우에는 평균 Gleason 패턴 4, 즉 고등급 분화도의 암으로 해석되거나, Gleason 점수 4인 저등급 분화도의 암으로 해석될 수 있기 때문이다. 전립선암의 분화도는 Gleason 점수에 따라 세분되며 2~4점을 저등급 분화 (well differentiation), 5~6점 (이전에는 5~7점)을 중등급 분화 (intermediately well differentiation), 7~10점 (이전에는 8~10점)을 고등급 분화 혹은 미분화 (poor differentiation)로 분류된다.

근치전립선절제술 후 채집한 조직에서 세 번째로 흔한 부위가 고등급일 경우는 암의 생물학적 활동에 악영향을 준다고 보고된다. 예를 들면, Hattab 등 (2006)은 Gleason 등급이 3인지 혹은 4인지에 관계없이, 세 번째로 우세한 등급 5의 유무가 Gleason 점수 7인 전립선암에서 PSA 재발의 가장 강력하고 독립적인 예후 인자라고 하였다. 그러나 가장 많이 분포하는 등급과 가장 높은 등급의 합으로 예후를 결정할 수는 없

도표 287 Gleason 등급 매김 방식

Pattern 1: The cancerous prostate closely resembles normal prostate tissue. Relatively circumscribed nodules are composed of small, single, well-formed, uniform, separate, closely packed glands.

Pattern 2: The tissue still has glands like as Gleason pattern 1 glands, but they are larger and have more tissue between them.

Pattern 3: The tissue still has recognizable glands, but the cells are darker. At high magnification, some of these cells have left the glands and are beginning to infiltrate the surrounding non-neoplastic tissue. The glands have marked variation in size and shape, with smaller glands than in Gleason pattern 1 or pattern 2.

Pattern 4: The tissue has few recognizable glands (the glands are no longer single and separate as in pattern 1 to 3). One may also see large, irregular, cribriform glands as opposed to the smoothly circumscribed smaller nodules of cribriform Gleason pattern 3. Many cells are invading the surrounding tissue.

Pattern 5: The tissue does not have recognizable glands. The tissue shows no glandular differentiation and is composed of solid sheets, cords, single cells, or tumor with central comedo necrosis. There are often just sheets of cells throughout the surrounding tissue. This pattern is called undifferentiation.

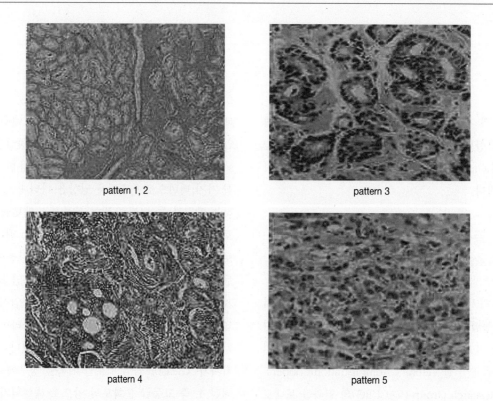

pattern 1, 2　　　　　pattern 3

pattern 4　　　　　pattern 5

일반적으로 Gleason 점수에 따른 분화도의 등급은 세 부류로 분류된다: well differentiation (저등급)은 2~4점, moderately well differentiation (중등급)은 5~6점, poor differentiation (고등급)은 7~10점.

으며, 근치전립선절제술 후 채집한 검사물에서 가장 흔한 구조물의 패턴과 두 번째로 흔한 패턴을 기재하면서 세 번째로 흔한 고등급 패턴이 있다는 단서를 다는 것이 오히려 더 좋은 방법이다 (Pan 등, 2000). 침 생검으로 채집된 여러 조각의 검사물에서 서로 다른 비율로 패턴 3, 4, 5의 종양이 발견된 경우에는 가장 흔한 패턴과 가장 높은 패턴을 합하여 Gleason 점수를 계산한다. 침 생검으로 얻은 검사물에서 고등급 분화도의 종양이 조금이라도 있다고 확인되면, 이는 전립선 내에 그보다 더 많은 양의 고등급 분화도의 종양이 있음을 강력하게 시사한다.

Gleason 점수 시스템은 전립선암의 진행을 예측하고 치료의 결과를 평가하는 데 기본적인 도구이다. 흥미로운 점은 전립선절제 표본 내에서 Gleason 패턴 4의 비율이 생화학적 재발률과 암 특이 사망률을 예측하는 중요한 인자라는 점이다. 현재의 Gleason 분류에 의하면, Gleason 3+3의 경우 질환의 진행 혹은 사망에 대한 장기간 위험이 최소 범위라고 간주된다. 생화학적 재발과 전립선암 특이 사망률은 전립선 절제 표본 내에 Gleason 패턴 4가 분포한 비율이 증가할수록, 즉 Gleason 패턴 4가 세 번째로 흔한 패턴으로서 5% 미만으로 분포한 3+3으로부터 3+4, 4+3, 4+4로 증가할수록 증가한다.

Gleason 패턴 4 요소의 용적은 잘 분화된 요소에 비해 신속하게 증가하기 때문에, 소량의 Gleason 패턴 4는 전립선암의 자연 경과 중 초기 단계에 발견된다고 생각되며, 이 경우 암세포의 전이 가능성은 낮다. 전립선 절제 표본 내 다량으로 포함된 Gleason 패턴 4는 두 가지로 설명될 수 있는데, 하나는 Gleason 패턴 4 세포의 단일 클론이 빠른 성장을 하여 전립선 내로 확장한다는 기전이고, 다른 하나는 Gleason 패턴 3의 암세포가 Gleason 패턴 4로 발달한다는 기전이다. 이러한 가설은 전이 암에 대한 유전자 분석과 전립선 내 다병소 암에 대한 비교 분석을 통해 연구되어 왔다. 진단 당시의 질환 상태, 치료 방법의 선택, 치료의 결과, 임상적 및 분자적 관찰에 근거한 연구 등의 측면에서 이들 개념은 매우 중요하다고 생각된다 (Lavery와 Droller, 2012).

Gleason 등급의 분류는 도표 287과 같으며, 앞에서 기술된 바와 같이 이들 중에 패턴 4를 확인하는 것이 중요한데, 그 이유는 패턴 3에 비해 패턴 4의 예후가 상당히 나쁘기 때문이다 (McNeal 등, 1990). Gleason 점수 7의 전립선암은 Gleason 패턴 3과 4를 가진 조직학적으로 이종적인 암이다. 여러 연구 결과에서 Gleason 패턴 4는 패턴 3보다 정낭 침범, 림프절 침범, 전립선 피막 밖으로 침범, 수술 절제면 침범 등의 비율이 높다. Gleason 점수 7인 암의 진행에 관해서는 의견이 분분한데, Gleason 등급 4가 질병의 진행에 대한 독립적 예후 인자가 아니라는 보고가 있는 데 비해 (Herman 등, 2001), 더 높은 생화학적 재발, 전신적 재발, 종양 특이 사망과 관련이 있다는 보고도 있다. 예를 들면, Sakr 등 (2000)은 생화학적 재발에 대한 다변량 분석에서 4+3군과 3+4군을 비교하였을 때, PSA가 10 ng/mL 이하인 경우에는 가장 우세한 Gleason 패턴이 유의한 독립적 예후 인자이었다고 하였다. 근치전립선절제술 후 채집한 조직을 이용하여 5년 질병 진행률을 비교 분석한 Chan 등 (2000)은 가장 우세한 Gleason 등급 4가 질병 진행의 독립적 예후 인자이었으며, 4+3 군과 3+4 군 사이에는 5년 질병 진행률과 진행까지의 기간, 질환의 전이 등에서도 유의한 차이를 나타내었다고 하였다. Tollefson 등 (2006)도 10년간 장기 추적한 결과, 생화학적 무재발 생존율, 전신적 재발, 종양 특이 생존율 등에서 4+3 군과 3+4 군은 유의한 차이를 보였다고 하였다. Gleason 점수 7의 전립선암을 가진 1,248명을 대상으로 실시한 연구에서 3+4 Gleason 점수를 가진 환자는 721명 (57.8%), 4+3 Gleason 점수를 가진 환자는 527명 (42.2%)이었으며, 3+4 Gleason 점수를 가진 환자와

4+3 Gleason 점수를 가진 환자의 3년과 5년 생화학적 무재발 생존율은 각각 84.6, 76.4%와 69.9, 61.1%이었다 (Alenda 등, 2011).

Gleason 시스템의 경우 관찰자 사이에서 발생하는 재현성은 숙련된 비뇨병리학자들에서는 좋으나 숙련되지 않은 병리학자들에서는 좋지 않다. Gleason의 등급 시스템에 익숙하지 않은 경우에는 간단한 교육 과정인 www.pathology.jhu.edu/prostate와 같은 웹사이트에 참여하면 도움이 된다 (Kronz 등, 2000).

생검으로 채집된 검사물의 Gleason 등급은 뒤이은 전립선 절제술로 얻은 검사물의 Gleason 등급과 상관성이 매우 높다. 그러나 등급이 서로 일치하지 않을 수 있는데, 그 이유는 다음과 같다. 첫째, 수술 전 생검으로 얻은 제한된 양의 종양으로는 정확한 Gleason 점수를 산출하기 어렵다. 둘째, 각 Gleason 등급 사이에 존재하는 중간 등급에 대한 해석에서 차이가 있을 수 있다. 셋째, 생검으로 얻은 표본과 근치전립선절제술로 얻은 표본을 검사하는 병리학 의사 사이에 차이가 있을 수 있다. 넷째, 두 가지 이상의 Gleason 패턴이 자주 보이는데, 제한된 양의 조직에서는 이를 정확하게 반영하지 못한다. 이들 중에 가장 흔한 원인은 두 가지 이상의 Gleason 패턴을 가진 종양에 대해 등급을 매기기 때문이며, 침 생검의 경우 과대 평가보다 과소 평가가 더 문제되고, 채집 과정의 잘못으로 생기는 어느 정도의 오차는 피할 수가 없다 (Fernandes 등, 1997).

Gleason 등급을 올바르게 부과하기 위해서는 침 생검에서 확인된 전립선암을 Gleason 점수 2~4점에는 배정하지 않는 것이 좋은데, 이유는 다음과 같다. 첫째, 침 생검에서 Gleason 점수 2~4점에 배정된 대부분의 종양이 숙련된 비뇨병리학자에 의해 재검토되면 Gleason 점수 5~6점으로 높게 매겨진다 (Steinberg 등 1997). 둘째, 침 생검에서 Gleason 점수 2~4점으로 진단된 경우 숙련된 비뇨병리학자 사이에서 조차 재현성이 낮다 (Allsbrook 등, 1999). 셋째, 임상들은 침 생검에서 저등급으로 진단된 모든 암은 결정적인 치료를 할 필요가 없다고 잘못 생각할 수 있기 때문에, 침 생검으로 확인된 전립선암을 Gleason 점수 2~4점에 배정하게 되면 환자에 대한 관리가 소극적이 될 수 있다. 경요도전립선절제술로 확인된 작은 용적이면서 Gleason 점수 2~4점의 전립선암은 느린 진행을 보이지만, 침 생검에서 확인된 저등급 분화도의 암인 경우에는 반드시 그렇지 않다.

한편, 2005년 International Society of Urological Pathology (ISUP)는 Gleason 패턴 4 혹은 5가 있을 경우 생검 Gleason 패턴 3이 두 번째로 많이 분포하지만 5% 이하의 적은 양이면 이를 무시할 것을 권하였으며, 패턴 3, 4, 5가 있는 경우에는 가장 흔한 패턴과 가장 높은 패턴의 등급을 합하여 Gleason 점수를 산출하라고 권하였다 (Epstein 등, 2005).

2. Gleason 시스템 수정안
Modification Of Gleason System

1960년대와 1970년대에 Donald F. Gleason이 전립선암의 다양한 구조적 패턴을 특징지어 5가지의 등급 혹은 패턴으로 분류함으로써 Gleason 등급 부과 시스템을 정립하였다 (Gleason, 1966; Gleason과 Mellinger, 1974). 이러한 시스템이 소개된 지 40년 이상 지났지만, 아직도 Gleason 시스템은 전립선암 환자의 중요한 예후 인자로 남아 있다. Gleason 시스템은 대개는 전립선절제술 및 경요도전립선절제술 표본과 같은 큰 표본으로부터 유래되었으나, 침 생검 기법이 소개된 이후에는 침 생검 시술에 적합하도록 제한된 생검 core 조직에 대해 등급을 매기는 방식으로 발전하게 되었다. 20세기 끝 무렵에는 Gleason 시스템의 해석과 적용 사이에 차이가 있어 Gleason 시스템을 진료에 적용시키는 방법을 명확하게 하는 권고안이 만들어졌다 (Association of Directors of Anatomical and Surgical Pathology, 1996). 그러나 암의 다양한 형태학적 패턴을 자의적으로 해석해야 한다는 제한점 때문에 여러 가지 문제가 여전히 남아 있는 상태이다. 예를 들면, 악성 샘의 크기와 모양이 어느 정도로 변해야 Gleason 패턴 3으로 할 것인지, 샘의 어떠한 융합 모양을 Gleason 패턴 4로 해석할 것인지 등을 분명하게 규정짓기가 쉽지 않다. 다른 문제로는 내강이 불완전하게 형성된 명료하지 않은 샘에 대한 등급 부과, 속이 듬성듬성 빈 체모양 (cribriform) 샘의 형태학적 범위에 관한 규정, 세 번째로 우세한 등급이 첫 번째와 두 번째로 우세한 등급보다 높은 경우의 등급 합산 등이 있다.

Gleason 시스템이 가지고 있는 여러 문제를 해결하기 위해 ISUP는 2005년도 United States and Canadian Academy of Pathology Annual Meeting in San Antonio, TX, USA에서 Gleason 등급 부과에 관해 합의를 도출하기 위한 회의가 개최되었다. 20개 국가의 비뇨병리학자들이 축적된 증거와 진료 표준화를 근거로 하여 당대의 진료에서 Gleason 시스템을 어

도표 288 Gleason 등급 부과 시스템 수정안 (ISUP 2005)

패턴	저배율 현미경학적 분비 샘의 양상
패턴 1	· Circumscribed nodule of closely packed but separate, uniform, rounded to oval, medium-sized acini (larger glands than pattern 3)
패턴 2	· Like pattern 1, fairly circumscribed, yet at the edge of the tumor nodule there might be minimal infiltration
패턴 3	· Discrete glandular units. Typically smaller glands than seen in Gleason pattern 1 or 2 · Infiltrates in & amongst non-neoplastic prostate acini · Marked variation in size and shape · Smoothly circumscribed small cribriform nodules of tumor
패턴 4	· Fused microacinar glands · Ill-defined glands with poorly formed glandular lumina · Large cribriform glands · Cribriform glands with an irregular border · Hypernephromatoid
패턴 5	· Essentially no glandular differentiation, composed of solid sheets, cords, or single cells · Comedocarcinoma with central necrosis surrounded by papillary, cribriform or solid masses

ISUP, International Society of Urological Pathology.
Epstein 등 (2005)의 자료를 정리하여 인용.

떻게 적용하고 보고해야 되는지에 관해 합의 권고안을 만들어 냄으로써 현재의 Gleason 시스템을 명확하게 규정하고 표준화하려고 노력하였다 (Epstein 등, 2005) (도표 288).

이로써 Gleason 시스템을 수정한 2005 ISUP는 기존의 Gleason 시스템과 유사한 수정된 도해와 함께 형태학적 패턴 1~5에 관한 개요를 제시하였다. 생검과 전립선절제술 표본에서 Gleason 패턴 1과 2는 매우 드물다는 사실이 재차 강조되었다. 패턴 3과 4와 관련하여 가장 중요한 수정이 있었다. Gleason 패턴 3은 기존의 Gleason 시스템과 마찬가지로 개별 샘 단위로 제한되었고, 윤곽이 매끄럽지만 오직 작은 체모양의 종양 결절로 제한함으로써 패턴 3으로 해석되는 체모양 샘의 범위는 줄어들게 되었다. 패턴 4는 융합된 샘 및 큰 체모양 샘 혹은 가장자리가 불규칙한 체모양 샘뿐만 아니라 신세포암 (hypernephroma) 모양의 샘을 포함한다. 또한, 전에는 없었던 불분명한 샘 혹은 불완전한 내강을 가진 샘이 도입되었으며, 이는 패턴 4에 포함되었다. Gleason 패턴 5는 기존의 Gleason 시스템과 마찬가지로 샘의 분화가 반드시 없으며 단단한 sheets, cords 및 단일 세포로 구성된 종양 양상에 해당된다. 중심 부위가 괴사된 면포암 (comedocarcinoma) 또한 Gleason 패턴 5에 해당하며, 이 경우는 유두모양, 체모양 혹은 견고한 sheets로 감싸져 있고 없고는 상관이 없다. 합의된

사항들에는 등급 부과 외에도 vacuoles, foamy gland cancer, small cell carcinoma, pseudohyperplastic carcinoma, colloid (mucinous) carcinoma, adenocarcinoma with focal muci-nous extravasation, ductal adenocarcinoma, glomeruloid structures, mucinous fibroplasia (collagenous micronodules) 등과 같은 전립선 세엽의 선암 (acinar adenocarcinoma)의 변형에 대한 해석이 포함되어 있다. 또한, 2005 ISUP는 침 생검의 경우 두 번째로 많이 분포하는 패턴이 가장 많이 분포하는 패턴보다 높은 등급일 경우, 그것의 분포 면적이 종양 면적의 5% 이하로 작을지라도 항상 보고할 것을 권하였으며, 전립선절제술의 경우에는 보고 여부에 관해 합의되지는 않았다. 그러나 침 생검, 전립선절제술, 경요도전립선절제술 등에서 두 번째로 많이 분포하는 패턴이 가장 많이 분포하는 패턴보다 등급이 낮으면서 종양 면적의 5% 이하로 제한된 범위일 경우에는 이를 무시하라고 권해진다.

제3의 Gleason 패턴에 관해서는, 침 생검 표본의 경우 Gleason 점수는 가장 많이 분포하는 패턴과 가장 높은 패턴을 합산하여 산출하고, 전립선절제술의 경우 가장 많이 분포하는 패턴과 두 번째로 많이 분포하는 패턴보다 제3의 패턴이 더 높은 등급이면 가장 많이 분포하는 패턴과 두 번째로 많이 분포하는 패턴을 합산한 Gleason 점수 외에 제3의 패턴을 따로 보고하라고 권해진다. 전립선 외부로의 확대, 정낭 침범, 수술 절제면 침범, 림프절 침범 등과 같은 부정적인 조직병리학적 양상과 관련이 있는 세 번째로 흔한 Gleason 패턴을 가진 2,396명과 가지지 않은 8,260명을 비교한 연구는 다음과 같은 결과를 보고하였다 (Adam 등, 2014). 첫째, 세 번째로 흔한 Gleason 패턴은 평가된 모든 조직병리학적 지표와 통계학적으로 유의한 상관관계를 가졌으며 ($p<0.001$), 생화학적 재발에 대한 독립적 예측 인자의 역할을 하였는데 hazard ratio (HR)는 1.43이었다 ($p<0.001$). 셋째, 세 번째로 흔한 Gleason 패턴은 근치전립선절제 표본의 Gleason 점수 3+4와 4+3을 가진 환자에서 생화학적 재발을 예측하는 독립적 인자이었다. 그러나 Gleason 점수 6 이하의 환자군에서는 그러한 역할이 관찰되지 않았다. 이들 결과를 근거로 저자들은 세 번째로 흔한 Gleason 패턴이 Gleason 점수 3+4 혹은 4+3의 전립선암으로 근치전립선절제술을 받은 환자에서 생화학적 재발을 강하게 예측하는 인자이기 때문에, 병리학 보고서에 이 패턴을 기록할 것을 권하였다. 전립선절제술 표본 내에서 세 번째로 흔한 Gleason 패턴이 4 혹은 5인 경우가 수술 후 생화학적 재발

에 대해 부정적인 영향을 미치는지를 평가하기 위해 근치전립선절제술을 받은 148명을 분석한 연구는 다음과 같은 결과를 보고하였다 (Servoll 등, 2012). 첫째, 임상적 실패는 세 번째로 흔한 Gleason 패턴으로 패턴 4 혹은 5를 가지지 않은 남성에 비해 가진 남성에서 더 흔하였다 ($p=0.006$). 둘째, Gleason 점수 7을 가진 환자군에서 세 번째로 흔한 Gleason 패턴으로 패턴 5가 있음은 임상적 실패율과 유의하게 관련이 있었다 ($p=0.002$). Gleason 점수 7 미만 혹은 7 초과의 환자군에서는 세 번째로 흔한 Gleason 패턴 4 혹은 5의 존재가 실패율 증가와 관련이 없었다. 셋째, Gleason 점수 7을 가진 환자군에 대한 다변량 회귀 분석은 병리학적 병기, 수술 절제면 상태, 전립선 외부로의 확대, 정낭 침범 등으로 보정하였을 때, 세 번째로 흔한 Gleason 패턴 5가 임상적 실패에 대한 유의한 예측 인자임을 보여 주었다 (HR 4.03, 95% CI 1.72~9.46; $p=0.001$). 넷째, Gleason 점수 3+4를 가진 환자군에서 세 번째로 흔한 Gleason 패턴 5의 존재는 높은 임상적 진행률과 유의하게 관련이 있었으며 ($p=0.03$), Gleason 점수 4+3을 가진 환자군에서 이러한 패턴의 존재는 높은 임상적 진행률을 나타낼 경향이 있었다 ($p=0.189$). 이와 같은 결과는 Gleason 점수 7의 전립선암에서 세 번째로 흔한 Gleason 패턴으로 패턴 4 혹은 5가 있음은 임상적 재발이 없는 생존의 감소와 관련이 있음을 보여 준다.

마지막으로, 2005 ISUP는 침 생검 표본의 경우 각각의 core를 분리된 용기에 담아 제출하고, 각각의 core에 대해 개별로 등급을 매기며, 이를 기초로 종합하여 전반적인 Gleason 점수를 산정할 것을 권하였다 (Zareba 등, 2009).

현재의 진료에서 2005 ISUP Gleason 등급 부과에 관한 합의 내용의 타당성을 평가하기 위해 생검과 전립선절제술을 받은 두 코호트 환자군, 즉 ISUP 합의 전인 2000년 7월~2004년 6월에 평가된 908명 (1군)과 ISUP 합의 후인 2005년 10월~2007년 6월에 평가된 423명 (2군)을 대상으로 Gleason 점수를 비교한 Zareba 등 (2009)은 동일한 기관에서 생검과 전립선절제술을 실시한 후 Gleason 점수를 산출하였으며, 표본의 채집 및 연구 과정도 동일하게 진행하였다. 연구 결과, 생검 표본과 전립선절제술 표본에서 Gleason 점수가 7 이상인 경우가 1군보다 2군에서 더 흔하게 나타났다. 즉, 생검 표본에서 Gleason 점수 7 이상인 경우가 1군에서 32%, 2군에서 46%이었으며, 전립선절제술 표본에서 Gleason 점수 7 이상인 경우가 1군에서 53%, 2군에서 68%이었다 ($p<0.001$). ISUP 합의

도표 289 ISUP 합의 전후 평균 Gleason 점수, 가장 많이 분포하는 제1 패턴, 두 번째로 많이 분포하는 제2 패턴의 비교

	생검			근치전립선절제술		
	2000~2004년 (ISUP 합의 전)	2005~2007년 (ISUP 합의 후)	p-value[†]	2000~2004년 (ISUP 합의 전)	2005~2007년 (ISUP 합의 후)	p-value[†]
Gleason 점수	6.34	6.49	⟨0.001	6.58	6.78	⟨0.001
제1 Gleason 패턴[‡]	3.08	3.10	0.314	3.14	3.20	0.011
제2 Gleason 패턴[¶]	3.26	3.39	⟨0.001	3.45	3.59	⟨0.001

[†], Student' t-test; [‡], 가장 많이 분포하는 Gleason 패턴; [¶], 두 번째로 많이 분포하는 Gleason 패턴.
ISUP, International Society of Urological Pathology
Zarebra 등 (2009)의 자료를 수정 인용.

도표 290 West German Pathological-Urological Working Group of Prostate Cancer의 조직학적 등급과 세포학적 등급을 병합한 등급 부과 시스템 (Helpap에 의한 수정안)

샘 분화도의 등급	핵 이형성의 등급

well-differentiated = 0점
moderate~poorly differentiated = 1점
cribriform = 2점
solid-trabecular = 3점
	Minimal = 0점
	  Nuclei: small, round, solitary, homogeneous chromatin
	  Nucleoli: small, solitary and centrally located
	Moderate = 1점
	  Nuclei: size slightly increased, round, solitary, slightly heterogeneous chromatin
	  Nucleoli: slightly enlarged, still solitary, mostly centrally located
	Severe = 2점
	  Nuclei: large, polymorph, heterogeneous chromatin
	  Nucleoli: enlarged, mostly multiple, eccentrically located

두 가지 등급의 점수 합을 0 혹은 1, 2 혹은 3, 4 혹은 5로 분류하며, 각각은 Helpap 등급 1a 혹은 1b, 2a 혹은 2b, 3a 혹은 3b에 해당한다. Helpap 등급 1a 혹은 1b는 경직장 생검 표본 혹은 근치전립선절제 표본에서 전립선 이행부 암으로 진단된 경우에 한한다.
Helpap과 Köllermann (2012)의 자료를 수정 인용.

이후에는 생검 표본 및 전립선절제술 표본의 Gleason 점수가 더 높아지는 경향이 있으나, 이것이 환자의 관리나 예후에 어떠한 영향을 미치는지는 분명하지 않다. ISUP의 합의 사항이 생검 표본과 전립선절제술 표본의 Gleason 점수의 일치율에는 유의한 영향을 주지 않았다. 이들 연구의 결과는 도표 289에 요약되어 있다.

2005 ISUP의 조직학적 등급과 세포학적 등급을 병합한 Helpap의 수정안 (도표 290)을 이용하여 968명의 침 생검 표본과 근치전립선절제술 표본을 비교한 연구에 의하면, 생검에서 Gleason 점수가 6점인 129명의 경우 76.0% (98명/129명)에서 등급이 증가하였으며, 30.2% (39명/129명)에서 전립선 밖으로의 침범이 있었다. 반면에 Gleason 점수 6점/Helpap 2a인 24명의 경우 91.7% (22명/24명)가 동일한 Gleason 점수 6점을 가졌고 24명 모두 전립선 내에 국한된 암 (pT2a)을 가졌으며, Gleason 점수 6점/Helpap 2b인 105명의 경우 8.6% (9명/105명)만이 최종 Gleason 점수가 6점이었고 62.8% (66명/105명)가 전립선 내에 국한된 암을 가졌다. 이들 결과를 근거로 저자

들은 조직학적 등급과 세포학적 등급을 병합한 Helpap의 수정안이 고등급 암이 아닌 저등급/저병기의 암을 확인하는 데 도움 주며, 이를 이용하면 보다 더 정확한 치료 계획을 세울 수 있다고 보고하였다 (Helpap과 Köllermann, 2012).

3. 침 생검 및 근치전립선절제술 표본의 Gleason 점수 비교
Comparison Of Gleason Score In Needle Biopsy And Radical Prostatectomy Sample

Gleason 점수는 전립선암을 진단함에 있어 의사와 환자에게 중요한 정보를 제공하며, 암의 병기, 질환 경과, 치료 후 결과 등을 예측할 수 있어 치료 방법을 선택할 때 중요한 자료가 되고, 관찰자 자신 혹은 관찰자와 관찰자 사이에서 재현성이 높기 때문에 전립선암의 등급을 매기는 데 표준이 되는 기준으로서 폭넓게 공감을 얻고 있다 (Soloway와 Roach, 2005). Gleason 점수는 전립선암 환자에서 중요한 예후 인자이지만

(Albertsen 등, 2005), core 생검에서의 Gleason 점수와 근치전립선절제술 표본에서의 Gleason 점수 사이의 일치 정도는 낮다는 보고가 많이 있다 (Pinthus 등, 2006). 총 542명의 환자를 분리하여 연구한 Bostwick (1994)와 Cookson 등 (1997)은 일치율이 30~35%에 불과하다고 하였다. King 등 (2005)도 124명의 환자 중 40%에서 생검 때의 등급이 근치전립선절제술 실시 후에 상향되었거나 하향되었다고 보고하였다. Gleason 점수의 재현성은 임상적인 인자와 병리학자의 경험에 의하여 달라질 수 있다. Steinberg 등 (1997)은 499점의 근치전립선절제술 표본을 대상으로 지역 병원과 교육기관인 Johns Hopkins Hospital에서의 생검 Gleason 점수와의 일치율을 비교하였는데, 교육기관의 일치율이 더 높았지만 일치율이 좋은 편은 아니었다. 수술 이전 PSA의 농도, 암 양성 cores의 수, 암 양성 cores의 퍼센트, 종양의 길이 등을 포함하는 다변량 분석에서는 어떠한 인자일지라도 생검의 Gleason 점수와 근치전립선절제술의 Gleason 점수 사이에 생기는 불일치를 유의하게 예측하지 못하였다 (King, 2005). 2,687명의 환자에 대한 공동 분석도 생검 표본과 근치전립선절제술 표본 사이의 Gleason 등급 불일치는 종양 크기와 거의 관련이 없다고 하였다 (King, 2000).

임상 진료에서 적절한 치료법을 결정하는 데는 생검 Gleason 점수가 중요한 역할을 한다. 그렇지만 근치전립선절제술에 근거한 Gleason 점수가 생검에 기초한 Gleason 점수보다 수술 후의 PSA 실패를 더 정확하게 예측한다 (D'Amico 등, 1995). 따라서 생검 Gleason 점수와 근치전립선절제술 Gleason 점수 사이의 불일치는 부적절한 치료를 유발할 수 있기 때문에, 특히 선행 호르몬 요법을 병행한 체외 방사선 요법, 근접방사선 요법, 혹은 기대 요법을 위한 환자를 선정할 때는 정확한 Gleason 점수가 요구된다. Vira 등 (2008)은 근치전립선절제술 후 PSA 재발을 예측하는 인자들에 관한 다변량 분석을 실시하였으며, 그 결과는 도표 291에 요약되어 있다.

근치전립선절제술 후 환자가 어느 Gleason 점수에 배정된 경우, 생검 표본의 Gleason 점수는 무의미한 검사일까? Vira 등 (2008)은 수술 전의 PSA와 수술 후 병리학적 특징이 동일한 환자라도 생검 Gleason 점수가 6인 환자는 생검 Gleason 점수가 7인 환자에 비해 생화학적 재발이 15%까지 더 낮았다고 보고하면서, 생검 Gleason 점수는 근치전립선절제술 후의 예후에 대한 독립적 예측 인자라고 하였다. Fitzsimons 등 (2006)도 근치전립선절제술 표본의 Gleason 점수가 동일한

도표 291 근치전립선절제술 후의 생화학적 (PSA) 재발을 예측하기 위한 다변량 분석

변수	RR (95% CI)	p
Gleason 점수의 변화[†]	0.847 (0.735~0.975)[‡]	⟨0.021
(+) 생검의 퍼센트	1.014 (1.009~1.019)	⟨0.001
수술 전 PSA 농도	1.032 (1.024~1.041)	⟨0.001
수술 절제면 침범	1.464 (1.079~1.987)	0.014
pGS	1.467 (1.274~1.689)	⟨0.001
정낭 침범	2.429 (1.725~3.421)	⟨0.001
피막 밖으로 확대	2.543 (1.842~3.512)	⟨0.001

[†], 근치전립선절제 표본의 Gleason 점수에서 생검 Gleason 점수를 뺀 변화치; [‡], 근치전립선절제 표본의 Gleason 점수가 동일한 두 환자 중 생검 Gleason 점수가 더 낮은 환자에서 생화학적 재발의 상대적 위험이 더 낮음을 보여 준다.
CI, confidence interval; pGS, pathologic Gleason score; PSA, prostate-specific antigen; RR, relative risk.
Vira 등 (2008)의 자료를 수정 인용.

환자라고 하더라도 생검 Gleason 점수가 높은 환자에서 생화학적 재발률이 더 높다고 하였다.

근래에는 저급 위험도의 전립선암을 가진 환자에게는 적극적인 감시 (active surveillance, AS)가 권해진다 (Klotz, 2005). 관찰 연구로부터 나온 자료에 의하면, 적극적인 감시 이후 다수의 환자들이 불필요한 치료를 받지 않게 되었다 (Roemeling 등, 2007). 수술 전 Gleason 점수 6 이하는 흔히 적극적인 감시를 권하는 전제 조건으로 이용된다 (Klotz, 2005). 생검에서 Gleason 점수 6이 근치전립선절제술 표본에서 7로 된 경우는 생검과 근치전립선절제술 표본 둘 다에서 Gleason 점수가 7인 경우와 동일한 병리학적 병기, 수술 절제면 상태, 생화학적 실패율을 가진다고 보고되었다 (Pinthus 등, 2006). 따라서 적극적인 감시를 위한 환자를 선정할 때는 특히 생검 표본의 Gleason 점수 6 이하가 근치전립선절제술 표본에서 7 이상으로 상향되는 데 영향을 주는 인자, 예를 들면 수술 전 혈청 PSA 증가, 생검과 수술 사이의 기간 증가, 임상 병기 등을 확인하는 것이 중요하다 (Kvåle 등, 2008). 암 양성 cores의 퍼센트가 근치전립선절제술 표본의 Gleason 점수에 영향을 주는지에 관한 연구는 상충되는 결과를 보고하고 있다. 일반적으로 적극적인 감시에 적격인 환자는 Gleason 점수 6 이하, 혈청 PSA 10 ng/mL 미만, 임상 병기 T1c 혹은 T2a, 암 양성 cores의 수 3 이하 등에 해당하는 환자이다 (Klotz, 2005).

생검 표본의 Gleason 점수와 근치전립선절제술 표본의 Gleason 점수를 비교하여 생검에 기초한 Gleason 점수의 신뢰도를 평가한 여러 연구는 도표 292에 정리되어 있으며, 일

도표 292 생검 표본과 근치전립선절제술 표본의 Gleason 점수 일치율에 관한 연구들

참고 문헌	환자 수	Cores 수 중앙치	PSA 중앙치, ng/mL	일치율, %[†]	등급이 내려간 %[‡]	등급이 올라간 % (≤6에서 ≥7로)[¶]
D'Amico 등, 1999	653	6	NA	35	51	40
King, 2000	428	6	NA	41	42	45
San Francisco 등, 2003	126	12	5.7	76	14	13
	340	6	6.0	63	25	25
Chun 등, 2006	4789	8	6.7	54	33	40
Mian 등, 2006	221	6.7 (평균치)	7.4 (평균치)	48	41	44
	225	12.4 (평균치)	6.4 (평균치)	68	17	25
Kvåle 등, 2008	1116	6	8.0	53	38	42[●]

[†], 생검 표본과 근치전립선절제술 표본의 Gleason 점수가 일치하는 비율이며 Gleason 점수를 2~4, 5~6, 7, 8~10으로 분류하여 일치율을 계산하였다; [‡], 생검 표본보다 근치전립선절제술 표본에서 Gleason 점수가 내려간 비율; [¶], 생검 표본보다 근치전립선절제술 표본에서 Gleason 점수가 올라간 비율; [●], Gleason 점수가 6 이하에서 7a (3+4)로 올라간 경우는 42%, 7b (4+3)로 올라간 경우는 9%임.

NA, not applicable; PSA, prostate-specific antigen.

Kvåle 등 (2008)의 자료를 수정 인용.

반적으로 경험이 많은 병리학자에 의해 검사가 이루어진 경우, 그리고 확대 생검으로 다수의 cores를 얻은 경우에는 두 표본의 Gleason 점수 일치율이 더 높다. 생검 결과의 정확도를 높이기 위해서는 확대 생검이 권장되며, 이는 전립선암이 이질적인 암이기 때문이다 (Müntener 등, 2008). 이에 관해서는 상충되는 보고가 있는데, Vira 등 (2008)은 12 cores 생검을 실시하여도 4 혹은 5 cores 생검보다 더 나은 일치율을 얻지 못했다고 보고한 데 비해, San Francisco 등 (2003)은 6부위 생검에 비해 확대 생검에서 일치율이 유의하게 더 높았다고 하였다. 다른 연구도 생검 cores의 수가 생검 표본의 Gleason 점수와 근치전립선절제술 표본의 Gleason 점수의 일치도에 강하게 영향을 주며, 10부위 미만의 생검과 이상의 생검에서 정확도는 각각 67%, 72%이라고 하였다 (Rapiti 등, 2013).

생검 표본보다 근치전립선절제술 표본의 Gleason 점수가 내려가는 이유는 여러 가설로 설명된다 (Fine과 Epstein, 2008; Steinberg 등, 1997). 첫째, 침 생검 표본에서 분포된 Gleason 패턴 4 혹은 5가 작은 범위일 경우, 그러한 패턴이 수술 표본에서 종양의 5% 미만을 차지하면 수술 표본의 Gleason 점수에 포함되지 않을 수 있다 ('reverse sampling'). 둘째, 침 생검 Gleason 패턴이 애매한 경우 해석에서 차이를 일으킬 수 있으며, 파라핀 차단이 고등급의 암을 숨겨 발견되지 않게 할 수 있다 ('incomplete block sampling'). 셋째, 병리학자가 근치전립선절제술 표본의 Gleason 점수를 우세한 종양 결절 혹은 가장 높은 등급의 종양 점수에 배정하지 않고 전반적인 점수에 배정할 경우에는 차이를 나타낼 수 있다. 반대로 생검 표본이 경계선의 Gleason 패턴을 보일 경우 병리학자가 양이 적다는 이유로 더 높은 등급에 배정하기를 주저하면 수술 후 Gleason 점수가 올라갈 수 있을 것이다 (Steinberg 등, 1997). 또한, 생검 표본에서 Gleason 패턴 4 혹은 5가 세 번째로 우세한 패턴이어서 Gleason 점수에 합산되지 않은 경우에는 근치전립선절제술 표본에서 Gleason 점수가 생검에서보다 더 올라갈 수 있고 생화학적 재발률도 증가할 수 있다 (Mosse 등, 2004).

생검 표본에서의 Gleason 점수가 어느 정도의 정확도로 병리학적 결과와 무병 생존을 예측하는지를 평가하기 위해 국소 전립선암으로 근치전립선절제술을 받은 1,031명의 생검 표본과 전립선 절제 표본의 Gleason 점수를 7 미만, 7, 7 초과 등으로 분류한 후 분석한 연구는 다음과 같은 결과를 보고하였다 (Narain 등, 2001). 첫째, 정확한 상관관계는 Gleason 점수 7 미만, 7, 7 초과 등의 경우 각각 54.8%, 66.8%, 47.4%이었으며, 전반적 정확도는 58.3%이었다. 둘째, 생검 표본과 전립선 절제 표본 둘 모두의 Gleason 점수는 무병 생존과 유의하게 관련이 있었으며 (p=0.001), 더욱이 세 가지로 세분된 분류는 상당하게 유의하였다 (p=0.001). 셋째, 전립선 절제 표본에서 Gleason 점수가 7 미만인 환자는 생검 표본에서 7 미만인 환자에 비해 생존에서 유의하게 더 큰 이점이 있었다 (p=0.001). 넷째, 무병 생존은 전립선 절제 표본에서 Gleason 점수가 7 초과인 환자에 비해 생검 표본에서 7 초과인 환자에서 더 우수하였다 (p=0.02). 두 표본에서 Gleason 점수가 7인 경우에는 서로 무병 생존율이 비슷하였다. 이들의 결과에 의

하면, 생검 표본에서의 Gleason 점수가 간혹 전립선 절제 표본의 Gleason 점수와 강한 상관관계를 나타내지 않을 수 있지만 전립선암에서 중요한 예후 인자의 역할을 하며, 생검 표본과 전립선 절제 표본의 Gleason 점수는 무병 생존율에서 유의한 차이를 나타낸다.

4. Gleason 등급의 가치
Significance Of Gleason Grade

현존하는 모든 등급 부과 시스템은 완만하게 진행하는 분화도가 좋은 암과 급속하게 진행하는 분화도가 나쁜 암을 성공적으로 확인할 수 있지만, 중간 정도의 악성을 가지고 분화도가 중급인 암을 정확하게 분류해 내지는 못하고 있다 (Bostwick, 1994). 어떠한 등급 부과 시스템이든지 그것이 가지고 있는 궁극적 가치는 그것의 예후 추정 능력에 있다. 전립선암에 대한 조직학적 Gleason 점수는 정립된 우수한 예후 지표로 인정을 받고 있다.

전립선암에서 예후에 관한 단변량 및 다변량 분석은 거의 항상 Gleason 등급을 환자 예후의 가장 중요한 예측 인자로 인정한다 (Bostwick, 1994). 3등급으로 된 등급 매김 시스템이 이용되기도 하였지만, 더 이상 권장되지는 않는다. 치료 전에 병리학적 병기를 예측하기 위해 침 생검 Gleason 등급, 총혈청 PSA, 임상 병기 등에 기초한 모델이 개발되었다 (Humphrey, 2004). 그러나 침 생검 Gleason 점수가 근치전립선절제술 표본에서 확인된 Gleason 점수와 비교하여 얼마나 정확한지는 흥미로운 문제이다 (Djavan 등, 1998). 환자의 50% 이상이 침 생검에 의해 과소 등급 혹은 과대 등급으로 등급이 잘못 매겨진다. 의사들은 질환 상태를 결정하기 위해 Gleason 등급을 이용할 때는 이러한 부정확성을 숙지하고 있어야 한다 (Lattouf와 Saad, 2002). Koksal 등 (2000)은 Gleason 점수 2~4인 저등급 암에서 등급 정확도가 가장 낮고 Gleason 점수가 높을수록 등급 정확도가 높다고 하였으며, Shen 등 (2003)도 비슷한 주장을 하였다. 침 생검에서 Gleason 점수가 2~4인 종양은 흔히 나타나지 않는데, 이는 만져지는 종양은 보통 등급이 높기 때문이다 (Epstein과 Steinberg, 1990). 두 편의 연구는 전립선암의 예후와 Gleason 점수 사이에서 우수한 연관성을 발견하였다 (Gleason, 1977; Sogani 등, 1985). 종양이 전립선 내에 국한되어 있더라도 고등급의 암이면 단기간 예후가 비교적 좋지 않은데, 이는 수술 전 임상 자료로는 정확

하게 예측되지 않는다 (Rioux-Leclercq 등, 2002). Cheng 등 (2005)은 Gleason 패턴 4와 5의 퍼센트는 근치전립선절제술 후의 진행에 대한 가장 좋은 예측 인자라고 보고하였다. 이 때문에 Gleason 패턴 4와 5가 세 번째로 우세한 패턴이라고 하더라도 조직병리학적 평가에서 반드시 보고되어야 한다.

Surveillance, Epidemiology, and End Results (SEER)의 데이터베이스를 이용하여 4,654명의 전이 전립선암 환자에서 Gleason 점수를 평가한 연구는 다음과 같은 결과를 보고하였다 (Rusthoven 등, 2014). 첫째, Gleason 점수 6, 7, 8, 9, 10의 경우 4년 시점에서 전반적 생존율은 각각 51%, 45%, 34%, 25%, 15%, 전립선암 특이 생존율은 각각 69%, 57%, 44%, 33%, 21%이었다. 둘째, Gleason 점수 7 대 8, 8 대 9, 9 대 10 등에서 생존율의 차이는 단변량 및 다변량 분석에서 통계적으로 유의하였다 (모두의 경우에서 $p < 0.001$). 셋째, Gleason 점수 6~10을 가진 전체 환자에서 그리고 Gleason 패턴의 주 패턴과 부 패턴을 비교하였을 때, 예를 들면 Gleason 점수 8의 경우 4+4 대 3+5, 4+4 대 5+3, Gleason 점수 9의 경우 4+5 대 5+4를 비교하였을 때, Gleason 패턴 5는 독립적 예후 인자이었다. Gleason 점수 3+4와 4+3 사이에서는 생존율의 차이가 관찰되지 않았다. 넷째, PSA의 낮은 농도, 낮은 연령, 낮은 Gleason 점수 등은 생존율의 증가와 관련이 있었으며, Gleason 점수가 전립선암 특이 생존에 대한 가장 강력한 예후 인자이었다. 이와 같은 결과는 전이 전립선암 환자에서 Gleason 점수가 6에서 10으로 증가할수록 혹은 Gleason 점수 7~10 사이에서 단계별로 비교하였을 때 생존율에서 유의한 차이가 있으며, Gleason 패턴 5가 생존에 대한 독립적 예후 인자임을 보여 준다.

Gleason 점수는 생화학적 재발, 전신적 재발, 종양 특이 사망률 등을 예측하는 중요한 인자이다 (Lerner 등, 1996). 2,911명의 환자에 대한 Gleason (1977)의 자료와 그 후에 장기간 추적 관찰한 Sogani 등 (1985)의 연구는 Gleason 점수와 예후 사이에 상당한 연관성이 있다고 하였다. 등급과 질환의 병기를 함께 고려하면 예후를 추정하는 예측도가 높아진다 (Mellinger, 1977). 근치전립선절제술을 받은 412명을 10~116 개월, 평균 52.5개월 동안 추적 관찰한 May 등 (2006)도 림프관 침범 외에도 Gleason 점수가 근치전립선절제술 후 생화학적 실패와 강하게 연관성을 가짐을 관찰하였다 (도표 293, 294). Gleason 점수를 포함한 여러 전립선암 예후 인자들에 관한 연구들이 도표 295에 요약되어 있다.

도표 293 질환의 진행과 관련 있는 임상적, 병리학적 위험 인자들에 대한 단변량 분석에서 생화학적 재발이 없는 5년 생존율

평가된 인자들	수 (%)	5년 BRFS	p
수술 전 PSA			
≤20 ng/mL	364 (88.3)	84.5%	0.002
>20 ng/mL	48 (11.7)	66.3%	
PSA 밀도			
≤0.75 ng/mL/cm3	351 (85.2)	84.7%	0.002
>0.75 ng/mL/cm3	61 (14.8)	68.5%	
(+) 생검 cores			
≤80%	337 (81.8)	84.5%	<0.001
>80%	75 (18.2)	72.3%	
병리학적 병기			
정낭 침범 (-)	359 (87.1)	85.4%	<0.001
정낭 침범 (+)	53 (12.9)	61.6%	
Gleason 점수 (RP)			
≤7 (3+4)	338 (82.0)	88.1%	<0.001
≥7 (4+3)	74 (18.0)	55.7%	
수술 절제면 침범			
(-)	326 (79.1)	82.9%	0.434
(+)	86 (20.9)	79.5%	
림프관 침범			
(-)	370 (89.8)	87.3%	<0.001
(+)	42 (10.2)	38.3%	

BRFS, biochemical recurrence-free survival; PSA, prostate-specific antigen; RP, radical prostatectomy.
May 등 (2006)의 자료를 수정 인용.

근치전립선절제술을 받은 702명을 대상으로 평가한 연구에서 pT0 예측 인자의 절단치를 생검 Gleason 점수 6 이하, 암 양성 cores 수 2개 이하, 생검에서 종양 길이 2 mm 이하, 전립선 용적 30 cc 초과로 적용할 경우 pT0 환자 9명 중 8명 (88.9%)이 이 기준에 해당하였으며, pT0가 아닌 693명 중에서 이 기준에 해당된 경우는 불과 55명 (7.9%)이었다. 이들 결과를 근거로 저자들은 생검 Gleason 점수 (p=0.004), 암 양성 cores의 수 (p=0.018), 암 양성 core의 종양 길이 (p<0.001), 전립선 용적 (p=0.015) 등을 병합하면 pT0 병기의

도표 294 전립선암 환자에서 근치전립선절제술 후 PSA 실패에 대한 다변량 Cox 회귀 분석

위험 인자	수 (%)	HR (95% CI)	p
수술 전 PSA >20 ng/mL	48 (11.7)	0.96 (0.48~1.93)	0.918
Gleason 점수 ≥7 (4+3)	74 (18.0)	3.51 (2.06~6.00)	<0.001
정낭 침범	53 (12.9)	1.10 (0.58~2.10)	0.766
PSA 밀도 >0.75 ng/mL/cc	61 (14.8)	1.35 (0.70~2.60)	0.363
(+) 생검 cores >80%	75 (18.2)	1.24 (0.68~2.24)	0.471
림프관 침범	42 (10.2)	4.39 (2.47~7.80)	<0.001

CI, confidence interval; HR, hazard ratio; PSA, prostate-specific antigen.
May 등 (2006)의 자료를 수정 인용.

전립선암을 정확하게 예측할 수 있으며, 민감도는 88.8%, 특이도는 92.1%이라고 보고하였다 (Park 등, 2010).

일부 저등급 암은 수년 뒤에 고등급 암으로 발전하는데, 그 기전이 기존의 저등급 암이 진행하기 때문인지, 아니면 다병소의 보다 침습적인 종양이 확인되지 않고 있다가 후에 발달하기 때문인지는 분명하지 않다. 대개는 종양이 클수록 고등급이고 작을수록 저등급이지만, 예외는 있다 (Ebstein 등, 1994). 종양은 저등급으로 시작하여 어느 크기에 도달하면 탈분화하여 고등급으로 된다는 가설이 있는데, 이는 크기와 등급 사이의 연관성을 설명해 준다. 또 다른 가설에 의하면, 고등급 종양은 처음부터 고등급이어서 성장 속도가 빨라 큰 용적으로 발견되며, 저등급 종양은 성장 속도가 느리기 때문에 더 작은 용적으로 발견된다. 생검 후 1.5~2년 동안 전립선암이 유의하게 악화된다는 증거는 없다 (Ebstein 등, 2001).

도표 295 여러 형태의 치료 후 및 암의 확대 정도에 따른 전립선암 관련 예후 인자들

전립선에 국한된 종양에 대한 근치전립선절제술 후

생존율과 관련 있는 예후 인자			질환의 진행과 관련 있는 예후 인자		
예후 인자	p value	참고 문헌	예후 인자	p value	참고 문헌
종양 용적	< 0.009	Salomon 등, 2003	연령	< 0.01	Obek 등, 1999
Gleason 점수	< 0.0002	Ohori 등, 1995	Gleason 점수	< 0.0001	Epstein 등, 2001
수술 절제면 상태	< 0.009	Ohori 등, 1995	피막 침범	< 0.001	Wheeler 등, 1998
이행대 종양	< 0.04	Augustin 등, 2003	PSA	< 0.001	Kuriyama 등, 1996
p53	< 0.011	Kuczyk 등, 1998	수술 절제면 상태	< 0.075	Bloom 등, 2004
병기	< 0.02	Kuczyk 등, 1998	E-cadherin	< 0.005	Umbas 등, 1997
p27	< 0.01	Yang 등, 1998	IGF-1	< 0.05	Yu 등, 2001
Aneuploidy	< 0.02	Zincke 등, 1992	병기	< 0.001	D'Amico 등, 2004
Ki-67	< 0.001	Bettencourt 등, 1998	미세혈관 밀도	< 0.007	Halvorsin 등, 2000
cDNA microarray	< 0.01	Luo 등, 2002	p27	< 0.008	Yang 등, 1998
			Aneuploidy	< 0.0001	Zincke 등, 1992
			Aneuploidy	< 0.0001	Ross 등, 1994
			Ki-67	< 0.02	Bubendorf 등, 1996
			MUC1	< 0.003	Lapointe 등, 2004

전립선에 국한된 종양에 대한 방사선 요법 후

생존율과 관련 있는 예후 인자			질환의 진행과 관련 있는 예후 인자		
예후 인자	p value	참고 문헌	예후 인자	p value	참고 문헌
연령	< 0.02	Austin 등, 1993	연령	< 0.01	Neulander 등, 2000
인종	< 0.02	Austin 등, 1993	Gleason 점수	< 0.001	Kupelian 등, 2005
p53	< 0.02	Grignon 등, 1997	방사선 조사량	< 0.001	Kupelian 등, 2003

전립선 밖으로 침범한 진행된 전립선암

생존율과 관련 있는 예후 인자			질환의 진행과 관련 있는 예후 인자		
예후 인자	p value	참고 문헌	예후 인자	p value	참고 문헌
AR	< 0.01	Segawa 등, 2001	NM	< 0.01	Partin 등, 1989
AR	< 0.02	Miyoshi 등, 2003	NM	< 0.0003	Vesalainen 등, 1995
총 PSA	< 0.001	Bjork 등, 1999	Gleason 점수	< 0.0001	Vesalainen 등, 1995
미세혈관 밀도	< 0.0001	Borre 등, 1998	Gleason 점수	< 0.007	Shurbaji 등, 1995
Ki-67	< 0.02	Aaltomaa 등, 1999	AR	< 0.03	Sadi 등, 1993
			p53	< 0.018	Bauer 등, 1996
			BCL2	< 0.004	Bauer 등, 1996

AR, androgen receptor; BCL2, B-cell lymphoma 2; cDNA, complementary deoxyribonucleic acid; E-cadherin; epithelial cadherin; IGF, insulin-like growth factor; MUC1, mucin 1, cell surface associated; NM, nuclear morphometry; p53, tumor protein 53; PSA, prostate-specific antigen.

1989~2005년 동안 PubMed에 게재된 논문을 정리한 Buhmeida 등 (2006)의 자료를 수정 인용.

전립선 생검
BIOPSY OF PROSTATE

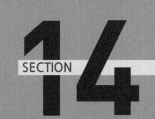

SECTION

14

1. Positive Predictive Value (PPV) In Consecutive PSA Screening Rounds 847
2. Indication And Contraindication Of Prostate Biopsy 851
3. Classification Of Prostate Biopsy 852
4. Optimal Number And Location Of Biopsy Cores 864
5. Repeat Prostate Biopsy 867
6. Complication Of Prostate Biopsy 884
7. Canadian Urological Association (CUA) Guidelines 885
8. Variable Guidelines For Prostate Biopsy 889

전립선 생검
BIOPSY OF PROSTATE

1937년 Astraldi가 직장을 통한 전립선 생검을 처음 보고하였다. 그 후 1989년 Hodge에 의해 처음 도입된 경직장초음파촬영술 유도 하의 6부위 침 생검 방법이 전립선암에 대한 표준이 되는 생검법으로 공감을 얻어 널리 보급되었다. 이 방법으로 인해 전립선암의 발견율이 높아졌으며, 특히 저에코 병변을 가진 전립선암 환자에서의 무작위 6부위 생검은 전립선암의 진단율을 상당하게 높이는 계기가 되었다. 그러나 전립선의 용적이 큰 경우에는 적절하지 않아 위음성 비율이 30%에 달하였다 (Stewart 등, 2001). 이 생검법을 이용하였을 경우 임상적으로 발견이 가능한 전립선암을 놓친 경우는 15~34% 이었으며 (Chen 등, 1997), 일차 생검에서 음성이었던 환자가 재생검에서 전립선암으로 진단된 경우가 13~41%나 되었다 (Fleshner 등, 1997). 이러한 이유 때문에 생검 시 조직을 채취하는 수를 10~30개로 늘리자는 확대 생검이 제시되었다 (Eichler 등, 2006).

PSA 검사가 널리 보급되지 않고 경직장초음파촬영술의 기법이 발달되기 전에는 임상의들이 주로 직장수지검사를 통해 전립선암이 의심되는 부위가 있으면 손가락의 유도 하에 병변에 대한 생검을 실시하였다. 오늘날은 무증상의 남성에 대해 PSA 선별검사를 실시한 후 그 결과에 따라 경직장초음파촬영술을 병행한 생검을 실시하며, 이 방법이 전립선암의 관례적인 진단 및 생검 방법에서 표준이 되었다. 현재도 직장수지검사로 결절이 만져지면 PSA 농도와 관계없이 경직장초음파 유도 하에 즉시 생검을 실시한다.

전립선암의 초음파 소견으로는 전후 지름의 연장, 비대칭성, 피막의 비틀림 혹은 불연속성 등이 있으며, 내부 에코에 대해서는 논란이 되고 있다. 일반적으로 전립선암의 내부 에코는 정상 조직보다 낮지만, 간혹 비슷하거나 높은 에코를 나타낸다. 전립선암의 대부분이 주변부에서 발생하기 때문에 주변부의 낮은 에코와 피막의 비틀림 혹은 불연속성은 중요한 소견이 되며, 과다한 에코를 나타내는 경우에는 형태학적 변화와 피막 소견을 함께 고려해야 한다. 그러나 전립선 내의 낮은 에코 부위는 정상 조직, 양성전립선비대, 전립선염, 전립선 혈종 및 낭종 등에서도 나타날 수 있기 때문에, 주의를 필요로 한다. 전립선암이라도 내부 음영의 변화가 없는 경우도 있다는 점, 전립선암의 30% 정도는 중심부 혹은 이행부에서 발생할 수 있다는 점, 검사자의 경험과 사용된 초음파 장비의 성능에 따라 결과가 다를 수 있다는 점 등이 초음파의 결과에 영향을 주어 전립선암에 대한 경직장초음파촬영술의 민감도와 특이도는 낮다고 알려져 있다.

전립선 생검으로부터 얻어지는 정보로는 편측, 양측 등과 같은 암의 위치, 전립선의 외측 가장자리에 암의 존재 유무, 암 양성 cores의 수, 하나의 core에서 가장 큰 암 분포 퍼센트, 암의 총 분포 퍼센트 및 Gleason 점수 등이다 (Scattoni 등, 2010).

1. 반복 PSA 선별검사에서 생검 양성 예측도
Positive Predictive Value (PPV) In Consecutive PSA Screening Rounds

European Randomized study of Screening for Prostate Cancer (ERSPC)는 PSA 선별검사가 전립선암으로 인한 사망률을

도표 296 ERSPC의 로테르담 부문에서 선별검사 차수에 따른 전립선 생검의 PPV

	1차	2차			3차		
	전체	전체	1차에서 생검 않음	1차에서 생검	전체	1차 혹은 2차에서 생검 않음	1차 및/혹은 2차에서 생검
선별검사 수	16,600	12,120	10,552	1,568	7740	6,085	1,655
생검 수 (%)[†] 전립선암 수 공격적 암 %	3,104 (18.7) 790 44.4	2,789 (23) 525 23.8	1,850 (17.5) 412 24.5*	939 (59.9) 113 21.2**	1,660 (21.4) 323 18.6	743 (12.2) 184 20.7*	917 (55.4) 139 15.8**
PPV, %	25.5	18.8	22.3	12.0***	19.5	24.8	15.2***

[†], 선별검사를 받은 남성 중 생검을 받은 남성의 퍼센트; *, 1차 대비 $p < 0.001$; **, 생검 않음에 대비 $p > 0.05$; ***, 생검 않음 대비 $p < 0.001$.
ERSPC, European Randomized Study of Screening for Prostate Cancer; PPV, positive predictive value.
Bokhorst 등 (2012)의 자료를 수정 인용.

감소시킨다는 결과를 보고하였지만 (Schröder 등, 2012), 미국의 예방의학전문위원회 (Preventive Services Task Force, PSTF)는 이러한 선별검사가 장점보다 단점이 더 많다고 하였다 (Moyer, 2012). 또한, 메타 분석을 이용한 연구는 전립선암을 발견하기 위한 PSA 선별검사의 관습적인 사용을 뒷받침할 만한 증거는 없다고 하였다 (Djulbegovic 등, 2010). 선별검사의 가장 중요한 단점은 과잉 진단 때문에 발생한 위양성의 결과로 인해 불필요한 생검을 실시할 수 있다는 점이며, 이는 감염과 입원의 원인이 되기도 한다 (Loeb 등, 2012).

근래 ERSPC의 로테르담 부문 중 선별검사군 21,210명, 대조군 21,166명 등 합계 42,376명에 대해 4년 간격으로 최소 두번의 선별검사를 실기하였으며 생검의 적용 대상을 4 ng/mL 이상의 PSA 농도 혹은 비정상적인 직장수지검사, 비정상적인 경직장초음파촬영 등으로 설정한 연구에서 PSA로 유도된 생검의 양성 예측도 (positive predictive value, PPV), 즉 실제 양성인 환자 수/(실제 양성인 환자 수+위양성인 환자 수)의 비율이 평가되었다 (Bokhorst 등, 2012). 이 자료는 현재 알고리듬에 의한 선별검사의 효능에 관해 정보를 제공해 주며, 새로운 선별검사를 개발하는 데 도움을 준다. 이 연구에 의하면, 여러 차수의 선별검사가 진행되는 동안 이전에 생검을 받지 않은 남성에서는 PPV가 1차 때 25.5%, 2차 때 22.3%, 3차 때 24.8%와 같이 거의 동일하다. PSA 절단치에 의해 유도된 전립선 생검의 PPV는 이전에 생검을 받은 남성에서는 12.0~15.2%로 떨어졌지만, 발견된 전립선암의 20%가 공격적인 특징을 나타내었다 (Fang 등, 2001) (도표 296).

PPV는 근본이 되는 질환의 유병률에 의존적이고 1차 선별검사는 대체로 선별되지 않은 인구 집단을 대상으로 실시하기 때문에, 천천히 진행하는 전립선암의 PPV는 1차 선별검사

도표 297 PSA 농도에 따른 전립선암 및 Gleason 점수 7 이상 고등급 전립선암의 발견율

PSA, ng/mL	피험자 수	암 환자 수 (%)	고등급 암 환자 수 (%)
0~1	1963	217 (11.1)	19 (1.0)
1.1~2	1640	337 (20.5)	43 (2.6)
2.1~3	775	205 (26.5)	44 (5.7)
3.1~4	510	153 (30.0)	48 (9.4)
4.1~6	481	234 (48.6)	70 (14.6)
>6	150	65 (43.3)	33 (22.0)
합계	5519	1211 (21.9)	257 (4.7)

PSA, prostate-specific antigen.
Thompson 등 (2006)의 자료를 수정 인용.

후에는 떨어질 것으로 예상된다. 그러나 Prostate Cancer Prevention Trial (PCPT)로부터 나온 자료는 PSA 농도가 2.1~3.0 ng/mL인 남성의 26.5%가 전립선암을 가지고 있다고 하였다 (Thompson 등, 2006) (도표 297). 다른 연구는 이전에 생검을 받지 않은 남성에서 발견된 전립선암의 약 1/2이 PSA 농도 2.0~2.9 ng/mL에서 발견되었다고 하였다. 이들 남성의 PSA 농도는 4년의 선별검사 간격 동안 증가하며 경우에 따라서는 생검 절단치 이상으로 증가함으로써 25% 근방의 동일한 PPV를 나타내게 된다 (Bokhorst 등, 2012). 만일 이들 전립선암을 이전 선별검사에서 발견하려면, 생검을 위한 PSA의 절단치를 2.0 ng/mL으로 낮추었다면 가능하였을 것으로 생각된다. 그러나 절단치를 낮추면 전립선암으로 과잉 진단된 남성의 수를 증가시킴으로써 불필요한 생검이 증가하게 된다 (Raaijmakers 등, 2004). 예를 들면, 생검을 위한 절단치를 2.0 ng/mL의 PSA 농도로 설정하면 생검 수가 64~72% 증가한

다 (Bokhorst 등, 2012). PSA 농도가 2.0~2.9 ng/mL인 남성에 대해서는 선별검사의 간격을 더 단축하는 것도 또 다른 대안이 될 수 있을 것이다. 앞으로 이러한 문제를 해결하고 과잉진단, 불필요한 생검, 사망률 등을 감소시킴과 더불어 이전에 선별검사를 받았으나 생검을 받지 않은 남성에서 전립선암의 발견율을 높이는 방안이 강구되어야 할 것이다.

발견되는 전립선암의 실제 수보다 훨씬 더 중요한 것은 전립선암의 특징이다. ERSPC의 로테르담 부문에 관한 연구는 Gleason 점수가 7 이상이고 임상 병기가 T2b를 초과한 공격적인 전립선암의 1/2 정도 (44.4%)가 1차 선별검사에서 발견되었다고 하였다. 이전에 생검을 받지 않은 남성의 경우 PPV는 2차와 3차 선별검사에서 거의 동일하게 유지되었지만, 공격적인 전립선암의 비율은 20.7~24.5%로 떨어졌다 (도표 297). 2차와 3차 선별검사에서 발견된 전립선암의 96.4~98.4%가 임상적으로 전립선 내에 국한되어 있었다. 전립선 내에 국한된 이들 전립선암이 1차 선별검사에서 발견되었다하더라도, 이들 암이 치유되지 않는 병기로까지 진행되지 않았을 것이다 (Bokhorst 등, 2012). 선별검사와 선별검사 사이의 기간에서 발견되는 전립선암의 수는 적다는 보고가 이를 뒷받침한다 (Zhu 등, 2011).

전립선암에 대한 선별검사에서 드러난 주된 문제점 중 하나는 과잉 진단이다. 과잉 진단으로 간주될 수 있는 저급 위험 전립선암의 수를 줄이기 위한 단순한 해결책은 생검을 적용하기 위한 PSA 절단치를 높이는 것이다. 만일 PSA 농도가 4.0 ng/mL 이상인 남성만 생검을 받는다면, 이전에 생검을 받지 않은 남성의 PPV는 1차, 2차, 3차 선별검사에서 26.5, 28.6, 34.1%로 증가할 것이다. 또한, 각 선별검사에서 공격적이지 않은 전립선암의 32.3, 66.9, 64.4%는 발견되지 않으며, 이들 남성은 전립선암에 대한 부담과 치료에서 여유를 가지게 될 것이다. 반면, 이러한 전략의 경우 1차, 2차, 3차 선별검사에서 모든 공격적인 암의 19.1, 38.6, 47.4%를 각각 놓칠 수 있는데, 이는 분명히 바람직하지 않은 결과이다. 단일 PSA 절단치를 이용하면 이러한 결점이 생기기 때문에, 위험을 분류하는 더 나은 방법을 개발할 필요가 있다. 위험 분류를 개선하기 위해 이미 다양한 다변량 위험도 측정법이 개발 중에 있다 (Zhu 등, 2012) (도표 298, 299, 300). ERSPC 위험도 계산법 3 (http://www.prostatecancer-riskcalculator.com)은 PPV를 64%로 향상시키며, 공격적인 전립선암의 발견율을 개선시킨다. 이 위험도 계산법은 더 나은 생물표지자와 영상 기법이 활용될 때까지는 중요한 역할을 할 것이다. 여러 연구가 이미 전립선암에서 magnetic resonance imaging (MRI)이 부수적인 가치가 있음을 보여 주고 있다 (Hoeks 등, 2012).

이전에 생검을 받은 남성의 경우 반복되는 선별검사에서 PPV가 떨어지지만, 암은 여전히 발견된다. 이에 관한 설명으로는 두 가지가 가능하다. 첫째, 6부위 전립선 생검으로는 모든 암을 발견할 수 없으며, 편측 전립선 생검으로는 평균 19%의 암을 놓친다는 보고가 있다 (Schröder 등, 2010). 1차 선별검사에서 놓친 일부 전립선암이 반복되는 생검에서 발견된다. 일부 저자는 확대 생검을 제시하지만, 그렇게 하더라도 암특이 사망률은 약간만 감소할 뿐이다 (Schröder 등, 2010). 둘째, 반복되는 선별검사에서 발견되는 전립선암의 일부는 선별검사와 선별검사 사이의 기간에서 발달하였을 수 있다. 이 때문에 더 일찍 발견되었을 암의 수가 감소한다 (Bokhorst 등, 2012).

또한, 이전에 생검을 받은 남성의 전립선 용적은 이전에 생검을 받지 않은 남성에 비해 유의하게 더 크다 (Bokhorst 등, 2012). 전립선이 클수록 PSA 농도가 높으며, 이들 남성은 더 잦은 생검을 받게 된다. 전립선암에 대한 위험과 전립선 용적은 역상관관계가 있기 때문에 (Makarov 등, 2009), 이전에 생검을 받은 남성에서는 PPV가 비교적 더 낮다. 그러나 전립선암은 여전히 발견되며, PPV가 낮더라도 공격적인 전립선암의 빈도는 이전에 생검을 받지 않은 남성에서와 비슷하다. 이전에 생검을 받은 남성에서 발견된 공격적인 전립선암은 발견된 공격적인 전립선암의 8.6%에 불과하지만, 이전에 생검을 받은 남성에서의 생검 수는 전체 생검 수의 24.6%에 이른다 (Bokhorst 등, 2012). 이는 이전 생검의 결과가 음성인 경우를 충분히 고려하는 개별화된 선별검사가 필요함을 강조한다. 이러한 자료를 근거로 ERSPC 위험도 계산법은 이미 4단계에서 이전 생검 상태를 반영하였으며, 외부 검증을 위해 캐나다인과 유럽인에서 실시된 이 위험도 계산법은 이전 생검의 결과가 다변량 분석에서 전립선암의 유의한 예측 인자임을 보여 주었다 (Trottier 등, 2011).

1차 선별검사의 경우 가장 고령의 남성에서 발견된 전립선암은 젊은 군에 비해 분화도 등급이 더 높았다 (Bokhorst 등, 2012). 이와 같이 고령 남성에서의 미분화는 다른 연구에서도 보고된 바 있다 (Cremers 등, 2010). 1차 선별검사 후 2차 혹은 3차 선별검사에서는 그러한 차이가 분명하지 않은데, 이유는 1차 선별검사에서 발견된 고령 남성의 암은 발달하는 데 더 오

도표 298 Online ERSPC Risk Calculator; 위험 인자를 계산법에 등록하면 전립선암 위험도가 산출됨

위험도 계산법	위험 인자	비고
위험도 계산법 1	가족력, 연령, 소변과 관련이 있는 의학적 문제	전신 건강에 관한 계산법으로서 위험도 계산의 시작점이다.
위험도 계산법 2	혈청 PSA	추후 검사가 필요한지를 예측하는 데 도움이 된다.
위험도 계산법 3	TRUS 결과, DRE 결과, 전립선 용적, 혈청 PSA	선별검사를 받지 않은 남성에서 6부위 생검의 양성 결과를 예측하며, 공격성 정도를 평가할 수 있다.
위험도 계산법 3 + DRE	DRE 결과, DRE 용적, 혈청 PSA	PSA 농도만 평가한 경우에 비해 6부위 생검의 양성 결과를 더 정확하게 예측하며 TRUS는 필요하지 않다. 또한 고등급 분화도 혹은 진행된 전립선암의 예측도 가능하다.
위험도 계산법 4	TRUS 결과, DRE 결과, 전립선 용적, PSA, 이전 음성 생검의 여부	PSA 선별검사를 이전에 받았지만 생검을 받지 않았거나 생검을 받았더라도 음성인 남성에서 이용된다. 6부위 생검에서의 양성 결과와 공격성의 정도를 예측한다.
위험도 계산법 4 + DRE	DRE 결과, DRE 용적, PSA, 이전 음성 생검의 여부	TRUS가 필요하지 않으며, 이전에 선별검사를 받은 남성에서 평가한다. 6부위 생검에서의 양성 결과를 예측하며, 고등급 분화도 혹은 진행된 전립선암을 예측한다.
위험도 계산법 5	Gleason 점수, 생검에서 종양 크기, 생검에서 건강한 조직의 크기, 전립선 용적, 혈청 PSA	즉각적인 치료를 필요로 하지 않는 진행이 완만한 전립선암을 예측한다.
위험도 계산법 6	연령, 혈청 PSA, DRE, 가족력, 전립선 용적, 이전 생검의 상태	최종 단계로 실시하며, 다음 4년에 걸친 추후 위험도를 산출한다.

DRE, digital rectal examination; ERSPC, European Randomized Study of Prostate Cancer; PSA, prostate-specific antigen; TRUS, transrectal ultrasonography.
http://www.prostatecancer-riskcalculator.com/ 참고.

도표 299 299. Online PCPT Risk Calculator; 위험 인자를 계산 도구에 등록하면 전립선암 위험도가 산출됨

위험 인자	예	예시된 사항에 대한 결과
연령, 혈청 PSA, 인종, 가족력, DRE 결과, 이전 음성 생검 실시 여부 (최신 버전에는 PCA3도 포함됨)	연령 61세, 혈청 PSA 1.2 ng/mL, 백인, 전립선암 가족력 없음, DRE 결과 음성, 이전 음성 생검 실시 않음	· 생검에서 상급 위험 전립선암이 발견될 위험도가 2% · 생검에서 저급 위험 전립선암이 발견될 위험도가 12% · 생검 결과가 음성, 즉 전립선암이 없을 확률이 86% · 입원이 필요할 정도의 감염이 있을 가능성은 2~4%

DRE, digital rectal examination; PCA3, prostate cancer antigen gene; PCPT, Prostate Cancer Prevention Trial; PSA, prostate-specific antigen.
http://prostatecancerinfolink.net/riskprevention/pcpt-prostate-cancer-riskcalulator/ 참고.

도표 300 전립선암 및 고등급 분화도 전립선암의 예측에서 PSA 및 위험도 계산법의 비교

위험도 계산법	구분				교정 경사도[†] (95% CI)
	AUC (95% CI)	p-value			
		PSA	PCPT-RC	ERSPC-RC 3/5	
전립선암					
PSA	0.55 (0.52~0.59)	NA	<0.001	<0.001	NA
PCPT-RC	0.63 (0.60~0.67)	<0.001	NA	<0.001	0.67 (0.48~0.86)
ERSPC-RC	0.71 (0.68~0.74)	<0.001	<0.001	NA	0.61 (0.49~0.72)
고등급 전립선암					
PSA	0.61 (0.56~0.65)	NA	<0.001	NA	NA
PCPT-RC	0.68 (0.65~0.72)	<0.001	NA	NA	0.61 (0.47~0.76)
ERSPC-RC	0.78 (0.74~0.81)	<0.001	<0.001	NA	NA

[†], calculation slope. 캐나다인 코호트에서 전립선암으로 진단을 받지 않은 5,519명에 대해서는 PCPT-RC를, 6,288명에 대해서는 ERSPC-RC를 실시하였으며, 혈청 PSA 농도의 중앙치 6.02 ng/mL에서 전립선암 발견율은 46%, Gleason 등급 ≥4의 고등급 전립선암의 발견율은 23%이었다. 다변량 분석에서 전립선암과 고등급 전립선암에 대한 가장 중요한 예측 인자는 초음파촬영상의 결절, 전립선 용적, 혈청 PSA 농도이었다. ROC 분석에 의하면, 전립선암의 발견에 대해 PCPT-RC (AUC 0.63) 혹은 PSA (AUC 0.55)에 비해 ERSPC-RC (AUC 0.71)가 더 우수하였다 (p<0.001). PCPT-RC는 40~100%의 높은 위험도 범위에서 ERSPC-RC보다 더 우수한 효과를 나타낸 데 비해, ERSPC-RC는 0~30%의 낮은 위험도 범위에서 더 우수한 효과를 나타내었으며, 불필요한 생검을 줄일 수 있었다.

AUC, area under the curve; CI, confidence interval; ERSPC-RC, European Randomized Study for Screening in Prostate Cancer-Risk Calculator; NA, not applicable; PCPT-RC, Prostate Cancer Prevention Trial-Risk Calculator; PSA, prostate-specific antigen.

Trottier 등 (2011)의 자료를 수정 인용.

랜 기간이 소요되기 때문으로 생각된다. 선별검사의 효과로도 볼 수 있는 이러한 결과는 예후가 좋은 T1c 병기 종양의 비율이 1차 선별검사에서는 48%, 3차 선별검사에서는 75%이었다는 이전의 보고 (Boevee 등, 2010)와 일맥상통한다.

이들 자료를 종합해 보면, 전립선암을 발견하기 위해 실시되는 PSA에 근거한 선별검사에서 PPV는 수회의 선별검사에서 동일하다. 이전에 생검을 받은 남성에서 PPV는 상당하게 떨어지기는 하지만, 전립선암은 여전히 발견되며, 발견된 전립선암의 20%는 공격적인 특성을 나타낸다. 생검을 받지 않은 군과 받은 군에서 공격적인 전립선암의 비율은 1차 선별검사 이후에는 떨어진다. 이러한 결과는 다음 생검을 반복할 때 이전 생검의 상태를 반드시 고려해야 함을 시사한다. 또한, 1차 생검을 받지 않은 PSA 2.0~2.9 ng/mL의 남성에서는 조기에 선별검사를 고려해야 할 것이다. 이전에 생검을 받지 않은 남성에서 전립선암의 시작에 관한 추가 연구가 필요하며, 전립선암의 시작을 알게 되면 선별검사의 방법이 달라질 것이며 전립선암 특이 사망률과 과잉 진단이 감소할 것이다 (Bokhorst 등, 2012).

2. 전립선 생검의 적용 대상 및 금기 대상
Indication And Contraindication Of Prostate Biopsy

일반적인 전립선 생검의 적용 대상은 도표 35와 301에 요약되어 있으며, 전립선 생검의 금기 대상으로는 심각한 혈액응고장애, 통증을 동반한 항문직장질환, 심한 면역 억제 상태, 급성 전립선염 등이 있다.

간혹 경직장초음파촬영술 유도 하 생검을 실시하기 전 혈청 PSA가 증가한 환자에 대해 수주 동안 항생제 요법을 실시하고 난 후, total PSA (tPSA)와 free PSA (fPSA)에 따라 생검을 실시하기도 한다. Dirim 등 (2009)은 PSA 농도가 4 ng/mL 이상인 환자를 대상으로 fluoroquinolone을 4~8주 동안 투여한 후 치료 종료 무렵에 tPSA와 fPSA를 측정하였으며, fPSA/tPSA 비율 (%fPSA)이 감소되었거나 변화가 없었던 군에서 전립선암 진단율은 52.4%, %fPSA가 증가된 군에서는 11.3%이었다고 하였다. 그러나 이들 결과를 근거로 생검 취소를 결정하기에는 자료가 충분하지 않다.

전립선 생검에서 일반적인 주의 사항은 다음과 같다. 첫째, 치질이나 치루 수술 혹은 그 외의 이유로 항문이 좁아져 있는

도표 301 비뇨기과에서 이용되는 경직장초음파촬영술 및/혹은 생검의 적용 대상

생검을 하지 않는 경우의 경직장초음파촬영술
- 치료 계획을 세우기 위한 용적 측정: 근접 방사선 요법, 냉동 요법, 전립선 비대증 치료 (예; 경요도 극초단파 온열 요법, 고주파전극도자절제술)
- 근접 방사선 요법 혹은 체외 방사선 요법을 실시하기 전에 호르몬 요법으로 크기를 줄이는 동안 용적의 측정
- 체외 방사선 요법을 위해 표식물 설치
- 무정자증의 평가: 사정관 낭종, 정낭 낭종 등
- 전립선 낭종에 대한 상개절개술 혹은 치료적 흡인: 전립선 농양의 배농

경직장초음파촬영술 유도 하에서의 생검
- 전립선암을 의심하게 하는 증상 (예; 골 전이, 척수 압박)이 있는 경우 확인 진단
- 기대 수명이 10년 이상이면서 50세 이상 (만일 흑인이거나 강한 가족력을 가진 경우에는 45세 이상) 환자의 선별검사에서
  - PSA 수치와 관계없이 직장수지검사로 전립선 결절이 있거나 전립선의 상당한 비대칭
  - 연령과 관계없이 PSA > 4 ng/mL
  - 60~65세 미만에서 PSA > 2.5 ng/mL
  - 40세에서 PSA > 0.6 ng/mL
  - PSA 증가 속도 > 0.75~1.0 ng/mL/year
  - PSA가 10 ng/mL 미만인 환자에서 %free PSA:
    > 25% 조직검사 필요 없음
    10~15% 조직검사 고려
    < 10% 조직검사
- 제2선 치료 시작하기 전 방사선 요법의 실패 여부 확인
- ASAP 혹은 PIN으로 진단된 이후 추적 생검 (3~6개월)
- 방광전립선절제술 혹은 동소 요로전환술 실시하기 전
- 증상을 가진 양성전립선비대 환자들에 대한 치료 (예; 수술, 5α-reductase 억제제)를 시작하기 전

ASAP, atypical small acinar proliferation; PIN, prostate intraepithelial neoplasia; PSA, prostate-specific antigen.

Campbell-Walsh Urology 9판의 자료를 수정 인용.

경우에는 윤활액을 충분하게 사용하여 서서히 검사용 탐색자를 삽입해야 하며, 탐색자가 삽입되지 않는다고 강제로 삽입해서는 안 된다. 필요하다면 입원하여 수술실에서 척추마취 하에 생검을 실시한다. 둘째, 고령, 장기간의 심한 변비, 척수 질환 등으로 인해 항문조임근의 힘이 약해진 경우에는 직장 탈출이 발생할 수 있기 때문에 검사 전후에 환자를 교육하고 신중하게 검사에 임해야 한다. 셋째, 전립선 생검에서 표적 생검을 실시할 경우에는 이를 가장 먼저 실시해야 한다. 생검 도중에는 출혈과 직장의 부종으로 인하여 정확한 표적 생검이 어려울 수 있기 때문이다. 넷째, 생검을 위한 신경 차단술 부위가 정낭에 가깝기 때문에 주의해야 되며, 전립선이나 기타 부위에 약물을 투입하게 되면 통증을 호소하고 부작용이 발생할 수도 있다.

3. 전립선 생검의 종류
Classification Of Prostate Biopsy

전립선 생검의 종류에는 경직장 전립선 생검, 세침 흡인 생검, 경회음 전립선 생검, 경요도 전립선 생검 등 여러 가지가 있다.

3.1. 경직장 전립선 생검 Transrectal prostate biopsy

생검은 침습적인 방법이기 때문에 마취 기술이 중요하다. 중부 유럽 세 국가의 비뇨기과 의사에 대한 설문지에 의하면, 마취가 시술 시간의 77%를 차지하였으며, 가장 흔하게 이용하는 기법은 전립선 주위 신경 차단이었다 (Fink 등, 2007). 그러나 전립선 주위 신경 차단법은 통증이 동반되며, 감염의 우려가 있다. 비침습적으로 통증을 조절하는 방법으로 midazolam을 이용한 정맥주사가 효과적이고 신뢰성이 있는 방법이라는 보고가 있다 (Shrimali 등, 2009).

초음파 촬영술을 통해 먼저 전립선의 용적을 측정하고 가로면과 시상면에서 전립선의 영상화를 시작한다. 검사는 보통 전립선의 기저부로부터 시작하여 정점으로 진행한다. 대부분의 초음파 장치는 전립선을 적절하게 볼 수 있도록 자동으로 설치되어 있으며, 경직장초음파촬영술 회색조 검사는 어떠한 병변의 위치와 특징, 예를 들면 저에코, 고에코, 석회화, 비정상적인 윤곽, 낭성 구조물 등을 보여 준다. 스프링으로 작동하는 18 G 침을 이용한 core needle biopsy (CNB) 혹은 생검총이 가장 널리 이용되며, 침은 초음파 탐색자에 부착된 침 안내 도관을 통과해 표적으로 향한다. 대부분의 초음파 장치는 시상면에서 생검침의 경로를 가장 잘 보여 준다. 영상에는 전형적으로 경직장초음파촬영술 장치의 침 안내 도관에 해당하는 천공 경로도 나타난다. 생검총은 침을 0.5 cm 전진시키며, 조직 채취 부위를 넘어 0.5 cm 더 나아가는 침으로 1.5 cm의 조직을 채취하게 된다. 따라서 주변부 조직을 채취할 때 침끝이 전립선 피막의 후방 0.5 cm에 위치하면 침이 발사되어 피막을 통과하여 전방 조직을 더 채취하게 됨으로 암이 흔히 발생하는 부위를 놓치게 된다. 생검침이 직장 표면에 접촉해 있는 동안 탐색자의 위치를 고정시키고 탐색자로 직장의 점막을 압박하면 직장 출혈을 방지하는 데 도움이 된다. 탐색자로 직장에 압력을 가하면 생검총이 직장 점막을 통과할 때의 불쾌감을 줄일 수 있는 데, 이는 정맥절개술 때 불쾌감을 줄이기 위해 피부를 팽팽하게 당기는 것과 마찬가지다.

도표 302 전립선암에 대한 발견율을 높이기 위해 조직 채취 수를 늘리는 생검 방법

참고 문헌	Core 수	암 발견율, %
Eskew 등, 1997	6	26.1
	13	40.3
Naughton 등, 2000	6	26
	12	27
Presti 등, 2000	6	33.5
	8	39.7
	10	40.2
Babaian 등, 2000	6	20
	11	30

Campbell-Walsh Urology 9판의 자료를 수정 인용.

생검에 의해 채집된 검사물은 전형적으로 10% 포르말린에 담근다. 모든 검사물을 개별적으로 분리해 보관할 것인지 혹은 다수 검사물을 한 용기에 보관할 것인지에 관해 일치된 견해는 없다. 정점 근방에 위치한 Cowper 선, 기저부 근방에 있는 정낭 등과 같은 어떤 특정 부위는 암과 닮아 일부 병리학자는 각 위치를 면밀하게 확인하여 생검을 실시해야 한다고 하였다 (Levin, 2004). 검사물은 적어도 좌측과 우측을 다른 용기에 담아야 한다.

기본 되는 6부위 생검은 기저부, 중간부, 정점에서 양측으로 각각 채취하는 방법으로서 만져지는 결절을 수지로 유도하여 생검하는 방법이나 초음파 유도 하에 저에코 부위를 생검하는 방법보다 암 발견율이 훨씬 높다. 부시상면에서 조직을 채집하면 주변부 조직이 일부 포함되지만 상당량은 이행부로부터 조직이 채취된다. 많은 연구에서 전립선 선암은 주변부 후외측에서 발생한다고 입증되었기 때문에, 표준이 되는 6부위 생검법으로는 어느 정도의 위음성 결과가 나타난다.

6부위 생검법을 변형하여 외측에서 검체 수를 늘리는 확대 생검 (extended-core biopsy)이 개발되었다. 많은 연구들이 8~13부위 중 어느 방법이든 기존의 6부위보다 외측에서 추가로 검사물을 얻으면 암 발견율이 더 높아진다고 보고하였다 (도표 302). 483명의 환자를 전향적으로 연구한 Presti 등 (2000)은 기저부와 중간 부위에서 2 cores를 양측으로 추가하여 10부위에서 조직을 채취하였는데, 암 발견율이 표준 6부위로는 80%이었으나 10부위로는 96%이었다고 하였으며, 발견된 전립선암 중 단지 4%만이 결절 부위 혹은 이행부 생검에서 발견되었다. 현재로서는 6부위 생검이 전립선암을 발견하기 위한 통상적인 생검으로 적절하지 않다고 생각된다. 도표 303은 6부위 생검과 여러 확대 생검법을 보여 준다. 첫 생검

도표 303 전립선 생검 부위

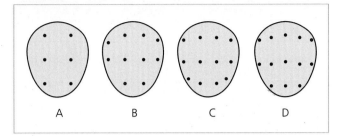

전립선 생검에서 다양한 조직 채취 부위를 나타내며, 도형의 상부가 기저부이고 하부는 정점이다. A, Hodge 등에 의해 처음 제시된 6부위 생검 (Terris 등, 1989); B, Presti 등 (2000)에 의한 10부위 생검; C, 12부위 혹은 6부위 2배 생검; D, Eskew 등 (1997)에 의한 13부위 구역 생검'.
Campbell-Walsh Urology 9판의 자료를 수정 인용.

도표 304 반복 생검에 의한 암 발견율 (%)

생검 횟수	6부위 생검[†‡]	집중 생검[¶*]	CETB[◐]
2차	10~17	36	35
3차	5~14	31	19
4차 이상	4~12	14~36	21

[†], Roehl 등 (2002)의 자료; [‡], Djavan 등 (2001a)의 자료; [¶], Fleshner와 Klotz (2002)의 자료; [*], Stewart 등 (2001)의 자료; [◐], Ramey 등 (2005)의 자료.
CETB, contrast-enhanced targeted biopsy.
Campbell-Walsh Urology 9판의 자료를 수정 인용.

으로 이행부와 정낭에서 암이 발견되는 경우는 적기 때문에 관례적으로 이들 부위에 대해 생검 하지는 않지만, 생검에서 음성이지만 PSA 수치가 지속적으로 증가하는 환자에서는 암을 확인하기 위해 이행부와 전방에 대한 생검이 필요할 수 있다 (Mazal 등, 2001). 그러나 50 cc 이상 크기의 전립선을 가진 남성에서 이행부에 대한 생검을 실시하면 암 발견율이 15% 더 높아진다 (Chang 등, 1998b). 정낭에 대한 생검은 이상 병변이 정낭에서 만져지지 않으면 반드시 실시할 필요는 없지만 PSA가 30 ng/mL 이상이거나 근접방사선 요법을 고려하고 있는 경우에는 권장되기도 한다 (Gohji 등, 1995).

의사들은 1번 이상의 생검에서 음성을 나타내었지만 PSA 수치가 지속적으로 높거나 직장수지검사로 전립선암을 의심하게 하는 소견이 있는 환자에 대해 흔히 딜레마에 빠진다. 이들 환자에서는 연속적으로 생검을 해도 암 발견율이 높지 않음이 입증되었지만, 환자들은 흔히 수차례의 생검을 받는다. Keetch 등 (1994)은 PSA를 기초로 전립선암 선별검사 프로그램에 등록된 1,136명의 환자를 대상으로 첫 생검을 실시한 결과 암 발견율이 34%이었으며 2차, 3차, 4차 생검을 실시한 경우에는 19%, 8%, 7%로 떨어졌다고 하였다. 이 결과는 PSA 농도가 4.0~10.0 ng/mL인 1,051명의 환자를 대상으로 평가한 European Prostate Cancer Detection Study에서도 입증되었는데, 처음 6부위 생검에서 암 발견율은 22%이었고, 뒤이은 2차, 3차, 4차 생검에서 양성인 비율은 10%, 5%, 4%이었다. 도표 304에는 다양한 생검법으로 반복 생검을 실시하였을 때 나타나는 암 발견율이 요약되어 있다.

이와 같이 반복 생검에서 양성률이 낮은 이유가 첫 생검을 확대 생검으로 하여 암 발견율이 향상된 것과 관련이 있

다고 생각한 일부 연구자는 암이 의심되지만 생검 결과가 음성을 보인 어려운 조건의 환자에서는 집중 생검 (saturation biopsy)을 실시할 것을 권하였다. 평균 2회 이상의 6부위 생검에서 음성을 보인 57명을 대상으로 실시한 연구는 환자 당 평균 22.5부위에서 조직을 채취한 결과 암 발견율이 30%이었다고 하였다 (Borboroglu 등, 2000). 마찬가지로 Mayo 클리닉 (Stewart 등, 2001)과 Toronto 클리닉 (Fleshner와 Klotz, 2002)의 유사한 프로토콜도 암 발견율이 증가되었음을 보여주었다. 대부분의 연구는 2회의 생검에서 음성 결과를 나타낸 환자에 대하여 집중 생검을 실시할 경우 암 발견율이 20~34%라고 보고하였다 (Stewart 등, 2001; Patel 등, 2004) (도표 305). 이들 방법의 단점은 마취가 필요하기 때문에 집중 생검을 실시하려면 입원이 필요하다는 것이다.

Ramey 등 (2005)은 외래에서 조영제 증강 초음파촬영술을 병행한 10-core 표적 생검으로도 암 발견율을 집중 생검과 동일하게 증가시킬 수 있기 때문에, 이 방법이 집중 생검으로 인한 이환율과 비용을 줄일 수 있는 대안이라고 하였다. free PSA (fPSA) 혹은 fPSA/total PSA (tPSA)의 비율 (%fPSA)은 PSA가 10 ng/mL 미만인 환자에서 전립선암의 가능성이 낮은지 혹은 높은지를 구별하거나 첫 생검에서 음성인 경우에 재생검을 할 것인지를 결정하는 데 이용된다 (Catalona 등, 1998).

전립선암으로 진단되지는 않았지만 암이 매우 의심되는 환자에 대해 재생검을 얼마나 할 것인지에 관하여 분명한 답은 없지만, European Prostate Cancer Detection Study처럼 대규모 연구로부터 그 답을 유추해 볼 수 있다. 1,000명 이상의 남성들을 대상으로 실시한 연구에서 1차와 2차 생검으로 발견된 암은 그것의 위치와 다발성에는 차이가 있지만 병리학적, 생화학적 소견은 비슷하였으며, 3차와 4차 생검에서 발견된 암은 1차와 2차 생검에서 발견된 암에 비해 등급 (Gleason

도표 305 집중 생검 연구의 결과 비교

참고 문헌	표본 수	PSA, ng/mL	이전 생검 횟수	평균 cores 수	암 발견율, %	CIP, %
Borboroglu 등, 2000	57	8.6 (평균치)	2.1	22.5	30	7
Stewart 등, 2001	224	8.7 (중앙치)	1.8	23	34	14.3
Fleshner 등, 2002	37	22.4 (중앙치)	4.2	32~38	13.5	NA
Rabetes 등, 2004	116	9.2 (평균치)	1.7	22.8	29	0
Patel 등, 2004	100	9.4 (평균치)	1.7	20~24	25	NA
Walz 등, 2006	161	9.4 (중앙치)	2.5	24.2	41	15.6

CIP, clinically insignificant prostate cancer; NA, non-assessed data; PSA, prostate-specific antigen.
Zaytoun과 Jones (2011)와 Walz 등 (2006)의 자료를 정리.

점수), 병기, 암의 용적 등이 낮았고, 1차와 2차 생검의 이환율은 비슷한 데 비해, 3차와 4차 생검에서의 합병증 비율은 더 높았다. 또한, Roehl 등 (2002)은 2회의 6부위 생검만으로도 90% 이상의 전립선암을 발견할 수 있으며, 확대 생검으로 2회의 생검을 거친다면 생명을 위협하는 암을 놓칠 가능성이 거의 없다고 하였다. 따라서 1차 생검에서 음성 소견을 보인 모든 환자에게 2차 생검을 실시하는 것은 정당하다고 할 수 있다. 그러나 3차와 4차 생검은 1차 혹은 2차 생검에서 암이 강하게 의심되거나 부정적인 예후 인자를 가진 매우 한정된 환자에 대해서만 실시해야 한다고 생각된다 (Djavan 등, 2005).

3.2. 세침 흡인 생검 Fine-needle aspiration biopsy

전립선의 이상 부위에 대한 경직장 세침 흡인 생검법은 다른 생검법에 비해 비용이 저렴하고 소요 시간이 짧으며 시행 방법이 간단하여 이환율이 낮다는 장점이 있어 미국 외의 많은 다른 국가에서 아직도 이용하고 있다. 민감도, 특이도, 효능을 높이기 위해서는 시행 방법과 표본 해석에 대한 적절한 교육 및 훈련이 필요하다. 전립선암의 등급을 부과함에 있어 다수 부위를 채취하는 일반적인 생검법과 마찬가지의 신뢰성이 있는지는 분명하지 않다 (Algaba 등, 1996).

3.3. 경회음 전립선 생검 Transperineal prostate biopsy

경회음전립선생검은 전립선암이 의심되는 환자, 경직장 생검에서 음성이지만 전립선암이 지속적으로 의심되는 환자, 복회음직장절제술, 선천성 항문 혹은 직장 기형 등으로 직장에 상당한 문제가 있는 환자 등에서 이용된다 (Dimmen 등, 2011).
체계적인 전립선 생검에서 음성 결과라고 하여 임상적으로 중대한 암을 배제하지 못하기 때문에, 여러 연구자들이 생검의 민감도를 높이기 위해 확대 생검 등으로 기법을 수정하였다 (Norberg 등, 1997). 그러나 아직도 전립선 생검이 음성이지만 PSA가 지속적으로 증가한 환자에서 뚜렷한 해결책을 찾지 못하고 있다. 전립선 생검에 의한 전립선암 발견율을 분석한 여러 연구는 첫 생검에서 상당수의 암을 놓침을 발견하였다. 선행 호르몬 요법의 여부와 무관하게 근치전립선절제술을 실시하기 전 6부위 재생검이 계획된 118명을 대상으로 평가한 연구는 재생검에서 위음성 비율이 23%라고 하였다 (Rabbani 등, 1998). 확대 생검조차도 근치전립선절제 표본에서 병리학적으로 발견된 중대한 암의 20%까지를 발견하지 못하였다 (King 등, 2004).
근치전립선절제 표본 180점을 대상으로 컴퓨터 모의실험을 실시한 연구는 종양 용적이 0.5 cc를 초과한 전립선암의 73%를 발견하였으며, 놓친 암은 주로 전립선의 전방과 주변부의 전방 뿔 (horn) 부위에 위치해 있었다고 하였다 (Chen 등, 1997). 전립선암의 약 20%는 전립선의 전방에 위치해 있다고 보고되었다 (Hossack 등, 2012). 경회음 생검 후 경직장 재생검을 실시한 연구는 경회음 세로 접근으로 암의 82.5%를 발견한 데 비해 경직장 생검으로는 암의 72.5%를 발견하였으며, 주변부의 암은 세로 배열의 cores에 의해 효과적으로 발견된다고 하였다 (Vis 등, 2000). 경직장과 경회음 6부위 생검을 비교한 다른 연구는 40%에서 암이 발견되었으며, 이들 암의 95%가 경회음 접근으로 발견된 데 비해 경직장 접근으로 발견된 경우는 79%라고 하였다 (Emiliozzi 등, 2003). 경직장 초음파촬영술 유도 하의 생검에서 음성 결과를 보인 102명을 대상으로 경회음 모형 유도 하의 집중 생검을 실시한 연구는 42%의 암을 발견했다고 하였다 (Merrick 등 2007). 다른 연구도 경직장 생검에서 음성이었던 747명에 대해 경회음 정위

(stereotactic) 생검을 실시하여 39%의 암을 발견했다고 하였다 (Moran과 Braccioforte, 2009). 이와 같은 경우 다른 부위에 비해 정점, 특히 전방 정점에서 암의 발견율이 유의하게 더 높았다. 여러 연구는 전립선암의 5개 중 1개는 전립선의 전방에 위치해 있으며 (Wright와 Ellis, 2006), 전립선의 전방은 경회음 경로에 의해 접근이 용이하여 이러한 접근법을 이용할 경우 전립선암의 발견율이 증가한다고 하였다 (Takenaka 등, 2006).

126명과 120명의 남성에 대해 각각 경회음 12-core, 경직장 12-core 생검을 실시하여 성적을 비교한 연구는 다음과 같은 결과를 보고하였다 (Hara 등, 2008). 첫째, 경회음 생검과 경직장 생검에서 암 발견율은 각각 42.1% (53명/126명), 48.3% (58명/120명)이었다 (p=0.323). 둘째, 암 core의 수/생검 core의 수의 비율, 즉 암 core 비율은 경회음 생검과 경직장 생검에서 각각 13.7% (207/1,512), 14.4% (208/1,440)이었다 (p=0.566). 이와 같은 결과는 경회음 생검과 경직장 생검에서 암 발견율의 차이가 없음을 보여 준다. 24-core의 경회음 생검과 경직장 생검을 이용하여 각각 140명, 332명에 대해 재생검을 실시한 연구도 전체 암 발견율은 28.6%이었으며, 경회음 생검과 경직장 생검에서 암 발견율이 각각 25.7%, 31.4%로 유의한 차이가 없었다고 하였다 (p=0.3) (Abdollah 등, 2011). 각각 100명의 남성에 대해 12-core의 경회음 생검과 경직장 생검을 실시한 연구는 암에 대한 양성률이 각각 47%, 53%로 유의한 차이가 없었으나 (p=0.48), 4.1~10.0 ng/mL의 '회색지대'에 속하는 PSA 농도를 가진 환자에서는 경회음 생검의 경우, 특히 이행부 cores의 경우 경직장 생검에 비해 양성 cores의 수가 유의하게 더 많았다고 하였다 (Takenaka 등, 2008).

근래 실시되는 경회음 생검 기법의 한 예를 들면 다음과 같다. 환자에게 진정제를 주사한 후 결석제거술 자세를 취하게 하고, 회음부를 5% chlorhexidine 용액으로 소독한 후 회음부 피부와 피하조직에 국소 마취제를 주입한다. 18 G 생검총으로 전립선의 우측 복부/기저부, 우측 복부/정점, 좌측 복부/기저부, 좌측 복부/정점 등의 엽에서 각각 5개의 cores를 채취한다. 만일 MRI를 실시하여 의심 부위가 있으면, 전체적으로 생검을 실시한 후 의심 부위에 대한 표적 생검을 실시한다. MRI의 결과가 음성이거 불확실한 경우, 혹은 MRI를 실시하지 않은 경우는 집중 생검을 실시한다. 항생제는 관례적으로 사용하지는 않으나, 경직장 생검으로 감염의 병력이 있거나 심장

밸브 등의 위험 인자를 가져 심내막염의 우려가 있는 환자에게는 예방적으로 사용한다 (Dimmen 등, 2011).

경직장 생검이 음성이었지만 PSA 농도가 4.3~229 ng/mL, 중앙치 12 ng/mL로 증가한 69명을 대상으로 경회음 생검을 실시한 연구는 다음과 같은 결과를 보고하였다 (Dimmen 등, 2011). 첫째, 전립선암은 경회음 생검의 55% (38명/69명)에서 발견되었다. 둘째, 발견된 전립선암의 53% (20명/38명)는 Gleason 점수가 3+4 이상이었다. 셋째, 26명이 근치전립선절제술을 받았으며, 수술 표본의 병리학적 병기는 pT2c, pT3a, pT3b가 각각 65%, 27%, 8%이었다. 넷째, 근치전립선절제 표본의 88% (23명/26명)가 최종적으로 7 이상의 Gleason 점수를 나타내었으며, 대부분의 암은 전립선의 전방부/복부에 위치해 있었다. 이들 결과에 의하면, 경직장 생검이 음성 결과를 나타내었지만 PSA가 증가된 환자에서 전립선암을 발견하기 위한 재생검의 방법으로는 전립선의 전방부 및 복부에 접근이 용이한 경회음 생검이 적절하며, 경회음 생검으로 발견된 전립선암으로 인해 근치전립선절제술을 받은 환자의 수술 표본이 대부분 중대한 암을 나타내었기 때문에 기저부/배부에 비해 전방부/복부의 전립선암이 고등급 분화도를 가지는지를 확인하는 추가 연구가 필요하다고 생각된다.

1,132점의 전립선절제술 표본을 후향적으로 검토한 연구는 1차 생검 환자군을 414명의 경회음 군과 718명의 경직장 군으로 구분하여 각 생검에 대한 수술 후의 병리학적 결과를 비교 분석한 후 다음과 같은 결과를 보고하였다 (Hossack 등, 2012). 첫째, 경회음 접근법과 경직장 접근법에서 전체 평균 종양 크기 (1.8 대 2.0 cc), 병기 (pT2 63.3% 대 61%), 중대한 암의 비율 (5.1% 대 5.1%) 등은 비슷하였다. 둘째, 경회음 접근법은 경직장 접근법에 비해 더 높은 비율의 전방 암과 관련이 있었으며 (16.2% 대 12%, p=0.046), 그들 전방 암은 더 작은 크기 (1.4 대 2.1 cc), 더 낮은 병기 (피막 외부 확대 13% 대 28%, p=0.03))에서 발견되었다. 셋째, 전방의 암은 다른 암에 비해 pT3 수술 절제면의 침범 비율이 각각 69%, 34.9%로 더 높았다. 이들 결과를 근거로 저자들은 pT3 수술 절제면의 침범 비율이 높은 전방부 암을 조기에 발견하기 위해서는 경직장 생검보다 경회음 생검이 더 적절하다고 하였다.

3.4. 경요도 전립선 생검 Transurethral prostate biopsy

경요도 절제 생검은 이행부 암의 진단이나 경직장초음파활

영을 병행한 경직장 생검에서 음성 소견을 나타낸 경우에 실시된 적이 있다. 그러나 이행부의 암은 5% 미만으로 추정된다 (Mazhar와 Waxman, 2002). 국소 마취로 시행되는 경직장초음파촬영술이 발달되어 현재는 이행부의 조직을 적절하게 채취할 수 있어 대개는 경요도 생검이 필요하지 않다 (Derweesh 등, 2004).

요로상피세포암으로 방광절제술을 시행하기 전에 요도절제술 시행 여부를 결정하기 위해 경요도 방광암 절제술과 함께 경요도 전립선 생검을 실시하지만, 근치방광절제술 전 경요도 생검의 임상적 중요성에 관해서는 논란이 되고 있다. 여러 연구는 방광절제술 도중 채집된 동결 절편의 병리학적 소견이 요도절제술의 적용을 결정하는 데 더 신뢰성이 있다고 하였다 (Kassouf 등, 2008). 다른 연구는 방광절제술 표본 중 전립선부 요도에서 요로상피세포암이 발견될 위험 인자로 5 cm 이상의 종양 크기, 방광 경부에 위치한 종양, 재발한 병력 등을 제시하였다 (Mazzucchelli 등, 2009). 경요도 전립선 생검 표본과 방광절제술 표본을 비교함으로써 근치전립선절제술 전에 시행되는 경요도 전립선 생검이 임상적으로 적절한지를 방광절제술과 함께 요로전환술을 받은 204명 중 경요도 전립선 생검을 실시한 101명을 대상으로 평가한 연구는 다음과 같은 결과를 보고하였다 (Ichihara 등, 2013). 첫째, 경요도 전립선 생검 양성인 환자 25명 중 18명이 방광절제술 표본의 기질 혹은 전립선부 요도에서 질환이 관찰되었다. 3명은 경요도 전립선 생검에서 음성이었지만, 방광절제술 표본에서 질환의 침범이 관찰되었다. 따라서 경요도 전립선 생검의 민감도는 86%, 특이도는 91%, 양성 예측도 (PPV)는 72%, 음성 예측도 (negative predictive value, NPV)는 96%로 추산된다. 둘째, 경요도 전립선 생검의 소견에서 비유두상 (non-papillary) 종양이 존재함은 방광절제술 표본 중 전립선 부위에 질환이 있을 가능성을 가장 정확하게 예측하였다. 이와 같은 결과는 경요도 전립선 생검이 높은 음성 예측도를 나타내기 때문에, 경요도 전립선 생검에서 음성이면 요도를 보존함이 적절함을 보여 준다.

3.5. 자기공명영상 표적 생검
Magnetic resonance imaging (MRI) targeted biopsy

전립선 생검의 목표는 암을 발견하고 암의 용적 및 분화도 등급을 추정하는 데 있다. 10부위 확대 생검은 PSA 7 ng/

mL 이하 및 60세 이하 환자의 관리에서 사실상 표준이 되었다 (Presti 등, 2003). 그러나 이러한 생검 전략은 주로 전립선 주변부의 후면을 표적으로 하기 때문에 주변부의 전외측 혹은 이행부 혹은 전방 섬유근 기질 중간부에 위치한 암의 30~40%를 놓치게 된다 (Lemaitre 등, 2009). 50 cc 이상 크기의 전립선에서 이들 전방에 위치한 암을 발견하기 위해서는 중엽 전방부에 4~6-core의 확대 생검이 권장되지만 (Scattoni 등, 2007), 암 발견율은 2%에 불과하다 (Presti 등, 2003). 10~12-core의 확대 생검이 표준화되면서 암 발견율이 개선되었지만, 임상적으로 중요하지 않아 반드시 치료할 필요가 없는 0.5 cc 이하의 작은 크기의 암이 발견되는 비율이 높아졌다. '임상적으로 중요하지 않은'암을 규정하기가 쉽지 않지만, Epstein 등 (1994)은 PSA와 침 생검에 근거하여 처음 치료를 적극적 감시로 대신할 수 있는 생물학적으로 불활성적인 암을 PSA density (PSAD) 0.15 ng/mL/cc 미만, 생검 Gleason 점수 6 이하, 암 양성 cores 수 2개 이하, 양성 core 내의 암 분포 50% 이하로 규정하였다. 초기 연구에서는 이 기준에 맞는 암의 16%가 Gleason 점수 6 이하의 저등급, 0.5 cc 미만의 작은 크기, 전립선 내에 국한된 임상적으로 중요하지 않은 암으로 간주되었다.

현재 통용되고 있는 확대 생검의 제한점은 암의 발견율은 높지만 임상적으로 중요하지 않은 암의 진단율 또한 높아 과잉 치료로 이어지는 경우가 많다는 점이다. 병변에 대한 표적 생검을 지지하는 의사들은 표적 생검이 임상적으로 중요하지 않은 암의 발견율과 확대 생검으로 인한 합병증을 줄일 수 있다고 하였다. Hodge 등 (1989)은 체계화된 표본 채취법에서는 포함되지 않는 저에코 부위의 조직을 직접 채취하면 관찰자 및 표본 채집에 따른 오류를 최소화하고 암 진단율의 정확도를 높이기 때문에, 6부위 생검과 표적 생검을 병행할 것을 주장하였다. 종양이 만져지고 진행된 질환을 표적 생검의 적용 대상으로 삼은 당시의 연구 코호트는 무증상의 환자에서 암을 진단하는 현대의 코호트와는 대조된다. 따라서 전립선암의 유병률이 증가하고 낮은 병기로 급변하는 현재 시점에서는 임상적으로 중요한 부위에 대해서만 표적 생검을 한다는 새로운 개념이 필요하다 (Ehdaiea와 Shariat, 2013).

초음파로는 연조직에 대한 해상도가 낮아 전립선암을 확인할 수 없기 때문에, 경직장초음파의 유도로 실시되는 생검은 눈감고 전립선암을 발견하는 형국이라고 할 수 있다. 대조적으로 자기공명영상 (magnetic resonance imaging, MRI)

으로는 전립선암을 발견할 수 있고 암의 특징도 알 수 있다 (Bonekamp 등, 2011). MRI 유도 하 전립선 생검법은 두 가지가 있는데, 하나는 초음파와 MRI를 병행하여 생검하는 방법이고, 다른 하나는 MRI로만 생검하는 방법이다. 초음파와 MRI를 병행한 생검법은 생검 전에 우선 전립선에 대해 MRI를 실시하고 생검 때는 MRI 영상과 초음파 영상을 결부시켜 비뇨기과 의사로 하여금 표적에 접근하도록 한다. 두 번째 형태인 MRI 유도 하 생검법은 생검 때 MRI만 이용된다. 초음파와 MRI를 병행한 생검법은 비뇨기과 의사에 의해 시행되고, MRI 유도 하 생검법은 방사선과 의사에 의해 시행되고 있지만, 두 분야의 의사가 협조하여 종합적으로 접근하게 되면 전립선암 환자에게 더 큰 도움을 줄 수 있을 것이다.

혈청 PSA가 높고 직장수지검사에서 결절이 만져지는 환자에서 임상적으로 중요한 전립선암을 발견하기 위해 MRI를 이용한 전립선 표적 생검이 유효하다고 보고된 바 있지만 이를 뒷받침하는 연구는 많지 않은데, 이에 대한 이유가 몇 가지 있다. 첫째, MRI 유도 하 전립선 생검의 주된 제한점은 환자 코호트, 중재 시술, 결과 등에서 동일하지 않다는 점이다. 전립선암의 유병률은 선정된 남성의 위험도에 따라 다양하며, 이는 양성 예측도 및 음성 예측도에 직접 영향을 주므로 연구 대상 집단 사이에 적절한 비교가 이루어지지 않을 수 있다. 둘째, MRI 유도 하 전립선 생검과 초음파촬영 유도 하 표준 생검을 병행한 생검에서 표적을 인지하는 의사의 편견을 줄이기 위해 MRI 자료와 관계없이 시행되는 초음파촬영 유도 하 표준 생검법에 피검자를 무작위로 배정하여 비교하는 연구를 실시해야 하는데, 이는 쉽지가 않다. 셋째, 방사선학적 관찰에서의 변동을 최소화하기 위해 영상의 질의 표준화, 다수 지표에 의한 평가, 병변이 있음을 확인하는 기준의 정의 등이 필요하다 (Moore 등, 2013).

대부분의 연구는 임상적으로 중요한 암과 중요하지 않은 암 모두의 발견에 대한 결과를 보고하지만, 이는 활동성이 낮은 질환에 대한 과잉 진단을 줄이려는 노력에 역행한다고 생각된다. 이에 Moore 등 (2013)은 임상적으로 중요한 암의 발견을 일차 결과로 규정한 연구를 실시하기도 하였다. 근래 많은 연구는 근치전립선절제술 표본의 병리학적 최종 결과와 일치하는 최고로 높은 Gleason 등급을 발견하는 데 생검의 목표를 두고 있다 (Hambrock 등, 2012).

최근의 연구는 gadolinium을 주사한 후 얻은 다지표 MRI (multiparametric MRI, mpMRI)가 전립선의 전후면 암을 발견하는 데 민감도가 높음을 보여 주었다 (Puech 등, 2009). 전방 부위의 암 중 전방 섬유근 기질의 암은 요도의 앞쪽, 내측에 위치해 있기 때문에, MRI의 소견으로 의심되는 부위를 경직장초음파 혹은 MRI의 유도 하에 실시하는 표적 생검에 비해 일반적으로 실시되는 체계화된 전방 생검법으로는 암을 발견하기가 어렵다 (Lemaitre 등, 2009). 첫 생검의 결과가 음성이지만 PSA가 증가된 환자를 대상으로 MRI 유도 하에서 중앙치 4 cores의 생검을 실시한 연구는 59% (40명/68명)의 암 발견율을 보고하였다 (Hambrock 등, 2010). MRI를 통해 발견된 의심 부위를 표적 생검하는 방법은 생검의 결과를 개선하여 임상적으로 중요하지 않은 암의 발견율을 줄이는 대신 임상적으로 중요한 암의 발견율을 높이고, 종양의 길이, 분화도 등급과 같은 더 많은 정보를 제공하며, 이러한 정보를 얻는 데 필요한 생검 cores의 수를 줄이는 효과를 나타낸다. 이러한 개념을 주창한 Ahmed 등 (2009)은 전립선암의 관리에서 MRI의 이용이 아직은 논란이 있을 수 있다고 하여 현재의 지침은 MRI의 역할을 높이 평가하지 않는 실정이다. 그러나 지난 5년 동안 기술적인 측면에서 발전을 거듭함으로 인해 MRI를 이용한 생검의 가치가 재평가될 필요가 있다. 즉, 전립선암으로 진단된 환자뿐만 아니라 첫 생검을 실시하기 전이더라도 PSA가 증가된 남성의 위험도를 분류하기 위해, 그리고 치료가 필요한 임상적으로 중요한 암을 가진 환자를 파악하기 위해 MRI의 이용도를 높여야 한다는 의견이 제시되고 있다. 이러한 전략은 질환이 없거나 임상적으로 중요하지 않은 암을 가진 환자에서 불필요한 생검과 불필요한 치료를 줄이는 효과가 있으며, 생검 시 발생한 출혈로 인한 인공 음영을 구별하여 국소 병기에 대한 정확한 정보를 얻음으로써 질환의 중한 정도를 정확하게 판단할 수 있다는 장점도 가지고 있다. MRI는 또한 영상으로 유도되는 병소 치료 전략의 발달에서도 어떠한 역할을 할 것으로 기대된다 (Haffner 등, 2011).

MRI를 이용한 표적 생검은 임상적으로 중요한 암의 발견율을 높이는 대신 무활동성 암의 발견율을 낮추고, core 당 암 발견율을 증가시키며, 확대 생검에 따른 감염, 출혈 등의 부작용을 줄일 수 있다는 장점이 있지만, 시술 시간이 길고, 비용이 증가하는 단점 또한 있다. 그러나 비용을 산출할 때 무활동성 질환에 대한 과대 진단이 줄고 정확한 병기를 파악하기 위한 재생검을 피할 수 있다는 유익성이 함께 고려된다면, 경제적인 측면에서도 유리하다고 할 수 있다 (Ehdaiea와 Shariat, 2013).

생검 전에 실시한 MRI의 전립선암 발견에 대한 성적을 평가하고 암의 위치, Gleason 점수, 종양 크기 등과 MRI 사이의 관계를 평가하기 위해 122명을 대상으로 근치전립선절제술의 결과와 경직장초음파촬영, T2 강조 영상 (T2-weighted imaging, T2WI), 확산 강조 영상 (diffusion-weighted imaging, DWI; b=2000 s/mm^2), 현성 확산 계수 영상 (apparent diffusion coefficient map, ADC map), 생검 등의 결과를 비교하여 민감도와 양성 예측도를 측정한 연구는 경직장초음파촬영, T2WI, DWI, ADC map, 생검의 민감도는 각각 26.9%, 41.2%, 56.7%, 57.7%, 75.1%이었고, 양성 예측도는 각각 73.0%, 83.0%, 86.4%, 87.2%, 91.5%이었으며, 생검 전 MRI는 암의 위치와 관계없이 Gleason 점수가 클수록, 암 병변의 단축과 장축이 길수록, 특히 단축 5 mm, 장축 10 mm를 초과한 경우 높은 민감도를 나타내었다고 하였다 (Shimizu 등, 2009).

PSA 중앙치 5.8 ng/mL, 연령 중앙치 61세의 50명을 대상으로 생검 전에 MRI를 실시하고, 12-core 생검을 실시할 때는 경직장초음파촬영술과 MRI를 병행한 연구는 총 605 cores를 채취하였으며 20명으로부터 양성 cores 56점을 얻었으며, 이들 56점의 양성 cores 중 34점을 MRI로 확인할 수 있었다고 보고하였다. 저자들은 다지표 MRI의 민감도, 특이도, AUC는 각각 0.607, 0.727, 0.667이었으며, T2WI, DWI, ADC map의 작업 외에 지연 조영제 증강 MRI와 3차원적 magnetic resonance spectroscopy (MRS)를 추가하면 근치전립선절제술 표본과의 상호 관계에서 일관되게 더 높은 특이도를 얻을 수 있다고 보고하였다 (Turkbeya 등, 2011).

Pinto 등 (2011)은 101명의 환자를 대상으로 3.0 T MRI를 이용하여 암이 의심되는 병변의 수에 따라 2개 이하를 저급, 3개를 중급, 4개 이상을 상급 의심 병변으로 분류한 후, 경직장초음파 유도 하 표준 12-core 생검과 초음파/MRI 유도 하 생검을 실시하여 비교하였다. 환자의 평균 연령은 63세이었으며, 생검 때의 PSA 중앙치는 5.8 ng/mL이었고, 환자의 90.1%가 직장수지검사에서 음성 결과를 나타내었다. MRI에서 저급, 중급, 상급 의심 병변을 가진 환자들 중 각각 27.9%, 66.7%, 89.5%에서 암이 진단되었다 (p<0.0001). 모든 등급의 의심 병변에서 초음파/MRI 유도 하 생검이 경직장초음파 유도 하 표준 12-core 생검에 비해 core 당 더 많은 암을 발견하였다. 이들 결과를 근거로 저자들은 MRI를 통해 국소 전립선암으로 의심되는 환자에 대해 초음파/MRI 유도 하의 표적 생검을 실시할 것을 권하였으며, 이 방법이 암을 발견하거나 적

극적 감시, 국소 요법 등의 치료 방법을 선택하는 데 도움이 된다고 보고하였다.

생검 전 MRI로 전립선암이 의심되는 555명을 대상으로 경직장초음파 유도 하에서 10~12 cores 생검과 MRI에서 악성으로 의심되는 부위에 대한 2개의 표적 생검을 병행하여 실시하고 '중요한' 암을 종양의 총 길이가 5 mm를 초과 및/혹은 Gleason 패턴이 3을 초과한 경우로 규정한 연구에 의하면, PSA 중앙치는 6.75 (0.18~100) ng/mL이었으며, 그 외의 결과는 다음과 같았다 (Haffner 등, 2011). 첫째, MRI에서 (+) 양상을 보인 경우는 63% (351명/555명)이었고, 54% (302명/555명)에서 확대 생검 및/혹은 표적 생검으로 암이 발견되었다. 암으로 확인된 302명 중 82% (249명/302명)는 중요한 암을, 18% (53명/302명)는 중요하지 않은 암을 가졌다. 둘째, 중요한 암을 발견하지 못한 경우는 확대 생검에서 12명, 표적 생검에서 13명이었다. 중요한 전립선암의 발견에서 민감도, 특이도, 정확도는 확대 생검의 경우 각각 0.95, 0.83, 0.88이었고, 표적 생검의 경우 각각 0.95, 1.0, 0.98이었다. 셋째, 중요한 전립선암의 발견 정확도는 확대 생검에 비하여 표적 생검에서 더 높았다 (p<0.001). 표적 생검은 확대 생검에 비해 Gleason 등급 4/5를 16% 더 발견하였으며 종양의 길이를 4.70 mm 대비 5.56 mm로 더 나은 측정도를 나타내었다 (p=0.002). 넷째, 확대 생검 없이 표적 생검만 하였다면 MRI (+) 환자의 63%에서만 평균 3.8 cores의 생검을 하게 되고 중요하지 않은 전립선암의 13% (53명/302명)에 대한 불필요한 진단을 피할 수 있었다. 이와 같은 결과를 근거로 저자들은 생검 전 MRI에서 악성으로 의심되는 부위에 대해 표적 생검만 실시하는 방법이 임상적으로 중요한 전립선암을 발견하는 데 있어 확대 생검의 대안이 되는 매력적인 방법이라고 보고하였다. 그러나 이에 대한 타당성을 입증하기 위해서는 추가 연구가 필요하다.

전립선암의 진단은 주로 직장수지검사, PSA, 경직장초음파촬영을 겸한 생검에 의해 이루어진다 (Heidenreich 등, 2011). 특히, PSA 농도에 근거한 진단에서 민감도를 증가시키는 도구를 이용하면 특이도가 낮기 때문에, 민감도와 특이도는 상호 보완적이라 할 수 있다 (Ficarra 등, 2010). 따라서 임상 진료에서 불필요한 생검을 줄임과 동시에 전립선암 발견율을 높이는 새로운 생물 지표의 개발이 필요하다. 근래 *prostate cancer antigen 3 (PCA3)* 유전자가 전립선암의 진단에서 가장 유망한 새로운 생물 지표로 보고되고 있

다 (Fradet 등, 2004). 메타 분석 자료에 의하면, PCA3 검사의 민감도는 46.9~82.3%, 특이도는 56.3~89%, 양성 예측도는 59.4~97.4%, 음성 예측도는 87.7~98%이다 (Ruiz-Aragon 등, 2010). 일부 연구는 이전 생검의 결과가 음성이면서 PSA 농도가 지속적으로 증가된 환자에서는 PCA3 점수가 가장 적절한 검사라고 하였다 (Deras 등, 2008). 생검의 결과가 음성이지만 지속적으로 PSA 농도가 2.5 ng/mL를 초과한 233명을 대상으로 실시한 연구는 PCA3 점수의 절단치를 35 이상으로 설정한 경우의 민감도와 특이도는 각각 58%, 72%이라고 하였다 (Marks 등, 2007). European Association of Urology (EAU)의 지침은 PSA 농도의 증가에도 불구하고 첫 생검의 결과가 음성인 남성에서 전립선암을 발견하는 데 PCA3가 가치가 있지만 아직은 실험 단계라고 하였다 (Heidenreich 등, 2011).

전립선암의 조기 진단에서 첫 번째 단계는 생물 지표의 올바른 활용이며, 두 번째 단계는 전립선 생검에 의한 조직학적 확인이다. 경직장초음파촬영의 유도 하에서 실시된 생검이 전립선암의 발견에서 표준 방법으로 제시되고 있지만, 이 방법으로는 암의 30%를 놓친다고 보고되었다 (Hricak, 2005). EAU의 지침은 cores의 수를 증가한 '집중 생검 (saturation biopsy)'이 위음성 비율을 떨어뜨린다고 제시하였지만 (Heidenreich 등, 2011), 이 방법으로 발견되는 전립선암의 빈도는 cores의 수에 따라 30~43%이며 환자의 이환률이 증가된다. 이와 같은 결과를 근거로 여러 연구는 전립선암을 발견하고 생검을 유도할 수 있는 민감도가 높고 정확한 영상 모델의 필요성을 제기하였다. 근래 해부학적 영상 외에도 magnetic resonance spectroscopic imaging (MRSI), DWI, dynamic contrast-enhanced imaging (DCEI) 등을 병합한 mpMRI가 관심을 받고 있다. mpMRI는 전립선암의 관리에서 여러 측면을 개선할 목적으로 이용되고 있다 (Sciarra 등, 2011). 현재는 mpMRI가 전립선암의 진단에서 1차 접근법으로 이용되지는 않지만, 표적 생검을 유도하는 데, 특히 경직장초음파촬영 유도 하의 생검 결과가 음성이면서 PSA가 증가된 환자에서 이용될 수 있다 (Cirillo 등, 2008). 이와 관련한 연구는 MRSI와 MRI의 병용은 재생검을 위한 적절한 암 부위를 확인하는 데 대한 민감도가 100%, 특이도가 51.4%, 양성 예측도가 48.6%, 음성 예측도가 100%, 정확도가 66.3%이라고 하였다 (Cirillo 등, 2008). 다른 연구는 MRSI와 DCEI의 병용은 재생검에서 전립선암을 발견하는 데 대한 민감도가 93%, 특이도가 89%, 양성 예측도가 89%, 음성 예측도가 93%, 정확도가

91%이라고 하였다 (Sciarra 등, 2010). 이들의 결과로 볼 때, 전립선암 진단의 생물 지표로서 PCA3의 가치는 mpMRI를 이용하면 증대된다는 가설이 성립된다. 특히 무작위 생검에서 PCA3 위양성으로 확인된 환자의 일부는 mpMRI를 이용함으로 인해 더 나은 정확도로 생검을 함으로써 진성 양성을 나타낼 수 있다. 전립선 생검의 결과가 음성이고 PSA 농도가 증가된 환자에서 소변 PCA3 검사의 정확도를 높이는 추가 진단 도구로서 MRI의 역할을 평가하기 위해 경직장초음파촬영의 유도 하에 무작위로 2차 생검을 실시한 A군 84명과 mpMRI에 의한 검사 후 경직장초음파촬영의 유도 하에 2차 생검을 실시한 B군 84명을 비교한 연구는 다음과 같은 결과를 보고하였다 (Sciarra 등, 2012). 첫째, 2차 생검에서 전립선암의 조직학적 진단은 A군의 경우 30.9% (26명/84명), B군의 경우 34.5% (29명/84명)이었다. 둘째, PCA3 점수의 민감도, 특이도, 양성 예측도, 음성 예측도, 정확도는 A군의 경우 각각 68.0%, 74.5%, 53.1%, 84.6%, 72.6%이었으며, B군의 경우 각각 79.3%, 72.7%, 60.5%, 86.9%, 75.0%이었다. 셋째, PCA3 점수의 receiver-operator characteristic (ROC) 곡선 area under the curve (AUC)는 A군의 경우 0.825 (95% CI 0.726~0.899), B군의 경우 0.857 (95% CI 0.763~0.924)이었다 ($p < 0.001$). 이와 같은 결과를 근거로 저자들은 이전 생검의 결과가 음성이고 PSA 농도가 지속적으로 증가된 환자에서 재생검을 위한 적절한 부위를 탐색하는 데 mpMRI를 이용하면 전립선암의 진단에서 소변 PCA3 검사의 민감도를 유의하게 증가시킬 수 있다고 하였다.

첫 생검에서 음성 결과를 나타내었으나 지속적으로 전립선암이 의심되는 170명을 대상으로 PCA3 점수, prostate health index (PHI), mpMRI 등의 진단 정확도를 평가한 연구는 다음과 같은 결과를 보고하였다 (Porpiglia 등, 2014). 첫째, ROC 분석에서 mpMRI가 PHI와 PCA3 점수 모델보다 더 큰 정확도를 나타내었다 (AUC 0.936; $p < 0.001$). 둘째, 다변량 로지스틱 회귀 분석에서 MRI는 재생검을 실시할 경우 전립선암에 대한 유의한 독립적 예측 인자이었다 ($p < 0.001$). 셋째, decision curve analysis (DCA)의 결과는 mpMRI가 순편익 (net benefit)을 가장 크게 개선함을 보여 주었다. 이들의 결과에 의하면, PCA3 점수와 PHI에 비해 mpMRI가 재생검에서 전립선암을 가진 환자를 발견하는 데 더 높은 정확도를 나타낸다.

비정상 PSA 및 직장수지검사를 나타내는 150명을 대상으로 진단적 생검 전에 중대한 전립선암을 발견하는 데에서

mpMRI의 정확도를 평가한 연구는 다음과 같은 결과를 보고하였다 (Thompson 등, 2014). 첫째, 환자 연령의 중앙치는 62.4세, PSA의 중앙치는 5.6 ng/mL이었으며, 직장수지검사에서 비정상 소견을 보인 경우가 28%, 1차 생검을 받은 경우가 88%이었다. 둘째, mpMRI에서 Prostate Imaging Reporting and Data System (PI-RADS) 3~5점으로 양성인 경우가 환자의 66%이었으며, 그들 중 61%가 전립선암을 가졌고 30~41%가 중대한 전립선암을 가졌다. 셋째, 중대한 암에 대한 민감도는 93~96%, 특이도는 47~53%, 음성 예측도는 92~96%, 양성 예측도는 43~57%이었다. 넷째, 4~20점으로 부과되는 종합 PI-RADS는 1~5점으로 부과되는 전반적 PI-RADS와 유사한 결과를 나타내었다. 다섯째, PSA 10 ng/mL 초과 및 비정상 직장수지검사로 규정되는 상급 위험군의 남성에서는 음성 예측도와 양성 예측도가 각각 100%, 71%로 비슷하였다. 여섯째, 다변량 분석에서 PI-RADS 점수는 중대한 전립선암과 관련이 있었지만 ($p < 0.001$), 자기력 (magnetic strength)은 관련이 없었다. 일곱째, 다변량 모델에 PI-RADS를 추가하면, AUC가 0.810에서 0.913 (95% CI 0.038~0.166; $p = 0.002$)으로 증가하였다. 이들 자료에 의하면, 숙련된 방사선과 의사에 의해 보고된 mpMRI는 1.5 및 3.0 Tesla에서 중대한 전립선암에 대해 우수한 음성 예측도와 중등도의 양성 예측도를 나타낸다. PI-RADS에 관해서는 뒤에 기술되어 있다.

전립선암이 의심되는 294명 (이들 중 186명은 일차 생검, 108명은 재생검)을 대상으로 mpMRI와 중앙치 24 cores의 체계화된 경회음 생검을 실시한 연구는 다음과 같은 결과를 보고하였다 (Radtke 등, 2015). 첫째, 150명에게서 암이 발견되었고 86명은 Gleason 점수가 7 이상이었다. 둘째, Gleason 점수 7 이상의 종양을 놓친 경우는 경회음 생검과 mpMRI 표적 생검에서 각각 20.9% (18명/86명), 12.8% (11명/86명)이었다. PI-RADS 2~5점에 대해 표적 생검을 단독으로 실시한 경우 Gleason 점수 6인 종양의 43.8%를 놓쳤다. 두 모델에서 Gleason 점수 7 이상의 종양을 발견하는 데는 통계적으로 유의하지는 않았으나 표적 생검이 우수한 경향을 나타내었다 ($p = 0.08$). 셋째, Gleason 점수 7 이상의 종양을 발견함에 있어 표본의 유효성은 MRI 표적 생검과 경회음 생검 cores에서 각각 46.0%, 7.5%이었다. 넷째, Gleason 점수 7 이상의 종양 1점을 발견하기 위해 3.4회의 표적 생검과 7.4회의 경회음 생검이 필요하였다. 다섯째, PI-RADS 3~5점을 가진 남성으로 표적 생검을 제한하면 Gleason 점수 7 이상인 종양의 19.8%

(17명/86명)를 놓쳤는데, 이 경우에는 MRI의 민감도가 떨어짐을 보여 주었다. 여섯째, PI-RADS 점수, 직장수지검사, PSA 농도 20 ng/mL 초과 등은 Gleason 점수 7 이상의 질환을 예측하는 인자이었다. 이와 같은 결과를 근거로 저자들은 경회음 생검에 비해 MRI 표적 생검이 Gleason 7 이상인 종양의 발견율을 높이고 낮은 등급의 종양에 대한 발견율을 감소시키기 때문에, 이들 두 모델의 병용을 전립선암의 발견에서 표준이 되는 방법으로 제시하였다.

MRI로 확인된 의심 부위를 표적으로 시행되는 생검 전략은 최소한의 생검 cores로도 중요한 암을 발견하는 등 재생검의 결과를 개선시킨다고 보고되었다 (Ahmed 등, 2009). MRI를 이용한 표적 생검은 주변부 바깥 부위 혹은 정상적인 생검법으로는 쉽게 채취되지 않는, 특히 전방 부위에 있는 암을 발견하는 데 도움이 된다 (Hambrock 등, 2010). 이러한 전략을 이용한 연구에서 MRI에 의해 암이 의심되는 부위를 생검으로 확인하는 데 사용된 cores 수의 중앙치는 4 cores이었으며, 59% (40명/68명)에서 전립선암이 확실하게 진단되었고 이들 중 93% (37명/40명)가 임상적으로 중요한 암을 가졌다 (Hambrock 등, 2010). 6~10 cores 생검의 결과가 음성인 환자 총 215명을 대상으로 암을 발견하기 위해 MRI를 이용한 6편의 연구를 후향적으로 검토한 연구에 의하면, 재생검에서 암의 발견율이 21~40%이었으며, MRI 혹은 MRI/MR spectroscopy (MRS)의 병용은 재생검에서 암 양성 결과를 예측하는 데 대하여 민감도 57~100%, 특이도 44~96%, 정확도 67~85%를 나타내었다. 이 연구 중 5편의 연구는 MRI를 이용한 표적 생검을 실시하여 54% (34명/63명)의 암 발견율을 보고함으로써, 이전 생검 결과가 음성이고 PSA 농도가 증가된 환자에서 주변부 암을 확인하는 데는 MRI가 도움이 됨을 확인하였다 (Lawrentschuk와 Fleshner, 2009).

전립선 생검을 받은 경험이 없이 PSA 농도가 증가한 223명을 대상으로 모두에게 mpMRI 및 경직장초음파촬영 유도 하의 생검을 실시하였고 mpMRI에서 모호하거나 의심 병변이 있는 경우 MRI 유도 하의 생검을 실시하여 경직장초음파촬영 유도 하의 생검과 MRI 유도 하의 생검의 진단적 효능을 비교한 연구는 다음과 같은 결과를 보고하였다 (Pokorny 등, 2014). 첫째, 전립선암은 63.7% (142명/223명)에서 발견되었다. 둘째, 경직장초음파촬영 유도 하의 생검에 의해 전립선암이 발견된 경우는 56.5% (126명/223명) 이들 중 37.3% (47명/126명)는 저급 위험 전립선암이었다. mpMRI로 모호하거

도표 306 mpMRI에 포함된 각 지표에서 전립선암 의심 병변의 기준

	전립선 주변부 병변	전립선 중심부 병변
T2W-MRI	전립선 내 낮은 강도의 신호 부위로서 윤곽이 뚜렷한 원형 내지 타원형을 나타내는 병변	낮은 강도의 신호를 보이는 균질의 병변으로서 가장자리가 불규칙하고 피막이 없으며, 흔히 가성피막 (pseudocapsule)을 침범하고 요도 혹은 전립선의 전방 섬유근 부위 내로 렌즈 모양의 확대를 나타내는 병변
DW-MRI		
DCE-MRI	주위 배경에 비해 비대칭적이면서 조기에 강한 조영 증강을 나타내고 신속하게 조영제가 세척되는 병변	전립선 주변부 병변의 기준과 동일
MRS	Choline/citrate 비율이 건강인의 평균치보다 3 표준편차 이상, 즉 0.373 이상인 경우; Akin 등 (2006)에 의하면 건강인의 경우 0.13±0.081	전립선 주변부 병변의 기준과 동일

DCE-MRI, dynamic contrast-enhanced magnetic resonance imaging; DW-MRI, diffusion weighted magnetic resonance imaging; mpMRI, multiparametric magnetic resonance imaging; MRS, magnetic resonance spectroscopy; T2W-MRI, T2-weighted magnetic resonance imaging.
Yerram 등 (2012)의 자료를 정리 인용.

나 의심 병변을 가진 142명에 대한 MRI 유도 하의 생검으로 69.7% (99명/142명)에서 전립선암이 발견되었으며, 이들 중 저급 위험 전립선암은 6.1% (6명/99명)이었다. 셋째, MRI 유도 하의 생검은 불필요한 생검을 51%까지 줄였으며, 저급 위험 전립선암의 진단을 89.4%까지 감소시킨 데 비해, 중급 위험 및 상급 위험 전립선암의 진단을 17.7% 증가시켰다. 넷째, 중급 위험 및 상급 위험 전립선암에 대한 경직장초음파촬영 유도 하 생검과 MRI 유도 하 생검의 음성 예측도는 각각 71.9%, 96.9%이었다. 이들의 결과에 의하면, mpMRI와 MRI 유도 하 생검의 병용은 중급 위험 및 상급 위험 전립선암의 발견율을 증가시키는 한편, 저급 위험 전립선암의 발견율을 감소시키며, 불필요한 생검의 횟수를 감소시키는 역할을 한다 (Pokorny 등, 2014).

T2W-MRI), DW-MRI), DCE-MRI, MRS 등을 포함하는 mpMRI를 이용한 연구는 도표 306에 정리된 바와 같이 의심 병변을 규정하였으며, 각 MRI 지표의 양성 결과의 수에 따라 전립선암에 대한 의심 수준을 저급, 중급, 상급으로 구분하였다 (도표 307). mpMRI를 받은 800명 중 저급 의심 병변을 나타낸 125명을 분석한 연구는 다음과 같은 결과를 보고하였다 (Yerram 등, 2012). 첫째, 62% (77명/125명)에서는 전립선암이 발견되지 않았으며, 30% (38명/125명)에서는 Gleason 점수 6의 전립선암이, 8% (10명/125명)에서는 Gleason 점수 3+4의 전립선암이 발견되었다. 즉, 저급 의심 병변을 가진 125명 중 92% (115명/125명)는 전립선암이 없거나, 저급 위험도의 전립선암을 가졌다. 둘째, 저급 의심 병변을 가진 환자 중에서 생검으로 Gleason 점수 4+3 이상의 상급 위험도의 전립선암을 가진 경우는 없었으며, 근치전립선절제술을 받은 15명 중 병리학적으로 상급 위험도의 전립선암으로 등

도표 307 여러 MRI 지표에서 양성을 나타내는 수에 따른 전립선암 의심 등급

의심 등급	여러 MRI 지표의 결과			
	T2W-MRI	DW-MRI	DCE-MRI	MRS
음성	–	–	–	–
저급	+	–	–	–
	+	+	–	–
	–	+	–	–
	–	–	–	+
	–	–	+	–
중급	+	–	–	+
	+	–	+	–
	–	+	–	+
	–	+	+	–
	+	+	–	+
	+	+	+	–
	–	–	+	+
상급	+	+	+	+

MRI에서 전립선암에 대한 의심 정도의 등급은 두 지표 이하, 전형적으로 T2W-MRI와 DW-MRI가 양성인 경우를 저급, 세 지표, 전형적으로 T2W-MRI, DW-MRI, DCE-MRI가 양성인 경우를 중급, 네 지표 모두가 양성인 경우를 상급으로 분류된다.

DCE-MRI, dynamic contrast-enhanced magnetic resonance imaging; DW-MRI, diffusion weighted magnetic resonance imaging; MRI, magnetic resonance imaging; MRS, magnetic resonance spectroscopy; T2W-MRI, T2-weighted magnetic resonance imaging.
Yerram 등 (2012)의 자료를 수정 인용.

급이 올라간 경우도 없었다. 셋째, Gleason 점수 6의 전립선암을 가진 38명 중 29명이 National Comprehensive Cancer Network (NCCN) 지침 (도표 29)에 따른 최저급 혹은 저급 위험도의 전립선암으로 분류되어 적극적 감시로 치료 받았으며, Gleason 점수 3+4의 전립선암을 가진 환자 중 1명이 종양의

크기가 작고 여명이 10년 미만이어서 적극적 감시로 치료를 받았다. 따라서 저급 의심 병변만을 가진 환자 중 86% (107 명/125명)는 전립선암을 가지지 않았거나 임상적으로 중요하지 않은 암이었다. 이들의 결과에 의하면, mpMRI로 저급 의심 병변을 가진 환자는 전립선암이 없거나 적극적 감시의 대상이 되는 저급 위험도의 전립선암을 가지며, 그러한 환자는 상급 위험도의 전립선암을 가질 가능성이 낮다.

3.6. 전립선 영상 보고 자료 시스템
Prostate Imaging Reporting and Data System (PI-RADS)

mpMRI의 전반적 가용성의 증가, 3 Tesla에서 영상의 질적 개선, 전립선암의 발견에서 mpMRI의 신뢰성을 확인한 연구의 증가 등으로 인해 mpMRI는 전립선암의 진단을 위해 폭넓게 이용되는 중요한 도구가 되고 있다 (Hoeks 등, 2012). 비뇨기과에서는 특히 1차 생검 결과가 음성이지만 지속적으로 전립선암이 의심되는 환자에서 mpMRI가 요구된다. 세 가지의 MRI 기법, 즉 T2W-MRI, DW-MRI, DCE-MRI 등은 진단의 정확도를 증대시킨다. 그러나 mpMRI의 복잡성과 간혹 발생하는 개별 영상 기법의 상충되는 결과로 인해 mpMRI의 결과를 폭넓게 해석함으로써 판독자 사이에서 혹은 진단 센터 사이에서 차이를 일으키기도 한다 (Dickinson 등, 2011).

이러한 문제를 해결하기 위해 European Society of Urogenital Radiology (ESUR)는 mpMRI 검사의 지침을 제시하였으며, 2012년 Prostate Imaging Reporting and Data System (PI-RADS)으로 불리는 체계적인 보고 양식을 마련하였다 (Barentsz 등, 2012). Breast Imaging Reporting and Data System (BI-RADS) (Obenauer 등, 2005)의 영향을 받은 이 양식은 Likert 척도에 기초하여 각각의 영상기법에 대해 단일 점수 1~5점을 부과하였고, 최종 PI-RADS 점수, 즉 전반적 PI-RADS를 1~5점으로 표현된다 (도표 308, 309). BI-RADS와 마찬가지로 PI-RADS는 관련이 있는 임상 질환의 유무에 대한 개인별 위험도를 분류하며, 이는 보고서로 제출되어야 한다. ESUR의 지침은 각각의 단일 점수를 어떻게 부과하는지를 분명하게 보여 주지만, 전반적 PI-RADS 점수를 어떻게 산출하는지에 관해서는 설명이 부족하다 (Röthke 등, 2013).

mpMRI와 초음파촬영술을 병용하여 표적 생검을 실시한 연구는 ROC 분석에서 PI-RADS 합산 점수의 한계치를 10 이상으로 설정하였으며, 이 경우 90%의 높은 민감도와 62%의 수용 가능한 특이도를 나타내었다 (Junker 등, 2013). PI-RADS 합산 점수 10 이상을 한계치로 설정한 다른 연구에서는 민감도가 85.7%, 특이도가 67.6%이었다 (Schimmöller 등, 2013). 그러나 전반적인 민감도를 높이기 위해 한계치를 9 이상으로 설정한 연구도 있다 (Portalez 등, 2012).

PI-RADS의 위험 분류 시스템을 단순화하여 추가적인 진단 방법으로 권장하기 위해 ESUR의 지침을 구체화한 연구는 단일 영상 기법의 점수를 합산한 점수를 다른 알고리듬에 따라 분류하였으나, 한계치 10 이상 및 13 이상에 관하여 증거에 근거한 자료를 제시하지 못하였다 (Röthke 등, 2013). 다른 연구는 합산한 점수를 구분하여 분류하지 않고 해석한 후, 추가로 ESUR이 제공한 정의에 따라 방사선과 의사의 전반적 판독으로부터 1~5점의 전반적 PI-RADS 점수를 생성하였다 (Junker 등, 2013) (도표 310).

Röthke 등 (2013)의 알고리듬과 비교해 보면, 전반적 PI-RADS 점수 3과 4 사이의 절단치와 4와 5 사이의 절단치는 종양의 발견을 평가하는 합산 점수 한계치 10 이상과 종양의 악성도를 평가하는 합산 점수 한계치 13 이상과 각각 일치하기 때문에, 합산 점수를 이용하여 전반적 PI-RADS를 분류하는 접근은 신뢰성이 있다고 생각된다. 방사선과 의사의 판단에 의하여 전반적 PI-RADS를 생성하는 접근은 합산 점수의 한계치와 연관성이 적은데, 이는 평가하는 방사선과 의사가 전립선을 PI-RADS 4와 5에 더 배정하는 경향이 있어 민감도와 특이도가 떨어지기 때문이다. 이로써 PI-RADS 4와 5를 대상으로 재생검을 실시하면, 음성 결과가 나올 확률이 높다. 합산 점수로부터 생성된 전반적 PI-RADS 점수가 더 신뢰성이 있다고 생각된다.

그러나 Röthke 등 (2013)에 의해 권장되는 전반적 PI-RADS 점수는 PI-RADS 3점에 배정하는 비율이 36%로 높기 때문에, 이 그룹에서 암의 발견율은 19%로 낮다. PI-RADS 3점은 분명하지 않은 암이 의심되는 경우로 정의되기 때문에, 관리 측면에서 어떠한 시술을 가할 수 있는 조건이 된다. 특이도의 감소 없이 PI-RADS 3점의 수를 줄이기 위해서는 합산 점수 7~8 이상으로부터 생성되는 전반적 PI-RADS 2점과 3점 사이의 한계치를 높일 필요가 있다. 이에 PI-RADS 3점의 환자 52명 중 16명을 PI-RADS 2점에 배정한 연구는 PI-RADS 3점의 비율이 36%로부터 25%로 감소하였으며 PI-RADS 2점 환자군에서 Gleason 점수 3+3 환자가 발견되어 전립선암 발견율이 11%로 증가했다고 보고하였다 (Junker 등, 2013) (도표 311).

도표 308 ESUR에 의한 단일 영상 기법의 점수

(A1) 전립선 주변부에 대한 T2-weighted (T2W) MRI
① Uniform high signal intensity
② Linear, wedge-shaped, or geographical areas of lower signal intensity, usually not well demarcated
③ Intermediate appearances not in categories 1/2 or 4/5
④ Discrete, homogeneous low-signal focus/mass confined to the prostate
⑤ Discrete, homogeneous low-signal-intensity focus with extracapsular extension/invasive behavior or mass effect on the capsule (bulging) or broad (> 1.5 cm) contact with the surface

(A2) 전립선 이행부에 대한 T2-weighted (T2W) MRI
① Heterogeneous transition zone adenoma with well-defined margins: "organized chaos"
② Areas of more homogeneous low signal intensity, however, well marginated, originating from the transition zone/benign prostatic hyperplasia
③ Intermediate appearances not in categories 1/2 or 4/5
④ Areas of more homogeneous low signal intensity, ill defined: "erased charcoal sign"
⑤ Same as 4, but involving the anterior fibromuscular stroma or the anterior horn of the peripheral zone, usually lenticular or water-drop shaped

(B) Diffusion-weighted imaging (DWI)
① No reduction in ADC compared with normal glandular tissue; no increase in signal intensity on any high-b-value image (≥b800)
② Diffuse, hyper signal intensity on ≥b800 image with low ADC; no focal features; however, linear, triangular, or geographical features are allowed
③ Intermediate appearances not in categories 1/2 or 4/5
④ Focal area(s) of reduced ADC but isointense signal intensity on high-b-value images (≥b800)
⑤ Focal area/mass of hyper signal intensity on the high-b-value images (≥b800) with reduced ADC

(C) Dynamic contrast-enhanced (DCE) MRI
① Type 1 enhancement curve
② Type 2 enhancement curve
③ Type 3 enhancement curve
④ ③+For focal enhancing lesion with curve types 2-3
⑤ ④+For asymmetric lesion or lesion at an unusual place with curve types 2-3

ADC, apparent diffusion coefficient; ESUR, European Society of Urogenital Radiology; MRI, magnetic resonance imaging.
Junker 등 (2013)의 자료를 수정 인용.

도표 309 Röthke 등 (2013)의 알고리듬과 비교하여 ESUR의 정의에 따른 전반적 PI-RADS 점수의 산출

전반적 PI-RADS 점수	ESUR의 정의	T2W, DWI, DCE의 합산 점수
1점	임상적으로 중요한 암이 없을 가능성이 높다	3, 4
2점	임상적으로 중요한 암이 없을 가능성이 있다	5, 6
3점	임상적으로 중요한 암으로 간주하기 애매하다	7~9
4점	임상적으로 중요한 암이 있을 가능성이 있다	10~12
5점	임상적으로 중요한 암이 있을 가능성이 높다.	13~15

DCE, dynamic contrast-enhanced; DWI, diffusion-weighted imaging; ESUR, European Society of Urogenital Radiology; PI-RADS, prostate imaging reporting and data system; T2W, T2-weighted.
Junker 등 (2013)의 자료를 수정 인용.

근래의 연구는 mpMRI의 해석에 근거한 PI-RADS 위험도 분류, 즉 세 가지의 단일 영상 기법에 대해 점수를 부과하여 산출된 3~15점의 PI-RADS 합산 점수가 ROC 분석에서 10점 이상 (전반적 PI-RADS 3점 이상)은 종양의 발견과, 13점 이상 (전반적 PI-RADS 4점 이상)은 Gleason 점수 4+3 이상인 종양의 악성도와 관련이 있음을 보여 주었다 (Junker 등, 2013). 약간 다르게 접근하여 PI-RADS 분류 시스템을 평가한 다른 연구 (Portalez 등, 2012)와 마찬가지로, 이 연구는 mpMRI를 해석할 때 고정된 기준을 사용함으로써 신뢰도를 높였다. 이 연구는 PI-RADS 단일 점수를 합산한 점수로부터 생성된 전반적 PI-RADS 점수가 간략하면서도 신뢰성이 있어 재생검 환자를 선정할 때 유용한 도구가 된다고 하였다. T2W-MRI, DW-MRI, DCE-MRI 등에 의한 단일 점수를 합산한 점수가 4 이하 혹은 전반적 PI-RADS 점수가 2 미만에서 발견된 모든 종양은 Gleason 3+4 이하의 분화도 점수를 가졌다 (Junker 등, 2013).

도표 310 Röthke 등 (2013)에 의한, 즉 단일 영상 기법의 합산 점수로 산출된 전반적 PI-RADS 점수와 방사선과 의사의 판단에 따른 전반적 PI-RADS 점수의 비교

전반적 PI-RADS 점수 (1~5)	Röthke 등 (2013)에 근거한 점수 (방법 1)		방사선과 의사의 판단에 근거한 점수 (방법 2)	
	환자 수 (%)	생검에서 종양 발견율, %	환자 수 (%)	생검에서 종양 발견율, %
1점	1 (1)	–	0 (〈1)	–
2점	43 (30)	0	38 (27)	0
3점	52 (36)	19	50 (35)	17
4점	31 (22)	65	38 (27)	54
5점	16 (11)	94	17 (12)	100

PSA 중앙치 6.4 ng/mL이고 최소 1회 생검에서 음성 결과를 나타낸 143명을 대상으로 연구를 하였으며, 이들 중 73명이 표적 생검을 받았고, PI-RADS 점수와 조직학적 결과의 비교는 재생검을 받은 73명에서 이루어졌다. Röthke 등 (2013)의 알고리듬에 근거한 PI-RADS 방법 1과 방사선과 의사의 전반적 판단에 근거한 PI-RADS 방법 2 모두는 전반적 PI-RADS 점수가 증가할수록 종양의 발견율이 증가함을 보여 준다. PI-RADS 방법 1에서 전반적 PI-RADS 3점과 4점 사이의 절단치는 PI-RADS 합산 점수에 따른 종양 발견에 대한 한계치에 해당하며, 전반적 PI-RADS 4점과 5점 사이의 절단치는 Gleason 점수 4+3 이상의 높은 악성도에 대한 한계치에 해당한다. 이 경우 33% (47명/143명)가 PI-RADS 점수 4 혹은 5로 전립선암이 의심되는 병변을 가졌으며, 이들 중 재생검을 받은 43명 중 82% (35명/43명)가 표적 생검에서 전립선암으로 진단되었다. PI-RADS 방법 2에서는 38% (55명/143명)가 전립선암이 의심되는 병변을 가졌으며, 이들 중 재생검을 받은 환자 55명 중 67% (37명/55명)만이 표적 생검에서 전립선암으로 진단되었다. PI-RADS 3점의 빈도는 두 방법에서 비슷하였으며, 이 경우 전립선암 발견율은 17%의 PI-RADS 방법 2에 비해 19%의 PI-RADS 방법 1에서 약간 더 높았다. PI-RADS 1점과 2점에 해당하는 경우는 PI-RADS 방법 1과 2에서 각각 44명 (31%), 38명 (27%)이었으며, 이들 중 어느 경우에서도 생검으로 양성 cores가 발견되지 않았다. PI-RADS 1점에 배당되는 환자는 매우 드문데, 이는 이전 생검에서 음성 결과를 보인 환자군의 경우 조직의 변화가 다발적으로 있기 때문으로 생각된다.

PI-RADS, prostate imaging reporting and data system; PSA, prostate-specific antigen.

Junker 등 (2013)의 자료를 수정 인용.

도표 311 Junker 등 (2013)이 제시한 합산 점수에 근거한 전반적 PI-RADS 점수와 이에 따른 전립선암 발견율

전반적 PI-RADS 점수	T2W, DWI, DCE-MRI의 합산 점수	환자 수 (%)	재생검 환자에서 암 발견율, %	ESUR의 정의
1점	3, 4	1 (1)	–	임상적으로 중대한 암일 가능성이 매우 희박하다.
2점	5, 6, 7	59 (41)	11	임상적으로 중대한 암일 가능성이 낮다.
3점	8, 9	36 (25)	19	임상적으로 중대한 암으로 간주하기 애매하다.l
4점	10~12	31 (22)	65	임상적으로 중대한 암일 가능성이 있다.
5점	13~15	16 (11)	94	임상적으로 중대한 암일 가능성이 매우 높다.

PI-RADS 2점과 3점 사이의 절단치가 Röthke 등 (2013)의 알고리듬에서는 합산 점수 6점과 7점 사이의 한계치이지만, Junker 등 (2013)에서는 합산 점수 7점과 8점 사이의 한계치이다. PI-RADS 점수는 암 발견 및 악성도와 상호 관련이 있었으며, 각각의 경우에서 AUC는 0.86 (95% CI 0.78~0.94), 0.84 (95% CI 0.68~0.99)이었다. 합산 점수 10 이상을 절단치로 설정한 경우 암 발견에 대한 민감도와 특이도는 각각 90%, 62%이었으며, 합산 점수 13 이상을 절단치로 설정한 경우 Gleason 점수 4+3 이상의 높은 악성도에 대한 민감도와 특이도는 각각 80%, 86%이었다.

AUC, area under the curve; CI, confidence interval; DCE, dynamic contrast-enhanced; DWI, diffusion-weighted imaging; ESUR, European Society of Urogenital Radiology; MRI, magnetic resonance imaging; PI-RADS, prostate imaging reporting and data system; T2W, T2-weighted.

Junker 등 (2013)의 자료를 수정 인용.

PI-RADS와 다른 보고서 작성법을 개발한 연구도 있다. MRI를 이용한 표적 생검의 보고서 작성법을 표준화하여 standards of reporting for MRI-targeted biopsy studies (START)를 개발한 연구는 20개 항목의 점검표를 설정하여 점수를 부과하였는데, 임상적으로 중대한 질환이 존재할 가능성이 거의 없는 경우를 1점, 임상적으로 중대한 질환이 존재할 가능성이 없는 경우를 2점, 임상적으로 중대한 질환이 불분명한 경우를 3점, 임상적으로 중대한 질환이 존재할 가능성이 있는 경우를 4점, 임상적으로 중대한 질환이 존재할 가능성이 매우 높은 경우를 5점으로 정하였다. START 점검표를 보고한 저자들은

이를 이용할 경우 MRI 표적 생검에 관한 보고의 질이 개선됨은 물론 MRI 표적 생검의 여러 가지 접근법을 비교하기가 용이하다고 하였다 (Moore 등, 2013).

4. 적절한 생검 cores의 수와 위치
Optimal Number And Location Of Biopsy Cores

근래의 연구들은 생검 시 전립선암 발견율을 높이기 위해 cores의 수를 늘릴 것을 권장한다 (Philip 등, 2004). 그러나 생검 cores의 수가 Gleason 등급 부과에 영향을 주는지에 관

해서는 논란이 되고 있다. 즉, Egevad 등 (2001)은 생검에서의 Gleason 점수와 수술 후 예측되는 Gleason 점수 사이의 일치도가 생검 cores의 수를 다수로 늘리더라도 크게 개선되지 않는다고 보고한 데 비해, San Francisco 등 (2003)은 확대 생검을 실시하면 침 생검과 근치전립선절제술 사이 Gleason 등급의 일치율을 증가시킨다고 하였다. 경직장 생검 cores 수의 증가가 생검 Gleason 점수의 정확도를 개선시키는지를 평가하기 위해 경직장 생검으로 전립선암이 진단되어 근치전립선절제술을 받은 225명을 대상으로 분석한 연구는 다음과 같은 결과를 보고하였다 (Miyake 등, 2007). 첫째, 생검의 Gleason 점수와 근치전립선절제술의 Gleason 점수 사이 일치율은 cores의 수가 10개 이상인 A군이 9개 이하의 B군보다 높아 각각 69.5%, 53.3%이었다. 둘째, 생검의 Gleason 점수가 수술 후 상향된 경우는 A군이 21.2%, B군이 38.3%이었다. 셋째, 생검 cores의 수와 암 양성 cores의 퍼센트는 다른 지표와 관계없이 정확한 병리학적 Gleason 등급에 대한 독립적 예측 인자이었다. 이와 같은 결과를 근거로 저자들은 생검 cores의 수를 늘리면 근치전립선절제술 후의 Gleason 점수를 예측하는 정확도가 증가된다고 하였다.

T1c 전립선암에 대해 근치전립선절제술을 실시하여 얻은 150점의 표본을 표준 6-core 생검과 전립선의 후외측에서 6 cores를 추가한 12-core 생검을 실시한 후의 결과와 비교한 연구는 전립선암을 놓친 비율이 전자의 경우 25.2%, 후자의 경우 12.2%이었다고 하였다 (Epstein 등, 2001). 전립선 생검을 1,000회 실시한 예비 연구도 6, 12, 18, 21-core의 생검을 실시하였을 경우 암 발견율이 각각 31.7, 38.7, 41.5, 42.5%이라고 하여 확대 생검이 암 발견율을 높임을 보여주었다 (Guichard 등, 2007). 그러나 아시아인을 대상으로 6-core와 12-core 생검을 비교한 연구는 다양한 결과를 보고하고 있는데, 그 이유는 서구인에 비해 아시아인에서는 전립선암의 유병률이 낮아 전립선암 발견율이 낮고 전립선 용적이 작기 때문으로 추측된다 (Pu, 2000). 한국인을 대상으로 평가한 연구는 6-core와 12-core 생검의 전립선암 발견율이 각각 17.2%, 14.4%로 차이가 없었다고 하였으며 (Kim 등, 2004), 142명의 인도인을 대상으로 실시한 연구는 6-core보다 13-core 생검에서 전립선암 발견율이 높았다고 하였다 (Gupta 등, 2005). 일본인을 대상으로 평가한 연구 결과로는 8-core 생검에 의한 암 발견율이 23.6%로 6-core 생검으로 보고되는 암 발견율과 차이가 없었으며, 양측 anterior lateral horn (ALH)에서

2 cores를 추가할 경우 암 발견율이 10.9% 증가하였다는 결과 (Ishimura 등, 2004), 6-core 생검과 12-core 생검에서 암 발견율이 각각 23.6%, 26.5%로 12-core 생검에서 더 높았다는 결과 (Matsumoto 등, 2005), 경회음 생검의 경우 이행부에서의 4 cores를 포함하는 12-core 생검을 실시하면 6-core 생검에 비해 암 발견율이 20.4% 증가한다는 결과 (Takenaka 등, 2006) 등이 있다. 1,086명의 대만인을 대상으로 평가한 연구는 6-core와 12-core 생검에서 전립선암의 발견율이 각각 18.5%, 23.7%로 확대 생검에서 더 높았으며, 직장수지검사 및 경직장초음파촬영술에서 이상 소견이 없으면서 혈청 PSA의 농도가 4~10 ng/mL, PSA 밀도가 0.20 ng/mL/cc 이하, 전립선 용적이 35 cc를 초과한 환자는 6-core보다 12-core 생검에서 더 높은 전립선암 발견율을 나타내었다고 하였다 (Chiang 등, 2009). 다른 연구는 30~40 cc로 전립선 용적이 큰 환자와 이행부 용적으로 보정된 PSA 밀도가 0.38 ng/mL/cc인 환자에서 생검을 실시한 경우 8-core 생검에 비해 14-core 생검에서 암 발견율이 유의하게 더 높았는데, 각각의 경우에서 11.8% 대 36.7% ($p < 0.05$), 20.0% 대 47.8% ($p < 0.05$)이었다고 하였다 (Inahara 등, 2006).

PSA 농도가 20 ng/mL 미만이고 직장수지검사에서 결절이 없는 339명을 대상으로 12-core 혹은 20-core의 첫 생검을 무작위로 실시하였고, 일차 종말점을 암 발견율, 이차 종말점을 암의 특징, 합병증 비율, 환자의 순응도로 설정한 연구는 다음과 같은 결과를 보고하였다 (Irani 등, 2013). 첫째, 전립선암 발견율은 12-core 군과 20-core 군에서 각각 42.0%, 48.8%로 두 군에서 유의한 차이가 없었다 ($p > 0.2$). 둘째, 생검 core에서 측정된 종양의 길이 및 Gleason 점수는 두 군에서 유의한 차이가 없었다. 셋째, 암 발견율이 전립선의 용적과 관련이 있었지만, 생검 cores의 수에 의해 영향을 받지는 않았다 ($p > 0.4$). 넷째, 합병증의 비율과 정도는 두 군에서 비슷하였다. 다섯째, 전립선 생검 후 5일과 15일에 작성한 환자의 자가 평가에서 부작용 및 순응도는 두 군에서 유의한 차이가 없었다. 이와 같은 결과를 근거로 저자들은 첫 전립선 생검에서 12-core에 비해 20-core의 생검이 유의하게 더 큰 장점이 없다고 하였다.

165명에 대해 경직장초음파촬영술 후 생검으로 40% (66명/165명)에서 전립선암을 발견한 연구는 다음과 같이 보고하였다 (Damiano 등, 2003). 첫째, 전립선암 환자 중 전통적인 6부위 생검과 8부위 생검을 이용할 경우 각각 77% (51

명/66명), 93% (64명/66명)에서 암이 발견되었다. 둘째, 8부위 생검과 14부위 생검의 전반적인 암 발견율은 각각 36.9%, 40%로 불과 3.1% 포인트 차이만 있었다. 이러한 차이는 PSA 10 ng/mL 미만, 70세 미만, 전립선 용적 50 cc 미만으로 생검 환자를 제한할 경우 더 작아졌다. 이들 결과를 근거로 저자들은 암의 발견율이 높은 주변부와 기저부 쪽 이행부를 포함하는 8부위 생검은 14부위 생검의 암 발견율과 유사하다고 하였다 (도표 312).

적절한 전립선 생검 개수에 대해 아직까지 논란이 있지만, 기존의 6부위 생검과 11~12 cores의 생검을 비교한 여러 연구는 생검 cores의 수가 많은 경우 암 발견율이 31% 증가된다고 하였으며 (Babaian 등, 2000), 이러한 결과는 20,698명의 환자를 포함하는 87편의 연구에 의해 입증되었다 (Eichler 등, 2006). Presti 등 (2003)은 8부위 생검을 통해 약 20%의 진단율 향상이 있었다고 하였으며, 이후 12부위 생검을 통해 22%의 진단율 향상을 보고하였다. 대조적으로 첫 생검에서 18-core의 확대 생검 혹은 21-core의 집중 생검의 효용성을 평가한 많은 연구는 암 발견율에서 유의한 이점을 발견하지 못하였다 (Guichard 등, 2007). 303명을 대상으로 실시한 다른 연구에서도 6부위 생검, 12-core, 18-core, 21-core 등의 확대 생검에서 암 발견율은 각각 22.7%, 28.3%, 30.7%, 31.3%로 관찰되었으며, 암 발견율이 6개 cores에 비해 8개의 경우 24.7% 증가하였고 6개 cores에 비해 21개 cores의 경우 37.9% 증가하였지만 12개 cores에서 21개 cores로 증가한 경우에는 발견율이 불과 10.6%만 증가하였다 (de la Taille 등, 2003).

2,753명을 대상으로 생검을 실시한 연구는 6부위, 12-core, 21-core 생검에서 암 진단율은 각각 32.5%, 40.4%, 43.3%이었다고 하였다. (Ploussard 등, 2012). 체계화된 전립선 생검법을 검토한 연구에 의하면, 6부위 생검에 비해 12-core 생검에서 암 진단율이 19.4% 증가되었지만, 21-core에서는 전반적으로 암 진단율이 불과 6.7% 증가하였기 때문에, cores의 수가 12개를 초과하는 생검은 암 발견율에서 큰 이점을 나타내지 않는다 (Eichler 등, 2006).

혈청 PSA가 20 ng/mL 이상이거나 직장수지검사에서 이상 소견이 보이면 6부위 생검을 실시해도 무방하지만 전립선의 크기가 45 cc 이상이고 이행부 용적이 22.5 cc 이상일 경우에는 반드시 더 많은 수의 확대 생검이 권해진다 (Guichard 등, 2007). 2009년도 EAU 진료 지침에 의하면, 전립선의 크기가 30~40 cc일 경우 최소한 8부위 이상의 확대 생검이 권장되며, 과거 수회의 생검에서 음성이었으나 계속 PSA가 상승되는 환자에서는 20군데 이상에서 조직을 채취하는 전립선 집중 생검이 필요하다.

Core의 위치는 '3.1. 경직장 전립선 생검'과 '3.3. 경회음 전립선 생검'에서 기술되어 있으며, 여기서는 쟁점이 되는 부분을 논하고자 한다. 첫 확대 생검의 경우 정점과 가장 외측 부위에서 표본을 추출하면 전립선암의 발견율이 증가되지만, 이행부 생검으로는 증가되지 않는다, 처음 생검을 받은 85명 (23%)을 포함한 362명에서 11-core 생검을 평가한 연구는 생검을 처음 받은 환자에서 암 발견율이 34%이었으며, 이들 중 9명은 독특하게 전통적인 6부위 외의 부위에서 암

도표 312 14부위 생검과 암 발견율을 개선한 8부위 생검

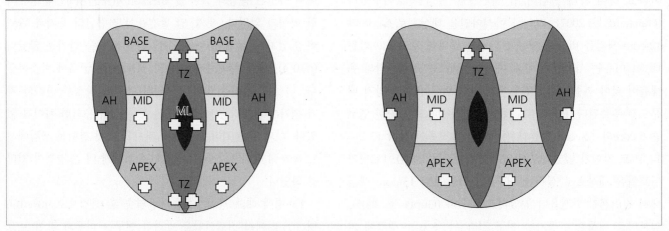

14부위 생검과 비교하였을 때, 8부위 생검에서는 기저부와 중앙 중심부 cores가 없으며, 정점 이행부 cores는 없으나 기저부 이행부 cores는 있다.
AH, anterior horn; MID, midgland; ML, midline central zone; TZ, transitional zone.
Damiano 등 (2003)의 자료를 수정 인용.

이 발견되었다고 하였다. 이들 9명 중 7명에서는 암이 전각 (anterior horn)에서 발견되었고 2명에서는 이행부에서 발견되었다 (Babaian 등, 2000). 정점의 전체 부위는 전립선의 주변부로 구성되어 있기 때문에, 정점 혹은 외측 정점에서 시행된 생검으로는 전방 정점의 표본을 채취할 수 없다. 일부 연구는 생검 남성의 4~6%가 전방 정점으로부터 얻은 생검 표본에서만 암이 발견되었다고 하였다 (Meng 등, 2003). 181명의 남성을 대상으로 12-core 생검과 함께 요도와 정점이 만나는 부위의 바로 외측으로 규정되는 최전방 정점에서 2개의 cores를 추가한 연구는 정점의 cores에서 전체 암의 73.6%로 암 발견율이 가장 높았으며, 정점 cores 중 추가한 좌우측 1개씩의 최전방 정점에서 암 발견율이 가장 높았다고 하였다 (p=0.011) (Moussa 등, 2010). 첫 생검을 받은 환자의 경우 전적으로 이행부에서만 암이 발견된 경우는 2.9%로 낮다 (Bazinet 등, 1996). 그러나 1,000명을 대상으로 실시한 전향 연구는 암 발견율이 6-core 생검, 6-core 외에 주변부 외측 생검을 추가한 12-core 생검, 12-core 외에 이행부 생검을 추가한 18-core 생검, 18-core 외에 중간 부위 생검을 추가한 21-core 생검에서 각각 31.7%, 38.7%, 41.5%, 42.5%이었으며, 이행부 생검을 추가하면 암 발견율이 7.2% 약간 증가한 데 비해 (p=0.023) 중간 부위 생검을 추가한 경우에는 단지 2.4% 증가하였기 때문에, 첫 생검의 경우 주변부의 중간 부위에서 생검은 권장되지 않는다고 하였다 (Guichard 등, 2007).

5. 전립선에 대한 재생검
Repeat Prostate Biopsy

전립선 확대 생검이 현대에서 널리 활용되고 있지만 위음성률은 여전히 높은 수준이다. 18 G 침으로 12부위 생검을 실시할 경우 전형적인 전립선 용적의 0.04%에 해당하는 조직에 대해서만 조직 검사를 하기 때문에 표본 채집에서의 오차가 생길 수밖에 없다 (Fleshner 등, 1997). 첫 확대 생검에서 음성 소견을 보였다고 하여 전립선암을 완전하게 배제할 수 없기 때문에, 재생검의 필요성은 계속되고 있다.

5.1. 전립선 재생검 환자의 선정 기준
Indication for repeat prostate biopsy

재생검의 적용 대상은 첫 생검에서 음성 소견을 보였지만, PSA 증가, 비정상적인 직장수지검사 결과, 비정형 세엽 증식 (atypical small acinar proliferation, ASAP), 고등급 전립선상피내암 등 임상적 및 병리학적 소견의 결과로 볼 때 전립선암이 지속적으로 의심되는 경우이다 (Terris, 2009). 일부 연구는 재생검을 실시하기 전에 전립선암을 예측하는 인자에서 인종을 제외하였지만, 아프리카계 미국인, 가족력 등과 같은 위험 인자는 비뇨기과 의사가 재생검을 결정하는 데 어느 정도의 영향을 준다 (Yanke 등, 2006). 전립선암일 가능성에 대한 환자의 불안 또한 재생검을 결정하는 데 흔한, 그러나 모호한 적용 대상이라 할 수 있다.

1차 전립선 생검에서 이행부의 생검이 필요하지는 않지만, 재생검의 경우 이행부에서 전립선암이 발견되는 빈도가 높아 이행부에 대한 생검이 필요하다. 1차 전립선 생검에서 ASAP가 확인된 경우 반복 생검을 실시하면 30~50%에서 암이 발견되기 때문에, 재생검이 반드시 필요하다고 보고되고 있다 (Moore 등, 2005). 고등급 전립선상피내암은 재생검에서 전립선암이 발견될 확률이 다른 일반적인 경우와 비슷하기 때문에, 첫 전립선 생검이 적절하였다면 고등급 전립선상피내암이 재생검의 적용 대상이 되지는 않는다. 그렇지만 여러 개의 생검 표본에서 광범위하게 혹은 다발성으로 고등급 전립선상피내암이 관찰되는 경우에는 재생검이 필요할 수 있다 (Herawi 등, 2006).

첫 생검 후 재생검까지의 기간은 6~12개월 정도의 간격이 권장되고 있다.

5.2. 첫 전립선 생검 프로토콜의 영향
Impact of the initial prostate biopsy protocol

첫 생검의 영향을 평가할 때 첫 단계는 첫 생검의 타당성에 대한 평가이다. 전체적으로 전립선암의 70%가 첫 생검에서 발견되기 때문에, 첫 생검을 적절하게 시행하였다면 '재생검에 대한 딜레마'에 직면할 가능성이 줄어들 것이다 (Djavan과 Margreiter, 2007).

첫 생검에서 어느 정도의 core 수가 적절한지는 분명하게 밝혀져 있지 않으나, 많은 연구들이 6부위 생검보다 확대 생검에서 전립선암이 발견될 확률이 더 높다고 보고하였다 (Scattoni 등, 2007). 그러나 6부위 생검 혹은 확대 생검에서 음성 결과가 나왔더라도 암이 없다고 단정 짓지는 못하며, 실제 약 20%의 환자가 재생검에서 전립선암으로 진단된다. 한 연구에서는 첫 6부위 생검에서 음성 결과를 보였던 환자의 31%가 재생검에서 전립선암으로 확인되었다 (Chun 등, 2007). 첫 생검에서 표준이 되는 10~12부위 생검 혹은 집중 생검을 실시한 경우에는 두 생검법에서 암 발견율의 차이가 없었으나 (Jones 등, 2006), 재생검에서는 표준 생검보다 집중 생검이 더 높은 암 발견율을 나타낸다.

재생검에서 암이 발견되는 비율은 첫 생검에서 얼마나 많은 cores를 채집하였는가에 따라 다양하다. 한 연구는 재생검에서의 암 발견율이 첫 생검을 6부위 생검으로 한 경우는 39%, 첫 생검을 확대 생검으로 한 경우는 28%이라고 하였다 (Hong 등, 2004). 다른 연구는 첫 생검을 6부위와 10부위로 실시한 후 14부위 재생검을 실시하였을 때 암 발견율은 각각 36.1%, 18.7%이라고 하였다 (p=0.005) (Eskicorapci 등, 2007). National Comprehensive Cancer Network (NCCN) (2004)에 의하면, 확대 생검은 기존의 6부위에서 주변부의 외측으로부터 최소 4 cores를 추가 채집하는 생검으로 정의된다. 전립선의 외측에서 표본을 채집하면 암 발견율이 25%까지 증가한다 (Scattoni, 2010). 다른 보고는 전립선암의 가장 흔한 부위가 전방 정점 (apex)이기 때문에, 표준이 되는 주변부 생검으로는 암의 17%를 놓친다고 하였다 (Wright와 Ellis, 2006). 이는 정점 전체가 암이 가장 흔하게 발생하는 주변부 조직으로 구성되어 있지만 직장수지검사로는 만져지기가 어렵다는 점 때문일 것이다 (Presti, 2007). 더군다나 정점 부위의 생검은 다른 부위보다 통증을 더 심하게 유발하기 때문에, 비뇨기과 의사들이 통증을 최소화하기 위해 이 부위의 생검을 피하는 경향이 있다 (Jones와 Zippe, 2003).

적절한 cores의 수에 관하여 아직도 논란 중에 있지만, 앞에서도 기술된 한 연구는 표준 12-core 외에도 정점의 맨 전방 부위에서 2 cores를 추가하는 생검을 실시한 결과, 좌우측 각 3개씩의 정점 cores에서의 암 발견율이 모든 암의 73.6%로 가장 높았으며 추가로 실시한 각 측면 1개씩의 맨 전방 정점 cores에서 가장 높은 암 발견율을 나타내었다고 보고하였다 (Moussa 등, 2010).

한편, 대부분의 연구자들은 이행부에 대한 관습적 생검이 가치 있다고 보지 않는다. 이에 관한 한 연구는 20 cores 이상을 채집하는 집중 생검으로 2차 생검을 실시한 연구는 전립선암으로 진단된 환자 중 전적으로 이행부에서만 발생한 암은 없었다고 보고하였다 (Patel 등, 2004). 그러나 다른 연구는 전립선암의 약 20%가 경회음 생검을 통해 이행부 전면에서만

발견되었다고 보고하였다 (Ito 등, 2002).

관례적인 확대 생검에서 core 수를 추가하면 암 발견율이 증가한다는 보고는 직관적일 수 있으며, 이는 첫 생검을 여러 방법으로 실시한 연구에서 입증되지 않았다 (Chun 등, 2010). 한 연구는 24-core 생검과 10-core 생검에서 암 발견율이 각각 44.6%, 51.7%를 나타내어 cores의 수가 많다고 암 발견율이 높지는 않다고 보고하였다 (p⟨0.9) (Jones 등, 2006). 다른 연구도 처음에 집중 생검으로 음성 소견을 보인 59명을 추적 관찰한 결과 24%에서 암이 발견되었다고 하였다 (Lane 등, 2008).

5.3. 재생검의 적용 대상 선정에 활용되는 생물 지표
Biomarkers indices as indications for repeat prostate biopsy

PSA 농도가 증가했거나 지속적으로 증가하는 경우는 일반적으로 재생검의 대상이 되지만, 재생검을 위한 절단치에 관해서는 논란이 많다 (Terris, 2009). 전립선 생검 결과가 음성인 경우 전립선암의 위험이 있는 환자를 평가하는 데 PSA는 가치가 없다는 연구가 있는 반면 (Marks 등, 2007), 재생검을 실시할 환자를 구분하는 데는 PSA가 여전히 유용하다는 연구도 있다 (Thompson 등, 2008).

PSA 농도가 지속적으로 10 ng/mL를 초과하는 경우는 재생검의 적용 대상이 된다는 데는 대체로 이견이 없다 (Djavan 등, 2002). 전립선암을 구별하는 PSA 농도의 절단치가 4 ng/mL라는 제안은 그 보다 낮은 농도에서도 상당수의 전립선암이 발견됨으로써 논란이 되어 왔다 (Catalona 등, 1997). PSA 농도가 2~4 ng/mL인 315명에 대해 1차 생검 및 재생검을 실시한 Djavan 등 (2005)은 암 발견율이 각각 24%, 13%라고 보고한 바 있는데, 이것은 생화학적 소견과 병리학적 소견을 비교할 수 있는 자료가 된다. PSA 4~10 ng/mL는 재생검 군에서 흔하게 볼 수 있는 PSA 농도이다. 이 범위는 전립선암과 양성 질환을 시사하는 농도가 상당하게 중복되는 범위이기 때문에, 재생검의 적용 대상을 선정하는 데 혼란을 야기한다. PSA 농도가 4~10 ng/mL인 남성들을 대상으로 실시한 European Prostate Cancer Detection Study (EPCDS)는 첫 생검 결과가 음성인 820명 중 10%에서 전립선암이 발견되었다고 하였다 (Djavan 등, 2000).

5.3.1. 유리형 PSA의 퍼센트 Percent free PSA (%fPSA)

전립선암 발견율과 free PSA의 퍼센트 (free PSA/total PSA, %fPSA) 사이에는 역상관관계가 있다. Catalona 등 (1998)은 첫 생검의 대상을 선정할 때 %fPSA의 절단치 25%를 이용하면 전립선암 발견율을 최고로 높이고 불필요한 생검을 최소로 낮출 수 있다고 하였으며, 그 후의 연구는 재생검 환자를 선정할 때도 %fPSA가 비슷한 예측 효과를 나타낸다고 하였다 (Letran 등, 1998).

Djavan 등 (2000)은 혈청 PSA 농도가 4~10 ng/mL인 환자군에서는 %fPSA와 전립선 이행부 PSA 밀도 (PSAD-transitional zone, PSAD-TZ)가 혈청 total PSA (tPSA)의 농도 혹은 PSA density (PSAD)에 비해 더 나은 예측도를 보였다고 하였다. 또한, Fowler 등 (2000)은 다른 PSA 파생 지표들에 비해 %fPSA가 암을 발견함에 있어 가장 좋은 예측 인자라고 하였다. 이 연구는 tPSA가 2.5~9.9 ng/mL로서 전립선암이 의심되어 생검을 받은 흑인 222명, 백인 298명을 대상으로 평가하였으며, %fPSA와 tPSA의 AUC-ROC는 흑인에서 각각 0.66, 0.58 (p=0.15), 백인에서 각각 0.76, 0.58 (p<0.00001)이었다.

한 연구는 30% 미만의 %fPSA가 재생검에서 암 양성을 정확하게 예측하는 인자이며, %fPSA의 예측도는 PSAD, PSAD-TZ, 총 PSA 농도 등을 능가한다고 보고하였다 (Djavan 등, 2002). 다른 연구는 %fPSA가 10% 미만인 경우는 두 번의 이전 생검 결과가 음성일지라도 91%의 민감도, 86%의 특이도를 나타내는 전립선암에 대한 강력한 예측 인자라고 보고하였다 (Morgan 등, 1996). 또 다른 연구는 재생검 환자군에서 전립선암의 예측 인자로 %fPSA 18% 미만을 이용하면 민감도가 90%, 특이도가 20%라고 하였다 (Rodríguez-Patrón 등, 2002). Lee 등 (2010)의 미발표 자료에 의하면, %fPSA에 대한 ROC-AUC가 1회 재생검을 받은 군에서는 0.65, 2회 이상 재생검을 받은 군에서는 0.72이었으며, %fPSA의 절단치를 11%로 설정하면 두 군에서 특이도가 각각 85%, 86%라고 하였다.

1차 전립선 생검에서 음성 결과가 나온 후 재생검 및 전립선암 발견의 위험을 평가하기 위해 1차 생검이 음성이지만 PSA 농도의 지속적인 증가, 추적 관찰한 기간 동안 PSA 농도의 증가, 직장수지검사에서 지속적인 결절 등과 같이 전립선암이 지속적으로 의심되는 환자 1,995명을 대상으로 평균 19개월 추적 관찰한 후 21-core 생검을 실시한 연구는 다음과 같은 결과를 보고하였다 (Ploussard 등, 2013) (도표 313). 첫째, 2차, 3차, 4차, 5차 생검에서 전립선암 발견율은 각각 16.7%,

도표 313 재생검에서 전립선암이 발견될 위험률 (Cox regression 모델)

위험 인자	HR (95% CI)	p
PSA, ng/mL		
〈4	1	
4~6	2.08 (0.94~4.63)	0.072
6~10	3.46 (1.58~7.61)	0.002
〉10	3.56 (1.58~8.02)	0.002
PSAD, ng/mL/cc		
〈0.10	1	
0.10~0.15	2.52 (1.25~5.06)	0.009
0.15~0.20	3.05 (1.48~6.28)	0.003
〉0.20	5.63 (2.95~10.75)	〈0.001
%fPSA, %		
〈15	1	
15~20	0.49 (0.29~0.84)	0.009
〉20	0.50 (0.21~1.18)	0.112
연령		
〈60	1	
60~65	0.92 (0.58~1.45)	0.709
65~70	1.25 (0)81~1.93)	0.321
〉70	0.99 (0.62~1.59)	0.963
전립선 용적, cc		
〉70	1	
50~70	1.85 (0.76~4.50)	0.175
30~50	4.48 (2.07~9.71)	〈0.001
〈30	3.64 (1.47~9.02)	0.005

CI, confidence interval; fPSA, free prostate-specific antigen;; HR, hazard ratio; PSA, prostate-specific antigen; PSAD, prostate-specific antigen density.
Ploussard 등 (2013)의 자료를 수정 인용.

16.9%, 12.5%, 14.3%%이었으며, 전반적 전립선암 발견율은 7.0%이었다. 둘째, 5년 동안 재생검과 전립선암이 없는 생존율은 각각 65.9%, 92.5%이었다. 셋째, 재생검의 적용 대상은 6 ng/mL를 초과한 높은 PSA 농도 (p=0.006), 0.15 ng/mL/cc를 초과한 높은 PSA 밀도 (p<0.001), 60세 이하의 젊은 환자 (p=0.008)에서 더 흔하였다. 넷째, 재생검에서 전립선암 발견 위험은 연령과는 연관성이 없었으나, 6 ng/mL를 초과한 PSA 농도 혹은 0.15 ng/mL/cc를 초과한 PSA 밀도 혹은 15 미만의 %fPSA 혹은 50 cc 미만의 전립선 용적을 가진 환자에서는 2배 이상 유의하게 증가되었다. 관찰기간 의존성 분석은 이러한 결과와 일치하였다. 이들 결과를 종합하여 보면, 1차 생검에서 음성이면 이후 재생검에서 전립선암이 발견되는 비율은 낮으며, 재생검의 적용 대상을 결정할 때 이용되는 PSA, PSA 밀도 외에도 낮은 전립선 용적과 낮은 %fPSA는 재생검에서 전립선암의 위험을 예측할 수 있는 인자라고 생각된다.

5.3.2. PSA 밀도 PSA density (PSAD)

PSA density (PSAD)는 전립선암으로 인한 PSA의 증가와 양성전립선비대로 인한 PSA의 증가를 구별하는 데 이용되며, Benson 등 (1992)에 의해 보급되었다. 한 연구는 PSAD 절단치를 0.15 ng/mL/cc로 정하면 재생검에서 전립선암의 35%를 놓칠 수 있지만, 이 기준과 PSA velocity (PSAV) 0.75 ng/mL/year 초과 기준을 병행하면 재생검에서 암 발견율이 46%인 데 비해 두 지표가 절단치 이하인 경우에는 13%라고 보고하면서 ($p < 0.001$), 이러한 절단치에 의한 PSAD와 PSAV (혹은 PSA slope)의 병용이 재생검에서 암을 발견할 수 있는 가장 좋은 예측 인자라고 하였다 (Keetch 등, 1996). 그러나 확대 생검이 시행되고 있는 현 시점에서는 위의 결과들이 적절하다고 할 수 없다.

Transitional zone PSAD (PSAD-TZ)를 전립선암의 예측에 도입한 연구는 PSAD의 절단치를 0.13 ng/mL/cc로 설정한 경우의 민감도는 74%, 특이도는 44%이었으며, PSAD-TZ의 절단치를 0.26 ng/mL/cc로 설정한 경우의 민감도는 78%, 특이도는 52%이었다고 하였다 (Djavan 등, 2002). 다른 연구도 첫 12-core 생검에서 음성 결과를 나타낸 경우에는 PSAD-TZ가 높은 전립선암 발견율을 나타낸다고 보고하였다 ($p = 0.05$) (Singh 등, 2004). 또 다른 연구는 집중 생검을 통해 암이 발견될 가능성에 대한 예측의 정확도는 %fPSA, PSAD-TZ, 이행부 용적 등의 경우 각각 74.3%, 73.1%, 72.8%이라고 하였다 (Walz 등, 2006).

전립선 전체 용적보다 이행부 용적이 암을 더 정확하게 예측한다는 보고가 있었지만 (Zlotta 등, 1997), 경직장초음파촬영술로 측정되는 모든 결과는 검사자에 의존적이기 때문에 차이가 있을 수 있으며, 더군다나 전립선의 용적이 30 cc 미만인 경우에는 PSAD-TZ가 유의한 예측 인자가 아니라고 보고되었다 (Djavan 등, 1998).

근래의 연구는 PSAD가 0.33 ng/mL/cc를 초과한 경우가 재생검에서 암 양성 결과에 대한 독립적 예측 인자이며, 이 절단치를 PSAV 0.48 ng/mL/year 초과, 비정상적 직장수지검사 소견 등과 병행하면 작은 용적, 저등급 분화도 전립선암의 8%를 놓칠 수 있는 데 비해, 불필요한 생검의 31%를 줄일 수 있다고 하였다 (Okada 등, 2010).

5.3.3. PSA 증가 속도 PSA velocity (PSAV)

PSA의 증가 속도 (PSA velocity, PSAV)가 공격적인 전립선암

을 가진 환자를 확인하는 데 이용되어 왔으나, 재생검에서 전립선암 양성 결과를 예측하기 위해 활용하는 데 대해서는 논란이 되고 있다 (Etzioni 등, 2007). 0.75 ng/mL/year를 초과한 PSAV는 암 예측도가 높기 때문에 재생검이 요구되는 환자의 수를 감소시킨다고는 하지만, PSAD와 같은 다른 지표를 병행하지 않고 PSAV 단독인 경우에는 암의 40%를 놓친다고 보고되었다 (Keetch 등, 1996). 다른 연구는 0.75 ng/mL/year를 초과한 PSAV가 재생검 시 전립선암 발견에 대한 유의한 위험 인자라고 보고하였다 (Borboroglu 등, 2000). 또 다른 연구는 고등급 전립선상피내암을 가졌고 뒤에 전립선암으로 진단된 남성에서 PSAV의 중앙치가 유의하게 더 컸으며, PSAV 절단치를 0.75 ng/mL/year로 설정하면 고등급 전립선상피내암을 가진 남성 중 결국 전립선암으로 진단될 환자를 예측하는 데 도움이 된다고 하였다 (Loeb 등, 2007). 재생검 환자 140명을 대상으로 실시한 연구는 0.48 ng/mL/year를 초과한 PSAV가 전립선암에 대해 통계적으로 유의한 예측 인자라고 보고하였다 ($p = 0.001$) (Okada 등, 2010).

위의 보고와는 대조적으로 이전 연구를 체계적으로 재검토한 연구에서는 PSAV의 예측도를 입증하는 직접적인 증거가 발견되지 않았다 (Vickers 등, 2009). 즉, ERSPC에 참여한 PSA 3 ng/mL 미만의 2,742명에 대해 PSA 농도가 증가함에 따라 생검을 실시한 연구는 환자 연령과 PSA에 %fPSA를 추가하거나 제외한 모델을 만들었으며, 다시 각 모델에 PSAV를 다시 추가한 모델을 이용하여 2년 혹은 4년 간격으로 1~6회의 선별검사를 실시한 결과, PSAV는 암 예측 정확도를 AUC 0.531로부터 0.569로, %fPSA가 포함된 모델에서는 AUC 0.609로부터 0.626으로 약간 증가시켰을 뿐이었으며, 고등급 분화도의 암에 대해서는 예측 정확도를 증가시키지 못하였다. 또한, ERSPC에서 추출된 2,579명의 재생검 환자를 평가한 연구는 PSAV의 예측 정확도가 AUC 0.55로 낮음을 보여 주었다 (Vickers 등, 2010). 이와 같은 결과는 PSAV가 첫 생검의 결과를 예측하지 못했다는 이전의 연구 결과 (Wolters 등, 2008)와 일맥상통한다. 생검 전에 PSA를 연 3회 이상 측정한 연구도 PSAV와 전립선암 진단 ($p = 0.84$), Gleason 점수 ($p = 0.78$), 암 양성 core의 퍼센트 ($p = 0.37$) 혹은 종양의 위치 등과의 연관성을 발견하지 못하였다 (Bittner 등, 2009). 재생검에서 전립선암을 예측하지 못하는 유일한 PSA 파생 지표가 PSAV라고 보고한 연구도 있다. 즉, 첫 생검에서 음성 결과를 보인 1,871명을 평가한 연구는 다음과 같은 결과를 보고하였다 (Gann 등, 2010). 첫째, 평균 2.8

년 추적 관찰한 후 465명에게서 전립선암이 발견되었다. 둘째, PSA slope를 제외한 모든 인자들이 전립선암의 발견에 대한 독립적 예측 인자이었다. 예를 들면, PSA의 경우 2.5~3.9 ng/mL에 대한 10 ng/mL 초과의 HR은 3.90, 고등급 상피내암 및 비정형 전립선의 경우 HR은 2.97, 전립선 용적의 경우 25 cc 미만에 대한 50 cc 초과의 HR은 0.39, 재생검 횟수의 경우 0에 대한 2의 HR은 0.36이었다. 또한, 저급 위험도의 병력을 가진 남성에 비해 상급 위험도의 병력을 가진 남성에서는 5년 내에 암이 발견될 확률이 20배 높았다.

5.3.4. PSA 배가 시간 PSA doubling time (PSADT)

PSA 배가 시간 (PSA doubling time, PSADT)은 재생검의 적용 대상을 찾기보다는 공격적인 전립선암을 예측하는 데 더 유용하다고 생각된다. 이로써 대부분의 연구는 적극적 감시, 질환의 재발, 안드로겐 비의존성 전립선암 등과 관련하여 PSADT의 역할에 관심을 가져 왔다 (Ramrez 등, 2008). 첫 생검의 결과가 음성인 77명에 대해 재생검을 실시하고 암 예측 인자를 평가한 연구는 암이 발견된 환자와 발견되지 않은 환자에서 PSAD-TZ, %fPSA, PSAV 등의 차이는 관찰되지 않았으나, PSADT가 30, 50, 70개월인 경우 암 발견에 대한 민감도는 각각 36.6%, 30.4%, 10%이었으며, PSADT가 100개월 이상인 경우에서 암이 발견된 경우는 없었다고 하였다. 이 연구의 저자들은 여러 지표들 중 PSADT만이 재생검 결과에 대해 통계적으로 유의했다고 하였다 (p=0.035) (Shimbo 등, 2009). 재생검을 받은 373명의 남성을 후향적으로 평가한 연구는 PSADT가 재생검에서 암 양성 결과와 Gleason 점수 7 이상의 상급 위험도의 질환에 대해 가장 좋은 독립적 예측 인자라고 하였다 (Garzotto 등, 2005).

5.3.5. Prostate cancer antigen 3 (PCA3) 점수

PCA3 score

재생검 과정에서 위험 인자에 관한 평가는 직장수지검사, tPSA, %fPSA, complexed PSA (cPSA), PSAD, PSAV 등의 개별 위험 인자가 가진 진단적 정확도의 감소와 전립선 생검 횟수의 증가에 의해 영향을 받는다. 재생검의 횟수는 *prostate cancer antigen* (*PCA3*)과 같은 생검 위험 인자의 특징적 결과에 크게 영향을 준다. Progensa®를 이용하여 측정된 소변 *PCA3* 유전자를 포함한 여러 전립선암 위험 인자의 결과와 수회 실시된 재생검의 결과를 비교하기 위해 직장수지검사에서

의심되는 소견이 있거나, 지속적으로 2.5~6.5 ng/mL의 높은 혈청 PSA 농도를 가졌거나, 고등급 전립선상피내암과 함께 두 cores 이상에서 비정형 소세엽 증식 (atypical small acinar proliferation, ASAP)을 가져 12-core 혹은 24-core의 1차, 2차, 혹은 3차 이상의 재생검을 받은 127명을 대상으로 75, 85, 95%의 고정된 민감도 한계치 하에서 개별 위험 인자를 분석한 연구는 표본 수가 적은 제한점이 있으나 다음과 같은 결과를 보고하였다 (Auprich 등, 2011). 첫째, 반복 생검에서 전반적 전립선암 발견율은 34.5%이었다. 둘째, 1차 재생검에서는 *PCA3*가 전립선암을 AUC 0.80으로 가장 잘 예측하였으며, 민감도 75%의 경우 tPSA에 따른 재생검에 비해 72.2%의 재생검을 줄일 수 있었다 (도표 314, 315). 셋째, 2차 재생검에서는 %fPSA가 AUC 0.82로 가장 높은 정확도를 나타내었으며, 민감도 75%의 경우 tPSA에 따른 재생검에 비해 66.7%의 재생검을 줄일 수 있었다 (도표 316, 317). 넷째, 3차 이상의 재생검에서도 %fPSA가 AUC 0.70으로 가장 높은 정확도를 나타내었으며, 민감도 75%의 경우 tPSA에 따른 재생검에 비해 45.0%의 재생검을 줄일 수 있었다 (도표 318, 319). 이전에 실시한 재생검의 횟수가 생검에 대한 위험 인자의 결과에 영향을 준다는 이들 결과를 종합해 보면, tPSA는 전반적, 1차, 2차, 3차 이상 등의 재생검에서 유의한 위험 인자가 아니며, PSAV의 진단력은 2차 및 3차 이상의 재생검에서 유지되었고, %fPSA는 전반적 재생검에서 전립선암에 대한 신뢰성이 있는 예측 인자의 역할을 함과 동시에 2차 및 3차 이상의 재생검에서는 tPSA, PSAV, *PCA3* 등보다 나은 예측력을 나타내었다. 또한, *PCA3*는 1차 재생검에서 높은 정보를 제공하였으며, tPSA로 인한 재생검에 비해 불필요한 재생검의 73%를 줄일 수 있었으나, 재생검이 반복될수록 그러한 장점은 감소되었다.

1차 생검이 음성이고 혈청 PSA가 2.5~10 ng/mL인 남성 301명을 대상으로 여러 범위의 %fPSA에서 생검 결과에 대한 *PCA3* 점수의 예측력을 평가한 연구는 다음과 같은 결과를 보고하였다 (Ploussard 등, 2010) (도표 320). 첫째, %fPSA가 >20, 10~20, <10인 환자군을 각각 1군, 2군, 3군으로 분류하였으며, 전립선암 발견율은 1군, 2군, 3군에서 각각 18.8%, 23.9%, 34.8%이었다. 둘째, *PCA3* 점수, total PSA, %fPSA의 ROC AUC는 각각 0.688, 0.553, 0.571이었다. 셋째, 생검 결과가 양성인 남성의 퍼센트는 *PCA3* 점수가 30 이상에서 1군, 2군, 3군의 경우 각각 30.6%, 37.0%, 44.4%이었고, *PCA3* 점수가 30 미만에서는 각각 10.3%, 15.5%, 28.6%이었다. 차이

CHAPTER 14

도표 314 2차 생검, 즉 1차 재생검 코호트 48명에서 전립선암의 유무에 따라 분류된 위험 인자의 비교

가변 인자	전체 코호트 환자; 중앙치 (범위)	전립선암 음성; 중앙치 (범위)	전립선암 양성; 중앙치 (범위)	p value	AUC
환자	48명 (100%)	29명 (60.4%)	19명 (39.6%)		
연령	62 (50~70)	59 (50~70)	63 (51~69)	0.03	0.691
직장수지검사 　의심 (불분명) 　분명	 6명 (12.5%) 42 (87.5)	 3명 (10.3%) 26 (89.7)	 3명 (15.8%) 16명 (84.2%)	0.58	0.527
생검 cores 수	24 (12~24)	22 (12~24)	24 (12~24)	0.91	0.509
Gleason 점수 　≤3+3 　≥3+4			 17명 (89.5%) 2명 (10.5%)		
PSA, ng/mL	7.5 (3.5~45.5)	7.2 (3.5~17.8)	8.1 (3.8~45.5)	0.67	0.536
%fPSA	17.0 (5~44)	18.0 (5~44)	14.0 (5~32)	0.005	0.737
PSAV, ng/mL/year	1.4 (0.2~16.6)	1.2 (0.3~7.2)	1.4 (0.2~16.6)	0.39	0.574
PCA3 점수[†]	36 (5~192)	25 (5~126)	52 (12~192)	0.001	0.797

[†], 전립선 마사지 후 배출된 소변의 첫 부분에서 분석된 PCA3와 PSA를 이용하여 다음 공식으로 산출됨; (PCA3 mRNA/PSA mRNA)×1,000.
AUC, area under the curve; fPSA, free prostate cancer antigen; PCA3, prostate cancer antigen 3; PSA, prostate-specific antigen; PSAV, prostate cancer antigen velocity.
Auprich 등 (2011)의 자료를 수정 인용.

도표 315 2차 생검, 즉 1차 재생검 코호트 48명에서 전립선암의 존재 (19명)와 부재 (29명)를 예측하는 데 이용되는 여러 위험 인자의 ROC 분석

민감도[†] 한계치	가변 인자	PSA	%fPSA	PSAV	PCA3 점수[‡]
75%	한계치	6.5 ng/mL	16%	1.06 ng/mL/year	44
	특이도[¶], %	37.9	72.4	37.9	82.8
	양성 예측도[◊], %	43.8	63.6	43.8	73.7
	음성 예측도[◊], %	68.8	80.8	68.8	82.8
	위양성*, 수 (%)	18 (62.1)	8 (27.6)	18 (62.1)	5 (17.2)
	PAB▶, %	–	55.6	0	72.7
85%	한계치	5.4 ng/mL	18%	0.7 ng/mL/year	34
	특이도[¶], %	17.2	41.1	24.1	58.6
	양성 예측도[◊], %	40.0	48.5	42.1	57.1
	음성 예측도[◊], %	62.5	80.0	70.0	85.0
	위양성*, 수 (%)	24 (82.8)	17 (58.6)	22 (75.9)	12 (41.4)
	PAB▶, %	–	29.2	8.3	50.0
95%	한계치	4.4 ng/mL	23%	0.28 ng/mL /year	17
	특이도[¶], %	6.9	24.1	0	31.0
	양성 예측도[◊], %	40.0	45.0	38.3	47.7
	음성 예측도[◊], %	66.7	87.5	0	90.0
	위양성*, 수 (%)	27 (93.1)	22 (75.9)	29 (100)	20 (69.0)
	PAB▶, %	–	18.5	+7.4	25.9

[†], 민감도 (sensitivity)=실제 양성 수/(실제 양성 수+위음성 수); [‡], 전립선 마사지 후 배출된 소변의 첫 부분에서 분석되며 (PCA3 mRNA/PSA mRNA)×1,000; [¶], 특이도 (specificity)=실제 음성 수/(실제 음성 수+위양성 수); [◊], 양성 예측도 (positive predictive value, PPV)=실제 양성 수/(실제 양성 수+위양성 수); [◊], 음성 예측도 (negative predictive value, NPV)=실제 음성 수/(실제 음성 수+위음성 수); *, 위양성 (false positive)=실제 음성/PSA 혹은 fPSA 혹은 PSAV 혹은 PCA3에 의한 양성; ▶, PAB=(PSA에 의한 위양성 수-fPSA 혹은 PSAV 혹은 PCA3에 의한 위양성 수)/PSA에 의한 위양성 수.

AUC, area under the curve; fPSA, free prostate cancer antigen; PAB, proportion of avoided biopsies; PCA3, prostate cancer antigen 3; PSA, prostate-specific antigen; PSAV, prostate cancer antigen velocity; ROC, receiver operating characteristic.
Auprich 등 (2011)의 자료를 수정 인용.

도표 316 3차 생검, 즉 2차 재생검 코호트 40명에서 전립선암의 유무에 따라 분류된 위험 인자의 비교

변수	전체 코호트 환자; 중앙치 (범위)	전립선암 음성; 중앙치 (범위)	전립선암 양성; 중앙치 (범위)	p value	AUC
환자	40명 (100%)	27명 (67.5%)	13명 (32.5%)		
연령	62 (52~70)	62 (52~70)	66 (52~70)	0.41	0.583
직장수지검사 　의심 (불분명) 　분명	4명 (10.0%) 36명 (90.0%)	2명 (7.4%) 25명 (92.6%)	2명 (15.4%) 11명 (84.6%)	0.43	0.520
생검 cores 수	24 (12~24)	24 (12~24)	24 (12~24)	0.59	0.554
Gleason 점수 　≤3+3 　≥3+4			5명 (38.5%) 8명 (61.5%)		
PSA, ng/mL	8.1 (3.4~19.8)	7.6 (3.4~16.1)	10.9 (5.9~19.8)	0.07	0.678
%fPSA	15.0 (4~38)	16.0 (5~38)	11.0 (4~25)	0.001	0.819
PSAV, ng/mL/year	1.6 (0.1~7.2)	1.2 (0.1~3.8)	2.2 (0.1~16.6)	0.03	0.721
PCA3 점수[†]	51 (2~205)	40 (2~195)	76 (9~205)	0.05	0.697

[†], 전립선 마사지 후 배출된 소변의 첫 부분에서 분석된 (PCA3 mRNA/PSA mRNA)×1,000.

AUC, area under the curve; fPSA, free prostate cancer antigen; PCA3, prostate cancer antigen 3; PSA, prostate-specific antigen; PSAV, prostate cancer antigen velocity.

Auprich 등 (2011)의 자료를 수정 인용.

도표 317 3차 생검, 즉 2차 재생검 코호트 40명에서 전립선암의 존재 (13명)와 부재 (27명)를 예측하는 데 이용되는 여러 위험 인자의 ROC 분석

민감도[†] 한계치	가변 인자	PSA	%fPSA	PSAV	PCA3 점수[‡]
75%	한계치	6.9 ng/mL	12	1.2 ng/mL/year	48
	특이도[¶], %	33.3	77.8	44.4	55.6
	양성 예측도[◐], %	35.7	62.5	40.0	45.5
	음성 예측도[◑], %	75.0	87.5	80.0	83.3
	위양성[*], 수 (%)	18 (66.7)	6 (22.2)	15 (55.6)	12 (44.4)
	PAB[▶], %	–	66.7	16.7	33.3
85%	한계치	6.6 ng/mL	15%	1.1 ng/mL/year	45
	특이도[¶], %	29.6	59.3	40.7	51.9
	양성 예측도[◐], %	36.7	50.0	40.7	45.8
	음성 예측도[◑], %	80.0	88.9	84.6	87.5
	위양성[*], 수 (%)	19 (70.4)	11 (40.7)	16 (59.3)	13 (48.1)
	PAB[▶], %	–	42.1	15.8	31.6
95%	한계치	6.1 ng/mL	16%	0.75 ng/mL/year	39
	특이도[¶], %	25.9	48.1	33.3	48.1
	양성 예측도[◐], %	37.5	46.2	40.0	46.2
	음성 예측도[◑], %	87.5	92.9	90.0	92.9
	위양성[*], 수 (%)	20 (74.1)	14 (51.9)	18 (66.7)	14 (51.9)
	PAB[▶], %	–	30.0	10.0	30.0

[†], 민감도 (sensitivity)=실제 양성 수/(실제 양성 수+위음성 수); [‡], 전립선 마사지 후 배출된 소변의 첫 부분을 분석하여 (PCA3 mRNA/PSA mRNA)×1,000의 공식으로 산출; [¶], 특이도 (specificity)=실제 음성 수/(실제 음성 수+위양성 수); [◐], 양성 예측도 (positive predictive value, PPV)=실제 양성 수/(실제 양성 수+위양성 수); [◑], 음성 예측도 (negative predictive value, NPV)=실제 음성 수/(실제 음성 수+위음성 수); [*], 위양성 (false positive)=실제 음성/PSA 혹은 fPSA 혹은 PSAV 혹은 PCA3에 의한 양성; [▶], PAB=(PSA에 의한 위양성 수-fPSA 혹은 PSAV 혹은 PCA3에 의한 위양성 수)/PSA에 의한 위양성 수.

AUC, area under the curve; fPSA, free prostate cancer antigen; PAB, proportion of avoided biopsies; PCA3, prostate cancer antigen 3; PSA, prostate-specific antigen; PSAV, prostate cancer antigen velocity; ROC, receiver operating characteristic.

Auprich 등 (2011)의 자료를 수정 인용.

도표 318 4차 이상 생검, 즉 3차 이상의 재생검 코호트 39명에서 전립선암의 유무에 따라 분류된 위험 인자의 비교

변수	전체 코호트 환자; 중앙치 (범위)	전립선암 음성; 중앙치 (범위)	전립선암 양성; 중앙치 (범위)	p value	AUC
환자	39명 (100%)	27명 (69.2%)	12명 (30.8%)		
연령	66 (54~70)	67 (55~70)	65 (54~67)		
직장수지검사 　의심 (불분명) 　분명	4명 (10.3%) 35 (89.7)	3명 (11.1%) 24 (88.9)	1명 (8.3%) 11명 (91.7%)	0.79	0.514
생검 cores 수	24 (12~24)	24 (12~24)	24 (12~24)	0.78	0.512
Gleason 점수 　≤3+3 　≥3+4			10명 (83.3%) 2명 (16.7%)		
PSA, ng/mL	10.6 (3.2~22.4)	9.8 (3.2~22.4)	10.7 (5.6~18.7)	0.75	0.534
%fPSA	14.0 (4~32)	18.0 (4~32)	9.0 (5~23)	0.05	0.702
PSAV, ng/mL/year	2.3 (0.1~8.1)	1.9 (0.1~8.1)	3.4 (0.1~4.5)	0.64	0.549
PCA3 점수[†]	41 (5~278)	41 (5~83)	59 (10~278)	0.26	0.616

[†], 전립선 마사지 후 배출된 소변의 첫 부분을 분석하여 (PCA3 mRNA/PSA mRNA)×1,000의 공식으로 산출.

AUC, area under the curve; fPSA, free prostate cancer antigen; PCA3, prostate cancer antigen 3; PSA, prostate-specific antigen; PSAV, prostate cancer antigen velocity.

Auprich 등 (2011)의 자료를 수정 인용.

도표 319 4차 이상 생검, 즉 3차 이상의 재생검 코호트 39명에서 전립선암의 존재 (12명)와 부재 (27명)를 예측하는 데 이용되는 여러 위험 인자의 ROC 분석

민감도[†] 한계치	변수	PSA	%fPSA	PSAV	PCA3 점수[‡]
75%	한계치	8.1 ng/mL	14%	2.11 ng/mL/year	27
	특이도[¶], %	25.9	59.3	55.6	29.6
	양성 예측도[◊], %	31.0	45.0	42.9	29.6
	음성 예측도[◖], %	70.0	84.2	83.3	66.7
	위양성[*], 수 (%)	20 (74.1)	11 (40.7)	12 (44.4)	19 (70.4)
	PAB[▸], %	–	45.0	40.0	5.0
85%	한계치	7.0 ng/mL	20%	1.51 ng/mL/year	19
	특이도[¶], %	14.8	37.0	40.7	22.2
	양성 예측도[◊], %	30.3	37.0	38.5	32.3
	음성 예측도[◖], %	66.7	83.3	84.6	75.0
	위양성[*], 수 (%)	23 (85.2)	17 (63.0)	16 (59.3)	21 (77.8)
	PAB[▸], %	–	26.1	30.4	8.7
95%	한계치	5.8 ng/mL	21	0.75 ng/mL/year	16
	특이도[¶], %	7.4	29.6	22.2	18.5
	양성 예측도[◊], %	30.6	36.7	34.4	33.3
	음성 예측도[◖], %	66.7	88.9	85.7	83.3
	위양성[*], 수 (%)	25 (92.6)	19 (70.4)	21 (77.8)	22 (81.5)
	PAB[▸], %	–	24.0	16.0	12.0

[†], 민감도 (sensitivity)=실제 양성 수/(실제 양성 수+위음성 수); [‡], 전립선 마사지 후 배출된 소변의 첫 부분을 분석하여 (PCA3 mRNA/PSA mRNA)×1,000의 공식으로 산출; [¶], 특이도 (specificity)=실제 음성 수/(실제 음성 수+위양성 수); [◊], 양성 예측도 (positive predictive value, PPV)=실제 양성 수/(실제 양성 수+위양성 수); [◖], 음성 예측도 (negative predictive value, NPV)=실제 음성 수/(실제 음성 수+위음성 수); [*], 위양성 (false positive)=실제 음성/PSA 혹은 fPSA 혹은 PSAV 혹은 PCA3에 의한 양성; [▸], PAB=(PSA에 의한 위양성 수−fPSA 혹은 PSAV 혹은 PCA3에 의한 위양성 수)/PSA에 의한 위양성 수.

AUC, area under the curve; fPSA, free prostate cancer antigen; PAB, proportion of avoided biopsies; PCA3, prostate cancer antigen 3; PSA, prostate-specific antigen; PSAV, prostate cancer antigen velocity; ROC, receiver operating characteristic.

Auprich 등 (2011)의 자료를 수정 인용.

도표 320 임상 및 병리학적 변수에 따른 PCA3 점수와 %fPSA의 평균치

가변 인자	PCA3 점수, p		%fPSA, p	
생검				
음성 (-)	37.1	⟨0.001	20	0.073
양성 (+)	63.8		18	
직장수지검사				
정상	85.0	0.013	19	0.596
의심	34.7		19	
Gleason 점수				
⟨7	67.0	0.505	19	0.079
≥7	61.3		15	
전립선 용적				
⟨40 cc	48.4	0.821	17	⟨0.001
≥40 cc	41.5		21	
연령				
⟨65세	29.8	⟨0.001	18	0.001
≥65세	56.4		21	

이변량 분석에서 소변을 이용한 PCA3 점수가 30을 초과한 경우는 생검 양성에 대한 유의한 독립적 예측 인자이었으나 (OR 3.01, 95% CI 1.74~5.23; p ⟨0.001), 10% 이하의 %fPSA는 생검 양성에 대한 유의한 예측 인자의 역할을 하지 못하였다 (OR 1.80, 95% CI 0.85~3.82; p=0.125). 이와 같은 결과는 다변량 분석에서도 비슷하였다.

CI, confidence interval; %fPSA, free prostate cancer antigen/total prostate cancer antigen ratio; OR, odds ratio; PCA3, prostate cancer antigen 3; PSA, prostate-specific antigen.

Ploussard 등 (2010)의 자료를 수정 인용.

는 1군과 2군에서만 유의하였다. %fPSA가 10% 이하인 남성에서는 *PCA3* 점수에 따른 전립선암 발견율의 차이가 유의하지 않았다. 넷째, 높은 *PCA3* 점수는 연령, 임상 T2 병기, 생검 양성 등과 유의하게 관련이 있었으며, p value는 각각 ⟨0.001, 0.013, ⟨0.001이었다. 다섯째, *PCA3* 점수와 %fPSA의 이변량 분석에서 30 이상의 *PCA3* 점수는 생검 양성에 대한 독립적 예측 인자이었다 (OR 3.01, 95% CI 1.74~5.23; p⟨0.001). 이러한 결과를 종합해 보면, *PCA3* 점수는 %fPSA보다 전립선암의 발견에 대한 더 나은 예측 인자이며, %fPSA가 10%를 초과한 남성에서 *PCA3* 점수는 재생검에서 전립선암이 발견될 위험과 상호 관련이 있으며, *PCA3* 점수가 낮으면 불필요한 생검을 피할 수 있다.

결론적으로, 재생검에서 전립선암을 예측하거나 재생검의 필요성이 있는 환자를 선정하는 데 여러 PSA 지표들이 거론되고 있지만, 이를 위한 단일 지표는 없으며 이들 지표를 이용하는 지침 또한 마련되어 있지 않다. 따라서 현재의 재생검 전략은 선별검사의 시설 혹은 갖추어진 장비에 따라 각기 다르게 실행되고 있는 실정이며, 충분한 연구를 통해 이를 정비할 필요가 있다.

5.4. 첫 생검 시 병리학적 소견의 영향
Impact of initial pathological findings

5.4.1. 고등급 전립선상피내암
High grade prostatic intraepithelial neoplasia (HGPIN)

전립선상피내암 (prostatic intraepithelial neoplasia, PIN)은 intraductal dysplasia, severe dysplasia, large acinar atypical hyperplasia, duct-acinar dysplasia 등과 동의어로 사용되었으며, 전립선관-세엽 시스템에서 관강 내 분비 세포의 증식으로 정의된다. PIN은 경미한 변화로부터 암과 구별하기 어려울 정도의 변화까지 세포의 비정형 양상으로 특징되며, 기저세포층이 이러한 관 내 증식 및 세엽 내 증식 부위를 감싸고 있다 (Montironi 등, 2000).

PIN은 Orteil (1926)과 Andrews (1949)에 의해 처음 기술되었다고 생각되며, McNeal (1965)은 이러한 증식 변화가 전구 암의 특징이라고 강조하였다. McNeal과 Bostwick (1986)는 이러한 병변을 'intraductal dysplasia'로 기술하였으며, 이에 대한 진단적 기준을 마련하여 세 등급의 분류법을 소개하였다. Bostwick와 Brawer (1987)가 PIN 용어를 제안하였으며, 1987년 American Cancer Society에 의해 후원을 받은 전립선 전암 병변에 관한 워크숍에서 PIN이 정식 용어로 선포되었다. 이 회의에서 PIN1과 PIN2/3가 저등급 (low grade) PIN (LGPIN)과 고등급 (high grade) PIN (HGPIN)으로 분류가 수정되었다. PIN2와 PIN3를 합쳐 HGPIN으로 분류하는 이유는 PIN2와 PIN3를 구별하는 데는 관찰자 사이에 변동이 심하고 (Epstein 등, 1995), 침 생검에서 PIN2로 진단되든 PIN3로 진단되든 재생검에서 전립선암이 발견되는 비율이 비슷하기 때문이다 (Weinstein과 Epstein, 1993). 일반적으로 LGPIN은 임상적으로 중요하지 않고 재생검이나 치료를 필요로 하지 않기 때문에 병리학 보고서에는 이를 언급하지 않으며, PIN을 HGPIN과 동의어로 사용한다.

LGPIN과 HGPIN의 구별은 주로 세포의 세포학적 특징에 근거한다 (도표 321). LGPIN의 경우 세포의 핵은 크고 크기가 다양하며, 정상이거나 약간 증가된 염색질을 가지며, 작거나 확인하기 어려운 정도의 핵소체 (nucleoli)를 가진다. HGPIN은 비교적 일전한 크기의 큰 핵, 불규칙하게 분포하면서 증가된 염색질, 암세포와 유사하게 뚜렷한 핵소체 등을 가진 세포로 특징된다. 기저세포층은 LGPIN에서는 손상이 없거나 드물게 파손되지만, HGPIN에서는 흔히 파손된다. LGPIN

도표 321 전립선상피내암의 진단 기준

	LGPIN	HGPIN
구조	상피세포가 공간적으로 불규칙하며, 밀집된 층상 구조를 가짐	LGPIN과 비슷하지만 밀집 현상과 층상 구조가 더 뚜렷하며, 네 패턴 (tufting, micropapillary, cribriform, flat)이 있음
세포학		
핵	큼; 크기가 매우 다양함	큼; 크기와 모양이 약간 다양함
염색질	정상	밀도 및 응집이 증가
핵소체	드물게 현저함	현저함
기저세포층	완전함	일부 붕괴
기저막	완전함	완전함

HGPIN, high-grade prostatic intraepithelial neoplasia, LGPIN, low-grade prostatic intraepithelial neoplasia.
Bostwick와 Cheng (2012)의 자료를 수정 인용.

과 HGPIN의 세포학적 양상은 일정하지만, 구조는 편평한 상피로부터 현란한 체모양 (cribriform)까지 다양하다. PIN에는 조직학적으로 flat, tufting, micropapillary, cribriform 등과 같은 4가지 패턴이 흔하며 (Bostwick 등, 1993), 드물게는 signet ring cell HGPIN, small cell (신경내분비) HGPIN, foamy-gland (microvacuolated) HGPIN, hobnail (inverted) HGPIN, HGPIN with squamous differentiation, HGPIN with mucinous secretion 등과 같은 형태의 HGPIN이 보고되기도 한다 (Reyes 등, 1997; Berman 등 2000; Argani와 Epstein, 2001; Melissari 등, 2007; Bostwick와 Cheng, 2012).

HGPIN을 가진 환자에게 투여하여 암 발견율이 감소되었다고 보고되는 약물로는 녹차의 catechins (Bettuzzi 등, 2006). bicalutamide (Bono 등, 2007), toremifene (Price 등, 2006; Steiner, 2010), flutamide (Zhigang과 Wenlu, 2008), finasteride (Thompson 등, 2007), dutasteride (Andriole 등, 2010), selenium/vitamin E/soy isoflavenoids (Joniau 등, 2007) 등이 있으며, 이들 약물 중 flutamide (Alberts 등, 2006), selenium/vitamin E/soy isoflavenoids (Fleshner 등, 2011) 등은 암 발견율의 감소와 관련이 없다고도 보고되었다 (Bostwick와 Cheng, 2012).

처음 침 생검에서 HGPIN의 빈도는 0.6~24%, 평균 7.7%로 보고되고 있다 (Epstein과 Herawi, 2006). 1990년대 초에는 HGPIN으로 진단된 뒤에는 전립선암이 발견될 위험이 더 높다고 보고되었으며, 그 비율이 50%로 상당히 높다고 보고되었다 (Epstein과 Herawi, 2006). 그러나 근래 들어 HGPIN이 전암 잠재력을 가진다는 견해에 의문이 제기되고 있다. 2000~2005년 사이에 발표된 보고를 검토한 연구는 HGPIN으로 진단된 후 1년 내에 재생검을 하였을 때의 암 발견율과 양성 질환으로 진단된 후 재생검을 하였을 때의 암 발견율이 각각 18.1%, 23.0%로 큰 차이가 없었다고 하였다 (Epstein과 Herawi, 2006). 이는 근래 들어 6부위 생검보다 HGPIN을 동반한 전립선암을 더 흔하게 발견할 수 있는 확대 생검을 실시하였기 때문일 수 있다 (O'Dowd 등, 2000). 여러 연구는 첫 생검에서 HGPIN이 있든 혹은 없든 재생검에서 비슷한 암 발견율을 보고하였다 (Fowler 등, 2000).

MEDLINE 데이터베이스를 분석한 연구는 침 생검에서 발견된 PIN 혹은 암으로 의심되는 비정형 병소의 중요성에 관해 다음과 같이 기술하였다 (Epstein과 Herawi, 2006). 첫째, LGPIN은 관찰자 사이에서 재현성이 나쁘고 재생검에서 암이 발견될 확률이 낮기 때문에, 병리학 보고서에 이를 기술할 필요가 없다. 둘째, 침 생검에서 예상되는 HGPIN의 발견율은 5~8%이다. 셋째, HGPIN에 대한 진단은 주관적이지만, 관찰자 사이의 진단 재현성이 비뇨기과학 병리학자 사이에서는 분명하게 높으며, 전립선에 관한 병리학에 대해 전문적 경험이 없는 병리학자 사이에서는 중등도 정도이다. 넷째, 침 생검에서 HGPIN으로 진단된 후 암 발생에 관한 문헌에서 보고된 암 발생 위험의 중앙치는 24.1%인데, 이 비율은 양성으로 진단된 후 재생검에 관한 문헌에서 보고된 위험 비율보다 크게 높지 않다. 다섯째, 침 생검에서 양성 질환으로 진단된 후 암 위험과 HGPIN으로 진단된 후 암 위험을 비교한 대부분의 연구는 차이가 없다고 보고하였다. 여섯째, 임상적 및 병리학적 지표는 암으로 진단될 위험이 높은 HGPIN을 가진 남성을 구별하는 데 도움을 주지 않는다. 일곱째, 침 생검에서 HGPIN으로 진단된 후 암 발견율의 감소에 영향을 주는 주된 인자는 첫 침 생검에서 cores 수의 증가와 관련이 있다. 여덟째, 침 생검에서 HGPIN으로 진단된 후 수년에 걸쳐 관례적인 재생검이 필요한지를 확인하는 연구가 추가로 필요하지만, HGPIN으로 진단된 남성의 경우 후 첫 1년 내에는 재생검이 필요하지 않다고 권해진다.

HGPIN 병소의 수는 예후 및 관리 프로토콜에 영향을 주는 것은 분명하다. HGPIN의 병소가 1개인 경우에는 양성 전립선 질환보다 전립선암이라고 우선적으로 결정을 내릴 수 없다는 보고가 있으며 (Merrimen 등, 2009), 첫 생검을 10 cores 이상으로 정확하게 실시한 경우에는 HGPIN의 존재가 반드시 재생검의 적용 대상이 되지는 않는다는 보고도 있다 (Godoy와 Taneja, 2008).

한 연구는 첫 생검에서 다발 병소의 HGPIN을 가진 환자와 단일 병소의 HGPIN을 가진 환자가 재생검에서 암이 발견되는 비율은 각각 80%, 0%라고 하였다 (Schoenfield 등, 2007). HGPIN으로 진단된 후 재생검을 받은 328명을 대상으로 평가한 연구는 첫 생검에서 발견된 HGPIN은 뒤이은 전립선암 진단율에 유의한 영향을 미친다고 보고하였으며 (HR 1.89, 95% CI 1.39~2.55; $p \langle 0.0001$), 이 연구에서 HGPIN을 다발성과 양측성으로 구분한 경우 HR은 각각 2.56 (95% CI 1.83~3.6), 2.2 (95% CI 1.51~3.21)로 증가하였다 (Lee 등, 2010).

앞에서도 관련 약물이 기술되어 있지만, 다발성 HGPIN은 화학 예방 요법의 우수한 표적이다. PCPT의 자료는 위약보다 finasteride를 투여한 경우 HGPIN의 진단율이 11.7% 대 8.2%로 더 감소하였음을 보여 주었다 (Thompson 등, 2007). Reduction by Dutasteride of Prostate Cancer Events (REDUCE) 연구는 근치전립선절제술 전의 46명에 대해 dutasteride를 무작위로 투여한 결과, HGPIN의 용적이 유의하게 감소하였음을 보여 주었다 (p=0.052) (Andriole 등, 2004). Selective estrogen receptor modulator (SERM)는 HGPIN이 전립선암으로 진행하는 것을 효과적으로 억제한다고 알려져 있다. 대규모 연구에서, HGPIN을 가진 남성이 SERM인 toremifene 20 mg을 복용하면 위약을 복용한 경우보다 1년 시점에서 전립선암의 발견율이 유의하게 더 감소하였다 (24.4% 대 31.2%) (Price 등, 2006).

5.4.2. 비정형 소세엽 증식
Atypical small acinar proliferation (ASAP)

HGPIN과 달리 atypical small acinar proliferation (ASAP)은 전립선암을 확실히 진단하는 데 필요한 세포학적, 구조적 이형성 (atypia)이 있지만, 이러한 양상이 암으로 규정하기에

는 충분하지 않을 정도로 분비 샘 조직에 나타나는 경우로 규정된다 (Bostwick 등, 1993). 즉, ASAP로는 전립선암이라고 진단하기에 충분하지 않다. ASAP는 생검의 5%에서 발견되고, ASAP가 있는 경우 재생검에서 전립선암이 발견될 확률은 34~60%에 이른다 (Epstein과 Herawi, 2006). 염증이 동반된 경우에는 ASAP가 조직학적으로 진단되는 비율이 증가되는데, 이는 염증이 있음으로 인하여 불필요한 재생검이 더 흔하게 시행되기 때문이다 (Abouassaly 등, 2008). 처음에는 ASAP로 진단되었다가 나중에 암으로 진단된 전립선암의 대부분, 즉 69.8%는 임상적으로 중요한 암이라고 보고된 바 있다 (Zhou와 Magi-Galluzzi, 2010). 한 연구는 처음 생검에서 정상 조직으로 관찰된 경우 재생검에서 암 발견율이 19.8%인데 비해, 첫 생검에서 ASAP를 가진 경우에는 40%이라고 보고하였다 (O'Dowd 등, 2000). 첫 생검에서 ASAP를 가진 45명과 HGPIN을 가진 43명을 대상으로 평가한 연구는 재생검에서의 암 발견율이 각 군에서 51%라고 하였다 (Park 등, 2001). 처음 진단이 PIN인 204명, ASAP인 78명, PIN/ASAP인 54명에 대해 최소한 1회의 재생검을 실시한 연구는 각각 평균 6.0, 3.8, 4.9개월 동안 추적 관찰한 후의 암 발견율이 각각 23%, 37%, 33%이었으며, ASAP가 PIN에 비해 암에 대한 예측도가 유의하게 더 높다고 하였다 (Schlesinger 등, 2005).

전립선 생검을 받은 4,950명 중 ASAP을 가진 107명을 대상으로 재생검 cores 수에 따른 암 발견율을 평가한 연구는 다음과 같은 결과를 보고하였다 (Aglamis 등, 2014). 첫째, 재생검에서 6, 12, 20 cores의 경우 암 발견율은 각각 20% (3명/15명), 31% (10명/32명), 58% (35명/60명)이었으며, 통계적으로 유의한 차이를 나타내었다 (p=0.005). 둘째, PSA 농도 10 ng/mL 미만, PSAD 0.15 ng/mL/cc 이상, 직장수지검사 정상, 전립선 용적 55 cc 이상 등을 나타낸 환자에서 암 발견율을 생검 cores의 수에 따라 비교하였을 때, 유의한 차이가 관찰되었으며, 각각에서 p value는 0.02, 0.03, 0.006, 0.04이었다. 셋째, 암이 발견된 병소의 75%는 첫 생검에서 ASAP이 발견된 부위와 동일하였거나 인접한 부위였으며, 암의 54%는 반대쪽 생검에서도 발견되었다. 이들 결과를 종합하여 보면, ASAP로 재생검을 받은 환자에서 생검 cores의 수가 증가함에 따라 암이 발견되는 비율은 유의하게 증가하며, 20-core의 재생검에서 암 발견율이 가장 높다. 다른 연구는 ASAP를 가진 환자의 52.3% (81명/155명)에서 암이 발견되었고, 1차, 2차, 3차, 4차 재생검에서 암 발견율이 각각 71.6%, 91.3%, 97.5%, 100%

이었으며, ASAP를 가진 환자에서 재생검을 실시할 경우에는 첫 생검에서 ASAP이 발견된 부위에서 cores의 수를 증가하거나 집중 생검을 실시할 필요가 있으며, 임상적으로 중요한 질환을 발견하기 위해 전립선의 전방, 원위부 정점, 중간 부위 등에서도 표본을 채집할 필요가 있다고 하였다 (Leone 등, 2014).

전립선암으로 의심할 수 있는 비정형 분비 샘에 관한 보고를 분석한 연구는 다음과 같은 결과를 보고하였다 (Epstein과 Herawi, 2006). 첫째, 침 생검에 관한 병리학적 보고서의 평균 5%는 암을 의심하게 하는 비정형 분비 샘으로 진단된다. 둘째, 비정형 전립선으로 진단되는 비율은 전문가에 따라 다르며, 비뇨기과 의사는 그러한 환자에 대해 재생검을 실시하기 전에 양성 혹은 악성 질환으로 분명하게 구별하는 진단적 검사에 관해 상담할 필요가 있다. 셋째, 기저세포 표지자와 alpha-methyl-acyl-coenzyme A racemase (AMACR)를 이용한 보조 검사는 비정형 질환으로 진단되는 비율을 감소시키지만, 이러한 기법은 위양성 및 위음성 결과가 흔하기 때문에 신중하게 실시되어야 한다. 넷째, 비정형 전립선으로 진단된 후 암이 발견되는 확률은 약 40%이다. 다섯째, 임상적 및 병리학적 지표는 비정형 전립선으로 진단된 남성이 재생검에서 암을 가질 가능성을 예측하는 데 도움을 주지 않는다. 여섯째, 재생검에서는 관례적인 6부위 생검과 함께 첫 생검에서 비정형 병변이 발견된 부위로부터 표본을 다수 채집하고, 같은 쪽의 인접한 부위와 반대쪽에서도 표본을 채집하여야 한다. 일곱째, 비정형 병변을 가진 남성은 3~6개월 내에 재생검을 받을 필요가 있다.

여러 저자들은 ASAP가 발견된 후 전립선암의 위험을 예측할 수 있는 인자를 다르게 제시하였다. PSAV의 평균치가 재생검에서 암 양성 결과에 대한 유의한 예측 인자라고 주장한 보고가 있으며 (Borboroglu 등, 2001), 동일한 생검에서 ASAP와 HGPIN이 함께 있으면, ASAP만 있는 경우에 비해 뒤에 암이 발견될 확률이 58% 대 35%로 훨씬 더 높다는 보고 또한 있다 (Scattoni 등, 2005).

현재까지의 증거에 의하면, ASAP가 있으면, 3~6개월 이내에 이형성 부위와 인접 구역으로부터 표본을 많이 채취하는 재생검을 실시해야 한다 (Mancuso 등, 2007). NCCN은 만일 암이 발견되지 않으면 PSA, 직장수지검사, 주기적 확대 생검 등으로 철저하게 추적 관찰을 실시해야 한다고 권하였다 (Kawachi 등, 2007). 그러나 아직 적절한 스케줄이 정립되어

있지는 않다.

5.5. 전립선암 발견에 대한 전립선 용적의 영향
Impact of prostate volume on the detection of prostate cancer on repeat biopsy

첫 생검과 마찬가지로, 재생검의 표본 정확도는 전립선의 용적이 클수록 점차 떨어진다. ERSPC의 일차 선별검사에서 전립선암을 진단하는 데 가장 중요한 실패 요인은 용적이 큰 전립선이었다 (Rietbergen 등, 1998). 재생검에 대한 다른 연구도 작은 용적의 전립선에 비해 큰 용적의 전립선에서 암 발견율이 훨씬 낮다고 보고하였다 (Sajadi 등, 2007). 반면, 다른 연구는 더 큰 용적의 전립선에 대해 집중 생검법으로 재생검을 실시하면, 암 발견율을 더 높일 수 있다고 보고하였다 (Walz 등, 2006).

그렇지만 발표된 자료들의 상당수는 20 cores 이상의 표본을 채취하는 것을 지지하지 않는다. 한 연구는 경직장초음파 촬영술로 측정된 전립선의 용적 혹은 병리학적 양상과 전립선암을 발견하기 위한 생검 cores의 수 사이에는 연관성이 없다는 보고 (Naughton 등, 1997)를 근거로 전립선의 용적이 크더라도 생검 cores의 수를 늘릴 필요가 없으며, 20 cores로도 충분하다고 주장하였다 (Jones, 2007). 다른 연구는 암의 95%를 발견할 수 있는 최소 cores 수는 24 cores라고 주장하면서, 직장수지검사에서 이상 소견을 보이지 않는 환자에서는 전립선 용적을 60 cc 이상과 이하로 구분하여 14-core 생검법 등과 집중 생검을 혼용하면 효과적이라고 하였다. 즉, 암이 의심되는 617명에 대해 24-core 생검을 실시하여 46.8% (289명/617명)에서 발견된 암 환자를 대상으로 95%의 암을 발견할 수 있는 최적의 생검 방법을 평가한 연구는 다음과 같은 결과를 보고하였다 (Scattoni 등, 2010). 첫째, 직장수지검사 음성, 전립선 용적 60 cc 이하, 연령 65세 이하 등의 조건에서는 16-core 생검이 가장 이점이 있는 생검법이었다. 둘째, 직장수지검사 음성, 전립선 용적 60 cc 이하, 연령 65세 초과 등의 조건에서는 14-core 생검이 가장 이점이 있는 생검법이었다. 셋째, 직장수지검사에서 이상이 있는 환자의 경우 암의 95%를 발견할 수 있는 표본 채취법은 10-core 생검법이었다. 이 연구는 환자의 특성에 따라 최적의 생검 방법이 서로 다름을 보여 준다.

5.6. 적절한 재생검 프로토콜
Optimal repeat prostate biopsy protocol

집중 생검의 기법은 Borboroglu 등 (2000)에 의해 처음 보고되었지만, '집중 생검 (saturation biopsy)' 이란 용어는 Stewart 등 (2001)에 의해 생겨났다. 두 연구는 각각 평균 22.5, 23 cores의 생검을 실시하였으나, 사실상 절단치를 22~24 cores로 설정하였다. 20 cores를 초과할 경우 추가 이점은 제한적이어서 대부분의 연구는 이 절단치를 이용한다 (Jones, 2007). 그 후 집중 생검은 마취 기술이 발전함에 따라 실현이 용이해졌으며, 수술실 혹은 외래에서 실시되고 있다 (Jones 등, 2002). 여러 연구는 확대 생검과 비교하여 안전성이 나쁘지 않음을 확인하였다 (Scattoni 등, 2007). 경직장초음파촬영술의 유도 하에서 생검을 하였을 때, 생검 core의 수는 생검 후에 발생하는 합병증의 빈도에 영향을 주지 않으며, 생검 프로토콜과 quinolones 저항성 E. coli의 출현 사이에도 연관성이 없다고 보고되었다 (Zaytoun 등, 2011). 확대 생검 혹은 집중 생검의 정확도를 높이고 불필요한 생검 수를 줄이기 위해서는 색조 및 강화 도플러 영상 혹은 탄성 초음파 촬영술 (elastography)이 도움이 된다 (Scattoni 등, 2010).

집중 생검은 이전 생검의 결과가 음성이지만 지속적으로 암이 의심되는 환자, 다발성 병소의 고등급 전립선상피내암 혹은 비정형 소세엽 증식을 가진 환자에서 시행될 수 있다 (Maccagnano 등, 2012). 집중 생검은 수적으로, 기하학적으로 많은 형태로 변천하였지만, 아직 적절한 cores의 수를 권장하는 지침은 없다. 한 연구는 암이 빈발한다고 여겨지는 외측 및 정점에 집중한 24-core의 집중 생검을 실시하였다가 도표 322와 같은 방식의 20-core의 집중 생검을 선호하였다 (Patel 등, 2004). 전술한 바와 같이 정점은 암을 놓치기 쉬운 부위이기 때문에, 이 부위에서는 최소한 3 cores의 생검이 이루어져야 하며, 재생검을 할 경우는 더욱 그러하다 (Hong 등 2004). 정점 부위를 생검할 때 발생하는 통증은 항문 통증 신경섬유를 우회할 목적의 직장감각검사 (rectal sensation test)를 실시함으로써 피할 수 있다 (Jones와 Zippe, 2010). 2010 EAU는 전립선암이 의심되어 재생검을 할 때는 이행부 생검을 실시할 것을 권하였다 (Chun 등, 2010). 재생검을 실시할 경우 21-core 확대 생검과 경요도전립선절제술을 병행하면 암 발견율이 28.5%까지 증가된다는 보고도 있다 (p=0.035) (Ploussard 등, 2009).

도표 322 집중 생검법의 예시

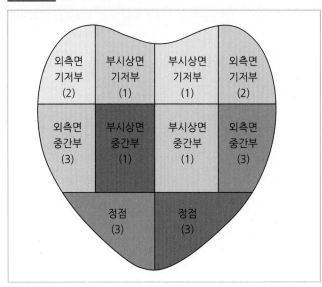

Zaytoun과 Jones (2011)가 권장하고 선호하는 방법으로서 ( ) 안의 숫자는 core의 수를 의미한다. 외측면 기저부, lateral base; 외측면 중간부, lateral mid; 부시상면 기저부, parasagittal base; 부시상면 중간부, parasagittal mid; 정점, apex.

재생검에서는 이행부 생검이 권해지지만 cores로 이행부에서 암이 발견되는 비율은 1.4% (Hwang 등, 2009), 1.8% (Pelzer 등, 2005), 5.3% (Miyake 등, 2005), 6.9% (Campos-Fernandes 등, 2009) 등으로 낮다. 423명을 대상으로 2차, 3차 재생검을 23 cores의 집중 생검법으로 실시한 연구는 82명 (19%)에서 암이 확인되었고 이행부에서 암이 발견된 경우는 불과 2.5% (2명/82명)이라고 하였다 (Pepe 등, 2010). 또한, 이행부의 전립선암은 주변부 전립선암에 비해 PSA의 농도가 더 높지만 조직학적 표현형은 덜 공격적이라는 보고 (Sakai 등, 2006)를 근거로 재생검을 실시할 경우에 이행부 생검은 필요하지 않다고 주장한 연구도 있다 (Pepe 등, 2010). 2차, 3차 생검에서 음성 결과를 보인 남성 중 경요도전립선절제술을 받은 남성의 19% (21명/110명)에서 종양이 발견되었다는 보고 (Pepe 등, 2010)에 근거한 다른 연구도 이행부에 위치한 암을 발견하기 위해서는 하부요로증상이 없는 남성일지라도 이행부에 대한 생검보다 경요도전립선절제술을 실시할 것을 권하였다 (Puppo 등, 2006).

첫 생검에서는 집중 생검을 하더라도 암 발견율이 증가되지 않지만, 재생검에서 집중 생검을 실시하면 암 발견율이 증가한다 (Scattoni 등, 2010). 이는 표본 채집 수가 많아지고 cores의 분포가 다양해지기 때문으로 추측된다. 여러 연구는 주변부의 맨 외측과 극도로 정점 부위에 추가 생검을 실

도표 323 여러 유형의 전립선 집중 생검의 결과를 평가한 연구들

참고 문헌	생검 횟수	생검 경로	환자 수	암 발견율, %	Core 수 (평균치) [중앙치]	CIP[†], %	세팅
Stewart 등, 2001	재생검	경직장	224	34	14~45 (23)	14.3	수술실
De la Taille 등, 2003	1, 2차 생검	경직장	303	31.3	21	31.3	외래
Pinkstaff 등, 2005	재생검	경회음	210	37	(21)	0	수술실
Li 등, 2007	1차 생검	경회음	303	37.6	11~44 (23.7)	평가 안 됨	외래
Campos-Fernandes 등, 2009	재생검	경직장	231	25.1	21	평가 안 됨	외래
Ahyai 등, 2010	재생검	경직장	540	39.4	18~41 (25) [25]	평가 안 됨	외래
Pepe 등, 2010	재생검	경직장	423	19.4	[23]	평가 안 됨	외래
Zaytoun 등, 2011[‡]	첫 재생검	경직장	663	32.7	20~32 (20.7)	40.1[¶]	외래

[†], CIP, clinically insignificant prostate cancer; [‡], 임상적으로 중요하지 않은 암의 기준은 Gleason 점수 7 미만, 암 양성 core 수 3 이하, 어떤 core에서 최대 암 분포 50% 이하; [¶], 발표 안 된 자료.
Zaytoun과 Jones (2011)의 자료를 수정 인용.

시하면 진단율이 30~35%까지 증가된다고 하였다 (Scattoni 등, 2010; Chun 등, 2010). 처음 재생검을 받는 1,056명을 대상으로 실시한 후향적 연구에서 집중 생검이 확대 생검보다 통계적으로 유의하게 더 높은 암 발견율을 보였으며 (32.7% 대 24.9%, $p=0.0075$), 첫 생검에서 양성 질환으로 진단받은 남성에 대한 집중 재생검은 확대 재생검보다 통계적으로 유의하게 더 높은 암 발견율을 나타내었다 (33.3% 대 25.6%, $p<0.027$) (Zaytoun 등의 2011년 미발표 자료). 집중 생검을 평가한 여러 연구의 결과가 도표 323에 정리되어 있다.

5.7. 적절한 재생검 시기
The best time interval between repeat biopsies

적절한 재생검 스케줄에 관한 의견 일치 혹은 분명한 권고안은 없다. 그러나 전립선암의 발견은 생검과 생검 사이 간격에 의해 영향을 받는다고 추측된다. 이는 암 전구 병변이 현성 암으로 진행하는 시간을 제공하기 때문으로 생각된다 (Chun 등, 2010).

생검과 생검 사이의 가장 좋은 기간에 관한 지침이 없는 상태에서는 각 개인이 가진 위험 지표에 따라 개인별로 조절되어야 할 것이다. 예를 들면, 첫 생검에서 ASAP이 발견되었다면 3~6개월 내에 재생검이 요구되며 (Mancuso 등, 2007), 생검 결과가 음성이고 ASAP이 발견되지 않았다면 보통 1년 후에 재생검을 실시함이 적절하다 (Zaytoun과 Jones, 2011).

5.8. 중요하지 않은 암의 발견율; 적절한 생검 횟수
Risk of detection of insignificant cancer; how many sessions are enough?

여러 연구는 재생검을 거듭할수록 전립선암 발견율이 떨어짐을 보여 주었다 (Djavan 등, 2001). 이로써 재생검을 어느 정도로 해야 하는지에 관한 딜레마가 생기며, 이러한 문제는 재생검으로 발견되는 암의 비율과 임상적 양상을 검토함으로써 해결의 실마리를 찾을 수 있을 것이다.

일부 연구들은 재생검에서의 암 발견율이 10~20%이며, 뒤이은 생검에서는 발견율이 떨어진다고 하였다. PSA 농도가 2.5~4.0 ng/mL 혹은 직장수지검사에서 암이 의심되는 2,526명에 대해 1회 이상의 생검을 실시한 연구는 1~6차 생검에서 암 발견율이 각각 29%, 17%, 14%, 11%, 9%, 7%이었다고 하였다. (Roehl 등, 2002). 다른 연구도 암 발견율이 2차 (재생검), 3차, 4차 5차, 6차 생검에서 각각 22.3%, 22.8%, 11.9%, 12.9%, 0%로 생검 횟수가 거듭될수록 점차 떨어진다고 하였다 (Moussa 등, 2010).

ERSPC는 1차, 2차, 3차, 4차 생검에서 암이 발견되는 비율은 각각 22%, 10%, 5%, 4%라고 하였다. 첫 생검에서 발견된 암과 2차 생검에서 발견된 암의 병리학적 특징은 전립선에 국한된 측면 ($p=0.15$)과 피막 밖으로 확장된 측면 ($p=0.22$)에서 차이가 없었지만, 3차, 4차 생검에서 발견된 암은 1차, 2차 생검에서 발견된 암에 비해 등급, 병기, 용적 등이 더 낮았다. 이러한 결과를 근거로 저자들은 첫 생검에서 음성 결과를 보인 모든 환자에게 한 번의 재생검은 권하였지만, 더 이상의 생검

은 PSA 증가에 근거하여 암이 상당하게 의심되거나 1차, 2차 생검에서 부정적인 예후 인자가 발견된 경우로 제한하였다 (Djavan 등, 2001).

전립선암의 70%는 1차 생검에서 발견되며, 20%는 2차 생검에서 발견된다고 보고되었다 (Rochester 등, 2009). 재생검은 두 가지, 즉 2차 생검과 기타의 모든 생검으로 구분할 수 있다. 2차 생검의 경우는 보다 더 균질적인 환자로 구성된다는 점 외에도 첫 생검에서 음성 결과를 보인 환자에게 시행되는 여러 번의 생검 중 암 발견율이 가장 높다는 특징을 가진다. 대조적으로 3차 생검 이상의 재생검 군은 보다 더 이질적인 환자로 구성되며 암 발견율이 훨씬 더 낮음에도 불구하고 여러 번의 생검이 필요하다는 특징을 가진다. 또한, 생검 결과가 두 번 이상 음성인 환자의 62%가 저등급의 전립선암을 가진다 (Tan 등, 2008).

재생검에서 임상적으로 중요하지 않은 전립선암의 발견 및 그것과 생검 cores 수와의 연관성 둘 모두는 상당한 논쟁거리가 되고 있다. 현재까지 생검 결과에 기초하여 임상적으로 중요하지 않은 전립선암에 대한 정확한 정의가 규정된 바 없다. 또한, 1차 혹은 2차 생검에서 임상적으로 중요하지 않은 전립선암이 발견되는 것은 불가피한 결과이다. 한 연구는 cores의 수를 6개에서 12개로 늘리면 그러한 위험이 22.7%에서 33.5%로 증가한다고 보고하였다 (Singh 등, 2004). 그러나 Cancer of the Prostate Strategic Urologic Research Endeavor (CaPSURE) 자료는 cores 수의 증가가 암 발견율을 향상시키며 임상적으로 중요하지 않은 전립선암이 발견되는 위험을 증가시키지 않음을 보여 주었다 (Meng 등, 2006).

집중 생검에서 cores 수의 증가가 임상적으로 중요하지 않은 전립선암을 발견할 위험을 증가시킬 것으로 이론적으로는 추측되지만, 집중 생검에 관한 초기 연구의 대부분은 집중 생검이 임상적으로 중요하지 않은 전립선암의 발견율을 증가시키지 않는다고 하였다 (Taylor 등, 2002). 한 연구는 집중 생검 후 전립선절제술을 받은 13명 중 12명이 임상적으로 중요한 전립선암을 가졌다고 하였다 (Borboroglu 등, 2000). 다른 연구도 집중 생검 후 전립선절제술을 받은 4명 중 4명이 0.5 cc를 초과하는 종양 크기를 가졌으며, 3명이 Gleason 점수 7에 해당하는 암을 가졌다고 보고하였다 (Rabets 등, 2004).

결론적으로, 임상적으로 중요하지 않은 전립선암의 과다 발견에 관한 우려는 임상적으로 중요한 전립선암을 놓칠 위험에 반함을 고려해야 한다. 작고 공격성이 약한 암을 고려해

볼 때, Carroll (2005)이 주창한 것처럼 암의 발견과 치료를 별개로 다루는 것이 바람직하다. 즉, 암을 철저히 발견해 낸 후 만일 임상적으로 중요하지 않은 전립선암으로 간주되면 적극적인 감시 (active surveillance), 병소 요법 등과 같은 덜 침습적인 치료를 하고, 만일 임상적으로 중요한 전립선암으로 간주되면 결정적이고도 분명한 치료를 해야 할 것이다 (Jones, 2008).

5.9. 전립선 생검에서 암 양성 결과를 예측하는 모델
Models for prediction of positive prostate biopsy

생검 결과가 음성이지만 전립선암이 존재해 있을 가능성을 예측하기 위해 여러 모델이 연구되어 왔다. 이들 모델의 기본 개념은 하나의 모델 안에서 개별적으로 다른 역할을 하는 여러 임상적, 병리학적 지표를 함께 이용한다는 것이다. 개인별로 위험을 예측하기 위해서는 환자와의 상담을 통해 다양한 예후 인자를 종합할 필요가 있다.

재생검에 대한 로지스틱 회귀 분석 모델을 개발하여 813명을 대상으로 실시한 O'Dowd 등 (2000)의 연구는 70%의 정확도를 보였으나, 내부적 혹은 외부적 타당성 검증을 실행하지 않은 제한점을 가지고 있다. Lopez-Corona 등 (2003)은 343명을 대상으로 재생검에서의 암 양성을 예측하기 위한 수정된 노모그램을 발표하였다. 그들의 노모그램에는 8가지의 예측 인자가 포함되어 있지만, 그 중에 PSA 농도가 음계수 (negative coefficient)를 나타내었으며 PSA slope를 산출하기 어렵다는 제한점을 가지고 있다. Yanke 등 (2005)은 이 노모그램을 이용하여 230명을 대상으로 타당성 검증을 실시한 결과, AUC 0.71의 양호한 보정 결과를 나타내었다고 하였다. 그후에도 여러 예측 모델이 제시되었다. Moussa 등 (2010)은 재생검 결과를 예측하기 위한 노모그램을 개발하고 타당성을 검증하였으며, 이 연구에는 모델을 만들기 위한 408명과 타당성 검증을 위한 470명이 포함되어 있다. 노모그램의 일치율 (concordance index, c-index)은 0.72로 어느 다른 단일 위험 인자보다 더 컸으며, 타당성 검증 군에서 AUC는 0.62이었다.

다변량 회귀 분석 모델에 근거하여 전립선암의 가능성을 예측하는 노모그램을 개발하고자 6~12부위 생검에서 1회 이상 음성 결과를 보인 540명에 대해 집중 생검을 실시한 연구는 예측 인자로 연령, 총 PSA 농도, %fPSA, 전립선의 용적, 직장수지검사 소견, 이전의 생검 횟수, HGPIN의 존재, ASAP의

존재 등을 이용하였다 (Ahyai 등, 2009). 이 연구에 의하면, 집중 생검으로 39.4%에서 전립선암이 발견되었으며, 연령, 총 PSA의 농도, %fPSA, 전립선 용적, 이전의 생검 횟수, ASAP의 존재 등이 독립적 예측 인자이었다 ($p < 0.05$). 노모그램은 전립선암의 예측도와 발견율 사이에서 상당한 상호 연관성을 보여 정확도가 77.2%이었다.

첫 생검에서 음성 결과를 보인 PSA 4~10 ng/mL의 861명을 6주 후에 재생검을 실시한 전향 연구는 (Remzi 등, 2003), 전체 전립선 용적 20 cc 미만과 80 cc 초과의 절단치를 이용하면 재생검의 7.1%를 줄일 수 있으며, 이행부 용적 9 cc 미만과 41 cc 초과의 절단치를 이용하면 재생검의 10%를 줄일 수 있다고 하였다. 이 연구의 결과처럼 전립선의 용적은 전립선암을 예측하는 데 도움이 된다는 여러 보고에 근거하여 노모그램의 개발에 이용되었다. 그러나 일부 연구는 검사자에 따라 차이가 나고 재현성이 부족하다는 이유로 전립선 용적을 예측 인자에서 제외하였으며, Yanke 등 (2005)은 그들이 근거한 Memorial Sloan-Kettering Cancer Center의 자료에서 전립선의 용적에 관한 정보가 불충분하다는 이유로 이를 제외하였다.

또 다른 연구는 직장수지검사 소견, %fPSA, PSAD, PSA 경사도, 이전 생검에서 HGPIN의 존재 등 불과 5가지의 예측 인자로 만든 노모그램으로도 재생검에서 암을 발견할 수 있는 AUC가 0.856으로 높다고 하면서, 그들의 연구에서 ASAP 인자를 제외한 이유는 이전 생검에서 ASAP이 발견되면 재생검을 반드시 실시해야 하기 때문이라고 하였다 (Benecchi 등, 2008).

ERSPC의 Rotterdam 부문 중 일차 선별검사에서 음성 결과를 보인 55~70세의 15,791명을 대상으로 추적 관찰 4년과 8년에 재차 선별검사를 실시한 연구는 일차 선별검사의 다변량 분석 자료에 연령, PSA, 직장수지검사, 가족력, 전립선 용적, 이전 생검의 음성 유무 등을 포함시켰다. 추적 관찰한 4년 시점에서 선별검사의 결과는 전립선암 부재, 저급 위험 전립선암, 상급 위험 전립선암으로 분류되었으며, 상급 위험 전립선암은 임상 병기 T2b 초과 및/혹은 PSA 10 ng/mL 이상 및/혹은 생검 Gleason 점수 7 이상으로 규정하였다. 음성 결과를 보인 첫 선별검사 후 4년에 전립선암 위험도는 3.6%이었으며, 가족력 및 PSA 농도는 전립선암의 예측 인자이었고, 이전 생검의 음성 결과 및 큰 용적의 전립선은 전립선암이 발견될 가능성을 감소시켰다. 8년 동안의 추적 관찰에서도 이들 예측 인자의 유효성이 입증되어 저자들은 연령, PSA, 직장수지검사, 가족력, 전립선 용적, 이전 생검 음성에 근거한 4년 위험

산출치는 불필요한 검사 및 전립선암에 대한 과잉 진단을 감소시키는 유망한 도구라고 보고하였다 (Roobola 등, 2013).

재생검에서 전립선암을 예측하기 위한 여러 노모그램이 도표 324에 정리되어 있다.

5.10. 적극적 감시 중인 환자에서 집중 생검의 역할
Saturation biopsy as part of an active surveillance protocol

집중 생검의 목적에는 전립선암의 발견 외에도 전립선암의 특징, 크기 등의 확인도 포함된다. Epstein 등 (1994)은 긍정적인 병리학적 양상을 보여 적극적 감시 방법으로 관리할 환자를 선정하는 기준을 마련하고자 103점의 근치전립선절제술 표본을 평균 44 cores의 플라스틱 형판을 이용하여 집중 생검을 실시하였다. 이들 연구자는 암 양성 cores의 수가 3개 이하이면서 Gleason 점수가 7 미만, 혹은 1개 core 내에서 종양의 최대 길이가 4.5 mm 미만 및 모든 cores에 있는 종양의 길이 합계가 5.5 mm 미만인 경우를 임상적으로 중요하지 않은 암의 예측 인자로 규정하였으며, 이 기준은 임상적으로 중요한 암에 대해 71.9%의 민감도, 95.5%의 특이도를 나타내었다. Cores의 수를 반으로 줄여 평균 22 cores로 평가한 경우에는 1개의 core 내에서 종양의 총 길이가 2.75 mm 미만, Gleason 점수가 7 미만, 혹은 모든 cores에 있는 종양의 길이 합계가 9.5 mm 미만인 경우를 임상적으로 중요하지 않은 암의 예측 인자로 규정하였으며, 이 기준은 임상적으로 중요한 암에 대해 평균 44 cores로 평가한 결과와 거의 같은 97.1%의 특이도를 나타내었다. 이와 같은 연구 결과를 근거로 확대 내지 집중 생검은 22 cores를 선호하게 되었다.

Boccon-Gibod 등 (2006)은 첫 생검에서 미세 병소 암을 가진 환자를 재평가할 때는 집중 생검을 실시하였으며 암 양성 cores가 다수로 확인된 환자의 70%에 대해서는 치료를 시작했다고 하였다. Jones (2007)도 이러한 방법으로 적극적 감시 전략을 시행 중인 환자들을 관리하였으며, 집중 생검에 의한 재평가에서 분화도 등급이 증가하거나 종양의 용적이 증가하는 경우에는 치료를 권하였다. 이에 관해서는 도표 38, 39, 40을 참고하면 도움이 된다.

도표 324 전립선 재생검에서 암 발견을 예측할 수 있는 여러 노모그램

참고 문헌	환자 수[†]	이전 생검 수[‡]	예측도구	위험 인자	Core 수 (평균)	암 발견율, %	정확도 (AUC)
Lopez-Corona 등, 2003	343	2.92	ND/IV	연령, 가족력, DRE, PSA, PSA slope, 첫 생검 후 경과 개월 수, 이전 (-) core 수, HGPIN 및/혹은 ASAP (+)	6~22 (9.15)	20	0.70
Yanke 등, 2005	230	2.56	EV	Lopez-Corona 등 (2003)의 연구와 동일	6~12	33.9	0.71
Walz 등, 2006	115	2.48	ND/IV	연령, PSA, %fPSA, PSAD, PSA-TZ, 전립선 용적, 이행대 용적, (-) core 수	20~32 (24.5)	44.3	0.72
Chun 등, 2007	721	1.5	ND/EV	연령, DRE, PSA, %fPSA, 이전 (-) 생검 수, 표본 밀도 (sampling density)	10~24 (11)	30	0.76
Benecchi 등, 2008	419	1	PND	DRE, %fPSA, PSAD, PSA slope, 이전 HGPIN (+)	12~24 (12)	31	0.856
Rochester 등, 2009	87	NA	PND	연령, PSA, %fPSA, PSAV, DRE, 이전 HGPIN (+), 전립선 용적	≥10	31	0.696
Chun 등, 2009	809	NA	ND/IV	연령, DRE, PSA, 전립선 용적, 생검 병력, PCA3 점수	10~35 (15)	39.1	0.68~0.73
Stephan 등, 2010	393	NA	ANN/IV	연령, PSA, %fPSA, DRE, 전립선 용적	8~12	58.3	0.747
Moussa, 2010	408	1	ND/IV	연령, 가족력, BMI, DRE, PSA, PSA slope, 전립선 용적, 첫 생검 후 경과 개월 수, 이전 생검 후 경과 개월 수, 이전 (-) core 수, HGPIN 혹은 ASAP (+) 유무	8~34 (19.1)	31.6	0.71
Auprich 등, 2010	621	NA	EV	연령, DRE, PSA, 전립선 용적, 생검 병력, PCA3 점수	≥10	41.1	0.73~0.75

[†], 노모그램 개발에 참여한 환자 수; [‡], 중앙치 (median value).

ANN, artificial neural network; ASAP, atypical small acinar proliferation; AUC, area under the curve; BMI, body mass index; DRE, digital rectal examination; EV, external validation; %fPSA, percent free prostate-specific antigen; HGPIN, high grade prostatic intraepithelial neoplasia; IV, internal validation; NA, non-assessed; ND, nomogram development; PCa, prostate cancer; PCA3, prostate cancer antigen 3; PND, probability nomogram development split sample validation; PSA, prostate-specific antigen; PSAD, prostatic-specific antigen density; PSA-TZ, prostatic-specific antigen density of transitional zone; PSAV, prostatic-specific antigen velocity.

Zytoun과 Jones (2011)의 자료를 수정 인용.

5.11. 클리블랜드 클리닉의 경험
Cleveland Clinic experience

클리블랜드 클리닉의 연구자들은 거의 10년 동안 1년에 약 1,600명의 환자에 대해 첫 생검을 확대 생검으로 실시하였으며, 이들에서 전립선암은 첫 생검으로 49% 진단되었고 재생검을 받은 남성의 약 1/3에서 전립선암이 발견되었다.

문제에 접근함에 있어 중요한 첫 단계는 문제를 피하려고 전적으로 노력하는 것이다. 즉, 2차, 3차 생검을 하지 않기 위해서는 첫 생검에서 가장 적절한 결과를 얻으려고 최대한 노력을 기울여야 한다. 정점의 중요 부위에 cores를 추가한 14-core 프로토콜이 권장되며, 6부위 생검은 쓸모없는 방법이다. 경직장초음파촬영술에 나타난 낮은 에코의 병변 혹은 직장수지검사에서 만져지는 결절에 대한 생검이 필요하다는 생각이 들겠지만, 이에 대한 추가 cores는 권장되지 않는다.

재생검을 위한 PSA의 분명한 절단치는 없다. PSA 파생 지표들 가운데 어떠한 단일 지표도 적절하지 않다. %fPSA 절단치 11% 및 PSAV 0.75 ng/mL/year 초과는 재생검을 위한 임상적 지표로서 가치가 있다.

다발성 HGPIN이 있으면 재생검에서 전립선암이 발견되는 위험이 상당히 크기 때문에, 이러한 상급 위험도의 범주에 속하는 경우는 2~3년의 긴 간격을 두고 실시하는 재생검이 권장된다. 그러나 단일 병소의 HGPIN의 경우는 전립선암이 발달할 위험이 커지 않기 때문에, 재생검이 권장되지 않는다.

ASAP은 위험 신호이다. 첫 생검에서 ASAP이 발견되면 3~6개월 이내에 반드시 재생검을 해야 한다. 재생검에서 전립선암이 발견되지 않더라도 항상 세심한 추적 관찰이 필요하며, PSA 농도가 의심스런 결과를 보이면 주기적인 집중 생검이 요구된다.

합병증 비율이 높겠지만, 높은 발견율을 고려하여 모든 재생검은 어떤 적용 대상이 되었든 집중 생검법으로 실시할 것을 권장한다. 전립선 주위 신경을 효과적으로 차단하면, 외래 진료실에서도 시행이 가능하다. 적응증이나 전립선 용적과는 상관없이 20-core 집중 생검이 권해진다. 암을 놓치기 가장 흔한 부위인 정점 부위에 집중하는 것이 중요하다.

첫 생검이든 재생검이든 관계없이 관장은 하지 않고, 생검

을 시작하기 전 ciprofloxacin과 gentamicin을 1회 병용 투여한다.

첫 재생검은 첫 생검 다음으로 높은 암 발견율을 나타낸다. 두 번째의 생검에서 암이 확인되지 않으면, 상급 위험도의 남성 외에는 더 이상의 재생검을 고려하지 않는다. 확대 생검을 이용한 첫 생검과 집중 생검을 이용한 두 번째 생검이 적절했다고 확인되었을 때만이 이러한 적용이 가능하다.

6. 전립선 생검의 합병증
Complication Of Prostate Biopsy

아직 표준화가 되지는 않았지만, 다양하게 나타나는 합병증을 줄이는 방안으로 여러 가지의 시술 전 처치와 시술 후 처방이 보고되었다. 일반적으로는 전립선 생검을 위해 6시간 이상 금식하며, DNA gyrase를 억제하는 퀴놀론 제제는 경구로 투여한 후 1~3시간에 최대 혈중 농도에 도달하기 때문에 생검 1~3시간 전에 이를 경구로 투약하거나 검사 직전에 퀴놀론 항생제를 정맥으로 주사한다. 장에 대한 전 처치로 아침에 배변을 못한 경우에는 관장을 한다 (Akay 등, 2006).

전립선 생검 후 발생할 수 있는 합병증으로는 요로감염, 패혈증, 급성 전립선염 등과 같은 감염, 혈뇨, 혈정액, 직장 출혈 등과 같은 출혈, 직장 내의 탐색자로 인한 과도한 불안과 불쾌감으로 생긴 혈관미주신경성 실신, 급성 소변 정체 등이 있다. 생검 후 다량의 항문출혈과 요도출혈이 있는 경우는 약 5~10분 후면 대부분 자연적으로 출혈이 중단되지만, 지속적일 경우에는 30분 내지 1시간 정도 출혈 양상을 관찰해 보고 더 이상 출혈이 없으면 귀가시킨다. 귀가 후에 배뇨곤란 혹은 심한 재출혈이 발생하면 응급실을 방문하라고 교육해야 한다. 따라서 시술 전후에 환자에게 출혈 가능성을 충분히 설명하는 것이 중요하다. 각 100명의 남성에 대해 경회음 생검과 경직장 생검을 실시한 연구는 생검 방법에 따라 합병증 비율의 차이는 없었다고 하였다 (Takenaka 등, 2008) (도표 325).

이들 합병증 중 요로감염을 일으키는 주된 균주는 E. coli, Enterobacter, Proteus, Klebsiella 등과 같은 coliform이며, Bacteroides, Peptococcus, Peptostreptococcus 등과 같은 혐기성 균에 의해 발생하기도 한다 (Aus 등, 1996). 요로감염을 줄이기 위해 관장 실시 여부, 항생제 종류 및 투여 기간, 생검 횟수, 1회용 생검 침 등에 관해 많은 연구가 있었고 다양한 시도가 있었으나, 0.25~11.3%에서 요로감염이 발생하고 있다

도표 325 12-core의 경회음 생검 (100명)과 경직장 생검 (100명)에서의 합병증

합병증	환자 수		p
	경회음 생검	경직장 생검	
육안적 혈뇨	11	12	〉0.999
38.5℃ 초과 고열	1	2	〉0.999
소변 정체	2	3	〉0.999
혈정액	2	0	0.498
직장 출혈	0	1	〉0.999
혈관미주신경 사건	1	2	〉0.999
마취 관련 두통	2	0	0.498

합병증 비율이 경회음 생검과 경직장 생검에서 차이가 없음을 보여 준다.
Takenaka 등 (2008)의 자료를 수정 인용.

(Berger 등, 2004). 요로감염과 관련이 있는 위험 인자로 생검 횟수, 요도 내 도관 삽입 여부 등이 있으며, 연령, 당뇨병, 고혈압, 뇌졸중 병력, 아스피린 복용 여부, 시술 전 전립선염 병력, 전립선암 유무, 전립선 용적 등은 요로감염을 일으키는 위험과 상호 관련이 없다 (de Jesus 등, 2006; Kim 등, 2012). 질문서를 통해 생검의 합병증을 평가한 연구에 의하면, 고열과 입원은 각각 4.2% (392명/9,241명), 0.8% (78명/9,198명)에서 일어났다. 고열은 대부분 외래를 통해 관리되었으며, 입원 환자의 81%는 감염 때문이었다. 혈액 배양을 실시한 56명 중 34명이 Escherichia coli에 대해 양성 반응을 보였다. 다변량 분석에서 큰 크기의 전립선과 당뇨병이 침 생검 후 고열 위험의 증가와 유의하게 관련이 있었으며, 연령의 증가는 입원 위험의 증가와 관련이 있었다 (Loeb 등, 2012).

전립선 생검 후 발생하는 요로감염의 예방적 항생제로 퀴놀론 제제가 선호되고 있지만 근래 이에 대한 내성균이 증가하여 생검 전에 퀴놀론 제제를 투여해도 발열을 동반한 요로감염 혹은 패혈증이 발생하기도 한다 (Kim 등, 2007). Fluoroquinolone에 대한 저항률이 2004년 0.8%, 2005년 0.6%이었으나, 2006년에는 2.6%로 증가하였다고 보고되었다 (Feliciano 등, 2008). 미국의 10개 교육병원에서는 E. coli에 민감한 fluoroquinolone이 6.8%까지 감소하였다 (Zervos 등, 2003). 영국에서는 fluoroquinolone에 대한 저항 비율이 15~20%로 추정되었다 (Ellington 등, 2006). 그 외에 gentamycin과 trimethoprim, ciprofloxacin과 tinidazole의 병용 요법이 이용되기도 한다 (Miller 등, 2005). 질문서를 이용한 연구에서, 중부 유럽 세 국가의 비뇨기과 의사들의 96%가 fluoroquinolone을

예방적으로 사용하였다 (Fink 등, 2007). 경직장초음파촬영술 유도 하에 생검을 실시한 537명에 대한 무작위 배정, 대조연구에서 Kapoor 등 (1998)은 위약군에 비해 ciprofloxacin을 사용한 군에서 무증상 세균뇨의 비율이 유의하게 낮았다고 하였다.

항생제를 예방적으로 투여하는 시기는 아직까지도 정립되어 있지 않다. 1회 norfloxacin 400 mg을 복용한 환자군보다 norfloxacin 400 mg을 시술 전후 총 6회 이상 복용한 군에서 요로감염의 발생률이 감소되었다는 보고 (Petteffi 등, 2002)가 있는 데 비해, 항생제의 1일 요법 혹은 단순한 1회 투여만으로도 요로감염률을 1% 이하로 감소시킬 수 있었다는 보고 또한 있다 (Briffaux 등, 2009). 무작위 배정, 대조 연구는 1회 혹은 1일 요법이 3일 요법과 같은 효과를 나타냈다고 보고하였으며 (Sabbagh 등, 2004), 미국비뇨기과학회도 fluoroquinolone을 24시간 이상은 사용하지 말 것을 권장하였다 (Wolf 등, 2008).

감염률을 낮추는 방법으로 생검 전 관장이 거론되나 공감을 얻지 못하며, 연구 결과 또한 일정하지 않다. Carey와 Korman 등 (2001)은 관장을 실시한 군에서는 2.2% (5명/225명), 관장을 하지 않은 군에서는 1% (2명/185명)가 감염을 일으켜 관장이 감염을 예방하는 데 이점이 없다고 하였다. 그러나 Jeon 등 (2003)은 이들 비율이 각각 1.3% (6명/456명), 9.5% (40명/423명)이었고 로지스틱 회귀 분석에서 직장 관장이 감염을 예방하는 데 가장 중요한 인자였다고 보고하면서, 생검 전에 관장을 실시할 것을 권장하였다.

환자를 감염시키는 위험 인자 중 하나가 생검 기구이다. 생검 동안 B형 간염 바이러스, C형 간염 바이러스, human immunodeficiency virus (HIV), 세균 등의 오염을 조사한 연구는 생검 후 환자의 3%가 B형 간염 바이러스에 양성, 2%가 세균에 양성을 나타내었으며, 추측되는 오염 경로는 생검 기구라고 보고하였다 (Lessa 등, 2008). 다른 연구도 침 유도 장치를 1회용으로 사용한 군에 비해 재사용한 군에서 감염률이 유의하게 높았는데, 그 이유가 생검 후 기구의 불충분한 소독 때문이라고 하였다 (Tuncel 등, 2008). 다른 연구는 각각의 core 생검을 할 때마다 생검 침을 10% 포비돈요오드 용액으로 세척하더라도 감염률에는 유의한 차이가 없었다고 보고하였다 (Koc 등, 2010).

7. Canadian Urological Association (CUA)의 권고 지침
Canadian Urological Association (CUA) Guidelines

앞에 기술되어 중복되는 내용이 있겠지만, 정리하는 의미로 경직장 초음파 전립선 생검에 관한 Canadian Urological Association (CUA)의 권고 지침을 소개하고자 한다 (El-Hakim과 Moussa, 2010).

7.1. 환자 준비 Patient preparation

7.1.1. 항혈소판 제제 및 항응고 제제
Antiplatelets and anticoagulants

대부분의 진료 의사는 transrectal ultrasound (TRUS) 전립선 생검 전에 출혈 합병증의 위험을 최소화하기 위해 ASA, ASA를 함유한 제제, 예를 들면 mesalamine, clopidogrel, ticlodipine, nonsteroidal anti-inflammatory drugs (NSAIDs) 등과 같은 항혈소판 제제를 중단하라고 권한다. ASA/NSAIDs, clopidogrel, ticlodipine 등은 생검 전 각각 3~5일, 7일, 14일에 중단할 필요가 있다. 저용량으로 ASA를 복용 중인 환자에 대한 전향 연구는 생검 후 전반적인 출혈 혹은 혈뇨의 위험이 증가되지 않는다고 하였다 (Herget 등, 1999; Moon 등, 2003) (증거 수준 2). 혈전색전증의 위험이 높은 환자를 제외하고는 생검 전에 warfarin의 중단이 권해지며, 그러한 고위험 환자에게는 heparin을 이용한 연결 항응고요법 (bridging anticoagulation therapy)이 제시된다. 연결 항응고요법은 항응고요법이 중단된 시기에 고위험군 환자에게 혈전색전증 위험과 고위험 시술의 출혈 위험을 최소화하는 방법으로서 prothrombin time (PT)을 international normalized ratio (INR) 방식으로 측정하였을 때 INR이 치료 범위 이하로 떨어지면 3~5일 동안 unfractionated heparin (UFH)을 정맥 주사하거나 LMWH을 피하 주사한다. INR은 $(PT_{test}/PT_{normal})^{ISI}$로 산출되며, ISI는 international sensitivity index의 약어이며, INR이 1.5 미만이면 대부분의 예정된 수술이 가능하다.

권고 1 (항혈소판 제제): 항혈소판 제제의 적용에 관하여 환자, 환자의 일차 의료 의사, 심장 전문의 등과 충분한 검토가 있어야 하며, 그 후 항혈소판 제제가 중단되어야 한다. Acetylsalicylic acid (ASA), clopidogrel, ticlodipine 등과 같은 항혈소판 제제는 생검 전 7~14일에 중단되어야 한다 (권고 등급 B). Warfarin 등과 같은 항응고 제제는 생검 전 4~5일에 중단되어야 한다. 상급 위험도의 환자에게는 heparin 혹은 low molecular weight heparin (LMWH)을 이용한 연결 요법이 고려되어야 한다 (권고 등급 B).

7.1.2. 세척 관장 Cleansing enema

경직장 생검을 준비할 때 비뇨기과 의사의 80%가 관장을 실시한다고 보고된 바 있다 (Davis 등, 2002). 관장을 하면, 직장 내의 대변 양이 감소되어 전립선 영상에 관한 우수한 음향창 (acoustic window)을 얻을 수 있고 일부 환자에게는 편안함을 제공한다. 감염의 감소에 대한 효과는 일정하지 않다. 많은 대규모 진료 기관은 관장의 사용을 뒷받침하는 자료의 부족, 환자의 비용 부담, 불편함 등의 이유로 관장을 활용하지 않는다.

생검 전에 관장을 실시한 25명과 실시하지 않은 25명을 대상으로 감염 방지에 대한 관장의 효과를 평가한 연구에 의하면, 세균혈증이 관장을 받은 환자군과 받지 않은 환자군에서 각각 4%, 28%이었지만, 두 군 모두에서 증상이 없었으며, 생검 침을 배양하였을 때 양성 결과는 두 군에서 동일하였다. 이 연구의 저자들은 생검 전에 관장을 실시하면 항생제의 복용과는 관계없이 무증상의 세균혈증을 최소화할 수 있다고 하였다 (Lindert 등, 2000) (증거 수준 1). 이들 결과에 대한 임상적 중요성은 아직 분명하지 않다.

권고 2 (관장): 관장의 사용에 대한 찬반을 권할 만한 강력한 증거는 없다 (권고 등급 A).

7.1.3. 항생제에 의한 예방법 Antibiotic prophylaxis

경구용 및 주사용 항생제를 이용한 다양한 처방이 연구되어 왔다 (Raaijmakers 등, 2002; Ramey 등, 2002; Sabbagh 등, 2004). 생검 후 경구 항생제의 복용 기간에 관해서는 논란이 많다. 여러 연구는 생검 전 30~60분에 경구용 fluoroquino-lone을 1회 투여한 후 2~3일 동안 투약을 지속하는 방법 (Dja-van 등, 2001) (증거 수준 2) 혹은 경구용 fluoroquinolone을 1회 투여하는 방법 (Sabbagh 등, 2004) (증거 수준 1)을 선호하였다. 두 처방법은 감염 합병증을 최소화한다. 다른 처방법으로는 생검 전에 ampicillin (페니실린에 과민한 경우는 vancomycin)과 gentamicin을 주사한 후 2~3일 동안 경구용 fluoroquinolone을 투여하는 방법이 있다. 이 방법은 심장 박동기, 심장 세동 제거기 등과 같은 인공 삽입물의 감염 혹은

심내막염이 발생할 위험이 있는 환자에게 제시된다 (Ramey 등, 2002) (증거 수준 4). 또한, 항생제 예방은 다수 cores의 생검으로 인한 감염 위험을 감소시킨다. 요로감염을 치료하기 위해 fluoroquinolone을 광범위하게 사용한 관계로 fluoro-quinolone에 저항성을 나타내는 E. coli가 증가하고 있다. 생검 후 요로감염의 원인 균은 주로 fluoroquinolone에 대해 높은 저항성을 보이는 E. coli라고 보고되었다 (Tal 등, 2003). Fluoroquinolone을 이용한 예방법 외에 aminoglycoside를 추가로 주사하면, 생검 후 발생하는 요로감염의 비율을 최소화할 수 있다 (Shigehara 등, 2008) (증거 수준 3).

권고 3 (항생제): Fluorquinolone 등과 같은 광범위 그람 음성 항생제 예방은 생검 전에 실시되어야 하며, 생검 후 2~3일 동안 지속할 수 있다 (권고 등급 B). 그러나 많은 진료 기관은 항생제 예방 과정을 단축시키는 방향으로 움직이며, 수일 동안의 투약이 더 우수하다는 자료의 부족, 환자의 비용, 불편함 등을 고려하여 장시간 작용하는 fluorquinolone의 1회 투여를 선호한다.

7.1.4. 진통 Analgesia

환자들이 경직장 생검에 대해 비교적 잘 순응하지만, 마취하지 않을 경우에는 통증이 동반되며 (Nash 등, 1996) (증거 수준 3), 특히 cores의 수가 많을 때는 그러하다. 가장 흔하게 이용되는 마취는 젤 현탁액 혹은 주사용 제제와 혼합한 리도카인을 이용하는 periprostatic nerve block (PPNB)이다. PPNB를 위해서는 길이가 긴 7-inch, 22-gauge의 척수 천자 침과 1% 혹은 2% 리도카인이 필요하다. 주사 부위와 주사 양에 관해서는 여러 방법이 보고되고 있으며, 가장 흔하게 이용되는 방법은 리도카인 5 cc를 전립선과 정낭의 결합 부위의 바로 외측 전립선 기저부에 있는 전립선 혈관 줄기 구역에 양측으로 주사하는 방법이다 (Nash 등, 1996). 직장 내에 리도카인 젤을 투입하는 방법은 위약 이상으로 통증을 조절하지 못하였다 (증거 수준 1). 그러나 여러 연구는 전립선 주위의 신경 다발에 리도카인을 주입하면 통증이 만족스럽게 조절됨을 보여 주었다 (Lynn 등, 2002; Trucchi 등, 2005) (증거 수준 1). 통증 점수는 대조군에 비해 PPNB를 시도한 군에서 유의하게 감소되었는데, 각각 3.7~5.5점, 0.5~2.4점이었다. 요도 출혈, 직장 출혈, 고열 등의 빈도는 대조군과 PPNB 군에서 유의한 차이가 없었다. 그러나 무증상의 세균뇨는 PPNB 군에서 유의하게 높다고 보고되었다 (Obek 등, 2002) (증거 수준 1).

PPNB 외의 진통 방법으로는 경구용 마약성 진통제, NSAIDs의 근육 주사 등이 있다 (Conde Redondo 등, 2006; Bhomi 등, 2007) (증거 수준 1). 그러나 경구용 및 근육 주사용 진통제를 이용한 통증 조절은 대조군과 통계적으로 차이가 없었기 때문에, 이들 방법은 권해지지 않는다. 통증 점수는 위약에 비해 직장 내 100 mg의 diclofenac 좌약의 경우에서 유의하게 감소되었는데 각각 4.9~5.9, 2.8~3.4이었으며, PPNB에 비해서는 감소 정도가 약하였다 (Haq 등, 2004; Irer 등, 2005) (증거 수준 1). 따라서 PPNB가 NSAID 좌약에 비해 더 나은 진통 효과를 나타내기 때문에 최우선적으로 고려되어야 한다 (Lynn 등, 2002; Trucchi 등, 2005) (증거 수준 1).

권고 4 (진통): 전립선 주위 신경 차단 (PPNB)이 권해지며, 특히 확대 생검을 실시할 때 그러하다 (권고 등급 A).

7.1.5. 환자 자세 Patient positioning

환자는 좌측 옆으로 누워 무릎과 고관절을 90도 굽힌 자세를 취하게 한다. 초음파 탐색자와 생검 총의 조작이 용이하도록 환자의 엉덩이를 테이블 가장자리 선상에 둔다. 수술의가 왼손잡이인지 혹은 오른손잡이인지에 따라 그리고 수술의의 선호도에 따라 우측으로 누운 자세 혹은 결석제거술 자세가 이용될 수도 있다 (증거 수준 4).

7.2. 표본 라벨링 및 처리 방법
Labelling and processing

표본의 처리 방법과 제출에 관하여서는 논란이 많다. 좌측과 우측 표본으로 구분하여 동측의 다수 표본을 하나의 용기에 보관하자는 견해가 있는데 (Rogatsch 등, 2000), 이 경우에는 표본이 흔히 뒤엉키어 조직 표면의 40%를 잃을 수 있다. 생검 core의 절편에 관한 컴퓨터 모의실험에 의하면, 절단면이 core의 장축에 대해 수평일 때 최대의 표면적을 얻을 수 있는데, 1×15 mm의 생검 core를 수평 각도인 0도에서 한 번의 절단으로 15 mm^2의 표면적이 생겨났으나, 3도, 5도, 10에서는 각각 13.3, 9.01, 4.52 mm^2의 표면적이 생겼다. 0.6 mm의 작은 병소인 경우에는 각도가 3도, 10도로 증가함에 따라 각각 56.2%, 26.9%로 감소되었다. 따라서 다수 cores를 하나의 용기에 담으면 각 core의 위치가 달라 동일한 절단면에 의한 최대의 표면적을 얻을 수 없기 때문에, 모호한 결과로 인해 재생검의 수가 증가할 수 있다 (Kao 등, 2002). 두 번째 견해는 다

수의 용기를 사용한다는 방안인데 (Rogatsch 등, 2000; Terris, 2002), 이 방법은 기술적으로 복잡하고 비용 부담이 크지만 (Taneja 등, 1999), 모호한 진단의 비율을 감소시킨다 (Gupta 등, 2004) (증거 수준 3). 다수의 비뇨생식기 병리학자는 오류를 감소시키고 그로 인해 재생검을 줄이기 위해 다수의 용기를 사용할 것을 권한다. 신경을 보존하는 근치 수술뿐만 아니라 영상에 의존한 요법과 국소 요법이 발달함에 따라 생검에서의 암의 위치는 중요한 의미를 가지며, 수술 전에 계획을 세울 때 중요한 역할을 한다.

7.3. 생검 방식 Biopsy scheme

생검 전에 초음파를 통해 전립선의 가로면과 시상면의 영상을 얻고 전립선의 용적을 측정할 필요가 있다. 검사는 대개 전립선의 기저부에서 시작하여 정점으로 확대하며, 낮은 에코 혹은 높은 에코의 병변, 석회화, 윤곽의 이상, 낭성 구조물 등과 같은 어떠한 병변의 위치와 특징을 파악한다.

7.3.1. 6부위 생검 Sextant biopsy scheme

기본이 되는 체계적인 생검법은 6부위 생검이며, 양측으로 기저부, 중앙, 정점에서 각 1개씩의 core를 채집한다 (Hodge 등, 1989). 이 방법에서는 부시상면 (parasagittal plane)을 통해 cores가 채집되며, 위양성 결과가 어느 정도 발생한다 (Eskew 등, 1997) (증거 수준 2). 표준이 되는 6부위 생검으로는 암의 30%까지를 놓칠 수 있다 (Presti 등, 2000) (증거 수준 2).

7.3.2. 확대 생검 Extended biopsy scheme

Stamey (1995)는 전립선암의 75%가 주변부에서 기원하기 때문에, 암의 발견율을 높이기 위해 전립선의 외측에서 생검을 실시할 것을 제시하였다. 그 후 6부위 생검 외에 훨씬 외측과 중간 부위에서 cores를 추가한 5 구역 생검법이 제시되었다 (Eskew 등, 1997). 여러 연구는 5 구역 생검법으로 10~13 cores를 채집하면 6부위 표준 생검법에 비해 암 발견율이 증가된다고 하였다 (Babaian 등, 2000; Durkan 등, 2002).

확대 생검을 6부위 생검과 비교하기 위해 총 20,698명을 포함하는 87편의 연구를 메타 분석한 연구는 6부위 생검에 비해 12-core 생검의 상대적 양성 비율이 1.31이라고 보고하였다. 1.48로 가장 높은 상대적 양성 비율을 보인 생검법은 5 구역 생검법을 통해 18~22 cores를 채집한 생검이었다. 그러나 다

변량 분석에서 18~22-core, 12-core, 10-core 생검 사이에 암 발견율의 유의한 차이는 없었다 (Eichler 등, 2006) (증거 수준 1). 10~12-core의 확대 생검에 의한 부작용은 6부위 생검과 유의한 차이가 없었다. 그러나 12 cores 이상의 경직장 생검에서는 부작용이 유의하게 증가하였다. 암 발견과 부작용 사이에서 균형을 이루는 생검법은 6부위 생검 외에 외측에서 cores를 추가한 12-core 확대 생검이었다 (Eichler 등, 2006) (증거 수준 1).

일차 생검을 24~37-core의 집중 생검법으로 실시한 연구에 의하면, 암 발견율이 집중 생검, 18-core 생검, 12-core 생검 등에서 유의한 차이가 없었으며, 각각 46.9%, 49% (p=0.6), 39.8% (p=0.3)이었다 (Pepe와 Argona, 2007) (증거 수준 3). 따라서 집중 생검은 12-core 생검에 비해 암 발견율이 높지 않기 때문에, 일차 생검법으로 권해지지 않는다. 다른 연구는 암 발견율을 높이기 위해 체계화된 생검 외에 전립선 병변에 대한 표적 생검을 추가할 것을 제시하였으며, 이러한 경우에는 암 발견율이 30.8%에서 57.8%로 증가한다고 하였다. 이와 같이 병변에서 생검을 실시하면, 각 암 양성 core에 포함 된 암의 용적이 증가하고 고등급의 암을 더 흔하게 발견할 수 있다 (Toi 등, 2007).

권고 5 (확대 생검): 확대 생검에서 생검 후 합병증을 최소화하고 암 발견율을 높이는 최적의 cores의 수는 10~12 cores로 권해지며, 암 발견율을 더 높이기 위해 병변을 표적으로 하는 생검을 추가할 수 있다 (권고 등급 A).

7.3.3. 전립선 생검에 대한 전립선 용적의 영향

Impact of prostatic volume on prostate biopsy technique

경직장초음파촬영과 함께 시행되는 생검에서는 관례적으로 전립선의 용적을 측정하며, 전립선의 용적과 전립선암의 발견 가능성은 간접적으로 서로 관련이 있다 (Applewhite 등, 2001). 전립선의 용적이 50 cc 이하와 50 cc 초과에서 6부위 생검에 의한 전립선암의 발견율은 각각 38%, 23%이었다 (Uzzo 등, 1995) (증거 수준 3). 다른 연구도 이용된 생검 방법과 관계없이 전립선암 발견율은 전립선의 용적과 역상관관계를 가지며, 용적이 클수록 암 발견율은 낮다고 하였다 (Levine 등, 1998; Applewhite 등, 2000) (증거 수준 3). 여러 PSA 범위와 여러 환자 연령의 조건 하에서 전립선의 다양한 크기에 따라 중요한 암을 놓치지 않기 위해 노모그램, 도표 등과 같은 여러 수리통계학적 모델이 개발되었다 (Remzi 등,

도표 326 Vienna 노모그램

전립선 용적, cc	연령			
	≤50	51~60	61~70	〉70
0~30	8	8	8	6
31~40	12	10	8	6
41~50	14	12	10	8
51~60	16	14	12	10
61~70	18	16	14	12
〉71	18	18	16	14

이 도표는 전립선의 용적과 환자의 연령에 근거하여 적절한 생검 cores의 수를 나타낸다. 전립선암의 발견율이 전통적인 8부위 생검에서는 22%이지만, Vienna 노모그램을 이용한 생검에서는 36.7%이라는 보고가 있지만 (Remzi 등, 2005), 8부위 생검을 실시한 151명과 Vienna 노모그램을 이용한 152명을 대상으로 평가한 연구는 암 발견율이 전반적으로는 각각 38.4%, 35.5%, PSA 10 ng/mL 미만에서는 각각 33%, 28.1%, 전립선 용적이 50 cc를 초과한 경우에서는 25.8%, 22%로 통계학적으로 유의하지는 않았지만 Vienna 노모그램을 이용한 경우에서 오히려 낮았다고 하였다 (Lecuona와 Heyns, 2011).

Lecuona와 Heyns (2011)의 자료를 수정 인용.

2005). 일반적으로 전립선의 용적이 30 cc 이상인 환자에서는 최소한 10 cores가 필요하다고 생각된다.

전립선의 용적과 환자의 연령에 근거하여 최적의 cores의 수를 제시한 Vienna 노모그램을 이용하여 경직장초음파 촬영의 유도 하 생검을 실시한 502명과 1차 생검을 8-core 생검법으로 하고 이에 음성일 경우 6~8주에 체계화된 재생검을 실시한 1,051명에서 전립선암 발견율을 비교한 연구는 다음과 같은 결과를 보고하였다 (Remzi 등, 2005). 첫째, 전반적인 암 발견율은 노모그램을 이용한 경우에는 36.7%이었으며, 대조군에서는 1차 생검과 재생검에서 각각 22%, 10%이었다. 즉, Vienna 노모그램을 이용하였을 때의 암 발견율은 8부위 생검법보다 66.4% 더 우수하였으며 (p=0.002), 대조군에서 관찰된 1차 생검과 재생검의 암 발견율을 합한 비율과 비슷하였다. 둘째, Vienna 노모그램에 대한 다변량에서 PSA와 cores의 수는 전립선암을 발견하는 독립적 예측 인자이었으며 (p〈0.001), 전립선의 전체 용적, 이행부 용적, 연령 등은 독립적 예측 인자의 역할을 하지 않았다. Vienna 노모그램은 도표 326에 요약되어 있다.

권고 6 (확대 생검 조건): 전립선의 크기, 환자의 연령, PSA 농도 등을 포함하는 수리통계학적 공식은 확대 생검을 적용하는 데 필요하지 않다 (권고 등급 B).

7.3.4. 이행부 생검 Transition-zone biopsy

전립선암의 15%가 전립선의 이행부에서 기원하지만, 전립선

생검으로 이행부에서 암이 발견되는 경우는 드물다. 기본이 되는 생검 외에 이행부 생검을 추가하면 암 발견율이 1.8%에서 4.3%로 증가하지만, 이행부에 대한 생검을 관례적으로 실시하도록 권할 만한 증거는 거의 없다 (Epstein 등, 1997; Terris 등, 1997) (증거 수준 2). 이행부 생검은 다음과 같은 경우에 시행될 수 있는데, 첫째, 전립선의 크기가 50 cc를 초과하는 남성이며, 이 경우 암 발견율이 15% 증가한다 (Chang 등, 1998) (증거 수준 2). 둘째, PSA 농도가 상당하게 높거나 급속하게 증가하지만 전통적인 생검법으로 암이 발견되지 않은 남성이다 (Terris 등, 1997) (증거 수준 2).

권고 7 (이행부 생검): 이행부 생검은 거의 필요하지 않으며, 확대 생검에서 이행부 생검을 추가하여도 암 발견율은 거의 개선되지 않는다 (권고 등급 B).

7.3.5. 재생검 Repeat biopsy

PSA가 지속적으로 증가하거나 HGPIN, ASAP 등과 같은 병변을 가진 환자에서 전립선 생검이 음성이면, 비뇨기과 의사는 딜레마에 직면한다. 암 발견율은 cores의 위치와 수에 의존적이다. 이전 생검을 표준이 되는 6부위 생검과 확대 생검을 받은 경우 재생검에서의 암 발견율은 각각 39%, 28%이라는 보고가 있다 (Hong 등, 2004) (증거 수준 3).

HGPIN은 침습성 전립선암의 전구 병변으로 간주된다 (Haussler 등, 1999). 6부위 생검을 실시하던 시대에서는 HGPIN을 가진 환자에 대한 재생검의 경우 암 발견율이 25~70%이었다 (O'Dowd 등, 2000; Kronz 등, 2001). HGPIN은 field effect가 제한적이기 때문에, HGPIN이 존재함은 암이 전립선의 어느 부위에서 발생할 수 있음을 시사한다. 확대 생검을 실시하면 더 많은 암을 발견할 수 있기 때문에, 첫 생검을 확대 생검으로 실시한 후에는 HGPIN에 대한 재생검에서 암 발견율이 각 연구에 따라 2.3% 혹은 4% 혹은 4.5%로 감소되었다 (Lefkowitz 등, 2001; Mian 등, 2002; Moore 등, 2005) (증거 수준 3). 이러한 암 발견율은 첫 생검에서 정상 소견을 보인 환자의 재생검에서 암이 발견되는 비율보다 높지 않다. 따라서 확대 생검이 실시되는 현대에서는 HGPIN이 엄격한 재생검의 적용 대상에서 제외되며, 대신 HGPIN을 가진 환자는 PSA와 직장수지검사를 이용한 임상적 추적 관찰이 필요하다.

ASAP는 HGPIN과는 다르게 평가되어야 한다. ASAP는 모호한 기저세포층을 가지면서 형태학적으로 악성 세포를 포함하는 병소이다 (Bostwick 등, 1993). ASAP는 물질 혹은 조직의 변천 과정이 불충분하게 이루어짐으로 인해 생기며, 병리학자는 침습성 암으로 진행할 수 있는 병변으로 생각한다. 6부위 생검으로 발견된 ASAP에 대해 재생검을 실시하였을 때, 암 발견율은 40~50%이다 (Haussler 등, 1999). 확대 생검을 실시한 경우의 암 발견율은 첫 생검에서는 36%~59.1% (Moore 등, 2005; Amin 등, 2007), 재생검에서는 16% (Moore 등, 2005)로 보고되었다. 재생검에서 암의 대부분은 ASAP가 위치한 부위와 동일한 부위에서 발견되고 20~45%는 ASAP와 다른 부위에서 발견되기 때문에 (Park 등, 2001; Amin 등, 2007), 재생검을 실시할 경우 체계화된 재생검 외에 ASAP를 표적으로 하여 생검 cores를 추가할 필요가 있다 (증거 수준 3).

재생검에서 위음성 결과를 최소화하기 위해서는 다른 방식의 생검법이 필요하다. 첫째, 집중 생검은 45개 cores까지도 채집하는 공격적인 생검법이다 (Stewart 등, 2001). 집중 생검과 18-core 생검을 이용한 2차 생검에서 암의 발견율은 각각 22.6%, 10.9%이었으며 (p=0.02), 집중 생검과 18-core 생검을 이용한 3차 생검에서 암의 발견율은 각각 6.2%, 0%이었다 (p=0.01) (Pepe와 Aragona, 2007) (증거 수준 3). 이러한 기법은 국소 혹은 전신적 마취가 요구되며, 입원이 필요할 수 있다 (Borboroglu 등, 2000). 둘째, 재생검에서 이용되는 경회음 주형 (template) 기법 또한 공격적인 방법이며, 상급 위험도의 환자군에서 평균 15.1점의 표본을 채집하였을 때 암 발견율은 43%로 보고되었다 (Igel 등, 2001) (증거 수준 3).

권고 8 (재생검): 집중 생검은 이전에 실시된 최소한 2회의 확대 생검에서 음성이고 PSA의 지속적인 증가, 직장수지검사의 이상, ASAP의 존재 등과 같은 상급 위험도의 환자에서 재생검법으로 고려될 수 있다 (권고 등급 B).

권고 9 (재생검): ASAP은 암이 아니라고 확진되기 전까지는 암이라고 간주되며, 반드시 재생검이 필요하다 (권고 등급 B). 확대 생검이 올바르게 실시되었다면, PSA가 더 이상 증가하지 않고 직장수지검사에서 변화가 생기지 않는 경우에는 고등급 전립선상피내암의 존재가 재생검의 대상이 되지 않는다 (권고 등급 B).

8. 전립선 생검에 관한 여러 지침의 비교
Variable Guidelines For Prostate Biopsy

여러 학회에서 보고된 전립선암 생검의 지침은 도표 327에 요약되어 있다.

도표 327 AUA, EAU, NCCN 등의 전립선 생검 지침

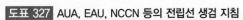

	AUA	EAU	NCCN
첫 생검 적용 대상	· 주로 PSA와 DRE의 결과에 근거한다. · 연령, 가족력, 인종, 이전 생검 여부, PSAD, PSAV, 동반 질환 등을 고려해야 한다. · 개인별로 위험을 평가한다. · 초음파 이상 유무와 관계없이 생검 실시.	· PSA 농도 및/혹은 DRE 이상 소견에 근거한다. · 환자의 생물학적 연령, ASA index와 CCI에 근거한 동반 질환 및 치료 결과 등을 고려해야 한다.	PSA 농도 2.6~4.0 ng/mL
마취	· 의무적임.	· 병변이 전립선의 기저부이든 정점이든 관계없이 초음파 유도하의 PPNB를 실시하다. · 직장 내 국소 마취제의 주입은 PPNB보다 열등하다.	· 국소 리도카인 겔과 PPNB 둘 모두는 환자의 불편을 감소시키는 데 안전하고 효과적이다. · 국소 리도카인은 초음파 탐색자의 삽입 시 통증에 효과적이며, PPNB는 생검 시 통증에 효과적이다. · 환자에 따라 진정제 주사나 전신 마취가 유익할 수 있다.
생검 접근법	· 가장 흔한 방법은 초음파 유도 하의 경직장 생검법이다. · 초음파 유도 하의 경회음 생검법은 대안이 될 수 있다.	· 가장 흔한 방법은 초음파 유도 하의 경직장 생검법이다. · 초음파 유도 하의 경회음 생검법은 직장절제술의 병력 등과 같이 특별한 경우에 유용할 수 있다.	–
표준 생검	· 정점, 중간부, 기저부의 주변부 외에도 각 측면의 외측에서 8~12개 cores를 채집한다.	· 6부위 생검은 더 이상 적절하지 않다. · 표본 채집은 가능한 주변부의 후방과 외측에서 실시한다.	–
확대 생검	· 전립선의 전방과 이행부에서 추가로 조직을 채집할 수 있다.	· DRE와 TRUS에서 의심되는 부위로부터 추가로 cores를 채집할 수 있다. · 30~40 cc 크기의 전립선에서는 최소 8 cores를 채집하며, 12 cores를 초과할 경우 더 이상의 이점은 없다.	· 6부위와 외측 주변부, 결절이 만져지거나 영상에서 의심되는 부위로부터 12 cores를 채집한다.
이행부 생검	–	· 기저선 생검 동안 이행부에서 표본을 채집하여도 암 발견율이 낮기 때문에, 이행부 생검은 재생검 때에만 시행하여야 하다.	· 관례적인 이행부 생검은 지지를 받지 못한다. 그러나 PSA가 지속적으로 증가하는 경우 재생검에서 포함될 수 있다.
집중 생검	· 집중 생검은 20개 cores를 초과하여 조직을 채집하며, PSA가 지속적으로 증가하고 다수의 이전 생검이 음성인 경우 실시할 수 있다.	· 집중 재생검에 의한 암 발견율은 30~33%이며, 조기 생검 동안 채집된 cores의 수에 의존적이다.	· 2회의 확대 재생검에서 음성이고 지속적으로 PSA가 증가한 환자에서 집중 생검이 고려되어야 한다.
재생검	–	· PSA가 계속 증가하거나 PSA의 증가가 지속적인 환자, DRE에서 의심되는 결과를 가진 환자, ASAP를 가진 환자 등에서 실시한다. · 적절한 시기는 기저선 ASAP 생검의 조직학적 소견과 지속적으로 전립선암이 의심되는 지표에 의존적이다. · 재생검이 늦을수록 암 발견율은 높다.	· PSA가 지속적으로 증가하는 환자와 DRE에서 의심되는 결과를 가진 환자에서 실시한다. · 전방 정점의 뿔 (horn)을 포함하는 정점 cores와 외측 방향 cores에서 암 발견율이 가장 높다.
이전 생검의 결과	–	· HGPIN은 더 이상 재생검의 적용 대상이 되지 않는다. · PIN이 광범위할 경우에만 조기 재생검을 할 수 있다. · ASAP 환자는 재생검을 실시해야 한다. · 적절한 시기는 기저선 ASAP 생검의 조직학적 소견과 지속적으로 전립선암이 의심되는 지표에 의존적이다.	· TRUS 유도 하의 생검 cores가 10 미만인 경우에서 HGPIN이 발견된 환자에서는 이행부를 포함한 재생검을 실시한다. · ASAP를 가진 환자에서는 3개월 이내에 비정형 부위 및 인접한 부위에서 많은 cores를 채집하는 재생검을 실시한다.
도플러 영상	· 색 도플러 초음파는 표적 생검에 도움이 되지만 회색조 도플러는 그러하지 않다.	–	–

ASA, American Society of Anesthesiologist; ASAP, atypical small acinar proliferation; AUA, American Urology Association; CCI, Charlson Comorbidity Index; DRE, digital rectal examination; EAU, European Association of Urology; HGPIN, high-grade prostatic intraepithelial neoplasia; NCCN, National Comprehensive Cancer Network; PIN, prostatic intraepithelial neoplasia; PPNB, peri-prostatic nerve block; PSA, prostate-specific antigen; PSAD, PSA density; PSAV, PSA velocity; TRUS, transrectal ultrasonography.

Scattoni 등 (2010)의 자료를 수정 인용.

전립선암 위험 인자

PROSTATE CANCER RISK FACTOR

1. Endogenous Factor 893
2. Exogenous Factor 906

전립선암 위험 인자

PROSTATE CANCER RISK FACTOR

전립선암에 대한 다양한 위험 인자들은 크게 내인성 인자와 외인성 인자로 구분된다. 아래에 기술된 내용 중 정상관관계 (혹은 정적 상관관계; positive relationship)는 변인 X 값이 커질 때 변인 Y 값도 커지고, 변인 X 값이 작아질 때 변인 Y 값도 작아지는 관계를, 역상관관계 (혹은 부적 상관관계; negative 혹은 inverse relationship)는 변인 X 값이 커질 때 변인 Y 값은 작아지고, 변인 X 값이 작아질 때 변인 Y 값은 커지는 관계를 각각 의미한다.

1. 내인성 인자 Endogenous Factor

전립선암의 위험 인자 중 내인성 인자로는 가족력 및 유전 인자, 호르몬, 인종, 연령 관련 변화 등이 있다.

1.1. 가족력 및 유전 인자 Gene and family history

전립선암은 그 발생 양상에 따라서 세 유형, 즉 산발형 (sporadic), 가족형 (familial), 유전형 (hereditary)으로 분류될 수 있다. 이들 중 산발형은 가족력이 없는 전립선암을 말하며, 가족형은 친척 중 1명 이상이 전립선암을 가진 경우이고, 유전형은 가족형 전립선암의 아형으로서 3대에 걸쳐 3명 이상의 전립선암 환자가 있거나 55세 이하의 연령에서 전립선암이 발생한 친척이 2명 이상 있는 경우이다. 전체 전립선암 중 85%가 산발형이고 나머지 15%가 가족형 혹은 유전형이지만, 55세 이전에 발생한 전립선암의 경우에는 전체의 43%가 유전형 전립선암이다. 가족형 전립선암은 20세기 중반 미국 및 유럽을 중심으로 평가한 환자군과 대조군의 비교 연구, 전향 연구, 쌍생아 연구 등을 통해 알려졌으며, Cannon 등 (1986)은 유타 모르몬교 사제를 대상으로 전립선암에 대한 유전학적 역학 조사를 실시한 결과 전립선암이 입술이나 피부 흑색종, 난소암에 이어 4번째로 강하게 가족 내에서 집단화를 나타낼 뿐만 아니라 기존에 유전적 혹은 가족적 관련성이 잘 알려진 유방암 보다 더 높은 가족력을 가짐을 확인하였다. Swedish Twin Registry와 Swedish Cancer Registry에서 1886년~1925년에 출생한 나이 든 코호트와 1926년~1958년에 출생한 젊은 코호트로부터 추출된 쌍둥이를 대상으로 전립선암의 가족형을 평가한 연구는 나이 든 코호트로부터 추출된 10,503명의 쌍둥이에게서 362개의 악성 암을, 젊은 코호트로부터 추출된 12,883명의 쌍둥이에게서 918개의 악성 암을 발견하였으며, 결장직장암, 유방암, 자궁경부암, 특히 전립선암 등의 위험 증가는 이란성 쌍둥이보다 일란성 쌍둥이에게서 더 큰 경향이 있었으나 위암과 폐암의 경우는 그러하지 않았다고 하였다 (Ahlbom 등, 1997). 일반적으로 가족 내에 전립선암의 병력을 가진 개체의 수가 더 많고 발병 연령이 낮을수록 전립선암을 가질 확률이 더 높다고 알려져 있는데, 예를 들면 Carter 등 (1993)은 가족 내에서 전립선암의 집단화의 정도를 분석하기 위해 691명의 전립선암 환자와 640명의 대조군을 대상으로 광범위하게 가계도 분석을 시행한 결과, 가족 중 전립선암을 가진 사람의 수가 많을수록 가족의 나머지 구성원들이 전립선암을 가질 확률이 더 높아져, 1세대 가족 구성원 중 2~3명의 전립선암 환자가 있는 경우 전립선암의 발생 위험도는 5~11배로 증가하며 55세 이전의 젊은 환자의 가족들은 위험도가 특히 더 높다고 하였다. Spitz 등 (1991)도 가족력이 있는 군에서의 전립선암 발생은 13%로 가족력이 없는 일반인의 5.7%에 비해 유의하게 더 높을 뿐만 아니라 아버지나 형제 중 1명이 60세 이전에 전립선암 환자가 있을 경우에는 본인이 전립선암에 걸릴 확률이 2.4배 정도 높아진다고 하였다. Bratt (2002)는 아버지나 형제 중 1명이 60세 이전에 전립선암을 가진 경우 본인이 전립선암을 가질 확률은 일반인보다 약 3배 높은 20%에 달하고, 아버지와 1명의 형제가 동시에 전립선암을 가진 경우에는 그 위험도는 4배 높은 30%에 달한다고 하였다. 몇몇 유전자 분리 분석 (segregation assay)의 결과, 전립선암의 유전은 결장암, 유방암 등 다른 흔한 질환과 유사하며, 이는 이 질환을 가진 일부 군에서 1개 이상의 원인이 되는 유전자 변이를 물려받아 발생함을 의미한다. 현재 가족형 혹은 유전형 전립선암의 발병과 관련이 있다고 알려진 유전자로는 염색체 1q24-25에 위치한 *ribonuclease L/hereditary prostate cancer protein 1* (*RNASEL/HPC1*) (Carpten 등, 2002), 염색체 17p11.2에 위치한 *elaC ribonuclease Z 2* (*ELAC2*)/*HPC2* (Tavtigian 등, 2001, 염색체 8p22-23에 위치한 *macrophage scavenger receptor 1/scavenger receptor class A member 1* (*MSR1/SR-A*) (Xu 등, 2002a), 염색체 7q21.3에 위치한 *paraoxonase 1* (*PON1*) (Marchesani 등, 2003), 염색체 13q13.1에 위치한 *breast cancer 2, early onset* (*BRCA2*) (Edwards 등, 2003), 염색체 19p13.11에 위치한 *growth differentiation factor 15/macrophage inhibitory cytokine 1* (*GDF15/MIC1*) (Lindmak 등, 2004), 염색체 3p26.2에 위치한 *8-oxoguanine DNA glycosylase* (*OGG1*) (Xu 등, 2002b) 등의 8종이 확인되었으며, 1p36, 1q42.2-43, Xq27-28 등이 전립선암과 관련이 있는 유전자 자리로 확인되었으나, 이에 관한 연구는 현재도 계속되고 있다 (Lindmark 등, 2004). 전립선암의 가족력이 있거나 60세 이하에서 전립선암으로 진단된 1,854명과 PSA 농도가 0.5 ng/mL 미만의 대조군 1,894명의 혈액 DNA 표본을 이용한 GWAS는 염색체 자리 8q24와 17q가 흔히 전립선암과 관련이 있다는 이전의 연구 결과를 확인하였으며, 전립선암에 민감한 7종의 염색체 자리와 추정되는 유전자를 보고하였는데 (p value는 2.7×10^{-8}~8.7×10^{-29}), 염색체 3과 *charged multivesicular body protein 2B* (*CHMP2B*), *POU class 1 homeobox 1* (*POU1F1*), 염색체 6과 *solute carrier family 22 member 3* (*SLC22A3*), *SLC22A2*, *LPA-like 2* (*LPAL2*), *lipoprotein, Lp(a)* (*LPA*), 염색체 7과 *lemur tyrosine kinase 2* (*LMTK2*), *class B basic helix-loop-helix protein 8* (*BHLHB8*), 염색체 10과 *microseminoprotein, beta* (*MSMB*), 염색체 11, 염색체 19와 *kallikrein-related peptidase 2* (*KLK2*), *KLK3*, 염색체 X와 *nudix (nucleoside diphosphate linked moiety X)-type motif 10* (*NUDT10*), *NUDT11*, *G1 to S phase transition 2* (*GSPT2*), *melanoma antigen family D1/A4/4* (*MAGED1/A4/4*), *CTD-2267G17.3*, *X antigen family, member 2/1C/1D/5/3* (*XAGE2/1C/1D/5/3*), *synovial sarcoma, X breakpoint 8/7/2/2B* (*SSX8/7/2/2B*), *sperm protein associated with the nucleus in the X chromosome family member N5* (*SPANXN5*), *transmembrane protein 29/29B* (*TMEM29/29B* 혹은 *family with sequence similarity 156 member A*, *FAM156A*) 등이다 (Eeles 등, 2008). 여기서 POU는 pituitary specific positive transcription factor 1 (PIT1), octamer transcription factor (OCT1/2), UNC86 transcription factor 등의 세 전사 인자의 두문자이다. 다른 연구는 세 차례의 유전체 전장 연관성 분석 (genome-wide association study, GWAS)을 통하여 전립선암에 민감한 염색체 자리 7가지와 그에 상응하는 유전자를 확인하였는데, 2p21과 *thyroid adenoma associated* (*THADA*), 2q31과 *integrin alpha-6* (*ITGA6*), 4q22와 *PDZ and LIM domain 5* (*PDLIM5*), 4q24와 *ten eleven translocation 2* (*TET2*), 8p21과 *NK3 homeobox 1* (*NKX3.1*), 11p15과 *insulin-like growth factor 2* (*IGF2*), *IGF2 antisense* (*IGF2AS*), *insulin* (*INS*), *tyrosine hydroxylase* (*TH*), 22q13과 *tubulin tyrosine ligase-like family member 1* (*TTLL1*), *BCL2-interacting killer* (*BIK*), *malonyl CoA:ACP acyltransferase* (*MCAT*), *protein kinase C and casein kinase substrate in neurons 2* (*PACSIN2*) 등이다 (Eeles 등, 2009). 여기서 PDZ는 post synaptic density protein (PSD95), Drosophila disc large tumor suppressor (DLG1), zonula occludens-1 protein (ZO1) 등의 두문자이며, LIM은 lines 11 (LIN11), ISL LIM homeobox 1 혹은 islet 1 (ISL1), mitosis entry checkpoint 1 (MEC1 혹은 ATR serine/threonine kinase, ATR) 등의 두문자이다. Kote-Jarai 등 (2011)은 Prostate Cancer Association Group to Investigate Cancer Associated Alterations in the Genome (PRACTICAL)에 참여한 30편의 연구로부터 제출된 51,311점의 표본을 대상으로 GWAS를 실시하여 전립선암에 민감한 염색체 자리 7종, 즉 2p11, 3q23, 3q26, 5p12, 6p21, 12q13, Xq12 등을 확인하였으며, 전립선암

에 민감한 염색체 자리는 40종 이상이고 이는 가족형 전립선암의 원인 중 약 25%에 해당한다고 보고하였다. International Consortium for Prostate Cancer Genetics (ICPCG)에 포함된 유전성 전립선암 환자 1,979명 등 총 5,730명을 대상으로 평가한 총 17편의 연구는 자손에게 전립선암을 전달하는 17종의 유전자 자리에서 8종의 위험 alleles, 즉 8q24 (regions 1, 2, 3), 10q11, 11q13, 17q12 (region 1), 17q24, Xp11 등의 single nucleotide polymorphism (SNP)을 확인하였으며, 5명 이상이 전립선암을 가진 유전성 전립선암 가족과 관련이 있는 유전자 자리는 8q24 (regions 1,2), 17q12 등이고 진단 당시의 연령이 65세 이하인 유전성 전립선암과 관련이 있는 유전자 자리는 3p12, 8q24 (region 2), 11q13, 17q12 (region 1), 17q24, Xp11 등이라고 하였다 (Jin 등, 2012).

전립선암 환자들의 10~15%는 전립선암이 발생할 유전적인 소인을 가지고 있으며 (Culig 등, 1994), 유전성 전립선암의 발생과 관계있는 유전자 (hereditary prostate cancer 1, HPC 1)가 염색체 1q2425에 존재함이 밝혀졌다 (Ingles 등, 1997). 유전성 전립선암의 약 30~40%는 이 유전자의 돌연변이에 의한다고 보고되었다. Carter 등 (1993)은 돌연변이 대립 유전자를 가진 사람이 전립선암을 가질 위험은 88%로 비보유자의 5%에 비해 월등하게 더 높다고 하였다. 비유전성으로 발생되는 전립선암과 관계있는 유전자의 변이는 8번 염색체에 위치한 유전자의 이형 접합체 (heterozygote)의 손실, gluta-thione S-transferase (GST), N-acetyl transferase (NAT), p53, p27, E-cadherin 등의 이상으로 종양을 진행시키거나 전이시킨다. Shibata와 Whittemore (1997)는 전립선암과 관련이 있는 2형 5α-reductase의 유전자 SRD5A2와 androgen receptor (AR) 유전자에서 유전자 다형성 (polymorphism)이 발견되었으며, 그것이 발현되는 빈도는 백인과 흑인보다 아시아인에서 더 낮다고 하였다. 전립선암과 관련이 있는 기타 유전자로는 3β-hydroxysteroid dehydrogenase type 2 (HSD3B2), vitamin D receptor (VDR), cytochrome P459C17-α (CYP17), cytochrome P450 3A4 (CYP3A4), insulin-like growth factor 1 (IGF1) 등이 있다.

인간의 유전체가 밝혀지면서부터 SNP에 관한 연구가 많이 이루어지고 있다. SNP는 대부분의 유전자에서 발견되며 단백질을 만드는 염기서열에 있는 SNP는 cSNP (coding SNP)와 그 외의 SNP로 분류된다. 인체는 약 100~300개의 bp (base pairs; 염기서열 길이) 당 1개의 SNP가 있을 것으로 추정되며,

인구의 1% 이상에서 발견되는 유전자 변이를 SNP라고 정의한다. SNP의 임상적 의미는 위치에 따라 크게 두 가지로 분류된다. 단백질 합성에 관한 유전 정보를 가지지는 못하나 전사가 시작되는 부위의 SNP가 있는 데 비해, 다른 단백질이나 DNA가 결합하여 표적 단백질의 합성을 촉진시키거나 억제하는 부위의 SNP는 단백질 합성의 유전자를 가지고 있지 않지만 임상적으로 중요한 의미를 가진다 (Riva와 Kohane, 2004). 단백질의 합성과 관련이 있는 유전자의 염기 서열 안에 있는 cSNP는 염기 서열에서 단 하나의 변이가 있어도 이러한 DNA 염기 서열의 변이로 인해 단백질의 전사에서 이상이 발생되거나 절단이 일어나 인체가 목적한 단백질을 만들 수 없으며, 기능이 상실되거나 변이된 단백질에 의해 악성 종양과 같은 많은 질병이 발생할 수 있다.

Androgen receptor (AR)의 구성은 amino-terminal domain (N-terminal) DNA-binding domain, 안드로겐이 결합하는 ligand-binding domain 등으로 되어 있다. AR 유전자의 exon 1에 위치한 다형성 CAG repeats로 인해 일어나는 AR의 전사 활동에서의 변화는 전립선암의 위험과 관련이 있다. AR은 prostate-specific antigen (PSA)과 같은 표적 유전자에 있는 androgen-response element (ARE)와 결합함으로써 유전자의 전사를 조절한다. PSA 유전자 내 ARE-I의 염기 서열에서 adenine (A)이 guanine (G)으로의 다형성이 보고되었다. AR이 서로 다른 친화력으로 두 PSA alleles, 즉 A와 G에 결합함으로써 전립선암의 위험에 대해 서로 다르게 영향을 미친다. AR과 PSA의 다형성이 전립선암에 대한 민감성에 영향을 주는지를 평가한 연구는 CAG repeats의 길이와 전립선암 사이에 연관성이 있다는 증거를 발견하지 못하였으나, A/G와 G/G 유전자형의 연합을 A/A 유전자형과 비교하였을 때 ARE-I PSA 다형성은 전립선암의 위험에 대해 유의한 영향을 주었다고 하였다 (OR 0.63, 95% CI 0.39~0.99; p=0.048). 이와 같은 결과는 G allele이 보호 효과를 나타냄을 시사한다. 한편으로 PSA G/G 유전자형은 Gleason 점수 7 미만의 남성 (21.5%)보다 7 초과 남성에서 더 흔하였기 때문에, PSA G/G 유전자형은 진단 당시에 더 진행된 질환과 관련이 있다고 생각된다. 이와 같이 전립선암의 형성에서 PSA가 가진 양면적인 역할은 추후 연구에 의해 밝혀져야 할 것이다 (Gsur 등, 2002). PSA의 ARE-I에서 일어나는 다형성은 낮은 혈청 테스토스테론 농도 및 고등급 분화도의 전립선암과 관련이 있음을 관찰한 연구는 다음과 같은 결과를 보고하였다 (Schatzl 등, 2005). 첫

째, 혈청 테스토스테론의 농도는 *PSA* A/G 혹은 A/A 유전자형에 비해 G/G 유전자형에서 더 낮았으며, 각각 4.4±1.5, 4.3±1.6, 3.5±1.2 ng/mL이었다. 둘째, PSA 농도는 A/G와 A/A 유전자형에 비해 G/G 유전자형에서 유의하게 더 높았으며, 각각 18.2±55.0, 20.5±27.6 ng/mL이었다 (*p*=0.013). 셋째, 다변량 분석에 의하면, Gleason 점수 증가 및 혈청 테스토스테론 증가에서 A/G와 A/A 유전자형에 대한 G/G 유전자형의 OR은 유의하였으며, 각각의 경우에서 OR은 2.4 (95% CI 1.6~10.4; *p*=0.02), 0.44 (95% CI 0.36~0.94; *p*=0.01)이었다. 이와 같은 결과는 *PSA* G/G 유전자형이 높은 Gleason 점수 및 PSA 농도와 관련이 있고 낮은 테스토스테론 농도와 관련이 있기 때문에, 이 유전자형은 전립선암의 부정적인 예후 인자임을 보여 준다.

ARE-I 다형성이 있는 부위는 N-terminal 부위, 즉 exon I에 존재한다. 이곳의 기능은 아직 분명하지는 않지만, AR의 전사를 활성화하는 부위로서 전립선암의 발생에서 중요한 역할을 한다고 추측된다. 이곳은 AR 유전자 변이의 약 30%가 관찰될 정도로 다형성이 흔하게 발생하는 부위이며, glutamine, proline, glycine 등의 반복 서열이 있는 위치이기도 하다. 이곳 DNA의 CAG 반복은 AR 유전자의 전사 능력에 변화를 일으킨다고 보고되고 있다 (Gsur 등, 2002). CAG의 길이가 짧으면 glutamine의 길이 역시 짧아지며, 아직은 밝혀지지 않은 기전으로 AR 전사 기능이 활발하게 일어나고 뒤이어 이러한 단백질은 핵으로 전위되어 안드로겐에 반응하는 유전자의 활성을 증가시킨다. 이와 같은 안드로겐의 활성은 전립선암의 발생 및 진행과 관련이 있다는 역학 조사가 많다. CAG 길이의 차이는 개체 혹은 민족 간에 차이도 있어, 이를 통해 민족 간에 나타나는 전립선암의 발병률 차이를 설명하기도 한다. 그러나 Sartor 등 (1999)은 CAG 반복의 길이는 전립선암의 발생과는 관련이 없고 단지 흑인과 백인에서 인종 간의 차이를 나타낸다고 주장하였다.

다른 많은 종양에서와 마찬가지로 전립선암의 발생 및 진행에는 많은 유전 인자들이 관여한다. 전립선암과 관련하여 나타나는 흔한 유전적 변화는 염색체 결손과 획득인데, 결손은 주로 5q, 6q, 8p, 10q, 13q, 16q, 18q에서 나타나고, 획득은 1q, 3q, 7p, 8q, Xq12 등에서 나타난다고 보고되었다. Comparative genomic hybridization (CGH)을 이용하여 조사한 바로는, 이들 중 가장 흔한 것은 8p의 결손이며, 다음으로는 13q, 6q, 16q, 18q, 9p 순이다. 또한, 진행된 전립선암 표본에서는 치료

를 받지 않은 원발 질환에 비해 5q의 결손과 7p, 8q, Xq의 획득이 유의하게 증가되어 있었다. Cher 등 (1998)은 20개 이상의 진행성 전립선암 표본을 대상으로 CGH 분석을 시행한 결과, 기존에 알려진 바와 같이 8p의 결손이 68%로 가장 빈번하였고, 이 외에도 13q (70%), 5q (50%), 6q (50%), 2q (38%), 10q (38%), 16q (33%) 등의 염색체 결손과 더불어 45%에서 8q의 반복 서열의 증가 및 9q (33%), 17q (33%), 1q (27%)의 획득을 확인하였다. 이들 가운데 대표적인 8p의 결손과 8q의 획득은 상호 관련성을 가진다고 생각되며, Bergerheim 등 (1991)은 deletion mapping study에 의해 연구 대상이 된 전립선암의 약 70%에서 8p22의 결손이 발생했음을 관찰하였으며, 이들 중 일부에서 8q의 반복 서열의 증가가 함께 동반됨을 확인하였다. 이러한 8p의 결손과 8q의 획득에 의해 영향을 받게 되는 유전자로는 염색체 8p21에 위치한 *NK3 homeobox 1 (NKX3.1)*과 8q24에 위치한 *v-myc avian myelocytomatosis viral oncogene homolog (c-MYC)* 등을 들 수 있다. NKX3.1은 안드로겐의 영향을 받는 homeobox gene의 일종으로, 발현이 억제될 경우 전립선 분비관의 형성과 분비 단백질의 생성에 장애가 발생하며, 결국 이형성 (dysplasia)을 거쳐 전립선암을 유발하게 된다 (Bowen 등, 2000). 전립선상피내암으로부터 전이성 혹은 거세 저항성 질환으로의 진행 과정에서 NKX3.1 발현의 점진적 소실이 보고된 바 있다. 이러한 사실과 함께 전립선암에서는 8p의 결손이 8q의 획득에 비해 더 높은 빈도로 나타나는 점으로 볼 때, 8p의 소실은 전립선암의 발생 초기 단계에서 일어나는 변화인 데 비해, 8q의 획득은 전립선암의 진행과 밀접한 관계를 가진다고 생각된다.

전이 혹은 거세 저항성 전립선암 환자들에서는 *erb-b2 receptor tyrosine kinase 2 (ERBB2)*, *B-cell lymphoma 2 (BCL2)* 등과 같은 종양 유발 유전자와 *phosphatase and tensin homolog (PTEN)*, *retinoblastoma (RB)*, *tumor protein 53 (TP53)* 등과 같은 종양 억제 유전자의 발현에 변화가 흔하게 일어난다 (Fossa 등, 2002). McDonnell 등 (1997)은 면역조직화학적 염색을 이용하여 전립선암의 발생과 진행에 있어서 *BCL2*의 역할을 평가한 후, 안드로겐 의존성 암인 경우에는 발현이 거의 없었지만 안드로겐 비의존성 암에서는 발현되었다고 하였다. 이러한 결과는 *BCL2*의 발현이 안드로겐 비의존성 암으로의 진행과 관련이 있음을 보여 준다.

대표적 종양 억제 유전자인 *PTEN*은 10p23.3에 위치하여 성장인자에 의한 *v-akt murine thymoma viral oncogene* homolog 1 (AKT) 생존 경로의 활성을 억제하는데, 전립선상 피내암의 일부에서 이러한 PTEN의 소실이 나타나기 시작하며 분화도가 나쁘고 진행 질환으로 발전함에 따라 이러한 소실이 더욱 증가한다 (DeMarzo 등, 2003). 마찬가지로 또 다른 종양 억제 유전자인 TP53의 유전자 돌연변이는 원발 전립선암의 10~20%의 비교적 낮은 빈도로 관찰되는 데 비해, 골 전이가 있는 경우에는 흔하게 관찰되는데, 이는 TP53의 돌연변이가 전립선암의 진행과 관련이 있음을 시사한다.

Cadherin은 세포 골격의 결합을 통해 세포와 세포 사이의 결합에 관여하는 단백질이며 이러한 cadherin의 소실은 많은 종양에서 세포 결합의 상실 및 종양의 침범, 진행 등과 밀접한 연관성을 가진다. 많은 전립선암에서 E-cadherin의 감소가 나타나는데, Umbas 등 (1992)은 92점의 전립선암 조직 표본을 대상으로 E-cadherin 단백질의 발현을 평가한 결과, 종양 조직의 50% (46점/92점)에서 E-cadherin의 염색이 감소하거나 소실되었고, 비악성 조직 표본은 일정하게 강한 염색 반응을 관찰하였다. 이 연구는 E-cadherin의 발현에서의 변화가 조직의 분화도와 밀접한 관련이 있음을 확인하였으며, 암의 분화 정도를 나타내는 병리학적 지표인 Gleason 점수가 6 이하로 분화가 잘 된 경우는 100%에서 E-cadherin의 발현이 정상적이었지만 Gleason 점수가 9 혹은 10으로 미분화 조직에서는 E-cadherin의 발현이 거의 관찰되지 않았다고 하였다. 이 연구는 또한 E-cadherin의 비정상적인 발현이 국소 전립선암에 비해 진행 혹은 전이 전립선암에서 증가된다고 하였다. E-cadherin을 코드화하는 유전자 CDH1 발현의 소실은 이형 접합성의 상실 (loss of heterozygosity, LOH)이나 촉진체 (promoter) 부위의 과다 메틸화 (hypermethylation)에 의해 유발되며, 과다 메틸화의 정도와 전립선암의 진행은 상호 관련이 있다고 생각된다 (Li 등, 2001).

측쇄지방산 (branched-chain fatty acid)은 β-oxidation에 의한 대사를 유도하는데, α-methylacyl-CoA racemase (AMACR)는 측쇄지방산의 R-stereoisomer가 S-stereoisomer로의 전환에 관여한다. AMACR 유전자의 발현은 대부분의 전립선암에서 증가한다고 알려져 있으며, 종양의 진행과 밀접하게 관련이 있다고 보고되었다 (Gonzalgo와 Isaacs, 2003).

후성적인 인자 (epigenetic factors)는 DNA 서열에는 변화 없이 유전자의 발현에 영향을 주며, 이와 관련이 있는 주요 기전으로는 메틸화, 염색질의 리모델링, histone 변경, RNA interference (RNAi) 등이 있다 (Gonzalgo와 Isaacs, 2003). 전립선암과 관련이 있는 가장 흔한 후성적 변화는 DNA의 메틸화이다. 유전체 내의 cytosine residues의 4%는 정상적으로 메틸화되어 있으며 전립선암에서는 50종 이상의 유전자에서 과다 메틸화가 확인되었다. 이들 가운데 일부는 대부분의 전립선암에서 나타나지만, 일부 유전자의 과다 메틸화는 매우 드문 경우에서만 나타난다. 예를 들면 세포의 분화, 생존 등의 조절에 관여하는 apoptosis-associated speck-like protein containing a CARD/target of methylation-induced silencing 1 (ASC/TMS1)을 코드화하는 PYD and CARD domain containing (PYCARD)과 피질의 세포 골격 단백질 (cortical cytoskeletal protein)인 band 4.1-like protein 3 (4.1B)를 코드화하는 erythrocyte membrane protein band 4.1-like 3 (EPB41L3)의 과다 메틸화는 각각 전립선암의 40%와 70%에서 나타난다. 여기서 PYD는 N-terminus의 PYRIN-PAAD-DAPIN domain을, CARD는 C-terminus의 caspase-recruitment domain을 의미한다. 그러나 개개의 유전자에 대한 후성적 변화의 발현 양상이 항상 일정하게 나타나지는 않는다. 예를 들면 E-cadherin을 암호화하는 CDH1 유전자의 경우에는 연구에 따라 과다 메틸화가 전혀 관찰되지 않는다는 보고부터 예후와 밀접한 관련이 있다는 보고까지 다양한 결과가 보고되었다. 이러한 차이의 큰 원인은 과다 메틸화를 포함한 후성적 변화가 종양의 진행 단계에 따라 큰 차이를 나타내는 역동적인 현상이라는 것이며, 더욱 중요한 원인은 후성적 변화가 비동질적인 부분 현상이라는 것이다. 이와 같은 불안정성에도 불구하고 glutathione S-transferase pi 1 (GSTP1)과 같은 유전자의 메틸화는 75~95%에 이를 정도의 높은 비율로 전립선암에서 발견되는데, 이는 이러한 특정 유전자의 후성적 변화가 전립선암 발생 과정의 초기 단계와 관련이 있기 때문으로 추측된다. GSTP1의 과다 메틸화가 고등급 전립선상피내암과 같이 잘 알려진 암 전구 병변에서 흔하게 발견된다는 점도 이러한 사실을 뒷받침한다. 활성 산소종 (reactive oxygen species, ROS)은 GST, glutathione peroxidase (GPX), superoxide dismutase (SOD) 등과 같은 숙주의 방어 효소에 의해 비활성화되는데, 이들 중 하나인 GSTP1은 전립선상피내암의 70%와 모든 전립선암에서 소실된다고 알려져 있다 (Nakayama 등, 2004). 이러한 발현의 상실은 GSTP1의 촉진체에 있는 CpG island의 과다 메틸화에 의해 발생하며, 결과적으로 산화 스트레스에 대한 세포의 결합이 유도되어 유전자 변이의 가능성이 증가한다. 분명한 점은 새로운 메틸화 기전이 활성화하는 데는 여러 유전자의 과다 메틸화가 복합적으로 관여한다는 점이다.

일부 유전자의 과다 메틸화는 전립선암의 발생 초기 단계와 관련이 있는 데 비해, 전반적 DNA의 과소 메틸화는 주로 전립선암의 진행과 관련이 있다고 생각된다. 전이 전립선암에서는 overall methylcytosine content, 특히 정상 전립선에서는 거의 완전하게 메틸화되어 있는 retro-transposon의 long interspersed element (LINE-1)가 과소 메틸화되어 있음이 특징이다. 전이 전립선암에서 과소 메틸화가 대량으로 나타난다는 관찰은 retro-element의 정상적인 메틸화를 유지하는 데 필요한 기전이 전립선암이 진행함에 따라 대부분의 경우에서 영향을 받음을 의미한다. 특히, 각인 유전자 (imprinted gene)는 각각의 메틸화 양상이 다르기 때문에 과다 메틸화될 수도 있고 과소 메틸화될 수도 있는데, 진행 전립선암에서 이러한 차별적인 메틸화 양상이 상실됨은 쌍대립 유전자 (biallele)의 발현과 같이 각인이 상실됨을 의미한다. 개개 유전자의 DNA에서 생긴 메틸화의 변화가 염색질 구조의 변화를 초래할 수 있으며, 반대로 histone H3 lysine 9 (H3K9), H3K27, H4K20 등의 histone 단백질의 변화에 의한 염색질의 구조 변화가 DNA의 메틸화에 영향을 줄 수도 있다. DNA 메틸화의 변화와 관련이 있는 유전자는 결국에는 염색질 구조의 리모델링과 함께 H3K4의 dimethylation, H3K18의 acetylation 등과 같은 histone 변경을 일으킬 수 있는데, 이들 대부분은 전립선암의 부정적인 예후와 관련이 있다. 그러나 이러한 변화가 어느 정도까지 암세포의 유전자 활성에 반영되는지에 관해서는 아직 논란이 많다 (Seligson 등, 2009; Devaney 등, 2013; Maldonado 등, 2014).

전립선암은 가족력이 있다고 알려진 결장암, 유방암보다 더 강한 가족력과의 연관성을 보여 준다 (Cotter 등, 2002). 전립선암의 가족력의 빈도가 22.2%의 백인에 비해 25.0%의 라틴계와 31.2%의 아프리카계 미국인에서 더 높다고 보고되었으나, 통계적으로 유의하지는 않았다 (Cotter 등, 2002). 다른 연구도 라틴계든 비라틴계든 전립선암의 가족력이 있는 남성은 전립선암을 가질 확률이 높았으며, 가족력 양성의 위험은 비라틴계에 비해 라틴계에서 증가되었는데 각각의 odds ratio (OR)는 2.0 (95% CI 1.3~3.1), 2.7 (95% CI 1.5~4.7)이었다고 하였다 (Stone 등, 2003). 모집단에 기반을 둔 캐나다의 대조 연구는 전립선암의 가족력이 있는 1차 계열 친족 (예; 부모 자식, 형제)은 가족력이 없는 경우에 비해 전립선암이 3배 더 발생했다고 보고하였다 (Fincham 등, 1990). 무증상의 남성과 증상을 가진 남성을 비교한 모집단에 근거한 캐나다의 연구는 증상이 없든 혹은 있든 1차 계열의 친족에서 전립선암의 가족력이 보고된 모든 남성에서는 전립선암의 위험이 증가되었으며, 증상이 없는 남성과 증상을 가진 남성에서 전립선암 발견에 대한 OR이 각각 2.41 (95% CI 1.64~3.54), 3.18 (95% CI 2.28~4.45)이라고 하였다 (Lightfoot 등, 2000).

한 연구는 가족력으로 공격적인 전립선암 위험의 증가를 예측할 수 있다고 하였다 (Klein 등, 1998). 임상적으로 공격적인 암은 진단 당시 높은 분화도 등급 및 병기의 종양, 외과적 절제 후 원격 전이 가능성이 높은 종양, 전립선암으로 사망할 확률이 높은 암 등으로 정의된다. 가족력이 있는 국소 전립선암 환자는 산발형 전립선암을 가진 환자에 비해 체외 방사선 요법 혹은 근치전립선절제술 후 3년과 5년 시점의 결과가 23% 더 나빴으며, 3년 시점의 상대적 위험도는 1.4 (95% CI 1.2~1.7), 5년 시점의 상대적 위험도는 1.8 (95% CI 1.3~2.4)이었다. 가장 긍정적인 특성의 암을 가진 환자일지라도 전립선암의 가족력이 있으면 가족력이 없는 환자에 비해 결과가 좋지 않았다. 대조적으로 Kotsis 등 (2002)은 가족력과 잘 분화된 전립선암 사이에 연관성이 있음을 발견하였다. 이들 저자들은 가족력을 가진 남성은 더 일찍 진료를 받아 더 낮은 병기의 암으로 진단되기 때문에 가족력이 있는 전립선암의 경우 공격성이 낮다고 추정하였다. 또 다른 연구도 Gleason 점수 7 이상의 고등급 분화도의 위험이 아버지가 전립선암을 가지지 않은 남성에 비해 가진 남성에서 더 낮았으며, OR이 0.42 (95% CI 0.23~0.76)이었다고 하였다 (Rohrmann 등, 2003).

Dutasteride 0.5 mg의 매일 복용과 전립선암 위험의 감소와의 연관성을 평가한 Reduction by Dutasteride of Prostate Cancer Events (REDUCE)의 자료를 이용하여 최소 1회의 생검을 실시한 6,415명을 대상으로 평가한 연구는 다음과 같은 결과를 보고하였다 (Thomas 등, 2012). 첫째, 전립선암의 가족력은 전립선암 진단율의 증가와 관련이 있었으며, OR은 1.47 (95% CI 1.22~1.77)이었다. 둘째, 북미에서는 전립선암 가족력이 전립선암 진단과 관련이 없었으나 다른 지역에서는 유의하게 관련이 있었으며, OR은 각각 1.02 (95% CI 0.73~1.44), 1.72 (95% CI 1.38~2.15)이었다 (p=0.01).

부모의 나이와 전립선암 위험의 증가와의 연관성에 관하여 평가한 연구가 있다. 어머니 나이와 전립선암 위험 사이에서는 분명한 관계가 관찰되지 않았지만, 아버지의 나이에 관해서는 흥미로운 점이 발견되었다. 아들을 출생한 당시의 아버지 연령을 27세 미만의 1군, 27~32세의 2군, 32~38세의 3군, 38세 이상의 4군 등과 같이 네 군으로 분류하여 연령 및 기타 변수로 보정하였을 때, 2군, 3군, 4군에 속한 아버지의 경우 전립선암 위험은 1군에 비해 각각 1.2, 1.3, 1.7배 증가하였다. 부모의 높은 연령과의 연관성은 65세 이상으로 암이 늦게 시작한 남성에 비해 65세 미만으로 암이 일찍 시작한 남성에서 더 강하였다. 저자들은 그들의 결과가 나이 많은 아버지에서 생식세포 (germ cell)의 돌연변이 비율이 더 높기 때문으로 추측하였다 (Zhang 등, 1999).

1.2. 호르몬 Hormone

전립선암은 서구 남성에서 가장 흔하게 진단되는 암으로써 암으로 인한 사망률로는 두 번째로 높다 (Weir 등, 2003). 정상 전립선 세포에서는 세포의 증식과 세포사가 균형을 이루고 있다. 안드로겐은 정상 전립선 세포에 대해 두 가지의 효과, 즉 세포의 증식을 촉진하고 세포의 사망을 방지하는 효과를 가지고 있다. 전립선암은 고자 (eunuch) 남성에서는 발생하지 않으며, 대부분의 전립선암 세포는 안드로겐 하에서 급속히 성장하고, 거세하면 암의 성장은 급격하게 퇴보하는 등, 안드로겐은 전립선암에서도 정상 전립선 세포에서와 비슷한 효과를 가진다. 안드로겐, 특히 dihydrotestosterone (DHT)은 전립선암의 형성에서 필수적인 요소로 작용한다. 전립선의 발생과 성장에서 DHT의 중요성 그리고 전립선암의 안드로겐 의존성은 DHT가 전립선암의 시작, 유지, 진행에서 직접 혹은 간접으로 영향을 줌을 추측하게 한다.

여러 임상 혹은 기초 연구를 통해 전립선암의 발생 및 진행에서 안드로겐의 중요성이 입증된 바 있다. 전립선에서 가장 중요한 작용을 하는 안드로겐은 DHT이며, 5α-reductase (5αR)에 의하여 테스토스테론으로부터 생성된다. 혈중에서는 테스토스테론의 농도가 DHT 농도에 비해 10배 이상 높지만, 전립선 내에서는 반대로 DHT가 테스토스테론에 비해 10배 이상의 높은 친화도로 androgen receptor (AR)와 결합하여 복합체를 형성한 다음 핵 안으로 이동하며, 이로써 androgen response element (ARE)의 활성을 촉진하게 된다 (Marks, 2004). 이러한 DHT의 생성 속도를 조절하는 효소인 5αR에는 각각 다른 유전자에 의해 암호화되는 3가지, 즉 1형, 2형, 3형의 동형 효소가 있음이 알려져 있다 (Zhu와 Sun, 2005). 이

들 중 1형 5αR은 주로 비생식기 피부, 두피, 피지선, 간, 전립선, 뇌의 일부 등에서 발견되며 평생 지속된다. 전립선의 경우에는 5αR이 상피, 특히 관강 내의 분비성 상피세포의 핵에 많이 존재하고 양성전립선비대에 비해 전립선암의 전구 병변인 전립선상피내암에서 더 높게 발현되며, 원발, 재발, 전이 혹은 거세 저항성 전립선암 등으로의 진행 과정에서 그 발현이 점차 증가하는 것으로 보고되고 있다 (Andriole 등, 2004). 2형 5αR은 전립선 상피세포와 부고환, 정낭 등 외생식기 조직에서 주로 발견되며, 그 외에도 자궁, 태반, 유방, 간, 생식기 피부와 두피 등에서도 발견된다 (Thigpen 등, 1993). 2형 5αR은 전립선과 남성 외생식기의 발생에서 필수적이며, 선천적으로 2형 5αR이 결핍된 환자에서는 전립선의 상피세포가 발달되지 않고 기질만이 발생함으로써 결과적으로 전립선암이 발생할 위험이 사라지게 된다 (Imperato-McGinley 등, 1992). 2형 5αR은 양성전립선비대 (Bartsch 등, 2000) 및 전립선암 (Thompson 등, 2003)과 관련이 있다고 보고되었으나, 다른 연구는 2형 5αR의 발현이 전립선암 세포에서 감소되어 있고 거세 저항성 전립선암 세포에서는 더욱 감소되어 있다고 보고하였다 (Luo 등, 2003). 근래 거세 저항성 전립선암 세포에서 3형 5αR이 발견되었는데, 이는 정상 성인의 조직에서는 그 발현이 관찰되지 않고 거세 저항성 전립선암의 성장 및 진행과 밀접한 관계가 있다고 알려져 있다 (Uemura 등, 2008).

전립선암의 성장은 흔히 호르몬 요법에 의해 달라진다. 무증상의 전립선암이 임상적으로 중요한 암으로 진행하는 것은 부분적으로는 호르몬 대사의 변화 때문이다. 핀란드의 한 연구는 양성전립선비대 환자에 비해 전립선암 환자에서 혈청 안드로겐의 생물학적 활성 (bioactivity)이 더 낮다고 하였다 (Raivio 등, 2003). 프랑스의 전향적 코호트 연구는 혈장 안드로겐의 농도와 전립선암의 위험 사이에는 연관성이 없는데, 이는 안드로겐이 IGF-I, insulin, leptin 등에 대해 복잡한 역상관관계를 나타내기 때문이라고 보고하였다 (Kaaks 등, 2003).

남성에서 주된 안드로겐 호르몬은 테스토스테론이다. 테스토스테론과 그것의 대사물질인 DHT 농도의 증가는 수십 년 동안 전립선암의 위험을 증가시킨다고 간주되어 왔다. 그러나 호르몬과 전립선암에 관한 역학 연구들은 일정한 결과를 보여 주지 않았다. 전립선암 환자의 혈청 테스토스테론 농도는 암이 없는 환자에 비해 증가한다 (Ghanadian 등, 1979), 감소한다 (Meikle 등, 1985), 동일하다 (Hammond, 1978) 등의 다양한 결과가 보고되었다. 노르웨이 연구는 혈청 DHT 농

도와 전립선암 위험 사이에는 연관성이 없다고 보고하였다 (Vatten 등, 1997). 역설적으로 혈청 테스토스테론의 농도는 전립선암의 유병률이 가장 높은 연령에서 감소된다.

테스토스테론과 DHT가 전립선암의 발생과 관련이 있다는 많은 임상 연구가 있다. 역학 조사에 의하면, 부검에서 비침윤성 잠복 전립선암의 유병률은 여러 인종에서 비슷하게 나타나지만, 임상적으로 발견된 전립선암의 빈도는 아시아 남성에 비해 미국의 흑인에서 50배 더 높다. 이들 인종에 대해 5αR의 활성을 분석해 보면, 5αR의 활성이 아프리카계 미국인과 백인 미국인에 비해 아시아 남성에서 더 낮으며, 아시아에 거주하는 아시아인보다 미국에 거주하는 아시아인에서 더 높다 (Wu 등, 1995). 이들 자료를 아시아에서 미국으로 이민 간 아시아인에서 그리고 1세대 이민자보다 2세대 아시아계 미국인에서 임상적 전립선암의 빈도가 더 높다는 연구 결과와 연관 지어 볼 때, 5αR 활성의 증가와 전립선암의 발병 사이에는 관련이 있다고 추측된다. Litman 등 (2006)도 30~79세 연령대의 미국 보스턴 주민 1,899명을 대상으로 실시한 모집단 기반 연구에서 백인과 라틴계 미국인에 비해 흑인에서 DHT/testosterone의 비율이 유의하게 높음을 확인하였다. 또한, 2형 5αR 차단제 finasteride를 이용한 Prostate Cancer Prevention Trial (PCPT)의 대규모 임상 연구는 전립선암의 발생이 2형 5αR 차단제에 의해 24.8% 감소하였음을 (Thompson 등, 2003), 1형 및 2형 5αR의 차단제 dutasteride를 이용한 REDUCE의 임상 연구는 이 차단제에 의해 전립선암의 발생이 5.1%의 절대적 감소와 23%의 상대적 감소를 나타내었음을 (Klotz, 2010) 보여 주었는데, 이는 전립선암의 발생과 진행에서 테스토스테론, DHT, AR 등의 신호 전달 체계가 중요함을 보여 주었다. 이러한 결과는 황체형성호르몬유리호르몬 (luteinizing hormone-releasing hormone, LHRH) 작용제와 bicalutamide, flutamide 등과 같은 AR 차단제를 이용한 안드로겐 차단 요법의 논리적 근간이 되고 있다.

전립선암 환자를 인종별로 비교한 연구는 2형 5αR을 코드화하는 유전자 steroid-5-alpha-reductase, alpha polypeptide 2 (SRD5A2)에서의 대립 유전자의 변형이 전립선암을 일으키고 진행시킨다고 하였다. Makridakis 등 (1997)은 효소의 아미노산 위치 89에서 valine이 leucine으로 치환된 과오 다형성 (missense polymorphism) V89L은 5αR 활성의 감소와 관련이 있다고 하였다. 아프리카계 미국인, 아시아인, 라틴계 남성에서 이러한 변형의 유병률은 이들 인종에서의 전립선암 유

병률과 유사하다. 또한, 5αR 활성의 증가를 동반한 SRD5A2 유전자의 다형성 A49T (아미노산의 위치 49에서 alanine이 threonine 잔기로 변형)는 아프리카계 미국인과 라틴계 남성에서 전립선암의 발생 위험과 관련이 있으며, 진행된 전립선암을 가진 아프리카계 미국인과 라틴계 남성에서 가장 흔하게 발견된다 (Makridakis 등, 1999). Jaffe 등 (2000)은 A49T 변이가 있으면 전립선피막 밖으로의 침윤, 높은 병기의 종양, 림프절 전이, 부정적인 예후 등의 가능성이 더 높은 데 비해, V89L 유전자형은 이러한 사건과 관련이 없다고 보고하였다. 그러나 이러한 SRD5A2 유전자의 다형성과 전립선암과의 연관성은 다른 연구 (Mononen 등, 2001)에서는 입증되지 않았지만, 전술한 가설을 뒷받침하는 증거는 SRD5A2의 돌연변이로 인해 유전적으로 DHT의 결핍이 일어나는 남성의 가성 반음양증 (male pseudohermaphroditism)이 세계에서 가장 빈번한 도미니카 친족 가계에 대한 임상 연구에서 나왔다. 즉, 이들 환자에서는 전립선이 발달하지 않았고 혈장 PSA 농도는 측정되지 않았으며 수년을 추적 관찰해도 양성전립선비대 혹은 전립선암이 관찰되지 않았다 (Imperato-McGinley와 Zhu, 1991).

전술한 바와 같이 안드로겐의 대사 및 수용체의 신호 경로는 전립선암의 발생 및 진행과 밀접한 관련이 있다. 전립선암의 약 50%에서 AR의 변이가 관찰되며 이와 더불어 안드로겐의 대사 및 신호 경로와 관련이 있는 여러 유전자의 다형성이 보고되고 있다 (Bostwick 등, 2004). 이들은 수용체의 기능을 직접 억제하거나 제거하고, 수용체에 대한 ligand의 특이도를 변화시킴으로써 전립선암의 성장, 거세 저항성 질환으로의 진행 등을 촉진한다. 이종 이식 암의 종양 모델을 이용한 연구는 거세 저항성 전립선암에서 AR mRNA의 발현이 증가함을 발견하였는데, 이는 소량의 안드로겐에도 민감한 반응을 나타내는 안드로겐 저항성의 암세포가 생겨났음을 시사한다 (Chen 등, 2004). 이러한 현상은 말기 전립선암 환자에서 나타나는 거세 저항성 전립선암의 발달과 AR의 변이가 연관성이 있음을 보여 준다. 또한, 전립선암의 발생 및 진행과 관련이 있는 많은 성장 인자와 tyrosine kinase들이 AR과의 상호 작용을 통해 전립선암에서 그 기능을 나타낸다 (Craft 등, 1999).

Ross 등 (1992)은 3α-androstanediol glucuronide와 androsterone glucuronide의 농도를 측정함으로써 평가되는 5αR의 활성은 전립선암의 위험 증가와 관련이 있다고 보고한 데 반해, 다른 코호트 환자-대조군 연구는 어떠한 대사물

질도 전립선암의 발생 위험과 뚜렷한 연관성이 없었으며, 3 α-androstanediol glucuronide, androstenedione, androsterone glucuronide의 OR은 각각 1.37 (95% CI 0.73~2.55), 1.24 (95% CI 0.62-2.47), 0.85 (95% CI 0.44~1.65)이었다고 하였다 (Nomura 등, 1996). 다른 환자-대조군 연구도 3 α-androstanediol glucuronide와 androsterone glucuronide는 전립선암의 위험 증가와 약한 연관성을 가지며, 각각의 OR은 1.16 (95% CI 0.86~1.56), 1.13 (95% CI 0.84~1.53)이었다고 하였다 (Guess 등, 1997). 3α-Androstanediol glucuronide와 androsterone glucuronide는 1형 및 2형 5αR에 의해 영향을 받으며, 2형 5αR이 훨씬 더 전립선암 위험을 잘 예측한다고 추측된다 (Guess 등, 1997). 전립선 내에서 5αR 활성의 억제가 전립선암 위험에 미치는 영향에 관한 임상 연구가 현재 진행 중이다.

Massachusetts Male Aging Study (MMAS)는 전립선암의 위험에서 혈청 호르몬의 역할을 평가하였다. 평가된 17종의 호르몬 중 androstanediol glucuronide 만이 전립선암의 위험과 유의하게 관련이 있었으나, 그러한 관련성은 약하였다 (OR 0.2, 95% CI 0.04~0.6). 이 연구의 결과는 중년에 채집된 혈청 호르몬이 전립선암의 위험을 정확하게 평가할 수 있는지 의문을 가지게 한다 (Mohr 등, 2001).

Health Professionals Follow-up Study (HPFS)는 당뇨병 환자에서는 전립선암의 위험이 감소됨을 관찰하였다 (Giovannucci 등, 1998). 총 및 유리 테스토스테론 농도의 감소는 당뇨병에서 동반되는 많은 대사 및 호르몬의 변화들 중 일부이다 (Barret-tConnor, 1992).

프로락틴 (prolactin)은 뇌하수체의 펩티드 호르몬으로서 전립선의 성장을 자극한다. 스웨덴의 환자-대조군 비교 연구는 전립선암 위험에 대한 각 혈장 프로락틴 농도의 사분위수의 증가에 따른 OR은 1.0, 0.92 (95% CI 0.51~1.65), 0.82 (95% CI 0.45~1.51), 0.85 (95% CI 0.49~1.47)이었다고 하였다 (Stattin 등, 2001). 이와 같은 결과는 혈중 프로락틴 농도의 증가와 전립선암 위험과는 연관성이 없으며, 혈중 프로락틴의 증가가 전립선암의 발생과 관련이 없음을 보여 준다.

지방세포에서 생산되는 leptin은 배고픔을 유도하는 ghrelin과는 반대로 배고픔을 억제함으로써 식욕을 조절하여 에너지의 항상성을 유지하는 기능을 가지며, 체중 조절에 관여한다. 식욕을 억제하는 단백질인 leptin은 비만 남성의 혈중에서 증가되지만, 비만 남성은 leptin에 대해 저항적이다 (Chu 등,

2001). Leptin은 안드로겐 비의존성 전립선암 세포주 DU145와 PC3의 증식을 촉진하며 (Onuma 등, 2003), 혈관내피성장인자, 섬유모세포성장인자의 발현을 유도하고 세포의 이동을 자극한다 (Frankenberry 등, 2004). Leptin에 의해 매개되는 에너지의 불균형은 전립선암이 진행하여 전이를 일으키고 사망에 이르는 데 영향을 줄 것으로 추측된다. 근치전립선절제술을 받은 49명을 대상으로 평가한 연구에 의하면, 0.5 cc를 초과한 큰 용적의 종양 혹은 전이 없이 전립선 밖으로 확장된 종양을 가진 남성은 전립선암으로 진단된 당시 leptin의 혈장 농도가 더 높았으며, 큰 용적의 전립선암에 대한 OR은 높은 농도의 leptin과 높은 농도의 leptin 및 테스토스테론 농도에서 각각 2.35 (95% CI 1.01~5.44), 9.73 (95% CI 2.05~46.24)이었다 (Chang 등, 2001). 또 다른 연구는 중간 정도의 혈장 leptin 농도 (높은 농도는 아님)는 전립선암 위험과 관련이 있다고 보고하였다 (Stattin 등, 2001). 전립선암 환자 21명, 양성전립선비대 환자 50명, 건강한 대조군 50명 등을 대상으로 평가된 터키의 연구는 leptin이 PSA 농도 및 Gleason 접수와 관련이 있으며, 비만과 관련이 있는 인자, 테스토스테론 등과 함께 전립선암의 진행과 세포의 분화에 관여한다고 하였다 (Saglam 등, 2003). 대조적으로, 우연히 발견된 전립선암 환자 128명과 건강한 대조군 306명을 대상으로 평가한 연구는 혈청 leptin 농도와 전립선암 사이에는 통계적으로 유의한 연관성이 없으며, 가장 높은 삼분위수의 혈청 insulin 농도는 가장 낮은 삼분위수에 비해 전립선암의 위험이 2.56배 (95% CI 1.38~4.75) 더 높다고 하였다 (Hsing 등, 2001).

전립선암의 원인에서 여성호르몬의 역할은 분명하지 않다. 에스트로겐은 전립선 상피세포의 성장을 억제함으로써 전립선암에 대해 보호 효과를 나타낸다고 알려져 있으나, 안드로겐과 협동하여 염증을 일으킴으로써 (Naslund 등, 1988), 혹은 돌연변이 대사산물을 생산함으로써 (Yager, 2000) 전립선암에 대한 위험을 증가시킬 수 있다. 에스트로겐 수용체는 전립선암을 일으키는 데 중요한 역할을 한다고 추측된다. 혈청 estrone과 유리형 estradiol-17β는 백인에 비해 젊은 흑인에서 높으며, 일본인은 같은 연령대의 백인에 비해 유리형 estradiol-17β의 농도가 더 낮다고 보고되었다 (Barrett-Connor 등, 1990). 에스트로겐성 자극이 증가하고 안드로겐성 영향이 감소하는 내분비 환경은 세포 증식을 자극하고 산화 스트레스를 변화시켜 암 위험을 증가시킨다고 추측된다 (Ho와 Baxter, 1997). 일부 환자-대조군 비교 연구는 에스트로겐과 aromatase는 전립선암 발생에 관여한다고 보고하였으나 (Modugno 등, 2001), 전립선암의 빈도는 혈중 에스트로겐 농도가 증가하고 테스토스테론 농도가 감소하는 간경화증을 가진 남성에서 더 낮다는 보고 또한 있다 (Jackson 등, 1981).

우연히 발견된 전립선암 환자 3,886명과 대조군 6,438명을 포함하는 총 18편의 전향 연구를 분석한 Endogenous Hormones and Prostate Cancer Collaborative Group 연구에 의하면, testosterone, 유리형 testosterone, dihydrotestosterone, dehydroepiandrosterone sulfate, androstenedione, androstanediol glucuronide, estradiol, 유리형 estradiol 등의 혈청 농도는 전립선암 위험과 연관성이 없었으며, 혈청 sex hormone-binding globulin (SHBG) 농도는 전립선암 위험과 약한 역상관관계를 가졌고 가장 낮은 5분위수에 대한 가장 높은 5분위수의 relative risk (RR)가 0.86 (95% CI 0.75~0.98; p=0.01)이었다 (Roddam 등, 2008).

1.3. 인종 Race

전립선암을 가질 위험이 인종별로 차이가 나는 데는 노출 차이 (특히, 음식), 발견 차이, 유전적인 차이 등을 포함하는 다수 인자가 관여한다. 세계에서 전립선암의 발생률이 가장 높은 인종은 아프리카계 미국인이다. 1988~1992년 동안 미국에서 인종별 발생률은 한국인 24.2명/10만 명, 라틴계 89.0명/10만 명, 백인 134.7명/10만 명, 아프리카계 미국인 180.6명/10만 명 등이었다. 미국의 흑인 남성은 백인에 비해 진행된 병기의 암을 가질 확률이 더 높으며, 특히 젊은 남성에서는 병기 특이 사망률이 더 높다 (Hoffman 등, 2001). 전립선암으로 진단된 당시의 평균 연령은 백인보다 라틴계 남성과 아프리카계 미국인에서 유의하게 더 낮으며, 각각 68.1세, 65.2세, 63.7세라고 보고되었다 (Cotter 등, 2002).

미국 National Cancer Institute (NCI)의 Surveillance, Epidemiology, and End Results (SEER)의 자료를 이용한 연구에 의하면, 2003년부터 2007년까지 연간 2,000명의 모집단에 대해 연령으로 보정한 후 전립선암 발병률과 사망률은 모든 인종에서 각각 156.0, 24.7, 백인에서 149.5, 22.8, 흑인에서 233.8, 54.2, 아시아인 및 환태평양인에서 88.3, 10.6, 미국인디언 및 알래스카인에서 75.3, 20.0, 스페인계에서 107.4, 18.8이었다 (Brawley, 2012).

전립선암의 발생률은 지금까지 전립선암의 위험이 낮다고

간주된 국가에서뿐만 아니라 전 세계에서도 증가 추세에 있다. 사망률 또한 위험도가 높은 서구보다 아시아 국가에서 유의한 증가세를 나타내고 있다. 아직도 아프리카계 미국인에서는 중국 상하이 남성의 50~60배에 달하는 가장 높은 전립선암 발생률을 보이는데 (Hsing 등, 2000), 이는 조기 발견의 노력 때문일 수도 있다. 아프리카계 미국인은 식이 지방을 더 많이 섭취하며, 이는 더 큰 위험의 원인이 될 수 있다 (Whittemore 등, 1995). 일본인은 다소 낮은 지방 식이를 가진다고 알려져 있지만, 일본인이 서구인 수준 가까이 지방의 섭취량이 증가함에 따라 전립선암의 빈도도 증가하고 있다 (Pienta 등, 1996). 조기 발견의 노력과 발견 편견 (bias)도 이러한 변화의 일부를 설명해 준다.

이주민에 관한 연구는 전립선암의 발생률이 거주하는 나라에서의 발생률로 이동함을 보여 준다. 예를 들면, 미국에 거주하는 일본인의 전립선암 발생률은 일본에 거주하는 일본인의 낮은 비율과 미국에 거주하는 백인의 높은 비율 사이의 중간 정도이다 (Locke와 King, 1980). 이와 같이 일본인이 미국에 거주하게 되면, 전립선암 발생률과 사망률이 미국 남성의 빈도 쪽으로 이동하는 것 같다. 일본인 이민자에서 전립선암의 위험은 이민 당시의 연령과는 반비례 관계, 새 환경에 거주한 기간과는 정비례 관계를 나타낸다 (Shimizu 등, 1991). 미국인 남성은 중국에 거주하는 중국인에 비해 전립선암의 빈도가 더 높으며, 중국계 미국인에서는 전립선암의 빈도가 두 집단의 중간 정도이다 (Stellman과 Wang, 1994). 이들 연구는 위험 정도의 차이가 최소한 일부는 환경적인 요인과 관련 있음을 시사한다. 세계적으로 전립선암의 발병률에서 보고된 기존의 발병률과 상당히 다른 결과를 보고한 연구도 있는데, 이는 아마도 보고 편견 및 발견 편견 때문이라고 생각된다.

전립선암 위험에서 인종별 차이를 설명해 주는 답을 얻고자 PSA 선별검사에 초점을 맞추어 분석한 연구는 전립선암을 가졌던 가지지 않았던 아프리카계 미국인의 PSA 농도는 더 높다고 하였다. 아프리카계 미국인에서 PSA 농도가 높은 이유는 완전하게 밝혀져 있지 않지만, 생물학적, 환경적, 사회경제적 요인들이 연합하여 관여할 것으로 생각된다 (Abdalla 등, 1998). 그러나 Albert Einstein Medical Center에서 실시된 다른 연구는 흑인 미국인과 백인 미국인 사이에 PSA 농도의 차이는 절대 없다고 하였다 (Asbell 등, 2000). 다른 연구는 흑인과 백인 미국인에서 전립선염의 유병률과 범위를 분석함으로써 PSA 농도의 차이를 설명하고자 하였다. 전립선염을 가진 백인의 백분율이 흑인에 비해 약간 더 높지만, 그 차이는 유의하지 않았으며 ($p=0.299$), 염증 범위도 PSA 농도 차이와 유의한 연관성이 없었다. 따라서 이 연구에서는 전립선염이 PSA 농도의 인종별 차이를 설명할 수 없었다 (Zhang 등, 2000). 전립선암의 위험이 있다고 추정되는 PSA 농도 2.5~9.9 ng/mL의 흑인 222명과 백인 298명을 대상으로 인종과 PSA와의 관계를 평가한 연구는 다음과 같은 결과를 보고하였다 (Fowler 등, 2000). 첫째, free PSA (fPSA)/total PSA (tPSA)의 비율, 즉 %fPSA의 중앙치는 전립선암을 가진 39% (201명/520명)의 남성에서는 14.1 (3.6~49.2), 가지지 않은 61% (319명/520명)의 남성에서는 21.9 (5.7~83.3)이었다 ($p<0.0001$). 둘째, tPSA는 흑인에서 더 높았으나, 인종별 차이는 제한적이었다 ($p=0.03$). 셋째, 암은 흑인의 47% (104명/222명), 백인의 33% (97명/298명)에서 발견되었다 ($p=0.001$). 넷째, %fPSA와 tPSA의 AUC는 흑인의 경우 각각 0.66, 0.58이었으며, 백인의 경우 각각 0.76, 0.58이었다 ($p<0.00001$). 다섯째, %fPSA는 흑인과 백인에서 각각 35.2, 29.2이었으며, %fPSA의 민감도를 95%로 설정하였을 때 특이도는 각각 9.1%, 28.7%이었다. 여섯째, %fPSA가 25 미만인 흑인 156명과 백인 206명에서 암 발견율은 각각 53% (83명/156명), 41% (85명/206명)이었다 ($p=0.03$). 일곱째, %fPSA가 25 이상인 흑인 66명과 백인 92명에서 암 발견율은 각각 32% (21명/66명), 13% (12명/92명)이었다 ($p=0.005$). 이들 결과에 의하면, PSA 농도가 2.5~9.9 ng/mL이고 전립선암이 의심되는 남성에서 %fPSA와 암 발견 사이의 관계는 인종별로 차이를 나타내며, 암 발견을 위한 %fPSA의 절단치는 25가 적절하다. 전립선암이 의심되어 생검을 받은 흑인 411명과 백인 639명을 대상으로 평가한 연구는 다음과 같은 결과를 보고하였다 (Fowler 등, 2001). 첫째, 고등급 전립선상피내암은 전체 표본의 8.9%에서 발견되었다. 둘째, PSA 농도를 4.0 미만, 4.0~9.9, 10 이상 ng/mL 등으로 분류하였을 때, 고등급 전립선상피내암은 PSA 농도가 4.0 ng/mL 미만인 남성에서만 PSA 농도의 증가와 관련이 있었다 ($p=0.01$). 둘째, 고등급 전립선상피내암의 유병률은 흑인과 백인에서 각각 13.4%, 5.9%이었으며 ($p<0.0001$), PSA 농도가 4.0 ng/mL 미만인 백인 남성에 비해 흑인 남성에서 유의하게 더 높았다 ($p=0.002$). 셋째, PSA 농도가 4.0 ng/mL 미만에 남성에서 흑인은 PSA 농도의 증가에 대한 독립적 예측 인자이었다 ($p=0.03$). 이 연구는 고등급 전립선상피내암은 백인 미국인에 비해 흑인 미국인에서 더 혼함을 보여 주었지만, 그것

이 임상적으로 혹은 조직학적으로 암이라는 증거가 없는 남성에서 PSA 농도가 인종별로 차이가 나는 이유를 설명해 주지는 못한다.

안드로겐과 그들 대사물질의 혈청 농도에서 차이가 전립선암의 위험에서 인종별 차이가 있는 이유를 설명해 줄 수 있다. 혈청 안드로겐의 농도는 인종별로 차이가 없다는 보고도 있지만 (Asbell 등, 2000), 혈중 안드로겐의 농도는 젊은 백인보다 동일 연령대의 아프리카계 미국인에서 15% 더 높다 (Ross 등, 1986). SHBG의 농도는 젊은 성인 아프리카계 미국인에서 더 높은데, 이것이 전립선암 발생 위험의 증가와 관계있을 수 있다 (Winters 등, 2001). 5αR의 활성도를 반영하는 androstenediol과 androsterone의 농도는 아프리카계 미국인과 백인에 비해 일본인에서 더 낮다 (Wu 등, 2001). 2형 5αR을 코드화하는 *SRD5A2* 유전자에서의 다형성 변이의 빈도가 인종에 따라 다르며 (Reichardt 등, 1995), 혈중 IGF1과 IGF-binding protein 3 (IGFBP3)의 농도가 인종별로 차이가 있음이 보고되었다. HPFS의 자료를 이용한 연구는 다음과 같은 결과를 보고하였다 (Platz 등, 1999). 첫째, IGF1 농도의 중앙치는 백인, 아시아인, 아프리카계 미국인에서 각각 222, 208, 205 ng/mL로 백인에서 가장 높았다. 둘째, IGFBP3의 농도는 백인과 아시아인에서는 비슷하였지만, 아프리카계 미국인에서 13% 이상 더 낮았다. 셋째, 중앙치 IGF1 몰:IGFBP3 몰의 비율은 백인에서 가장 높았고 아시아인에서 가장 낮았다. 아시아인에서 혈중 IGFBP3 농도에 대한 IGF1 농도의 낮은 비율은 아시아인에서 낮은 전립선암 발생률과 일치한다. 혈중 IGF1 농도의 차이가 아프리카계 미국인에서 전립선암의 높은 위험도를 설명하지 못하지만, 그들에서 낮은 IGFBP3 농도가 전립선암의 발생 위험에 관여하는 것 같다 (Platz 등, 1999). 이것은 아프리카계 미국인에서 전립선암의 위험 인자로 작용하며, 모든 남성에서 조기에 시작하는 암을 예측하는 데 유용할 수 있다 (Winter 등, 2001).

AR 위치에 있는 미소 부수체 (microsatellite; DNA의 염기서열 중 반복되는 서열)의 대립 유전자 (allele)의 빈도는 인종 간에 차이를 나타낸다. 아프리카계 미국인에서는 백인과 아시아인에 비해 짧은 CAG 미소 부수체 allele의 빈도가 높고 GGC repeats의 빈도는 낮다. 더 짧은 CAG 미소 부수체 allele를 가진 *AR* 유전자는 전립선 세포의 성장을 촉진하여 전립선암의 위험을 증가시킨다 (Platz 등, 2000). 전립선암이 시작하는 연령은 일본 남성의 경우 스웨덴 남성에 비해 5년이 더 늦

다. 이는 일본인에서는 비타민 A와 D의 수용체가 더 많기 때문으로 추측된다. 일본 남성들은 또한 더 긴 CAG repeats를 가지고 있다 (Ekman 등, 1999). 다른 연구는 흑인과 백인 사이에 CAG repeats의 수에서 작은 차이를 발견하였지만 이것이 전립선 위험의 강한 지표가 되지는 않으며, 다형성의 크기는 전립선암의 발병 기전과 공격성에 영향을 준다고 하였다 (Panz 등, 2001).

인종 간의 차이는 혈청 vitamin D-binding protein (VDBP)을 코드화하는 *VDBP* 유전자에서 발생하는 다형성의 차이 때문일 수 있다 (Corder 등, 1995). 한 연구는 일본인 남성에서 cytochrome P450 (CYP) 17 다형성과 전립선암 위험 사이에 유의한 연관성이 있다고 보고하였다 (Yamada 등, 2001).

1.4. 연령 관련 변화 Changes related with age

American Cancer Society는 2011년 미국에서 전립선암으로 진단된 남성은 240,890명, 전립선암으로 사망한 경우는 33,720명으로 추산하였다. 또한, 전립선암을 가지고 생존 중인 남성은 약 240만 명으로 추정된다. 이는 미국인 남성 6명 중 1명의 비율인 16.1%가 전립선암을 가지고 살고 있으며, 33명 중 1명의 비율인 약 3%가 전립선암으로 사망함을 시사한다 (Siegel 등, 2011).

전립선암은 대개 고령에서 발생하며, 진단 당시 연령의 중앙치는 PSA 선별검사 시대 전에는 70세이었으며, 2001~2010년에는 67세이었다 (Brawley, 2012). 1985년 이후 연령 특이 발병률의 변화를 분석하여 보면, 진단 때의 연령이 좀차 낮아지는 추세임을 알 수 있다. 80세 이상 연령에서 전립선암 발병률은 1986년에 비해 2005년에서 0.56배, 70~79세 연령의 경우 1.09배, 60~69세의 경우 1.91배, 50~59세의 경우 3.64배, 50세 미만 연령의 경우 7.23배이었다 (Altekruse 등, 2010). SEER에 의해 보고된 바에 의하면, 2003~2007년에 전립선암으로 진단된 환자의 연령별 분포는 35~44세 0.6%, 45~54세 9.1%, 55~64세 30.7%, 65~74세 35.3%, 75~84세 19.9%, 85세 이상 4.4%이었다. 흑인과 백인 모두에서 전립선암의 연령 특이 발병률은 연령에 따라 증가하며, 70세 근방에서 정점을 이룬 후 서서히 감소하다가 80세 이후 급격하게 감소하지만, 연령 특이 사망률은 성인 연령 후 지속적으로 증가한다 (Brawley, 2012).

전립선암은 연령에 비례하여 증가하며, 특히 50세 이후에는 발생률 및 사망률이 급격하게 증가한다. 조직학적 및 임상적 전립선암의 유병률은 다른 어느 암보다 연령이 증가함에 따라 더 급속하게 증가한다. 따라서 향후 고령화 사회가 도래함에 따라 전립선암의 중요성은 더욱 부각될 것이다. 미국에 거주하는 백인에서 전립선암의 발생률은 65세 미만에서는 10만 명당 21명인데 비해, 65세 이상에서는 10만 명당 819명으로 월등하게 더 높다. 다른 통계에 의하면 전립선암은 39세 미만에서는 1만 명당 1명, 40~59세에서는 103명당 1명, 60~79세에서는 8명당 1명의 비율로 발생한다고 한다.

노화 전립선은 신체 중에서 질환이 가장 잘 생기는 기관이라 할 수 있다. 양성전립선비대, 전립선상피내암, 전립선암 등의 빈도는 중년에 낮은 빈도로 시작하여 연령이 증가함에 따라 급속하게 증가하며, 90세에 이르면 90% 이상에서 질환을 동반한다 (Carter 등, 1990). 양성전립선비대와 전립선암에서는 서로 다른 위험 인자가 확인되었지만, 두 질환에서 공통으로 가장 우세한 위험 인자는 노화이다.

노화가 진행하는 동안 대부분의 조직에서 DNA 생성물이 점차 축적되고 DNA의 이중 나선이 파손되는 빈도가 증가한다 (He와 Yasumoto, 1994). 연령과 관련이 있는 이러한 변화는 세포의 산화 촉진제와 항산화제 사이의 불균형으로 발생하는 산화 스트레스 때문이라고 생각된다 (Warner, 1994). 유리기, reactive oxygen species (ROS) 등과 같은 산화제는 자연적인 대사 과정 동안 생성된다. ROS는 세포 내의 거대 분자와 소기관의 기능에 직접 유해한 영향을 미쳐 세포에 손상을 일으키는 매우 활성적인 물질이다 (Stadtman, 1992). ROS에 의한 DNA의 손상은 single and double-strand breaks, apurinic and apyrimidinic sites, ring-saturation thymine derivatives, 부산물 형성 등을 유발한다 (Leadon, 1990). 또한, ROS는 DNA 복구에 관여하는 효소를 포함하는 단백질의 산화 변성을 촉진한다 (Stadtman, 1992). 이러한 ROS의 직접 및 간접적 영향은 돌연변이 유발하고 종양의 시작을 유도하는 이상적인 환경을 만든다. 쥐 모델에서 ROS로 인한 DNA 염기의 변화는 1일 세포 당 10만 개까지의 범위로 일어난다 (Ames와 Gold, 1991). 이들 손상 부위의 일부는 복구되지 않고 세포 내에 축적된다.

젊고 건강한 사람에서의 대부분 세포는 ROS와 유리기로 인한 산화 스트레스에 대항하는 적절한 방어 기전을 갖추고 있다 (Sohal과 Weindruch, 1996). 제1 방어선은 ROS 해독 효소계이다. Superoxide dismutase (SOD)는 산화에 대항하는 효소로서 초과산화물 (superoxide, O₂⁻)을 과산화수소 (H₂O₂)로 전환시키며, catalase 및 셀레늄을 함유한 glutathione peroxidase는 과산화수소를 제거하는 주된 효소이다. 이들 효소의 과다 발현은 과일파리 모델에서 세포의 노화를 방지하였고, 곤충 모델에서 수명을 유의하게 연장시켰다 (Warner, 1994). 셀레늄 의존성 glutathione peroxidase와 glutathione reductase는 연합하여 과산화수소를 제거하고 환원형 glutathione을 재생시킨다. 대부분의 노화 조직에는 ROS 해독 효소의 활성이 감소되어 있다 (Warner, 1994). 참고로 산화에 대항하는 방어 기전으로는 SOD, catalase, glutathione peroxidase 등과 같은 효소계 물질과 비타민 C와 E, β-carotene, uric acid, glutathione 등과 같은 생체 소분자 물질이 있다.

항산화 작용을 하는 비타민과 일부 non-provitamin A carotenoid는 세포 내의 제2 항산화제이다 (Statland, 1992). α-Tocopherol은 세포막에 위치한 지단백질로서 peroxyl 기를 제거하여 지질 과산화의 연쇄 반응을 방지한다. 이러한 과정에서 생성된 α-tocopherol 기는 비타민 C에 의하여 α-tocopherol로 다시 전환될 수 있다. Carotenoid는 동식물 조직에 폭넓게 분포하는 황색, 등색, 홍색의 색소로서 탄화수소로만 이루어져 있고, α-carotene, β-carotene, γ-carotene, lycopene 등과 같이 벤젠과 같은 탄화수소 용매제에 녹기 쉬운 carotene 유형과 lutein, zeaxanthin, cryptoxanthin, violaxanthin, lycoxanthin 등과 같이 탄화수소 용매제로는 녹기 어렵지만 메탄올에 녹기 쉬운 xanthophyll 유형으로 분류된다. 이들 가운데 lycopene과 lutein은 유난히 높은 항산화 작용을 가지며, lycopene은 ROS의 일중항 산소 (singlet oxygen)의 활성을 매우 효과적으로 감소시킨다. Metallothionein (MT)은 높은 친화성을 가진 Cd-Zn-Cu-binding protein이며, sulfhydryl (-SH)기가 풍부한 특성으로 인해 ROS, 특히 hydroxyl (-OH) 기를 효과적으로 제거한다고 알려져 있다 (Iszard 등, 1995). MT는 중금속 독성 및 산화성 손상으로부터 DNA를 보호한다 (Chubatsu와 Meneghini, 1993). 이 단백질은 Cd²⁺ 혹은 Zn²⁺에 의해, 또한 산화 스트레스에 의해 쉽게 생성된다. 정리하면, 진핵 세포 (eukaryotic cell)는 다수의 항산화 방어 기전을 가지고 있지만 완전하지 않으며, 때에 따라서, 특히 고령에서는 충분하지 않다. 따라서 산화성 손상은 여전히 계속 일어나게 된다.

산화 상태가 장기간 지속되면, 유전자 독성이 발생할 뿐만 아니라 세포 자멸사의 유도, 세포 증식에서의 불균형, 세포 내

외의 구조 단백질의 변경, 세포막의 손상 및 누출, 세포의 노화 등 많은 유해한 효과가 일어난다. 이들 모두는 직접, 간접적으로 암과 퇴행성 질환의 발생을 촉진한다 (Yu 등, 1994). 연령과 관련이 있는 변화들은 산화 스트레스 상태에서 동맥경화증, 백내장, 당뇨병, Alzheimer 질환, 근이영양증 (muscular dystrophy), 관절염, 여러 종양 등에 영향을 준다고 알려져 있으나, 이와 같은 여러 유사 변화들이 전립선암의 원인 인자로 간주되는 경우는 드물다. 따라서 정황적인 증거는 있지만, 연령 의존성 산화 스트레스와 전립선암 형성과의 연관성을 밝혀 주는 연구는 아직 부족한 실정이다.

정상 전립선 조직에 비해 양성전립선비대 조직에서는 DNA 염기의 병변이 더 많으며, 항산화 효소의 활성이 더 약하다 (Olinski 등, 1995). 전립선암에서 나타나는 hydroxyl 기와 관련된 DNA의 변화는 정상 전립선 표본에서 관찰되는 것과는 다르다 (Malins 등, 1997). 식이 지방은 전립선암의 강력한 위험 인자이며, 단백질 혹은 DNA의 과산화 혹은 자동 산화 (autoxidation)를 유발하여 활성적 중간 산물을 만들어 종양의 형성을 촉진하고 진행에 관여하며 (Hietanen 등, 1994), 종양세포에서 산화 스트레스를 조절한다 (Hietanen 등, 1991). 핀란드의 Alpha Tocopherol Beta Carotene Cancer Prevention Study (ATBC study) 또한 항산화 비타민인 α-tocopherol을 매일 섭취하면 전립선암에 대해 보호 역할을 하며, 흡연자에서는 전립선암의 빈도를 34%까지 낮춘다고 보고하였다 (Hartman 등, 1998). 흡연 남성 29,133명을 대상으로 실시한 핀란드의 ATBC 연구에서, 보충제 20 mg의 β-carotene, 50 mg의 α-tocopherol, 혹은 둘 모두를 매일 복용하였을 때, α-tocopherol은 폐암 위험과 관련이 없었으나 β-carotene은 폐암 위험을 유의하게 증가시켰으며, RR은 각각 0.99 (95% CI 0.87~1.13), 1.16 (95% CI 1.02~1.33)이었다. 폐암 위험의 증가 효과는 과다 흡연자와 과다 음주자에서 더 컸으며, RR은 각각 1.25 (95% CI 1.07~1.46), 1.35 (95% CI 1.01~1.81)이었다. α-Tocopherol을 복용한 환자에서 전립선암에 대한 RR은 0.88 (95% CI 0.76~1.03)이었다 (Omenn 등, 1996; Virtamo 등 2000, 2003). 대조적으로 여성 39,876명에 관한 미국의 Women's Health Study (WHS) 자료에 의하면, 600 IU의 자연산 비타민 E와 위약을 격일로 투여하고 평균 10.1년 동안 추적 관찰한 결과 비타민 E가 전체 암 (RR 1.01, 95% CI 0.94~1.08; *p*=0.87), 유방암 (RR 1.00, 95% CI 0.90~1.12; *p*=0.95), 폐암 (RR 1.09, 95% CI 0.83~1.44; *p*=0.52), 결장암

(RR 1.00, 95% CI 0.77~1.31; p=0.99) 등의 발생에서 유의한 효과를 나타내지 않았다 (Lee 등, 2005).

항산화 보충제 및 항산화 비타민이 사망률에 미치는 영향을 평가하기 위해 총 180,938명의 참여자를 포함한 47편의 연구를 메타 분석한 바에 의하면, 항산화제 보충은 사망률을 유의하게 증가시켰으며, RR은 1.05 (95% CI 1.02~1.08)이었다. 이 연구를 세부적으로 분석하면, 비타민 A와 β-carotene을 보충한 경우 사망률이 유의하게 증가하였는데, RR은 각각 1.16 (95% CI 1.10~1.24), 1.07 (95% CI 1.02~1.11)이었으며, 비타민 C와 셀레늄은 사망률에 대해 유익하거나 유해한 효과를 나타내지 않았는데, RR은 각각 1.06 (95% CI 0.94~1.20), 0.90 (95% CI 0.80~1.01)이었다 (Bjelakovic 등, 2010).

Asbestos에 노출된 남성과 흡연자 18,318명을 대상으로 평가한 미국의 β-Carotene and Retinol Efficacy Trial (CARET) 연구에 의하면, 30 mg의 β-carotene과 25,000 IU의 retinyl palmitate를 10년 동안 복용하고 11년 동안 추적 관찰한 결과 폐암과 공격적인 전립선암이 유의하게 증가하였으며, RR은 각각 1.28 (95% CI 1.04~1.57), 1.52 (95% CI 1.03~2.24)이었다 (Omenn 등, 1996; Neuhouser 등, 2009). WHS에 참여한 여성에게 β-carotene 50 mg과 위약을 격일로 0.00~2.72년, 평균 2.1년 동안 투여한 결과, 어떠한 특이 부위 암에서 유의한 차이를 나타내지 않았으며, 흡연 여성의 경우에도 전반적 암의 발생에서 유의한 차이가 없었고 RR은 1.11 (95% CI 0.78~1.58)이었다. 혈장 β-carotene의 농도가 가장 높은 사분위수일 때는 RR이 1.34 (95% CI 0.81~2.22)이었다 (Lee 등, 1999). 다른 연구도 β-carotene이 여러 암의 발생에서 유의한 방지 효과를 나타내지 않음을 보여 주었다 (Druesne-Pecollo 등, 2010; Jeon 등, 2011).

항산화 영양소를 많이 섭취하면 전립선암의 위험이 감소된다는 연구 결과를 뒷받침하는 증거가 있다. 건강한 남성 코호트에서는 강력하게 산화 작용에 대항하는 non-provitamin A carotenoid인 lycopene이 풍부하게 함유된 토마토 음식물을 자주 섭취한 경우 전립선암 위험이 35% 감소하였다 (Giovannucci 등, 1995). 이들 연구들은 노화 전립선에서 자연적으로 증가하는 산화 스트레스가 전립선암의 중요한 위험 인자임을 뒷받침한다. 그러나 실제로 사람의 전립선에서 항산화 및 산화 발생의 항상성과 노화 사이에 연관성이 있음을 밝혀 주는 증거에 근거한 연구는 아직 없다.

쥐의 전립선에 관한 연구에서, 연령이 증가함에 따라 지질의 과산화는 증가하면서 ROS 해독 효소는 감소하였다 (Ghatak와 Ho, 1996). 성호르몬을 투여하여 전립선암을 유도한 연구에서, 지질의 과산화, DNA 손상, 특이 DNA 부산물의 증가 등이 있었으며, 이들 소견들은 암이 없는 전립선 전엽에서는 발견되지 않았고 암이 있는 후외측 엽에서는 발견되었다 (Han 등, 1995). 양성 전립선 상피세포보다 전립선암 세포주에서 SOD, catalase, glutathione reductase, glutathione peroxidase, glutathione-S-transferase (GST) 등의 발현이 증가된다 (Jung 등, 1997). 안드로겐에 불응하는 DU 145 세포주가 아닌 안드로겐 의존성 LNCaP 세포주에 대해 안드로겐을 투여하면, 지질 과산화가 증가하고 ROS 해독 효소의 활성이 감소한다 (Ripple 등, 1997). 따라서 동물 모델과 세포를 대상으로 실시한 연구들의 결과는 노화와 호르몬이 산화 스트레스에 독립적으로 영향을 주며, 이는 다시 전립선암의 발병과 진행의 원인이 된다는 개념과 일치한다.

5개월의 젊은 쥐와 24개월의 고령 쥐의 전립선 조직에서 산화 및 항산화 지표를 분석한 연구에 의하면, advanced oxidation protein products, protein carbonyl, non-protein thiol, lipid hydroperoxides 등의 농도는 젊은 군에 비해 고령 군에서 유의하게 더 높았으며 (p value는 각각 ⟨0.01, ⟨0.05, ⟨0.001, ⟨0.05), Cu-Zn-superoxide dismutase의 항산화 작용은 젊은 군에 비해 고령인 군에서 유의하게 더 낮았다 (p⟨0.05). 이들 결과를 근거로 저자들은 노화 전립선에서 산화로 인한 단백질 손상 표지자의 증가와 Cu-Zn-superoxide dismutase 활성의 감소가 전립선암의 선행 요인이라고 추정하였다 (Uzun 등, 2015).

2. 외인성 인자 Exogenous Factor

전립선암의 위험 인자 중 외인성 인자로는 음식 및 영양, 환경 인자, 직업, 성활동, 감염, 정관절제술, 사회적 인자, 신체 활동, 인체 측정 인자, 감염 및 염증 등이 있다.

2.1. 음식 및 영양소 Food and nutrient

이주자 및 지리학적인 변동에 관한 역학 연구 및 노화에 관한 연구의 결과는 식이 요소가 전립선암의 발생에 영향을 준다고 추측하게 한다. 그러나 이러한 가설을 뒷받침하는 많은 연구가 있음에도 불구하고 어느 연구도 식이와 전립선암 발생 위험의 증가 사이에 연관성이 있음을 보여 주지 못하였다 (Schuurman 등, 1999). 식이와 관련이 있다고 알려진 유방암, 결장암 등과 같은 기타 암의 빈도와 전립선암의 빈도 사이에는 강한 정상관관계가 있다고 보고되었다 (Berg, 1975).

된장국과 간장을 많이 먹는 한국인 및 일본인과 토마토가 함유된 피자를 많이 먹는 이탈리아인에서 전립선암의 발생률이 상대적으로 낮다는 사실이 알려지면서 채소, 과일, 콩, 간장 등에 포함되어 있는 isoflavonoid, flavonoid, lignan 등의 전립선암 예방 효과에 관해 관심이 점차 커지고 있다. 이들 물질은 장내 세균에 의해 enterolacton, daidzein, genistein, 약한 에스트로겐 등과 같은 소위 phytoestrogen 화합물로 대사된다. 충분하게 입증되지는 않았으나 phytoestrogen은 5α-reductase의 억제, aromatase의 억제, tyrosine 특이 단백질을 활성화하는 효소의 억제, 혈관 형성의 억제, 항산화 작용, E-cadherin의 발현 등과 같은 작용으로 전립선암 발생과 진행을 억제한다고 추정된다.

아시아인에서 전립선암의 발병률이 낮은 이유는 최소한은 phytoestrogen이 풍부한 콩 제품을 많이 섭취하기 때문으로 추정된다 (deVere White 등, 2010). 사람의 식이에서 가장 흔한 계통의 phytoestrogen은 Isoflavone과 lignan이다. Isoflavone의 가장 흔한 근원지는 콩 (혹은 대두)이며, 미국 식이에서 주된 근원지는 콩을 함유한 도넛, 팬케이크, 와플, 빵 등이다 (Valentin-Blasini 등, 2005). 주된 isoflavones로는 genistein, daidzein, formononentin, glycitein, biochanin-A 등이 있다. 사람의 30~50%에서는 장 내의 미생물이 daidzein을 equol (4,7-isoflavandiol)로 대사시키며, 사람의 90%에서는 daidzein으로부터 장 내의 또 다른 대사물질인 o-desmethylangolensin이 형성된다 (Atkinson 등, 2005). Lignan은 아마씨, 호박 씨 등에 고농도로 함유되어 있으며, 소량으로는 견과류와 씨앗, 콩류, 전곡 곡물 (whole grain cereals), 채소, 과일 등과 같은 음식에 포함되어 있다 (Valentin-Blasini 등, 2005). 섭취되는 lignan의 대부분은 lariciresinol와 pinoresinol이며, 그 다음으로는 secoisolariciresinol과 matairesinol이 있다 (Milder 등, 2005). 이들 식물성 lignans는 신체 내에서 이용이 가능하지 않지만, enterodiol과 enterolactone으로 변형이 되면 장에서 흡수된다 (Valentin-Blasini 등, 2005). Phytoestrogen은 소변으로 배출되기 때문에, 소화로 인한 isoflavone의 섭취량은 소변 내isoflavone의 농도에 의해 유추될 수 있다 (Valentin-Blasini 등, 2005). 핀란드의 연구도 소화에 의한

lignans의 섭취량이 소변 내 enterolignans의 배설량과 관련이 있다고 하였다 (Nurmi 등, 2010).

전립선암 환자 1,499명과 대조군 1,130명에서 전립선암에 대한 phytoestrogen의 보호 효과를 평가한 연구는 phytoestrogen이 풍부한 음식을 다량 섭취하면 전립선암의 위험이 감소된다고 하였다 (Hedelin 등, 2006). 이 연구의 결과는 다음과 같다. 첫째, 섭취량이 가장 낮은 사분위수에 대한 가장 높은 사분위수의 OR은 0.74 (95% CI 0.57~0.95; p=0.01)이었다. 둘째, 전체 혹은 개별 lignans 혹은 isoflavonoids와 전립선암 위험 사이에는 연관성이 관찰되지 않았다. 셋째, 혈청 enterolactone 농도의 가장 낮은 사분위수에 비해 사분위수가 증가할수록 OR은 점차 증가하였는데, 각각 0.28 (95% CI 0.15~0.55), 0.63 (95% CI 0.35~1.14), 0.74 (95% CI 0.41~1.32)이었다.

National Health and Nutrition Examination Survey (NHANES)에 참여한 824명의 미국인을 대상으로 평가한 연구는 creatinine으로 표준화된 소변 내 phytoestrogen의 농도가 free PSA 혹은 free PSA/total PSA (%fPSA)와는 연관성이 없지만, 15% 미만의 %fPSA를 가지는 데 대한 OR은 isoflavone의 배설량이 많을수록 증가하여 가장 낮은 사분위수에 대한 가장 높은 사분위수의 OR은 2.82 (95% CI 1.28~6.22)이었으나 25% 미만의 %fPSA와는 연관성을 발견하지 못했다고 하였다. 이 연구는 또한 소변 내의 isoflavone과 lignan의 농도와 혈청 PSA 농도 사이에는 연관성이 없다고 하였다 (Walser-Domjan 등, 2013).

2.1.1. 지방 섭취 (fat intake)

식이 지방이 전립선암의 위험을 증가시키는 기전은 분명하지 않으나 많은 기전들이 제시되고 있는데, 그들에는 식이 지방으로 인한 호르몬의 변화 (Bishop 등, 1988), 단백질 혹은 DNA에 반응하는 중간 생성물질에 대한 지방 대사물질의 효과 (Hietanen 등, 1990), 식이 지방으로 인해 생긴 산화 스트레스의 증가 (Ho와 Baxter, 1997), 1형 5α-reductase의 유전자 steroid-5-alpha-reductase, alpha polypeptide 1 (SRD5A1)이 아닌 2형 5α-reductase의 유전자 SRD5A2 발현의 증가로 인한 5α-reductase 활성의 변화 (Cai 등, 2005) 등이 있다. 식이 지방과 전립선암 위험 사이의 관계에는 항산화 비타민과 미네랄뿐만 아니라 민감성에 영향을 주는 유전 인자 등과의 상호 작용과 같이 대단히 복잡한 과정이 관여하는 것 같다

도표 328 총 지방의 33 g 증량 (총 열량의 15%), 총 과당의 50 g 증량 (총 열량의 10%), 총 칼슘의 1000 mg 증량에 따른 전립선암의 상대적 위험도

	총 지방	총 과당	총 칼슘
전체 전립선암, 1,363명			
RR (95% CI)[†]	1.09 (0.94~1.25)	0.75 (0.62~0.90), $p \leq 0.001$	1.07 (0.91~1.26)
RR (95% CI)[‡]	1.00 (0.86~1.17)	0.74 (0.61~0.91), $p \leq 0.001$	1.08 (0.91~1.27)
진행 전립선암, 411명			
RR (95% CI)[†]	1.34 (1.04~1.73), $p \leq 0.05$	0.59 (0.42~0.83), $p \leq 0.001$	1.48 (1.14~1.92), $p \leq 0.01$
RR (95% CI)[‡]	1.17 (0.89~1.54)	0.60 (0.42~0.87), $p \leq 0.01$	1.52 (1.17~1.97), $p \leq 0.01$
전이 전립선암, 201명			
RR (95% CI)[†]	1.50 (1.04~2.18), $p \leq 0.05$	0.57 (0.35~0.93), $p \leq 0.05$	1.84 (1.28~2.62), $p \leq 0.001$
RR (95% CI)[‡]	1.32 (0.88~1.97)	0.61 (0.36~1.04)	1.88 (1.32~2.66), $p \leq 0.001$

[†], 지방, 과당, 칼슘 등의 변수를 연령, 21세에서의 체질량 지수, 인, 비타민 D, 비타민 E, lycopene, 열량 섭취 등으로 보정한 다변량 분석이며, 지방, 과당, 칼슘의 증량은 이들 영양소 섭취량의 90th percentile과 10th percentile 사이의 차이에 해당함; [‡], 지방, 과당, 칼슘 등의 변수를 동시에 분석.

CI, confidence interval; RR, relative risk.

Giovannucci 등 (1998)의 자료를 수정 인용.

(Kolonel 등, 1999).

고지방 식이 및 고탄수화물 식이가 전립선암 세포의 성장에 미치는 영향을 조사하기 위해 생쥐를 이용한 생체 및 생체외 실험 연구에 따르면, 고탄수화물 식이군 혹은 대조 식이군에 비하여 고지방 식이군에서 전립선암 LNCaP 이종 이식 암의 성장이 유의하게 더 컸다. Chemokine (C-C motif) ligand 2 (CCL2), small inducible cytokine A2 (SCYA2) 등으로도 알려진 monocyte chemoattractant protein 1 (MCP1)은 CC chemokine 가족에 속하는 cytokine으로서 조직 손상 혹은 감염으로 인해 발생한 염증 부위에 단핵구, memory T cell, dendritic cell 등을 집결시키는 기능을 한다 (Xu 등, 1996). LNCaP 이종 이식 암 생쥐 모델을 이용한 연구는 다음과 같은 결과를 보고하였다 (Huang 등, 2012). 첫째, 전립선암 세포의 성장은 탄수화물이 고농도로 포함된 식이와 대조 식이를 투여한 군에 비해 지방이 고농도로 포함된 식이를 투여한 군에서 유의하게 더 높았다. 둘째, 혈청 MCP1의 평균 농도는 탄수화물이 고농도로 포함된 식이와 대조 식이를 투여한 군에 비해 지방이 고농도로 포함된 식이를 투여한 군에서 유의하게 더 높았다. 셋째, MCP1의 수용체인 chemokine (C-C motif) receptor 2 (CCR2)의 mRNA 농도와 활성 v-akt murine thymoma viral oncogene homolog (AKT 혹은 protein kinase B, PKB)의 발현은 지방이 고농도로 포함된 식이를 투여한 군에서 가장 높았다. 넷째, 지방이 고농도의 지방 식이가 투여된 생쥐로부터 추출된 혈청은 전립선암 세포의 증식을 증대시켰으며, CCR2를 제거한 경우에는 지방이 고농도로 포함된

식이로 인한 LNCaP 세포의 증식이 억제되었다. 이들 결과는 고농도의 지방 식이가 탄수화물이 고농도로 포함된 식이와 대조 식이에 비해 전립선암 세포의 성장을 크게 증대시키며, MCP1/CCR2의 신호 경로가 고농도의 지방 식이로 유도되는 전립선암의 진행에 관여함을 보여 준다. 다른 연구는 식이 지방이 glutathione peroxidase 3 (GPX3)의 발현을 억제하여 전립선상피내암 상피세포 및 전립선암 세포의 증식을 증대시킨다고 하였다 (Chang 등, 2014).

전립선암의 발병률 혹은 사망률과 지방 소비량 사이에는 강한 정상관관계가 있음이 여러 나라에서 보고되었다 (Blair 와 Fraumeni, 1978). 식이 지방과 전립선암 사이의 연관성을 평가한 환자-대조군 비교 연구가 많이 있지만, 에너지 섭취로 보정한 연구는 소수에 불과하다. 지방 섭취량을 측정하고 열량 섭취로 보정한 코호트 연구는 지방 섭취와 진행된 전립선암의 위험 사이에는 유의한 상관관계가 있다고 보고하였다 (Giovannucci 등, 1993) (도표 328).

세 편의 코호트 연구는 지방 함량이 많은 음식과 전립선암 위험 사이에 연관성이 있다고 하였고 (Mills 등, 1989), 네 편의 다른 연구는 연관성이 없다고 하였다 (Severson 등, 1989). Severson 등 (1989)은 계란, 마가린, 버터, 치즈 등과는 약한 연관성을 발견했고 총 지방과는 연관성을 발견하지 못했다고 하였으나, 24시간 동안의 음식을 회수하여 총 지방량을 추정한 그들의 방법은 개인별 식이 섭취를 추정하는 데 적합한 방법이 아니라고 생각된다. Tzonou 등 (1999)도 버터와 전립선암 위험 사이에서 연관성을 발견하였으며, 그리스의 환자-대

조군 비교 연구는 유제품, 버터, 종자기름 등과 전립선암과의 연관성을 발견하였다 (Bosetti 등, 2000). 다른 연구는 열량으로 보정된 지방 섭취와 전립선암 위험 사이에서 유의한 연관성을 발견하지 못하였으나 햄버거, 미트볼 (고기완자)과는 연관성을 발견하였다 (Veierod 등, 1997).

네 편의 환자-대조군 비교 연구들은 다가 불포화 지방 (polyunsaturated fat)의 유제품 섭취와 전립선암 위험 사이에서 정상관관계를 발견하였다 (Tzonou 등, 1999). 다른 코호트 연구는 다가 불포화 지방과 전립선암 위험 사이에서 역상관관계를 발견하였으나 통계적으로 유의하지는 않았다 (RR 0.78, 95% CI 0.56~1.10) (Schuurman 등, 1999). 반대로, 고농도의 다가 불포화 지방산이 낮은 공격성의 전립선암과 상호 관련이 있음을 발견한 연구도 있다. 즉, 국소 전립선암으로 근치전립선절제술을 받은 49명을 대상으로 전립선의 조직병리학적 특징과 전립선암의 침습 및 진행 사이의 연관성을 평가한 연구는 다음과 같은 결과를 보고하였다 (Freeman 등, 2000). 첫째, 전립선의 총 다가 불포화 지방의 퍼센트와 불포화 지방/포화 지방의 비율은 신경 주위 침습, 정낭 침범, 병기 T3 종양 등이 존재하지 않는 대조군에 비해 존재하는 경우에 유의하게 더 낮았다 (p=0.02~0.049). 둘째, alpha-linolenic acid는 암이 해부학적 혹은 수술 경계면을 침범한 경우에 유의하게 더 낮았다 (p=0.008). 셋째, omega-3 지방산과 omega-3/omega-6 지방산의 비율은 대조군에 비해 전립선암 환자에서 1.5~3.3배 더 낮은 경향을 보였다 (p=0.052~0.097). 넷째, 포화 지방산과 단가 불포화 지방산은 전립선암의 진행과 연관성을 나타내지 않았다. 이와 같은 결과는 다가 불포화 지방산과 필수 지방산이 전립선암의 형성 및 진행을 조절함을 시사한다. (Freeman 등, 2000). 필수 다가불포화지방산인 식이 alpha-linolenic acid의 섭취와 전립선암 위험 사이에 유의한 정상관관계가 있음이 보고되었으며, RR은 3.43 (95% CI 1.67~7.04)이었다 (Giovannucci 등, 1993). 진행된 전립선암을 가진 환자 217명과 대조군 431명을 대상으로 평가한 우루과이의 연구는 혈장 alpha-linolenic acid가 전립선암과 정상관관계를 나타내어 가장 높은 사분위수의 OR은 3.91 (95% CI 1.50~10.1)이었고 채소 내의 자연 alpha-linolenic acid도 비슷한 결과를 보여 OR이 2.03 (95% CI 1.01~4.07)이었다고 하였다 (De Stéfani 등, 2000). 그러나 Giovannucci 등 (1993)과 Gann 등 (1994)의 연구는 노출 정도에 따른 분명한 선형 관계 (linear relation)를 보여 주지 못하였다.

Giovannucci 등 (1993)과 Gann 등 (1994)의 연구는 다가 불포화 지방산의 하나인 linolenic acid와 전립선암 위험 사이에는 약한 반비례 관계가 있다고 하였다. Linolenic acid와 α-linolenic acid는 일부 동일한 효소에 대해 경쟁적으로 작용하기 때문에, 낮은 농도의 linolenic acid는 α-linolenic acid와 관련된 위험을 더욱 악화시킨다. Harvei 등 (1997)은 전립선암 위험과 혈청 linolenic acid/α-linolenic acid 농도의 비율 사이에 역상관관계가 있음을 발견하였다. 그러나 50세 이상의 아프리카계 미국인을 대상으로 평가한 코호트 연구 (Kaul 등, 1987)와 Netherlands Cohort Study (Schuurman 등, 1999)는 linolenic acid의 소비와 전립선암 위험 사이에서 유의한 역상관관계를 관찰하였다. Newcomer 등 (2001)은 α-linolenic acid를 더 많이 섭취하는 남성은 전립선암 위험이 2.6배 증가한다고 보고하였다.

식이 포화 지방산은 여러 환자-대조군 비교 연구에서 전립선암 위험의 증가와 관련이 있었고 (Lee 등, 1998), 다른 연구들에서는 동물성 지방 (Ramon 등, 2000), 고지방 동물성 식품 (Le Marchand 등, 1994), 고기 (Michaud 등, 2001)의 섭취가 암 위험의 증가와 관련이 있었다. 그러나 선택 편견의 가능성이 높은 연구에서는 포화 지방과 역상관관계가 발견되었다 (Rohan 등, 1995). 그리스 아테네의 환자-대조군 비교 연구는 다가 불포화 지방산과 전립선암 위험 사이에서 정상관관계를 발견하였지만, 포화 지방 및 단가 포화 지방의 섭취와 전립선암 위험 사이에서는 유의한 연관성을 발견하지 못하였다 (Tzonou 등, 1999).

포화 지방과 전립선암 위험 사이의 연관성에 관한 코호트 연구는 혼동된 결과를 보여 준다. 의료 종사자를 대상으로 분석한 코호트 연구는 식이 포화 지방이 전립선암 위험의 증가와 관련이 있음을 보여 주지 못하였으며, 루터 교도의 코호트 연구 (Hsing 등, 1990)와 Netherlands Cohort Study (Schuurman 등, 1999)는 붉은색 고기의 지방 및 고기 소비와 전립선암 위험의 증가가 상호 관련이 있음을 발견하였다. 제7일 안식일 예수 재림교 신도의 코호트에서 고기의 소비는 암 위험의 증가와 관련이 있었고 (Mills 등, 1989), 붉은색 고기의 소비는 Physicians' Health Study의 코호트에서 암 위험과 정상관관계를 보였다 (Gann 등, 1994).

어류의 필수 지방산은 생체 및 생체 밖 실험에서 전립선암 세포의 성장을 억제하였지만 (Terry 등, 2001), 전립선암 위험에 관한 역학에서 이들 산, 즉 eicosapentaenoic acd (EPA), docosahexaenoic acid (DHA)의 효과를 평가한 연구는 세 편만이 있다. 뉴질랜드의 환자-대조군 비교 연구 (Norrish 등, 1999)와 스웨덴의 모집단 근거 코호트 연구 (Terry 등, 2001)는 지방이 풍부한 생선을 가장 많이 소비한 군에서 전립선암의 위험이 감소됨을 발견하였다. 두 연구에서 저자들은 이 결과가 arachidonic acid로부터 유래된 eicosanoid의 생합성이 억제되었기 때문으로 생각하였다. 세 번째의 연구는 전립선암 위험과 EPA/DHA 사이에서 연관성을 발견하지 못하였다 (Schuurman 등, 1999).

2.1.2. 비타민 (vitamin)

비타민 A (vitamin A): Retinoids는 retinol과 그것의 대사 유도체 retinoic acid/retinyl aldehyde, 구조적으로 carotenoids와 관련이 있는 그룹을 포함한다. Retinoids는 상피세포의 분화와 증식을 조절한다 (Sporn과 Roberts, 1984). 비타민 A는 retinol의 생물학적 성질을 가지고 있는 모든 물질을 일컫는다 (Kummer와 Meyskens, 1983). 비타민 A는 비타민의 전구체로 혹은 완결 비타민으로 섭취된다. 비타민 A 전구체는 당근, 노란 호박, 녹엽 채소, 곡물, 토마토, 오렌지 등과 같은 식물에서 발견되는 carotenoids에서 생긴다 (Olsen과 Olsen, 1996). 평균적으로 β-carotene의 1/6 그리고 기타 식이 비타민 A의 전구체인 carotenoids 섭취량의 1/12이 비타민 A로 전환된다. 비타민 A에는 retinol과 retinyl esters가 포함되며, carotenoids에는 α-carotene, β-carotene, β-cryptoxanthin, lutein+zeaxanthin, lycopene 등이 포함된다 (Beydoun 등, 2011).

자연에서 발견되는 약 700종의 carotenoids 중 50종만 비타민 A로 전환되지만, carotenoids의 대부분이 어떤 조건에서는 항산화제로서 작용하기 때문에 (Olsen과 Olsen, 1996), carot-enoids와 전립선암의 연관성에는 비타민 A로의 전환이 반드시 필요하지는 않다 (Kolonel 등, 1999). 따라서 비타민 A 전구체와 이미 완성된 비타민 A 모두를 음식으로 섭취한 경우에는 비타민 A 지표를 사용한 연구의 결과를 해석하는 데 어려움이 있다 (Hsing 등, 1990). Carotenoids와 전립선암과의 연관성과 분리하여 완성된 비타민 A와 전립선암 위험 사이의 연관성을 평가하는 것이 더 적절할 수 있다 (Ellison 등, 1998).

완성된 비타민 A는 자연적으로는 간, 유제품, 생선과 같은 동물 성분으로 제조된 음식에서만 발견된다 (Olsen과 Olsen, 1996). 완성된 비타민 A와 전립선암 사이의 정상관계는 다

섯 편의 연구에서 보고되었으며 (PaganiniHill 등, 1987), 두 편의 연구에서는 어떤 특정 연령에 국한된 환자들에서 연관성이 관찰되었다 (Hsing 등, 1990). 캐나다인을 대상으로 실시한 두 편의 환자-대조군 비교 연구는 완성된 비타민 A의 소비 증가가 암 위험을 약간 감소시켰다고 보고하였으나, 이들 연구는 평가 당시 환자의 응답률이 낮았다는 제한점을 가지고 있다 (Rohan 등, 1995).

혈청 비타민 A 혹은 혈청 retinol과 전립선암 사이의 연관성은 확실하지 않다 (Reichman 등, 1990). 네덜란드의 환자-대조군 비교 연구에서는 혈청 retinol의 농도가 낮은 남성에서 전립선암의 위험이 증가되었다 (Hayes 등, 1988). 낮은 농도의 혈청 retinol은 전구체보다 암의 대사 결과 때문일 수 있다 (Wald 등, 1986). 세 편의 코호트 내 환자-대조군 비교 연구는 다른 결과를 보여 주었는데, 한 편은 역상관관계를 (Hsing 등, 1990), 하와이의 일본계 미국인을 대상으로 실시한 연구에서는 무관함을 (Nomura 등, 1997), 다른 한 편에서는 정상관계 (Knekt 등, 1990)를 보여주었다.

또한, NHNES부터 나온 자료에서는 혈청 비타민 A 농도가 가장 높은 4분위수에 속한 남성에 비해 가장 낮은 4분위수에 속한 남성에서 전립선암의 위험이 증가되었다 (RR 2.2, 95% CI 1.1~4.3) (Reichman 등, 1990). 대조적으로 캐나다의 연구에서는 혈청 비타민 A의 농도가 가장 높은 4분위수에 속한 남성이 가장 높은 위험도를 가졌다 (RR 2.0, 95% CI 1.1~1.35). 두 연구의 디자인은 연구의 소요 기간, 추적 관찰한 기간, 지나치게 많은 수의 고령 및 저소득층 피험자 등의 조건에서 비슷하였지만 상반되는 결과를 나타내는 이유는 밝혀져 있지 않다 (Ellison 등, 1998).

Carotenoids (주로 β-carotene)로 만든 음식의 섭취와 전립선암 위험도 사이의 관계가 환자-대조군 비교 연구 (Cook 등, 1999)와 코호트 연구 (Hirayama, 1986)에서 광범위하게 평가되었다. 그들 연구는 정상관관계 (Talamini 등, 1992), 역상관관계 (Mettlin 등, 1989), 무관함 (Daviglus 등, 1996) 등 다양한 결과들을 보였으며, 두 편의 보고에서는 연령 군에 따라 다른 연관성을 나타내었다 (West 등, 1991). 흡연자를 대상으로 α-tocopherol과 β-carotene을 보충 투여한 임상 연구는 β-carotene을 사용한 군에서 전립선암이 증가함을 발견하였다 (Albanes 등, 1995). 그러나 처음 혈장 β-carotene의 농도가 가장 낮은 4분위에 속한 남성에서는 β-carotene을 보충한 후 전립선암 위험이 32% 감소하였다. 이 자료는 혈장

β-carotene의 농도를 낮추는 식단이나 대사물질 분포를 가지고 있는 남성들이 β-carotene을 매일 음식으로 보충하게 되면 이점이 있음을 보여 준다 (Clinton, 1999). 혈청 β-carotene 농도가 전립선암 위험과 정상관관계를 가진다는 보고도 있고 (Knekt 등, 1990), 그렇지 않다는 보고도 있다 (Cook 등, 1999).

미국인 3,927명을 대상으로 혈청 비타민 A 및 carotenoid의 농도와 전립선암에 대한 발견 표지자 사이의 연관성을 평가한 연구는 다음과 같은 결과를 보고하였다 (Beydoun 등, 2011). 첫째, 혈청 retinyl esters의 농도가 가장 낮은 사분위수에 비해 가장 높은 사분위수에 속한 남성이 10 ng/mL를 초과하는 tPSA를 가질 OR은 0.38 (95% CI 0.14~1.00)이었다. 둘째, 혈청 α-carotene의 농도가 가장 낮은 사분위수에 비해 가장 높은 사분위수에 속한 남성이 15% 미만의 %fPSA를 가질 OR은 0.49 (95% CI 0.32~0.76)이었다. 셋째, 혈청 lycopene의 농도가 가장 낮은 사분위수에 비해 가장 높은 사분위수에 속한 남성이 2.5 ng/mL를 초과하는 tPSA를 가질 OR은 1.49 (95% CI 1.01~2.14)이었다. 이와 같은 결과는 특이한 항산화제의 농도를 분석하면 전립선암의 조기 발견에 도움이 됨을 보여 준다.

Japan Collaborative Cohort (JACC) 연구에 참여한 일본인 15,471명을 대상으로 평가한 연구는 채소 섭취는 전립선암의 발생 위험과 관련이 없었지만, 식이 α-carotene의 섭취는 관련이 있다고 하였으며, 가장 높은 사분위수와 두 번째로 높은 사분위수의 α-carotene 섭취의 경우 HR은 각각 0.46 (0.22~0.97) (p=0.041), 0.50 (0.26~0.98) (p=0.043)이었다 (Umesawa 등, 2014).

비타민 C (ascorbic acid): 감귤류, 생잎 야채 등에서 흔하게 발견되는 비타민 C는 수용성 비타민으로서, ROS와 유리기에 대해 청소제의 역할을 하며, 전립선암 세포의 증식을 억제한다 (Maramag 등, 1997). 그러나 비타민 C와 전립선암 위험의 증가에 관한 대부분의 역학 연구는 유의한 연관성을 발견하지 못하였다 (Shibata 등, 1992). 한 편의 보고에서는 정상관관계 (OR, 2.32; p<0.01)가 발견되었고 70세 이상의 연령에서는 더욱 강한 연관성 (OR 3.41; p<0.05)을 나타낸 데 비해 (Graham 등, 1983), 다른 연구는 역상관관계 (OR 0.6, 95% CI 0.3~0.9)를 보고하였다 (Ramon 등, 2000). 다른 연구는 비타민 C의 섭취가 가장 낮은 4분위수에 속한 남성에 비해 가장 높은 4분위수에 속한 남성에서 암 위험 추정치가 ~50%까지 증가하였으나 유의하지는 않았다고 하였다 (West 등, 1991). 우루과이의 환자-대조군 비교 연구는 비타민 C의 섭취가 가장 낮은 4분위수에 속한 남성에 비해 섭취가 높은 남성에서 암의 위험이 감소함 (OR 0.4, 95% CI 0.2~0.8)을 보여주었다 (Deneo-Pellegrini 등, 1999). 다른 연구는 전립선암을 가진 남성에서 비타민 C의 농도가 낮음을 발견하였지만, 그 차이는 전립선암을 가지지 않은 남성과 비교해 볼 때 통계적으로 유의하지 않았다 (Eichholzer 등, 1999).

전립선암으로 확인된 1,294명과 대조군 1,451명을 비교한 이탈리아의 연구는 비타민 E가 전립선암과 역상관관계를 나타내어 섭취량의 가장 낮은 삼분위수에 대한 가장 높은 삼분위수의 OR이 0.78 (95% CI 0.58~0.96; p=0.02)인 데 비해, 비타민 C는 경계선의 유의성을 나타내었는데 OR이 0.86 (95% CI 0.65~1.08)이었다고 하였다 (Bidoli 등, 2009).

비타민 D (vitamin D): 칼슘 및 비타민 D와 전립선암과의 관계는 다음의 관찰에 의해 유추된다. 첫째, 햇빛은 비타민 D를 활성화하는데, 햇빛이 부족한 북쪽 지방의 전립선암 환자는 다소 더 높은 사망률을 나타낸다. 둘째, 자외선에 대한 노출이 적고 활성 비타민 D의 합성에 필요한 hydroxylase는 연령이 증가함에 따라 감소하며, 비타민 D가 흔히 결핍되는 노인에서 전립선암이 빈발한다. 셋째, 피부의 멜라닌에 의해 자외선이 차단되어 비타민 D의 활성이 저해되는 흑인에서 전립선암의 발병률과 사망률이 높다. 넷째, 비타민 D의 혈청 농도를 낮추는 칼슘이 풍부한 유제품 섭취는 전립선암에 대한 위험을 증가시킨다. 다섯째, 생선으로부터 유래된 비타민 D가 풍부한 식이를 즐기는 일본인에서 전립선암의 빈도가 낮다. (Peehl 등, 2003).

동물성 음식에서 provitamin cholecalciferol로 포함되어 있는 비타민 D는 신장에서 대사되어 활성적인 calcitriol로 전환된다. 비타민 D의 활성 형태인 1,25- dihydroxy-cholecalciferol (calcitriol)은 전립선암 세포주 PC3, DU145, LNCaP 등의 성장을 방지하고 분화를 촉진시킬 뿐만 아니라, 세포 표면의 부착 분자를 조절하여 전립선암 세포의 침범, 부착, 이동을 억제하는 것으로 알려져 있다. Calcitriol 또한 혈관 형성을 억제하고 세포 자멸사를 촉진하여 암의 성장을 억제하는 기능도 가지고 있다. 그러나 calcitriol은 혈액 및 소변 내에서 칼슘을 증가시키기 때문에 전립선암을 치료하는 데 이용하기에는 문제가 있으며, 독성이 경미하고 임상적인 효율성이 뛰어난 calcitriol 유사체가 개발되기 전에는 이 제제를 활용하기는 곤란하다.

비타민 D의 결핍은 전립선암의 위험 인자일 수 있다 (Corder 등, 1993). 한 연구는 혈청 비타민 D의 농도와 전립선암 사이에서 연관성을 발견하지 못하였으나, 이 연구는 비타민 D의 농도가 낮은 피험자의 수가 충분하지 못하다는 제한점을 가지고 있다 (Nomura 등, 1998). 일본의 환자-대조군 비교 연구는 *vitamin D receptor (VDR)* 유전자의 다형성과 가족형 전립선암 사이에서 연관성을 발견하지 못하였다 (Suzuki 등, 2003). 비타민 D의 호르몬 형태인 1 α-25-dihydroxyvitamin D (1,25[OH]$_2$D)는 생체 밖 실험에서 전립선암 세포의 침윤을 억제하였으며, 전립선암을 가진 쥐 모델에서 항증식 (성장 억제) 및 분화 유발 (전이 억제)의 효과를 나타내었다 (Getzenberg 등, 1997). 다른 연구도 전립선암 세포는 비타민 D 수용체를 발현하며, 비타민 D가 세포 주기의 정지 및 세포 자멸사를 유도하여 전립선암 세포주에 대해 항증식 효과를 나타낸다고 하였다 (Krishnan 등, 2003). Calcitriol의 표적 중에는 여러 암세포에서 항증식 효과와 세포 자멸사를 유도하는 Müllerian-inhibiting substance (MIS)가 있는데, calcitriol은 비타민 D 수용체와 결합하는 vitamin D response element (VDRE)를 통해 MIS를 상향 조절함으로써 항증식 효과를 나타낸다 (Malloy 등, 2009). MIS는 Müllerian inhibiting factor (MIF), anti-Müllerian hormone (AMH), anti-paramesonephric hormone (APH) 등으로도 알려져 있다 (Cate 등, 1986; Minkoff와 Baker, 2004).

Calcitriol은 다양한 기전을 통해 항염증 효과를 나타낸다. 첫째, prostaglandins (PGs)를 합성하는 효소인 cyclooxygenase 2 (COX2) 발현의 억제, PGs를 불활성화하는 효소인 15-hydroxyprostaglandin dehydrogenase (HPGD)의 발현을 상향 조절, PGs의 신호 전달에 필수적인 prostaglandin receptor (PGR) 발현의 하향 조절 등과 같은 세 기전을 통해 calcitriol은 염증 유발성 PGs의 합성과 생물학적 작용을 억제한다. Calcitriol과 비스테로이드성 항염증 제제를 병용하면 협동하여 전립선암의 성장을 억제한다. 둘째, calcitriol은 전립선 세포에서 mitogen-activated protein kinase (MAPK) phosphatase 5 (MKP5)의 발현을 증가시켜 p38 stress kinase의 신호 경로를 억제하면서 염증 유발성 cytokines의 생성을 감소시킨다. 셋째, calcitriol은 전립선암에서 nuclear factor-kappaB (NFκB)의 신호 경로를 억제하여 염증 및 혈관 형성에 대항하는 효과를 나타낸다. 이와 같은 결과를 근거로 Krishnan

과 Feldman (2010)은 calcitriol이 전립선암의 화학예방제로 활용될 가능성이 있다고 하였다. Calcitriol이 항암 효과를 나타내는 기전은 도표 329에 요약되어 있으며, calciferol에 의한 항암 효과와 관련이 있는 microRNAs는 도표 330에 정리되어 있다.

호르몬에 반응하지 않는 전립선암에서 docetaxel과 같은 항암 치료와 함께 활성 비타민 D를 병용한 치료의 효과에 관하여 평가한 연구가 있다. Docetaxel (Taxotere®)과 높은 용량의 calcitriol (DN-101)의 병용과 docetaxel과 prednisone의 병용의 효능과 안전성을 비교하기 위해 안드로겐 불응성 전이 전립선암 환자 953명을 45 μg의 DN-101, 36 mg/m^{2}의 docetaxel 및 24 mg의 dexamethasone을 주 1회씩 4주마다 3회 투여한 Androgen-Independent Prostate Cancer Study of Calcitriol Enhancing Taxotere (ASCENT) 군과 5 mg prednisone 1일 2회 그리고 75 mg/m^{2}의 docetaxel 및 24 mg의 dexamethasone을 3주마다 투여한 대조군에 무작위로 배정한 공개 표지 3상 연구에서 부작용은 두 군에서 비슷하였으며, 전반적인 생존 기간의 중앙치는 20.2개월 (95% CI 18.8~23.0)의 대조군에 비해 17.8개월 (95% CI 16.0~19.5)의 ASCENT 군에서 더 짧았다. 저자들은 대조군에 비해 ASCENT 군에서 예후가 더 나쁜 이유가 docetaxel 혹은 DN-101을 매주 투여하지 않았기 때문으로 추측하였다 (Scher 등, 2011).

비타민 D의 대사물질인 혈청 1,25(OH)$_2$D 농도의 감소는 고령, 특히 25-hydroxyvitamin D (25[OH]D)의 농도가 낮은 남성에서 전립선암 발견율의 증가와 유의하게 관련이 있었다 (Corder 등, 1993). 1,25(OH)$_2$D의 농도가 낮은 환자군에서는 계절적으로 여름에 보호 효과가 나타난다는 보고 (Corder 등, 1995)가 있지만, 코호트 내 환자-대조군 비교 연구는 이와 같은 결과를 확인하지 못하였다 (Gann 등, 1996). 1,25(OH)$_2$D 혹은 25(OH)D의 높은 농도와 전립선암 위험의 감소 사이에는 연관성이 없었지만, 그들 두 가지가 가장 낮은 4분위수에 속한 남성에 비해 가장 높은 4분위수에 속한 남성에서 통계적으로 유의하지 않은 OR 0.67의 역상관관계를 나타내었다. 진단 전에 측정한 혈청 비타민 D 대사물질의 농도에 관한 연구도 1,25(OH)$_2$D와 전립선암 위험 사이에서 연관성을 찾지 못하였다 (Braun 등, 1995). 비타민 D에 관한 연구에서는 계절에 따라 비타민 D 대사물질의 농도가 달라지기 때문에 이에 대한 고려가 필요하다고 생각된다. 1,25(OH)$_2$D의 보호 효과는 생물학적으로 활성적인 유리형 1,25(OH)$_2$D에 국한된다

도표 329 Calcitriol이 항암 효과를 나타내는 기전

기전	참고 문헌
항증식 효과	
CDK를 억제하는 p21 및 p27의 발현을 증가시키고 CDK의 활성을 감소시킴으로써 RB 단백질의 탈인산화와 G0/G1 세포 주기의 정지를 유도함.	Jensen 등, 2001 Flores 등, 2010
IGF1 (이 경우 IGFBP3의 발현 증가), EGF 등과 같은 성장 인자에 의해 촉진되는 유사분열의 신호 경로를 억제하며, TGFβ와 같이 성장을 억제하는 인자의 발현을 증가시킴.	Boyle 등, 2001 Welsh, 2012
p38 MAPK, ERK, PI3K 등과 같은 세포 내의 kinase 경로를 조절하고 원형 종양 유전자 MYC를 억제함.	O'Kelly 등, 2005 Rohan과 Weigel, 2009
Calcitriol과 유사체는 TERT mRNA의 발현을 감소시켜 암세포에서 증가되는 telomerase의 활성을 억제하며, 일부 암에서 miR-498의 발현을 유도하여 TERT mRNA를 하향 조절함.	Hisatake 등, 1999 Kasiappan 등, 2012
세포 자멸사의 유도	
VDR이 삭제된 생쥐의 유선 상피에서는 세포 자멸사가 지연되는 것으로 보아 정상적인 유선의 발생에서 생리학적인 세포 자멸사에 관여한다고 추측됨.	Matthews 등, 2010
모든 암은 아니지만 다수의 암에서 세포 형태에 특이한 기전을 통해 세포 자멸사를 유도하며, BCL2와 같이 세포 자멸사에 대해 대항 기능을 가진 유전자를 억제하거나 BAX와 같이 세포 자멸사를 유발하는 유전자를 자극함으로써 내인성 세포 자멸사의 경로를 유도함.	Simboli-Campbell 등, 1997 Blutt 등, 2000
단백질분해효소 경로에 의해 매개되는 하위 사건을 유도함.	Blutt 등, 2000
분화의 자극	
일부 암세포는 calcitriol에 반응하여 악성도가 낮고, 보다 더 정상적인, 성숙한 표현형을 가지는데, 이는 calcitriol이 분화를 유발하는 효과가 있음을 시사한다. 예를 들면, 골수성 백혈병 세포가 최종 분화를 통해 단핵구와 대식세포로 유도되고, 유방암 세포에서 casein, lipid droplets, 부착 단백질 등과 같은 분화 표지자가 유도되며, 전립선암 세포에서 PSA, E-cadherin, BMP6 등의 발현이 증가하고, 결장암 세포에서 결장 상피세포의 분화 표지자가 유도됨.	Liu 등, 1996 O'Kelly 등, 2005 Pendas-Franco 등, 2007 Gocek와 Studzinski, 2009
세포 형태에 특이하게 일어나는 분화의 기전으로는 β-catenin, JUN N-terminal kinase, PI3K, NFκB 등과 같은 신호 경로의 조절, AP1 복합체, C/EBP 등과 같은 전사 인자의 활성 조절 등이 포함됨.	Deeb 등, 2007 Gocek와 Studzinski, 2009
항염증 효과	
COX2의 발현을 억제함으로써 PG의 합성을 억제하며, 이화대사 효소인 HPGD의 발현을 상향 조절하거나 PG 수용체의 발현을 하향 조절함으로써 PG의 신호 경로를 억제함.	Moreno 등, 2005 Krishnan 등, 2010
DUSP10으로도 알려진 MKP5의 상향 조절을 통해 스트레스 kinase p38의 신호 경로를 억제함으로써 염증을 유발하는 cytokine의 생성을 억제함.	Nonn 등, 2006
NFκB의 신호 경로를 억제함.	Cohen-Lahav 등, 2006
침습 및 전이의 억제	
PA 시스템의 구성원과 MMPs의 발현을 조절함.	Koli 등, 2000
Tenascin C182, α6 integrin, β4 integrin183 등의 발현을 하향 조절함.	Gonzalez-Sancho 등, 1998 Sung과 Feldman, 2000
MMP9의 발현을 억제하고 TIMP1의 발현을 증가시킴.	Bao 등, 2006
전이력과 역상관관계를 가진 종양 억제 유전자 CDH1의 발현을 상향 조절함.	Campbell 등, 1997
혈관 형성의 억제	
HIF1A의 전사를 억제함으로써 VEGF의 발현을 억제하거나 NFκB 의존성 방식으로 IL-8의 발현을 억제함.	Bao 등, 2006 Ben-Shoshan 등, 2007
VDR이 제거된 생쥐의 종양에서는 혈관 형성을 유발하는 인자, 예를 들면 HIF1A, VEGF, ANGPT1, PDGF 등의 발현이 증가되는데, 이는 calcitriol-VDR이 이들 분자를 조절함을 시사함.	Chung 등, 2009
종양에서 유래된 내피세포의 증식을 직접 억제함.	Chung 등, 2009
PGE2는 암세포에서 HIF1A의 합성을 증가시켜 혈관 형성을 촉진하는데, calcitriol은 COX2에 의해 생성된 PGE2를 감소시킴으로써 혈관 형성을 간접으로 억제함.	Fukuda 등, 2003

ANGPT1, angiopoietin 1; AP1, activator protein 1; BAX, BCL2-associated X protein; BCL2, B-cell lymphoma 2; BMP6, bone morphogenetic protein 6; CDH1, cadherin1, type 1 or E-cadherin; CDK, cyclin-dependent kinase; C/EBP, CCAAT/enhancer-binding protein; COX2, cyclooxygenase 2; DUSP10, dual specificity protein phosphatase 10; E-cadherin, epithelial cadherin; EGF, epidermal growth factor; ERK, extracellular signal-regulated kinase; HIF1A, hypoxia-inducible factor 1-alpha; HPGD, 15-hydroxyprostaglandin dehydrogenase; IGF1, insulin-like growth factor 1; IGFBP3, IGF-binding protein 3; IL-8, interleukin 8; JUN, jun oncogene; MAPK, mitogen-activated protein kinase; miR-498, microRNA-498; MKP5, MAPK phosphatase 5; MMPs, matrix metalloproteinases; MYC, v-myc avian myelocytomatosis viral oncogene homolog; NFκB, nuclear factor kappaB; PA, plasminogen activator; PDGF, platelet-derived growth factor; PG, prostaglandin; PGE2, prostaglandin E2; PI3K, phosphoinositide 3-kinase; PSA, prostate-specific antigen; RB, retinoblastoma; TERT, telomerase reverse transcriptase; TGFβ, transforming growth factor-β; TIMP1, tissue inhibitor of metalloproteinase 1; VDR, vitamin D receptor; VEGF, vascular endothelial growth factor.

Feldman 등 (2014)의 자료를 수정 인용.

도표 330 Calcitriol의 항암 작용과 관련 있는 microRNAs

miRs	세포 모델	조절	항암 작용	참고 문헌
miR-22	결장암	Calcitriol에 의해 발현 증가, miR-22와 VDR 농도는 상호 관련 있음.	Calcitrioldp 의한 세포 이동의 억제에 관여함. miR-22의 조절은 임상적으로 적절함.	Alvarez-Diaz 등, 2012
miR-627	결장암	Calcitriol에 의해 발현이 증가됨.	생체 실험에서 항암 작용을 가지며, calcitriol의 항증식 작용에 관여함.	Padi 등, 2013
miR-181a/181b	AML	Calcitriol에 의해 발현이 감소됨.	CDK를 억제하는 p27과 관련이 있으며, calcitriol에 의한 세포 주기의 조절에 관여함.	Wang 등, 2009
miR-32	AML	Calcitriol에 의해 발현이 증가됨.	BIM의 억제, calcitriol에 의한 세포의 분화 및 생존.	Gocek 등, 2011
miR-100/125b	전립선암	이들 miRNAs와 전립선 내 calcitriol 농도는 상호 관련 있음.	양성 전립선 세포에 비해 암세포에서 발현 감소	Giangreco 등, 2013
	전립선암	Calcitriol에 의해 발현이 증가됨.	세포의 증식 및 이동을 억제함.	Giangreco 등, 2013
miR-98	전립선암	VDRE를 통한 전사에 의해 발현이 증가됨.	Calcitriol의 항증식 효과와 관련이 있고 암의 성장을 억제함.	Ting 등, 2013
miR-498	난소암	VDRE를 통해 전사가 증가됨.	Calcitriol의 TERT 하향 조절과 관련이 있음.	Kasiappan 등, 2012
miR-125b	유방암	CYP24A1의 발현을 감소시키고 VDR의 발현을 감소시킴. 유방암에서는 miR-125b가 하향 조절됨으로써 VDR이 상향 조절됨.	유방암에서 증가되는 CYP24A1은 항증식 효과를 나타내는 calcitriol을 불활성화하며, CYP24A1과 miR-125b는 유방암 조직에서 역상관관계를 가진다.	Komagata 등, 2009 Mohri 등, 2009

AML, acute myeloid leukemia; BIM, bisindolylmaleimide-based protein kinase C; CDK, cyclin-dependent kinase; CYP24A1, cytochrome P450 24A1; miRs, microRNAs; TERT, telomerase reverse transcriptase; VDR, vitamin D receptor; VDRE, vitamin D response element.
Feldman 등 (2014)의 자료를 수정 인용.

(Schwartz 등, 1994). 환자-대조군 비교 연구는 전립선암을 가진 남성에서 유리형 1,25(OH)$_2$D의 혈청 농도가 유의하게 낮다고 하였다. 대조적으로 다른 연구는 전립선암 환자에서 유리형 1,25(OH)$_2$D의 혈청 농도가 낮음을 확인하지 못하였다 (Corder 등, 1995).

비타민 E (vitamin E): 비타민 E는 tocopherol (α, β, γ, δ), tocotrienol (α, β, γ, δ)의 8가지 형태로 존재하며, 음식물에 포함되어 있는 비타민 E는 γ-tocotrienol이 대부분을 차지하지만, 연구들 대부분은 생물학적으로 가장 활성화된 형태인 α-tocopherol에 초점을 맞추고 있다 (Burton과 Ingold, 1981). 전립선암과 관련하여 가장 광범위하게 연구된 항산화 물질인 비타민 E는 음식이나 영양제에서 섭취되는데, 식물성 오일, 아보카도, 호두, 콩, 현미, 시리얼 등에 가장 풍부하며 희향풀, 아스파라거스, 독사풀 (viper's grass), 시금치 등에도 풍부하게 포함되어 있다 (Wagner 등, 2004). 비타민 E는 여러 생화학적 작용을 가지는데, 항산화 효과, 보호 기능, 세포막에 대한 효과, 프로스타글란딘의 합성에 관한 효과 등을 나타낸다. 비타민 E의 항산화 효과는 다수의 불포화 지방산의 자연 산화를 방지하고 자유기를 제거하는 성질을 가지고 있기 때문이다 (Helzlsouer 등, 2000). 그것은 지방 친화성을 가지고 있기

때문에, 세포막에서 작용이 증폭되고 주로 지질 과산화를 억제함으로써 중요한 세포 구조물을 보호한다. 비타민 E를 복용하는 동안 혈중 지방의 재분포가 관찰되는데, 이는 저밀도 지질단백질 (low-density lipoprotein, LDL)-콜레스테롤의 가수분해를 자극하기 때문으로 추측된다.

비타민 E는 생체 실험에서 전립선암 세포의 분화를 감소시키고, 세포 자멸사의 활성을 증가시키는 작용을 가지며, 동물 실험에서도 몇몇 모델에서 전립선암의 발병을 방지한다고 보고되었다. 그러나 코호트에 관한 임상 시험은 상반되는 결과를 제시하고 있다. 강력한 항산화제인 비타민 E는 누드마우스의 LNCaP 전립선암 세포주의 성장을 억제하였다. 이는 세포 주기의 G1 기의 정지와 세포막 인지질의 산화 및 과산화를 방지함으로써 이루어진다. 47,780명의 미국인을 대상으로 1일 100 IU 이상 고용량의 비타민 E를 투여한 HPFS 연구에서는 전립선암의 위험이 비흡연자에서는 증가한 데 비해, 흡연자에서는 56% 감소하였다. 즉, 비타민 E를 복용한 군의 RR은 대조군과 비교하였을 때 전체 병기의 전립선암과 전이 혹은 치명적 암에서 각각 1.07 (95% CI 0.95~1.20), 1.14 (95% CI 0.82~1.59)이었으며, 현재 흡연 중이거나 최근에 금연한 남성으로 대상을 제한하였을 때는 비타민 E를 복용한 군

의 전이 혹은 치명적인 전립선암에 대한 RR이 0.44 (95% CI 0.18~1.07)이었다 Chan 등, 1999). Physicians' Health Study 또한 비흡연자에 비해 흡연자에서 질환의 빈도가 50% 감소하였음을 보여주었다 (Gann 등, 1999). 이와는 대조적으로 2개의 코호트 연구, 5개의 대조 연구, 4개의 혈청학적 연구는 상관관계가 없다고 보고하였다. 총 135,967명을 대상으로 평가한 무작위 배정, 대조 연구 19편을 메타 분석한 결과에 의하면, 비타민 E를 400 IU/day로 계속 복용한 경우에 전립선암의 위험이 오히려 증가하였다 (Dong 등, 2003).

흡연자의 경우 비타민 E가 전립선암에 대해 보호 효과를 나타낸다는 가설을 뒷받침하는 증거가 있다. 17년 동안 추적 관찰한 스위스의 Prospective Basel Study에서 비타민 E의 혈장 농도가 낮은 흡연자의 경우 전립선암 위험이 유의하게 증가되었다 (RR 3.26, 95% CI 1.27~8.35) (Eichholzer 등, 1999). 이 연구는 흡연과 비타민 E의 낮은 혈장 농도의 두 인자 각각의 경우에 비해 병합된 경우는 더욱 유해함을 보여 준다. 즉, 비흡연자에서 비타민 E의 혈장 농도가 낮은 경우에는 RR이 0.76 (95% CI 0.25~2.36), 흡연자이면서 비타민 E의 혈장 농도가 낮은 경우에는 RR이 1.28 (95% CI 0.49~3.33)이었다. 그러나 이 연구에서 상대적 위험도의 결과는 피험자의 수가 30명으로 적어 정확성이 떨어짐을 감안해야 한다. 그 외의 다른 비타민 E 형태, 즉 γ-tocotrienol, 혼합 tocopherol 등으로 인한 전립선암에 대한 보호 효과는 연구되어 있지 않다.

실험에서 α-tocopherol은 세포 자멸사를 통해 전립선암 세포의 성장을 억제하는 항산화제의 역할을 하였다 (Sigounas 등, 1997). 두 편의 전향적 코호트 연구는 흡연자에서 낮은 혈청 비타민 E 농도는 전립선암 위험의 증가와 관련이 있다고 보고하였다 (Chan 등, 1999). 다른 환자-대조군 비교 연구도 비타민 E 섭취와 전립선암 위험 사이에 강한 역상관관계가 있음을 확인하였다 (Tzonou 등, 1999). 50~69세의 흡연자 29,000명을 대상으로 실시한 핀란드의 ATBC Cancer Prevention Study는 α-tocopherol을 섭취하지 않은 남성에 비해 α-tocopherol 50 mg을 5~8년 동안 매일 소비한 남성에서 전립선암의 빈도가 32%까지 감소하였으며, 전립선암으로 인한 사망률이 41%까지 감소했다고 하였다 (Heinonen 등, 1998). 환자-대조군 비교 연구에서 위약을 복용한 남성에 비해 α-tocopherol 보충제를 복용한 남성의 혈청 테스토스테론 및 androstenedione의 농도가 유의하게 더 낮았다. 이는 α-tocopherol 보충제를 장기간 복용하면 혈청 안드로겐 농도

가 낮아져 전립선암의 위험이 감소됨을 시사한다 (Hartman 등, 2001). 대조적으로 다른 환자-대조군 비교 연구는 열량 섭취로 보정한 경우 α-tocopherol로 인한 유의한 암 위험의 감소가 관찰되지 않았다고 하였다 (Andersson 등, 1996).

14,641명의 의사에게 격일로 400 mg의 비타민 C 혹은 400 mg의 비타민 E를 1997년에 시작하여 2007년에 복용을 완료한 미국의 Physicians' Health Study (PHS)는 비타민 E의 경우 전립선암과 전체 암의 발병률에서 변동이 없었고 RR은 각각 0.97 (95% CI 0.85~1.09), 1.04 (95% CI 0.95~1.13)이었으며, 비타민 E와 C를 병용한 경우 전립선암과 전체 암의 발병에 대한 RR은 각각 1.02 (95% CI 0.90~1.15), 1.01 (95% CI 0.92~1.10)이었다 (Gaziano 등, 2009).

2001~2004년에 PSA와 직장수지검사에서 암의 징후를 보이지 않은 50세 이상의 남성 35,533명을 위약, 셀레늄인 L-selenomethionine 200 μg/day, 비타민 E인 rac-α-tocopheryl acetate 400 IU/day, 두 제제의 병용 등의 4군에 무작위로 배정한 연구 Selenium and Vitamin E Cancer Prevention Trial (SELECT)은 다른 결과를 보고하였다. 추적 관찰 기간의 중앙치가 5.5년인 첫 보고에 의하면, 전립선암으로 발견된 수가 셀레늄을 복용한 경우 432명 (HR 1.04, 99% CI 0.87~1.24), 비타민 E를 복용한 경우 473명 (HR 1.13, 99% CI 0.95~1.35), 병용한 경우 437명 (HR 1.05, 99% CI 0.88~1.25), 위약의 경우 416명 (HR 1.0)이었다. 이들 결과는 통계학적으로 유의하지는 않았으나 비타민 E를 복용한 군에서 전립선암의 발생 위험은 통계학적 유의성이 우려할 만한 수준이었다 (Lippman 등, 2009). SELECT의 자료를 근거로 8,752명을 셀레늄 복용군에, 8,737명을 비타민 E 복용군에, 8,702명을 두 제제 병용군에, 8,696명을 위약군에 무작위 배정하여 최소 7년, 최장 12년을 추적 관찰한 연구에 의하면, 전립선암이 셀레늄을 복용한 군에서는 575명 (HR 1.09; 99% CI 0.93~1.27; p=0.18), 비타민 E를 복용한 군에서는 620명 (HR 1.17, 99% CI 1.004~1.36; p=0.008), 두 제제를 병용한 군에서는 555명 (HR 1.05, 99% CI 0.89~1.22; p=0.46), 위약군에서는 529명이 발생하였다. 1,000 person-years 당 전립선암 위험의 절대적 증가는 위약에 비해 셀레늄을 복용한 경우 0.8, 비타민 E를 복용한 경우 1.6, 두 제제를 병용한 경우 0.4를 나타내었다. 이들 결과를 근거로 저자들은 건강인이 비타민 E를 보충할 목적으로 복용하게 되면 전립선암 위험이 약 17% 증가된다고 하였으며 (Klein 등, 2011), Walsh (2011)도 이에 공감하였다.

2.1.3. 과당 (fructose)

1,25-dihydroxycholecalciferol, 1,25-dihydroxyvitamin D3, 1,25(OH)$_2$D^3 등으로도 불리는 1,25(OH)$_2$D는 칼슘과 인의 항상성에 관여한다고 알려져 있으며, 많은 종류의 세포는 기능성 vitamin D receptor (VDR)를 가지고 있고 1,25(OH)$_2$D의 작용에 반응한다 (Reichel 등, 1989). 전형적으로 고농도의 1,25(OH)$_2$D는 세포의 증식을 억제하고 정상 전립선 및 전립선암 세포의 분화를 유도한다 (Miller 등, 1995). 더욱이 설치류를 대상으로 평가한 연구는 1,25(OH)$_2$D 유사제가 전립선암에 대해 항암 효과를 나타냄을 보여 주었으며 (Schwartz 등, 1995), 다른 연구는 1,25(OH)$_2$D의 혈중 농도가 높은 고령의 남성에서는 미분화 전립선암 및 임상적 진행 전립선암을 가질 위험이 낮다고 하였다 (Gann 등, 1996). 또한, 예비 연구는 VDR 유전자의 유전적 다형성은 전립선암에 대한 예측 인자의 역할을 한다고 하였다 (Ingles 등, 1997).

만일 혈중 1,25(OH)$_2$D가 실제 이러한 이점을 가지고 있다면, vitamin D의 적절한 섭취 혹은 피부에서 햇빛 노출에 의한 vitamin D의 생성이 전립선암을 방지하는 데 도움이 될 것이다. 일부 지리학적 연구는 햇빛이 유익하다고 보고한 데 비해 (Schwartz와 Hulka, 1990), 역학적 환자군-대조군 비교 연구는 vitamin D의 주된 근원 식품인 유제품을 다량 섭취하면 전립선암의 위험이 증대된다고 하였다 (GiovannucCI 1995). 이러한 상반되는 결과는 전구체인 25-hydroxyvitamin D, 즉 25(OH)D보다 1,25(OH)$_2$D가 생물학적으로 적절하다는 견해로 설명될 수 있다. 도표 331에 나타나 있는 바와 같이, 1,25(OH)$_2$D는 혈중 칼슘 농도가 낮을 때 25(OH)D를 1,25(OH)$_2$D로 수산화 (hydroxylation)를 일으키는 신장의 1-α-hydroxylase에 의해 조절된다 (Hollick 등, 1991). 이 효소는 정확하게 조절하기 때문에, 1,25(OH)$_2$D는 vitamin D의 섭취 혹은 25(OH)D의 농도와 상호 관련이 없다. 대신에 유제품은 칼슘의 주요 근원지이기 때문에, 유제품의 전반적 효과는 1,25(OH)$_2$D의 농도를 낮추는 역할을 한다.

혈중 인산이 감소되면 1,25(OH)$_2$D의 농도는 증가하기 때문에, 인 (phosphorus)은 중요한 식이 인자의 역할을 한다 (Portale 등, 1989). 인은 대부분의 음식 내에 풍부하게 포함되어 있고 장에서 흡수가 잘 되기 때문에, 식이에 의한 저인산혈증은 드물다. 인산은 칼슘과 결합하여 칼슘의 생체 이용률을 떨어뜨리며, 낮은 인산 농도는 부갑상선호르몬을 자극한다. 이러한 인산의 특성으로 인의 증가가 혈중 1,25(OH)$_2$D

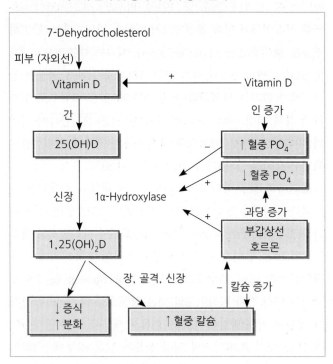

도표 331 비타민 D의 항상성과 함께 식이 칼슘, 인, 과당 등과 전립선 세포의 분화 및 증식 사이의 상호 관계

1,25(OH)2D, 1,25-dihydroxycholecalciferol 혹은 1,25-dihydroxyvitamin D; 25(OH)D, 25-hydroxycholecalciferol 혹은 25-hydroxyvitamin D. Giovannucci 등 (1998)의 자료를 수정 인용.

의 농도를 감소시키지만, 혈중 인산 혹은 1,25(OH)$_2$D 농도에 대한 식이 인산의 영향은 분명하지 않다. 식이 과당은 인산을 세포 외부로부터 세포 내부로 신속하게 이동시키기 때문에, 세 시간이 지나면 혈장 인산 농도가 30~50%까지 감소된다 (Hallfrisch 등, 1986). 이러한 저인산혈증은 과당이 간에서 fructokinase의 촉매 작용에 의해 매우 신속하게 인산화됨으로써 해당작용 (glycolysis) 중 phosphofructokinase 조절 단계를 우회하기 때문에 일어난다 (Woods 등, 1970; Mayes, 1993).

여러 실험 및 임상 자료는 1,25(OH)$_2$D가 전립선암에 대해 항암 효과를 가지고 있음을 보여 준다 (Gann 등, 1996). 고칼슘 섭취는 25(OH)D로부터 1,25(OH)$_2$D의 형성을 억제함으로써 1,25(OH)$_2$D의 농도를 감소시킨다. 과당 섭취는 혈장 인산을 일시적으로 감소시키며, 저인산혈증은 1,25(OH)$_2$D의 생성을 자극한다. 전립선암이 없는 Health Professionals Follow-Up Study의 47,781명을 대상으로 평가한 전향 연구는 칼슘과 과당의 섭취가 전립선암의 위험에 영향을 주는지를 분석한 후 다음과 같은 결과를 보고하였다 (Giovannucci 등,

도표 332 Health Professionals Follow-up Study에서 칼슘 섭취량에 따른 전체, 진행, 전이 전립선암의 상대적 위험도

	1일 총 칼슘 섭취량, mg					
	〈500	500~999	1,000~1,499	1,500~1,999	≥2,000	p
Person-Years	34,563	213,415	75,299	19,325	9,067	
전체 전립선암, 수 연령 보정 RR 다변량 RR	107 1.0 1.0	817 1.20 1.20 (0.97~1.49)	292 1.10 1.08 (0.83~1.40)	88 1.21 1.20 (0.86~1.66)	65 1.70 1.71 (1.19~2.46)	0.36
진행 전립선암, 수 연령 보정 RR 다변량 RR	31 1.0 1.0	233 1.19 1.19 (0.79~1.78)	102 1.33 1.30 (0.81~2.08)	30 1.43 1.55 (0.87~2.76)	27 2.42 2.97 (1.61~5.50)	0.002
전이 전립선암, 수 연령 보정 RR 다변량 RR	13 1.0 1.0	113 1.37 1.49 (0.81~2.75)	44 1.36 1.46 (0.71~2.97)	16 1.83 2.18 (0.94~5.08)	15 3.22 4.57 (1.88~11.1)	〈0.001

CI, confidence interval; RR, relative risk.
Giovannucci 등 (1998)의 자료를 수정 인용.

도표 333 Health Professionals Follow-up Study에서 과당 섭취량에 따른 전체, 진행, 전이 전립선암의 상대적 위험도

	1일 과당 섭취량, g					
	≤40	40.1~50	50.1~60	60.1~70	〉70	p
Person-Years	109,293	89,387	71,071	42,114	39,005	
전체 전립선암, 수 연령 보정 RR 다변량 RR	448 1.0 1.0	353 0.94 0.94 (0.82~109)	287 0.92 0.92 (0.78~1.07)	143 0.76 0.76 (0.62~0.93)	138 0.76 0.77 (0.62~0.95)	0.004
진행 전립선암, 수 연령 보정 RR 다변량 RR	145 1.0 1.0	110 0.91 0.93 (0.72~1.19)	94 0.93 0.96 (0.73~1.26)	47 0.78 0.83 (0.59~1.18)	27 0.47 0.51 (0.33~0.80)	0.007
전이 전립선암, 수 연령 보정 RR 다변량 RR	64 1.0 1.0	67 1.25 1.29 (0.91~1.82)	35 0.77 0.82 (0.53~1.25)	22 0.82 0.90 (0.54~1.49)	13 0.49 0.59 (0.31~1.12)	0.07

CI, confidence interval; RR, relative risk.
Giovannucci 등 (1998)의 자료를 수정 인용.

1998). 첫째, 1일 500 mg 미만에 대한 1일 2,000 mg 이상의 고칼슘 섭취는 진행 전립선암 및 전이 전립선암과 관련이 있었으며, 각각의 RR은 2.97 (95% CI 1.61~5.50; p=0.002), 4.57 (95% CI 1.88~11.1; p〈0.001)이 있었다. 식이 혹은 보충제로부터 섭취된 칼슘은 전립선암의 위험을 독자적으로 증가시켰다 (도표 332). 둘째, 1일 40 g 이하에 비해 1일 70 g을 초과한 다량의 과당 섭취는 진행 전립선암의 낮은 위험과 관련이 있었으며, RR은 0.51 (95% CI 0.33~0.80; p=0.007)이었다. 셋째, 1일 1회 이하에 비해 1일 5회를 초과한 과일 섭취는 진행 전립선암의 위험과 역상관관계를 나타내었으며, RR은 0.63 (95% CI 0.43~0.93)이었다. 이러한 연관성은 과당 섭취 때문이라고 생각된다 (도표 333). 과일 외의 근원으로부터 섭취

된 과당도 비슷한 결과를 나타내었다. 이들 결과는 고농도의 $1,25(OH)_2D$가 전립선암을 방지하는 효과가 있음을 간접적으로 보여 주며, 과일 섭취를 높이고 고칼슘 섭취를 피하면 진행 전립선암의 위험이 감소된다는 가설을 뒷받침한다.

2.1.4. 미량 원소 (trace elements)

아연 (zinc): 전립선은 신체 어떤 기관보다 더 높은 아연을 함유하고 있으며, 상피세포에서 가장 높고 기질에서 가장 낮다 (Lahtonen, 1985). 암이 있는 전립선은 암이 없는 전립선에 비해 아연 농도가 더 낮다. 대부분의 아연은 핵 구역에서 발견되지만, 상당량은 세포질에서도 발견된다 (Leake 등, 1984). 전립선에서 아연의 생리적인 역할은 분명하지 않으나, 생체

밖 실험에서 아연은 안드로겐/AR 복합체와 세포핵과의 결합을 증대시키고 전립선 조직에 의한 안드로겐의 총 흡수량을 증가시킨다 (Leake 등, 1984). 전립선에서 분비된 아연의 상당량은 정액장액 내로 방출되며, 사정된 정자의 생존력을 연장시키는 역할을 하는 것으로 알려져 있다 (Bedwal과 Bahuguna, 1994). 아연은 세포 주기의 정지 및 세포 자멸사를 유도하여 전립선암 세포의 성장을 억제한다 (Liang 등, 1999).

조직과 혈청의 아연 함량은 건강한 남성 혹은 전립선염, 양성전립선비대 등 양성 질환을 가진 남성에 비해 전립선암을 가진 남성에서 90% 이상 감소하여 가장 낮은 양상을 보인다 (Lekili 등, 1991). 전립선암 환자에서 안드로겐 박탈 요법을 실시하면, 혈청 아연 농도는 더욱 감소한다 (Feustel 등, 1989). 아연 함유량은 젊은 남성에 비해 고령의 남성에서 더 낮다 (Tvedt 등, 1989). 이들 자료를 종합하여 보면, 아연의 항상성은 노화 혹은 암이 형성되는 과정 동안 파괴됨으로써 조직과 혈청에서 아연의 함량이 감소되고, 이는 암의 위험 인자가 될 수 있다고 추측된다. 아연은 육류, 굴, 게, 새우, 견과류, 도정하지 않은 곡물 등에 풍부하게 함유되어 있는데, 식이 아연의 섭취와 전립선암 위험 사이의 연관은 분명하지 않다. 혈청 아연 농도와 전립선암은 관련이 없다는 보고가 있는 데 비해, 연령과 인종으로 보정한 하와이의 환자-대조군 비교 연구 (Kolonel 등, 1988)와 미국 메릴랜드의 연구 (Leitzmann 등, 2003)는 아연 섭취의 증가와 전립선암의 발생 위험 사이에는 연관성이 있다고 하였다. Health Professionals Follow-Up Study에 참여한 46,974명의 미국인에 관한 연구는 다음과 같은 결과를 보고하였다 (Leitzmann 등, 2003). 첫째, 1986년부터 2000년까지 추적 관찰한 14년 동안 2,901명이 전립선암으로 새로이 진단되었으며, 434명은 진행 전립선암으로 진단되었다. 둘째, 1일 100 mg까지의 아연 섭취는 전립선암 위험과 관련이 없었지만, 아연을 보충하지 않은 남성에 비해 1일 100 mg을 초과하여 아연을 소비한 남성에서 진행 전립선암에 대한 RR은 2.29 (95% CI 1.06~4.95; p=0.003)이었으며, 10년 이상 아연을 보충한 남성에서 RR은 2.37 (95% CI 1.42~3.95; p<0.001)이었다. 이 연구는 아연을 지속적으로 과잉 보충하면 전립선암의 위험이 증가함을 보여 준다. 두 편의 다른 환자-대조군 비교 연구는 의미 있는 연관성을 발견하지 못하였다 (West 등, 1991).

아연의 대사는 카드뮴 (cadmium)에 의해 억제되며, 직업적으로 카드뮴에 노출되면 전립선암의 위험이 증가된다 (El-ghany 등, 1990). 담배 흡연은 가장 흔한 카드뮴의 근원지인데 (Babalola 등, 2008), 카드뮴이 어떠한 기전으로 아연의 유용성에 영향을 미치는지는 아직 분명하게 밝혀져 있지 않다. 흡연자를 대상으로 혈청 아연 및 카드뮴 농도와 전립선암 위험 사이의 연관성을 평가한 연구는 다음과 같은 결과를 보고하였다 (Anetor 등, 2008). 첫째, 혈청 카드뮴의 농도는 비흡연자에 비해 흡연자에서 약 3배 유의하게 높았다 (p<0.001). 대조적으로 아연 농도는 비흡연자에 비해 흡연자에서 유의하게 더 낮았다 (p<0.001). 구리 (Cu^{2+})는 비흡연자에 비해 흡연자에서 유의하게 더 높았으며 (p<0.05), 철 (Fe^{2+}) 또한 흡연자에서 더 높았으나 통계적으로 유의하지 않았다. 카드뮴/아연의 비율은 비흡연자에 비해 흡연자에서 4.5배 증가되었다 (p<0.001). 총 단백질, 알부민, 글로불린 모두는 비흡연자에 비해 흡연자에서 유의하게 감소되었다 (p<0.001). 포타슘은 비흡연자에 비해 흡연자에서 유의하게 더 높았다 (p<0.05). 마그네슘은 비흡연자에 비해 흡연자에서 유의하게 감소되었다 (p<0.01). 둘째, 카드뮴/아연의 비율을 증가시키는 아연 농도의 감소는 흡연자에서 중요한 인자로서 산화 스트레스, DNA 손상, 돌연변이, DNA 복구 장애, p53의 발현, 구리의 혈관 형성 효과, 비타민 A 대사의 장애 등을 일으킨다. 저자들은 카드뮴/아연의 비율은 환경 질환에 대한 민감성을 나타내는 생물 표지자의 역할을 한다고 보고하였다.

PSA 재발이 있는 환자와 없는 환자의 전립선절제술 표본을 비교한 연구는 다음과 같은 결과를 보고하였다 (Sarafanov 등, 2011). 첫째, PSA 재발이 없는 환자에 비해 있는 환자는 암과 인접하여 정상으로 보이는 조직에서 철 농도의 중앙치가 95 µg/g 대 111 µg/g으로 12% 더 낮았으며 (p=0.04), 아연 농도의 중앙치는 279 µg/g 대 346 µg/g으로 21% 더 낮았다 (p=0.04). 둘째, PSA 재발이 없는 환자에 비해 있는 환자는 암과 인접하여 정상으로 보이는 조직에서 카드뮴 농도가 0.489 µg/g 대 0.439 µg/g으로 4% 높았으며 (p=0.40), 셀레늄 농도는 1.68 µg/g 대 1.58 µg/g으로 5% 더 높았으나 (p=0.21), 그 차이는 통계적으로 유의하지 않았다. 이와 같은 결과는 전립선 조직에서 아연과 철의 낮은 농도가 PSA 재발과 관련이 있음을 보여 준다.

셀레늄 (selenium): 셀레늄은 동물 모델에서 바이러스, 화학물질, 발암물질 등으로 발생한 종양을 억제하는 작용을 가진 필수적인 미량 원소이다. 셀레늄의 암에 대한 화학예방적 역할은 생물학적으로 가능하다고 생각되지만 사람에서의 증거는 제한적이다 (Schrauzer, 1992).

일차 종말점을 피부암의 재발 빈도에 둔 무작위, 대조 연구에서 고농도의 셀레늄을 함유한 효모 형태로 매일 200 µg의 셀레늄을 보충한 경우 전립선암의 빈도가 유의하게 감소하였다 (RR 0.37, 95% CI 0.18~0.71) (Comstock 등, 1992). 혈청 셀레늄에 관한 이전의 연구는 전립선암 위험의 증가와 유의한 연관성을 발견하지 못하였다 (Willett 등, 1983). 환자-대조군 비교 연구는 진단 당시의 혈청 셀레늄 농도와 전립선암 사이에서 역상관관계를 발견하였으나, 셀레늄의 상태는 암에 의해 변경되었다 (Hardell 등, 1995). 또 다른 환자-대조군 비교 연구는 식이 셀레늄과 전립선암 위험 사이에서 어떠한 경향을 발견하였으나 유의하지는 않았다 (West 등, 1991). 전립선암 환자 249명과 대조군 249명을 비교한 연구에 의하면, 혈청 셀레늄의 농도는 전립선암의 위험과 역상관관계를 가지며, 다변량 분석에서 혈청 셀레늄의 가장 높은 사분위수의 전립선암에 대한 OR이 0.5 (95% CI 0.3-0.9)이었다 (p=0.02) (Nomura 등, 2000). 그러나 이 연구에서의 역상관관계는 주로 비흡연자보다 현재 혹은 과거에 흡연한 군에서 나타났다. Baltimore Longitudinal Study of Aging 연구에 포함된 전립선암 환자 52명과 전립선 질환이 없는 96명을 대상으로 혈장에서 셀레늄을 분석한 연구는 다음과 같은 결과를 보고하였다 (Brooks 등, 2001). 첫째, 여러 가변 인자로 보정한 후, 셀레늄 농도가 낮은 경우에는 전립선암의 발생 위험이 낮았다. 가장 낮은 사분위수인 8.2~10.7 µg/dL와 비교하였을 때, 두 번째, 세 번째, 네 번째 높은 사분위수인 10.8~11.8 µg/dL, 11.9~13.2 µg/dL, 13.3~18.2 µg/dL의 OR은 각각 0.15 (95% CI 0.05~0.50), 0.21 (95% CI 0.07~0.68), 0.24 (95% CI 0.08~0.77)이었다 (각각의 p value는 0.01). 둘째, 혈장 셀레늄은 연령이 증가함에 따라 유의하게 감소되었다 (p<0.001). 이들 결과를 근거로 저자들은 혈장 셀레늄 농도가 낮으면 전립선암 발생 위험이 4~5배 증가하며, 셀레늄 보충은 전립선암 발생 위험을 감소시키는데, 특히 셀레늄 농도가 낮은 고령의 남성에서는 전립선암의 발생 위험을 낮추기 위해 셀레늄의 보충이 필요하다고 하였다.

피험자의 발톱 표본에서 셀레늄 농도를 분석한 흥미로운 연구에 의하면, 발톱의 셀레늄 농도는 사람에 따라 다양하였으며, 5분위 중앙치는 0.66~1.14 µg/g이었다. 셀레늄의 농도가 높을수록 진행된 전립선암의 위험이 감소되었다. 즉, 가장 낮은 5분위수에 대한 가장 높은 5분위수의 OR은 0.49 (95%

CI 0.25~0.96)이었으며, 여러 가변 인자로 보정한 경우에는 OR이 0.35 (95% CI 0.16~0.78 (Yoshizawa 등, 1998)이었다.

Nutrition Prevention of Cancer Trial (NCPT)은 피부암 환자와 질환의 재발 빈도에 초점을 맞춘 시험으로서 피험자들은 200 µg/day의 셀레늄을 복용하였다. 셀레늄을 복용한 피부암 환자에서는 재발 빈도가 유의하게 감소하였으며, 셀레늄 농도가 낮은 환자가 셀레늄을 복용한 경우에는 전립선암의 위험이 60%까지 감소하였다 (Moyad, 2002). 건강한 미국인 1,312명에게 1일 200 µg의 셀레늄을 4.5년 동안 보충하고 6.4년 동안 추적 관찰한 NCPT에 관하여 평가한 다른 연구는 전체 암과 전립선의 발병을 유의하게 감소시켰으며, HR은 각각 0.75 (95% CI 0.58~0.97), 0.48 (95% CI 0.28~0.80)이었다고 하였다. 그러나 폐암과 결장직장암의 발병에 대한 HR은 각각 0.74 (95% CI 0.44~1.24), 0.46 (95% CI 0.21~1.02)이었으나, 통계적으로 유의하지 않았다. 셀레늄의 보호 효과는 남성에 국한되었으며 (HR 0.67, 95% CI 0.50~0.89), 과거 흡연자에서 가장 뚜렷하였다. 이러한 효과는 암 형성의 초기에 세포의 증식을 저지하고 세포사와 항산화 효소를 촉진함으로써 나타난다고 추측된다. 이 연구에서는 처음부터 높은 농도의 셀레늄을 가진 환자가 셀레늄을 추가로 복용하면 전립선암의 위험이 오히려 증가하였다. 즉, 기저선 혈장 셀레늄 농도가 가장 낮은 두 삼분위수인 121.6 ng/mL에 속한 남성에서는 전체 암의 발병률이 낮았지만, 가장 높은 삼분위수에 속한 남성에서는 증가하였다 (HR 1.20, 95% CI 0.77~1.86) (Duffield-Lillico 등, 2002). NPCT를 이용한 또 다른 연구도 셀레늄을 보충한 군에서 전립선암 발병에 대한 RR이 0.51 (95% CI 0.29~0.87)이었으며, 셀레늄의 보충 효과는 통계적으로 유의하지는 않았지만 PSA 농도가 4 ng/mL 이하인 남성에 국한되는 경향을 보였고 (RR 0.35, 95% CI 0.13~0.87), 기저선 혈장 셀레늄 농도가 가장 낮은 두 삼분위수인 123.2 ng/mL 이하에 속한 남성에서만 전립선암의 발병률이 유의하게 낮았다고 하였다 (Duffield-Lillico 등, 2003).

비타민 E와 관련하여 앞에서 기술된 바와 같이 대규모의 SELECT에 의하면, 셀레늄은 전립선암 위험과 유의한 연관성을 나타내지 않는다 (Klein 등, 2011).

칼슘 (calcium): 상당수의 연구들이 우유 소비와 전립선암 위험 사이에서 정상관관계를 발견하였지만 (Rodriguez 등, 2003), 다른 연구들에서는 그러한 연관성이 확인되지 않았다 (Tavani 등, 2001). 매일 지방을 섭취한 경우에 비해 칼슘 섭취가 암 위험과 더 관련이 있는지는 분명하지 않다. HPFS에서는 칼슘 섭취가 가장 높은 남성이 칼슘 섭취가 가장 낮은 남성에 비해 진행된 전립선암을 가질 RR이 거의 3.0이었다 (GiovannuCI 1998). 이러한 효과와 관련이 있는 가능한 기전은 칼슘 섭취가 25(OH)D로부터 1,25(OH)$_2$D의 형성을 억제한다는 것이다. 65,321명의 Cancer Prevention Study II Nutrition Cohort를 대상으로 평가한 연구는 전립선암의 RR이 식이 및 보충제를 통한 총 칼슘 섭취에 대해서는 1.2, 고칼슘 식이를 통한 칼슘 섭취에 대해서는 1.6의 약한 증가를 보였으나 (2,000 mg/day 이상 대 700 mg/day 미만), 유제품 섭취와는 연관성이 없었다고 하였다 (Rodriguez 등, 2003). 칼슘, 비타민 D, 전립선암 사이의 연관성에 대하여 상충되는 결과가 보고되었는데, 이는 vitamin D receptor (VDR)의 변이로 설명될 수 있다. VDR의 다형성으로 인해 VDR의 활성이 낮아지면 전립선암 위험이 증가하고, 근치전립선절제술 후 생화학적 재발이 발생할 위험이 증가한다 (Williams 등, 2004).

칼슘, 인, 전립선암 발생 위험 사이에서 상호 연관성이 있음을 발견한 연구는 각 영양소에 대한 독립적인 연관성을 발견하지 못하였으나, 칼슘 섭취가 낮고 인 섭취가 높은 남성은 두 영양소의 섭취가 낮은 남성에 비해 RR이 0.6 (95% CI 0.3~1.0)임을 발견하였다 (Chan 등, 2000).

2.1.5. 알코올 (alcohol)

에탄올 (알코올)은 음용된 후 위장관에서 신속하게 흡수되어 대부분 간에서 대사된다. 아세트알데히드는 알코올의 대사산물 중 대표적인 간독성 물질이다. 에탄올은 간에서 두 가지의 경로를 통해 아세트알데히드로 대사되는데, 첫째는 간세포의 세포질에 있는 알코올 탈수소효소 (alcohol dehydrogenase; ADH)에 의한 대사이며, 둘째는 세포질세망 (endoplasmic reticulum, ER)에 위치해 있고 에탄올에 의해 유도되는 microsomal ethanol oxidizing system에 의한 대사인데 cytochrome P450 2E1 (CYP2E1)이 중심적인 역할을 한다. 아세트알데히드는 aldehyde dehydrogenase (ALDH), 특히 미토콘드리아 내에 존재하는 ALDH2에 의하여 아세테이트 (acetate)로 전환되며, 아세테이트는 말초 조직에서 물과 이산화탄소로 분해된다 (Lieber, 1993). 즉, ADH와 ALDH에 의해 아세트알데히드의 혈중 농도가 결정되며, 아세트알데히드의 체내 농도가 증가하면 홍조, 두통, 심계항진, 저혈압, 오심 등의 증상이 일어나기 때문에 이 물질의 생성 정도가 음주 행동을 결정하

는 중요한 요인이라고 생각된다.

에탄올이 아세트알데히드로 전환되고 아세트알데히드가 아세테이트로 전환되기 위해서는 nicotinamide adenine dinucleotide (NAD)가 NADH로 환원되는 과정이 필요하며, 이로써 증가된 NADH/NAD 비율은 hyperlactacidemia를 일으킨다. 또한, 과도한 NADH가 탄수화물과 지방의 대사에 큰 영향을 미치게 되면 포도당 신합성 (gluconeogenesis)이 감소됨으로써 공복 혈당이 내려가고 Krebs cycle (생물의 세포 내에서 당, 지방산, 많은 아미노산 등으로부터 생성된 아세틸 CoA가 최종적으로 CO$_2$와 H$_2$O$_2$로 산화 분해되는 산소성 대사경로로서 호기성 생물의 물질대사의 기초가 되는 생화학 반응 경로이며 구연산 회로로도 불린다)과 지방산 산화가 억제됨으로써 고지질혈증과 간 지방증이 일어난다 (Stewart 등, 2001).

아세트알데히드는 여러 독성 작용을 나타내는데, 알킬화된 핵단백질의 복구를 억제하고 (Espina 등, 1988), 여러 중요한 효소 작용을 방해하며, 미토콘드리아의 정상적인 대사 과정을 억제한다 (Lieber 등, 1989). 또한, 아세트알데히드는 세포 내의 glutathione을 결핍시켜 세포사를 유발하며, 지질 과산화 (lipid peroxidation)를 일으키고, microtubule의 tubulin과 결합하여 단백질의 분비를 억제하며, 세포의 풍선화 (ballooning)를 유도한다 (Wondergem과 Davis, 1994). 아세트알데히드는 단백질과 결합하여 부가물 (adduct)을 생성함으로써 콜라겐을 합성하고, 신항원 (neoantigen)으로 되어 면역 반응을 일으킨다 (Hoerner 등, 1986).

한편, 알코올은 테스토스테론의 대사 청소율을 증가시켜 전립선암 형성에 대해 보호 효과를 나타낸다는 보고가 있다 (Gordon 등, 1976). 그렇지만 지금까지 거의 모든 연구들이 암 위험과의 유의한 연관성을 발견하지 못하였다 (Dennis, 2000). 과다 음주 남성에 관한 두 편의 환자-대조군 비교 연구는 다른 결과를 보고하였다. Hayes 등 (1996)은 술을 마시지 않는 남성보다 주 22~56잔을 마시는 남성과 주 57잔 이상을 마시는 남성에서 암 위험이 증가하였으며, OR은 각각 1.4 (95% CI 1.0~1.8), 1.9 (95% CI 1.3~2.7)이었다고 하였다. 미국 아이오와의 코호트 연구 또한 알코올 섭취와 전립선암 위험 사이에서 연관성을 발견하였다. 즉, 위험도는 섭취 알코올의 양이 많을수록 증가하였는데, 섭취양이 22 g/주 미만인 경우의 RR은 1.1 (95% CI 0.6~2.1), 섭취양이 96 g/주 초과인 경우의 RR은 3.1 (95% CI 1.5~6.3)이었다 (Putnam 등, 2000).

소수의 남성에 불과하였지만, 과다 음주 병력을 가진 일부 남성은 전립선암 위험과 역상관관계를 가졌는데, 이에 대한 생물학적 이유는 잘 알려져 있지 않다 (Breslow 등, 1999).

7,612명에 대한 전향 연구인 Harvard Alumni Health Study는 중등도로 알코올을 섭취한 경우 전립선암의 위험이 61~67% 증가하는 정상관관계를 나타내었다고 하였다 (p<0.001). 즉, 술을 전혀 마시지 않는 남성에 비해 1잔/month~3잔 미만/week, 3잔/week~1잔 미만/day, 1잔~3잔 미만/day, 3잔 이상/day을 마시는 남성에서 전립선암 발생에 대한 RR은 각각 1.33 (95% CI 0.88~2.01), 1.65 (95% CI 1.12~2.44), 1.85 (95% CI 1.29~2.64), 1.33 (95% CI 0.86~2.05)이었다. 이 연구에서는 포도주나 맥주가 아닌 술을 섭취한 경우는 전립선암의 발생과 관련이 없었으나, 그 외의 술을 중등도로 섭취한 경우에서는 전립선암의 위험이 61~67% 증가하였다 (Sesso 등, 2001). 대조적으로 몬트리올의 환자-대조군 비교 연구는 맥주 섭취가 전립선암 위험 증가와 가장 큰 연관성을 가졌다고 보고하였다. 이 연구에서는 조기에 음주를 시작하면 위험이 증가하였는데, 15세 전에 알코올 섭취를 시작한 남성 군에 대한 OR은 3.8 (95% CI 1.6~9.3)이었다 (Sharpe와 Siemiatycki, 2001).

알코올은 혈중 테스토스테론 농도에 대한 효과는 없으며, 암에 대한 보호 효과가 있다는 증거도 없다. 1편의 연구는 알코올 섭취가 전립선암 위험의 증가와 관련이 있다고 알려져 있는 성장 인자 insulin-like growth factor 1 (IGF-1)의 혈중 농도를 감소시킨다고 하였다 (Mucci 등, 2001).

2.1.6. 흡연 (smoking)

흡연은 카드뮴에 대한 노출의 근원이 되며, 흡연은 남성에서 혈중 안드로겐의 농도를 증가시킨다 (Dai 등, 1988). 흡연과 전립선암에 관한 환자-대조군 비교 연구가 많이 있지만 (Wynder 등, 1971), 7편의 연구만이 암 환자와 대조군 사이에서 흡연자가 '유의한' 연관성을 나타내었거나 (Hayes 등, 1994) 현저한 차이를 나타내었다 (Schuman 등, 1977). 하루에 40개비 이상을 흡연하고 있는 남성과 과거에 그렇게 흡연하였던 남성 에서 암의 위험이 증가되어 OR이 각각 1.5 (95% CI 1.0~2.4), 1.4 (95% CI 1.0~1.5)이었다고 보고되었지만, 소분류 군에서는 일정한 결과를 보이지 않았으며 흡연량과 반응 사이의 관계 또한 분명하지 않아 흡연과 암 사이에 인과관계가 있다는 결과는 논란이 되고 있다 (Hates 등, 1994). 그렇지만 다른 환자-대조군 비교 연구는 연 40갑 이상을 흡연하는

남성에서 용량반응 관계를 발견하였으며, OR은 1.6 (95% CI 1.1~2.2)이었다 (Plaskon 등, 2003). 이 연구에서 금연이 암 위험을 감소시킴이 관찰되었기 때문에 (trend p=0.02), 저자들은 흡연을 전립선암의 위험 인자에 추가해야 한다고 주장하였다.

흡연과 전립선암의 빈도에 관한 코호트 연구는 상충되는 결과를 나타내었는데, 5편의 연구는 무관함을 (Lotufo 등, 2000), 2편의 연구는 유의한 정상관관계가 있음을 (Hiatt 등, 1994) 보고하였다. Iowa 65+ Rural Health Study에서 1일 20개비 이상 흡연한 남성들은 비흡연자에 비해 위험이 거의 3배 증가하였다 (Cerhan 등, 1997). Hiatt 등에 의해 보고된 정상관관계는 1일 1갑 이상을 흡연한 남성에 한정되어 나타났다.

1990년 전에 실시된 코호트 연구는 흡연한 적이 없는 남성에 비해 과거 흡연하였거나 현재 흡연 중인 남성에서 궐련 흡연이 전립선암 사망률과 관련이 있음을 관찰하지 못하였다 (Carstensen 등, 1987). 1990년 이후에 발표된 5편의 코호트 연구 중 4편은 정상관관계가 있음을 보고하였다 (Rodriguez 등, 1997). 1편의 연구는 사망 위험률이 80% 증가한다고 보고하였지만, 그러한 효과에서 분명한 경향을 나타내는 증거를 찾지는 못하였다 (Hsing 등, 1990). 3편의 연구에서는 사망 위험률이 20~35% 유의하게 증가하였다 (Coughlin 등, 1996). 그들 연구 중 1편에서 유의한 상관관계가 발견되었는데, 1일 40개비 이상 흡연하는 남성에서 가장 높은 사망률이, 과거 흡연자에서는 비교적 낮은 사망률이 관찰되었으며, 각각의 경우에서 RR은 1.5 (95% CI 1.2~1.9), 1.13 (95% CI 1.03~1.24)이었다 (Hsing 등, 1991). 대조적으로 약 35,000명의 영국 남성 의사를 40년 동안 추적 관찰한 연구에서 전립선암 사망률은 현재 흡연 남성과 흡연한 적이 없는 남성에서 동일하였다 (Doll 등, 1994). 비록 1편의 연구가 흡연과 전립선암 빈도 사이에서 연관성을 확인하지 못하였지만, 결과들은 최근에 담배를 이용한 경우 치명적인 전립선암의 발생에 상당한 영향을 준다는 개념을 뒷받침하였다 (Giovannucci 등, 1999).

다른 연구는 흡연이 진단 당시 높은 병기의 암과 관련이 있다고 보고하였다. 11,716명의 암 환자를 분석한 연구는 다음과 같은 결과를 보고하였다 (Kobrinsky 등, 2003). 첫째, 현재 흡연자와 과거 흡연자는 진단 당시 전이의 위험이 증가되었는데, RR이 각각 2.11 (95% CI 1.93~2.32; p<0.001), 1.56 (95% CI 1.42~1.72; p<0.001)이었다. 둘째, 현재 흡연자에서는 국소 질환의 위험 또한 증가되었는데, RR이 1.39 (95% CI

1.29~1.51; $p < 0.001$)이었다. 셋째, 흡연자에서 전이 질환 위험의 증가는 전립선암에서 가장 분명하였으며, RR은 1.53이었다 ($p=0.003$). 넷째, 국소 질환에서의 증가는 두경부암, 전립선암, 유방암 등에서 분명하였으며, 각각의 p value는 3.53 ($p < 0.001$), 1.83 ($p=0.030$), 1.22 ($p=0.005$)이었다. 다섯째, 과거 흡연자에 비해 현재 흡연에서 뇌로의 전이가 23.0% 대 33.6%로, 골수, 부신, 심낭막 등으로의 전이가 15.9% 대 24.7%로 더 증가 되었다. 이들 결과는 과거 혹은 현재의 흡연이 여러 암에서 높은 병기의 암과 관련이 있음을 보여 준다. 전립선암 환자 527명과 대조군 558명을 포함하는 미국인 중 아프리카계 미국인에 초점을 맞추어 평가한 연구는 다음과 같은 결과를 보고하였다 (Murphy 등, 2013). 첫째, 아프리카계 미국인 중 비흡연자와 경미한 흡연자에 비해 과도한 흡연자에서 전립선암 진단의 위험과 고등급 분화도 질환의 위험이 증가되었으며, 각각의 경우에서 OR은 2.57 (95% CI 1.09~6.10), 1.89 (95% CI 1.03~3.48)이었다. 둘째, 아프리카계 미국인 중 과도한 흡연자에서는 National Comprehensive Cancer Network (NCCN)의 재발 위험도 분류 중 낮은 위험도에 대한 OR이 더 낮았다. 셋째, 아프리카계 미국인 중 과거 흡연자는 비흡연자에 비해 고등급 분화도의 질환을 가질 위험이 증가되었다. 넷째, 흡연, 암 진단, 고등급 분화도 사이의 연관성은 유럽계 미국인에서는 통계적으로 유의하지 않았다.

1996년 흡연과 전립선암에 관한 국제 토론회는 흡연이 사망률을 증가시키기는 하지만 흡연과 전립선암 발생률을 연관시키는 증거는 충분하지 않다는 데 만장일치로 동의하였다 (Colditz, 1996). 흡연이 전립선암 환자의 생존에는 나쁜 영향을 준다고 생각된다 (Yu 등, 1997). 전립선암 환자 4,623명에 관한 연구는 다음과 같은 결과를 보고하였다 (Rohrmann 등, 2013). 첫째, 비흡연자에 비해 현재 흡연자는 전립선암의 위험 감소와 관련이 있었다 (RR 0.90, 95% CI 0.83~0.97). 이러한 결과는 국소 및 저등급 분화도의 질환에서는 통계적으로 유의하였지만, 진행된 혹은 고등급 분화도의 질환에 대해서는 유의하지 않았다. 둘째, 1일 25개비 이상의 과도한 흡연자와 40년 이상의 장기간 흡연자는 전립선암 특이 사망의 위험이 더 높았으며, 각각의 경우에서 RR은 1.81 (95% CI 1.11~2.93), 1.38 (95% CI 1.01~1.87)이었다. 이와 같은 결과는 과도한 흡연이 전립선암으로 인한 사망 위험의 증가와 관련이 있음을 보여 준다. 근치전립선절제술 당시 적극적 흡연자 549명 (33%)과 비흡연자 1,121명 (67%)을 대상으로 평가한 연구는

다음과 같은 결과를 보고하였다 (Moreira 등, 2014). 첫째, 현재 흡연자는 연령이 더 낮았고, 체질량 지수가 더 낮았으며, PSA 농도가 더 높았고, 피막 밖으로의 침범과 정낭 침범이 더 흔하였다 (모두 $p < 0.05$). 둘째, 수술 전 양상으로 보정한 후의 분석에서 적극적 흡연은 생화학적 재발, 전이, 거세 저항성 전립선암, 전반적 사망 등의 위험 증가와 관련이 있었으며, 각각의 HR은 1.25 ($p=0.24$), 2.64 ($p=0.026$), 2.62 ($p=0.021$), 2.14 ($p < 0.001$)이었다. 셋째, 수술 후 양상으로 보정한 후의 분석에서도 비슷한 결과가 관찰되었는데, 적극적 흡연자에서 생화학적 재발, 전이, 거세 저항성 전립선암, 전반적 사망 등에 대한 HR은 각각 1.10 ($p=0.335$), 2.51 ($p=0.044$), 2.67 ($p=0.015$), 2.03 ($p < 0.001$)이었다. 이들 결과는 전립선암 환자에서 흡연이 수술 후 생화학적 재발, 전이, 거세 저항성 전립선암, 사망 등과 같은 부정적인 예후와 관련이 있음을 보여 준다.

2.1.7. 기타 (others)

열량 섭취 (energy intake): 열량 섭취는 개인의 신체 활동, 신체 크기, 대사 효율 등에 따라 개인별로 차이가 난다. 스웨덴의 환자-대조군 비교 연구는 열량 섭취와 전립선암 위험 사이에서 정상관관계를 발견하였다 (Andersson 등, 1996). 그러한 연관성은 국소 전립선암 환자에 비해 진행된 전립선암 환자에서 더 강하여 가장 낮은 4분위수에 대한 가장 높은 4분위수의 상대적 위험도는 1.70 (95% CI 1.10~2.61)이었다. 그렇지만 캐나다의 환자-대조군 비교 연구에서는 무증상의 전립선암 환자에서도 열량 섭취와의 연관성이 발견되었는데, 가장 낮은 4분위수에 대한 가장 높은 4분위수의 OR은 2.67이었으며 유의한 정상관관계가 있었다 (Rohan 등, 1995). 동물 연구는 식이 제한이 종양의 혈관 형성을 억제하여 전립선암의 성장을 감소시킨다고 하였다 (Mukherjee 등, 1999). 전립선암 환자 358명과 대조군 679명의 대상으로 열량 (kcal), 지방, 단백질, 비타민 A와 C, β-carotene, 아연, 카드뮴, 셀레늄 등의 섭취와 전립선암 사이의 연관성을 평가한 유타 주의 환자-대조군 비교 연구는 다음과 같은 결과를 보고하였다 (West 등, 1991). 첫째, 가장 유의한 연관성은 68~74세의 고령 남성과 공격적인 종양 사이에서 나타났다. 이들 고령의 남성에서는 식이 지방이 가장 강한 위험 인자이었으며, 전체 지방, 포화 지방, 단가 불포화 지방, 다가 불포화 지방 등의 OR은 각각 2.9 (95% CI 1.0~8.4), 2.2 (95% CI 0.7~6.6), 3.6 (95% CI

1.3~9.7), 2.7 (95% CI 1.1~6.8)이었다. 단백질과 탄수화물도 연관성을 나타내었으나 통계적으로 유의하지는 않았다. 열량 섭취의 OR은 2.5 (95% CI 1.0~6.5)이었다. 이들 고령 남성에서 식이 콜레스테롤, 체질량, 신체 활동 등은 전혀 효과를 나타내지 못하였으며, 아연, 카드뮴, 셀레늄, β-carotene, 비타민 C 등의 섭취와 전립선암 사이의 연관성은 거의 나타나지 않았다. 비타민 A의 섭취는 전체 전립선암과 약한 연관성을 보였으나 (OR 1.6, 95% CI 0.9~2.4), 공격적인 암과는 연관성이 없었다. 둘째, 45~67세의 젊은 남성에서는 신체 활동이 공격적인 암의 위험 증가와 관련이 있었지만 (OR 2.0, 95% CI 0.8~5.2), 유의하지 않았으며, β-carotene은 보호 효과를 나타내었지만 (OR 0.6, 95% CI 0.3~1.6), 유의하지 않았다. 이들 연령의 남성에서는 기타 식이 요소와 전립선암 위험 사이에서 연관성이 발견되지 않았다. 이와 같은 결과는 고령의 남성에서 식이 섭취, 특히 지방 섭취가 공격적인 전립선암의 위험 증가와 관련이 있음을 보여 준다. 대조적으로 4편의 환자-대조군 비교 연구 (Ghadirian 등, 1996)와 1편의 코호트 연구 (Severson 등, 1989)는 열량 섭취와 암 위험과의 연관성을 발견하지 못하였다. 후자의 연구는 24시간 음식 회수 방법을 이용하여 열량 섭취 양을 측정하였는데, 이 방법은 개인별 식사 양을 측정하는 데 유용하지 않은 방법이다.

과일과 채소 (fruits and vegetables): 십자화과 채소 (cruciferous vegetables)가 많은 암의 위험을 감소시킨다고 보고되지만 전립선암에 대한 보호 효과를 확인한 증거는 아직 없다 (Schuurman 등, 1998). 그러나 환자-대조군 비교 연구는 채소류, 특히 십자화과 채소의 소비 증가와 전립선암 위험 감소와는 관련이 있음을 발견하였다. 즉, 시애틀 지역의 전립선암 환자 628명과 대조군 602명을 대상으로 과일 및 채소와 전립선암 사이의 연관성을 평가한 연구는 다음과 같은 결과를 보고하였다 (Cohen 등, 2000). 첫째, 과일 섭취는 전립선암 위험과 관련이 없었다. 둘째, 주 14회 미만의 채소 섭취와 비교하였을 때, 주 28회 이상의 OR은 0.65 (95% CI 0.45~0.94; *p*=0.01)이었다. 십자화과 채소의 경우 주 1회 미만의 섭취와 비교하였을 때, 주 3회 이상의 OR은 0.59 (95% CI 0.39~0.90; *p*=0.02)이었다. 셋째, lutein과 zeaxanthin의 경우 둘 모두의 1일 섭취양이 800 μg 미만과 비교하였을 때 2,000 μg 이상의 OR은 0.68 (95% CI 0.45~1.00)이었다. 이와 같은 결과는 채소의 다량 섭취, 특히 십자화과 채소의 섭취가 전립선암의 위험 감소와 관련이 있음을 보여 준다. HPFS는 과일이 암에 대

한 보호 효과를 나타내는데, 이는 과당 섭취와 관련이 있다고 하였다 (Giovannucci 등, 1998). 우루과이 (Deneo-Pellegrini 등, 1999), 하와이 (Kolonel 등, 2000), 캐나다 (Jain 등, 1999)의 환자-대조군 비교 연구는 과일과 채소의 다량 섭취가 전립선암 위험을 감소시킨다고 하였다. 1편의 연구는 양배추 섭취와 전립선암 사망률 사이에서 중등도의 역상관관계가 있음을 발견하였다 (Hebert 등, 1998).

배추과 채소, 예를 들면 broccoli, 꽃양배추 (cauliflower), 양배추 (cabbage), 방울다다기양배추 (Brussels sprouts), 청경채 (bok choy), kale 등은 종양을 억제하는 항종양 효과를 가진 indole-3 carbinol, sulforaphane 등과 같은 식물성 화학물질을 다량 함유하고 있으며, 이들은 glutathione S-transferase와 같은 항산화 효소를 활성화한다. Sulforaphane은 전립선암 세포에서 세포 자멸사를 유발하는 효과를 나타내며 indol은 항증식 및 항전이의 특성을 나타낸다. 배추과 채소의 섭취는 전립선암의 발생률과 역상관관계를 가짐을 보여 주는 역학 연구가 있지만, HPFS와 European Prospective Investigation into Cancer (EPIC)는 상관관계가 확실하지 않다고 하였다. 즉, 7개 국가에서 130,544명의 남성을 모집하여 평균 4.8년 동안 추적 관찰하여 1,104명의 전립선암 환자를 발견한 EPIC 연구는 다음과 같은 결과를 보고하였다 (Key 등, 2004). 첫째, 과일과 채소의 가장 낮은 5분위수와 가장 높은 5분위수의 평균은 각각 53.2, 410.7 g/day, 97.1, 242.1 g/day이었으며, 과일과 채소의 합은 169.0, 633.7 g/day이었다. 둘째, 과일과 채소의 소비는 전립선암의 위험과 관련이 없었다. 가장 낮은 5분위수에 속하는 과일 섭취와 비교하였을 때, 가장 높은 5분위수의 RR은 1.06 (95% CI 0.84~1.34)이었으며, 가장 낮은 5분위수에 속하는 채소 섭취와 비교하였을 때, 가장 높은 5분위수의 RR은 1.00 (95% CI 0.81~1.22)이었고, 가장 낮은 5분위수에 속하는 과일/채소 섭취와 비교하였을 때, 가장 높은 5분위수의 RR은 1.00 (95% CI 0.79~1.26)이었다. 십자화과 채소의 섭취 또한 전립선암의 위험과 관련이 없었다. 이들 결과는 과일 및 채소의 소비가 전립선암의 위험과 연관성이 없음을 보여 준다. EPIC 연구에 참여한 142,590명의 남성을 평균 8.7년 동안 추적 관찰하여 2,747명의 전립선암 환자를 발견한 연구 또한 곡물, 과일, 채소 등에서 유래된 식이 섬유의 섭취와 전립선암 위험의 감소와 관련이 없다고 하였다. 다만, 전체 섬유와 과일 섬유가 전립선암 위험의 감소와 연관성이 있었지만, 통계적으로 유의하지 않았다 (Suzuki 등, 2009). 그러

나 HPFS는 8년 이상 1주일에 5회 이상 배추과 채소를 섭취한 경우 10~20%에서 전립선암의 발생 위험이 감소하였다고 보고하여 암의 발생 단계에서 효과적일 수 있다고 추측된다. 즉, HPFS 연구에서 식이 평가를 완료한 47,365명 중 2,969명의 전립선암 환자를 발견한 연구는 다음과 같은 결과를 보고하였다 (Giovannucci 등, 2003). 첫째, 십자화과 채소를 주 1회 이하로 섭취한 남성과 비교하였을 때, 주 5회 이상 섭취의 RR은 0.93 (95% CI 0.82~1.05; p=0.30)으로 전립선암의 위험과 뚜렷한 연관성을 나타내지 않았으나, 국소 전립선암에 대해서는 약간의 연관성을 나타내었다 (RR 0.88, 95% CI 0.74~1.05; p=0.06). 둘째, 65세 이하의 남성에서는 강한 역상관관계가 관찰되었으며 (RR 0.81, 95% CI 0.64~1.02; p=0.02), 특히 국소 전립선암에서 그러한 연관성이 강하였다 (RR 0.72, 95% CI 0.54~0.97; p=0.007).

차와 주스 (tea and juice): 차의 음용과 전립선암의 관계는 일반적으로 녹차에 관한 연구가 많은데, 다양한 결과가 혼재하고 있다. 중국에서 진행된 대조 연구에서 차의 효능은 전립선암의 발생에 대해 강한 역상관관계를 보였으나, 다소 소규모 연구이기 때문에 리콜 바이어스의 위험이 있어 일반화하기에는 어려움이 있다. 녹차는 여러 식물화학 성분을 함유하고 있는데 폴리페놀이 가장 많고, 녹차에 함유된 폴리페놀로는 epicatechin, epicatechin-3-gallate, epigallocatechin, epigallocatechin-3-gallate (EGCG)가 있으며 그들 가운데 EGCG가 대부분이다. Catechin은 암세포를 성장시키는 urokinase의 활성을 차단시킴으로써 암에 대한 예방 효과와 치료 효과를 나타낸다. 5α-reductase를 강력하게 억제한다고 알려진 EGCG는 androgen receptor (AR)를 통해 안드로겐의 작용을 억제하고 PSA를 감소시킨다 (Bettuzzi 등, 2006). 전립선암 환자에서 녹차의 효과는 아직도 완전하게 평가되어 있지 않으나, EGCG, genistein, quercetin 등의 병용은 이들의 협동작용으로 CWR22Rv1 전립선암 세포의 증식을 억제시켰으며, AR, 종양 억제 인자 p53, 해독 효소 quinone reductase type 1 (QR1 혹은 NAD(P)H:quinone oxidoreductase 1, NQO1) 등의 발현에 대해서도 상승효과를 나타내어 전립선암의 예방 및 치료적 접근에서 이들 식물성 화학물질들의 병용 요법이 유용할 것으로 생각된다 (Hsieh와 Wu, 2009).

석류즙 (pomegranate juice)은 ellagic acid (EA), gallotannin, anthocyanin 등과 같은 폴리페놀을 함유하고 있으며, 실험에서 전립선암 세포주에 대한 항암효과를 나타내었다. 즉, 전립선암 세포주에 대한 pomegranate cold-pressed oil (PO)의 효과를 평가한 연구는 다음과 같은 결과를 보고하였다 (Albrecht 등, 2004). 첫째, PO는 세포 주기의 변화, 세포 자멸사의 유도 등을 통해 LNCaP, PC3, DU145 등과 같은 세포주의 증식을 억제하였다. 즉, 안드로겐 비의존성의 DU145 세포에 35 µg/mL를 투여한 경우 G(2)/M 세포가 11%에서 22%로 유의한 증가를 나타내었으며 약간의 세포 자멸사가 유도되었다. 둘째, DU145 세포를 35 µg/mL의 PO로 처치한 경우 cyclin-dependent kinase (CDK) inhibitor인 p21$^{WAF1/CIP1}$이 약 2.3배 상향 조절되었고 (p<0.01), v-myc avian myelocytomatosis viral oncogene homolog (c-MYC)가 약 0.6배 하향 조절되었다 (p<0.05). 다른 연구는 전립선암 세포주 22RV1과 LNCaP에 POMx 0~12 µg/mL를 투여하였을 때 테스토스테론, DHT, dehydroepiandrosterone (DHEA), androstenedione, androsterone, pregnenolone 등의 생성이 감소되었으며, *phosphatase and tensin homolog* (PTEN)이 제거된 생쥐에게 20주 동안 POMx를 0.17 g/L로 희석한 물을 투여한 후에는 혈청 스테로이드가 감소되었다고 하였다. 이 연구에서 흥미로운 점은 aldo-keto reductase family 1 member C3 (AKR1C3)와 AR의 농도가 두 세포주에서 증가되었다는 점인데, 이는 스테로이드가 억제됨으로 인한 음성적 되먹임 효과 때문이라고 추정된다 (Ming 등, 2014). Transgenic rat for adenocarcinoma of prostate (TRAP) 모델과 전립선암 세포주를 이용하여 EA의 효과를 평가한 연구는 다음과 같은 결과를 보고하였다 (Naiki-Ito 등, 2015). 첫째, TRAP 모델에서 석류즙은 외측 전립선에서 전립선암의 발병을 감소시켰으며, EA와 석류즙 모두는 caspase-3의 활성화를 통해 세포 자멸사를 유도하였고 전립선암의 형성을 억제하였다. EA는 복측 전립선에서 지질 과산화를 유의하게 감소시켰다. 둘째, EA는 LNCaP 세포주에서 세포의 증식을 억제하였으나, PC3와 DU145 세포주에서는 그러한 효과가 나타나지 않았다. EA는 LNCaP 세포주에서 BCL2-associated X protein/B-cell lymphoma 2 (BAX/BCL2)의 비율과 caspase-3의 활성화를 증대시킴으로써 세포 자멸사를 유도하였다. EA로 처치한 경우 세포 주기와 관련이 있는 단백질 p21^{WAF}, p27^{KIP}, CDK2, cyclin E (CCNE) 등은 증가한 반면, CCND1, CDK1 등은 감소하였다. 이들 결과는 석류즙과 EA가 전립선암에 대한 화학예방 제제로 활용이 가능함을 보여 준다.

방사선치료를 받은 전립선암 환자에게 석류즙을 매일 8 온스 (227 g)를 섭취하게 한 경우에는 PSA doubling time이 15개월에서 54개월 까지 연장되었다는 보고가 있다 (Pantuck 등, 2006). 전립선암이 재발된 환자 104명을 대상으로 PSA doubling time (PSADT)을 일차 종말점으로 설정하여 1 혹은 3 g의 pomegranate extract (POMx)를 18개월 까지 투여한 후 효과를 평가한 연구는 다음과 같은 결과를 보고하였다 (Paller 등, 2013). 첫째, 전반적으로 치료군에서 PSADT의 중앙치는 기저선 11.9개월로부터 치료 후 18.5개월로 증가하였다 ($p < 0.001$). 둘째, PSADT가 저용량에서는 11.9개월에서 18.8개월로, 고용량에서는 12.2개월에서 17.5개월로 연장되었으며, 두 용량에서의 차이는 유의하지 않았다 ($p=0.554$). 셋째, PSADT가 기저선의 100%로 증가한 경우는 환자의 43%에서, PSA의 감소는 환자의 13%에서 관찰되었다. 넷째, 저용량 군의 1.9%와 고용량 군의 13.5%에서 설사가 생긴 것 외에는 임상적으로 유의한 독성이 관찰되지 않았다. 이들 결과는 POMx로 치료한 경우 유의한 부작용이 없이 PSADT가 6개월 이상 연장됨을 보여 준다.

곡물과 시리얼 (grains and cereals): 곡물과 시리얼에 관해서는 시리얼의 섭취가 전립선암 사망률 혹은 전립선암 발병과 역상관관계를 나타낸다고 보고되고 있다. 시리얼에 의한 보호 효과는 아마씨, 호밀, 메밀가루 등을 함유한 전통적인 빵 소비와 관련이 있다. 대두, 콩류, 시리얼, 채소 등과 같은 음식에는 ligands가 풍부하며, isoflavonoids와 병합되면 전립선암에 대한 보호 효과를 가진다 (Hebert 등, 1998).

식물 에스트로겐으로는 flavones, isoflavones, lignans, coumestans 등이 있으며, 체내의 에스트로겐과 비슷한 구조를 갖는다. 대두에서 발견되는 soy isoflavones의 50%는 genistein, 40%는 daidzein, 5~10%는 glycitein으로 구성되어 있다 (Delmonte 등, 2006). 콩과 붉은 토끼풀에 풍부하다. 여러 식물성 에스트로겐을 함유하고 있는 음식들로는 병아리콩, 렌즈콩, 땅콩, 개암나무 열매, 서양자두, 건포도, 녹색꽃양배추 (broccoli), 양딸기 등이 있다. 동서양 음식의 차이점으로 동양인은 다량의 콩을 섭취하는데, 이 차이가 동양인에서 전립선암의 발생률이 낮은 중요한 인자가 된다는 결과가 많이 제시되고 있다. 예로부터 서구나 미국보다 동남아에서 심장발작, 골다공증에 의한 이차성 골절, 유방암, 전립선암의 빈도가 현저하게 낮다고 알려져 있다. 콩에는 isoflavone이 풍부하며, 특히 genistein, daidzein, equol 등이 세포 성장과 혈관 형

성을 방지하고 암의 진행을 억제한다고 생각된다. Hebert 등 (1998)은 59개 국가의 공동연구에서 콩류를 이용한 식품이 전립선암에 대해 보호 효과를 가진다고 보고하였다. Isoflavone은 전립선암의 발생과 발달에 영향을 주는 테스토스테론, 에스트로겐 등과 같은 호르몬의 생성, 대사, 분비에 영향을 주는 것으로 알려져 있으나 아직 장기간의 역학 연구가 부족한 실정이다. Genistein이 골 밀도와 골 대사에 긍정적인 효과를 나타낸다는 가설은 이미 입증되어 있다. 골의 형성은 genistein이 칼슘, 비타민 D와 함께 투여될 때 자극된다. 그것은 또한 지질 분포와 불안정형 고혈압에도 긍정적 효과를 나타낸다고 알려져 있다. 그것은 자유기 제거제로서 자외선으로부터 신체를 보호하고 피부에서 콜라겐의 합성을 자극한다.

일부 isoflavones는 테스토스테론을 더 활성적인 호르몬인 DHT로 전환시키는 5α-reductase를 억제하여 전립선의 성장을 억제한다 (Evans 등, 1995). 식물성 에스트로겐은 에스트로겐 수용체에 작용함으로써 효과를 나타내며, 특히 에스트로겐 수용체에 대해 강한 친화력을 가지는 선택적 에스트로겐 수용체 조정자 (selective estrogen receptor modulator, SERM)로서의 역할을 한다고 알려져 있다.

지금까지 genistein에 관해 광범위하게 연구되어 왔으며, genistein은 tyrosine kinases (Hillman 등, 2004), nuclear factor kappa B (NFκB) (Kikuno 등, 2008), 혈관 형성 및 증식 (Sasamura 등, 2004), telomerase의 활성 (Jagadeesh 등, 2006), 종양 유발 유전자의 기능 (Li 등, 2005), 비특이적 염증 경로 (Ye 등, 2004) 등을 억제할 뿐만 아니라 세포 자멸사를 유발하는 (Li 등, 2004) 등 다양한 항암 작용을 나타낸다고 보고되었다. Genistein의 항암 작용은 전립선암 (Wang 등, 2012), 구강암 (Myoung 등, 2003), 피부암 (Wei 등, 2003), 방광암 (Singh 등, 2006), 음문암 (Thigpen 등, 2001) 등에서 생체 및 생체 밖 실험으로 확인되었다. 여러 증거들은 genistein이 암세포에 대해 분명히 다면적인 효과를 가지고 있음을 보여 주었으나, 그에 대한 확실한 기전은 충분하게 밝혀져 있지 않다.

근래 연구는 soy isoflavones가 유전자의 촉진체에 있는 CpG의 메틸화를 방지할 수 있다고 하였다 (Fang 등, 2005). 이 연구의 저자들은 2~20 μM의 genistein이 LNCaP 및 PC3 전립선암 세포주에서 세포의 성장을 억제하였고, DNA의 과다 메틸화를 반전시켰으며, retinoic acid receptor beta (RARβ), p16[INK4a], O6-methylguanine-DNA methyltransferase (MGMT)

등을 재활성화하였다고 보고하였다. 또한, 20~50 μM의 ge-nistein은 용량 의존적으로 DNA methyltransferase의 활성을 억제하였으며, 이는 기질 의존성 및 methyl donor 의존성을 나타내었다. Genistein은 50 μM에서 CpG dinucleotides를 탈메틸화하였다는 보고가 있고 (Majid 등, 2010), 20 μM에서는 탈메틸화가 일어나지 않는다는 보고 또한 있다 (Phillip 등, 2012). 매일 82 mg의 genistein을 보충한 환자의 전립선에서 genistein의 농도를 분석하여 보면, 중앙치가 2.3 μM에 불과하다. 환자들이 genistein의 농도가 높더라도 독성이 없어 잘 순응한다고는 하지만, DNA를 탈메틸화하는 고농도의 genistein은 임상적으로 이용하기가 적절하지 않다. 그러나 vorinostat와 병용하면 세포 사망에 대해 추가로 효과를 얻을 수 있어 genistein과 vorinostat의 병합 요법은 화학예방제 혹은 치료제로 이용이 가능하다고 생각된다 (Phillip 등, 2012).

다른 연구는 genistein이 CpG의 탈메틸화, histone H3 lysine 4 (H3K9)의 histone 아세틸화 등의 증가를 통해 비활동 중인 종양 억제 유전자 BTG family, member 3 혹은 B-cell translocation gene 3 (BTG3)를 활성화한다고 하였다 (Majid 등, 2010). 이 연구의 결과는 genistein 및 관련 soy isofla-vones가 후성적으로 비활동성 유전자를 활성화할 수 있음을 시사하며, 이는 암에 대한 genistein의 치료 효과의 기전이 될 수 있다.

탈메틸화 제제인 genistein은 독성이 적어 nucleoside 유사제 5-aza-2′-deoxycytidine (5-aza)에 비해 유망한 치료제로서 관심을 끌고 있다. 5-aza는 여러 종류의 암에서 치료 효과를 나타내지만, 백혈구 감소증 (neutropenia), 골수 억제 등과 같은 부작용을 간혹 일으킨다 (Appleton 등, 2007). Genistein은 자연에서 생겨난 성분으로 독성이 없어 환자들이 잘 순응할 수 있다 (Gardner 등, 2009). 이전의 연구는 genistein이 전립선암 세포를 화학 요법제 docetaxel에 대해 민감하게 만든다고 하였다 (Li 등, 2005).

Wingless-type MMTV integration site (WNT) 및 notch homolog 1 (NOTCH) 경로는 전립선암에서 흔히 제어되지 않으며, 전립선암이 진행하는 데 중요한 역할을 한다. WNT 경로를 역으로 조절하는 인자들, 예를 들면 adenomatous pol-yposis coli (APC), secreted frizzled-related protein (SFRP1), dickkopf-related protein 3 (DKK3), sex determining region Y-box 7 (SOX7) 등은 상당수 전립선암에서 과다 메틸화된다 (Guo 등, 2008). 또한, WNT를 역조절하여 종양의 성장,

세포의 이동 및 침윤 등을 억제하는 WNT inhibitory factor 1 (WIF1)도 전립선암에서 과다 메틸화된다 (Yee 등, 2010).

Phillip 등 (2012)은 genistein에 의한 WNT 억제 유전자의 유도 및 탈메틸화가 WNT 신호 경로의 활성을 약화시키는지 그리고 genistein이 histone deacetylase (HDAC)를 억제하는 제제인 vorinostat와 협동하여 세포 자멸사를 유도하는지를 평가하였다. 연구의 결과에 의하면, genistein은 이전 연구 결과와는 다르게 생리적으로 적당한 농도에서 CpG의 메틸화에 대해 영향을 주지 않았지만, histone의 아세틸화에 영향을 주었으며, vorinostat과 5-aza의 병용에 비해 genistein과 vorinostat의 병용이 더 나은 세포 자멸사 효과를 나타내었다. Genistein이 많은 암 세포에서 세포의 성장을 감소시키고 세포 자멸사를 유도하는 것은 *breast cancer 1, early onset (BRCA1), BRCA1 associated RING domain 1 (BARD1), BUB1 mitotic checkpoint serine/threonine kinase (BUB1), aurora kinase B (AURKB), checkpoint kinase 2 (CHEK2), mitotic arrest deficient-like 1 (MAD2L1)* 등과 같이 G2/M checkpoint에 영향을 주는 유전자와 *granzyme B (GZMB), DNA fragmentation factor subunit alpha polypep-tide (DFFA), tumor necrosis factor (TNF), baculoviral inhibi-tor of apoptosis (IAP) repeat containing 3 (BIRC3), B-cell lymphoma 10 (BCL10), catenin beta 1 (CTNNB1)* 등과 같이 세포 자멸사에 관여하는 유전자를 상향 조절하는 기전 때문으로 추측된다 (도표 334).

Genistein이 세포사를 일으키는 기전은 TNF-NFκB 및 안드로겐 경로에 관여하는 세포 자멸사 대항 유전자, 예를 들면 *BIRC7/LIVIN, transforming growth factor beta 1 induced transcript 1/AR associated protein 55 (TGFB1I1/ARA55), hairy and enhancer of split-1 (HES1), SLUG* 등을 하향 조절하기 때문으로 추측된다 (Phillip 등, 2012) (도표 334). *Neu-ral crest transcription factor SLUG, snail family zinc finger 2 (SNAIL2)* 등으로도 알려진 *SLUG (chicken homolog) zinc finger protein (SLUG)*는 *SNAIL1*과 함께 epithelial-mesen-chymal transition (EMT)을 매개하는 데 중요한 역할을 한다 (Elloul 등, 2005). *HES1*은 NOTCH 신호 경로의 매개체이며, genistein으로 치료하면 NOTCH 경로의 활성이 억제된다 (Ohtsuka 등, 1999). *TGFB1I1/ARA55*는 TGF-β의 신호에 의해 유도되고 안드로겐 수용체의 공동 활성제로서 작용하며, 이로써 genistein은 TGF-β의 신호 경로와 안드로겐의 신호 경

도표 334 DMSO에 비해 vorinostat/genistein에 의해 전립선암 세포주 ARCAP–E에서 나타나는 유전자의 변화

기호	동의어	변화 배수	기능	기호	동의어	변화 배수	기능
GZMB	CTLA1	6.9	세포 자멸사	CTNNB1	armadillo	1.7	세포 자멸사
TNFRSF6B	DCR3	4.8	세포 자멸사	MTA2	MTA1L1	1.7	염색질 구조 변경
BIRC3	c-IAP2	4.1	세포 자멸사	CHEK2	RAD53	1.6	DNA checkpoint
TNF	TNF-alpha	3.9	세포 자멸사	BUB1		1.6	DNA checkpoint
DFFA	ICAD	3.8	세포 자멸사	TGFB1I1	ARA55	-1.8	세포 자멸사
BARD1		3.0	DNA checkpoint	TNFSF10	TRAIL	-1.9	세포 자멸사
MAD2L1	MAD2	2.4	DNA checkpoint	CREBBP	CBP	-2.1	염색질 구조 변경
HAT1	KAT1	2.4	염색질 구조 변경	SIRT1	SIR2L1	-2.1	염색질 구조 변경
GZMH	CGL2	2.3	세포 자멸사	ATM	TEL1	-2.2	DNA checkpoint
AURKB	ARK2	2.2	DNA checkpoint	TNFRSF14	LIGHTR	-3.7	세포 자멸사
BCL10	CARMEN	2.0	세포 자멸사	BIRC7	Livin	-4.8	세포 자멸사
BRCA1	BRCC1	1.9	DNA checkpoint				

ARK2, aurora-related kinase 2; ATM, ataxia telangiectasia mutated homolog; AURKB, aurora kinase B; BARD1, BRCA1 associated RING domain 1; BCL10, B-cell lymphoma 10; BIRC3, baculoviral inhibitor of apoptosis repeat C3; BRCA1, breast cancer 1, early onset; BRCC1, BRCA1/BRCA2-containing complex, subunit 1; BUB1, BUB1 mitotic checkpoint serine/threonine kinase B; CAD, caspase-activated DNase; CARD, caspase recruitment domain; CARMEN, CARD containing molecule enhancing NFkB; CGL2, cathepsin G-like 2; CHEK2, checkpoint kinase 2; CREB, cAMP response element-binding protein; CREBBP, CREB-binding protein; CTLA1, cytotoxic T-lymphocyte-associated serine esterase 1; CTNNB1, catenin beta 1; DCR3, decoy receptor 3; DFFA, DNA fragmentation factor subunit alpha; DMSO, dimethylsulfoxide; ETS, E-twenty six; GZMB, granzyme B; GZMH, granzyme H; IAP2, inhibitor of apoptosis 2; ICAD, inhibitor of CAD; KAT1, potassium channel KAT1; LIGHT; lymphotoxin, exhibits inducible expression and competes with HSV glycoprotein D for binding to herpesvirus entry mediator, a receptor expressed on T lymphocytes; LIGHTR, LIGHT receptor; MAD2, mitotic arrest deficient 2; MAD2L1, MAD2 mitotic arrest deficient-like 1; MTA1, metastasis-associated gene 1; MTA1L1, metastasis-associated gene 1-like 1; NFkB, nuclear factor kappaB; SIR2L1, SIR2-like protein 1; SIRT1, sirtuin 1; TEL1, translocation-ETS-leukemia 1; TGFB1I1, transforming growth factor beta 1 induced transcript 1; TNF, tumor necrosis factor; TNFR, tumor necrosis factor receptor; TNFRSF6B, TNFR superfamily, member 6B; TRAIL, TNF-related apoptosis-inducing ligand.

Phillip 등 (2012)의 자료를 수정 인용.

로 둘 모두를 억제한다고 생각된다 (Li 등, 2011). ARCaP-M (mesenchymal) 세포주보다 ARCaP-E (epithelial) 세포주가 genistein과 vorinostat를 병합한 치료에 더 민감한데, 이는 ARCaP-M 세포주에 비해 ARCaP-E 세포주에서 *BIRC7/LIVIN*, *TGFB1I1/ARA55*, *HES1*, *SLUG* 등의 감소가 더 큰 것과 관련이 있다고 생각된다 (Phillip 등, 2012).

전립선암과 콩의 연관성에 관한 임상 연구는 매우 적으나, 그들 중 다수는 전립선암의 발생 빈도에 긍정적인 효과가 있음을 보여 주었다. California Seventh-Day Adventist Study 연구에서는 12,395명의 남성들이 매일 수회 두유를 복용하였는데, 이 경우 전립선암의 발생 위험이 70%까지 감소하였다 (RR 0.3, 95% CI 0.1~1.0; *p*=0.03) (Jacobsen 등, 1998). Isoflavones를 이용하여 여러 전향적인 연구가 실시되었으나 아직 결과가 발표되지는 않고 있다 (Kolonel 등, 2000). 중국의 환자-대조군 비교 연구는 대두 음식과 isoflavones의 섭취 증가는 전립선암 위험을 감소시킨다고 하였다. 즉, isoflavones가 풍부한 두부 섭취가 가장 낮은 3분위수에 속한 남성에 비해 가장 높은 3분위수에 속한 남성의 전립선암 발생 위험에 대한 OR은 0.58 (95% CI 0.35~0.96), 콩 음식, genistein, daidzein 등의 섭취가 가장 낮은 4분위수에 속한 남성에 비해 가장 높은 4분위수에 속한 남성의 전립선암 발생 위험에 대한 OR은 각각 0.51 (95% CI 0.28~0.95), 0.53 (95% CI 0.29~0.97), 0.56 (95% CI 0.31~1.04)이었다 (Lee 등, 2003).

43,509명의 일본인을 포함한 모집단 근거 전향 연구는 genistein, daidzein, 미소국, 콩 제품 등과 전립선암 위험 사이의 연관성을 평가한 후 다음과 같은 결과를 보고하였다 (Kurahashi 등, 2007). 첫째, 1995년부터 2004년까지 추적 관찰하는 동안 307명의 전립선암 환자가 새로 발견되었으며, 이들 중 74명은 진행된 전립선암을, 220명은 국소 전립선암을, 13명은 미확인 병기의 전립선암을 가졌다. 둘째, genistein, daidzein, 미소국, 콩 제품 등의 섭취는 전체 전립선암과는 관련이 없었지만, 국소 전립선암의 발생 감소와는 관련이 있었다. 대조적으로 isoflavones는 진행된 전립선암과 정상관관계를 가졌다. 셋째, 평가 대상을 60세 초과 연령으로 국한하였을 때는 연관성

이 증대되었으며, 용량 의존적으로 국소 전립선암의 위험을 감소시켰는데, genistein, daidzein, 콩 제품 등의 소비가 가장 낮은 사분위수에 속한 남성과 비교하였을 때 가장 높은 사분위수의 전립선암 위험에 대한 RR은 각각 0.52 (95% CI 0.30~0.90), 0.50 (95% CI 0.28~0.88), 0.52 (95% CI 0.29~0.90)이었다. 여러 형태의 대두 소비와 전립선암 사이의 연관성을 메타 분석한 연구는 다음과 같은 결과를 보고하였다 (Hwang 등, 2009). 첫째, 전체 콩 제품과 비발효 콩 제품의 OR은 각각 0.69 (95% CI 0.57~0.84), 0.75 (95% CI 0.62~0.89)이었다. 둘째, 콩 제품 중 두유, 미소국, 나토 (natto) 등은 전립선암 위험의 감소와 유의한 연관성이 없었으며, 두부만이 통계적으로 유의하였는데 OR이 0.73 (95% CI 0.57~0.92)이었다. Genistein과 daidzein은 전립선암 위험의 감소와 관련이 있었다. 이들 결과는 콩 제품의 소비가 전립선암의 위험을 감소시킬 수 있음을 보여 준다. 콩 소비와 전립선암 위험 사이의 연관성을 메타 분석한 또 다른 연구는 다음과 같은 결과를 보고하였다 (Yan과 Spitznagel, 2009). 첫째, 콩 섭취의 RR과 OR을 연합한 RR/OR은 0.74 (95% CI 0.63~0.89; p=0.01)이었다. 둘째, 세분한 분석에 의하면, 비발효 콩 제품과 발효된 콩 제품의 RR/OR은 각각 0.70 (95% CI 0.56~0.88; p=0.01), 1.02 (95% CI 0.73~1.42; p=0.92)이었다. Isoflavones에 관한 분석에서 RR/OR은 0.88 (95% CI 0.76~1.02; p=0.09)이었다. 셋째, 인종별로 세분하였을 때, 아시아인 집단과 백인 집단에서 RR/OR은 각각 0.52 (95% CI 0.34~0.81; p=0.01), 0.99 (95% CI 0.85~1.16; p=0.91)이었다. 이들 결과를 근거로 저자들은 콩 제품의 소비가 전립선암 위험의 감소와 관련이 있으며, 그러한 보호 효과는 소비된 콩 제품의 종류 및 양과 연관성이 있을 수 있다고 하였다.

현재 전립선암에 미치는 콩의 영향에 대해 많은 무작위 배정, 위약대조, 임상 연구가 진행 중에 있으며, 이러한 연구에는 근치전립선절제술 후에 재발이나 재발의 위험이 높은 즉, 수술 절제면 침범, 정낭 침범, 임파선 침범, Gleason 점수 8점 이상, 수술 전 PSA 20 ng/mL 이상의 남성들에 대한 코호트도 포함되어 있다. 앞으로 전립선암의 예방과 치료에 미치는 isoflavones의 영향을 평가하기 위해 다양한 연구들이 실시될 것으로 예상된다.

Theobromine: 차 종류나 코코아 가루의 성분인 theobromine은 유전자에 대해 독성을 유발하는 물질이다 (Ames, 1983). 1편의 환자-대조군 비교 연구는 theobromine을 많이 섭취하는 고령의 남성에서 전립선암 위험이 증가됨을 발견하였다. 즉, 전립선암 환자 362명과 대조군 685명을 대상으로 평가한 연구에 의하면, 고령의 남성이 theobromine을 적은 양을 섭취한 경우에 비해 11~20 mg/day와 20 mg/day 초과한 양을 섭취한 경우 전체 전립선암 위험에 대한 OR이 각각 2.06 (95% CI 1.33~3.20), 1.47 (95% CI 0.99~2.19)이었으며, 공격적인 암에 대한 OR은 각각 1.90 (95% CI 0.90~3.97), 1.74 (95% CI 0.91~3.32)이었다 (Slattery와 West, 1993). 캐나다의 환자-대조군 비교 연구에서는 하루에 500 g 이상의 차를 마시는 남성에서 전립선암 위험이 증가하였다 (Jain 등, 1999). 캐나다의 코호트 연구는 차 섭취와 전립선암 사이에서 연관성을 발견하지 못하였다 (Ellison, 2000).

미량 영양소 (micronutrient): 자유기는 정상적인 대사 활동 및 질환의 진행에 따라 신체에서 끊임없이 생성되며, 암, 심혈관계 질환 등 여러 만성적인 질환의 원인과 관련이 있다 (Ames 등, 1993). 자유기는 또한 남성의 불임에서 특히 중요하다 (Agarwal과 Saleh, 2002). 불임 남성의 40%까지에서 정액 내의 ROS가 증가된다는 보고가 있다 (Iwasaki와 Gagnon, 1992). 정자의 형질막에는 다가 불포화 지방산이 높은 농도로 있어 정자는 지질 과산화에 취약하다. 이러한 자유기로 인한 손상은 정액장액 내에 있는 효소적, 비효소적 항산화 작용에 의해 방지된다 (Sikka 등, 1995). Lycopene은 지방 친화성의 강력한 천연 항산화제로서 주로 토마토나 토마토 제품으로부터 얻어지며, 토마토 내에서 가장 풍부한 carotenoid이고 (Hart와 Scott, 1995), 서구에 거주하는 사람들의 혈장에서 발견되는 가장 풍부한 carotenoids 중 하나이다 (Stahl과 Sies, 1996). 일부 연구는 혈액 내의 lycopene 농도가 기타 모든 carotenoids의 농도보다 유의하게 더 높다고 하였다 (Khachik 등, 1992). Lycopene은 ROS의 유해한 효과에 대항하는 신체의 천연 방어 물질로 중요하며, 정액장액 내에서 발견되는 항산화제 중 하나로서 정자의 건강에 해로운 요소와 싸우는 비효소적 방어 시스템에 가담한다. 또한, 가임 남성보다 면역학적으로 불임인 남성의 정액장액에서 lycopene의 농도가 낮음이 관찰되었다 (Palan와 Naz, 1996). 토마토와 토마토 제품의 섭취를 증가하면 혈액 (Rao, 2004), 모유 (Allen 등, 2002), 정액장액 (Goyal 등, 2007) 등 여러 생체액에서 lycopene의 농도가 증가된다.

토마토 제품에서 가장 풍부한 carotenoid는 lycopene이며, 그 다음 순으로 phytoene, phytofluene, β-carotene 등이 있다. β-Carotene이 carotenoid monooxygenase I (CMO-I)

에 의해 대사되어 중심 사슬이 분절되면 비타민 A가 형성되며, 더욱 대사가 일어나면 retinoic acid와 기타 retinoids가 생성된다 (Wyss 등, 2001). 생체 밖 실험은 lycopene이 carotenoid monooxygenase II (CMO-II)에 의해 대사되며 (Hu 등, 2006), CMO-II의 효소 작용으로 carotenoids에 분절이 일어나면 알데히드 대사물질이 생성됨을 보여 주었다. Lycopene의 대사물인 lycopenoids는 생체 실험에서 lycopene과 비슷한 생물학적 농도를 나타내었다 (Gajic 등, 2006). Kopec 등 (2010)은 8주 동안 토마토주스를 섭취한 남성들의 혈장에서 apo-6′-lycopenal, apo-8′-lycopenal, apo-10′-lycopenal, apo-12′-lycopenal 등을 발견하였다. 토마토 제품에도 이들 lycopene 대사물질이 저농도로 포함되어 있기 때문에, 이러한 제품을 섭취하면 혈장에서 apo-lycopenal의 농도가 측정된다.

Ford 등 (2011)은 안드로겐 비의존성 DU145 전립선암 세포 배양액을 lycopene, apo-8′-lycopenal 혹은 apo-12′-lycopenal 등으로 처치한 연구에서 lycopene과 apo-12′-lycopenal이 세극결합 단백질인 connexin 43에는 변화를 주지 않으면서 정상 세포 주기의 진행을 방해하여 전립선암 세포의 증식을 억제했다고 보고하였다.

Lycopene이 풍부한 빨간 토마토, lycopene이 없는 노란 토마토, 정제된 lycopene 등을 이용하여 토마토 기질과 lycopene 자체의 효과를 감별하기 위해 50~70세의 건강한 남성 30명을 2주의 공백기 후 두 군에 무작위로 배정한 교차 연구는 우선 각 군에게 정규 식사와 별도로 lycopene이 없는 노란 토마토소스 200 g/day와 lycopene이 16 mg이 함유된 빨간 토마토소스 200 g/day를 1주간 투여한 후, 1군에게는 1주간 16 mg/day의 정제된 lycopene으로 보충하였고 2군에게는 1주간 위약을 투여하였다. 연구 과정의 전후로 혈청을 채취하여 림프절을 침범한 전립선암 세포와 함께 배양한 후 45종의 표적 유전자의 발현을 측정하였다. 혈중 lycopene의 농도는 빨간 토마토소스와 정제된 lycopene을 섭취한 군에서만 증가하였다. 토마토소스와 정제된 lycopene을 섭취하더라도 지질 양상, 항산화제의 상태, insulin-like growth factor 1 (IGF1) 등은 변하지 않았으나, IGF binding protein 3 (IGFBP3)와 BAX/BCL2의 비율이 유의하게 증가하였으며 cyclin D1 (CCND1), p53, nuclear respiratory factor 2 (NRF2)는 유의하게 감소하였다. 정제된 lycopene을 섭취한 경우는 위약을 섭취한 경우에 비해 IGFBP3, FBJ murine osteosarcoma viral oncogene

homolog (FOS), plasminogen activator, urokinase receptor (UPAR) 등이 유의하게 증가하였다. 이 연구의 결과는 lycopene이 음식 기질에 포함되어 있든 포함되어 있지 않든 lycopene 자체가 유전자 발현에 영향을 줄 수 있음을 시사한다 (Talvas 등, 2010).

미량 영양소와 관련하여 토마토 제품과 lycopene의 섭취는 여러 연구에서 전립선암 위험의 감소와 관련이 있다고 보고되었다 (Giovannucci 등, 2002). 약 5만 명의 의료 종사자에 관한 전향적인 연구는 토마토, 토마토소스, 토마토주스, 및/혹은 피자의 빈번한 섭취 (주 10인분 이상 대 주 1.5인분 미만)는 보호 효과를 보이며 (RR 0.65, 95% CI 0.44~0.95), lycopene 섭취와 전립선암 위험 사이에는 역상관관계가 있다고 하였다 (RR 0.79, 95% CI 0.64~0.99) (Giovannucci 등, 1995). 전립선암으로 진단되기 전의 혈장 lycopene 농도를 분석한 코호트 내 환자-대조군 비교 연구는 역상관관계를 발견하였으며 (OR 0.50), 특히 70세 미만 남성에서는 더 강한 연관성을 나타내었다 (OR, 0.35) (Hsing 등, 1990). 한 코호트 연구에서 토마토 섭취는 유의하게 암 위험의 감소와 관련이 있었으나 (Mills 등, 1989), 다른 코호트에 대한 환자-대조군 비교 연구에서는 lycopene의 효과가 관찰되지 않았다 (Nomura 등, 1997). 식이와 전립선암 위험에 관한 그리스 아테네의 환자-대조군 비교 연구는 토마토, 특히 조리된 토마토 섭취의 증가는 질환의 위험을 감소시켰다고 보고하였다. 조리된 토마토의 섭취를 주 2회에서 주 4회로 증가하면 15%의 암 위험 감소가 예측된다 (OR 0.85, 95% CI 0.75~0.97) (Tzonou 등, 1999).

Lycopene은 주로 식물에서 발견되고 사람이 먹는 음식 중 토마토로부터 추출되며 (Stahl 등, 1997), 혈장과 전립선의 carotenoid 중 가장 많은 부분을 차지하고 (Clinton 등, 1996), carotenoids 중 가장 효율적으로 ROS 일중항 산소 (singlet oxygen)를 제거함으로써 강한 항산화 효과를 나타낸다 (Di Mascio 등, 1989). Fisher F344 설치류 모델을 이용한 연구는 3,2′dimethyl-4-aminobiphenyl (DMAB)로 유발된 쥐의 전립선 전엽 암에 대한 lycopene의 화학예방적 효과를 평가하였다. 저자들은 lycopene이 이 모델에서는 일관되게 쥐의 전립선암 형성을 방지하지 못하였다고 결론을 내렸다 (Imaida 등, 2001). Giovannucci 등 (2002)은 토마토소스를 섭취하면 진행성 전립선암의 위험을 35% 정도 감소시킬 수 있다고 보고하였으며 다른 연구자들도 25~80%까지에서 혈중 lycopene

의 농도가 전립선암의 위험도와 관련이 있었다고 하였다. 미국의 HPFS도 토마토주스가 전립선암에 대해 보호 효과를 가진다고 하였다. 즉, HPFS에 참여한 47,365명의 남성을 12년 동안 추적 관찰하여 2,481명의 전립선암 환자를 발견한 연구는 다음과 같은 결과를 보고하였다 (Giovannucci 등, 2002). 첫째, lycopene의 섭취는 전립선암 위험의 감소와 관련이 있었으며, 낮은 5분위수와 비교하였을 때 높은 5분위수의 RR은 0.84 (95% CI 0.73~0.96)이었다. 둘째, 토마토소스의 섭취는 전립선암 위험의 감소와 더 큰 연관성을 나타내었는데, 주 1회 미만의 섭취와 비교하였을 때, 주 2회 이상 섭취의 RR은 0.77 (95% CI 0.66~0.90)이었으며, 특히 전립선피막 밖으로의 침범에 대한 RR은 0.65 (95% CI 0.42~0.99)이었다. 이러한 결과는 토마토를 자주 섭취하면 전립선암의 위험이 감소됨을 보여 준다. 발표된 자료들은 희망적이긴 하나, 위약으로 대조되고 무작위로 배정된 전향적 연구가 부족하다. Lycopene에 의한 보호 효과가 토마토에 함유된 다른 성분과 연합하여 나타나는 효과인지, 아니면 lycopene 단독에 의한 효과인지 아직 분명하지 않다.

2.2. 환경 인자 Environmental factor

2.2.1. 내분비계 교란 화학물질
(endocrine disrupting chemical, EDC)

여러 연구들은 EDCs의 범주에서 주위 환경으로부터 에스트로겐 유사 작용에 노출되면 남녀가 성 분화, 성적 성숙, 성인의 생식 과정 등의 이상을 초래할 수 있다고 하였다 (Colborn 등, 1993). 환경 혹은 영양 측면에서 에스트로겐 작용제는 발암 과정에 영향을 준다 (Watson 등, 1995). 높은 농도의 에스트로겐에 노출되는 경우는 흔하지 않으나, 장기간 저용량의 에스트로겐 작용제에 노출된 경우는 전립선암의 원인이 될 수 있다 (Ho와 Baxter, 1997). 에스트로겐 작용을 가진 인공 오염물이 많이 있는데, 예를 들면 화공약품 및 농약, 플라스틱, 세척제 (Soto 등, 1995), Red Dye No. 3와 같은 식용 색소 (Dees 등, 1997) 등이다. Dichlorodiphenyltrichloroethane (DDT)과 같은 일부 화학물질은 미국에서 더 이상의 사용이 금지되어 있다. 지방 친화성이 높고, 지속적이며, 생물 세포 내에 축적되는 화학약품을 사용하면, 이들은 환경, 먹이사슬, 체내 지방 등에 축적된다.

사람은 식물성 에스트로겐과 같이 에스트로겐 성질을 가진 식물성 물질에 노출될 수 있다. 콩 제품, 전곡 (whole-grain) 시리얼, 씨앗, 장과류 (berries), 견과류 등에서 발견되는 식물 ligands와 isoflavonoids는 장 내의 세균에 의해 항산화 작용을 가지는 약한 에스트로겐 성질의 화합물로 전환된다 (Adlercreutz 등, 1995). 항암 효과를 가지고 있는 식물성 에스트로겐은 유방암 (Adlercreutz 등, 1995) 전립선암 (Stephens, 1997) 등에서 관심을 받고 있는 물질이다. 하와이에 거주하는 일본인 혈통을 대상으로 실시한 전향 연구에서 두부 섭취는 전립선암 위험의 감소와 유의하게 연관성이 있었다 (Severson 등, 1989). 일본인의 소변에서는 isoflavonoids의 배출량이 많으며, 일본인 및 아시아인에서 전립선암으로 인한 사망률의 감소는 식이 식물성 에스트로겐의 억제 효과 때문이라고 추측된다 (Yatani 등, 1982). 유럽 남성과 비교해 볼 때 아시아 남성의 혈장 및 전립선액 표본에서는 식물성 에스트로겐인 daidzein과 equol (daidzein은 isoflavonoids의 일종이고, equol은 daidzein의 대사물질임)의 농도가 더 높다 (Morton 등, 1997). 식물성 에스트로겐의 식이 보충이 전립선암의 발생 위험을 감소시키는지에 관한 임상 연구가 다수 실시되었으며, 한 환자-대조군 비교 연구는 여러 식물성 에스트로겐과 전립선암 위험 사이에서 어느 정도의 연관성을 발견하였다 (Barnes 등, 1995). 한편, genistein은 전립선암에 대해 보호 효과를 나타낸 데 비해, daidzein 및 coumestrol과 전립선암 위험과는 역상관관계를, campesterol 및 stigmasterol과 전립선암 위험과는 정상관관계를 보였다는 연구도 있다 (Strom 등, 1999) (도표 335).

여러 EDCs에 대한 노출의 효과가 생체 및 생체 밖 실험을 통해 연구되었다 (Soto 등, 1995). 야생 동물과 사람은 혼합된 EDCs에 노출되기 쉬우며, 그들 중 일부는 점증적으로 작용한다. EDCs에의 노출은 여러 다른 방식으로 호르몬 농도에 유의하게 영향을 주어, 결국 전립선암의 형성 과정에 영향을 주게 된다.

전립선과 유방 조직은 공통으로 호르몬 의존성 성장 및 분화의 양상을 가지며, 에스트로겐이 공통으로 원인되는 연결 고리라고 알려져 있다. 유방암에 대한 대부분의 위험 인자는 에스트라디올 및 기타 호르몬에 평생 노출됨으로 인하는데 (Telang 등, 1997), 동일한 기전이 전립선에도 적용될 것으로 추측된다. 전립선의 발달과 전립선 질환에서 에스트로겐의 역할은 60년 이상 전부터 가정되어 왔다. 태아 및 신생아 시기와 같이 기관이 분화하는 중요한 시기 동안 호르몬은 유전

도표 335 식물성 에스트로겐의 전립선암 발생 위험에 대한 OR

	보정 전 OR			보정 후 OR[†]		
	OR	95% CI	p value	OR	95% CI	p value
Isoflavones						
Genistein	0.72	0.40~1.27	0.26	0.71	0.39~1.30	0.26
Daidzein	0.62	0.34~1.10	0.10	0.57	0.31~1.05	0.07
Formononetin	1.11	0.62~1.97	0.73	0.99	0.54~1.81	0.98
Biochanin A	0.91	0.51~1.62	0.76	0.92	0.50~1.70	0.79
Coumestrol	0.65	0.36~1.16	0.14	0.48	0.25~0.94	0.03
Flavonoids						
Quercetin	1.01	0.57~1.78	0.99	0.96	0.53~1.76	0.90
Kaempferol	0.96	0.54~1.70	0.88	0.77	0.42~1.43	0.41
Luteolin	0.87	0.49~1.54	0.63	0.83	0.45~1.51	0.54
Apigenin	0.87	0.49~1.54	0.63	0.83	0.45~1.51	0.54
Myricetin	1.11	0.62~1.97	0.73	1.12	0.61~2.06	0.70
Phytosterols						
β-Sitosterol	1.22	0.69~2.17	0.50	0.90	0.47~1.70	0.74
Campesterol	2.56	1.39~4.72	0.003	1.92	0.93~3.95	0.08
Stigmasterol	2.72	1.47~5.05	0.002	2.19	1.09~4.43	0.03
총 phytosterols	1.35	0.76~2.40	0.31	0.98	0.52~1.86	0.95
Lignan precursors						
Secoisolariciresinol	1.35	0.76~2.40	0.31	1.20	0.65~2.21	0.55
Matairesinol	1.11	0.62~1.97	0.73	0.89	0.47~1.66	0.71

[†], 연령, 전립선암 가족력, 알코올 섭취 총 칼로리 섭취 등으로 보정.
CI, confidence interval; OR, odds ratio.
Strom 등 (1999)의 자료를 수정 인용.

자의 '각인 (imprinting; 유전자를 영구적으로 활동 못하게 하거나 속도를 조절하여 활동하도록 만듦)'에 관여하며, 이 시기는 호르몬 농도와 내분비계 기능의 변화에 대해 취약성이 큰 시기이다 (Santti 등, 1994). 전립선의 발달에서 에스트로겐의 역할은 생쥐 실험에 의해 뒷받침되고 있는데, 2마리의 암컷 태아 사이의 자궁에 위치한 수컷들 ('2F males')은 2마리 수컷 태아 사이의 자궁에 위치한 수컷들 ('2M males')과는 달리 인접한 암컷 태아로부터 유래된 에스트라디올이 운반되어 전달됨으로써 더 높은 농도의 에스트로겐에 노출된다 (Even 등, 1992). 2F males가 태아기 동안 더 높은 농도의 에스트로겐에 노출되면 전립선이 유의하게 더 커지며, 2M males에 비해 2F males 생쥐는 성숙기에 전립선 내 AR의 농도가 3배 더 증가되도록 각인된다 (Nonneman 등, 1992). 이러한 결과는 태아기 동안 에스트로겐 농도의 소량 증가가 영구적으로 전립선 비대와 AR 농도 증가를 유도할 것으로 추측하게 한다. 이러한 소견은 diethylstilbestrol (DES)을 고용량으로 투여하면, 전립선의 크기가 영구적으로 작아진다는 이전의 많은 연구와 너무 다르기 때문에 흥미롭다 (Santti 등, 1994).

에스트로겐성 화학물질에 대한 노출은 태아기의 결정적인 단계에서 일어날 수 있으나, 그러한 노출의 결과는 전형적으로 성년까지는 인지되지 않다가 성인이 되면 생식계통과 관련하여 여러 문제들이 나타난다. 따라서 남성이 태아기 동안 낮은 농도의 EDCs에 노출되거나 내분비 에스트로겐의 생리적 농도가 변하게 되면, 전립선암의 위험이 증가될 수 있다. 환경 에스트로겐 유사체에 노출되면 에스트로겐 대 안드로겐의 비율이 변하며, 이는 다시 전립선에 영향을 준다. 일부 연구자들은 전립선암의 시작은 내분비 인자와 관련이 있고, 촉진은 외인성 인자에 의해 더 영향을 받는다고 주장하였다 (Ho 등, 1995).

외인성 에스트로겐은 체내 표적 세포에 있는 에스트로겐 수용체 (estrogen receptor, ER)와 결합하여 에스트로겐과 유사한 작용을 유발하거나 억제한다. 그러므로 에스트로겐 유사체는 표적 조직의 성장, 발달, 기능을 유익하게 혹은 유해하게 변화시킬 수 있다. 전립선과 특별히 연관이 있는 ER의 두 번째 유형 ERβ는 에스트로겐 유사 약물 및 화합물의 전립선에 대한 역설적인 효과를 설명하는 데 도움을 준다 (Paech 등, 1997). 모든 EDCs가 에스트로겐 작용에 영향을 주지는 않는다. 또한 일부 EDCs는 안드로겐, 특히 전립선암과 관련이 있는 안드로겐, 갑상선호르몬, retinoic acid 등의 활성에 영향을 준다.

2.2.2. 카드뮴 (cadmium, Cd)

카드뮴은 아연 채광 및 제련, 하수 침전물, 여러 산업 자재, 도시 폐기물, 화석 연료 등에서 나오는 중요한 환경오염 물질이다. 세계적으로 카드뮴의 연간 생산량은 18,000톤 이상이며, 약 4,000톤이 미국에서 사용되는데 50%는 금속 도금에 이용되고 나머지 50%는 염료, 배터리, 플라스틱 첨가제, 야금, 핵 연료봉, 반도체 산업, 촉매제 등 여러 분야에서 이용된다. 카드뮴에 의한 음식, 토지, 공기, 물 등의 오염은 공업지역에서 더욱 심하다. 미국인은 직업적 노출 외에도 오염된 어류나 식수, 오염된 공기, 흡연 등을 통해 낮은 농도의 카드뮴에 노출되고 있다. 카드뮴은 National Priorities List 사이트에 흔하게 등재되며, National Toxicology Program은 이 물질을 인체 발암물질로 분류하였다 (Faroon 등, 1994). International Agency for Research on Cancer (IARC)는 카드뮴을 가장 높은 수준인 제1 범주의 인체 발암물질로 규정하였다.

쥐에서는 카드뮴에 의한 암 형성 과정이 특이하게 전방 전립선에서 민감하였는데, 이는 Cd-Cu-Zn과 결합하는 단백질로서 항산화 작용을 한다고 추정되는 metallothionein (MT)의 발현이 부족하기 때문이라고 생각된다 (Ghatak 등, 1996). MT는 세포의 골지기관에 분포해 있으며, 아연, 구리, 셀레늄과 같은 생리학적 중금속 및 카드뮴, 수은, 은, 비소와 같은 외인성 중금속과 결합함으로써 금속 독성과 산화 스트레스에 대하여 보호 효과를 나타낸다 (Sigel 등, 2009). 쥐의 전립선 전방에 카드뮴을 직접 주입하면, 270일 내에 전립선상피내암과 전립선암이 높은 빈도로 나타난다 (Hoffmann 등, 1985). 카드뮴은 또한 전립선의 전방부에서 dimethylamine borane (DMAB) 등과 같은 화학적 발암물질의 효능을 증대시킨다 (Shirai 등, 1993). 생체 밖 실험에서 카드뮴은 쥐의 전방 전립선 상피세포의 악성 변형을 일으켰으며 (Terracio와 Nachtigal, 1988), 사람의 전립선 상피세포의 증식 (Webber, 1985) 및 형질 전환 (Nakamura 등, 2002)을 증가시켰다. 카드뮴이 전립선 상피세포의 성장을 촉진하는 작용은 항산화 미량 원소인 셀레늄에 의해 차단되었는데, 이는 유사분열을 촉진하는 카드뮴의 작용이 세포 내의 산화 작용에 의해 매개됨을 추측하게 한다 (Webber, 1985). 따라서 쥐의 전립선에서 일어나

는 카드뮴에 의한 암 형성 과정은 자료가 제한적이긴 하지만 엽 (lobe)에 특이하다고 생각된다.

카드뮴이 암을 형성하는 잠재력은 아연에 의해 변할 수 있다 (Waalkes 등, 1989). 직업적인 노출에는 대체로 아연과 카드뮴이 포함된다. 아연은 용량 의존적 및 투여 경로 의존적 방식으로 쥐의 전방 전립선에서 카드뮴의 암 형성 효과를 증대 혹은 억제시킨다. 사람의 전립선에서는 아연과 카드뮴이 서로 대항 효과를 나타낸다 (Feustel 등, 1982). 전립선암 조직에서는 양성 조직에 비해 아연 대 카드뮴의 비율이 훨씬 더 낮은데, 이는 다음과 같은 가능성을 추측하게 한다. 첫째, 전립선 내의 높은 아연 함량이 전립선암에 대해 방어 역할을 한다. 둘째, 카드뮴은 전립선에서 암 형성 효과가 약하지만 아연이 결핍된 상태에서는 그 효과가 증대된다. 셋째, 전립선이 아연의 항상성을 적절하게 유지하지 못하면, 카드뮴 혹은 기타 금속 이온에 의한 세포의 형질 전환이 쉽게 일어난다.

전부는 아니지만 일부 역학 조사에서 카드뮴 노출은 전립선암과 관련이 있었으며 (Piscator, 1981), 전립선암 위험을 소폭 증가시켰다 (Thun 등, 1985). 니켈카드뮴 배터리 공장에서 최소 1년간 카드뮴에 노출된 스웨덴의 근로자 522명 중 전립선암으로 인한 사망률은 용량 의존적, 노출 기간 의존적으로 증가하였다 (Elinder 등, 1985). 또한, 미국 유타 주의 모집단에 근거한 환자-대조군 비교 연구에서 직업상 카드뮴 노출은 전립선암 위험을 소폭 증가시켰다 (Elghany 등, 1990). 카드뮴 노출과 전립선암 사이에서 정상관관계를 보여준 대부분의 연구는 약한 연관성을 나타내었으나 (Elinder 등, 1985), 공격적인 암과의 연관성을 보고한 연구도 있다 (OR 1.7) (Elghany 등, 1990). 이와 같은 역학적 소견들은 카드뮴의 조직 농도는 양성전립선비대와 같은 양성 조직 표본보다 전립선암에서 더 높고 (Habib 등, 1976), 높은 등급의 전립선암에서 가장 높다는 자료 (Feustel과 Wennrich, 1984)와 부합한다. 또한, 하천의 퇴적물에 비정상적으로 카드뮴의 농도가 높아 식수와 음식에 자연적으로 카드뮴이 들어간 스페인의 어느 지역에서는 전립선암의 발병률이 높게 관찰되었다 (Sanchez 등, 1992). 카드뮴은 정상 전립선의 상피세포와 기질 사이에 균등하게 분포되며, 한 연구는 카드뮴이 양성전립선비대 환자에서 테스토스테론과 역상관관계를 나타낸다고 하였다 (Lahtonen, 1985).

45~79세의 스웨덴인 41,085명을 대상으로 음식 내 카드뮴 노출과 전립선암 발생 사이의 연관성을 평가한 모집단 근

거 코호트 연구는 다음과 같은 결과를 보고하였다 (Julin 등, 2012). 첫째, 음식에 의한 카드뮴 노출의 평균은 19±3.7 μg/day이었다. 둘째, 다변량 분석에서 음식에 의한 카드뮴 노출은 전체 전립선암과 정상관관계를 가졌으며, 가장 낮은 삼분위수와 비교하였을 때, 가장 높은 삼분위수의 RR은 1.13 (95% CI 1.03~1.53)이었다. 전립선암의 형태를 세분하였을 때, 국소 전립선암과 진행된 전립선암에서 RR은 각각 1.29 (95% CI 1.08~1.53), 1.14 (95% CI 0.86~1.51)이었다. 셋째, 허리둘레가 작은 남성과 흡연 남성의 국소 전립선암에 대한 RR은 각각 1.55 (95% CI 1.16~2.08), 1.45 (95% CI 1.15~1.83)이었다. 이들 결과는 음식에 의한 카드뮴 노출이 전립선암의 발생과 관련이 있음을 보여 준다.

대조적으로 다른 연구에서는 카드뮴 노출과 전립선암 사이에 연관성이 발견되지 않았다 (Armstrong과 Kazantzis, 1983). 미국 유타 주의 모집단에 근거한 환자-대조군 비교 연구도 연관성을 발견하지 못하였다 (West 등, 1991). 카드뮴에 노출된 근로자를 대상으로 실시한 코호트 사망률 연구도 추적 관찰 5년 후 전립선암 위험의 증가를 발견하지 못하였다 (Kazantzis 등, 1988). 3,025명의 니켈카드뮴 배터리 공장 근로자에 대한 코호트 연구도 직업상 카드뮴 노출과 전립선암 사이에서 연관성을 보여주지 못하였다 (Sorahan 등, 1983). 카드뮴의 조직 함량은 양성 조직에 비해 암 표본에서 더 높지 않았다 (Lahtonen, 1985).

2.2.3. 농약 노출 (pesticide exposure)

전립선암에 관한 노스캐롤라이나 주의 환자-대조군 비교 연구는 농사와의 연관성을 발견하였으며, 살충제 혹은 휘발유 노출에 따른 관계는 유의하지 않았다. 그러나 40명의 환자, 64명의 대조군을 대상으로 실시한 연구이기 때문에 피험자의 수가 적어 통계학적인 가치는 떨어진다 (Checkoway 등, 1987).

네덜란드의 환자-대조군 비교 연구는 전립선암을 가진 농부는 그렇지 않은 농부에 비해 연간 농약에 노출된 기간이 유의하게 더 길었다고 하였다 (van der Gulden 등, 1995). 스웨덴의 코호트 연구에서도 농약 살포자와 전립선암 위험은 약하지만 유의한 연관성을 가졌다 (Dich와 Wiklund, 1998). 미국 노스다코타 주의 연구는 50세 이하의 비교적 젊은 남성에서 농약 노출과 전립선암 발생과의 연관성을 발견하였다 (Potti 등, 2003). 그러나 영국의 연구에서는 농약 사용과 전

립선암 위험 사이에서 연관성이 관찰되지 않았다 (Ewings와 Bowie, 1996). 캘리포니아 주의 농부에 관한 연구는 일반적인 농약 노출과 전립선암 발생 위험 사이에서 연관성을 발견하지 못하였으나, simazine, lindane, heptachlor 등과 같은 일부 화학약품에 노출된 경우에는 전립선암 위험이 증가했다고 보고하였다 (Mills와 Yang, 2003). 후향적 코호트 연구는 제초제를 뿌린 면적과 추적 관찰 후 17년에 전립선암으로 인한 사망 위험 사이에서 연관성을 발견하였다 (Morison 등, 1993). National Academy of Sciences는 베트남전쟁의 퇴역 군인을 상대로 제초제가 건강에 미치는 영향을 검토한 결과, 고엽제를 포함한 제초제와 전립선암 사이의 관계는 제한적이라고 하였다. 이탈리아의 연구는 유기염소계 살충제 및 진드기 구충제, 특히 DDT (OR 21, 95% CI 1.2~3.8), dicofol (OR 28, 95% CI 1.5~5.0)에 노출된 농부에서 전립선암 위험이 증가됨을 발견하였다 (Settimi 등, 2003).

미국 아이오와와 노스캐롤라이나 주에 거주하면서 1993~1997년 동안 Agricultural Health Study에 참여한 55,332명의 농약 살포자를 대상으로 한 전향적인 코호트 연구는 45종의 농약에 대한 노출과 전립선암 발병률 사이의 연관성을 조사하였다. 농약 노출에 관한 정보는 질문서를 통해 얻었으며, 암 발병은 주민에 기반을 둔 암 등록소에서 1999년에 확인하였다. 아이오와와 노스캐롤라이나 주의 모집단에 비해 코호트에서의 상대적 암 발병률은 1.14이었다. 이 연구는 농약과 전립선암 위험 사이에서 다음 3가지의 유의한 연관성을 관찰하였다. 첫째, National Institute for Occupational Safety and Health에 의해 직업적 발암물질로 간주된 알킬화 약물 methyl bromide는 저등급 및 고등급 분화도의 전립선암 위험과 유의한 연관성을 나타내었다. 둘째, DDT, heptachlor 등과 같은 염화 농약은 50세를 초과한 연령의 남성에서만 유의한 연관성을 보였다. 셋째, 전립선암 가족력이 있는 남성이 과거에 butylate, coumaphos 등 여러 농약을 사용한 경우 유의한 연관성을 나타내었다. 이러한 관찰은 일부 농약이 연령에 따른 환경적 요인, 유전에 따른 환경적 요인 등과 상호 작용하여 전립선암의 발생 위험에 영향을 줌을 시사한다 (Alavanja 등, 2003).

Agricultural Health Study (1993-2007) 연구에 참여한 54,412명 중 공격적인 전립선암 환자 919명을 포함하는 1,962명의 전립선암 환자를 대상으로 살충제와 전립선암 발생 위험과의 연관성을 평가한 연구는 다음과 같은 결과를 보고하

였다 (Koutros 등, 2013). 첫째, 3종의 유기인산염, 즉 fono-fos, malathion, terbufos 등에 노출된 남성은 그들에 노출되지 않은 남성에 비해 공격적인 전립선암 발생 위험과 유의하게 관련이 있었으며, 각각의 경우에서 RR은 1.63 (95% CI 1.22~2.17; p<0.001), 1.43 (95% CI 1.08~1.88; p=0.04), 1.29 (95% CI 1.02~1.64; p=0.03)이었다. 둘째, 유기염소 살충제인 aldrin 또한 공격적인 전립선암의 발생 위험과 관련이 있었으며, 이에 노출되지 않은 남성에 비해 노출된 남성의 RR은 1.49 (95% CI 1.03~2.18; p=0.02)이었다.

PubMed 데이터베이스를 이용하여 전립선암 환자 3,978명과 대조군 7,393명을 비교하여 평가한 연구는 다음과 같은 결과를 보고하였다 (Ragin 등, 2013). 첫째, 양성전립선비대와 비교하였을 때, 전립선암은 농부에서 거의 4배 더 흔하였으며, OR은 3.83 (95% CI 1.96~7.48; Q-test p=0.352)이었다. 양성전립선비대 환자를 제외한 남성을 대조군으로 비교하였을 때, 농부의 전립선암에 대한 OR은 1.38 (95% CI 1.16~1.64; Q-test p=0.216), 31 (95% CI 0~73) 등과 같이 연구에 따라 차이가 있었다. 둘째, 살충제에 대한 노출은 전립선암과 역상관관계를 가졌으며, OR은 0.68 (95% CI 0.49~0.96; Q-test p=0.331)이었다. 이와 같은 결과는 농사가 전립선암의 위험 인자임을 확인해 주었지만, 이러한 위험의 증가가 살충제에 대한 노출 때문이 아님을 보여 준다.

2.3. 직업 Occupation

많은 제조업, 직업, 노출 등이 전립선암 위험과 연계되어 연구되었으나, 분명한 결과는 없다. 가장 관심을 끄는 분야는 농사이며 그 다음은 고무공장에서의 작업이다.

2.3.1. 농부 (farmer)

농부들은 다른 집단에 비해 술과 담배를 적게 하고 신체 운동량이 더 많은 등 건강한 생활 습관을 가지고 있다 (Rafnsson, 2007). 그러나 그들은 직업적으로 살충제, 제초제, 비료, 용매, 엔진 배기가스, 유기 분진 등과 같은 여러 화학물질과 동물원성 바이러스, 세균, 진균 등과 같은 생물 작용제에 노출되기 쉽다 (Blair 등, 1992; Van Der Dulden과 Vogelzang, 1996). 이들에 대한 노출은 여러 종류의 암, 특히 전립선암과 관련이 있다고 보고되었다.

전립선암 발병률과 농사에 관한 메타 분석은 약한 정상

관관계가 있음을 발견하였다 (RR 1.12, 95% CI 1.01~1.24) (Keller-Byrne 등, 1997). 농부에서 전립선암 위험이 약간 증가하는 근거는 분명하지 않다. 하나의 가능성은 그들의 생활 습관이 암 위험을 증가시킬 수 있다는 것이다. 고지방 식이가 전립선암 위험을 증가시킨다는 증거가 있으며, 농부는 농부 아닌 남성에 비하여 고지방 식이를 더 많이 섭취한다 (Morrison 등, 1993). 반대로 농부는 많은 양의 햇빛에 노출되는데, 자외선은 양에 따라 전립선암에 대해 방어 효과를 나타내기 때문에 농부의 전립선암에 대한 위험은 낮아야 한다 (Hanchette와 Schwartz, 1992). 신체 활동은 정도에 따라 암에 대해 방어 역할을 나타내기 때문에 체력을 필요로 하는 농부에서는 전립선암 위험이 감소될 것으로 예상된다 (Thune과 Lund, 1994).

암 위험을 증가시킨다고 생각되는 특별한 농장에 노출된 남성에 대해 농사일과 전립선암의 연관성을 평가한 연구는 많지 않다. 다수의 연구들은 가축에 대한 노출을 겸부시켰다 (Blair와 Fraumeni, 1978). 이는 동물원성 바이러스 혹은 농사용 화학물질에 대한 노출과 관련이 있음을 시사한다 (Keller-Byrne 등, 1997). 또 다른 가능성은 동물을 기르는 농부는 그들을 더 많이 섭취하는데, 동물 지방과 붉은 고기는 전립선암 위험의 증가와 관련이 있다.

2.3.2. 고무공장 노동자 (rubber industry workers)

고무공장 노동자에 관한 연구는 전립선암과 정상관관계와 역상관관계 모두를 보여 준다 (Williams 등, 1977; Delzell 등, 1981). International Agency for Research on Cancer는 고무공장 노동자에서 암 위험이 증가된다는 증거는 제한적이며, 인과관계를 수립하기에는 자료가 부족하다고 결론지었다.

2.3.3. 직업적 노출 (occupational exposure)

미립자 대기오염 환경 및 도금공장 혹은 사진필름 현상소에 종사하는 남성은 전립선암 발생 위험의 증가와 관련이 있다 (Ross 등, 1983). 유기 분진에 대한 노출도 암 발생 위험과 관련이 있다 (Siemiatycki 등, 1986). 자동차공장에서의 기계유 노출과 치명적인 전립선암 발생 위험의 증가는 유의한 연관성을 보였다 (Tolbert 등, 1992). 전립선암 위험은 또한 방사성 핵종에 대한 직업적 노출로 증가될 수 있다 (Rooney 등, 1993).

디젤 연료 노출과 전립선암 위험 사이의 연관성에 관한 독일의 대조 연구는 디젤 연료에 전혀 노출되지 않은 남성에 비해 25 dose-years 이상 노출된 남성이 전립선암의 발생과 관련이 있으며, OR이 3.7 (95% CI 1.4~9.8)이라고 보고하였다 (Seidler 등, 1998). 디젤 배기가스 안에 많이 함유된 polycyclic aromatic hydrocarbons는 발암물질로 알려져 있다. 전기사업 종사자에 관한 노스캐롤라이나 주의 코호트 내 환자-대조군 비교 연구는 다량의 전자기장 노출과 전립선암 사망률 사이에 연관성이 있으며 (OR 2.02, 95% CI 1.34~3.04), 사망률은 또한 polychlorinated biphenyls에 노출된 경우에 증가한다고 하였다 (OR 1.47, 95% CI 0.97~2.24) (Charles 등, 2003).

2.3.4. 여가 시간 동안 활동 및 노출
(activities & exposures during leisure time)

모집단에 기반을 둔 캐나다 몬트리올의 환자-대조군 비교 연구는 전립선암 위험과 관련이 있는 다양한 여가 활동을 발견하였다. 가옥 혹은 가구의 관리 (OR 1.4, 95% CI 1.0~1.9)와 가구 칠하기, 벗기기, 니스 칠하기 (OR 2.1, 95% CI 0.7~6.7)는 전립선암 발생 위험 증가와 관련이 있었다. 금속 분진 (OR 3.2, 95% CI 1.0~9.9), 윤활유 혹은 기계 기름 (OR 2.2, 95% CI 1.2~3.7), 농약이나 정원 살충제 분무 (OR 2.3, 95% CI 1.3~4.2) 등과 같은 다양한 물질에 대한 노출 또한 전립선암 발생 위험의 증가와 관련이 있었다 (Sharpe 등, 2001).

자외선 노출은 전립선암에 대해 방어 역할을 한다 (Bodiwala 등, 2003). 성년에서의 일광욕, 소아에서의 햇볕타기 (sunburning), 고온 지역에서 정기적인 휴가 등 자외선 누적 노출량의 증가는 독립적으로 전립선암 발생 위험의 감소와 유의하게 관련이 있었다.

2.4. 성 활동 및 결혼 Sexual activity and marital status

광범위한 연구에도 불구하고 전립선암의 발생에서 성 활동의 역할은 분명하지 않다 (Haas와 Sakr, 1997). 성 활동과 혼인 상태는 전립선암 발생 위험에 영향을 준다고 생각되는 호르몬 인자 및 감염균에 대한 대리 지표라고 추정된다. 그러나 그들은 대리 지표로서의 가치가 부족한데, 그 이유는 많은 문화적 인자가 성 활동과 결혼 상태에 영향을 주어 연관성을 밝히는 데 혼돈을 줄 수 있기 때문이다. 즉, 로마의 가톨릭 사제 (Ross 등, 1981)와 모르몬교 대사제 (Enstrom, 1980)에서 전

립선암 발생 위험이 유의하게 더 낮지 않아 성 매개 감염이 전립선암 발생에서의 역할에 대해 의문이 제기되기도 한다.

결혼 여부는 전립선암 발생 위험의 증가와 관련이 없다고 보고되었다 (Dennis와 Dawson, 2002). 그렇지만 늦은 나이에 결혼한 남성에 비해 이른 나이에 결혼한 남성에서 전립선암 발생 위험이 크다는 보고 (Mishina 등, 1985)와 결혼한 적이 없는 남성에 비해 결혼한 남성에서 전립선암의 위험이 더 높다는 보고 (Hirayama, 1979)가 있다. 111가지의 질문으로 구성된 설문지를 이용한 연구는 전립선암을 가진 남성은 일반 모집단에 속한 남성에 비해 다음과 같은 특징을 가진다고 하였다 (Mishina 등, 1985). 첫째, 사회경제적 수준이 중급 혹은 하급에 속한다. 둘째, 이른 나이에 결혼하였고 긴 결혼 생활을 가졌다. 셋째, 성적으로 조숙하다. 넷째, 격렬한 성 생활을 가지며 만년에는 성욕이 감소된다. 다섯째, 서구식 식생활 습관을 가진다.

여러 연구는 성적인 파트너가 많은 남성 (Dennis와 Dawson, 2002)과 조기에 첫 성경험을 한 남성 (Key, 1995)에서 전립선암 위험이 더 높다고 하였다. 미국 캘리포니아 주의 환자-대조군 비교 연구는 흑인에서 전립선암의 위험은 성교 빈도와 정상관관계를 가진다고 하였으나, 그 관계는 중년이 지나 성교를 한 경우에만 의미가 있었다 (Ross 등, 1987). 다른 연구도 전립선암 위험과 성 활동 빈도의 증가 사이에서 연관성을 발견하였으며, 주 3회 증가에 대한 RR은 1.2 (95% CI 1.1~1.3)이었다 (Dennis와 Dawson, 2002). 또 다른 연구도 조기 성교, 성 파트너의 수와 전립선암 발생 위험은 연관성이 있다고 하였다 (Honda 등, 1988) (도표 336). 대조적으로 환자-대조군 비교 연구는 성년에서 조기에 잦은 사정은 전립선암에 대해 보호 역할을 하며, 20대에 성교를 자주 가지지 않은 남성과 비교하였을 때 주 5회 이상 성교를 가진 남성의 전립선암 발생 위험에 대한 RR은 0.66 (95% CI 0.49~0.87)이었다고 하였다 (Giles 등, 2003). 다변량 분석에 의하면, 여러 연령대에서 월 4~7회 사정한 남성에 비해 월 21회 이상 사정한 남성의 전립선암 발생 위험에 대한 RR은 각각 20~29세의 경우 0.89 (95% CI 0.73~1.10), 40~49세의 경우 0.68 (95% CI 0.53~0.86), 이전 해의 경우 0.49 (95% CI 0.27~0.88), 일생 동안 평균치의 경우 0.67 (95% CI 0.51~0.89)이었다 (Leitzmann 등, 2004).

CHAPTER 15

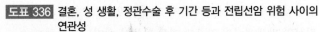

도표 336 결혼, 성 생활, 정관수술 후 기간 등과 전립선암 위험 사이의 연관성

가변 인자	환자 수[†]	대조군 수[†]	RR (95% CI)	p
결혼 상태				
기혼	205	206	1.0[‡]	
미혼	11	10	1.1 (0.4~3.3)	
초혼 연령				
<23	83	70	1.0[‡]	
23~24	33	36	0.8 (0.4~1.4)	
25~27	40	45	0.7 (0.4~1.3)	
≥28	40	45	0.7 (0.4~1.3)	0.10
첫 성교 연령				
<17	83	54	2.3 (1.3~4.0)	
17~18	51	59	1.3 (0.7~2.3)	
19~20	44	45	1.5 (0.8~2.8)	
≥21	33	53	1.0[‡]	0.002
성 상대 수				
<3	39	42	1.0	
3~7	52	53	1.1 (0.6~1.9)	
8~20	52	48	1.2 (0.6~2.1)	
≥21	43	43	1.1 (0.6~2.1)	0.36
성교 횟수[¶]				
<1	48	22	3.6 (1.8~7.0)	0.0002
1	54	65	1.3 (0.8~2.3)	
2	50	75	1.0[‡]	
3	36	32	1.9 (1.0~3.7)	
≥4	20	14	2.5 (1.1~5.9)	
성병				
임질	33	25	1.4 (0.8~2.6)	
매독	6	1	6.0 (0.7~276.0)	
Either	35	25	1.5 (0.8~2.7)	
정관절제술[◗]				
0 (없음)	138	151	1.0[‡]	
1~9	8	11	0.7 (0.3~1.9)	
10~19	18	19	1.0 (0.5~2.0)	
20~29	24	13	2.2 (1.0~4.8)	
≥30	8	2	4.4 (0.9~21.0)	0.01

[†], 전체 수가 216명이지만 자료가 불확실하여 탈락된 수가 있기 때문에 가변 인자의 항목에 따라 항상 216명이 아님; [‡], 참고치; [¶], 진단 전 3년에 1주 동안 성교 횟수; [◗], 정관절제술 후 경과한 기간이며 단위는 년.

CI, confidence interval; RR, relative risk
Honda 등 (1988)의 자료를 수정 인용.

2.5. 사회적 인자 Social factor

재정 상태, 교육 정도 등과 같은 사회적 요소가 전립선암의 발달에 직접 영향을 주지는 않지만, 식이와 같이 측정하기 어려운 노출에 대한 대리지표는 될 수 있다. 그러나 사회적 요소가 의학적 관리 측면에서 전립선암으로 인한 사망률에 직접 영향을 줄 수도 있다.

사회경제적인 조건의 차이가 전립선암 위험의 뚜렷한 인종별 차이를 설명해 주지는 못한다 (Baquet 등, 1991). 한 예외적인 연구는 전립선암 위험과 교육 사이에서 역상관관계를 발견하였다 (Mills 등, 1989). 보험 및 취직 상태와 진단 당시의 진행된 전립선암 위험 사이의 연관성이 다른 연구에 의해 관찰되었지만, 저자들은 사회경제적 인자만으로는 전립선암 위험의 인종별 차이를 적절하게 설명해 주지는 못한다고 하였다 (Hoffman 등, 2001). 그러나 사회경제적 요소가 전립선암으로 진단되는 확률에는 영향을 준다. 즉, 건강관리에 대한 접근 방식이 PSA 선별검사의 이용, 양성전립선비대에 대한 치료 형태 등에 영향을 줄 수 있고, 이는 다시 전립선암 발견율에 영향을 줄 수 있다.

2.6. 신체 활동 Physical activity

신체 강화 훈련은 체지방과 테스토스테론의 농도를 낮추어 활동적인 남성들에서 전립선암의 위험을 감소시킨다 (Lee 등, 1992). 육체적으로 활동적인 남성은 비활동적인 남성에 비해 전립선암의 위험도가 다양하게 보고되었는데, Clarke 등 (2000)은 낮다고, Polednak (1976)은 높다고, Lee 등 (1994)은 비슷하다고 보고하였다. 터키 (Dosemeci 등, 1993), 핀란드 (Hartman 등, 1998), 스웨덴 (Norman 등, 2002), 중국 (Hsing 등, 1994), 캐나다 (Bairati 등, 2000) 등의 연구에서는 앉아서 일하는 남성이 전립선암 위험이 작은 차이지만 유의하게 더 증가되었다. 중국과 터키의 연구 결과에서는 1일 총 소비 열량 혹은 직업적으로 앉아서 보낸 시간과 전립선암 위험은 무관하였다. 그러나 어떠한 연구도 식이에 따른 혼동 효과로 보정하지는 않았다.

전립선암과 직업적 신체 활동 사이에는 역상관관계가 있다고 보고되었다 (Brownson 등, 1991). 그러나 하와이인을 대상으로 일생 동안 직업적 신체 활동의 정도를 평가한 연구는 신체 활동이 전립선암 위험과 정상관관계를 가진다고 하였다 (Leadon, 1990). 타이완의 연구도 신체 활동과 전립선암 위험 사이에서 유의한 연관성을 발견하였다. 즉, 표본 수가 적지만 전립선암 환자 90명과 대조군 180명을 대상으로 평가한 연구에 의하면, 전립선암 발생 위험에 대한 신체 운동, 돼지고기 기름에 의한 채소 요리 등의 OR은 각각 2.16 (95% CI 1.18~3.96), 0.47 (95% CI 0.24~0.91)이었다 (Sung 등, 1999). 그러나 미국 아이오와 주의 코호트 연구 (Putnam 등, 2000),

중국의 환자-대조군 비교 연구 (Lacey 등, 2001), 네덜란드의 코호트 연구 (Dirx 등, 2001)는 신체 활동과 전립선암 사이에서 어떠한 연관성도 발견하지 못하였다.

전립선암 환자 320명, 양성전립선비대 환자 184명, 대조군 246명 등을 대상으로 평가한 연구는 신체 활동이 전립선암 (p=0.12) 및 양성전립선비대 (p=0.04)의 위험과 역상관관계를 가졌으나 전립선암의 경우 통계적으로 유의하지 않았으며, 낮은 신체 활동에 비해 높은 신체 활동의 남성은 전립선암과 양성전립선비대의 위험에 대한 OR이 각각 0.69 (95% CI 0.40~1.22), 0.59 (95% CI 0.31~1.11)이었다고 하였다 (Lagiou 등, 2008). NIH-AARP Diet and Health Study 연구에 포함된 293,902명의 남성을 8.2년까지 추적 관찰하는 동안 17,872명의 전립선암 환자를 발견한 연구는 다음과 같은 결과를 보고하였다 (Moore 등, 2008). 첫째, 주 1회 미만과 비교하였을 때 주 5회 이상의 격렬한 기저선 운동은 전반적인 전립선암, 진행된 전립선암, 치명적인 전립선암 등의 발생 위험과 관련이 없었으며, 각각에서 RR은 1.01 (95% CI 0.96~1.07; p=0.78), 1.14 (95% CI 0.97~1.33; p=0.25), 0.90 (95% CI 0.67~1.20; p=0.12)이었다. 둘째, 사춘기에 격렬한 운동을 자주 하지 않은 남성에 비해 자주한 남성에서는 전체 전립선암의 위험이 3% 소폭 감소하였으며, RR은 0.97 (95% CI 0.91~1.03; p=0.03)이었다. 그러나 그러한 신체 활동이 진행된 전립선암 혹은 치명적인 전립선암과는 관련이 없었으며, 각각에서 RR은 0.95 (95% CI 0.78~1.14; p=0.18), 0.96 (95% CI 0.67~1.36; p=0.99)이었다. 셋째, 기저선에서의 격렬한 운동이나 사춘기에서의 운동은 전체 전립선암, 진행된 전립선암, 치명적인 전립선암 등과 관련이 없었다.

HPFS 자료에서 전이가 없는 전립선암 환자 2,705명에 관한 평가는 다음과 같은 결과를 보고하였다 (Kenfield 등, 2011). 첫째, 전립선암으로 진단된 후 신체 활동에 관해 평가를 시작한 이래 최소 4년 동안 생존한 남성 중 548명이 사망하였으며, 그들 중 20%는 전립선암으로 사망하였다. 둘째, 다변량 분석에서 신체적으로 활동적인 남성은 모든 원인에 의한 사망률 (p<0.001)과 전립선암에 의한 사망률 (p=0.04)이 더 낮았다. 격렬한 활동이든 격렬하지 않은 활동이든 전반적인 사망률이 유의하게 더 낮았다. 둘째, 정상적인 걸음 내지는 빠른 걸음으로 주 90분 이상의 도보 운동은 편한 걸음으로 더 짧은 시간을 걷는 도보 운동에 비해 모든 원인에 의한 사망 위험이 더 낮았으며, HR은 0.54 (95% CI 0.41~0.71)이었다. 셋째, 주 3시간

이상 격렬한 운동을 하는 남성은 모든 원인에 의한 사망 위험이 49% 더 낮았으며, HR은 0.51 (95% CI 0.36~0.72)이었다. 넷째, 빠른 걸음에 의한 오랜 기간의 도보는 전립선암 특이 사망과 역상관관계를 가졌으나, 통계적으로 유의하지 않았다. 주 1시간 미만에 비해 주 3시간 이상 격렬한 운동을 하는 남성은 전립선암으로 인한 사망 위험이 61% 더 낮았으며, HR은 0.39 (95% CI 0.18~0.84; p=0.03)이었다. 전립선암으로 진단되기 전과 후에 격렬한 운동을 한 남성은 사망 위험이 가장 낮았다. 이들 결과는 전립선암 환자에서 신체 활동이 전반적 사망과 전립선암 특이 사망의 위험 감소와 관련이 있음을 보여준다.

2.7. 인체 측정 인자 Anthropometry

이탈리아의 환자-대조군 비교 연구는 체질량 지수 (body mass index, BMI)의 증가는 전립선암 위험의 증가와 관련이 있다고 하였다. BMI 28.0 kg/m² 이상의 가장 무거운 군에 속한 남성의 OR은 BMI 23.0 kg/m² 미만의 참고 군에 속한 남성보다 4.5배 더 컸다 (Talamini 등, 1986). 노르웨이의 연구는 BMI가 27.6 kg/m²를 초과한 비만 남성은 전립선암 위험이 2배 더 크다고 하였다 (Veierod 등, 1997). Seventh-Day Adventists를 대상으로 평가한 코호트 연구는 이상적인 체중을 가진 남성에 비해 이상적인 체중의 30%를 넘는 남성은 치명적인 전립선암 위험이 2.4배 더 높다고 보고하였다 (Mills 등, 1989). 프랑스의 연구도 전립선암의 발생 위험은 비만 남성에서 2.5배 더 높다고 하였다 (Irani 등, 2003). BMI의 증가는 고등급 분화도의 전립선암을 동반할 가능성이 높으며, 특히 50세 미만의 남성에서 이러한 위험성은 더욱 증가한다 (Rohrmann 등, 2003). 타이완의 환자-대조군 연구도 높은 BMI는 전립선암 위험 증가와 유의한 연관성을 가지며, 40~45세에서 체질량 지수 24.75 kg/m² 이상인 경우 OR은 2.00 (95% CI 1.05~3.2)이었다고 하였다 (Sung 등, 1999). 반대로 하와이 남성 20,000명 이상을 대상으로 평가한 코호트 연구는 높은 BMI가 전립선암에 대해 약한 방어 역할을 한다고 보고하였다 (RR 0.7, 95% CI 0.5~1.2) (Le Marchand 등, 1994). 전립선암 환자 637명과 대조군 244명을 대상으로 평가한 연구는 백인에서는 비만이 전립선암과 역상관관계를 가졌으나 (OR 0.51, 95% CI 0.33~0.80), 아프리카 미국인에서는 그러한 연관성이 관찰되지 않았다고 하였다 (OR 1.15, 95% CI

0.70~1.89) (Beebe-Dimmer 등, 2009). 다른 연구는 대상군과 대조군 사이에서 BMI 차이를 발견하지 못하였다 (Schuurman 등, 2000).

BMI와 전립선암 위험 사이에 정상관관계가 있음은 지방보다 근육량이 전립선암의 발생 위험에 더 기여함을 시사한다. 이와 관련한 연구는 지방이 아닌 상완의 근육량이 전립선암 위험과 연관성을 가진다고 하였다 (Severson 등, 1988). 근육량의 증가는 안드로겐에 대한 노출 증가의 지표가 될 수 있다 (Nomura와 Kolonel, 1991).

비만은 성호르몬 대사에 대한 영향, 고열량 섭취, 고지방 식이, 신체 활동의 부족 등을 통해 전립선암과 원인적으로 결부된다. 지방 식이를 줄이고 신체 활동을 높이면 산화 스트레스가 감소하기 때문에, 생활 습관의 변경은 전립선암 발생 위험의 감소에서 중요하다 (Roberts 등, 2002). 중국의 환자-대조군 연구는 허리 대 엉덩이 비율의 증가로 규정되는 복부 비만이 전립선암 위험의 증가와 관련이 있으며, 0.86 미만의 가장 낮은 사분위수에 비해 0.92를 초과한 경우 OR은 2.71 (95% CI 1.66~4.41; p=0.0001)인 데 비해, 엉덩이 둘레가 97.4 cm를 초과한 가장 높은 사분위수에 속한 남성은 86 cm 미만의 가장 낮은 사분위수에 비해 전립선암 위험이 감소했다고 하였다 (OR 0.46, 95% CI 0.29~0.74; p=0.0002) (Hsing 등, 2000). 다른 연구는 비만과 전립선암 사이에서 연관성을 발견하지 못하였다 (Kaaks 등, 2000).

키, 특히 다리 길이는 성인이 되기 전 전립선암 위험에 유의하게 영향을 주는 식이 및 호르몬 영향의 대리 지표가 된다. 모집단을 기반으로 실시한 환자-대조군 비교 연구는 키가 전립선암 위험 증가와 관련이 있음을 보여 주었다. 성인의 키는 국소 전립선암의 위험과는 관련이 없었지만, 키의 증가와 진행된 질환의 위험 사이에서는 낮은 사분위수에 대한 높은 사분위수의 RR은 1.62 (95% CI 0.97~2.73)로 중등도의 연관성이 있었다. 가족력을 가진 남성에서는 키가 전립선암 위험과 더 강한 연관성을 나타내었다. 이들 결과는 전립선암, 특히 진행된 암이나 가족력을 가진 암인 경우에는 성장과 관련이 있는 위험 인자가 영향을 줌을 시사한다 (Norrish 등, 2000). 그리스의 환자-대조군 비교 연구는 이러한 연관성이 insulin-like growth factor 1 (IGF1)의 농도 때문이라고 보고하였다 (Signorello 등, 2000). 대조적으로 다른 연구에서는 더 큰 키를 가진 전립선암 환자의 경우에는 생존율이 더 높았다. 즉, 전립선암으로 사망한 환자 129명과 다른 원인으로 사망한 환자

153명을 대상으로 중앙치 6.6년 동안 추적 관찰한 연구는 키가 1.75 미만, 1.75~1.79, 1.80~1.84, 1.85 m 이상인 남성에서 전립선암 특이 사망에 대한 RR은 각각 1.0 (참고치), 0.9 (95% CI 0.6~1.4), 0.5 (95% CI 0.3~0.9), 0.6 (95% CI 0.3~1.0)이었다고 하였다 (각각 p=0.01). (Chen 등, 2003).

남성형 대머리와 전립선암은 노화, 안드로겐, 유전 등의 공통된 위험 인자를 가지고 있다. 한 코호트 연구는 남성형 대머리와 전립선암 사이에서 연관성을 발견하였다. 이 연구에서 대머리 남성의 RR은 1.50 (95% CI 1.12~2.00)이었으며, 그 효과는 대머리의 심한 정도나 기타 위험 인자와는 독립적이었다. 이들 결과를 근거로 저자들은 남성형 대머리가 전립선암의 위험 인자라고 결론지었다 (Hawk 등, 2000). 다른 환자-대조군 비교 연구는 출생 시 체중 및 키와 전립선암 위험과의 연관성을 평가하였는데, 유의한 연관성을 발견하지 못하였다 (Boland 등, 2003).

2.8. 감염 및 염증 Infection and inflammation

박테리아, 바이러스 등과 같이 감염을 일으키는 균이 전립선암의 원인으로 작용할지도 모른다는 보고가 있었으나 아직까지 확실하지는 않다. 그렇지만 근래 들어 cyclooxygenase 2 (COX2)가 전립선암 발생과 관련이 있다는 보고가 있으며, COX2가 성장인자, cytokines 등을 포함하는 여러 인자들에 의해 유도되고 cytokines는 염증에 의해 발생될 수 있으므로, 전립선의 염증이 전립선암의 가능한 원인으로 새로이 관심이 모아지고 있다.

만성 전립선염은 전립선비대와 관련이 있는 것으로 알려져 있다. 전립선염과 전립선비대와의 관계에 세포 자멸사를 억제하는 유전자인 B-cell lymphoma 2 (BCL2)가 관여할 것이라는 보고가 있었으나 (Gerstenbluth 등, 2002) 아직 전립선염과 전립선비대, 전립선암과의 관계는 명확하게 밝혀져 있지 않다. 수술로 떼어낸 전립선암 조직에서 만성 염증의 소견이 흔히 발견된다. 즉, 염증이 있을 때 반응하는 혈구인 림프구가 많이 관찰되는데, 염증 소견이 전립선암 조직의 절반 이상에서 발견된다는 보고도 있다. 이러한 연구들은 염증이 암과 관련이 있다는 증거로서 림프구와의 관계를 주로 거론하였으며, 염증이 있을 때 반응하는 또 다른 세포인 대식세포와 관련된 연구는 별로 없다. 그러나 암과 염증과의 관계를 이야기할 때에는 주로 대식세포와 관련이 있는 기전이 많이 제시되고

도표 337 전립선암의 발생에서 염증의 영향

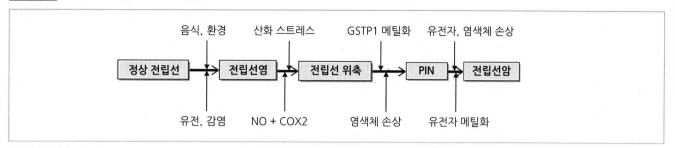

정상적인 전립선은 감염 등에 의해 염증이 생기고 위축될 수 있다. 염증이 오래 지속된 상태의 전립선에서 GSTP1이 메틸화되거나 염색체의 손상이 일어나면 전립선상피내암으로 전환될 수 있다. 전립선상피내암은 유전자 손상 혹은 변형에 의해 전립선암으로 발달하게 된다.
COX2, cyclooxygenase 2; GSTP1, glutathione S-transferase pi 1; NO, nitric oxide; PIN, prostatic intraepithelial neoplasia.
Park과 Paick (2005)의 자료를 인용.

있으며, 대식세포 내에서 유도되는 COX2가 암 발생의 원인들 중 하나라고 흔히 설명되고 있다 (Lucia와 Torkko, 2004). COX는 프로스타글란딘의 합성에 관여하는 효소이며 1형과 2형이 있다. 1형 COX는 정상으로 존재하지만, 2형 COX는 염증세포에서 나타난다. 이러한 관계들이 전립선염과 양성전립선비대와의 관계에서 어떠한 의미를 가지는지는 아직 분명하게 밝혀져 있지 않다.

암 발생과 관련이 있는 분자생물학적 기전은 세 가지가 있는데, 첫째, 염색체의 한 부분의 커다란 이상, 둘째, 유전자의 변이, 셋째, 유전자는 변하지 않으나 유전자의 한쪽 끝에 메틸기 (CH₃)가 붙어 유전자가 기능을 못하는 경우 등이다. 이들 기전들 중에서 메틸화와 염증 반응이 연관성을 가질 것으로 생각된다. 급성 혹은 만성 염증에 의해 전립선이 위축된 병변의 주변에는 세포의 재생과 복구의 양상이 나타나는 경우가 있다. 여러 연구에 의하면, 이러한 위축성 염증반응이 나타나는 전립선 부위에는 이를 극복하기 위해 세포의 증식이 왕성해지고 세포사가 뚜렷하게 감소한다. 이러한 현상이 양성전립선비대 혹은 전립선암과 관련이 있을 수도 있다. 이러한 부위에 glutathione S-transferase pi 1 (GSTP1)이라는 물질이 증가되어 있다는 보고도 있다 (Gonzalgo와 Isaacs, 2003). GSTP1은 독성 물질로부터 세포를 보호하는 기능을 가지고 있는 유전자로 알려져 있다. 전립선염에 의해 전립선이 위축되고 GSTP1이 메틸화되어 기능을 상실하면, 전립선암의 전구단계로 발전할 수 있는 것으로 알려져 있다. 그러나 이 단계에서 전립선비대와의 관계는 분명하지 않다. 요약하면, 전립선의 염증은 전립선 세포에 손상을 입혀 위축시킬 수 있으며, 세포 손상에 대한 보상으로 증식 반응이 일어날 수 있다. 이러한 현상이 전립선 증식으로 발전할 수 있다. 또한 GSTP1 활성

의 상실, 산화 스트레스의 증가 등을 통해 증식성 염증성 위축 (proliferative inflammatory atrophy, PIA) 병변이 동반되면, 염증 조직은 전립선상피내암 세포로 전환될 수 있고 전립선암이 발생할 위험이 증가된다 (Palapattu 등, 2005; De Marzo 등, 2007) (도표 337).

역학 자료는 염증과 전립선비대증 사이에 관련성이 있음을 시사한다. 전립선비대증과 전립선염은 흔히 공존한다는 것은 비뇨기과 의사와 병리학자에 의해 이미 알려진 사실이다 (Kramer 등, 2007). Di Silverio (2003)는 전립선비대 환자들을 대상으로 3,942회의 조직검사를 실시하여 43%에서 염증을 발견하였고, 특히 30%에서 만성 염증을 확인했다고 보고하였다.

2,000편의 연구를 메타 분석한 연구에 의하면, 전립선염의 병력을 가진 남성에서는 전립선암 의 발생 위험이 증가하여 OR이 1.6 (p=0.0005)이었으며, 특히 모집단 근거 환자-대조군 비교 연구에서는 전립선염의 OR이 1.8 (p=0.005)이었다. 이 연구에서 비록 연관성이 낮았지만 성 전파로 인한 전립선염 (주로 매독과 임질)의 OR이 1.4 (p=0.003)로 전립선암과 유의하게 관련이 있었다 (Dennis 등, 2002). 이들 결과들은 전립선염과 전립선암 사이에는 병인론적 관계가 있음을 반영하며 전립선염을 가진 환자들에서 전립선암을 검색할 필요가 있음을 보여 준다.

전립선암과 전립선염의 연관성에 관한 연구들 가운데 미국 미네소타 주의 Olmsted County 지역에서의 역학 연구는 전립선염과 전립선암 사이의 관계를 뒷받침하고 있다. 409명의 전립선암 환자들을 803명의 대조군과 비교하였을 때, 어떠한 형태의 전립선염 병력을 가진 환자의 OR은 1.7 (95% CI 1.1~2.6), 급성 전립선염 환자의 OR은 2.5 (95% CI 1.3~4.7)를 나타내었다. 급성 전립선염이 발병한 후 평균 12.2년에 전

립선암으로 진단되었다. 만성 세균성 전립선염은 OR이 1.6 (95% CI 0.8~3.1)으로 전립선암과 약하게 관련이 있었으며, 만성골반통증증후군은 OR이 0.9 (95% CI 0.4~1.8)로 전립선 암과 연관성이 없었다 (Roberts 등, 2004). 이들 결과는 급성 이든 만성이든 세균성 전립선염이 전립선암의 발생 위험과 관련이 있음을 보여 준다. 전립선암 환자 1,933명과 대조군 1,994명을 대상으로 비뇨생식기 감염의 병력과 전립선암 사 이의 연관성을 평가한 연구는 다음과 같은 결과를 보고하였 다 (Boehm 등, 2015). 첫째, 다변량 분석에서 전립선염은 전 립선암의 발생 위험과 관련이 있었으며, OR은 1.81 (95% CI 1.44~2.27)이었다. 그러나 요도염, 고환염, 부고환염 등의 OR 은 각각 1.05 (95% CI 0.84~1.30), 1.28 (95% CI 0.92~1.78), 0.98 (95% CI 0.57~1.68)로 전립선암과 유의한 연관성이 없었 다. 둘째, 전립선염과 전립선암 사이의 연관성은 저등급 분화 도의 전립선암에서 더 뚜렷하였는데, Gleason 점수 6 이하에 대해서는 OR이 2.11 (95% CI 1.61~2.77), Gleason 점수 7 이 상에 대해서는 OR이 1.59 (95% CI 1.22~2.07)이었다. 이들 결 과는 의사를 방문한 횟수, PSA를 검사한 횟수 등으로 보정하 여도 전립선염과 전립선암이 상호 관련이 있음을 보여 준다.

대조적인 결과를 보이는 연구 또한 있다. 침 생검에 의한 조직의 염증과 전립선암 혹은 고등급 전립선상피내암 사이 의 연관성을 평가하기 위해 4,526명의 환자들을 대상으로 전 립선 생검을 실시한 연구는 다음과 같은 결과를 보고하였다 (Karakiewicz 등, 2007). 첫째, 7.7%에서 만성 염증이, 11.8% 에서 고등급 전립선상피내암이, 36.1%에서 전립선암이 발견 되었다. 둘째, 만성 염증을 가지지 않은 대조군에 비해 만성 염증을 가진 군에서 고등급 전립선상피내암 (20.3% 대 2.7%; $p<0.01$)과 전립선암 (43.5% 대 13.6%; $p<0.01$)의 빈도가 더 낮았다. 셋째, 침 생검에서 염증이 있는 경우에는 전립선암에 대한 OR이 0.2 (95% CI 0.15~0.28)이었는데, 이는 만성 염증 이 없는 남성에 비해 전립선암을 동반할 확률이 80% 더 낮으 며, 만성 염증이 암에 대해 보호 역할을 한다는 것을 의미한 다. 비슷한 결과가 염증과 고등급 전립선상피내암 사이에서 도 관찰되었으며, OR이 0.11 (95% CI 0.05~0.22)이었다.

몇 가지 요소들이 전립선염에 관한 역학적 증거를 분석하 는 데 어려움을 준다 (Goldstraw 등, 2007). 첫째, 전립선염의 실제 빈도는 확실하지 않다. 40세를 초과한 남성들에서 전립 선염의 빈도는 5~10%로 보고되지만 상당수 남성들은 임상 증 상 없이 염증을 가질 수 있다. 둘째, 전립선염으로 인한 증상

을 가진 남성들은 전립선암에 대한 선별검사를 받거나 침 생 검을 받을 확률이 더 높다. 따라서 이러한 집단에서는 진단 적 검사가 과잉으로 실시될 수 있어 결과적으로 증상이 있는 전립선염 환자에서 전립선암이 진단될 확률이 높아진다. 이 러한 편차가 전립선염과 전립선암과의 관계를 오판하게 만 들 수 있다. 셋째, 염증이 전립선비대와 관련이 있다는 역학적 증거는 큰 오차를 일으킬 수 있다. 사실 소변 정체를 일으키 는 전립선비대증은 전립선의 염증과 감염을 촉진한다. 넷째, 전립선 감염에서 확인된 세균이 증상을 일으킨 균인지 혹은 증상과 무관한 균인지를 밝힌 연구 결과가 없다는 점도 하나 의 혼동 요소라고 할 수 있다. 염증과 암을 포함한 만성 전립 선 질환 사이의 인과 관계를 시사하는 역학적 증거들은 상당 한 발견 바이어스 (detection bias)와 선택 바이어스 (selection bias) 때문에 한계가 있어 보인다.

전립선암과 성교로 전파되는 질환과의 연관성에 관한 29 편의 연구를 메타 분석한 연구에서, 성병으로 전파되는 전 체 질환, 임균 감염, 매독 감염, 인간유두종바이러스 (human papilloma virus; HPV) 등의 OR은 각각 1.48, 1.35, 1.61, 1.39 로서 감염이 전립선암과 관련이 있을 가능성이 확인되었다 (Taylor 등, 2005). 전립선암 환자 267명과 대조군 267명에게 서 전립선암으로 진단되기 약 1년 전의 최근 혈청 표본과 약 8년 전의 조기 혈청 표본을 대상으로 HPV, herpes simplex virus 2 (HSV-2), Chlamydia trachomatis 등과 같은 성 전파 감염과 전립선암 사이의 연관성을 평가한 연구는 다음과 같 은 결과를 보고하였다 (Dennis 등, 2009). 첫째, 진단되기 직 전의 혈청 표본에서 감염 양성은 전립선암과 관련이 없었다. 둘째, 조기 혈청 표본에서 HSV-2 감염 양성은 전립선암과 관 련이 있었으며, OR이 1.60 (95% CI 1.05~2.44)이었다. 셋째, 진단 전 최소 60개월에 채집한 혈청으로 국한하여 분석하였 을 때는 더 강한 연관성을 나타내었으며, OR이 2.04 (95% CI 1.26~3.29)이었다. 저자들은 이러한 연관성이 적절하다면 이 결과가 HSV-2의 감염 후 전립선암이 발생하기까지의 잠복기 를 제시할 수 있다고 하였다. 또한, Chlamydia trachomatis 감 염과 전립선암과의 관련성에 관한 연구는 2편만이 보고되었 는데, 이들은 상반된 연구 결과를 보고하였다.

조직학적으로 확인된 전립선암 환자 981명과 대조군 1,315 명을 대상으로 성에 관한 습관을 비교한 연구에서 매춘부와 성 접촉을 하였거나 콘돔을 미착용한 군에서 전립선암의 빈 도가 높았다. 또한, 매독에 대한 혈청 검사에서의 양성 반응

(OR 1.8, 95% CI 1.0~3.5)과 임균 혹은 매독에 의한 감염의 병력 (OR 1.6, 95% CI 1.2~2.1)은 전립선암이 발생할 위험과 관련이 있었다. 임균 감염을 세 번 이상 경험한 사람들은 OR 3.3 (95% CI 1.4~7.8)로 증가하였다 (p=0.0005). 즉, 매독, 임균, 매춘부와의 성 접촉, 콘돔 착용과 같은 방어 대책 없이 성 접촉을 한 경우 등은 전립선암의 위험을 증가시킨다고 할 수 있다 (Hayes 등, 2000).

한 연구에서 어떠한 성 매개 질환을 경험한 남성의 전립선암 발생 위험에 대한 RR이 1.86 (95% CI 1.43~2.42)이었으나, 매독 (RR 0.77, 95% CI 0.53~1.11)과 임질 (RR 1.22, 95% CI 0.92~1.62)은 전립선암 위험과의 유의한 연관성을 보이지 않았다 (Key, 1995). 다른 환자-대조군 비교 연구는 임질과 전립선암 위험 사이에서 약한 연관성을 발견하였으며, 성병의 병력이 있으면서 증상이 있는 남성은 증상이 없는 남성에 비해 전립선암의 위험이 증가되었다 (연령으로 보정한 OR 2.11, 95% CI 1.18~3.80) (Lightfoot 등, 2000). 세균성 전립선염, 특히 원인균이 임질인 경우에는 전립선암의 위험 인자일 수 있다 (Haas와 Sakr, 1997).

HPV는 자궁경부암으로의 진행뿐만 아니라 인간의 많은 전염성 질병 및 암과 관련이 있다. 저급 위험도의 HPV 감염은 전형적으로 악성이 아니며, 치료 가능한 항문성기 사마귀로 진행할 수 있다. 매우 드물게 후두에 HPV가 감염되어 recurrent respiratory papillomatosis (RRP)가 발생한 경우가 보고된 바 있다. 근래 HPV DNA로 인한 몇 가지 다른 피부 질환들이 보고되었는데, 그들 중 하나가 피부 건선에서 나타나는 HPV 아형이다. 피부 건선 환자 및 비건선 환자의 피부 세포를 PCR로 분석한 자료에 의하면, 건선 환자의 80% 이상과 비건선 환자의 20%에서 HPV 5, 20, 36, 38 유형들이 관찰되었다. 상급 위험도의 HPV 유형에 감염되면 자궁경부암으로 진행할 뿐만 아니라, 자궁경부암에 비해 비교적 덜 흔하지만 항문암, 음경암, 질암, 외음부암 등이 발생하기도 한다. 대장암과 HPV와의 연관성에 대해서는 아직 이견이 많지만, 대장의 양성 선종에서도 HPV가 30~40% 정도 검출되었다는 관찰은 대장의 양성 선종의 발생에도 HPV가 관여할 것으로 추측하게 한다. 또한, 항문성교 경험이 있는 남성 동성애 그룹에서 항문암과 HPV 감염의 유병률이 높으며, 항문관 편평상피세포암의 30%에서 HPV를 확인할 수 있다. 상급 위험 HPV는 두경부, 특히 구강, 후두, 코, 부비동 등에 드물게 종양을 일으킬 수 있다. 사마귀의 한 부류인 사마귀상 표피 이상증 (epidermodys-

plasia verruciformis)은 세포 매개성 면역 반응을 일부 억제시키고, 홍반성 비늘 (erythematous scaly), 편평 사마귀, 피부암 등 다양한 피부 병변들을 일으킨다. 사마귀상 표피 이상증은 유소아기 시절 HPV에 감염되어 평생 지속되며, 자외선에 노출되는 부위에 악성 종양이 발생할 가능성이 높은 것으로 알려져 있다 (Boccardo 등, 2010; Zandberg 등, 2013; Cobos 등, 2014). HPV 유형 26, 53, 66, 67, 68, 70, 73, 82 등 8종이 자궁경부암과 관련이 있다는 보고가 있다 (Halec 등, 2014).

비뇨기계 암과 HPV의 관계를 살펴보면, 음경암을 비롯한 외생식기의 암, 전립선암, 방광암 등과의 관련성이 보고된 바 있으나 명확한 인과관계가 입증되지는 않았다. 음경암은 북미와 유럽에서는 드물지만, 아프리카, 남미에서 더 흔하게 발생한다. 자궁경부암에서와 같이 HPV 16형은 음경암에서 흔하게 발견된다. 이들 지역의 연구들을 검토해 보면, 포경수술을 하지 않은 경우에는 HPV가 음경암의 위험한 요인으로 간주되지만, HPV와 음경암 사이의 관계는 HPV와 자궁경부암 사이의 관계처럼 분명하지가 않다. 근래까지 가장 일반적으로 수용되고 있는 HPV의 암 형성 기전은 HPV의 유전자 중 암 기전과 관련이 있다고 생각되는 E6, E7이 숙주 DNA와 결합함으로써 종양 억제 유전자인 p53 및 retinoblastoma (RB) 유전자 산물과 각각 결합, 종양 억제 유전자의 기능을 불활성화한다는 가설이다. 이러한 기전이 후두암을 포함한 두경부암, 대장항문암 등에서도 성립되는지는 아직 분명하지 않지만, 전암 단계의 발생 혹은 암으로의 진행 과정에 HPV가 관여한다고 추측된다 (Crook와 Vousden, 1994; Tan 등, 2012; Scudellari, 2013; Djajadiningrat 등, 2015).

전립선암 환자 55명과 대조군 75명을 대상으로 평가한 연구는 전립선 조직 내에서 HPV 염기 서열이 20% (11명/55명)의 전립선암 환자와 5.3% (4명/75명)의 대조군에서 발견되어 OR이 3.98 (95% CI 1.17~13.56)이었으나, human cytomegalovirus (HCMV)와 xenotropic Moloney murine leukemia virus-related virus (XMRV)의 감염은 전립선암과 관련이 없었다고 하였다 (Martinez-Fierro 등, 2010). 핀란드의 혈청 은행에서 건강한 20,243명의 남성을 24년간 추적 관찰하여 발견된 165명의 전립선암 환자를 대상으로 HPV의 네 가지 유형과 Chlamydia에 대한 항체를 이용하여 평가한 연구는 다음과 같은 결과를 보고하였다 (Dillner 등, 1998). 첫째, HPV 18형은 추적 관찰하는 동안 전립선암이 발생할 위험이 2.6배 높았으며 (p<0.005), HPV 16형은 전립선암이 발생할 경향을 나타내

었고 RR은 2.4 (p=0.06)이었다. 둘째, HPV 11형 혹은 33형과 Chlamydia는 전립선암의 발생 위험과 관련이 없었다. 이러한 결과는 HPV에 의한 감염이 전립선암과 어느 정도 관련이 있음을 보여 준다. 다른 연구도 HPV 16형과 18형이 전립선암과 관련이 있다고 보고하였다 (Serth 등, 1999). 그러나 다른 결과를 보고한 연구도 있다. 전립선암 환자 238명과 대조군 210명을 대상으로 평가한 연구는 다음과 같은 결과를 보고하였다 (Adami 등, 2003). 첫째, HPV 16형과 18형은 전립선암 위험과 관련이 없었으며, OR은 각각 0.7 (95% CI 0.4~1.3), 0.9 (95% CI 0.5~1.9)이었다. 둘째, HPV 33형은 전립선암과 연관성이 있을 가능성이 있었고, OR은 1.6 (95% CI 1.0~2.7)이었으며, HPV 33형에 대한 항체가 흡광도 0.2를 초과할 정도로 높은 경우에는 전립선암의 위험이 유의하게 증가되었는데 OR은 2.3 (95% CI 1.2~4.1)이었다. 따라서 HPV와 전립선암과의 연관성에 관한 추가 연구가 필요하다. 근래 연구들은 HPV 아형 16형과 18형은 성 접촉에 의해 전파되고 여러 가지 생식기와 항문의 종양과 관련이 있으며, 전립선암에 대해 HPV 16형 OR 1.06, HPV 18형은 OR 1.36으로 보고하여 전립선암과는 관련성이 크지 않음을 보여 주었으며, HPV의 감염은 전립선암의 Gleason 점수나 병기와 관련이 없다고 보고하였다 (Rosenblatt 등, 2003).

전립선암 환자 51명과 양성전립선비대 환자 11명을 대상으로 PCR을 이용하여 평가한 연구는 다음과 같은 결과를 보고하였다 (Chen 등, 2011). 첫째, 조직 표본에서 *HPV* DNA의 유병률은 전립선암과 양성전립선비대에서 각각 14% (7명/51명), 27% 3명/11명)이었다. 둘째, 전립선 조직에서 발견된 유일한 *HPV*의 유형은 HPV 18형이었으며, 16% (10명/62명)에서 발견되었다. *HPV*의 유병률은 전립선암과 양성전립선비대에서 유의한 차이가 없었다. 셋째, in situ hybridisation (ISH)에서 *HPV* 양성 세포는 13개의 조직 슬라이드 중 8개에서 발견되었는데, 발견율은 전립선암의 경우 50% (5개/10개), 양성전립선비대의 경우 100% (3개/3개)이었으며, *HPV* 양성 세포는 상피세포와 말초 혈액 세포에서 발견되었다. 넷째, 혈액학적 자료는 전립선 질환에서 HPV 18형 단백질에 대한 항체의 유의한 증가를 보여 주지 못하였다. HPV 1형, 4형, 6형, 11형 등에 대한 항체는 전립선 질환을 가진 남성에서 유의하게 증가되었다. 이 연구는 표본 내 *HPV* DNA의 존재, 상급 위험도의 HPV에 대한 노출 등과 전립선 질환 사이에 연관성이 있음을 관찰하지 못하였다.

2.9. 당뇨병과 대사증후군
Diabetes and metabolic syndrome

당뇨병 (diabetes mellitus): 전립선암으로부터 보호하는 역할자로서 당뇨병을 평가한 뉴욕의 환자-대조군 비교 연구는 당뇨병 환자에서 전립선암 위험이 더 낮다고 보고하였다. 그러나 이 연구는 그러한 효과가 백인과 라틴계 미국인에 국한되며 흑인에는 해당되지 않는다고 하였다. 이는 흑인에서는 테스토스테론 농도가 더 높으며 당뇨병이 테스토스테론 농도를 낮춘다고 하더라도 그 효과가 흑인에서는 암 위험을 감소시킬 정도로 충분하지 않기 때문이라고 추측된다. 또한, 이 연구는 인슐린과 같은 특별한 당뇨병 치료제가 이러한 연관성에 영향을 주지 않는다고 보고하였다 (Rosenberg 등, 2002).

1986~2004년 동안의 HPFS 연구에서 새로 발견된 4,511명의 전립선암 환자에서 당뇨병과 전립선암 위험 사이의 연관성을 평가한 연구는 다음과 같은 결과를 보고하였다 (Kasper 등, 2009). 첫째, 당뇨병을 가지지 않은 남성에 비해 가진 남성의 전립선암에 대한 HR은 0.83 (95% CI 0.74~0.94)이었다. 둘째, 당뇨병으로 진단된 후 첫 1년 내에서는 전립선암의 위험이 감소되지 않았지만 그 이후에는 감소되었는데, 당뇨병으로 진단된 후 0~1년, 1~6년, 6~15년, 15년 초과 등에서 전립선암에 대한 HR은 각각 1.30 (95% CI 0.97~1.72), 0.82 (95% CI 0.66~1.02), 0.75 (95% CI 0.61~0.93), 0.78 (95% CI 0.63~0.96)이었다. 이들 결과를 근거로 저자들은 비만과 당뇨병 둘 모두가 없거나 비만은 있지만 당뇨병이 없는 남성에 비해 비만과 당뇨병을 가진 남성이 전립선암에 대한 HR이 더 낮다고 하였다. 당뇨병과 대사증후군 모두 없는 남성 6,119명 (53%), 당뇨병은 없고 대사증후군은 있는 남성 3,376명 (29%), 당뇨병은 있고 대사증후군은 없는 남성 560명 (5%), 당뇨병과 대사증후군 모두를 가진 남성 1,486명 (13%)을 0~15.7년, 중앙치 12.7년 동안 추적 관찰하여 459명의 전립선암을 새로 발견한 연구는 다음과 같은 결과를 보고하였다 (Lawrence 등, 2013). 첫째, 당뇨병을 가지지 않은 남성에 비해 가진 남성에서 전립선암의 발견 위험이 낮았으며, HR은 0.54 (95% CI 0.40~0.73)이었다. 둘째, 대사증후군과 전립선암의 발생 사이에는 연관성이 관찰되지 않았다. 셋째, 다변량 분석에서도 당뇨병은 전립선암의 발생에 대해 보호 효과를 나타내었으며, 그러한 연관성은 대사증후군이 없는 남성에서 더 뚜렷하였는데, 대사증후군이 있는 경우와 없는 경우에

서 당뇨병의 전립선암 발생에 대한 HR은 각각 0.64 (p=0.08), 0.43 (p=0.01)이었다. 이들 결과는 제2형 당뇨병과 전립선암 발견 위험 사이에는 역상관관계가 있음을 보여 준다.

상반되는 결과를 보고한 연구도 있다. 일본인 22,458명 중에서 230명의 전립선암을 발견한 오사카 코호트 연구는 다음과 같은 결과를 보고하였다 (Li 등, 2010). 첫째, 당뇨병의 병력은 전체 전립선암의 발생 위험과는 관련이 없었지만, 전립선암을 임상 병기에 따라 분류하였을 때 당뇨병은 진행된 전립선암 위험의 증가와 관련이 있었으며 HR은 1.89 (95% CI 1.02~3.50)이었다. 둘째, 첫 2년 내에 전립선암이 발생한 환자를 제외하더라도 위의 연관성은 유지되었다. 이와 같은 결과는 당뇨병이 진행된 전립선암의 발병률 증가와 관련이 있음을 보여 준다. 전립선 생검을 받은 998명을 대상으로 평가한 후향 연구는 다음과 같은 결과를 보고하였다 (Moreira 등, 2011). 첫째, 생검 당시 28% (284명/998명)가 당뇨병을 가졌다. 둘째, 당뇨병은 아프리카계 미국인 (p=0.010), 높은 체질량 지수 (p<0.001) 등과 관련이 있었지만, 이변량 (p=0.600)이나 다변량 (p=0.485) 분석에서 전립선암과 관련이 없었다. 인종과 비만에 따라 분류한 후에도 비슷한 결과가 관찰되었다. 셋째, 다변량 분석에서 당뇨병은 고등급 분화도의 전립선암 발생 위험과 관련이 있었고, 그러한 연관성은 비만 남성에서 더 강하였으나, 비만이 없는 남성에서는 연관성이 없었으며, 각각의 경우에서 RR은 2.13 (p=0.024), 3.84 (p=0.020), 1.39 (p=0.460)이었다. 넷째, 인종에 따라 세분한 경우에는 당뇨병이 비만한 백인 남성에서만 고등급 분화도의 전립선암과 관련이 있었으며 (RR 5.81; p=0.025), 비만한 아프리카계 미국인에서는 연관성이 없었다. 다섯째, 당뇨병은 인종이나 비만을 세분하거나 하지 않거나 저등급 분화도의 전립선암과는 관련이 없었다. 이들 결과는 당뇨병이 고등급 분화도의 전립선암과 관련이 있으며, 그러한 연관성은 백인 남성에서 더 강함을 보여 준다. SEARCH 데이터베이스를 이용하여 전립선암으로 근치전립선절제술을 받은 2,058명을 대상으로 평가한 연구는 다음과 같은 결과를 보고하였다 (Wu 등, 2013). 첫째, 당뇨병을 가진 남성은 체질량 지수가 더 높았으며, 백인이 아닐 가능성이 더 높았다 (모두 p≤0.001). 둘째, 다변량 분석에서 당뇨병은 전이 위험과 관련이 없었지만 (p≥0.45), 장기간의 당뇨병은 전이 위험의 증가와 관련이 있었다 (p≤0.035). 셋째, 비만에 따라 분류하였을 때, 당뇨병은 비만이 없는 남성에서는 전이 위험의 증가와 관련이 없었고 비만 남성에서

는 관련이 있었으며 (p≤0.037). 인종과는 연관성이 없었다 (p≥0.56). 넷째, 당뇨병은 비만이 없는 남성에 비해 비만 남성에서 더 공격적인 이차 치료가 예상되었으며, 각각의 HR은 0.63, 1.39 (p=0.006)이었다, 이와 같은 결과는 당뇨병은 근치전립선절제술 후 전이 위험의 증가와 관련이 있으며, 비만이 있는 경우 그러한 연관성은 더 강하고 공격적인 이차 치료가 필요함을 보여 준다.

대사증후군 (metabolic syndrome): 기관에 따라 대사증후군의 정의가 다르다. National Cholesterol Education Program Adult Treatment Panel III (NCEP ATP III)는 복부 비만 (허리둘레가 남성인 경우 102 cm 초과, 여성인 경우 88 cm 초과), 고중성지방혈증 (150 mg/dL 혹은 1.70 mmol/L 이상), 낮은 high-density lipoprotein (HDL)-콜레스테롤 (남성의 경우 40 mg/dL 혹은 1.03 mmol/L 미만, 여성의 경우 50 mg/dL 혹은 1.29 mmol/L 미만), 고혈압 (130/85 mmHg 이상) 혹은 고혈압에 대한 약물 치료, 공복 고혈당 (110 mg/dL 혹은 6.1 mmol/L 이상) 등의 5가지 소견 가운데 3가지 이상을 가진 경우를 대사증후군으로 분류하였다 (Expert Panel on Detection, Evaluation and Treatment of High Blood Cholesterol in Adults, 2001).

International Diabetes Federation (IDF)은 참고치보다 큰 허리둘레를 가진 분명한 복부비만을 가지면서 다음 사항 중 최소 두 가지를 가진 경우를 대사증후군으로 정의하였다: ① 공복 혈당이 100 mg/dL 혹은 5.6 mmol/L 이상이거나 제2형 당뇨병에 대한 약물 치료, ② 혈압이 130/85 mmHg 이상이거나 고혈압에 대한 약물 치료, ③ 150 mg/dL 혹은 1.70 mmol/L 이상의 고중성지방혈증 및/혹은 이러한 이상 지질혈증에 대한 약물 치료, ④ HDL-콜레스테롤이 남성의 경우 40 mg/dL 혹은 1.03 mmol/L 미만, 여성의 경우 50 mg/dL 혹은 1.29 mmol/L 미만이거나 이로 인한 약물 치료 (International Diabetes Federation, 2005).

Lund-Håheim 등 (2006)은 40~49세의 16,209명을 27년 동안 추적 관찰한 연구에서 NCEP ATP III 기준 중 2가지 요소에 대해 상위 사분위수에 속한 남성은 전립선암으로 진단될 확률이 23% 더 높으며, 세 가지 요소를 가진 남성은 코호트의 나머지 남성에 비해 전립선암으로 진단될 확률이 56% 더 높다고 하였다. 인슐린 저항성과 전립선암 발견율 사이의 연관성은 약하였는데, 이는 코호트의 연령이 낮기 때문으로 추측된다. 아프리카계 미국인이 43% 포함된 환자군 637

명, 대조군 244명을 대상으로 평가한 연구는 NCEP ATP III의 기준에 따른 대사증후군이 아프리카계 미국인에서 전립선암의 발생 위험과 약한 연관성을 보였으나 (OR 1.71, 95% CI 0.97~3.01), 백인에서는 연관성이 없었다 (OR 1.02, 0.64~1.62)고 하였다. 국소 전립선암을 가진 아프리카계 미국인에서는 대조군에 비해 대사증후군의 빈도가 더 높았으나 (OR 1.82, 95% CI 1.02~3.23) 진행된 병기의 질환을 가진 경우에는 연관성이 발견되지 않았다 (OR 0.93, 95% CI 0.31~2.77) (Beebe-Dimmer 등, 2009).

Atherosclerosis Risk in Communities (ARIC) 연구에 참여한 남성으로서 연구 시작 당시 암 병력이 없었던 45~64세의 6,429명을 대상으로 평가한 연구는 대사증후군 요소를 세 가지 이상 가진 남성은 대사증후군이 없는 남성에 비해 전립선암 발생 위험이 유의하게 더 낮았다고 하였다 (RR 0.77, 95% CI 0.60~0.98) (Tande 등, 2006). 아프리카계 미국인만을 대상으로 비교 평가한 연구는 대조군에 비해 전립선암을 가진 환자군에서 대사증후군의 빈도가 더 높았다 (OR 1.9, 95% CI 1.2~3.0)고 보고하였다 (Beebe-Dimmer 등, 2007). 비만, 고혈압, 제2형 당뇨병의 세 요소 모두 가진 경우를 대사증후군으로 정의하고 40~79세의 백인 2,445명을 대상으로 15년 동안 추적 관찰한 전향 연구에서는 대사증후군이 전립선암 발생과 약한 역상관관계를 나타내었다 (HR 0.81, 95% CI 0.2~3.3) (Wallner 등, 2011).

NCEP-ADP III 기준에 의한 대사증후군, 전립선암 발견 위험, 종양의 공격성 등의 연관성을 평가하기 위해 PSA 4 ng/mL를 초과하여 생검이 계획된 2,408명을 대상으로 평가한 연구는 다음과 같은 결과를 보고하였다 (Morote 등, 2013). 첫째, 대사증후군을 가진 남성과 가지지 않은 남성에서 전립선암 발견율은 각각 34.5%, 36.4%이었다 (p=0.185). 둘째, 대사증후군을 가진 남성과 가지지 않은 남성에서 Gleason 점수 8~10의 고등급 분화도의 전립선암 발견율은 각각 35.9%, 23.9% (p⟨0.001)이었고, T3-4 N0-1 M0-1의 진행된 전립선암의 발견율은 각각 17%, 12.7% (p=0.84)이었으며, T2c-4 혹은 Gleason 점수 8~10 혹은 PSA 농도 20 ng/mL 초과의 상급 위험 전립선암의 발견율은 각각 38.5%, 33.0% (p=0.581)이었다. 셋째, 다변량 분석에서도 대사증후군은 전립선암 발견율과 관련이 없었으나, 고등급 분화도의 전립선암 발견 위험의 증가와 관련이 있었으며, OR은 1.75 (95% CI 1.26~2.41; p⟨0.001)이었다. 이들 결과는 대사증후군이 전립선암의 발

견 위험과는 관련이 없지만, 공격적인 암의 발견 위험과 관련이 있음을 보여 준다. 19편의 문헌을 메타 분석한 연구는 다음과 같은 결과를 보고하였다 (Xiang 등, 2013). 첫째, 전립선암이 없는 상태에서 대사증후군을 가지지 않은 남성과 비교하였을 때 가진 남성의 전립선암 위험과 종양 특이 사망률에 대한 RR은 각각 0.96 (95% CI 0.85~1.09), 1.12 (95% CI 1.02~1.23)이었다. 둘째, 전립선암을 가진 상태에서 대사증후군을 가지지 않은 남성과 비교하였을 때 가진 남성의 고등급 분화도, 진행된 질환, 생화학적 재발에 대한 OR은 각각 1.44 (95% CI 1.20~1.72), 1.37 (95% CI 1.12~1.68), 2.06 (95% CI 1.43~2.96)이었다. 이들 결과를 근거로 저자들은 전립선암과 대사증후군 사이에는 연관성이 없으나, 대사증후군을 가진 전립선암 환자는 고등급 분화도 및 진행된 암을 가질 확률이 높고 근치전립선절제술 후 생화학적 재발이 일어날 가능성이 높다고 하였다. 근치전립선절제술을 받은 383명 중 생화학적 재발을 가진 67명을 대상으로 평가한 연구는 대사증후군의 특징 중 고혈압이 생화학적 재발과 관련이 있었으며, HR으 2.1 (95% CI 1.1~3.8)이었다고 하였다 (Post 등, 2011).

전립선암, 대사증후군, 후기 발현 생식선저하증 (late-onset hypogonadism, LOH) 등의 연관성을 평가하기 위해 침 생검을 받은 170명을 대사증후군과 LOH 모두를 가진 남성을 1군, 대사증후군을 가졌으나 LOH를 가지지 않은 남성을 2군, 대사증후군을 가지지 않았으나 LOH를 가진 남성을 3군, 대사증후군과 LOH 모두를 가진 남성을 4군 등으로 분류한 연구는 다음과 같은 결과를 보고하였다 (Kayali 등, 2014). 첫째, 1군에서는 12명 (37.5%), 2군에서는 5명 (25%), 3군에서는 11명 (26.8%), 4군에서는 14명 (18.2%)이 전립선암으로 진단되었다. 둘째, 공격적인 암은 1군의 경우 7명 (21.9%), 2군의 경우 2명 (10%), 3군의 경우 5명 (12.2%), 4군의 경우 5명 (6.5%)에서 발견되었다. 셋째, 전립선암의 발견과 공격적인 암에서 1군과 4군은 통계적으로 유의한 차이를 보였는데, 각각에서 37.5% 대 18.2% (p=0.031), 21.9% 대 6.5% (p=0.019)이었다. 이들 결과는 대사증후군과 LOH가 공존하면 전립선암의 발견과 공격적인 전립선암의 발견 위험이 증가됨을 보여 준다.

그러나 354명을 대상으로 실시한 다른 연구에서는 대사증후군을 가진 전립선암 환자의 평균 Gleason 점수가 6.63±1.92, 대사증후군을 가지지 않은 경우의 평균 Gleason 점수는 7.54±1.71로 대사증후군을 가진 경우의 Gleason 점수가 유의하게 더 낮았다 (Jeon 등, 2012). 이와 같이 대사증후군을

도표 338 여러 연구에서 나타난 대사증후군과 전립선암 사이의 연관성

참고 문헌	국가	연구 결과
Laukkanan 등, 2004	핀란드	대사증후군을 가진 중년 남성은 전립선암이 발생할 가능성이 더 높다.
Lund Haheim 등, 2006	노르웨이	대사증후군은 전립선암의 예측 인자이며, 이는 인슐린 저항성과 전립선암 발견율과 관련이 있음을 시사한다.
Tande 등, 2006	미국	대사증후군의 구성 요건 중 3가지 이상을 가진 남성은 전립선암이 발생할 위험이 유의하게 더 낮다.
Beebe-Dimmer 등, 2007	미국	아프리카계 미국인에서 대사증후군 소견, 특히 복부 비만과 고혈압은 전립선암과 관련이 있다.
Beebe-Dimmer 등, 2009	미국	아프리카계 미국인에서는 대사증후군과 전립선암 발견 위험 사이에 연관성이 있다.
Martin 등, 2009	노르웨이	대사증후군의 소견과 전립선암 사이에 연관성이 있다는 증거는 없다.
Wallner 등, 2011	미국	대사증후군은 전립선암과 단지 경미한 역상관관계가 있다.

McGrowder 등 (2012)의 자료를 수정 인용.

가진 환자에서 전립선암의 예후에 관한 연구는 상충되는 결과를 보여 향후 대규모 전향적 대조 연구가 필요하다고 생각된다.

도표 338에서 보는 바와 같이 대사증후군과 전립선암에 관한 연구가 다양한 결과를 보이는 이유는 연구의 규모, 추적 관찰한 기간, 피험자의 특성, 대사증후군에 관한 다른 정의, 평가 접근법 등에서 차이가 있기 때문으로 추측된다 (Hsing 등, 2007).

2.10. 정관절제술 Vasectomy

정관절제술이 전립선암의 발생에 미치는 영향은 아직 확실하지 않다. 정관절제술이 전립선암과 관계있다는 가정은 정관절제술이 전립선액을 감소시키며, 면역 반응을 변경시키고, 혈중 안드로겐을 증가시킨다는 등의 결과에 근거 한다. 정관절제술을 받은 33명과 받지 않은 33명에서 호르몬을 분석한 결과, 정관절제술을 받지 않은 남성에 비해 받은 남성에서 테스토스테론 농도뿐만 아니라 생체 이용이 가능한 테스토스테론 지수인 testosterone binding globulin-binding capacity (TeBG-BC)에 대한 테스토스테론의 비율이 더 높았다 (Honda 등, 1988).

정관절제술과 전립선암 사이의 관계를 분석한 연구는 상충되는 결과를 보였다. Giovannucci 등 (1993)은 정관절제술을 시행한 14,000명을 대상으로 평가한 후향 연구 (RR 1.6)와 전향 연구 (RR 1.7)에서 정관절제술이 전립선암의 발생 위험을 증가시키며, 이러한 증가는 정관절제술 후 경과한 기간에 비례한다고 보고하였다. 대조적으로 Sidney 등 (1991)은 약 5,000명을 대상으로 7년 동안 추적한 결과, 전립선암과 정관절제술은 관련이 없다고 보고하였다.

정관절제술에 따른 전립선암 발생 위험을 조사한 환자-대조군 비교 연구들의 결과는 일정하지 않다. 한 연구는 대조군의 특성과 관계없이, 즉 암을 가진 환자로 구성된 대조군과 암이 없는 남성으로 구성된 대조군에 비해 연구 대상군은 OR이 각각 3.5 (95% CI 2.1~6.0), 5.3 (95% CI 2.7~10)으로 전립선암 위험이 증가했다고 하였다 (Rosenberg 등, 1990). 중국의 연구에서도 대조군이 원내 암 환자, 원내의 암이 아닌 환자, 이웃 주민 등과 관계없이 정관절제술을 받은 군과 전립선암 위험은 연관성을 나타내었는데, 이들 세 대조군에 대한 정관절제술 군의 OR은 2.0 (95% CI 0.7~6.1), 3.3 (95% CI 1.0~11.3), 6.7 (95% CI 2.1~21.6)이었다 (Hsing 등, 1994). 다른 연구들은 정관절제술로 인한 전립선암 위험의 증가가 40% (Honda 등, 1988), 60% (Spitz 등, 1991), 70% (Mettlin 등, 1990)라고 하였다. 캐나다에서 실시한 연구는 무증상의 남성에 비해 증상을 가진 정관절제술 남성에서 전립선암 위험이 유의하게 증가했다고 하였다 (연령으로 보정한 OR 1.49, 95% CI 1.14~1.95) (Lightfoot 등, 2000). 정관절제술과 전립선암 발견 위험 사이의 연관성을 평가하기 위해 메타 분석을 실시한 연구는 다음과 같은 결과를 보고하였다 (Dennis 등, 2002). 첫째, 5편의 코호트 연구와 17편의 환자-대조군 비교 연구에 근거한 정관절제술의 합동 RR은 1.37 (95% CI 1.15~1.62)이었다. 둘째, 정관절제술 당시의 연령은 전립선암 발생 위험에 유의한 영향을 주지 않았다. 16편의 연구에 근거하였을 때, 정관절제술 후 기간이 10년 추가될 때마다 위험도가 10% 증가하였으며, 30년이 경과한 후 RR은 1.32 (95% CI 1.17~1.50)이었다. 22편의 연구에 근거하였을 때, 정관절제술 후 기간이 10년과 30년인 경우 RR은 각각 1.07 (95% CI 1.03~1.11), 1.23 (95% CI 1.11~1.37)이었다. 이와 같은 결과는 정관절제술의 병력과 전립선암 발견과의 연관성이 편견으로 설명

이 가능할 정도로 작음을 보여 준다. HPFS에 참여한 49,405명의 미국 남성 중 전립선암으로 진단을 받은 6,023명에 대해 평가한 연구는 다음과 같은 결과를 보고하였다 (Siddiqui 등, 2014). 이 연구에서 전체 피험자 중 25%인 12,321명이 정관절제술을 받았다. 첫째, 정관절제술은 전체 전립선암 발생 위험의 증가와 경미하게 관련이 있었으며, RR은 1.10 (95% CI 1.04~1.17)이었다. 둘째, 정관절제술은 Gleason 점수 8~10의 고등급 분화도와 사망이나 전이 위험의 증가와 관련이 있었으며, 각각의 경우 RR은 1.22 (95% CI 1.03~1.45), 1.19 (95% CI 1.00~1.43)이었다. 셋째, 정기적으로 PSA 선별검사를 받은 코호트에서 사망과의 연관성이 더 강하였으며, RR은 1.56 (95% CI 1.03~2.36)이었다. 넷째, 정관절제술은 저등급 분화도 혹은 국소 전립선암과는 관련이 없었다. 다섯째, 정관절제술과 전립선암 사이의 연관성은 성 호르몬, 성 전파 감염, 항암 치료 등에서의 차이에 의해 달라지지 않았다. 이들 결과는 정관절제술이 치명적인 전립선암의 발생 위험의 증가와 약하게 관련이 있음을 보여 준다.

대조적으로 미국과 캐나다에서 실시한 대규모, 다기관 환자-대조군 비교 연구는 상반되는 결과를 보고하였다. 즉, 전립선암 환자 1,642명과 대조군 1,636명을 비교한 연구는 다음과 같은 결과를 보고하였다 (John 등, 1995). 첫째, 정관절제술 병력과 전립선암 발생 사이에서 연관성이 관찰되지 않았는데, 모든 인종에서 OR은 1.1 (95% CI 0.83~1.3), 백인에서 OR은 0.94 (95% CI 0.69~1.3), 흑인에서 OR은 1.0 (95% CI 0.59~1.8), 중국계 미국인에서 OR은 0.96 (95% CI 0.42~2.2)이었다. 일본계 미국인에서 OR은 1.8 (95% CI 0.97~3.4)이었으나 통계적으로 유의하지 않았다. 이러한 연관성은 정관절제술 당시의 연령과 수술 후 기간으로 보정하여도 달라지지 않았다. 둘째, 정관절제술을 받지 않은 군에 비해 받은 군에서 혈청 sex hormone-binding globulin (SHBG)의 농도가 더 낮았으며, DHT/testosterone의 비율이 더 높았다. 이와 같은 결과는 정관절제술과 전립선암 발생 위험 사이에는 연관성이 없지만, 정관절제술을 받은 군에서는 내분비 양상의 변화가 있음을 보여 준다. 미국에서 백인과 흑인을 대상으로 실시한 환자-대조군 비교 연구는 전반적으로는 정관절제술의 효과를 발견하지 못하였으나 (OR 1.1, 95% CI 0.8~1.77), 연구를 시작하기 20년 이상 전에 정관절제술을 받은 백인 남성 (OR 1.7, 95% CI 0.9~3.3)과 당시의 연령이 35세 미만인 백인 남성 (OR 2.2, 95% CI 1.0~4.4)에서는 전립선암 위험이 증가했다고 하였다 (Hayes 등, 1993). 다른 연구는 전립선암과 정관절제술 사이에서 연관성을 발견하지 못하였으나 (OR 1.2, 95% CI 0.6~2.7), 40세 이전에 정관절제술을 받은 남성에서는 연관성이 발견되었다 (OR 3.4, 95% CI 0.8~14) (Rosenberg 등, 1994). 다른 연구는 정관절제술을 받은 남성에서 전립선암 위험이 약간 감소했다고 하였다 (OR 0.86, 95% CI 0.57~1.32) (Zhu 등, 1996). 전립선암 환자 1,001명과 대조군 942명을 대상으로 평가한 연구는 정관절제술을 받은 남성의 비율이 환자군과 대조군에서 각각 36.2%, 36.1%로 비슷하였으며, OR은 1.0 (95% CI 0.8~1.2)이었다고 하였다 (Holt 등, 2008).

이들 연구에는 몇 가지 제한점이 있다. 첫째, 정관절제술과 전립선암을 연결하는 생물학적 기전이 분명하지 않다 (Howards와 Peterson, 1993). 둘째, 발견 편견이 결과에 혼동을 줄 수 있다. 즉, 정관절제술을 받은 남성은 그로 인해 비뇨기과 의사를 더 자주 찾기 때문에 전립선암이 발견될 확률이 더 높다 (John 등, 1995). 셋째, 대부분의 연구들이 정관절제술과 관련하여 환자가 보고한 병력을 이용하였는데, 어느 연구도 이들 보고가 의학적 기록으로 타당성이 있는지를 조사하지 않았다 (John 등, 1995). 넷째, 많은 연구들이 환자가 보고한 질병 상태를 이용하였는데, 이러한 경우에는 정확도가 떨어진다 (Sidney 등, 1993).

관련 약어

A

A, alanine

AA, abiraterone acetate

AA, acrosomal autoantigen

AAA, ATPases associated with various cellular activities

AACT, alpha1-antichymotrypsin

AAFP, American Academy of Family Physicians

AAH, atypical adenomatous hyperplasia

A2AP, alpha2-antiplasmin

AAPF, Ala-Ala-Pro-Phe

AARP, American Association of Retired People

A1AT, α1-antitrypsin

ABC, ATP-binding cassette

ABCB1, ATP-binding cassette sub-family B member 1

A1BG, alpha1B-glycoprotein

ABHD3, abhydrolase domain-containing 3

ABL1, Abelson murine leukemia viral oncogene homolog or ABL proto-oncogene 1, non-receptor tyrosine kinase

ABLIM1, actin binding LIM protein 1

Ac, acetate

ACE, angiotensin converting enzyme

ACID, activator interaction domain-containing protein

ac-LDL, acetylated low-density lipoprotein

ACLY, ATP citrate lyase

ACP, acid phosphatase

ACP, acyl carrier protein

ACP, American College of Physicians

ACPP, acid phosphatase, prostate

ACR, acrosin

ACS, American Cancer Society

ACSL3, acyl-CoA synthetase long-chain family member 3

ACT, α1-antichymotrypsin

ACTA2, actin, alpha 2, smooth muscle, aorta

AD, acidic domain

AD, Alzheimer'disease

ADAM, a disintegrin and metalloproteinase domain-containing protein

ADAMTS1, a disintegrin and metalloproteinase with thrombospondin motif 1

ADAPT15, adaptive response 15

ADC, apparent diffusion coefficient

5-Adc, 5-aza-29-deoxycytidine

ADCY, adenylyl cyclase

ADD1, alpha-adducin 1

ADH, alcohol dehydrogenase

ADP, adenosine diphosphate

ADP, adenovirus death protein

ADRB2, adrenergic receptor beta-2

ADT, androgen deprivation therapy

ADV. adenovirus

AE2, anion exchanger 2

AEG, acidic epididymal glycoprotein

AF-6, afadin

AFFIRM, A Study Evaluating the Efficacy and Safety of the Investigational Drug MDV3100

aFGF, acidic fibroblast growth factor

AFP, alpha-fetoprotein

AGE, advanced glycation end products

AGO2, argonaute 2

AGR2, anterior gradient protein 2

AHUAE, acidic human urinary arginine esterase

AI, amelogenesis imperfecta

AIBG, alpha1B-glycoprotein

AIF, apoptosis-inducing factor

AIM1, absent in melanoma 1

AKAPs, A-kinase anchoring proteins

AKR1C1, aldo-keto reductase family 1, member C1

AKT, v-akt murine thymoma viral oncogene homolog protein 1

Ala, alanine (A)

ALCAM, activated leukocyte cell adhesion molecule

ALCAR, acetyl-L-carnitine

ALCL, anaplastic large-cell lymphoma

ALDH1A1, aldehyde dehydrogenase 1 family, member A1

ALH, anterior lateral horn

ALK, activin-like kinase

ALP, actinin-associated LIM protein

ALP, alkaline phosphatase

ALP, antileukoprotease

ALPS, autoimmune lymphoproliferative syndrome

ALSYMPCA, Alpharadin in Symptomatic Prostate Cancer Patients

ALT, alanine aminotransferase

ALT, alternative lengthening of telomeres

A2M, alpha2-macroglobulin

AMACR, α-methylacyl coenzyme A racemase

AMC, aminomethyl coumarin
AMH, anti-Müllerian hormone
AML, acute myeloid leukemia
AML1, acute myeloid leukemia 1 protein
AMORIS, Apolipoprotein Mortality Risk
ANG2, angiopoietin 2
AngII, angiotensin II
ANGPT, angiopoietin
ANGPTL4, angiopoietin-like 4
ANKRD22, ankyrin repeat domain 22
ANOVA, analysis of variance
ANP32A, acidic leucine-rich nuclear phosphoprotein 32 family member A
ANPEP, alanine aminopeptidase
ANXA3, annexin A3
AOX, aldehyde oxidase
AP, acid phosphatase
AP, activator protein
AP, adaptor protein
AP, agonist peptide
AP, aminopeptidase
α2-AP, α2-antiplasmin
APA, antiprostasome antibody
APAF, apoptotic protease activating factor
APB, aminopeptidase B
2-APB, 2-aminoethoxydiphenyl borate
APC, adenomatous polyposis coli
APC, antigen-presenting cell
APH, anti-paramesonephric hormone
API4, apoptosis inhibitor 4
API, α1-protease inhibitor
APL, acute promyelocytic leukaemia
APML, acute promyelocytic leukemia
APO-1, apoptosis antigen 1
APO2L, apoptosis-inducing ligand 2
APOJ, apolipoprotein J
APRIL, a proliferation-inducing ligand
AQN, alanine-glutamine-asparagine
AQP3, aquaporin 3
AR, amphiregulin
AR, androgen receptor
ARA55, androgen receptor associated protein 55
ARAM, antigen recognition activation motif
ARE, androgen-responsive element
AREG, amphiregulin
ARF, ADP-ribosylation factor
ARF, alternate reading frame protein
ARG, ABL-related gene
Arg, arginine (R)
ARH, antigen-receptor homology
ARH1, Aplysia Ras homolog I
ARHGEF, Rho guanine nucleotide exchange factor
5-ARI, 5α-reductase inhibitor

ARIC, Atherosclerosis Risk in Communities
ARK2, aurora-related kinase 2
ARM1, androgen-regulated message 1
ARP, actin-related protein
ARR, androgen response region
ARRB1, arrestin, beta 1
ART, ADP-ribosyl transferase
ART, assisted reproduction technique
AS, active surveillance
AS, antisense
AS1411, antisoma 1411
ASA, acetylsalicylic acid
ASA, antisperm antibody
ASAP, atypical small acinar proliferation
ASC, apoptosis-associated speck-like protein containing a CARD
ASCENT, Androgen-Independent Prostate Cancer Study of Calcitriol Enhancing Taxotere
ASCL1, achaete-ascute complex homolog 1
ASCO, American Society of Clinical Oncology
ASF1B, anti-silencing function 1B histone chaperone
ASK1, apoptosis signal-regulating kinase 1
ASMA, alpha smooth muscle actin
Asn, asparagine (N)
ASO, allele-specific oligonucleotide
ASO, antisense oligodeoxynucleotide
Asp, abnormal spindle
Asp, aspartic acid (D)
ASPM, Asp homolog microcephaly associated
ASRNA, antisense RNA
AST, androgen suppression therapy
ASTRO, American Society for Therapeutic Radiology and Oncology
ASXL1, additional sex combs like transcriptional regulator 1
AT, antitrypsin
AT3, anti-thrombin III
ATAD1, ATPase domain 1
ATBC study, Alpha Tocopherol Beta Carotene Cancer Prevention Study
ATF, activating transcription factor
ATG, autophagy-related gene
ATM, ataxia telangiectasia mutated homolog
ATPase, adenosine 5′-triphosphatase
ATP5E, ATP synthase, H+ transporting, mitochondrial F1 complex, epsilon subunit
AT1R, AngII type 1 receptor
ATR, ATR serine/threonine kinase
atRA, all-trans-retinoic acid
AUA, American Urological Association
AUC, area under the curve
AURKB, aurora kinase B
AUROC, area under the receiver operating curve
5-aza, 5-aza-2'-deoxycytidine
AZGP1, zinc-alpha2-glycoprotein 1

B

4.1B, band 4.1-like protein 3
B7-1, B7 homolog 1
B23, nucleolar phosphoprotein B23
BAD, BCL2-associated death promotor or BCL2-associated agonist of cell death
BAE, basic arginine esterase
BAF, BRG1- or BRM-associated factor
BAFF, B-cell activating factor
BAGE, B melanoma antigen
BAK1, BCL2 homologous antagonist/killer 1
BAL1, B-aggressive lymphoma protein 1
BALP, bone isoenzyme of alkaline phosphatase
BARD1, BRCA1 associated RING domain 1
BAX, BCL2-associated X protein
BB2, bombesin receptor 2
BBC3, BCL2 binding component 3
BBM, brush border membrane
BC, duplication of core
BC-ALL, B-cell acute lymphoblastic leukemia
BCAM, basal cell adhesion molecule
BCCIP, BRCA2 and CDKN1A interacting protein
BCD1, B-cell-derived protein 1
BCEI, breast cancer estrogen-inducible protein
BCG, Bacillus Calmette-Guérin
BCL2, B-cell lymphoma protein 2
BCL2L2, BCL2-like 2
BCL-xL, B-cell lymphoma-extra large
BCL-xS, B-cell lymphoma-extra short
BCM, biochemical marker
BCMA, B cell maturation antigen
BCORL1, BCL6 corepressor-like 1
BCP-ALL, B-cell precursor acute lymphoblastic leukemia
BCR, breakpoint cluster region protein
BCR-ABL, breakpoint cluster region-Abelson
BCRP, breast cancer resistance protein
BDNF, brain-derived neurotrophic factor
BECN, beclin 1
BENSpm, N1, N11-bis (ethyl) norspermine
BER, base excision repair
BEVS, baculovirus expression vector system
BEX, brain-expressed X-linked protein
bFGF, basic fibroblast growth factor
BGLAP, bone gamma-carboxyglutamic acid-containing protein
BGN, biglycan
BGP, biliary glycoprotein
BH3, BCL2 homology domain 3
BH4, tetrahydrobiopterin
bHLH, basic helix-loop-helix
BHLHB8, class B basic helix-loop-helix protein 8
BHUAE, basic human urinary arginine esterase

BIC, B-cell integration cluster
BID, BH3 interacting-domain death agonist
BigH3, TGF-beta-inducible gene product-H3
BIK, BCL2-interacting killer
BIP, BAX-inhibiting peptide
BiP, binding immunoglobulin protein
BIR, baculoviral inhibitor of apoptosis repeat
BI-RADS, Breast Imaging Reporting and Data System
BIRC5, baculoviral inhibitor of apoptosis (IAP) repeat containing 5
BLCA, bladder cancer specific nuclear matrix protein
BLM, basolateral membrane
BLSA, Baltimore Longitudinal Study of Aging
BMI, body mass index
BMI1, B lymphoma Mo-MLV insertion region 1 homolog
BMP, bone-morphogenic protein
BMPR, bone morphogenetic protein receptor
BMX, bone marrow X-linked
B-MYB, MYB-related B
bp, base pair
BP180, bullous pemphigoid antigen 180
BPH, benign prostatic hyperplasia
BPI, Brief Pain Inventory
BPSA, BPH-associated free PSA, benign PSA
B2R, bradykinin B2 receptor
BRAF, B-Raf proto-oncogene, serine/threonine kinase
BRCA1, breast cancer 1, early onset or breast cancer type 1 susceptibility protein
BRCC1, BRCA1/BRCA2-containing complex, subunit 1
BrdU, bromodeoxyuridine
BRG, brahma-related gene
BRM, brahma (protein)
BRS3, bombesin receptor subtype 3
BSA, bovine serum albumin
BSG, Basigin
BSP, bone sialic protein or bone sialoprotein
BTC, betacellulin
BTG3, B-cell translocation gene 3 or BTG family, member 3
BTIC, breast tumour-initiating cell
BUB1B, BUB1 mitotic checkpoint serine/threonine kinase B or budding uninhibited by benzimidazoles 1 homolog beta
BUBR1, BUB1-related kinase
BUG, bulbourethral gland
BUR, base-unpairing region

C

C, cysteine
CA1, cornu Ammonis area 1
CA3, carbonic anhydrase III
CA125, cancer antigen 125
CA19-9, carbohydrate antigen 19-9

CAB, combined androgen blockade

CAD, caspase-activated DNase

CAD, continuous androgen deprivation

CAF, cancer-associated fibroblast

CAGA, calgranulin A

CAGB, calgranulin B

CAK, cyclin-dependent kinase-activating kinase

CALGB9480, Cancer and Leukemia Group B 9480

CALLA, common acute lymphoblastic leukemia antigen

CAM, cell adhesion molecule

CAMK, calcium/calmodulin-dependent kinase

CAML, calcium modulating ligand

CANT, calcium activated nucleotidase

CAP1, channel-activating protease 1

CAP, chromosome-associated polypeptide

CAP, cysteine-rich secretory proteins, antigen 5, and pathogenesis-related 1 proteins

CAPRA-S, Cancer of the Prostate Risk Assessment post-Surgical

CaPSURE, Cancer of the Prostate Strategic Urologic Research Endeavor

CAR, Coxsackie-adenovirus receptor

CAR2, carbonic anhydrase II

CARD, caspase recruitment domain

CARET, β-Carotene and Retinol Efficacy Trial

CARMA, CARD recruited membrane associated protein

CARMEN, CARD containing molecule enhancing NF-kB

CARN, castration resistant NKX3.1-expressing cell

CASK, calmodulin-dependent serine protein kinase

CASP, caspase

CASP2, caspase 2, apoptosis-related cysteine peptidase

CAV, caveolin

CBF, core-binding factor

CBF1, C-promoter-binding factor 1

Cbl, casitas B-lineage lymphoma

CBL, Cbl proto-oncogene, E3 ubiquitin protein ligase

CBM, CARMA-BCL10-MALT1

CBP, CREB-binding protein

CBP35, 35 kDa carbohydrate-binding protein

CBZ, cabazitaxel

C-CAM1, cell-cell adhesion molecule 1

CCDC67, coiled-coil domain containing 67

CCI complement cytolysis inhibitor

CCL2, chemokine (C-C motif) ligand 2

CCN, cyclin

CCP, cell cycle progression

CCPS, cell cycle progression score

CCR2, C-C chemokine receptor type 2

CCT, CTP:phosphocholine cytidylyltransferase

CD, cluster of differentiation

CD, cytoplasmic droplet

CD, cytosine deaminase

CDC, cell division cycle

CDC2, cell division cycle protein 2 homolog

CDC42, cell division control protein 42

CDCA3, cell division cycle associated 3

CDDP, cis-diamminedichloroplatinum

CDE, cell cycle-dependent element

CDH, cadherin

CDI, cyclin-dependent kinase inhibitor

CDK, cyclin-dependent kinase

CDKN2A, cyclin-dependent kinase inhibitor 2A

CDK5RAP1, CDK5 regulatory subunit-associated protein 1

cDNA, complementary deoxyribonucleic acid

CDP, cytidine diphoshphate

CDX, casodex

CDX, caudal type homeobox 2

CE, capillary electrophoresis

CEA, carcinoembryonic antigen

CEACAMs, CEA-related cell adhesion molecules

C/EBP, CCAAT enhancer-binding homologous protein

CED, cell death abnormal

CENPF, centromere protein F

CENPM, centromere protein M

CEP55, centrosomal protein 55 kDa

CEPT, choline/ethanolamine phosphotransferase

CERT, ceramide transfer

CF, cystic fibrosis

CFLAR, CASP8 and FADD-like apoptosis regulator

c-FLIP, cellular caspase-8 (FLICE)-like inhibitory protein

c-FLIPL, long form of c-FLIP

c-FOS, FBJ murine osteosarcoma viral oncogene homolog

CFTR, cystic fibrosis transmembrane regulator

CGA, chromagranin A

CGH, comparative genomic hybridization

CGL2, cathepsin G-like 2

CGM2, CEA gene family member 2

CGRP, calcitonin gene-related peptide

CHAMP1, chromosome alignment maintaining phosphoprotein 1

CHD, chromodomain-helicase-DNA-binding protein

CHEK1, checkpoint kinase 1

CHG, chromogranin

CH25H, cholesterol-25-hydroxylase

ChIP, chromatin immunoprecipitation

CHKA, choline kinase alpha

CHKB, choline kinase beta

CHMP2B, charged multivesicular body protein 2B

CHO, Chinese hamster ovary

ChoK, choline kinase

CHOP, C/EBP homologous protein

CHR, cell cycle genes homology region

CHUK, conserved helix-loop-helix ubiquitous kinase

cIAP, cellular inhibitors of apoptosis

CIC, cancer-initiating cell

CID-MS/MS, collision-induced dissociation MS/MS

C1IN, C1 inhibitor

CIN, cervical intraepithelial neoplasia

c-index, concordance index
CIP, cyclin-dependent kinase interacting protein
CIS, carcinoma in situ
CK, casein kinase
CK, creatine kinase
CK, cytokeratin
CKI, CDK inhibitor protein
c-KIT, mast/stem cell growth factor receptor Kit or p145 c-kit
CKS2, cyclin-dependent kinases regulatory subunit 2
CLCF, cardiotrophin-like cytokine factor
CLCR, creatinine clearance
CLEVER, common lymphatic endothelial and vascular endothelial receptor
CLIM, C-terminal LIM domain
CLL, chronic lymphocytic leukemia
CLTC, clathrin heavy chain
CLU, clusterin
CMO, carotenoid monooxygenase
CMV, cytomegalovirus
c-MYC, v-myc avian myelocytomatosis viral oncogene homolog
CNB, core needle biopsy
CNTF, ciliary neurotrophic factor
CNV, copy number variation
CoaSt6, collaborator of Stat6
COBRA, combined bisulfite restriction analysis
COL4A6, collagen, type Ⅳ, alpha 6
COP, caspase recruitment domain only protein
COPA, cancer outlier profile analysis
C15ORF21, chromosome 15 open reading frame 21
COS, CV-1 in origin and carrying the SV40 genetic material
COX, cyclooxygenase
CP, calprotectin
Cp, crossing point
CP2, CpG binding protein 2
CPA, cyproterone acetate
cPACP, cellular prostatic acid phosphatase
CPC, chromosomal passenger complex
CpG, -cytosine-phosphate-guanine-
CpGV, Cydia pomonella granulosis virus
Cp-IAP, CpGV-IAP
CPPS, chronic pelvic pain syndrome
cPSA, complexed PSA
CPSF73, cleavage and polyadenylation specific factor 3, 73kDa
CPT, choline phosphotransferase
CPT-11, camptothecin 11
CR, conserved region
CR20, cytokinin repressed gene 20
CRBP1, cellular retinol binding protein 1
CRCA, conditionally replication-competent adenovirus
CRD, carbohydrate recognition domain
CRD, caspase recruitment domain
CRE, cAMP response element
CREB, CRE-binding protein

CREBBP, CREB-binding protein
CRISP, cysteine-rich secretory protein
CRK, CT10-regulated kinase
CrmA, cytokine response modifier A
CrO5, blue chromium peroxide
CRP, C-reactive protein
CRPC, castration-refractory prostate cancer
CRT, calreticulin
CRT, conformal radiation therapy
CSAM, cell surface adhesion molecule
CSAP, cryosurgical ablation of the prostate
CSC, cancer stem cell
CSD, caveolin-1 scaffolding domain
CSF, colony-stimulating factor
CS-FBS, charcoal-stripped fetal bovine serum
CS-FCS, charcoal-stripped fetal calf serum
cSNP, coding single nucleotide polymorphism
CSS, cause-specific survival
CSTB, cystatin B
CT, calcitonin
CT, computerized tomography
CT, threshold cycle
CT1, cardiotrophin 1
CⅡTA, MHC class Ⅱ transcription factor
CTA, cancer/testis antigen
CTBP, C-terminal binding protein
CTC, circulating tumor cell
CTD, COOH-terminal domain
CTGF, connective tissue growth factor
CTL, cytotoxic T lymphocyte
CTLA1, cytotoxic T-lymphocyte-associated serine esterase 1
CTNNB1, catenin beta 1
CTP, cytidine triphoshphate
CTS, Cathepsin
CTV, cancer terminator virus
CTX, carboxy-terminal collagen crosslink
CUA, Canadian Urological Association
CUB, C1r/C1s, Uegf, Bmp1 (domain)
CV, coefficient of variation
CXCL12, chemokine (C-X-C) motif ligand 12
CXCR4, chemokine (C-X-C motif) receptor type 4
CYC, cytochrome C
CYP, cytochrome P450
CYR61, cysteine-rich (angiogenic) protein 61
Cys, cysteine (C)
CYTH2, cytohesin 2

D

D, aspartic acid
1,25-D, 1α-25-dihydroxyvitamin D

DAB2-IP, disabled homolog 2-interacting protein
DAF, decay-accelerating factor
DAN1, Dan 1p
DAPK, death-associated protein kinase 1
dC, deoxycytidine
DCA, decision curve analyses
DCCM, defined cell culture media
DCEI, dynamic contrast-enhanced imaging
3,4-DCI, 3,4-dichloroisocoumarin
DCIC, ductal carcinoma in situ
DCR, decoy receptor
3D-CRT, three-dimensional conformal radiation therapy
DCT, divalent cation transporter
DcytB, duodenal cytochrome B
DD, D-dimer
DD, death domain
DD3, differential display clone 3
DDH, dihydrodiol dehydrogenase
DDIT, DNA-damage-inducible transcript
DDR, DNA damage repair
DDT, dichlorodiphenyltrichloroethane
DDVP, 2,2-dichlorovinyl dimethyl phosphate
DDX, DEAD box helicase
DDXBP1, DEAD/H box-binding protein 1
DEAD, Asp-Glu-Ala-Asp
DEAD/H, Asp-Glu-Ala-Asp/His
DEAE, diethylaminoethyl
DEAF1, deformed epidermal autoregulatory factor 1 or DEAF1 transcription factor
DEC, docetaxel, estramustine phosphate, carboplatin
DED, death effector domain
DEL1, developmentally regulated endothelial locus 1
DeltaEF, delta-crystallin enhancer binding factor
DES, diethylstilbestrol
DFFA, DNA fragmentation factor subunit alpha (polypeptide)
DFMO, difluoromethylornithine
DFO, desferrioxamine
DFS, dysplasia of the fibrous sheath
DHA, docosahexaenoic acid
DHT, dihydrotestosterone
DIABLO, diablo, IAP-binding mitochondrial protein or diablo homolog
DIAP, Drosophila inhibitor of apoptosis protein
DIC, disseminated intravascular coagulopathy
DIM, 3,3'-diindolylmethane
DISC, death-inducing signalling complex
DJ-1, protein deglycase DJ-1
DKC, dyskeratosis congenita 1, dyskerin
DKI, diffusional kurtosis imaging
DKK, dickkopf-related protein
DLBCL, diffuse large B-cell lymphoma
DLBL, diffuse large B-cell lymphoma
DLC, deleted in liver cancer

DLG1, Drosophila disc large tumor suppressor
DLGAP, discs large homolog-associated protein
DLK, delta-like 1 homolog
DLT, dose limiting toxicity
DMA, dimethylarginine
DMAB, dimethylamine borane
DMAB, 3,2′dimethyl-4-aminobiphenyl
DmIKK, Drosophila melanogaster homolog of IKK
DMPD, dimethyl-4-phenylenediamine
DMS, (N,N-)dimethylsphingosine
DMT, divalent metal transporter
DNA, deoxyribonucleic acid
DNMT, DNA (cytosine-5) methyltransferase
dNTP, deoxynucleotide triphosphate
DOC2, double C2 protein
DOK4, docking protein 4
DOT1, disruptor of telomeric silencing-1
DOT1L, DOT1-like
DPC, docetaxel/prednisone/custirsen
DPD, deoxypyridinoline
DPP4, dipeptidyl peptidase 4
DPPH, 2,2-diphenyl-1-picrylhydrazyl
DR, death (domain-containing) receptor
DREDD, death-related Ced-3/Nedd2-like protein
DRF3, Diaphanous-related formin 3
DRG, developmentally regulated GTP binding protein
DRG, dorsal root ganglion
drICE, Drosophila interleukin-1-β converting enzyme
DRONC, Drosophila NEDD2-like caspase
DSB, double-strand break
DSCR1L2, Down syndrome critical region gene 1-like 2
dsRNA, double stranded RNA
DTH, delayed-type hypersensitivity
DTL, denticleless E3 ubiquitin protein ligase homolog
DUSP10, dual specificity protein phosphatase 10
DWI, diffusion weighted imaging
DZNep, 3-deazaneplanocin

E

E, glutamic acid
EA, ellagic acid
EAAT, excitatory amino-acid transporter
EAU, European Association of Urology
E-box, Ephrussi-box
EBP, enhancer-binding protein
EBP, ERBB3 binding protein
4E-BP1, 4E binding protein
EBR, epibrassinolide
EBRT, external beam radiation therapy
EBV, Epstein Barr virus

EC, enzyme code number
EC, epicatechin
E-cadherin, epithelial cadherin
ECD, extracellular domain
ECE, endothelin-converting enzyme
ECG, epicatechin-3-gallate
ECL, enterochromaffin-like cell
ECM, extracellular matrix
ECOG, Eastern Cooperative Oncology Group
ECOG-PS, Eastern Cooperative Oncology Group performance status
EDA, ectodysplasin A
EDC, endocrine-disrupting chemical
EDNRB, endothelin receptor B
EDS, electron donor substrate
EEA1, early endosome antigen 1
EEC, endometrioid endometrial cancer
EED, embryonic ectoderm development protein
eEPC, embryonic endothelial progenitor cell
E2F, E2F transcription factor
EF, helix E-loop-helix F
EF, (translation) elongation factor
EGC, epigallocatechin
EGCG, epigallocatechin-3-gallate
EGF, epidermal growth factor
EGFL1, EGF-like domain 1 or EGF-like domain, multiple 1
EGFR, epidermal growth factor receptor
EGR, early growth response protein
EI, electron ionization
EIA, enzyme immunoassay
EIF, eukaryotic translation initiation factor
EIF1AY, eukaryotic translation initiation factor 1A Y-linked
EIF4EBP, EIF4E-binding protein
EIF3S3, eukaryotic translation initiation factor 3, subunit 3 (gamma, 40kD)
ELAC, ElaC ribonuclease Z
ELAM, endothelial leukocyte adhesion molecule
ELISA, enzyme-linked immunosorbent assay
ELK1, ELK1, member of ETS oncogene family
ELK1, ETS-like protein 1
ELP, endozepine-like peptide
EMA, European Medicines Agency
EMMPRIN, extracellular matrix metalloproteinase inducer
EMT, epithelial-to-mesenchymal transition
EN1, engrailed-1
END, endoglin
EndMT, endothelial-to-mesenchymal transition
ENG, endoglin
ENH, Enigma Homolog
ENK, enkephalin
ENO2, enolase 2
eNOS, endothelial nitric oxide synthase
EN-RAGE, extracellular newly identified receptor for advanced glycation end product

ENZ, enzalutamide
EORTC, European Organization for Research on Treatment of Cancer
EP-2, epididymal protein 2
EP2, prostaglandin E2 receptor
EP300, E1A binding protein p300
EPA, eicosapentaenoic acid
EPB41L3, erythrocyte membrane protein band 4.1-like 3
EPC, endothelial progenitor cell
EPCA, early prostate cancer antigen
EPCAM, epithelial cell adhesion molecule
EPCDS, European Prostate Cancer Detection Study
EPCT, Early Prostate Cancer Trial
EPGN, epigen
EPIC, European Prospective Investigation into Cancer and Nutrition
EPLIN, epithelial protein lost in neoplasm
EPPIN, epididymal protease inhibitor
EPR, effector cell protease receptor
EPR, epiregulin
EPS, expressed prostatic secretion
ER, endoplasmic reticulum
ER, estrogen receptor
ERB, endothelin receptor type B
ERBB2, erb-b2 receptor tyrosine kinase 2 or v-erb-b2 erythroblastosis leukemia viral oncogene homolog
ERC, excess residual cytoplasm
ERE, estrogen response element
EREG, epiregulin
ERG, ETS related gene
ERK, extracellular signal-regulated kinase
ERRα, estrogen-related receptor α
ERSPC, European Randomized Study of Screening for Prostate Cancer
ERSPC-RC, ERSPC risk calculator
ESC, embryonic stem cell
ESCO, establishment of sister chromatid cohesion N-acetyltransferase
ESR1, estrogen receptor alpha
EST, esterase
EST, expressed sequence tag
ESUR, European Society of Urogenital Radiology
ET, endothelin
ETK, epithelial and endothelial tyrosine kinase
ETS, v-ets avian erythroblastosis virus E26 oncogene homolog or E-twenty six transformation-specific
ETV, ETS (translocation) variant gene
EWS, Ewing's sarcoma protein
EZH2, enhancer of zeste human homolog 2

F

F, factor

F, phenylalanine

FA, Fanconi anemia

FAB-MS, fast atom bombardment MS

FAC, focal adhesion complex

FACT-P, Functional Assessment of Cancer Therapy-Prostate

FAD, fatty acid desaturase

FADD, Fas-associated death domain (containing protein)

FAF1, FAS (TNFRSF6) associated factor 1

FAK, focal adhesion kinase

FAM13C, family with sequence similarity 13, member C

FAP, fibroblast activation protein

FAS, Fas cell surface death (receptor)

FAS, fasciclin-1

FAS, fatty acid synthase

FASL, Fas ligand

FASN, fatty acid synthase

FAT1, FAT atypical cadherin 1

FBJ, Finuel-Biskis-Jinkins

FBLN1, fibulin-1

FBP1, FUSE binding protein 1

FBPase, fructose biphosphate

5-FC, 5-fluorocytosine

Fc, fragment crystallizable

FcεRI, Fc (α/β/γ2) receptor I

FCSu, ultrafiltrated form of fetal cord serum

FDP, fibrin degradation product

FEEL, fasciclin EGF-like, laminin-type EGF-like, and link domain-containing scavenger receptor

FeNTA, ferric nitrilotriacetate

FER, tyrosine-protein kinase Fer or Fer (fps/fes related) tyrosine kinase

FERM, four-point-one (4.1) ezrin radixin moesin

FES, FES proto-oncogene, tyrosine kinase or feline sarcoma oncogene

Fe-Tf, ferri-transferrin

FFPE, formalin-fixed paraffin-embedded

FGD, FYVE, GhoGEF and PH domain containing

FGF, fibroblast growth factor

FGFR, fibroblast growth factor receptor

FHL2, four and a half LIM domains 2

FISH, fluorescent in situ hybridization

FITC, fluorescein-5-isothiocynate

FKBP, FK506-binding protein

FKH1, forkhead homolog in rhabdomyosarcoma

FKHR, forkhead homolog in rhabdomyosarcoma

FL, fluorophore-labeled

FLAME1, FADD-like anti-apoptotic molecule 1

FLASH, FLICE-associated huge protein

FLESS, Finasteride Long-term Efficacy and Safety Study

FLI1, Fli-1 proto-oncogene ETS transcription factor or friend leukemia integration 1

FLICE, FADD-like interleukin 1β-converting enzyme

FLIP, FLICE inhibitory protein

FLK1, fetal liver kinase 1

FLNC, filamin C, gamma

FLOT, flotillin

FLT1, fms-related tyrosine kinase 1

FN, fibronectin

FN14, FGF-inducible 14

FNC1, fibronectin-like sequences within NC1

FNDC3B, fibronectin type III domain containing 3B

FOLH1, folate hydrolase 1

FOS, FBJ murine osteosarcoma viral oncogene homolog

FOX, forkhead box (protein)

FOXO1, forkhead box protein O1

FOXP1, forkhead box P1

FPN, ferroportin

FPS, fujinami poultry sarcoma

fPSA, free PSA

fPSA-I, intact PSA

fPSA-N, nicked fPSA

F2R, coagulation factor II (thrombin) receptor

FRAP, ferric-reducing antioxidant power

FRAP, FKBP12-rapamycin associated protein

F2RL1, coagulation factor II (thrombin) receptor-like 1

FRP, frizzled-related proteins

FRS2, FGF receptor substrate 2

FRSA, free radical scavenging activity

FSCN1, fascin actin-bundling protein 1

FSH, follicle-stimulating hormone

FST, follistatin

FTS, S-trans, trans-farnesylthiosalicylic acid

5-FU, 5-fluorouracil

FUR, FES Upstream Region

FUS, fused in Ewing's sarcoma

FUSE, far-upstream element

FX, factor X

FXAA, factor X activating procoagulant activity

FYN, FYN proto-oncogene, Src family tyrosine kinase

G

G, glycine

GAAP, Golgi anti-apoptotic protein

GABA, γ-aminobutyric acid

GADD, growth arrested DNA-damage inducible

GAGE, gastric cancer antigen

GAL, galectin

GalNAc, N-acetylgalactosamine

GAP, GTPase-activating protein

GAPDH, glyceraldehyde-3-phosphate dehydrogenase

GAS1, growth arrest-specific protein 1

GATA, GATA binding protein

GBF, GC-rich binding factor

GBP, Gu-binding protein

GCL, glutamate-cysteine ligase

GC-MS, gas chromatography mass spectrometry

GCPⅡ, glutamate carboxypeptidase Ⅱ

G-CSF, granulocyte colony stimulating factor

GCV, ganciclovir

GDF, growth differentiation factor

GDN, glia-derived nexin

GDNF, glia cell-derived neurotrophic factor

GDS, guanine nucleotide dissociation stimulator

GEF, guanine nucleotide exchange factor

Gemin4, Gemini body (gem) associated protein 4

GEP, GDP/GTP exchange protein

GFD-D, growth factor domain dimer

GFP, green fluorescent protein

GFRP, growth factor receptor proto-oncogene

GH, growth hormone

GHIH, growth hormone-inhibiting hormone

GHRH, growth hormone-releasing hormone

GIMAP6, GTPase IMAP) family member 6

GIP2, Gi2alpha protein

GIPC, Gα-interacting protein C-terminus-interacting protein

GIST, gastrointestinal stromal tumor

GITR, glucocorticoid-induced TNFR-related protein

GITRL, GITR ligand

GlcNAc, N-acetylglucosamine

GLD, generalized lymphoproliferative disease

GLI1, glioma-associated oncogene homolog 1

Gln, glutamine (Q)

Glu, glutamic acid (E)

Gly, glycine (G)

GM-CSF, granulocyte macrophage-colony stimulating factor

GNB2L1, guanine nucleotide-binding protein subunit beta- 2-like 1

GNMT, glycine-N-methyl transferase

GnRH, gonadotropin-releasing hormone

GO, gene ontology

GOLM, Golgi membrane protein

GOLPH, Golgi phosphoprotein

GP, glycoprotein

GP73, Golgi (membrane) protein 73

G6Pase, glucose 6-phosphatase

GPC, glycerylphosphorylcholine

GPCR, G protein-coupled (cell surface) receptor

GPD, glucose-6-phosphate dehydrogenase

GPI, glucose-6-phosphate isomerase

GPI, glycosylphosphatidylinositol

GPLR, G protein-linked receptor

GPP130, Golgi phosphoprotein 130

GPR, G protein-coupled receptor

G protein, guanine nucleotide-binding protein

GPS, G protein pathway suppressor

GPS, Genomic Prostate Score

GPX, glutathione peroxidase

GR, glucocorticoid receptor

GR, glutathione reductase

GRADE, Grading of Recommendations Assessment, Development and Evaluation

GRB2, growth factor receptor-bound protein 2

GRIK4, glutamate receptor, ionotropic, kainate 4

GRIN3A, glutamate receptor, ionotropic, N-methyl-D-aspartate 3A

GRN, granulin

GRO, guanine-rich oligonucleotide

GRP, gastrin-releasing peptide

GRP78, 78 kDa glucose-regulated protein

GSH, reduced form of glutathione

GSK3B, glycogen synthase kinase-3 beta

GSN, gelsolin

GSP, Gsalpha protein

GSPT2, G1 to S phase transition 2

GSTM2, glutathione S-transferase Mu 2

GSTP1, glutathione-S-transferase pi 1

GTC, green tea catechin

GTP, green tea polyphenol

GWAS, genome wide association study

Gy, gray

GZMB, granzyme B

H

H, histamine

H19, H19, imprinted maternally expressed transcript

HA, hemagglutinin

HA, hyaluronan or hyaluronic acid

HARE, hyaluronan receptor for endocytosis

HAS, HA synthase

HAT1, histone acetyltransferase 1

HAUSP, herpes virus-associated ubiquitin-specific protease

HBBM, heparin-binding brain mitogen

HBEGF, heparin-binding EGF(-like growth factor)

HBGF, heparin-binding growth factor

HBOC, hereditary breast-ovarian cancer

HC-3, hemicholinium-3

HC, heparin cofactor

HCAEC, human coronary artery endothelial cell

HCAP1, HCC-associated protein 1

hCAP-D3, human chromosome-associated polypeptide subunit D3

HCC, hepatocellular carcinoma

HCG, human chorionic gonadotropin

HCMV, human cytomegalovirus

HD1, hemidesmosomal 500 kDa protein

HDAC, histone deacetylase

H&E, hematoxylin and eosin

HE2, human epididymal protein 2

HEK, human embryonic kidney

HEL, human erythroleukemia

Heph, hephaestin

HER, human epidermal growth factor receptor

HERPUD1, homocysteine-inducible, endoplasmatic reticulum stress-inducible, ubiquitin-like domain member 1

HERVK17, human endogenous retrovirus group K, member 17

HES1, hairy and enhancer of split-1

HET-E, het-e prion of Podospora anserina

HETE, hydroxyeicosatetraenoic acid

HEY1, HES-related family bHLH transcription factor with YRPW motif 1

HGAL, human germinal center-associated lymphoma

HGF, hepatocyte growth factor

HGFA, hepatocyte growth factor activator

HGFL, hepatocyte growth factor-like

HGFR, hepatocyte growth factor receptor

hGK-1, human glandular kallikrein 1

HGPIN, high-grade prostatic intraepithelial neoplasia

Hh, Hedgehog

HHT, hereditary hemorrhagic telangiectasia

HHT, hydroxyheptadecatrienoic acid

HHV-8, human herpes virus 8

HIC5, hydrogen peroxide-inducible clone-5

HIF, hypoxia-inducible factor

HIFU, high-intensity focused ultrasound

HIP, Huntingtin interacting protein

His, histamine (H)

HIS1, hematopoietic insertion site 1

HIST1H4K, histone cluster 1, H4K

HIV, human immunodeficiency virus

HK2, hexokinase 2

hK, human kallikrein

H3K4, histone H3 lysine 4

H3K4me3. histone 3 lysine 4 trimethylation or histone 3 trimethylated lysine 4

HMG, high-mobility group

HMGA2, high-mobility group AT-hook 2

HMG-CoA, 3-hydroxy-3-methylglutaryl-coenzyme A

HMGCR, 3-hydroxy-3-methylglutaryl CoA reductase

HMGN1, high mobility group nucleosome binding domain 1

HMT, histone methyltransferase

HMVEC, human microvascular endothelial cell

HMWK, high molecular weight kininogen

HN1, hematological and neurological expressed 1

HNA, hereditary neuralgic amyotrophy

HNF1B, hepatocyte nuclear factor 1 homeobox B

hnRNP, heterogeneous nuclear ribonucleoprotein

HNRNPA2/B1 or HNRPA2/B1, heterogeneous nuclear ribonucleoprotein A2/B1

HNSC, head and neck squamous cell carcinoma

HO-1, heme oxygenase 1

HOIL, heme-oxidized IRP2 ubiquitin ligase

HOIP, HOIL-1L-interacting protein

HOTAIR, HOX antisense intergenic RNA

HOX, homeobox

HP, heterochromatin protein

HPC, hereditary prostate cancer

HPETE, hydroperoxyicosatetraenoic acid

HPFS, Health Professionals Follow-up Study

15-HPGD, 15-hydroxyprostaglandin dehydrogenase

HPL, 3-(4-hydroxyphenyl) lactate

HPLC, high-performance (or pressure) liquid chromatography

HPN, hepsin

hPRK, human histidine-containing protein kinase

HPV, human papillomavirus

HR, hazard ratio

H-RAS, Harvey rat sarcoma viral oncogene homolog (RAS)

HRE, hormone response element

HRE, hypoxia response element

HRG, heregulin

HR-MAS, high resolution magic angle spinning

HRPC, hormone-resistant prostate cancer

HRR, homologous recombination repair

HSCCE, human stratum corneum chymotyrptic enzyme

Hscore, Histo-Score

HSD, hydroxysteroid dehydrogenase

HSD3B2, 3β-hydroxysteroid dehydrogenase type 2

HSD3B2, hydroxy-delta-5-steroid dehydrogenase, 3 beta-and steroid delta-isomerase 2

HSEC, hepatic sinusoid endothelial cell

HSF, heat shock transcription factor

HSP, heat-shock protein

HspA2, heat shock-related 70 kDa protein 2

HSPG, heparan sulfate proteoglycan

HSR-omega, heat shock RNA-omega

hSTAB1, human stabilin-1

HSV, herpes simplex virus

HSV-tk, HSV thymidine kinase

HT, human tumor homologue

5-HT, 5-hydroxytryptamine

hTEP, human telomerase-associated protein

hTERC, human telomerase RNA component (hTR

hTERT, human telomerase reverse transcriptase

HTF, human tubal fluid

hTR, human telomerase RNA

5-HTR, 5-hydroxytryptamine receptor

HUVEC, human umbilical vascular endothelial cell

HVEM, herpes virus entry mediator

HYAL, hyaluronidase

hZIMP, human zinc finger-containing, Miz1, PIAS-like protein on chromosome

I

I, isoleucine (Ile)

IAA, indole-3-acetic acid

IAD, intermittent androgen deprivation

IAP, inhibitor of apoptosis

IARC, International Agency for Research on Cancer

IBS, integrated Brier score

IC50, half maximal inhibitory concentration

iC3b, inactivated complement component 3b

ICAD, inhibitor of CAD

ICAM, intercellular adhesion molecule

ICE, interleukin-1β-converting enzyme

ICEberg, interleukin-1-β converting enzyme

ICH1, interleukin-1β-converting enzyme (ICE) and ced-3 homolog

ICP4, infected cell polypeptide (or protein) 4

ICPCG, International Consortium for Prostate Cancer Genetics

ICSI, intracytoplasmic sperm injection

ICTP, carboxy-terminal pyridinoline cross-linked telopeptide of type I collagen

ICZ, indolocarbazole

ID, inhibitor of DNA-binding protein or inhibitor of differentiation

IDC, infiltrating ductal carcinoma

IDF, International Diabetes Federation

IDGF, insulin dependent growth factor

IF, intermediate filaments

IF3-p40, initiation factor subunit p40

IFIT1, interferon-induced protein with tetratricopeptide repeats 1

IFN, interferon

IG, immunoglobulin

IGF, insulin-like growth factor

IGF2AS, IGF2 antisense

IGFBP, insulin-like growth factor-binding protein

IGFR, insulin-like growth factor receptor

IGR, ionotropic glutamate receptor

IHC, immunohistochemistry

IκB or IKB, inhibitor of nuclear factor kappa-B

IKBKB, IκB (or IKB) kinase subunit beta

IKK, IκB (or IKB) kinase

IKK2, IκB kinase subunit beta

IL, interleukin

Ile, isoleucine (I)

ILK, integrin-linked kinase

ILM, inhibitin-like material

IL-6R, IL-6 receptor

ILRA, interleukin receptor antigen

IL-6sR, interleukin-6 soluble receptor

IMAP, immuno-associated nucleotide-binding protein

IMP, inferior mesenteric plexus

IMP, intramembranous particle

IMPACT, Identification of Men with a genetic predisposition to ProstAte Cancer: Targeted screening in BRCA1/2 mutation carriers and controls

IMPACT, Immunomodulator MGN1703 in Patients With Advanced Colorectal Carcinoma

IMPACT, Immunotherapy for Prostate Adenocarcinoma Treatment

IMRT, image-guided intensity-modulated radiation therapy

INCA, inhibitory caspase recruitment domain

INCENP, inner centromere protein

INF, interferon

INH2, inhibitor-2

INK, inhibitor of cyclin-dependent kinase

INM, internal nuclear matrix

iNOS, inducible form of nitric oxide synthase

INP, immuno-associated nucleotide-binding protein

INR, international normalized ratio

INS, insulin

INSR, insulin receptor

INT1, integrase 1

INT1, proto-oncogene Int-1 homolog

IP3, inositol 1,4,5 trisphosphate

IP3R, IP3 receptor

iPSA, inactive PSA

IPSS, International Prostate Symptom Score

IQR, inter-quartile range

IRAK, interleukin receptor associated kinase

IRF, interferon regulatory factor

IRP, iron regulatory protein

IRS, insulin response sequence

IRS, insulin receptor substrate

IRT, iron-regulated transporter

ISH, in situ hybridization

ISI, international sensitivity index

ISL1, ISL LIM homeobox 1 or islet 1

ISUP, International Society of Urological Pathology

ITF, intestinal trefoil factor

ITG, integrin

ITGA1, integrin alpha 1

ITLN, intelectin

IU, international unit

IVF, in vitro fertilization

J

JACC, Japan Collaborative Cohort

JAK, Janus-activated kinase

JAM2, junctional adhesion molecule 2

JARID, jumonji AT-rich interactive domain

JAZF, juxtaposed with another zinc finger protein

JBP, Jak-binding protein

JEB, junctional epidermolysis bullosa

JNK, c-Jun N-terminal kinase

JOCK1, juxtaposition of chemical inducers of dimerization and kinase 1

JUA, Japanese Urological Association

JUN, Jun activation domain binding protein or Jun activation domain binding protein

JUN, jun proto-oncogene

K

K, lysine
K5, keratin 5
KA1, glutamate receptor KA1 or GRIK4
KAI1, kangai 1
KAL, kallistatin
KAT1, potassium channel KAT1
kb/kbp, kilo-base pair
kDa, kilodalton
KDM5B, lysine (K)-specific demethylase 5B
KDR, kinase insert domain receptor
KEGG, Kyoto Encyclopedia of Genes and Genomes
KGF, keratinocyte growth factor
KIAP, kidney inhibitor of apaptosis protein
KIF11, kinesin family member 11
KIP, kinase inhibitor protein
KIT, v-kit Hardy-Zuckerman 4 feline sarcoma viral oncogene homolog or tyrosine-protein kinase Kit
KL, Klotho
KLF, Kruppel-like factor
KLK, kallikrein(-related peptidase)
KLK-L2, kallikrein-like gene 2
KLLN, killin
KLP, kinesin-like protein
KMT2D, lysine (K)-specific methyltransferase 2D
KO, knockout
KPNA2, karyopherin alpha 2
KPS, Karnofsky performance state
K-RAS, Kirsten rat sarcoma viral oncogene homolog
KRT13, keratin 13
KTS, lysine, threonine, serine
KUB, Ku70-binding protein

L

L, leucine
L1, L1 cell adhesion molecule
LAGE, lung cancer antigen
LAM, laminin
LAP, latency-associated peptide
LAP, leucine aminopeptidase
LBTI, lima bean trypsin inhibitor
LC3, light chain 3
L-CAM, liver cell adhesion molecule
L1CAM, L1 cell adhesion molecule
LC-MS, liquid chromatography mass spectrometry

LDH, lactate dehydrogenase
LDL, low-density lipoprotein
LDMS, laser desorption mass spectrometry
LDTI, leech derived tryptase inhibitor
LEF, lymphoid enhancer (-binding) factor
LEKTI, lympho-epithelial Kazal-type-related inhibitor
L-ENK, leucine-enkephalin
LETM1, leucine zipper-EF-hand containing transmembrane protein 1
LETMD1, LETM1 domain containing 1
Leu, leucine (L)
LFA, lymphocyte function-associated antigen
LFS, Li-Fraumeni syndrome
LGALS, lectin galactoside-binding soluble
LGPIN, low-grade prostatic intraepithelial neoplasia
LGR, leucine-rich repeat-containing G-protein coupled receptor
LH, luteinizing hormone
LHRH, luteinizing hormone releasing hormone
LHRH-A, LHRH agonist
LIF, leukemia inhibitory factor
LIGHT, lymphotoxin, exhibits inducible expression and competes with HSV glycoprotein D for binding to herpesvirus entry mediator, a receptor expressed on T lymphocytes
LIM, lines 11 (LIN11), ISL LIM homeobox 1 or insulin gene enhancer protein ISL-1, islet 1 (ISL1), mitosis entry checkpoint 1 (MEC1)
LIMD1, LIM domains-containing protein 1
LIMK, LIM kinase
LIMS1, LIM and senescent cell antigen-like domains 1
LIN, lin homolog
LIN11, lines 11
LIN28B, lin-28 homolog B
lincRNA, large intergenic non-coding RNA
LINE-1, long interspersed element
LIPA, lipase A
LIPB, lipophilin-B
LMN, lamin
LMO7, LIM only protein 7
LMP1, (Epstein-Barr virus) latent membrane protein 1
LMTK, lemur tyrosine kinase
LMWH, low molecular weight heparin
lncRNA, long noncoding RNA
L-NMMA, NG-monomethyl-L-arginine
LOH, latent onset hypogonadism
LOH, loss of heterozygosity
15-LOX, 15-lipoxygenase
LPA, lipoprotein, Lp(a)
LPA, lysophosphatidic acid
LPAL2, LPA-like 2
LPC, lymphoma proprotein convertase
LPP, lipid phosphate phosphatase
LPR, lymphoproliferation

LPS, lipopolysaccharide
LR, logistic regression
LRC, label-retaining cell
LRILL, Leu-Arg-Ile-Leu-Leu
LRP, low-density lipoprotein-related protein
LRR, leucine rich repeat
LRRC15, leucine rich repeat containing 15
LSC, leukemia stem cell
LT, lymphotoxin
LTA, lipoteichoic acid (LTA)
LTBP, latent TGF-β-binding protein
LTC4, leukotriene C4
LTL, leukocyte telomere length
Lu/BCAM, Lutheran blood group and BCAM
LUM, lumican
LY6, lymphocyte antigen 6
Lys, lysine (K)
LYVE, lymphatic vessel endothelial hyaluronan receptor

M

M2, muscarinic receptor 2
MAB, maximum androgen blockade
MAC2, macrophage cell-surface protein 2
MAC2, macrophage 2 antigen
MAC2BP, MAC2 binding protein
MAC, membrane attack complex
MAC-IP, membrane attack complex-inhibitory protein
MAD. mitotic arrest deficient
MAD, mothers against decapentaplegic
MAD2L1, mitotic arrest deficient-like 1
MAdCAM-1, mucosal addressin cell adhesion molecule 1
MADH4, MAD, mothers against decapentaplegic homolog 4
MAF, v-maf avian musculoaponeurotic fibrosarcoma oncogene homolog
MAGED1, melanoma antigen (family) D1
MAL, myelin and lymphocyte protein or mal, T-cell differentiation protein
MALAT, metastasis associated lung adenocarcinoma transcript
MALDI, matrix assisted laser desorption/ionization
MALT, mucosa-associated lymphoid tissue lymphoma translocation protein or MALT1 paracaspase
MAP, mitogen-activated protein
MAP, microtubule associated protein
MAPK, mitogen-activated protein kinase
MAP2K, mitogen-activated protein kinase kinase
MAPKAPK-2, MAPK-activated protein kinase 2
MAR, matrix attachment region
MAR, mono (ADP-ribose)
MARCKS, myristoylated alanine-rich C-kinase substrate
MARPKS, myristoylated alanine-rich protein kinase substrate

MARylation, mono (ADP-ribosyl)ation
MAS, MAS1 proto-oncogene, G protein-coupled receptor
MATN, matrilin
MAX, MYC associated factor X
MCAM, melanoma cell adhesion molecule
MCAT, malonyl CoA:ACP acyltransferase
MCF, Michigan Cancer Foundation
MCL, myeloid cell leukemia
MCM, minichromosome maintenance complex component
MCP, membrane cofactor protein
MCP, monocyte chemoattractant protein
M-CSF, macrophage colony-stimulating factor
MD2, myeloid differentiation protein 2
MDA, melanoma differentiation-associated protein
MDC1, mediator of DNA-damage checkpoint 1
MDK, midkine
MDR, multidrug resistance
MDRM, multi drug resistance mechanism
MDS, myelodysplastic syndrome
MDSC, myeloid-derived suppressor cell
MEC, mitosis entry checkpoint
MECP, methyl CpG binding protein
MEF2C, myocyte enhancer factor-2C
MEK, mitogen-activated protein kinase kinase
MEKK, mitogen-activated protein kinase kinase kinase
M-ENK, methionine-enkephalin
MEP, mouse epididymal protein
MET, mesenchymal-epithelial transition factor
MET, MET proto-oncogene, receptor tyrosine kinase
MFG-E8, milk fat globule-EGF8
MGMT, O-6-methylguanine-DNA methyltransferase
MHC-I, major histocompatibility complex class I
MIB, mindbomb E3 ubiquitin protein ligase
MIB, mindbomb homolog
MIC, macrophage inhibitory cytokine
MIF, Müllerian inhibiting factor
mIgM, membrane-bound immunoglobulin M
MIL, MIL proto-oncogene serine/threonine-protein kinase
MIP, macrophage inflammatory protein
MIp, malignancy index of prostate cancer
miPPR, putative promotor region of miRNA
miR, microRNA
miRNA, microRNA
MIS, Müllerian-inhibiting substance
MIT, Müllerian-inhibiting substrate
MKI67, monoclonal antibody Ki-67
MKK, mitogen-activated protein kinase kinase
MKP5, MAPK phosphatase 5
ML-IAP, Melanoma inhibitor of apoptosis protein
MLL2, myeloid/lymphoid or mixed-lineage leukemia
MMAC1, mutated in multiple advanced cancers 1
MMAS, Massachusetts Male Aging Study
mmCGM1a, Mus musculus CGMla

MMCT, microcell-mediated chromosome transfer
MME, membrane metallo-endopeptidase
MMP, matrix metalloproteinase
MMR, mismatch repair
MMTV, mammary tumour virus
MNC, mononuclear cell
MNU, N-methyl-N-nitrosourea
MORT1, mediator of receptor induced toxicity 1
MPA, medroxyprogesterone acetate
MPB70, mycobacterial protein bovis 70
MPC, mitoxantrone/prednisone/custirsen
mPDGS, murine prostaglandin D synthase
MPK, mitogen-activated protein kinase phosphatase
M2-PK, pyruvate kinase type M2
mpMRI, multiparametric MRI
MPV, midpiece vesicles
MRI, magnetic resonance imaging
mRNA, messenger ribonucleic acid
MRP. migration inhibitory factor-related protein
MRP, motility related protein
MRP, multidrug resistance-associated protein
MRP, myeloid-related protein
MRS, magnetic resonance spectroscopy
MRSI, magnetic resonance spectroscopic imaging
MS, mass spectrometry
MSA, methylseleninic acid
MSC, mesenchymal stem cell
mSIN3, mammalian stress-activated protein kinase-interacting protein 3
MSMB, microseminoprotein beta
MS/MS, tandem mass spectroscopy
MSP, macrophage-stimulating protein
MSP, micro-seminoprotein
MSPCR, methylation-specific polymerase chain reaction
MSPI, matrix-associated serine protease inhibitor
MSR, macrophage scavenger receptor
MS-SNuPE, methylation-sensitive single-nucleotide primer extension
MST1, mammalian sterile twenty-like kinase 1
MSVSP99, mouse seminal vesicle secretory protein of 99 amino acids
MSX1, Msh homeobox 1
MT, metallothionein
MT1, membrane type 1
MTA, metastasis-associated protein (or gene)
MTA1L1, metastasis-associated gene 1-like 1
MTase, methyltransferase
MTC, medullary thyroid cancer
MTD, maximum tolerated dose
mTLD, mammalian tolloid
MTLE, mesial temporal lobe epilepsy
MTMMP, membrane-type MMP
mTOR, mammalian target of rapamycin

MT-SP1, membrane-type serine protease 1
MUC1, mucin 1, cell surface associated
MVD, microvessel density
MXI1, MAX interactor 1, dimerization protein or MAX-interacting protein 1
MYB, v-myb myeloblastosis viral oncogene homolog
MYBL2, MYB-like 2
MYC, v-myc avian myelocytomatosis viral oncogene homolog
MYCN, N-MYC proto-oncogene
MYD88, myeloid differentiation primary response protein 88
MYEOV, myeloma overexpressed
MYL2, myosin light chain 2 or
MYL2, myosin light polypeptide 2, regulatory, cardiac, slow
MYND, myeloid-Nervy-DEAF1
MYO6, myosin VI
MYT, myelin transcription factor
MZL, marginal zone lymphoma

N

N, asparagine
NAA, N-acetylaspartate
NAAG, N-acetyl-aspartyl-glutamate
NAALADase, N-acetylated-α-linked-acidic dipeptidase
NAD, nicotinamide adenine dinucleotide
NADPH, nicotinamide adenine dinucleotide phosphate
NAG1, NSAID-activated gene 1
NAIP, neuronal apoptosis inhibitor protein
NALP, NACHT, LRR and PYD-containing protein
NAMPT, nicotinamide phosphoribosyltransferase
NANOG, nanog homeobox
NAT, N-acetyl transferase
NBC, sodium bicarbonate cotransporter
NBL1, neuroblastoma, suppression of tumorigenicity 1
NC1, noncollagenous domain 1
NCA, non-specific cross-reacting antigen
NCAD, neural cadherin
N-cadherin, neural cadherin
N-CAM, neuronal cell adhesion molecule
NCBI, National Center for Biotechnology Information
NCCN, National Comprehensive Cancer Network
NCEF ATP, National Cholesterol Education Program Adult Treatment Panel
NCI National Cancer Institute
NCIC, National Cancer Institute of Canada
NCL, nucleolin
NCOR, nuclear receptor co-repressor
NCPV, non-cancerous prostate tissue volume
NCRI, National Cancer Research Institute
ncRNA, noncoding RNA
NDF, neu differentiation factor

NDP, nucleoside diphosphate

NDRG1, N-MYC downstream regulated 1

NE, neuroendocrine

NEB, nebulin

NED, neuroendocrine differentiation

NEDD, neural precursor cell expressed, developmentally downregulated

NEGF, neurite growth-promoting factor

NEL, neural EGFL

NELL2, NEL-like 2

NEMO, NF-κB essential modulator

NEP, neutral endopeptidase 24.11 or neprilysin

NES1, normal epithelial cell-specific 1

NET1, neuroepithelial cell transforming 1

NF, nuclear factor

NFAT, nuclear factor for activated T-cell

NFATC, nuclear factor for activated T-cell, cytoplasmic

NF-κB, nuclear factor kappa-light-chain-enhancer of activated B cells

NFKB3, nuclear factor of kappa light polypeptide gene enhancer in B-cells 3

NGAL, neutrophil gelatinase-associated lipocalin

NGF, nerve growth factor

NHANES, National Health Assessment and Nutritional Examination Survey

NHBEC, normal human bronchial epithelial cell

NHE3, Na+/H+ exchanger 3

NHEJ, nonhomologous end joining

NHL, non-Hodgkin lymphoma

NIH, National Institutes of Health

NIK, NFκB-inducing kinase

NK, natural killer

NK, neurokinin

NKX3-1, NK3 homeobox 1

NKX3-1, NK3 transcription factor related, locus 1

NLGN1, neuroligin 1

NLS, nuclear localization sequence

NLS, nuclear localization signal

NM, nuclear matrix J-binding protein 1 (JBP1)

NM23, non-metastatic protein 23

NMB, neuromedin B

NMBR, neuromedin B receptor

NMD, nuclear morphometric descriptor

NMDA, N-methyl-D-aspartate

NMP, nuclear matrix protein

NMR, nuclear magnetic resonance

NMRS, nuclear magnetic resonance spectroscope

N-MYC, neuroblastoma MYC oncogene

NO, nitric oxide

NOD, non-obese diabetic

NOMPC, no mechanoreceptor potential C

NOS, nitric oxide synthase

NOTCH1, notch (homolog) 1 or Notch homolog 1, translocation-associated

NOV, nephroblastoma overexpressed gene

NOVA1, neuro-oncological ventral antigen 1

NOX, NADPH oxidase

NPC1L1, niemann-Pick type C1-like 1

NPE, sodium/proton exchanger protein

NPM, nucleophosmin

NPRC, Natriuretic peptide receptor C

NPV, negative predictive value

NPY, neuropeptide Y

NQO1, NAD(P)H:quinone oxidoreductase 1

NR, nitroreductase

NRAMP, natural resistance-associated macrophage protein

N-RAS, neuroblastoma RAS

NR3B1, nuclear receptor subfamily 3, group B, member 1

NRF2, nuclear respiratory factor 2

NRG1, NSAID-regulated gene 1 protein

NRI, net reclassification index

NSAID, nonsteroidal anti-inflammatory drug

NS1, nonstructural protein 1

NSCLC, non-small cell lung cancer

NSE, neuron-specific enolase

NSF, N-ethylmaleimide-sensitive factor

NSFL1, NSF and valosin-containing protein (p97)

NT, neurotrophin

NTBI, non-transferrin bound iron (NTBI

NTR, neurotrophin receptor

NTRK1, neurotrophic tyrosine kinase receptor type 1

NTT, nucleotide transporter

NTX, N-terminal collagen cross-link

NUDT10, nudix (nucleoside diphosphate linked moiety X)-type motif 10

NuMA, nuclear mitotic apparatus protein

NuRD, nucleosome remodeling and deacetylase

NUSAP, nucleolar and spindle associated protein

NWGR, Asp-Trp-Gly-Arg

NY-ESO-1, New York-esophageal (cancer)-1

NY-SAR-35, New York-sarcoma-35

O

OC, osteocalcin

OCT4, octamer-binding transcription factor 4

ODC, ornithine decarboxylase

ODN, oligodeoxynucleotide

OEATC1, overexpressed in anaplastic thyroid carcinoma-1

OLIG, oligodendrocyte transcription factor

OP, organophosphorus pesticide

OPG, osteoprotegerin

Op-IAP, OpMNPV-IAP

OpMNPV, Orgyia pseudotsugata multinucleocapsid nucleo-

polyhedrosis virus
OPN, osteopontin
OR, odds ratio
ORAI1, ORAI calcium release-activated calcium modulator 1
ORC6, origin recognition complex subunit 6
ORF, open reading frame
ORM1, orosomucoid 1
OSCC, oral squamous cell carcinoma
OSM, oncostatin M
OSM-9, osmotic avoidance abnormal family member 9
OTC, over-the-counter
OvUS, ovine uterine serpin
OX40L, OX40 ligand

P

P, proline
P47, NSFL1 cofactor p47
p300, E1A binding protein p300
PA, plasminogen activator
PAC, proangiogenic cell
PACE, paired basic amino acid cleaving enzyme
PACP, prostatic acid phosphatase
PACSIN2, protein kinase C and casein kinase substrate in neurons 2
PAH, polycyclic aromatic hydrocarbon
PAH, postatrophic hyperplasia
PAI, plasminogen activator inhibitor
PAK, p21 protein (CDC42/Rac)-activated kinase
PANK1, pantothenate kinase 1
PAO, polyamine oxidase
PAP, plasmin-α2-antiplasmin
PAP, prostatic acid phosphatase
PAPP-A, pregnancy-associated plasma protein A
PAPSS2, 3'-phosphoadenosine 5'-phosphosulfate synthase 2
PAR, plasminogen activator receptor
PAR, poly (ADP-ribose)
PAR4, prostate apoptosis response 4
PAR, proteinase-activated receptor
PARG, poly(ADP-ribose) glycohydrolase
PARK7, Parkinson disease protein 7
PARP, poly-(ADP-ribose) polymerase
PART, prostate androgen-regulated transcript
PARylation, poly (ADP-ribosyl)ation
PAX, paired box (transcription factor)
PAX, paxillin
P1B, polypeptide P1.B
PB, probasin
PBAF, poly-bromo-associated BRG1-associated factor
PBOV, prostate and breast overexpressed gene
PBK, PDZ binding kinase
PBT, piebald trait protein

PBT, proton-beam therapy
PBX, pre-B-cell leukemia homeobox
PC, phosphatidylcholine
PC, polycomb protein
PC, proprotein convertase
PCA, principal component analysis
PCA, prostate cancer antigen
P-cadherin, placental cadherin
PCANAP, prostate cancer-associated protein
PCAT1, prostate cancer associated transcript 1
PCD1, pancreatic cancer derived 1
PCDHY, protocadherin Y
PcG, polycomb group
PCGEM1, prostate cancer gene expression marker 1 or PCGEM1, prostate-specific transcript (non-protein coding)
PCho, phosphorylcholine
PCI Prostate Cancer Index
PCI protein C inhibitor
PCNA, proliferating cell nuclear antigen
P1CP, pro-collagen type 1 C-terminal propeptide
PCPT, Prostate Cancer Prevention Trial
PCR, polymerase chain reaction
PCRC, Prostate Cancer Risk Calculator
PCSC, prostate cancer stem cell
PCSI, Prostate Cancer Symptom Index
PCSK5, proprotein convertase subtilisin/kexin type 5
PCTA, prostate carcinoma tumor antigen
PCR, polymerase chain reaction
PD, Parkinson's disease
PDC, pyruvate dehydrogenase complex
PDCD, programmed cell death protein
PDEF, prostate-derived ETS transcription factor
PDF, prostate differentiation factor or prostate-derived factor
PDGF, platelet-derived growth factor
PDGFB, platelet-derived growth factor beta
PDGF-D, platelet-derived growth factor D
PDGFhR, platelet-derived growth factor h receptor
PDGFR, platelet-derived growth factor receptor
PDGS, prostaglandin D synthase
PDI, protein disulfide isomerase
PDK, pyruvate dehydrogenase kinase
PDLIM5, PDZ and LIM domain 5
PDZ, post synaptic density protein (PSD95), Drosophila disc large tumor suppressor (DLG1), zonula occludens 1 (ZO1)
PE, phosphatidylethanolamine
PECAM, platelet endothelial cell adhesion molecule
PEG, poly-ethylene glycol
PEM, phosphatidylethanolamine methylation
PEM, polymorphic epithelial mucin
PER1, period 1
PERP, p53 apoptosis effector related to PMP-22
PET, positron emission tomography
PFACP, prostatic fraction of acid phosphatase

PFK2, 6-phosphofructo-2-kinase
PFKFB2, PFK2/fructose-2,6-bisphosphatase 2
pfu, plaque-forming unit
PG, prostaglandin
PGC, pepsinogen C
PGC1, peroxisome proliferator-activated receptor- γ coactivator 1
PGF, placental growth factor
PGK, phosphoglycerate kinase
P-gp, P-glycoprotein
Phe, phenylalanine (F)
PHI, Prostate Health Index
PHO, phosphatase
Phox, phagocyte oxidase
PHS, Physicians' Health Study
phyB-4, phytochrome B-4
pI, isoelectric point
PI3, peptidase inhibitor 3
PI, phosphatidylinositol
PI, proliferative index
PIA, proliferative inflammatory atrophy
PIAS, protein inhibitor of activated STAT
PICP, pro-collagen type I C-terminal propeptide
PIDD, p21-induced protein with a death domain
PIgR, polymeric immunoglobulin receptor
PIGU, phosphatidylinositol glycan anchor biosynthesis class U
PI3K, phosphatidylinositol 3-kinase
PI3KCD, PI3K, catalytic, delta polypeptide
PIM, proviral integration site for Moloney murine leukemia virus
PIM1, Pim-1 proto-oncogene, serine/threonine kinase
PIN, prostatic intraepithelial neoplasia
PINCH, particularly interesting new Cys-His protein 1
PINIT, Pro-Ile-Asn-Ile-Thr
PINK1, PTEN-induced kinase 1
PINP, pro-collagen type I N-terminal propeptide
PI3P, phosphatidylinositol 3-phosphate
PIP, pig protein
PIP, prostatic inhibin-like peptide
PIP2, phosphatidylinositol biphosphate
PIP3, phosphatidylinositol-3,4, 5-trisphosphate
PI-RADS, Prostate Imaging Reporting and Data System
PIT1, pituitary specific positive transcription factor 1
PIVOT, Prostate Cancer Intervention Versus Observation Trial
PK, pyruvate kinase
pKa, -log10Ka (Ka, acid dissociation constant
PKB, protein kinase B
PKCI, protein kinase C, iota
PKCZ, protein kinase, zeta
PKD1, protein kinase D1
PKD2, polycystic kidney disease 2
PLA2, phospholipase A2
PLAB, placental bone morphogenetic protein
PLAU, urokinase-type plasminogen activator
PLC, peripheral lung cell

PLC, phospholipase C
PLCO, Prostate, Lung, Colorectal and Ovary
PLEC, plectin
PLESS, Proscar Long-term Efficacy and Safety Study
PLIK, phospholipase C-interacting kinase
PLK, polo-like kinase
PLZF, promyelocytic leukemia zinc finger
PMA, phorbol 12-myristate 13-acetate
PMA, prostate mucin antigen
PMAIP, phorbol-12-myristate-13-acetate-induced protein
PMI, prostate malignancy index
PML, promyelocytic leukaemia
PMN, polymorphonuclear leukocyte
PMP, peripheral myelin protein
pmPSCA, plasmid PSCA
PN, protease nexin
P1NP, pro-collagen type 1 N-terminal propeptide
POLI, polymerase (DNA direct) Iota
PON1, paraoxonase 1
POU1F1, POU class 1 homeobox 1
PP5, placental protein 5
PP2A, protein phosphatase 2A
PP32, phosphoprotein 32
PPAR, peroxisome proliferator-activated receptor
PPARG, peroxisome proliferator-activated receptor γ
PPC, proprotein convertase
PP1C, protein phosphatase 1, catalytic subunit
PPNB, periprostatic nerve block
PPRH, polypurine reverse-Hoogsteen hairpin
pPSA, precursor form of PSA
PPT, PSAe, PSMAe, TARP
PPV, positive predictive value
PR, pathogenesis-related protein
PR, progesterone receptor
PR, pseudo-receiver
PRACTICAL, Prostate Cancer Association Group to Investigate Cancer-Associated Alterations in the Genome
PRAK, p38 regulated/activated kinase
PRAME, preferentially expressed antigen in melanoma
pRB, retinoblastoma protein
PRC, polycomb repressor complex
PRC, protein regulator of cytokinesis
PRCP, prolylcarboxypeptidase
PRDM1, PR domain containing 1
PRE, polycomb response element
pre-RC, pre-replicative complexe
PRESS, point-resolved spectroscopy
PREVAIL, PREchemotherapy MDV3100 prostAte cancer trIaL
PRIAS, Prostate Cancer Research International Active Surveillance
PRKC, protein kinase C
PRMT, protein arginine methyltransferase
PRNCR1, prostate cancer associated non-coding RNA 1
Pro, proline (P)

PROC, protein C
pro-HGF, prohepatocyte growth factor
PROM, promin-1
PROMEtheuS, PRO-PSA Multicentric European Study
pro-PSA, precursor form of PSA or proenzyme PSA
ProtecT, Prostate testing for cancer and Treatment
pro-uPA, prourokinase-type plasminogen activator
p90RSK, p90-kDa ribosomal S6 kinase
PRSS, protease, serine
PRST, prostein
PS, phosphatidylserine
PSA, prostate-specific antigen
PSAD, PSA density
PSADT, PSA doubling time
PSAe, PSA enhancer
PSAP, prostatic specific acid phosphatase
PSAV, PSA velocity
PSCA, prostate stem cell antigen
PSCD2, pleckstrin homology, Sec7 and coiled-coil domains 2
pSCM, prostate stromal-conditioned media
PSD95, post synaptic density protein
PSE, PSA promoter/enhancer
PSG, pregnancy-specific glycoprotein
PSGR, prostate-specific G protein-coupled receptor
PSMA, prostate-specific membrane antigen
PSMAe, PSMA enhancer
PS-ODN, phosphorothioate oligodeoxynucleotide
PSP, pancreatic spasmolytic polypeptide
PSP, phosphoserine phosphatase
PSP, prostate-specific protein
PSP94, prostate secretory protein of 94 amino acids
PSPBP, PSP94-binding protein
PST, prostate-specific transglutaminase
PSTF, Preventive Services Task Force
PSTI, pancreatic secretory trypsin inhibitor
PT, prothrombin time
PTCH, Patched
PTEN, phosphatase and tensin homolog
PTER, pterostilbene
PTGER3, prostaglandin E receptor 3
PTGS, prostaglandin G/H synthase
PTGFB, porcine TGF-β
PTHrP, parathyroid hormone-related protein
PTI1, prostate tumor-inducing gene 1
PTK, protein tyrosine kinase
PTN, pleiotrophin
PTOV1, prostate tumour overexpressed-1
PTPN6, protein tyrosine phosphatase, non-receptor type 6
PTRF, polymerase Ⅰ and transcript release factor
PTS1, peroxisomal targeting signal peptide 1
PTTG1, pituitary tumor-transforming 1
PUFA, polyunsaturated fatty acids
PUMA, p53 upregulated modulator of apoptosis

PUMPCn, protein up-regulated in metastatic prostate cancer
PXN, paxillin
PYCARD, PYD and CARD domain containing
PYCARD, pyrin-CARD
PYD, pyridinoline
PYD, pyrin domain
PYD, PYRIN-PAAD-DAPIN
PyMT, Polyoma virus middle T
PZP, pregnancy zone protein

Q

QALE, quality adjusted life expectancy
QALYs, quality adjusted life years
QMSP, quantitative methylation-specific polymerase chain reaction
QNG, quantitative nuclear grade
QR1, quinone reductase type 1
QRT-PCR, quantitative reverse transcription PCR
qRT-PCR, quantitative real-time PCR
QSOX, quiescin sulfhydryl oxidase

R

R, arginine
5αR, 5α-reductase
RAB, Ras-related GTP-binding protein
RAB5A, RAB5A, member RAS oncogene family or Ras-related protein Rab-5A
RAC, Ras-related C3 botulinum toxin substrate
RACK, receptor for activated C kinase
RAD, Ras associated with diabetes
RAD1, RAD1 checkpoint DNA exonuclease
RAD23B, RAD23 homolog B
RADICALS, Radiotherapy and Androgen Deprivation in Combination After Local Surgery
RAD54L, RAD54-like
RAF, Raf-1 proto-oncogene serine/threonine-protein kinase
RAF1, rapidly accelerated fibrosarcoma 1
RAFT1, rapamycin and FKBP12 target 1
RAGE, receptor for advanced glycation end product
RAIDD, RIP-associated Ich-1/Ced-3-homologue protein with a death domain
RALA, v-ral simian leukemia viral oncogene homolog A or Ras-like protein A or ras-related protein Ral-A
RALGDS, Ral guanine nucleotide dissociation stimulator
RALP, robot-assisted laparoscopic prostatectomy
RANK, receptor activator of nuclear factor kappa-B
RANKL, RANK ligand

RANTES, regulated on activation, normal T cell expressed and secreted

RARα, retinoic acid receptor alpha

RARA, retinoic acid receptor alpha

RARB, retinoic acid receptor beta

RAS, v-ras oncogene homolog or rat sarcoma viral oncogene homolog

RasGAP, Ras GTPase-activating protein

RASP, N(1),N(12)-bis(all-trans-retinoyl)spermine

RASSF1A, Ras association (RalGDS/AF-6) domain family member 1A

RB, retinoblastoma protein

RBAP, Rb-associated protein 46/48

RBL, retinoblastoma-like protein

RBP8, RNA-binding protein 8

RBP Jκ, recombination signal binding protein for immuno-globulin kappa J region

RE1, regulatory element 1

RECIST, Response Evaluation Criteria in Solid Tumors

RECK, reversion inducing cysteine-rich protein with Kazal motifs

REDD1, regulated in development and DNA damage response 1

REDUCE, Reduction by Dutasteride of Prostate Cancer Events

REL, v-rel avian reticuloendotheliosis viral oncogene homolog

RELA, REL A

REST, rapidly evolving substrates for transglutaminase

REST, RE1-silencing transcription factor

RET/PTC, rearrangement during transfection/papillary thyroid cancer

rf-PSA, recombinant fowlpox-PSA

RGD, arginine-glycine-aspartate (Arg-Gly-Asp)

RGDS, Arg-Gly-Asp-Ser

RGDV, Arg-Gly-Asp-Val

RGG, arginine-glycine-glycine

RGS6, regulator of G-protein signaling 6

RHAMM, receptor for hyaluronan-mediated motility

rhCCL2, recombinant human CCL2

RhoA, Ras homolog gene family, member A

RhoA, Ras homologous protein A

RhoGAP, Rho GTPase-activating protein

RHOGEF, Rho guanine nucleotide exchange factor

RIA, radioimmunoassay

RIG, RNA helicases retinoic acid-inducible gene

RING, really interesting new gene

RIP-1, receptor interacting protein 1

RIT, radioimmunotherapy

RK, reactivating kinase

RKIP, RAF-1 kinase inhibitor protein

RLD, RING finger-like zinc binding domain

RLN, relaxin

RNA, ribonucleic acid

RNABP, RAN binding protein

RNAi, RNA interference

RNASEL, ribonuclease L

RNLS, renalase, FAD-dependent amine oxidase

RNP, ribonucleoprotein

ROC, receiver operating (characteristic) curve

ROCK, Rho-associated coiled-coil containing protein kinase

ROI, reactive oxygen intermediates

RON, recepteur d'origine nantais

ROS, reactive oxygen species

rOvUS, recombinant ovine uterine serpin

RP, radical prostatectomy

RPA, RNA protection assays

rPb, rat probasin

Rp80, receptor protein 80

RPL15, ribosomal protein L15

RPS6KA, ribosomal protein S6 kinase

RPTK, receptor protein tyrosine kinase

RR, relative risk

RRM, RNA-recognition motif

RRM2, ribonucleotide reductase M2

rRNA, ribosomal RNA

RRP, recurrent respiratory papillomasis

RRP, retropubic radical prostatectomy

RSF, remodeling and spacing factor

RSK, ribosomal S6 kinase

RSP, rat spleen protein

RSRC2, arginine/serine-rich coiled-coil 2

RSV, Rous sarcoma virus

RT, radiotherapy, radiation therapy

RTK, receptor tyrosine kinase

RTOG, Radiation Therapy Oncology Group

RT-PCR, reverse transcriptase-polymerase chain reaction

RUNX, runt-related transcription factor

RUP, rat urinary protein

RVD, regulatory volume decrease

RVI, regulatory volume increase

rvPSA, recombinant vaccinia-PSA

RXFP, relaxin family peptide receptor

RXR, retinoid X receptor

S

S, serine

S100A9, S100 calcium binding protein A9

SABC, streptavidin-biotin complex

SACC, salivary adenoid cystic carcinoma

SAE1/2, SUMO-activating enzyme subunit 1/2

SAF, scaffold attachment factor

SAGE, serial analysis of gene expression

SAH, S-adenosylhomocysteine

SAPK, stress-activated protein kinase

SATB, special AT-rich sequence-binding protein

SCA, stem cell antigen

SCCE, stratum corneum chymotryptic enzyme

SCD, stearoyl-CoA desaturase

SCF, seminal corrected fructose

SCF, Skp1-cullin-F-box

SCF, stem cell factor

SCFR, stem cell growth factor receptor

SCGB1D2, secretoglobin, family 1D, member 2

SChLAP1, second chromosome locus associated with prostate 1

SCID, severe combined immunodeficiency

SCLC, small cell lung carcinoma

SCN, solid cell nest

SCN, suprachiasmic nucleus

SCP, sperm coating protein

SCP, synaptonemal complex protein

SCTE, stratum corneum tryptic enzyme

SCYA2, small inducible cytokine A2

SDC, syndecan

SDF, stromal cell-derived factor

SDI, senescent cell-derived inhibitor

sDMA, symmetrical dimethylarginine

SDS-PAGE, sodium dodecyl sulfate polyacrylamide gel electrophoresis

SEARCH, Shared Equal-Access Regional Cancer Hospital

sE-cadherin, soluble epithelial cadherin

SEER, Surveillance, Epidemiology, and End Results

SELDI, surface-enhanced laser desorption ionization

SELDI-TOF, surface-enhanced laser desorption- ionization time-of-flight

SELECT, Selenium and Vitamin E Chemoprevention Trial

SEM, standard error of the mean

SEM, surface-epitope masking

SEMG, semenogelin

SEPT4, septin-4

SEPT9_i1, septin 9 protein, isoform 1

SEPT9_v1, septin 9 transcript variant 1

Ser, serine (S)

SERCA, sarco/endoplasmic reticulum Ca^{2+}-ATPase or SR Ca^{2+}-ATPase (SERCA)

SEREX, serological analysis of recombinant cDNA expression libraries

SERM, selective estrogen receptor modulator

SERPINB5, serpin B5

SET, Drosophila Su(var)3 and enhancer of zeste

SEUG, South European Uroncological Group

SEVI, semen-derived enhancer of viral infection

SF, scatter factor

Sf9, Spodoptera frugiperda 9

SFDA, State Food and Drug Administration

SFK, Src family kinase

SFN, stratifin

SFR, scatter factor receptor

sFRP, secreted frizzled-related protein

SGP, specific granule protein

SGP28, specific granule protein of 28 kDa

SGP, sulfated glycoprotein

SH2, Src homology 2

SHANK, SH3 and multiple ankyrin repeat domain protein

SHARPIN, SHANK-associated RH domain interacting protein

SHBG, sex hormone-binding globulin

SHC, src homology 2 domain-containing (SHC) transforming protein

SHH, sonic hedgehog

SHIM, Sexual Health Inventory for Men

SHP, src homology region 2 domain-containing phosphatase

shRNA, small or short hairpin RNA

SH3-SH2-TK, Src homology 3-Src homology 2-tyrosine kinase

SIM, SUMO interaction motif

SIM2, single-minded 2

SIN3, stress-activated protein kinase-interacting protein 3

SIN3B, SIN3 transcription regulator family member B

SIOG, International Society of Geriatric Oncology

SIP, SMAD interacting protein

Sip-T, sipuleucel-T

SIR2L1, SIR2 (SIRT1)-like protein 1

siRNA, small interfering RNA

SIRT, sirtuin

SKALP, skin-derived antileukoprotease

SKB, SHK1 kinase binding protein

SKP, S-phase kinase-associated protein

SLC11A2, solute carrier family 11 member 2

SLC22A3, solute carrier family 22 extraneuronal monoamine transporter, member 3

SLC39A1, solute carrier family 39 (zinc transporter), member 1

SLE, systemic lupus erythematosus

SLP1, synaptotagmin-like protein 1

SLPI, secretory leukocyte protease inhibitor

SLUG, slug (chicken homolog), zinc finger protein or neural crest transcription factor SLUG or SNAIL2

SLURP, secreted mammalian Ly-6/uPA related protein

SM, sphingomyelin

SMAC, second mitochondria-derived activator of caspases

SMAD, mothers against decapentaplegic homolog

SMAD1, SMAD family member 1

SMARCA4, SWI/SNF related, matrix associated, actin dependent regulator of chromatin, subfamily a, member 4

SMase, sphingomyelinase

SML1, spasmolytic protein 1

SMN, survival of motor neuron

SMO, Smoothened

SMO, spermine oxidase

SMRT, silencing mediator of retinoic acid and thyroid hormone receptor

SMYD, SET and MYND domain-containing protein

SNAI1/SNAIL, Snail family zinc finger 1

SNB, spinal nucleus of the bulbocavernosus

SNCG, γ-synuclein

SNF, sucrose non-fermentable

snoRNA, small nucleolar RNA

SNP, single nucleotide polymorphism

snRNA, small nuclear RNA

snRNP, small nuclear ribonucleic particle

SOB3, suppressor of phytochrome B-4 #3

SOC, store-operated channel

SOCS, suppressor of cytokine signalling

SOD, superoxide dismutase

SOP, salvage open prostatectomy

SOS1, son of sevenless homolog 1

SOX4, SRY-related high-mobility group box 4

SP, spasmolytic polypeptide

SP, side population

SP1, Sp1 transcription factor or specificity protein 1

S1P, sphingosine-1-phosphate

SP, substance P

sPACP, secretory prostatic acid phosphatase

SPAK, Ste20-like proline-/alanine-rich kinase

SPANXN5, sperm protein associated with the nucleus in the X chromosome family member N5

SPARC, secreted protein, acidic and rich in cysteine

SPARCL1, SPARC-like 1

SPC, subtilisin-like proprotein convertase

SPCG, Scandinavian Prostate Cancer Group

SPINK1, serine protease inhibitor Kazal type 1

SPINLW1, serine peptidase inhibitor-like with Kunitz and WAP domains 1

SPOPL, speckle-type POZ protein-like

SPP1, secreted phosphoprotein 1

SPRY1, sprouty homolog 1

SPTRX, sperm-specific thioredoxin

SRALP, salvage robotic assisted laparoscopic prostatectomy

SRC, SRC proto-oncogene, non-receptor tyrosine kinase or v-src avian sarcoma (Schmidt-Ruppin A-2) viral oncogene homolog

SRD5A1, steroid-5-alpha-reductase, alpha polypeptide 1

SRE, skeletal-related event

SRE, sterol regulatory element

SREBP, sterol regulatory element binding protein

SRF, serum response factor

SRY, sex determining region Y

SSAT, spermidine/spermine N1-acetyltransferase

SSB, single-strand break

SSBP, single-stranded DNA-binding protein

SSLP, secreted seminal vesicle Ly-6 protein

SST, somatostatin

SSTR, somatostatin receptor

SSX2, synovial sarcoma, X breakpoint 2

S/T, serine/threonine-rich C-terminal domain

ST14, suppressor of tumorigenicity 14 protein

STAM, signal-transducing adapter molecule

STAMBPL1, STAM binding protein-like 1

STAMP, six-transmembrane protein of prostate

START, standards of reporting for MRI-targeted biopsy studies

STAT, signal transducer and activator of transcription

STE20, sterile 20 protein

STEAP3, six-transmembrane epithelial antigen of the prostate 3

STI, soybean trypsin inhibitor

STK4, serine/threonine-protein kinase 4

STMN1, stathmin1

STMP3, six-transmembrane epithelial antigen of prostate 3

STPK, serine/threonine-protein kinase

STS, staurosporine

SUMO, small ubiquitin-related modifier

Su(var), suppressor of position-effect variegation

SUZ12, suppressor of zeste 12 homolog

SV, splice variant

SV40, Simian vacuolating virus 40

SVS, seminal vesicle secretion

SWAP, switch-associated protein

SWAP70, SWAP switching B-cell complex 70 kDa subunit

SWI, switch

SWOG, Southwest Oncology Group

SYGQ, serine-tyrosine-glycine-glutamine

SYN, synaptophysin

SYP, synaptophysin

SYT1, synaptotagmin I

SYTL1, synaptotagmin-like protein 1

T

T, threonine

TA, transit-amplifying

TAA, tumor-associated antigen

TAC, transit amplifying cell

TACI, transmembrane activator and CAML interactor

TACSTD, tumor-associated calcium signal transducer

TADG, tumor-associated differentially expressed gene

TAF, TBP-associated factor

TAFI, thrombin activatable fibrinolysis inhibitor

TAg, tumor antigen

TAK, TGFβ-activated kinase

TAM, tumor associated macrophage

TAN1, translocation-associated notch protein 1

TANK, tankyrase

TANK, TRAF family member-associated NFKB activator

TAP, total acid phosphatase

TAPG, Transatlantic Prostate Group

TARP, T-cell receptor gamma-chain alternate reading frame protein

TAT, thrombin-antithrombin

TATI, tumor-associated trypsin inhibitor

TBC, tubulobulbar complex

TBK1, TANK-binding kinase 1

TBP, TATA-binding protein

TβRI, TGF-β receptor type I

TCA, tricarboxylic acid

TCF, T-cell (transcription) factor

TCF, ternary complex factor

TCF, transcription factor

TCF, true corrected fructose

TcR, T-cell receptor

TCTP, translationally controlled tumour protein

TDF, testis-determining factor

TEAC, Trolox equivalent antioxidant capacity

TeBG, testosterone-binding globulin

TEL, translocation ETS leukemia

TEP, telomerase-associated protein

TERT, telomerase reverse transcriptase

TES, testin LIM domain protein

TET2, ten eleven translocation 2

TF, tissue factor

TF, transcription factor

Tf, transferrin

TFAP2E, transcription factor AP 2 epsilon

TFDP2, transcription factor Dp-2

TFEB, transcription factor EB

TFF, trefoil factor

TFPI, tissue factor pathway inhibitor

TfR, transferrin receptor

TGF, transforming growth factor

TGFB1I1, transforming growth factor beta 1 induced transcript 1

TGF-PL, placental TGF-β

TGM, transglutaminase

TGN, trans Golgi network

Th1, T-helper cell type 1

TH, tyrosine hydroxylase

THADA, thyroid adenoma associated

THBD, thrombomodulin

THBS, thrombospondin

Thr, threonine (T)

TIARP, TNF-α-induced adipose-related protein

TIBC, total iron-binding capacity

TIC, tumor initiating cell

TIE1, tyrosine kinase with immunoglobulin and epidermal growth factor homology domain 1

TIG1, tazarotene-induced gene 1

TIMP, tissue inhibitor of metalloprotease

TIO, tumor-induced hypophosphatemic osteomalacia

TIP, trans-inducing protein

TIP60, Tat-interactive protein, 60 kDa

tiPARP, TCDD-inducible PARP

TJ, tight junction

TJP1, tight junction protein 1

TK, thymidine kinase

TK, tissue kallikrein

TKDI, TβRI kinase domain inhibitor

TKI, tyrosine kinase inhibitor

TLCK, tosyl-lysyl chloromethyl ketone

TLN, talin

TLR, toll-like receptor

TLS, translocated in liposarcoma

TLSP, trypsin-like serine protease

TM, thrombomodulin

TMA, tissue microarray

TMA, transcription-mediated amplification

tMDC, the metalloprotease-like, disintegrin-like, cysteine-rich domain

TMEM29, transmembrane protein 29

TM-PACP, prostatic acid phosphatase with transmembrane domain

TMPRSS2, transmembrane protease, serine type 2

TMS1, target of methylation-induced silencing 1

TMSB, thymosin beta

TN, tenascin

TNF, tumor necrosis factor

TNFR, tumor necrosis factor receptor

TNFRSF6B, TNFR superfamily, member 6B

TNFSF10, tumor necrosis factor (ligand) superfamily, member 10

TOF, time of flight

TOLL, toll-like receptor 4

TOMM, translocases of the outer mitochondrial membrane protein

TOMM20, TOMM 20 homolog

TOP2A, topoisomerase (DNA) 2-alpha

TOP2B, topoisomerase (DNA) II beta

TOR, target of rapamycin

TP, terminal protein

TP, tumor protein

TPA, 12-O-tetradecanoylphorbol-13-acetate

tPA, tissue type plasminogen activator

TPase, thymidine phosphorylase

TPEN, N,N,N′,N′-tetrakis(2-pyridylmethyl)-ethilenediamine

TPL, tumor progression locus

TPM1, tropomyosin 1 (alpha) or tropomyosin alpha-1

TPM2, tropomyosin 2 (beta)

tPSA, total PSA

TPX1, testis-specific protein 1

TPX2, TPX2, microtubule-associated, homolog (Xenopus laevis)

TPX2, targeting protein for Xklp2

TR, telomerase RNA component

TRACP, tartrate-resistant acid phosphatase

TRADD, TNFR-associated DD protein

TRAF, TNF receptor-associated factor

TRAIL, TNF-related, apoptosis-inducing ligand

TRAIL-R, TRAIL receptor

TRAMP, transgenic adenocarcinoma of mouse prostate

TRAP, tartrate-resistant acid phosphatase

TRAP, telomeric repeat amplification protocol

TRID, TRAIL receptor without an intracellular domain

TRIP, thyroid receptor-interacting protein

TRKA, tropomyosin receptor kinase A or tyrosine kinase receptor A

TRKA, TRK1-transforming tyrosine kinase protein

tRNA, transfer RNA

TROPIC, Treatment of Hormone-Refractory Metastatic Prostate Cancer Previously Treated with a Taxotere-Containing Regimen

TRP53, transformation-related protein 53

TRP, transient receptor potential (ion channel)

Trp, tryptophan (W)

Trp, tryptophan

TRP53, Transformation-related protein 53

TRPM, testosterone-repressed prostate message

TRPM8, TRP melastatin subfamily member 8

TRUS, transrectal ultrasonography

TRX, trithorax

TSA, trichostatin A

TSA, tumor-specific antigen

TSAP6, tumor suppressor activated pathway 6

TSAT, transferrin saturation

TSC, tobacco smoke condensate

TSC1, tuberous sclerosis complex 1

TSH, thyroid-stimulating hormone

TSIX, TSIX transcript, XIST antisense RNA

TSK, serine threonine kinase

TSP, thrombospondin

TSP, tumor suppressor proto-oncogene

TSPAN8, tetraspanin-8

T/t antigen, Large T-antigen/Small T-antigen

TTF, thyroid transcription factor

TTLL1, tubulin tyrosine ligase-like family member 1

TUG, taurine upregulated gene 1

TUNEL, terminal deoxynucleotidyl transferase dUTP nick end labeling

TURP, transurethral resection of prostate

TWEAK, TNF-related weak inducer of apoptosis

TWEAKR, TWEAK receptor

T2WI, T2-weighted imaging

TWIST, twist basic helix-loop-helix transcription factor

TXNRD1, thioredoxin reductase 1

Tyr, tyrosine (Y)

U

UBC9, ubiquitin-conjugating enzyme 9

UBE2C, ubiquitin-conjugating enzyme E2C

UCLA-PCI University of California, Los Angeles Prostate Cancer Index

UDP, uridine diphosphate

UFH, unfractionated heparin

UGT2B15, UDP glucuronosyltransferase 2 family, polypeptide B15

UP, uroplakin III

uPA, urokinase type plasminogen activator

uPAR, urokinase type plasminogen activator receptor

UPLC, ultrahigh performance liquid chromatography

URF1, unidentified reading frame 1

URG, urogastrone

USF, upstream stimulatory factor

USPSTF, United States Preventive Services Task Force

UTMP, uterine milk protein

UTR, untranslated region

UTX, ubiquitously transcribed tetratricopeptide repeat, X chromosome

V

V, valine

vACD, valacyclovir

VACURG, Veterans Administration Co-operative Urological Research Group

Val, valine (V)

VASH, vasohibin

VBS, vinculin binding site

VDAC, voltage dependent anion channel

VCAM, vascular cell adhesion molecule

VCL, vinculin

VDBP, vitamin D-binding protein

VDR, vitamin D receptor

VDRE, vitamin D response element

VE-cadherin, vascular endothelial cadherin

VEGF, vascular endothelial growth factor

VEGFR, vascular endothelial growth factor receptor

v-FLIP, viral FLIP

vGCV, valganciclovir

VHL, von Hippel-Lindau disease

VHL, von Hippel-Lindau (tumor suppressor)

VIM, vimentin

VIP, vasoactive intestinal polypeptide

VIS1, viral integration site 1

VLP, virus-like particle

vp, viral particle

VP16, herpes simplex virus protein vmw65

vPARP, vault PARP

VPF, vascular permeability factor

VR1, vanilloid receptor 1

VTN, vitronectin

vWf, von Willebrand factor

W

W, tryptophan

WAF1, wild-type p53-activating fragment 1
WAP, whey acidic protein
WEE1, WEE1 G2 checkpoint kinase
WGA, wheat germ agglutinin
WHO, World Health Organization
WHS, Women's Health Study
WIF1, WNT inhibitory factor 1
WISP, WNT1 inducible signaling pathway protein
WNT11, Wingless-type MMTV integration site family, member 11
WT1, Wilms tumor 1

X

XAG, Xenopus laevis anterior gradient protein
XAGE2, X antigen family, member 2
XIAP, X-chromosome-linked inhibitor of apoptosis protein
XIP8, X-ray inducible transcript 8
XIST, X-inactive specific transcript
XKLP, Xenopus plus end-directed kinesin-like protein
XMRV, xenotropic Moloney murine leukemia virus-related virus

Y

Y, tyrosine
YB, Y-box binding protein
yCD, yeast cytosine deaminase

Z

ZAG, zinc α2-glycoprotein
ZAP-70, zeta-chain-associated protein kinase 70
ZASP, Z-band alternatively spliced PDZ-motif protein
ZBTB7A, zinc finger and BTB domain containing 7A
ZEB, zinc finger E-box-binding homeobox
ZFAND1, zinc finger, AN1-type domain 1
ZFHX, zinc finger homeobox
ZFP36, zinc finger protein 36
ZF-TF, zinc finger transcription factor
ZFX, zinc finger protein X-linked
ZFY, zinc finger protein Y-linked

참고 문헌

0001 Abate-Shen C, Shen MM. Diagnostics: the prostate cancer metabolome. Nature 2009;457:799-800.

0002 Abate-Shen C, Shen MM. Molecular genetics of prostate cancer. Genes Dev 2000;14:2410-34.

0003 Abdallah RT, Keum J-S, Lee M-H, Wang B, Gooz M, Luttrell DK, et al. Plasma kallikrein promotes epidermal growth factor receptor transactivation and signaling in vascular smooth muscle through direct activation of protease-activated receptors. J Biol Chem 2010;285:35206-15.

0004 Abdollah F, Cozzarini C, Sun M, Suardi N, Gallina A, Passoni NM, et al. Assessing the most accurate formula to predict the risk of lymph node metastases from prostate cancer in contemporary patients treated with radical prostatectomy and extended pelvic lymph node dissection. Radiother Oncol 2013;109:211-6.

0005 Abdollah F, Novara G, Briganti A, Scattoni V, Raber M, Roscigno M, et al. Trans-rectal versus trans-perineal saturation rebiopsy of the prostate: is there a difference in cancer detection rate? Urology 2011;77:921-5.

0006 Abdollah F, Suardi N, Cozzarini C, Gallina A, Capitanio U, Bianchi M, et al. Selecting the optimal candidate for adjuvant radiotherapy after radical prostatectomy for prostate cancer: a long-term survival analysis. Eur Urol 2013;63:998-1008.

0007 Ablin RJ, Jiang WG. The role of transglutaminases in the pathophysiology of prostate cancer. Curr Oncol. 2011;18:241-2.

0008 Ablin RJ, Kynaston HG, Mason MD, Jiang WG. Prostate transglutaminase (TGase-4) antagonizes the anti-tumour action of MDA-7/IL-24 in prostate cancer. J Transl Med 2011;9:49.

0009 Abrate A, Lughezzani G, Gadda GM, Lista G, Kinzikeeva E, Fossati N, et al. Clinical use of [-2]proPSA (p2PSA) and its derivatives (%p2PSA and Prostate Health Index) for the detection of prostate cancer: a review of the literature. Korean J Urol 2014;55:436-45.

0010 Ackerman DA, Barry JM, Wicklund RA, Olson N, Lowe BA. Analysis of risk factors associated with prostate cancer extension to the surgical margin and pelvic node metastasis at radical prostatectomy. J Urol 1993;150:1845-50.

0011 Adam M, Hannah A, Budäus L, Steuber T, Salomon G, Michl U, et al. A tertiary Gleason pattern in the prostatectomy specimen and its association with adverse outcome after radical prostatectomy. J Urol 2014;192:97-102.

0012 Adami HO, Kuper H, Andersson SO, Bergström R, Dillner J. Prostate cancer risk and serologic evidence of human papilloma virus infection: a population-based case-control study. Cancer Epidemiol Biomarkers Prev 2003;12:872-5.

0013 Adams MN, Christensen ME, He Y, Waterhouse N,; Hooper JD. The role of palmitoylation in signalling, cellular trafficking and plasma membrane localization of protease-activated receptor-2. PLoS One 2011;6:e28018.

0014 Adeniji AO, Chen M, Penning TM. AKR1C3 as a target in castrate resistant prostate cancer. J Steroid Biochem Mol Biol 2013;137:136-49.

0015 Adler D, Kanji N, Trpkov K, Fick G, Hughes RM. HPC2/ELAC2 gene variants associated with incident prostate cancer. J Hum genet 2003;48:634-8.

0016 Aglamis E, Kocaarslan R, Yucetas U, Toktas G, Ceylan C, Doluoglu OG, et al. How many cores should be taken in a repeat biopsy on patients in whom atypical small acinar proliferation has been identified in an initial transrectal prostate biopsy? Int Braz J Urol 2014;40:605-12.

0017 Ahlbom A, Lichtenstein P, Malmström H, Feychting M, Hemminki K, Pedersen NL. Cancer in twins: genetic and nongenetic familial risk factors. J Natl Cancer Inst 1997;89:287-93.

0018 Ahmad S, Casey G, Sweeney P, Tangney M, O'Sullivan GC. Prostate stem cell antigen DNA vaccination breaks tolerance to self-antigen and inhibits prostate cancer growth. Mol Ther 2009;17:1101-8.

0019 Ahmed SU, Meklat F, Shahriar M, Zhang J, Mastulov S, Giannakouros T, et al. SEMG-1 expression in early stage chronic lymphocytic leukemia. Cytotherapy 2009;11:238-44.

0020 Ahyai SA, Isbarn H, Karakiewicz PI, Chun FKH, Reichert M, Walz J, et al. The presence of prostate cancer on saturation biopsy can be accurately predicted. BJU Int 2009;105:636-41.

0021 Aihara M, Scardino PT, Truong LD, Wheeler TM, Goad JR, Yang G, et al. The frequency of apoptosis correlates with the prognosis of Gleason Grade 3 adenocarcinoma of the prostate. Cancer 1995;75:522-9.

0022 Aihara M, Truong LD, Dunn JK, Wheeler TM, Scardino PT, Thompson TC. Frequency of apoptotic bodies positively correlates with Gleason grade in prostate cancer. Hum Pathol 1994;25:797-801.

0023 Aimes RT, Zijlstra A, Hooper JD, Ogbourne SM, Sit ML, Fuchs S, et al. Endothelial cell serine proteases expressed during vascular morphogenesis and angiogenesis. Thromb

Haemost 2003;89:561-72.

0024 Akashi T, Koizumi K, Tsuneyama K, Saiki I,2,4 Takano Y, Fuse H. Chemokine receptor CXCR4 expression and prognosis in patients with metastatic prostate cancer. Cancer Sci 2008;99:539-42.

0025 Akudugu J, Serafin A, Böhm L. Further evaluation of uPA and PAI-1 as biomarkers for prostatic diseases. J Cancer Res Clin Oncol 2015;141:627-31.

0026 Alaña L, SeséM, Cánovas V, Punyal Y, Fernández Y, Abasolo I, et al. Prostate tumor OVerexpressed-1 (PTOV1) down-regulates HES1 and HEY1 notch targets genes and promotes prostate cancer progression. Mol Cancer 2014;13:74-80.

0027 Alam N, Goel HL, Zarif MJ, Butterfield JE, Perkins HM, Sansoucy BG, et al. The integrin-growth factor receptor duet. J Cell Physiol 2007;213:649-53.

0028 Al-Asaaed S, Winquist E. Custirsen (OGX-011): clusterin inhibitor in metastatic prostate cancer. Curr Oncol Rep 2013;15:113-8.

0029 Alberti C. Genetic and microenvironmental implications in prostate cancer progression and metastasis. Eur Rev Med Pharmacol Sci 2008;12:167-75.

0030 Albrecht M, Jiang W, Kumi-Diaka J, Lansky EP, Gommersall LM, Patel A, et al. Pomegranate extracts potently suppress proliferation, xenograft growth, and invasion of human prostate cancer cells. J Med Food 2004;7:274-83.

0031 Alenda O, Ploussard G, Mouracade P, Xylinas E, de la Taille A, Allory Y, et al. Impact of the primary Gleason pattern on biochemical recurrence-free survival after radical prostatectomy: a single-center cohort of 1,248 patients with Gleason 7 tumors. World J Urol 2011;29:671-6.

0032 Alexopoulou DK, Papadopoulos IN, Scorilas A. Clinical significance of kallikrein-related peptidase (KLK10) mRNA expression in colorectal cancer. Clin Biochem 2013;46:1453-61.

0033 Algarra R, Zudaire B, Tienza A, Velis JM, Rincón A, Pascual I, et al. Optimizing D'Amico risk groups in radical prostatectomy through the addition of magnetic resonance imaging data. Actas Urol Esp 2014;May 2:PMID 24791621.

0034 Al-Maghrebi M, Kehinde EO, Anim JT, Sheikh M. The role of combined measurement of tissue mRNA levels of AMACR and survivin in the diagnosis and risk stratification of patients with suspected prostate cancer. Int Urol Nephrol 2012;44:1681-9.

0035 Alvarez-Cubero MJ, Martinez-Gonzalez LJ, Vazquez-Alonso F, Saiz M, Alvarez JC, Lorente JA, et al. The potential impact of adding genetic markers to clinical parameters in managing high-risk prostate cancer patients. Springerplus 2013;2:444.

0036 Amann RP, Howards SS. Daily spermatozoal production and epididymal spermatozoal reserves of the human male. J Urol 1980;124:211-5.

0037 An G, Meka CSR, Bright SP, Veltri RW. Human prostate-specific transglutaminase gene: promoter cloning, tissue-specific expression, and down-regulation in metastatic prostate cancer. Urology 1999;54:1105-11.

0038 An G, Ng AY, Meka CSR, Luo G, Bright SP, Cazares L, et al. Cloning and characterization of UROC28, a novel gene overexpressed in prostate, breast, and bladder cancers. Cancer Res 2000;60:7014-20.

0039 Andrade-Rocha FT. Physical analysis of ejaculate to evaluate the secretory activity of the seminal vesicles and prostate. Clin Chem Lab Med 2005;43:1203-10.

0040 Andrén O, Fall K, Andersson SO, Rubin MA, Bismar TA, Karlsson M, et al. MUC-1 gene is associated with prostate cancer death: a 20-year follow-up of a population-based study in Sweden. Br J Cancer 2007;97:730-4.

0041 Anetor JI, Ajose F, Anetor GO, Iyanda AA, Babalola OO, Adeniyi FA. High cadmium / zinc ratio in cigarette smokers: potential implications as a biomarker of risk of prostate cancer. Niger J Physiol Sci 2008;23:41-9.

0042 Anklesaria JH, Jagtap DD, Pathak BR, Kadam KM, Joseph S, Mahale SD. Prostate secretory protein of 94 amino acids (PSP94) binds to prostatic acid phosphatase (PAP) in human seminal plasma. PLoS One 2013;8:e58631.

0043 Ansari KI, Kasiri S, Mishra BP, Mandal SS. Mixed lineage leukaemia-4 regulates cell-cycle progression and cell viability and its depletion suppresses growth of xenografted tumour in vivo. Br J Cancer 2012;107:315-24.

0044 Antognelli C, Mearini L, Talesa VN, Giannantoni A, Mearini E. Association of CYP17, GSTP1, and PON1 polymorphisms with the risk of prostate cancer. Prostate 2005;63:240-51.

0045 Anwar K, Nakakuki K, Shiraishi T, Naiki H, Yatani R, Inuzuke M. Presence of ras mutations and human papillomavirus DNA in human prostate carcinoma. Cancer Res 1992;52:5991-6.

0046 Aoyama Y, Kaibara A, Takada A, Nishimura T, Katashima M, Sawamoto T. Population pharmacokinetic modeling of sepantronium bromide (YM155), a small molecule survivin suppressant, in patients with non-small cell lung cancer, hormone refractory prostate cancer, or unresectable stage III or IV melanoma. Invest New Drugs 2013;31:443-51.

0047 Arisan ED, Obakan P, Coker-Gurkan A, Calcabrini A, Agostinelli E, Unsal NP. CDK inhibitors induce mitochondria-mediated apoptosis through the activation of polyamine catabolic pathway in LNCaP, DU145 and PC3 prostate cancer cells. Curr Pharm Des 2014;20:180-8.

0048 Armstrong AJ, Garrett-Mayer E, de Wit R, Tannock I, Eisenberger M. Prediction of survival following first-line chemotherapy in men with castration-resistant metastatic prostate cancer. Clin Cancer Res 2010;16:203-11.

0049 Arora S, Saini S, Fukuhara S, Majid S, Shahryari V, Yamamura S, et al. MicroRNA-4723 inhibits prostate cancer growth through inactivation of the Abelson family of nonreceptor protein tyrosine kinases. PLoS One 2013;8:e78023.

0050 Asatiani E, Huang W-X, Wang A, Ortner ER, Cavalli LR, Haddad BR, et al. Deletion, methylation, and expression of the NKX3.1 suppressor gene in primary human prostate cancer. Cancer Res 2005;65:1164-73.

0051 Asmarinah A, Paradowska-Dogan A, Kodariah R, Tanuhardja

B, Waliszewski P, Mochtar CA, et al. Expression of the Bcl-2 family genes and complexes involved in the mitochondrial transport in prostate cancer cells. Int J Oncol 2014;45:1489-96.

0052 Ather MH, Abbas F, Faruqui N, Israr M, Pervez S. Correlation of three immunohistochemically detected markers of neuroendocrine differentiation with clinical predictors of disease progression in prostate cancer. BMC Urol 2008;8:21-6.

0053 Attard G, Reid AHM, Olmos D, de Bono JS. Antitumor activity with CYP17 blockade indicates that castration-resistant prostate cancer frequently remains hormone driven. Cancer Res 2009;69:4937-40.

0054 Augustin H, Eggert T, Wenske S, Karakiewicz PI, Palisaar J, Daghofer F, et al. Comparison of accuracy between the Partin tables of 1997 and 2001 to predict final pathological stage in clinically localized prostate cancer. J Urol 2004;171:177-81.

0055 Augustin H, Erbersdobler A, Graefen M, Jaekel T, Haese A, Huland H, et al. Differences in biopsy features between prostate cancers located in the transition and peripheral zone. BJU Int 2003;91:477-81.

0056 Auprich M, Augustin H, Budäus L, Kluth L, Mannweiler S, Shariat SF, et al. A comparative performance analysis of total prostate-specific antigen, percentage free prostate-specific antigen, prostate-specific antigen velocity and urinary prostate cancer gene 3 in the first, second and third repeat prostate biopsy. BJU Int 2011;109;1627-35.

0057 Avgeris M, Mavridis K, Scorilas A. Kallikrein-related peptidases in prostate, breast, and ovarian cancers: from pathobiology to clinical relevance. Biol Chem 2012;393:301–317.

0058 Avgeris M, Stravodimos K, Scorilas A. Loss of miR-378 in prostate cancer, a common regulator of KLK2 and KLK4, correlates with aggressive disease phenotype and predicts the short-term relapse of the patients. Biol Chem 2014;395:1095-104.

0059 Ayala G, Morello M, Frolov A, You S, Li R, Rosati F, et al. Loss of caveolin-1 in prostate cancer stroma correlates with reduced relapse-free survival and is functionally relevant to tumour progression. J Pathol 2013;231:77-87.

0060 Azab BM, Dash R, Das SK, Bhutia SK, Sarkar S, Shen XN, et al. Enhanced prostate cancer gene transfer and therapy using a novel serotype chimera cancer terminator virus (Ad.5/3-CTV). J Cell Physiol 2014;229:34-43.

0061 Bachert C, Fimmel C, Linstedt AD. Endosomal trafficking and proprotein convertase cleavage of cis Golgi protein GP73 produces marker for hepatocellular carcinoma. Traffic 2007;8:1415-23.

0062 Baco E, Gelet A, Crouzet S, Rud E, Rouvière O, Tonoli-Catez H, et al. Hemi salvage high-intensity focused ultrasound (HIFU) in unilateral radiorecurrent prostate cancer: a prospective two-centre study. BJU Int 2014;114:532-40.

0063 Badalament RA, Miller MC, Peller PA, Young DC, Bahn DK, Kochie P, et al. An algorithm for predicting nonorgan confined prostate cancer using the results obtained from sextant core biopsies with prostate specific antigen level. J Urol 1996;156:1375-80.

0064 Balbontin FG, Moreno SA, Bley E, Chacon R, Silva A, Morgentaler A. Long-acting testosterone injections for treatment of testosterone deficiency after brachytherapy for prostate cancer. BJU Int 2014;114:125-30.

0065 Baltac S, Süer E, Haliloglu AH, Gokce MI, Elhan AH, Bedük Y. Effectiveness of antibiotics given to asymptomatic men for an increased prostate specific antigen. J Urol 2009;181:128-32.

0066 Bangma CH, Mongiat P, Kraaij R, Schenk-Braat E. Gene therapy in urology: strategies to translate theory into practice. BJU Int 2005;96:1163-70.

0067 Bao L, Loda M, Janmey PA, Stewart R, Anand-Apte B, Zetter BR. Thymosin beta 15: a novel regulator of tumor cell motility upregulated in metastatic prostate cancer. Nat Med 1996;2:1322-8.

0068 Bao L, Loda M, Zetter BR. Thymosin beta15 expression in tumor cell lines with varying metastatic potential. Clin Exp Metastasis 1998;16:227-33.

0069 Barbisan F, Mazzucchelli R, Santinelli A, Scarpelli M, Lopez-Beltran A, Cheng L, et al. Expression of prostate stem cell antigen in high-grade prostatic intraepithelial neoplasia and prostate cancer. Histopathology 2010;57:572-9.

0070 Barboro P, Ferrari N, Capaia M, Petretto A, Salvi S, Boccardo S, et al. Expression of nuclear matrix proteins binding matrix attachment regions (MARs) in prostate cancer. PARP1: New player in tumor progression. Int J Cancer 2015137:1574-86.

0071 Barboro P, Repaci E, D'Arrigo C, Balbi C. The role of nuclear matrix proteins binding to matrix attachment regions (Mars) in prostate cancer cell differentiation. PLoS One 2012;7:e40617.

0072 Barboro P, Rubagotti A, Boccardo F, Carnemolla B, D'Arrigo C, Patrone E, et al. Nuclear matrix protein expression in prostate cancer: possible prognostic and diagnostic applications. Anticancer Res 2005;25:3999-4004.

0073 Barentsz JO, Richenberg J, Clements R, Choyke P, Verma S, Villeirs G, et al. ESUR prostate MR guidelines 2012. Eur Radiol 2012;22:746-57.

0074 Barron N, Keenan J, Gammell P, Martinez VG, Freeman A, Masters JR, et al. Biochemical relapse following radical prostatectomy and miR-200a levels in prostate cancer. Prostate 2012;72:1193-9.

0075 Barwe SP, Maul RS, Christiansen JJ, Anilkumar G, Cooper CR, Kohn DB, et al. Preferential association of prostate cancer cells expressing prostate specific membrane antigen to bone marrow matrix. Int J Oncol 2007;30:899-904.

0076 Barwick BG, Abramovitz M, Kodani M, Moreno CS, Nam R, Tang W, et al. Prostate cancer genes associated with TMPRSS2-ERG gene fusion and prognostic of biochemical recurrence in multiple cohorts. Br J Cancer 2010;102:570-6.

0077 Basch E, Loblaw A, Oliver TK, Carducci M, Chen RC, Frame JN, et al. Systemic therapy in men with metastatic castration-resistant prostate cancer: American society of clinical oncology and cancer care Ontario clinical practice guideline. J Clin Oncol 2014;32:3391-9.

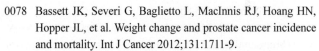

0078 Bassett JK, Severi G, Baglietto L, MacInnis RJ, Hoang HN, Hopper JL, et al. Weight change and prostate cancer incidence and mortality. Int J Cancer 2012;131:1711-9.

0079 Basu HS, Thompson TA, Church DR, Clower CC, Mehraein-Ghomi F, Amlong CA, et al. A small molecule polyamine oxidase inhibitor blocks androgen-induced oxidative stress and delays prostate cancer progression in the transgenic adenocarcinoma of the mouse prostate model. Cancer Res 2009;69:7689-95.

0080 Battle TE, Lynch RA, Frank DA. Signal transducer and activator of transcription 1 activation in endothelial cells is a negative regulator of angiogenesis. Cancer Res 2006:66:3649-57.

0081 Bauman DR, Steckelbroeck S, Peehl DM, Penning TM. Transcript profiling of the androgen signal in normal prostate, benign prostatic hyperplasia, and prostate cancer. Endocrinology 2006;147:5806-10.

0082 Bayani J, Diamandis EP. The physiology and pathobiology of human kallikrein-related peptidase 6 (KLK6). Clin Chem Lab Med 2012;50:211–233.

0083 Becker C, Noldus J, Diamandis E, Lilja H. The role of molecular forms of prostate-specific antigen (PSA or hK3) and of human glandular kallikrein 2 (hK2) in the diagnosis and monitoring of prostate cancer and in extraprostatic disease. Crit Rev Clin Lab Sci 2001;38:357-99.

0084 Becker C, Piironen T, Pettersson K, Björk T, Wojno KJ, Oesterling JE, et al. Discrimination of men with prostate cancer from those with benign disease by measurements of human glandular kallikrein 2 (HK2) in serum. J Urol 2000;163:311-6.

0085 Becker C, Piironen T, Pettersson K, Hugosson J, Lilja H. Clinical value of human glandular kallikrein 2 and free and total prostate-specific antigen in serum from a population of men with prostate-specific antigen levels 3.0 ng/mL or greater. Urology 2000;55:694-9.

0086 Beebe-Dimmer JL, Nock NL, Neslund-Dudas C, Rundle A, Bock CH, Tang D, et al. Racial differences in risk of prostate cancer associated with metabolic syndrome. Urology 2009;74:185-90.

0087 Beecken WD, Bentas W, Engels K, Glienke W, Urbschat A, Jonas D, et al. Reduced plasma levels of coagulation factors in relation to prostate cancer. Prostate 2002;53:160-7.

0088 Beer TM, Armstrong AJ, Rathkopf DE, Loriot Y, Sternberg CN, Higano CS, et al. Enzalutamide in metastatic prostate cancer before chemotherapy. N Engl J Med 2014;371:424-33.

0089 Beke L, Nuytten M, Van Eynde A, Beullens M, Bollen M. The gene encoding the prostatic tumor suppressor PSP94 is a target for repression by the Polycomb group protein EZH2. Oncogene 2007;26:4590-5.

0090 Beloueche-Babari M, Peak JC, Jackson LE, Tiet M-Y, Leach MO, Eccles SA. Changes in choline metabolism as potential biomarkers of phospholipase Cγ1 inhibition in human prostate cancer cells. Mol Cancer Ther 2009;8:1305-11.

0091 Belting M, Dorrell MI, Sandgren S, Aguilar E, Ahamed J, Dorfleutner A, et al. Regulation of angiogenesis by tissue factor cytoplasmic domain signaling. Nat Med 2004;10:502-9.

0092 Benecchi L. PSA velocity and PSA slope. Prostate Cancer Prostatic Dis 2006;9:169-72.

0093 Benecchi L, Pieri AM, Melissari M, Potenzoni M, Pastizzaro CD. A novel nomogram to predict the probability of prostate cancer on repeat biopsy. J Urol 2008;180:146-9.

0094 Benedit P, Paciucci R, Thomson TM, Valeri M, Nadal M, Caáceres C, et al. PTOV1, a novel protein overexpressed in prostate cancer containing a new class of protein homology blocks. Oncogene 2001;20:1455-64.

0095 Bennett NC, Hooper JD, Johnson DW, Gobe GC. Expression profiles and functional associations of endogenous androgen receptor and caveolin-1 in prostate cancer cell lines. Prostate 2014;74:478-87.

0096 Berney DM, Gopalan A, Kudahetti S, Fisher G, Ambroisine L, Foster CS, et al. Ki-67 and outcome in clinically localised prostate cancer: analysis of conservatively treated prostate cancer patients from the Trans-Atlantic Prostate Group study. Br J Cancer 2009;100:888-93.

0097 Beydoun HA, Shroff MR, Mohan R, Beydoun MA. Associations of serum vitamin A and carotenoid levels with markers of prostate cancer detection among US men. Cancer Causes Control 2011;22:1483-95.

0098 Bharaj BB, Luo LY, Jung K, Stephan C, Diamandis EP. Identification of single nucleotide polymorphisms in the human kallikrein 10 (KLK10) gene and their association with prostate, breast, testicular, and ovarian cancers. 2002;51:35-41.

0099 Bhatia-Gaur R, Donjacour AA, Sciavolino PJ, Kim M, Desai N, Young P, et al. Roles for Nkx3.1 in prostate development and cancer. Genes Dev 1999;13:966-77.

0100 Bhatti RA, Gadarowski J, Ray P. Potential role of platelets and coagulation factors in the metastasis of prostatic cancer. Invasion Metastasis 1996;16:49-55.

0101 Bi X, He H, Ye Y, Dai Q, Han Z, Liang Y, et al. Association of TMPRSS2 and KLK11 gene expression levels with clinical progression of human prostate cancer. Med Oncol 2010;27:145-51.

0102 Bi XC, Liu JM, Zheng XG, Xian ZY, Feng ZW, Lou YX, et al. Over-expression of extracellular matrix metalloproteinase inducer in prostate cancer is associated with high risk of prostate-specific antigen relapse after radical prostatectomy. Clin Invest Med 2011;34:E358-E365.

0103 Bidoli E, Talamini R, Zucchetto A, Bosetti C, Negri E, Lenardon O, et al. Dietary vitamins E and C and prostate cancer risk. Acta Oncol 2009;48:890-4.

0104 Bill-Axelson A, Holmberg L, Garmo H, Rider JR, Taari K, Busch C, et al. Radical prostatectomy or watchful waiting in early prostate cancer. N Engl J Med 2014;370:932-42.

0105 Bill-Axelson A, Holmberg L, Ruutu M, Garmo H, Stark JR, Busch C, et al. Radical prostatectomy versus watchful waiting in early prostate cancer. N Engl J Med 2011;364:1708-17.

0106 Bill-Axelson A, Holmberg L, Ruutu M, Häggman M, Andersson SO, Bratell S, et al. Radical prostatectomy versus watchful waiting in early prostate cancer. N Engl J Med 2005;352:1977-84.

0107 Billups KL, Tillman S, Chang TS. Ablation of the inferior mesenteric plexus in the rat: alteration of sperm storage in the epididymis and vas deferens. J Urol 1990;143:625-9.

0108 Billups KL, Tillman SL, Chang TS. Reduction of epididymal sperm motility after ablation of the inferior mesenteric plexus in the rat. Fertil Steril 1990;53:1076-82.

0109 Bishoff JT, Freedland SJ, Gerber L, Tennstedt P, Reid J, Welbourn W, et al. Prognostic utility of the cell cycle progression score generated from biopsy in men treated with prostatectomy. J Urol 2014;192:409-14.

0110 Bismar TA, Demichelis F, Rivay A, Kim R, Varambally S, He L, et al. Defining aggressive prostate cancer using a 12-gene model. Neoplasia 2006;8:59-68.

0111 Bismar TA, Yoshimoto M, Duan Q, Liu S, Sircar K, Squire JA. Interactions and relationships of PTEN, ERG, SPINK1 and AR in castration-resistant prostate cancer. Histopathology 2012;60:645-52.

0112 Bisson I, Prowse DM. WNT signaling regulates self-renewal and differentiation of prostate cancer cells with stem cell characteristics. Cell Res 2009;19:683-97.

0113 Bjartell AS, Al-Ahmadie H, Serio AM, Eastham JA, Eggener SE, Fine SW, et al. Association of cysteine-rich secretory protein 3 and β-microseminoprotein with outcome after radical prostatectomy. Clin Cancer Res 2007;13:4130-8.

0114 Bjurlin MA, H. Carter B, Schellhammer P, Cookson MS, Gomella LG, Troyer D, et al. Optimization of initial prostate biopsy in clinical practice: sampling, labeling and specimen processing. J Urol 2013;189:2039-46.

0115 Black PC, Mize GJ, Karlin P, Greenberg DL, Hawley SJ, True LD, et al. Overexpression of protease-activated receptors-1, -2, and-4 (PAR-1, -2, and -4) in prostate cancer. Prostate 2007;67:743-56.

0116 Blankenberg FG, Katsikis PD, Storrs RW, Beaulieu C, Spielman D, Chen JY, et al. Quantitative analysis of apoptotic cell death using proton nuclear magnetic resonance spectroscopy. Blood 1997;89:3778-86.

0117 Bluestein DL, Bostwick DG, Bergstralh EJ, Oesterling JE. Eliminating the need for bilateral pelvic lymphadenectomy in select patients with prostate cancer. J Urol 1994;151:1315-20.

0118 Blumenstein B, Saad F, Hotte S, Chi KN, Eigl B, Gleave M, et al. Reduction in serum clusterin is a potential therapeutic biomarker in patients with castration-resistant prostate cancer treated with custirsen. Cancer Med 2013;2:468-77.

0119 Boccardo F, Rubagotti A, Carmignani G, Romagnoli A, NicolòG, Barboro P, et al. Nuclear matrix proteins changes in cancerous prostate tissues and their prognostic value in clinically localized prostate cancer. Prostate 2003;55:259-64.

0120 Boehm K, Valdivieso R, Meskawi M, Larcher A, Schiffmann J, Sun M, et al. Prostatitis, other genitourinary infections and prostate cancer: results from a population-based case-control study. World J Urol 2015 Jun 25; Publisher: Springer International; PMID: 26108732.

0121 Boevee SJ, Venderbos LD, Tammela TL, Nelen V, Ciatto S, Kwiatkowski M, et al. Change of tumour characteristics and treatment over time in both arms of the European Randomized study of Screening for Prostate Cancer. Eur J Cancer 2010;46:3082-9.

0122 Böhm L, Serafin A, Akudugu J, Fernandez P, van der Merwe A, Aziz NA. uPA/PAI-1 ratios distinguish benign prostatic hyperplasia and prostate cancer. J Cancer Res Clin Oncol 2013;139:1221-8.

0123 Bokhorst LP, Bangma CH, van Leenders GJLH, Lous JJ, Moss SM, Schröder FH, et al. Prostate-specific antigen-based prostate cancer screening: reduction of prostate cancer mortality after correction for nonattendance and contamination in the Rotterdam section of the European Randomized Study of Screening for Prostate Cancer. Eur Urol 2014;65:329-36.

0124 Bokhorst LP, Zhu X, Bul M, Bangma CH, Schröder FH, Roobol MJ. Positive predictive value of prostate biopsy indicated by prostate-specific antigen-based prostate cancer screening: trends over time in a European randomized trial. BJU Int 2012;110:1654-60.

0125 Bolduc S, Inman BA, Lacombe L, Fradet Y, Tremblay RR. Early detection of prostate cancer local recurrence by urinary prostate-specific antigen. Can Urol Assoc J 2009;3:213-7.

0126 Boll K, Reiche K, Kasack K, Mörbt N, Kretzschmar AK, Tomm JM, et al. MiR-130a, miR-203 and miR-205 jointly repress key oncogenic pathways and are downregulated in prostate carcinoma. Oncogene 2013;32:277-85.

0127 Bolla M, van Poppel H, Collette L, van Cangh P, Vekemans K, Da Pozzo L, et al. Postoperative radiotherapy after radical prostatectomy: a randomised controlled trial (EORTC trial 22911). Lancet 2005;366:572-8.

0128 Bolla M, van Poppel H, Tombal B, Vekemans K, Da Pozzo L, de Reijke TM, et al. Postoperative radiotherapy after radical prostatectomy for high-risk prostate cancer: long-term results of a randomised controlled trial (EORTC trial 22911). Lancet 2012;380:2018-27.

0129 Bondar OP, Barnidge DR, Klee EW, Davis BJ, Klee GG. LC-MS/MS quantification of Zn-alpha2 glycoprotein: a potential serum biomarker for prostate cancer. Clin Chem 2007;53:673-8.

0130 Boorjian SA, Tollefson MK, Thompson RH, Rangel LJ, Bergstralh EJ, Karnes RJ. Natural history of biochemical recurrence after radical prostatectomy with adjuvant radiation therapy. J Urol 2012;188:1761-6.

0131 Borgoño CA, Grass L, Soosaipillai A, Yousef GM, Petraki CD, Howarth DH, et al. Human kallikrein 14: a new potential biomarker for ovarian and breast cancer. Cancer Res 2003;63:9032-41.

0132 Borgoño CA, Michael IP, Diamandis EP. Human tissue kallikreins: physiologic roles and applications in cancer. Mol

Cancer Res 2004;2:257-80.

0133 Borgoño CA, Michael IP, Shaw JL, Luo LY, Ghosh MC, Soosaipillai A, et al. Expression and functional characterization of the cancer-related serine protease, human tissue kallikrein 14. J Biol Chem 2007;282:2405-22.

0134 Borofsky MS, Makarov DV. Prostate-specific antigen (PSA) velocity: a test of controversial benefit in the era of increased prostate cancer screening. Asian J Androl 2011;13:614-5.

0135 Bose SK, Bullard RS, Donald CD. Oncogenic role of engrailed-2 (en-2) in prostate cancer cell growth and survival. Transl Oncogenomics 2008;3:37-43.

0136 Bostwick DG, Burke HB, Djakiew D, Euling S, Ho S, Landolph J, et al. Human prostate cancer risk factors. Cancer 2004;101:2371-490.

0137 Bostwick DG, Cheng L. Precursors of prostate cancer. Histopathology 2012;60:4-27.

0138 Botticelli AR, Criscuolo M, Martinelli AM, Botticelli L, Filoni A, Migaldi M. Proliferating cell nuclear antigen/cyclin in incidental carcinoma of the prostate. Virchows Arch A Pathol Anat Histopathol 1993;423:365-8.

0139 Bougen NM, Amiry N, Yuan Y, Kong XJ, Pandey V, Vidal LJ, et al. Trefoil factor 1 suppression of E-CADHERIN enhances prostate carcinoma cell invasiveness and metastasis. Cancer Lett 2013;332:19-29.

0140 Bowen C, Bubendorf L, Voeller HJ, Slack R, Willi N, Sauter G, et al. Loss of NKX3.1 expression in human prostate cancers correlates with tumor progression. Cancer Res 2000;60:6111-5.

0141 Bowen C, Zheng T, Gelmann EP. NKX3.1 suppresses TMPRSS2-ERG gene rearrangement and mediates repair of androgen receptor-induced DNA damage. Cancer Res 2015;75:2686-98.

0142 Bozeman CB, Carver BS, Eastham JA, Venable DD. Treatment of chronic prostatitis lowers serum prostate specific antigen. J Urol 2002;167:1723-6.

0143 Bradley SV, Oravecz-Wilson KI, Bougeard G, Mizukami I, Li L, Munaco AJ, et al. Serum antibodies to Huntingtin interacting protein-1: a new blood test for prostate cancer. Cancer Res 2005;65:4126-33.

0144 Brattsand M, Stefansson K, Lundh C, Haasum Y, Egelrud T. A proteolytic cascade of kallikreins in the stratum corneum. J Invest Dermatol 2005;124:198-203.

0145 Brawley OW. Prostate cancer epidemiology in the United States. World J Urol 2012;30:195-200.

0146 Brenner JC, Ateeq B, Li Y, Yocum AK, Cao Q, Asangani IA, et al. Mechanistic rationale for inhibition of poly(ADP-ribose) polymerase in ETS gene fusion-positive prostate cancer. Cancer Cell 2011;19:664-78.

0147 Brett A, Pandey S, Fraizer G. The Wilms'tumor gene (WT1) regulates E-cadherin expression and migration of prostate cancer cells. Mol Cancer 2013;12:3-16.

0148 Briganti A, Karnes JR, Da Pozzo LF, Cozzarini C, Gallina A, Suardi N, et al. Two positive nodes represent a significant cut-off value for cancer specific survival in patients with node positive prostate cancer. A new proposal based on a two-institution experience on 703 consecutive N+ patients treated with radical prostatectomy, extended pelvic lymph node dissection and adjuvant therapy. Eur Urol 2009;55:261-70.

0149 Briganti A, Wiegel T, Joniau S, Cozzarini C, Bianchi M, Sun M, et al. Early salvage radiation therapy does not compromise cancer control in patients with pT3N0 prostate cancer after radical prostatectomy: results of a match-controlled multi-institutional analysis. Eur Urol 2012;62:472-87.

0150 Brooke GN, Culley RL, Dart DA, Mann DJ, Gaughan L, McCracken SR, et al. FUS/TLS is a novel mediator of androgen-dependent cell-cycle progression and prostate cancer growth. Cancer Res 2011;71:914-24.

0151 Brooks JD. Anatomy of the lower urinary tract and male genitalia. In: Wein AJ, Kavoussi LR, Novick AC, Partin AW, Peters CA. Campbell-Walsh Urology. 9th ed. Philadelphia: Saunders; 2006;2677-726.

0152 Brooks JD, Metter EJ, Chan DW, Sokoll LJ, Landis P, Nelson WG, et al. Plasma selenium level before diagnosis and the risk of prostate cancer development. J Urol 2001;166:2034-8.

0153 Brown DA, Lindmark F, Stattin P, Bälter K, Adami HO, Zheng SL, et al. Macrophage inhibitory cytokine 1: a new prognostic marker in prostate cancer. Clin Cancer Res 2009;15:6658-64.

0154 Brožič P, Turk S, Rižner TL, Gobec S. Inhibitors of aldo-keto reductase AKR1C1-AKR1C4. Curr Med Chem 2011;18:2554-65.

0155 Brünagel G, Schoen RE, Bauer AJ, Vietmeier BN, Getzenberg RH. Nuclear matrix protein alterations associated with colon cancer metastasis to the liver. Clin Cancer Res 2002;8:3039-45.

0156 Budäus L, Isbarn H, Tennstedt P, Salomon G, Schlomm T, Steuber T, et al. Risk assessment of metastatic recurrence in patients with prostate cancer by using the Cancer of the Prostate Risk Assessment score: results from 2937 European patients. BJU Int 2012;110:1714-20.

0157 Buhmeida A, Pyrhönen S, Laato M, Collan Y. Prognostic factors in prostate cancer. Diagn Pathol 2006;1:4-19.

0158 Burdova A, Bouchal J, Tavandzis S, Kolar Z. TMPRSS2-ERG gene fusion in prostate cancer. Biomed Pap Med Fac Univ Palacky Olomouc Czech Repub 2014;158:502:-10.

0159 Burns-Cox N, Avery NC, Gingell JC, Bailey AJ. Changes in collagen metabolism in prostate cancer: a host response that may alter progression. J Urol 2001;166:1698-701.

0160 Busch J, Hamborg K, Meyer H-A, Buckendahl J, Magheli A, Lein M, et al. Value of prostate specific antigen density and percent free prostate specific antigen for prostate cancer prognosis. J Urol 2012;188:2165-70.

0161 Buschemeyer WC, Freedland SJ. Obesity and prostate cancer: epidemiology and clinical implications. Eur Urol 2007;52:331-43.

0162 Bussemakers MJG, van Bokhoven A, Verhaegh GW, Smit FP, Karthaus HFM, Schalken JA, et al. DD3: a new prostate-specific gene, highly overexpressed in prostate cancer. Cancer Res 1999;59:5975-9.

0163 Butler J, Rangnekar VM. Par-4 for molecular therapy of prostate cancer. Curr Drug Targets 2003;4:223-30.

0164 Byrns MC, Jin Y, Penning TM. Inhibitors of type 5 17β-hydroxysteroid dehydrogenase (AKR1C3): overview and structural insights. J Steroid Biochem Mol Biol 2011;125:95-104.

0165 Caffo O, Pappagallo G, Brugnara S, Caldara A, di Pasquale MC, Ferro A, et al. Multiple rechallenges for castration-resistant prostate cancer patients responding to first-line docetaxel: assessment of clinical outcomes and predictive factors. Urology 2012;79:644-9.

0166 Calais da Silva FE, Bono AV, Whelan P, Brausi M, Marques Queimadelos A, Martin JA, et al. Intermittent androgen deprivation for locally advanced and metastatic prostate cancer: results from a randomised phase 3 study of the South European Uroncological Group. Eur Urol 2009;55:1269-77.

0167 Caldas H, Honsey LE, Altura RA. Survivin 2alpha: a novel Survivin splice variant expressed in human malignancies. Mol Cancer 2005;4:11-20.

0168 Califice S, Castronovo V, Bracke M, van den Brûle F. Dual activities of galectin-3 in human prostate cancer: tumor suppression of nuclear galectin-3 vs tumor promotion of cytoplasmic galectin-3. Oncogene 2004;23:7527-36.

0169 Canacci AM, Izumi K, Zheng Y, Gordetsky J, Yao JL, Miyamoto H. Expression of semenogelins I and II and its prognostic significance in human prostate cancer. Prostate 2011;71:1108-14.

0170 Canda AE, Mungan MU, Yilmaz O, Yorukoglu K, Tuzel E, Kirkali Z. Effects of finasteride on the vascular surface density, number of microvessels and vascular endothelial growth factor expression of the rat prostate. Int Urol Nephrol 2006;38:275-80.

0171 Cantagrel V, Lefeber DJ, Ng BG, Guan Z, Silhavy JL, Bielas SL, et al. SRD5A3 is required for converting polyprenol to dolichol and is mutated in a congenital glycosylation disorder. Cell 2010;142:203-17.

0172 Canto EI, Singh H, Shariat SF, Lamb DJ, Mikolajczyk SD, Linton HJ, et al. Serum BPSA outperforms both total PSA and free PSA as a predictor of prostatic enlargement in men without prostate cancer. Urology 2004;63:905-10.

0173 Cao DL, Ye DW, Zhu Y, Zhang HL, Wang YX, Yao XD. Efforts to resolve the contradictions in early diagnosis of prostate cancer: a comparison of different algorithms of sarcosine in urine. Prostate Cancer Prostatic Dis 2011;14:166-72.

0174 Cao Y, Nimptsch K, Shui IM, Platz EA, Wu K, Pollak MN, et al. Prediagnostic plasma IGFBP-1, IGF-1 and risk of prostate cancer. Int J Cancer 2015;136:2418-26.

0175 Cardoso LC, Nascimento AR, Royer C, Porto CS, Lazari MFM. Locally produced relaxin may affect testis and vas deferens function in rats. Reproduction 2010;139:185-96.

0176 Carey JPW, Asirvatham AJ, Galm O, Ghogomu TA, Chaudhary J. Inhibitor of differentiation 4 (Id4) is a potential tumor suppressor in prostate cancer. BMC Cancer 2009;9:173-88.

0177 Carlier MF, Didry D, Erk I, Lepault J, Van Troys ML, Vandekerckhove J, et al. Tβ4 is not a simple G-actin sequestering protein and interacts with F-actin at high concentration. J Biol Chem 1996;271:9231–9239.

0178 Carlsson S, Maschino A, Schröder F, Bangma C, Steyerberg EW, van der Kwast T, et al. Predictive value of four kallikrein markers for pathologically insignificant compared with aggressive prostate cancer in radical prostatectomy specimens: results from the European Randomized Study of Screening for Prostate Cancer Section Rotterdam. Eur Urol 2013;64:693-9.

0179 Carr DW, Newell AE. The role of A-kinase anchoring proteins (AKaps) in regulating sperm function. Soc Reprod Fertil Suppl 2007;63:135-41.

0180 Carrasco RA, Stamm NB, Marcusson E, Sandusky G, Iversen P, Patel BK. Antisense inhibition of survivin expression as a cancer therapeutic. Mol Cancer Ther 2011;10:221-32.

0181 Carter HB, Albertsen PC, Barry MJ, Etzioni R, Freedland SJ, Greene KL, et al. Early detection of prostate cancer: AUA Guideline. J Urol 2013;190:419-26.

0182 Carter HB, Allaf ME, Partin AW. Diagnosis and staging of prostate cancer. In: Wein AJ, Kavoussi LR, Novick AC, Partin AW, Peters CA. Campbell-Walsh Urology. 9th ed. Philadelphia: Saunders; 2006;2912-31.

0183 Carter HB, Partin AW, Luderer AA, Metter EJ, Landis P, Chan DW, et al. Percentage of free prostate-specific antigen in sera predicts aggressiveness of prostate cancer a decade before diagnosis. Urology 1997;49:379-84.

0184 Catalona WJ, Han M. Definitive therapy for localized prostate cancer-an overview. In: Wein AJ, Kavoussi LR, Novick AC, Partin AW, Peters CA. Campbell-Walsh Urology. 9th ed. Philadelphia: Saunders; 2006;2932-46.

0185 Catalona WJ, Smith DS, Ratliff TL, Basler JW. Detection of organ-confined prostate cancer is increased through prostate-specific antigen-based screening. JAMA 1993;270:948-54.

0186 Catton C, Parker C, Saad F, Sydes M. Prostate radiotherapy after radical prostatectomy: soon or later? BJU Int 2010;106:946-8.

0187 Catz SD, Johnson JL. BCL-2 in prostate cancer: a minireview. Apoptosis 2003;8:29-37.

0188 Cedeno-Laurent F, Opperman MJ, Barthel SR, Hays D, Schatton T, Zhan Q, et al. Metabolic inhibition of galectin-1-binding carbohydrates accentuates antitumor immunity. J Invest Dermatol 2012;132:410-20.

0189 Cen B, Xiong Y, Song JH, Mahajan S, DuPont R, McEachern K, et al. The Pim-1 protein kinase is an important regulator of MET receptor tyrosine kinase levels and signaling. Mol Cell Biol 2014;34:2517-32.

0190 Chadha KC, Miller A, Nair BB, Schwartz SA, Trump DL, Underwood W. New serum biomarkers for prostate cancer diagnosis. Clin Cancer Investig J 2014;3:72-79.

0191 Chakravatri A, Zehr EM, Zietman AL, Shipley WU, Goggins WB, Finkelstein DM, et al. Thymosin beta-15 predicts for distant failure in patients with clinically localized prostate cancer-results from a pilot study. Urology 2000;55:635-8.

0192 Chan AO, Chu KM, Lam SK, Wong BC, Kwok KF, Law S; Ko S, et al. Soluble E-cadherin is an independent pretherapeutic factor for long-term survival in gastric cancer. J Clin Oncol 2003;21:2288-93.

0193 Chan JM, Stampfer MJ, Ma J, Rimm EB, Willett WC, Giovannucci EL. Supplemental vitamin E intake and prostate cancer risk in a large cohort of men in the United States. Cancer Epidemiol Biomarkers Prev 1999;8:893-9.

0194 Chan LW, Moses MA, Goley E, Sproull M, Muanza T, Coleman CN, et al. Urinary VEGF and MMP levels as predictive markers of 1-year progression-free survival in cancer patients treated with radiation therapy: a longitudinal study of protein kinetics throughout tumor progression and therapy. J Clin Oncol 2004;22:499-506.

0195 Chanda D, Lee JH, Sawant A, Hensel JA, Isayeva T, Reilly SD, et al. Anterior gradient protein-2 is a regulator of cellular adhesion in prostate cancer. PLoS One 2014;9:e89940.

0196 Chang A, Yousef GM, Scorilas A, Grass L, Sismondi P, Ponzone R, et al. Human kallikrein gene 13 (KLK13) expression by quantitative RT-PCR: an independent indicator of favourable prognosis in breast cancer. Br J Cancer 2002;86:1457-64.

0197 Chang C-J, Hung M-C. The role of EZH2 in tumor progression. Br J Cancer 2012;106:243-7.

0198 Chang S, Hursting SD, Contois JH, Strom SS, Yamamura Y, Babaian RJ, et al. Leptin and prostate cancer. Prostate 2001;46:62-7.

0199 Chang SN, Han J, Abdelkader TS, Kim TH, Lee JM, Song J, et al. High animal fat intake enhances prostate cancer progression and reduces glutathione peroxidase 3 expression in early stages of TRAMP mice. Prostate 2014;74:1266-77.

0200 Chang WC, Chou CK, Tsou CC, Li SH, Chen CH, Zhuo YX, et al. Comparative proteomic analysis of proteins involved in the tumorigenic process of seminal vesicle carcinoma in transgenic mice. Int J Proteomics 2010;2010:726968.

0201 Charlson ME, Pompei P, Ales KL, MacKenzie CR. A new method of classifying prognostic comorbidity in longitudinal studies: development and validation. J Chronic Dis 1987;40:373-83.

0202 Chaudry AA, Wahle KW, McClinton S, Moffat LE. Arachidonic acid metabolism in benign and malignant prostatic tissue in vitro: effects of fatty acids and cyclooxygenase inhibitors. Int J Cancer 1994;57:176-80.

0203 Chen AC, Waterboer T, Keleher A, Morrison B, Jindal S, McMillan D, et al. Human papillomavirus in benign prostatic hyperplasia and prostatic adenocarcinoma patients. Pathol Oncol Res 2011;17:613-7.

0204 Chen F, Yang D, Wang S, Che X, Wang J, Li X, et al. Livin regulates prostate cancer cell invasion by impacting the NF-κB signaling pathway and the expression of FN and CXCR4. IUBMB Life 2012;64:274-83.

0205 Chen G, Shukeir N, Potti A, Sircar K, Aprikian A, Goltzman D, et al. Up-regulation of Wnt-1 and beta-catenin production in patients with advanced metastatic prostate carcinoma: potential pathogenetic and prognostic implications. Cancer 2004;101:1345-56.

0206 Chen H, Miller BA, Giovannucci E, Hayes RB. Height and the survival of prostate cancer patients. Cancer Epidemiol Biomarkers Prev 2003;12:215-8.

0207 Chen K, Huang YH, Chen JL. Understanding and targeting cancer stem cells: therapeutic implications and challenges. Acta Pharmacol Sin 2013;34:732-40.

0208 Chen M,; Chen LM, Lin CY, Chai KX. Hepsin activates prostasin and cleaves the extracellular domain of the epidermal growth factor receptor. Mol Cell Biochem 2010;337:259-66.

0209 Chen WW, Chan DC, Donald C, Lilly MB, Kraft AS. Pim family kinases enhance tumor growth of prostate cancer cells. Mol Cancer Res 2005;3:443-51.

0210 Chen X, Che X, Wang J, Chen F, Wang X, Zhang Z, et al. Zinc sensitizes prostate cancer cells to sorafenib and regulates the expression of Livin. Acta Biochim Biophys Sin (Shanghai) 2013;45:353-8.

0211 Cheng JY. The Prostate Cancer Intervention Versus Observation Trial (PIVOT) in perspective. J Clin Med Res 2013;5:266-8.

0212 Chevli KK, Duff M, Walter P, Yu C, Capuder B, Elshafei A, et al. Urinary PCA3 as a predictor of prostate cancer in a cohort of 3,073 men undergoing initial prostate biopsy. J Urol 2014;191:1743-8.

0213 Chiang I-N, Chang S-J, Pu Y-S, Huang K-H, Yu H-J, Huang C-Y. Comparison of 6- and 12-core prostate biopsy in Taiwanese men: impact of total prostate-specific antigen, prostate-specific antigen density and prostate volume on prostate cancer detection. Urol Int 2009;82:270-5.

0214 Chiyomaru T, Tatarano S, Kawakami K, Enokida H, Yoshino H, Nohata N, et al. SWAP70, actin-binding protein, function as an oncogene targeting tumor-suppressive miR-145 in prostate cancer. Prostate 2011;71:1559-67.

0215 Cho HJ, Shin SC, Cho JM, Kang JY, Yoo TK. The role of transurethral resection of the prostate for patients with an elevated prostate-specific antigen. Prostate Int 2014;2:196-202.

0216 Chodak GW, Thisted RA, Gerber GS, Johansson JE, Adolfsson J, Jones GW, et al. Results of conservative management of clinically localized prostate cancer. N Engl J Med 1994;330:242-8.

0217 Choi YD, Hong SJ, Rha KH, Kim BH, Cha KB, Song JS, et al. Age-specific reference ranges for serum prostate-specific antigen: community-based survey in Namhae region. Korean J Urol 2001;42:834-9.

0218 Chughtai B, Sawas A, O'Malley RL, Naik RR, Khan SA, Pentyala S. A neglected gland: a review of Cowper's gland. Int J Androl 2005;28:74-7.

0219 Chun JY, Nadiminty N, Dutt S, Lou W, Yang JC, Kung HJ,

et al. Interleukin-6 regulates androgen synthesis in prostate cancer cells. Clin Cancer Res 2009;15:4815-22.

0220 Clarke RA, Schirra HJ, Catto JW, Lavin MF, Gardiner RA. Markers for detection of prostate cancer. Cancers 2010;2:1125-54.

0221 Clements J, Mukhtar A. Tissue kallikrein and the bradykinin B2 receptor are expressed in endometrial and prostate cancers. Immunopharmacology 1997;36:217-20.

0222 Cohen JH, Kristal AR, Stanford JL. Fruit and vegetable intakes and prostate cancer risk. J Natl Cancer Inst 2000;92:61-8.

0223 Colella R, Jackson T, Goodwyn E. Matrigel□ invasion by the prostate cancer cell lines, PC3 and DU145, and cathepsin L+B activity. Biotech Histochem 2004;79:121-7.

0224 Comegys MM, Carreiro MP, Brown JF, Mazzacua A, Flanagan D, Makarovskiy A, et al. C-CAM1 expression: Differential effects on morphology, differentiation state and suppression of human PC-3 prostate carcinoma cells. Oncogene 1999;18:3261-76.

0225 Connors SK, Chornokur G, Kumar NB. New insights into the mechanisms of green tea catechins in the chemoprevention of prostate cancer. Natur Cancer 2012;64:4-22.

0226 Constantinides C, Lazaris AC, Haritopoulos KN, Pantazopoulos D, Chrisofos M, Giannopoulos A. Immunohistochemical detection of gastrin releasing peptide in patients with prostate cancer. World J Urol 2003;21:183-7.

0227 Cookson MS, Roth BJ, Dahm P, Engstrom C, Freedland SJ, Hussain M, et al. Castration-resistant prostate cancer: AUA Guideline. J Urol 2013;190:429-38.

0228 Cooperberg MR. Implications of the new AUA guidelines on prostate cancer detection in the U.S. Curr Urol Rep 2014;15:420.

0229 Cooperberg MR, Hilton JF, Carroll PR. The CAPRA-S score: A straightforward tool for improved prediction of outcomes after radical prostatectomy. Cancer 2011;117: 5039-46.

0230 Cooperberg MR, Pasta DJ, Elkin EP, et al. The University of California, San Francisco, Cancer of the Prostate Risk Assessment score: a straightforward and reliable preoperative predictor of disease recurrence after radical prostatectomy. J Urol 2005;173:1938–42.

0231 Cooperberg MR, Simko JP, Cowan JE, Reid JE, Djalilvand A, Bhatnagar S, et al. Validation of a cell-cycle progression gene panel to improve risk stratification in a contemporary prostatectomy cohort. J Clin Oncol 2013;31:1428-34.

0232 Cordeiro ER, Cathelineau X, Thüroff S, Marberger M, Crouzet S, de la Rosette JJ. High-intensity focused ultrasound (HIFU) for definitive treatment of prostate cancer. BJU Int 2012;110:1228-42.

0233 Cornu J-N, Cancel-Tassin G, Egrot C, Gaffory C, Haab F, Cussenot O. Urine TMPRSS2:ERG fusion transcript integrated with PCA3 score, genotyping, and biological features are correlated to the results of prostatic biopsies in men at risk of prostate cancer. Prostate 2013;73:242-9.

0234 Costello LC, Franklin RB. The intermediary metabolism of the prostate: a key to understanding the pathogenesis and progression of prostate malignancy. Oncology 2000;59:269-82.

0235 Costello LC, Franklin RB. Zinc is decreased in prostate cancer: an established relationship of prostate cancer! J Biol Inorg Chem 2011;16:3-8.

0236 Cowen D, Troncoso P, Khoo VS, Zagars GK, von Eschenbach AC, Meistrich ML, et al. Ki-67 staining is an independent correlate of biochemical failure in prostate cancer treated with radiotherapy. Clin Cancer Res 2002;8:1148-54.

0237 Crawford ED, Scholz MC, Kar AJ, Fegan JE, Haregewoin A, Kaldate RR, et al. Cell cycle progression score and treatment decisions in prostate cancer: results from an ongoing registry. Curr Med Res Opin 2014:30:1025-31.

0238 Crawford ED, Tombal B, Miller K, Boccon-Gibod L, Schröder F, Shore N, et al. A phase III extension trial with a 1-arm crossover from leuprolide to degarelix: comparison of gonadotropin-releasing hormone agonist and antagonist effect on prostate cancer. J Urol 2011;186:889-97.

0239 Crnković-Mertens I, Semzow J, Hoppe-Seyler F, Butz K. Isoform-specific silencing of the Livin gene by RNA interference defines Livin beta as key mediator of apoptosis inhibition in HeLa cells. J Mol Med (Berl) 2006;84:232-40.

0240 Croft M, Benedict CA, Ware CF. Clinical targeting of the TNF and TNFR superfamilies. Nat Rev Drug Discov 2013;12:147-68.

0241 Crook JM, O'Callaghan CJ, Duncan G, Dearnaley DP, Higano CS, Horwitz EM, et al. Intermittent androgen suppression for rising PSA level after radiotherapy. N Engl J Med 2012;367:895-903.

0242 Crouzet S, Murat FJ, Pommier P, Poissonnier L, Pasticier G, Rouviere O, et al. Locally recurrent prostate cancer after initial radiation therapy: early salvage high-intensity focused ultrasound improves oncologic outcomes. Radiother Oncol 2012;105:198-202.

0243 Crouzet S, Rebillard X, Chevallier D, Rischmann P, Pasticier G, Garcia G, et al. Multicentric oncologic outcomes of high-intensity focused ultrasound for localized prostate cancer in 803 patients. Eur Urol 2010;58:559-66.

0244 Cuzick J, Berney DM, Fisher G, Mesher D, Møller H, Reid JE, et al. Prognostic value of a cell cycle progression signature for prostate cancer death in a conservatively managed needle biopsy cohort. Br J Cancer 2012;106:1095-9.

0245 Cuzick J, Swanson GP, Fisher G, Brothman AR, Berney DM, Reid JE, et al. Prognostic value of an RNA expression signature derived from cell cycle proliferation genes in patients with prostate cancer: a retrospective study. Lancet Oncol 2011;12:245-55.

0246 Cuzick J, Yang ZH, Fisher G, Tikishvili E, Stone S, Lanchbury JS, et al. Prognostic value of PTEN loss in men with conservatively managed localised prostate cancer. Br J Cancer 2013;108:2582-9.

0247 Da Pozzo LF, Cozzarini C, Briganti A, Suardi N, Salonia A, Bertini R, Long-term follow-up of patients with prostate cancer and nodal metastases treated by pelvic lymphadenectomy and radical prostatectomy: the positive impact of adjuvant radiotherapy. Eur Urol 2009;55:1003-11.

0248 Dabir PD, Ottosen P, Høyer S, Hamilton-Dutoit S. Comparative analysis of three- and two-antibody cocktails to AMACR and basal cell markers for the immunohistochemical diagnosis of prostate carcinoma. Diagn Pathol 2012;7:81-7.

0249 Dahiya R, Yoon WH, Boyle B, Schoenberg S, Yen TS, Narayan P. Biochemical, cytogenetic, and morphological characteristics of human primary and metastatic prostate cancer cell lines. Biochem Int 1992;27:567-77.

0250 Dahlman A, Edsjö A, Halldén C, Persson JL, Fine SW, Lilja H, et al. Effect of androgen deprivation therapy on the expression of prostate cancer biomarkers MSMB and MSMB-binding protein CRISP3. Prostate Cancer Prostatic Dis 2010;13:369-75.

0251 Dahlman A, Rexhepaj E, Brennan DJ, Gallagher WM, Gaber A, Lindgren A, et al. Evaluation of the prognostic significance of MSMB and CRISP3 in prostate cancer using automated image analysis. Mod Pathol 2011;24:708-19.

0252 Dakubo GD, Parr RL, Costello LC, Franklin RB, Thayer RE. Altered metabolism and mitochondrial genome in prostate cancer. J Clin Pathol 2006;59:10-6.

0253 Damiano R, Autorino R, Perdonà S, De Sio M, Oliva A, Esposito C, et al. Are extended biopsies really necessary to improve prostate cancer detection? Prostate Cancer Prostatic Dis 2003;6:250-5.

0254 D'Amico AV. Adjuvant versus salvage post-prostatectomy radiation therapy: a critical review of the evidence. J Urol 2013;190:450-1.

0255 D'Amico AV, Chen MH, Renshaw AA, Loffredo M, Kantoff PW. Androgen suppression and radiation vs radiation alone for prostate cancer: a randomized trial. JAMA 2008;299:289-95.

0256 D'Amico AV, Chen MH, Renshaw AA, Loffredo M, Kantoff PW. Interval to testosterone recovery after hormonal therapy for prostate cancer and risk of death. Int J Radiat Oncol Biol Phys 2009;75:10-5.

0257 Dancey J, Sausville EA. Issues and progress with protein kinase inhibitors for cancer treatment. Nat Rev Drug Discov 2003;2:296-313.

0258 Daragó A, Sapotal A, Matych J, Nasiadek M, Skrzypińska-Gawrysiak M, Kilanowicz A. The correlation between zinc and insulin-like growth factor-1 (IGF-1) its binding protein (IGFBP-3) and prostate-specific antigen (PSA) in prostate cancer. Clin Chem Lab Med 2011;49:1699-705.

0259 Darson MF, Pacelli A, Roche P, Rittenhouse HG, Wolfert RL, Young CY, et al. Human glandular kallikrein 2 (hK2) expression in prostatic intraepithelial neoplasia and adenocarcinoma: a novel prostate cancer marker. Urology 1997;49:857-62.

0260 David C, Nance JP, Hubbard J, Hsu M, Binder D, Wilson EH. Stabilin-1 expression in tumor associated macrophages. Brain Res 2012;1481:71-8.

0261 Davies G, Ablin RJ, Mason MD, Jiang WG. Expression of the prostate transglutaminase (TGase-4) in prostate cancer cells and its impact on the invasiveness of prostate cancer. J Exp Ther Oncol 2007;6:257-64.

0262 Davis JW. What have we learned from the Partin table update? BJU Int 2013;111:5.

0263 Day CH, Fanger GR, Retter MW, Hylander BL, Penentrante RB, Houghton RL, et al. Characterization of KLK4 expression and detection of KLK4-specific antibody in prostate cancer sera. Oncogene 2002;21:7114-20.

0264 de Almagro MC, Mencia N, Noé V, Ciudad CJ. Coding polypurine hairpins cause target-induced cell death in breast cancer cells. Hum Gene Ther 2011;22:451-63.

0265 de Castro Abreu AL, Bahn D, Leslie S, Shoji S, Silverman P, Desai MM, et al. Salvage focal and salvage total cryoablation for locally recurrent prostate cancer after primary radiation therapy. BJU Int 2013;112:298-307.

0266 De Falco J, Duncton MA, Emerling D. TRPM8 biology and medicinal chemistry. Curr Top Med Chem 2011;11:2237-52.

0267 de Lamirande E, Lamothe G. Levels of semenogelin in human spermatozoa decrease during capacitation: involvement of reactive oxygen species and zinc. Hum Reprod 2010; 25:1619-30.

0268 de Leval J, Boca P, Yousef E, Nicolas H, Jeukenne M, Seidel L, et al. Intermittent versus continuous total androgen blockade in the treatment of patients with advanced hormone-naive prostate cancer: results of a prospective randomized multicenter trial. Clin Prostate Cancer 2002;1:163-71.

0269 De Marzo AM, Platz EA, Sutcliffe S, Xu J, Grönberg H, Drake CG, et al. Inflammation in prostate carcinogenesis. Nat Rev Cancer 2007;7:256-69.

0270 De Pauw IMC, Goff AK, Van Soom A, Verberckmoes S, De Kruif A. Hormonal regulation of bovine secretory proteins derived from caput and cauda epididymal epithelial cell cultures. J Androl 2003;24:401-7.

0271 De Pinieux G, Flam T, Zerbib M, Taupin P, Bellahcène A, Waltregny D, et al. Bone sialoprotein, bone morphogenetic protein 6 and thymidine phosphorylase expression in localized human prostatic adenocarcinoma as predictors of clinical outcome: a clinicopathological and immunohistochemical study of 43 cases. J Urol 2001;166:1924-30.

0271 De Stéfani E, Deneo-Pellegrini H, Boffetta P, Ronco A, Mendilaharsu M. Alpha-linolenic acid and risk of prostate cancer: a case-control study in Uruguay. Cancer Epidemiol Biomarkers Prev 2000;9:335-8.

0273 de Thonel A, Hazoumé A, Kochin V, Isoniemi K, Jego G, Fourmaux E, et al. Regulation of the proapoptotic functions of prostate apoptosis response-4 (Par-4) by casein kinase 2 in prostate cancer cells. Cell Death Dis 2014;5:e1016.

0274 DeCastro BJ, Baker KC. Effect of flexible cystoscopy on serum prostate-specific antigen values. Urology 2009;73:237-40.

0275 Decker S, Finter J, Forde AJ, Kissel S, Schwaller J, Mack TS, et al. PIM kinases are essential for chronic lymphocytic leukemia cell survival (PIM2/3) and CXCR4-mediated microenvironmental interactions (PIM1). Mol Cancer Ther 2014;13:1231-45.

0276 Deep G, Jain AK, Ramteke A, Ting H, Vijendra KC, Gangar SC, et al. SNAI1 is critical for the aggressiveness of prostate cancer cells with low E-cadherin. Mol Cancer 2014;13:37-61.

0277 Dehan P, Waltregny D, Beschin A, Noel A, Castronovo V, Tryggvason K, et al. Loss of type IV collagen alpha 5 and alpha 6 chains in human invasive prostate carcinomas. Am J Pathol 1997;151:1097-104.

0278 Del Rosso A, Distler O, Milia AF, Emanueli C, Ibba-Manneschi L, Guiducci S, et al. Increased circulating levels of tissue kallikrein in systemic sclerosis correlate with microvascular involvement. Ann Rheum Dis 2005;64:382-7.

0279 Demichelis F, Fall K, Perner S, Andrén O, Schmidt F, Setlur SR, et al. TMPRSS2:ERG gene fusion associated with lethal prostate cancer in a watchful waiting cohort. Oncogene 2007;26:4596-9.

0280 Denis LJ, Prout GR Jr. Lactic dehydrogenase in prostatic cancer. Invest Urol 1963;1:101-11.

0281 Dennis LK, Coughlin JA, McKinnon BC, Wells TS, Gaydos CA, Hamsikova E, et al. Sexually transmitted infections and prostate cancer among men in the U.S. military. Cancer Epidemiol Biomarkers Prev 2009;18:2665-71.

0282 Dennis LK, Dawson DV, Resnick MI. Vasectomy and the risk of prostate cancer: a meta-analysis examining vasectomy status, age at vasectomy, and time since vasectomy. Prostate Cancer Prostatic Dis 2002;5:193-203.

0283 Desiniotis A, Kyprianou N. Significance of talin in cancer progression and metastasis. Int Rev Cell Mol Biol 2011;289:117-47.

0284 Dey P, Ström A, Gustafsson JÅ. Estrogen receptor β upregulates FOXO3a and causes induction of apoptosis through PUMA in prostate cancer. Oncogene 2014;33:4213-25.

0285 Dhanasekaran SM, Barrette TR, Ghosh D, Shah R, Varambally S, Kurachi K, et al. Delineation of prognostic biomarkers in prostate cancer. Nature 2001;412:822-6.

0286 Di Vizio D, Kim J, Hager MH, Morello M, Yang W, Lafargue CJ, et al. Oncosome formation in prostate cancer: association with a region of frequent chromosomal deletion in metastatic disease. Cancer Res 2009;69:5601-9.

0287 Diallo JS, Aldejmah A, Mouhim AF, Péant B, Fahmy MA, Koumakpayi IH, et al. NOXA and PUMA expression add to clinical markers in predicting biochemical recurrence of prostate cancer patients in a survival tree model. Clin Cancer Res 2007;13:7044-52.

0288 Diamandis EP. Early prostate cancer antigen-2: a controversial prostate cancer biomarker? Clin Chem 2010;56:542-4.

0289 Diamandis EP, Okui A, Mitsui S, Luo L-Y, Soosaipillai A, Grass L, et al. Human kallikrein 11: a new biomarker of prostate and ovarian carcinoma. Cancer Res 2002;62:295-300.

0290 Dias SJ, Zhou X, Ivanovic M, Gailey MP, Dhar S, Zhang L, et al. Nuclear MTA1 overexpression is associated with aggressive prostate cancer, recurrence and metastasis in African Americans. Sci Rep 2013;3:2331.

0291 Diaz LA Jr, Messersmith W, Sokoll L, Sinibaldi V, Moore S, Carducci M, et al. TNF-blockade in patients with advanced hormone refractory prostate cancer. Invest New Drugs 2011;29:192-4.

0292 Dillner J, Knekt P, Boman J, Lehtinen M, Af Geijersstam V, Sapp M, et al. Sero-epidemiological association between human-papillomavirus infection and risk of prostate cancer. Int J Cancer 1998;75:564-7.

0293 Dimmen M, Vlatkovic L, Hole K-H, Nesland JM, Brennhovd B, Axcrona K. Transperineal prostate biopsy detects significant cancer in patients with elevated prostate-specific antigen (PSA) levels and previous negative transrectal biopsies. BJU Int 2011;110:E69-E75.

0294 Dinçel Ç, Caşkurlu T, Taşçi AI, Cek M, Sevin G, Fazlioğlu A. Prospective evaluation of prostate specific antigen (PSA), PSA density, free-to-total PSA ratio and a new formula (prostate malignancy index) for detecting prostate cancer and preventing negative biopsies in patients with normal rectal examinations and intermediate PSA levels. Int Urol Nephrol 1999;31:497-509.

0295 Ding Z, Wu CJ, Chu GC, Xiao Y, Ho D, Zhang J, et al. SMAD4-dependent barrier constrains prostate cancer growth and metastatic progression. 2011;470:269-73.

0296 Dolara P, Bigagli E, Collins A. Antioxidant vitamins and mineral supplementation, life span expansion and cancer incidence: a critical commentary. Eur J Nutr 2012;51:769-81.

0297 Dominek P, Campagnolo P, H-Zadeh M, Kränkel N, Chilosi M, Sharman JA, et al. Role of human tissue kallikrein in gastrointestinal stromal tumour invasion. Br J Cancer 2010;103:1422-31.

0298 Donnelly BJ, Saliken JC, Brasher PM, Ernst SD, Rewcastle JC, Lau H, et al. A randomized trial of external beam radiotherapy versus cryoablation in patients with localized prostate cancer. Cancer 2010:116:323-30.

0299 Dorn J, Gkazepis A, Kotzsch M, Kremer M, Propping C, Mayer K, et al. Clinical value of protein expression of kallikrein-related peptidase 7 (KLK7) in ovarian cancer. Biol Chem 2014;395:95-107.

0300 Downing SR, Hennessy KT, Abe M, Manola J, George DJ, Kantoff PW. Mutations in ribonuclease L gene do not occur at a greater frequency in patients with familial prostate cancer compared with patients with sporadic prostate cancer. Clin Prostate Cancer 2003;2:177-80.

0301 Downward J. Ras signalling and apoptosis. Curr Opin Genet Dev 1998;8:49-54.

0302 Dozmorov MG, Azzarello JT, Wren JD, Fung K-M, Yang Q, Davis JS, et al. Elevated AKR1C3 expression promotes prostate cancer cell survival and prostate cell-mediated endothelial cell tube formation: implications for prostate cancer progression. BMC Cancer 2010;10:672-88.

0303 Dredge K, Kink JA, Johnson RM, Bytheway I, Marton LJ. The polyamine analog PG11047 potentiates the antitumor activity of cisplatin and bevacizumab in preclinical models of lung and prostate cancer. Cancer Chemother Pharmacol 2009;65:191-5.

0304 Droz JP, Aapro M, Balducci L, Boyle H, Van den Broeck T, Cathcart P, et al. Management of prostate cancer in older patients: updated recommendations of a working group of the International Society of Geriatric Oncology. Lancet Oncol 2014;15:e404-14.

0305 Droz JP, Balducci L, Bolla M, Emberton M, Fitzpatrick JM, Joniau S, et al. Management of prostate cancer in older men: recommendations of a working group of the International Society of Geriatric Oncology. BJU Int 2010;106:462-9.

0306 Drutskaya MS, Efimov GA, Kruglov AA, Kuprash DV, Nedospasov SA. Tumor necrosis factor, lymphotoxin and cancer. IUBMB Life 2010;62:283-9.

0307 Du C, Zhang C, Hassan S, Biswas MH, Balaji KC. Protein kinase D1 suppresses epithelial-to-mesenchymal transition through phosphorylation of snail. Cancer Res 2010;70:7810-9.

0308 Dudderidge TJ, Kelly JD, Wollenschlaeger A, Okoturo O, Prevost T, Robson W, et al. Diagnosis of prostate cancer by detection of minichromosome maintenance 5 protein in urine sediments. Br J Cancer 2010;103:701-7.

0309 Duffield-Lillico AJ, Dalkin BL, Reid ME, Turnbull BW, Slate EH, Jacobs ET, et al. Selenium supplementation, baseline plasma selenium status and incidence of prostate cancer: an analysis of the complete treatment period of the Nutritional Prevention of Cancer Trial. BJU Int 2003;91:608-12.

0310 Duffield-Lillico AJ, Reid ME, Turnbull BW, Combs GF Jr, Slate EH, Fischbach LA, et al. Baseline characteristics and the effect of selenium supplementation on cancer incidence in a randomized clinical trial: a summary report of the Nutritional Prevention of Cancer Trial. Cancer Epidemiol Biomarkers Prev 2002;11:630-9.

0311 Dumache R, Puiu M, Motoc M, Vernic C, Dumitrascu V. Prostate cancer molecular detection in plasma samples by glutathione S-transferase P1 (GSTP1) methylation analysis. Clin Lab 2014;60:847-52.

0312 Dumont RA, Tamma M, Braun F, Borkowski S, Reubi JC, Maecke H, et al. Targeted radiotherapy of prostate cancer with a gastrin-releasing peptide receptor antagonist is effective as monotherapy and in combination with rapamycin. J Nucl Med 2013;54:762-9.

0313 Dwivedi DK, Kumar V, Javali T, Dinda AK, Thulkar S, Jagannathan NR, et al. A positive magnetic resonance spectroscopic imaging with negative initial biopsy may predict future detection of prostate cancer. Indian J Urol. 2012;28:243-5.

0314 Dwyer MA, Joseph JD, Wade HE, Eaton ML, Kunder RS, Kazmin D, et al. WNT11 expression is induced by estrogen-related receptor α and β-catenin and acts in an autocrine manner to increase cancer cell migration. Cancer Res 2010;70:9298-308.

0315 Eandi JA, Link BA, Nelson RA, Josephson DY, Lau C, Kawachi MH, et al. Robotic assisted laparoscopic salvage prostatectomy for radiation resistant prostate cancer. J Urol 2010;183:133-7.

0316 Eastham JA, Scardino PT. Expectant management of prostate cancer. In: Wein AJ, Kavoussi LR, Novick AC, Partin AW, Peters CA. Campbell-Walsh Urology. 9th ed. Philadelphia: Saunders; 2006;2947-55.

0317 Eder IE, Haag P, Bartsch G, Klocker H. Gene therapy strategies in prostate cancer. Curr Gene Ther 2005;5:1-10.

0318 Edwards JJ, Anderson NG, Tollaksen SL, von Eschenbach AC, Guevara Jr J. Proteins of human urine. II. Identification by two dimensional electrophoresis of a new candidate marker for prostatic cancer. Clin Chem 1982;28:160-3.

0319 Eeles RA, Kote-Jarai Z, Giles GG, Olama AA, Guy M, Jugurnauth SK, et al. Multiple newly identified loci associated with prostate cancer susceptibility. Nat Genet 2008;40:316-21.

0320 Eeles RA, Kote-Jarai Z, Olama AA, Giles GG, Guy M, Severi G et al. Identification of seven new prostate cancer susceptibility loci through a genome-wide association study. Nat Genet 2009;41:1116-21.

0321 Efstathiou JA, Gray PJ, Zietman AL. Proton beam therapy and localised prostate cancer: current status and controversies. Br J Cancer 2013;108:1225-30.

0322 Ehdaie B, Shariat SF. Magnetic resonance imaging-targeted prostate biopsy: back to the future. Eur Urol 2013;63:141-2.

0323 Eifler JB, Feng Z, Lin BM, Partin MT, Humphreys EB, Han M, et al. An updated prostate cancer staging nomogram (Partin tables) based on cases from 2006 to 2011. BJU Int 2012;111:22-9.

0324 Eisenberg ML, Shinohara K. Partial salvage cryoablation of the prostate for recurrent prostate cancer after radiotherapy failure. Urology 2008;72:1315-8.

0325 Elgamal AA, Holmes EH, Su SL, Tino WT, Simmons SJ, Peterson M, et al. Prostate-specific membrane antigen (PSMA): current benefits and future value. Semin Surg Oncol 2000;18:10-6.

0326 El-Guendy N, Zhao Y, Gurumurthy S, Burikhanov R, Rangnekar VM. Identification of a unique core domain of par-4 sufficient for selective apoptosis induction in cancer cells. Mol Cell Biol 2003;23:5516-25.

0327 El-Hakim A, Moussa S. CUA guidelines on prostate biopsy methodology. Can Urol Assoc J 2010;4:89-94.

0328 Ellinger J, Bastian PJ, Jurgan T, Biermann K, Kahl P, Heukamp LC, et al. CpG island hypermethylation at multiple gene sites in diagnosis and prognosis of prostate cancer. Urology 2008;71:161-7.

0329 El-Shirbiny AM, Nilson T, Pawar HN. Serum prostate-specific antigen: hourly change/24 hours compared with prostatic acid phosphatase. Urology 1990;35:88-92.

0330 Emami N, Deperthes D, Malm J, Diamandis EP. Major role of human KLK14 in seminal clot liquefaction. J Biol Chem 2008;283:19561-9.

0331 Epstein JI. Pathology of prostatic neoplasia. In: Wein

AJ, Kavoussi LR, Novick AC, Partin AW, Peters CA. Campbell-Walsh Urology. 9th ed. Philadelphia: Saunders; 2006;2874-82.

0332 Epstein JI, Herawi M. Prostate needle biopsies containing prostatic intraepithelial neoplasia or atypical foci suspicious for carcinoma: implications for patient care. J Urol 2006;175:820-34.

0333 Erard MS, Belenguer P, Caizergues-Ferrer M, Pantaloni A, Amalric F. A major nucleolar protein, nucleolin, induces chromatin decondensation by binding to histone H1. Eur J Biochem 1988;175:525–30.

0334 Erbersdobler A, Augustin H, Schlomm T, Henke R-P. Prostate cancers in the transition zone: part 1; pathological aspects. BJU Int 2004;94:1221-5.

0335 Erbersdobler A, Fritz H, Schnöger S, Graefen M, Hammerer P, Huland H, et al. Tumour grade, proliferation, apoptosis, microvessel density, p53, and bcl-2 in prostate cancers: differences between tumours located in the transition zone and in the peripheral zone. Eur Urol 2002;41:40-6.

0336 Erbersdobler A, Huhle S, Palisaar J, Graefen M, Hammerer P, Noldus J, et al. Pathological and clinical characteristics of large prostate cancers predominantly located in the transition zone. Prostate Cancer Prostatic Dis 2002;5:279-84.

0337 Erbersdobler A, Isbarn H, Dix K, Steiner I, Schlomm T, Mirlacher M, et al. Prognostic value of microvessel density in prostate cancer: a tissue microarray study. World J Urol 2010;28:687-92.

0338 Esgueva R, Perner S, J LaFargue C, Scheble V, Stephan C, Lein M, et al. Prevalence of TMPRSS2-ERG and SLC45A3-ERG gene fusions in a large prostatectomy cohort. Mod Pathol 2010;23:539-46.

0339 Eustermann S, Videler H, Yang JC, Cole PT, Gruszka D, Veprintsev D, et al. The DNA-binding domain of human PARP1 interacts with DNA single-strand breaks as a monomer through its second zinc finger. J Mol Biol 2011;407:149-70.

0340 Eynde AV, Litovkin K, Bollen M. Growth inhibition properties of the putative prostate cancer biomarkers PSP94 and CRISP-3. Asian J Androl 2011;13:205-6.

0341 Fàbrega A, Guyonnet B, Dacheux J-L, Gatti J-L, PuigmuléM, Bonet S, Pinart E. Expression, immunolocalization and processing of fertilins ADAM-1 and ADAM-2 in the boar (sus domesticus) spermatozoa during epididymal maturation. Reprod Biol Endocrinol 2011;9:96-109.

0342 Fair WR, Clark RB, Wehner N. A correlation of seminal polyamine levels and semen analysis in the human. Fertil Steril 1972;23:38-42.

0343 Faith DA, Isaacs WB, Morgan JD, Fedor HL, Hicks JL, Mangold LA, et al. Trefoil factor 3 overexpression in prostatic carcinoma: prognostic importance using tissue microarrays. Prostate 2004;61:215-27.

0344 Fallahabadi ZR, Noori Daloii MR, Mahdian R, Behjati F, Shokrgozar MA, Abolhasani M, et al. Frequency of PTEN alterations, TMPRSS2-ERG fusion and their association in

prostate cancer. Gene 2016;575:755-60.

0345 Fan L, Wang H, Xia X, Rao Y, Ma X, Ma D, et al. Loss of E-cadherin promotes prostate cancer metastasis via upregulation of metastasis-associated gene 1 expression. Oncol Lett 2012;4:1225-1233.

0346 Fang J, Metter EJ, Landis P, Carter HB. PSA velocity for assessing prostate cancer risk in men with PSA levels between 2.0 and 4.0 ng/ml. Urology 2002;59:889-93.

0347 Farooqi AA, De Rosa G. TRAIL and microRNAs in the treatment of prostate cancer: therapeutic potential and role of nanotechnology. Appl Microbiol Biotechnol 2013;97:8849-57.

0348 Farrell JJ, Taupin D, Koh TJ, Chen D, Zhao C-M, Podolsky DK, et al. TFF2/SP-deficient mice show decreased gastric proliferation, increased acid secretion, and increased susceptibility to NSAID injury. J Clin Invest 2002;109:193-204.

0349 Felber LM, Borgoño CA, Cloutier SM, Kündig C, Kishi T, Ribeiro Chagas J, et al. Enzymatic profiling of human kallikrein 14 using phage-display substrate technology. Biol Chem 2005;386:291-8.

0350 Feldman D, Krishnan A, Moreno J, Swami S, Peehl DM, Srinivas S, Vitamin D inhibition of the prostaglandin pathway as therapy for prostate cancer. Nutr Rev 2007;65:S113-5.

0351 Feldman D, Krishnan AV, Swami S, Giovannucci E, Feldman BJ. The role of vitamin D in reducing cancer risk and progression. Nat Rev Cancer 2014;14:342-57.

0352 Feneley MR, Carruthers M. Is testosterone treatment good for the prostate? Study of safety during long-term treatment. J Sex Med 2012;9:2138-49.

0353 Feng S, Agoulnik IU, Li Z, Han HD, Lopez-Berestein G, Sood A, et al. Relaxin/RXFP1 signaling in prostate cancer progression. Ann N Y Acad Sci 2009;1160:379-80.

0354 Feng S, Agoulnik IU, Truong A, Li Z, Creighton CJ, Kaftanovskaya EM, et al. Suppression of relaxin receptor RXFP1 decreases prostate cancer growth and metastasis. Endocr Relat Cancer 2010;17:1021-33.

0355 Fernàndez IS, Ständker L, Forssmann W-G, Giménez-Gallegoa G, Romeroa A. Crystallization and preliminary crystallographic studies of human kallikrein 7, a serine protease of the multigene kallikrein family. Acta Cryst 2007;63:669-72.

0356 Fernandez-Marcos PJ, Abu-Baker S, Joshi J, Galvez A, Castilla EA, Cañamero M, et al. Simultaneous inactivation of Par-4 and PTEN in vivo leads to synergistic NF-kappaB activation and invasive prostate carcinoma. Proc Natl Acad Sci U S A 2009;106:12962-7.

0357 Ferretti M, Fabbiano C, Di Bari M, Conte C, Castigli E, Sciaccaluga M, et al. M2 receptor activation inhibits cell cycle progression and survival in human glioblastoma cells. J Cell Mol Med 2013;17:552-66.

0358 Ferro M, Bruzzese D, PerdonàS, Marino A, Mazzarella C, Perruolo G, et al. Prostate health index (Phi) and prostate cancer antigen 3 (PCA3) significantly improve prostate cancer detection at initial biopsy in a total PSA range of 2–10 ng/ml.

PLoS One 2013;8:e67687-e67694.

0359 Figueiredo ML, Kao C, Wu L. Advances in preclinical investigation of prostate cancer gene therapy. Mol Ther 2007;15:1053-64.

0360 Filella X, Giménez N. Evaluation of [-2] proPSA and Prostate Health Index (phi) for the detection of prostate cancer: a systematic review and meta-analysis. Clin Chem Lab Med 2013;51:729-39.

0361 Finlay JA, Evans CL, Day JR, Payne JK, Mikolajczyk SD, Millar LS, et al. Development of monoclonal antibodies specific for human glandular kallikrein (hK2): development of a dual antibody immunoassay for hK2 with negligible prostate-specific antigen cross-reactivity. Urology 1998;51:804-9.

0362 Fiorentino M, Zadra G, Palescandolo E, Fedele G, Bailey D, Fiore C, et al. Overexpression of fatty acid synthase is associated with palmitoylation of Wnt1 and cytoplasmic stabilization of beta-catenin in prostate cancer. Lab Invest 2008;88:1340-8.

0363 Fizazi K, Carducci M, Smith M, Damião R, Brown J, Karsh L, et al. Denosumab versus zoledronic acid for treatment of bone metastases in men with castration-resistant prostate cancer: a randomised, double-blind study. Lancet 2011;377:813-22.

0364 Flavin R, Pettersson A, Hendrickson WK, Fiorentino M, Finn S, Kunz L, et al. SPINK1 protein expression and prostate cancer progression. Clin Cancer Res 2014;20:4904-11.

0365 Fleshner N, Gomella LG, Cookson MS, Finelli A, Evans A, Taneja SS, et al. Delay in the progression of low-risk prostate cancer: rationale and design of the Reduction by Dutasteride of Clinical Progression Events in Expectant Management (REDEEM) trial. Contemp Clin Trials 2007;28:763-9.

0366 Fleshner NE, Lucia MS, Egerdie B, Aaron L, Eure G, Nandy I, et al. Dutasteride in localised prostate cancer management: the REDEEM randomised, double-blind, placebo-controlled trial. Lancet 2012;379:1103-11.

0367 Fleshner NE, O'Sullivan M, Fair WR. Prevalence and predictors of a positive repeat transrectal ultrasound guided needle biopsy of the prostate. J Urol 1997;158:505-8.

0368 Ford NA, Elsen AC, Zuniga K, Lindshield BL, Erdman JW Jr. Lycopene and apo-12'-lycopenal reduce cell proliferation and alter cell cycle progression in human prostate cancer cells. Nutr Cancer 2011;63:56-63.

0369 Fornaro M, Tallini G, Bofetiado CJ, Bosari S, Languino LR. Down-regulation of beta 1C integrin, an inhibitor of cell proliferation, in prostate carcinoma. Am J Pathol 1996;149:765-73.

0370 Fowler JE Jr, Bigler SA, Lynch C, Wilson SS, Farabaugh PB. Prospective study of correlations between biopsy-detected high grade prostatic intraepithelial neoplasia, serum prostate specific antigen concentration, and race. Cancer 2001;91:1291-6.

0371 Fowler JE Jr, Sanders J, Bigler SA, Rigdon J, Kilambi NK, Land SA. Percent free prostate specific antigen and cancer detection in black and white men with total prostate specific antigen 2.5 to 9.9 ng./ml. J Urol 2000;163:1467-70.

0372 Fox CJ, Hammerman PS, Cinalli RM, Master SR, Chodosh LA, Thompson CB. The serine/threonine kinase Pim-2 is a transcriptionally regulated apoptotic inhibitor. Genes Dev 2003;17:1841-54.

0373 Franchi NA, Avendaño C, Molina RI, Tissera AD, Maldonado CA, Oehninger S, et al. β-Microseminoprotein in human spermatozoa and its potential role in male fertility. Reproduction 2008;136:157-66.

0374 Franklin RB, Costello LC. Zinc as an anti-tumor agent in prostate cancer and in other cancers. Arch Biochem Biophys 2007;463:211-7.

0375 Freedland SJ, Humphreys EB, Mangold LA, Eisenberger M, Dorey FJ, Walsh PC, et al. Death in patients with recurrent prostate cancer after radical prostatectomy: prostate-specific antigen doubling time subgroups and their associated contributions to all-cause mortality. J Clin Oncol 2007;25:1765-71.

0376 Freedland SJ, Rumble RB, Finelli A, Chen RC, Slovin S, Stein MN, et al. Adjuvant and salvage radiotherapy after prostatectomy: American Society of Clinical Oncology clinical practice guideline endorsement. J Clin Oncol 2014;32:3892-8.

0377 Freeman KW, Welm BE, Gangula RD, Rosen JM, Ittmann M, Greenberg NM, Inducible prostate intraepithelial neoplasia with reversible hyperplasia in conditional FGFR1-expressing mice. Cancer Res 2003;63:8256-63.

0378 Freeman MR, Yang W, Di Vizio D. Caveolin-1 and prostate cancer progression. Adv Exp Med Biol 2012;729:95-110.

0379 Freeman VL, Meydani M, Yong S, Pyle J, Flanigan RC, Waters WB, et al. Prostatic levels of fatty acids and the histopathology of localized prostate cancer. J Urol 2000;164:2168-72.

0380 Freytag SO, Stricker H, Movsas B, Kim JH. Prostate cancer gene therapy clinical trials. Mol Ther 2007;15:1042-52.

0381 Fritz IB, Burdzy K, Sétchell B, Blaschuk O. Ram rete testis fluid contains a protein (clusterin) which influences cell-cell interactions in vitro. Biol Reprod 1983;28:1173–88.

0382 Fritzsche F, Gansukh T, Borgoño CA, Burkhardt M, Pahl S, Mayordomo E, et al. Expression of human Kallikrein 14 (KLK14) in breast cancer is associated with higher tumour grades and positive nodal status. Br J Cancer 2006;94:540-7.

0383 Fritzsche FR, Riener MO, Dietel M, Moch H, Jung K, Kristiansen G. GOLPH2 expression in renal cell cancer. BMC Urol 2008;8:15-21.

0384 Fu X, Ravindranath L, Tran N, Petrovics G, Srivastava S. Regulation of apoptosis by a prostate-specific and prostate cancer-associated noncoding gene, PCGEM1. DNA Cell Biol 2006;25:135-41.

0385 Fujisue Y, Azuma H, Inamoto T, Komura K, Agarwal PK, Masuda H, et al. Neoadjuvant hormonal therapy does not impact the treatment success of high-intensity focused ultrasound for the treatment of localized prostate cancer. World J Urol 2011;29:689-94.

0386 Fujita K, Pavlovich CP, Netto GJ, Konishi Y, Isaacs WB, Ali

S, et al. Specific detection of prostate cancer cells in urine by multiplex immunofluorescence cytology. Hum Pathol 2009;40:924-33.

0387 Fung KM, Samara EN, Wong C, Metwalli A, Krlin R, Bane B, et al. Increased expression of type 2 3alpha-hydroxysteroid dehydrogenase/type 5 17beta-hydroxysteroid dehydrogenase (AKR1C3) and its relationship with androgen receptor in prostate carcinoma. Endocr Relat Cancer 2006;13:169-80.

0388 Furusato B, Mohamed A, Uhlén M, Rhim JS. CXCR4 and cancer. Pathol Int 2010;60:497-505.

0389 Furuya Y, Nagakawa O, Fuse H. Prognostic significance of changes in short-term prostate volume and serum prostate-specific antigen after androgen withdrawal in men with metastatic prostate cancer. Urol Int 2003;70:195-9.

0390 Gajar SA, Tano T, Resende ÂC, Bitencourt JAF, de Lemos Neto M, Damio R, et al. Inhibitory effect of sildenafil on the human isolated seminal vesicle. BJU Int 2007;100:1322-5.

0391 Gann PH, Fought A, Deaton R, Catalona WJ, Vonesh E. Risk factors for prostate cancer detection after a negative biopsy: a novel multivariable longitudinal approach. J Clin Oncol 2010;28:1714-20.

0392 Ganzer R, Rogenhofer S, Walter B, Lunz JC, Schostak M, Wieland WF, et al. PSA nadir is a significant predictor of treatment failure after high-intensity focussed ultrasound (HIFU) treatment of localised prostate cancer. Eur Urol 2008;53:547-53.

0393 Gao L, Smith RS, Chen LM, Chai KX, Chao L, Chao J. Tissue kallikrein promotes prostate cancer cell migration and invasion via a protease-activated receptor-1-dependent signaling pathway. Biol Chem 2010;391:803-12.

0394 Gao S, Wang H, Lee P, Melamed J, Li CX, Zhang F, et al. Androgen receptor and prostate apoptosis response factor-4 target the c-FLIP gene to determine survival and apoptosis in the prostate gland. J Mol Endocrinol 2006;36:463-83.

0395 Gao X-D, Chen Y-R. Inhibition of telomerase with human telomerase reverse transcriptase antisense increases the sensitivity of tumor necrosis factor-α-induced apoptosis in prostate cancer cells, Asian J Androl 2007;9:697-704.

0396 García-Cruz E, Piqueras M, Huguet J, Peri L, Izquierdo L, Musquera M, et al. Low testosterone levels are related to poor prognosis factors in men with prostate cancer prior to treatment. BJU Int 2012;110:E541-6.

0397 García-Cruz E, Piqueras M, Ribal MJ, Huguet J, Serapiao R, Peri L, et al. Low testosterone level predicts prostate cancer in re-biopsy in patients with high grade prostatic intraepithelial neoplasia. BJU Int 2012;110:E199-E202.

0398 Garnero P, Buchs N, Zekri J, Rizzoli R, Coleman RE, Delmas PD. Markers of bone turnover for the management of patients with bone metastases from prostate cancer. Br J Cancer 2000;82:858-64.

0399 Garraway IP, Seligson D, Said J, Horvath S, Reiter RE. Trefoil factor 3 overexpressed in human prostate cancer. Prostate 2004;61:209-14.

0400 Gatti G, Quintar AA, Andreani V, Nicola JP, Maldonado CA, Masini-Repiso AM, et al. Expression of Toll-like receptor 4 in the prostate gland and its association with the severity of prostate cancer. Prostate 2009;69:1387-97.

0401 Gaur A, Collins H, Wulaningsih W, Holmberg L, Garmo H, Hammar N, et al. Iron metabolism and risk of cancer in the Swedish AMORIS study. Cancer Causes Control 2013;24:1393-402.

0402 George DJ, Halabi S, Shepard TF, Sanford B, Vogelzang NJ, Small EJ, et al. The prognostic significance of plasma interleukin-6 levels in patients with metastatic hormone-refractory prostate cancer: results from cancer and leukemia group B 9480. Clin Cancer Res 2005;11:1815-20.

0403 Giampietri C, Petrungaro S, Padula F, D'Alessio A, Marini ES, Facchiano A, et al. Autophagy modulators sensitize prostate epithelial cancer cell lines to TNF-alpha-dependent apoptosis. Apoptosis 2012;17:1210-22.

0404 Gilad R, Meir K, Stein I, German L, Pikarsky E, Mabjeesh NJ. High SEPT9_i1 protein expression is associated with high-grade prostate cancers. PLoS One 2015;10:e0124251.

0405 Gilbert SM, Cavallo CB, Kahane H, Lowe FC. Evidence suggesting PSA cutpoint of 2.5 ng/mL for prompting prostate biopsy: review of 36,316 biopsies. Urology 2005;65:549-53.

0406 Giles GG, Severi G, English DR, McCredie MR, Borland R, Boyle P, et al. Sexual factors and prostate cancer. BJU Int 2003;92:211-6.

0407 Giovannucci E, Rimm EB, Liu Y, Stampfer MJ, Willett WC. A prospective study of cruciferous vegetables and prostate cancer. Cancer Epidemiol Biomarkers Prev 2003;12:1403-9.

0408 Giovannucci E, Rimm EB, Liu Y, Stampfer MJ, Willett WC. A prospective study of tomato products, lycopene, and prostate cancer risk. J Natl Cancer Inst 2002;94:391-8.

0409 Giovannucci E, Rimm EB, Wolk A, Ascherio A, Stampfer MJ, Colditz GA, et al. Calcium and fructose intake in relation to risk of prostate cancer. Cancer Res 1998;58:442-7.

0410 Giskeødegård GF, Bertilsson H, Selnæs KM, Wright AJ, Bathen TF, Viset T, et al. Spermine and citrate as metabolic biomarkers for assessing prostate cancer aggressiveness. PLoS One 2013;8:e62375.

0411 Gkika D, Flourakis M, Lemonnier L, N Prevarskaya N. PSA reduces prostate cancer cell motility by stimulating TRPM8 activity and plasma membrane expression. Oncogene 2010;29:4611-6.

0412 Glinsky GV, Glinskii AB, Stephenson AJ, Hoffman RM, Gerald WL. Gene expression profiling predicts clinical outcome of prostate cancer. J Clin Invest 2004;113:913-23.

0413 Glybochko PV, Zezerov EG, Glukhov AI, Alyaev YG, Severin SE, Polyakovsky KA, et al. Telomerase as a tumor marker in diagnosis of prostatic intraepithelial neoplasia and prostate cancer. Prostate 2014;74:1043-51.

0414 Gmyrek GA, Walburg M, Webb CP, Yu HM, You X, Vaughan ED, et al. Normal and malignant prostate epithelial cells differ in their response to hepatocyte growth factor/scatter factor.

Am J Pathol 2001;159:579-90.

0415 Goel HL, Alam N, Johnson IN, Languino LR. Integrin signaling aberrations in prostate cancer. Am J Transl Res 2009;1:211-20.

0416 Goel MM, Agrawal D, Natu SM, Goel A. Hepsin immunohistochemical expression in prostate cancer in relation to Gleason's grade and serum prostate-specific antigen. Indian J Path Micro 2011;54:476-81.

0417 Goldman RD, Kaplan NO, Hall TC. Lactic dehydrogenase in human neoplastic tissues. Cancer Res 1964;24:389-99.

0418 Goldner G, Dimopoulos J, Pötter R. Is the Roach formula predictive for biochemical outcome in prostate cancer patients with minimal residual disease undergoing local radiotherapy after radical prostatectomy? Radiother Oncol 2010;94:324-7.

0419 Goldshmit Y, Trangle SS, Kloog Y, Pinkas-Kramarski R. Interfering with the interaction between ERBB1, nucleolin and Ras as a potential treatment for glioblastoma. Oncotarget 2014;5:8602-13.

0420 Goldstein AL. Thymosin β4: a new molecular target for antitumor strategies. J Natl Cancer Inst 2003;95:1646-7.

0421 Gonzales G, Villena A. True corrected seminal fructose level: a better marker of the function of seminal vesicles in infertile men. Int J Androl 2001;24:255-60.

0422 González-Echeverría FM, CuasnicúPS, Blaquier JA. Identification of androgen-dependent glycoproteins in the hamster epididymis and their association with spermatozoa. J Reprod Fertil 1982;64:1-7.

0423 González-Reyes S, Fernández JM, González LO, Aguirre A, Suárez A, González JM, et al. Study of TLR3, TLR4, and TLR9 in prostate carcinomas and their association with biochemical recurrence. Cancer Immunol Immunother 2011;60:217-26.

0424 Goodman OB Jr, Barwe SP, Ritter B, McPherson PS, Vasko AJ, Keen JH, et al. Interaction of prostate specific membrane antigen with clathrin and the adaptor protein complex-2. Int J Oncol 2007;31:1199-203.

0425 Gopalkrishnan RV, Roberts T, Tuli S, Kang D-C, Christiansen KA, Fisher PB. Molecular characterization of prostate carcinoma tumor antigen-1, PCTA-1, a human Galectin-8 related gene. Oncogene 2000;19:4405-16.

0426 Gordon IO, Tretiakova MS, Noffsinger AE, Hart J, Reuter VE, Al-Ahmadie HA. Prostate-specific membrane antigen expression in regeneration and repair. Mod Pathol 2008;21:1421-7.

0427 Goswami A, Burikhanov R, de Thonel A, Fujita N, Goswami M, Zhao Y, et al. Binding and phosphorylation of par-4 by AKT is essential for cancer cell survival. Mol Cell 2005;20:33-44.

0428 Goto K, Kodama T, Hojo F, Kubota K, Kakinuma R, Matsumoto T, et al. Clinicopathologic characteristics of patients with nonsmall cell lung carcinoma with elevated serum progastrin-releasing peptide levels. Cancer 1998;82:1056-61.

0429 Goto Y, Kojima S, Nishikawa R, Enokida H, Chiyomaru T, Kinoshita T, et al. The microRNA-23b/27b/24-1 cluster is a disease progression marker and tumor suppressor in prostate cancer. Oncotarget 2014;5:7748-59.

0430 Gowardhan B, Douglas DA, Mathers ME, McKie AB, McCracken SR, Robson CN, et al. Evaluation of the fibroblast growth factor system as a potential target for therapy in human prostate cancer. Br J Cancer 2005;92:320-7.

0431 Goyal A, Chopra M, Lwaleed BA, Birch B, Cooper AJ. The effects of dietary lycopene supplementation on human seminal plasma. BJU Int 2007;99:1456-60.

0432 Grabowska MM, Sandhu B, Day ML. EGF promotes the shedding of soluble E-cadherin in an ADAM10-dependent manner in prostate epithelial cells. Cell Signal 2012;24:532-8.

0433 Graefen M, Ohori M, Karakiewicz PI, Cagiannos I, Hammerer PG, Haese A, et al. Assessment of the enhancement in predictive accuracy provided by systematic biopsy in predicting outcome for clinically localized prostate cancer. J Urol 2004;171:200-3.

0434 Graff JN, Gordon MJ, Beer TM. Safety and effectiveness of enzalutamide in men with metastatic, castration-resistant prostate cancer. Expert Opin Pharmacother 2015;16:749-54.

0435 Graif T, Loeb S, Roehl KA, Gashti SN, Griffin C, Yu X, et al. Under diagnosis and over diagnosis of prostate cancer. J Urol 2007;178:88-92.

0436 Grayhack JT, Lee C, Oliver L, Schaeffer AJ, Wendel EF. Biochemical profiles of prostatic fluid from normal and diseased prostate glands. Prostate 1980;1:227-37.

0437 Grebhardt S, Müller-Decker K, Bestvater F, Hershfinkel M, Mayer D. Impact of S100A8/A9 expression on prostate cancer progression in vitro and in vivo. J Cell Physiol 2014;229:661-71.

0438 Grebhardt S, Veltkamp C, Ströbel P, Mayer D. Hypoxia and HIF-1 increase S100A8 and S100A9 expression in prostate cancer. Int J Cancer 2012;131:2785-94.

0439 Green D, Karpatkin S. Role of thrombin as a tumor growth factor. Cell Cycle 2010;9:656-61.

0440 Grembecka J, Kafarski P. Leucine aminopeptidase as a target for inhibitor design. Mini Rev Med Chem 2001;1:133-44.

0441 Gretzer MB, Partin AW. Prostate cancer tumor marker. In: Wein AJ, Kavoussi LR, Novick AC, Partin AW, Peters CA. Campbell-Walsh Urology. 9th ed. Philadelphia: Saunders; 2006;2896-911.

0442 Gross M, Liu B, Tan J, French FS, Carey M, Shuai K. Distinct effects of PIAS proteins on androgen-mediated gene activation in prostate cancer cells. Oncogene 2001;20:3880-7.

0443 Gsur A, Preyer M, Haidinger G, Zidek T, Madersbacher S, Schatzl G, et al. Polymorphic CAG repeats in the androgen receptor gene, prostate-specific antigen polymorphism and prostate cancer risk. Carcinogenesis 2002;23:1647-51.

0444 Gu Y-M, Li S-Y, Qiu X-S, Wang E-H, Elevated thymosin beta 15 expression is associated with progression and metastasis of non-small cell lung cancer. APMIS 2008;116:484-90.

0445 Guate JL, Fernández N, Lanzas JM, Escaf S, Vega JA. Expression of p75(LNGFR) and Trk neurotrophin receptors in normal and neoplastic human prostate. BJU Int 1999;84:495-502.

0446 Guichard G, LarréS, Gallina A, Lazar A, Faucon H, Chemama S, et al. Extended 21-sample needle biopsy protocol for diagnosis of prostate cancer in 1000 consecutive patients. Eur Urol 2007;52:430-5.

0447 Guillon-Munos A, Oikonomopoulou K, Michel N, Smith CR, Petit-Courty A, Canepa S, et al. Kallikrein-related peptidase 12 hydrolyzes matricellular proteins of the CCN family and modifies interactions of CCN1 and CCN5 with growth factors. J Biol Chem 2011:286:25505-18.

0448 Gumulec J, Sochor J, Hlavna M, Sztalmachova M, Krizkova S, Babula P, et al. Caveolin-1 as a potential high-risk prostate cancer biomarker. Oncol Rep 2012;27:831-41.

0449 Guo F, Feng L, Hu JL, Wang ML, Luo P, Zhong XM, et al. Increased PTOV1 expression is related to poor prognosis in epithelial ovarian cancer. Tumour Biol 2015;36:453-8.

0450 Ha S, Iqbal NJ, Mita P, Ruoff R, Gerald WL, Lepor H, et al. Phosphorylation of the androgen receptor by PIM1 in hormone refractory prostate cancer. Oncogene 2013;32:3992-4000.

0451 Haese A, Khan MA, Sokoll LJ. Total, free and complexed PSA and hK2 for early detection of prostate cancer. MLO Med Lab Obs 2003;35:14-28.

0452 Haferkamp A, Bedke J, Vetter C, Pritsch M, Wagener N, Buse S, et al. High nuclear Livin expression is a favourable prognostic indicator in renal cell carcinoma. BJU Int 2008;102:1700-6.

0453 Haffner J, Lemaitre L, Puech P, Haber G-P, Leroy X, Jones JS, et al. Role of magnetic resonance imaging before initial biopsy: comparison of magnetic resonance imaging-targeted and systematic biopsy for significant prostate cancer detection. BJU Int 2011;108:E171-8.

0454 Hagen RM, Adamo P, Karamat S, Oxley J, Aning JJ, Gillatt D, et al. Quantitative analysis of ERG expression and its splice isoforms in formalin-fixed, paraffin-embedded prostate cancer samples: association with seminal vesicle invasion and biochemical recurrence. Am J Clin Pathol 2014;142:533-40.

0455 Häggström S, Tørring N, Møller K, Jensen E, Lund L, Nielsen JE, et al. Effects of finasteride on vascular endothelial growth factor. Scand J Urol Nephrol 2002;36:182-7.

0456 Halec G, Alemany L, Lloveras B, Schmitt M, Alejo M, Bosch FX, et al. Pathogenic role of the eight probably/possibly carcinogenic HPV types 26, 53, 66, 67, 68, 70, 73 and 82 in cervical cancer. J Pathol 2014;234:441-51.

0457 Hansson J, Abrahamsson PA. Neuroendocrine differentiation in prostatic carcinoma. Scand J Urol Nephrol Suppl 2003;37 (212):28-36.

0458 Hao Y, Gu X, Zhao Y, Greene S, Sha W, Smoot DT, et al. Enforced expression of miR-101 inhibits prostate cancer cell growth by modulating the COX-2 pathway in vivo. Cancer Prev Res (Phila) 2011;4:1073-83.

0459 Hara R, Jo Y, Fujii T, Kondo N, Yokoyoma T, Miyaji Y, et al. Optimal approach for prostate cancer detection as initial biopsy: prospective randomized study comparing transperineal versus transrectal systematic 12-core biopsy. Urology 2008;71:191-5.

0460 Harley CB. Telomerase and cancer therapeutics. Nat Rev Cancer 2008;8:167-79.

0461 Harley CB, Telomerase therapeutics for degenerative diseases. Curr Mol Med 2005;5:205-11.

0462 Harraway C, Berger NG, Dubin NH. Semen pH in patients with normal versus abnormal sperm characteristics. Am J Obstet Gynecol 2000;182:1045-7.

0463 Harries LW, Perry JRB, McCullagh P, Crundwell M. Alteration in LMTK2, MSMB and HNF1B gene expression are associated with the development of prostate cancer. BMC Cancer 2010;10:315-27.

0464 Harvey S, Vrabel A, Smith S, Wieben E. Androgen regulation of an elastase-like protease activity in the seminal vesicle. Biol Reprod 1995;52:1059-65.

0465 Haugen TB, Grotmol T. pH of human semen. Int J Androl 1998;21:105-8.

0466 Haupt Y, Maya R, Kazaz A, Oren M. Mdm2 promotes the rapid degradation of p53. Nature 1997;387:296-9.

0467 Häussler O, Epstein JI, Amin MB, Heitz PU, Hailemariam S. Cell proliferation, apoptosis, oncogene, and tumor suppressor gene status in adenosis with comparison to benign prostatic hyperplasia, prostatic intraepithelial neoplasia, and cancer. Hum Pathol 1999;30:1077-86.

0468 Hayes JH, Ollendorf DA, Pearson SD, Barry MJ, Kantoff PW, Stewart ST, et al. Active surveillance compared with initial treatment for men with low-risk prostate cancer: a decision analysis. JAMA 2010;304:2373-80.

0469 He J, Baum LG. Endothelial cell expression of galectin-1 induced by prostate cancer cells inhibits T-cell transendothelial migration. Lab Invest 2006;86:578-90.

0470 He JH, Zhang JZ, Han ZP, Wang L, Lv YB, Li YG. Reciprocal regulation of PCGEM1 and miR-145 promote proliferation of LNCaP prostate cancer cells. J Exp Clin Cancer Res 2014;33:72.

0471 He L, Yao H, Fan LH, Liu L, Qiu S, Li X, et al. MicroRNA-181b expression in prostate cancer tissues and its influence on the biological behavior of the prostate cancer cell line PC-3. Genet Mol Res 2013;12:1012-21.

0472 He X, Dong Y, Wu CW, Zhao Z, Ng SS, Chan FK, et al. MicroRNA-218 inhibits cell cycle progression and promotes apoptosis in colon cancer by downregulating BMI1 polycomb ring finger oncogene. Mol Med 2013;18:1491-8.

0473 Heck MM, Thalgott M, Retz M, Wolf P, Maurer T, Nawroth R, et al. Rational indication for docetaxel rechallenge in metastatic castration-resistant prostate cancer. BJU Int 2012;110:E635-40.

0474 Heckman MG, Parker AS, Wu KJ, Hilton TW, Ko SJ, Pisansky TM, et al. Evaluation of MDM2, p16, and p53 staining levels as biomarkers of biochemical recurrence following salvage radiation therapy for recurrent prostate cancer. Prostate 2012;72:1757-66.

0475 Hedelin M, Klint A, Chang ET Bellocco R, Johansson JE, Andersson SO, et al. Dietary phytoestrogen, serum enterolactone and risk of prostate cancer: the cancer prostate Sweden study (Sweden). Cancer Causes Control 2006;17:169-80.

0476 Heidegger I, Kern J, Ofer P, Klocker H, Massoner P. Oncogenic functions of IGF1R and INSR in prostate cancer include enhanced tumor growth, cell migration and angiogenesis. Oncotarget 2014;5:2723-35.

0477 Heidenreich A, Abrahamsson P-A, Artibani W, Catto J, Montorsi F, Van Poppel H, et al. Early detection of prostate cancer: European Association of Urology recommendation. Eur Urol 2013;64:347-54.

0478 Heidenreich A, Bastian PJ, Bellmunt J, Bolla M, Joniau S, van der Kwast T, et al. EAU guidelines on prostate cancer. part 1: screening, diagnosis, and local treatment with curative intent-update 2013. Eur Urol 2014;65:124-37.

0479 Heidenreich A, Bastian PJ, Bellmunt J, Bolla M, Joniau S, van der Kwast T, et al. EAU guidelines on prostate cancer. Part II: Treatment of advanced, relapsing, and castration-resistant prostate cancer. Eur Urol 2014;65:467-79.

0480 Heidenreich A, Richter S, Thüer D, Pfister D. Prognostic parameters, complications, and oncologic and functional outcome of salvage radical prostatectomy for locally recurrent prostate cancer after 21st-century radiotherapy. Eur Urol 2010;57:437-43.

0481 Heinrich PC, Behrmann I, Haan S, Hermanns HM, Müller-Newen G, Schaper F. Principles of interleukin (IL)-6-type cytokine signalling and its regulation. Biochem J 2003;374:1-20.

0482 Helgeson BE, Tomlins SA, Shah N, Laxman B, Cao Q, Prensner JR, et al. Characterization of TMPRSS2:ETV5 and SLC45A3:ETV5 gene fusions in prostate cancer. Cancer Res 2008;68:73-80.

0483 Helpap B, Köllermann J. Combined histoarchitectural and cytological biopsy grading improves grading accuracy in low-grade prostate cancer. Int J Urol 2012;19:126-33.

0484 Henriet P, Blavier L, Declerck YA. Tissue inhibitors of metalloproteinases (TIMP) in invasion and proliferation. APMIS 1999;107:111-9.

0485 Hensley PJ, Desiniotis A, Wang C, Stromberg A, Chen CS, Kyprianou N. Novel pharmacologic targeting of tight junctions and focal adhesions in prostate cancer cells. PLoS One 2014;9:e86238.

0486 Hermani A, Hess J, De Servi B, Medunjanin S, Grobholz R, Trojan L, et al. Calcium-binding proteins S100A8 and S100A9 as novel diagnostic markers in human prostate cancer. Clin Cancer Res 2005;11:5146-52.

0487 Herschman JD, Smith DS, Catalona WJ. Effect of ejaculation on serum total and free prostate-specific antigen concentrations. Urology 1997;50:239-43.

0488 Hessels D, Schalken JA. The use of PCA3 in the diagnosis of prostate cancer. Nat Rev Urol 2009;6:255-61.

0489 Hessels D, Smit FP, Verhaegh GW, Witjes JA, Cornel EB, Schalken JA. Detection of TMPRSS2-ERG fusion transcripts and prostate cancer antigen 3 in urinary sediments may improve diagnosis of prostate cancer. Clin Cancer Res 2007;13:5103-8.

0490 Hienert G, Kirchheimer JC, Pflüger H, Binder BR. Urokinase-type plasminogen activator as a marker for the formation of distant metastases in prostatic carcinomas. J Urol 1988;140:1466-9.

0491 Hirano D, Minei S, Sugimoto S, Yamaguchi K, Yoshikawa T, Hachiya T, et al. Implications of circulating chromogranin A in prostate cancer. Scand J Urol Nephrol 2007;41:297-301.

0492 Hirose Y, Saijou E, Sugano Y, Takeshita F, Nishimura S, Nonaka H, et al. Inhibition of Stabilin-2 elevates circulating hyaluronic acid levels and prevents tumor metastasis. Proc Natl Acad Sci U S A 2012;109:4263-8.

0493 Hirota K, Semenza GL. Regulation of angiogenesis by hypoxia-inducible factor 1. Crit Rev Oncol Hematol 2006;59:15-26.

0494 Hisamatsu H, Sakai H, Igawa T, Iseki M, Hayashi T, Kanetake H. Adenoid cystic carcinoma of Cowper's gland. BJU Int 2003;92:e56-7.

0495 Ho E, Song Y. Zinc and prostatic cancer. Curr Opin Clin Nutr Metab Care 2009;12:640-5.

0496 Ho ME, Quek SI, True LD, Morrissey C, Corey E, Vessella RL, 2t al. Prostate cancer cell phenotypes based on AGR2 and CD10 expression. Mod Pathol 2013;26:849-59.

0497 Hobbs JA, May R, Tanousis K, McNeill E, Mathies M, Gebhardt C, et al. Myeloid cell function in MRP-14 (S100A9) null mice. Mol Cell Biol 2003;23:2564-76.

0498 Hoefer J, Schäfer G, Klocker H, Erb HH, Mills IG, Hengst L, et al. PIAS1 is increased in human prostate cancer and enhances proliferation through inhibition of p21. Am J Pathol 2012;180:2097-107.

0499 Hofer MD, Kuefer R, Varambally S, Li H, Ma J, Shapiro GI, et al. The role of metastasis-associated protein 1 in prostate cancer progression. Cancer Res 2004;64:825-9.

0500 Holder SL, Abdulkadir SA. PIM1 kinase as a target in prostate cancer: roles in tumorigenesis, castration resistance, and docetaxel resistance. Curr Cancer Drug Targets 2014;14:105-14.

0501 Holt SK, Salinas CA, Stanford JL. Vasectomy and the risk of prostate cancer. J Urol 2008;180:2565-7.

0502 Honda GD, Bernstein L, Ross RK, Greenland S, Gerkins V, Henderson BE. Vasectomy, cigarette smoking, and age at first sexual intercourse as risk factors for prostate cancer in middle-aged men. Br J Cancer 1988;57:326-31.

0503 Hoque MO, Topaloglu O, Begum S, Henrique R, Rosenbaum E, Van Criekinge W, et al. Quantitative methylation-specific polymerase chain reaction gene patterns in urine sediment distinguish prostate cancer patients from control subjects. J Clin Oncol 2005;23:6569-75.

0504 Hossack T, Patel MI, Huo A, Brenner P, Yuen C, Spernat D, et al. Location and pathological characteristics of cancers in radical prostatectomy specimens identified by transperineal biopsy compared to transrectal biopsy. J Urol 2012;188:781-5.

0505 Hsieh TC, Wu JM. Targeting CWR22Rv1 prostate cancer cell proliferation and gene expression by combinations of the phytochemicals EGCG, genistein, and quercetin. Anticancer Res 2009;29:4025-32.

0506 Hsing AW, Chua S Jr, Gao YT, Gentzschein E, Chang L, Deng J, et al. Prostate cancer risk and serum levels of insulin and leptin: a population-based study. J Natl Cancer Inst 2001;93:783-9.

0507 Hsing AW, Deng J, Sesterhenn IA, Mostofi FK, Stanczyk FZ, Benichou J, et al. Body size and prostate cancer: a population-based case-control study in China. Cancer Epidemiol Biomarkers Prev 2000;9:1335-41.

0508 Hsing AW, Sakoda LC, Chen J, Chokkalingam AP, Sesterhenn I, Gao YT, et al. MSR1 variants and the risks of prostate cancer and benign prostatic hyperplasia: a population-based study in China. Carcinogenesis 2007;28:2530-6.

0509 Hsing AW, Wang RT, Gu FL, Lee M, Wang T, Leng TJ, et al. Vasectomy and prostate cancer risk in China. Cancer Epidemiol Biomarkers Prev 1994;3:285-8.

0510 Hsu TI, Hsu CH, Lee KH, Lin JT, Chen CS, Chang KC, et al. MicroRNA-18a is elevated in prostate cancer and promotes tumorigenesis through suppressing STK4 in vitro and in vivo. Oncogenesis 2014;3:e99.

0511 Hu L, Ibrahim S, Liu C, Skaar J, Pagano M, Karpatkin S. Thrombin induces tumor cell cycle activation and spontaneous growth by down-regulation of p27Kip1, in association with the up-regulation of Skp2 and MiR-222. Cancer Res 2009;69:3374-81.

0512 Huang HF, Shu P, Murphy TF, Aisner S, Fitzhugh VA, Jordan ML. Significance of divergent expression of prostaglandin EP4 and EP3 receptors in human prostate cancer. Mol Cancer Res 2013;11:427-39.

0513 Huang K-H, Chiou S-H, Chow K-C, Lin T-Y, Chang H-W, Chiang I-P, et al. Overexpression of aldo-keto reductase 1C2 is associated with disease progression in patients with prostatic cancer. Histopathology 2010;57:384-94.

0514 Huang M, Narita S, Numakura K, Tsuruta H, Saito M, Inoue T, et al. A high-fat diet enhances proliferation of prostate cancer cells and activates MCP-1/CCR2 signaling. Prostate 2012;72:1779-88.

0515 Huff T, Otto AM, Müller CS, Meier M, Hannappel E. Thymosin beta4 is released from human blood platelets and attached by factor XIIIa (transglutaminase) to fibrin and collagen. FASEB J 2002;16:691-6.

0516 Humphrey PA, Zhu X, Zarnegar R, Swanson PE, Ratliff TL, Vollmer RT, et al. Hepatocyte growth factor and its receptor (c-MET) in prostatic carcinoma. Am J Pathol 1995;147:386-96.

0517 Hurkadli KS, Lokeshwar B, Sheth AR, Block NL. Detection of prostatic-inhibin-like peptide in the cytoplasm of LNCaP cells, a human prostatic adenocarcinoma cell line. Prostate 1994;24:285-90.

0518 Husaini Y, Lockwood GP, Nguyen TV, Tsai VW, Mohammad MG, Russell PJ, et al. Macrophage inhibitory cytokine-1 (MIC1/GDF15) gene deletion promotes cancer growth in TRAMP prostate cancer prone mice. PLoS One 2015;10:e0115189.

0519 Hussain M, Tangen CM, Berry DL, Higano CS, Crawford ED, Liu G, et al. Intermittent versus continuous androgen deprivation in prostate cancer. N Engl J Med 2013;368:1314-25.

0520 Hussain M, Tangen CM, Higano C, Schelhammer PF, Faulkner J, Crawford ED, et al. Absolute prostate-specific antigen value after androgen deprivation is a strong independent predictor of survival in new metastatic prostate cancer: data from Southwest Oncology Group Trial 9346 (INT-0162). J Clin Oncol 2006;24:3984-90.

0521 Hutchinson LM, Chang EL, Becker CM, Shih MC, Brice M, DeWolf WC, et al. Use of thymosin beta15 as a urinary biomarker in human prostate cancer. Prostate 2005;64:116-27.

0522 Hutchinson LM, Chang EL, Becker CM, Ushiyama N, Behonick D, Shih MC, et al. Development of a sensitive and specific enzyme-linked immunosorbent assay for thymosin beta15, a urinary biomarker of human prostate cancer. Clin Biochem 2005;38:558-71.

0523 Huynh H. Induction of apoptosis in rat ventral prostate by finasteride is associated with alteration in MAP kinase pathways and BCL-2 related family of proteins. Int J Oncol 2002;20:1297-303.

0524 Hwang YW, Kim SY, Jee SH, Kim YN, Nam CM. Soy food consumption and risk of prostate cancer: a meta-analysis of observational studies. Nutr Cancer 2009;61:598-606.

0525 Ibeawuchi C, Schmidt H, Voss R, Titze U, Abbas M, Neumann J, et al. Exploring prostate cancer genome reveals simultaneous losses of PTEN, FAS and PAPSS2 in patients with PSA recurrence after radical prostatectomy. Int J Mol Sci 2015;16:3856-69.

0526 Ichihara K, Kitamura H, Masumori N, Fukuta F, Tsukamoto T. Transurethral prostate biopsy before radical cystectomy remains clinically relevant for decision-making on urethrectomy in patients with bladder cancer. Int J Clin Oncol 2013;18:75-80.

0527 Iguchi K, Ito M, USUI S, Mizokami A, Namiki M, Hirano K. Downregulation of thymosin β4 expression by androgen in prostate cancer LNCaP cells. J Androl 2008;29:207-12.

0528 Imperato-McGinley J, Gautier T, Zirinsky K, Hom T, Palomo O, Stein E, et al. Prostate visualization studies in males homozygous and heterozygous for 5alpha-reductase deficiency. J Clin Endocrinol Metab 1992;75:1022-9.

0529 Inahara M, Suzuki H, Kojima S, Komiya A, Fukasawa S, Imamoto T, et al. Improved prostate cancer detection using systematic 14-core biopsy for large prostate glands with normal digital rectal examination findings. Urology 2006;68:815-9.

0530 Irani J, Blanchet P, Salomon L, Coloby P, Hubert J, Malavaud

B, et al. Is an extended 20-core prostate biopsy protocol more efficient than the standard 12-core? a randomized multicenter trial. J Urol 2013;190:77-83.

0531 Irani J, Salomon L, SouliéM, Zlotta A, de la Taille A, DoréB, et al. Urinary/serum prostate-specific antigen ratio: comparison with free/total serum prostate-specific antigen ratio in improving prostate cancer detection. Urology 2005;65:533-7.

0532 Iremashvili V, Soloway MS, Pelaez L, Rosenberg DL, Manoharan M. Comparative validation of nomograms predicting clinically insignificant prostate cancer. Urology 2013;81:1202-8.

0533 Ischia J, Patel O, Shulkes A, Baldwin GS. Gastrin-releasing peptide: different forms, different functions. Biofactors 2009;35:69-75.

0534 Isharwal S, Makarov DV, Carter HB, Epstein JI, Partin AW, Landis P, et al. DNA content in the diagnostic biopsy for benign-adjacent and cancer-tissue areas predicts the need for treatment in men with T1c prostate cancer undergoing surveillance in an expectant management programme. BJU Int 2010;105:329-33.

0535 Isharwal S, Makarov DV, Sokoll LJ, Landis P, Marlow C, Epstein JI, et al. ProPSA and diagnostic biopsy tissue DNA content combination improves accuracy to predict need for prostate cancer treatment among men enrolled in an active surveillance program. Urology 2011;77:763.e1-6.

0536 Ishiguro H, Akimoto K, Nagashima Y, Kagawa E, Sasaki T, Sano J-U, et al. Co-expression of aPKC λ/ι and IL-6 in prostate cancer tissue correlates with biochemical recurrence. Cancer Sci 2011;102:1576-81.

0537 Ishimaru H, Kageyama Y, Hayashi T, Nemoto T, Eishi Y, Kihara K. Expression of matrix metalloproteinase-9 and bombesin/gastrin-releasing peptide in human prostate cancers and their lymph node metastases. Acta Oncol 2002;41:289-96.

0538 Ishimura T, Sakai I, Hara I, Eto H, Miyake H. Clinical outcome of transrectal ultrasound-guided prostate biopsy, targeting eight cores, for detecting prostate cancer in Japanese men. Int J Clin Oncol 2004;9:47-50.

0539 Islam AH, Kato H, Nishizawa O, Hayama M. Distribution of cathepsin D granules in normal and pathologic conditions in human prostate. Hinyokika Kiyo 2002;48:647-52.

0540 Ito M, Iguchi K, Usui S, Hirano K. Overexpression of thymosin beta4 increases pseudopodia formation in LNCaP prostate cancer cells. Biol Pharm Bull 2009;32:1101-4.

0541 Izumi K, Li Y, Zheng Y, Gordetsky J, Yao JL, Miyamoto H. Seminal plasma proteins in prostatic carcinoma: increased nuclear semenogelin I expression is a predictor of biochemical recurrence after radical prostatectomy. Hum Pathol 2012;43:1991-2000.

0542 Jackson WC, Johnson SB, Li D, Foster C, Foster B, Song Y, et al. A prostate-specific antigen doubling time of <6 months is prognostic for metastasis and prostate cancer-specific death for patients receiving salvage radiation therapy post radical prostatectomy. Radiat Oncol 2013;8:170-8.

0543 Jacobsen BK, Knutsen SF, Fraser GE. Does high soy milk intake reduce prostate cancer incidence? The Adventist Health Study (United States). Cancer Causes Control 1998;9:553-7.

0544 Jaffe JM, Malkowicz SB, Walker AH, MacBride S, Peschel R, Tomaszenski J, et al. Association of SRD5A2 genotype and pathological characteristics of prostate tumors. Cancer Res 2000;60:1626-30.

0545 Jamaspishvili T, Kral M, Khomeriki I, Student V, Kolar Z, Bouchal J. Urine markers in monitoring for prostate cancer. Prostate Cancer Prostatic Dis 2010;13:12-9.

0546 Jamaspishvili T, Kral M, Khomeriki I, Vyhnankova V, Mgebrishvili G, Student V, et al. Quadriplex model enhances urine-based detection of prostate cancer. Prostate Cancer Prost Dis 2011;14:354-60.

0547 Jamaspishvili T, Scorilas A, Kral M, Khomeriki I, Kurfurstova D, Kolar Z, et al. Immunohistochemical localization and analysis of kallikrein-related peptidase 7 and 11 expression in paired cancer and benign foci in prostate cancer patients. Neoplasma 2011;58:298-303.

0548 Janardhan S, Srivani P, Sastry GN. Choline kinase: an important target for cancer. Curr Med Chem 2006;13:1169-85.

0549 Jankun J, Aleem AM, Specht Z, Keck RW, Lysiak-Szydlowska W, Selman SH, et al. PAI-1 induces cell detachment, downregulates nucleophosmin (B23) and fortilin (TCTP) in LnCAP prostate cancer cells. Int J Mol Med 2007;20:11-20.

0550 Jemal A, Bray F, Center MM, Ferlay J, Ward E, Forman D. Global cancer statistics. CA Cancer J Clin 2011;61:69-90.

0551 Jensen-Seaman MI, Li W-H. Evolution of the hominoid semenogelin genes, the major proteins of ejaculated semen. J Mol Revol 2003;57:261-70.

0552 Jentzmik F, Stephan C, Lein M, Miller K, Kamlage B, Bethan B, et al. Sarcosine in prostate cancer tissue is not a differential metabolite for prostate cancer aggressiveness and biochemical progression. J Urol 2011;185:706-11.

0553 Jentzmik F, Stephan C, Miller K, Schrader M, Erbersdobler A, Kristiansen G, et al. Sarcosine in urine after digital rectal examination fails as a marker in prostate cancer detection and identification of aggressive tumours. Eur Urol 2010;58:12-8.

0554 Jeon HJ, Kim YS, Kang DR, Nam CM, Kim CI Seong DH, et al. Age-specific reference ranges for serum prostate-specific antigen in Korean men. Korean J Urol 2006;47:586-90.

0555 Jeon KP, Jeong TY, Lee SY, Hwang SW, Shin JH, Kim DS. Prostate cancer in patients with metabolic syndrome is associated with low grade Gleason score when diagnosed on biopsy. Korean J Urol 2012;53:593-7.

0556 Jerónimo C, Henrique R, Hoque MO, Mambo E, Ribeiro FR, Varzim G, et al. A quantitative promoter methylation profile of prostate cancer. Clin Cancer Res 2004;10:8472-8.

0557 Jeter CR, Liu B, Liu X, Chen X, Liu C, Calhoun-Davis T, et al. NANOG promotes cancer stem cell characteristics and prostate cancer resistance to androgen deprivation. Oncogene 2011;30:3833-45.

0558 Jeulin C, Lewin LM. Role of free L-carnitine and acetyl-L-carnitine in post-gonadal maturation of mammalian spermatozoa. Hum Reprod Update 1996;2:87-102.

0559 Jia X, Li X, Xu Y, Zhang S, Mou W, Liu Y, et al. SOX2 promotes tumorigenesis and increases the anti-apoptotic property of human prostate cancer cell. J Mol Cell Biol 2011;3:230-8.

0560 Jiang H, Zhang L, Liu J, Chen Z, Na R, Ding G, et al. Knockdown of zinc finger protein X-linked inhibits prostate cancer cell proliferation and induces apoptosis by activating caspase-3 and caspase-9. Cancer Gene Ther 2012;19:684-9.

0561 Jiang J, Dingledine R. Role of prostaglandin receptor EP2 in the regulations of cancer cell proliferation, invasion, and inflammation. J Pharmacol Exp Ther 2013;344:360-7.

0562 Jiang N, Zhu S, Chen J, Niu Y, Zhou L. A-methylacyl-CoA racemase (AMACR) and prostate-cancer risk: a meta- analysis of 4,385 participants PLoS One 2013;8:e74386.

0563 Jiang WG, Ablin RJ. Prostate transglutaminase: a unique transglutaminase and its role in prostate cancer. Biomark Med 2011;5:285-91.

0564 Jiang WG, Ablin RJ, Kynaston HG, Mason MD. The prostate transglutaminase (TGase-4, TGaseP) regulates the interaction of prostate cancer and vascular endothelial cells, a potential role for the ROCK pathway. Microvasc Res 2009;77:150-7.

0565 Jiang WG, Ye L, Ablin RJ, Kynaston HG, Mason MD. The prostate transglutaminase, TGase-4, coordinates with the HGFL/MSP-RON system in stimulating the migration of prostate cancer cells. Int J Oncol 2010;37:413-8.

0566 Jiang WG, Ye L, Sanders AJ, Ruge F, Kynaston HG, Ablin RJ, et al. Prostate transglutaminase (TGase-4, TGaseP) enhances the adhesion of prostate cancer cells to extracellular matrix, the potential role of TGase-core domain. J Transl Med 2013;11:269.

0567 Jiang Z, Fanger GR, Woda BA, Banner BF, Algate P, Dresser K, et al. Expression of alpha-methylacyl-CoA racemase (P504s) in various malignant neoplasms and normal tissues: a study of 761 cases. Hum Pathol 2003;34:792-6.

0568 Jiang Z, Woda BA, Wu C-L, Yang XJ. Discovery and clinical application of a novel prostate cancer marker: α-methylacyl CoA racemase (P504S). Am J Clin Pathol 2004;122:275-89.

0569 Jin G, Lu L, Cooney KA, Ray AM, Zuhlke KA, Lange EM, et al. Validation of prostate cancer risk-related loci identified from genome-wide association studies using family-based association analysis: evidence from the International Consortium for Prostate Cancer Genetics (ICPCG). Hum Genet 2012;131:1095-103.

0570 Jin JK, Tien PC, Cheng CJ, Song JH, Huang C, Lin SH, et al. Talin1 phosphorylation activates β1 integrins: a novel mechanism to promote prostate cancer bone metastasis. Oncogene 2015;34:1811-21.

0571 Jin Y, Qu S, Tesikova M, Wang L, Kristian A, Mælandsmo GM, et al. Molecular circuit involving KLK4 integrates androgen and mTOR signaling in prostate cancer. Proc Natl Acad Sci U S A 2013;110:E2572-81.

0572 Johansson JE, Holmberg L, Johansson S, Bergström R, Adami HO. Fifteen-year survival in prostate cancer. A prospective, population-based study in Sweden. JAMA 1997;277:467-71.

0573 John EM, Whittemore AS, Wu AH, Kolonel LN, Hislop TG, Howe GR, et al. Vasectomy and prostate cancer: results from a multiethnic case-control study. J Natl Cancer Inst 1995;87:662-9.

0574 Jones JS. Saturation biopsy for detecting and characterizing prostate cancer. BJU Int 2007;99:1340-4.

0575 Jones R. To store or mature spermatozoa? The primary role of the epididymis. Int J Androl 1999;22:57-67.

0576 Jonsson M, Lundwall Å, Malm J. The semenogelins: proteins with functions beyond reproduction? Cell Mol Life Sci 2006;63:2886-8.

0577 Josefsson A, Wikström P, Egevad L, Granfors T, Karlberg L, Stattin P, et al. Low endoglin vascular density and Ki67 index in Gleason score 6 tumours may identify prostate cancer patients suitable for surveillance. Scand J Urol Nephrol 2012;46:247-57.

0578 Joseph A, Hess RA, Schaeffer DJ, Ko CM, Hudgin-Spivey S, Chambon P, Shur BD. Absence of estrogen receptor alpha leads to physiological alterations in the mouse epididymis and consequent defects in sperm function. Biol Reprod 2010;82;948-57.

0579 Joung JY , Yang SO, Jeong IG, Han KS, Seo HK, Chung J, et al. Reverse transcriptase-polymerase chain reaction and immunohistochemical studies for detection of prostate stem cell antigen expression in prostate cancer: potential value in molecular staging of prostate cancer. Int J Urol 2007;14:635-43.

0580 Julin B, Shui I, Heaphy CM, Joshu CE, Meeker AK, Giovannucci E, et al. Circulating leukocyte telomere length and risk of overall and aggressive prostate cancer. Br J Cancer 2015;112:769-76.

0581 Julin B, Wolk A, Johansson JE, Andersson SO, Andrén O, Akesson A. Dietary cadmium exposure and prostate cancer incidence: a population-based prospective cohort study. Br J Cancer 2012;107:895-900.

0582 Jung K, Lein M, Stephan C, Von Hösslin K, Semjonow A, Sinha P, et al. Comparison of 10 serum bone turnover markers in prostate carcinoma patients with bone metastatic spread: diagnostic and prognostic implications. Int J Cancer 2004;111:783-91.

0583 Jung WY, Sung CO, Han SH, Kim K, Kim M, Ro JY, et al. AZGP-1 immunohistochemical marker in prostate cancer: potential predictive marker of biochemical recurrence in post radical prostatectomy specimens. Appl Immunohistochem Mol Morphol 2014;22:652-7.

0584 Junker D, Schäfer G, Edlinger M, Kremser C, Bektic J, Horninger W, et al. Evaluation of the PI-RADS scoring system for classifying mpMRI findings in men with suspicion of prostate cancer. Biomed Res Int 2013;2013:252939-48.

0585 Kai L, Wang J, Ivanovic M, Chung YT, Laskin WB, Schulze-Hoepfner F, et al. Targeting prostate cancer angiogenesis through metastasis-associated protein 1 (MTA1). Prostate 2011;71:268-80.

0586 Kakugawa K, Hattori M, Beauchemin N, Minato N. Activation of CEA-CAM1-mediated cell adhesion via CD98: involvement of PKCdelta. FEBS Lett 2003;552:184-8.

0587 Kalos M, Askaa J, Hylander BL, Repasky EA, Cai F, Vedvick T, et al. Prostein expression is highly restricted to normal and malignant prostate tissues. Prostate 2004;60: 246-56.

0588 Kamiya N, Suzuki H, Kawamura K, Imamoto T, Naya Y, Tochigi N, et al. Neuroendocrine differentiation in stage D2 prostate cancers. Int J Urol 2008;15:423-8.

0589 Kani K, Malihi PD, Jiang Y, Wang H, Wang Y, Ruderman DL, et al. Anterior gradient 2 (AGR2): blood-based biomarker elevated in metastatic prostate cancer associated with the neuroendocrine phenotype. Prostate 2013;73:306-15.

0590 Kao J, Upton M, Zhang P, Rosen S. Individual prostate biopsy core embedding facilitates maximal tissue representation. J Urol 2002;168:496-9.

0591 Kaplan SA, Lee RK, Chung DE, Te AE, Scherr DS, Tewari A, et al. Prostate biopsy in response to a change in nadir prostate specific antigen of 0.4 ng/ml after treatment with 5α-reductase inhibitors markedly enhances the detection rate of prostate cancer. J Urol 2012;188:757-61.

0592 Karam JA, Lotan Y, Roehrborn CG, Ashfaq R, Karakiewicz PI, Shariat SF. Caveolin-1 overexpression is associated with aggressive prostate cancer recurrence. Prostate 2007;67:614-22.

0593 Karam JA, Svatek RS, Karakiewicz PI, Gallina A, Roehrborn CG, Slawin KM, et al. Use of preoperative plasma endoglin for prediction of lymph node metastasis in patients with clinically localized prostate cancer. Clin Cancer Res 2008;14:1418-22.

0594 Karamanolakis D, Lambou T, Bogdanos J, Milathianakis C, Sourla A, Lembessis P, et al. Serum testosterone: a potentially adjunct screening test for the assessment of the risk of prostate cancer among men with modestly elevated PSA values (≥3.0 and10.0 ng/ml). Anticancer Res 2006;26:3159-66.

0595 Karatas OF, Guzel E, Suer I, Ekici ID, Caskurlu T, Creighton CJ, et al. miR-1 and miR-133b are differentially expressed in patients with recurrent prostate cancer. PLoS One 2014;9:e98675.

0596 Kasbohm EA, Guo R, Yowell CW, Bagchi G, Kelly P, Arora P, et al. Androgen receptor activation by Gs signaling in prostate cancer cells. J Biol Chem 2005;280:11583-9.

0597 Kashiwagi E, Shiota M, Yokomizo A, Itsumi M, Inokuchi J, Uchiumi T, et al. Prostaglandin receptor EP3 mediates growth inhibitory effect of aspirin through androgen receptor and contributes to castration resistance in prostate cancer cells. Endocr Relat Cancer 2013;20:431-41.

0598 Kasper JS, Liu Y, Giovannucci E. Diabetes mellitus and risk of prostate cancer in the health professionals follow-up study.

Int J Cancer 2009;124:1398-403.

0599 Katafigiotis I, Tyritzis SI, Stravodimos KG, Alamanis C, Pavlakis K, Vlahou A, et al. Zinc α2-glycoprotein as a potential novel urine biomarker for the early diagnosis of prostate cancer. BJU Int 2012;110:E688-93.

0600 Katoh Y, Katoh M. FGFR2-related pathogenesis and FGFR2-targeted therapeutics (Review). Int J Mol Med 2009;23:307-11.

0601 Kaur P, Kallakury BVS, Sheehan CE, Fisher HAG, Kaufman Jr RP, Ross JS. Survivin and BCL-2 expression in prostatic adenocarcinomas. Arch Pathol Lab Med 2004;128:39-43.

0602 Kayali M, Balci M, Aslan Y, Bilgin O, Guzel O, Tuncel A, et al. The relationship between prostate cancer and presence of metabolic syndrome and late-onset hypogonadism. Urology 2014;84:1448-52.

0603 Kazama Y, Hamamoto T, Foster DC, Kisiel W. Hepsin, a putative membrane-associated serine protease, activates human factor VII and initiates a pathway of blood coagulation on the cell surface leading to thrombin formation. J Biol Chem 1995;270:66–72.

0604 Keesee SK, Meneghini MD, Szaro RP, Wu YJ. Nuclear matrix proteins in human colon cancer. Proc Natl Acad Sci U S A 1994;91:1913-6.

0605 Keesee SK, Meyer JL, Hutchinson ML, Cibas ES, Sheets EE, Marchese J, et al. Preclinical feasibility study of NMP179, a nuclear matrix protein marker for cervical dysplasia. Acta Cytol 1999;43:1015-22.

0606 Kenfield SA, Stampfer MJ, Giovannucci E, Chan JM. Physical activity and survival after prostate cancer diagnosis in the health professionals follow-up study. J Clin Oncol 2011;29:726-32.

0607 Kesarwani P, Mandal RK, Maheshwari R, Mittal RD. Influence of caspases 8 and 9 gene promoter polymorphism on prostate cancer susceptibility and early development of hormone refractory prostate cancer. BJU Int 2010;107:471-6.

0608 Kester RC. The distribution of plasminogen activator in the male genital tract. J Clin Pathol 1971;24:726-31.

0609 Key TJ, Allen N, Appleby P, Overvad K, Tjønneland A, Miller A, et al. Fruits and vegetables and prostate cancer: no association among 1104 cases in a prospective study of 130544 men in the European Prospective Investigation into Cancer and Nutrition (EPIC). Int J Cancer 2004;109:119-24.

0610 Khan N, Adhami VM, Mukhtar H. Review: Green tea polyphenols in chemoprevention of prostate cancer: preclinical and clinical studies. Natur Cancer 2009;61:836-41.

0611 Khan S, Jutzy JM, Valenzuela MM, Turay D, Aspe JR, Ashok A, et al. Plasma-derived exosomal survivin, a plausible biomarker for early detection of prostate cancer. PLoS One 2012;7:e46737.

0612 Khera M, Crawford D, Morales A, Salonia A, Morgentaler A. A new era of testosterone and prostate cancer: from physiology to clinical implications. Eur Urol 2014;65:115-23.

0613 Killick E, Morgan R, Launchbury F, Bancroft E, Page E,

Castro E, et al. Role of Engrailed-2 (EN2) as a prostate cancer detection biomarker in genetically high risk men. Sci Rep 2013;3:2059-5.

0614 Kim GJ, Park SS. Age-specific reference range of prostate-specific antigen in healthy men received multipathic health checkup center. Korean J Urol 1999;40:1305-10.

0615 Kim HJ, Han JH, Chang IH, W Kim W, Myung SC. Variants in the HEPSIN gene are associated with susceptibility to prostate cancer. Prostate Cancer Prostatic Dis 2012;15:353-8.

0616 Kim J, Roh M, Abdulkadir SA. Pim 1 promotes human prostate cancer cell tumorigenicity and c-MYC transcriptional activity. BMC Cancer 2010;10:248-63.

0617 Kim Y, Ignatchenko V, Yao CQ, Kalatskaya I, Nyalwidhe JO, Lance RS, et al. Identification of differentially expressed proteins in direct expressed prostatic secretions of men with organ-confined versus extracapsular prostate cancer. Mol Cell Proteomics 2012;11:1870-84.

0618 Kimura K, Markowski M, Edsall LC, Spiegel S, Gelmann EP. Role of ceramide in mediating apoptosis of irradiated LNCaP prostate cancer cells. Cell Death Differ 2003;10:240-8.

0619 King CR. The timing of salvage radiotherapy after radical prostatectomy: a systematic review. Int J Radiat Oncol Biol Phys 2012;84:104-11.

0620 Kinugasa T, Kuroki M, Takeo H, Matsuo Y, Ohshima K, Yamashita Y. Expression of four CEA family antigens (CEA, NCA, BGP and CGM2) in normal and cancerous gastric epithelial cells: up-regulation of BGP and CGM2 in carcinomas. Int J Cancer 1998;76:148-53.

0621 Kirby RS, Fitzpatrick JM, Irani J. Prostate cancer diagnosis in the new millennium: strengths and weaknesses of prostate specific antigen and the discovery and clinical evaluation of prostate cancer gene 3 (PCA3). BJU Int 2009;103:441-5.

0622 Kirchheimer JC, Pflüger H, Ritschl P, Hienert G, Binder BR. Plasminogen activator activity in bone metastases of prostatic carcinomas as compared to primary tumors. Invasion Metastasis 1985;5:344-55.

0623 Klap J, Schmid M, Loughlin KR. The relationship between total testosterone levels and prostate cancer: a review of the continuing controversy. J Urol 2015;193:403-13.

0624 Kleer E, Larson-Keller JJ, Zincke H, Oesterling JE. Ability of preoperative serum prostate-specific antigen value to predict pathologic stage and DNA ploidy. Influence of clinical stage and tumor grade. Urology 1993;41:207-16.

0625 Klein EA. A genomic approach to active surveillance: a step toward precision medicine. Asian J Androl 2013;15:340-1.

0626 Klein EA, Cooperberg MR, Magi-Galluzzi C, Simko JP, Falzarano SM, Maddala T. et al. A 17-gene assay to predict prostate cancer aggressiveness in the context of Gleason grade heterogeneity, tumor multifocality, and biopsy undersampling. Eur Urol 2014;66:550-60.

0627 Klein EA, Thompson Jr IM, Tangen CM, Crowley JJ, M. Lucia MS, Goodman PJ, et al. Vitamin E and the risk of prostate cancer: the Selenium and Vitamin E Cancer Prevention Trial (SELECT), JAMA 2011;306:1549-56.

0628 Klein LT, Lowe FC. The effects of prostatic manipulation on prostate-specific antigen levels. Urol Clin North Am 1997;24:293-7.

0629 Kleinerman DI, Zhang W-W, Lin S-H, Van NT, von Eschenbach AC, Hsieh J-T. Application of a tumor suppressor (C-CAM1)-expressing recombinant adenovirus in androgen-independent human prostate cancer therapy: a preclinical study. Cancer Res 1995;55:2831-6.

0630 Kline CL, Irby RB. The pro-apoptotic protein Prostate Apoptosis Response Protein-4 (Par-4) can be activated in colon cancer cells by treatment with Src inhibitor and 5-FU. Apoptosis 2011;16:1285-94.

0631 Klokk TI, Kilander A, Xi Z, Wæhre H, Risberg B, Danielsen HE, et al. Kallikrein 4 is a proliferative factor that is overexpressed in prostate cancer. Cancer Res 2007;67:5221-30.

0632 Klotz L. Active surveillance for prostate cancer: a review. Curr Urol Rep 2010;11:165-71.

0633 Klotz L. Words of wisdom. Re: Effect of dutasteride on the risk of prostate cancer. Andriole G, Bostwick D, Brawley O, et al. N Engl J Med 2010;362:1192-202. Eur Urol 2010;58:313.

0634 Knezevic D, Goddard AD, Natraj N, Cherbavaz DB, Clark-Langone KM, Snable J, et al. Analytical validation of the Oncotype DX prostate cancer assay - a clinical RT-PCR assay optimized for prostate needle biopsies. BMC Genomics 2013;14:690-702.

0635 Kobrinsky NL, Klug MG, Hokanson PJ, Sjolander DE, Burd L. Impact of smoking on cancer stage at diagnosis. J Clin Oncol 2003;21:907-13.

0636 Koc G, Un S, Filiz DN, Akbay K, Yilmaz Y. Does washing the biopsy needle with povidone-iodine have an effect on infection rates after transrectal prostate needle biopsy? Urol Int 2010;85:147-51.

0637 Kohli M, Kaushal V, Mehta P. Role of coagulation and fibrinolytic system in prostate cancer. Semin Thromb Hemost 2003;29:301-8.

0638 Kohli M, Williams K, Yao JL, Dennis RA, Huang J, Reeder J, et al. Thrombin expression in prostate: a novel finding. Cancer Invest 2011;29:62-7.

0639 Koike H, Morikawa Y, Sekine Y, Matsui H, Shibata Y, Suzuki K. Survivin is associated with cell proliferation and has a role in 1α,25-dihydroxyvitamin D3 induced cell growth inhibition in prostate cancer. J Urol 2011;185:1497-503.

0640 Kojima S, Enokida H, Yoshino H, Itesako T, Chiyomaru T, Kinoshita T, et al. The tumor-suppressive microRNA-143/145 cluster inhibits cell migration and invasion by targeting GOLM1 in prostate cancer. J Hum Genet 2014;59:78-87.

0641 Koksal IT, Sanlioglu AD, Kutlu O, Sanlioglu S. Effects of androgen ablation therapy in TRAIL death ligand and its receptors expression in advanced prostate cancer. Urol Int 2010;84:445-51.

0642 Köller A, Kirchheimer J, Pflüger H, Binder BR. Tissue

plasminogen activator activity in prostatic cancer. Eur Urol 1984;10:389-94.

0643 Köllermann J, Helpap B. Expression of vascular endothelial growth factor (VEGF) and VEGF receptor Flk-1 in benign, premalignant, and malignant prostate tissue. Am J Clin Pathol 2001;116:115-21.

0644 Köllermann J, Schlomm T, Bang H, Schwall GP, von Eichel-Streiber C, Simon R, et al. Expression and prognostic relevance of annexin A3 in prostate cancer. Eur Urol 2008;54:1314-23.

0645 Komiya A, Suzuki H, Imamoto T, Kamiya N, Nihei N, Naya Y, et al. Neuroendocrine differentiation in the progression of prostate cancer. Int J Urol 2009;16:37-44.

0646 Kong D, Li Y, Wang Z, Banerjee S; Ahmad A, Kim HR, et al. miR-200 regulates PDGF-D-mediated epithelial-mesenchymal transition, adhesion, and invasion of prostate cancer cells. Stem Cells 2009;27:1712-21.

0647 Kontos CK, Scorilas A. Kallikrein-related peptidases (KLKs): a gene family of novel cancer biomarkers. Clin Chem Lab Med 2012;50:1877-91.

0648 Korbakis D, Gregorakis AK, Scorilas A. Quantitative analysis of human kallikrein 5 (KLK5) expression in prostate needle biopsies: an independent cancer biomarker. Clin Chem 2009;55:904-13.

0649 Korets R, Motamedinia P, Yeshchina O, Desai M, McKiernan JM. Accuracy of the Kattan nomogram across prostate cancer risk-groups. BJU Int 2011;108:56-60.

0650 Korkmaz CG, Korkmaz KS, Kurys P, Elbi C, Wang L, Klokk TI, et al. Molecular cloning and characterization of STAMP2, an androgen-regulated six transmembrane protein that is overexpressed in prostate cancer. Oncogene 2005;24:4934-45.

0651 Korkmaz KS, Elbi C, Korkmaz CG, Loda M, Hager GL, Saatcioglu F. Molecular cloning and characterization of STAMP1, a highly prostate-specific six transmembrane protein that is overexpressed in prostate cancer. J Biol Chem 2002;277:36689-96.

0652 Korkmaz KS, Korkmaz CG, Pretlow TG, Saatcioglu F. Distinctly different gene structure of KLK4/KLK-L1/prostase/ARM1 compared with other members of the kallikrein family: intracellular localization, alternative cDNA forms, and regulation by multiple hormones. DNA Cell Biol 2001;20:435-45.

0653 Kosari F, Asmann YW, Cheville JC, Vasmatzis G. Cysteine-rich secretory protein-3: a potential biomarker for prostate cancer. Cancer Epidemiol Biomarkers Prev 2002;11:1419-26.

0654 Kote-Jarai Z, Olama AA, Giles GG, Severi G, Schleutker J, Weischer M, et al. Seven prostate cancer susceptibility loci identified by a multi-stage genome-wide association study. Nat Genet 2011;43:785-91.

0655 Koutros S, Beane Freeman LE, Lubin JH, Heltshe SL, Andreotti G, Barry KH, et al. Risk of total and aggressive prostate cancer and pesticide use in the Agricultural Health Study. Am J Epidemiol 2013;177:59-74.

0656 Krätzschmar J, Haendler B, Eberspaecher U, Roosterman D, Donner P, Schleuning W-D. The human cysteine-rich secretory protein (CRISP) family: primary structure and tissue distribution of CRISP-1, CRISP-2 and CRISP-3. Eur J Biochem 1996;236:827-36.

0657 Krill D, Thomas A, Wu S-P, Dhir R, Becich MJ. E-cadherin expression and PSA secretion in human prostate epithelial cells. Urol Res 2001;29:287-92.

0658 Krishnakumar R, Kraus WL. PARP1 regulates chromatin structure and transcription through a KDM5B-dependent pathway. Mol Cell 2010;39:736-49.

0659 Krishnan AV, Feldman D. Molecular pathways mediating the anti-inflammatory effects of calcitriol: implications for prostate cancer chemoprevention and treatment. Endocr Relat Cancer 2010;17:R19-38.

0660 Kristiansen G, Fritzsche FR, Wassermann K, C Jäger C, Tölle A, Lein M, et al. GOLPH2 protein expression as a novel tissue biomarker for prostate cancer: implications for tissue-based diagnostics. Br J Cancer 2008;99:939-48.

0661 Kroemer G. Autophagy: a druggable process that is deregulated in aging and human disease. J Clin Invest 2015;125:1-4.

0662 Krycer JR, Brown AJ. Cholesterol accumulation in prostate cancer: a classic observation from a modern perspective. Biochim Biophys Acta 2013;1835:219-29.

0663 Krygier S, Djakiew D. Neurotrophin receptor p75(NTR) suppresses growth and nerve growth factor-mediated metastasis of human prostate cancer cells. Int J Cancer 2002;98:1-7.

0664 Kryza T, Achard C, Parent C, Marchand-Adam S, Guillon-Munos A, Iochmann S, et al. Angiogenesis stimulated by human kallikrein-related peptidase 12 acting via a platelet-derived growth factor B-dependent paracrine pathway. FASEB J 2014;28:740-51.

0665 Kryza T, Lalmanach G, Lavergne M, Lecaille F, Reverdiau P, Courty Y, et al. Pro-angiogenic effect of human kallikrein-related peptidase 12 (KLK12) in lung endothelial cells does not depend on kinin-mediated activation of B2 receptor. Biol Chem 2013;394:385-91.

0666 Ku JH, Moon KC, Cho SY, Kwak C, Kim HH. Serum prostate-specific antigen value adjusted for non-cancerous prostate tissue volume in patients undergoing radical prostatectomy: a new predictor of biochemical recurrence in localized or locally advanced prostate cancer. Asian J Androl 2011;13:248-53.

0667 Kubota Y, Seike K, Maeda S, Shinohara Y, Iwata M, Sugimoto N. Relationship between prostate-specific antigen and obesity in prostate cancer screening: analysis of a large cohort in Japan. Int J Urol 2011;18:72-5.

0668 Kuefer R, Hofer MD, Zorn CSM, Engel O, Volkmer BG, Juarez-Brito MA, et al. Assessment of a fragment of e-cadherin as a serum biomarker with predictive value for prostate cancer. Br J Cancer 2005;92:2018-23.

0669 Kumar A, Dhawan S, Aggarwal BB. Emodin (3-methyl-1, 6,8-trihydroxyanthraquinone) inhibits TNF-induced NF-kappaB activation, IkappaB degradation, and expression of cell surface adhesion proteins in human vascular endothelial cells. Oncogene 1998;17:913-8.

0670 Kumar R, Wang RA, Mazumdar A, Talukder AH, Mandal M, Yang Z et al. A naturally occurring MTA1 variant sequesters oestrogen receptor-alpha in the cytoplasm. Nature 2002;418:654–7.

0671 Kuo SR, Tahir SA, Park S, Thompson TC, Coffield S, Frankel AE, et al. Anti-caveolin-1 antibodies as anti-prostate cancer therapeutics. Hybridoma 2012;31:77-86.

0672 Kurahashi N, Iwasaki M, Sasazuki S, Otani T, Inoue M, Tsugane S, et al. Soy product and isoflavone consumption in relation to prostate cancer in Japanese men. Cancer Epidemiol Biomarkers Prev 2007;16:538-45.

0673 Kurlender L, Yousef GM, Memari N, Robb JD, Michael IP, Borgoño C, et al. Differential expression of a human kallikrein 5 (KLK5) splice variant in ovarian and prostate cancer. Tumour Biol 2004;25:149-56.

0674 Kutikov A, Makhov P, Golovine K, Canter DJ, Sirohi M, Street R, et al. Interleukin-6: a potential biomarker of resistance to multitargeted receptor tyrosine kinase inhibitors in castration-resistant prostate cancer. Urology 2011;78:968. e7-11.

0675 Kuvibidila SR, Tony Gauthier T, Rayford W. Serum ferritin levels and transferrin saturation in men with prostate cancer. J Nati Med Assoc 2004;96:641-9.

0676 Kvåle R, Møller B, Wahlqvist R, FossåSD, Berner A, Busch C, et al. Concordance between Gleason scores of needle biopsies and radical prostatectomy specimens: a population-based study. BJU Int 2008;103:1647-54.

0677 Laderach DJ, Gentilini LD, Giribaldi L, Delgado VC, Nugnes L, Croci DO, et al. A unique galectin signature in human prostate cancer progression suggests galectin-1 as a key target for treatment of advanced disease. Cancer Res 2013;73:86-96.

0678 Lagiou A, Samoli E, Georgila C, Minaki P, Barbouni A, Tzonou A, et al. Occupational physical activity in relation with prostate cancer and benign prostatic hyperplasia. Eur J Cancer Prev 2008;17:336-9.

0679 Lakshman M, Huang X, Ananthanarayanan V, Jovanovic B, Liu Y, Craft CS, et al. Endoglin suppresses human prostate cancer metastasis. Clin Exp Metastasis 2011;28:39-53.

0680 Lakshmanan Y, Subong EN, Partin AW. Differential nuclear matrix protein expression in prostate cancers: correlation with pathologic stage. J Urol 1998;159:1354-8.

0681 Lamkanfi M, Festjens N, Declercq W, Vanden Berghe T, Vandenabeele P. Caspases in cell survival, proliferation and differentiation. Cell Death and Differentiation 2007;14:44-55.

0682 Lan Q, Zheng T, Chanock S, Zhang Y, Shen M, Wang SS, et al. Genetic variants in caspase genes and susceptibility to non-Hodgkin lymphoma. Carcinogenesis 2007;28:823-7.

0683 Lane BR, Stephenson AJ, Magi-Galluzzi C, Lakin MM, Klein EA. Low testosterone and risk of biochemical recurrence and poorly differentiated prostate cancer at radical prostatectomy. Urology 2008;72:1240-5.

0684 Lane JA, Donovan JL, Davis M, Walsh E, Dedman D, Down L, et al. Active monitoring, radical prostatectomy, or radiotherapy for localised prostate cancer: study design and diagnostic and baseline results of the ProtecT randomised phase 3 trial. Lancet Oncol 2014;15:1109-18.

0685 Langer F, Chun FKAmirkhosravi A, Friedrich M, Leuenroth S, Eifrig B, et al. Plasma tissue factor antigen in localized prostate cancer: distribution, clinical significance and correlation with haemostatic activation markers. Thromb Haemost 2007;97:464-70.

0686 Lao BJ, Kamei DT. Investigation of cellular movement in the prostate epithelium using an agent-based model. J Theor Biol 2008;250:642-54.

0687 Lau K-M, Chan QKY, Pang JCS, Li KKW, Yeung WW, Chung NYF, et al. Minichromosome maintenance proteins 2, 3 and 7 in medulloblastoma: overexpression and involvement in regulation of cell migration and invasion. Oncogene 2010;29:5475-89.

0688 Lawrence YR, Morag O, Benderly M, Boyko V, Novikov I, Dicker AP, et al. Association between metabolic syndrome, diabetes mellitus and prostate cancer risk. Prostate Cancer Prostatic Dis 2013;16:181-6.

0689 Lawrentschuk N, Fleshner N. The role of magnetic resonance imaging in targeting prostate cancer in patients with previous negative biopsies and elevated prostate-specific antigen levels. BJU Int 2009;103:730-3.

0690 Lawrentschuk N, Klotz L. Active surveillance for favorable-risk prostate cancer: a short review. Korean J Urol 2010;51:665-70.

0691 Laxman B, Morris DS, Yu J, Siddiqui J, Cao J, Mehra R, et al. A first-generation multiplex biomarker analysis of urine for the early detection of prostate cancer. Cancer Res 2008;68:645-9.

0692 Lazier CV, Thomas LN, Douglas RC, Vessey JP, Rittmaster RS, Dutasteride, the dual 5α-reductase inhibitor, inhibits androgen action and promotes cell death in the LNCaP prostate cancer cell line. Prostate 2004;58:130-44.

0693 Lazzeri M, Briganti A, Scattoni V, Lughezzani G, Larcher A, Gadda GM, et al. Serum index test %[-2]proPSA and Prostate Health Index are more accurate than prostate specific antigen and %fPSA in predicting a positive repeat prostate biopsy. J Urol 2012;188:1137-43.

0694 Lazzeri M, Haese A, Abrate A, de la Taille A, Redorta JP, McNicholas T, et al. Clinical performance of serum prostate-specific antigen isoform [-2]proPSA (p2PSA) and its derivatives, %p2PSA and the prostate health index (PHI), in men with a family history of prostate cancer: results from a multicentre European study, the PROMEtheuS project. BJU Int 2013;112:313-21.

0695 Lazzeri M, Haese A, de la Taille A, Redorta JP, McNicholas T,

Lughezzani G, et al. Serum isoform [−2]proPSA derivatives significantly improve prediction of prostate cancer at initial biopsy in a total PSA range of 2~10 ng/ml: a multicentric European study. Eur Urol 2013;63:986-94.

0696 Le A, Cooper CR, Gouw AM, Dinavahi R, Maitra A, Deckd LM, et al. Inhibition of lactate dehydrogenase A induces oxidative stress and inhibits tumor progression. Mol Microbiol 2010;37:1515-20.

0697 Lecuona A, Heyns CF. A prospective, randomized trial comparing the Vienna nomogram to an eight-core prostate biopsy protocol. BJU Int 2011;108:204-8.

0698 Lee EK, Martinez MC, Blakely K, Santos KD, Hoang VC, Chow A. FGF23: mediator of poor prognosis in a sizeable subgroup of patients with castration-resistant prostate cancer presenting with severe hypophosphatemia? Med Hypotheses 2014;83:482-7.

0699 Lee IM, Cook NR, Gaziano JM, Gordon D, Ridker PM, Manson JE, et al. Vitamin E in the primary prevention of cardiovascular disease and cancer: the Women's Health Study: a randomized controlled trial. JAMA 2005;294:56-65.

0700 Lee IM, Cook NR, Manson JE, Buring JE, Hennekens CH. Beta-carotene supplementation and incidence of cancer and cardiovascular disease: the Women's Health Study. J Natl Cancer Inst 1999;91:2102-6.

0701 Lee JY, Kang DK, Chung DY, Kwon JK, Lee H, Cho NH, et al. Meta-analysis of the relationship between CXCR4 expression and metastasis in prostate cancer. World J Mens Health 2014;32:167:75.

0702 Lee KH, Chen YL, Yeh SD, Hsiao M, Lin JT, Goan YG, et al. MicroRNA-330 acts as tumor suppressor and induces apoptosis of prostate cancer cells through E2F1-mediated suppression of Akt phosphorylation. Oncogene 2009;28:3360-70.

0703 Lee MM, Gomez SL, Chang JS, Wey M, Wang RT, Hsing AW. Soy and isoflavone consumption in relation to prostate cancer risk in China. Cancer Epidemiol Biomarkers Prev 2003;12:665-8.

0704 Lee NY, Golzio C, Gatza CE, Sharma A, Katsanis N, Blobe GC. Endoglin regulates PI3-kinase/AKT trafficking and signaling to alter endothelial capillary stability during angiogenesis. Mol Biol Cell 2012;23:2412-23.

0705 Lee TJ, Lee JT, Kim SH, Choi YH, Song KS, Park JW, et al. Overexpression of Par-4 enhances thapsigargin-induced apoptosis via down-regulation of XIAP and inactivation of Akt in human renal cancer cells. J Cell Biochem 2008;103:358-68.

0706 Lee TK, Chung TG, Kim CS. Age-specific reference ranges for prostate specific antigen from a health center in Korea. Korean J Urol 1999;40:583-8.

0707 Légaré C, Gaudreault C, St-Jacques S, Sullivan R. P34H sperm protein is preferentially expressed by the human corpus epididymidis. Endocrinology 1999;140:3318-27.

0708 Lei G, Brysk H, Arany I, Tyring SK, Srinivasan G, Brysk MM. Characterization of zinc-alpha(2)-glycoprotein as a cell adhesion molecule that inhibits the proliferation of an oral tumor cell line. J Cell Biochem 1999;75:160-9.

0709 Leiblich A, Cross SS, Catto JWF, Phillips JT, Leung HY, Hamdy FC, et al. Lactate dehydrogenase-B is silenced by promoter hypermethylation in human prostate cancer. Oncogene 2006;25:2953-60.

0710 Leibowitz RL, Tucker SJ. Treatment of localized prostate cancer with intermittent triple androgen blockade: preliminary results in 110 consecutive patients. Oncologist 2001;6:177-82.

0711 Leinonen KA, Tolonen TT, Bracken H, Stenman U-H, Tammela TLJ, Saramäki OR, et al. Association of SPINK1 expression and TMPRSS2:ERG fusion with prognosis in endocrine-treated prostate cancer. Clin Cancer Res 2010;16:2845-51.

0712 Leitzmann MF, Platz EA, Stampfer MJ, Willett WC, Giovannucci E. Ejaculation frequency and subsequent risk of prostate cancer. JAMA 2004;291:1578-86.

0713 Leitzmann MF, Stampfer MJ, Wu K, Colditz GA, Willett WC, Giovannucci EL. Zinc supplement use and risk of prostate cancer. J Natl Cancer Inst 2003;95:1004-7.

0714 Lembessis P, Msaouel P, Halapas A, Sourla A, Panteleakou Z, Pissimissis N, et al. Combined androgen blockade therapy can convert RT-PCR detection of prostate-specific antigen (PSA) and prostate-specific membrane antigen (PSMA) transcripts from positive to negative in the peripheral blood of patients with clinically localized prostate cancer and increase biochemical failure-free survival after curative therapy. Clin Chem Lab Med 2007;45:1488-94.

0715 Leone L, Lacetera V, Montironi R, Cantoro U, Conti A, Sbrollini G, et al. Biopsy follow-up in patients with isolated atypical small acinar proliferation (ASAP) in prostate biopsy. Arch Ital Urol Androl 2014;86:332-5.

0716 Lepor H, Tang R, Kobayashi S, Shapiro E, Forray C, Wetzel JM, et al. Localization of the alpha 1A-adrenoceptor in the human prostate. J Urol 1995;154:2096-9.

0717 Leu CM, Wong FH, Chang C, Huang SF, Hu CP. Interleukin-6 acts as an antiapoptotic factor in human esophageal carcinoma cells through the activation of both STAT3 and mitogen-activated protein kinase pathways. Oncogene 2003;22:7809-18.

0718 Levy DA, Pisters LL, Jones JS. Prognostic value of initial prostate-specific antigen levels after salvage cryoablation for prostate cancer. BJU Int 2010;106:986-90.

0719 Lewis H, Lance R, Troyer D, Beydoun H, Hadley M, Orians J, et al. miR-888 is an expressed prostatic secretions-derived microRNA that promotes prostate cell growth and migration. Cell Cycle 2014;13:227-39.

0720 Li J, Veltri RW, Yuan Z, Christudass CS, Mandecki W. Macrophage inhibitory cytokine 1 biomarker serum immunoassay in combination with PSA is a more specific diagnostic tool for detection of prostate cancer. PLoS One 2015;10:e0122249.

0721 Li K, Dias SJ, Rimando AM, Dhar S, Mizuno CS, Penman

AD, et al. Pterostilbene acts through metastasis-associated protein 1 to inhibit tumor growth, progression and metastasis in prostate cancer. PLoS One 2013;8:e57542.

0722 Li M, Yang X, Wang H, Xu E, Xi Z. Inhibition of androgen induces autophagy in benign prostate epithelial cells. Int J Urol 2014;21:195-9.

0723 Li N, Zoubeidi A, Beraldi E, Gleave ME. Oncogene GRP78 regulates clusterin stability, retrotranslocation and mitochondrial localization under ER stress in prostate cancer. 2013;32:1933-42.

0724 Li Q, Kuriyama S, Kakizaki M, Yan H, Sone T, Nagai M, et al. History of diabetes mellitus and the risk of prostate cancer: the Ohsaki Cohort Study. Cancer Causes Control 2010;21:1025-32.

0725 Li SH, Lee RK, Lin MH, Hwu YM, Lu CH, Chen YJ, et al. SSLP-1, a secreted Ly-6 protein purified from mouse seminal vesicle fluid. Reproduction 2006;132:493-500.

0726 Li W, Liang Y, Deavers MT, Kamat AM, Matin SF, Dinney CP, et al. Uroplakin II is a more sensitive immunohistochemical marker than uroplakin III in urothelial carcinoma and its variants. Am J Clin Pathol 2014;142:864-71.

0727 Li W, Wang X, Li B, Lu J, Chen G. Diagnostic significance of overexpression of Golgi membrane protein 1 in prostate cancer. Urology 2012;80:952.e1-7.

0728 Li X, Chen Y-T, Josson S, Mukhopadhyay NK, Kim J, Freeman MR, et al. Induce apoptosis through blockade of the SREBP metabolic pathway in prostate cancer cells. PLoS One 2013;8:1-9.

0729 Li X, Liu J, Wang Y, Zhang L, Ning L, Feng Y. Parallel underexpression of kallikrein 5 and kallikrein 7 mRNA in breast malignancies. Cancer Sci 2009;100:601-7.

0730 Li Y, Shi L, Han C, Wang Y, Yang J, Cao C, et al. Effects of ARHI on cell cycle progression and apoptosis levels of breast cancer cells. Tumour Biol 2012;33:1403-10.

0731 Li Z, Qu L, Zhong H, Xu K, Qiu X. Mechanism of thymosin beta 10 inhibiting the apoptosis and prompting proliferation in A549 cells. Zhongguo Fei Ai Za Zhi 2014;17:783-8.

0732 Li Z, Qu L, Zhong H, Xu K, Qiu X. Thymosin beta 10 prompted the VEGF-C expression in lung cancer cell. Zhongguo Fei Ai Za Zhi 2014;17:378-83.

0733 Li Z, Tanaka H, Galiano F, Glass J. Anticancer activity of the iron facilitator LS081. J Exp Clin Cancer Res 2011;30:34-44.

0734 Liedtke AJ, Adeniji AO, Chen M, Byrns MC, Jin Y, Christianson DW, et al. Development of potent and selective indomethacin analogues for the inhibition of AKR1C3 (Type 5 17β-hydroxysteroid dehydrogenase/prostaglandin F synthase) in castrate-resistant prostate cancer. J Med Chem 2013;56:2429-46.

0735 Lin B, White JT, Ferguson C, Bumgarner R, Friedman C, Trask B, et al. PART-1: a novel human prostate-specific, androgen-regulated gene that maps to chromosome 5q12. Cancer Res 2000;60:858-63.

0736 Lin F, Lin P, Zhao D, Chen Y, Xiao L, Qin W, et al.

SOX2 targets cyclinE, p27 and survivin to regulate androgen-independent human prostate cancer cell proliferation and apoptosis. Cell Prolif 2012;45:207-16.

0737 Lin S-H, Luo W, Earley K, Cheung P, Hixson DC. Structure and function of C-CAM1: effects of the cytoplasmic domain on cell aggregation. Biochem J 1995;311:239-45.

0738 Lin SL, Chiang A, Chang D, Ying SY. Loss of miR-146a function in hormone-refractory prostate cancer. RNA 2008;14:417-24.

0739 Lin TH, Liu HH, Tsai TH, Chen CC, Hsieh TF, Lee SS, et al. CCL2 increases αvβ3 integrin expression and subsequently promotes prostate cancer migration. Biochim Biophys Acta 2013;1830:4917-27.

0740 Lin Y, Fukuchi J, Hiipakka RA, Kokontis JM, Xiang J. Up-regulation of Bcl-2 is required for the progression of prostate cancer cells from an androgen-dependent to an androgen-independent growth stage. Cell Res 2007;17:531-6.

0741 Liss MA, Gordon A, Morales B, Osann K, Skarecky D, Lusch A, et al. Urinary nerve growth factor as an oncologic biomarker for prostate cancer aggressiveness. Urol Oncol 2014;32:714-9.

0742 Litwin MS, Hays RD, Fink A, Ganz PA, Leake B, Brook RH. The UCLA Prostate Cancer Index: development, reliability, and validity of a health-related quality of life measure. Med Care 1998;36:1002-12.

0743 Liu CS, Lee, JH, Kim C-S. Change of serum prostate-specific antigen with age in Korean men. Korean J Urol 2007;48:782-8.

0744 Liu D, Lehmann HP, Frick KD, Carter HB. Active surveillance versus surgery for low risk prostate cancer: a clinical decision analysis. J Urol 2012;187:1241-6.

0745 Liu FT, Rabinovich GA. Galectins as modulators of tumour progression. Nat Rev Cancer 2005;5:29-41.

0746 Liu GL, Yang HJ, Liu T, Lin YZ. Expression and significance of E-cadherin, N-cadherin, transforming growth factor-β1 and Twist in prostate cancer. Asian Pac J Trop Med 2014;7:76-82.

0747 Liu HW, Lin YC, Chao CF, Chang SY, Sun GH. GP-83 and GP-39, two glycoproteins secreted by the human epididymis. Mol Hum Reprod 2000;6:422-8.

0748 Liu J, Schuff-Werner P, Steiner M. Thrombin/thrombin receptor (PAR-1)-mediated induction of IL-8 and VEGF expression in prostate cancer cells. Biochem Biophys Res Commun 2006;343:183-9.

0749 Liu JJ, Zhang J. Sequencing systemic therapies in metastatic castration-resistant prostate cancer. Cancer Control 2013;20:181-7.

0750 Liu L, Xu HX, Wang WQ, Wu CT, Chen T, Qin Y, et al. Cavin-1 is essential for the tumor-promoting effect of caveolin-1 and enhances its prognostic potency in pancreatic cancer. Oncogene 2014;33:2728-36.

0751 Liu S, Qi Y, Ge Y, Duplessis T, Rowan BG, Ip C, et al. Telomerase as an important target of androgen signaling blockade for prostate cancer treatment. Mol Cancer Ther 2010;9:2015-24.

0752 Liu W, Wei W, Winer D, Bamberger A-M, Bamberger C, Wagener C, et al. CEACAM1 impedes thyroid cancer growth but promotes invasiveness: a putative mechanism for early metastases. Oncogene 2007;26:2747-58.

0753 Liu X, Palma J, Kinders R, Shi Y, Donawho C, Ellis PA, et al. An enzyme-linked immunosorbent poly(ADP-ribose) polymerase biomarker assay for clinical trials of PARP inhibitors. Anal Biochem 2008;381:240-7.

0754 Liu Y, Jovanovic B, Pins M, Lee C, Bergan RC. Over expression of endoglin in human prostate cancer suppresses cell detachment, migration and invasion. Oncogene 2002;21:8272-81.

0755 Liu Z, Lu H, Shi H, Du Y, Yu J, Gu S, et al. PUMA overexpression induces reactive oxygen species generation and proteasome-mediated stathmin degradation in colorectal cancer cells. Cancer Res 2005;65:1647-54.

0756 Llorente A, Skotland T, Sylvänne T, Kauhanen D, Róg T, Orłowski A, et al. Molecular lipidomics of exosomes released by PC-3 prostate cancer cells. Biochim Biophys Acta 2013;1831:1302-9.

0757 Loberg RD, Day LL, Harwood J, Ying C, St John LN, Giles R, et al. CCL2 is a potent regulator of prostate cancer cell migration and proliferation. Neoplasia 2006;8:578-86.

0758 Locksley RM, Killeen N, Lenardo MJ. The TNF and TNF receptor superfamilies: integrating mammalian biology. Cell 2001;104:487-501.

0759 Loda M, Capodieci P, Mishra R, Yao H, Corless C, Grigioni W, et al. Expression of mitogen-activated protein kinase phosphatase-1 in the early phases of human epithelial carcinogenesis. Am J Pathol 1996;149:1553-64.

0760 Loeb S. Guideline of guidelines: prostate cancer screening. BJU Int 2014;114:323-5.

0761 Loeb S, Metter EJ, Kan D, Roehl KA, Catalona WJ. Prostate-specific antigen velocity (PSAV) risk count improves the specificity of screening for clinically significant prostate cancer. BJU Int 2012;109:508-14.

0762 Loeb S, van den Heuvel S, Zhu X, Bangma CH, Schröder FH, Roobol MJ. Infectious complications and hospital admissions after prostate biopsy in a European randomized trial. Eur Urol 2012;61:1110-4.

0763 Lominadze G, Rane MJ, Merchant M, Cai J, Ward RA, McLeish KR. Myeloid-related protein-14 is a p38 MAPK substrate in human neutrophils. J Immunol 2005;174:7257-67.

0764 Long Q, Johnson BA, Osunkoya AO, Lai YH, Zhou W, Abramovitz M, et al. Protein-coding and microRNA biomarkers of recurrence of prostate cancer following radical prostatectomy. Am J Pathol 2011;179:46-54.

0765 Looker AC, Dallman PR, Carroll MD, Gunter EW, Johnson CL. Prevalence of iron deficiency in the United States. JAMA 1997;277:973-6.

0766 Lopez-Corona E, Ohori M, Scardino PT, Reuter VE, Gonen M, Kattan MW. A nomogram for predicting a positive repeat prostate biopsy in patients with a previous negative biopsy session. J Urol 2003;170:1184-8.

0767 Lopez-Novoa JM, Bernabeu C. ENG (endoglin). Atlas of Genetics and Cytogenetics in Oncology and Haematology 2012.

0768 Lorand L, Graham RM. Transglutaminases: crosslinking enzymes with pleiotropic functions. Nat Rev Mol Cell Biol 2003;4:140-56.

0769 Lose F, Batra J, O'Mara T, Fahey P, Marquart L, Eeles RA, et al. Common variation in Kallikrein genes KLK5, KLK6, KLK12, and KLK13 and risk of prostate cancer and tumor aggressiveness. Urol Oncol 2013;31:635-43.

0770 Lose F, Lawrence MG, Srinivasan S, O'Mara T, Marquart L, Chambers S, et al. The kallikrein 14 gene is down-regulated by androgen receptor signalling and harbours genetic variation that is associated with prostate tumour aggressiveness. Biol Chem 2012;393:403-12.

0771 Lose F, Srinivasan S, O'Mara T, Marquart L, Chambers S, Gardiner RA, et al. Genetic association of the KLK4 locus with risk of prostate cancer. PLoS One 2012;7:e44520.

0772 Lou W, Ni Z, Dyer K, Tweardy DJ, Gao AC. Interleukin-6 induces prostate cancer cell growth accompanied by activation of stat3 signaling pathway. Prostate 2000;42:239-42.

0773 Love RR, Carbone PP, Verma AK, Gilmore D, Carey P, Tutsch KD, et al. Randomized phase I chemoprevention dose-seeking study of alpha-difluoromethylornithine. J Natl Cancer Inst 1993;85:732-7.

0774 Lövgren J, Airas K, Lilja H. Enzymatic action of human glandular kallikrein 2 (hK2). Substrate specificity and regulation by Zn2+ and extracellular protease inhibitors. Eur J Biochem 1999;262:781-9.

0775 Lowe FC, Isaacs JT. Biochemical methods for predicting metastatic ability of prostatic cancer utilizing the Dunning R-3327 rat prostatic adenocarcinoma system as a model. Cancer Res 1984;44:744-52.

0776 Lu Y, Cai Z, Xiao G, Liu Y, Keller ET, Yao Z, et al. CCR2 expression correlates with prostate cancer progression. J Cell Biochem 2007;101:676-85.

0777 Lughezzani G, Lazzeri M, Larcher A, Lista G, Scattoni V, Cestari A, et al. Development and internal validation of a prostate health index based nomogram for predicting prostate cancer at extended biopsy. J Urol 2012;188:1144-50.

0778 Lund L, Svolgaard N, Poulsen MH. Prostate cancer: a review of active surveillance. Res Rep Urol 2014;6:107-12.

0779 Lundwall A, Bjartell A, Olsson AY, Malm J. Semenogelin I and II, the predominant human seminal plasma proteins, are also expressed in non-genital tissues. Mol Hum Reprod 2002;8:805-10.

0780 Lundwall A, Brattsand M. Kallikrein-related peptidases. Cell Mol Life Sci 2008;65:2019-38.

0781 Lundwall A, Peter A, Lövgren J, Lilja H, Malm J. Chemical characterization of the predominant proteins secreted by mouse seminal vesicles. Eur J Biochem 1997;249:39-44.

0782 Luo LY, Grass L, Diamandis EP. Steroid hormone regulation of the human kallikrein 10 (KLK10) gene in cancer cell lines and functional characterization of the KLK10 gene promoter. Clin Chim Acta 2003;337:115-26.

0783 Luo LY, Grass L, Howarth DJ, Thibault P, Ong H, Diamandis EP. Immunofluorometric assay of human kallikrein 10 and its identification in biological fluids and tissues. 2001;47:237-46.

0784 Luo LY, Katsaros D, Scorilas A, Fracchioli S, Bellino R, van Gramberen M, et al. The serum concentration of human kallikrein 10 represents a novel biomarker for ovarian cancer diagnosis and prognosis. Cancer Res 2003;63:807-11.

0785 Luo LY, Rajpert-De Meyts ER, Jung K, Diamandis EP. Expression of the normal epithelial cell-specific 1 (NES1; KLK10) candidate tumour suppressor gene in normal and malignant testicular tissue. Br J Cancer 2001;85:220-4.

0786 Luo LY, Shan SJ, Elliott MB, Soosaipillai A, Diamandis EP. Purification and characterization of human kallikrein 11, a candidate prostate and ovarian cancer biomarker, from seminal plasma. Clin Cancer Res 2006;12:742-50.

0787 Lyng H, Sitter B, Bathen TF, Jensen LR, Sundfør K, Kristensen GB, et al. Metabolic mapping by use of high-resolution magic angle spinning 1H MR spectroscopy for assessment of apoptosis in cervical carcinomas. BMC Cancer 2007;7:11-23.

0788 Ma Y, Liang D, Liu J, Axcrona K, Kvalheim G, Giercksky K-E, et al. Synergistic effect of SCF and G-CSF on stem-like properties in prostate cancer cell lines. Tumor Biol 2012;33:967-78.

0789 Maccagnano C, Gallina A, Roscigno M, Raber M, Capitanio U, SaccàA, et al. Prostate saturation biopsy following a first negative biopsy: state of the art. Urol Int 2012;89:126-35.

0790 MacInnis RJ, English DR. Body size and composition and prostate cancer risk: systematic review and meta-regression analysis. Cancer Causes Control 2006;17:989-1003.

0791 Madani SH, Ameli S, Khazaei S, Kanani M, Izadi B. Frequency of Ki-67 (MIB-1) and P53 expressions among patients with prostate cancer. Indian J Pathol Microbiol 2011;54:688-91.

0792 Magi-Galluzzi C, Mishra R, Fiorentino M, Montironi R, Yao H, Capodieci P, et al. Mitogen-activated protein kinase phosphatase 1 is overexpressed in prostate cancers and is inversely related to apoptosis. Lab Invest 1997;76:37-51.

0793 Magi-Galluzzi C, Montironi R, Cangi MG, Wishnow K, Loda M. Mitogen-activated protein kinases and apoptosis in PIN. Virchows Arch 1998;432:407-13.

0794 Mahotka C, Liebmann J, Wenzel M, Suschek CV, Schmitt M, Gabbert HE, et al. Differential subcellular localization of functionally divergent survivin splice variants. Cell Death Differ 2002;9:1334-42.

0795 Mahotka C, Wenzel M, Springer E, Gabbert HE, Gerharz CD. Survivin-ΔEx3 and survivin-2B: two novel splice variants of the apoptosis inhibitor survivin with different antiapoptotic properties. Cancer Res 1999;59:6097-102.

0796 Makarov DV, Isharwal S, Sokoll LJ, Landis P, Marlow C, Epstein JI, et al. Pro-prostate-specific antigen measurements in serum and tissue are associated with treatment necessity among men enrolled in expectant management for prostate cancer. Clin Cancer Res 2009;15:7316-21.

0797 Makarov DV, Loeb S, Magheli A, Zhao K, Humphreys E, Gonzalgo ML, et al. Significance of preoperative PSA velocity in men with low serum PSA and normal DRE. World J Urol 2011;29:11-4.

0798 Makarov DV, Marlow C, Epstein JI, Miller MC, Landis P, Partin AW, et al. Using nuclear morphometry to predict the need for treatment among men with low grade, low stage prostate cancer enrolled in a program of expectant management with curative intent. Prostate 2008;68:183-9.

0799 Makler A, David R, Blumenfeld Z, Better OS. Factors affecting sperm motility. VII. Sperm viability as affected by change of pH and osmolarity of semen and urine specimens. Fertil Steril 1981;36:507-11.

0800 Maldonado L, Brait M, Loyo M, Sullenberger L, Wang K, Peskoe SB, et al. GSTP1 promoter methylation is associated with recurrence in early stage prostate cancer. J Urol 2014;192:1542-8.

0801 Malhotra S, Lapointe J, Salari K, Higgins JP, Ferrari M, Montgomery K, et al. A tri-marker proliferation index predicts biochemical recurrence after surgery for prostate cancer. PLos One 2011;6:e20293.

0802 Malloy PJ, Peng L, Wang J, Feldman D. Interaction of the vitamin D receptor with a vitamin D response element in the Müllerian-inhibiting substance (MIS) promoter: regulation of MIS expression by calcitriol in prostate cancer cells. Endocrinology 2009;150:1580-7.

0803 Man YG, Fu SW, Liu AJ, Stojadinovic A, Izadjoo MJ, Chen L, et al. Aberrant expression of chromogranin A, miR-146a, and miR-146b-5p in prostate structures with focally disrupted basal cell layers: an early sign of invasion and hormone-refractory cancer? Cancer Genomics Proteomics 2011;8:235-44.

0804 Manni A, Bartholomew M, Caplan R, Boucher A, Santen R, Lipton A, et al. Androgen priming and chemotherapy in advanced prostate cancer: evaluation of determinants of clinical outcome. J Clin Oncol 1988;6:1456-66.

0805 Marchbank T, Freeman TC, Playford RJ. Human pancreatic secretory trypsin inhibitor. Distribution, actions and possible role in mucosal integrity and repair. Digestion 1998;59:167–74.

0806 March-Villalba JA, Martínez-Jabaloyas JM, Herrero MJ, Santamaria J, Aliño SF, DasíF. Cell-free circulating plasma hTERT mRNA is a useful marker for prostate cancer diagnosis and is associated with poor prognosis tumor characteristics PLoS One 2012;7:e43470.

0807 Maresh EL, Mah V, Alavi M, Horvath S, Bagryanova L, Liebeskind ES, et al. Differential expression of anterior gradient gene AGR2 in prostate cancer. BMC Cancer 2010;10:680-8.

0808 Marks LS, Bostwick DG. Prostate cancer specificity of PCA3 gene testing: examples from clinical practice. Rev Urol

2008;10:175-81.

0809 Marszałł MP, Sroka W, Adamowski M, Słupski P, Jarzemski P, Siódmiak J, et al. Engrailed-2 protein as a potential urinary prostate cancer biomarker: a comparison study before and after digital rectal examination. Eur J Cancer Prev 2015;24:51-6.

0810 Martinez-Fierro ML, Leach RJ, Gomez-Guerra LS, Garza-Guajardo R, Johnson-Pais T, Beuten J, et al. Identification of viral infections in the prostate and evaluation of their association with cancer. BMC Cancer 2010;10:326.

0811 Martínez-López P, Treviño CL, de la Vega-Beltrán JL, De Blas G, Monroy E, Beltrán C, et al. TRPM8 in mouse sperm detects temperature changes and may influence the acrosome reaction. J Cell Physiol 2011;226:1620-31.

0812 Martin Ruiz C, Duquenne C, Treton D, Lefèvre A, Finaz C. SOB3, a human sperm protein involved in zona pellucida binding: physiological and biochemical analysis, purification. Mol Reprod Dev 1998;49:286-97.

0813 Masuda M, Takano Y, Iki M, Asakura T, Hashiba T, Noguchi S, et al. Prognostic significance of Ki-67, p53, and BCL-2 expression in prostate cancer patients with lymph node metastases: a retrospective immunohistochemical analysis. Pathol Int 1998;48:41-6.

0814 Mathelin C, Tomasetto C, Rio MC. Trefoil factor 1 (pS2/TFF1), a peptide with numerous functions. Bull Cancer 2005;92:773-81.

0815 Matsuda Y, Miyashita A, Fujimoto Y, Umeda T, Akihama S. Clinical application of basic arginine amidase in human male urine. Biol Pharm Bull 1996;19:1083-5.

0816 Matsumoto H, Yamamoto Y, Shiota M, Kuruma H, Beraldi E, Matsuyama H, et al. Cotargeting androgen receptor and clusterin delays castrate-resistant prostate cancer progression by inhibiting adaptive stress response and AR stability. Cancer Res 2013;73:5206-17.

0817 Mavridis K, Avgeris M, Koutalellis G, Stravodimos K, Scorilas A. Expression analysis and study of the KLK15 mRNA splice variants in prostate cancer and benign prostatic hyperplasia. Cancer Sci 2010;693-9.

0818 Mavridis K, Stravodimos K, Scorilas A. Quantified KLK15 gene expression levels discriminate prostate cancer from benign tumors and constitute a novel independent predictor of disease progression. Prostate 2013;73:1191-201.

0819 Mavridis K, Talieri M, Scorilas A. KLK5 gene expression is severely upregulated in androgen independent prostate cancer cells after treatment with the chemotherapeutic agents docetaxel and mitoxantrone. Biol Chem 2010;391: 467-74.

0820 Maxeiner A, Adkins CB, Zhang Y, Taupitz M, Halpern EF, McDougal WS, et al. Retrospective analysis of prostate cancer recurrence potential with tissue metabolomic profiles. Prostate 2010;70:710-7.

0821 May M, Kaufmann O, Hammermann F, Loy V, Siegsmund M. Prognostic impact of lymphovascular invasion in radical prostatectomy specimens. BJU Int 2006;99:539-44.

0822 McDunn JE, Li Z, Adam KP, Neri BP, Wolfert RL, Milburn MV, et al. Metabolomic signatures of aggressive prostate cancer. Prostate 2013;73:1547-60.

0823 McGrowder DA, Jackson LA, Crawford TV. Prostate cancer and metabolic syndrome: is there a link? Asian Pac J Cancer Prev 2012;13:1-13.

0824 McGuire BB, Helfand BT, Kundu S, Hu Q, Banks JA, Cooper P, et al. Association of prostate cancer risk alleles with unfavourable pathological characteristics in potential candidates for active surveillance. BJU Int 2012;110:338-43.

0825 Mehra R, Tomlins SA, Yu J, Cao X, Wang L, Menon A, et al. Characterization of TMPRSS2-ETS gene aberrations in androgen-independent metastatic prostate cancer. Cancer Res 2008;68:3584-90.

0826 Mei Z, Cogswell ME, Looker AC, Pfeiffer CM, Cusick SE, Lacher DA, et al. Assessment of iron status in US pregnant women from the National Health and Nutrition Examination Survey (NHANES), 1999-2006. Am J Clin Nutr 2011;93:1312-20.

0827 Meklat F, Zhang Y, Shahriar M, Ahmed SU, Li W, Voukkalis N, et al. Identification of protamine 1 as a novel cancer-testis antigen in early chronic lymphocytic leukaemia. Br J Haematol 2008;144:660-6.

0828 Memari N, Diamandis EP, Earle T, Campbell A, Van Dekken H, Van der Kwast TH. Human kallikrein-related peptidase 12: antibody generation and immunohistochemical localization in prostatic tissues. Prostate 2007;67:1465-74.

0829 Memari N, Grass L, Nakamura T, Karakucuk I, Diamandis EP. Human tissue kallikrein 9: production of recombinant proteins and specific antibodies. Biol Chem 2006;387:733-40.

0830 Memari N, Jiang W, Diamandis EP, Luo LY. Enzymatic properties of human kallikrein-related peptidase 12 (KLK12). Biol Chem 2007;388:427-35.

0831 Metafora V, Stiuso P, Ferranti P, Giannattasio A, Dicitore A, Ravagnan G, et al. In vitro stimulatory effect of anti-apoptotic seminal vesicle protein 4 on purified peroxidase enzymes. FEBS J 2008;275:3870-83.

0832 Meurs P, Galvin R, Fanning DM, Fahey T. Prognostic value of the CAPRA clinical prediction rule: a systematic review and meta-analysis. BJU Int 2012;111:427-36.

0833 Meyer MS, Penney KL, Stark JR, Schumacher FR, Sesso HD, Loda M, et al. Genetic variation in RNASEL associated with prostate cancer risk and progression. Carcinogenesis 2010;31:1597-603.

0834 Mhawech P, Uchida T, Pelte MF. Immunohistochemical profile of high-grade urothelial bladder carcinoma and prostate adenocarcinoma. Hum Pathol 2002;33:1136-40.

0835 Miao J, Mu D, Ergel B, Singavarapu R, Duan Z, Powers S, et al. Hepsin colocalizes with desmosomes and induces progression of ovarian cancer in a mouse model. Int J Cancer 2008;123:2041-7.

0836 Miao L, Grebhardt S, Shi J, Peipe I, Zhang J, Mayer D. Prostaglandin E2 stimulates S100A8 expression by activating protein kinase A and CCAAT/enhancer-binding-protein-beta in prostate cancer cells. Int J Biochem Cell Biol 2012;44: 1919-28.

0837 Michalaki V, Syrigos K, Charles P, Waxman J. Serum levels of IL-6 and TNF-alpha correlate with clinicopathological features and patient survival in patients with prostate cancer. Br J Cancer 2004;90:2312-6.

0838 Miličević N, Mrčela M, Lukić I, Mandić S, Horvat V, Galić J. Comparison between clinical significance of serum proinflammatory protein interleukin-6 and classic tumor markers total PSA, free PSA and free/total PSA prior to prostate biopsy. Coll Antropol 2014;38:147-50.

0839 Ming DS, Pham S, Deb S, Chin MY, Kharmate G, Adomat H, et al. Pomegranate extracts impact the androgen biosynthesis pathways in prostate cancer models in vitro and in vivo. J Steroid Biochem Mol Biol 2014;143:19-28.

0840 Mishina T, Watanabe H, Araki H, Nakao M. Epidemiological study of prostatic cancer by matched-pair analysis. Prostate 1985;6:423-36.

0841 Mithal P, Allott E, Gerber L, Reid J, Welbourn W, Tikishvili E, et al. PTEN loss in biopsy tissue predicts poor clinical outcomes in prostate cancer. Int J Urol 2014;21:1209-14.

0842 Mitsiades CS, Lembessis P, Sourla A, Milathianakis C, Tsintavis A, Koutsilieris M. Molecular staging by RT-PCR analysis for PSA and PSMA in peripheral blood and bone marrow samples is an independent predictor of time to biochemical failure following radical prostatectomy for clinically localized prostate cancer. Clin Exp Metastasis 2004;21:495–505.

0843 Mittal RD, Mittal T, Singh AK, Mandal RK. Association of caspases with an increased prostate cancer risk in North Indian population. DNA Cell Biol 2012;31:67-73.

0844 Miyake H, Hara I, Eto H. Serum level of cathepsin B and its density in men with prostate cancer as novel markers of disease progression. Anticancer Res 2004;24:2573-8.

0845 Miyake H, Hara I, Fujisawa M, Gleave ME. The potential of clusterin inhibiting antisense oligodeoxynucleotide therapy for prostate cancer. Expert Opin Investig Drugs 2006;15:507-17.

0846 Miyake H, Hara I, Yamanaka K, Arakawa S, Kamidono S. Elevation of urokinase-type plasminogen activator and its receptor densities as new predictors of disease progression and prognosis in men with prostate cancer. Int J Oncol 1999;14:535-41.

0847 Miyake H, Kurahashi T, Takenaka A, Hara I, Fujisawa M. Improved accuracy for predicting the Gleason score of prostate cancer by increasing the number of transrectal biopsy cores. Urol Int 2007;79:302-6.

0848 Miyata Y, Kanda S, Maruta S, Matsuo T, Sakai H, Hayashi T, et al. Relationship between prostaglandin E2 receptors and clinicopathologic features in human prostate cancer tissue. Urology 2006;68:1360-5.

0849 Mize GJ, Wang W, Takayama TK. Prostate-specific kallikreins-2 and -4 enhance the proliferation of DU-145 prostate cancer cells through protease-activated receptors-1 and -2. Mol Cancer Res 2008;6:1043-51.

0850 Mizutani K, Sud S, McGregor NA, Martinovski G, Rice BT, Craig MJ, et al. The chemokine CCL2 increases prostate tumor growth and bone metastasis through macrophage and osteoclast recruitment. Neoplasia 2009;11:1235-42.

0851 M'Koma AE, Blum DL, Norris JL, Koyama T, Billheimer D, Motley S, et al. Detection of pre-neoplastic and neoplastic prostate disease by MALDI profiling of urine. Biochem Biophys Res Commun 2007;353:829-34.

0852 Mo L, Zhang J, Shi J, Xuang Q, Yang X, Qin M, et al. Human kallikrein 7 induces epithelial-mesenchymal transition-like changes in prostate carcinoma cells: a role in prostate cancer invasion and progression. Anticancer Res 2010;30:3413-20.

0853 Mohan RR, Challa A, Gupta S, Bostwick DG, Ahmad N, Agarwal R, et al. Overexpression of ornithine decarboxylase in prostate cancer and prostatic fluid in humans. Clin Cancer Res 1999;5:143-7.

0854 Moinpour CM, Hayden KA, Unger JM, Thompson IM Jr, Redman MW, Canby-Hagino ED, et al. Health-related quality of life results in pathologic stage C prostate cancer from a Southwest Oncology Group trial comparing radical prostatectomy alone with radical prostatectomy plus radiation therapy. J Clin Oncol 2008;26:112-20.

0855 Montell C. Physiology, phylogeny, and functions of the TRP superfamily of cation channels. Sci STKE 2001;2001:re1.

0856 Montironi R, Mazzucchelli R, Algaba F, Lopez-Beltran A. Morphological identification of the patterns of prostatic intraepithelial neoplasia and their importance. J Clin Pathol 2000;53:655-65.

0857 Moon JS, Jin WJ, Kwak JH, Kim HJ, Yun MJ, Kim JW, et al. Androgen stimulates glycolysis for de novo lipid synthesis by increasing the activities of hexokinase 2 and 6-phosphofructo-2-kinase/fructose-2,6-bisphosphatase 2 in prostate cancer cells. Biochem J 2011;433:225-33.

0858 Moore CM, Kasivisvanathan V, Eggener S, Emberton M, Fütterer JJ, Gill IS, et al. Standards of reporting for MRI-targeted biopsy studies (START) of the prostate: recommendations from an international working group. Eur Urol 2013;64:544-52.

0859 Moore SC, Peters TM, Ahn J, Park Y, Schatzkin A, Albanes D, et al. Physical activity in relation to total, advanced, and fatal prostate cancer. Cancer Epidemiol Biomarkers Prev 2008;17:2458-66.

0860 Morales A, Black AM, Emerson LE. Testosterone administration to men with testosterone deficiency syndrome after external beam radiotherapy for localized prostate cancer: preliminary observations. BJU Int 2009;103:62-4.

0861 Morava E, Wevers RA, Cantagrel V, Hoefsloot LH, Al-Gazali L, Schoots J, et al. A novel cerebello-ocular syndrome with abnormal glycosylation due to abnormalities in dolichol metabolism. Brain 2010;133:3210-20.

0862 Moreira DM, Anderson T, Gerber L, Thomas JA, Bañez LL, McKeever MG, et al. The association of diabetes mellitus and high-grade prostate cancer in a multiethnic biopsy series.

Cancer Causes Control 2011;22:977-83.

0863 Moreira DM, Aronson WJ, Terris MK, Kane CJ, Amling CL, Cooperberg MR, et al. Cigarette smoking is associated with an increased risk of biochemical disease recurrence, metastasis, castration-resistant prostate cancer, and mortality after radical prostatectomy: results from the SEARCH database. Cancer 2014;120:197-204.

0864 Moreira DM, Jayachandran J, Presti Jr JC, Aronson WJ, Terris MK, Kane CJ, et al. Validation of a nomogram to predict disease progression following salvage radiotherapy after radical prostatectomy: results from the SEARCH database. BJU Int 2009;104:1452-6.

0865 Morel L, Brochard D, Manin M, Simon A-M, Jean C, Veyssiere G. Mouse seminal vesicle secretory protein of 99 amino acids (MSVSP99): characterization and hormonal and developmental regulation. J Androl 2001;22:549-57.

0866 Morgan R, Boxall A, Bhatt A, Bailey M, Hindley R, Langley S, et al. Engrailed-2 (EN2): a tumor specific urinary biomarker for the early diagnosis of prostate cancer. Clin Cancer Res 2011;17:1090-8.

0867 Morgan TO, Jacobsen SJ, McCarthy WF, Jacobson DJ, McLeod DG, Moul JW. Age-specific reference ranges for prostate-specific antigen in black men. N Engl J Med 1996;335:304-10.

0868 Morgentaler A. Testosterone deficiency and prostate cancer: emerging recognition of an important and troubling relationship. Eur Urol 2007;52:623-5.

0869 Morote J, Fernandez S, Alaña L, Iglesias C, Planas J, Jaume Reventós, et al. PTOV1 expression predicts prostate cancer in men with isolated high-grade prostatic intraepithelial neoplasia in needle biopsy. Clin Cancer Res 2008;14:2617-22.

0870 Morote J, Ramirez C, Gómez E, Planas J, Raventós CX, de Torres IM, et al. The relationship between total and free serum testosterone and the risk of prostate cancer and tumor aggressiveness. BJU Int 2009;104:486-9.

0871 Morote J, Ropero J, Planas J, Bastarós JM, Delgado G, Placer J, et al. Metabolic syndrome increases the risk of aggressive prostate cancer detection. BJU Int 2013;111:1031-6.

0872 Morrissette J, Krätzschmar J, Haendler B, el-Hayek R, Mochca-Morales J, Martin BM, et al. Primary structure and properties of helothermine, a peptide toxin that blocks ryanodine receptors. Biophys J 1995;68:2280-8.

0873 Mostowy S, Cossart P. Septins: the fourth component of the cytoskeleton. Nat Rev Mol Cell Biol 2012;13:183-94.

0874 Moul JW, Twenty years of controversy surrounding combined androgen blockade for advanced prostate cancer. Cancer 2009;115:3376-8.

0875 Moussa AS, Jones JS, Yu C, Fareed K, Kattan MW. Development and validation of a nomogram for predicting a positive repeat prostate biopsy in patients with a previous negative biopsy session in the era of extended prostate sampling. BJU Int 2010;106:1309-14.

0876 Moussa AS, Meshref A, Schoenfield L, Masoud A, Abdel-Rahman S, Li J, et al. Importance of additional "extreme" anterior apical needle biopsies in the initial detection of prostate cancer. Urology 2010;75:1034-9.

0877 Mucci LA, Pawitan Y, Demichelis F, Fall K, Stark JR, Adami H-O, et al. Testing a multigene signature of prostate cancer death in the Swedish Watchful Waiting Cohort. Cancer Epidemiol Biomarkers Prev 2008;17:1682-8.

0878 Mueller-Lisse UG, Swanson MG, Vigneron DB, Kurhanewicz J. Magnetic resonance spectroscopy in patients with locally confined prostate cancer: association of prostatic citrate and metabolic atrophy with time on hormone deprivation therapy, PSA level, and biopsy Gleason score. Eur Radiol 2007;17:371-8.

0879 Mulhem E, Fulbright N, Duncan N. Prostate cancer screening. Am Fam Physician 2015;92:683-8.

0880 Müller H, Haug U, Rothenbacher D, Stegmaier C, Brenner H. Evaluation of serum and urinary myeloid related protein-14 as a marker for early detection of prostate cancer. J Urol 2008;180:1309-12.

0881 Muniyan S, Chaturvedi NK, Dwyer JG, LaGrange CA, Chaney WG, Lin M-F. Human prostatic acid phosphatase: structure, function and regulation. Int J Mol Sci 2013;14:10438-64.

0882 Murphy AB, Akereyeni F, Nyame YA, Guy MC, Martin IK, Hollowell CM, et al. Smoking and prostate cancer in a multi-ethnic cohort. Prostate 2013;73:1518-28.

0883 Musiyenko A, Bitko V, Barik S. Ectopic expression of miR-126*, an intronic product of the vascular endothelial EGF-like 7 gene, regulates prostein translation and invasiveness of prostate cancer LNCaP cells. J Mol Med (Berl) 2008;86:313-22.

0884 Myers CE, Gatalica Z, Spinelli A, Castro M, Linden E, Sartor O, et al. Metastatic cancer of Cowper's gland: a rare cancer managed successfully by molecular profiling. Case Rep Oncol 2014;7:52-7.

0885 Na YS, Yang SJ, Kim SM, Jung KA, Moon JH, Shin JS, et al. YM155 induces EGFR suppression in pancreatic cancer cells. PLoS One 2012;7:e38625.

0886 Nagasawa T. CXC chemokine ligand 12 (CXCL12) and its receptor CXCR4. J Mol Med (Berl) 2014;92:433-9.

0887 Nagakawa O, Ogasawara M, Murata J, Fuse H, Saiki I. Effect of prostatic neuropeptides on migration of prostate cancer cell lines. Int J Urol 2001;8:65-70.

0888 Naiki-Ito A, Chewonarin T, Tang M, Pitchakarn P, Kuno T, Ogawa K, et al. Ellagic acid, a component of pomegranate fruit juice, suppresses androgen-dependent prostate carcinogenesis via induction of apoptosis. Prostate 2015;75:151-60.

0889 Naimi B, Latil A, Fournier G, Mangin P, Cussenot O, Berthon P. Down-regulation of (IIIb) and (IIIc) isoforms of fibroblast growth factor receptor 2 (FGFR2) is associated with malignant progression in human prostate. Prostate 2002;52:245-52.

0890 Nakamura K, Nasu Y, Hongo A, Matsuo T, Kodama J, Ebara S, et al. Hepsin shows inhibitory effects through apoptotic pathway on ovarian cancer cell lines. Int J Oncol 2006;28:393-8.

0891 Nakamura M, Tsumura H, Satoh T, Matsumoto K, Maruyama H, Majima M, et al. Tumor apoptosis in prostate cancer by PGD(2) and its metabolite 15d-PGJ(2) in murine model. Biomed Pharmacother 2013;67:66-71.

0892 Nakamura T, Scorilas A, Stephan C, Jung K, Soosaipillai AR, Diamandis EP. The usefulness of serum human kallikrein 11 for discriminating between prostate cancer and benign prostatic hyperplasia. Cancer Res 2003;63:6543-6.

0893 Nakamura T, Stephan C, Scorilas A, Yousef GM, Jung K, Diamandis EP. Quantitative analysis of hippostasin/KLK11 gene expression in cancerous and noncancerous prostatic tissues. Urology 2003;61:1042-6.

0894 Nakashima J, Tachibana M, Ueno M, Miyajima A, Baba S, Murai M. Association between tumor necrosis factor in serum and cachexia in patients with prostate cancer. Clin Cancer Res 1998;4:1743-8.

0895 Nalla AK, Gorantla B, Gondi CS, Lakka SS, Rao JS. Targeting MMP-9, uPAR, and cathepsin B inhibits invasion, migration and activates apoptosis in prostate cancer cells. Cancer Gene Ther 2010;17:599-613.

0896 Nandana S, Ellwood-Yen K, Sawyers C, Wills M, Weidow B, Case T, et al. Hepsin cooperates with MYC in the progression of adenocarcinoma in a prostate cancer mouse model. Prostate 2010;70:591-600.

0897 Narain V, Bianco FJ Jr, Grignon DJ, Sakr WA, Pontes JE, Wood DP Jr. How accurately does prostate biopsy Gleason score predict pathologic findings and disease free survival? Prostate 2001;49:185-90.

0898 Nariculam J, Freeman A, Bott S, Munson P, Cable N, Brookman-Amissah N, et al. Utility of tissue microarrays for profiling prognostic biomarkers in clinically localized prostate cancer: the expression of BCL-2, E-cadherin, Ki-67 and p53 as predictors of biochemical failure after radical prostatectomy with nested control for clinical and pathological risk factors. Asian J Androl 2009;11:109-18.

0899 Narita S, Tsuchiya N, Yuasa T, Maita S, Obara T, Numakura K, et al. Outcome, clinical prognostic factors and genetic predictors of adverse reactions of intermittent combination chemotherapy with docetaxel, estramustine phosphate and carboplatin for castration-resistant prostate cancer. Int J Clin Oncol 2012;17:204-11.

0900 Nava VE, Cuvillier O, Edsall LC, Kimura K, Milstien S, Gelmann EP, et al. Sphingosine enhances apoptosis of radiation-resistant prostate cancer cells. Cancer Res 2000;60:4468-74.

0901 Nayyar R, Kumar R, Kumar V, Jagannathan NR, Gupta NP, Hemal AK. Magnetic resonance spectroscopic imaging: current status in the management of prostate cancer. BJU Int 2009;103:1614-20.

0902 Neckers L, Kern A, Tsutsumi S. Hsp90 inhibitors disrupt mitochondrial homeostasis in cancer cells. Chem Biol 2007;14:1204-6.

0903 Negus RP, Stamp GW, Hadley J, Balkwill FR. Quantitative assessment of the leukocyte infiltrate in ovarian cancer and its relationship to the expression of C-C chemokines. Am J Pathol 1997;150:1723-34.

0904 Negus RP, Stamp GW, Relf MG, Burke F, Malik ST, Bernasconi S, et al. The detection and localization of monocyte chemoattractant protein-1 (MCP-1) in human ovarian cancer. J Clin Invest 1995;95:2391-6.

0905 Nelson BA, Shappell SB, Chang SS, Wells N, Farnham SB, Smith Jr JA, et al. Tumour volume is an independent predictor of prostate-specific antigen recurrence in patients undergoing radical prostatectomy for clinically localized prostate cancer. BJU Int 2006;97:1169-72.

0906 Nemeth JA, Cher ML, Zhou Z, Mullins C, Bhagat S, Trikha M. Inhibition of alpha(v)beta3 integrin reduces angiogenesis, bone turnover, and tumor cell proliferation in experimental prostate cancer bone metastases. Clin Exp Metastasis 2003;20:413-20.

0907 Neschadim A, Summerlee AJ, Silvertown JD. Targeting the relaxin hormonal pathway in prostate cancer. Int J Cancer 2014;137:2287-95.

0908 Neuhaus J, Schiffer E, von Wilcke P, Bauer HW, Leung H, Siwy J, et al. Seminal plasma as a source of prostate cancer peptide biomarker candidates for detection of indolent and advanced disease. PLoS One 2013;8:e67514-27.

0909 Neves AF, Dias-Oliveira JD, Araújo TG, Marangoni K, Goulart LR. Prostate cancer antigen 3 (PCA3) RNA detection in blood and tissue samples for prostate cancer diagnosis. Clin Chem Lab Med 2013;51:881-7.

0910 Nguyen PL, Chen MH, Hoffman KE, Katz MS, D'Amico AV. Predicting the risk of pelvic node involvement among men with prostate cancer in the contemporary era. Int J Radiat Oncol Biol Phys 2009;74:104-9.

0911 Nicolson GL, Nawa A, Toh Y, Taniguchi S, Nishimori K, Moustafa A. Tumor metastasis-associated human MTA1 gene and its MTA1 protein product: role in epithelial cancer cell invasion, proliferation and nuclear regulation. Clin Exp Metastasis 2003;20:19-24.

0912 Ninio-Many L, Grossman H, Levi M, Zilber S, Tsarfaty I, Shomron N, et al. MicroRNA miR-125a-3p modulates molecular pathway of motility and migration in prostate cancer cells. Oncoscience 2014;1:250-61.

0913 Nishida S, Hirohashi Y, Torigoe T, Nojima M, Inoue R, Kitamura H, et al. Expression of hepatocyte growth factor in prostate cancer may indicate a biochemical recurrence after radical prostatectomy. Anticancer Res 2015;35:413-8.

0914 Nishiyama T. Serum testosterone levels after medical or surgical androgen deprivation: a comprehensive review of the literature. Urol Oncol 2014;32:38.e17-28.

0915 Nishiyama T, Hashimoto Y, Takahashi K. The influence of androgen deprivation therapy on dihydrotestosterone levels in the prostatic tissue of patients with prostate cancer. Clin Cancer Res 2004;10:7121-6.

0916 Noë V, Fingleton B, Jacobs K, Crawford HC, Vermeulen S,

Steelant W, et al. Release of an invasion promoter E-cadherin fragment by matrilysin and stromelysin-1. J Cell Sci 2001;114:111-118.

0917 Nomura AM, Lee J, Stemmermann GN, Combs GF Jr. Serum selenium and subsequent risk of prostate cancer. Cancer Epidemiol Biomarkers Prev 2000;9:883-7.

0918 Nomura AM, Stemmermann GN, Chyou PH, Henderson BE, Stanczyk FZ. Serum androgens and prostate cancer. Cancer Epidemiol Biomarkers Prev 1996;5:621-5.

0919 Nonomura N, Takayama H, Kawashima A, Mukai M, Nagahara A, Nakai Y, et al. Decreased infiltration of macrophage scavenger receptor-positive cells in initial negative biopsy specimens is correlated with positive repeat biopsies of the prostate. Cancer Sci 2010;101:1570-3.

0920 Nupponen NN, Isola J, Visakorpi T. Mapping the amplification of EIF3S3 in breast and prostate cancer. Genes Chromosomes Cancer 2000:28:203-10.

0921 Nupponen NN, Kakkola L, Koivisto P, Visakorpi T. Genetic alterations in hormone-refractory recurrent prostate carcinomas. Am J Pathol 1998;153:141-8.

0922 Nurmikko P, Pettersson K, Piironen T, Huggoson J, Lilja H. Discrimination of prostate cancer from benign disease by plasma measurement of intact, free prostate-specific antigen lacking an internal cleavage site at Lys145-146. Clin Chem 2001;47:1415-23.

0923 Obakan P, Arisan ED, Calcabrini A, Agostinelli E, Bolkent S, Palavan-Unsal N. Activation of polyamine catabolic enzymes involved in diverse responses against epibrassinolide-induced apoptosis in LNCaP and DU145 prostate cancer cell lines. Amino Acids 2013 Aug 21.

0924 Obiezu CV, Michael IP, Levesque MA, Diamandis EP. Human kallikrein 4: enzymatic activity, inhibition, and degradation of extracellular matrix proteins. Biol Chem 2006;387:749-59.

0925 Ochiai A, Okihara K, Kamoi K, Oikawa T, Shimazui T, Murayama S-I, et al. Clinical utility of the prostate cancer gene 3 (PCA3) urine assay in Japanese men undergoing prostate biopsy. BJU Int 2013;111:928-33.

0926 O'Connor JC, Julian J, Lim SD, Carson DD. MUC1 expression in human prostate cancer cell lines and primary tumors. Prostate Cancer Prostatic Dis 2005;8:36-44.

0927 Odrazka1 K, Dolezel M, Vanasek J, Vaculikova M, Zouhar M, Sefrova J, et al. Time course of late rectal toxicity after radiation therapy for prostate cancer. Prostate Cancer Prostatic Dis 2010;13:138-43.

0928 Oesterling JE. Prostate specific antigen: a critical assessment of the most useful tumor marker for adenocarcinoma of the prostate. J Urol 1991;145:907-28.

0929 Oesterling JE, Cooner WH, Jacobsen SJ, Guess HA, Lieber MM. Influence of patient age on the serum PSA concentration: an important clinical observation. Urol Clin North Am 1993;20:671-80.

0930 Oh S, Kim DY, Jeong H, Kwak C, Ji JR, Park MS, et al. Age-related serum prostate specific antigen levels in Korean men. Korean J Urol 1999;40;715-21.

0931 Ohashi T, Yorozu A, Saito S, Momma T, Nishiyama T, Yamashita S, et al. Combined brachytherapy and external beam radiotherapy without adjuvant androgen deprivation therapy for high-risk prostate cancer. Radiat Oncol 2014;9:13.

0932 Ohba K, Miyata Y, Sakai H. Expression and function of E prostanoid receptors in urological cancer. Hinyokika Kiyo 2013;59:83-9.

0933 Ohta S, Wada H, Gabazza EC, Nobori T, Fuse H. Evaluation of tissue factor antigen level in human seminal plasma. Urol Res 2002;30:317-20.

0934 Ohta S, Wada H, Nakazaki T, Maeda Y, Nobori T, Shiku H, et al. Expression of tissue factor is associated with clinical features and angiogenesis in prostate cancer. Anticancer Res 2002;22:2991-6.

0935 Ok S, Kim S-M, Kim C, Nam D, Shim BS, Kim S-H, et al. Emodin inhibits invasion and migration of prostate and lung cancer cells by downregulating the expression of chemokine receptor CXCR4. Immunopharmacol Immunotoxicol 2012;34:768-78.

0936 Olave IA, Reck-Peterson SL, Crabtree GR. Nuclear actin and actin-related proteins in chromatin remodeling. Annu Rev Biochem 2002;71:755-81.

0937 Olkhov-Mitsel E, Van der Kwast T, Kron KJ, Ozcelik H, Briollais L, Massey C, et al. Quantitative DNA methylation analysis of genes coding for kallikrein-related peptidases 6 and 10 as biomarkers for prostate cancer. Epigenetics 2012;7:1037-45.

0938 O'Neill LA, Bryant CE, Doyle SL. Therapeutic targeting of Toll-like receptors for infectious and inflammatory diseases and cancer. Pharmacol Rev 2009;61:177-97.

0939 Ornstein DL, Zacharski LR. Iron stimulates urokinase plasminogen activator expression and activates NF-kappa B in human prostate cancer cells. Nutr Cancer 2007;58:115-26.

0940 Ørsted DD, Bojesen SE, Kamstrup PR, Nordestgaard BG. Long-term prostate-specific antigen velocity in improved classification of prostate cancer risk and mortality. Eur Urol 2013;64:384-93.

0941 Oshima K. A review on the development of Kallikrein (Kallidinogenase). Yakushigaku Zasshi 1994;29:498-507.

0942 Ottman R, Nguyen C, Lorch R, Chakrabarti R. MicroRNA expressions associated with progression of prostate cancer cells to antiandrogen therapy resistance. Mol Cancer 2014;13:1.

0943 Otto AM, Müller CS, Huff T, Hannappel E. Chemotherapeutic drugs change actin skeleton organization and the expression of beta-thymosins in human breast cancer cells. J Cancer Res Clin Oncol 2002;128:247-56.

0944 Owens CL, Epstein JI, Netto GJ. Distinguishing prostatic from colorectal adenocarcinoma on biopsy samples: the role of morphology and immunohistochemistry. Arch Pathol Lab Med 2007;131:599-603.

0945 Ozu C, Nakashima J, Horiguchi Y, Oya M, Ohigashi T,

Murai M. Prediction of bone metastases by combination of tartrate-resistant acid phosphatase, alkaline phosphatase and prostate specific antigen in patients with prostate cancer. Int J Urol 2008;15:419-22.

0946 Pace G, Pomante R, Vicentini C. Hepsin in the diagnosis of prostate cancer. Minerva Urol Nefrol 2012;64:143-8.

0947 Padmanabhan V, Callas P, Philips G, Trainer TD, Beatty BG. DNA replication regulation protein Mcm7 as a marker of proliferation in prostate cancer. J Clin Pathol 2004;57:1057-62.

0948 Padua MB, Hansen PJ. Changes in expression of cell-cycle-related genes in PC-3 prostate cancer cells caused by ovine uterine serpin. J Cell Biochem 2009;107:1182-8.

0949 Pal P, Xi H, Kaushal R, Sun G, Jin CH, Jin L, et al. Variants in the HEPSIN gene are associated with prostate cancer in men of European origin. Hum Genet 2006;120:187-92.

0950 Palapattu GS, Sutcliffe S, Bastian PJ, Platz EA, De Marzo AM, Isaacs WB, et al. Prostate carcinogenesis and inflammation: emerging insights. Carcinogenesis 2005;26:1170-81.

0951 Paliouras M, Borgoo C, Diamandis EP. Human tissue kallikreins: the cancer biomarker family. Cancer Lett 2007;249:61-79.

0952 Paliouras M, Diamandis EP. The kallikrein world: an update on the human tissue kallikreins. Biol Chem 2006;387:643-52.

0953 Paller CJ, Ye X, Wozniak PJ, Gillespie BK, Sieber PR, Greengold RH, et al. A randomized phase II study of pomegranate extract for men with rising PSA following initial therapy for localized prostate cancer. Prostate Cancer Prostatic Dis 2013;16:50-5.

0954 Pan G, Ni J, Wei YF, Yu G, Gentz R, Dixit VM. An antagonist decoy receptor and a death domain-containing receptor for TRAIL. Science 1997;277:815-8.

0955 Pandha H, Sorensen KD, Orntoft TF, Langley S, Hoyer S, Borre M, et al. Urinary engrailed-2 (EN2) levels predict tumour volume in men undergoing radical prostatectomy for prostate cancer. BJU Int 2012;110:E287-92.

0956 Pang Y, Young CYF, Yuan H. MicroRNAs and prostate cancer. Acta Biochem Biophys Sin 2010;42:363-9.

0957 Papagrigoriou E, Gingras AR, Barsukov IL, Bate N, Fillingham IJ, Patel B, et al. Activation of vinculin-binding site in the talin rod involves rearrangement of a five-helix bundle. EMBO J 2004;23:2942-51.

0958 Park J, Jeong IG, Bang JK, Cho YM, Ro JY, Hong JH, et al. Preoperative clinical and pathological characteristics of pT0 prostate cancer in radical prostatectomy. Korean J Urol 2010;51:386-90.

0959 Park J-S, Cho MC, Paick J-S. 5α-Reductase Korean J Androl 2012;30:1-12.

0960 Park J-S, Lee KS. Prostate cancer tumor marker. 1st ed. Seoul: Koonja. 2013:3-333.

0961 Park J-S, Paick J-S, Male sexual dysfunction. 2nd ed. Seoul: Koonja, 2008:581-670.

0962 Park K, Chiu YL, Rubin MA, Demichelis F, Mosquera JM. V-ets erythroblastosis virus E26 oncogene homolog (avian)/ Trefoil factor 3/high-molecular-weight cytokeratin triple immunostain: a novel tissue-based biomarker in prostate cancer with potential clinical application. Hum Pathol 2013;44:2282-92.

0963 Park SY, Lee HM. What are some new developments in prostate cancer diagnosis? J Korean Med Assoc 2010;53:107-18.

0964 Park S-Y, Wilkens LR, Morris JS, Henderson BE, Kolonel LN. Serum zinc and prostate cancer risk in a nested case-control study: the multiethnic cohort. Prostate 2013;73:261-6.

0965 Parker C, Clarke N, Logue J, Payne H, Catton C, Kynaston H, et al. RADICALS (Radiotherapy and Androgen Deprivation in Combination after Local Surgery). Clin Oncol (R Coll Radiol) 2007;19:167-71.

0966 Parker C, Nilsson S, Heinrich D, Helle SI, O'Sullivan JM, FossåSD, et al. Alpha emitter radium-223 and survival in metastatic prostate cancer. N Engl J Med 2013;369:213-23.

0967 Parolia A, Crea F, Xue H, Wang Y, Mo F, Ramnarine VR, et al. The long non-coding RNA PCGEM1 is regulated by androgen receptor activity in vivo. Mol Cancer 2015;14:46-53.

0968 Parr MB, Ren HP, Russell LD, Prins GS, Parr EL. Urethral glands of the male mouse contain secretory component and immunoglobulin a plasma cells and are targets of testosterone. Biol Reprod 1992;47:1031-9.

0969 Parsons JK, Brawer MK, Cheli CD, Partin AW, Djavan R. Complexed prostate specific antigen (PSA) reduces unnecessary prostate biopsies in the 2.6-4.0 ng/mL range of total PSA. BJU Int 2004;94:47-50.

0970 Parsons JK, Partin AW, Trock B, Bruzek DJ, Cheli C, Sokoll LJ. Complexed prostate-specific antigen for the diagnosis of biochemical recurrence after radical prostatectomy. BJU Int 2007;99:758-61.

0971 Partin AW, Brawer MK, Bartsch G, Horninger W, Taneja SS, Lepor H, et al. Complexed prostate specific antigen improves specificity for prostate cancer detection: results of a prospective multicenter clinical trial. J Urol 2003;170:1787-91.

0972 Partin AW, Kattan MW, Subong EN, Walsh PC, Wojno KJ, Oesterling JE, et al. Combination of prostate-specific antigen, clinical stage, and Gleason score to predict pathological stage of localized prostate cancer. A multi-institutional update. JAMA 1997;277:1445-51.

0973 Partin AW, Mangold LA, Lamm DM, Walsh PC, Epstein JI, Pearson JD. Contemporary update of prostate cancer staging nomograms (Partin tables) for the new millennium. Urology 2001;58:843–848.

0974 Pascale M, Pracella D, Barbazza R, Marongiu B, Roggero E, Bonin S, et al. Is human papillomavirus associated with prostate cancer survival? Dis Markers 2013;35:607-13.

0975 Pastuszak AW, Pearlman AM, Lai WS, Godoy G, Sathyamoorthy K, Liu JS, et al. Testosterone replacement therapy in patients with prostate cancer after radical prostatectomy. J Urol 2013;190:639-44.

0976 Patel HD, Feng Z, Landis P, Trock BJ, Epstein JI, Carter HB. Prostate specific antigen velocity risk count predicts biopsy reclassification for men with very low risk prostate cancer. J Urol 2014;191:629-37.

0977 Patel O, Dumesny C, Shulkes A, Baldwin GS. Recombinant C-terminal fragments of the gastrin-releasing peptide precursor are bioactive. Cancer Lett 2007;254:87-93.

0978 Patel R, Gao M, Ahmad I, Fleming J, Singh LB, Rai TS, et al. Sprouty2, PTEN, and PP2A interact to regulate prostate cancer progression. J Clin Invest 2013;123:1157-75.

0979 Pathak BR, Breed AA, Nakhawa VH, Jagtap DD, Mahale SD. Growth inhibition mediated by PSP94 or CRISP-3 is prostate cancer cell line specific. Asian J Androl 2010;12:677-89.

0980 Paul B, Dhir R, Landsittel D, Hitchens MR, Getzenberg RH. Detection of prostate cancer with a blood-based assay for early prostate cancer antigen. Cancer Res 2005;65:4097-100.

0981 Pavlopoulou A, Pampalakis G, Michalopoulos I, Sotiropoulou G. Evolutional history of tissue kallikreins. PLoS One 2010;5:e13781.

0982 Pedersen BK, Febbraio MA. Muscle as an endocrine organ: focus on muscle-derived interleukin-6. Physiol Rev 2008;88:1379-406.

0983 Peehl DM, Feldman D. Interaction of nuclear receptor ligands with the Vitamin D signaling pathway in prostate cancer. J Steroid Biochem Mol Biol 2004;92:307-15.

0984 Pei Z, Lin D, Song X, Li H, Yao H. TLR4 signaling promotes the expression of VEGF and TGFbeta1 in human prostate epithelial PC3 cells induced by lipopolysaccharide. Cell Immunol 2008;254:20-7.

0985 Pepe P, Candiano G, Fraggetta F, Galia A, Grasso G, Aragona F. Is transition zone sampling at repeated saturation prostate biopsy still useful? Urol Int 2010;85:324-7.

0986 Peracaula R, Tabarés G, Royle L, Harvey DJ, Dwek RA, Rudd PM, et al. Altered glycosylation pattern allows the distinction between prostate-specific antigen (PSA) from normal and tumor origins. Glycobiology 2003;13:457-70.

0987 Perera O, Evans A, Pertziger M, MacDonald C, Chen H, Liu DX, et al. Trefoil factor 3 (TFF3) enhances the oncogenic characteristics of prostate carcinoma cells and reduces sensitivity to ionising radiation. Cancer Lett 2015;361:104-11.

0988 Perner S, Rupp NJ, Braun M, Rubin MA, Moch H, Dietel M, et al. Loss of SLC45A3 protein (prostein) expression in prostate cancer is associated with SLC45A3-ERG gene rearrangement and an unfavorable clinical course. Int J Cancer 2013;132:807-12.

0989 Petraki CD, Gregorakis AK, Papanastasiou PA, Karavana VN, Luo LY, Diamandis EP. Immunohistochemical localization of human kallikreins 6, 10 and 13 in benign and malignant prostatic tissues. Prostate Cancer Prostatic Dis 2003;6:223-7.

0990 Petraki CD, Karavana VN, Luo LY, Diamandis EP. Human kallikrein 10 expression in normal tissues by immunohistochemistry. J Histochem Cytochem 2002;50:1247-61.

0991 Petrioli R, Rossi S, Caniggia M, Pozzessere D, Messinese S, Sabatino M, et al. Analysis of biochemical bone markers as prognostic factors for survival in patients with hormone-resistant prostate cancer and bone metastases. Urology 2004;63:321-6.

0992 Petrovics G, Zhang W, Makarem M, Street 0990 JP, Connelly R, Sun L, et al. Elevated expression of PCGEM1, a prostate-specific gene with cell growth-promoting function, is associated with high-risk prostate cancer patients. Oncogene 2004;23:605-11.

0993 Pfister D, Bolla M, Briganti A, Carroll P, Cozzarini C, Joniau S, et al. Early salvage radiotherapy following radical prostatectomy. Eur Urol 2014;65:1034-43.

0994 Pflueger D, Terry S, Sboner A, Habegger L, Esgueva R, Lin PC, et al. Discovery of non-ETS gene fusions in human prostate cancer using next-generation RNA sequencing. Genome Res 2011;21:56-67.

0995 PhéV, Cussenot O, Rouprêt M. Methylated genes as potential biomarkers in prostate cancer. BJU Int 2010;105:1364-70.

0996 Phillip CJ, Giardina CK, Bilir B, Cutler DJ, Lai YH, Kucuk O, et al. Genistein cooperates with the histone deacetylase inhibitor vorinostat to induce cell death in prostate cancer cells. BMC Cancer 2012;12:145-50.

0997 Philp D, Badamchian M, Scheremeta B, Nguyen M, Goldstein AL, Kleinman HK. Thymosin beta 4 and a synthetic peptide containing its actin-binding domain promote dermal wound repair in db/db diabetic mice and in aged mice. Wound Repair Regen 2003;11:19-24.

0998 Picchio M, Briganti A, Fanti S, Heidenreich A, Krause BJ, Messa C, et al. The role of choline positron emission tomography/computed tomography in the management of patients with prostate-specific antigen progression after radical treatment of prostate cancer. Eur Urol 2011;59:51-60.

0999 Pícha J, Liboska R, BudĕšínskM, Jiráček J, Pawełczak M, Mucha A. Unusual activity pattern of leucine aminopeptidase inhibitors based on phosphorus containing derivatives of methionine and norleucine. J Enzyme Inhib Med Chem 2011;26:155-61.

1000 Pierorazio PM, Ferrucci L, Kettermann A, Longo DL, Metter EJ, Carter HB. Serum testosterone is associated with aggressive prostate cancer in older men: results from the Baltimore Longitudinal Study of Aging. BJU Int 2010;105:824-9.

1001 Piironen T, Haese A, Huland H, Steuber T, Christensen IJ, Brünner N, et al. Enhanced discrimination of benign from malignant prostatic disease by selective measurements of cleaved forms of urokinase receptor in serum. Clin Chem 2006;52:838-44.

1002 Pinto PA, Chung PH, Rastinehad AR, Baccala AA Jr, Kruecker J, Benjamin CJ, et al. Magnetic resonance imaging/ultrasound fusion guided prostate biopsy improves cancer detection following transrectal ultrasound biopsy and correlates with multiparametric magnetic resonance imaging. J Urol

2011;186:1281-5.

1003 Pisters LL, Troncoso P, Zhau HE, Li W, von Eschenbach AC, Chung LW, et al. c-met proto-oncogene expression in benign and malignant human prostate tissues. J Urol 1995;154:293-8.

1004 Planque C, Li L, Zheng Y, Soosaipillai A, Reckamp K, Chia D, et al. A multiparametric serum kallikrein panel for diagnosis of non-small cell lung carcinoma. Clin Cancer Res 2008;14:1355-62.

1005 Platt N, Gordon S. Is the class A macrophage scavenger receptor (SR-A) multifunctional? - The mouse's tale. J Clin Invest 2001;108:649-54.

1006 Platt N, Haworth R, Darley L, Gordon S. The many roles of the class A macrophage scavenger receptor. Int Rev Cytol 2002;212:1-40.

1007 Platz EA, Pollak MN, Rimm EB, Majeed N, Tao Y, Willett WC, et al. Racial variation in insulin-like growth factor-1 and binding protein-3 concentrations in middle-aged men. Cancer Epidemiol Biomarkers Prev 1999;8:1107-10.

1008 Ploussard G, Haese A, van Poppel H, Marberger M, Stenzl A, Mulders PFA, et al. The prostate cancer gene 3 (PCA3) urine test in men with previous negative biopsies: does free-to-total prostate-specific antigen ratio influence the performance of the PCA3 score in predicting positive biopsies? BJU Int 2010;106:1143-7.

1009 Ploussard G, Nicolaiew N, Marchand C, Terry S, Allory Y, Vacherot F, et al. Risk of repeat biopsy and prostate cancer detection after an initial extended negative biopsy: longitudinal follow-up from a prospective trial. BJU Int 2013;111:988-96.

1010 Ploussard G, Staerman F, Pierrevelcin J, Saad R, Beauval J-B, Roupret M, et al. Predictive factors of oncologic outcomes in patients who do not achieve undetectable prostate specific antigen after radical prostatectomy. J Urol 2013;190:1750-6.

1011 Pokorny MR, de Rooij M, Duncan E, Schröder FH, Parkinson R, Barentsz JO, et al. Prospective study of diagnostic accuracy comparing prostate cancer detection by transrectal ultrasound-guided biopsy versus magnetic resonance (MR) imaging with subsequent MR-guided biopsy in men without previous prostate biopsies. Eur Urol 2014;66:22-9.

10120 Politz O, Gratchev A, McCourt PAG, Schledzewski K, Guillot P, Johansson S, et al. Stabilin-1 and -2 constitute a novel family of fasciclin-like hyaluronan receptor homologues. Biochem J 2002;362:155-64.

1013 Porpiglia F, Russo F, Manfredi M, Mele F, Fiori C, Bollito E, et al. The Roles of multiparametric magnetic resonance imaging, PCA3 and prostate health index-Which is the best predictor of prostate cancer after a negative biopsy? J Urol 2014;192:60-6.

1014 Post JM, Beebe-Dimmer JL, Morgenstern H, Neslund-Dudas C, Bock CH, Nock N, et al. The Metabolic Syndrome and Biochemical Recurrence following Radical Prostatectomy. Prostate Cancer 2011;2011:245642.

1015 Potts JM. Prospective identification of National Institutes of Health category IV prostatitis in men with elevated prostate specific antigen. J Urol 2000;164:1550-3.

1016 Poulos A, White IG. The phospholipid composition of human spermatozoa and seminal plasma. J Reprod Fertil 1973;35:265-72.

1017 Prevete N, Rossi FW, Triggiani M, Marone G, de Paulis A, Metafora V, et al. Antiapoptotic seminal vesicle protein IV induces histamine release from human FcεRI+ cells. Int Arch Allergy Immunol 2010;151:318-30.

1018 Protheroe AS, Banks RE, Mzimba M, Porter WH, Southgate J, Singh PN, et al. Urinary concentrations of the soluble adhesion molecule E-cadherin and total protein in patients with bladder cancer. Br J Cancer 1999;80:273-8.

1019 Pu H, Horbinski C, Hensley PJ, Matuszak EA, Atkinson T, Kyprianou N. PARP1 regulates epithelial-mesenchymal transition (EMT) in prostate tumorigenesis. Carcinogenesis 2014;35:2592-601.

1020 Pucar D, Koutcher JA, Shah A, Dyke JP, Schwartz L, Thaler H, et al. Preliminary assessment of magnetic resonance spectroscopic imaging in predicting treatment outcome in patients with prostate cancer at high risk for relapse. Clin Prostate Cancer 2004;3:174-81.

1021 Puhr M, Hoefer J, Neuwirt H, Eder IE, Kern J, Schäfer G, et al. PIAS1 is a crucial factor for prostate cancer cell survival and a valid target in docetaxel resistant cells. Oncotarget 2014;5:12043-56.

1022 Punnen S, Cooperberg MR, D'Amico AV, Karakiewicz P, Moul JW, Scher HI, et al. Management of biochemical recurrence after primary treatment of prostate cancer: a systematic review of the literature. Eur Urol 2013;64:905-15.

1023 Punnen S, Freedland SJ, Presti JC Jr. Aronson WJ, Terris MK, Kane CJ, et al. Multi-institutional validation of the CAPRA-S score to predict disease recurrence and mortality after radical prostatectomy. Eur Urol 2014;65:1171-7.

1024 Raaijmakers R, Blijenberg BG, Finlay JA, Rittenhouse HG, Wildhagen MF, Roobol MJ, et al. Prostate cancer detection in the prostate specific antigen range of 2.0 to 3.9 ng/ml: value of percent free prostate specific antigen on tumor detection and tumor aggressiveness. J Urol 2004;171:2245-9.

1025 Rabien A, Fritzsche F, Jung M, Diamandis EP, Loening SA, Dietel M, et al. High expression of KLK14 in prostatic adenocarcinoma is associated with elevated risk of prostate-specific antigen relapse. Tumor Biol 2008;29:1-8.

1026 Rabien A, Fritzsche FR, Jung M, Tölle A, Diamandis EP, Miller K, et al. KLK15 is a prognostic marker for progression-free survival in patients with radical prostatectomy. Int J Cancer 2010;127:2386-94.

1027 Radtke JP, Kuru TH, Boxler S, Alt CD, Popeneciu IV, Huettenbrink C, et al. Comparative analysis of transperineal template saturation prostate biopsy versus magnetic resonance imaging targeted biopsy with magnetic resonance imaging-ultrasound fusion guidance. J Urol 2015;193:87-94.

1028 Rafnsson V. Farming and prostate cancer. Occup Environ Med 2007;64:143.

1029 Ragin C, Davis-Reyes B, Tadesse H, Daniels D, Bunker CH, Jackson M, et al. Farming, reported pesticide use, and prostate cancer. Am J Mens Health 2013;7:102-9.

1030 Railo A, Nagy II, Kilpeläinen P, Vainio S. WNT-11 signaling leads to down-regulation of the WNT/beta-catenin, JNK/AP-1 and NF-kappaB pathways and promotes viability in the CHO-K1 cells. Exp Cell Res 2008;314:2389-99.

1031 Rajabi H, Ahmad R, Jin C, Joshi MD, Guha M, Alam M, et al. MUC1-C oncoprotein confers androgen-independent growth of human prostate cancer cells. Prostate 2012;72:1659-68.

1032 Ramey JR, Halpern EJ, Gomella LG. Ultrasonography and biopsy of the prostate. In: Wein AJ, Kavoussi LR, Novick AC, Partin AW, Peters CA. Campbell-Walsh Urology. 9th ed. Philadelphia: Saunders; 2006;2883-95.

1033 Rapiti E, Schaffar R, Iselin C, Miralbell R, Pelte MF, Weber D, et al. Importance and determinants of Gleason score undergrading on biopsy sample of prostate cancer in a population-based study. BMC Urol 2013;13:19-25.

1034 Ravdin PM, Green S, Dorr TM, McGuire WL, Fabian C, Pugh RP, et al. Prognostic significance of progesterone receptor levels in estrogen receptor-positive patients with metastatic breast cancer treated with tamoxifen: results of a prospective Southwest Oncology Group study. J Clin Oncol 1992;10:1284-91.

1035 Rebbeck TR, Walker AH, Zeigler-Johnson C, Weisburg S, Martin A-M, Nathanson KL, et al. Association of HPC2/ELAC2 genotypes and prostate cancer. Am J Hum Genet 2000;67:1014-9.

1036 Reed AB, Parekh DJ. Biomarkers for prostate cancer detection. Expert Rev Anticancer Ther 2010;10:103-11.

1037 Reeves JR, Xuan JW, Arfanis K, Morin C, Garde SV, Ruiz MT, et al. Identification, purification and characterization of a novel human blood protein with binding affinity for prostate secretory protein of 94 amino acids. Biochem J 2005;385:105-14.

1038 Reis ST, Pontes-Junior J, Antunes AA, de Sousa-Canavez JM, Dall'Oglio MF, Passerotti CC, et al. MMP-9 overexpression due to TIMP-1 and RECK underexpression is associated with prognosis in prostate cancer. Int J Biol Markers 2011;26:255-61.

1039 Remzi M, Fong YK, Dobrovits M, Anagnostou T, Seitz C, Waldert M, et al. The Vienna nomogram: validation of a novel biopsy strategy defining the optimal number of cores based on patient age and total prostate volume. J Urol 2005;174:1256-60.

1040 Ren B, Yu G, Tseng GC, Cieply K, Gavel T, Nelson J, et al. MCM7 amplification and overexpression are associated with prostate cancer progression. Oncogene 2006;25:1090-8.

1041 Ren G, Baritaki S, Marathe H, Feng J, Park S, Beach S, et al. Polycomb protein EZH2 regulates tumor invasion via the transcriptional repression of the metastasis suppressor RKIP in breast and prostate cancer. Cancer Res 2012;72:3091-104.

1042 Reyes-Reyes EM, Teng Y, Bates PJ. A new paradigm for aptamer therapeutic AS1411 action: uptake by macropinocytosis and its stimulation by a nucleolin-dependent mechanism. Cancer Res 2010;70:8617-29.

1043 Reynolds AR, Kyprianou N. Growth factor signalling in prostatic growth: significance in tumour development and therapeutic targeting. Br J Pharmacol 2006;147:S144-52.

1044 Rhoden EL, Riedner CE, Morgentaler A. The ratio of serum testosterone-to-prostate specific antigen predicts prostate cancer in hypogonadal men. J Urol 2008;179:1741-5.

1045 Rhodes DR, Sanda MG, Otte AP, Chinnaiyan AM, Rubin MA. Multiplex biomarker approach for determining risk of prostate-specific antigen-defined recurrence of prostate cancer. J Natl Cancer Inst 2003;95:661-8.

1046 Ribeiro FR, Paulo P, Costa VL, Barros-Silva JD, Ramalho-Carvalho J, Jerónimo C, et al. Cysteine-rich secretory protein-3 (CRISP3) is strongly up-regulated in prostate cancer with the TMPRSS2-ERG fusion gene. PLoS One 2011;6:e22317.

1047 Ricci F, Rubagotti A, Zinoli L, Mangerini R, Nuzzo PV, Carmignani G, et al. Prognostic value of nuclear matrix protein expression in localized prostate cancer. J Cancer Res Clin Oncol 2012;138:1379-84.

1048 Rick FG, Abi-Chaker A, Szalontay L, Perez R, Jaszberenyi M, Jayakumar AR, et al. Shrinkage of experimental benign prostatic hyperplasia and reduction of prostatic cell volume by a gastrin-releasing peptide antagonist. Proc Natl Acad Sci U S A 2013;110:2617-22.

1049 Rickman DS, Chen YB, Banerjee S, Pan Y, Yu J, Vuong T, et al. ERG cooperates with androgen receptor in regulating trefoil factor 3 in prostate cancer disease progression. Neoplasia 2010;12:1031-40.

1050 Riedl S, Rinner B, Asslaber M, Schaider H, Walzer S, Novak A, et al. In search of a novel target-phosphatidylserine exposed by non-apoptotic tumor cells and metastases of malignancies with poor treatment efficacy. Biochim Biophys Acta 2011;1808:2638-45.

1051 Rigau M, Morote J, Mir MC, Ballesteros C, Ortega I, Sanchez A, et al. PSGR and PCA3 as biomarkers for the detection of prostate cancer in urine. Prostate 2010;70:1760-7.

1052 Rižner TL, Penning TM. Role of aldo-keto reductase family 1 (AKR1) enzymes in human steroid metabolism. Steroids 2014;79:49-63.

1053 Rizzi F, Bettuzzi S. Clusterin (CLU) and prostate cancer. Adv Cancer Res 2009;105:1-19.

1054 Rizzi F, Bettuzzi S. The clusterin paradigm in prostate and breast carcinogenesis. Endocr Relat Cancer 2010;17:R1-17.

1055 Rizzo S, Attard G, Hudson DL. Prostate epithelial stem cells. Cell Prolif 2005;38:363-74.

1056 Roberts MJ, Chow CW, Schirra HJ, Richards R, Buck M, Selth LA, et al. Diagnostic performance of expression of PCA3, Hepsin and miR biomarkers inejaculate in combination with serum PSA for the detection of prostate cancer. Prostate 2015;75:539-49.

1057 Roberts MJ, Schirra HJ, Lavin MF, Gardiner RA. Metabolomics: a novel approach to early and noninvasive prostate cancer detection. Korean J Urol 2011;52:79-89.

1058 Roberts RO, Bergstralh EJ, Bass SE, Lieber MM, Jacobsen SJ. Prostatitis as a risk factor for prostate cancer. Epidemiology 2004;15:93-9.

1059 Roddam AW, Allen NE, Appleby P, Key TJ. Endogenous sex hormones and prostate cancer: a collaborative analysis of 18 prospective studies. J Natl Cancer Inst 2008;100:170-83.

1060 Røder MA, Christensen IJ, Berg KD, Gruschy L, Brasso K, Iversen P. Serum testosterone level as a predictor of biochemical failure after radical prostatectomy for localized prostate cancer. BJU Int 2012;109:520-4.

1061 Rodríguez L, Villalobos X, Dakhel S, Padilla L, Hervas R, Hernández JL, et al. Polypurine reverse Hoogsteen hairpins as a gene therapy tool against survivin in human prostate cancer PC3 cells in vitro and in vivo. Biochem Pharmacol 2013;86:1541-54.

1062 Rodriguez M, Luo W, Weng J, Zeng L, Yi Z, Siwko S, et al. PSGR promotes prostatic intraepithelial neoplasia and prostate cancer xenograft growth through NF-κB. Oncogenesis 2014;3:e114.

1063 Rodríguez-Berriguete G, Galvis L, Fraile B, de Bethencourt FR, Martínez-Onsurbe P, Olmedilla G, et al. Immunoreactivity to caspase-3, caspase-7, caspase-8, and caspase-9 forms is frequently lost in human prostate tumors. Hum Pathol 2012;43:229-37.

1064 Rodríguez-Berriguete G, Prieto A, Fraile B, Bouraoui Y, de Bethencourt FR, Martínez-Onsurbe P, et al. Relationship between IL-6/ERK and NF-κB: a study in normal and pathological human prostate gland. Eur Cytokine Netw 2010;21:241-50.

1065 Rodríguez-Berriguete G, Sánchez-Espiridión B, Cansino JR, Olmedilla G, Martínez-Onsurbe P, Sánchez-Chapado M, et al. Clinical significance of both tumor and stromal expression of components of the IL-1 and TNF-α signaling pathways in prostate cancer. Cytokine 2013;64:555-63.

1066 Roehl KA, Antenor JA, Catalona WJ. Serial biopsy results in prostate cancer screening study. J Urol 2002;167:2435-9.

1067 Rogers E, Gürpinar T, Dillioglugil O, Kattan MW, Goad JR, Scardino PT, et al. The role of digital rectal examination, biopsy Gleason sum and prostate-specific antigen in selecting patients who require pelvic lymph node dissections for prostate cancer. Br J Urol 1996;78:419-25.

1068 Rohrmann S, Linseisen J, Allen N, Bueno-de-Mesquita HB, Johnsen NF, Tjønneland A, et al. Smoking and the risk of prostate cancer in the European Prospective Investigation into Cancer and Nutrition. Br J Cancer 2013;108:708-14.

1069 Rohrmann S, Roberts WW, Walsh PC, Platz EA. Family history of prostate cancer and obesity in relation to high-grade disease and extraprostatic extension in young men with prostate cancer. Prostate 2003;55:140-6.

1070 Rokhlin OW, Scheinker VS, Taghiyev AF, Bumcrot D, Glover RA, Cohen MB. MicroRNA-34 mediates AR-dependent p53-induced apoptosis in prostate cancer. Cancer Biol Ther 2008;7:1288-96.

1071 Romero D, O'Neill C, Terzic A, Contois L, Young K, Conley BA, et al. Endoglin regulates cancer-stromal cell interactions in prostate tumors. Cancer Res 2011;71:3482-93.

1072 Roobol MJ, Zhu X, Schröder FH, van Leenders GJLH, van Schaikc RH, Bangma CH, et al. Calculator for prostate cancer risk 4 years after an initially negative screen: findings from ERSPC Rotterdam. Eur Urol 2013;63:627:33.

1073 Ros S, Santos CR, Moco S, Baenke F, Kelly G, Howell M, et al. Functional metabolic screen identifies 6-phosphofructo-2-kinase/fructose-2,6-biphosphatase 4 as an important regulator of prostate cancer cell survival. Cancer Discov 2012;2:328-43.

1074 Rose DP, Connolly JM. Dietary fat, fatty acids and prostate cancer. Lipids 1992;27:798-803.

1075 Rosoff JS, Savage SJ, Prasad SM. Salvage radical prostatectomy as management of locally recurrent prostate cancer: outcomes and complications. World J Urol 2013;31:1347-52.

1076 Rothermund CA, Kondrikov D, Lin MF, Vishwanatha JK. Regulation of Bcl-2 during androgen-unresponsive progression of prostate cancer. Prostate Cancer Prostatic Dis 2002;5:236-45.

1077 Rouprêt M, Hupertan V, Comperat E, Drouin SJ, PhéV, Xylinas E, et al. Cross-cultural validation of a prognostic tool: example of the Kattan preoperative nomogram as a predictor of prostate cancer recurrence after radical prostatectomy. BJU Int 2009;104:813-8.

1078 Rouprêt M, Hupertan V, Yates DR, Catto JW, Rehman I, Meuth M, et al. Molecular detection of localized prostate cancer using quantitative methylation-specific PCR on urinary cells obtained following prostate massage. Clin Cancer Res 2007;13:1720-5.

1079 Rowlands MA, Tilling K, Holly JM, Metcalfe C, Gunnell D, Lane A, et al. Insulin-like growth factors (IGFs) and IGF-binding proteins in active monitoring of localized prostate cancer: a population-based observational study. Cancer Causes Control 2013;24:39-45.

1080 Roymans D, Slegers H. Phosphatidylinositol 3-kinases in tumor progression. Eur J Biochem 2001;268:487-98.

1081 Ru P, Steele R, Newhall P, Phillips NJ, Toth K, Ray RB. miRNA-29b suppresses prostate cancer metastasis by regulating epithelial-mesenchymal transition signaling. Mol Cancer Ther 2012;11:1166-73.

1082 Ruan YC, Wang Z, Du JY, Zuo WL, Guo JH, Zhang J, et al. Regulation of smooth muscle contractility by the epithelium in rat vas deferens: role of ATPinduced release of PGE. J Physiol 2008;586:4843-57.

1083 Rubin MA, Mucci NR, Figurski J, Fecko A, Pienta KJ, Day ML. E-cadherin expression in prostate cancer: a broad survey using high-density tissue microarray technology. Hum Pathol 2001;32:690-7.

1084 Rusthoven CG, Carlson JA, Waxweiler TV, Yeh N, Raben D,

Flaig TW, et al. The prognostic significance of Gleason scores in metastatic prostate cancer. Urol Oncol 2014;32:707-13.

1085 Ryniers F, Stove C, Goethals M, Brackenier L, NoëV, Bracke M, et al. Plasmin produces an E-cadherin fragment that stimulates cancer cell invasion. Biol Chem 2002;383:159-65.

1086 Saad F, de Bono J, Shore N, Fizazi K, Loriot Y, Hirmand M, et al. Efficacy outcomes by baseline prostate-specific antigen quartile in the AFFIRM trial. Eur Urol 2015;67: 223-30.

1087 Saad F, Gleason DM, Murray R, Tchekmedyian S, Venner P, Lacombe L, et al. Long-term efficacy of zoledronic acid for the prevention of skeletal complications in patients with metastatic hormone-refractory prostate cancer. J Natl Cancer Inst 2004;96:879-82.

1088 Safa AR, Day TW, Wu CH. Cellular FLICE-like inhibitory protein (C-FLIP): a novel target for cancer therapy. Curr Cancer Drug Targets 2008;8:37-46.

1089 Saglam K, Aydur E, Yilmaz M, GöktaşS. Leptin influences cellular differentiation and progression in prostate cancer. J Urol 2003;169:1308-11.

1090 Sakai Y, Goodison S, Cao W, Urquidi V, Namiki K, Porvasnik S, et al. VEGF induces expression of BCL-2 and multiple signaling factors in microvascular endothelial cells in a prostate cancer model. World J Urol 2009;27:659-66.

1091 Sakamoto S, McCann RO, Dhir R, Kyprianou N. Talin1 promotes tumor invasion and metastasis via focal adhesion signaling and anoikis resistance. Cancer Res 2010;70:1885-95.

1092 Salemi M, Condorelli RA, La Vignera S, Barone N, Ridolfo F, Giuffrida MC, et al. PARP1 and CASP3 genes are up-regulated in LNCaP and PC-3 prostate cancer cell lines. Hum Cell 2014;27:172-5.

1093 Salemi M, Galia A, Fraggetta F, La Corte C, Pepe P, La Vignera S, et al. Poly (ADP-ribose) polymerase 1 protein expression in normal and neoplastic prostatic tissue. Eur J Histochem 2013;57:e13.

1094 Salonia A, Abdollah F, Capitanio U, Gallina A, Suardi N, Briganti A, et al. Preoperative sex steroids are significant predictors of early biochemical recurrence after radical prostatectomy. World J Urol 2013;31:275-80.

1095 Salonia A, Abdollah F, Capitanio U, Suardi N, Briganti A, Gallina A. Serum sex steroids depict a nonlinear u-shaped association with high-risk prostate cancer at radical prostatectomy. Clin Cancer Res 2012;18:3648-57.

1096 Samusik N, Krukovskaya L, Meln I, Shilov E, Kozlov AP. PBOV1 is a human de novo gene with tumor-specific expression that Is associated with a positive clinical outcome of cancer. PLoS One 2013;8:1-11.

1097 San Francisco IF, Olumi AF, Yoon JH, Regan MM, DeWolf WC. Preoperative serum acid phosphatase and alkaline phosphatase are not predictors of pathological stage and prostate-specific antigen failure after radical prostatectomy. BJU Int 2003;92:924-8.

1098 Sánchez AM, Malagarie-Cazenave S, Olea N, Vara D, Chiloeches A, Díaz-Laviada I. Apoptosis induced by capsaicin in prostate PC-3 cells involves ceramide accumulation, neutral sphingomyelinase, and JNK activation. Apoptosis 2007;12:2013-24.

1099 Sandhu SK, Schelman WR, Wilding G, Moreno V, Baird RD, Miranda S, et al. The poly(ADP-ribose) polymerase inhibitor niraparib (MK4827) in BRCA mutation carriers and patients with sporadic cancer: a phase 1 dose-escalation trial. Lancet Oncol 2013;14:882-92.

1100 Sands ME, Zagars GK, Pollack A, von Eschenbach AC. Serum prostate-specific antigen, clinical stage, pathologic grade, and the incidence of nodal metastases in prostate cancer. Urology 1994;44:215-20.

1101 Santagata S, Demichelis F, Riva A, Varambally S, Hofer MD, Kutok JL, et al. JAGGED1 expression is associated with prostate cancer metastasis and recurrence. Cancer Res 2004;64:6854-7.

1102 Santamaría A, Fernández PL, FarréX, Benedit P, Reventós J, Morote J, et al. PTOV-1, a novel protein overexpressed in prostate cancer, shuttles between the cytoplasm and the nucleus and promotes entry into the S phase of the cell division cycle. Am J Pathol 2003;162:897-905.

1103 Sarafanov AG, Todorov TI, Centeno JA, Macias V, Gao W, Liang WM, et al. Prostate cancer outcome and tissue levels of metal ions. Prostate 2011;71:1231-8.

1104 Saramäki O, Willi N, Bratt O, Gasser TC, Koivisto P, Nupponen NN, et al. Amplification of EIF3S3 gene is associated with advanced stage in prostate cancer. Am J Pathol 2001;159:2089-94.

1105 Saramäki OR, Harjula AE, Martikainen PM, Vessella RL, Tammela TL, Visakorpi T. TMPRSS2:ERG fusion identifies a subgroup of prostate cancers with a favorable prognosis. Clin Cancer Res 2008;14:3395-400.

1106 Sardana G, Dowell B, Diamandis EP. Emerging biomarkers for the diagnosis and prognosis of prostate cancer. Clin Chem 2008;54:1951-60.

1107 Sattari M, Pazhang Y, Imani M. Calprotectin induces cell death in human prostate cancer cell (LNCaP) through survivin protein alteration. Cell Biol Int 2014;38:1311-20.

1108 Scattoni V, Maccagnano C, Zanni G, Angiolilli D, Raber M, Rigatti P, et al. Systematic extended and saturation prostate biopsy: when and how. Minerva Urol Nefrol 2010;62:179-92.

1109 Scattoni V, Maccagnano C, Zanni G, Angiolilli D, Raber M, Roscigno M, et al. Is extended and saturation biopsy necessary? Int J Urol 2010;17:432-47.

1110 Scattoni V, Raber M, Abdollah F, Roscigno M, DehòF, Angiolilli D, et al. Biopsy schemes with the fewest cores for detecting 95% of the prostate cancers detected by a 24-core biopsy. Eur Urol 2010;57:1-8.

1111 Schatzl G, Marberger M, Remzi M, Grösser P, Unterlechner J, Haidinger G, et al. Polymorphism in ARE-I region of prostate-specific antigen gene associated with low serum testosterone level and high-grade prostate cancer. Urology 2005;65:1141-5.

1112 Scher HI, Fizazi K, Saad F, Taplin ME, Sternberg CN, Miller K, et al. Increased survival with enzalutamide in prostate cancer after chemotherapy. N Engl J Med 2012;367:1187-97.

1113 Scher HI, Jia X, Chi K, de Wit R, Berry WR, Albers P, et al. Randomized, open-label phase III trial of docetaxel plus high-dose calcitriol versus docetaxel plus prednisone for patients with castrationresistant prostate cancer. J Clin Oncol 2011;29:2191-8.

1114 Schiewer MJ, Goodwin JF, Han S, Brenner JC, Augello MA, Dean JL, et al. Dual roles of PARP1 promote cancer growth and progression. Cancer Discov 2012;2:1134-49.

1115 Schioppa T, Uranchimeg B, Saccani A, Biswas SK, Doni A, Rapisarda A, et al. Regulation of the chemokine receptor CXCR4 by hypoxia. J Exp Med 2003;198:1391-402.

1116 Schlegel PN, Chang TSK. Physiology of male reproduction: the testis, epididymis, and ductus deferens. In: Walsh PC, Retik AB, Vaughan ED, Wein AJ. Campbell's Urology. 7th ed. Philadelphia: Saunders; 1998;1254-86.

1117 Schlegel PN, Hardy MP, Goldstein M. Male reproductive physiology. In: Wein AJ, Kavoussi LR, Novick AC, Partin AW, Peters CA. Campbell-Walsh Urology. 9th ed. Philadelphia: Saunders; 2006;2677-726.

1118 Schlesinger C, Bostwick DG, Iczkowski KA. High-grade prostatic intraepithelial neoplasia and atypical small acinar proliferation: predictive value for cancer in current practice. Am J Surg Pathol 2005;29:1201-7.

1119 Schmid HP, Riesen W, Prikler L. Update on screening for prostate cancer with prostate-specific antigen. Crit Rev Oncol Hematol 2004;50:71-8.

1120 Schoenfeld JD, Margalit DN, Kasperzyk JL, Shui IM, Rider JR, Epstein MM, et al. A single nucleotide polymorphism in inflammatory gene RNASEL predicts outcome after radiation therapy for localized prostate cancer. Clin Cancer Res 2013;19:1612-9.

1121 Schostak M, Schwall GP, Poznanović S, Groebe K, Müller M, Messinger D, et al. Annexin A3 in urine: a highly specific noninvasive marker for prostate cancer early detection. J Urol 2009;181:343-53.

1122 Schreiber V, Dantzer F, Ame JC, de Murcia G. Poly(ADP-ribose): novel functions for an old molecule. Nat Rev Mol Cell Biol 2006;7:517-28.

1123 Schröder F, Bangma C, Angulo JC, Alcaraz A, Colombel M, McNicholas T, et al. Dutasteride treatment over 2 years delays prostate-specific antigen progression in patients with biochemical failure after radical therapy for prostate cancer: results from the randomised, placebo-controlled Avodart after radical therapy for prostate cancer study (ARTS). Eur Urol 2013;63:779-87.

1124 Schröder FH, Bangma CH, Wolff JM, Alcaraz A, Montorsi F, Mongiat-Artus P, et al. Can dutasteride delay or prevent the progression of prostate cancer in patients with biochemical failure after radical therapy? Rationale and design of the Avodart after Radical Therapy for Prostate Cancer Study. BJU Int 2009;103:590-6.

1125 Schröder FH, Hugosson J, Roobol MJ, Tammela TL, Ciatto S, Nelen V, et al. Screening and prostate cancer mortality in a randomized European study. New England J of Med 2009;360:1320-8.

1126 Schröder FH, Hugosson J, Roobol MJ, Tammela TL, Zappa M, Nelen V, et al. Screening and prostate cancer mortality: results of the European Randomised Study of Screening for Prostate Cancer (ERSPC) at 13 years of follow-up. Lancet 2014;384:2027-35.

1127 Schröder FH, Roobol MJ, Andriole GL, Fleshner N. Defining increased future risk for prostate cancer: evidence from a population based screening cohort. J Urol 2009;181:69-74.

1128 Schubert M, Spahn M, Kneitz S, Scholz CJ, Joniau S, Stroebel P, et al. Distinct microRNA expression profile in prostate cancer patients with early clinical failure and the impact of let-7 as prognostic marker in high-risk prostate cancer. PLoS One 2013;8:e65064.

1129 Schwertfeger KL. Fibroblast growth factors in development and cancer: insights from the mammary and prostate glands. Curr Drug Targets 2009;10:632-44.

1130 Sciarra A, Di Silverio F, Autran AM, Salciccia S, Gentilucci A, Alfarone A, et al. Distribution of high chromogranin A serum levels in patients with nonmetastatic and metastatic prostate adenocarcinoma. Urol Int 2009;82:147-51.

1131 Sciarra A, Panebianco V, Cattarino S, Busetto GM, De Berardinis E, Ciccariello M, et al. Multiparametric magnetic resonance imaging of the prostate can improve the predictive value of the urinary prostate cancer antigen 3 test in patients with elevated prostate-specific antigen levels and a previous negative biopsy. BJU Int 2012;110:1661-5.

1132 Scorilas A, Gregorakis AK. mRNA expression analysis of human kallikrein 11 (KLK11) may be useful in the discrimination of benign prostatic hyperplasia from prostate cancer after needle prostate biopsy. Biol Chem 2006;387:789-93.

1133 Seiz L, Kotzsch M, Grebenchtchikov NI, Geurts-Moespot AJ, Fuessel S, Goettig P, et al. Polyclonal antibodies against kallikrein-related peptidase 4 (KLK4): immuno-histochemical assessment of KLK4 expression in healthy tissues and prostate cancer. Biol Chem 2010;391-401.

1134 Selander KS, Brown DA, Sequeiros GB, Hunter M, Desmond R, Parpala T, et al. Serum macrophage inhibitory cytokine-1 concentrations correlate with the presence of prostate cancer bone metastases. Cancer Epidemiol Biomarkers Prev 2007;16:532-7.

1135 Senapati S, Rachagani S, Chaudhary K, Johansson SL, Singh RK, Batra SK. Overexpression of macrophage inhibitory cytokine-1 induces metastasis of human prostate cancer cells through the FAK-RhoA signaling pathway. Oncogene 2010;29:1293-302.

1136 Sesso HD, Paffenbarger RS Jr, Lee IM. Alcohol consumption and risk of prostate cancer: The Harvard Alumni Health Study.

Int J Epidemiol 2001;30:749-55.

1137 Servoll E, Saeter T, Vlatkovic L, Lund T, Nesland J, Waaler G, et al. Impact of a tertiary Gleason pattern 4 or 5 on clinical failure and mortality after radical prostatectomy for clinically localised prostate cancer. BJU Int 2012;109:1489-94.

1138 Seth D, Shaw K, Jazayeri J, Leedman PJ. Complex post-transcriptional regulation of EGF-receptor expression by EGF and TGF-alpha in human prostate cancer cells. Br J Cancer 1999;80:657-69.

1139 Shah RB, Bentley J, Jeffery Z, DeMarzo AM. Heterogeneity of PTEN and ERG expression in prostate cancer on core needle biopsies: implications for cancer risk stratification and biomarker sampling. Hum Pathol 2015;46:698-706.

1140 Shan SJ, Scorilas A, Katsaros D, Rigault de la Longrais I, Massobrio M, Diamandis EP. Unfavorable prognostic value of human kallikrein 7 quantified by ELISA in ovarian cancer cytosols. Clin Chem 2006;52:1879-86.

1141 Shari N, Hurt EM, Farrar WL. Androgen receptor expression in prostate cancer stem cells: is there a conundrum? Cancer Chemother Pharmacol 2008;62:921-3.

1142 Shariat SF, Andrews B, Kattan MW, Kim J, Wheeler TM, Slawin KM. Plasma levels of interleukin-6 and its soluble receptor are associated with prostate cancer progression and metastasis. Urology 2001;58:1008-15.

1143 Shariat SF, Karam JA, Walz J, Roehrborn CG, Montorsi F, Margulis V, et al. Improved prediction of disease relapse after radical prostatectomy through a panel of preoperative blood-based biomarkers clinical cancer research. Clin Cancer Res 2008;14:3785-91.

1144 Shariat SF, Kattan MW, Traxel E, Andrews B, Zhu K, Wheeler TM, et al. Association of pre- and postoperative plasma levels of transforming growth factor beta(1) and interleukin 6 and its soluble receptor with prostate cancer progression. Clin Cancer Res 2004;10:1992-9.

1145 Sharma A, Yeow WS, Ertel A, Coleman I, Clegg N, Thangavel C, et al. The retinoblastoma tumor suppressor controls androgen signaling and human prostate cancer progression. J Clin Invest 2010;120:4478-92.

1146 Sharma J, Gray KP, Harshman LC, Evan C, Nakabayashi M, Fichorova R, et al. Elevated IL-8, TNF-α, and MCP-1 in men with metastatic prostate cancer starting androgen-deprivation therapy (ADT) are associated with shorter time to castration-resistance and overall survival. Prostate 2014;74:820-8.

1147 Sharma P, Knowell AE, Chinaranagari S, Komaragiri S, Nagappan P, Patel D, et al. Id4 deficiency attenuates prostate development and promotes PIN-like lesions by regulating androgen receptor activity and expression of NKX3.1 and PTEN. Mol Cancer 2013;12:67-83.

1148 Sharrocks AD. PIAS proteins and transcriptional regulation--more than just SUMO E3 ligases? Genes Dev 200;20:754-8.

1149 Shatz M, Liscovitch M. Caveolin-1: a tumor promoting role in human cancer. Int J Radiat Biol 2008;84:177-89.

1150 Shen PF, Chen XQ, Liao YC, Chen N, Zhou Q, Wei Q, et al. MicroRNA-494-3p targets CXCR4 to suppress the proliferation, invasion, and migration of prostate cancer. Prostate 2014;74:756-67.

1151 Sheridan T, Herawi M, Epstein JI, Illei PB. The role of P501S and PSA in the diagnosis of metastatic adenocarcinoma of the prostate. Am J Surg Pathol 2007;31:1351-5.

1152 Shi CL, Yu CH, Zhang Y, Zhao D, Chang XH, Wang WH. Monocyte chemoattractant protein-1 modulates invasion and apoptosis of PC-3M prostate cancer cells via regulating expression of VEGF, MMP9 and caspase-3. Asian Pac J Cancer Prev 2011;12:555-9.

1153 Shi R, Xiao H, Yang T, Chang L, Tian Y, Wu B, et al. Effects of miR-200c on the migration and invasion abilities of human prostate cancer Du145 cells and the corresponding mechanism. Front Med 2014;8:456-63.

1154 Shi XB, Xue L, Ma AH, Tepper CG, Kung HJ, White RW. miR-125b promotes growth of prostate cancer xenograft tumor through targeting pro-apoptotic genes. Prostate 2011;71:538-49.

1155 Shibata M-A, Jorcyk CL, Devor DE, Yoshidome K, Rulong S, Resau J, et al. Altered expression of transforming growth factor βs during urethral and bulbourethral gland tumor progression in transgenic mice carrying the androgen-responsive C3(1) 5′ flanking region fused to SV40 large T antigen. Carcinogenesis 1998;19:195-205.

1156 Shigeoka M, Urakawa N, Nakamura T, Nishio M, Watajima T, Kuroda D, et al. Tumor associated macrophage expressing CD204 is associated with tumor aggressiveness of esophageal squamous cell carcinoma. Cancer Sci 2013;104:1112-9.

1157 Shimbo M, Tomioka S, Sasaki M, Shima T, Suzuki N, Murakami S, et al. PSA doubling time as a predictive factor on repeat biopsy for detection of prostate cancer. Jpn J Clin Oncol 2009;39:727-31.

1158 Shimizu T, Nishie A, Ro T, Tajima T, Yamaguchi A, Kono S, et al. Prostate cancer detection: the value of performing an MRI before a biopsy. Acta Radiol 2009;50:1080-8.

1159 Shinohara ET, Gonzalez A, Massion PP, Chen H, Li M, Freyer AS, et al. Nuclear survivin predicts recurrence and poor survival in patients with resected nonsmall cell lung carcinoma. Cancer 2005;103:1685-92.

1160 Shiota M, Zoubeidi A, Kumano M, Beraldi E, Naito S, Nelson CC, et al. Clusterin is a critical downstream mediator of stress-induced YB-1 transactivation in prostate cancer. Mol Cancer Res 2011;9:1755-66.

1161 Shirakami Y, Shimizu M, Moriwaki H. Cancer chemo-prevention with green tea catechins: from bench to bed. Curr Drug Targets 2012;13:1842-57.

1162 Shirotake S, Miyajima A, Kosaka T, Tanaka N, Kikuchi E, Mikami S, et al. Regulation of monocyte chemoattractant protein-1 through angiotensin II type 1 receptor in prostate cancer. Am J Pathol 2012;180:1008-16.

1163 Shui IM, Lindström S, Kibel AS, Berndt SI, Campa D, Gerke T, et al. Prostate cancer (PCa) risk variants and risk of fatal

PCa in the National Cancer Institute Breast and Prostate Cancer Cohort Consortium. Eur Urol 2014;65:1069-75.

1164 Siddiqui MM, Wilson KM, Epstein MM, Rider JR, Martin NE, Stampfer MJ, et al. Vasectomy and risk of aggressive prostate cancer: a 24-year follow-up study. J Clin Oncol 2014;32:3033-8.

1165 Sidiropoulos M, Chang A, Jung K, Diamandis EP. Expression and regulation of prostate androgen regulated transcript-1 (PART-1) and identification of differential expression in prostatic cancer. Br J Cancer 2001;85:393-7.

1166 Sidiropoulos M, Pampalakis G, Sotiropoulou G, Katsaros D, Diamandis EP. Downregulation of human kallikrein 10 (KLK10/NES1) by CpG island hypermethylation in breast, ovarian and prostate cancers. Tumor Biol 2005;26:324-36.

1167 Sigala S, Tognazzi N, Rizzetti MC, Faraoni I, Missale C, Bonmassar E, et al. Nerve growth factor induces the re-expression of functional androgen receptors and p75(NGFR) in the androgen-insensitive prostate cancer cell line DU145. Eur J Endocrinol 2002;147:407-15.

1168 Silva FC, Silva FM, Gonçalves F, Santos A, Kliment J, Whelan P, et al. Locally advanced and metastatic prostate cancer treated with intermittent androgen monotherapy or maximal androgen blockade: results from a randomised phase 3 study by the South European Uroncological Group. Eur Urol 2014;66:232-9.

1169 Simone NL, Singh AK, Cowan JE, Soule BP, Carroll PR, Litwin MS. Pretreatment predictors of death from other causes in men with prostate cancer. J Urol 2008;180:2447-52.

1170 Simpson MA, Weigel JA, Weigel PH. Systemic blockade of the hyaluronan receptor for endocytosis prevents lymph node metastasis of prostate cancer. Int J Cancer 2012;131:E836-40.

1171 Sinha AA, Morgan JL, Betre K, Wilson MJ, Le C, Marks LS. Cathepsin B expression in prostate cancer of native Japanese and Japanese-American patients: an immunohistochemical study. Anticancer Res 2008;28:2271-8.

1172 Slater MD, Lauer C, Gidley-Baird A, Barden JA. Markers for the development of early prostate cancer. J Pathol 2003;199:368-77.

1173 Slattery ML, West DW. Smoking, alcohol, coffee, tea, caffeine, and theobromine: risk of prostate cancer in Utah (United States). Cancer Causes Control 1993;4:559-63.

1174 Slovin SF, Wilton AS, Heller G, Scher HI. Time to detectable metastatic disease in patients with rising prostate-specific antigen values following surgery or radiation therapy. Clin Cancer Res 2005;11:8669-73.

1175 Smith MR, Saad F, Coleman R, Shore N, Fizazi K, Tombal B, et al. Denosumab and bone-metastasis-free survival in men with castration-resistant prostate cancer: results of a phase 3, randomised, placebo-controlled trial. Lancet 2012;379:39-46.

1176 Smith MR, Saad F, Oudard S, Shore N, Fizazi K, Sieber P, et al. Denosumab and bone metastasis-free survival in men with nonmetastatic castration-resistant prostate cancer: exploratory analyses by baseline prostate-specific antigen doubling time. J

Clin Oncol 2013;31:3800-6.

1177 Sokoll LJ, Chan DW, Mikolajczyk SD, Rittenhouse HG, Evans CL, Linton HJ, et al. Proenzyme PSA for the early detection of prostate cancer in the 2.5-4.0 ng/mL total PSA range: preliminary analysis. Urology 2003;61:274-6.

1178 Sokoll LJ, Mangold LA, Partin AW, Epstein JI, Bruzek DJ, Dunn W, et al. Complexed prostate-specific antigen as a staging tool for prostate cancer: a prospective study in 420 men. Urology 2002;60:18-23.

1179 Sokoll LJ, Sanda MG, Feng Z, Kagan J, Mizrahi IA, Broyles DL, et al. A prospective, multicenter, National Cancer Institute Early Detection Research Network study of [-2]proPSA: improving prostate cancer detection and correlating with cancer aggressiveness. Cancer Epidemiol Biomarkers Prev 2010;19:1193-200.

1180 Solanki P, Cuprian-Beltechi AM, Cunnane TC. Cholinergic innervation of the guinea-pig isolated vas deferens. Naunyn Schmiedeberg Arch Pharmacol 2007;376:265-74.

1181 Soloway MS. The importance of prognostic factors in advanced prostate cancer. Cancer 1990;66:1017-21.

1182 Song H, Zhang B, Watson MA, Humphrey PA, Lim H, Milbrandt J. Loss of Nkx3.1 leads to the activation of discrete downstream target genes during prostate tumorigenesis. Oncogene 2009;28:3307-19.

1183 Song K, Shankar E, Yang J, Bane KL, Wahdan-Alaswad R, Danielpour D. Critical role of a survivin/TGF-β/mTORC1 axis in IGF-I-mediated growth of prostate epithelial cells. PLoS One 2013;8:e61896.

1184 Song L, Li Y, Sun YX, Yu M, Shen BF. IL-6 inhibits apoptosis of human myeloma cell line XG-7 through activation of JAK/STAT pathway and up-regulation of Mcl-1. Ai Zheng 2002;21:113-6.

1185 Song T, Hong BF, Gao JP, Zhang L, Cai W. Expression of apoptosis inhibitor gene Livin in prostate cancer and its clinical implication. Zhonghua Nan Ke Xue 2008;14:30-3.

1186 Southwick PC, Catalona WJ, Partin AW, Slawin KM, Brawer MK, Flanigan RC, et al. Prediction of post-radical prostatectomy pathological outcome for stage T1c prostate cancer with percent free prostate specific antigen: a prospective multicenter clinical trial. J Urol 1999;162:1346-51.

1187 Spinetti G, Fortunato O, Cordella D, Portararo P, Kränkel N, Katare R, et al. Tissue kallikrein is essential for invasive capacity of circulating proangiogenic cells. Circ Res 2011;108:284-93.

1188 Spires SE, Banks ER, Davey DD, Jennings CD, Wood DP Jr, Cibull ML. Proliferating cell nuclear antigen in prostatic adenocarcinoma: correlation with established prognostic indicators. Urology 1994;43:660-6.

1189 Spratlin JL, Serkova NJ, Eckhardt SG. Clinical applications of metabolomics in oncology: a review. Clin Cancer Res 2009;15:431-40.

1190 Sreekumar A, Poisson LM, Rajendiran TM, Khan AP, Cao Q,

Yu J, et al. Metabolomic profiles delineate potential role for sarcosine in prostate cancer progression. Nature 2009;457:910-4.

1191 Sribenja S, Li M, Wongkham S, Wongkham C, Yao Q, Chen C. Advances in thymosin β10 research: differential expression, molecular mechanisms, and clinical implications in cancer and other conditions. Cancer Invest 2009;27:1016-22.

1192 Sribenja S, Wongkham S, Wongkham C, Yao Q, Chen C. Roles and mechanisms of β-thymosins in cell migration and cancer metastasis: an update. Cancer Invest 2013;31:103-10.

1193 Srikantan V, Valladares M, Rhim JS, Moul JW, Srivastava S. HEPSIN inhibits cell growth/invasion in prostate cancer cells. Cancer Res 2002;62:6812-6.

1194 Srikantan V, Zou Z, Petrovics G, Xu L, Augustus M, Davis L, et al. PCGEM1, a prostate-specific gene, is overexpressed in prostate cancer. PNAS 2000;97:12216-21.

1195 Srivastava SR, Sheth AR, Dasgupta PR. Biochemical composition of rat Cowper's gland. Andrologia 1981;13:363-8.

1196 Stabler S, Koyama T, Zhao Z, Martinez-Ferrer M, Allen RH, Luka Z, et al. Serum methionine metabolites are risk factors for metastatic prostate cancer progression. PLoS One 2011;6:e22486.

1197 Stanbrough M, Bubley GJ, Ross K, Golub TR, Rubin MA, Penning TM, et al. Increased expression of genes converting adrenal androgens to testosterone in androgen-independent prostate cancer. Cancer Res 2006;66:2815-25.

1198 Staller P, Sulitkova J, Lisztwan J, Moch H, Oakeley EJ, Krek W. Chemokine receptor CXCR4 downregulated by von Hippel-Lindau tumour suppressor pVHL. Nature 2003:425:307-11.

1199 Stanford JL, Sabacan LP, Noonan EA, Iwasaki L, Shu J, Feng Z, et al. Association of HPC2/ELAC2 polymorphisms with risk of prostate cancer in a population-based study. Cancer Epidemiol Biomarkers Prev 2003;12:876-81.

1200 Stattin P, Rinaldi S, Stenman UH, Riboli E, Hallmans G, Bergh A, et al. Plasma prolactin and prostate cancer risk: A prospective study. Int J Cancer 2001;92:463-5.

1201 Stearns M, Wang M, Stearns ME. Cytokine (IL-10, IL-6) induction of tissue inhibitor of metalloproteinase 1 in primary human prostate tumor cell lines. Oncol Res 1995;7:173-81.

1202 Steiner I, Jung K, Miller K, Stephan C, Erbersdobler A. Expression of endothelial factors in prostate cancer: a possible role of caveolin-1 for tumour progression. Oncol Rep 2012;27:389-95.

1203 Steiner MS, Zhang X, Wang Y, Lu Y. Growth inhibition of prostate cancer by an adenovirus expressing a novel tumor suppressor gene, pHyde. Cancer Res 2000;60:4419-25.

1204 Stenman U-H, Abrahamsson P-A, Aus S, Lilja H, Bangma C, Hamdy FC, et al. Prognostic value of serum markers for prostate cancer. Scand J Urol Nephrol Suppl 2005;216:64-81.

1205 Stephan C, Cammann H, Bender M, Miller K, Lein M, Jung K, et al. Internal validation of an artificial neural network for prostate biopsy outcome. Int J Urol 2010;17:62-8.

1206 Stephan C, Jung K, Diamandis EP, Ritten-house HG, Lein M, Loening S. Prostate-specific antigen, its molecular forms, and other kallikrein markers for detection of prostate cancer. Urology 2001;59:2-8.

1207 Stephan C, Jung K, Lein M, Sinha P, Schnorr D, Loening SA. Molecular forms of prostate-specific antigen and human kallikrein 2 as promising tools for early diagnosis of prostate cancer. Cancer Epidemiol Biomarkers Prev 2000;9:1133-47.

1208 Stephan C, Jung K, Semjonow A, Schulze-Forster K, Cammann H, Hu X, et al. Comparative assessment of urinary prostate cancer antigen 3 and TMPRSS2:ERG gene fusion with the serum [-2]proprostate-specific antigen-based prostate health index for detection of prostate cancer. Clin Chem 2013;59:280-8.

1209 Stephan C, Stroebel G, Heinau M, Lenz A, Roemer A, Lein M, et al. The ratio of prostate-specific antigen (PSA) to prostate volume (PSA density) as a parameter to improve the detection of prostate carcinoma in PSA values in the range of □4 ng/mL. Cancer 2005;104:993-1003.

1210 Stephan C, Vincendeau, S, Houlgatte A, Cammann H, Jung K, Semjonow A. Multicenter evaluation of [-2] proprostate-specific antigen and the prostate health index for detecting prostate cancer. Clin Chem 2013;59:306-14.

1211 Stephan C, Yousef GM, Scorilas A, Jung K, Jung M, Kristiansen G, et al. Quantitative analysis of kallikrein 15 gene expression in prostate tissue. J Urol 2003;169:361-4.

1212 Stephenson AJ, Scardino PT, Kattan MW, Pisansky TM, Slawin KM, Klein EA, et al. Predicting the outcome of salvage radiation therapy for recurrent prostate cancer after radical prostatectomy. J Clin Oncol 2007;25:2035-41.

1213 Steuber T, Nurmikko P, Haese A, Pettersson K, Graefen M, Hammerer P, et al. Discrimination of benign from malignant prostatic disease by selective measurements of single chain, intact free prostate specific antigen. J Urol 2002;168:1917-22.

1214 Steuber T, Vickers AJ, Haese A, Becker C, Pettersson K, Chun FK, et al. Risk assessment for biochemical recurrence prior to radical prostatectomy: significant enhancement contributed by human glandular kallikrein 2 (hK2) and free prostate specific antigen (PSA) in men with moderate PSA-elevation in serum. Int J Cancer 2006;118:1234-40.

1215 Steuber T, Vickers AJ, Haese A, Kattan MW, Eastham JA, Scardino PT, et al. Free PSA isoforms and intact and cleaved forms of urokinase plasminogen activator receptor in serum improve selection of patients for prostate cancer biopsy. Int J Cancer 2007;120:1499-504.

1216 Stevens VL, Rodriguez C, Talbot JT, Pavluck AL, Thun MJ, Calle EE. Paraoxonase 1 (PON1) polymorphisms and prostate cancer in the CPS-II Nutrition Cohort. Prostate 2008;68:1336-40.

1217 Stewart AB, Delves GH, Birch BR, Cooper AJ, Lwaleed BA. Antiprostasome antibodies are not an appropriate prognostic marker for prostate cancer. Scand J Urol Nephrol 2009;43:104-8.

1218 Steyerberg EW, Roobol MJ, Kattan MW, van der Kwast TH,

de Koning HJ, Schröder FH. Prediction of indolent prostate cancer: validation and updating of a prognostic nomogram. J Urol 2007;177:107-12.

1219 Stoeber K, Swinn R, Prevost AT, de Clive-Lowe P, Halsall I, Dilworth SM, et al. Diagnosis of genito-urinary tract cancer by detection of minichromosome maintenance 5 protein in urine sediments. J Natl Cancer Inst 2002;94:1071-9.

1220 Stone OA, Richer C, Emanueli C, van Weel V, Quax PH, Katare R, et al. Critical role of tissue kallikrein in vessel formation and maturation: implications for therapeutic revascularization. Arterioscler Thromb Vasc Biol 2009;29:657-64.

1221 Stopiglia RM, Ferreira U, Silva MM Jr, Matheus WE, Denardi F, Reis LO. Prostate specific antigen decrease and prostate cancer diagnosis: antibiotic versus placebo prospective randomized clinical trial. J Urol 2010;183:940-5.

1222 Strawbridge RJ, Nister M, Brismar K, Li C, Lindström S. Influence of MUC1 genetic variation on prostate cancer risk and survival. Eur J Hum Genet 2008;16:1521-5.

1223 Strom SS, Yamamura Y, Duphorne CM, Spitz MR, Babaian RJ, Pillow PC, et al. Phytoestrogen intake and prostate cancer: a case-control study using a new database. Nutr Cancer 1999;33:20-5.

1224 Struckmann K, Mertz K, Steu S, Storz M, Staller P, Krek W, et al. pVHL co-ordinately regulates CXCR4/CXCL12 and MMP2/MMP9 expression in human clear-cell renal cell carcinoma. J Pathol 2008;214:464-71.

1225 Su SL, Huang IP, Fair WR, Powell CT, Heston WD. Alternatively spliced variants of prostate-specific membrane antigen RNA: ratio of expression as a potential measurement of progression. Cancer Res 1995;55:1441-3.

1226 Su Z-Z, Lin J, Shen R, Fisher PE, Goldstein NI, PAUL B. Fisher PB. Surface-epitope masking and expression cloning identifies the human prostate carcinoma tumor antigen gene PCTA-1 a member of the galectin gene family. Proc Natl Acad Sci 1996;93:7252-7.

1227 Sugie S, Mukai S, Tsukino H, Toda Y, Yamauchi T, Nishikata I, et al. Increased plasma caveolin-1 levels are associated with progression of prostate cancer among Japanese men. Anticancer Res 2013;33:1893-7.

1228 Sulik M, Guzińska-Ustymowicz K. Expression of Ki-67 and PCNA as proliferating markers in prostate cancer. Rocz Akad Med Bialymst 2002;47:262-9.

1229 Sullivan R, LégaréC, Villeneuve M, Foliguet B, Bissonnette F. Levels of P34H, a sperm protein of epididymal origin, as a predictor of conventional in vitro fertilization outcome. Fertil Steril 2006;85:1557-9.

1230 Sumitomo M, Ohba M, Asakuma J, Asano T, Kuroki T, Asano T, et al. Protein kinase Cdelta amplifies ceramide formation via mitochondrial signaling in prostate cancer cells. J Clin Invest 2002;109:827-36.

1231 Sun GH, Lin YC, Guo YW, Chang SY, Liu HW. Purification of GP83, a glycoprotein secreted by human epididymis are conjugated to spermatozoa during maturation. Mol Hum Reprod 2000;6:429-34.

1232 Sun X, Liu Z, Yang Z, Xiao L, Wang F, He Y, et al. Association of microRNA-126 expression with clinicopathological features and the risk of biochemical recurrence in prostate cancer patients undergoing radical prostatectomy. Diagn Pathol 2013;8:208.

1233 Sung JF, Lin RS, Pu YS, Chen YC, Chang HC, Lai MK. Risk factors for prostate carcinoma in Taiwan: a case-control study in a Chinese population. Cancer 1999;86:484-91.

1234 Sutcliffe S, Nevin RL, Pakpahan R, Elliott DJ, Cole SR, De Marzo AM, et al. Prostate involvement during sexually transmitted infections as measured by prostate-specific antigen concentration. Br J Cancer 2011;105:602-5.

1235 Sutton MT, Yingling M, Vyas A, Atiemo H, Borkowski A, Jacobs SC, et al. Finasteride targets prostate vascularity by inducing apoptosis and inhibiting cell adhesion of benign and malignant prostate cells. Prostate 2006;66:1194-202.

1236 Suzuki H, Freije D, Nusskern DR, Okami K, Cairns P, Sidransky D, et al. Interfocal heterogeneity of PTEN/MMAC1 gene alterations in multiple metastatic prostate cancer tissues. Cancer Res 1998;58:204-9.

1237 Suzuki H, Komiya A, Aida S, Ito H, Yatani R, Shimazaki J. Detection of human papillomavirus DNA and p53 gene mutation in human prostate cancer. Prostate 1996;28:318-24.

1238 Suzuki R, Allen NE, Key TJ, Appleby PN, Tjønneland A, Johnsen NF, et al. A prospective analysis of the association between dietary fiber intake and prostate cancer risk in EPIC. Int J Cancer 2009;124:245-9.

1239 Suzuki-Toyota F, Ito C, Maekawa M, Toyama Y, Toshimori K. Adhesion between plasma membrane and mitochondria with linking filaments in relation to migration of cytoplasmic droplet during epididymal maturation in guinea pig spermatozoa. Cell Tissue Res 2010;341:429-40.

1240 Svatek RS, Karam JA, Roehrborn CG, Karakiewicz PI, Slawin KM, Shariat SF. Preoperative plasma endoglin levels predict biochemical progression after radical prostatectomy. Clin Cancer Res 2008;14:3362-6.

1241 Svensson MA, LaFargue CJ, MacDonald TY, Pflueger D, Kitabayashi N, Santa-Cruz AM, et al. Testing mutual exclusivity of ETS rearranged prostate cancer. Lab Invest 2011;91:404-12.

1242 Swami S, Krishnan AV, Moreno J, Bhattacharyya RB, Peehl DM, Feldman D. Calcitriol and genistein actions to inhibit the prostaglandin pathway: potential combination therapy to treat prostate cancer. J Nutr 2007;137:205S-210S.

1243 Swanson GP, Basler JW. Prognostic factors for failure after prostatectomy. J Cancer 2011;2:1-19.

1244 Swanson MG, Zektzer AS, Tabatabai ZL, Simko J, Jarso S, Keshari KR, et al. Quantitative analysis of prostate metabolites using 1H HR-MAS spectroscopy. Magn Reson Med 2006;55:1257-64.

1245 Tachezy R, Hrbacek J, Heracek J, Salakova M, Smahelova J,

Ludvikova V, et al. HPV persistence and its oncogenic role in prostate tumors. J Med Virol 2012;84:1636-45.

1246 Tagawa ST, Akhtar NH, Nikolopoulou A, Kaur G, Robinson B, Kahn R, et al. Bone marrow recovery and subsequent chemotherapy following radiolabeled anti-prostate-specific membrane antigen monoclonal antibody J591 in men with metastatic castration-resistant prostate cancer. Front Oncol 2013;3:1-6.

1247 Taghiyev AF, Rokhlin OW, Glover RB. Caspase-2-based regulation of the androgen receptor and cell cycle in the prostate cancer cell line LNCaP. Genes Cancer 2011;2:745-52.

1248 Tahir SA, Kurosaka S, Tanimoto R, Goltsov AA, Park S, Thompson TC. Serum caveolin-1, a biomarker of drug response and therapeutic target in prostate cancer models. Cancer Biol Ther 2013;14:117-26.

1249 Takahashi H, Lu W, Watanabe M, Katoh T, Furusato M, Tsukino H, et al. Ser217Leu polymorphism of the HPC2/ELAC2 gene associated with prostatic cancer risk in Japanese men. Int J Cancer 2003;107:224-8.

1250 Takahashi R, Amano H, Satoh T, Tabata K, Ikeda M, Kitasato H, et al. Roles of microsomal prostaglandin E synthase-1 in lung metastasis formation in prostate cancer RM9 cells. Biomed Pharmacother 2014;68:71-7.

1251 Takawa M, Masuda K, Kunizaki M, Daigo Y, Takagi K, Iwai Y, et al. Validation of the histone methyltransferase EZH2 as a therapeutic target for various types of human cancer and as a prognostic marker. Cancer Sci 2011;102:1298-305.

1252 Takayama H, Nonomura N, Nishimura K, Oka D, Shiba M, Nakai Y, et al. Decreased immunostaining for macrophage scavenger receptor is associated with poor prognosis of prostate cancer. BJU Int 2009;103:470-4.

1253 Takenaka A, Hara R, Hyodo Y, Ishimura T, Sakai Y, Fujioka H, et al. Transperineal extended biopsy improves the clinically significant prostate cancer detection rate: a comparative study of 6 and 12 biopsy cores. Int J Urol 2006;13:10-4.

1254 Takenaka A, Hara R, Ishimura T, Fujii T, Jo Y, Nagai A, et al. A prospective randomized comparison of diagnostic efficacy between transperineal and transrectal 12-core prostate biopsy. Prostate Cancer Prostatic Dis 2008;11:134-8.

1255 Talcott JA, Rossi C, Shipley WU, Clark JA, Slater JD, Niemierko A, et al. Patient-reported long-term outcomes after conventional and high-dose combined proton and photon radiation for early prostate cancer. JAMA 2010;303:1046-53.

1256 Talieri M, Mathioudaki K, Prezas P, Alexopoulou DK, Diamandis EP, Xynopoulos D, et al. Clinical significance of kallikrein-related peptidase 7 (KLK7) in colorectal cancer. Thromb Haemost 2009;101:741-7.

1257 Talvas J, Caris-Veyrat C, Guy L, Rambeau M, Lyan B, Minet-Quinard R, et al. Differential effects of lycopene consumed in tomato paste and lycopene in the form of a purified extract on target genes of cancer prostatic cells. Am J Clin Nutr 2010;91:1716-24.

1258 Tan DF, Huberman JA, Hyland A, Loewen GM, Brooks JS, Beck AF, et al. MCM2--a promising marker for premalignant lesions of the lung: a cohort study. BMC Cancer 2001;1:6.

1259 Tanaka M, Tanaka T, Kijima H, Itoh J, Matsuda T, Hori S, et al. Characterization of tissue- and cell-type-specific expression of a novel human septin family gene, Bradeion. Biochem Biophys Res Commun 2001;286:547-53.

1260 Tanaka M, Tanaka T, Matsuzaki S, Seto Y, Matsuda T, Komori K, et al. Rapid and quantitative detection of human septin family Bradeion as a practical diagnostic method of colorectal and urologic cancers. Med Sci Monit 2003;9:MT61-8.

1261 Tang J, Wang Z, Li X, Li J. Human telomerase reverse transcriptase expression correlates with vascular endothelial growth factor-promoted tumor cell proliferation in prostate cancer. Artif Cells Blood Substit Biotechnol 2008;36:83-93.

1262 Tang Y, Yan W, Chen J, Luo C, Kaipia A, Shen B. Identification of novel microRNA regulatory pathways associated with heterogeneous prostate cancer. BMC Syst Biol 2013;7:S6-15.

1263 Tannock IF, de Wit R, Berry WR, Horti J, Pluzanska A, Chi KN, et al. Docetaxel plus prednisone or mitoxantrone plus prednisone for advanced prostate cancer. N Engl J Med 2004;351:1502-12.

1264 Tate A, Isotani S, Bradley MJ, Sikes RA, Davis R, Chung LW, et al. Met-Independent Hepatocyte Growth Factor-mediated regulation of cell adhesion in human prostate cancer cells. BMC Cancer 2006;6:197-212.

1265 Tchetgen MB, Song JT, Strawderman M, Jacobsen SJ, Oesterling JE. Ejaculation increases the serum prostate-specific antigen concentration. Urology 1996;47:511-6.

1266 Teahan O, Bevan CL, Waxman J, Keun HC. Metabolic signatures of malignant progression in prostate epithelial cells. Int J Biochem Cell Biol 2011;43:1002-9.

1267 Teloken C, Da Ros CT, Caraver F, Weber FA, Cavalheiro AP, Graziottin TM. Low serum testosterone levels are associated with positive surgical margins in radical retropubic prostatectomy: hypogonadism represents bad prognosis in prostate cancer. J Urol 2005;174:2178-80.

1268 Teng Y, Girvan AC, Casson LK, Pierce WM Jr, Qian M, Thomas SD, et al. AS1411 alters the localization of a complex containing protein arginine methyltransferase 5 and nucleolin. Cancer Res 2007;67:10491-500.

1269 Teni TR, Bandivdekar AH, Sheth AR, Sheth NA. Prostatic inhibin-like peptide quantified in urine of prostatic cancer patients by enzyme-linked immunosorbent assay. Clin Chem 1989;35:1376-9.

1270 Teni TR, Sheth AR, Kamath MR, Sheth NA. Serum and urinary prostatic inhibin-like peptide in benign prostatic hyperplasia and carcinoma of prostate. Cancer Lett 1988;43:9-14.

1271 Terada N, Shimizu Y, Kamba T, Inoue T, Maeno A, Kobayashi T, et al. Identification of EP4 as a potential target for the treatment of castration-resistant prostate cancer using a novel xenograft model. Cancer Res 2010;70:1606-15.

1272 Terry S, Nicolaiew N, Basset V, Semprez F, Soyeux P, MailléP, et al. Clinical value of ERG, TFF3, and SPINK1 for molecular subtyping of prostate cancer. Cancer 2015;121:1422-30.

1273 Thangapazham R, Saenz F, Katta S, Mohamed AA, Tan SH, Petrovics G, et al. Loss of the NKX3.1 tumor suppressor promotes the TMPRSS2-ERG fusion gene expression in prostate cancer. BMC Cancer 2014;14:16.

1274 The Committee for Establishment of the Guidelines on Screening for Prostate Cancer and Japanese Urological Association. Updated Japanese Urological Association Guidelines on prostate-specific antigen-based screening for prostate cancer in 2010. Int J Urol 2010;17:830-8.

1275 Theodorescu D, Schiffer E, Bauer HW, Douwes F, Eichhorn F, Polley R, et al. Discovery and validation of urinary biomarkers for prostate cancer. Proteomics Clin Appl 2008;2:556-70.

1276 Therasse P, Arbuck SG, Eisenhauer EA, Wanders J, Kaplan RS, Rubinstein L, et al. New guidelines to evaluate the response to treatment in solid tumors. J Natl Cancer Inst 2000;92:205-16.

1277 Thielen JL, Volzing KG, Collier LS, Green LE, Largaespada DA, Marker PC. Markers of prostate region-specific epithelial identity define anatomical locations in the mouse prostate that are molecularly similar to human prostate cancers. Differentiation 2007;75:49-61.

1278 Thomadaki H, Scorilas A. BCL2 family of apoptosis-related genes: functions and clinical implications in cancer. Crit Rev Clin Lab Sci 2006;43:1-67.

1279 Thomas JA 2nd, Gerber L, Moreira DM, Hamilton RJ, Bañez LL, Castro-Santamaria R, et al. Prostate cancer risk in men with prostate and breast cancer family history: results from the REDUCE study (R1). J Intern Med 2012;272:85-92.

1280 Thomas M, Lange-Grünweller K, Weirauch U, Gutsch D, Aigner A, Grünweller A, et al. The proto-oncogene Pim-1 is a target of miR-33a. Oncogene 2012;31:918-28.

1281 Thompson IM, Ankerst DP, Chi C, Goodman PJ, Tangen CM, Lucia MS, et al. Assessing prostate cancer risk: results from the Prostate Cancer Prevention Trial. J Natl Cancer Inst 2006;98:529-34.

1282 Thompson III IM, Salem S, Chang SS, Clark PE, Davis R, Herrell SD, et al. Tumor volume as a predictor of adverse pathologic features and biochemical recurrence (BCR) in radical prostatectomy specimens: A tale of two methods. World J Urol 2011;29:15-20.

1283 Thompson IM, Goodman PJ, Tangen CM, Lucia MS, Miller GJ, Ford LG, et al. The influence of finasteride on the development of prostate camcer. N Engl J Med 2003;349:215-24.

1284 Thompson IM, Pauler DK, Goodman PJ, Tangen CM, Lucia MS, Parnes HL, et al. Prevalence of prostate cancer among men with a prostate-specific antigen level ≤4.0 ng per milliliter. N Engl J Med 2004;350:2239-46.

1285 Thompson IM, Tangen CM, Paradelo J, Lucia MS, Miller G, Troyer D, et al. Adjuvant radiotherapy for pathological T3N0M0 prostate cancer significantly reduces risk of metastases and improves survival: long-term followup of a randomized clinical trial. J Urol 2009;181:956-62.

1286 Thompson IM, Valicenti RK, Albertsen P, Davis BJ, S. Goldenberg L, Hahn C, et al. Adjuvant and salvage radiotherapy after prostatectomy: AUA/ASTRO guideline. J Urol 2013;190:441-9.

1287 Thompson JE, Moses D, Shnier R, Brenner P, Delprado W, Ponsky L, et al. Multiparametric magnetic resonance imaging guided diagnostic biopsy detects significant prostate cancer and could reduce unnecessary biopsies and over detection: a prospective study. J Urol 2014;192:67-74.

1288 Thompson TC, Tahir SA, Li L, Watanabe M, Naruishi K, G Yang G, et al. The role of caveolin-1 in prostate cancer: clinical implications. Prostate Cancer Prostatic Dis 2010;13:6-11.

1289 Thompson VC, Hurtado-Coll A, Turbin D, Fazli L, Lehman ML, Gleave ME, et al. Relaxin drives WNT signaling through upregulation of PCDHY in prostate cancer. Prostate 2010:70:1134-45.

1290 Tidehag V, Hammarsten P, Egevad L, Granfors T, Stattin P, Leanderson T, High density of S100A9 positive inflammatory cells in prostate cancer stroma is associated with poor outcome. Eur J Cancer 2014;50:1829-35.

1291 Titus MA, Li Y, Kozyreva OG, Maher V, Godoy A, Smith GJ, et al. 5α-reductase type 3 enzyme in benign and malignant prostate. Prostate 2014;74:235-49.

1292 Toh Y, Nicolson GL. Identification and characterization of metastasis-associated gene/protein 1 (MTA1). Cancer Metastasis Rev 2014;33837-42.

1293 Toledano A, Chauveinc L, Flam T, Thiounn N, Solignac S, Timbert M, et al. PSA bounce after permanent implant prostate brachytherapy may mimic a biochemical failure: a study of 295 patients with a minimum 3-year followup. Brachytherapy 2006;5:122-6.

1294 Tollefson MK, Karnes RJ, Kwon ED, Lohse CM, Rangel LJ, Mynderse LA, et al. Prostate cancer Ki-67 (MIB-1) expression, perineural invasion, and Gleason score as biopsy-based predictors of prostate cancer mortality: the Mayo model. Mayo Clin Proc 2014;89:308-18.

1295 Tolonen TT, Tammela TLJ, Kujala PM, Tuominen VJ, Isola JJ, Visakorpi T. Histopathological variables and biomarkers enhancer of zeste homologue 2, Ki-67 and minichromosome maintenance protein 7 as prognosticators in primarily endocrine-treated prostate cancer. BJU Int 2011;108:1430-8.

1296 Tomas D, Ulamec M, Hudolin T, BulimbasićS, Belicza M, Kruslin B. Myofibroblastic stromal reaction and expression of tenascin-C and laminin in prostate adenocarcinoma. Prostate Cancer Prostatic Dis 2006;9 :414-9.

1297 Tomioka S, Shimbo M, Amiya Y, Nakatsu H, Murakami S, Shimazaki J. Significance of prostate-specific antigen-doubling time on survival of patients with hormone refractory prostate cancer and bone metastasis: analysis on 56 cases of cancer-specific death. Int J Urol 2007;14:123-7.

1298 Tomlins SA, Rhodes DR, Yu J, Varambally S, Mehra R, Perner S, et al. The role of SPINK1 in ETS rearrangement-negative prostate cancers. Cancer Cell 2008;13:519-28.

1299 Toropainen S, Malinen M, Kaikkonen S, Rytinki M, Jääskeläinen T, Sahu B, et al. SUMO ligase PIAS1 functions as a target gene selective androgen receptor coregulator on prostate cancer cell chromatin. Nucleic Acids Res 2015;43:848-61.

1300 Torres-Rosado A, O'Shea KS, Tsuji A, Chou SH, Kurachi K. Hepsin, a putative cell-surface serine protease, is required for mammalian cell growth. Proc Natl Acad Sci 1993;90:7181–5.

1301 Touvier M, Fezeu L, Ahluwalia N, Julia C, Charnaux N, Sutton A, et al. Association between prediagnostic biomarkers of inflammation and endothelial function and cancer risk: a nested case-control study. Am J Epidemiol 2013;177:3-13.

1302 Toyokawa G, Masuda K, Daigo Y, Cho H-S, Yoshimatsu M, Takawa M, et al. Minichromosome Maintenance Protein 7 is a potential therapeutic target in human cancer and a novel prognostic marker of non-small cell lung cancer. Mol Cancer 2011;10:65-76.

1303 Trepel J, Mollapour M, Giaccone G, Neckers L. Targeting the dynamic HSP90 complex in cancer. Nat Rev Cancer 2010;10:537-49.

1304 Trikha M, Raso E, Cai Y, Fazakas Z, Paku S, Porter AT, et al. Role of alphaII(b)beta3 integrin in prostate cancer metastasis. Prostate 1998;35:185-92.

1305 Trikha M, Timar J, Lundy SK, Szekeres K, Tang K, Grignon D, et al. Human prostate carcinoma cells express functional alphaIIb(beta)3 integrin. Cancer Res 1996;56:5071-8.

1306 Tripathi M, Nandana S, Yamashita H, Ganesan R, Kirchhofer D, Quaranta V. Laminin-332 is a substrate for hepsin, a protease associated with prostate cancer progression. J Biol Chem 2008;283:30576-84.

1307 Tripathi V, Popescu NC, Zimonjic DB. DLC1 induces expression of E-cadherin in prostate cancer cells through Rho pathway and suppresses invasion. Oncogene 2014;33:724-33.

1308 Trock BJ. Application of metabolomics to prostate cancer. Urol Oncol 2011;29:572-81.

1309 Trock BJ, Brotzman MJ, Mangold LA, Bigley JW, Epstein JI, McLeod D, et al. Evaluation of GSTP1 and APC methylation as indicators for repeat biopsy in a high-risk cohort of men with negative initial prostate biopsies. BJU Int 2012;110:56-62.

1310 Trottier G, Roobol MJ, Lawrentschuk N, Boström PJ, Fernandes KA, Finelli A, et al. Comparison of risk calculators from the Prostate Cancer Prevention Trial and the European Randomized Study of Screening for Prostate Cancer in a contemporary Canadian cohort. BJU Int 2011;108:E237-E244.

1311 Truong M, Yang B, Jarrard DF. Toward the detection of prostate cancer in urine: a critical analysis. J Urol 2013;189:422-9.

1312 Tsaur I, Thurn K, Juengel E, Gust KM, Borgmann H, Mager R, et al. sE-cadherin serves as a diagnostic and predictive parameter in prostate cancer patients. J Exp Clin Cancer Res 2015;34:43.

1313 Turkbeya B, Xub S, Krueckerb J, Locklinc J, Pangd Y, Shah V, et al. Documenting the location of systematic transrectal ultrasound-guided prostate biopsies: correlation with multi-parametric MRI. Cancer Imaging 2011; 11:31-6.

1314 Uchida F, Uzawa K, Kasamatsu A, Takatori H, Sakamoto Y, Ogawara K, et al. Overexpression of cell cycle regulator CDCA3 promotes oral cancer progression by enhancing cell proliferation with prevention of G1 phase arrest. BMC Cancer 2012;12:321-30.

1315 Udayakumar TS, Bair EL, Nagle RB, Bowden GT. Pharmacological inhibition of FGF receptor signaling inhibits LNCaP prostate tumor growth, promatrilysin, and PSA expression. Mol Carcinog 2003;38:70-7.

1316 Uemura M, Tamura K, Chung S, Honma S, Okuyama A, Nakamura Y, et al. Novel 5 alphareductase (SRD5A3, type-3) is overexpressed in hormone-refractory prostate cancer. Cancer Sci 2008;99:81-6.

1317 Umbas R, Schalken JA, Aalders TW, Carter BS, Karthaus HF, Schaafsma HE, et al. Expression of the cellular adhesion molecule E-cadherin is reduced or absent in high-grade prostate cancer. Cancer Res 1992;52:5104-9.

1318 Umesawa M, Iso H, Mikami K, Kubo T, Suzuki K, Watanabe Y, et al. Relationship between vegetable and carotene intake and risk of prostate cancer: the JACC study. Br J Cancer 2014;110:792-6.

1319 Ummanni R, Lehnigk U, Zimmermann U, Woenckhaus C, Walther R, Giebel J. Immunohistochemical expression of caspase-1 and -9, uncleaved caspase-3 and -6, cleaved caspase-3 and -6 as well as BCL-2 in benign epithelium and cancer of the prostate. Exp Ther Med 2010;1:47-52.

1320 Uygur B, Wu WS. SLUG promotes prostate cancer cell migration and invasion via CXCR4/CXCL12 axis. Mol Cancer 2011;10:139-54.

1321 Uysal-Onganer P, Kawano Y, Caro M, Walker MM, Diez S, Darrington RS, et al. WNT-11 promotes neuroendocrine-like differentiation, survival and migration of prostate cancer cells. Mol Cancer 2010;9:55-66.

1322 Uzun D, Yanar K, Atukeren P, Cebe T, Mengi M, Ozan T, et al. Age-related changes in rat prostate tissue; perspective of protein oxidation. Aging Male 2015;18:54-9.

1323 Uzzo RG, Wei JT, Waldbaum RS, Perlmutter AP, Byrne JC, Vaughan ED Jr. The influence of prostate size on cancer detection. Urology 1995;46:831-6.

1324 Vafa AZ, Grover PK, Pretlow TG, Resnick MI. Study of activities of arginase, hexosaminidase, and leucine aminopeptidase in prostate fluid. Urology 1993;42:138-43.

1325 Valenzuela HF, Pace KE, Cabrera PV, White R, Porvari K, Kaija H, et al. O-Glycosylation regulates LNCaP prostate cancer cell susceptibility to apoptosis induced by galectin-1. Cancer Res 2007;67:6155-62.

1326 Valero M, Morenilla-Palao C, Belmonte C, Viana F. Pharmacological and functional properties of TRPM8 channels in prostate tumor cells. Pflugers Arch 2011;461:99-114.

1327 van den Bergh RC, Ahmed HU, Bangma CH, Cooperberg MR, Villers A, Parker CC. Novel tools to improve patient selection and monitoring on active surveillance for low-risk prostate cancer: a systematic review. Eur Urol 2014;65:1023-31.

1328 van den Bergh RC, Roemeling S, Roobol MJ, Roobol W, Schroder FH, Bangma CH. Prospective validation of active surveillance in prostate cancer: the PRIAS study. Eur Urol 2007;52:1560-3.

1329 van der Graaf M, Schipper RG, Oosterhof GO, Schalken JA, Verhofstad AA, Heerschap A. Proton MR spectroscopy of prostatic tissue focused on the detection of spermine, a possible biomarker of malignant behavior in prostate cancer. MAGMA 2000;10:153-9.

1330 van der Poel HG, Zevenhoven J, Bergman AM. Pim1 regulates androgen-dependent survival signaling in prostate cancer cells. Urol Int 2010;84:212-20.

1331 van Dieijen-Visser MP, Hendriks MW, Delaere KP, Gijzen AH, Brombacher PJ. The diagnostic value of urinary transferrin compared to serum prostatic specific antigen (PSA) and prostatic acid phosphatase (PAP) in patients with prostatic cancer. Clin Chim Acta 1988;177:77-80.

1332 Van Le TS, Myers J, Konety BR, Barder T, Getzenberg RH. Functional characterization of the bladder cancer marker, BLCA-4. Clin Cancer Res 2004;10:1384-91.

1333 van Vugt HA, Kranse R, Steyerberg EW, van der Poel HG, Busstra M, Kil P, et al. Prospective validation of a risk calculator which calculates the probability of a positive prostate biopsy in a contemporary clinical cohort. Eur J Cancer 2012;48:1809-15.

1334 van Vugt HA, Roobol MJ, Busstra M, Kil P, Oomens EH, de Jong IJ, et al. Compliance with biopsy recommendations of a prostate cancer risk calculator. BJU Int 2011;109:1480-8.

1335 van Vugt HA, Roobol MJ, van der Poel HG, van Muilekom EH, Busstra M, Kil P, et al. Selecting men diagnosed with prostate cancer for active surveillance using a risk calculator: a prospective impact study. BJU Int 2011;110:180-7.

1336 Vanaja DK, Grossmann ME, Cheville JC, Gazi MH, Gong A, Zhang JS, et al. PDLIM4, an actin binding protein, suppresses prostate cancer cell growth. Cancer Invest 2009;27:264-72.

1337 Varambally S, Laxman B, Mehra R, Cao Q, Dhanasekaran SM, Tomlins SA, et al. Golgi protein GOLM1 is a tissue and urine biomarker of prostate cancer. Neoplasia 2008;10:1285-94.

1338 Vargas CE, Galalae R, Demanes J, Harsolia A, Meldolesi E, Nürnberg N, et al. Lack of benefit of pelvic radiation in prostate cancer patients with a high risk of positive pelvic lymph nodes treated with high-dose radiation. Int J Radiat Oncol Biol Phys 2005;63:1474-82.

1339 Varisli L. Identification of new genes downregulated in prostate cancer and investigation of their effects on prognosis. Genet Test Mol Biomarkers 2013;17:562-6.

1340 Varma M, Jasani B. Diagnostic utility of immuno-histochemistry in morphologically difficult prostate cancer: review of current literature. Histopathology 2005;47:1-16.

1341 Veltri R, Rodriguez R. Molecular biology, endocrinology, and physiology of the prostate and seminal vesicles. In: Wein AJ, Kavoussi LR, Novick AC, Partin AW, Peters CA. Campbell-Walsh Urology. 9th ed. Philadelphia: Saunders; 2006;2677-726.

1342 Vener T, Derecho C, Baden J, Wang H, Rajpurohit Y, Skelton J, et al. Development of a multiplexed urine assay for prostate cancer diagnosis. Clin Chem 2008;54:874-82.

1343 Verdoodt B, Neid M, Vogt M, Kuhn V, Liffers ST, Palisaar RJ, et al. MicroRNA-205, a novel regulator of the anti-apoptotic protein Bcl2, is downregulated in prostate cancer. Int J Oncol 2013;:307-14.

1344 Versteeg HH, Schaffner F, Kerver M, Petersen HH, Ahamed J, Felding-Habermann B, et al. Inhibition of tissue factor signaling suppresses tumor growth. Blood 2008;111:190-9.

1345 Vestergaard EM, Borre M, Poulsen SS, NexøE, Tørring N. Plasma levels of trefoil factors are increased in patients with advanced prostate cancer. Clin Cancer Res 2006;12:807-12.

1346 Vestergaard EM, NexøE, Tørring N, Borre M, Ørntoft TF, Sørensen KD. Promoter hypomethylation and upregulation of trefoil factors in prostate cancer. Int J Cancer 2010;127:1857-65.

1347 Vickers AJ, Pencina MJ. Prostate-specific antigen velocity: new methods, same results, still no evidence of clinical utility. Eur Urol 2013;64:394-6.

1348 Vickers AJ, Wolters T, Savage CJ, Cronin AM, O'Brien MF, Pettersson K, et al. Prostate-specific antigen velocity for early detection of prostate cancer: result from a large, representative, population-based cohort. Eur Urol 2009;56:753-60.

1349 Vilanova JC, BarcelóJ. Prostate cancer detection: magnetic resonance (MR) spectroscopic imaging, Abdom Imaging 2007;32:253-61.

1350 Villeda-Sandoval CI Romero-Vélez G, Lisker-Cervantes A, Zavaleta MS, Trolle-Silva A, Oca DM, et al. Giant multicystic cystadenoma of Cowper's gland: a case report. Int Braz J Urol 2013;39:741-6.

1351 Vinarskaja A, Goering W, Ingenwerth M, Schulz WA. ID4 is frequently downregulated and partially hypermethylated in prostate cancer. World J Urol 2012;30:319-25.

1352 Vira MA, Guzzo T, Heitjan DF, Tomaszewski JE, D'Amico A, Wein AJ, et al. Is the biopsy Gleason score important in predicting outcomes for patients after radical prostatectomy once the pathological Gleason score is known? BJU Int 2008;101:1232-6.

1353 Vocke CD, Pozzatti RO, Bostwick DG, Florence CD, Jennings SB, Strup SE, et al. Analysis of 99 microdissected prostate carcinomas reveals a high frequency of allelic loss on chromosome 8p12-21. Cancer Res 1996;56:2411-6.

1354 Vogl T, Tenbrock K, Ludwig S, Leukert N, Ehrhardt C, van Zoelen MA, et al. Mrp8 and Mrp14 are endogenous activators of Toll-like receptor 4, promoting lethal, endotoxin-induced shock. Nat Med 2007;13:1042-9.

1355 Vourtsis D, Lamprou M, Sadikoglou E, Giannou A, Theodorakopoulou O, Sarrou E, et al. Effect of an all-trans-retinoic acid conjugate with spermine on viability of human prostate cancer and endothelial cells in vitro and angiogenesis in vivo. Eur J Pharmacol 2013;698:122-30.

1356 Vrba L, Jensen TJ, Garbe JC, Heimark RL, Cress AE, Dickinson S, et al. Role for DNA methylation in the regulation of miR-200c and miR-141 expression in normal and cancer cells. PLoS One 2010;5:e8697.

1357 Wagener N, Crnković-Mertens I, Vetter C, Macher- Göppinger S, Bedke J, Gröne EF, et al. Expression of inhibitor of apoptosis protein Livin in renal cell carcinoma and non-tumorous adult kidney. Br J Cancer 2007;97:1271-6.

1358 Waghray A, Keppler D, Sloane BF, Schuger L, Chen YQ. Analysis of a truncated form of cathepsin H in human prostate tumor cells. J Biol Chem 2002;277:11533-8.

1359 Waligórska-Stachura J, Jankowska A, Waśko R, Liebert W, Biczysko M, Czarnywojtek A, et al. Survivin - prognostic tumor biomarker in human neoplasms - review. Ginekol Pol 2012;83:537-40.

1360 Walser-Domjan E, Richard A, Eichholzer M, Platz EA, Linseisen J, Rohrmann S. Association of urinary phytoestrogen concentrations with serum concentrations of prostate-specific antigen in the National Health and Nutrition Examination Survey. Nutr Cancer 2013;65 :813-9.

1361 Walsh PC. Re: Vitamin E and the risk of prostate cancer: the Selenium and Vitamin E Cancer Prevention Trial (SELECT). J Urol 2012;187:1640-1.

1362 Walter BA, Valera VA, Pinto PA, Merino MJ. Comprehensive microRNA Profiling of Prostate Cancer. J Cancer 2013;4:350-7.

1363 Walz J, Graefen M, Chun FK, Erbersdobler A, Haese A, Steuber T, et al. High incidence of prostate cancer detected by saturation biopsy after previous negative biopsy series. Eur Urol 2006;50:498-505.

1364 Walz J, Perrote P, Gallina A, Bénard F, Valiquette L, McCormack M, et al. Ejaculatory disorders may affect screening for prostate cancer. J Urol 2007;178:232-8.

1365 Wang H, Fan L, Wei J, Weng Y, Zhou L, Shi Y, et al. AKT mediates metastasis-associated gene 1 (MTA1) regulating the expression of E-cadherin and promoting the invasiveness of prostate cancer cells. PLoS One 2012;7:e46888.

1366 Wang H, Jiang S, Zhang Y, Pan K, Xia J, Chen M. High expression of thymosin beta 10 predicts poor prognosis for hepatocellular carcinoma after hepatectomy. World J Surg Oncol 2014;12:226.

1367 Wang J, Anderson PD, Luo W, Gius D, Roh M, Abdulkadir SA. Pim1 kinase is required to maintain tumorigenicity in MYC-expressing prostate cancer cells. Oncogene 2012;31:1794-803.

1368 Wang J, Weng J, Cai Y, Penland R, Liu M, Ittmann M. The prostate-specific G-protein coupled receptors PSGR and PSGR2 are prostate cancer biomarkers that are complementary to alpha-methylacyl-CoA racemase. Prostate 2006;66:847-57.

1369 Wang K, Fan DD, Jin S, Xing NZ, Niu YN. Differential expression of 5-alpha reductase isozymes in the prostate and its clinical implications. Asian J Androl 2014;16:274-9.

1370 Wang L, Jin Y, Arnoldussen YJ, Jonson I, Qu S, Maelandsmo GM, et al. STAMP1 is both a proliferative and an antiapoptotic factor in prostate cancer. Cancer Res 2010;70:5818-28.

1371 Wang L, McDonnell SK, Cunningham JM, Hebbring S, Jacobsen SJ, Cerhan JR, et al. No association of germline alteration of MSR1 with prostate cancer risk. Nat Genet 2003;35:128-9.

1372 Wang P, Ma Q, Luo J, Liu B, Tan F, Zhang Z, et al. Nkx3.1 and p27(KIP1) cooperate in proliferation inhibition and apoptosis induction in human androgen-independent prostate cancer cells. Cancer Invest 2009;27:369-75.

1373 Wang Q, Chen Z, Diao X, Huang S. Induction of autophagy-dependent apoptosis by the survivin suppressant YM155 in prostate cancer cells. Cancer Lett 2011;302:29-36.

1374 Wang Q, Diao X, Sun J, Chen Z. Regulation of VEGF, MMP-9 and metastasis by CXCR4 in a prostate cancer cell line. Cell Biol Int 2011;35:897-904.

1375 Wang R, Wu KJ, Niu G, Wang XY, He DL. Changes of intracellular cholesterol metabolism in neuroendocrine differentiation of prostate cancer and their significance. Zhonghua Nan Ke Xue 2013;19:199-204.

1376 Wang X, Yu J, Sreekumar A, Varambally S, Shen R, Giacherio D, et al. Autoantibody signatures in prostate cancer. N Engl J Med 2005;353:1224-35.

1377 Wang Y, Balan V, Gao X, Reddy PG, Kho D, Tait L, et al. The significance of galectin-3 as a new basal cell marker in prostate cancer. Cell Death Dis 2013;4:e753.

1378 Wang Z, Li Y, Banerjee S, Kong D, Ahmad A, Nogueira V, et al. Down-regulation of Notch-1 and Jagged-1 inhibits prostate cancer cell growth, migration and invasion, and induces apoptosis via inactivation of Akt, mTOR, and NF-kappaB signaling pathways. J Cell Biochem 2010;109:726-36.

1379 Warrick JI, Tomlins SA, Carskadon SL, Young AM, Siddiqui J, Wei JT, et al. Evaluation of tissue PCA3 expression in prostate cancer by RNA in situ hybridization--a correlative study with urine PCA3 and TMPRSS2-ERG. Mod Pathol 2014;27:609-20.

1380 Warrington RJ, Lewis KE. Natural antibodies against nerve growth factor inhibit in vitro prostate cancer cell metastasis. Cancer Immunol Immunother 2011;60:187-95.

1381 Wei LH, Kuo ML, Chen CA, Chou CH, Cheng WF, Chang MC, et al. The anti-apoptotic role of interleukin-6 in human cervical cancer is mediated by up-regulation of Mcl-1 through a PI 3-K/AKT pathway. Oncogene 2001;20:5799-809.

1382 Weidner N, Carroll PR, Flax J, Blumenfeld W, Folkman J. Tumor angiogenesis correlates with metastasis in invasive prostate carcinoma. Am J Pathol 1993;143:401-9.

1383 Wendt MK, Cooper AN, Dwinell MB. Epigenetic silencing of CXCL12 increases the metastatic potential of mammary carcinoma cells. Oncogene 2008;27:1461-71.

1384 Wendt MK, Johanesen PA, Kang-Decker N, Binion DG, Shah V, Dwinell MB. Silencing of epithelial CXCL12 expression by DNA hypermethylation promotes colonic carcinoma metastasis. Oncogene 2006;25:4986-97.

1385 Weng J, Ma W, Mitchell D, Zhang J, Liu M. Regulation of human prostate-specific G-protein coupled receptor, PSGR, by two distinct promoters and growth factors. J Cell Biochem 2005;96:1034-48.

1386 Weng J, Wang J, Hu X, Wang F, Ittmann M, Liu M. PSGR2, a novel G-protein coupled receptor, is overexpressed in human prostate cancer. Int J Cancer 2006;118:1471-80.

1387 Weng PH, Huang YL, Page JH, Chen JH, Xu J, Koutros S, et al. Polymorphisms of an innate immune gene, toll-like receptor 4, and aggressive prostate cancer risk: a systematic review and meta-analysis. PLoS One 2014;9:e110569.

1388 Wenske S, Quarrier S, Katz AE. Salvage cryosurgery of the prostate for failure after primary radiotherapy or cryosurgery: long-term clinical, functional, and oncologic outcomes in a large cohort at a tertiary referral centre. Eur Urol 2013;641-7.

1389 West DW, Slattery ML, Robison LM, French TK, Mahoney AW. Adult dietary intake and prostate cancer risk in Utah: a case-control study with special emphasis on aggressive tumors. Cancer Causes Control 1991;2:85-94.

1390 Westphalen AC, Coakley FV, Roach M 3rd, McCulloch CE, Kurhanewicz J. Locally recurrent prostate cancer after external beam radiation therapy: diagnostic performance of 1.5-T endorectal MR imaging and MR spectroscopic imaging for detection. Radiology 2010;256:485-92.

1391 Whelan C, Kawachi M, Smith DD, Linehan J, Babilonia G, Mejia R, et al. Expressed prostatic secretion biomarkers improve stratification of NCCN active surveillance candidates: performance of secretion capacity and TMPRSS2:ERG models J urol 2014;191:220-6.

1392 White NM, Youssef YM, Fendler A, Stephan C, Jung K. Yousef GM. The miRNA-kallikrein axis of interaction: a new dimension in the pathogenesis of prostate cancer. Biol Chem 2012;393:379-89.

1393 Whitman EJ, Groskopf J, Ali A, Chen Y, Blase A, Furusato B, et al. PCA3 score before radical prostatectomy predicts extracapsular extension and tumor volume. J Urol 2008;180:1975-9.

1394 Wiechno P, Somer BG, Mellado B, Chłosta PL, Cervera Grau JM, Castellano D, et al. A randomised phase 2 study combining LY2181308 sodium (survivin antisense oligonucleotide) with first-line docetaxel/prednisone in patients with castration-resistant prostate cancer. Eur Urol 2014;65:516-20.

1395 Wiegel T, Bottke D, Steiner U, Siegmann A, Golz R, Störkel S, et al. Phase III postoperative adjuvant radiotherapy after radical prostatectomy compared with radical prostatectomy alone in pT3 prostate cancer with postoperative undetectable prostate-specific antigen: ARO 96-02/AUO AP 09/95. J Clin Oncol 2009;27:2924-30.

1396 Wientjes MG, Zheng JH, Hu L, Gan Y, Au JL-S. Intraprostatic chemotherapy: distribution and transport mechanisms. Clin Cancer Res 2005;11:4204-11.

1397 Wiest I, Seliger C, Walzel H, Friese K, Jeschke U. Induction of apoptosis in human breast cancer and trophoblast tumor cells by galectin-1. Anticancer Res 2005;25:1575-80.

1398 Wikström P, Lissbrant IF, Stattin P, Egevad L, Bergh A. Endoglin (CD105) is expressed on immature blood vessels and is a marker for survival in prostate cancer. Prostate 2002;51:268-75.

1399 Williams LV, Veliceasa D, Vinokour E, Volpert OV. miR-200b inhibits prostate cancer EMT, growth and metastasis. PLoS One 2013;8:e83991.

1400 Williams SB, Hu JC. Salvage robotic assisted laparoscopic radical prostatectomy: indications and outcomes. World J Urol 2013;31:431-4.

1401 Wilson S, Greer B, Hooper J, Zijlstra A, Walker B, Quigley J, et al. The membrane-anchored serine protease, TMPRSS2, activates PAR-2 in prostate cancer cells. Biochem J 2005;388:967-72.

1402 Wilt TJ, Brawer MK, Jones KM, Barry MJ, Aronson WJ, Fox S, et al. Radical prostatectomy versus observation for localized prostate cancer. N Engl J Med 2012;367:203-13.

1403 Winnes M, Lissbrant E, Damber JE, Stenman G. Molecular genetic analyses of the TMPRSS2-ERG and TMPRSS2-ETV1 gene fusions in 50 cases of prostate cancer. Oncol Rep 2007;17:1033-6.

1404 Winter SF, Acevedo VD, Gangula RD, Freeman KW. Conditional activation of FGFR1 in the prostate epithelium induces angiogenesis with concomitant differential regulation of Ang-1 and Ang-2. Oncogene 2007;26:4897-907.

1405 Wirth GJ, Schandelmaier K, Smith V, Burger AM, Fiebig H-H. Microarrays of 41 human tumor cell lines for the characterization of new molecular targets: expression patterns of cathepsin B and the transferrin receptor. Oncology 2006;71:86-94.

1406 Wolff H, Bezold G, Zebhauser M, Meurer M. Impact of clinically silent inflammation on male genital tract organs as reflected by biochemical markers in semen. J Androl 1991;12:331-4.

1407 Wolters T, Vissers KJ, Bangma CH, Schröder FH, van Leenders GJLH. The value of EZH2, p27kip1, BMI-1 and MIB-1 on biopsy specimens with low-risk prostate cancer in selecting men with significant prostate cancer at prostatectomy. BJU Int 2009;106:280-6.

1408 Wong YN, Freedland S, Egleston B, Hudes G, Schwartz JS, Armstrong K. Role of androgen deprivation therapy for node-positive prostate cancer. J Clin Oncol 2009;27:100-5.

1409 Woodson K, O'Reilly KJ, Hanson JC, Nelson D, Walk EL, Tangrea JA. The usefulness of the detection of GSTP1 methylation in urine as a biomarker in the diagnosis of prostate cancer. J Urol 2008;179:508-11.

1410 Woollard DJ, Opeskin K, Coso S, Wu D, Baldwin ME,

Williams ED. Differential expression of VEGF ligands and receptors in prostate cancer. Prostate 2013;73:563-72.

1411 Wu C, Aronson WJ, Terris MK, Presti JC Jr, Kane CJ, Amling CL, et al. Diabetes predicts metastasis after radical prostatectomy in obese men: results from the SEARCH database. BJU Int 2013;111:E310-8.

1412 Wu CL, Jordan KW, Ratai EM, Sheng J, Adkins CB, Defeo EM, et al. Metabolomic imaging for human prostate cancer detection. Sci Transl Med 2010;2:16ra8.

1413 Wu CT, Chang YH, Lin P, Chen WC, Chen MF. Thrombomodulin expression regulates tumorigenesis in bladder cancer. BMC Cancer 2014;14:375.

1414 Wu Q, Parry G. Hepsin and prostate cancer. Front Biosci 2007;12:5052-9.

1415 Wu T, Giovannucci E, Welge J, Mallick P, Tang WY, Ho SM. Measurement of GSTP1 promoter methylation in body fluids may complement PSA screening: a meta-analysis. Br J Cancer 2011;105:65-73.

1416 Wu W, Zhu H, Liang Y, Kong Z, Duan X, Li S, et al. Expression of PARP1 and its active polymer PAR in prostate cancer and benign prostatic hyperplasia in Chinese patients. Int Urol Nephrol 2014;46:1345-9.

1417 Xia C, Ma W, Wang F, Hua S-B, Liu M. Identification of a prostate-specific G-protein coupled receptor in prostate cancer. Oncogene 2001;20:5903-7.

1418 Xiang Y-Z, Xiong H, Cui Z-K, Jiang S-B, Xia Q-H, Zhao Y, et al. The association between metabolic syndrome and the risk of prostate cancer, high-grade prostate cancer, advanced prostate cancer, prostate cancer specific mortality and biochemical recurrence. J Exp Clin Cancer Res 2013;32:9-33.

1419 Xie C, Jiang XH, Zhang JT, Sun TT, Dong JD, Sanders AJ, et al. CFTR suppresses tumor progression through miR-193b targeting urokinase plasminogen activator (uPA) in prostate cancer. Oncogene 2013;32:2282-91.

1420 Xie L, Ni W-K, Chen X-D, Xiao M-B, Chen B-Y, He S, et al. The expressions and clinical significances of tissue and serum galectin-3 in pancreatic carcinoma. J cancer Res Clin Oncol 2012;138:1035-43.

1421 Xing P, Li JG, Jin F, Zhao TT, Liu Q, Dong HT, et al. Clinical and biological significance of hepsin over-expression in breast cancer. J Investig Med 2011;59:803-10.

1422 Xu H, Yuan SQ, Zheng ZH, Yan W. The cytoplasmic droplet may be indicative of sperm motility and normal spermiogenesis. Asian J Androl 2013;15:799-805.

1423 Xu J, Kalos M, Stolk JA, Zasloff EJ, Zhang X, Houghton RL, et al. Identification and characterization of prostein, a novel prostate-specific protein. Cancer Res 2001;61:1563-8.

1424 Xu J, Zheng SL, Komiya A, Mychaleckyj JC, Isaacs SD, Chang B, et al. Common sequence variants of the macrophage scavenger receptor 1 gene are associated with prostate cancer risk. Am J Hum Genet 2003;72:208-12.

1425 Xu LL, Stackhouse BG, Florence K, Zhang W, Shanmugam N, Sesterhenn IA, et al. PSGR, a novel prostate-specific gene with homology to a G protein-coupled receptor, is overexpressed in prostate cancer. Cancer Res 2000;60: 6568-72.

1426 Xu LL, Sun C, Petrovics G, Makarem M, Furusato B, Zhang W, et al. Quantitative expression profile of PSGR in prostate cancer. Prostate Cancer Prostatic Dis 2006;9:56-61.

1427 Xu Y, Zhang L, Sun SK, Zhang X. CC chemokine ligand 18 and IGF-binding protein 6 as potential serum biomarkers for prostate cancer. Tohoku J Exp Med 2014;233:25-31.

1428 Xu YY, Wu HJ, Ma HD, Xu LP, Huo Y, Yin LR. MicroRNA-503 suppresses proliferation and cell-cycle progression of endometrioid endometrial cancer by negatively regulating cyclin D1. 2013;280:3768-79.

1429 Xuan J-A, Schneider D, Toy P, Lin R, Newton A, Zhu Y, et al. Antibodies neutralizing hepsin protease activity do not impact cell growth but inhibit invasion of prostate and ovarian tumor cells in culture. Cancer Res 2006;66:3611-9.

1430 Xuan Q, Yang X, Mo L, Huang F, Pang Y, Qin M, MD, et al. Expression of the serine protease kallikrein 7 and its inhibitor antileukoprotease is decreased in prostate cancer. Arch Pathol Lab Med 2008;132:1796-801.

1431 Xue Y, Li J, Latijnhouwers MA, Smedts F, Umbas R, Aalders TW, et al. Expression of periglandular tenascin-C and basement membrane laminin in normal prostate, benign prostatic hyperplasia and prostate carcinoma. Br J Urol 1998;81:844-51.

1432 Xue Y, Yu F, Yan D, Cui F, Tang H, Wang X, Chen J, et al. Zinc-α-2-glycoprotein: a candidate biomarker for colon cancer diagnosis in Chinese population. Int J Mol Sci 2014;16:691-703.

1433 Yamamoto M, Sobue G, Yamamoto K, Terao S, Mitsuma T. Expression of mRNAs for neurotrophic factors (NGF, BDNF, NT-3, and GDNF) and their receptors (p75NGFR, trkA, trkB, and trkC) in the adult human peripheral nervous system and nonneural tissues. Neurochem Res 1996;21:929-38.

1434 Yamamoto S, Yonese J, Kawakami S, Ohkubo Y, Tatokoro M, Komai Y, et al. Preoperative serum testosterone level as an independent predictor of treatment failure following radical prostatectomy. Eur Urol 2007;52:696-701.

1435 Yan L, Spitznagel EL. Soy consumption and prostate cancer risk in men: a revisit of a meta-analysis. Am J Clin Nutr 2009;89:1155-63.

1436 Yang G, Goltsov AA, Ren C, Kurosaka S, Edamura K, Logothetis R, et al. Caveolin-1 upregulation contributes to c-MYC-induced high-grade prostatic intraepithelial neoplasia and prostate cancer. Mol Cancer Res 2012; 10:218-29.

1437 Yang G, Timme TL, Frolov A, Wheeler TM, Thompson TC. Combined c-MYC and caveolin-1 expression in human prostate carcinoma predicts prostate carcinoma progression. Cancer 2005;103:1186-94.

1438 Yang J, Ramnath N, Moysich KB, Asch HL, Swede H, Alrawi SJ, et al. Prognostic significance of MCM2, Ki-67 and gelsolin in non-small cell lung cancer. BMC Cancer 2006;6:203.

1439 Yang J, Wu HF, Qian LX, Zhang W, Hua LX, Yu ML, et al.

Increased expressions of vascular endothelial growth factor (VEGF), VEGF-C and VEGF receptor-3 in prostate cancer tissue are associated with tumor progression. Asian J Androl 2006;8:169-75.

1440 Yang SH, Sharrocks AD. PIASx acts as an Elk-1 coactivator by facilitating derepression. EMBO J 2005;24:2161-71.

1441 Yang Z-H, Wang X-H, Wang H-P, Hu L-Q. Effects of TRPM8 on the proliferation and motility of prostate cancer PC-3 cells. Asian J Androl 2009;11:157-65.

1442 Yanke BV, Gonen M, Scardino PT, Kattan MW. Validation of a nomogram for predicting positive repeat biopsy for prostate cancer. J Urol 2005;173:421-4.

1443 Yano M, Imamoto T, Suzuki H, Fukasawa S, Kojima S, Komiya A, et al. The clinical potential of pretreatment serum testosterone level to improve the efficiency of prostate cancer screening. Eur Urol 2007;51:375-80.

1444 Yao YL, Yang WM. The metastasis-associated proteins 1 and 2 form distinct protein complexes with histone deacetylase activity. J Biol Chem 2003;278:42560–8.

1445 Yarden Y, Kuang WJ, Yang-Feng T, Coussens L, Munemitsu S, Dull TJ, et al. Human proto-oncogene c-kit: a new cell surface receptor tyrosine kinase for an unidentified ligand. EMBO J 1987;6:3341-51.

1446 Yashi M, Nukui A, Kurokawa S, Ochi M, Ishikawa S, Goto K, et al. Elevated serum progastrin-releasing peptide (31-98) level is a predictor of short response duration after hormonal therapy in metastatic prostate cancer. Prostate 2003:56:305-12.

1447 Yashi M, Terauchi F, Nukui A, Ochi M, Yuzawa M, Hara Y, et al. Small-cell neuroendocrine carcinoma as a variant form of prostate cancer recurrence: a case report and short literature review. Urol Oncol 2006;24:313-7.

1448 Yasuda K, Nagakawa O, Akashi T, Fujiuchi Y, Koizumi K, Komiya A, et al. Serum active hepatocyte growth factor (AHGF) in benign prostatic disease and prostate cancer. Prostate 2009;69:346-51.

1449 Ye L, Kynaston H, Jiang WG. Bone morphogenetic protein-9 induces apoptosis in prostate cancer cells, the role of prostate apoptosis response-4. Mol Cancer Res 2008;6:1594-606.

1450 Yerram NK, Volkin D, Turkbey B, Nix J, Hoang AN, Vourganti S, et al. Low suspicion lesions on multiparametric magnetic resonance imaging predict for the absence of high-risk prostate cancer. BJU Int 2012;110:E783-E788.

1451 Yin M, Dhir R, Parwani AV. Diagnostic utility of p501s (prostein) in comparison to prostate specific antigen (PSA) for the detection of metastatic prostatic adenocarcinoma. Diagn Pathol 2007;2:41.

1452 Yip PY, Kench JG, Rasiah KK, Benito RP, Lee CS, Stricker PD, et al. Low AZGP1 expression predicts for recurrence in margin-positive, localized prostate cancer. Prostate 2011;71:1638-45.

1453 Yoon C-Y, Byun S-S. Pathogenesis of prostate cancer. J Korean Med Assoc 2010;53:98-106.

1454 Yoon YE, Lee JW, Lee SY, Lim KT, Park SY, Kim YT, et al.

The association of metabolic syndrome and prostate-specific antigen. Korean J Urol 2009;50:963-8.

1455 Yoshioka Y, Inoue T. Prostate Risk Index (PRIX) as a new method of risk classification for clinically localized prostate cancer. Strahlenther Onkol 2007;183:490-6.

1456 Young JG, Green NK, Mautner V, Searle PF, Young LS, James ND, et al. Combining gene and immunotherapy for prostate cancer. Prostate Cancer Prostatic Dis 2008;11:187-93.

1457 Yousef GM, Borgoño CA, Michael IP, Davidian C, Stephan C, Jung K, et al. Molecular cloning of a new gene which is differentially expressed in breast and prostate cancers. Tumour Biol 2004;25:122-33.

1458 Yousef GM, Borgoño CA, Scorilas A, Ponzone R, Biglia N, Iskander L, et al. Quantitative analysis of human kallikrein gene 14 expression in breast tumours indicates association with poor prognosis. Br J Cancer 2002;87:1287-93.

1497 Yousef GM, Diamandis EP. The expanded human kallikrein gene family: locus characterization and molecular cloning of a new member, KLK-L3 (KLK9). Genomics 2000:65:184-94.

1460 Yousef GM, Kyriakopoulou LG, Scorilas A, Fracchioli S, Ghiringhello B, Zarghooni M, et al. Quantitative expression of the human kallikrein gene 9 (KLK9) in ovarian cancer: a new independent and favorable prognostic marker. Cancer Res 2001;61:7811-8.

1461 Yousef GM, Magklara A, Diamandis EP. KLK12 is a novel serine protease and a new member of the human kallikrein gene family-differential expression in breast cancer. Genomics 2000;69:331-41.

1462 Yousef GM, Obiezu CV, Luo L-Y, Black MH, Diamandis EP. Prostase/KLKL1 is a new member of the human kallikrein gene family, is expressed in prostate and breast tissues, and is hormonally regulated. Cancer Res 1999;59:4252-6.

1463 Yousef GM, Scorilas A, Jung K, Ashworth LK, Diamandis EP. Molecular cloning of the human kallikrein 15 gene (KLK15) upon prostate cancer. J Biol Chem 2001;276:53-61.

1464 Yousef GM, Scorilas A, Magklara A, Memari N, Ponzone R, Sismondi P, et al. The androgen-regulated gene human kallikrein 15 (KLK15) is an independent and favourable prognostic marker for breast cancer. Br J Cancer 2002;87: 1294-300.

1465 Yousef GM, Scorilas A, Nakamura T, Ellatif MA, Ponzone R, Biglia N, et al. The prognostic value of the human kallikrein gene 9 (KLK9) in breast cancer. Breast Cancer Res Treat 2003;78:149-58.

1466 Yu EY, Gulati R, Telesca D, Jiang P, Tam S, Russell KJ, et al. Duration of first off-treatment interval is prognostic for time to castration resistance and death in men with biochemical relapse of prostate cancer treated on a prospective trial of intermittent androgen deprivation. J Clin Oncol 2010;28:2668-73.

1467 Yu G, Jiang P, Xiang Y, Zhang Y, Zhu Z, Zhang C, et al. Increased expression of protease-activated receptor 4 and trefoil factor 2 in human colorectal cancer. PLoS One

2015;10:e0122678.

1468 Yu J, Zhang L, Hwang PM, Kinzler KW, Vogelstein B. PUMA induces the rapid apoptosis of colorectal cancer cells. Mol Cell 2001;7:673-82.

1469 Yu JB, Makarov DV, Gross C. A new formula for prostate cancer lymph node risk. Int J Radiat Oncol Biol Phys 2011;80:69-75.

1470 Yu JH, Cho MC, Chang IH, Han JH, Han BK, Jeong S-J, et al. Comparative analysis of the clinicopathological characteristics of patients with prostate cancer with a pathological Gleason score 3+4 versus Gleason score 4+3. Korean J Urol 2007;48:804-8.

1471 Yu L, Blackburn GL, Zhou JR. Genistein and daidzein downregulate prostate androgen-regulated transcript-1 (PART-1) gene expression induced by dihydrotestosterone in human prostate LNCaP cancer cells. J Nutr 2003:133:389-92.

1472 Yu S, Xu Z, Zou C, Wu D, Wang Y, Yao X, et al. Ion channel TRPM8 promotes hypoxic growth of prostate cancer cells via an O2 -independent and RACK1-mediated mechanism of HIF-1α stabilization. J Pathol 2014;234:514-25.

1473 Yu X, Cates JM, Morrissey C, You C, Grabowska MM, Zhang J, et al. SOX2 expression in the developing, adult, as well as, diseased prostate. Prostate Cancer Prostatic Dis 2014;17:301-9.

1474 Yuan X; Li T; Wang H; Zhang T; Barua M; Borgesi RA, et al. Androgen receptor remains critical for cell-cycle progression in androgen-independent CWR22 prostate cancer cells. Am J Pathol 2006;169:682-96.

1475 Yudin Y, Lukacs V, Cao C, Rohacs T. Decrease in phosphatidylinositol 4,5-bisphosphate levels mediates desensitization of the cold sensor TRPM8 channels J Physiol 2011;589:6007-27.

1476 Zaccheo T, Giudici D, Panzeri A, di Salle E. Effect of the 5 alpha-reductase inhibitor PNU 156765, alone or in combination with flutamide, in the Dunning R3327 prostatic carcinoma in rats. Chemotherapy 1998;44:284-92.

1477 Zareba P, Zhang J, Yilmaz A, Trpkov K. The impact of the 2005 International Society of Urological Pathology (ISUP) consensus on Gleason grading in contemporary practice. Histopathology 2009;55:384-91.

1478 Zaytoun OM, Jones JS. Prostate cancer detection after a negative prostate biopsy: lessons learnt in the Cleveland Clinic experience. Int J Urol 2011;18:557-68.

1479 Zelefsky MJ, Ben-Porat L, Scher HI, Chan HM, Fearn PA, Fuks ZY, et al. Outcome predictors for the increasing PSA state after definitive external-beam radiotherapy for prostate cancer. J Clin Oncol 2005;23:826-31.

1480 Zhai X-F, Fang F-F, Liu Q, Meng Y-B, Guo Y-Y, Chen Z. MiR-181a contributes to bufalin-induced apoptosis in PC-3 prostate cancer cells. BMC Complement Altern Med 2013;13:325-31.

1481 Zhang A, Yan G, Han Y, Wang X. Metabolomics approaches and applications in prostate cancer research. Appl Biochem Biotechnol 2014;174:6-12.

1482 Zhang CY, Zhu Y, Rui WB, Dai J, Shen ZJ. Expression of kallikrein-related peptidase 7 is decreased in prostate cancer. Asian J Androl 2015;17:106-10.

1483 Zhang D, Cui Y, Niu L, Xu X, Tian K, Young CY, et al. Regulation of SOD2 and β-arrestin1 by interleukin-6 contributes to the increase of IGF-1R expression in docetaxel resistant prostate cancer cells. Eur J Cell Biol] 2014;93:289-98.

1484 Zhang J. Poly (ADP-ribose) polymerase inhibitor: an evolving paradigm in the treatment of prostate cancer. Asian J Androl 2014;16:401-6.

1485 Zhang L, Jiao M, Li L, Wu D, Wu K, Li X, et al. Tumorspheres derived from prostate cancer cells possess chemoresistant and cancer stem cell properties. J Res Cancer Clin Oncol 2012;138:675-86.

1486 Zhang Q, Liu S, Zhang Q, Xiong Z, Wang AR, Myers L, et al. Interleukin-17 promotes development of castration-resistant prostate cancer potentially through creating an immunotolerant and pro-angiogenic tumor microenvironment. Prostate 2014;74:869-79.

1487 Zhang TY, Agarwal N, Sonpavde G, DiLorenzo G, Bellmunt J, Vogelzang NJ. Management of castrate resistant prostate cancer-recent advances and optimal sequence of treatments. Curr Urol Rep 2013;14:174-83.

1488 Zhang WM, Finne P, Leinonen J, Stenman UH. Characterization and determination of the complex between prostate-specific antigen and alpha 1-protease inhibitor in benign and malignant prostatic diseases. Scand J Clin Lab Invest Suppl 2000;233:51-8.

1489 Zhang X, Steiner MS, Rinaldy A, Lu Y. Apoptosis induction in prostate cancer cells by a novel gene product, pHyde, involves caspase-3. Oncogene 2001;20:5982-90.

1490 Zhang X, Wang W, True LD, Vessella RL, Takayama TK. Protease-activated receptor-1 is upregulated in reactive stroma of primary prostate cancer and bone metastasis. Prostate 2009;69:727-36.

1491 Zhang XJ, Su YR, Liu D, Xu DB, Zeng MS, Chen WK. Thymosin beta 10 correlates with lymph node metastases of papillary thyroid carcinoma. J Surg Res 2014;192:487-93.

1492 Zhang Y, Ali TZ, Zhou H, D'Souza DR, Lu Y, Jaffe J, et al. ERBB3 binding protein 1 represses metastasis-promoting gene anterior gradient protein 2 in prostate cancer. Cancer Res 2010;70:240-8.

1493 Zhang Y, Bao L, Lu J, Liu K-Y, Li J-L, Qin Y-Z, et al. The clinical value of the quantitative detection of four cancer-testis antigen genes in multiple myeloma. Mol Cancer 2014;13:25-44.

1494 Zhang Y, Bhat I, Zeng M, Jayal G, Wazer DE, Band H, et al. Human kallikrein 10, a predictive marker for breast cancer. Biol Chem 2006;387:715-21.

1495 Zhang Y, Huang H, Zhou H, Du T, Zeng L, Cao Y, et al. Activation of nuclear factor κB pathway and downstream targets survivin and livin by SHARPIN contributes to the progression and metastasis of prostate cancer. Cancer 2014;120:3208-18.

1496 Zhang Y, Wang Z, Ahmed F, Banerjee S, Li Y, Sarkar FH. Down-regulation of Jagged-1 induces cell growth inhibition and S phase arrest in prostate cancer cells. Int J Cancer 2006;119:2071-7.

1497 Zhao EH, Shen ZY, Liu H, Jin X, Cao H. Clinical significance of human kallikrein 12 gene expression in gastric cancer. World J Gastroenterol 2012;18:6597-604.

1498 Zhao J, Li P, Feng H, Wang P, Zong Y, Ma J, et al. Cadherin-12 contributes to tumorigenicity in colorectal cancer by promoting migration, invasion, adhesion and angiogenesis. J Transl Med 2013;11:288.

1499 Zhao Z, Ma W, Zeng G, Qi D, Ou L, Liang Y. Preoperative serum levels of early prostate cancer antigen (EPCA) predict prostate cancer progression in patients undergoing radical prostatectomy. Prostate 2012;72:270-9.

1500 Zhao Z, Ma W, Zeng G, Qi D, Ou L, Liang Y. Serum early prostate cancer antigen (EPCA) level and its association with disease progression in prostate cancer in a Chinese population. PLoS One 2011;6:1-8.

1501 Zhong W, Peng J, He H, Wu D, Han Z, Bi X, et al. Ki-67 and PCNA expression in prostate cancer and benign prostatic hyperplasia. Clin Invest Med 2008;31:E8-E15.

1502 Zhou M, Chinnaiyan AM, Kleer CG, Lucas PC, Rubin MA. Alpha-Methylacyl-CoA racemase: a novel tumor marker over-expressed in several human cancers and their precursor lesions. Am J Surg Pathol 2002;26:926-31.

1503 Zhou M, Jiang Z, Epstein JI. Expression and diagnostic utility of alpha-methylacyl-CoA-racemase (P504S) in foamy gland and pseudohyperplastic prostate cancer. Am J Surg Pathol 2003;27:772-8.

1504 Zhu H, Mazor M, Kawano Y, Walker MM, Leung HY, Armstrong K, et al. Analysis of WNT gene expression in prostate cancer: mutual inhibition by WNT11 and the androgen receptor. Cancer Res 2004;64:7918-26.

1505 Zhu L, Koistinen H, Landegren U, Stenman UH. Proximity ligation measurement of the complex between prostate specific antigen and alpha1-protease inhibitor. Clin Chem 2009;55:1665-71.

1506 Zhu Y, Liu C, Cui Y, Nadiminty N, Lou W, Gao AC. Interleukin-6 induces neuroendocrine differentiation (NED) through suppression of RE-1 silencing transcription factor (REST). Prostate 2014;74:1086-94.

1507 Zhu Y-S, Sun G-H. 5α-Reductase isoenzymes in the prostate. J Med Sci 2005;25:1-12.

1508 Zilio N, Williamson CT, Eustermann S, Shah R, West SC, Neuhaus D, et al. DNA-dependent SUMO modification of PARP1. 2013;12:761-73.

1509 Zimmers TA, Jin X, Gutierrez JC, Acosta C, McKillop IH, Pierce RH, et al. Effect of in vivo loss of GDF-15 on hepatocellular carcinogenesis. J Cancer Res Clin Oncol 2008;134:753-9.

1510 Zu K, Martin NE, Fiorentino M, Flavin R, Lis RT, Sinnott JA, et al. Protein expression of PTEN, insulin-like growth factor I receptor (IGF-IR), and lethal prostate cancer: a prospective study. Cancer Epidemiol Biomarkers Prev 2013;22:1984-93.

1511 Zucker S, Cao J, Chen WT. Critical appraisal of the use of matrix metalloproteinase inhibitors in cancer treatment. Oncogene 2000;19:6642-50.

1512 Zukerman Z, Weiss DB, Orvieto R. Does preejaculatory penile secretion originating from Cowper's gland contain sperm? J Assist Reprod Genet 2003;20:157-9.

A

Abelson murine leukemia viral oncogene homolog 510
Abiraterone acetate 137, 139
Acidic human urinary arginine esterase 304
Acrosomal reaction 678
Activator interaction domain-containing protein 2 609
Active surveillance 101, 732
Adenomatous polyposis coli 418
A disintegrin and metalloprotease 1 228
Advanced glycation end product 628
Alcohol 920
Aldo-keto reductase 277
Alkaline phosphatase 717
Alpha 1-antichymotrypsin 52
Alpha 1-antitrypsin 52
Alpha 2-glycoprotein 1, zinc-binding 701
Alpha 2-macroglobulin 52
Alpha-methylacyl CoA racemase 421
Alpha-methylacyl coenzyme A racemase 283
Alpha-methylacyl coenzyme A racemase 743
Alpharadin 141
5Alpha-reductase 292
Alternative lengthening of telomere 661
Androgen-regulated message 1 454
Annexin 297
Annexin A3 731
Anoikis 656
Anterior gradient homolog 2 703
Anterior gradient protein 2 299
Anthropometry 937
Antiandrogen therapy 146
Antileukoprotease 463
Antiprostasome antibody 303
Antisoma 1411 563
Apolipoprotein J 357
Apoptosis 647
Apoptosis antigen 1 583
Apoptosis-inducing ligand 2 774
Apoptosis inhibitor 4 646
Apoptosis-related protein in the TGF-beta signaling pathway 631
Apoptotic body 703
Asthenozoospermia 17

ATP-binding cassette 514
Atrophic prostate carcinoma 286
Atypical adenomatous hyperplasia 9, 288
Atypical protein kinase C λ/ι 160
Atypical small acinar proliferation 877
Autoantibody 301
Autophagy 794
Autophagy-related gene 7 794

B

Baculoviral inhibitor of apoptosis repeat-containing 5 646
Basal cell marker 411
Basic arginine esterase 303
Basic human urinary arginine esterase 303
Basigin 492
B-cell lymphoma 2 .... 304, 704, 765
BCL2-binding component 3 564
Beclin 1 794
Benign PSA 73
34Beta E12 739
Beta-inhibitin 200
Biochemical recurrence 156
Biopsy of prostate 845
Bombesin 547
Bone metabolism 715
Bone-metastasis 140
Bone morphogenetic protein 583
Bone sialoprotein 752
Brachytherapy 106
Bradeion 631
Brain protein H5 631
Brain-specific serine protease 458
Breast cancer 1 383
Breast cancer estrogen-inducible protein 687
Bulbourethral gland 260

C

Cabazitaxel 140
Cachectin 691
Cachexin 691
Cadmium 932

Calcitriol 32
Calcium 919
Calgranulin 627
Calvert formula 209
Cancer immunomics 301
Cancer of the Prostate Risk Assessment 170
Cancer stem cell 512
Cancer/testis antigen 578
Carcinoembryonic antigen 310, 739
Casein kinase 2 583
Caspase 314
Castrate-resistant prostate cancer 133
Castration-resistant prostate cancer 116, 135
Catechin 367
Catenin 696
Cathepsin 327
Caveolin 333
CEA-related cell adhesion molecule 1 311
Cell cycle progression (CCP) score 342, 738
Cellular caspase-8 (FLICE)-like inhibitory protein 315
Ceramide 35
Charlson comorbidity index 146
Chemokine (C-X-C motif) ligand 348
Chemokine (C-X-C motif) ligand 8 766
Chemokine (C-X-C motif) receptor 4 486
Chemokine (C-X-C motif) receptor type 4 351
Cholesterol 33, 35
Choline 811
Chromogranin A 535, 543
Citrate or citric acid 15, 811
Clusterin 357
Cluster of differentiation 10 .... 300, 532
Cluster of differentiation 95 583
Cluster of differentiation 147 493
Cluster of differentiation 184 351
Cluster of differentiation 340 196
Cluster of differentiation molecule 105 378
Coagulation 779
Coagulation factor II 787
Coagulation factor II (thrombin) receptor 612
Coagulation factor II (thrombin) receptor-like 1 613
Collagen 705
Collagenase 491
Common acute lymphoblastic leukemia antigen 532
Common lymphatic endothelial and vascular endothelial receptor 1 ... 644
Complement 217
Complexed PSA 75
Copulatory plug 226
Cowperitis 262
Cowper's gland 10, 260
Cross-linked C-terminal 715
Cryosurgical ablation 129
Cyclooxygenase 2 28

Cysteine-aspartic acid protease 314
Cysteine-dependent aspartate-directed protease 314
Cysteine-rich secretory protein 201
Cysteine-rich secretory protein 371
Cysteine-rich secretory protein 3 684
Cystic fibrosis (CF) transmembrane conductance regulator 509
Cystoscopy 89
Cytokeratin 7 739
Cytoplasmic droplet 245

D

DEAD/H box-binding protein 1 614
Deafness, X-linked 7 417
Deleted in liver cancer 1 402
Denosumab 141
Diabetes mellitus 942
Diaphanous-related formin 3 335
Differential display clone 3 587
Digital rectal examination 88
Dihydrotestosterone 791
Disseminated intravascular coagulopathy 779
Docetaxel 138
Drug Transport 217

E

E2F transcription factor 343
E3 ubiquitin-protein ligase Mdm2 161
E26 transformation-specific 634
Early onset 1 383
Early prostate cancer antigen 375
E-cadherin 393
ECOG score 109
Effector cell protease receptor 1 646
Ejaculate 15, 223
Ejaculation 90
ElaC ribonuclease Z 2 376
Elafin 463
Enamelysin 491
Endocrine disrupting chemical 930
Endoglin 378, 731, 751
Endozepine-like peptide 1 228
Engrailed homeobox 1 382
Engrailed homolog 2 382
Enhancer of zeste 2 polycomb repressive complex 2 subunit 384
Enhancer of zeste homolog 2 684
Enhancer of zeste homologue 2 202
Enhancer of zeste human homolog 2 384
Enzalutamide 139
Epibrassinolide 20
Epidermal growth factor 748
Epidermal growth factor receptor 638

Epididymis 3, 235
Epididymis secretory protein Li 22............................ 417
Episialin 707
Epithelial cadherin 393
Epithelial-mesenchymal transition 393
Erb-b2 receptor tyrosine kinase 2 196
ERSPC risk calculator... 599
Estrogen-related receptor α 700
ETS-related gene........................... 634, 643, 681, 689
E-twenty-six 681
Eukaryotic translation initiation factor 3, subunit 3 705
Excessive residual cytoplasm 249
Excess residual cytoplasm 245
Exercise 91
Exosome 731
Extracellular matrix metalloproteinase inducer 492
Extracellular signal-regulated kinase 584, 641

F

Farmer.. 934
FAS-associated DD protein..................................... 692
Fas-associated death domain containing protein 315
Fas cell surface death receptor 332, 583
Fasciclin EGF-like, laminin-type EGF-like, and link domain-containing
    scavenger receptor 1 644
Fat intake... 907
Fc (α/β/γ2) receptor I 230
Ferroportin 1 210
Fibrinolytic system 779
Fibroblast growth factor 753
Fine-needle aspiration biopsy 854
FLICE-associated huge protein 319
Flotillin-1 610
Foamy prostate carcinoma 285
Folate hydrolase 1 185
Forkhead box O1.. 775
Frameshift mutation 514
Free PSA 67
Fructose 16, 916
Fruits and vegetables 923
Fused in Ewing's sarcoma 343
Fusin 351

G

Galactoside-binding soluble 403
Galectin 403
Gastrin-releasing peptide 533, 539
Gastrointestinal trefoil protein pS2, protein pS2 687
Gelatinase 491
Genistein 925
Genomic Prostate Score 415, 738

Gleason grading system 833
Glutamate carboxypeptidase II 185
Glutathione peroxidase 229
Glutathione-S-transferase pi 1 417
Glycine-N-methyl transferase.................................. 818
Golgi membrane protein 1 .... 420, 507
Golgi membrane protein GP73 420
Golgi phosphoprotein 2 420
G protein coupled receptor 351, 612
G protein coupled receptor 11 613
Grains and cereals 925
Granulocyte colony-stimulating factor 517
Green tea 366
Growth differentiation factor 15 487
Growth factor 747
Guanine-rich oligonucleotide 563
Gu-binding protein 614

H

Hematological and neurological expressed 1 610
Hepatocyte growth factor 561, 771
Hepatocyte growth factor receptor 772
Hephaestin 210
Hepsin 423
Heptahelical receptor 351
Hereditary breast-ovarian cancer 575
Hereditary prostate cancer 2 376
High grade prostatic intraepithelial neoplasia............59, 875
High-intensity focused ultrasound 113, 129
Hippostasin 468
Homeobox 382
Homeobox protein engrailed-1 382
Hormone-resistant prostate cancer 133
Hormone therapy 117
Human epidermal growth factor receptor 2 196
Human glandular kallikrein 1 450
Human kallikrein 1 441
Human papillomavirus 431
Huntingtin interacting protein 1 302
Hyaluronan receptor for endocytosis 644
Hyaluronic acid 644
Hydroxysteroid dehydrogenase 277
Hypoxia-inducible factor 1 .... 353, 630, 631

I

Immunoglobulin 216
Immunohistochemistry 738
Inactive PSA 74
Infection and inflammation..................................... 938
Inhibitin-like material 200
Inhibitor of apoptosis protein 484, 647

Inhibitor of differentiation protein 433
Inhibitor of DNA-binding protein 433
Insulin-like growth factor 42, 758
Insulin-like growth factor-1 receptor 439
insulin like growth factor-I 651
Int-1 homolog 696
Intact PSA 74
Integrin 656
Interleukin 6 437
Interleukin 8 766
Intestinal trefoil factor 687
Intraductal dysplasia 9
Isoflavones 925

J

Jagged 1 706
Jak-binding protein 1 560
Juxtaposition of chemical inducers of dimerization and kinase 1 756

K

Kallikrein-like gene 2 456
Kallikrein-like gene 3 464
Kallikrein-like gene 4 472
Kallikrein-like gene 6 474
Kallikrein-related peptidase 440, 497
Kattan nomogram 168
Kennedy pathway 26
Ki-67 480
Kidney inhibitor of apoptosis protein 484
KLK-like gene 1 454
Ku70-binding protein 1 357

L

Lactate dehydrogenase 207
Laminin 706
Laminin 332 429
Lectin 403
Leucine aminopeptidase 206
Leukocyte telomere length 661
Liquefaction 267
Littre's gland 11, 257
Low-grade prostatic intraepithelial neoplasia 59
Lycopene.. 928
Lymphocyte antigen 6... 231
Lymphoid enhancer-binding factor 1 697

M

M-aconitase... 814
Macroautophagy 794

Macrophage inhibitory cytokine 1 486
Macrophage scavenger receptor 1 489
Magnetic resonance imaging 733
Magnetic resonance imaging (MRI) targeted biopsy 856
Magnetic resonance spectroscopic imaging 810
Malignancy index of prostate cancer 817
Marker of bone turnover 715
Marker of proliferation Ki-67 480
Matrilysin 491
Matrix attachment region 556
Matrix metalloprotease 327
Matrix metalloproteinase 491, 731
Matrix metalloproteinase 2 353
Matrix metalloproteinase 9 534
Melanoma inhibitor of apoptosis protein 484
Membrane metallo-endopeptidase 532
Metabolic syndrome 96, 943
Metalloelastase 491
Metalloreductase.. 569
Metastasis-associated 1 493
Methylseleninic acid 665
Met proto-oncogene tyrosine kinase 561, 771
Micronutrient 928
MicroRNA 496, 543
Microseminoprotein 200
Microseminoprotein-beta 200
Migration inhibitory factor-related protein 627
Mindbomb E3 ubiquitin protein ligase 1 480
Mini-chromosome maintenance protein 524
Mitogen-activated protein kinase 627, 641
Mitogen-activated protein kinase 707
Mitogen-activated protein kinase phosphatase 707
Mitoxantrone 138
Molecular staging 159, 187
Monocyte chemoattractant protein 1 348
Mothers against decapentaplegic homolog................................ 651
Mouse double minute 2 homolog 161
Mucin 1, cell surface associated 707
Multiparametric MRI 857
Myeloid-related protein 627

N

N-acetyl-aspartyl-glutamate (NAAG) peptidase 185
N-acetylated-α-linked-acidic dipeptidase I 185
Nanog homeobox 516
Needle biopsy 89
Nephrogenic adenoma 289
Neprilysin 532
Nerve growth factor 762
Neuroendocrine differentiation 530
Neuron-specific enolase 537
Neurosin 458

Neurotrophic tyrosine kinase receptor type 1 762
Neurotrophin 762
Neutral endopeptidase.. 532
Neutropenia... 189
Nguyen formula 163
NK3 homeobox protein 1 550
Non-cancerous prostate tissue volume 158
Non-receptor tyrosine kinase 583
Non-steroidal anti- inflammatory drug 33
Non-steroidal anti-inflammatory drug (NSAID)-regulated gene 1 protein ... 487
Normal epithelial cell-specific 1 465
NOTCH 706
Notch homolog 1 610
NSAID-activated gene 1 487
Nuclear factor kappa B 582
Nuclear factor kappa B 315, 485, 652
Nuclear magnetic resonance 810
Nuclear matrix protein 556
Nuclear receptor 699
Nucleolin.. 559

O

Obesity 96
Occupation 934
Oncosome 335
Ornithine decarboxylase 708
Osteoprotegerin 716

P

P53-upregulated modulator of apoptosis 564
Palmitoylation.. 614
Pancreatic secretory trypsin inhibitor 633
Paraoxonase 1 709
Parathyroid secretory protein 1 535
Partin Table 164
PCGEM1... 597
PDZ and LIM domain 4 709
Peptidase inhibitor 3 463
Percent free PSA 869
Performance status score... 109
Pesticide 933
Phenotype Association Indices 173
Phorbol 12-myristate 13-acetate 328
Phosphatase and tensin homolog 307, 565, 583, 684
Phosphatidylserine 34
Phosphocholine 811
Phospholipid 811
Phosphorylcholine 23
PHyde 569
Physical activity 936
Pim-1 proto-oncogene serine/threonine kinase 617

Placental bone morphogenetic protein 487
Placental TGFβ 487
Plasmalogen 34
Plasminogen activator 784
Plasminogen activator inhibitors...................................... 785
Platelet-derived growth factor.. 768
Platelet-derived growth factor BB..................................... 783
Poly ADP ribose polymerase 557, 571
Polyamines 18
Polycomb repressor complex 2 384
Polymerase chain reaction 345
Polymerase Ⅰ and transcript release factor 334
Polymorphic epithelial mucin.. 707
Polypeptide P1.B.. 687
Polypurine reverse-Hoogsteen hairpin 654
Pomegranate juice 924
Porcine TGFβ 487
Positive predictive value... 848
Postatrophic hyperplasia 289
Pro-collagen type I C-terminal propeptide 715
Pro-collagen type I N-terminal propeptide 715
Proenzyme PSA 71
Proliferating cell nuclear antigen 480, 709
Promin-1 514
Prostaglandin 27
Prostase 454
Prostasome 16
Prostate 5
Prostate and breast overexpressed gene 1 577
Prostate androgen-regulated transcript 1 581
Prostate apoptosis response protein 4 582
Prostate cancer antigen 3 .... 587, 871
Prostate cancer associated protein 1, protein up-regulated in metastatic
    prostate cancer 639
Prostate cancer-associated protein 6 641
Prostate cancer gene expression marker 1 597
Prostate Cancer Research International: Active Surveillance............. 596
Prostate cancer risk calculator 599
Prostate cancer risk factor 893
Prostate cancer stem cell... 512
Prostate Cancer Symptom Index 112
Prostate carcinoma tumor antigen 1 404
Prostate differentiation factor 487
Prostate health index 593, 601
Prostate Imaging Reporting and Data System 862
Prostate Malignancy Index 605
Prostate Risk Index 169
Prostate secretory protein 94 .... 200, 373
Prostate-specific antigen 49, 741
Prostate-specific G-protein coupled receptor 606
Prostate-specific membrane antigen 185
Prostate-specific protein of 94 amino acids 200
Prostate-specific transcript 597

APPENDIX

Prostate-specific transglutaminase 4 177
Prostate stem cell antigen 189
Prostate tumor overexpressed gene 1 protein 608
Prostatic acid phosphatase 192, 741
Prostatic inhibin-like peptide 710
Prostatic inhibin peptide 200
Prostatic massage 88
Prostatic specific acid phosphatase 192
Prostein 506, 641
Prostinogen 477
Protease 458, 468
Protease-activated receptor 612, 688, 783
Protease M 458
Protein arginine methyltransferase 5 560
Protein inhibitor of activated STAT 1 614
Protein phosphatase 2A 567
Protocadherin Y 697
Proton-beam therapy 112
Proviral integration site for Moloney murine leukemia virus (PIM) kinase 1 617
PSA density 60, 99, 870
PSA doubling time 65, 99, 871
PSA failure 156
PSA/NCPV 158
PSA reference range 65
PSA slope 62
PSA velocity 62, 159, 870
PSAV risk count 64
Pseudohyperplastic prostate carcinoma 285
Pudendal nerve compression syndrome 91

Q

Quiescin Q6 555

R

Radiation therapy 106, 110
Radical prostatectomy 104, 107
Radioimmunotherapy 188
RAF1 kinase inhibitor protein 388
Rat sarcoma viral oncogene homolog 561
Reactive oxygen species 22, 229
Recepteur d'origine nantais 179
Receptor for advanced glycation end product 627
RECIST classification 133
Regulatory element 1 (RE1)-silencing transcription factor 440
Relaxin 213, 697
Repeat prostate biopsy 867
Response Evaluation Criteria in Solid Tumors 133, 576
Retinoblastoma protein 343
Rho-associated coiled-coil protein kinase 1 507
Ribonuclease L 711
Roach formula 162

RTOG-LENT scoring system 108
Rubber industry workers 934

S

S100 calcium binding protein A9 626
Salvage open prostatectomy 130
Salvage robotic assisted laparoscopic prostatectomy 130
Salvage therapy 124
Sarcosine 687, 732, 818
Scatter factor receptor 772
Screening test 78
Selenium 918
Semenogelin 179, 268
Seminal corrected fructose 17
Seminal plasma 10, 49
Seminal vesicle 5, 223
Seminal vesicle-secreted proteins 227, 228
Sepantronium bromide 655
Septin 4 630
Septin 9 transcript variant 1 631
Serine 2 592
Serine 9 458
Serine 20 468
Serine protease 9 458
Serine protease inhibitor Kazal type 1 633
Serine type 2 681
Serine type 2/E26 159
Serine type 2:E-twenty six 374
Serotonin 549
Serpentine receptor 351
Seven-transmembrane domain receptor 351
Sex accessory tissue 49
Sex-determining region Y (SRY)-box 636
Sexual activity 935
SH3 and multiple ankyrin repeat domain protein (SHANK)-associated RH
      domain interacting protein 653
SHK1 kinase binding protein 1 560
Side population 513
Single-nucleotide polymorphisms 161
Sipuleucel-T 135
Six-transmembrane epithelial antigen of prostate 3 569
Six-transmembrane epithelial antigen of the prostate 2 639
Six-transmembrane protein of prostate 1 639
Skin- derived antileukoprotease 463
Skin fibroblast elastase 532
Small inducible cytokine A2 348
Small ubiquitin-related modifier 574
Smoking 921
Snail family zinc finger 1 399
Solute carrier family 45 member 3 .... 506, 641
Somatostatin 547
Spasmolytic polypeptide 687

Spasmolytic protein 1 687
Special AT-rich sequence-binding protein 1 557
Specific granule protein 28 201
Specific granule protein of 28 kDa 372
Sperm 237
Sphingomyelin 23, 34
SRC proto-oncogene 583
SRY-related high-mobility group (HMG)-box gene 636
Stabilin-2 644
STEAP family member 3 569
Stem cell factor 517
Stephenson nomogram 168
Steroid-5-alpha-reductase 292
Sterol regulatory element-binding protein 508
Stratum corneum chymotryptic enzyme 462
Stratum corneum tryptic enzyme 456
Stromelysin 491
SUMOylation 615
Survivin 646
Syringocele 261

T

Talin1 656
Tea and juice 924
Telomerase reverse transcriptase 660
Telomere 660
Tenascin 711
Testosterone 175
Testosterone defficiency 791
Testosterone-repressed prostate message 2 357
Theobromine 928
Thrombocytopenia 189
Thrombomodulin 739, 740
Thymidine phosphorylase 752
Thymosin 666
Thyroid transcription factor 1 741
Tissue factor pathway inhibitor 780
Tissue kallikrein 447, 613
TNF-related, apoptosis-inducing ligand 692, 774
Toll-like receptor 673
Transcription factor 697
Transferrin 209
Transferrin saturation 212
Transforming growth factor 379, 750
Transglutaminase 177
Transient receptor potential melastatin 675
Translocation-associated 610
Translocation-associated notch protein 610
Transmembrane protease 159, 374, 592, 681
Transmembrane protease serine 1 423
Transmembrane protease serine 2 614

Transperineal prostate biopsy 854
Transrectal prostate biopsy 852
Transrectal ultrasonography 90
Transurethral prostate biopsy 855
Transurethral resection of prostate 89
Treatment failure 156
Trefoil factor 687
Tropomyosin receptor kinase A 762
True corrected fructose 17
Truncated proPSA 71
Trypsin-like serine protease 468
Tumor antigen 258
Tumor-associated macrophage 489
Tumor-associated trypsin inhibitor 633
Tumor necrosis factor 356, 691
Tumor necrosis factor alpha 773
Tumor necrosis factor (ligand) superfamily, member 10 774
Tyrosine kinase receptor A 762

U

Urethral gland 257
Urokinase plasminogen activator receptor 330
Urokinase-type plasminogen activator 779
Uroplakin III 739

V

Vascular endothelial growth factor 662, 765, 786
Vascular permeability factor 765
Vas deferens 4
Vasectomy 945
Vesiculase 267
Vienna nomogram 888
Vitamin 910
V-myc myelocytomatosis viral oncogene homolog 617
Von Hippel-Lindau 353

W

Warburg effect 207, 814
WHO score 109
Wilms tumor 1 398
Wilms' tumor protein 1 584
Wingless-type mouse mammary tumor virus (MMTV) integration site ... 696

X

Xenopus laevis anterior gradient protein 2 299
X-linked 7 417
X-ray inducible transcript 8 357

APPENDIX

Y

Yale formula	163
Y-box binding protein 1	364
Yu formula	163

Z

Zinc	40, 814, 917
Zinc alpha 2-glycoprotein	701
Zinc finger MIZ-type containing 3	614
Zinc finger protein	44
Zinc phosphodiesterase ELAC protein 2	376
Zoledronic acid	140
Zubrod score	109
Zyme	458